le Robert & Collins

poche

espagnol

français-espagnol / espagnol-français

le Robert
Collins

HarperCollins Publishers
Westerhill Road
Bishopbriggs
Glasgow
G64 2QT
Great Britain

Nouvelle présentation 2009

Cuarta edición/Quatrième édition
2008

www.collinslanguage.com

Dictionnaires Le Robert
25, avenue Pierre de Coubertin
75211 Paris cedex 13
France

www.lerobert.com

ISBN 978-2-84902-638-0

Dépôt légal février 2009
Achevé d'imprimer en janvier 2009

Fotocomposición/Photocomposition
Davidson Pre-Press, Glasgow

Impreso en Francia por/
Imprimé en France par
Maury-Imprimeur

Índice

Table des matières

Introducción

Si quieres aprender el francés o aprofundizar en los conocimientos ya adquiridos, si quieres ser capaz de explicarte en la lengua de Balzac, leer o estudiar textos franceses o conversar con personas de habla francesa, acabas de escoger el compañero de trabajo ideal para poder hacerlo, ya estés en el instituto o en la universidad, seas turista, administrativo u hombre/mujer de negocios. Este diccionario, totalmente práctico y al día, abarca una gran parte del vocabulario cotidiano, del realcionado con el mundo de los negocios, de la actualidad, de la administración burocrática y del turismo.

Cómo usar el diccionario

Más abajo tienes las explicaciones necesarias para entender cómo está presentada la información en tu diccionario.

Los artículos

Éstos son los elementos que pueden componer un artículo cualquiera del diccionario:

Transcripción fonética

Ésta aparece inmediatamente después de la entrada o lema (así denominamos a la palabra cabeza del artículo) y entre corchetes. Al igual que la mayor parte de los diccionarios actuales, hemos optado por el sistema denominado 'alfabeto fonético internacional'. En las páginas xvi y xvii encontrarás una lista completa de los símbolos fonéticos utilizados en este sistema.

Información gramatical

Todas las voces incluidas en el diccionario pertenecen a una determinada categoría gramatical: sustantivo, verbo, adjetivo, pronombre, artículo, conjunción. Los sustantivos pueden ser masculinos o femeninos, ir en singular o en plural. Los verbos pueden ser transitivos, intransitivos, pronominales (o reflexivos) y también impersonales. La categoría gramatical de cada voz aparece en *cursiva*, inmediatamente después de la transcripción fonética.

A menudo una misma palabra puede funcionar con distintas categorías gramaticales. Por ejemplo **deber** puede ser verbo o sustantivo, el término francés **expert** puede ser sustantivo o adjetivo. Incluso un mismo verbo como **importer** a veces será transitivo y a veces intransitivo, dependiendo de su significado. Para que te resulte más fácil encontrar la categoría gramatical que buscas (en el caso de que haya varias dentro de un mismo artículo) y para que la presentación sea más clara, aquéllas aparecen separadas por pequeños cuadrados negros ■.

Acepciones

La mayor parte de las palabras tienen más de un sentido. Así por ejemplo **crucero** puede ser, entre otros, un tipo de barco o un tipo de viaje turístico, y según la acepción que busquemos la traducción varía: 'croiseur' en el primer caso y 'croisière' en el segundo. Otras palabras se traducen de forma distinta según el contexto: **crecer** puede ser 'grandir', pero también 'pousser' si estamos hablando del pelo, 's'agrandir' si de una ciudad, 'grossir' si de un río etc. Para que puedas escoger la traducción más indicada para cada acepción o contexto hemos incorporado indicaciones de uso o significado, que aparecen entre paréntesis y en *cursiva*. Así figuran los anteriores ejemplos en el diccionario:

> **crucero** *nm (barco)* croiseur *m*; *(viaje)* croisière *f*
> **crecer** *vi* grandir ; *(pelo)* pousser; *(ciudad)* s'agrandir; *(río)* grossir

De la misma forma, muchas voces tienen un sentido distinto según el contexto en el que se usen. Así por ejemplo, **giro** puede ser un movimiento, pero tiene un significado monetario específico. Con la incorporación de indicaciones de campo semántico (tales como *Comercio* en este caso), resulta más fácil saber cuál es la acepción que necesitamos. La mayoría de dichas acepciones aparecen abreviadas para ganar espacio:

> **giro** *nm* tour *m*; *(Com)* virement *m*

Puede verse la lista completa de las abreviaturas que hemos utilizado en las páginas xii – xv.

Traducciones

La mayor parte de las palabras españolas tienen su traducción al francés y vice-versa, como en los ejemplos que acabamos de ver. Sin embargo hay ocasiones en las que no hay un equivalente exacto en la lengua término, fundamentalmente por razones socio-culturales. En este caso hemos dado una traducción aproximada (que suele ser en realidad un equivalente cultural) y lo indicamos con el signo ≈. Éste es el caso de **académie**, cuyo equivalente en español peninsular es 'distrito universitario', o de **sobresaliente**, que equivale a 'mention très bien': no se trata de traducciones propiamente dichas, puesto que ambos sistemas educativos son diferentes.

académie *nf (Univ)* ≈ distrito universitario
sobresaliente *nm (Escol)* ≈ mention *f* très bien

A veces es imposible encontrar incluso un equivalente aproximado, como en el caso de los platos o tradiciones regionales, por lo que se hace necesario dar una explicación en lugar de la traducción. Así ocurre, por ejemplo, con:

novillada *nf course de jeunes taureaux*

Como puede verse, la explicación o glosa aparece en *cursiva*, para mayor claridad.

Así mismo, a menudo no se puede traducir una palabra aislada, o una acepción determinada de una voz. La traducción al francés de **comer** es 'manger', pero en la expresión **comerse el coco** la traducción será 'se faire du mouron'. De la misma forma, aunque **machine** se traduce normalmente por 'máquina', **machine à laver** es en realidad 'lavadora'. Es en este tipo de situaciones en las que tu diccionario te será más útil, pues es muy completo en compuestos nominales, frases y expresiones idiomáticas.

Niveles lingüísticos

En español, sabemos instintivamente cuándo usar **estoy muy cansando** y cuándo **estoy hecho polvo**. Sin embargo, a la hora de intentar comprender a alguien que está hablando en francés o bien de expresarnos nosotros mismos en esa lengua, adquiere una importancia especial saber si una palabra es coloquial o no. Así pues, hemos marcado las palabras o expresiones que no suelen utilizarse más que en una situación familiar con la indicación (*fam*) y aquéllas con las que hay que tener especial cuidado (pues pueden sonar muy vulgares a los oídos de mucha gente) con el signo de admiración (*fam!*). No hemos añadido la indicación (*fam*) a la traducción francés cuando ésta tiene el mismo nivel que la palabra que se traduce pero a las traducciones que pueden resultar vulgares siempre las sigue la indicación (*fam!*).

Palabras clave

Algunas voces particularmente importantes o complejas en ambas lenguas requieren un tratamiento especial dentro del diccionario: verbos como **hacer** o **estar** en español, o **avoir** o **faire** en francés. Por ello, aparecen bajo la denominación de 'palabra clave', y como comprobarás, se ha hecho un análisis más profundo de ellas, pues son elementos básicos de la lengua.

Información de tipo cultural

La información que aparece **en la nota cultural** explica diversos aspectos de la cultura en países de habla española y francésa, como la política, la educación, medios de comunicación y fiestas nacionales.

Nota

Tras la decisión tomada por la Real Academia Española en conjunción con las Academias hispanoamericanas, CH y LL ya no aparecen como letras independientes en este diccionario. Así por ejemplo **chapa** o **lluvia** se encuentran bajo la C y la L respectivamente. Conviene recordar que palabras como **cacha** y **callar** también han cambiado de lugar y ahora aparecen tras **cacerola** y **calizo**.

Introduction

Vous désirez apprendre l'espagnol ou approfondir des connaissances déjà solides. Vous voulez vous exprimer dans la langue de Cervantès, lire ou rédiger des textes espagnols ou converser avec des interlocuteurs espagnols. Que vous soyez lycéen, étudiant, touriste, secrétaire, homme ou femme d'affaires, vous venez de choisir le compagnon de travail idéal pour vous exprimer et pour communiquer en espagnol, oralement ou par écrit. Résolument pratique et moderne, votre dictionnaire fait une large place au vocabulaire de tous les jours, aux domaines de l'actualité, des affaires, de la bureautique et du tourisme. Comme dans tous nos dictionnaires, nous avons mis l'accent sur la langue contemporaine et sur les expressions idiomatiques.

Mode d'emploi

Vous trouverez ci-dessous quelques explications sur la manière dont les informations sont présentées dans votre dictionnaire. Notre objectif: vous donner un maximum d'informations dans une présentation aussi claire que possible.

Les articles

Voici les différents éléments dont est composé un article type dans votre dictionnaire:

Transcription phonétique

La prononciation de tous les mots figure, entre crochets, immédiatement après l'entrée. Comme la plupart des dictionnaires modernes, nous avons opté pour le système dit 'alphabet phonétique international'. Vous trouverez ci-dessous, aux pages xvi et xvii, une liste complète des caractères utilisés dans ce système.

Données grammaticales

Les mots appartiennent tous à une catégorie grammaticale donnée: nom, verbe, adjectif, adverbe, pronom, article, conjonction. Les noms peuvent être masculins ou féminins, singuliers ou pluriels. Les verbes peuvent être transitifs, intransitifs, pronominaux (ou réfléchis) ou encore impersonnels. La catégorie grammaticale des mots est indiquée en *italiques*, immédiatement après le mot.

Souvent un mot se subdivise en plusieurs catégories grammaticales. Ainsi le français **creux** peut-il être un adjectif ou un nom masculin et l'espagnol **conocido** un adjectif ('connu'), ou un nom ('connaissance'). De même le verbe **fumer** est parfois transitif ('fumer un cigare'), parfois intransitif ('défense de fumer'). Pour vous permettre de trouver plus rapidement le sens que vous cherchez, et pour aérer la présentation, nous avons séparé les différentes catégories grammaticales par un petit carré noir ■.

Subdivisions sémantiques

La plupart des mots ont plus d'un sens; ainsi **bouchon** peut être un objet en liège servant à boucher une bouteille, ou un embouteillage. D'autres mots se traduisent différemment selon le contexte dans lequel ils sont employés. Par exemple le verbe **ronfler** se traduit en espagnol par 'roncar' s'il s'agit d'une personne, mais par 'zumbar' s'il s'agit d'un poêle ou d'un moteur. Pour vous permettre de choisir la bonne traduction dans tous les contextes, nous avons subdivisé les articles en catégories de sens: chaque catégorie est introduite par une 'indication d'emploi' entre parenthèses et en *italiques*. Pour les exemples ci-dessus, les articles se présenteront donc comme suit:

bouchon *nm* (*en liège*) corcho; (*autre matière*) tapón *m*; (*embouteillage*) atasco
ronfler *vi* (*personne*) roncar; (*poêle, moteur*) zumbar

De même certains mots changent de sens lorsqu'ils sont employés dans un domaine spécifique, comme par exemple **charme** que nous employons tous les jours dans son acception d' 'attrait', mais qui est aussi un arbre. Pour montrer à l'utilisateur quelle traduction choisir, nous avons donc ajouté, en *italiques* entre parenthèses, une indication de domaine, à savoir dans ce cas particulier (*Botanique*), que nous avons abrégé pour gagner de la place en (*Bot*):

charme *nf* encanto; (*Bot*) carpe *m*

Une liste complète des abréviations dont nous nous sommes servis dans ce dictionnaire figure aux pages xii – xv.

Traductions

La plupart des mots français se traduisent par un seul mot espagnol, et vice-versa, comme dans les exemples ci-dessus. Parfois cependant, il arrive qu'il n'y ait pas d'équivalent exact dans la langue d'arrivée et nous avons donné un équivalent approximatif, indiqué par le signe ≈. C'est le cas par exemple pour le mot composé **brevet (des collèges)** dont l'équivalent espagnol est 'Graduado Escolar': il ne s'agit pas d'une traduction à proprement parler puisque nos deux systèmes scolaires sont différents:

brevet (des collèges) ≈ Graduado Escolar

Parfois, il est même impossible de trouver un équivalent approximatif. C'est le cas par exemple pour les noms de plats régionaux, comme ce plat des Asturies:

fabada *nf potage mijoté avec des haricots et du chorizo*

L'explication remplace ici une traduction (qui n'existe pas); pour plus de clarté, cette explication, ou glose, est donnée en *italiques*.

Souvent aussi, on ne peut traduire isolément un mot, ou une acception particulière d'un mot. La traduction espagnole de **malin**, par exemple, est 'astuto', 'pícaro'; cependant **faire le malin** se traduit 'dárselas de listo'. Même une expression toute simple comme **machine à laver** nécessite une traduction séparée, en l'occurrence 'lavadora' (et non 'máquina de lavar'). C'est là que votre dictionnaire se révélera particulièrement utile et complet, car il contient un maximum de mots composés, de phrases et d'expressions idiomatiques.

Registre

En français, vous saurez instinctivement quand dire **j'en ai assez** et quand dire **j'en ai marre** ou **j'en ai ras le bol**. Mais lorsque vous essayez de comprendre quelqu'un qui s'exprime en espagnol, ou de vous exprimer vous-même en espagnol, il est particulièrement important de savoir ce qui est poli et ce qui l'est moins. Nous avons donc ajouté l'indication (*fam*) aux expressions de langue familière; les expressions particulièrement grossières se voient dotées d'un point d'exclamation supplémentaire (*fam!*) (dans la langue de départ comme dans la langue d'arrivée), vous incitant à une prudence accrue. Notez que l'indication (*fam*) n'est pas répétée dans la langue d'arrivée lorsque le registre de la traduction est le même que celui du mot ou de l'expression traduits.

Notes culturelles

Des informations présentées sous forme de notices en-dessous de l'entrée expliquent des événements culturellement intéressants, comme la politique, l'éducation et les fêtes nationales aux pays de langue francaise et espagnole.

Mots-clés

Vous constaterez que certains mots apparaissent sous la mention **mot-clé**. Il s'agit de mots particulièrement complexes ou importants, comme **avoir** et **faire** ou leurs équivalents espagnols **tener** et **hacer**, que nous avons traités d'une manière plus approfondie parce que ce sont des éléments de base de la langue.

Note

En accord avec la décision prise par l'Académie Royale d'Espagne conjointement avec les académies hispano-américaines, CH et LL ne figurent plus comme des lettres à part entière dans ce dictionnaire. Ainsi, par exemple, les mots **chapa** et **lluvia** sont respectivement incorporés aux lettres C et L. Il convient de rappeler que des termes comme **cacha** et **callar** ont également changé de place et se trouvent maintenant respectivement placés après **cacerola** et **calizo**.

Abreviaturas | Abréviations

abreviatura	*abr*	abréviation
adjetivo	*adj*	adjectif
administración	*Admin*	administration
adverbio	*adv*	adverbe
agricultura	*Agr*	agriculture
alguien	*algn*	quelqu'un
América Latina	*AM*	Amérique Latine
anatomía	*Anat*	anatomie
Andes	*And*	Andes
Antillas	*Ant*	Antilles
Argentina	*Arg*	Argentine
arquitectura	*Arq, Archit*	architecture
artículo	*art*	article
astrología	*Astrol*	astrologie
astronomía	*Astron*	astronomie
el automóvil	*Auto*	automobile
auxiliar	*aux*	auxiliaire
aviación	*Aviat*	aviation
biología	*Bio(l)*	biologie
botánica	*Bot*	botanique
Caribe	*Carib*	Caraïbes
Chile	*Chi*	Chili
química	*Chim*	chimie
cine	*Cine, Ciné*	cinéma
Colombia	*Col*	Colombie
comercio	*Com(m)*	commerce
conjunción	*conj*	conjonction
construcción	*Constr*	construction
Cono Sur	*Csur*	Argentine, Chili et Uruguay
Cuba	*Cu*	Cuba
cocina	*Culin*	cuisine
definido	*def, déf*	défini
demostrativo	*demos*	démonstratif
determinado	*det, dét*	déterminant
economía	*Econ, Écon*	économie
eletricidad, electrónica	*Elec, Élec*	électricité, électronique

escolar	*Escol*	enseignement
España	*Esp*	Espagne
especialmente	*esp*	surtout
etcétera	*etc*	et cetera
exclamación	*excl*	exclamation
femenino	*f*	féminin
lengua familiar	*fam*	familier
vulgar	*fam!*	vulgaire
ferrocarril	*Ferro*	chemins de fer
figurado	*fig*	figuré
finanzas	*Fin*	finance
filosofía	*Filos*	philosophie
física	*Fís*	physique
fisiología	*Fisiol*	physiologie
fotografía	*Foto*	photographie
generalmente	*gen, gén*	en général, généralement
geografía	*Geo, Géo*	géographie
geometría	*Geom, Géom*	géométrie
Guatemala	*Guat*	Guatemala
storia	*Hist*	histoire
humorístico	*hum*	humoristique
industria	*Ind*	industrie
indefinado	*indef, indéf*	indéfini
informática	*Inform*	informatique
interrogativo	*interrog*	interrogatif
invariable	*inv*	invariable
irónico	*iron*	ironique
jurídico	*Jur*	juridique
lingüística	*Ling*	linguistique
literatura	*Lit(t)*	littérature
literario	*litt*	littéraire
masculino	*m*	masculin
matemáticas	*Mat(h)*	mathématiques
masculino/femenino	*m/f*	masculin/féminin
medicina	*Med, Méd*	médecine
meterología	*Météo*	météorologie
México	*Méx, Mex*	Mexique
militar	*Mil*	militaire

música	*Mús,Mus*	musique
nombre	*n*	nom
náutica	*Náut, Naut*	nautisme
Nicaragua	*Nic*	Nicaragua
número	*num*	numéro
Panamá	*Pan*	Panama
Perú	*Pe*	Pérou
peyorativo	*pey, péj*	péjoratif
filosofía	*Philos*	philosophie
fotografía	*Photo*	photographie
física	*Phys*	physique
fisiología	*Physiol*	physiologie
plural	*pl*	pluriel
política	*Pol*	politique
participio de pasado	*pp*	participe passé
prefijo	*pref, préf*	préfixe
preposición	*prep, prép*	préposition
pronombre	*pron*	pronom
psicología	*Psico, Psych*	psychologie
algo	*qch*	quelque chose
alguien	*qn*	quelqu'un
química	*Quím*	chimie
ferrocarril	*Rail*	chemins de fer
religión	*Rel*	religion
relativo	*rel*	relatif
escolar	*Scol*	enseignement
singular	*sg*	singulier
subjuntivo	*subj(un)*	subjonctif
sufijo	*suf*	suffixe
sujeto	*suj*	sujet
también	*tb*	aussi
técnica, tecnología	*Tec(h)*	technique
telecomunicaciones	*Telec, Tél*	télécommunications
tipografía	*Tip, Typo*	typographie
televisión	*TV*	télévision
universidad	*Univ*	université
ver	*v*	voir
verbo	*vb*	verbe
Venezuela	*Ven*	Venezuela

verbo intransitivo	*vi*	verbe intransitif
verbo pronominal	*vpr*	verbe pronominal
verbo transitivo	*vt*	verbe transitif
zoología	*Zool*	zoologie
marca registrada	®	marque déposée
indica un equivalente cultural	≈	indique une équivalence culturelle

Transcripción fonética

Consonantes		Consonnes
*p*a*p*el	p	*p*ou*p*ée
*b*oda	b	*b*om*b*e
la*b*or u*v*a	β	
*t*in*t*o	t	*t*en*t*e *th*ermal
*d*ama	d	*d*in*d*e
*c*asa *q*ue *k*ilo	k	*c*o*q* *q*ui *k*épi
*g*oma	g	*g*a*g* ba*g*ue
pa*g*ar	ɣ	
quizá*s*	s	*s*ale *c*e na*t*ion
	z	*z*éro ro*s*e
	ʃ	ta*ch*e *ch*at
	ʒ	*g*ilet *j*u*g*e
*ch*iste	tʃ	*tch*ao
*f*in	f	*f*er *ph*are
	v	*v*al*v*e
tena*z* *c*ena[1]	θ	
cuida*d*	ð	
*l*ejos	l	*l*ent sa*ll*e
ta*ll*e[2]	ʎ	mi*ll*ion
	ʀ	*r*a*r*e *r*ent*r*er
ca*r*o quita*r*	r	
ga*rr*a	rr	
*m*adre	m	*m*a*m*an fe*mm*e
*n*ara*n*ja	n	*n*on *n*o*nn*e
ni*ñ*o	ɲ	a*gn*eau vi*gn*e
	ŋ	parki*ng*
*h*aber	h	*h*op!
b*i*en *y*unta	j	*y*eux pa*ill*e p*i*ed
h*u*evo	w	n*ou*er *ou*i
	ɥ	h*u*ile l*u*i
*j*ugar	x	

[1] se prononce parfois [s] [2] se prononce parfois [ʒ]

Semiconsonantes		Semi-consonnes
v*ia*je	ja	
v*ie*ne	je	
rad*io*	jo	
v*iu*da	ju	
c*ua*nto	wa	
s*ue*ño	we	
r*ui*do	wi	
c*uo*ta	wo	

Transcription phonétique

Vocales		Voyelles
pino	i	ici vie lyrique
me	e	jouer été
	ɛ	lait jouet merci
pata	a	plat amour
	ɑ	bas pâte
	ə	le premier
	œ	beurre peur
	ø	peu deux
	ɔ	or homme
loco	o	mot eau gauche
lunes	u	genou roue
	y	rue urne

Diptongos		Diphtongues
baile	ai	
auto	au	
veinte	ei	
deuda	eu	
hoy	oi	

Nasales		Nasal vowels
	ɛ̃	matin plein
	œ̃	brun
	ɑ̃	gens jambe dans
	ɔ̃	non pont pompe

Diversos		Divers
para el francés: indica que la h impide el enlace entre dos palabras sucesivas	ˈ	pour l'espagnol: précède la syllabe accentuée

Verbes espagnols

1 gerundio **2** imperativo **3** presente **4** pretérito **5** futuro **6** presente de subjuntivo **7** imperfecto de subjuntivo **8** participio pasado **9** imperfecto **10** condicional

acertar **2** acierta **3** acierto, aciertas, acierta, aciertan **6** acierte, aciertes, acierte, acierten

acordar **2** acuerda **3** acuerdo, acuerdas, acuerda, acuerdan **6** acuerde, acuerdes, acuerde, acuerden

advertir **1** advirtiendo **2** advierte, advierto, adviertes, advierte, advierten **4** advirtió, advirtieron **6** advierta, adviertas, advierta, advirtamos, advirtáis, adviertan **7** advirtiera *etc*

agradecer **3** agradezco **6** agradezca *etc*

andar **4** anduve, anduviste, anduvo, anduvimos, anduvisteis, anduvieron **7** anduviera *ou* anduviese *etc*

aparecer **3** aparezco **6** aparezca *etc*

aprobar **2** aprueba **3** apruebo, apruebas, aprueba, aprueban **6** apruebe, apruebes, apruebe, aprueben

atravesar **2** atraviesa **3** atravieso, atraviesas, atraviesa, atraviesan **6** atraviese, atravieses, atraviese, atraviesen

caber **3** quepo **4** cupe, cupiste, cupo, cupimos, cupisteis, cupieron **5** cabré *etc* **6** quepa *etc* **7** cupiera *etc*

caer **1** cayendo **3** caigo **4** cayó, cayeron **6** caiga *etc* **7** cayera *etc*

calentar **2** calienta **3** caliento, calientas, calienta, calientan **6** caliente, calientes, caliente, calienten

cerrar **2** cierra **3** cierro, cierras, cierra, cierran **6** cierre, cierres, cierre, cierren

COMER **1** comiendo **2** come, comed **3** como, comes, come, comemos, coméis, comen **4** comí, comiste, comió, comimos, comisteis, comieron **5** comeré, comerás, comerá, comeremos, comeréis, comerán **6** coma, comas, coma, comamos, comáis, coman **7** comiera, comieras, comiera, comiéramos, comierais, comieran **8** comido **9** comía, comías, comía, comíamos, comíais, comían

conocer **3** conozco **6** conozca *etc*

contar **2** cuenta **3** cuento, cuentas, cuenta, cuentan **6** cuente, cuentes, cuente, cuenten

costar **2** cuesta **3** cuesto, cuestas, cuesta, cuestan **6** cueste, cuestes, cueste, cuesten

dar **3** doy **4** di, diste, dio, dimos, disteis, dieron **7** diera *etc*

decir **2** di **3** digo **4** dije, dijiste, dijo, dijimos, dijisteis, dijeron **5** diré *etc* **6** dige *etc* **7** dijera *etc* **8** dicho

despertar **2** despierta **3** despierto, despiertas, despierta, despiertan **6** despierte, despiertes, despierte, despierten

divertir **1** divirtiendo **2** divierte **3** divierto, diviertes, divierte, divierten **4** divirtió, divirtieron **6** divierta, diviertas, divierta, divirtamos, divirtáis, diviertan **7** divirtiera *etc*

dormir **1** durmiendo **2** duerme **3** duermo, duermes, duerme, duermen **4** durmió, durmieron **6** duerma, duermas, duerma, durmamos, durmáis, duerman **7** durmiera *etc*

empezar **2** empieza, empiece, empecemos, empiecen **3** empiezo, empiezas, empieza, empiezan **4** empecé **6** empiece, empieces, empiece, empecemos, empecéis, empiecen

entender **2** entiende **3** entiendo, entiendes, entiende, entienden **6** entienda, entiendas, entienda, entiendan

ESTAR **2** está **3** estoy, estás, está, están **4** estuve, estuviste, estuvo, estuvimos, estuvisteis, estuvieron **6** esté, estés, esté, estén **7** estuviera *etc*.

HABER **3** he, has, ha, hemos, habéis, han **4** hube, hubiste, hubo, hubimos, hubisteis, hubieron **5** habré *etc* **6** haya *etc* **7** hubiera *etc*

HABLAR **1** hablando **2** habla, hable, hablemos, hablad, hablen **3** hablo, hablas, habla, hablamos, habláis, hablan **4** hablé, hablaste, habló, hablamos, hablasteis, hablaron **5** hablaré, ha-blarás, hablará, hablaremos, hablarĕis, hablarán **6** hable, hables, hable, hablemos, habléis, hablen **7** hablara *ou* hablase, hablaras *ou* hablases, habláramos *ou* hablásemos, hablarais *ou* hablaseis, hablaran *ou* hablasen **8** hablado **9** hablaba, hablabas, hablaba, hablábamos, hablabais, hablaban **10** hablaría, hablarías, hablaría, hablaríamos, hablaríais, hablarían

hacer **2** haz **3** hago **4** hice, hiciste, hizo, hicimos, hicisteis, hicieron **5** haré *etc* **6** haga *etc* **7** hiciera *etc* **8** hecho

instruir **1** instruyendo **2** instruye **3** instruyo, instruyes, instruye, instruyen **4** instruyó, instruyeron **6** instruya *etc* **7** instruyera *etc*

ir **1** yendo **2** ve **3** voy, vas, va, vamos, vais, van **4** fui, fuiste, fue, fuimos, fuisteis, fueron **6** vaya, vayas, vaya, vayamos, vayáis, vayan **7** fuera *etc* **9** iba, ibas, iba, íbamos, ibais, iban

jugar **2** juega **3** juego, juegas, juega, juegan **4** jugué **6** juegue *etc*

leer **1** leyendo **4** leyó, leyeron **7** leyera *etc*

morir **1** muriendo **2** muere **3** muero, mueres, muere, mueren **4** murió, murieron **6** muera, mueras, muera, muramos, muráis, mueran **7** muriera *etc* **8** muerto

mostrar **2** muestra, muestro, muestras, muestra, muestran **6** muestre, muestres, muestre, muestren

mover **2** mueve **3** muevo, mueves, mueve, mueven **6** mueva, muevas, mueva, muevan

negar **2** niega **3** niego, niegas, niega, niegan **4** negué **6** niegue, niegues, niegue, neguemos, neguéis, nieguen

ofrecer **3** ofrezco **6** ofrezca *etc*

oír **1** oyendo **2** oye **3** oigo, oyes, oye, oyen **4** oyó, oyeron **6** oiga *etc* **7** oyera *etc*

oler **2** huele **3** huelo, hueles, huele, huelen **6** huela, huelas, huela, huelan

parecer **3** parezco **6** parezca *etc*

pedir **1** pidiendo **2** pide **3** pido, pides, pide, piden **4** pidió, pidieron **6** pida *etc* **7** pidiera *etc*

pensar **2** piensa **3** pienso, piensas, piensa, piensan **6** piense, pienses, piense, piensen

perder **2** pierde **3** pierdo, pierdes, pierde, pierden **6** pierda, pierdas, pierda, pierdan

poder **1** pudiendo **2** puede **3** puedo, puedes, puede, pueden **4** pude, pudiste, pudo, pudimos, pudisteis, pudieron **5** podré *etc* **6** pueda, puedas, pueda, puedan **7** pudiera *etc*

poner **2** pon **3** pongo **4** puse, pusiste, puso, pusimos, pusisteis, pusieron **5** pondré *etc* **6** ponga *etc* **7** pusiera *etc* **8** puesto

preferir **1** prefiriendo **2** prefiere **3** prefiero, prefieres, prefiere, prefieren **4** prefirió, prefirieron **6** prefiera, prefieras, prefiera, prefiramos, prefiráis, prefieran **7** prefiriera *etc*

querer **2** quiere **3** quiero, quieres, quiere, quieren **4** quise, quisiste, quiso, quisimos, quisisteis, quisieron **5** querré *etc* **6** quiera, quieras, quiera, quieran **7** quisiera *etc*

reír **2** ríe **3** río, ríes, ríe, ríen **4** reí, rieron **6** ría, rías, ría, riamos, riáis, rían **7** riera *etc*

repetir **1** repitiendo **2** repite **3** repito, repites, repite, repiten **4** repitió, repitieron **6** repita *etc* **7** repitiera *etc*

rogar **2** ruega **3** ruego, ruegas, ruega, ruegan **4** rogué **6** ruegue, ruegues, ruegue, roguemos, roguéis, rueguen

saber **3** sé **4** supe, supiste, supo, supimos, supisteis, supieron **5** sabré *etc* **6** sepa *etc* **7** supiera *etc*

salir **2** sal **3** salgo **5** saldré *etc* **6** salga *etc*

seguir **1** siguiendo **2** sigue **3** sigo, sigues, sigue, siguen **4** siguió, siguieron **6** siga *etc* **7** siguiera *etc*

sentar **2** sienta **3** siento, sientas, sienta, sientan **6** siente, sientes, siente, sienten

sentir **1** sintiendo **2** siente **3** siento, sientes, siente, sienten **4** sintió, sintieron **6** sienta, sientas, sienta, sintamos, sintáis, sientan **7** sintiera *etc*

SER **2** sé **3** soy, eres, es, somos, sois, son **4** fui, fuiste, fue, fuimos, fuisteis, fueron **6** sea *etc* **7** fuera *etc* **9** era, eras, era, éramos, erais, eran

servir **1** sirviendo **2** sirve **3** sirvo, sirves, sirve, sirven **4** sirvió, sirvieron **6** sirva *etc* **7** sirviera *etc*

soñar **2** sueña **3** sueño, sueñas, sueña, sueñan **6** sueñe, sueñes, sueñe, sueñen

tener **2** ten **3** tengo, tienes, tiene, tienen **4** tuve, tuviste, tuvo, tuvimos, tuvisteis, tuvieron **5** tendré *etc* **6** tenga *etc* **7** tuviera *etc*

traer **1** trayendo **3** traigo **4** traje, trajiste, trajo, trajimos, trajisteis, trajeron **6** traiga *etc.* **7** trajera *etc*

valer **2** vale **3** valgo **5** valdré *etc* **6** valga *etc*

venir **2** ven **3** vengo, vienes, viene, vienen **4** vine, viniste, vino, vinimos, vinisteis, vinieron **5** vendré *etc* **6** venga *etc* **7** viniera *etc*

ver **3** veo **6** vea *etc* **8** visto **9** veía *etc*

vestir **1** vistiendo **2** viste **3** visto, vistes, viste, visten **4** vistió, vistieron **6** vista *etc* **7** vistiera *etc*

VIVIR **1** viviendo **2** vive, viva, vivamos, vivid, vivan **3** vivo, vives, vive, vivimos, vivís, viven **4** viví, viviste, vivió, vivimos, vivisteis, vivieron **5** viviré, vivirás, vivirá, viviremos, viviréis, vivirán **6** viva, vivas, viva, vivamos, viváis, vivan **7** viviera *ou* viviese, vivieras *ou* vivieses, viviera *ou* viviese, viviéramos *ou* viviésemos, vivierais *ou* vivieseis, vivieran *ou* viviesen **8** vivido **9** vivía, vivías, vivía, vivíamos, vivías, vivían **10** viviría, vivirías, viviría, viviríamos, viviríais, vivirían

volcar **2** vuelca, vuelque, volquemos, vuelquen **3** vuelco, vuelcas, vuelca, vuelcan **4** volqué **6** vuelque, vuelques, vuelque, volquemos, volquéis, vuelquen

volver **2** vuelve **3** vuelvo, vuelves, vuelve, vuelven **6** vuelva, vuelvas, vuelva, vuelvan **8** vuelto

Los verbos franceses

1 Participe présent **2** Participe passé **3** Présent **4** Imparfait **5** Futur **6** Conditionnel **7** Subjonctif présent

acquérir **1** acquérant **2** acquis **3** acquiers, acquérons, acquièrent **4** acquérais **5** acquerrai **7** acquière

ALLER **1** allant **2** allé **3** vais, vas, va, allons, allez, vont **4** allais **5** irai **6** irais **7** aille

asseoir **1** asseyant **2** assis **3** assieds, asseyons, asseyez, asseyent **4** asseyais **5** assiérai **7** asseye

atteindre **1** atteignant **2** atteint **3** atteins, atteignons **4** atteignais **7** atteigne

AVOIR **1** ayant **2** eu **3** ai, as, a, avons, avez, ont **4** avais **5** aurai **6** aurais **7** aie, aies, ait, ayons, ayez, aient

battre **1** battant **2** battu **3** bats, bat, battons **4** battais **7** batte

boire **1** buvant **2** bu **3** bois, buvons, boivent **4** buvais **7** boive

bouillir **1** bouillant **2** bouilli **3** bous, bouillons **4** bouillais **7** bouille

conclure **1** concluant **2** conclu **3** conclus, concluons **4** concluais **7** conclue

conduire **1** conduisant **2** conduit **3** conduis, conduisons **4** conduisais **7** conduise

connaître **1** connaissant **2** connu **3** connais, connaît, connaissons **4** connaissais **7** connaisse

coudre **1** cousant **2** cousu **3** couds, cousons, cousez, cousent **4** cousais **7** couse

courir **1** courant **2** couru **3** cours, courons **4** courais **5** courrai **7** coure

couvrir **1** couvrant **2** couvert **3** couvre, couvrons **4** couvrais **7** couvre

craindre **1** craignant **2** craint **3** crains, craignons **4** craignais **7** craigne

croire **1** croyant **2** cru **3** crois, croyons, croient **4** croyais **7** croie

croître **1** croissant **2** crû, crue, crus, crues **3** croîs, croissons **4** croissais **7** croisse

cueillir **1** cueillant **2** cueilli **3** cueille, cueillons **4** cueillais **5** cueillerai **7** cueille

devoir **1** devant **2** dû , due, dus, dues **3** dois, devons, doivent **4** devais **5** devrai **7** doive

dire **1** disant **2** dit **3** dis, disons, dites, disent **4** disais **7** dise

dormir **1** dormant **2** dormi **3** dors, dormons **4** dormais **7** dorme

écrire **1** écrivant **2** écrit **3** écris, écrivons **4** écrivais **7** écrive

ÊTRE **1** étant **2** été **3** suis, es, est, sommes, êtes, sont **4** étais **5** serai **6** serais **7** sois, sois, soit, soyons, soyez, soient

FAIRE **1** faisant **2** fait **3** fais, fais, fait, faisons, faites, font **4** faisais **5** ferai **6** ferais **7** fasse

falloir **2** fallu **3** faut **4** fallait

5 faudra **7** faille

FINIR **1** finissant **2** fini **3** finis, finis, finit, finissons, finissez, finissent **4** finissais **5** finirai **6** finirais **7** finisse

fuir **1** fuyant **2** fui **3** fuis, fuyons, fuient **4** fuyais **7** fuie

joindre **1** joignant **2** joint **3** joins, joignons **4** joignais **7** joigne

lire **1** lisant **2** lu **3** lis, lisons **4** lisais **7** lise

luire **1** luisant **2** lui **3** luis, luisons **4** luisais **7** luise

maudire **1** maudissant **2** maudit **3** maudis, maudissons **4** maudissait **7** maudisse

mentir **1** mentant **2** menti **3** mens, mentons **4** mentais **7** mente

mettre **1** mettant **2** mis **3** mets, mettons **4** mettais **7** mette

mourir **1** mourant **2** mort **3** meurs, mourons, meurent **4** mourais **5** mourrai **7** meure

naître **1** naissant **2** né **3** nais, naît, naissons **4** naissais **7** naisse

offrir **1** offrant **2** offert **3** offre, offrons **4** offrais **7** offre

PARLER **1** parlant **2** parlé **3** parle, parles, parle, parlons, parlez, parlent **4** parlais, parlais, parlait, parlions, parliez, parlaient **5** parlerai, parleras, parlera, parlerons, parlerez, parleront **6** parlerais, parlerais, parlerait, parlerions, parleriez, parleraient **7** parle, parles, parle, parlions, parliez, parlent *imperativo* parle!, parlez!

partir **1** partant **2** parti **3** pars, partons **4** partais **7** parte

plaire **1** plaisant **2** plus **3** plais, plaît, plaisons **4** plaisais **7** plaise

pleuvoir **1** pleuvant **2** plu **3** pleut, pleuvent **4** pleuvait **5** pleuvra **7** pleuve

pourvoir **1** pourvoyant **2** pourvu **3** pourvois, pourvoyons, pourvoient **4** pourvoyais **7** pourvoie

pouvoir **1** pouvant **2** pu **3** peux, peut, pouvons, peuvent **4** pouvais **5** pourrai **7** puisse

prendre **1** prenant **2** pris **3** prends, prenons, prennent **4** prenais **7** prenne

prévoir *como* **voir** **5** prévoirai

RECEVOIR **1** recevant **2** reçu **3** reçois, reçois, reçoit, recevons, recevez, reçoivent **4** recevais **5** recevrai **6** recevrais **7** reçoive

RENDRE **1** rendant **2** rendu **3** rends, rends, rend, rendons, rendez, rendent **4** rendais **5** rendrai **6** rendrais **7** rende

résoudre **1** résolvant **2** résolu **3** résous, résout, résolvons **4** résolvais **7** résolve

rire **1** riant **2** ri **3** ris, rions **4** riais **7** rie

savoir **1** sachant **2** su **3** sais, savons, savent **4** savais **5** saurai **7** sache *imperativo* sache, sachons, sachez

servir **1** servant **2** servi **3** sers, servons **4** servais **7** serve

sortir **1** sortant **2** sorti **3** sors, sortons **4** sortais **7** sorte

souffrir **1** souffrant **2** souffert **3** souffre, souffrons **4** souffrais **7** souffre

suffire **1** suffisant **2** suffi **3** suffis, suffisons **4** suffisais **7** suffise

suivre **1** suivant **2** suivi **3** suis, suivons **4** suivais **7** suive

taire **1** taisant **2** tu **3** tais, taisons **4** taisais **7** taise

tenir **1** tenant **2** tenu **3** tiens, tenons, tiennent **4** tenais **5** tiendrai **7** tienne

vaincre **1** vainquant **2** vaincu **3** vaincs, vainc, vainquons **4** vainquais **7** vainque

valoir **1** valant **2** valu **3** vaux, vaut, valons **4** valais **5** vaudrai **7** vaille

venir **1** venant **2** venu **3** viens, venons, viennent **4** venais **5** viendrai **7** vienne

vivre **1** vivant **2** vécu **3** vis, vivons **4** vivais **7** vive

voir **1** voyant **2** vu **3** vois, voyons, voient **4** voyais **5** verrai **7** voie

vouloir **1** voulant **2** voulu **3** veux, veut, voulons, veulent **4** voulais **5** voudrai **7** veuille *imperativo* veuillez

Los números		Les nombres
un(o)(-a)	**1**	un(e)
dos	**2**	deux
tres	**3**	trois
cuatro	**4**	quatre
cinco	**5**	cinq
seis	**6**	six
siete	**7**	sept
ocho	**8**	huit
nueve	**9**	neuf
diez	**10**	dix
once	**11**	onze
doce	**12**	douze
trece	**13**	treize
catorce	**14**	quatorze
quince	**15**	quinze
dieciséis	**16**	seize
diecisiete	**17**	dix-sept
dieciocho	**18**	dix-huit
diecinueve	**19**	dix-neuf
veinte	**20**	vingt
veintiun(o)(-a)	**21**	vingt et un(e)
veintidós	**22**	vingt-deux
treinta	**30**	trente
treinta y uno(-a)	**31**	trente et un(e)
treinta y dos	**32**	trente-deux
cuarenta	**40**	quarante
cincuenta	**50**	cinquante
sesenta	**60**	soixante
setenta	**70**	soixante-dix
setenta y uno(-a)	**71**	soixante et onze
setenta y dos	**72**	soixante-douze
ochenta	**80**	quatre-vingts
ochenta y uno(-a)	**81**	quatre-vingt-un(e)
noventa	**90**	quatre-vingt-dix
noventa y uno(-a)	**91**	quatre-vingt-onze
cien(to)	**100**	cent
ciento un(o)(-a)	**101**	cent un(e)
ciento cincuenta y seis	**156**	cent cinquante-six

doscientos(-as)	**200**	deux cents
trescientos(-as) uno(-a)	**301**	trois cent un(e)
quinientos(-as)	**500**	cinq cents
mil	**1 000**	mille
cinco mil	**5 000**	cinq mille
un millón	**1 000 000**	un million

primer(o)(-a), 1º(1ª)	premier (première), 1er (1ère)
segundo(-a), 2º(2ª)	deuxième, 2e, 2ème
tercer(o)(-a), 3º(3ª)	troisième, 3e, 3ème
cuarto(-a)	quatrième
quinto(-a)	cinquième
sexto(-a)	sixième
séptimo(-a)	septième
octavo(-a)	huitième
noveno(-a)	neuvième
décimo(-a)	dixième
undécimo(-a)	onzième
duodécimo(-a)	douzième
decimotercero(-a)	treizième
decimocuarto(-a)	quatorzième
decimoquinto(-a)	quinzième
decimosexto(-a)	seizième
decimoséptimo(-a)	dix-septième
decimoctavo(-a)	dix-huitième
decimonoveno(-a)	dix-neuvième
vigésimo(-a)	vingtième
vigésimo primero(-a)	vingt et unième
vigésimo segundo(-a)	vingt-deuxième
trigésimo(-a)	trentième
centésimo(-a)	centième
centésimo primero(-a)	cent-unième
milésimo(-a)	millième

La hora	L'heure
¿qué hora es?	quelle heure est-il ?
es/son ...	il est ...
es la una	il est une heure
son las cuatro	il est quatre heures
es la medianoche/son las doce de la noche	minuit
la una (de la madrugada)	une heure (du matin)
la una y cinco	une heure cinq
la una y diez	une heure dix
la una y cuarto	une heure et quart
la una y veinticinco	une heure vingt cinq
la una y media *o* treinta	une heure et demie, une heure trente
las dos menos veinticinco	deux heures moins vingt-cinq
las dos menos veinte	deux heures moins vingt, une heure quarante
las dos menos cuarto	deux heures moins le quart, une heure quarante-cinq
dos menos diez	deux heures moins dix
mediodía, las doce (de la mañana)	midi
las dos (de la tarde)	deux heures (de l'après-midi)
las siete (de la tarde)	sept heures (du soir)
¿a qué hora?	à quelle heure ?
a medianoche	à minuit
a las siete	à sept heures
a la una	à une heure
en veinte minutes	dans vingt minutes
hace diez minutos	il y a dix minutes

La fecha	La date
hoy	aujourd'hui
mañana	demain
pasado mañana	après-demain
ayer	hier
antes de ayer, anteayer	avant-hier
la víspera	la veille
el día siguiente	le lendemain
por la mañana	le matin
por la tarde	le soir
esta mañana	ce matin
esta tarde	cet après-midi
esta tarde	ce soir
ayer por la mañana	hier matin
ayer por la tarde	hier soir
mañana por la mañana	demain matin
mañana por la tarde	demain soir
en la noche del sábado al domingo	dans la nuit de samedi à vendredi
vendrá el sábado	il viendra samedi
los sábados	le samedi
todos los sábados	tous les samedis
el sábado pasado	samedi dernier
el sábado que viene, el próximo sábado	samedi prochain
del sábado en ocho días	samedi en huit
del sábado en quince días	samedi en quinze
de lunes a sábado	du lundi au samedi
todos los días	tous les jours
una vez a la semana	une fois par semaine
una vez al mes	une fois par mois
dos veces a la semana	deux fois par semaine
hace una semana *o* ocho días	il y a une semaine *ou* huit jours
hace quince días	il y a quinze jours
el año pasado	l'année passée *ou* dernière
dentro de dos días	dans deux jours
dentro de ocho días *o* una semana	dans huit jours *ou* une semaine
dentro de quince días	dans quinze jours
el mes que viene, el próximo mes	le mois prochain
el año que viene, el próximo año	l'année prochaine

¿a qué *o* a cuántos estamos?	quel jour sommes-nous ?
el 1/24 octubre de 2006	le 1er/24 octobre 2006
nací el 22 octubre de 1967	je suis né le 22 octobre, 1967
Barcelona, a 24 octubre de 2006	Barcelona, le 24 octobre 2006 (*lettre*)
en 2006	en 2006
mil novecientos noventa y seis	mille neuf cent quatre-vingt-seize
dos mil y tres	deux mille six
44 a. de J.C.	44 av. J.–C.
14 d. de J.C.	14 av J.-C.
en el (siglo) XIX	au XIXe (siècle)
en los años treinta	dans les années trente
érase una vez ...	il était une fois ...

FRANÇAIS – ESPAGNOL

FRANCÉS – ESPAÑOL

a

a [a] *vb voir* **avoir**

MOT-CLÉ

à [a] (*à + le* = **au,** *à + les* = **aux**) *prép* 1 (*endroit, situation*) en; **être à Paris/au Portugal** estar en París/en Portugal; **être à la maison/à l'école/au bureau** estar en casa/en el colegio/en la oficina; **être à la campagne** estar en el campo; **c'est à 10 km/à 20 minutes (d'ici)** está a 10 km/a 20 minutos (de aquí); **à la radio/télévision** en la radio/televisión
2 (*direction*) a; **aller à Paris/au Portugal** ir a París/a Portugal; **aller à la maison/à l'école/au bureau** ir a casa/al colegio/a la oficina; **aller à la campagne** ir al campo
3 (*temps*) a; **à 3 heures/à minuit** a las tres/a medianoche; **à demain/lundi/la semaine prochaine!** ¡hasta mañana/el lunes/la semana que viene!; **au printemps/au mois de juin** en primavera/el mes de junio; **à cette époque là** en aquella época; **nous nous verrons à Noël** nos veremos por Navidad; **visites de 5 h à 6 h** visitas de 5 a 6
4 (*attribution, appartenance*) de; **le livre est à lui/à nous/à Paul** el libro es suyo/nuestro/de Pablo; **un ami à moi** un amigo mío; **donner qch à qn** dar algo a algn
5 (*moyen*): **se chauffer au gaz/à l'électricité** calentarse con gas/con electricidad; **à bicyclette** en bicicleta; **à pied** a pie; **à la main/machine** a mano/máquina; **pêcher à la ligne** pescar con caña
6 (*provenance*) de; **boire à la bouteille** beber de la botella; **prendre de l'eau à la fontaine** coger *ou* (*AM*) tomar agua de la fuente
7 (*caractérisation, manière*): **l'homme aux yeux bleus/à la veste rouge** el hombre de ojos azules/de la chaqueta roja; **café au lait** café con leche; **à sa grande surprise** para su gran sorpresa; **à ce qu'il prétend** según pretende (él); **à l'européenne/la russe** a la europea/la rusa; **à nous trois nous n'avons pas su le faire** no hemos sabido hacerlo entre los tres
8 (*but, destination: de choses ou personnes*): **tasse à café** taza de café; **"à vendre"** "se vende"; **à bien réfléchir** pensándolo bien; **problèmes à régler** problemas *mpl* por solucionar
9 (*rapport, évaluation, distribution*): **100 km/unités à l'heure** 100 km/unidades por hora; **payé au mois/à l'heure** pagado por mes/por hora; **cinq à six** cinco a seis; **ils sont arrivés à quatre** llegaron cuatro

abaisser [abese] *vt* bajar; (*fig*) rebajar; **s'abaisser** *vpr* (*aussi fig*) rebajarse; **s'~ à faire/à qch** rebajarse a hacer/a algo
abandon [abɑ̃dɔ̃] *nm* abandono; **être à l'~** estar abandonado(-a); **laisser à l'~** abandonar; **dans un moment d'~** en un momento de abandono
abandonner [abɑ̃dɔne] *vt* abandonar ▪ *vi* (*Sport*) abandonar; (*Inform*) salir; **s'abandonner** *vpr* abandonarse; **~ qch à qn** entregar algo a algn; **s'~ à** abandonarse a
abat-jour [abaʒuʀ] *nm inv* pantalla
abats [aba] *vb voir* **abattre** ▪ *nmpl* (*Culin*) menudos *mpl*
abattement [abatmɑ̃] *nm* (*physique, moral*) abatimiento; (*déduction*) deducción *f*; **~ fiscal** deducción fiscal
abattoir [abatwaʀ] *nm* matadero
abattre [abatʀ] *vt* (*arbre*) talar; (*mur, maison, avion*) derribar; (*tuer*) matar; (*épuiser*) postrar; (*déprimer*) desanimar; **s'abattre** *vpr* (*mât, malheur*) caerse;

s'~ sur (*aussi fig*) caer sobre; **~ ses cartes** (*aussi fig*) enseñar las cartas; **~ du travail** (*ou* **de la besogne)** trabajar duro
abbaye [abei] *nf* abadía
abbé [abe] *nm* (*d'une abbaye*) abad *m*; (*de paroisse*) cura *m*; **M. l'~** señor cura
abcès [apsɛ] *nm* absceso
abdiquer [abdike] *vi* abdicar ■ *vt* (*pouvoir, dignité*) renunciar a
abdominal, e, -aux [abdɔminal, o] *adj* abdominal; **abdominaux** *nmpl* abdominales *mpl*; **faire des abdominaux** hacer abdominales
abeille [abɛj] *nf* abeja
aberrant, e [abeʀɑ̃, ɑ̃t] *adj* aberrante
aberration [abeʀasjɔ̃] *nf* aberración *f*
abîme [abim] *nm* (*aussi fig*) abismo
abîmer [abime] *vt* estropear; **s'abîmer** *vpr* estropearse; (*fig*) abismarse; **s'~ les yeux** dañarse la vista
aboiement [abwamɑ̃] *nm* ladrido
abolir [abɔliʀ] *vt* abolir
abominable [abɔminabl] *adj* abominable
abondance [abɔ̃dɑ̃s] *nf* abundancia; **société d'~** sociedad *f* de consumo
abondant, e [abɔ̃dɑ̃, ɑ̃t] *adj* abundante
abonder [abɔ̃de] *vi* abundar; **~ en** abundar en; **~ dans le sens de qn** concordar con algn
abonné, e [abɔne] *adj* (*à un journal*) suscrito(-a); (*au téléphone*) abonado(-a) ■ *nm/f* (*au téléphone, à l'opéra*) abonado(-a); (*à un journal*) suscriptor(a)
abonnement [abɔnmɑ̃] *nm* (*à un journal*) suscripción *f*; (*transports en commun, théâtre*) abono
abonner [abɔne] *vt*: **~ qn à** (*revue*) suscribir a algn a; **s'abonner** *vpr*: **s'~ à** (*revue*) suscribirse a; (*téléphone*) abonarse a
abord [abɔʀ] *nm*: **être d'un ~ facile/difficile** ser de fácil/difícil acceso; **abords** *nmpl* (*d'un lieu*) alrededores *mpl*; **d'~** primero, en primer lugar; **tout d'~** antes de nada; **de prime ~, au premier ~** a primera vista
abordable [abɔʀdabl] *adj* (*personne*) accesible; (*prix, marchandise*) asequible
aborder [abɔʀde] *vi* abordar ■ *vt* (*aussi fig*) abordar; (*virage, vie*) tomar
aboutir [abutiʀ] *vi* tener éxito; **~ à/dans/sur** (*lieu*) dar a; (*fig*) conducir a
aboyer [abwaje] *vi* ladrar
abréger [abʀeʒe] *vt* acortar
abreuver [abʀœve] *vt* abrevar; (*fig*): **~ qn de** (*injures*) colmar a algn de; **s'abreuver** *vpr* (*fam*) beber hasta reventar
abreuvoir [abʀœvwaʀ] *nm* abrevadero
abréviation [abʀevjasjɔ̃] *nf* abreviatura
abri [abʀi] *nm* refugio; **à l'~** (*des intempéries, financièrement*) a cubierto; (*de l'ennemi*) a salvo; **à l'~ de** (*fig: erreur*) protegido(-a) contra
abribus [abʀibys] *nm* marquesina
abricot [abʀiko] *nm* albaricoque *m*, damasco (*AM*)
abriter [abʀite] *vt* (*lieu*) resguardar; (*personne*) albergar; (*recevoir, loger*) alojar; **s'abriter** *vpr* resguardarse; (*fig*) ampararse
abrupt, e [abʀypt] *adj* abrupto(-a); (*personne, ton*) rudo(-a)
abruti, e [abʀyti] (*fam*) *nm/f* tonto(-a)
absence [apsɑ̃s] *nf* ausencia; **en l'~ de** en ausencia de
absent, e [apsɑ̃, ɑ̃t] *adj, nm/f* ausente *m/f*
absenter [apsɑ̃te] *vpr*: **s'absenter** ausentarse
absolu, e [apsɔly] *adj* absoluto(-a); (*personne*) intransigente ■ *nm* (*Philos*): **l'~** el absoluto; **dans l'~** en abstracto
absolument [apsɔlymɑ̃] *adv* (*oui*) sí, por supuesto; (*sans faute, à tout prix*) absolutamente; **~ pas** en absoluto
absorbant, e [apsɔʀbɑ̃, ɑ̃t] *adj* absorbente
absorber [apsɔʀbe] *vt* absorber; (*manger, boire*) tomar; (*temps, argent*) consumir
abstenir [apstəniʀ] *vpr*: **s'abstenir** abstenerse; **s'~ de qch/de faire** privarse de algo/de hacer
abstrait, e [apstʀɛ, ɛt] *adj* abstracto(-a) ■ *nm*: **dans l'~** en abstracto; **art ~** arte *m* abstracto
absurde [apsyʀd] *adj* absurdo(-a) ■ *nm* (*Philos*): **l'~** el absurdo; **raisonnement par l'~** razonamiento por reducción al absurdo
abus [aby] *nm* abuso; **il y a de l'~** (*fam*) es un abuso; **~ de confiance** abuso de confianza; (*détournement de fonds*) desfalco; **~ de pouvoir** abuso de poder
abuser [abyze] *vi* abusar ■ *vt* abusar de; **s'abuser** *vpr* equivocarse; **si je ne m'abuse!** si no me equivoco; **~ de** abusar de
abusif, -ive [abyzif, iv] *adj* abusivo(-a)
acacia [akasja] *nm* acacia
académie [akademi] *nf* academia; (*Art*) desnudo; (*Univ*) ≈ distrito universitario; **l'A~ (française)** ≈ la Real Academia (Española)

Académie française

La *Académie française* fue fundada por el cardenal Richelieu en 1635 durante el reinado de Luis XIII. La forman cuarenta eruditos y escritores electos a los que se conoce como "les Quarante" o "les Immortels". Una de las funciones de la Academia es regular la evolución de la lengua francesa y sus recomendaciones son con frecuencia objeto de encendido debate. Ha publicado varias ediciones de su conocido diccionario y concede diversos premios literarios.

acajou [akaʒu] *nm* caoba
acariâtre [akaʀjɑtʀ] *adj* desabrido(-a)
accablant, e [akɑblɑ̃, ɑ̃t] *adj* (*témoignage, preuve*) abrumador(a); (*chaleur, poids*) agobiante
accabler [akɑble] *vt* (*physiquement*) agobiar; (*moralement*) abatir; (*suj: preuves, témoignage*) inculpar; **~ qn d'injures/de travail** colmar a algn de injurias/de trabajo; **accablé de dettes/soucis** cargado de deudas/preocupaciones
accalmie [akalmi] *nf* (*aussi fig*) calma, tregua
accaparer [akapaʀe] *vt* acaparar
accéder [aksede] *vt*: **~ à** (*lieu*) tener acceso a; (*fig*) acceder a; (*indépendance*) lograr
accélérateur [akseleʀatœʀ] *nm* acelerador *m*
accélérer [akseleʀe] *vt, vi* acelerar
accent [aksɑ̃] *nm* acento; **aux ~s de** (*musique*) a los acordes de; **mettre l'~ sur** (*fig*) hacer hincapié en; **~ aigu/circonflexe/grave** acento agudo/circunflejo/grave
accentuer [aksɑ̃tɥe] *vt* (*aussi fig*) acentuar; **s'accentuer** *vpr* acentuarse
acceptation [aksɛptasjɔ̃] *nf* aceptación *f*, admisión *f*
accepter [aksɛpte] *vt* aceptar; (*admettre*) aceptar, admitir; **~ de faire** aceptar hacer; **~ que qn fasse** aceptar que algn haga; **~ que** admitir que; **accepteriez-vous que je m'en aille?** ¿le importaría que me fuese?; **j'accepte!** ¡vale!; **je n'accepterai pas cela** eso no lo admitiré
accès [aksɛ] *nm* acceso ▪ *nmpl* (*routes, entrées*) accesos *mpl*; **d'~ facile/malaisé** de fácil/difícil acceso; **l'~ aux quais est interdit** el acceso a los andenes está prohibido; **donner ~ à** dar acceso a; **avoir ~ auprès de qn** tener entrada con algn; **~ de colère** arrebato; **~ de toux** arranque *m* de tos
accessible [aksesibl] *adj* accesible; (*prix, objet*) asequible; (*livre, sujet*): **~ (à qn)** accesible (a algn); **être ~ à la pitié/à l'amour** ser capaz de compasión/de amor
accessoire [akseswaʀ] *adj* secundario(-a) ▪ *nm* accesorio
accident [aksidɑ̃] *nm* accidente *m*; (*événement fortuit*) incidente *m*; **par ~** por accidente; **~ de la route/du travail** accidente de carretera/de trabajo; **~ de parcours** desliz *msg*; **~s de terrain** accidentes *mpl* del terreno
accidenté, e [aksidɑ̃te] *adj* accidentado(-a); (*voiture*) estropeado(-a), dañado(-a) ▪ *nm/f* herido(-a); **un ~ de la route** un herido de la carretera
accidentel, le [aksidɑ̃tɛl] *adj* accidental; (*fortuit*) casual
acclamer [aklame] *vt* aclamar
acclimater [aklimate] *vt* aclimatar; (*personne*) acostumbrar; **s'acclimater** *vpr* aclimatarse
accolade [akɔlad] *nf* abrazo; (*signe typographique*) llave *f*; **donner l'~ à qn** (*entre amis*) dar un abrazo a algn; (*dans une cérémonie*) dar el espaldarazo a algn
accommoder [akɔmɔde] *vt* (*Culin*) aliñar ▪ *vi* adaptar; **s'accommoder** *vpr*: **s'~ de** contentarse con; **~ qch à** adaptar algo a; **s'~ à** adaptarse a
accompagnateur, -trice [akɔ̃paɲatœʀ, tʀis] *nm/f* acompañante *m/f*
accompagner [akɔ̃paɲe] *vt* acompañar; **s'accompagner** *vpr* acompañarse; **s'~ de** conllevar; (*avoir pour conséquence*) acarrear; **vous permettez que je vous accompagne?** ¿me permite que le acompañe?
accompli, e [akɔ̃pli] *adj* consumado(-a)
accomplir [akɔ̃pliʀ] *vt* cumplir; **s'accomplir** *vpr* cumplirse
accord [akɔʀ] *nm* (*entente*) acuerdo; (*Ling, harmonie*) concordancia; (*consentement, autorisation*) consentimiento; (*Mus*) acorde *m*; **mettre 2 personnes d'~** poner a 2 personas de acuerdo; **se mettre d'~** ponerse de acuerdo; **être d'~ (avec qn)** estar de acuerdo (con algn); **être d'~ (pour faire/que)** estar de acuerdo (en hacer/en que); **d'~!** ¡de acuerdo!; **d'un commun ~** de común acuerdo; **en ~ avec qn** de acuerdo

con algn; **donner son ~** dar su consentimiento; **~ en genre et en nombre** concordancia en género y número; **~ parfait** (*Mus*) acorde perfecto
accordéon [akɔʀdeɔ̃] *nm* acordeón *m*; **en ~** en acordeón
accorder [akɔʀde] *vt* (*faveur, délai*) conceder; (*harmoniser*) conciliar; (*Mus*) afinar; (*Ling*) concordar; **s'accorder** *vpr* estar de acuerdo; (*être d'accord, se mettre d'accord*) estar de acuerdo, ponerse de acuerdo; (*couleurs, caractères*) casar; (*Ling*) concordar; (*un moment de répit*) darse; **~ de l'importance/de la valeur à qch** dar importancia/valor a algo; **je vous accorde que ...** le concedo que ...
accoster [akɔste] *vt* (*Naut*) acostar; (*personne*) abordar ▪ *vi* acostar
accouchement [akuʃmɑ̃] *nm* parto; **~ à terme/sans douleur** parto a término/sin dolor
accoucher [akuʃe] *vi, vt* dar a luz; **~ d'une fille** dar a luz una niña
accouder [akude] *vpr*: **s'accouder**: **s'~ à/contre/sur** acodarse en/sobre; **accoudé à la fenêtre** acodado en la ventana
accoudoir [akudwaʀ] *nm* brazo
accoupler [akuple] *vt* (*moteurs*) conectar; (*bœufs*) uncir; (*animaux*) aparear; **s'accoupler** *vpr* aparearse
accourir [akuʀiʀ] *vi* precipitarse
accoutumance [akutymɑ̃s] *nf* (*au climat*) adaptación *f*; (*drogue*) adicción *f*
accoutumé, e [akutyme] *adj* acostumbrado(-a); **être ~ à qch/à faire** estar acostumbrado(-a) a algo/a hacer; **comme à l'~e** como de costumbre
accoutumer [akutyme] *vt*: **~ qn à qch/à faire** acostumbrar a algn a algo/a hacer; **s'accoutumer** *vpr*: **s'~ à qch/à faire** acostumbrarse a algo/a hacer
accroc [akʀo] *nm* (*déchirure*) desgarrón *m*; **sans ~s** (*fig*) sin contratiempos; **faire un ~ à** (*vêtement*) hacer un desgarrón en; (*fig*) cometer una infracción contra
accrochage [akʀɔʃaʒ] *nm* (*d'un tableau*) colgamiento; (*d'une remorque*) enganche *m*; (*accident*) choque *m*; (*escarmouche*) escaramuza; (*dispute*) pelea
accrocher [akʀɔʃe] *vt*: **~ à** (*vêtement, tableau*) colgar en; (*wagon, remorque*) enganchar; (*véhicule*) chocar con; (*piéton*) atropellar; (*déchirer: robe, pull*) rasgar; (*Mil*) entablar combate con; (*fig: regard, client*) atraer ▪ *vi* (*fermeture éclair*) engancharse; (*pourparlers*) atascarse; (*plaire: disque*) pegar (*fam*); **s'accrocher** *vpr* (*Mil, se disputer*) pelearse; (*ne pas céder*) resistir; **s'~ à** (*rester pris à*) engancharse en; (*agripper*) agarrarse a; (*personne*) pegarse a; (*espoir, idée*) aferrarse a; **il faut s'~** (*fam*) hay que seguir
accroissement [akʀwasmɑ̃] *nm* aumento
accroître [akʀwatʀ] *vt* acrecentar; **s'accroître** *vpr* acrecentarse
accroupir [akʀupiʀ] *vpr*: **s'accroupir** ponerse en cuclillas
accru, e [akʀy] *pp de* **accroître**
accueil [akœj] *nm* acogida; (*endroit*) recepción *f*; **centre/comité d'~** centro/comité *m* de recepción
accueillir [akœjiʀ] *vt* (*recevoir, saluer*) acoger; (*loger*) alojar; (*fig*) recibir
accumuler [akymyle] *vt* acumular; **s'accumuler** *vpr* acumularse
accusation [akyzasjɔ̃] *nf* acusación *f*; **l'~** (*Jur*) la acusación; **mettre qn en ~** iniciar causa en contra de algn; **acte d'~** acta de acusación
accusé, e [akyze] *adj, nm/f* acusado(-a); **~ de réception** *nm* acuse *m* de recibo
accuser [akyze] *vt* (*aussi fig*) acusar; (*fig: souligner*) acentuar; **s'accuser** *vpr* (*s'accentuer*) acentuarse; **~ qn de qch** acusar a algn de algo; **~ qch de qch** culpar a algo de algo; **~ réception de** acusar recibo de; **~ le coup** (*fig, fam*) acusar el golpe; **s'~ de qch/d'avoir fait qch** culparse de algo/de haber hecho algo
acéré, e [aseʀe] *adj* acerado(-a); (*fig*) mordaz
acharné, e [aʃaʀne] *adj* encarnizado(-a)
acharner [aʃaʀne] *vpr*: **s'acharner**: **s'~ contre/sur** ensañarse con; **s'~ à faire** empeñarse en hacer
achat [aʃa] *nm* compra; **faire l'~ de** comprar; **faire des ~s** ir de compras
acheter [aʃ(ə)te] *vt* comprar; **~ à crédit** comprar a crédito; **~ qch à qn** comprar algo a algn
acheteur, -euse [aʃ(ə)tœʀ, øz] *nm/f* comprador(a); **l'~ et le vendeur** el comprador y el vendedor
achever [aʃ(ə)ve] *vt* acabar, finalizar; (*blessé*) rematar; **s'achever** *vpr* acabarse; **~ de faire qch** (*aussi fig*) acabar de hacer algo
acide [asid] *adj* ácido(-a); (*ton*) áspero(-a) ▪ *nm* ácido
acidulé [asidyle] *adj* ácido(-a); **bonbons ~s** caramelos *mpl* ácidos

acier [asje] *nm* acero; **~ inoxydable** acero inoxidable
aciérie [asjeʀi] *nf* acería
acné [akne] *nf* acné *f*; **~ juvénile** acné juvenil
acompte [akɔ̃t] *nm* (*arrhes*) señal *f*; (*sur somme due*) adelanto; (*sur salaire*) anticipo
à-côté [akote] *nm* (*point accessoire*) cuestión *f* secundaria; (*argent: aussi pl*) dinero extra *inv*
à-coup [aku] *nm* (*du moteur*) sacudidas *fpl*; (*du commerce, de l'économie*) altibajos *mpl*; **sans ~s** sin interrupción; **par ~s** a tirones
acoustique [akustik] *nf* acústica ■ *adj* acústico(-a)
acquéreur [akeʀœʀ] *nm* comprador(a); **se porter ~ de qch** ofrecerse como comprador de algo; **se rendre ~ de qch** adquirir algo
acquérir [akeʀiʀ] *vt* comprar; (*résultats*) obtener
acquiescer [akjese] *vi* asentir; **~ (à qch)** consentir (en algo)
acquis, e [aki, iz] *pp de* **acquérir** ■ *nm* (*savoir, expérience*) conocimientos *mpl*; **acquis** *nmpl*: **les ~ sociaux** los logros sociales ■ *adj* adquirido(-a); (*résultats*) obtenido(-a); **tenir qch pour ~** (*comme allant de soi*) dar algo por sabido; (*comme décidé*) dar algo por hecho; **être ~ à** ser adicto(-a) a; **caractère ~** carácter *m* adquirido; **vitesse ~e** velocidad *f* adquirida
acquitter [akite] *vt* (*accusé*) absolver; (*payer*) abonar, pagar; **s'acquitter de** *vpr* (*promesse, tâche*) cumplir con; (*dette*) satisfacer
âcre [ɑkʀ] *adj* acre
acrobate [akʀɔbat] *nm/f* acróbata *m/f*
acrobatie [akʀɔbasi] *nf* (*aussi fig*) acrobacia; **~ aérienne** acrobacia aérea
acte [akt] *nm* (*Théâtre, action*) acto; (*document*) acta; **actes** *nmpl* (*compte-rendu*) actas *fpl*; **prendre ~ de** levantar acta de; **prendre ~ de** tomar nota de; **faire ~ de présence** hacer acto de presencia; **faire ~ de candidature** presentar una candidatura; **~ d'accusation** acta de acusación; **~ de baptême** fe *f* de bautismo; **~ de mariage/de naissance** partida de matrimonio/de nacimiento; **~ de vente** escritura
acteur, -trice [aktœʀ, tʀis] *nm/f* actor (actriz)
actif, -ive [aktif, iv] *adj* activo(-a); (*remède*) eficaz ■ *nm* activo; **prendre une part active à qch** tomar parte activa en algo; **l'~ et le passif** el activo y el pasivo
action [aksjɔ̃] *nf* acción *f*; (*déploiement d'énergie*) actividad *f*; **une bonne/mauvaise ~** una buena/mala acción; **mettre en ~** poner en práctica; **passer à l'~** pasar a la acción; **un homme d'~** un hombre de acción; **sous l'~ de** bajo el efecto de; **un film d'~** una película de acción; **~ de grâce(s)** acción de gracias; **~ en diffamation** demanda por difamación
actionnaire [aksjɔnɛʀ] *nm/f* accionista *m/f*
actionner [aksjɔne] *vt* accionar
activer [aktive] *vt* activar; **s'activer** *vpr* (*se presser*) apresurarse; (*s'affairer*) trajinar
activité [aktivite] *nf* actividad *f*; **cesser toute ~** abandonar toda actividad; **en ~** (*fonctionnaire, militaire*) en activo; (*volcan, industrie*) en actividad; **~s subversives** actividades subversivas
actrice [aktʀis] *nf voir* **acteur**
actualité [aktɥalite] *nf* actualidad *f*; **actualités** *nfpl*: **les ~s** las noticias; **l'~ politique/sportive** la actualidad política/deportiva; **d'~** de actualidad
actuel, le [aktɥɛl] *adj* actual; **à l'heure ~le** hoy en día, en el momento actual
actuellement [aktɥɛlmɑ̃] *adv* actualmente
acupuncture [akypɔ̃ktyʀ] *nf* acupuntura
adaptateur, -trice [adaptatœʀ, tʀis] *nm/f* (*Théâtre*) adaptador(a) ■ *nm* (*Élec*) adaptador *m*
adapter [adapte] *vt*: **~ à** adaptar a; **s'adapter** *vpr* (*personne*): **s'~ (à)** adaptarse (a); (*objet, prise etc*) ajustarse (a); **~ qch sur/dans/à** ajustar algo sobre/en/a
addition [adisjɔ̃] *nf* (*d'une clause*) inclusión *f*; (*Math*) adición *f*; (*au restaurant*) cuenta
additionner [adisjɔne] *vt* sumar; **s'additionner** *vpr* sumarse; **~ un vin d'eau** añadir agua al vino
adepte [adɛpt] *nm/f* (*d'une religion*) adepto(-a); (*d'un sport*) partidario(-a)
adéquat, e [adekwa(t), at] *adj* adecuado(-a)
adhérent, e [adeʀɑ̃, ɑ̃t] *adj* adherente ■ *nm/f* miembro *m/f*
adhérer [adeʀe] *vi* adherirse ■ *vt*: **~ à** (*coller*) adherir a; (*se rallier à*) adherirse a; (*devenir membre de*) afiliarse a; (*être membre de*) estar afiliado(-a) a

adhésif, -ive [adezif, iv] *adj* adhesivo(-a) ■ *nm* adhesivo
adieu [adjø] *excl* ¡adiós! ■ *nm* adiós *msg*; **adieux** *nmpl*: **faire ses ~x à qn** despedirse de algn; **dire ~ à qn** decir adiós a algn; **dire ~ à qch** decir adiós a algo
adjectif, -ive [adʒɛktif, iv] *adj* adjetivo(-a) ■ *nm* adjetivo; **~ attribut/ démonstratif/épithète** adjetivo atributo/demostrativo/epíteto; **~ numéral/possessif/qualificatif** adjetivo numeral/posesivo/calificativo
adjoint, e [adʒwɛ̃, wɛ̃t] *nm/f* adjunto(-a); **directeur ~** director *m* adjunto; **~ au maire** teniente *m* alcalde
admettre [admɛtʀ] *vt* admitir; (*candidat*) admitir, aprobar; **~ que** admitir que; **j'admets que** admito que; **je n'admets pas ce genre de conduite** no admito este tipo de comportamiento; **je n'admets pas que tu fasses cela** no admito que hagas esto; **admettons** admitamos; **admettons que ...** admitamos que ...
administrateur, -trice [administʀatœʀ, tʀis] *nm/f* administrador(a); **~ délégué** consejero delegado; **~ judiciaire** interventor *m*
administration [administʀasjɔ̃] *nf* administración *f*; **l'A~** la Administración
administrer [administʀe] *vt* administrar
admirable [admiʀabl] *adj* admirable
admirateur, -trice [admiʀatœʀ, tʀis] *nm/f* admirador(a)
admiration [admiʀasjɔ̃] *nf* admiración *f*; **être en ~ devant** admirar mucho a
admirer [admiʀe] *vt* admirar
admis, e [admi, iz] *pp de* **admettre**
admissible [admisibl] *adj* (*candidat*) admitido(-a); (*comportement*: *gén nég*) admisible
ADN [ɑdeɛn] *sigle m* (= *acide désoxyribonucléique*) ADN *m*
adolescence [adɔlesɑ̃s] *nf* adolescencia
adolescent, e [adɔlesɑ̃, ɑ̃t] *nm/f* adolescente *m/f*
adopter [adɔpte] *vt* (*projet de loi*) aprobar; (*politique, enfant*) adoptar
adoptif, -ive [adɔptif, iv] *adj* adoptivo(-a)
adorable [adɔʀabl] *adj* adorable
adorer [adɔʀe] *vt* adorar
adosser [adose] *vt*: **~ qch à/contre** adosar algo a/contra; **s'adosser** *vpr*: **s'~ à/contre** respaldarse en/contra; **être adossé à/contre** estar adosado a/contra
adoucir [adusiʀ] *vt* (*aussi fig*) suavizar; (*avec du sucre*) endulzar; (*peine, douleur*) aliviar; (*eau*) descalcificar; **s'adoucir** *vpr* suavizarse
adresse [adʀɛs] *nf* (*habileté*) habilidad *f*; (*domicile*) dirección *f*; (*Inform*) directorio; **à l'~ de** a la atención de; **partir sans laisser d'~** marchar sin dejar la dirección
adresser [adʀese] *vt* (*expédier*) enviar; (*écrire l'adresse sur*) poner la dirección en; (*injure, compliments*) dirigir; **s'adresser** *vpr*: **s'~ à** dirigirse a; (*suj*: *livre, conseil*) estar dirigido(-a) a; **~ qn à un docteur/ un bureau** enviar a algn a un médico/una oficina; **~ la parole à qn** dirigir la palabra a algn
adroit, e [adʀwa, wat] *adj* hábil; (*rusé*) astuto(-a)
ADSL *sigle m* (= *asymmetrical digital subscriber line*) ADSL *m*
adulte [adylt] *nm/f* adulto(-a) ■ *adj* adulto(-a); (*attitude*) maduro(-a); **l'âge ~** la edad adulta; **film pour ~s** película para adultos; **formation des/ pour ~s** formación *f* de/para adultos
adverbe [advɛʀb] *nm* adverbio; **~ de manière** adverbio de modo
adversaire [advɛʀsɛʀ] *nm/f* adversario(-a); **~ de qch** adversario(-a) de algo
aération [aeʀasjɔ̃] *nf* (*action d'aérer*) aeración *f*; (*circulation de l'air*) ventilación *f*; **bouche/conduit d'~** boca/conducto de ventilación
aérer [aeʀe] *vt* (*pièce, literie*) ventilar; (*style*) aligerar; **s'aérer** *vpr* airearse, tomar el aire
aérien, ne [aeʀjɛ̃, jɛn] *adj* (*aussi fig*) aéreo(-a); **compagnie ~ne** compañía aérea; **ligne ~ne** línea aérea
aérodynamique [aeʀodinamik] *adj* aerodinámico(-a) ■ *nf* aerodinámica
aérogare [aeʀogaʀ] *nf* terminal *f*; (*en ville*) estación *f* terminal
aéroglisseur [aeʀoglisœʀ] *nm* aerodeslizador *m*
aéronaval, e, -aux [aeʀonaval, o] *adj* aeronaval ■ *nf*: **l'A~e** las Fuerzas aeronavales
aérophagie [aeʀɔfaʒi] *nf* aerofagia
aéroport [aeʀɔpɔʀ] *nm* aeropuerto; **~ d'embarquement** aeropuerto de embarque
aérosol [aeʀɔsɔl] *nm* aerosol *m*
affaiblir [afebliʀ] *vt* debilitar; (*poutre, câble*) hacer ceder; **s'affaiblir** *vpr* debilitarse

affaire [afɛʀ] *nf* (*problème, question*) asunto; (*scandale*) escándalo; (*criminelle, judiciaire*) caso; (*entreprise, magasin*) negocio, empresa; (*marché, transaction*) negocio; (*occasion intéressante*) ganga; **affaires** *nfpl* negocios *mpl*; (*objets, effets personnels*) cosas *fpl*; **ce sont mes/tes ~s** (*cela me/te concerne*) es asunto mío/tuyo; **tirer qn/se tirer d'~** sacar a algn/salir de un apuro; **en faire son ~** encargarse de ello; **n'en fais pas une ~!** ¡no hagas una montaña de eso!; **tu auras ~ à moi!** ¡te las verás conmigo!; **ceci fera l'~** esto bastará; **avoir ~ à qn/qch** (*comme adversaire*) tener que vérselas con algn/ algo; (*comme contact*) estar en relación con algn/algo; **c'est une ~ de goût/ d'argent** es una cuestión de gusto/ dinero; **c'est l'~ d'une minute/heure** es cosa de un minuto/una hora; **les A~s étrangères** Asuntos Exteriores; **toutes ~s cessantes** dejándolo todo
affairer [afeʀe] *vpr*: **s'affairer** afanarse
affamé, e [afame] *adj* hambriento(-a)
affecter [afɛkte] *vt* (*toucher, émouvoir*) conmover, afectar; (*feindre*) fingir; (*telle ou telle forme*) presentar; **~ qch/qn à** destinar algo/a algn a; **~ qch d'un coefficient/indice** asignar a algo un coeficiente/índice
affectif, -ive [afɛktif, iv] *adj* afectivo(-a)
affection [afɛksjɔ̃] *nf* afecto, cariño; (*Méd*) afectación *f*; **avoir de l'~ pour** tener cariño a; **prendre en ~** tomar cariño a
affectionner [afɛksjɔne] *vt* querer
affectueux, -euse [afɛktɥø, øz] *adj* afectuoso(-a)
affichage [afiʃaʒ] *nm* anuncio; (*électronique*) marcador *m*; **"~ interdit"** "se prohibe fijar carteles"; **panneau/ tableau d'~** panel *m*/tablón *m* de anuncios; **~ à cristaux liquides** marcador de cristales líquidos; **~ digital/ numérique** marcador digital/numérico
affiche [afiʃ] *nf* cartel *m*, afiche *m* (*AM*); (*officielle*) anuncio; **être à l'~** estar en cartelera; **tenir l'~** mantenerse en cartelera
afficher [afiʃe] *vt* anunciar; (*électroniquement*) marcar; (*fig, péj*) ostentar; **s'afficher** *vpr* (*péj*) exhibirse; (*électroniquement*) mostrarse; **"défense d'~"** "prohibido fijar carteles"
affilée [afile]: **d'~** *adv* de un tirón
affirmatif, -ive [afiʀmatif, iv] *adj* (*réponse*) afirmativo(-a); (*personne*) seguro(-a) de sí mismo(-a)
affirmer [afiʀme] *vt* afirmar; **s'affirmer** *vpr* afirmarse
affligé, e [afliʒe] *adj* afligido(-a); **~ d'une maladie/tare** aquejado(-a) por una enfermedad/tara
affliger [afliʒe] *vt* afligir
affluence [aflyɑ̃s] *nf* afluencia; **heure/ jour d'~** hora/día *m* de afluencia
affluent [aflyɑ̃] *nm* afluente *m*
affolant, e [afɔlɑ̃, ɑ̃t] *adj* enloquecedor(a)
affolement [afɔlmɑ̃] *nm* pánico
affoler [afɔle] *vt* asustar; **s'affoler** *vpr* asustarse
affranchir [afʀɑ̃ʃiʀ] *vt* (*lettre, paquet*) franquear; (*esclave*) libertar; (*d'une contrainte, menace*) liberar; **s'affranchir** *vpr*: **s'~ de** liberarse de
affranchissement [afʀɑ̃ʃismɑ̃] *nm* (*Postes*) franqueo; (*d'un esclave*) liberación *f*; **tarifs d'~** tarifas *fpl* de franqueo; **~ insuffisant** franqueo insuficiente
affreux, -euse [afʀø, øz] *adj* horrible
affront [afʀɔ̃] *nm* afrenta
affrontement [afʀɔ̃tmɑ̃] *nm* enfrentamiento
affronter [afʀɔ̃te] *vt* (*adversaire*) afrontar, hacer frente a; (*tempête, critiques*) afrontar; **s'affronter** *vpr* confrontarse
affût [afy] *nm* (*de canon*) cureña; **à l'~ (de)** (*aussi fig*) al acecho (de)
afin [afɛ̃]: **~ que** *conj* a fin de que; **~ de faire** a fin de hacer, con el fin de hacer
africain, e [afʀikɛ̃, ɛn] *adj* africano(-a) ▪ *nm/f*: **Africain, e** africano(-a)
Afrique [afʀik] *nf* África; **~ australe/du Nord/du Sud** África austral/del Norte/ del Sur
agaçant, e [agasɑ̃, ɑ̃t] *adj* molesto(-a), irritante
agacer [agase] *vt* molestar; (*aguicher*) provocar
âge [ɑʒ] *nm* edad *f*; **quel ~ as-tu?** ¿qué edad tienes?; **une femme d'un certain ~** una mujer de cierta edad; **bien porter son ~** llevar bien los años; **prendre de l'~** envejecer; **limite/dispense d'~** límite *m*/ dispensa de edad; **troisième ~** tercera edad; **avoir l'~ de raison** tener uso de razón; **l'~ ingrat** la edad del pavo; **~ légal/mental** edad legal/mental; **l'~ mûr** la edad madura
âgé, e [ɑʒe] *adj* de edad; **~ de 10 ans** de 10 años de edad; **les personnes ~es** los ancianos
agence [aʒɑ̃s] *nf* agencia; (*succursale*) sucursal *f*; **~ immobilière/matrimoniale**

agencia inmobiliaria/matrimonial; **~ de placement/de publicité/de voyages** oficina de empleo/de publicidad/de viajes
agenda [aʒɛ̃da] *nm* agenda
agenouiller [aʒ(ə)nuje] *vpr*: **s'agenouiller** arrodillarse
agent [aʒɑ̃] *nm* (*Admin*) funcionario(-a); (*élément, facteur*) agente *m*, factor *m*; **~ commercial/d'assurances/de change** agente comercial/de seguros/de cambio; **~ (de police)** policía *m*, agente (*AM*); **~ immobilier** agente inmobiliario; **~ secret** agente secreto
agglomération [aglɔmeʀasjɔ̃] *nf* aglomeración *f*; (*de huttes*) poblado; **l'~ parisienne** el área metropolitana de París
aggraver [agʀave] *vt* agravar, empeorar; (*Jur*) agravar; **s'aggraver** *vpr* agravarse; **~ son cas** agravar su caso
agile [aʒil] *adj* ágil
agir [aʒiʀ] *vi* actuar; (*avoir de l'effet*) hacer efecto; **s'agir** *vpr*: **il s'agit de faire** se trata de hacer; **il s'agit de** se trata de; **de quoi s'agit-il?** ¿de qué se trata?; **s'agissant de** tratándose de
agitation [aʒitasjɔ̃] *nf* agitación *f*
agité, e [aʒite] *adj* (*gén enfant*) revoltoso(-a); (*vie, personne*) agitado(-a); **une mer ~e** un mar agitado *ou* revuelto; **un sommeil ~** un sueño intranquilo
agiter [aʒite] *vt* agitar; (*question, problème*) discutir; (*personne*) inquietar; **s'agiter** *vpr* (*Pol, aussi fig*) agitarse; **"~ avant l'emploi"** "agitar antes de usar"
agneau [aɲo] *nm* cordero
agonie [agɔni] *nf* (*aussi fig*) agonía
agrafe [agʀaf] *nf* (*de vêtement*) corchete *m*; (*Méd, de bureau*) grapa
agrafer [agʀafe] *vt* (*un vêtement*) abrochar; (*des feuilles de papier*) grapar
agrafeuse [agʀaføz] *nf* grapadora
agrandir [agʀɑ̃diʀ] *vt* agrandar, ampliar; **s'agrandir** *vpr* agrandarse; **(faire) ~ sa maison** (hacer) ampliar su casa
agrandissement [agʀɑ̃dismɑ̃] *nm* ampliación *f*, ensanche *m*; (*Photo*) ampliación *f*
agréable [agʀeabl] *adj* agradable
agréé, e [agʀee] *adj*: **magasin/concessionnaire ~** establecimiento/concesionario autorizado
agréer [agʀee] *vt* acceder; **~ à** acceder a; **se faire ~** hacerse admitir; **veuillez ~ ...** le saluda ...
agrégation [agʀegasjɔ̃] *nf* oposición *f*

AGRÉGATION

La *agrégation*, que se conoce familiarmente como *agrég*, es un examen de oposición para profesores de enseñanza secundaria. El número de opositores siempre excede en mucho al número de plazas. La mayor parte del profesorado de las "classes préparatoires" y del profesorado universitario ha aprobado la *agrégation*.

agrégé, e [agʀeʒe] *nm/f* catedrático(-a)
agrément [agʀemɑ̃] *nm* (*accord*) consentimiento; (*attraits*) atractivo; (*plaisir*) agrado; **jardin d'~** jardín *m* de recreo; **voyage d'~** viaje *m* de placer
agresser [agʀese] *vt* agredir
agresseur [agʀesœʀ] *nm* agresor(a)
agressif, -ive [agʀesif, iv] *adj* agresivo(-a); (*couleur, toilette*) provocador(a)
agricole [agʀikɔl] *adj* agrícola
agriculteur, -trice [agʀikyltœʀ, tʀis] *nm/f* agricultor(a)
agriculture [agʀikyltyʀ] *nf* agricultura
agripper [agʀipe] *vt* agarrar; **s'agripper** *vpr*: **s'~ à** agarrarse a, aferrarse a
agro-alimentaire [agʀoalimɑ̃tɛʀ] (*pl* **~s**) *adj* agroalimenticio(-a)
agrumes [agʀym] *nmpl* agrios *mpl*
aguets [agɛ] *adv*: **être aux ~** estar al acecho
ai [ɛ] *vb voir* **avoir**
aide [ɛd] *nf* ayuda ■ *nm/f* ayudante *m/f*; **à l'~ de** con (la) ayuda de; **à l'~!** ¡socorro!; **appeler (qn) à l'~** pedir ayuda (a algn); **venir en ~ à qn** ayudar a algn; **il est venu à mon ~** vino en mi ayuda; **~ de camp** *nm* ayudante de campo; **~ de laboratoire** *nm/f* auxiliar *m/f* de laboratorio; **~ familiale** *nf* ayuda familiar; **~ judiciaire** *nf* ayuda judicial; **~ ménagère** *nf* ayuda doméstica; **~ sociale** *nf* (*assistance*) asistencia social; **~ technique** *nm/f* asistente *m/f* técnico(-a)
aide-mémoire [ɛdmemwaʀ] *nm inv* memorándum *m*
aider [ede] *vt* ayudar; **s'aider de** *vpr* ayudarse de, servirse de; **~ qn à faire qch** ayudar a algn a hacer algo; **~ à** (*faciliter, favoriser*) ayudar a
aide-soignant, e [ɛdswaɲɑ̃, ɑ̃t] (*pl* **aides-soignants, es**) *nm/f* auxiliar *m/f* de enfermería
aie *etc* [ɛ] *vb voir* **avoir**

aïe [aj] *excl* ¡ay!
aigle [ɛgl] *nm* águila
aigre [ɛgʀ] *adj* (*aussi fig*) agrio(-a); **tourner à l'~** agriarse
aigre-doux, -douce [ɛgʀədu, dus] (*pl* **aigres-doux, -douces**) *adj* agridulce
aigreur [ɛgʀœʀ] *nf* acidez *f*; (*d'un propos*) acritud *f*; **~s d'estomac** acidez de estómago
aigu, ë [egy] *adj* (*objet, arête*) afilado(-a); (*voix, note, douleur*) agudo(-a)
aiguille [egɥij] *nf* aguja; (*montagne*) picacho; **~ à tricoter** aguja de tejer
aiguiser [egize] *vt* afilar; (*fig*) aguzar
ail [aj] *nm* ajo
aile [ɛl] *nf* ala; (*de voiture*) aleta; **battre de l'~** estar alicaído(-a); **voler de ses propres ~s** volar solo(-a); **~ libre** vuelo libre
ailier [elje] *nm* extremo; **~ droit/gauche** extremo derecho/izquierdo
aille *etc* [aj] *vb voir* **aller**
ailleurs [ajœʀ] *adv* en otra parte; **partout/nulle part ~** en cualquier/en ninguna otra parte; **d'~** además; **par ~** por otra parte
aimable [ɛmabl] *adj* amable; **vous êtes bien ~** es usted muy amable
aimant, e [ɛmɑ̃, ɑ̃t] *adj* afectuoso(-a) ■ *nm* imán *m*
aimer [eme] *vt* (*d'amour*) querer, amar; (*d'amitié, affection*) querer; (*chose, activité*) gustar; **s'aimer** *vpr* amarse; **bien ~ qn/qch** querer mucho a algn/algo; **j'aime le cinéma/faire du sport** me gusta el cine/hacer deporte; **j'aime bien Pierre** me cae bien Pedro; **aimeriez-vous que je vous accompagne?** ¿le gustaría que le acompañase?; **j'aimerais (bien) m'en aller** me gustaría (mucho) irme; **j'aimerais te demander de ...** quisiera preguntarte si ...; **j'aimerais que la porte soit fermée** me gustaría que la puerta estuviese cerrada; **tu aimerais que je fasse qch pour toi?** ¿te gustaría que hiciese algo por ti?; **j'aime mieux** *ou* **autant vous dire que** prefiero decirle que; **j'aimerais autant** *ou* **mieux y aller maintenant** preferiría ir ahora; **j'aimerais avoir ton avis/opinion** me gustaría conocer tu opinión; **j'aime mieux Paul que Pierre** prefiero a Pablo antes que a Pedro
aine [ɛn] *nf* ingle *f*
aîné, e [ene] *adj* mayor ■ *nm/f* primogénito(-a); **aînés** *nmpl* (*fig: anciens*) antepasados *mpl*; **il est mon ~ (de 2 ans)** es (2 años) mayor que yo
ainsi [ɛ̃si] *adv* (*de cette façon*) de este modo; (*ce faisant*) así ■ *conj* entonces; **~ que** (*comme*) así como; (*et aussi*) y también; **pour ~ dire** por decirlo así; **~ donc** así pues; **~ soit-il** así sea; **et ~ de suite** y así sucesivamente
air [ɛʀ] *nm* aire *m*; (*expression, attitude*) aspecto; **dans l'~** (*atmosphère, ambiance*) en el aire; **tout mettre en l'~ dans une pièce** poner una habitación patas arriba; **regarder en l'~** mirar hacia arriba; **tirer en l'~** disparar al aire; **parole/menace en l'~** palabra/amenaza al aire; **prendre l'~** tomar el aire; **avoir l'~** parecer, verse (*AM*); **il a l'~ de manger/dormir/faire** parece que está comiendo/durmiendo/haciendo; **avoir l'~ d'un homme/clown** parecer un hombre/payaso; **prendre de grands ~s (avec qn)** darse aires de grandeza (con algn); **avoir l'~ triste** parecer triste; **ils ont un ~ de famille** se dan un aire de familia; **courant d'~** corriente *f* de aire; **le grand ~** el aire libre; **mal de l'~** mareo; **tête en l'~** despistado(-a); **~ comprimé/conditionné/liquide** aire comprimido/acondicionado/líquido
airbag [ɛʀbag] *nm* airbag *m*
aisance [ɛzɑ̃s] *nf* (*facilité*) facilidad *f*; (*grâce, adresse*) desenvoltura; (*richesse*) bienestar *m*; (*Couture*) holgura; **être dans l'~** estar desahogado(-a)
aise [ɛz] *nf* (*confort*) comodidad *f*; (*financière*) desahogo ■ *adj*: **être bien ~ de/que** estar encantado(-a) de/de que; **aises** *nfpl*: **prendre ses ~s** instalarse a sus anchas; **soupirer/frémir d'~** suspirar/temblar de gozo; **être à l'~** *ou* **à son ~** estar a gusto; (*pas embarrassé*) estar a sus anchas; (*financièrement*) estar desahogado(-a); **se mettre à l'~** ponerse a gusto; **être mal à l'~** *ou* **à son ~** estar a disgusto; (*gêné*) estar molesto(-a); **mettre qn à l'~/mal à l'~** hacer que algn se sienta cómodo(-a)/incómodo(-a); **à votre ~** como usted guste; **en faire à son ~** hacer lo que a uno le plazca; **en prendre à son ~ avec qch** tomarse algo con calma; **il aime ses ~s** le gusta la comodidad
aisé, e [eze] *adj* (*facile*) fácil; (*naturel*) desenvuelto(-a); (*assez riche*) acomodado(-a)
aisselle [ɛsɛl] *nf* axila
ait [ɛ] *vb voir* **avoir**
ajonc [aʒɔ̃] *nm* aulaga
ajourner [aʒuʀne] *vt* (*débat, décision*) aplazar, postergar (*AM*); (*candidat*) suspender; (*conscrit*) reemplazar

ajout [aʒu] *nm* añadido
ajouter [aʒute] *vt* añadir, agregar (*esp AM*); (*Inform*) juntar, añadir; **~ que** añadir que; **~ foi à** dar crédito a; **~ à** añadir a; **s'~ à** añadirse a
alarme [alaʀm] *nf* (*signal*) alarma; (*inquiétude*) inquietud *f*; **donner l'~** dar la alarma; **jeter l'~** sembrar la alarma; **à la première ~** al primer toque de alarma
alarmer [alaʀme] *vt* alarmar; **s'alarmer** *vpr* alarmarse
alarmiste [alaʀmist] *adj* alarmista
album [albɔm] *nm* álbum *m*; **~ à colorier/de timbres** álbum para colorear/de sellos
albumine [albymin] *nf* albúmina; **avoir** *ou* **faire de l'~** tener albúmina
alcool [alkɔl] *nm*: **l'~** el alcohol; **un ~** un licor; **~ à 90°** alcohol de 90°; **~ à brûler** alcohol de quemar; **~ camphré** alcohol alcanforado; **~ de poire/de prune** licor de pera/de ciruela
alcoolique [alkɔlik] *adj, nm/f* alcohólico(-a)
alcoolisé, e [alkɔlize] *adj* alcoholizado(-a); **fortement/peu ~** muy/poco alcoholizado(-a)
alcoolisme [alkɔlism] *nm* alcoholismo
alco(o)test® [alkɔtɛst] *nm* (*objet*) alcohómetro; (*épreuve*) prueba del alcohol; **faire subir l'~ à qn** hacer la prueba del alcohol a algn
aléatoire [aleatwaʀ] *adj* aleatorio(-a)
alentour [alɑ̃tuʀ] *adv* alrededor; **alentours** *nmpl* alrededores *mpl*; **aux ~s de** en los alrededores de
alerte [alɛʀt] *adj* vivo(-a) ▪ *nf* (*menace*) alerta; (*signal, inquiétude*) alarma; **donner l'~** dar la alerta; **à la première ~** al primer toque de alarma
alerter [alɛʀte] *vt* alertar
algèbre [alʒɛbʀ] *nf* álgebra
Alger [alʒe] *n* Argel *m*
Algérie [alʒeʀi] *nf* Argelia
algérien, ne [alʒeʀjɛ̃, jɛn] *adj* argelino(-a) ▪ *nm/f*: **Algérien, ne** argelino(-a)
algue [alg] *nf* alga
alibi [alibi] *nm* coartada
aligner [aliɲe] *vt* alinear; (*idées*) ordenar; **s'aligner** *vpr* alinearse; **~ qch sur** poner algo en línea con; **s'~ (sur)** (*Pol*) estar alineado(-a) (con)
aliment [alimɑ̃] *nm* (*aussi fig*) alimento; **~ complet** alimento completo
alimentaire [alimɑ̃tɛʀ] *adj* alimenticio(-a); (*péj: besogne*) para poder comer; **produits** *ou* **denrées ~s** productos *mpl* alimenticios
alimentation [alimɑ̃tasjɔ̃] *nf* alimentación *f*; (*en eau, en électricité*) provisión *f*; **~ à feuille** alimentación de hojas; **~ de base** alimentación básica; **~ en continu** alimentación continua; **~ en papier** alimentación de papel; **~ générale** alimentación
alimenter [alimɑ̃te] *vt* alimentar; (*conversation*) sostener; (*en eau, électricité*): **~ (en)** alimentar (con), abastecer (con); **s'alimenter** *vpr* alimentarse
allaiter [alete] *vt* (*femme*) dar el pecho a; (*animal*) amamantar
alléchant, e [aleʃɑ̃, ɑ̃t] *adj* (*odeur*) atrayente; (*proposition etc*) tentador(a)
allécher [aleʃe] *vt* (*odeur*) atraer; (*proposition etc*) tentar; **~ qn** engatusar a algn
allée [ale] *nf* (*de jardin, parc*) paseo, sendero; (*en ville*) avenida; **allées** *nfpl*: **~s et venues** idas *fpl* y venidas *fpl*
allégé, e [aleʒe] *adj* (*yaourt etc*) bajo(-a) en contenido graso
Allemagne [almaɲ] *nf* Alemania; **l'~ de l'Est/de l'Ouest/fédérale** (*Hist*) Alemania del este/del oeste/federal
allemand, e [almɑ̃, ɑ̃d] *adj* alemán(-ana) ▪ *nm* (*Ling*) alemán *m* ▪ *nm/f*: **Allemand, e** alemán(-ana); **~ de l'Est/de l'Ouest** (*Hist*) alemán del este/del oeste

MOT-CLÉ

aller [ale] *nm* ida; **aller (simple)** ida
▪ *vi* **1** ir; **aller à la chasse/pêche** ir a cazar/pescar, ir de caza/pesca; **aller au théâtre/au concert/au cinéma** ir al teatro/a conciertos/al cine; **aller à l'école** ir al colegio
2 (*situation, moteur, personne etc*) andar, estar; **comment allez-vous?** ¿qué tal está usted?; **comment ça va?** ¿qué tal?; **ça va? - oui, ça va/non, ça ne va pas** ¿qué tal? - bien/mal; **comment ça va les affaires?** ¿qué tal van las cosas?; **ça ne va pas très bien (au bureau)** las cosas no van muy bien (en la oficina); **ça va bien/mal** anda bien/mal; **ça va** (*approbation*) bien; **tout va bien** todo va bien; **il va bien/mal** está bien/mal; **il y va de leur vie** les va en ello la vida; **il n'y est pas allé par quatre chemins** (*fig*) no se anduvo con rodeos; **tu y vas un peu (trop) fort** exageras un poco; **aller à** (*suj: forme, pointure etc*) adaptarse a; **cette robe te va très bien** este vestido te sienta muy

bien; **cela me va** (*couleur, vêtement*) esto me sienta *ou* va bien; **aller avec** (*couleurs, style etc*) pegar con; **ça ne va pas sans difficultés** esto conlleva dificultades; **aller sur** (*âge*) acercarse a; **ça ira** (*comme ça*) está bien así; **se laisser aller** (*se négliger*) abandonarse; **aller jusqu'à Paris/100 euros** (*limite*) llegar hasta París/100 euros; **ça va de soi** se cae por su propio peso; **ça va sans dire** ni qué decir tiene; **il va sans dire que ...** ni qué decir tiene que ...
3 (*fonction d'auxiliaire*): **je vais me fâcher/le faire** voy a enfadarme/hacerlo; **aller chercher/voir qn** ir a buscar/a ver a algn; **je vais m'en occuper demain** voy a ocuparme de ello mañana
4: **allons-y!** ¡vamos!; **allez!** ¡venga!; **allons donc!** ¡anda ya!; **aller mieux** ir mejor; **aller en empirant** ir empeorando; **allez, fais un effort** vamos, haz un esfuerzo; **allez, je m'en vais** bueno, me voy; **s'en aller** irse

allergique [alɛʀʒik] *adj* (*aussi fig*) alérgico(-a); **~ à** alérgico(-a) a
alliance [aljɑ̃s] *nf* alianza; (*mariage*) matrimonio; **neveu par ~** sobrino político
allier [alje] *vt* aliar; (*métaux*) alear; (*fig*) unir; **s'allier** *vpr* aliarse; **s'~ à** aliarse con
allô [alo] *excl* dígame, aló (*AM*)
allocation [alɔkasjɔ̃] *nf* asignación *f*; **~ (de) chômage** subsidio de desempleo; **~ (de) logement/de maternité** prestación *f* para alojamiento/por maternidad; **~s familiales** ayuda *fsg* familiar
allonger [alɔ̃ʒe] *vt* (*objet, durée*) alargar; (*bras*) estirar; (*fam: sauce*) extender; (*: coup, argent*) largar; **s'allonger** *vpr* (*journée, séance*) alargarse; (*personne*) tumbarse; **~ le pas** aligerar el paso
allumage [alymaʒ] *nm* encendido
allume-cigare [alymsigaʀ] *nm inv* encendedor *m*
allumer [alyme] *vt* encender, prender (*AM*); (*pièce*) alumbrar; **s'allumer** *vpr* encenderse; **~ (la lumière** *ou* **l'électricité)** encender (la luz *ou* la electricidad); **~ le/un feu** encender el/un fuego
allumette [alymɛt] *nf* cerilla; **~ au fromage** empanadilla de queso
allure [alyʀ] *nf* (*d'un véhicule*) velocidad *f*; (*d'un piéton*) paso; (*démarche, maintien*) presencia; (*aspect, air*) aspecto; **avoir de l'~** tener buena presencia; **à toute ~** a toda velocidad
allusion [a(l)lyzjɔ̃] *nf* (*référence*) referencia; (*sous-entendu*) alusión *f*; **faire ~ à** hacer referencia a; (*avec sous-entendu*) hacer alusión a

MOT-CLÉ

alors [alɔʀ] *adv* (*à ce moment-là*) entonces; **il habitait alors à Paris** vivía entonces en París
▪ *conj* (*par conséquent*) entonces; **tu as fini? alors je m'en vais** ¿has acabado? entonces, me voy; **et alors?** (*pour en savoir plus*) ¿entonces?; (*indifférence*) ¿y qué?; **alors que** *conj* **1** (*au moment où*) cuando; **il est arrivé alors que je partais** llegó cuando me iba
2 (*pendant que*) cuando, mientras; **alors qu'il était à Paris, il a visité ...** mientras estaba en París, visitó ...
3 (*tandis que, opposition*) mientras que; **alors que son frère travaillait dur, lui se reposait** mientras que su hermano trabajaba duro, él descansaba

alourdir [aluʀdiʀ] *vt* hacer pesado(-a); (*fig*) entorpecer; **s'alourdir** *vpr* ponerse pesado(-a)
Alpes [alp] *nfpl*: **les ~** los Alpes
alphabet [alfabɛ] *nm* alfabeto
alphabétique [alfabetik] *adj* alfabético(-a); **par ordre ~** por orden alfabético
alpinisme [alpinism] *nm* alpinismo, andinismo (*AM*)
alpiniste [alpinist] *nm/f* alpinista *m/f*, andinista *m/f* (*AM*)
Alsace [alzas] *nf* Alsacia
alsacien, ne [alzasjɛ̃, jɛn] *adj* alsaciano(-a) ▪ *nm/f*: **Alsacien, ne** alsaciano(-a)
altermondialisation [altɛʀmɔ̃djalizasjɔ̃] *nf* antiglobalización *f*
altermondialiste [altɛʀmɔ̃djalist] *adj, nm/f* antiglobalizador(a) *m/f*
alternateur [altɛʀnatœʀ] *nm* alternador *m*
alternatif, -ive [altɛʀnatif, iv] *adj* alternativo(-a)
alternative [altɛʀnativ] *nf* alternativa
alterner [altɛʀne] *vt* (*choses*) alternar; (*cultures*) rotar ▪ *vi* alternar; **~ avec qch** alternar con algo; **(faire) ~ qch avec qch** alternar algo con algo
altitude [altityd] *nf* (*par rapport à la mer*) altitud *f*; (*par rapport au sol*) altura; **à 500 m d'~** a 500m de altitud; **en ~** en las alturas; **perdre/prendre de l'~** perder/

coger altura; **voler à haute/basse ~** volar alto/bajo
alto [alto] *nm* (*instrument*) viola ■ *nf* (*chanteuse*) contralto *f*
aluminium [alyminjɔm] *nm* aluminio
amabilité [amabilite] *nf* amabilidad *f*; **il a eu l'~ de ...** ha tenido la amabilidad de ...
amaigrissant, e [amegʀisɑ̃, ɑ̃t] *adj*: **régime ~** régimen *m* de adelgazamiento
amande [amɑ̃d] *nf* almendra; (*de noyau de fruit*) pepita; **en ~** (*yeux*) con forma de almendra, almendrado(-a)
amandier [amɑ̃dje] *nm* almendro
amant, e [amɑ̃, ɑ̃t] *nm/f* amante *m/f*
amas [amɑ] *nm* montón *m*
amasser [amɑse] *vt* amontonar; **s'amasser** *vpr* amontonarse
amateur [amatœʀ] *nm* (*aussi péj*) aficionado(-a); **musicien/sportif ~** músico(-a)/deportista aficionado(-a); **en ~** (*péj*) como aficionado(-a); **~ de musique/de sport** aficionado(-a) a la música/al deporte
ambassade [ɑ̃basad] *nf* embajada; **en ~** (*mission*) como embajada; **secrétaire/ attaché(e) d'~** secretario(-a)/ agregado(-a) de embajada
ambassadeur, -drice [ɑ̃basadœʀ, dʀis] *nm/f* (*Pol, fig*) embajador(a)
ambiance [ɑ̃bjɑ̃s] *nf* ambiente *m*; **il y a de l'~** hay animación
ambigu, -uë [ɑ̃bigy] *adj* ambiguo(-a)
ambitieux, -euse [ɑ̃bisjø, jøz] *adj, nm/f* ambicioso(-a)
ambition [ɑ̃bisjɔ̃] *nf* ambición *f*; **une ~** (*but, visée*) una aspiración
ambulance [ɑ̃bylɑ̃s] *nf* ambulancia
ambulancier, -ière [ɑ̃bylɑ̃sje, jɛʀ] *nm/f* conductor(a) de una ambulancia
âme [ɑm] *nf* (*spirituelle*) alma; (*conscience morale*) conciencia; **village de 200 ~s** pueblo de 200 almas; **rendre l'~** entregar el alma; **joueur/tricheur dans l'~** jugador/tramposo empedernido; **bonne ~** (*aussi ironique*) alma caritativa; **en mon ~ et conscience** en conciencia; **~ sœur** alma gemela
amélioration [ameljɔʀasjɔ̃] *nf* mejoría
améliorer [ameljɔʀe] *vt* mejorar; **s'améliorer** *vpr* mejorarse
aménager [amenaʒe] *vt* acondicionar; (*installer*) habilitar
amende [amɑ̃d] *nf* multa; **mettre à l'~** reprender; **faire ~ honorable** retractarse
amener [am(ə)ne] *vt* llevar; (*occasionner*) provocar; (*baisser*) arriar; **s'amener** (*fam*) ■ *vpr* venirse; **~ qn à qch/à faire** incitar a algn a algo/a hacer
amer, amère [amɛʀ] *adj* amargo(-a); (*personne*) amargado(-a)
américain, e [ameʀikɛ̃, ɛn] *adj* americano(-a) ■ *nm* (*Ling*) americano ■ *nm/f*: **Américain, e** americano(-a)
Amérique [ameʀik] *nf* América; **~ centrale/du Nord/du Sud/latine** América central/del Norte/del Sur/latina
amertume [amɛʀtym] *nf* amargura
ameublement [amœbləmɑ̃] *nm* mobiliario; **tissu d'~** género de tapicería
ami, e [ami] *nm/f* amigo(-a); (*amant/ maîtresse*) amante *m/f* ■ *adj*: **famille ~e** familia amiga; **pays/groupe ~** país *m*/ grupo aliado; **être (très) ~ avec qn** ser (muy) amigo de algn; **être ~ de l'ordre/ de la précision** ser amigo del orden/de la precisión; **un ~ des arts/des chiens** un amigo de las artes/de los perros; **petit ~/ petite ~e** (*fam*) novio/novia, pololo/ polola (*Chi*) (*fam*)
amiable [amjabl] *adj* (*gén*) amistoso(-a); **à l'~** amistosamente
amiante [amjɑ̃t] *nm* amianto
amical, e, -aux [amikal, o] *adj* amistoso(-a)
amicalement [amikalmɑ̃] *adv* amistosamente; (*formule épistolaire*) cordialmente
amincir [amɛ̃siʀ] *vt* (*suj*: *vêtement*) hacer más delgado(-a); (*objet*) rebajar; **s'amincir** *vpr* (*objet*) disminuir; (*personne*) adelgazar
amincissant, e [amɛ̃sisɑ̃, ɑ̃t] *adj* adelgazante
amiral, -aux [amiʀal, o] *nm* almirante *m*
amitié [amitje] *nf* amistad *f*; **prendre en ~** tomar afecto a; **avoir de l'~ pour qn** sentir afecto por algn; **faire** *ou* **présenter ses ~s à qn** dar *ou* enviar recuerdos a algn; **~s** (*formule épistolaire*) cordialmente
amnésique [amnezik] *adj* amnésico(-a)
amonceler [amɔ̃s(ə)le] *vt* (*objets*) amontonar; (*travail, fortune*) acumular; **s'amonceler** *vpr* amontonarse; (*fig*) acumularse
amont [amɔ̃] *adv*: **en ~** (*d'un cours d'eau*) río arriba; (*d'une pente*) arriba; (*d'un processus*) precedente; **en ~ de** más arriba de
amorce [amɔʀs] *nf* (*sur un hameçon*) cebo; (*explosif*) fulminante *m*; (*tube*) pistón *m*; (*de pistolet d'enfant*) mixto; (*fig*) principio
amorcer [amɔʀse] *vt* (*hameçon, munition*) cebar; (*fig*: *négociations*) emprender; (*geste*) esbozar; (*virage*) coger

amortir [amɔʀtiʀ] *vt* (*choc, bruit*) amortiguar; (*douleur*) atenuar; (*Comm*) amortizar; **~ un abonnement** amortizar un abono

amortisseur [amɔʀtisœʀ] *nm* amortiguador *m*

amour [amuʀ] *nm* (*sentiment, goût*) amor *m*; (*statuette*) amorcillo; **faire l'~** hacer el amor; **filer le parfait ~** estar muy enamorados; **un ~ de** un encanto de; **l'~ libre** el amor libre; **~ platonique** amor platónico

amoureux, -euse [amuʀø, øz] *adj* amoroso(-a) ■ *nm/f* enamorado(-a) ■ *nmpl* (*amants*) amantes *mpl*; **être ~ de qch/qn** estar enamorado(-a) de algo/algn; **tomber ~ (de qn)** enamorarse (de algn); **un ~ des bêtes/de la nature** un enamorado de los animales/de la naturaleza

amour-propre [amuʀpʀɔpʀ] (*pl* **amours-propres**) *nm* amor *m* propio

ampère [ɑ̃pɛʀ] *nm* amperio

amphithéâtre [ɑ̃fiteɑtʀ] *nm* (*aussi fig*) anfiteatro

ample [ɑ̃pl] *adj* amplio(-a); (*ressources*) abundante

amplement [ɑ̃pləmɑ̃] *adv* ampliamente; **~ suffisant** más que suficiente

ampleur [ɑ̃plœʀ] *nf* amplitud *f*; (*de vêtement*) anchura

amplificateur [ɑ̃plifikatœʀ] *nm* amplificador *m*

amplifier [ɑ̃plifje] *vt* (*son, oscillation*) amplificar; (*importance, quantité*) acrecentar

ampoule [ɑ̃pul] *nf* (*Élec*) bombilla, foco (*AM*), bombillo (*AM*); (*de médicament, aux mains*) ampolla

amusant, e [amyzɑ̃, ɑ̃t] *adj* divertido(-a)

amuse-gueule [amyzgœl] *nm inv* tapas *fpl*

amusement [amyzmɑ̃] *nm* diversión *f*

amuser [amyze] *vt* divertir; (*détourner l'attention de*) distraer; **s'amuser** *vpr* divertirse; (*péj: manquer de sérieux*) estar de juerga; (*: perdre son temps*) remolonear; **s'~ de qch** divertirse con algo; **s'~ de qn** burlarse de algn

amygdale [amidal] *nf* amígdala; **opérer qn des ~s** operar a algn de las amígdalas

AN *sigle f* (= *Assemblée nationale*) *voir* **assemblée**

an [ɑ̃] *nm* año; **être âgé de** *ou* **avoir 3 ans** tener 3 años de edad; **en l'an 2007** en el año 2007; **le jour de l'an, le premier de l'an, le nouvel an** el día de año nuevo, el año nuevo

anachronique [anakʀɔnik] (*péj*) *adj* anacrónico(-a)

anagramme [anagʀam] *nf* anagrama *m*

analogie [analɔʒi] *nf* analogía

analphabète [analfabɛt] *adj, nm/f* analfabeto(-a)

analyse [analiz] *nf* análisis *m inv*; **faire l'~ de** hacer el análisis de; **une ~ approfondie** un análisis minucioso; **en dernière ~** en última instancia; **avoir l'esprit d'~** tener una mente analítica; **~ grammaticale/logique** análisis gramatical/lógico

analyser [analize] *vt* analizar

ananas [anana(s)] *nm* piña, ananá(s) *m* (*AM*)

anatomie [anatɔmi] *nf* anatomía

ancêtre [ɑ̃sɛtʀ] *nm/f* (*parent*) antepasado(-a); **ancêtres** *nmpl* (*aïeux*) antepasados *mpl*; **l'~ de** (*fig*) el precursor de

anchois [ɑ̃ʃwa] *nm* anchoa

ancien, ne [ɑ̃sjɛ̃, jɛn] *adj* antiguo(-a), viejo(-a); (*de jadis, de l'antiquité*) antiguo(-a); (*précédent, ex-*) antiguo(-a), ex- ■ *nm* (*mobilier ancien*): **l'~** antigüedades *fpl* ■ *nm/f* anciano(-a); **un ~ ministre** un ex-ministro; **mon ~ne voiture** mi antiguo coche; **être plus ~ que qn** (*dans la hiérarchie*) tener más antigüedad que algn; (*par l'expérience*) tener más experiencia que algn; **~ combattant** ex-combatiente; **~ (élève)** antiguo(-a) alumno(-a)

ancienneté [ɑ̃sjɛnte] *nf* antigüedad *f*

ancre [ɑ̃kʀ] *nf* ancla; **jeter/lever l'~** echar/levar anclas; **à l'~** anclado(-a)

ancrer [ɑ̃kʀe] *vt* (*câble*) fijar; (*idée*) afianzar, anclar; **s'ancrer** *vpr* (*Naut, fig*) anclarse

Andorre [ɑ̃dɔʀ] *nf* Andorra

andouille [ɑ̃duj] *nf* *especie de embutido*; (*fam*) imbécil *m/f*

âne [ɑn] *nm* (*aussi péj*) burro

anéantir [aneɑ̃tiʀ] *vt* (*pays, récolte, espoirs*) aniquilar; (*déprimer, abattre*) anonadar

anecdote [anɛkdɔt] *nf* anécdota

anémie [anemi] *nf* anemia

anémique [anemik] *adj* anémico(-a)

anesthésie [anɛstezi] *nf* anestesia; **sous ~** bajo anestesia; **~ générale/locale** anestesia general/local

ange [ɑ̃ʒ] *nm* (*aussi fig*) ángel *m*; **être aux ~s** estar en la gloria; **~ gardien** (*aussi fig*) ángel de la guarda

angine [ɑ̃ʒin] *nf* angina; **~ de poitrine** angina de pecho
anglais, e [ɑ̃glɛ, ɛz] *adj* inglés(-esa) ▪ *nm* (*Ling*) inglés *m* ▪ *nm/f*: **Anglais, e** inglés(-esa); **anglaises** *nfpl* (*cheveux*) tirabuzones *mpl*; **les A~** los ingleses; **filer à l'~e** tomar las de Villadiego, despedirse a la francesa; **à l'~e** (*Culin*) al vapor
angle [ɑ̃gl] *nm* (*coin*) esquina; (*Géom, fig*) ángulo; **~ aigu** ángulo agudo; **~ droit** ángulo recto; **~ mort/obtus** ángulo muerto/obtuso
Angleterre [ɑ̃glətɛʀ] *nf* Inglaterra
anglophone [ɑ̃glɔfɔn] *adj, nm/f* anglófono(-a)
angoisse [ɑ̃gwas] *nf* angustia; **avoir des ~s** estar angustiado(-a)
angoissé, e [ɑ̃gwase] *adj* angustiado(-a)
anguille [ɑ̃gij] *nf* anguila; **il y a ~ sous roche** hay gato encerrado; **~ de mer** congrio
animal, e, -aux [animal, o] *adj* animal ▪ *nm* (*aussi fig*) animal *m*; **~ domestique/sauvage** animal doméstico/salvaje
animateur, -trice [animatœʀ, tʀis] *nm/f* animador(a); (*de spectacle*) presentador(a)
animation [animasjɔ̃] *nf* animación *f*; **animations** *nfpl* (*activités*) animación *fsg*
animé, e [anime] *adj* (*rue, lieu*) animado(-a)
animer [anime] *vt* animar; **s'animer** *vpr* animarse
anis [ani(s)] *nm* anís *m*
ankyloser [ɑ̃kiloze] *vpr*: **s'ankyloser** anquilosarse
anneau, x [ano] *nm* (*de rideau*) argolla; (*de chaîne*) anilla; (*bague*) anillo; **anneaux** *nmpl* (*Sport*) anillas *fpl*; **exercices aux ~x** ejercicios *mpl* de anillas
année [ane] *nf* año; **souhaiter la bonne ~ à qn** felicitar el año a algn; **tout au long de l'~** a lo largo del año; **d'une ~ à l'autre** de un año a otro; **d'~ en ~** de año en año; **l'~ scolaire** el curso escolar; **l'~ fiscale** el año fiscal
annexe [anɛks] *adj* (*problème*) anexo(-a); (*document*) adjunto(-a); (*salle*) contiguo(-a) ▪ *nf* anexo
anniversaire [anivɛʀsɛʀ] *adj*: **jour ~** aniversario ▪ *nm* (*d'une personne*) cumpleaños *m inv*; (*d'un événement, bâtiment*) aniversario
annonce [anɔ̃s] *nf* anuncio; (*Cartes, avis*) aviso; **les petites ~s** anuncios *mpl* por palabras
annoncer [anɔ̃se] *vt* anunciar; (*Cartes*) cantar; **s'annoncer** *vpr*: **s'~ bien/difficile** presentarse bien/difícil; **~ la couleur** (*fig*) poner las cartas boca arriba; **je vous annonce que** le anuncio que
annuaire [anɥɛʀ] *nm* anuario; **~ électronique** anuario electrónico; **~ téléphonique** guía telefónica
annuel, le [anɥɛl] *adj* anual
annulation [anylasjɔ̃] *nf* anulación *f*
annuler [anyle] *vt* anular; **s'annuler** *vpr* anularse
anonymat [anɔnima] *nm* anonimato; **garder l'~** mantener el anonimato
anonyme [anɔnim] *adj* (*aussi fig*) anónimo(-a)
anorak [anɔʀak] *nm* anorak *m*
anormal, e, -aux [anɔʀmal, o] *adj* (*exceptionnel, inhabituel*) anormal; (*injuste*) injusto(-a); (*personne*) subnormal ▪ *nm/f* subnormal *m/f*
ANPE [aɛnpee] *sigle f* (= *Agence nationale pour l'emploi*) ≈ INEM *m* (= *Instituto Nacional de Empleo*)
antarctique [ɑ̃taʀktik] *adj* antártico(-a) ▪ *nm*: **l'A~** la Antártida; **le cercle/l'océan ~** el círculo polar antártico/el océano Antártico
antenne [ɑ̃tɛn] *nf* antena; (*poste avancé, succursale, agence*) unidad *f*; **sur l'~** en antena; **passer à l'~** salir en la televisión; **avoir l'~** estar en conexión; **prendre l'~** conectar, sintonizar; **2 heures d'~** un espacio de 2 horas; **hors ~** fuera de antena; **~ chirurgicale** (*Mil*) unidad *f* quirúrgica; **~ parabolique** antena parabólica
antérieur, e [ɑ̃teʀjœʀ] *adj* anterior; **~ à** anterior a; **passé/futur ~** pasado/futuro anterior
anti- [ɑ̃ti] *préf* anti-
antialcoolique [ɑ̃tialkɔlik] *adj* antialcohólico(-a); **ligue ~** liga antialcohólica
antibiotique [ɑ̃tibjɔtik] *nm* antibiótico ▪ *adj* antibiótico(-a)
antibrouillard [ɑ̃tibʀujaʀ] *adj*: **phare ~** faro antiniebla
anticipation [ɑ̃tisipasjɔ̃] *nf* anticipación *f*, previsión *f*; **par ~** (*Comm*) por adelantado; **livre/film d'~** libro/película de ciencia ficción
anticipé, e [ɑ̃tisipe] *adj* (*règlement, paiement*) por adelantado; (*joie*) anticipado(-a); **avec mes remerciements ~s** agradeciéndole de antemano
anticiper [ɑ̃tisipe] *vt* (*événement, coup*) anticipar; (*en imaginant*) prever; (*paiement*) adelantar ▪ *vi*: **n'anticipons**

pas no nos adelantemos; **~ sur** anticiparse a
anticorps [ɑ̃tikɔʀ] *nm* anticuerpo
antidote [ɑ̃tidɔt] *nm* antídoto
antigel [ɑ̃tiʒɛl] *nm* anticongelante *m*
antihistaminique [ɑ̃tiistaminik] *nm* antihistamínico
antillais, e [ɑ̃tijɛ, ɛz] *adj* antillano(-a) ■ *nm/f*: **Antillais, e** antillano(-a)
Antilles [ɑ̃tij] *nfpl*: **les ~** las Antillas; **les grandes/petites ~** las grandes/pequeñas Antillas
antilope [ɑ̃tilɔp] *nf* antílope *m*
antimite(s) [ɑ̃timit] *adj, nm*: **(produit) ~** antipolilla *m*
antipathique [ɑ̃tipatik] *adj* antipático(-a)
antipelliculaire [ɑ̃tipelikylɛʀ] *adj* anticaspa
antiquaire [ɑ̃tikɛʀ] *nm/f* anticuario(-a)
antique [ɑ̃tik] *adj* (*gréco-romain, très vieux*) antiguo(-a); (*démodé*) anticuado(-a)
antiquité [ɑ̃tikite] *nf* (*objet ancien*) antigüedad *f*; (*péj*) antigualla; **l'A~** la Antigüedad; **magasin d'~s** tienda de antigüedades
antirabique [ɑ̃tiʀabik] *adj* antirrábico(-a)
antirouille [ɑ̃tiʀuj] *adj inv*: **peinture/produit ~** pintura/producto antioxidante; **traitement ~** tratamiento antioxidante
antisémite [ɑ̃tisemit] *adj, nm/f* antisemita
antiseptique [ɑ̃tisɛptik] *adj* antiséptico(-a) ■ *nm* antiséptico
antivirus [anti'viʀus] *nm* (*Inform*) antivirus *m inv*
antivol [ɑ̃tivɔl] *adj*: **(dispositif) ~** (dispositivo) antirrobo ■ *nm* antirrobo
anxiété [ɑ̃ksjete] *nf* ansiedad *f*
anxieux, -euse [ɑ̃ksjø, jøz] *adj* ansioso(-a); **être ~ de faire** estar ansioso(-a) por hacer
AOC *sigle f = appellation d'origine contrôlée*

AOC

AOC es la categoría de los vinos franceses de mayor calidad. Indica que el vino cumple los requisitos más estrictos en lo referente a cepa de origen, tipo de uva cultivada, método de producción y graduación.

août [u(t)] *nm* agosto; *voir aussi* **juillet**
apaiser [apeze] *vt* tranquilizar; **s'apaiser** *vpr* tranquilizarse
apartheid [apaʀtɛd] *nm* apartheid *m*
apercevoir [apɛʀsəvwaʀ] *vt* (*voir*) distinguir; (*constater, percevoir*) percibir; **s'~ de/que** darse cuenta de/de que; **sans s'en ~** sin darse cuenta
aperçu [apɛʀsy] *pp de* **apercevoir** ■ *nm* visión *f* de conjunto; (*gén pl*: *intuition*) idea
apéritif, -ive [apeʀitif, iv] *adj* aperitivo(-a) ■ *nm* aperitivo; **prendre l'~** tomar el aperitivo
à-peu-près [apøpʀɛ] (*péj*) *nm inv* aproximación *f*
apeuré, e [apœʀe] *adj* atemorizado(-a)
aphte [aft] *nm* afta
apitoyer [apitwaje] *vt* apiadar; **s'apitoyer** *vpr* apiadarse; **s'~ (sur qn/qch)** apiadarse (de algn/algo); **~ qn sur qn/qch** enternecer a algn con algn/algo
aplatir [aplatiʀ] *vt* aplastar; **s'aplatir** *vpr* aplastarse; (*fig*) tumbarse; (*fam*: *tomber*) caerse; (*péj*: *s'humilier*) rebajarse; **s'~ contre** (*fam*) aplastarse contra
aplomb [aplɔ̃] *nm* (*équilibre*) equilibrio; (*sang-froid*) aplomo; (*péj*) desfachatez *f*; **d'~** (*en équilibre*) verticalmente; (*Constr*) aplomo
apostrophe [apɔstʀɔf] *nf* (*signe*) apóstrofe *m*; (*interpellation*) improperio
apparaître [apaʀɛtʀ] *vi* aparecer; (*avec attribut*) parecer; **il apparaît que** es evidente que; **il m'apparaît que** me parece que
appareil [apaʀɛj] *nm* aparato; **~ digestif/reproducteur** aparato digestivo/reproductor; **qui est à l'~?** ¿quién está al aparato?; **dans le plus simple ~** desnudo(-a); **~ 24x36** *ou* **petit format** cámara de 24 por 36; **~ photographique, ~ photo** cámara de fotos; **~ productif** aparato productivo
appareiller [apaʀeje] *vi* zarpar ■ *vt* emparejar
apparemment [apaʀamɑ̃] *adv* aparentemente, dizque (*AM*)
apparence [apaʀɑ̃s] *nf* apariencia; **malgré les ~s** a pesar de las apariencias; **en ~** en apariencia
apparent, e [apaʀɑ̃, ɑ̃t] *adj* (*visible*) aparente; (*évident*) evidente; (*illusoire, superficiel*) ilusorio(-a); **coutures ~es** costuras *fpl* visibles; **poutres ~es** vigas *fpl* al descubierto
apparenté, e [apaʀɑ̃te] *adj*: **~ à** (*aussi fig*) emparentado(-a) con
apparition [apaʀisjɔ̃] *nf* aparición *f*; **faire une ~** aparecer brevemente; **faire son ~** hacer su aparición

appartement [apaʀtəmɑ̃] *nm* piso, departamento (*AM*)
appartenir [apaʀtəniʀ]: **~ à** *vt* pertenecer a; **il lui appartient de** (*c'est son rôle*) le corresponde; **il ne m'appartient pas de (faire)** no me corresponde (hacer)
apparu, e [apaʀy] *pp de* **apparaître**
appât [apɑ] *nm* (*aussi fig*) cebo
appel [apɛl] *nm* llamada, llamado (*AM*); (*attirance*) reclamo; (*nominal*) lista; (*Mil*) alistamiento a filas; (*Jur*) apelación *f*, llamado (*AM*); **faire ~ à** (*invoquer*) apelar a; (*avoir recours à*) recurrir a; (*nécessiter*) necesitar; **faire** *ou* **interjeter ~** (*Jur*) apelar; **faire l'~** pasar lista; **sans ~** (*fig*) sin apelación; **faire un ~ de phares** hacer señales con los faros; **indicatif d'~** señal *f* distintiva; **numéro d'~** número telefónico; **~ d'air** aspiración *f* de aire; **~ d'offres** llamada a licitación; **~ (téléphonique)** llamada (telefónica)
appelé [ap(ə)le] *nm* (*Mil*) recluta *m*
appeler [ap(ə)le] *vt* llamar; (*en faisant l'appel*) pasar lista; (*nommer: avec attribut ou complément*) nombrar; (*nécessiter*) requerir; **s'appeler** *vpr* llamarse; **~ au secours** *ou* **à l'aide** pedir ayuda; (*en cas de danger*) pedir socorro *ou* auxilio; **~ qn à un poste/à des fonctions** destinar a algn a un puesto/a unas funciones; **être appelé à** (*fig*) ser llamado a; **~ qn à comparaître** (*Jur*) citar a algn; **en ~ à qn/qch** apelar a algn/algo; **il s'appelle** se llama; **comment ça s'appelle?** ¿cómo se llama esto?; **je m'appelle** me llamo; **~ police-secours** llamar al 091; **ça s'appelle un(e)** ... se llama un(a) ...
appendicite [apɛ̃disit] *nf* apendicitis *f*
appesantir [apəzɑ̃tiʀ] *vpr*: **s'appesantir** hacerse más pesado; **s'~ sur** (*fig*) insistir en
appétissant, e [apetisɑ̃, ɑ̃t] *adj* apetitoso(-a)
appétit [apeti] *nm* apetito; **avoir un gros/petit ~** tener mucho/poco apetito; **couper l'~ de qn** quitar las ganas a algn; **bon ~!** ¡buen provecho!
applaudir [aplodiʀ] *vt, vi* aplaudir; **~ à** (*décision, projet*) aprobar; **~ à tout rompre** aplaudir a rabiar
applaudissements [aplodismɑ̃] *nmpl* aplausos *mpl*
application [aplikasjɔ̃] *nf* aplicación *f*; **applications** *nfpl* (*d'une théorie, méthode*) aplicación *fsg*; **mettre en ~** poner en aplicación; **avec ~** aplicadamente
appliquer [aplike] *vt* aplicar; **s'appliquer** *vpr* aplicarse; **s'~ à** aplicarse a; **s'~ à faire qch** esmerarse en hacer algo; **s'~ sur** (*coïncider avec*) encajar con; **il s'est (beaucoup) appliqué** se ha esmerado (mucho)
appoint [apwɛ̃] *nm* (*fig*) ayuda; **avoir/faire l'~** (*en payant*) tener/dar suelto; **chauffage/lampe d'~** calefacción *f*/lámpara suplementaria
apporter [apɔʀte] *vt* (*amener*) traer; (*soutien, preuve*) aportar; (*soulagement*) procurar; (*remarque*) añadir
appréciable [apʀesjabl] *adj* apreciable
apprécier [apʀesje] *vt* apreciar
appréhender [apʀeɑ̃de] *vt* (*craindre*) temer; (*Jur, aborder*) aprehender; **~ que/de faire** temer que/hacer
appréhension [apʀeɑ̃sjɔ̃] *nf* aprehensión *f*
apprendre [apʀɑ̃dʀ] *vt* (*aussi fig*) aprender; (*nouvelle, résultat*) conocer; **~ qch à qn** (*informer*) informar de algo a algn; (*enseigner*) enseñar algo a algn; **~ à faire qch** aprender a hacer algo; **~ à qn à faire qch** enseñar a algn a hacer algo; **tu me l'apprends!** ¡qué noticia!
apprenti, e [apʀɑ̃ti] *nm/f* (*aussi fig*) aprendiz(a)
apprentissage [apʀɑ̃tisaʒ] *nm* aprendizaje *m*; **faire l'~ de qch** iniciarse en algo; **école** *ou* **centre d'~** escuela *ou* centro de aprendizaje
apprêter [apʀete] *vt* (*cuir*) adobar; (*étoffe, papier*) aprestar; **s'apprêter** *vpr*: **s'~ à qch/à faire qch** disponerse a algo/a hacer algo
appris, e [apʀi, iz] *pp de* **apprendre**
apprivoiser [apʀivwaze] *vt* domesticar
approbation [apʀɔbasjɔ̃] *nf* (*autorisation*) aprobación *f*, conformidad *f*; (*jugement favorable*) aprobación, asentimiento; **digne d'~** digno de aprobación
approcher [apʀɔʃe] *vi* acercarse, aproximarse ■ *vt* (*vedette, artiste*) relacionarse con; (*rapprocher*): **~ qch (de qch)** acercar algo (a algo); **s'approcher de** *vpr* acercarse a; **~ de** (*but, moment*) acercarse a, estar más cerca de; (*nombre, quantité*) rozar; **approchez-vous** acérquese
approfondir [apʀɔfɔ̃diʀ] *vt* (*trou, fossé*) ahondar; (*sujet, question*) profundizar (en); **sans ~** sin profundizar
approprié, e [apʀɔpʀije] *adj* apropiado(-a), adecuado(-a); **~ à** adecuado(-a) a, conforme a

approprier [apʀɔpʀije] *vt* adaptar; **s'approprier** *vpr* apropiarse de, adueñarse de
approuver [apʀuve] *vt* (*autoriser*) aprobar; (*être d'accord avec*) estar de acuerdo con; **je vous approuve entièrement** estoy completamente de acuerdo con usted; **je ne vous approuve pas** no estoy de acuerdo con usted; **lu et approuvé** leído y conforme
approvisionner [apʀɔvizjɔne] *vt* (*magasin, personne*) abastecer, proveer; (*compte bancaire*) cubrir; **~ qn en** abastecer *ou* proveer a algn de; **s'~ dans un magasin/au marché** comprar en una tienda/en el mercado; **s'~ en** proveerse de
approximatif, -ive [apʀɔksimatif, iv] *adj* aproximativo(-a); (*idée*) aproximado(-a)
appt *abr = appartement*
appui [apɥi] *nm* apoyo; (*de fenêtre*) antepecho; (*d'escalier etc*) soporte *m*; (*soutien, aide*) apoyo, sostén *m*; **prendre ~ sur** apoyarse en; **point d'~** punto de apoyo; **à l'~ de** (*pour prouver*) en prueba de; **à l'~** como prueba
appuyer [apɥije] *vt* (*personne, demande*) apoyar, respaldar; **~ qch sur/contre/à** apoyar algo en/contra/en; **~ contre** (*mur, porte*) apoyar contra; **~ sur** (*bouton*) apretar; (*frein*) pisar; (*insister sur*) recalcar, insistir en; (*peser sur*) descansar sobre; **~ à droite** *ou* **sur sa droite** dirigirse a la derecha; **~ sur le champignon** apretar el acelerador; **s'~ sur** (*s'accouder à*) apoyarse contra; (*se baser sur*) basarse en; (*compter sur*) contar con; **s'~ sur qn** (*fig*) apoyarse en algn
après [apʀɛ] *prép* después de ■ *adv* después; (*ordre d'importance, poursuite, espace*) después, detrás; **2 heures ~** 2 horas después; **~ qu'il est** *ou* **soit parti/avoir fait** después de que marchó/de haber hecho; **courir ~ qn** correr detrás de algn; **crier ~ qn** reñir a algn; **être toujours ~ qn** (*critiquer*) meterse con algn; **~ quoi** después, a continuación; **d'~** según; **d'~ lui/moi** según él/yo; **~ coup** posteriormente; **~ tout** después de todo; **et (puis) ~!** ¿y qué?
après-demain [apʀɛdmɛ̃] *adv* pasado mañana
après-midi [apʀɛmidi] *nm ou nf inv* tarde *f*
après-rasage [apʀɛʀazaʒ] (*pl* **~s**) *nm*: **lotion ~** loción *f* para después del afeitado
après-shampooing *nm inv* acondicionador *m*
après-ski [apʀɛski] (*pl* **~s**) *nm* botas *fpl* "après-ski"
après-soleil [apʀɛsɔlɛj] *adj inv* after-sun *inv* ■ *nm* after-sun *m inv*
apte [apt] *adj*: **~ à qch/à faire qch** apto(-a) para algo/para hacer algo; **~ (au service)** (*Mil*) apto (para el servicio)
aquarelle [akwaʀɛl] *nf* acuarela
aquarium [akwaʀjɔm] *nm* acuario
aqueduc [ak(ə)dyk] *nm* acueducto
arabe [aʀab] *adj* árabe ■ *nm* (*Ling*) árabe *m* ■ *nm/f*: **Arabe** árabe *m/f*
Arabie [aʀabi] *nf* Arabia; **l'~ saoudite** *ou* **séoudite** Arabia Saudita
arachide [aʀaʃid] *nf* (*plante*) cacahuete *m*; (*graine*) cacahuete, maní *m*
araignée [aʀeɲe] *nf* araña; **~ de mer** araña de mar
arbitraire [aʀbitʀɛʀ] *adj* arbitrario(-a)
arbitre [aʀbitʀ] *nm* (*Sport, aussi fig*) árbitro; (*Jur, Tennis, Cricket*) juez *m*
arbitrer [aʀbitʀe] *vt* (*Sport*) arbitrar; (*fig*) moderar
arbre [aʀbʀ] *nm* árbol *m*; **~ à cames** árbol de levas; **~ de Noël** árbol de navidad; **~ de transmission** árbol de transmisión; **~ fruitier** árbol frutal; **~ généalogique** árbol genealógico
arbuste [aʀbyst] *nm* arbusto
arc [aʀk] *nm* arco; **en ~ de cercle** en arco de círculo; **~ de triomphe** arco de triunfo
arcade [aʀkad] *nf* (*Archit*) arcada; **arcades** *nfpl* (*d'un pont*) arcadas *fpl*; (*d'une rue*) soportales *mpl*; **~ sourcilière** arco superciliar
arc-en-ciel [aʀkɑ̃sjɛl] (*pl* **arcs-en-ciel**) *nm* arco iris *m*
archaïque [aʀkaik] *adj* arcaico(-a)
arche [aʀʃ] *nf* arco; **~ de Noé** arca de Noé
archéologie [aʀkeɔlɔʒi] *nf* arqueología
archéologue [aʀkeɔlɔg] *nm/f* arqueólogo(-a)
archet [aʀʃɛ] *nm* arco
archi- [aʀʃi] *préf* archi-
archipel [aʀʃipɛl] *nm* archipiélago
architecte [aʀʃitɛkt] *nm* arquitecto(-a); (*fig: de la réussite*) artífice *m/f*
architecture [aʀʃitɛktyʀ] *nf* arquitectura; (*structure, agencement*) arquitectura, estructura
archives [aʀʃiv] *nfpl* (*documents*) archivos *mpl*; (*local*) archivo *msg*
arctique [aʀktik] *adj* ártico(-a) ■ *nm*: **l'A~** el Ártico; **le cercle ~** el círculo polar ártico; **l'océan A~** el océano Ártico
ardent, e [aʀdɑ̃, ɑ̃t] *adj* ardiente; (*feu, soleil*) ardiente, abrasador(a); (*prière*) fervoroso(-a)

ardoise [aʀdwaz] *nf* pizarra; **avoir une ~** (*fig*) tener cuenta
ardu, e [aʀdy] *adj* arduo(-a); (*pente*) empinado(-a)
arène [aʀɛn] *nf* arena; **arènes** *nfpl* (*de corrida*) ruedo; (*bâtiment*) plaza *fsg* de toros; **l'~ politique/littéraire** la palestra política/literaria
arête [aʀɛt] *nf* (*de poisson*) espina; (*d'une montagne*) cresta; (*d'un solide*) arista; (*d'une poutre, d'un toit*) cumbrera
argent [aʀʒɑ̃] *nm* (*métal, couleur*) plata; (*monnaie*) dinero; **en avoir pour son ~** lo comido por lo servido; **gagner beaucoup d'~** ganar mucho dinero; **changer de l'~** cambiar dinero; **~ comptant** dinero en efectivo; **~ de poche** dinero para gastos menudos; **~ liquide** dinero líquido
argenterie [aʀʒɑ̃tʀi] *nf* plata
argentin, e [aʀʒɑ̃tɛ̃, in] *adj* argentino(-a) ■ *nm/f*: **Argentin, e** argentino(-a)
Argentine [aʀʒɑ̃tin] *nf* Argentina
argile [aʀʒil] *nf* arcilla
argot [aʀgo] *nm* argot *m*, jerga
argotique [aʀgɔtik] *adj* argótico(-a); (*très familier*) popular, vulgar
argument [aʀgymɑ̃] *nm* argumento
argumenter [aʀgymɑ̃te] *vi* argumentar
aride [aʀid] *adj* (*sol, pays*) árido(-a); (*cœur*) duro(-a); (*texte, sujet*) árido(-a), aburrido(-a)
aristocratie [aʀistɔkʀasi] *nf* aristocracia
aristocratique [aʀistɔkʀatik] *adj* aristocrático(-a)
arithmétique [aʀitmetik] *adj* aritmético(-a) ■ *nf* aritmética
arme [aʀm] *nf* (*aussi fig*) arma; **armes** *nfpl* (*blason*) armas *fpl*; (*profession*): **les ~s** las armas; **à ~s égales** en igualdad de condiciones; **ville/peuple en ~s** ciudad *f*/pueblo en armas; **passer par les ~s** pasar por las armas; **prendre les ~s** tomar las armas; **présenter les ~s** presentar armas; **~ à feu/blanche** arma de fuego/blanca; **~s de destruction massive** armas de destrucción massiva
armée [aʀme] *nf* ejército; (*fig*) nube *f*, ejército; **~ de l'air/de terre** ejército del aire/de tierra; **~ du Salut** ejército de Salvación
armer [aʀme] *vt* armar; (*de pointe, blindage*) proveer, equipar; (*de pouvoirs etc*) dotar; (*arme à feu, appareil photo*) montar; **~ qch de** armar algo con; **~ qn de** armar a algn con; **s'~ de** (*courage, patience*) armarse de; (*bâton, fusil*) armarse con
armistice [aʀmistis] *nm* armisticio; **l'A~** el armisticio
armoire [aʀmwaʀ] *nf* armario, closet *ou* clóset (*AM*); (*penderie*) ropero; **~ à glace** (*fig*) mole *f*; **~ à pharmacie** botiquín *m*
armure [aʀmyʀ] *nf* armadura
armurier [aʀmyʀje] *nm* armero
arnaquer [aʀnake] *vt* (*fam*) timar; **tu t'es fait ~** te han timado
arobase [aʀobaz] *nf* (*Inform*) arroba
aromates [aʀɔmat] *nmpl* hierbas *fpl* aromáticas
aromatisé, e [aʀɔmatize] *adj* aromatizado(-a)
arôme [aʀom] *nm* aroma *m*
arracher [aʀaʃe] *vt* arrancar; (*légume*) cosechar, recoger; (*clou, dent*) sacar, extraer; (*par explosion, accident*) desgarrar; (*fig*) sacar, arrancar; **s'arracher** *vpr* (*personne, article très recherché*) disputarse; **~ qch à qn** arrebatar algo a algn; (*fig*) sonsacar algo a algn; **~ qn à** (*solitude, rêverie*) sacar a algn de, arrancar a algn de; (*famille*) arrancar a algn de; **s'~ de** (*lieu*) alejarse de, separarse de; (*habitude*) apartarse de
arrangement [aʀɑ̃ʒmɑ̃] *nm* (*agencement*) arreglo, disposición *f*; (*compromis*) acuerdo; (*Mus*) arreglo
arranger [aʀɑ̃ʒe] *vt* (*appartement*) arreglar, disponer; (*voyage*) organizar; (*rendez-vous*) concertar; (*montre, voiture*) arreglar; (*problème, difficulté*) arreglar, solucionar; (*Mus*) adaptar; **s'arranger** *vpr* (*se mettre d'accord*) ponerse de acuerdo; (*querelle, situation*) arreglarse; (*se débrouiller*): **s'~ pour que** arreglárselas para que; **je vais m'~** voy a arreglarme; **cela m'arrange** eso me conviene; **ça va s'~** eso va a solucionarse; **s'~ pour faire** componérselas para hacer; **si cela peut vous ~** si esto le puede servir
arrestation [aʀɛstasjɔ̃] *nf* detención *f*
arrêt [aʀɛ] *nm* detención *f*, interrupción *f*; (*Jur*) fallo; **arrêts** *nmpl* (*Mil*) arresto *msg*; **être à l'~** estar parado(-a); **rester** *ou* **tomber en ~ devant ...** quedarse atónito(-a) ante ...; **sans ~** (*sans interruption*) sin parar; (*très fréquemment*) continuamente; **~ d'autobus** parada de autobús, paradero (*AM*); **~ de mort** sentencia de muerte; **~ de travail** permiso de trabajo; **~ facultatif** paro facultativo
arrêter [aʀete] *vt* (*projet, maladie*) parar, interrumpir; (*voiture, personne*) detener,

parar; (*chauffage*) parar; (*compte*) liquidar; (*point*) sacar; (*date, choix*) fijar, decidir; (*criminel*) detener; **s'arrêter** *vpr* pararse; (*pluie, bruit*) cesar; **~ de faire (qch)** dejar de hacer (algo); **arrête de te plaindre** para de quejarte; **ne pas ~ de faire** no parar de hacer; **s'~ sur** (*yeux*) fijarse en; **mon choix s'arrêta sur ...** me decidí por ...; **s'~ court** *ou* **net** parar en seco

arrhes [aʀ] *nfpl* arras *fpl*, señal *f*

arrière [aʀjɛʀ] *adj inv* (*Auto*) trasero(-a) ▪ *nm* (*d'une voiture, maison*) parte *f* trasera; (*Sport*) defensa; **arrières** *nmpl* (*fig*): **protéger ses ~s** proteger sus espaldas; **siège ~** asiento trasero; **à l'~** detrás; **en ~** hacia atrás; **en ~ de** detrás de

arrière-goût [aʀjɛʀgu] (*pl* **~s**) *nm* regusto

arrière-grand-mère [aʀjɛʀgʀɑ̃mɛʀ] (*pl* **arrière-grands-mères**) *nf* bisabuela

arrière-grand-père [aʀjɛʀgʀɑ̃pɛʀ] (*pl* **arrière-grands-pères**) *nm* bisabuelo

arrière-grands-parents [aʀjɛʀgʀɑ̃paʀɑ̃] *nmpl* bisabuelos *mpl*

arrière-pays [aʀjɛʀpei] *nm inv* interior *m*, tierra adentro

arrière-pensée [aʀjɛʀpɑ̃se] (*pl* **~s**) *nf* (*raison intéressée*) segunda intención *f*; (*réserves, doute*) reserva

arrière-petite-fille [aʀjɛʀpətitfij] (*pl* **arrière-petites-filles**) *nf* bisnieta

arrière-petit-fils [aʀjɛʀpətifis] (*pl* **arrière-petits-fils**) *nm* bisnieto

arrière-petits-enfants [aʀjɛʀpətizɑ̃fɑ̃] *nmpl* bisnietos *mpl*

arrière-plan [aʀjɛʀplɑ̃] (*pl* **~s**) *nm* segundo plano; **à l'~** en segundo plano

arrière-saison [aʀjɛʀsɛzɔ̃] (*pl* **~s**) *nf* final *m* del otoño

arrimer [aʀime] *vt* estibar

arrivage [aʀivaʒ] *nm* arribada

arrivée [aʀive] *nf* (*de bateau*) arribada; (*concurrent, visites*) llegada, arribo (*esp AM*); (*ligne d'arrivée*) línea de llegada; **à mon ~** a mi llegada; **courrier à l'~** correo en mano; **~ d'air/de gaz** entrada de aire/de gas

arriver [aʀive] *vi* (*événement, fait*) ocurrir, suceder; **~ à qch/faire qch** lograr algo/hacer algo; **j'arrive!** ¡ya voy!; **il arrive à Paris à 8 h** llega a París a las 8; **~ à destination** llegar a destino; **j'arrive de Strasbourg** llego de Estrasburgo; **il arrive que** ocurre que; **il lui arrive de faire** suele hacer; **je n'y arrive pas** no lo consigo; **~ à échéance** vencer; **en ~ à faire** llegar a hacer

arrogance [aʀɔgɑ̃s] *nf* arrogancia, prepotencia (*esp AM*)

arrogant, e [aʀɔgɑ̃, ɑ̃t] *adj* arrogante, prepotente (*esp AM*)

arrondissement [aʀɔ̃dismɑ̃] *nm* distrito

arroser [aʀoze] *vt* regar; (*fig*) mojar; (*Culin*) rociar; (*suj: fleuve, rivière*) bañar

arrosoir [aʀozwaʀ] *nm* regadera

arsenal, -aux [aʀsənal, o] *nm* (*aussi fig*) arsenal *m*; (*Naut*) arsenal, astillero

art [aʀ] *nm* arte *m*; (*expression artistique*): **l'~** el arte; **avoir l'~ de faire** tener la habilidad de hacer; **les ~s** las artes; **livre/critique d'~** libro/crítica de arte; **les ~s et métiers** artes y oficios; **~ dramatique** arte dramático; **~s ménagers** artes domésticas; **~s plastiques** artes plásticas

art. *abr* = *article*

artère [aʀtɛʀ] *nf* arteria

arthrite [aʀtʀit] *nf* artritis *f*

artichaut [aʀtiʃo] *nm* alcachofa

article [aʀtikl] *nm* artículo; (*Inform*) registro; **faire l'~** (*Comm, aussi fig*) hacer el artículo; **à l'~ de la mort** in articulo mortis, en el artículo de la muerte; **~ défini** artículo determinado; **~ de fond** (*Presse*) artículo de fondo; **~ indéfini** artículo indeterminado; **~s de bureau** artículos *mpl* de despacho; **~s de voyage** artículos de viaje

articulation [aʀtikylasjɔ̃] *nf* (*aussi fig*) articulación *f*

articuler [aʀtikyle] *vt* articular; **s'articuler** *vpr*: **s'~ (sur)** articularse (con); **s'~ autour de** (*fig*) articularse en torno a

artificiel, le [aʀtifisjɛl] *adj* artificial; (*jambe*) ortopédico(-a); (*péj*) artificial, fingido(-a)

artisan [aʀtizɑ̃] *nm* artesano(-a); **l'~ de la victoire/du malheur** el artífice de la victoria/de la desgracia

artisanal, e, -aux [aʀtizanal, o] *adj* artesanal

artisanat [aʀtizana] *nm* artesanía

artiste [aʀtist] *adj* artista ▪ *nm/f* artista *m/f*; (*bohème*) artista, bohemio(-a)

artistique [aʀtistik] *adj* artístico(-a)

ARTT [aɛʀtete] *nm* (= *accord sur la réduction du temps de travail*) *acuerdo para la reducción de las horas de trabajo*

AS [aɛs] *sigle fpl* = *assurances sociales* ▪ *sigle f* = *Association sportive*

as¹ [a] *vb voir* **avoir**

as² [ɑs] *nm* as *m*

ascenseur [asɑ̃sœʀ] *nm* ascensor *m*, elevador (*AM*)
ascension [asɑ̃sjɔ̃] *nf* ascensión *f*; **l'A~** (*Rel*) la Ascensión
asiatique [azjatik] *adj* asiático(-a) ▪ *nm/f*: **Asiatique** asiático(-a)
Asie [azi] *nf* Asia
asile [azil] *nm* asilo; (*refuge, abri*) refugio; **droit d'~** derecho de asilo; **accorder l'~ politique à qn** conceder asilo político a algn; **chercher/trouver ~ quelque part** buscar/encontrar asilo en alguna parte
asocial, e, -aux [asɔsjal, jo] *adj* asocial
aspect [aspɛ] *nm* aspecto, apariencia; (*fig*) aspecto; **à l'~ de ...** a la vista de...
asperge [aspɛʀʒ] *nf* espárrago
asperger [aspɛʀʒe] *vt* rociar
asphalte [asfalt] *nm* asfalto
asphyxier [asfiksje] *vt* asfixiar; **mourir asphyxié** morir asfixiado
aspirateur [aspiʀatœʀ] *nm* aspiradora
aspirer [aspiʀe] *vt* aspirar; (*liquide*) absorber; **~ à qch** aspirar a algo; **~ à faire** aspirar a hacer
aspirine [aspiʀin] *nf* aspirina
assagir [asaʒiʀ] *vt* sosegar; **s'assagir** *vpr* sosegarse, aplacarse
assaisonnement [asɛzɔnmɑ̃] *nm* aliño; (*ingrédient*) condimento
assaisonner [asɛzɔne] *vt* aliñar, condimentar; **bien assaisonné** bien aliñado, bien condimentado
assassin [asasɛ̃] *nm* asesino(-a)
assassinat [asasina] *nm* asesinato
assassiner [asasine] *vt* asesinar
assaut [aso] *nm* asalto; (*fig*) embestida; **prendre d'~** tomar por asalto; **donner l'~ (à)** asaltar; **faire ~ de** rivalizar en
assécher [aseʃe] *vt* desecar
assemblage [asɑ̃blaʒ] *nm* (*action d'assembler*) ensamblaje *m*, montaje *m*; (*Menuiserie*) ensamblaje; **un ~ de** (*fig*) una mezcla de; **langage d'~** (*Inform*) lenguaje *m* de compilación
assemblée [asɑ̃ble] *nf* asamblea; **~ des fidèles** asamblea de los fieles; **l'A~ nationale** la Asamblea nacional

ASSEMBLÉE NATIONALE

La *Assemblée nationale* es la cámara baja del parlamento francés, la cámara alta recibe el nombre de "Sénat". La *Assemblée nationale* se reúne en el Palais Bourbon de París. Sus miembros, o "députés", son elegidos cada cinco años.

assembler [asɑ̃ble] *vt* (*Tech, gén*) ensamblar, juntar; (*mots, idées*) ensamblar, unir; (*amasser*) reunir; **s'assembler** *vpr* reunirse
asseoir [aswaʀ] *vt* sentar; (*autorité, réputation*) asentar; **s'asseoir** *vpr* sentarse; **faire ~ qn** hacer sentarse a algn; **~ qch sur** asentar algo sobre; (*appuyer*) fundar algo en, basar algo en
assez [ase] *adv* (*suffisamment*) bastante; (*passablement*) suficientemente, bastante; **~!** ¡basta!; **~/pas ~ cuit** bastante/poco hecho; **est-il ~ fort/ rapide?** ¿es bastante fuerte/rápido?; **il est passé ~ vite** pasó bastante rápido; **~ de pain** bastante pan; **~ de livres** bastantes libros; **vous en avez ~** tiene bastante; **en avoir ~ de qch** estar harto(-a) de algo; **~ ... pour ...** bastante ... para ...
assidu, e [asidy] *adj* asiduo(-a); (*zélé*) aplicado(-a); **~ auprès de qn** solícito(-a) con algn
assied *etc* [asje] *vb voir* **asseoir**
assiérai *etc* [asjeʀe] *vb voir* **asseoir**
assiette [asjɛt] *nf* plato; (*stabilité, équilibre*) equilibrio; **~ à dessert** plato de postre; **~ anglaise** plato de fiambres variados; **~ creuse** plato hondo; **~ de l'impôt** estimación *f* de la base imponible; **~ plate** plato llano
assimiler [asimile] *vt* (*aliment*) digerir; (*connaissances, idée*) asimilar; (*immigrants*) integrar; (*identifier*): **~ qch/ qn à** equiparar algo/a algn con; **s'assimiler** *vpr* integrarse; **ils sont assimilés aux infirmiers** están equiparados con los enfermeros
assis, e [asi, iz] *pp de* **asseoir** ▪ *adj* sentado(-a); **~ en tailleur** sentado(-a) a la turca
assistance [asistɑ̃s] *nf* (*public*) asistencia, público; (*aide*) asistencia; **porter/prêter ~ à qn** llevar/prestar ayuda a algn; **enfant de l'A~ (publique)** niño(-a) del hospicio; **A~ (publique)** hospicio; **~ technique** asistencia técnica
assistant, e [asistɑ̃, ɑ̃t] *nm/f* (*Scol*) lector(a); (*d'un professeur, cinéaste*) ayudante *m/f*; **assistants** *nmpl* (*auditeurs*) asistentes *m/fpl*; **~e sociale** asistenta social
assisté, e [asiste] *adj* (*Auto*) asistido(-a) ▪ *nm/f* (*aussi péj*) beneficiario(-a) (de la ayuda del estado)
assister [asiste] *vt* ayudar ▪ *vi*: **~ à** asistir a

association [asɔsjasjɔ̃] *nf* asociación *f*; (*musicale, sportive*) grupo, asociación; **~ d'idées** asociación de ideas
associé, e [asɔsje] *adj* asociado(-a) ■ *nm/f* socio(-a); (*Comm*) asociado(-a)
associer [asɔsje] *vt* asociar; **s'associer** *vpr* asociarse; (*un collaborateur*) asociarse con; **~ qn à** asociar a algn a; (*joie, triomphe*) hacer partícipe a algn de; **~ qch à** unir algo a; **s'~ à** (*couleurs*) combinar con; (*opinions, joie de qn*) hacerse partícipe de
assoiffé, e [aswafe] *adj* sediento(-a); **~ de** (*fig*) sediento de
assommer [asɔme] *vt* (*tuer*) matar, acogotar; (*étourdir: personne*) dejar inconsciente de un golpe; (*étourdir, abrutir: médicament*) aturdir, atontar; (*fam: importuner*) fastidiar
Assomption [asɔ̃psjɔ̃] *nf*: **l'~** la Asunción
assorti, e [asɔʀti] *adj* (*en harmonie*) combinado(-a); **fromages ~s** quesos *mpl* surtidos; **~ à** a juego con; **~ de** (*conditions, conseils*) acompañado(-a) de; **bien/mal ~** bien/mal surtido(-a)
assortiment [asɔʀtimɑ̃] *nm* (*aussi Comm*) surtido; (*harmonie de couleurs, formes*) combinación *f*
assortir [asɔʀtiʀ] *vt* combinar; **s'assortir** *vpr* hacer juego; **~ qch à** combinar algo con; **~ qch de** acompañar algo con; **s'~ de** estar acompañado(-a) de *ou* por
assouplir [asupliʀ] *vt* (*cuir*) ablandar; (*membres, corps, aussi fig*) flexibilizar; (*caractère*) suavizar; **s'assouplir** *vpr* (*v vt*) ablandarse; hacerse más flexible; suavizarse
assumer [asyme] *vt* asumir; (*poste, rôle*) desempeñar; **s'assumer** *vpr* asumirse
assurance [asyʀɑ̃s] *nf* (*certitude*) certeza; (*confiance en soi*) seguridad *f*; (*contrat, secteur commercial*) seguro; **prendre une ~ contre** hacer un seguro contra; **~ contre l'incendie/le vol** seguro contra incendios/robos; **société d'~** sociedad *f* de seguros; **compagnie d'~s** compañía de seguros; **~ au tiers** seguro contra terceros; **~ maladie** seguro de enfermedad; **~ tous risques** seguro a todo riesgo; **~s sociales** seguros *mpl* sociales
assurance-vie [asyʀɑ̃svi] (*pl* **assurances-vie**) *nf* seguro de vida
assuré, e [asyʀe] *adj*: **~ de** seguro(-a) de ■ *nm/f* asegurado(-a); **être ~** (*assurance*) estar asegurado; **~ social** asegurado(-a) social
assurément [asyʀemɑ̃] *adv* seguramente
assurer [asyʀe] *vt* asegurar; (*succès, victoire*) asegurar, garantizar; **~ (à qn) que** asegurar (a algn) que; **s'assurer** *vpr*: **s'~ (contre)** asegurarse (contra); **~ qn de son amitié** garantizar a algn su amistad; **~ qch à qn** (*emploi, revenu*) garantizar algo a algn; (*fait etc*) asegurar algo a algn; **je vous assure que non/si** le aseguro que no/sí; **~ ses arrières** guardarse las espaldas; **s'~ de/que** asegurarse de/de que; **s'~ sur la vie** hacer un seguro de vida; **s'~ le concours/la collaboration de qn** asegurarse la ayuda/la colaboración de algn
assureur [asyʀœʀ] *nm* asegurador(a)
astérisque [asteʀisk] *nm* asterisco
asthme [asm] *nm* asma
asticot [astiko] *nm* cresa
astre [astʀ] *nm* astro
astrologie [astʀɔlɔʒi] *nf* astrología
astronaute [astʀonot] *nm/f* astronauta *m/f*
astronomie [astʀɔnɔmi] *nf* astronomía
astuce [astys] *nf* astucia; (*plaisanterie*) picardía, broma
astucieux, -euse [astysjø, jøz] *adj* astucioso(-a)
atelier [atəlje] *nm* taller *m*; (*de peintre*) estudio; **~ de musique/poterie** taller de música/cerámica
athée [ate] *adj, nm/f* ateo(-a)
Athènes [atɛn] *n* Atenas
athlète [atlɛt] *nm/f* atleta *m/f*
athlétisme [atletism] *nm* atletismo; **tournoi d'~** torneo de atletismo; **faire de l'~** hacer atletismo
atlantique [atlɑ̃tik] *adj* atlántico(-a) ■ *nm*: **l'(océan) A~** el (océano) Atlántico
Atlas [atlas] *nm*: **l'~** el Atlas
atlas [atlas] *nm* atlas *m*
atmosphère [atmɔsfɛʀ] *nf* atmósfera; (*fig*) ambiente *m*
atome [atom] *nm* átomo
atomique [atɔmik] *adj* atómico(-a)
atomiseur [atɔmizœʀ] *nm* atomizador *m*
atout [atu] *nm* triunfo; (*fig*) triunfo, ventaja; **~ pique/trèfle** triunfo de picas/de trébol
atroce [atʀɔs] *adj* atroz; (*très désagréable, pénible*) atroz, terrible
attachant, e [ataʃɑ̃, ɑ̃t] *adj* (*persona*) atrayente; (*animal*) encantador(a)
attache [ataʃ] *nf* grapa; (*fig*) lazo; **attaches** *nfpl* (*relations*) relaciones *fpl*; **à l'~** (*chien*) atado(-a)
attacher [ataʃe] *vt* atar; (*bateau*) amarrar; (*étiquette à qch*) pegar, fijar ■ *vi*

(*poêle*) pegar; (*riz, sucre*) pegarse; **s'attacher** *vpr* abrocharse; **s'~ à** encariñarse con; **s'~ à faire qch** consagrarse a hacer algo; **~ qch à** atar algo a; **~ qn à** (*fig*) vincular a algn a; **~ du prix/de l'importance à** atribuir valor/ importancia a; **~ son regard/ses yeux sur** fijar la mirada/los ojos en

attaque [atak] *nf* ataque *m*; (*Sport*) ofensiva; **être/se sentir d'~** sentirse con fuerzas; **~ à main armée** ataque a mano armada

attaquer [atake] *vt* (*aussi fig*) atacar; (*entreprendre*) acometer ■ *vi* atacar; **~ qn en justice** entablar una acción judicial contra algn; **s'~ à** enfrentarse con; (*épidémie, misère*) luchar contra

attarder [ataʀde] *vpr*: **s'attarder** (*sur qch, en chemin*) demorarse; (*chez qn*) entretenerse

atteindre [atɛ̃dʀ] *vt* alcanzar; (*cible, fig*) conseguir; (*blesser*) alcanzar, herir; (*contacter*) localizar; (*émouvoir*) afectar

atteint, e [atɛ̃, ɛ̃t] *pp de* **atteindre** ■ *adj*: **être ~ de** estar aquejado(-a) de

atteinte [atɛ̃t] *nf* (*à l'honneur, au prestige*) ofensa; (*gén pl: d'un mal*) ataque *m*; **hors d'~** (*aussi fig*) fuera de mi *etc* alcance; **porter ~ à** atentar contra

attendant [atɑ̃dɑ̃] *adv*: **en ~** (*dans l'intervalle*) entretanto, mientras tanto; (*quoi qu'il en soit*) de todos modos

attendre [atɑ̃dʀ] *vt* esperar; (*suj: une grande joie*) aguardar ■ *vi* esperar; **s'attendre** *vpr*: **s'~ à (ce que)** esperarse (que); **je n'attends plus rien (de la vie)** no espero nada más (de la vida); **attendez que je réfléchisse** espere a que reflexione; **je ne m'y attendais pas** no me lo esperaba; **ce n'est pas ce à quoi je m'attendais** no es lo que yo me esperaba; **~ un enfant** esperar un niño; **~ de pied ferme** esperar con pie firme; **~ de faire/d'être** esperar hacer/ser; **~ qch de qn** esperar algo de algn; **~ que** esperar que; **faire ~ qn** hacer esperar a algn; **se faire ~** hacerse esperar; **j'attends vos excuses** espero sus disculpas; **en attendant** *voir* **attendant**

attendrir [atɑ̃dʀiʀ] *vt* (*personne*) enternecer; (*viande*) ablandar; **s'attendrir** *vpr*: **s'~ (sur)** enternecerse (con)

attendrissant, e [atɑ̃dʀisɑ̃, ɑ̃t] *adj* enternecedor(a)

attendu, e [atɑ̃dy] *pp de* **attendre** ■ *adj* esperado(-a); **attendus** *nmpl* (*Jur*) considerandos *mpl*; **~ que** puesto que

attentat [atɑ̃ta] *nm* atentado; **~ à la bombe/à la pudeur** atentado con bomba/contra el pudor; **~ suicide** atentado suicida

attente [atɑ̃t] *nf* espera; (*espérance*) espera, expectativa; **contre toute ~** contra toda previsión

attenter [atɑ̃te]: **~ à** *vt* atentar contra; **~ à la vie de qn** atentar contra la vida de algn; **~ à ses jours** atentar contra su propia vida

attentif, -ive [atɑ̃tif, iv] *adj* (*auditeur, élève*) atento(-a); (*soins*) cuidadoso(-a); (*travail*) cuidadoso(-a), concienzudo(-a); **~ à** (*scrupuleux*) escrupuloso(-a) con; (*ses devoirs*) cuidadoso(-a) con

attention [atɑ̃sjɔ̃] *nf* atención *f*; (*prévenance: gén pl*) atenciones *fpl*; **à l'~ de** (*pour*) a la atención de; **porter qch à l'~ de qn** presentar algo a la consideración de algn; **attirer l'~ de qn sur qch** llamar la atención de algn sobre algo; **faire ~ à** (*remarquer, noter*) prestar atención a; (*prendre garde à*) tener cuidado con; **faire ~ que/à ce que** tener cuidado que; **~!** ¡cuidado!; **~, si vous ouvrez cette lettre** (*sanction*) ojo, si abre esta carta; **~, respectez les consignes de sécurité** atención, respeten las consignas de seguridad; **mériter ~** merecer atención

attentionné, e [atɑ̃sjɔne] *adj* atento(-a), solícito(-a)

atténuer [atenɥe] *vt* atenuar; (*douleur*) aliviar; **s'atténuer** *vpr* atenuarse

atterrir [ateʀiʀ] *vi* aterrizar

atterrissage [ateʀisaʒ] *nm* aterrizaje *m*; **~ forcé/sans visibilité/sur le ventre** aterrizaje forzoso/sin visibilidad/de panza

attestation [atɛstasjɔ̃] *nf* certificado; **~ de paiement** comprobante *m* de pago

attirant, e [atiʀɑ̃, ɑ̃t] *adj* atractivo(-a)

attirer [atiʀe] *vt* atraer; **~ qn dans un coin/vers soi** llevar a algn a un rincón/ hacia sí; **~ l'attention de qn sur qch** llamar la atención de algn sobre algo; **~ des louanges à qn** granjear elogios a algn; **~ des ennuis à qn** acarrear problemas a algn; **s'~ des ennuis** acarrearse problemas

attitude [atityd] *nf* (*comportement*) actitud *f*, conducta; (*position du corps*) postura; (*état d'esprit*) actitud, disposición *f*

attraction [atʀaksjɔ̃] *nf* atracción *f*; (*de cabaret, cirque*) atracción, número

attrait [atʀɛ] *nm* (*de l'argent, de la gloire*) atractivo, incentivo; (*d'un lieu, d'une*

personne) atractivo; **attraits** *nmpl* (*d'une femme*) encantos *mpl*; **éprouver de l'~ pour** sentirse atraído(-a) por
attraper [atʀape] *vt* (*saisir*) atrapar, coger, agarrar (*AM*); (*voleur, animal*) atrapar, agarrar; (*train, maladie, amende*) pillar; (*fam: réprimander*) reñir; (: *duper*) engañar
attrayant, e [atʀɛjɑ̃, ɑ̃t] *adj* atrayente
attribuer [atʀibɥe] *vt* (*prix*) otorgar; (*rôle, tâche*) asignar; (*conséquence, fait, qualité*) atribuir; (*échec*) achacar; (*importance*) conceder, dar; **s'attribuer** *vpr* atribuirse
attrister [atʀiste] *vt* entristecer; **s'attrister** *vpr*: **s'~ de qch** entristecerse por algo
attroupement [atʀupmɑ̃] *nm* aglomeración *f*
attrouper [atʀupe] *vpr*: **s'attrouper** aglomerarse, agolparse
au [o] *prép + dét voir* **à**
aubaine [obɛn] *nf* (*avantage inattendu*) suerte *f*; (*Comm*) ganga, chollo (*fam*)
aube [ob] *nf* alba, madrugada, amanecer *m*; (*de communiant*) alba; **l'~ de** (*fig*) los albores de, el amanecer de; **à l'~** al alba, de madrugada, al amanecer
aubépine [obepin] *nf* espino
auberge [obɛʀʒ] *nf* posada, mesón *m*; **~ de jeunesse** albergue *m* de juventud
aubergine [obɛʀʒin] *nf* berenjena
aucun, e [okœ̃, yn] *dét* ningún(-una) ▪ *pron* ninguno(-a), nadie; **il n'a ~ sens** no tiene ningún sentido, no tiene sentido alguno
audace [odas] *nf* audacia; (*péj*) descaro; **payer d'~** manifestar audacia; **il a eu l'~ de** tuvo el atrevimiento de; **vous ne manquez pas d'~!** ¡no le falta atrevimiento!
audacieux, -euse [odasjø, jøz] *adj* audaz
au-delà [od(ə)la] *adv* más allá ▪ *nm inv*: **l'~** el más allá; **~ de** más allá de
au-dessous [odsu] *prép* abajo, debajo; **~ de** (*dans l'espace*) debajo de; (*dignité, condition, somme*) por debajo de
au-dessus [odsy] *adv* arriba, encima; **~ de** (*dans l'espace*) arriba de, encima de; (*limite, somme, loi*) por encima de
au-devant [od(ə)vɑ̃]: **~ de** *prép* al encuentro de; **aller ~ de** (*personne*) ir al encuentro de; (*danger*) hacer frente a; (*désirs de qn*) adelantarse a
audience [odjɑ̃s] *nf* (*attention*) atención *f*, interés *m*; (*auditeurs, lecteurs*) auditorio, público; (*entrevue, séance*) audiencia; **trouver ~ auprès de** encontrar buena acogida en
audiovisuel, le [odjovizɥɛl] *adj* audiovisual ▪ *nm* (*techniques*) técnicas *fpl* audiovisuales; (*méthodes*) métodos *mpl* audiovisuales; **l'~** los medios audiovisuales
audition [odisjɔ̃] *nf* audición *f*; (*Jur*) audiencia; (*Mus, Théâtre*) prueba, audición
auditoire [oditwaʀ] *nm* auditorio
augmentation [ɔgmɑ̃tasjɔ̃] *nf* (*action, résultat*) aumento; (*prix*) subida; **~ (de salaire)** aumento (del salario)
augmenter [ɔgmɑ̃te] *vt* aumentar; (*prix*) subir; (*employé, salarié*) subir el sueldo a ▪ *vi* aumentar; **~ de poids/volume** aumentar de peso/volumen
augure [ogyʀ] *nm* agorero; (*Hist*) augur *m*; **de bon/mauvais ~** de buen/mal augurio
aujourd'hui [oʒuʀdɥi] *adv* hoy; (*de nos jours*) hoy en día; **~ en huit/en quinze** de hoy en ocho días/en quince días; **à dater** *ou* **partir d'~** a partir de hoy
aumônier [omonje] *nm* capellán *m*
auparavant [opaʀavɑ̃] *adv* antes
auprès [opʀɛ]: **~ de** *prép* al lado de, cerca de; (*du tribunal*) ante; (*en comparaison de*) comparado(-a) con; (*dans l'opinion de*) según
auquel [okɛl] *prép + pron voir* **lequel**
aurai *etc* [ɔʀe] *vb voir* **avoir**
aurons *etc* [ɔʀɔ̃] *vb voir* **avoir**
aurore [ɔʀɔʀ] *nf* aurora; **~ boréale** aurora boreal
ausculter [ɔskylte] *vt* auscultar
aussi [osi] *adv* también; (*de comparaison: avec adj, adv*) tan; (*si, tellement*) tan ▪ *conj* (*par conséquent*) por lo tanto; **~ fort/rapidement que** tan fuerte/rápidamente como; **lui ~** él también; **~ bien que** (*de même que*) lo mismo que; **il l'a fait/va y aller - moi ~** lo hizo/va a ir - yo también; **je le pense ~** yo también lo pienso *ou* creo
aussitôt [osito] *adv* enseguida, inmediatamente; **~ que** tan pronto como; **~ fait** ni bien hecho; **~ envoyé** ni bien enviado
austère [ostɛʀ] *adj* austero(-a)
austral, e [ɔstʀal] *adj* austral; **l'océan ~** el océano austral; **les terres ~es** las tierras australes
Australie [ostʀali] *nf* Australia
australien, ne [ostʀaljɛ̃, jɛn] *adj* australiano(-a) ▪ *nm/f*: **Australien, ne** australiano(-a)

autant [otɑ̃] *adv* (*tant, tellement*) tanto; (*comparatif*): **~ (que)** tanto (como), tan (como); **~ (de)** tanto(-a), tantos(-as); **n'importe qui aurait pu en faire ~** cualquiera hubiera hecho lo mismo; **~ partir/ne rien dire** mejor marchar/no decir nada; **~ dire que ...** eso es tanto como decir que ...; **fort ~ que courageux** tan fuerte como valeroso; **il n'est pas découragé pour ~** no se ha desanimado por eso; **pour ~ que** en la medida en que; **d'~** (*à proportion*) otro tanto; **d'~ plus/moins/mieux (que)** tanto más/menos/mejor (cuanto que); **~ ... ~ ...** tanto ... tanto ...; **tout ~** tanto; **ce sont ~ d'erreurs/d'échecs** son otros tantos errores/fracasos; **y en a-t-il ~ (qu'avant)?** ¿queda tanto (como antes)?; **il y a ~ de garçons que de filles** hay tantos niños como niñas

autel [otɛl] *nm* altar *m*

auteur [otœʀ] *nm* autor(a); **droit d'~** derecho de autor

authenticité [otɑ̃tisite] *nf* autenticidad *f*

authentique [otɑ̃tik] *adj* auténtico(-a); (*récit, histoire*) auténtico(-a), cierto(-a); (*réel, sincère*) auténtico(-a), verdadero(-a)

auto [oto] *nf* coche *m*, carro (*AM*), auto (*esp AM*); **~s tamponneuses** coches *mpl* de choque

auto... [oto] *préf* auto-

autobiographie [otobjɔgʀafi] *nf* autobiografía

autobus [ɔtɔbys] *nm* autobús *m*, camión *m* (*Mex*); **ligne d'~** línea de autobús

autocar [ɔtɔkaʀ] *nm* autocar *m*

autochtone [ɔtɔktɔn] *adj, nm/f* autóctono(-a)

autocollant, e [otokɔlɑ̃, ɑ̃t] *adj* autoadhesivo(-a) ▪ *nm* autoadhesivo

autocuiseur [otokɥizœʀ] *nm* olla a presión

autodéfense [otodefɑ̃s] *nf* autodefensa; **groupe d'~** grupo de autodefensa

autodidacte [otodidakt] *nm/f* autodidacta *m/f*

auto-école [otoekɔl] (*pl* **~s**) *nf* autoescuela

autographe [ɔtɔgʀaf] *nm* autógrafo

automate [ɔtɔmat] *nm* (*aussi fig*) autómata *m*

automatique [ɔtɔmatik] *adj* automático(-a); (*réflexe, geste*) automático(-a), mecánico(-a) ▪ *nm* (*pistolet*) automática; (*téléphone*): **l'~** el servicio automático

automatiquement [ɔtɔmatikmɑ̃] *adv* automáticamente

automne [ɔtɔn] *nm* otoño

automobile [ɔtɔmɔbil] *nf* coche *m*, automóvil *m* ▪ *adj* automóvil; **l'~** la industria automovilística

automobiliste [ɔtɔmɔbilist] *nm/f* automovilista *m/f*

autonome [ɔtɔnɔm] *adj* autónomo(-a); **en mode ~** (*Inform*) de modo autónomo

autonomie [ɔtɔnɔmi] *nf* autonomía; **~ de vol** autonomía de vuelo

autoportrait [otopɔʀtʀɛ] *nm* autorretrato

autopsie [ɔtɔpsi] *nf* autopsia

autoradio [otoʀadjo] *nm* autorradio

autorisation [ɔtɔʀizasjɔ̃] *nf* (*permission*) autorización *f*, permiso; (*papiers*) licencia, permiso; **donner à qn l'~ de** dar a algn la autorización para; **avoir l'~ de faire** tener permiso para hacer

autorisé, e [ɔtɔʀize] *adj* autorizado(-a); **~ (à faire)** autorizado(-a) (para hacer); **dans les milieux ~s** en medios oficiales

autoriser [ɔtɔʀize] *vt* autorizar, permitir; (*justifier, permettre*) autorizar; **~ qn à faire** autorizar a algn para hacer

autoritaire [ɔtɔʀitɛʀ] *adj* autoritario(-a)

autorité [ɔtɔʀite] *nf* autoridad *f*; (*prestige, réputation*) autoridad, fama; **les ~s** las autoridades; **faire ~** ser una autoridad; **d'~** (*de façon impérative*) autoritariamente; (*sans réflexion*) directamente; **~s administratives** autoridades administrativas

autoroute [otoʀut] *nf* autopista

auto-stop [otostɔp] *nm inv*: **l'~** el autostop; **faire de l'~** hacer autostop; **prendre qn en ~** coger a algn en autostop

auto-stoppeur, -euse [otostɔpœʀ, øz] (*pl* **~s, -euses**) *nm/f* autostopista *m/f*

autour [otuʀ] *adv* alrededor, en torno; **~ de** (*en cercle*) alrededor de, en torno de *ou* a; (*près de*) cerca de; (*environ, à peu près*) aproximadamente, alrededor de; **tout ~** por todas partes

MOT-CLÉ

autre [otʀ] *adj* **1** (*différent*) otro(-a); **je préférerais un autre verre** preferiría otro vaso

2 (*supplémentaire*): **je voudrais un autre verre d'eau** querría otro vaso de agua

3 (*d'une paire, dans une dualité*) otro(-a); **autre chose** otra cosa; **penser à autre chose** pensar en otra cosa; **autre part** (*aller*) a otra parte; (*se trouver*) en otra parte; **d'autre part** (*en outre*) además; **d'une part ..., d'autre part ...** por una parte ..., por otra parte ...
■ *pron*: **un autre** otro; **nous autres** nosotros(-as); **vous autres** vosotros(-as); (*politesse*) ustedes; **d'autres** otros(-as); **les autres** los (las) otros(-as); (*autrui*) los demás; **l'un et l'autre** uno y otro; **se détester l'un l'autre/les uns les autres** detestarse uno a otro/unos a otros; **la difficulté est autre** la dificultad es otra; **d'une minute à l'autre** de un momento a otro; **entre autres** entre otros(-as); **j'en ai vu d'autres** (*indifférence*) estoy curado de espanto; **à d'autres!** ¡cuéntaselo a otro!; **ni l'un ni l'autre** ni uno ni otro; **donnez-m'en un autre** deme otro; **de temps à autre** de vez en cuando; **se sentir autre** sentirse otro; *voir aussi* **part**; **temps**; **un**

autrefois [otʀəfwa] *adv* antaño, en otro tiempo
autrement [otʀəmɑ̃] *adv* (*d'une manière différente*) de otro modo; (*sinon*) si no, de lo contrario; **je n'ai pas pu faire ~** no he podido hacer otra cosa; **~ dit** en otras palabras; (*c'est-à-dire*) es decir
Autriche [otʀiʃ] *nf* Austria
autrichien, ne [otʀiʃjɛ̃, jɛn] *adj* austríaco(-a) ■ *nm/f*: **Autrichien, ne** austríaco(-a)
autruche [otʀyʃ] *nf* avestruz *m*; **faire l'~** meter la cabeza debajo del ala
aux [o] *prép +dét voir* **à**
auxiliaire [ɔksiljɛʀ] *adj* auxiliar ■ *nm/f* auxiliar *m/f*; (*aide, adjoint*) ayudante *m/f*; (*Ling*) auxiliar *m*
auxquelles [okɛl] *prép + pron voir* **lequel**
auxquels [okɛl] *prép + pron voir* **lequel**
avalanche [avalɑ̃ʃ] *nf* (*aussi fig*) avalancha
avaler [avale] *vt* tragar; (*fig*) devorar; (*croire*) tragarse
avance [avɑ̃s] *nf* avance *m*; (*d'argent*) adelanto, anticipo; (*opposé à retard*) adelanto; (*Inform*): **~ (du) papier** avance del papel; **avances** *nfpl* (*ouvertures, aussi amoureuses*) proposiciones *fpl*; **une ~ de 300 m/4 h** una ventaja de 300 m/4 h; **(être) en ~** (*sur l'heure fixée*) (estar) adelantado(-a); (*sur un programme*) (ir) adelantado(-a); **on n'est pas en ~!** ¡no adelantamos nada!; **être en ~ sur qn** (*pendant une action*) ir delante de algn; (*résultat*) llegar antes que algn; **il est très en ~ pour son âge** está muy adelantado para su edad; **à l'~, par ~** de antemano; **d'~** por anticipado; **payer d'~** pagar por adelantado
avancé, e [avɑ̃se] *adj* avanzado(-a); (*travail*) adelantado(-a); (*fruit, fromage*) maduro(-a)
avancement [avɑ̃smɑ̃] *nm* (*professionnel*) ascenso; (*de travaux*) progreso
avancer [avɑ̃se] *vi* avanzar; (*travail, montre, réveil*) adelantar; (*être en saillie, surplomb*) avanzar, sobresalir ■ *vt* adelantar; (*troupes*) hacer avanzar; (*hypothèse, idée*) proponer, sugerir; **s'avancer** *vpr* (*s'approcher*) adelantarse, acercarse; (*se hasarder*) aventurarse; (*être en saillie, surplomb*) sobresalir; **j'avance (d'une heure)** estoy adelantado(-a) (una hora)
avant [avɑ̃] *prép* antes de ■ *adv*: **trop/plus ~** demasiado/más lejos ■ *adj inv*: **siège ~** asiento delantero ■ *nm* (*d'un véhicule, bâtiment*) delantera, frente *m*; (*Sport*) delantero; **~ qu'il (ne) parte/de faire** antes de que marche/de hacer; **~ tout** ante todo; **à l'~** (*dans un véhicule*) en la delantera; **en ~** (*marcher, regarder*) hacia adelante; **en ~ de** (*en tête de, devant*) delante de; **aller de l'~** marchar bien
avantage [avɑ̃taʒ] *nm* (*supériorité*) ventaja; (*intérêt, bénéfice*) ventaja, beneficio; **à l'~ de qn** en beneficio de algn; **être à son ~** estar favorecido(-a); **tirer ~ de** sacar provecho de; **vous auriez ~ à faire** sería mejor que hiciese; **~s en nature** retribución *f* en especies; **~s sociaux** beneficios *mpl* sociales
avantager [avɑ̃taʒe] *vt* favorecer
avantageux, -euse [avɑ̃taʒø, øz] *adj* ventajoso(-a); (*portrait, coiffure*) favorecedor(a); **conditions avantageuses** condiciones *fpl* ventajosas
avant-bras [avɑ̃bʀa] *nm inv* antebrazo
avant-coureur [avɑ̃kuʀœʀ] (*pl* **~s**) *adj* premonitorio(-a), anunciador(a); **signe ~** signo anunciador
avant-dernier, -ière [avɑ̃dɛʀnje, jɛʀ] (*pl* **~s, -ières**) *adj, nm/f* penúltimo(-a)
avant-garde [avɑ̃gaʀd] (*pl* **~s**) *nf* (*aussi fig*) vanguardia; **d'~** de vanguardia
avant-goût [avɑ̃gu] (*pl* **~s**) *nm* anticipo

avant-hier [avɑ̃tjɛʀ] *adv* anteayer
avant-première [avɑ̃pʀəmjɛʀ] (*pl* **~s**) *nf* preestreno; **en ~** antes de la presentación oficial
avant-veille [avɑ̃vɛj] (*pl* **~s**) *nf*: **l'~** la antevíspera
avare [avaʀ] *adj, nm/f* avaro(-a); **~ de compliments/caresses** parco(-a) en cumplidos/caricias
avec [avɛk] *prép* con; (*contre*: *se battre*) con, contra; (*en plus de, en sus de*) además de; **~ habileté/lenteur** con habilidad/lentitud; **~ eux/ces maladies** (*en ce qui concerne*) con ellos/estas enfermedades; **~ ça** (*malgré ça*) a pesar de eso; **et ~ ça?** ¿algo más?; **~ l'été les noyades se multiplient** en verano se ahoga mucha más gente; **~ cela que ...** además de que ...
avenir [avniʀ] *nm*: **l'~** el porvenir, el futuro; **l'~ du monde/de l'automobile** el porvenir del mundo/del automóvil; **à l'~** en el futuro; **sans ~** sin futuro; **c'est une idée sans ~** es una idea sin futuro; **métier/politicien d'~** trabajo/político con futuro
aventure [avɑ̃tyʀ] *nf* aventura; **partir à l'~** marchar a la aventura; **roman/film d'~** novela/película de aventuras
aventurer [avɑ̃tyʀe] *vt* aventurar, arriesgar; (*remarque, opinion*) aventurar; **s'aventurer** *vpr* aventurarse; **s'~ à faire qch** arriesgarse a hacer algo
aventureux, -euse [avɑ̃tyʀø, øz] *adj* (*personne*) aventurado(-a), arriesgado(-a); (*projet*) arriesgado(-a); (*vie*) azaroso(-a)
aventurier, -ière [avɑ̃tyʀje, jɛʀ] *nm/f* aventurero(-a)
avenue [avny] *nf* avenida
avérer [aveʀe] *vpr*: **s'avérer** (*avec attribut*): **s'~ faux/coûteux** revelarse falso/costoso
averse [avɛʀs] *nf* aguacero, chaparrón *m*; (*de pierres, flèches*) chaparrón, lluvia
averti, e [avɛʀti] *adj* entendido(-a)
avertir [avɛʀtiʀ] *vt*: **~ qn de qch/que** prevenir a algn de algo/de que; (*renseigner*) advertir
avertissement [avɛʀtismɑ̃] *nm* advertencia; (*blâme*) amonestación *f*; (*d'un livre*) introducción *f*
avertisseur [avɛʀtisœʀ] *nm* bocina; (*d'incendie*) alarma de incendio
aveu, x [avø] *nm* confesión *f*, declaración *f*; **passer aux ~x** confesar; **de l'~ de** según la opinión de
aveugle [avœgl] *adj, nm/f* (*aussi fig*) ciego(-a); **les ~s** los ciegos; **mur ~** pared *f* ciega; **test en double ~** *experimento en el que ni el analizador ni el sujeto conocen las características del producto*
aviation [avjasjɔ̃] *nf* (*aussi Mil*) aviación *f*; **terrain d'~** campo de aviación; **~ de chasse** aviones *mpl* de caza
avide [avid] *adj* ávido(-a); (*péj*) codicioso(-a); **~ d'honneurs/d'argent/de sang** ávido(-a) de honores/de dinero/de sangre; **~ de connaître/d'apprendre** ávido(-a) de conocer/de aprender
avion [avjɔ̃] *nm* avión *m*; **par ~** por avión; **aller (quelque part) en ~** ir (a algún sitio) en avión; **~ à réaction** avión de *ou* a reacción; **~ de chasse/de ligne/supersonique** avión de caza/de línea/supersónico
aviron [aviʀɔ̃] *nm* remo; (*sport*): **l'~** el remo
avis [avi] *nm* (*point de vue*) opinión *f*; (*conseil*) opinión, consejo; (*notification*) aviso; **~ de crédit/débit** nota de crédito/débito; **à mon ~** en mi opinión; **j'aimerais avoir l'~ de Paul** me gustaría conocer la opinión de Paul; **je suis de votre ~** estoy de acuerdo con usted; **vous ne me ferez pas changer d'~** no me hará cambiar de opinión; **être d'~ que** ser del parecer que; **changer d'~** cambiar de opinión; **sauf ~ contraire** salvo aviso contrario; **sans ~ préalable** sin previo aviso; **jusqu'à nouvel ~** hasta nuevo aviso; **~ de décès** esquela (mortuoria)
aviser [avize] *vt* (*voir*) divisar, advertir; (*informer*): **~ qn de qch/que** avisar a algn de algo/de que ■ *vi* (*réfléchir*) reflexionar; **s'~ de qch/que** darse cuenta de algo/de que; **s'~ de faire qch** (*s'aventurer à*) ocurrírsele hacer algo
avocat, e [avɔka, at] *nm/f* (*aussi fig*) abogado(-a) ■ *nm* (*Bot, Culin*) aguacate *m*, palta (*AM*); **se faire l'~ du diable** ser el abogado del diablo; **l'~ de la défense/de la partie civile** el abogado defensor/de la acusación particular; **~ d'affaires** abogado de empresa; **~ général** fiscal *m*
avoine [avwan] *nf* avena

MOT-CLÉ

avoir [avwaʀ] *vt* **1** (*posséder*) tener; **elle a 2 enfants/une belle maison** tiene dos niños/una casa bonita; **il a les yeux gris** tiene los ojos grises; **vous avez du**

sel? ¿tiene sal?; **avoir du courage/de la patience** tener valor/paciencia; **avoir du goût** tener gusto; **avoir horreur de** tener horror a; **avoir rendez-vous** tener una cita
2 (*âge, dimensions*) tener; **il a 3 ans** tiene 3 años; **le mur a 3 mètres de haut** la pared tiene 3 metros de alto; *voir aussi* **faim**; **peur** *etc*
3 (*fam: duper*) pegársela a algn; **on vous a eu!** ¡le han engañado!
4: **en avoir après** *ou* **contre qn** estar enojado(-a) con algn; **en avoir assez** estar harto; **j'en ai pour une demi-heure** tengo para media hora
5 (*obtenir: train, tickets*) coger, agarrar (*AM*)
■ *vb aux* **1** haber; **avoir mangé/dormi** haber comido/dormido; **hier, je n'ai pas mangé** (*verbe au passé simple quand la période dans laquelle se situe l'action est révolue*) ayer no comí
2 (*avoir + à + infinitif*): **avoir à faire qch** tener que hacer algo; **vous n'avez qu'à lui demander** no tiene más que preguntarle; (*en colère*) pregúntele a él; **tu n'as pas à me poser de questions** no tienes porqué hacerme preguntas; **tu n'as pas à le savoir** no tienes porqué saberlo
■ *vb impers* **1**: **il y a** (+ *sing, pl*) hay; **qu'y-a-t-il?** ¿qué ocurre?; **qu'est-ce qu'il y a?** ¿qué pasa?; **il n'y a rien** no pasa nada; **qu'as-tu?** ¿qué tienes?; **qu'est-ce que tu as?** ¿qué te pasa?; **il doit y avoir une explication** tiene que haber una explicación; **il n'y a qu'à recommencer ...** no hay más que volver a empezar ...; **il ne peut y en avoir qu'un** no puede haber más que uno; **il n'y a pas de quoi** no hay de qué
2 (*temporel*): **il y a 10 ans** hace 10 años; **il y a 10 ans/longtemps que je le sais** hace 10 años/mucho tiempo que lo sé; **il y a 10 ans qu'il est arrivé** hace 10 años que llegó
■ *nm* haber *m*; (*Fin*): **avoir fiscal** crédito fiscal

avortement [avɔʀtəmɑ̃] *nm* aborto
avouer [avwe] *vt* confesar, declarar
■ *vi* (*se confesser*) confesar; (*admettre*) confesar, reconocer; **~ avoir fait/être/que** confesar haber hecho/ser/que; **s'~ vaincu/incompétent** declararse vencido(-a)/incompetente; **~ que oui/non** confesar que sí/no
avril [avʀil] *nm* abril *m*; *voir aussi* **juillet**

POISSON D'AVRIL

En Francia, el 1 de abril es el equivalente al día de los Santos Inocentes en España. La broma o inocentada típica de ese día es pegar en la espalda de alguien un pez de papel, el *poisson d'avril*, sin ser visto.

axe [aks] *nm* eje *m*; (*fig*) orientación *f*; **dans l'~ de** en la línea de; **~ de symétrie** eje de simetría; **~ routier** carretera general
ayons *etc* [ɛjɔ̃] *vb voir* **avoir**
azote [azɔt] *nm* nitrógeno
aztèque [astɛk] *adj* azteca

b

bâbord [bɑbɔʀ] *nm*: **à** *ou* **par ~** a babor
baby-foot [babifut] *nm inv* futbolín *m*
bac[1] [bak] *abr, nm* (*bateau*) transbordador *m*; (*récipient*) cubeta; **~ à glace** bandeja para el hielo; **~ à légumes** compartimento para las verduras
bac[2] [bak] *nm = baccalauréat*
baccalauréat [bakalɔʀea] *nm título que se obtiene al finalizar BUP y COU*

BACCALAURÉAT

En Francia el *baccalauréat* o *bac* es un título que se obtiene al terminar los estudios de enseñanza secundaria superior a la edad de diecisiete o dieciocho años y que permite el ingreso en la universidad. Se pueden escoger distintas combinaciones de asignaturas dentro de un amplio plan de estudios.

bâcler [bɑkle] *vt* hacer de prisa y corriendo
badge [badʒ] *nm* chapa
badminton [badmintɔn] *nm* bádminton *m*
baffe [bɑf] (*fam*) *nf* bofetada, torta
bafouiller [bafuje] *vi, vt* farfullar
bagage [bagaʒ] *nm* (*gén: bagages*) equipaje *m*; **~ littéraire** bagaje *m* literario; **~s à main** equipaje de mano
bagarre [bagaʀ] *nf* pelea; **il aime la ~** le gusta la pelea
bagarrer [bagaʀe] *vpr*: **se bagarrer** pelearse
bagnole [baɲɔl] (*fam*) *nf* coche *m*; (*vieille*) cacharro
bague [bag] *nf* anillo, sortija; (*d'identification*) anilla; **~ de fiançailles** sortija de pedida; **~ de serrage** casquillo
baguette [bagɛt] *nf* (*bâton*) varilla; (*chinoise*) palillo; (*de chef d'orchestre*) batuta; (*pain*) barra; (*Constr*) junquillo; **mener qn à la ~** tratar a algn a la baqueta; **~ de sourcier** varilla de zahorí; **~ de tambour** palillo; **~ magique** varita mágica
baie [bɛ] *nf* bahía; (*fruit*) baya; **~ (vitrée)** ventanal *m*
baignade [bɛɲad] *nf* baño
baigner [beɲe] *vt* bañar ■ *vi*: **il baignait dans son sang** estaba bañado *ou* anegado en sangre; **se baigner** *vpr* bañarse; **~ dans la brume** estar rodeado(-a) de bruma; **"ça baigne!"** (*fam*) "¡todo marcha bien!"
baignoire [bɛɲwaʀ] *nf* bañera, tina (*AM*); (*Théâtre*) palco de platea
bail [baj] (*pl* **baux**) *nm* (contrato de) arrendamiento; **donner** *ou* **prendre qch à ~** arrendar algo, alquilar algo; **~ commercial** traspaso
bâillement [bɑjmɑ̃] *nm* bostezo
bâiller [bɑje] *vi* bostezar; (*être ouvert*) estar entreabierto(-a), estar entornado(-a)
bain [bɛ̃] *nm* baño; **se mettre dans le ~** (*fig*) meterse en el asunto; **prendre un ~** tomar un baño; **prendre un ~ de foule** meterse entre la multitud; **prendre un ~ de pieds** darse un baño de pies; (*au bord de la mer*) mojarse los pies; **~ de bouche** elixir *m* (para enjuagarse la boca); **~ de siège** baño de asiento; **~ de soleil** baño de sol; **~ moussant** baño de espuma; **~s de mer** baños *mpl* de mar; **~s(-douches) municipaux** baños públicos
bain-marie [bɛ̃maʀi] (*pl* **bains-marie**) *nm* baño (de) María; **faire chauffer au ~** calentar al baño (de) María
baiser [beze] *nm* beso ■ *vt* besar; (*fam!*) tirarse a (*fam!*), coger (*fam!*) (*AM*)
baisse [bɛs] *nf* (*de température, des prix*) descenso, baja; **"~ sur la viande"** "abaratamiento de la carne"; **en ~** en baja; **à la ~** a la baja

baisser [bese] *vt* bajar ▪ *vi* (*niveau, température*) bajar, descender; (*jour, lumière*) disminuir; **se baisser** *vpr* inclinarse, agacharse; **sa vue baisse** está perdiendo vista; **ses facultés baissent** está perdiendo facultades
bal [bal] *nm* baile *m*; **~ costumé** baile de disfraces; **~ masqué** baile de máscaras; **~ musette** baile popular
balade [balad] *nf* (*à pied*) paseo, vuelta; (*en voiture*) vuelta; **faire une ~** dar una vuelta
balader [balade] *vt* pasear; **se balader** *vpr* pasearse
baladeur [baladœʀ] *nm* walkman® *m*
balai [balɛ] *nm* escoba; (*Auto, Mus*) escobilla; **donner un coup de ~** dar un barrido
balance [balɑ̃s] *nf* balanza; (*Astrol*): **la B~** Libra; **être (de la) B~** ser Libra; **~ commerciale** balanza comercial; **~ des paiements** balanza de pagos; **~ romaine** romana
balancer [balɑ̃se] *vt* balancear; (*lancer*) arrojar; (*renvoyer, jeter*) despedir ▪ *vi* (*hésiter*) oscilar; **se balancer** *vpr* balancearse, mecerse; (*branche*) mecerse; (*sur une balançoire*) columpiarse; **je m'en balance** (*fam*) me importa un pito
balançoire [balɑ̃swaʀ] *nf* (*suspendue*) columpio; (*sur pivot*) balancín *m*, subibaja *m*
balayer [baleje] *vt* barrer; (*suj: radar, phares*) explorar
balayeur, -euse [balɛjœʀ, øz] *nm/f* barrendero(-a)
balbutier [balbysje] *vi, vt* balbucear
balcon [balkɔ̃] *nm* balcón *m*; (*Théâtre*) principal *m*
baleine [balɛn] *nf* (*Zool, parapluie*) ballena
balise [baliz] *nf* baliza
baliser [balize] *vt* balizar; (*fam*) tener miedo
balle [bal] *nf* (*de fusil*) bala; (*de tennis, golf*) pelota; (*du blé*) cascarilla, cascabillo; (*paquet*) fardo; **balles** *nfpl* (*fam: franc*) francos *mpl*; **~ perdue** bala perdida
ballerine [bal(ə)ʀin] *nf* bailarina; (*chaussure*) zapatilla
ballet [balɛ] *nm* ballet *m*; **~ diplomatique** actividad *f* diplomática
ballon [balɔ̃] *nm* (*de sport*) balón *m*; (*Aviat, jouet*) globo; (*de vin*) copa; **~ d'essai** (*aussi fig*) globo *m* sonda *inv*; **~ de football** balón de fútbol; **~ d'oxygène** globo de oxígeno
balnéaire [balneɛʀ] *adj* termal, balneario(-a) (*AM*)
balustrade [balystʀad] *nf* balaustrada
bambin [bɑ̃bɛ̃] *nm* niño(-a), chiquillo(-a)
bambou [bɑ̃bu] *nm* bambú *m*
banal, e [banal] *adj* (*aussi péj*) trivial; **four ~** (*Hist*) molino comunal
banalité [banalite] *nf* trivialidad *f*
banane [banan] *nf* plátano, banana (*esp AM*)
banc [bɑ̃] *nm* banco; **~ d'essai** (*fig*) banco de prueba; **~ de sable** banco de arena; **~ des accusés/témoins** banquillo de los acusados/testigos
bancaire [bɑ̃kɛʀ] *adj* bancario(-a)
bancal, e [bɑ̃kal] *adj* cojo(-a); (*fig*) defectuoso(-a)
bandage [bɑ̃daʒ] *nm* vendaje *m*
bande [bɑ̃d] *nf* banda; (*de tissu*) faja; (*pour panser*) venda; (*Inform*) cinta; (*motif, dessin*) banda, franja; **une ~ de ...** (*copains, voyous*) una pandilla de ...; **donner de la ~** (*Naut*) dar a la banda, escorar; **par la ~** (*fig*) indirectamente; **faire ~ à part** hacer rancho aparte; **~ de roulement** banda de rodadura; **~ de terre** faja de tierra; **~ dessinée** (*dans un journal*) tira cómica, historieta; (*livre*) cómic *m*; **~ magnétique** cinta magnética; **~ perforée** banda perforada; **~ sonore** banda sonora; **~ Velpeau®** venda; **~ vidéo** cinta de vídeo

BANDE DESSINÉE

La *bande dessinée* o *BD* goza de gran popularidad en Francia tanto entre los niños como entre los adultos. Todos los años en enero se celebra en Angulema el Salón Internacional del Cómic. Astérix, Tintín, Lucky Luke y Gaston Lagaffe son algunos de los personajes de tebeo más famosos que acuden al certamen.

bandeau [bɑ̃do] *nm* venda; (*autour du front*) cinta, venda, vincha (*And, Csur*); (*Internet*) banner *m*
bander [bɑ̃de] *vt* (*blessure*) vendar; (*muscle, arc*) tensar ▪ *vi* (*fam!*) empalmarse (*fam!*); **~ les yeux à qn** vendar los ojos a algn
bandit [bɑ̃di] *nm* bandido; (*fig*) estafador *m*
bandoulière [bɑ̃duljɛʀ] *nf*: **en ~** en bandolera
banlieue [bɑ̃ljø] *nf* suburbio; **quartier de ~** barrio suburbano; **lignes/trains de ~** líneas *fpl*/trenes *mpl* de cercanías

banlieusard, e [bɑ̃ljøzaʀ, aʀd] *nm/f* habitante *m/f* de los suburbios
bannir [baniʀ] *vt* desterrar
banque [bɑ̃k] *nf* banco; (*activités*) banca; **~ d'affaires** banco de negocios; **~ de dépôt** banco de depósito; **~ de données** (*Inform*) banco de datos; **~ d'émission** banca central; **~ des yeux/du sang** banco de ojos/de sangre
banquet [bɑ̃kɛ] *nm* banquete *m*
banquette [bɑ̃kɛt] *nf* banqueta; (*d'auto*) asiento corrido
banquier [bɑ̃kje] *nm* banquero
banquise [bɑ̃kiz] *nf* banco de hielo, banquisa
baptême [batɛm] *nm* (*sacrement*) bautismo; (*cérémonie*) bautizo; **~ de l'air** bautismo del aire
baptiser [batize] *vt* bautizar
bar [baʀ] *nm* bar *m*, cantina (*esp AM*); (*comptoir*) barra, mostrador *m*; (*poisson*) lubina
baraque [baʀak] *nf* barraca; (*cabane, hutte*) caseta; (*fam*) casucha; **~ foraine** barraca de feria
baraqué, e [baʀake] (*fam*) *adj* plantado(-a)
barbare [baʀbaʀ] *adj, nm/f* bárbaro(-a)
barbe [baʀb] *nf* barba; **au nez et à la ~ de qn** en las barbas de algn; **quelle ~!** (*fam*) ¡qué lata!; **~ à papa** algodón *m* de azúcar
barbecue [baʀbəkju] *nm* barbacoa, asado (*AM*)
barbelé [baʀbəle] *nm* alambrada
barbiturique [baʀbityʀik] *nm* barbitúrico
barbouiller [baʀbuje] *vt* (*couvrir, salir*) embadurnar; (*péj: mur, toile*) pintarrajear; (*: écrire, dessiner*) emborronar; **avoir l'estomac barbouillé** tener el estómago revuelto
barbu, e [baʀby] *adj* barbudo(-a)
barder [baʀde] *vi* (*fam*): **ça va ~** se va a armar la gorda ▪ *vt* enalbardar
barème [baʀɛm] *nm* (*des prix, des tarifs*) baremo, tabla; (*cotisations, notes*) baremo; **~ des salaires** tabla de salarios
baril [baʀi(l)] *nm* barril *m*
bariolé, e [baʀjɔle] *adj* abigarrado(-a)
barman [baʀman] *nm* barman *m inv*
baromètre [baʀɔmɛtʀ] *nm* (*aussi fig*) barómetro; **~ anéroïde** barómetro aneroide
baron [baʀɔ̃] *nm* barón *m*; (*fig*) magnate *m*
baroque [baʀɔk] *adj* (*Art*) barroco(-a); (*fig*) estrambótico(-a)
barque [baʀk] *nf* barca
barquette [baʀkɛt] *nf* (*tartelette*) (tipo de) pasta de té; (*en aluminium*) envase *m*; (*en bois*) caja
barrage [baʀaʒ] *nm* pantano, embalse *m*; (*sur route*) barrera; **~ de police** cordón *m* policial, retén *m* (*AM*)
barre [baʀ] *nf* barra; (*Naut*) timón *m*; (*écrite*) raya; **comparaître à la ~** comparecer ante el juez; **être à** *ou* **tenir la ~** llevar el timón; **~ à mine** barrena; **~ de mesure** (*Mus*) barra de compás; **~ d'outils** barra de herramientas; **~ fixe** (*Gymnastique*) barra fija; **~s parallèles** barras paralelas
barreau, x [baʀo] *nm* barrote *m*; (*Jur*): **le ~** el foro, la abogacía
barrer [baʀe] *vt* (*route*) obstruir; (*mot*) tachar; (*chèque*) cruzar; (*Naut*) timonear; **se barrer** *vpr* (*fam*) largarse, pirarse; **~ le passage** *ou* **la route à qn** cortar el paso a algn
barrette [baʀɛt] *nf* (*pour les cheveux*) prendedor *m*; (*Rel*) birrete *m*; (*broche*) broche *m*
barricader [baʀikade] *vt* (*rue*) levantar barricadas en; (*porte, fenêtre*) atrancar; **se ~ chez soi** (*fig*) encerrarse en su casa
barrière [baʀjɛʀ] *nf* (*aussi fig*) barrera; **~ de dégel** (*Admin, Auto*) *circulación de vehículos pesados prohibida a causa del deshielo*; **~s douanières** barreras *fpl* aduaneras
barrique [baʀik] *nf* barrica, tonel *m*
bas, basse [bɑ, bɑs] *adj* bajo(-a); (*vue*) corto(-a); (*action*) bajo(-a), vil ▪ *nm* (*chaussette*) calcetín *m*; (*de femme*) media; (*partie inférieure*): **le ~ de ...** la parte de abajo de... ▪ *adv* bajo; **plus ~** más bajo, más abajo; **parler plus ~** hablar más bajo; **la tête ~se** cabizbajo; **avoir la vue ~se** ser corto(-a) de vista; **au ~ mot** por lo menos, por lo bajo; **enfant en ~ âge** niño de corta edad; **en ~** abajo; **en ~ de** debajo de, en la parte baja de; **de ~ en haut** de abajo arriba; **des hauts et des ~** altibajos *mpl*; **un ~ de laine** (*fam*) ahorrillos *mpl*; **mettre ~** parir; **"à ~ la dictature/ l'école!"** "¡abajo la dictadura/la escuela!"; **~ morceaux** despojos *mpl*
bas-côté [bakote] (*pl* **~s**) *nm* (*de route*) arcén *m*; (*d'église*) nave *f* lateral
basculer [baskyle] *vi* (*tomber*) volcar; (*benne*) bascular ▪ *vt* (*gén: faire basculer*) volcar
base [bɑz] *nf* base *f*; (*Pol*): **la ~** la(s) base(s); **jeter les ~s de** sentar las bases de; **à la ~ de** (*fig*) en el origen de; **sur la ~ de** (*fig*) tomando como base; **principe/ produit de ~** principio/producto de base; **à ~ de café** a base de café; **~ de données**

(*Inform*) base de datos; **~ de lancement** base de lanzamiento
baser [baze] *vt*: **~ qch sur** basar algo en; **se ~ sur** basarse en; **basé à/dans** (*Mil*) con base en
bas-fond [bafɔ̃] (*pl* **~s**) *nm* (*Naut*) bajío; **bas-fonds** *nmpl* (*fig*) bajos fondos *mpl*, hampa *fsg*
basilic [bazilik] *nm* albahaca
basket [baskɛt] *nm* = **basket-ball**
basket-ball [baskɛtbol] (*pl* **~s**) *nm* baloncesto
basque [bask] *adj, nm/f* vasco(-a) ▪ *nm* (*Ling*) vasco, vascuence *m*; **le Pays ~** el País vasco
basse [bas] *adj f voir* **bas** ▪ *nf* bajo
basse-cour [baskuʀ] (*pl* **basses-cours**) *nf* (*cour*) corral *m*; (*animaux*) aves *fpl* de corral
bassin [basɛ̃] *nm* (*cuvette*) palangana, cubeta; (*pièce d'eau*) estanque *m*; (*de fontaine*) pila; (*Géo*) cuenca; (*Anat*) pelvis *f*; (*portuaire*) dársena; **~ houiller** cuenca hullera
bassine [basin] *nf* balde *m*
basson [basɔ̃] *nm* (*instrument*) fagot *m*; (*musicien*) fagotista *m/f*, fagot *m*
bat [ba] *vb voir* **battre**
bataille [bataj] *nf* (*aussi fig*) batalla; **en ~** (*en désordre*) desordenado(-a), desgreñado(-a); **~ rangée** batalla campal
bateau, x [bato] *nm* barco; (*grand*) navío, buque *m*; (*abaissement du trottoir*) vado ▪ *adj* (*banal, rebattu*) típico(-a); **~ à moteur/de pêche** barco de motor/de pesca
bateau-mouche [batomuʃ] (*pl* **bateaux-mouches**) *nm* golondrina
bâti, e [bati] *adj* (*terrain*) edificado(-a) ▪ *nm* (*armature*) armazón *m*; (*Couture*) hilván *m*; **bien ~** (*personne*) bien hecho(-a), fornido(-a)
bâtiment [batimɑ̃] *nm* edificio; (*Naut*) navío; **le ~** (*industrie*) la construcción
bâtir [batiʀ] *vt* edificar, construir; (*fig*) edificar; (*Couture*) hilvanar; **fil à ~** (*Couture*) hilo de hilvanar
bâtisse [batis] *nf* construcción *f*
bâton [batɔ̃] *nm* palo, vara; (*d'agent de police*) porra; **mettre des ~s dans les roues à qn** poner trabas a algn; **à ~s rompus** sin orden ni concierto; **~ de rouge (à lèvres)** barra (de labios); **~ de ski** bastón *m* de esquiar
bats [ba] *vb voir* **battre**
battement [batmɑ̃] *nm* (*de cœur*) latido, palpitación *f*; (*intervalle*) intervalo; **10 minutes de ~** 10 minutos de intervalo; **~ de paupières** parpadeo
batterie [batʀi] *nf* (*aussi Mus*) batería; **~ de tests** batería de tests; **~ de cuisine** batería de cocina
batteur [batœʀ] *nm* (*Mus*) batería *m/f*; (*appareil*) batidora
battre [batʀ] *vt* golpear; (*suj: pluie, vagues*) golpear, azotar; (*vaincre*) vencer, derrotar; (*œufs etc*) batir; (*blé*) trillar; (*tapis*) sacudir; (*cartes*) barajar; (*passer au peigne fin*) rastrear ▪ *vi* (*cœur*) latir; (*volets etc*) golpear; **se battre** *vpr* pelearse, luchar; (*fig*) esforzarse; **~ de**: **~ des mains** aplaudir; **~ de l'aile** (*fig*) estar alicaído(-a); **~ des ailes** aletear; **~ froid à qn** tratar a algn con frialdad; **~ la mesure** llevar el compás; **~ en brèche** (*aussi fig*) batir en brecha; **~ son plein** estar en su apogeo; **~ pavillon espagnol** enarbolar bandera española; **~ la semelle** zapatear (para calentarse); **~ en retraite** batirse en retirada
baume [bom] *nm* bálsamo; (*fig*) bálsamo, consuelo
bavard, e [bavaʀ, aʀd] *adj* parlanchín(-ina)
bavarder [bavaʀde] *vi* charlar, platicar (*Mex*); (*indiscrètement*) charlatanear, irse de la lengua
baver [bave] *vi* babear; (*encre, couleur*) correrse; **en ~** (*fam*) pasar las de Caín, pasarlas negras
bavoir [bavwaʀ] *nm* babero
bavure [bavyʀ] *nf* rebaba, mancha; (*fig*) error *m*
bazar [bazaʀ] *nm* bazar *m*; (*fam*) leonera
bazarder [bazaʀde] (*fam*) *vt* liquidar
BCBG [besebeʒe] *sigle adj* = *bon chic bon genre*; **une fille ~** ≈ una chica bien vestida
BD *sigle f* (= *bande dessinée*) *voir* **bande**; (= *base de données*) base *f* de datos
bd *abr* (= *boulevard*) Blvr. (= *bulevar*)
béant, e [beɑ̃, ɑ̃t] *adj* abierto(-a)
beau (bel), belle, beaux [bo, bɛl] *adj* (*gén*) bonito(-a); (*plus formel*) hermoso(-a), bello(-a), lindo(-a) (*esp AM*) (*fam*); (*personne*) guapo(-a) ▪ *nm*: **avoir le sens du beau** tener sentido estético ▪ *adv*: **il fait beau** hace buen tiempo; **le temps est au beau** el tiempo se anuncia bueno; **un beau geste** un gesto noble; **un beau salaire** un buen salario; **un beau gâchis/rhume** (*iro*) un buen despilfarro/resfriado; **en faire/dire de belles** hacerlas/decirlas buenas; **le beau monde** la buena sociedad; **un beau jour** ... un buen día ...; **de plus belle** más y mejor; **bel et bien** de verdad; **le plus beau c'est que ...** lo mejor es que ...;

"c'est du beau!" "¡qué bonito!"; **on a beau essayer ...** por más que se intente ...; **il a beau jeu de protester** *etc* le es fácil protestar *etc*; **faire le beau** (*chien*) ponerse en dos patas; **beau parleur** hombre *m* de labia

beaucoup [boku] *adv* mucho; **il boit ~** bebe mucho; **il ne rit pas ~** no ríe mucho; **il est ~ plus grand** es mucho más grande; **il en a ~** tiene mucho(s)(-a(s)); **~ trop de** demasiado(s)(-a(s)); **(pas) ~ de** (no) mucho(s)(-a(s)); **~ d'étudiants/de touristes** muchos estudiantes/turistas; **~ de courage** mucho valor; **il n'a pas ~ d'argent** no tiene mucho dinero; **de ~** *adv* con mucho; **~ le savent** (*emploi nominal*) muchos lo saben

beau-fils [bofis] (*pl* **beaux-fils**) *nm* yerno; (*remariage*) hijastro

beau-frère [bofʀɛʀ] (*pl* **beaux-frères**) *nm* cuñado

beau-père [bopɛʀ] (*pl* **beaux-pères**) *nm* suegro; (*remariage*) padrastro

beauté [bote] *nf* belleza; **de toute ~** de gran belleza; **en ~**: **finir en ~** terminar brillantemente

beaux-arts [bozaʀ] *nmpl* bellas artes *fpl*

beaux-parents [bopaʀɑ̃] *nmpl* suegros *mpl*

bébé [bebe] *nm* bebé *m*

bec [bɛk] *nm* pico; (*de plume*) punta; (*d'une clarinette etc*) boquilla; **clouer le ~ à qn** (*fam*) cerrar el pico a algn; (*fam*) abrir el pico; **~ de gaz** farola; **~ verseur** pico

bêche [bɛʃ] *nf* pala

bêcher [beʃe] *vt* (*terre*) cavar; (*snober*) despreciar

bedaine [bədɛn] *nf* barriga

bedonnant, e [bədɔnɑ̃, ɑ̃t] *adj* barrigudo(-a)

bée [be] *adj*: **bouche ~** boquiabierto(-a)

bégayer [begeje] *vi, vt* tartamudear

beige [bɛʒ] *adj* beige

beignet [bɛɲɛ] *nm* buñuelo

bel [bɛl] *adj m voir* **beau**

bêler [bele] *vi* balar; (*fig*) gemir

belette [bəlɛt] *nf* comadreja

belge [bɛlʒ] *adj* belga ■ *nm/f*: **Belge** belga *m/f*

FÊTE NATIONALE BELGE

La *fête nationale belge*, que se celebra el 21 de julio, conmemora la coronación de Leopold de Saxe-Coburg Gotha como Rey Leopold I, que tuvo lugar en 1831.

Belgique [bɛlʒik] *nf* Bélgica

bélier [belje] *nm* (*Zool*) carnero; (*engin*) ariete *m*; (*Astrol*): **le B~** Aries *m*; **être (du) B~** ser Aries

belle [bɛl] *adj f voir* **beau** ■ *nf* (*Sport*): **la ~** el desempate

belle-fille [bɛlfij] (*pl* **belles-filles**) *nf* nuera; (*remariage*) hijastra

belle-mère [bɛlmɛʀ] (*pl* **belles-mères**) *nf* suegra; (*remariage*) madrastra

belle-sœur [bɛlsœʀ] (*pl* **belles-sœurs**) *nf* cuñada

belote [bəlɔt] *nf* ≈ tute *m*

belvédère [bɛlvedɛʀ] *nm* mirador *m*

bémol [bemɔl] *nm* bemol *m*

bénédiction [benediksjɔ̃] *nf* bendición *f*

bénéfice [benefis] *nm* (*Comm*) beneficio; (*avantage*) beneficio, provecho; **au ~ de** a favor de

bénéficier [benefisje] *vi*: **~ de** (*jouir de, avoir, obtenir*) disfrutar de; (*tirer profit de*) beneficiarse de, aprovecharse de

bénéfique [benefik] *adj* benéfico(-a)

Bénélux [benelyks] *nm* Benelux *m*

bénévole [benevɔl] *adj* (*personne*) benévolo(-a); (*aide etc*) voluntario(-a)

Bénin [benɛ̃] *nm* Benin *m*

bénin, -igne [benɛ̃, iɲ] *adj* benigno(-a)

bénir [beniʀ] *vt* bendecir

bénit, e [beni, it] *adj* bendito(-a); **eau ~e** agua bendita

benne [bɛn] *nf* (*de camion*) volquete *m*; (*de téléphérique*) cabina; **~ basculante** volquete

BEP [beøpe] *sigle m* = *brevet d'études professionnelles*

béquille [bekij] *nf* muleta; (*de bicyclette*) soporte *m*

berceau, x [bɛʀso] *nm* (*aussi fig*) cuna

bercer [bɛʀse] *vt* acunar, mecer; (*suj: musique*) mecer; **~ qn de** ilusionar a algn con

berceuse [bɛʀsøz] *nf* (*chanson*) canción *f* de cuna, nana

béret (basque) [beʀɛ (bask)] *nm* boina

berge [bɛʀʒ] *nf* (*d'un cours d'eau*) ribera; (*d'un chemin, fossé*) orilla; (*fam: an*) taco (*fam*)

berger, -ère [bɛʀʒe, ʒɛʀ] *nm/f* pastor(a); **~ allemand** pastor *m* alemán

berner [bɛʀne] *vt* estafar

besogne [bəzɔɲ] *nf* tarea, faena

besoin [bəzwɛ̃] *nm* necesidad *f*; (*pauvreté*): **le ~** la necesidad, la estrechez ■ *adv*: **au ~** si es menester; **il n'y a pas ~ de (faire)** no hay necesidad de (hacer); **le ~ d'argent/de gloire** la necesidad de dinero/de gloria; **les ~s (naturels)** las necesidades; **faire ses ~s** hacer sus necesidades; **avoir ~ de qch/de faire qch** tener necesidad de algo/de hacer algo; **pour les ~s de la cause** por exigencias del objetivo

bestiole [bɛstjɔl] *nf* bicho

bétail [betaj] *nm* ganado

bête [bɛt] *nf* (*gén*) animal *m*; (*insecte, bestiole*) bicho ■ *adj* (*stupide*) tonto(-a), bobo(-a); **chercher la petite ~** ser un chinche; **les ~s** (*bétail*) el ganado; **~ de somme** bestia de carga; **~ noire** pesadilla, bestia negra; **~s sauvages** fieras *fpl*, animales *mpl* salvajes

bêtement [bɛtmɑ̃] *adv* tontamente; **tout ~** simplemente, sin rodeos

bêtise [betiz] *nf* (*défaut d'intelligence*) estupidez *f*, tontería; (*action, remarque*) tontería; (*bonbon*) caramelo de menta; **faire/dire une ~** hacer/decir una tontería

béton [betɔ̃] *nm* hormigón *m*; **en ~** (*alibi, argument*) sólido(-a); **~ armé/précontraint** hormigón armado/pretensado

betterave [bɛtʀav] *nf* remolacha, betarraga (*Chi*); **~ fourragère/sucrière** remolacha forrajera/azucarera

Beur [bœʀ] *nm/f* *joven árabe nacido en Francia de padres emigrantes*

Beur

En Francia, *Beur* es el término que se utiliza para referirse a una persona nacida en este país pero de padres emigrantes norteafricanos. No es un término racista: los medios de comunicacióm, los grupos antiracistas y la segunda generación misma de norteafricanos lo usan con frecuencia. La palabra proviene de un tipo de argot llamado "verlan".

beurre [bœʀ] *nm* mantequilla, manteca (*AM*); **mettre du ~ dans les épinards** (*fig*) hacer el agosto; **~ de cacao** manteca de cacao; **~ noir** mantequilla requemada

beurrer [bœʀe] *vt* untar con mantequilla

beurrier [bœʀje] *nm* mantequera

bi- [bi] *préf* bi-

biais [bjɛ] *nm* (*d'un tissu*) sesgo; (*bande de tissu*) bies *m*; (*moyen*) rodeo, vuelta; **en ~, de ~** (*obliquement*) al sesgo; (*fig*) con rodeos

bibelot [biblo] *nm* chuchería

biberon [bibʀɔ̃] *nm* biberón *m*; **nourrir au ~** alimentar con biberón

bible [bibl] *nf* biblia

bibliobus [biblijobys] *nm* biblioteca ambulante, bibliobús *m*

bibliographie [biblijɔgʀafi] *nf* bibliografía

bibliothécaire [biblijɔtekɛʀ] *nm/f* bibliotecario(-a)

bibliothèque [biblijɔtɛk] *nf* biblioteca; **~ municipale** biblioteca municipal

bicarbonate [bikaʀbɔnat] *nm*: **~ (de soude)** bicarbonato (sódico)

biceps [bisɛps] *nm* bíceps *m inv*

biche [biʃ] *nf* cierva

bicolore [bikɔlɔʀ] *adj* bicolor

bicoque [bikɔk] (*péj*) *nf* casucha

bicyclette [bisiklɛt] *nf* bicicleta

bidet [bidɛ] *nm* bidé *m*

bidon [bidɔ̃] *nm* (*récipient*) bidón *m* ■ *adj inv* (*fam*) amañado(-a)

bidonville [bidɔ̃vil] *nm* chabolas *fpl*

bidule [bidyl] *nm* trasto, chisme *m*

MOT-CLÉ

bien [bjɛ̃] *nm* **1** (*avantage, profit, moral*) bien *m*; **faire du bien à qn** hacer bien a algn; **faire le bien** hacer el bien; **dire du bien de qn/qch** hablar bien de algn/algo; **c'est pour son bien** es por su bien; **changer en bien** cambiar para bien; **mener à bien** llevar a buen término; **je te veux du bien** te quiero bien; **le bien public** el bien público

2 (*possession, patrimoine*) bien; **son bien le plus précieux** su bien más preciado; **avoir du bien** tener fortuna; **biens de consommation** bienes *mpl* de consumo

■ *adv* **1** (*de façon satisfaisante*) bien; **elle travaille/mange bien** trabaja/come bien; **vite fait, bien fait** pronto y bien; **croyant bien faire, je ...** creyendo hacer bien, yo ...

2 (*valeur intensive*) muy, mucho; **bien jeune** muy joven; **j'en ai bien assez** tengo más que suficiente; **bien mieux** mucho mejor; **bien souvent** muy a menudo; **c'est bien fait!** (*tu le mérites*) ¡te está bien empleado!; **j'espère bien y aller** sí espero poder ir; **je veux bien le faire** (*concession*) me parece bien hacerlo; **il faut bien le faire** hay que hacerlo; **il faut bien l'admettre** hay que admitirlo; **il y a bien 2 ans** hace 2 años largos; **Paul est bien venu, n'est-ce pas?** Paul sí ha venido, ¿verdad?; **tu as eu bien raison de dire cela** hiciste muy bien en decir eso; **j'ai bien téléphoné** sí llamé por teléfono; **se donner bien du mal** molestarse mucho; **où peut-il bien être passé?**

¿dónde se habrá metido?; **on verra bien** ya veremos
3 (*beaucoup*): **bien du temps/des gens** mucho tiempo/mucha gente
■ *excl*: **eh bien?** bueno, ¿qué?
■ *adj inv* 1 (*en bonne forme, à l'aise*): **être/se sentir bien** estar/sentirse bien; **je ne me sens pas bien** no me siento bien; **on est bien dans ce fauteuil** se está bien en este sillón
2 (*joli, beau*) bien; **tu es bien dans cette robe** estás bien con este vestido; **elle est bien, cette femme** está bien esa mujer
3 (*satisfaisant, adéquat*) bien; **elle est bien, cette maison** está bien esta casa; **elle est bien, cette secrétaire** es buena esta secretaria; **c'est bien?** ¿está bien?; **mais non, c'est très bien** que no, está muy bien; **c'est très bien (comme ça)** está muy bien (así)
4 (*juste, moral, respectable*) bien *inv*; **ce n'est pas bien de ...** no está bien ...; **des gens biens** gente bien
5 (*en bons termes*): **être bien avec qn** estar a bien con algn; **si bien que** (*résultat*) de tal manera que; **tant bien que mal** así, así
6: **bien que** *conj* aunque
7: **bien sûr** *adv* desde luego

bien-aimé, e [bjɛ̃neme] *adj, nm/f* bienamado(-a)
bien-être [bjɛ̃nɛtʀ] *nm* bienestar *m*
bienfaisance [bjɛ̃fəzɑ̃s] *nf* beneficencia
bienfait [bjɛ̃fɛ] *nm* favor *m*; (*de la science*) beneficio
bienfaiteur, -trice [bjɛ̃fɛtœʀ, tʀis] *nm/f* bienhechor(a)
bien-fondé [bjɛ̃fɔ̃de] *nm* legitimidad *f*
bientôt [bjɛ̃to] *adv* pronto, luego; **à ~** hasta luego
bienveillant, e [bjɛ̃vɛjɑ̃, ɑ̃t] *adj* benévolo(-a)
bienvenu, e [bɛ̃vny] *adj* bienvenido(-a) ■ *nm/f*: **être le ~/la ~e** ser bienvenido/bienvenida
bienvenue [bjɛ̃vny] *nf*: **souhaiter la ~ à** desear la bienvenida a; **~ à** bienvenida a
bière [bjɛʀ] *nf* cerveza; (*cercueil*) ataúd *m*; **~ blonde/brune** cerveza dorada/negra; **~ pression** cerveza de barril
bifteck [biftɛk] *nm* bistec *m*, bisté *m*, bife *m* (*Arg*)
bigorneau, x [bigɔʀno] *nm* bígaro
bigoudi [bigudi] *nm* bigudí *m*
bijou, x [biʒu] *nm* (*aussi fig*) joya, alhaja
bijouterie [biʒutʀi] *nf* (*bijoux*) joyas *fpl*; (*magasin*) joyería
bijoutier, -ière [biʒutje, jɛʀ] *nm/f* joyero(-a)
bikini [bikini] *nm* biquini *m*
bilan [bilɑ̃] *nm* balance *m*; **faire le ~ de** hacer el balance de; **déposer son ~** declararse en quiebra; **~ de santé** chequeo
bile [bil] *nf* bilis *f*; **se faire de la ~** (*fam*) hacerse mala sangre
bilieux, -euse [biljø, jøz] *adj* bilioso(-a); (*fig*) bilioso(-a), colérico(-a)
bilingue [bilɛ̃g] *adj* bilingüe
billard [bijaʀ] *nm* billar *m*; **c'est du ~** (*fam*) está tirado, es pan comido; **passer sur le ~** pasar por el quirófano
bille [bij] *nf* bola; (*du jeu de billes*) canica; **jouer aux ~s** jugar a las canicas
billet [bijɛ] *nm* billete *m*; (*de cinéma*) entrada; (*courte lettre*) billete, esquela; **~ à ordre** pagaré *m*; **~ aller retour** billete de ida y vuelta; **~ d'avion** billete de avión; **~ de commerce** letra de cambio; **~ de faveur** pase *m* de favor; **~ de loterie** billete de lotería; **~ de train** billete de tren; **~ doux** carta de amor; **~ électronique** billete electrónico
billetterie [bijɛtʀi] *nf* emisión *f* y venta de billetes; (*distributeur*) taquilla; (*Banque*) cajero (automático)
billion [biljɔ̃] *nm* billón *m*
bimensuel, le [bimɑ̃sɥɛl] *adj* bimensual, quincenal
bio [bjo] *adj* (*fam*) biológico
biochimie [bjoʃimi] *nf* bioquímica
biodiversité *nf* biodiversidad *f*
biographie [bjɔgʀafi] *nf* biografía
biologie [bjɔlɔʒi] *nf* biología
biologique [bjɔlɔʒik] *adj* biológico(-a); (*produits, aliments*) orgánico(-a)
biologiste [bjɔlɔʒist] *nm/f* biólogo(-a)
bioterrorisme [bjotɛʀɔʀism] *nm* bioterrorismo
Birmanie [biʀmani] *nf* Birmania
bis[1]**, e** [bi, biz] *adj* pardo(-a)
bis[2] [bis] *adv*: **12 ~** 12 bis ■ *excl* ¡otra! ■ *nm* bis *m*
biscotte [biskɔt] *nf* biscote *m*
biscuit [biskɥi] *nm* (*gâteau sec*) galleta; (*gâteau, porcelaine*) bizcocho; **~ à la cuiller** bizcocho
bise [biz] *adj f voir* **bis** ■ *nf* (*baiser*) beso; (*vent*) cierzo
bisou [bizu] (*fam*) *nm* besito
bissextile [bisɛkstil] *adj*: **année ~** año bisiesto
bistro(t) [bistʀo] *nm* bar *m*, café *m*, cantina (*esp AM*)

bitume [bitym] *nm* asfalto
bizarre [bizaʀ] *adj* raro(-a)
blague [blag] *nf* (*propos*) chiste *m*; (*farce*) broma; **"sans ~!"** (*fam*) "¡no me digas!"; **~ à tabac** petaca
blaguer [blage] *vi* bromear ▪ *vt* embromar
blaireau, x [blɛʀo] *nm* (*Zool*) tejón *m*; (*brosse*) brocha de afeitar
blâme [blɑm] *nm* (*jugement*) reprobación *f*; (*sanction*) sanción *f*
blâmer [blɑme] *vt* (*réprouver*) reprobar; (*réprimander*) sancionar
blanc, blanche [blɑ̃, blɑ̃ʃ] *adj* blanco(-a); (*innocent*) puro(-a) ▪ *nm/f* blanco(-a) ▪ *nm* blanco; (*linge*): **le ~** la ropa blanca; (*aussi*: **blanc d'œuf**) clara; (*aussi*: **blanc de poulet**) pechuga ▪ *adv*: **à ~** (*chauffer*) al rojo vivo; (*tirer, charger*) con munición de fogueo; **d'une voix blanche** con una voz opaca; **aux cheveux ~s** de pelo blanco; **le ~ de l'œil** el blanco del ojo; **laisser en ~** dejar en blanco; **chèque en ~** cheque *m* en blanco; **saigner à ~** desangrar; **~ cassé** color *m* hueso
blanche [blɑ̃ʃ] *adj f voir* **blanc** ▪ *nf* (*Mus*) blanca
blancheur [blɑ̃ʃœʀ] *nf* blancura
blanchir [blɑ̃ʃiʀ] *vt* (*gén, argent*) blanquear; (*linge*) lavar; (*Culin*) escaldar; (*disculper*) rehabilitar ▪ *vi* blanquear; (*cheveux*) blanquear, encanecer; **blanchi à la chaux** encalado
blanchisserie [blɑ̃ʃisʀi] *nf* lavandería
blason [blɑzɔ̃] *nm* blasón *m*
blasphème [blasfɛm] *nm* blasfemia
blazer [blazɛʀ] *nm* blázer *m*
blé [ble] *nm* trigo; **~ en herbe** trigo en ciernes; **~ noir** trigo sarraceno
bled [blɛd] *nm* (*péj*) poblacho; (*en Afrique du nord*): **le ~** el interior
blême [blɛm] *adj* pálido(-a)
blessant, e [blesɑ̃, ɑ̃t] *adj* hiriente
blessé, e [blese] *adj* herido(-a); (*offensé*) ofendido(-a) ▪ *nm/f* herido(-a); **un ~ grave, un grand ~** un herido grave
blesser [blese] *vt* herir; (*suj*: *souliers*) hacer daño a; (*offenser*) ofender; **se blesser** *vpr* herirse; **se ~ au pied** *etc* lastimarse el pie *etc*
blessure [blesyʀ] *nf* herida; (*fig*) herida, ofensa
bleu, e [blø] *adj* azul; (*bifteck*) poco hecho ▪ *nm* azul *m*; (*novice*) bisoño; (*contusion*) cardenal *m*; (*vêtement*: *aussi*: **bleus**) mono, overol *m* (*AM*); (*Culin*): **au ~** *forma de cocer el pescado*; **une peur ~e** un miedo cerval; **zone ~e** zona azul; **fromage ~** queso estilo Roquefort; **~ (de lessive)** azulete *m*; **~ de méthylène** azul de metileno; **~ marine** azul marino; **~ nuit** azul oscuro; **~ roi** azulón
bleuet [bløɛ] *nm* aciano
bloc [blɔk] *nm* bloque *m*; (*de papier à lettres*) bloc *m*; (*ensemble*) montón *m*; **serré à ~** apretado a fondo; **en ~** en bloque; **faire ~** aliarse; **~ opératoire** quirófano
blocage [blɔkaʒ] *nm* (*aussi Psych*) bloqueo
bloc-notes [blɔknɔt] (*pl* **blocs-notes**) *nm* bloc *m* de notas
blog, blogue [blɔg] *nm* blog *m*
bloguer [blɔge] *vi* bloguear
blond, e [blɔ̃, blɔ̃d] *adj* rubio(-a); (*sable, blés*) dorado(-a) ▪ *nm/f* rubio(-a); **~ cendré** rubio ceniciento
bloquer [blɔke] *vt* bloquear; (*jours de congé*) agrupar; **~ les freins** frenar bruscamente
blottir [blɔtiʀ] *vt* resguardar; **se blottir** *vpr* acurrucarse
blouse [bluz] *nf* bata
blouson [bluzɔ̃] *nm* cazadora; **~ noir** (*fig*) gamberro
bluff [blœf] *nm* exageración *f*, farol *m*
bluffer [blœfe] *vi* exagerar, farolear ▪ *vt* engañar
bobine [bɔbin] *nf* (*de fil*) carrete *m*; (*de film*) carrete, rollo; (*de machine à coudre*) canilla; (*Élec*) bobina; **~ (d'allumage)** bobina (de encendido); **~ de pellicule** carrete de película
bocal, -aux [bɔkal, o] *nm* tarro (de vidrio)
bock [bɔk] *nm* jarra (de cerveza)
body [bɔdi] *nm* body *m*; (*Sport*) malla
bœuf [bœf] *nm* buey *m*; (*Culin*) carne *f* de vaca
bof! [bɔf] (*fam*) *excl* ¡bah!
bohémien, ne [bɔemjɛ̃, jɛn] *nm/f* bohemio(-a)
boire [bwaʀ] *vt* beber, tomar (*AM*); (*s'imprégner de*) chupar ▪ *vi* beber; **~ un coup** echar un trago
bois[1] [bwɑ] *vb voir* **boire**
bois[2] [bwɑ] *nm* (*substance*) madera; (*forêt*) bosque *m*; **les ~** (*Mus*) la madera; (*Zool*) la cornamenta; **de ~, en ~** de madera; **~ de lit** armazón *m* de la cama; **~ mort/vert** leña seca/verde
boisé, e [bwaze] *adj* arbolado(-a)
boisson [bwasɔ̃] *nf* bebida; **pris de ~** (*ivre*) bebido; **~s alcoolisées/gazeuses** bebidas *fpl* alcohólicas/gaseosas

boîte [bwat] *nf* caja; (*de fer*) lata; **il a quitté sa ~** (*fam: entreprise*) ha dejado el curro (*fam*); **aliments en ~** alimentos *mpl* en lata; **mettre qn en ~** (*fam*) tomar el pelo a algn; **~ à gants** guantera; **~ à musique** caja de música; **~ à ordures** cubo de basura; **~ aux lettres** buzón *m*; **~ crânienne** caja craneana; **~ d'allumettes** caja de cerillas; **~ de conserves** lata de conservas; **~ de dialogue** ventana de diálogo; **~ (de nuit)** discoteca; **~ de petits pois/de sardines** lata de guisantes/de sardinas; **~ de vitesses** caja de cambios; **~ noire** caja negra; **~ postale** apartado de correos; **~ vocale** (*dispositif*) buzón *m* de voz
boiter [bwate] *vi* cojear, renguear (*AM*)
boiteux, -euse [bwatø, øz] *adj* cojo(-a), rengo(-a) (*AM*)
boîtier [bwatje] *nm* (*d'appareil-photo*) cuerpo; **~ de montre** caja de reloj
boive *etc* [bwav] *vb voir* **boire**
bol [bɔl] *nm* tazón *m*; (*contenu*): **un ~ de café** un tazón de café; **un ~ d'air** una bocanada de aire; **en avoir ras le ~** (*fam*) estar hasta la coronilla
bombarder [bɔ̃baʀde] *vt* (*Mil*) bombardear; **~ qn de** bombardear a algn con, acosar a algn con; **~ qn directeur** *etc* nombrar a algn director *etc* de sopetón
bombe [bɔ̃b] *nf* bomba; (*atomiseur*) atomizador *m*; (*Équitation*) visera; **faire la ~** (*fam*) ir de juerga; **~ à retardement** bomba de efecto retardado; **~ atomique** bomba atómica

MOT-CLÉ

bon, bonne [bɔ̃, bɔn] *adj* **1** (*agréable, satisfaisant*) bueno(-a); (*avant un nom masculin*) buen; **un bon repas/restaurant** una buena comida/un buen restaurante; **vous êtes trop bon** es usted demasiado bueno; **avoir bon goût** tener buen gusto; **elle est bonne en maths** se le dan bien las matemáticas
2 (*bienveillant, charitable*): **être bon (envers)** ser bueno (con)
3 (*correct*) correcto(-a); **le bon numéro** el número correcto; **le bon moment** el momento oportuno
4 (*souhaits*): **bon anniversaire!** ¡feliz cumpleaños!; **bon voyage!** ¡buen viaje!; **bonne chance!** ¡(buena) suerte!; **bonne année!** ¡feliz año nuevo!; **bonne nuit!** ¡buenas noches!
5 (*approprié, apte*): **bon à/pour** bueno(-a) para; **ces chaussures sont bonnes à jeter** estos zapatos están para tirarlos; **c'est bon à savoir** está bien saberlo; **bon à tirer** listo para imprimir
6: **bon enfant** bonachón(-ona); **de bonne heure** temprano; **bon marché** barato(-a); **c'est un bon vivant** le gusta la buena vida; **bon mot** ocurrencia; **bon sens** sentido común
7 (*valeur intensive*) largo(-a); **ça m'a pris deux bonnes heures** me llevó dos horas largas
▪ *nm* **1** (*billet*) bono, vale *m*; (*aussi*: **bon cadeau**) vale regalo; **bon à rien** inútil *m/f*; **bon d'essence** vale de gasolina; **bon de caisse/de Trésor** bono de caja/del tesoro
2: **avoir du bon** tener ventajas; **pour de bon** de verdad, en serio; **il y a du bon dans ce qu'il dit** lo que dice tiene sentido
▪ *adv*: **il fait bon** hace bueno; **sentir bon** oler bien; **tenir bon** resistir; **à quoi bon?** ¿para qué?; **juger bon de faire ...** juzgar oportuno hacer ...; **pour faire bon poids** para compensar; **le bus/ton frère a bon dos** (*fig*) siempre es el autobús/tu hermano
▪ *excl*: **bon!** ¡bueno!; **ah bon?** ¿ah, sí?; **bon, je reste** bueno, me quedo; *voir aussi* **bonne**

bonbon [bɔ̃bɔ̃] *nm* caramelo
bond [bɔ̃] *nm* (*saut*) salto; (*d'une balle*) bote *m*; (*fig*) salto, avance *m*; **faire un ~** dar un salto; **d'un seul ~** de un salto; **~ en avant** (*fig*) salto hacia delante
bondé, e [bɔ̃de] *adj* abarrotado(-a)
bondir [bɔ̃diʀ] *vi* saltar, brincar; **~ de joie** (*fig*) saltar de alegría; **~ de colère** (*fig*) montar en cólera
bonheur [bɔnœʀ] *nm* felicidad *f*; **avoir le ~ de** tener el placer de; **porter ~ (à qn)** dar buena suerte (a algn); **au petit ~** a la buena de Dios; **par ~** por fortuna
bonhomme [bɔnɔm] (*pl* **bonshommes**) *nm* hombre *m* ▪ *adj* bonachón(-ona); **un vieux ~** un viejo; **aller son ~ de chemin** ir paso a paso; **~ de neige** muñeco de nieve
bonjour [bɔ̃ʒuʀ] *excl, nm* buenos días *mpl*; **donner** *ou* **souhaiter le ~ à qn** dar los buenos días a algn; **~ Monsieur** buenos días, señor; **dire ~ à qn** saludar a algn
bonne [bɔn] *adj f voir* **bon** ▪ *nf* criada, mucama (*Csur*), recamarera (*Mex*)
bonnet [bɔnɛ] *nm* gorro; (*de soutien-gorge*) copa; **~ d'âne** ≈ orejas *fpl* de burro; **~ de bain** gorro de baño

bonshommes [bɔ̃zɔm] *nmpl de* **bonhomme**
bonsoir [bɔ̃swaʀ] *excl, nm* buenas tardes; (*plus tard*) buenas noches; *voir aussi* **bonjour**
bonté [bɔ̃te] *nf* bondad *f*; (*gén pl: attention, gentillesse*) bondad, amabilidad *f*; **avoir la ~ de ...** tener la bondad de ...
bonus [bɔnys] *nm inv* (*Assurance*) *descuento en la prima por poca siniestralidad*
bord [bɔʀ] *nm* (*de table, verre, falaise*) borde *m*; (*de lac, route*) orilla, borde; (*de vêtement*) ribete *m*; (*de chapeau*) ala; (*Naut*): **à ~** a bordo; **monter à ~** subir a bordo; **jeter par-dessus ~** arrojar por la borda; **le commandant/les hommes du ~** el comandante/los hombres de a bordo; **du même ~** (*fig*) de la misma opinión; **au ~ de la mer/de la route** a orillas del mar/de la carretera; **être au ~ des larmes** (*fig*) estar a punto de llorar; **sur les ~s** (*fam, fig*) un poco, ligeramente; **de tous ~s** de todas clases; **le ~ du trottoir** el bordillo
bordeaux [bɔʀdo] *nm inv* (*vin*) burdeos *m inv* ▪ *adj inv* (*couleur*) burdeos *inv*, rojo violáceo *inv*
bordel [bɔʀdɛl] (*fam*) *nm* burdel *m*; (*fig*) follón *m* ▪ *excl* ¡joder! (*fam!*); **mettre le ~** (*dans une chambre*) crear un desbarajuste; (*dans un lieu public*) montar un follón
bordelais, e [bɔʀdəlɛ, ɛz] *adj* bordelés(-esa) ▪ *nm/f*: **Bordelais, e** bordelés(-esa)
border [bɔʀde] *vt* (*être le long de*) orillar, bordear; (*personne, lit*) arropar; **~ qch de** (*garnir*) ribetear algo de
bordure [bɔʀdyʀ] *nf* borde *m*; (*sur un vêtement*) ribete *m*; **en ~ de** a orillas de; **~ de trottoir** bordillo
borne [bɔʀn] *nf* (*pour délimiter*) mojón *m*; (*gén: borne kilométrique*) mojón; **bornes** *nfpl* (*fig*) límites *mpl*; **dépasser les ~s** pasarse de la raya; **sans ~(s)** sin límites
borné, e [bɔʀne] *adj* limitado(-a)
borner [bɔʀne] *vt* (*horizon, aussi fig*) limitar; (*terrain*) acotar; **se ~ à faire** limitarse a hacer
Bosnie-Herzégovine [bɔsniɛʀzegɔvin] *nf* Bosnia-Herzegovina
bosquet [bɔskɛ] *nm* bosquecillo
bosse [bɔs] *nf* (*de terrain*) montículo; (*sur un objet*) protuberancia; (*enflure*) bulto; (*du bossu, du chameau*) joroba; **avoir la ~ des maths** ser ducho(-a) en matemáticas; **rouler sa ~** ver mundo
bosser [bɔse] (*fam*) *vt* empollar
bossu, e [bɔsy] *adj, nm/f* jorobado(-a)
botanique [bɔtanik] *nf*: **la ~** la botánica ▪ *adj* botánico(-a)
botte [bɔt] *nf* bota; (*Escrime*) estocada; **~ de paille** haz *m* de paja; **~ d'asperges** manojo de espárragos; **~ de radis** manojo de rábanos; **~s de caoutchouc** botas *fpl* de goma
bottin [bɔtɛ̃] *nm* anuario del comercio
bottine [bɔtin] *nf* botina
bouc [buk] *nm* (*animal*) macho cabrío; (*barbe*) perilla; **~ émissaire** cabeza de turco, chivo expiatorio
boucan [bukɑ̃] *nm* jaleo
bouche [buʃ] *nf* boca; **les ~s inutiles** los holgazanes; **une ~ à nourrir** una boca que mantener; **de ~ à oreille** confidencialmente; **pour la bonne ~** para el final; **faire du ~-à-~ à qn** hacer el boca a boca a algn; **faire venir l'eau à la ~** hacérsele a algn la boca agua; **"~ cousue!"** "¡punto en boca!"; **~ d'aération** respiradero; **~ de chaleur** entrada de aire caliente; **~ d'égout** sumidero, alcantarilla; **~ de métro/d'incendie** boca de metro/de incendios
bouché, e [buʃe] *adj* (*flacon*) tapado(-a); (*vin, cidre*) embotellado(-a); (*temps, ciel*) encapotado(-a); (*personne, carrière*) cerrado(-a); (*trompette*) con sordina; **avoir le nez ~** tener la nariz tapada
bouchée [buʃe] *nf* bocado; **ne faire qu'une ~ de qn** hacer picadillo a algn; **pour une ~ de pain** por una bicoca; **~ à la reine** *pastel de hojaldre de pollo*
boucher [buʃe] *nm* carnicero ▪ *vt* (*mettre un bouchon*) taponar; (*colmater*) rellenar; (*passage*) cerrar; (*porte*) obstruir; **se boucher** *vpr* (*tuyau*) taponarse; **se ~ le nez** taparse la nariz
boucherie [buʃʀi] *nf* (*aussi fig*) carnicería
bouchon [buʃɔ̃] *nm* (*en liège*) corcho; (*autre matière*) tapón *m*; (*embouteillage*) atasco; (*Pêche*) flotador *m*; **~ doseur** tapón dosificador
boucle [bukl] *nf* curva; (*d'un fleuve*) meandro; (*Inform*) bucle *m*; (*objet*) argolla; (*de ceinture*) hebilla; **~ (de cheveux)** bucle; **~s d'oreilles** pendientes *mpl*, aretes *mpl* (*esp AM*)
bouclé, e [bukle] *adj* (*cheveux, personne*) ensortijado(-a); (*tapis*) rizado(-a)
boucler [bukle] *vt* (*ceinture etc*) cerrar, ajustar; (*magasin, circuit*) cerrar; (*affaire*) concluir; (*budget*) equilibrar; (*enfermer*) encerrar; (*condamné*) meter en chirona; (*quartier*) acordonar ▪ *vi*: **faire ~** rizar; **~ la boucle** (*Aviat*) rizar el rizo; **arriver à ~ ses fins de mois** llegar a fin de mes

bouder [bude] *vi* enojarse ■ *vt* (*suj: personne: cadeaux, chose*) poner mala cara a
boudin [budɛ̃] *nm* (*Culin*) morcilla; (*Tech*) pestaña; ~ **blanc** morcilla blanca
boudoir [budwaʀ] *nm* (*salon*) tocador *m*; (*biscuit*) soletilla
boue [bu] *nf* barro, fango; **~s industrielles** vertidos *mpl* industriales
bouée [bwe] *nf* (*balise*) boya; (*de baigneur*) flotador *m*; ~ **(de sauvetage)** (*aussi fig*) salvavidas *m inv*
boueux, -euse [bwø, øz] *adj* fangoso(-a) ■ *nm* basurero
bouffe [buf] (*fam*) *nf* comilona
bouffée [bufe] *nf* bocanada; ~ **de chaleur** sofoco; ~ **de fièvre** calenturón *m* breve; ~ **de honte** sofoco; ~ **d'orgueil** arranque *m* de orgullo
bouffer [bufe] *vi* (*fam*) jalar; (*Couture*) abullonar ■ *vt* (*fam*) jalar
bouffi, e [bufi] *adj* hinchado(-a)
bouger [buʒe] *vi* moverse; (*changer*) alterarse; (*agir*) agitarse ■ *vt* mover; **se bouger** *vpr* (*fam*) moverse, menearse
bougie [buʒi] *nf* vela; (*Auto*) bujía
bouillabaisse [bujabɛs] *nf* sopa de pescado
bouillant, e [bujɑ̃, ɑ̃t] *adj* hirviendo; (*fig*) ardiente; ~ **de colère** *etc* lleno(-a) de cólera *etc*
bouillie [buji] *nf* gachas *fpl*; (*de bébé*) papilla; **en ~** (*fig*) en papilla
bouillir [bujiʀ] *vi* hervir; (*fig*) hervir, arder ■ *vt* (*gén: faire bouillir*) hervir; ~ **de colère** *etc* arder de cólera *etc*
bouilloire [bujwaʀ] *nf* hervidor *m*
bouillon [bujɔ̃] *nm* (*Culin*) caldo; (*bulles, écume*) borbotón *m*, burbuja; ~ **de culture** caldo de cultivo
bouillonner [bujɔne] *vi* borbotear; (*fig*) arder
bouillotte [bujɔt] *nf* calentador *m*, bolsa de agua caliente
boulanger, -ère [bulɑ̃ʒe, ʒɛʀ] *nm/f* panadero(-a)
boulangerie [bulɑ̃ʒʀi] *nf* panadería
boule [bul] *nf* bola; (*pour jouer*) bolo; **roulé en ~** hecho un ovillo; **se mettre en ~** cabrearse; **perdre la ~** (*fam*) perder la chaveta; **faire ~ de neige** (*nouvelle, information*) aumentar como una bola de nieve; ~ **de gomme** gominola; ~ **de neige** bola de nieve
bouledogue [buldɔg] *nm* buldog *m*
boulette [bulɛt] *nf* (*petite boule*) bolita; (*fam: gaffe*) torpeza
boulevard [bulvaʀ] *nm* bulevar *m*
bouleversant, e [bulvɛʀsɑ̃, ɑ̃t] *adj* (*affligeant*) afectado(-a); (*émouvant*) conmovedor(a)
bouleversement [bulvɛʀsəmɑ̃] *nm* trastorno
bouleverser [bulvɛʀse] *vt* (*changer*) trastornar; (*émouvoir*) conmover; (*causer du chagrin à*) afectar; (*papiers, objets*) revolver
boulon [bulɔ̃] *nm* perno
boulot, te [bulo, ɔt] (*fam*) *adj* rechoncho(-a) ■ *nm* trabajo, curro
boum [bum] *nm* bum *m* ■ *nf* fiesta
bouquet [bukɛ] *nm* (*de fleurs*) ramo, ramillete *m*; (*de persil*) manojo; (*parfum*) aroma *m*; **"c'est le ~!"** (*fig*) "¡es el colmo!"; ~ **garni** hierbas *fpl* finas
bouquin [bukɛ̃] (*fam*) *nm* libro
bouquiner [bukine] (*fam*) *vi* leer
bouquiniste [bukinist] *nm/f* librero de viejo
bourdon [buʀdɔ̃] *nm* abejorro; **avoir le ~** (*fam*) tener morriña
bourg [buʀ] *nm* burgo
bourgeois, e [buʀʒwa, waz] *adj* (*souvent péj*) burgués(-esa); (*maison etc*) acomodado(-a) ■ *nm/f* burgués(-esa)
bourgeoisie [buʀʒwazi] *nf* burguesía; **petite ~** pequeña burguesía
bourgeon [buʀʒɔ̃] *nm* brote *m*, yema
Bourgogne [buʀgɔɲ] *nf* Borgoña ■ *nm*: **bourgogne** (*vin*) vino de borgoña
bourguignon, ne [buʀgiɲɔ̃, ɔn] *adj, nm/f* borgoñón(-ona); **(bœuf) ~** encebollado de vaca
bourrasque [buʀask] *nf* borrasca
bourratif, -ive [buʀatif, iv] *adj* pesado(-a)
bourré, e [buʀe] *adj* (*fam*) trompa *inv*; ~ **de** (*rempli*) cargado(-a) de
bourrer [buʀe] *vt* (*pipe*) cargar; (*valise, poêle*) rellenar; ~ **de** (*de nourriture*) atiborrar de; ~ **qn de coups** moler a golpes a algn; ~ **le crâne à qn** calentar la cabeza a algn; (*endoctriner*) lavar el cerebro a algn
bourru, e [buʀy] *adj* rudo(-a)
bourse [buʀs] *nf* (*subvention*) beca; (*porte-monnaie*) bolsa; **la B~** la Bolsa; **sans ~ délier** sin soltar un céntimo; **B~ du travail** bolsa del trabajo
boursier, -ière [buʀsje, jɛʀ] *adj* (*élève*) becario(-a); (*Comm*) bursátil ■ *nm/f* becario(-a)
bous [bu] *vb voir* **bouillir**
bousculade [buskylad] *nf* (*précipitation*) atropello; (*mouvements de foule*) aglomeración *f*

bousculer [buskyle] *vt* empujar; (*presser*) meter prisa a
boussole [busɔl] *nf* brújula
bout[1] [bu] *vb voir* **bouillir**
bout[2] [bu] *nm* (*morceau*) trozo; (*extrémité*) punta; (*de table*) extremo; (*fin, rue*) final *m*; **au ~ de** (*après*) al cabo de, al final de; **au ~ du compte** a fin de cuentas; **être à ~** no poder más; **pousser qn à ~** poner a algn al límite; **venir à ~ de qch** terminar algo; **venir à ~ de qn** poder con algn; **~ à ~** uno tras otro; **à tout ~ de champ** a cada paso; **d'un ~ à l'autre, de ~ en ~** de cabo a rabo; **à ~ portant** a quemarropa; **un ~ de chou** (*enfant*) un angelito; **~ filtre** emboquillado
bouteille [butɛj] *nf* botella; (*de gaz*) bombona; **prendre de la ~** entrar en años
boutique [butik] *nf* tienda; (*de mode, de grand couturier*) tienda, boutique *f*
bouton [butɔ̃] *nm* botón *m*; (*sur la peau*) grano; (*de porte*) pomo; **~ de manchette** gemelo; **~ d'or** (*Bot*) botón de oro
boutonner [butɔne] *vt* abotonar; **se boutonner** *vpr* abotonarse
boutonnière [butɔnjɛʀ] *nf* ojal *m*
bovin, e [bɔvɛ̃, in] *adj* (*aussi fig*) bovino(-a); **bovins** *nmpl* ganado *msg* bovino
bowling [buliŋ] *nm* juego de bolos; (*salle*) bolera
boxe [bɔks] *nf* boxeo, box *m* (*AM*)
boxeur, -euse [bɔksœʀ, øz] *nm/f* boxeador(a)
BP [bepe] *sigle f* (= *boîte postale*) Apdo. (= *Apartado de correos*), C.P. *f* (*AM*) (= *Casilla Postal*)
bracelet [bʀaslɛ] *nm* pulsera
braconnier [bʀakɔnje] *nm* cazador *m*/ pescador *m* furtivo
brader [bʀade] *vt* vender a precio de saldo
braderie [bʀadʀi] *nf* (*marché*) mercadillo
braguette [bʀagɛt] *nf* bragueta
braise [bʀɛz] *nf* brasas *fpl*
brancard [bʀɑ̃kaʀ] *nm* (*civière*) camilla; (*bras, perche*) varal *m*
brancardier [bʀɑ̃kaʀdje] *nm* camillero
branche [bʀɑ̃ʃ] *nf* rama; (*de lunettes*) patilla
branché, e [bʀɑ̃ʃe] (*fam*) *adj* (*personne*) a la última; (*boîte de nuit*) de moda; **un mec ~** un chico que va a la última
brancher [bʀɑ̃ʃe] *vt* enchufar; (*téléphone etc*) conectar; **~ qn/qch sur** (*fig*) orientar algo/a algn hacia
brandir [bʀɑ̃diʀ] *vt* (*arme*) blandir; (*document*) esgrimir
braquer [bʀake] *vi* (*Auto*) girar ▪ *vt* (*regard*) clavar; **~ qch sur qn** (*revolver*) apuntar a algn con algo; **se braquer** *vpr* cerrarse en banda; **~ qn** enfurecer a algn; **se ~ (contre)** rebelarse (contra)
bras [bʀɑ] *nm* brazo ▪ *nmpl* (*travailleurs*) brazos *mpl*; **~ dessus ~ dessous** cogidos(-as) del brazo; **avoir le ~ long** tener mucha influencia; **à ~ raccourcis** a brazo partido; **à tour de ~** con toda la fuerza; **baisser les ~** tirar la toalla; **une partie de ~ de fer** una prueba de fuerza; **~ de fer** brazo de hierro; **~ de levier/de mer** brazo de palanca/de mar; **~ droit** (*fig*) brazo derecho
brassard [bʀasaʀ] *nm* brazalete *m*
brasse [bʀas] *nf* braza; **~ papillon** braza mariposa
brassée [bʀase] *nf* brazada
brasser [bʀase] *vt* (*bière*) fabricar; (*remuer*) mezclar; **~ de l'argent/des affaires** manejar dinero/negocios
brasserie [bʀasʀi] *nf* (*restaurant*) cervecería; (*usine*) fábrica de cerveza
brave [bʀav] *adj* (*courageux, aussi péj*) valiente; (*bon, gentil*) bueno(-a)
braver [bʀave] *vt* (*ordre*) desafiar; (*danger*) afrontar
bravo [bʀavo] *excl, nm* bravo
bravoure [bʀavuʀ] *nf* bravura
break [bʀɛk] *nm* (*Auto*) ranchera
brebis [bʀəbi] *nf* oveja; **~ galeuse** oveja negra
bredouiller [bʀəduje] *vi, vt* farfullar
bref, brève [bʀɛf, ɛv] *adj* breve ▪ *adv* total; **d'un ton ~** con un tono tajante; **en ~** en resumen; **à ~ délai** en breve plazo
Brésil [bʀezil] *nm* Brasil *m*
brésilien, ne [bʀeziljɛ̃, jɛn] *adj* brasileño(-a) ▪ *nm/f*: **Brésilien, ne** brasileño(-a)
Bretagne [bʀətaɲ] *nf* Bretaña
bretelle [bʀətɛl] *nf* (*de fusil*) correa; (*de vêtement*) tirante *m*; (*d'autoroute*) enlace *m*; **bretelles** *nfpl* (*pour pantalons*) tirantes *mpl*, suspensores *mpl* (*AM*); **~ de contournement** carretera de circunvalación; **~ de raccordement** carretera *ou* vía de acceso
breton, ne [bʀətɔ̃, ɔn] *adj* bretón(-ona) ▪ *nm* (*Ling*) bretón *m* ▪ *nm/f*: **Breton, ne** bretón(-ona)
brève [bʀɛv] *adj f voir* **bref** ▪ *nf* (*nouvelle*) breve *f*; **(voyelle) ~** vocal *f* breve
brevet [bʀəvɛ] *nm* certificado; **~ (d'invention)** patente *f*; **~ d'apprentissage** certificado de idoneidad; **~ (des collèges)** ≈ Graduado

Escolar; **~ d'études du premier cycle** bachillerato elemental
breveté, e [bʀəv(ə)te] *adj* (*invention*) patentado(-a); (*diplômé*) cualificado(-a)
bricolage [bʀikɔlaʒ] *nm* bricolaje *m*; (*péj*) chapuza
bricoler [bʀikɔle] *vi* hacer chapuzas; (*passe-temps*) hacer bricolaje ■ *vt* (*réparer*) arreglar; (*mal réparer*) hacer una chapuza con; (*trafiquer*) amañar
bricoleur, -euse [bʀikɔlœʀ, ɔz] *nm/f* mañoso(-a), manitas *m/f inv* ■ *adj* mañoso(-a)
bridge [bʀidʒ] *nm* (*jeu*) bridge *m*; (*dentaire*) puente *m*
brièvement [bʀijɛvmɑ̃] *adv* brevemente
brigade [bʀigad] *nf* (*gén*) cuadrilla; (*Police, Mil*) brigada
brigadier [bʀigadje] *nm* (*Mil*) cabo; (*Police*) jefe *m*
brillamment [bʀijamɑ̃] *adv* estupendamente
brillant, e [bʀijɑ̃, ɑ̃t] *adj* brillante; (*luisant*) reluciente ■ *nm* brillante *m*
briller [bʀije] *vi* (*aussi fig*) brillar
brin [bʀɛ̃] *nm* hebra; **un ~ de** (*fig*) una pizca de; **un ~ mystérieux** *etc* (*fam*) un poquito misterioso *etc*; **~ d'herbe** brizna de hierba; **~ de muguet** ramita de muguete; **~ de paille** brizna de paja
brindille [bʀɛ̃dij] *nf* ramita
brioche [bʀijɔʃ] *nf* bollo, queque *m* (*AM*); (*fam: ventre*) buche *m*
brique [bʀik] *nf* ladrillo ■ *adj inv* (*couleur*) de color teja
briquet [bʀikɛ] *nm* mechero, encendedor *m*
brise [bʀiz] *nf* brisa
briser [bʀize] *vt* (*casser*) romper; (*fig*) arruinar, destrozar; (*volonté*) quebrantar; (*grève*) romper; (*résistance*) vencer; (*personne*) destrozar; (*fatiguer*) moler; **se briser** *vpr* romperse; (*fig*) venirse abajo
britannique [bʀitanik] *adj* británico(-a) ■ *nm/f*: **Britannique** británico(-a); **les B~s** los británicos
brocante [bʀɔkɑ̃t] *nf* (*objets*) baratillo; (*commerce*) chamarileo
brocanteur, -euse [bʀɔkɑ̃tœʀ, øz] *nm/f* chamarilero(-a)
broche [bʀɔʃ] *nf* (*bijou*) broche *m*; (*Culin*) espetón *m*; (*fiche*) clavija; (*Méd*) alambre *m*; **à la ~** (*Culin*) al asador
broché, e [bʀɔʃe] *adj* (*livre*) en rústica; (*tissu*) brochado(-a), briscado(-a)
brochet [bʀɔʃɛ] *nm* lucio
brochette [bʀɔʃɛt] *nf* pincho, brocheta; **~ de décorations** sarta de condecoraciones
brochure [bʀɔʃyʀ] *nf* folleto
broder [bʀɔde] *vt* bordar ■ *vi*: **~ (sur des faits/une histoire)** adornar (hechos/una historia)
broderie [bʀɔdʀi] *nf* bordado
bronches [bʀɔ̃ʃ] *nfpl* bronquios *mpl*
bronchite [bʀɔ̃ʃit] *nf* bronquitis *f inv*
bronze [bʀɔ̃z] *nm* bronce *m*
bronzer [bʀɔ̃ze] *vt* (*peau*) broncear; (*métal*) pavonar ■ *vi* broncearse; **se bronzer** *vpr* broncearse
brosse [bʀɔs] *nf* cepillo, escobilla (*AM*); **donner un coup de ~ à qch** cepillar algo; **coiffé en ~** peinado al cepillo; **~ à cheveux** cepillo para el pelo; **~ à dents/à habits** cepillo de dientes/de (la) ropa
brosser [bʀɔse] *vt* (*nettoyer*) cepillar; (*fig*) bosquejar; **se brosser** *vpr* cepillarse; **se ~ les dents** cepillarse los dientes; **"tu peux te ~!"** (*fam*) "¡espérate sentado!"
brouette [bʀuɛt] *nf* carretilla
brouillard [bʀujaʀ] *nm* niebla; **être dans le ~** (*fig*) no enterarse
brouiller [bʀuje] *vt* mezclar; (*embrouiller*) embarullar, enredar; (*Radio*) interferir; (*rendre trouble, confus*) enturbiar; (*amis*) enemistar; **se brouiller** *vpr* (*ciel, temps*) cubrirse, nublarse; (*vue*) nublarse; (*détails*) confundirse; **se ~ (avec)** enfadarse (con); **~ les pistes** (*fig*) borrar el rastro
brouillon, ne [bʀujɔ̃, ɔn] *adj* desordenado(-a) ■ *nm* (*écrit*) borrador *m*, copia en sucio; **cahier de ~** cuaderno para trabajos en sucio
broussailles [bʀusaj] *nfpl* maleza *fsg*
broussailleux, -euse [bʀusajø, øz] *adj* cubierto(-a) de maleza
brousse [bʀus] *nf* monte *m* bajo
brouter [bʀute] *vt* pacer ■ *vi* vibrar
brugnon [bʀyɲɔ̃] *nm* nectarina
bruiner [bʀɥine] *vi*: **il bruine** llovizna
bruit [bʀɥi] *nm* ruido; (*rumeur*) rumor *m*; **pas/trop de ~** nada/demasiado ruido; **sans ~** sin ruido; **faire du ~** hacer ruido; **faire grand ~ de** hablar mucho de; **~ de fond** ruido de fondo
brûlant, e [bʀylɑ̃, ɑ̃t] *adj* ardiente; (*liquide*) hirviendo; (*fiévreux*) caliente; (*sujet*) candente
brûlé, e [bʀyle] *adj* (*démasqué*) descubierto(-a); (*homme politique etc*) acabado(-a) ■ *nm*: **odeur de ~** olor *m* a quemado; **les grands ~s** los grandes quemados

brûler [bʀyle] *vt* quemar; (*consumer, consommer*) consumir; (*suj: eau bouillante*) escaldar; (*enfiévrer*) arder; (*feu rouge, signal*) saltarse ▪ *vi* (*se consumer*) consumirse; (*feu*) arder; (*lampe, bougie*) lucir; (*être brûlant, ardent*) estar caliente; (*jeu*): **tu brûles** caliente-caliente; **se brûler** *vpr* (*accidentellement*) quemarse; **se ~ la cervelle** pegarse un tiro; **~ les étapes** quemar etapas; **~ (d'impatience) de faire qch** consumirse (de impaciencia) por hacer algo

brûlure [bʀylyʀ] *nf* (*lésion*) quemadura; (*sensation*) ardor *m*; **~s d'estomac** ardores *mpl* de estómago

brume [bʀym] *nf* bruma

brun, e [bʀœ̃, bʀyn] *adj* moreno(-a) ▪ *nm* pardo

brushing [bʀœʃiŋ] *nm* marcado; **faire un ~** lavar y marcar

brusque [bʀysk] *adj* (*soudain*) repentino(-a); (*rude*) brusco(-a)

brut, e [bʀyt] *adj* bruto(-a); (*diamant*) en bruto ▪ *nm*: **(champagne) ~** champán *m ou* cava *m* seco; **(pétrole) ~** crudo

brutal, e, -aux [bʀytal, o] *adj* brutal; (*franchise*) rudo(-a)

Bruxelles [bʀysɛl] *n* Bruselas

bruyamment [bʀɥijamɑ̃] *adv* ruidosamente

bruyant, e [bʀɥijɑ̃, ɑ̃t] *adj* ruidoso(-a)

bruyère [bʀyjɛʀ] *nf* brezo

BTS [beteɛs] *sigle m* (= *brevet de technicien supérieur*) *diploma de enseñanza técnica*

BU [bey] *sigle f* = *bibliothèque universitaire*

bu, e [by] *pp de* **boire**

buccal, e, -aux [bykal, o] *adj*: **par voie ~e** por vía oral

bûche [byʃ] *nf* leño; **prendre une ~** (*fig*) caerse; **~ de Noël** bizcocho de navidad

bûcher [byʃe] *nm* hoguera ▪ *vi, vt* (*fam*) empollar

budget [bydʒɛ] *nm* presupuesto

buée [bɥe] *nf* vaho

buffet [byfɛ] *nm* (*meuble*) aparador *m*; (*de réception*) buffet *m*; **~ (de gare)** cantina (de estación)

buis [bɥi] *nm* boj *m*

buisson [bɥisɔ̃] *nm* matorral *m*

bulbe [bylb] *nm* bulbo

Bulgarie [bylgaʀi] *nf* Bulgaria

bulle [byl] *adj, nm*: **(papier) ~** papel *m* en estraza ▪ *nf* burbuja; (*de bande dessinée*) bocadillo; (*papale*) bula; **~ de savon** pompa de jabón

bulletin [byltɛ̃] *nm* boletín *m*; (*papier*) folleto; (*de bagages*) recibo; **~ d'informations** boletín informativo; **~ de naissance** partida de nacimiento; **~ de salaire** nómina; **~ de santé** parte médico; **~ (de vote)** papeleta; **~ météorologique** boletín *ou* parte *m* meteorológico; **~ réponse** bono de respuesta

bureau, x [byʀo] *nm* (*meuble*) escritorio; (*pièce*) despacho; (*gén pl: d'une entreprise*) oficinas *fpl*; **~ de change/de poste** oficina de cambio/de correos; **~ d'embauche/de placement** oficina de empleo/de colocación; **~ de location** agencia de alquiler; **~ de tabac** estanco; **~ de vote** colegio electoral

bureaucratie [byʀokʀasi] *nf* burocracia

bus[1] [by] *vb voir* **boire**

bus[2] [bys] *nm* autobús *m*, bus *m* (*esp AM*), camión *m* (*Mex*); (*Inform*) bus *m*

buste [byst] *nm* busto; (*de femme*) pecho

but[1] [by] *vb voir* **boire**

but[2] [byt] *nm* (*cible*) meta; (*d'un voyage*) destino; (*d'une entreprise, d'une action*) objetivo; (*Football: limites*) portería, arco (*AM*); (*: point*) gol *m*, tanto; **de ~ en blanc** de buenas a primeras; **avoir pour ~ de faire** tener como objetivo hacer; **dans le ~ de** con el propósito de; **gagner par 3 ~s à 2** ganar por 3 tantos a 2

butane [bytan] *nm* butano; (*domestique*) gas *m* butano

butiner [bytine] *vt, vi* libar

buvais *etc* [byvɛ] *vb voir* **boire**

buvard [byvaʀ] *nm* secante *m*

buvette [byvɛt] *nf* puesto de bebidas

C

C [se] *abr = centime; (= Celsius)* C
c [se] *abr = centime*
c' [s] *dét voir* **ce**
CA *sigle m (= chiffre d'affaires) voir* **chiffre**; *(= conseil d'administration) voir* **conseil**
ça [sa] *pron (proche)* esto; *(pour désigner)* eso; *(plus loin)* aquello; **ça m'étonne que** me sorprende que; **ça va?** ¿qué tal?; *(d'accord?)* ¿vale?; **ça alors!** *(désapprobation)* ¡pero bueno!; *(étonnement)* ¡y entonces!; **c'est ça** eso es; **ça fait une heure que j'attends** hace una hora que espero
çà [sa] *adv*: **çà et là** aquí y allá
cabane [kaban] *nf* cabaña; *(de skieurs, de montagne)* cabaña, refugio
cabaret [kabaʀɛ] *nm* cabaret *m*
cabillaud [kabijo] *nm* bacalao fresco
cabine [kabin] *nf* cabina; *(de bateau)* camarote *m*; *(de plage)* caseta; *(de piscine etc)* cabina, vestuario; **~ (d'ascenseur)** caja (de ascensor); **~ d'essayage** probador *m*; **~ de projection** cabina de proyección; **~ spatiale** cabina de nave espacial; **~ (téléphonique)** cabina (telefónica), locutorio
cabinet [kabinɛ] *nm (aussi Pol)* gabinete *m*; *(de médecin)* gabinete, consulta; *(d'avocat, de notaire)* gabinete, despacho; *(clientèle)* clientela; **cabinets** *nmpl* servicios *mpl*; **~ d'affaires** gestoría; **~ de toilette** cuarto de aseo; **~ de travail** gabinete de trabajo, despacho
câble [kɑbl] *nm* cable *m*; *(télégramme)* cable, cablegrama *m*
cacahuète [kakaɥɛt] *nf* cacahuete *m*, maní *m (AM)*, cacahuate *m (AM)*
cacao [kakao] *nm* cacao
cache [kaʃ] *nm (pour texte, photo, diapositive)* ocultador *m*; *(pour protéger l'objectif)* tapa ▪ *nf (cachette)* escondite *m*
cache-cache [kaʃkaʃ] *nm inv*: **jouer à ~** jugar al escondite
cachemire [kaʃmiʀ] *nm* cachemira, cachemir *m* ▪ *adj* de cachemira; **C~** Cachemira
cacher [kaʃe] *vt* ocultar, esconder; **se cacher** *vpr* esconderse, ocultarse; **~ qch à qn** ocultar algo a algn; **je ne vous cache pas que** no le oculto que; **~ son jeu** *ou* **ses cartes** ocultar sus intenciones; **il se cache d'elle pour fumer** fuma a escondidas de ella; **il ne s'en cache pas** no lo oculta
cachet [kaʃɛ] *nm (Méd)* pastilla; *(sceau)* sello; *(rétribution)* caché *m*; *(caractère)* carácter *m*
cachette [kaʃɛt] *nf* escondite *m*; **en ~** a escondidas
cactus [kaktys] *nm inv* cactus *m inv*
cadavre [kadɑvʀ] *nm* cadáver *m*
caddie [kadi] *nm (au supermarché)* carrito
cadeau, x [kado] *nm* regalo; **faire un ~ à qn** hacer un regalo a algn; **ne pas faire de ~ à qn** *(fig)* no ponérselo fácil a algn; **faire ~ de qch à qn** regalar algo a algn
cadenas [kadnɑ] *nm* candado
cadet, te [kadɛ, ɛt] *adj (plus jeune)* menor; *(le plus jeune)* menor, más pequeño(-a) ▪ *nm/f (de la famille)* benjamín(-ina); **le ~/la ~te** el/la menor; **il est mon ~ (de deux ans)** *(rapports non familiaux)* él es (dos años) menor que yo; **les ~s** *(Sport)* los juveniles; **le ~ de mes soucis** lo que menos me preocupa
cadran [kadʀɑ̃] *nm (de pendule, montre)* esfera; *(du téléphone)* disco; **~ solaire** reloj *m* de sol
cadre [kɑdʀ] *nm* marco; *(de vélo)* cuadro; *(sur formulaire)* recuadro; *(limites)* límite *m* ▪ *nm/f (Admin)* ejecutivo(-a), cuadro ▪ *adj*: **loi ~** ley *f* marco; **rayer qn des ~s** *(Mil, Admin)* dar de baja a algn; **dans le ~ de** *(fig)* en el marco de; **~ moyen/supérieur** *(Admin)* cuadro medio/superior

cafard [kafaʀ] *nm* cucaracha; **avoir le ~** estar melancólico(-a)
café [kafe] *nm* café *m* ▪ *adj* café; **~ au lait** café con leche; **~ crème** café cortado; **~ en grains/en poudre** café en grano/ molido; **~ liégeois** helado de café con nata; **~ noir** café solo; **~ tabac** café-estanco
cafetière [kaftjɛʀ] *nf* cafetera
cage [kaʒ] *nf* jaula; **en ~** enjaulado(-a); **~ d'ascenseur** caja del ascensor; **~ (des buts)** portería; **~ (d'escalier)** caja de la escalera; **~ thoracique** caja torácica
cageot [kaʒo] *nm* caja
cagoule [kagul] *nf* (*de moine*) capucha; (*de bandit*) pasamontañas *m inv*; (*ski etc*) gorro; (*d'enfant*) verdugo
cahier [kaje] *nm* (*de classe*) cuaderno, libreta; (*Typo*) cuadernillo, pliego; **~s** (*revue*) cuadernos *mpl*; **~ d'exercices** cuaderno de ejercicios; **~ de brouillon** cuaderno de sucio; **~ de doléances** libro de quejas; **~ de revendications** pliego de reivindicaciones; **~ des charges** pliego de condiciones
caille [kaj] *nf* codorniz *f*
caillou, x [kaju] *nm* guijarro, piedra
caillouteux, -euse [kajutø, øz] *adj* pedregoso(-a)
caisse [kɛs] *nf* caja; (*recettes*) caja, recaudación *f*; **faire sa ~** (*Comm*) hacer caja; **~ claire** tambor *m* pequeño; **~ d'épargne/de retraite** caja de ahorros/ de jubilaciones; **~ enregistreuse** caja registradora; **~ noire** caja negra
caissier, -ière [kesje, jɛʀ] *nm/f* cajero(-a)
cake [kɛk] *nm* plum-cake *m*
calandre [kalɑ̃dʀ] *nf* (*Auto*) rejilla del radiador, calandra; (*machine*) calandria
calcaire [kalkɛʀ] *nm* caliza ▪ *adj* calcáreo(-a); (*Géo*) calcáreo(-a), calizo(-a)
calcul [kalkyl] *nm* (*aussi fig*) cálculo; **le ~** el cálculo; **d'après mes ~s** según mis cálculos; **~ (biliaire)** cálculo (biliar); **~ différentiel/intégral/mental** cálculo diferencial/integral/mental; **~ rénal** (*Méd*) cálculo renal
calculatrice [kalkylatʀis] *nf* calculadora
calculer [kalkyle] *vt* calcular ▪ *vi* calcular; (*péj: combiner*) maquinar; **~ qch de tête** calcular algo de memoria
calculette [kalkylɛt] *nf* calculadora de bolsillo
cale [kal] *nf* (*de bateau*) bodega; (*en bois*) cuña; **~ de construction** grada; **~ de radoub** dique *m* de carena; **~ sèche** dique seco
calé, e [kale] *adj* (*fixé*) fijo(-a); (*voiture*) calado(-a); (*fam: personne*) empollado(-a); (*: problème*) difícil
caleçon [kalsɔ̃] *nm* calzoncillos *mpl*
calendrier [kalɑ̃dʀije] *nm* calendario; (*programme*) calendario, programa *m*
calepin [kalpɛ̃] *nm* agenda
caler [kale] *vt* (*fixer*) calzar, fijar; (*malade*) acomodar; (*avec une pile de livres etc*) arrellanar ▪ *vi* (*fig: ne plus pouvoir continuer*) rendirse; **se caler** *vpr*: **se ~ dans un fauteuil** arrellanarse en un sillón; **~ (son moteur/véhicule)** calar (el motor/vehículo)
calibre [kalibʀ] *nm* (*d'un fruit*) diámetro; (*d'une arme*) calibre *m*; (*fig*) calibre, envergadura
câlin, e [kɑlɛ̃, in] *adj* mimoso(-a)
calmant, e [kalmɑ̃, ɑ̃t] *adj*, *nm* calmante *m*
calme [kalm] *adj* tranquilo(-a); (*ville, mer, endroit*) tranquilo(-a), apacible ▪ *nm* (*d'un lieu*) tranquilidad *f*; (*d'une personne*) tranquilidad, calma; **sans perdre son ~** sin perder la calma; **~ plat** (*Naut*) calma chicha
calmer [kalme] *vt* tranquilizar, calmar; (*douleur, colère*) calmar, sosegar; **se calmer** *vpr* calmarse; (*personne*) calmarse, tranquilizarse
calorie [kalɔʀi] *nf* caloría
camarade [kamaʀad] *nm/f* compañero(-a), amigo(-a); (*Pol, Syndicats*) camarada *m/f*; **~ d'école/de jeu** compañero(-a) de escuela/de juegos
cambriolage [kɑ̃bʀijɔlaʒ] *nm* robo (con efracción)
cambrioler [kɑ̃bʀijɔle] *vt* robar (con efracción)
cambrioleur, -euse [kɑ̃bʀijɔlœʀ, øz] *nm/f* atracador(a), ladrón(-ona)
caméléon [kameleɔ̃] *nm* camaleón *m*
camelote [kamlɔt] *nf* baratija
caméra [kameʀa] *nf* cámara
caméscope [kameskɔp] *nm* cámara de vídeo
camion [kamjɔ̃] *nm* camión *m*; **~ de sable/cailloux** (*charge*) camión de arena/de grava
camionnette [kamjɔnɛt] *nf* camioneta
camionneur [kamjɔnœʀ] *nm* (*entrepreneur*) transportista *m/f*; (*chauffeur*) camionero(-a)
camomille [kamɔmij] *nf* manzanilla
camp [kɑ̃] *nm* (*militaire, d'expédition*) campo, campamento; (*réfugiés, prisonniers*) campamento; (*fig*) campo; **~ de concentration** campo de

concentración; **~ de nudistes/de vacances** colonia nudista/de vacaciones
campagnard, e [kɑ̃paɲaʀ, aʀd] *adj, nm/f* campesino(-a)
campagne [kɑ̃paɲ] *nf* campo; (*Mil, Pol, Comm*) campaña; **en ~** (*Mil*) de campaña; **à la ~** en el campo; **faire ~ pour** hacer campaña por; **~ de publicité** campaña de publicidad; **~ électorale** campaña electoral
camper [kɑ̃pe] *vi* acampar ■ *vt* (*chapeau, casquette*) plantarse; (*dessin, tableau, personnage*) representar; **se camper** *vpr*: **se ~ devant qn/qch** plantarse delante de algn/algo
campeur, -euse [kɑ̃pœʀ, øz] *nm/f* campista *m/f*
camping [kɑ̃piŋ] *nm* camping *m*; **(terrain de) ~** (terreno de) camping; **faire du ~** hacer camping; **faire du ~ sauvage** hacer camping salvaje
camping-car [kɑ̃piŋkaʀ] (*pl* **~s**) *nm* coche caravana *m*
camping-gaz® [kɑ̃piŋgaz] *nm inv* camping gas® *m inv*
Canada [kanada] *nm* Canadá *m*
canadien, ne [kanadjɛ̃, jɛn] *adj* canadiense ■ *nm/f*: **Canadien, ne** canadiense *m/f*
canadienne [kanadjɛn] *nf* (*veste*) cazadora
canal, -aux [kanal, o] *nm* (*rivière*) canal *m*; (*Anat*) conducto; **par le ~ de** (*Admin*) por medio de; **~ de distribution** canal de distribución; **~ de Panama/de Suez** canal de Panamá/de Suez; **~ de télévision** canal de televisión
canalisation [kanalizasjɔ̃] *nf* (*d'un cours d'eau*) canalización *f*; (*tuyau*) canalización, cañería
canapé [kanape] *nm* (*fauteuil*) canapé *m*, sofá *m*; (*Culin*) canapé
canard [kanaʀ] *nm* pato; (*fam: journal*) periódico
cancer [kɑ̃sɛʀ] *nm* (*aussi fig*) cáncer *m*; (*Astrol*): **le C~** Cáncer *m*; **il a un ~** tiene un cáncer; **être (du) C~** ser Cáncer
candidat, e [kɑ̃dida, at] *nm/f* (*examen, Pol*) candidato(-a); (*à un poste*) candidato(-a), aspirante *m/f*; **être ~ à** ser candidato(-a) a
candidature [kɑ̃didatyʀ] *nf* candidatura; **poser sa ~** presentar su candidatura
cane [kan] *nf* pata
canette [kanɛt] *nf* (*de bière*) botellín *m*; (*de machine à coudre*) canilla
canevas [kanvɑ] *nm* (*Couture*) cañamazo; (*d'un texte, récit*) bosquejo
caniche [kaniʃ] *nm* caniche *m*
canicule [kanikyl] *nf* canícula
canif [kanif] *nm* navaja
canne [kan] *nf* bastón *m*; **~ à pêche** caña de pescar; **~ à sucre** caña de azúcar
cannelle [kanɛl] *nf* canela
canoë [kanɔe] *nm* canoa; **~ (kayak)** (*Sport*) piragüismo
canot [kano] *nm* (*bateau*) bote *m*, lancha; **~ de sauvetage** bote salvavidas; **~ pneumatique** bote neumático
Canson® [kɑ̃sɔ̃] *nm*: **papier ~** papel *m* Canson
cantatrice [kɑ̃tatʀis] *nf* cantante *f*
cantine [kɑ̃tin] *nf* (*malle*) baúl *m*; (*réfectoire*) cantina; **manger à la ~** comer en la cantina
canton [kɑ̃tɔ̃] *nm* (*en France*) distrito; (*en Suisse*) cantón *m*

CANTON

En Francia un *canton* es una división administrativa que está representada por un concejal en el "Conseil général". Lo componen una serie de subdivisiones administrativas o "communes", y es a su vez una subdivisión de un "arrondissement", otra división administrativa dentro de un "département". En Suiza los *cantons* son las 23 divisiones territoriales y administrativas, dotadas de gran autonomía política, que componen la confederación suiza.

caoutchouc [kautʃu] *nm* caucho; (*bande élastique*) goma; **en ~** de goma, de caucho; **~ mousse®** gomaespuma
CAP [seape] *sigle m* (= *certificat d'aptitude professionnelle*) ≈ título de FP1
cap [kap] *nm* (*Géo*) cabo; **changer de ~** (*Naut*) cambiar de rumbo; **doubler** *ou* **passer le ~** (*fig*) superar *ou* pasar el obstáculo; (*: limite*) superar *ou* pasar el límite; **mettre le ~ sur** poner rumbo a; **le C~** el Cabo; **le C~ de Bonne Espérance** el Cabo de Buena Esperanza; **le C~ Horn** el cabo de Hornos
capable [kapabl] *adj* (*compétent*) competente; **~ de faire** capaz de hacer; **~ de dévouement/d'un effort** capaz de dedicación/de un esfuerzo; **il est ~ d'oublier** es capaz de olvidar; **spectacle/livre ~ d'intéresser** espectáculo/libro susceptible de interesar
capacité [kapasite] *nf* capacidad *f*; **~ (en droit)** capacitación *f* (en derecho)

cape [kap] *nf* capa; **rire sous ~** reír para sus adentros
CAPES [kapes] *sigle m* (*= certificat d'aptitude au professorat de l'enseignement du second degré*) título de profesor de enseñanza secundaria

CAPES

En Francia, el *CAPES*, siglas del "certificat d'aptitude au professorat de l'enseignement du second degré", es el examen al que se presentan los que tras haber obtenido la "licence" deciden convertirse en profesores de enseñanza secundaria. Los que aprueben pasan a ser profesores titulados, o "professeurs certifiés".

capitaine [kapitɛn] *nm* capitán *m*; **~ au long cours** capitán de altura
capital, e, -aux [kapital, o] *adj, nm* (*aussi fig*) capital *m*; **capitaux** *nmpl* (*fonds*) capitales *mpl*; **les sept péchés capitaux** los siete pecados capitales; **exécution/peine ~e** ejecución *f*/pena capital; **~ d'exploitation** capital de explotación; **~ (social)** capital social
capitale [kapital] *nf* (*ville*) capital *f*; (*lettre*) mayúscula
capitalisme [kapitalism] *nm* capitalismo
capitaliste [kapitalist] *adj, nm/f* capitalista *m/f*
caporal, -aux [kapɔʀal, o] *nm* cabo
capot [kapo] *nm* capó ▪ *adj inv* (*Cartes*): **être ~** quedarse zapatero(-a)
câpre [kɑpʀ] *nf* alcaparra
caprice [kapʀis] *nm* capricho, antojo; (*toquade amoureuse*) capricho; **caprices** *nmpl* (*de la mode etc*) caprichos *mpl*; **faire un ~** coger una rabieta; **faire des ~s** tener caprichos
capricieux, -euse [kapʀisjø, jøz] *adj* (*aussi fig*) caprichoso(-a)
Capricorne [kapʀikɔʀn] *nm* (*Astrol*) Capricornio; **être (du) ~** ser Capricornio
capsule [kapsyl] *nf* cápsula; (*de bouteille*) cápsula, chapa
capter [kapte] *vt* (*aussi fig*) captar
captivant, e [kaptivɑ̃, ɑ̃t] *adj* cautivador(-a)
capturer [kaptyʀe] *vt* capturar, apresar
capuche [kapyʃ] *nf* capucha
capuchon [kapyʃɔ̃] *nm* (*de vêtement*) capucha, capuchón *m*; (*de stylo*) capuchón
car [kaʀ] *nm* autocar *m* ▪ *conj* pues, porque; **~ de police/de reportage** furgoneta de policía/de reportaje
carabine [kaʀabin] *nf* carabina; **~ à air comprimé** carabina de aire comprimido
caractère [kaʀaktɛʀ] *nm* (*humeur, tempérament*) carácter *m*; (*de choses*) naturaleza; (*cachet*) carácter, personalidad *f*; **avoir bon/mauvais ~** tener buen/mal carácter; **~s/seconde** pulsaciones *fpl*/segundo; **en ~s gras** en negrita; **en petits ~s** en minúsculas; **en ~s d'imprimerie** en letras mayúsculas; **avoir du ~** tener carácter
caractériser [kaʀakteʀize] *vt* caracterizar; **se caractériser par** *vpr* caracterizarse por
caractéristique [kaʀakteʀistik] *adj* característico(-a) ▪ *nf* característica
carafe [kaʀaf] *nf* (*pot*) jarra, garrafa; (*d'eau, de vin*) jarra
caraïbe [kaʀaib] *adj* caribeño(-a); **les Caraïbes** *nfpl* el Caribe; **la mer des C~s** el mar (del) Caribe
caramel [kaʀamɛl] *nm* caramelo; (*bonbon*) caramelo blando ▪ *adj inv* caramelo *inv*
caravane [kaʀavan] *nf* caravana
caravaning [kaʀavaniŋ] *nm* (*camping*) camping *m* en caravana; (*terrain*) camping para caravanas
carbone [kaʀbɔn] *nm* carbono; (*aussi*: **papier carbone**) papel *m* carbón; (*document*) copia
carbonique [kaʀbɔnik] *adj* carbónico(-a); **gaz ~** gas *m* carbónico; **neige ~** nieve *f* carbónica
carbonisé, e [kaʀbɔnize] *adj* carbonizado(-a); **mourir ~** morir carbonizado(-a)
carburant [kaʀbyʀɑ̃] *nm* carburante *m*
carburateur [kaʀbyʀatœʀ] *nm* carburador *m*
cardiaque [kaʀdjak] *adj, nm/f* cardíaco(-a); **être ~** estar cardíaco(-a)
cardigan [kaʀdigɑ̃] *nm* rebeca
cardiologue [kaʀdjɔlɔg] *nm/f* cardiólogo(-a)
carême [kaʀɛm] *nm*: **le C~** Cuaresma
carence [kaʀɑ̃s] *nf* ineptitud *f*; (*manque*) carencia; (*fig*) insuficiencia; **~ vitaminique** carencia vitamínica
caresse [kaʀɛs] *nf* caricia
caresser [kaʀese] *vt* (*aussi fig*) acariciar; (*espoir*) abrigar
cargaison [kaʀgɛzɔ̃] *nf* carga, cargamento

cargo [kaʀgo] *nm* carguero, buque *m* de carga; **~ mixte** carguero mixto
caricature [kaʀikatyʀ] *nf* caricatura
carie [kaʀi] *nf* caries *f inv*; **la ~ (dentaire)** la caries (dental)
carnaval [kaʀnaval] *nm* carnaval *m*
carnet [kaʀnɛ] *nm* libreta; (*de loterie etc*) taco; (*de timbres*) cuadernillo; (*journal intime*) diario; **~ à souches** taco de matrices; **~ d'adresses** agenda de direcciones; **~ de chèques** talonario de cheques; **~ de commandes** talonario *ou* libreta de pedidos; **~ de notes** boletín *m* de notas
carotte [kaʀɔt] *nf* (*aussi fig*) zanahoria
carré, e [kaʀe] *adj* cuadrado(-a); (*franc*) directo(-a) ▪ *nm* (*Géom*) cuadrado; (*de jardin*) cuadro; (*Naut*) cámara de oficiales; **~ de soie** pañuelo de seda; **~ d'agneau** brazuelo de cordero; **le ~ (d'un nombre)** el cuadrado (de un número); **élever un nombre au ~** elevar un número al cuadrado; **mètre/kilomètre ~** metro/ kilómetro cuadrado; **~ d'as/de rois** (*Cartes*) póker *m* de ases/de reyes
carreau, x [kaʀo] *nm* (*par terre*) baldosa; (*au mur*) azulejo; (*de fenêtre*) cristal *m*; (*dessin*) cuadro; (*Cartes: couleur*) diamante *mpl*; (*: carte*) diamante *m*; **papier/tissu à ~x** papel *m*/tela de cuadros
carrefour [kaʀfuʀ] *nm* (*aussi fig*) encrucijada
carrelage [kaʀlaʒ] *nm* (*sol*) embaldosado; (*mur*) alicatado
carrelet [kaʀlɛ] *nm* (*filet*) red *f* cuadrada; (*poisson*) platija, acedía
carrément [kaʀemɑ̃] *adv* (*franchement*) francamente; (*sans détours, sans hésiter*) directamente; (*nettement*) verdaderamente; **il l'a ~ mis à la porte** lo puso directamente de patitas en la calle
carrière [kaʀjɛʀ] *nf* (*de craie, sable*) cantera; (*métier*) carrera; **militaire de ~** militar *m* de carrera; **faire ~ dans** hacer carrera en
carrosserie [kaʀɔsʀi] *nf* carrocería; **atelier de ~** taller *m* de carrocería
carrure [kaʀyʀ] *nf* (*d'une personne*) anchura de espalda; (*d'un vêtement*) espalda; (*fig*) clase *f*; **de ~ athlétique** de complexión atlética
cartable [kaʀtabl] *nm* cartera
carte [kaʀt] *nf* mapa *m*; (*Géo, au restaurant*) carta; (*de fichier*) ficha; (*Cartes*) carta, naipe *m*; (*de parti*) carnet *m*; (*d'électeur*) tarjeta; (*d'abonnement etc*) abono; (*aussi*: **carte postale**) postal *f*; (*aussi*: **carte de visite**) tarjeta; **avoir/ donner ~ blanche** tener/dar carta blanca; **jouer aux ~s** jugar a las cartas; **jouer ~s sur table** (*fig*) poner las cartas boca arriba; **tirer les ~s à qn** echar las cartas a algn; **à la ~** a la carta; **~ à puce** tarjeta magnética; **C~ Bleue®** tarjeta de débito; **~ bancaire/de crédit** tarjeta bancaria/de crédito; **~ de séjour** permiso de residencia; **~ de fidélité** tarjeta de cliente; **~ des vins** carta de vinos; **~ d'état-major** mapa de Estado Mayor; **~ d'identité** carnet de identidad, documento nacional de identidad, cédula (de identidad) (*AM*); **~ grise** documentación *f* de un automóvil; **~ orange** *abono de transporte de París*; **~ perforée** ficha perforada; **~ routière** mapa de carreteras; **~ SIM** tarjeta SIM; **~ téléphonique** tarjeta de teléfono; **~ vermeil** abono de transporte para jubilados; **~ verte** (*Auto*) carta verde
carter [kaʀtɛʀ] *nm* cárter *m*
carton [kaʀtɔ̃] *nm* (*matériau, Art*) cartón *m*; (*boîte*) caja (de cartón); (*d'invitation*) tarjeta; **en ~** de cartón; **faire un ~** (*au tir*) tirar al blanco; **~ (à dessin)** cartapacio
cartouche [kaʀtuʃ] *nf* (*de fusil*) cartucho; (*de stylo*) cartucho, recambio; (*de cigarettes*) cartón *m*; (*de film, de ruban encreur*) carrete *m*
cas [kɑ] *nm* caso; **faire peu de ~/grand ~ de** hacer poco/mucho caso a; **le ~ échéant** llegado el caso; **en aucun ~** en ningún caso, bajo ningún concepto; **au ~ où** en caso de que, por si acaso; **dans** *ou* **en ce ~** en ese caso; **en ~ de** en caso de; **en ~ de besoin** en caso de necesidad; **en ~ d'urgence** en caso de urgencia; **en tout ~** de todas maneras; **~ de conscience** caso de conciencia; **~ de force majeure** caso de fuerza mayor; **~ limite** caso extremo; **~ social** caso social
case [kɑz] *nf* casilla; (*hutte*) choza; (*pour le courrier*) casillero; **cochez la ~ réservée à cet effet** marque la casilla que corresponda
caser [kɑze] *vt* (*aussi péj*) colocar; **se caser** *vpr* (*personne*) colocarse; (*péj*) conseguir casarse
caserne [kazɛʀn] *nf* cuartel *m*
casier [kɑzje] *nm* casillero; (*à journaux*) revistero; (*de bureau*) fichero; (*: à clef*) taquilla; (*Pêche*) nasa; **~ à bouteilles** botellero; **~ judiciaire** antecedentes *mpl* penales
casino [kazino] *nm* casino

casque [kask] *nm* casco; (*chez le coiffeur*) secador *m*; (*pour audition*) casco, auricular *m*; **les C~s bleus** los cascos azules
casquette [kaskɛt] *nf* gorra
casse-cou [kɑsku] *adj inv* (*dangereux*) superpeligroso(-a); (*imprudent*) alocado(-a) ▪ *nm inv* (*personne*) cabeza loca; **crier ~ à qn** avisar a algn a voces de un peligro
casse-croûte [kɑskʀut] *nm inv* tentempié *m*
casse-noix [kɑsnwa] *nm inv* cascanueces *m inv*
casse-pieds [kɑspje] (*fam*) *adj, nm/f inv* pesado(-a)
casser [kɑse] *vt* (*verre etc*) romper; (*montre, moteur*) estropear; (*gradé*) cesar; (*Jur*) anular ▪ *vi* (*corde etc*) romperse; **se casser** *vpr* romperse; (*fam*) largarse; (*être fragile*) romperse, quebrarse; **se ~ la jambe** romperse la pierna; **~ les prix** romper los precios; **à tout ~** (*extraordinaire*) fenomenal, formidable; (*tout au plus*) a lo más; **se ~ net** romperse de un golpe
casserole [kasʀɔl] *nf* cacerola, cazuela; **à la ~** a la cazuela
casse-tête [kɑstɛt] *nm inv* (*fig*) quebradero de cabeza; (*jeu*) rompecabezas *m inv*
cassette [kasɛt] *nf* (*bande magnétique*) cassette *f*, casete *f*; (*coffret*) joyero
cassis [kasis] *nm* grosellero negro, casis *m*; (*liqueur*) licor *m* de grosella negra; (*de la route*) badén *m*
cassoulet [kasulɛ] *nm* guiso de alubias
catalogue [katalɔg] *nm* (*aussi fig*) catálogo
catalytique [katalitik] *adj*: **pot ~** catalizador *m*
catastrophe [katastʀɔf] *nf* catástrofe *f*; **atterrir en ~** aterrizar por emergencia; **partir en ~** salir a escape
catéchisme [kateʃism] *nm* catecismo
catégorie [kategɔʀi] *nf* categoría; (*Boucherie*): **morceaux de première/ deuxième ~** trozos de primera/segunda categoría
catégorique [kategɔʀik] *adj* categórico(-a), tajante
cathédrale [katedʀal] *nf* catedral *f*
catholique [katɔlik] *adj, nm/f* católico(-a); **pas très ~** (*fig*) no muy católico(-a)
cauchemar [koʃmaʀ] *nm* pesadilla
cause [koz] *nf* causa; (*accident*) causa, motivo; (*Jur*) caso; (*intérêts*) causa; **faire ~ commune avec qn** hacer causa común con algn; **être ~ de** ser causa de; **à ~ de** (*gén*) debido a; (*par la faute de*) por culpa de; **pour ~ de** por causa de, por; **(et) pour ~** claro está; **être en ~** (*personne*) tener parte de culpa; (*qualité, intérêts etc*) estar en juego; **mettre en ~** culpar; **remettre en ~** poner en tela de juicio; **être hors de ~** quedar fuera de sospecha; **en tout état de ~** de todas formas
causer [koze] *vt* causar ▪ *vi* charlar; (*jaser*) chismorrear
caution [kosjɔ̃] *nf* (*argent, Jur*) fianza; (*fig*) garantía, aval *m*; **payer la ~ de qn** pagar la fianza de algn; **se porter ~ pour qn** ser aval de algn; **libéré sous ~** libre bajo fianza; **sujet à ~** en tela de juicio
cavalier, -ière [kavalje, jɛʀ] *adj* brusco(-a) ▪ *nm/f* (*à cheval*) jinete *m/f*; (*au bal*) pareja ▪ *nm* (*Échecs*) caballo; **faire ~ seul** hacer rancho aparte; **allée** *ou* **piste cavalière** camino de herradura
cave [kav] *nf* sótano; (*réserve de vins*) bodega; (*cabaret*) cabaret *m* ▪ *adj*: **yeux ~s** ojos *mpl* hundidos; **joues ~s** mejillas *fpl* chupadas
CD [sede] *sigle m* (= *compact disc*) CD *m* (= *compact disc*); (= *corps diplomatique*) CD *m* (= *Cuerpo Diplomático*)
CD-Rom [sedeʀɔm] *sigle m* CD-Rom
CE [seə] *sigle f* (= *Communauté européenne*) CE *f* ▪ *sigle m* (= *comité d'entreprise*) *voir* **comité**; (= *cours élémentaire*) *voir* **cours**

MOT-CLÉ

ce, c', cette [sə, sɛt] (*devant nm commençant par voyelle ou h aspiré* **cet**, *pl* **ces**) *dét* (*proche*) este (esta); (*intermédiaire*) ese (esa); (*éloigné*: *plus loin*) aquel(la); **cette maison(-ci/là)** esta casa/esa *ou* aquella casa; **cette nuit** esta noche
▪ *pron* **1**: **c'est** es; **c'est un peintre/ce sont des peintres** (*métier*) es un pintor/ son pintores; (*en désignant*) es un pintor/ son unos pintores; **c'est le facteur** (*à la porte*) es el cartero; **qui est-ce?** ¿quién es?; **qu'est-ce?** ¿sí?; **c'est toi qui le dis** lo dices tú; **c'est toi qui lui as parlé** eres tú quien le hablaste; **sur ce** tras esto; **c'est qu'il est lent/a faim** es que es lento/ tiene hambre; **c'est petit/grand** es pequeño/grande
2: **ce qui, ce que** lo que; (*chose qui*): **il est bête, ce qui me chagrine** es tonto, lo cual me apena; **tout ce qui bouge** todo lo que se mueve; **tout ce que je sais** todo

lo que sé; **ce dont j'ai parlé** eso de lo que hablé; **ce que c'est grand!** ¡qué grande es!; **veiller à ce que ...** procurar que ...; *voir aussi* **-ci**; **est-ce que**; **n'est-ce pas**; **c'est-à-dire**

ceci [səsi] *pron* esto
céder [sede] *vt* (*maison, droit*) ceder, traspasar ■ *vi* ceder; **~ à** (*tentation etc*) ceder a; **~ à qn** (*se soumettre*) someterse a algn
CEDEX [sedɛks] *sigle m* (= *courrier d'entreprise à distribution exceptionnelle*) *correo especial para empresas*
cèdre [sɛdʀ] *nm* cedro
CEI [seəi] *sigle f* (= *Communauté des États indépendants*) CEI *f* (= *Comunidad de los Estados Independientes*)
ceinture [sɛ̃tyʀ] *nf* cinturón *m*; (*taille*) cintura; (*d'un pantalon, d'une jupe*) cintura, cinturilla; **~ de sauvetage** cinturón salvavidas; **~ de sécurité** cinturón de seguridad; **~ (de sécurité) à enrouleur** cinturón (de seguridad) de enrollar; **~ noire** (*Judo*) cinturón negro; **~ verte** cinturón verde
cela [s(ə)la] *pron* eso; (*plus loin*) aquello; **~ m'étonne que** me extraña que; **quand ~?** ¿cuándo?
célèbre [selɛbʀ] *adj* famoso(-a), célebre
célébrer [selebʀe] *vt* celebrar; (*louer*) celebrar, encomiar
céleri [sɛlʀi] *nm*: **~(-rave)** apio (nabo); **~ en branche** apio
célibataire [selibatɛʀ] *adj* soltero(-a) ■ *nm/f* soltero(-a); **mère ~** madre *f* soltera
celle, celles [sɛl] *pron voir* **celui**
cellulite [selylit] *nf* celulitis *f inv*
celui, celle [səlɥi, sɛl] (*mpl* **ceux**, *fpl* **celles**) *pron*: **~-ci** éste/ése; **celle-ci** ésta/ésa; **~-là/celle-là** aquél/aquélla; **ceux-ci/celles-ci** éstos/éstas; **ceux-là/celles-là** ésos *ou* aquéllos/ésas *ou* aquéllas; **~ de mon frère** el de mi hermano; **~ du salon/du dessous** el del salón/de abajo; **~ qui bouge** (*pour désigner*) el que se mueve; **~ que je vois** el que veo; **~ dont je parle** (*personne*) ése del que hablo; (*chose*) eso de lo que hablo; **~ qui veut** (*valeur indéfinie*) el que quiera
cendre [sɑ̃dʀ] *nf* ceniza; **cendres** *nfpl* cenizas *fpl*; **sous la ~** (*Culin*) en las cenizas
cendrier [sɑ̃dʀije] *nm* cenicero
censé, e [sɑ̃se] *adj*: **je suis ~ faire 7 h par jour** se supone que hago 7 horas diarias
censeur [sɑ̃sœʀ] *nm* (*du lycée*) subdirector *m*; (*Pol, Presse, Ciné*) censor *m*
censure [sɑ̃syʀ] *nf* censura
censurer [sɑ̃syʀe] *vt* censurar
cent [sɑ̃] *adj* (*avant un nombre*) ciento; (*avant un substantif*) cien ■ *nm* ciento; (*Math*) cien *m inv*; **~ cinquante** ciento cincuenta; **~ euros** cien euros; **pour ~** por ciento; **un ~ de** un centenar de; **faire les ~ pas** ir y venir, ir de un lado para otro
centaine [sɑ̃tɛn] *nf* centena; **une ~ (de)** un centenar (de); **plusieurs ~s (de)** varios centenares (de); **des ~s (de)** centenares (de)
centenaire [sɑ̃t(ə)nɛʀ] *adj, nm/f* centenario(-a) ■ *nm* (*anniversaire*) centenario
centième [sɑ̃tjɛm] *adj, nm/f* centésimo(-a); **un ~ de seconde** una centésima de segundo; *voir aussi* **cinquantième**
centigrade [sɑ̃tigʀad] *nm* centígrado
centilitre [sɑ̃tilitʀ] *nm* centilitro
centime [sɑ̃tim] *nm* céntimo
centimètre [sɑ̃timɛtʀ] *nm* centímetro; (*ruban*) cinta métrica
central, e, -aux [sɑ̃tʀal, o] *adj* (*aussi fig*) central ■ *nm*: **~ (téléphonique)** central *f* (telefónica)
centrale [sɑ̃tʀal] *nf* (*prison*) central *f*; **~ d'achat** centro de compras; **~ électrique/nucléaire** central eléctrica/nuclear; **~ syndicale** central sindical
centre [sɑ̃tʀ] *nm* centro; (*Football: joueur*) centro(campista); **le ~** (*Pol*) el centro; **~ aéré** *campamento de verano para niños*; **~ commercial/culturel** centro comercial/cultural; **~ d'appels** centro de llamadas; **~ d'apprentissage** centro de formación profesional; **~ d'attractions** parque *m* de atracciones; **~ d'éducation surveillée** centro de enseñanza vigilada; **~ de détention** centro penitenciario; **~ de gravité** centro de gravedad; **~ de loisirs** centro de recreo; **~ de semi-liberté** centro de reclusión en régimen abierto; **~ de tri** centro de correos; **~ hospitalier/sportif** centro hospitalario/deportivo; **~s nerveux** (*Anat*) centros *mpl* nerviosos
centre-ville [sɑ̃tʀəvil] (*pl* **centres-villes**) *nm* centro de la ciudad
cèpe [sɛp] *nm* seta
cependant [s(ə)pɑ̃dɑ̃] *conj* sin embargo, no obstante
céramique [seʀamik] *nf* cerámica
cercle [sɛʀkl] *nm* (*Géom*) círculo; (*objet circulaire*) círculo, aro; (*de jeu, bridge*) club *m*; **décrire un ~** describir un círculo;

~ d'amis círculo de amigos; **~ de famille** entorno familiar; **~ vicieux** círculo vicioso
cercueil [sɛʀkœj] *nm* ataúd *m*, féretro
céréale [seʀeal] *nf* cereal *m*
cérémonie [seʀemɔni] *nf* ceremonia; **cérémonies** *nfpl* (*péj: façons, chichis*) formalidades *fpl*
cerf [sɛʀ] *nm* ciervo
cerf-volant [sɛʀvɔlɑ̃] (*pl* **cerfs-volants**) *nm* cometa; **jouer au ~** jugar a la cometa
cerise [s(ə)ʀiz] *nf, adj inv* cereza
cerisier [s(ə)ʀizje] *nm* cerezo
cerner [sɛʀne] *vt* (*armée, ville*) cercar; (*problème*) delimitar; (*être autour*) rodear
certain, e [sɛʀtɛ̃, ɛn] *adj* (*indéniable*) cierto(-a), seguro(-a); (*personne*): **~ (de/que)** seguro(-a) (de/de que), convencido(-a) (de/de que) ▪ *dét*: **un ~ Georges** un tal Georges; **un ~ courage** (*non négligeable*) mucho valor; **~s cas** algunos casos; **d'un ~ âge** de cierta edad; **un ~ temps** cierto tiempo; **sûr et ~** completamente seguro
certainement [sɛʀtɛnmɑ̃] *adv* (*probablement*) probablemente; (*bien sûr*) sin duda, por supuesto
certes [sɛʀt] *adv* (*bien sûr*) por supuesto; (*sans doute*) sin duda alguna; (*en réponse*) ciertamente
certificat [sɛʀtifika] *nm* certificado; **~ de fin d'études secondaires** *certificado de fin de estudios secundarios*; **~ médical/de vaccination** certificado médico/de vacunación
certifier [sɛʀtifje] *vt* asegurar; (*document, signature*) certificar; **~ à qn que** asegurar a algn que
certitude [sɛʀtityd] *nf* certeza
cerveau, x [sɛʀvo] *nm* (*aussi fig*) cerebro
cervelas [sɛʀvəla] *nm salchicha corta y gruesa de carne y sesos*
cervelle [sɛʀvɛl] *nf* (*Anat*) cerebro; (*Culin*) sesos *mpl*; **se creuser la ~** romperse la cabeza, devanarse los sesos
CES [seəɛs] *sigle m* (*= collège d'enseignement secondaire*) ≈ Instituto de Enseñanza Media
ces [se] *dét voir* **ce**
cesse [sɛs]: **sans ~** *adv* sin parar; **n'avoir de ~ que** no descansar hasta que
cesser [sese] *vt* detener ▪ *vi* parar, cesar; **~ de faire** dejar de hacer; **faire ~** (*bruit, scandale*) acabar con
cessez-le-feu [sesel(ə)fø] *nm inv* alto el fuego
c'est-à-dire [sɛtadiʀ] *adv* es decir; **~?** (*demander de préciser*) ¿es decir?, ¿y?; **~ que** (*en conséquence*) es decir que, o sea que; (*manière d'excuse*) es decir que
CET [seəte] *sigle m* (*= collège d'enseignement technique*) ≈ centro de FP
cet [sɛt] *dét voir* **ce**
ceux [sø] *pron voir* **celui**
chacun, e [ʃakœ̃, yn] *pron* cada uno(-a); (*indéfini*) todos(-as)
chagrin, e [ʃagʀɛ̃, in] *adj* triste, taciturno(-a) ▪ *nm* pena; **avoir du ~** sentir pena
chahut [ʃay] *nm* jaleo; (*Scol*) alboroto
chahuter [ʃayte] *vt* incordiar ▪ *vi* alborotar
chaîne [ʃɛn] *nf* cadena; (*TV*) cadena, canal *m*; **chaînes** *nfpl* (*liens, asservissement*) lazos *mpl*; (*pour pneus*) cadenas *fpl*; **travail à la ~** trabajo en cadena; **réactions en ~** reacciones *fpl* en cadena; **faire la ~** hacer una cadena; **~ audio** equipo *ou* cadena audio; **~ (de fabrication/de montage)** cadena (de fabricación/de montaje); **~ (de montagnes)** cadena (de montañas), cordillera; **~ de solidarité** cadena de solidaridad; **~ (hi-fi)** cadena (hi-fi) *ou* equipo de música; **~ stéréo** cadena *ou* equipo estéreo
chair [ʃɛʀ] *nf* carne *f* ▪ *adj inv*: **(couleur) ~** (color) carne *inv*; **la ~** (*Rel*) la carne; **avoir la ~ de poule** tener la carne *ou* piel de gallina; **être bien en ~** estar entrado(-a) en carnes; **en ~ et en os** de carne y hueso; **~ à saucisses** carne picada
chaise [ʃɛz] *nf* silla; **~ de bébé** silla de bebé; **~ électrique** silla eléctrica; **~ longue** tumbona, hamaca
châle [ʃɑl] *nm* chal *m*
chaleur [ʃalœʀ] *nf* (*aussi fig*) calor *m*; (*ardeur, emportement*) ardor *m*; **en ~** en celo
chaleureux, -euse [ʃalœʀø, øz] *adj* (*accueil, gens*) caluroso(-a)
chamailler [ʃamaje]: **se chamailler** *vpr* (*fam*) *vpr* reñir
chambre [ʃɑ̃bʀ] *nf* (*d'un logement*) habitación *f*, cuarto; (*Tech, Pol, Comm*) cámara; (*Jur*) sala; **faire ~ à part** dormir en habitaciones separadas; **stratège/alpiniste en ~** estratega *m/f*/alpinista *m/f* de tres al cuarto; **~ à air** cámara de aire; **~ à coucher** dormitorio; **~ à gaz** cámara de gas; **~ à un lit/deux lits** (*à l'hôtel*) habitación individual/doble; **~ d'accusation** sala de acusación; **~ d'agriculture** cámara agrícola; **~ d'amis** cuarto de invitados; **~ de combustion** cámara de combustión; **C~ de commerce et d'industrie** cámara de

comercio y de industria; **C~ des députés** Cámara de los diputados; **~ des machines** sala de máquinas; **C~ des métiers** Cámara de oficios; **~ d'hôte** habitación de huéspedes; **~ forte** cámara acorazada; **~ frigorifique** *ou* **froide** cámara frigorífica; **~ meublée** habitación amueblada; **~ noire** (*Photo*) cámara oscura; **~ pour une/deux personne(s)** habitación para una/dos persona(s)

chameau, x [ʃamo] *nm* camello

chamois [ʃamwa] *nm* gamuza ▪ *adj inv*: **(couleur) ~** (color) gamuza

champ [ʃɑ̃] *nm* (*aussi fig*) campo; **les champs** *nmpl* (*la campagne*) el campo; **dans le ~** (*Photo*) en el campo visual; **prendre du ~** alejarse, tomar distancia; **laisser le ~ libre à qn** dejar el campo libre a algn; **~ d'action** campo de acción; **~ de bataille** campo de batalla; **~ de courses** hipódromo; **~ de manœuvre/de mines/de tir** campo de maniobras/de minas/de tiro; **~ d'honneur** campo de honor; **~ visuel** campo visual

Champagne [ʃɑ̃paɲ] *nf* Champaña

champagne [ʃɑ̃paɲ] *nm* champán *m*; **fine ~** coñac *m*

champignon [ʃɑ̃piɲɔ̃] *nm* seta; (*Bot*) hongo; (*fam*: *accélérateur*) acelerador *m*; **~ de couche** *ou* **de Paris** champiñón; **~ vénéneux** seta venenosa

champion, ne [ʃɑ̃pjɔ̃, jɔn] *adj* campeón(-ona) ▪ *nm/f* (*Sport*) campeón(-ona); (*d'une cause*) adalid *m/f*; **~ du monde** campeón del mundo

championnat [ʃɑ̃pjɔna] *nm* campeonato

chance [ʃɑ̃s] *nf* suerte *f*; (*occasion*) oportunidad *f*; **chances** *nfpl* (*probabilités*) posibilidades *fpl*; **il y a de fortes ~s pour que Paul soit malade** es muy posible que Paul esté enfermo; **bonne ~!** ¡buena suerte!; **avoir de la ~** tener suerte; **il a des ~s de gagner** tiene posibilidades de ganar; **je n'ai pas de ~** no tengo suerte; **encore une ~ que tu viennes!** ¡qué suerte *ou* bien que vengas!; **donner sa ~ à qn** dar una oportunidad a algn

Chandeleur [ʃɑ̃dlœʀ] *nf*: **la ~** la Candelaria

change [ʃɑ̃ʒ] *nm* cambio; **opérations de ~** operaciones *fpl* de cambio; **le contrôle des ~s** el control de cambio; **gagner/perdre au ~** ganar/perder en *ou* con el cambio; **donner le ~ à qn** (*fig*) dar gato por liebre a algn

changement [ʃɑ̃ʒmɑ̃] *nm* cambio; **~ de vitesse** cambio de velocidades *ou* marchas

changer [ʃɑ̃ʒe] *vt* cambiar ▪ *vi* cambiar; **se changer** *vpr* cambiarse; **~ de** cambiar de; **~ d'air** cambiar de aires; **~ de vêtements** cambiarse de ropa; **~ de place avec qn** cambiar de sitio con algn; **~ de vitesse** (*Auto*) cambiar de velocidad *ou* de marcha; **~ qn/qch de place** cambiar a algo/algn de lugar; **~ qch en** convertir algo en; **il faut ~ à Lyon** hay que cambiar en Lyon; **cela me change** esto es un cambio para mí

chanson [ʃɑ̃sɔ̃] *nf* canción *f*

chant [ʃɑ̃] *nm* canto; **posé de** *ou* **sur ~** (*Tech*) colocado de canto; **~ de Noël** villancico

chantage [ʃɑ̃taʒ] *nm* chantaje *m*; **faire du ~** chantajear *ou* hacer chantaje

chanter [ʃɑ̃te] *vt* cantar; (*louer*) alabar ▪ *vi* cantar; **~ juste** cantar sin desafinar; **~ faux** desafinar; **si cela lui chante** (*fam*) si le apetece

chanteur, -euse [ʃɑ̃tœʀ, øz] *nm/f* cantante *m/f*; **~ de charme** cantante de melodías sentimentales

chantier [ʃɑ̃tje] *nm* obra; **être/mettre en ~** estar/poner en obras; **~ naval** astillero

chantilly [ʃɑ̃tiji] *nf voir* **crème**

chantonner [ʃɑ̃tɔne] *vi, vt* canturrear

chapeau, x [ʃapo] *nm* sombrero; (*Presse*) entradilla; **~!** *excl* ¡bravo!; **partir sur les ~x de roues** arrancar a toda velocidad; **~ melon** bombín *m*; **~ mou** sombrero flexible

chapelle [ʃapɛl] *nf* capilla; **~ ardente** capilla ardiente

chapitre [ʃapitʀ] *nm* capítulo; (*sujet*) tema; (*Rel*) cabildo; **avoir voix au ~** tener voz y voto

chaque [ʃak] *dét* cada; **c'est cinq euros ~** son cinco euros cada uno(-a)

char [ʃaʀ] *nm* carro; (*Mil*: *aussi*: **char d'assaut**) carro de combate; (*de carnaval*) carroza

charbon [ʃaʀbɔ̃] *nm* carbón *m*; **~ de bois** carbón de leña

charcuterie [ʃaʀkytʀi] *nf* (*magasin*) charcutería; (*produits*) embutidos *mpl*

charcutier, -ière [ʃaʀkytje, jɛʀ] *nm/f* chacinero(-a)

chardon [ʃaʀdɔ̃] *nm* cardo

charge [ʃaʀʒ] *nf* carga; (*rôle, mission*) misión *f*; (*Mil*) ataque *m*; (*Jur*) cargo; **charges** *nfpl* (*du loyer*) facturas *fpl*; (*d'un commerçant*) gastos *mpl*; **à la ~ de** a cargo de; **prise en ~ (par la Sécurité Sociale)**

gastos cubiertos por la Seguridad Social; **à ~ de revanche** en desquite; **prendre en ~** hacerse cargo de; **revenir à la ~** volver a la carga; **~s sociales** cargas sociales; **~ utile** carga máxima; (*Comm*) carga rentable

chargement [ʃaʀʒəmɑ̃] *nm* (*action*) carga; (*marchandises*) cargamento

charger [ʃaʀʒe] *vt* cargar; (*Jur*) declarar en contra de; (*un portrait, une description*) recargar ▪ *vi* cargar; **~ qn de qch/faire qch** (*fig*) encargar a algn de algo/que haga algo; **se ~ de** encargarse de; **se ~ de faire qch** encargarse de hacer algo

chariot [ʃaʀjo] *nm* carretilla; (*à bagages, provisions*) carro; (*charrette*) carreta; (*de machine à écrire*) rodillo; **~ élévateur** carretilla elevadora

charitable [ʃaʀitabl] *adj* caritativo(-a); (*gentil*) amable

charité [ʃaʀite] *nf* caridad *f*; (*aumône*) limosna; **faire la ~ à** dar limosna a; **fête/vente de ~** fiesta/venta benéfica

charmant, e [ʃaʀmɑ̃, ɑ̃t] *adj* encantador(a)

charme [ʃaʀm] *nm* encanto; (*Bot*) carpe *m*; (*envoûtement*) encanto, hechizo; **charmes** *nmpl* (*appas*) encanto *msg*; **c'est ce qui en fait le ~** es lo que le da el encanto; **faire du ~** coquetear; **aller** *ou* **se porter comme un ~** estar más sano que una manzana

charmer [ʃaʀme] *vt* (*plaire*) fascinar; (*envoûter*) encantar, hechizar; **je suis charmé de** (*enchanté*) estoy encantado de

charpente [ʃaʀpɑ̃t] *nf* (*d'un bâtiment*) esqueleto; (*fig*) estructura; (*carrure*) estructura, constitución *f*

charpentier [ʃaʀpɑ̃tje] *nm* albañil *m*

charrette [ʃaʀɛt] *nf* carreta

charter [ʃaʀtɛʀ] *nm* chárter *m*

chasse [ʃas] *nf* caza; (*aussi*: **chasse d'eau**) cisterna; **la ~ est ouverte/fermée** la veda está levantada/cerrada; **aller à la ~** ir de caza; **prendre en ~** perseguir, dar caza a; **donner la ~ à** (*fugitif*) dar caza a; **tirer la ~ (d'eau)** tirar de la cadena; **~ à courre** caza a caballo; **~ à l'homme** cacería humana; **~ aérienne** caza aérea; **~ gardée** (*aussi fig*) coto vedado; **~ sous-marine** caza submarina

chasse-neige [ʃasnɛʒ] *nm inv* quitanieves *m inv*

chasser [ʃase] *vt* cazar; (*expulser*) echar; (*idée*) desechar; (*dissiper*) disipar ▪ *vi* cazar; (*Auto*) patinar, derrapar

chasseur, -euse [ʃasœʀ, øz] *nm/f* (*de gibier*) cazador(a) ▪ *nm* (*avion*) (avión de) caza *m*; (*domestique*) botones *m inv*; **~ de son** aficionado en busca de sonidos extraordinarios; **~ de têtes** (*fig*) cazatalentos *m inv*; **~ d'images** fotógrafo en busca de imágenes insólitas; **~s alpins** (*Mil*) *cazadores de montaña del ejército francés*

chat[1] [ʃa] *nm* gato; **avoir un ~ dans la gorge** tener carraspera; **avoir d'autres ~s à fouetter** tener cosas más importantes; **~ sauvage** gato montés

chat[2] [tʃat] *nm* (*Internet*) chat *m*

châtaigne [ʃatɛɲ] *nf* castaña

châtaignier [ʃateɲe] *nm* castaño

châtain [ʃatɛ̃] *adj inv* castaño(-a)

château, x [ʃato] *nm* castillo; **~ d'eau** arca de agua; **~ de sable** castillo de arena; **~ fort** fortaleza, alcázar *m*

châtiment [ʃatimɑ̃] *nm* castigo; **~ corporel** castigo corporal

chaton [ʃatɔ̃] *nm* (*Zool*) gatito; (*Bot*) candelilla; (*de bague*) engaste *m*

chatouiller [ʃatuje] *vt* hacer cosquillas; **~ l'odorat** abrir el olfato; **~ le palais** estimular el paladar; **ça chatouille!** ¡qué cosquillas!

chatte [ʃat] *nf* gata

chatter [tʃate] *vi* (*Internet*) chatear

chaud, e [ʃo, ʃod] *adj* caliente; (*très chaud*) ardiente; (*vêtement*) abrigado(-a); (*couleur*) cálido(-a); (*félicitations*) ardiente, cálido(-a); (*discussion*) acalorado(-a) ▪ *nm* calor *m*; **il fait ~** hace calor; **manger/boire ~** comer/beber caliente; **avoir ~** tener calor; **tenir ~** abrigar; **tenir au ~** mantener caliente; **ça me tient ~** eso me abriga; (*trop chaud*) eso me da calor; **rester au ~** permanecer abrigado(-a); **~ et froid** *nm* (*Méd*) enfriamiento

chaudière [ʃodjɛʀ] *nf* caldera

chauffage [ʃofaʒ] *nm* calentamiento, calefacción *f*; (*appareils*) calefacción; **arrêter le ~** apagar la calefacción; **~ à l'électricité** calefacción eléctrica; **~ au charbon/au gaz** calefacción de carbón/de gas; **~ central** calefacción central; **~ par le sol** calefacción por suelo

chauffe-eau [ʃofo] *nm inv* calentador *m* de agua

chauffer [ʃofe] *vt* calentar ▪ *vi* calentar; (*trop chauffer*) recalentar; **se chauffer** *vpr* (*aussi fig*) calentarse

chauffeur, -euse [ʃofœʀ, øz] *nm/f* chófer *m*, chofer *m* (*AM*); **voiture avec/sans ~** coche *m* con/sin conductor

chaumière [ʃomjɛʀ] *nf* choza

chaussée [ʃose] *nf* calzada; (*digue*) terraplén *m*

chausser [ʃose] *vt* calzar; **se chausser** *vpr* calzarse; **~ du 38/42** calzar el 38/42; **~ grand/bien** (*suj: soulier*) quedar grande/bien
chaussette [ʃosɛt] *nf* calcetín *m*, media (*AM*)
chausson [ʃosɔ̃] *nm* zapatilla; (*de bébé*) patuco; **~ (aux pommes)** pastel *m* de manzana
chaussure [ʃosyʀ] *nf* zapato; **la ~** (*Comm*) el calzado; **~s basses** zapatos *mpl* bajos; **~s de ski** botas *fpl* de esquí; **~s montantes** botas
chauve [ʃov] *adj* calvo(-a)
chauve-souris [ʃovsuʀi] (*pl* **chauves-souris**) *nf* murciélago
chauvin, e [ʃovɛ̃, in] *adj, nm/f* patriotero(-a)
chaux [ʃo] *nf* cal *f*; **blanchi à la ~** encalado
chef [ʃɛf] *nm* jefe *m*; **au premier ~** ante todo; **coupable au premier ~** culpable en el más alto grado; **de son propre ~** por su propia iniciativa; **général/commandant en ~** general *m*/comandante *m* en jefe; **~ d'accusation** base *f* de acusación; **~ d'atelier** jefe de taller; **~ d'entreprise** empresario; **~ d'équipe** jefe de equipo; **~ d'État** jefe de estado; **~ d'orchestre** director *m* de orquesta; **~ de bureau** jefe de oficina; **~ de clinique** director de clínica; **~ de famille** cabeza de familia; **~ de file** (*de parti etc*) cabeza de fila; **~ de gare** jefe de estación; **~ de rayon/de service** jefe de sección/de servicio
chef-d'œuvre [ʃɛdœvʀ] (*pl* **chefs-d'œuvre**) *nm* obra maestra
chef-lieu [ʃɛfljø] (*pl* **chefs-lieux**) *nm* cabeza de distrito
chemin [ʃ(ə)mɛ̃] *nm* (*aussi fig*) camino, sendero; (*itinéraire*) camino; (*trajet*) trayecto, camino; **en ~** por el camino; **~ faisant** de camino; **les ~s de fer** (*organisation*) los ferrocarriles *mpl*; **~ de terre** camino de tierra
cheminée [ʃ(ə)mine] *nf* chimenea
chemise [ʃ(ə)miz] *nf* (*vêtement*) camisa; (*dossier*) carpeta; **~ de nuit** camisón *m*
chemisier [ʃ(ə)mizje] *nm* blusa
chêne [ʃɛn] *nm* castaño
chenil [ʃ(ə)nil] *nm* perrera; (*élevage*) criadero de perros
chenille [ʃ(ə)nij] *nf* oruga; **véhicule à ~s** coche *m* oruga
chèque [ʃɛk] *nm* cheque *m*, talón *m*; **faire/toucher un ~** extender/cobrar un cheque; **par ~** con cheque; **~ au porteur** cheque al portador; **~ barré** cheque cruzado; **~ de voyage** cheque de viaje; **~ en blanc** cheque en blanco; **~ postal** cheque postal; **~ sans provision** cheque sin fondos
chéquier [ʃekje] *nm* talonario de cheques
cher, chère [ʃɛʀ] *adj* (*aimé*) querido(-a); (*coûteux*) caro(-a) ■ *adv*: **coûter ~** costar caro; **payer ~** pagar mucho dinero; **mon ~, ma chère** querido(-a); **cela coûte ~** esto cuesta caro
chercher [ʃɛʀʃe] *vt* buscar; **~ des ennuis** buscarse problemas; **~ la bagarre** buscar pelea; **aller ~** ir a buscar; **~ à faire** tratar de hacer
chercheur, -euse [ʃɛʀʃœʀ, øz] *nm/f* investigador(a); **~ d'or** buscador(a) de oro
chéri, e [ʃeʀi] *adj* querido(-a); **(mon) ~** querido (mío)
cheval, -aux [ʃ(ə)val, o] *nm* caballo; **~ vapeur** caballo de vapor; **10 chevaux** 10 caballos; **faire du ~** practicar equitación; **à ~** a caballo; **à ~ sur** (*mur etc*) a horcajadas en *ou* sobre; (*périodes*) a caballo entre; **être à ~ sur** (*domaines*) emanar de; **monter sur ses grands chevaux** subirse a la parra; **~ à bascule** caballito de balancín; **~ d'arçons** potro; **~ de bataille** (*fig*) caballo de batalla; **~ de course** caballo de carreras; **chevaux de bois** (*des manèges*) caballitos *mpl*; (*manège*) tiovivo; **chevaux de frise** alambradas *fpl*
chevalier [ʃ(ə)valje] *nm* caballero; **~ servant** galán *m*
chevalière [ʃ(ə)valjɛʀ] *nf* (sortija de) sello
chevaux [ʃəvo] *nmpl voir* **cheval**
chevet [ʃ(ə)vɛ] *nm* presbiterio; **au ~ de qn** al lecho de algn; **lampe de ~** lámpara de noche; **livre de ~** libro que se lee antes de dormir; **table de ~** mesilla de noche
cheveu, x [ʃ(ə)vø] *nm* cabello, pelo; **cheveux** *nmpl* pelo *msg*; **se faire couper les ~x** cortarse el pelo; **avoir les ~x courts/en brosse** tener el pelo corto/de punta; **tiré par les ~x** (*histoire*) inverosímil; **~x d'ange** (*vermicelle*) cabello *msg* de ángel; (*décoration*) *pelusa plateada para árboles de Navidad*
cheville [ʃ(ə)vij] *nf* (*Anat*) tobillo; (*de bois*) clavija, tarugo; (*pour enfoncer une vis*) clavija; **être en ~ avec qn** tener relación con algn; **~ ouvrière** (*Auto*) clavija maestra; (*fig*) alma

chèvre [ʃɛvʀ] *nf* cabra ■ *nm* queso de cabra; **ménager la ~ et le chou** saber nadar y guardar la ropa
chèvrefeuille [ʃɛvʀəfœj] *nm* madreselva
chevreuil [ʃəvʀœj] *nm* corzo
chez [ʃe] *prép* (*à la demeure de*) en casa de; (*: direction*) a casa de; (*auprès de, parmi*) entre ■ *nm inv*: **~-moi/~-soi/~-toi** casa; **~ qn** en casa de algn; **~ moi** (*à la maison*) en mi casa; (*direction*) a mi casa; **~ Racine** en Racine; **~ ce poète** en este poeta; **~ les Français/les renards** entre los franceses/los zorros; **~ lui c'est un devoir** es un deber en él; **aller ~ le boulanger/le dentiste** ir a la panadería/al dentista; **il travaille ~ Renault** trabaja en la Renault
chic [ʃik] *adj inv* (*élégant*) elegante; (*de la bonne société*) distinguido(-a); (*généreux*) amable ■ *nm* (*élégance*) elegancia; **avoir le ~ pour** tener el don de; **faire qch de ~** ser generoso(-a) al hacer algo; **c'était ~ de sa part** ha sido muy amable de su parte; **~!** ¡estupendo!
chicorée [ʃikɔʀe] *nf* achicoria; **~ frisée** escarola
chien [ʃjɛ̃] *nm* perro; (*de pistolet*) gatillo; **temps de ~** tiempo de perros; **vie de ~** vida perra; **en ~ de fusil** hecho(-a) un ovillo; **entre ~ et loup** entre dos luces; **~ d'aveugle** perro lazarillo; **~ de chasse/de garde** perro de caza/guardián; **~ de traîneau/de race** perro esquimal/de raza; **~ policier** perro policía
chienne [ʃjɛn] *nf* perra
chier [ʃje] (*fam!*) *vi* cagar (*fam!*); **faire ~ qn** (*importuner*) dar el coñazo a algn (*fam!*); (*causer des ennuis à*) joder a algn (*fam!*); **se faire ~** (*s'ennuyer*) amuermarse
chiffon [ʃifɔ̃] *nm* trapo
chiffonner [ʃifɔne] *vt* arrugar; (*tracasser*) inquietar
chiffre [ʃifʀ] *nm* cifra, número; (*montant, total*) importe *m*; (*d'un code*) clave *f*; **en ~s ronds** en números redondos; **écrire un nombre en ~s** escribir un número en cifras; **~s arabes/romains** números *mpl* arábigos/romanos; **~ d'affaires** volumen *m* de negocios; **~ de ventes** volumen de ventas
chiffrer [ʃifʀe] *vt* (*dépense*) calcular; (*message*) cifrar ■ *vi*: **~ à** ascender a; **se chiffrer à** *vpr* ascender a
chignon [ʃiɲɔ̃] *nm* moño
Chili [ʃili] *nm* Chile *m*
chilien, ne [ʃiljɛ̃, jɛn] *adj* chileno(-a) ■ *nm/f*: **Chilien, ne** chileno(-a)
chimie [ʃimi] *nf* química
chimique [ʃimik] *adj* químico(-a); **produits ~s** productos *mpl* químicos
chimpanzé [ʃɛ̃pɑ̃ze] *nm* chimpancé *m*
Chine [ʃin] *nf* China; **la ~ libre** China libre; **la république de ~** la república de China
chine [ʃin] *nm* papel *m* de China; (*porcelaine*) porcelana china ■ *nf* (*brocante*) chamarileo
chinois, e [ʃinwa, waz] *adj* chino(-a) ■ *nm* (*Ling*) chino ■ *nm/f*: **Chinois, e** chino(-a)
chiot [ʃjo] *nm* cachorro (de perro)
chips [ʃips] *nfpl* (*aussi*: **pommes chips**) patatas *fpl* fritas
chirurgie [ʃiʀyʀʒi] *nf* cirugía; **~ esthétique** cirugía estética
chirurgien, ne [ʃiʀyʀʒjɛ̃, jɛn] *nm/f* cirujano(-a); **~ dentiste** dentista *m/f*, odontólogo(-a)
chlore [klɔʀ] *nm* cloro
choc [ʃɔk] *nm* choque *m*; (*moral*) impacto; (*affrontement*) enfrentamiento ■ *adj*: **prix ~** precio de ganga; **de ~** de choque; **~ en retour** (*fig*) choque de rechazo; **~ nerveux** ataque *m* de nervios; **~ opératoire** choque operatorio
chocolat [ʃɔkɔla] *nm* chocolate *m*; (*bonbon*) bombón *m*; **~ à croquer** chocolate para crudo; **~ à cuire** chocolate a la taza; **~ au lait** chocolate con leche; **~ en poudre** chocolate en polvo
chœur [kœʀ] *nm* coro; **en ~** a coro
choisir [ʃwaziʀ] *vt* escoger, elegir; (*candidat*) elegir; **~ de faire qch** elegir hacer algo
choix [ʃwa] *nm* elección *f*; (*assortiment*) selección *f*, surtido; **avoir le ~ de/entre** tener la opción de/entre; **de premier ~** (*Comm*) de primera calidad; **je n'avais pas le ~** no tenía opción; **de ~** escogido(-a), de calidad; **au ~** a escoger; **de mon/son ~** por mi/su gusto; **tu peux partir ou rester, tu as le ~** te vas o te quedas, tú eliges
chômage [ʃomaʒ] *nm* paro, cesantía (*AM*); **mettre au ~** dejar en el paro; **être au ~** estar en paro; **~ partiel/structurel/technique** paro parcial/estructural/técnico
chômeur, -euse [ʃomœʀ, øz] *nm/f* parado(-a)
choquer [ʃɔke] *vt* chocar; (*commotionner*) conmocionar
chorale [kɔʀal] *nf* coral *f*
chose [ʃoz] *nf* cosa ■ *nm* (*fam: machin*) cosa; **choses** *nfpl* (*situation*) cosas *fpl*

■ *adj inv*: **être/se sentir tout ~** (*bizarre*) estar/sentirse raro(-a); (*malade*) estar/sentirse mal; **dire bien des ~s à qn** dar muchos recuerdos a algn; **faire bien les ~s** hacer las cosas bien; **parler de ~s et d'autres** hablar un poco de todo; **c'est peu de ~** es poca cosa
chou, x [ʃu] *nm* col *f*, berza ■ *adj inv* mono(-a), encantador(a); **mon petit ~** tesoro mío, amor mío, mi negro (*AM*); **faire ~ blanc** fracasar; **bout de ~** niñito(-a); **feuille de ~** (*fig*) periodicucho; **~ (à la crème)** pastelillo (de crema); **~ de Bruxelles** col de Bruselas
choucroute [ʃukʀut] *nf* chucrut *m*
chou-fleur [ʃuflœʀ] (*pl* **choux-fleurs**) *nm* coliflor *f*
chrétien, ne [kʀetjɛ̃, jɛn] *adj, nm/f* cristiano(-a)
Christ [kʀist] *nm*: **le ~** el Cristo; **un christ** (*crucifix, peinture*) un cristo; **Jésus ~** Jesucristo
christianisme [kʀistjanism] *nm* cristianismo
chronique [kʀɔnik] *adj* crónico(-a) ■ *nf* crónica; **la ~ sportive/théâtrale** la crónica deportiva/teatral; **la ~ locale** la crónica local
chronologique [kʀɔnɔlɔʒik] *adj* cronológico(-a); **tableau ~** cuadro cronológico
chrono(mètre) [kʀɔnɔ(mɛtʀ)] *nm* cronómetro
chronométrer [kʀɔnɔmetʀe] *vt* cronometrar
chrysanthème [kʀizɑ̃tɛm] *nm* crisantemo
chtarbé, e [ʃtaʀbe] (*fam*) *adj* chalado(-a) (*fam*)
chuchotement [ʃyʃɔtmɑ̃] *nm* cuchicheo
chuchoter [ʃyʃɔte] *vt, vi* cuchichear
chut [ʃyt] *excl* ¡chitón!
chute [ʃyt] *nf* (*aussi fig*) caída; (*de température, pression*) descenso; (*déchet*) recorte *m*; **la ~ des cheveux** la caída del cabello; **faire une ~ (de 10 m)** caerse (10 metros); **~ (d'eau)** salto de agua; **~ des reins** rabadilla; **~ libre** caída libre; **~s de neige** nevadas *fpl*; **~s de pluie** chaparrones *mpl*
Chypre [ʃipʀ] *n* Chipre *f*
ci-, -ci [si] *adv voir* **par**; **comme**; **ci-contre** *etc* ■ *dét*: **ce garçon/cet homme-ci** este chico/este hombre; **ces hommes/femmes-ci** estos hombres/estas mujeres
cible [sibl] *nf* blanco; (*fig*) blanco, objetivo
ciboulette [sibulɛt] *nf* cebolleta
cicatrice [sikatʀis] *nf* cicatriz *f*
cicatriser [sikatʀize] *vt* cicatrizar; **se cicatriser** *vpr* cicatrizarse
ci-contre [sikɔ̃tʀ] *adv* al lado
ci-dessous [sidəsu] *adv* más abajo
ci-dessus [sidəsy] *adv* arriba
cidre [sidʀ] *nm* sidra
Cie *abr* (= *compagnie*) Cía (= *compañía*)
ciel [sjɛl] (*pl* **~s** *ou (litt)* **cieux**) *nm* cielo; **cieux** *nmpl* cielos *mpl*; **à ~ ouvert** a cielo abierto; **tomber du ~** (*arriver à l'improviste*) venir como caído del cielo; (*être stupéfait*) caer de las nubes; **~!** ¡cielos!; **~ de lit** dosel *m*
cieux [sjø] *nmpl voir* **ciel**
cigale [sigal] *nf* cigarra
cigare [sigaʀ] *nm* cigarro, puro
cigarette [sigaʀɛt] *nf* cigarrillo, pitillo; **~ (à) bout filtre** cigarrillo con filtro
ci-inclus, e [siɛ̃kly, yz] *adj* incluso(-a) ■ *adv* incluso
ci-joint, e [siʒwɛ̃, ɛ̃t] *adj* adjunto(-a) ■ *adv* adjunto; **veuillez trouver ~ ...** encontrará adjunto
cil [sil] *nm* pestaña
cime [sim] *nf* cima
ciment [simɑ̃] *nm* cemento; **~ armé** cemento armado
cimetière [simtjɛʀ] *nm* cementerio, camposanto; **~ de voitures** cementerio de coches
cinéaste [sineast] *nm/f* cineasta *m/f*
cinéma [sinema] *nm* cine *m*; **aller au ~** ir al cine; **~ d'animation** cine de dibujos animados
cinq [sɛ̃k] *adj inv, nm inv* cinco *inv*; **avoir ~ ans** tener cinco años; **le ~ décembre** el cinco de diciembre; **à ~ heures** a las cinco; **nous sommes ~** somos cinco; **Henri V (~)** Enrique V (quinto)
cinquantaine [sɛ̃kɑ̃tɛn] *nf*: **une ~ (de)** una cincuentena (de); **avoir la ~** estar en la cincuentena
cinquante [sɛ̃kɑ̃t] *adj inv, nm inv* cincuenta *inv*; *voir aussi* **cinq**
cinquantenaire [sɛ̃kɑ̃tnɛʀ] *adj* (*institution*) cincuentenario(-a); (*personne*) cincuentón(-ona) ■ *nm/f* cincuentón(-ona)
cinquantième [sɛ̃kɑ̃tjɛm] *adj, nm/f* quincuagésimo(-a) ■ *nm* (*partitif*) cincuentavo; **son ~ anniversaire** su cincuenta cumpleaños; **vous êtes le ~** Ud es el (número) cincuenta
cinquième [sɛ̃kjɛm] *adj, nm/f* quinto(-a) ■ *nm* (*partitif*) quinto ■ *nf* (*Auto*) quinta; (*Scol*) *segundo año de educación secundaria en el sistema francés*; **un ~ de la**

population un quinto de la población; **trois ~s** tres quintos
cintre [sɛ̃tʀ] *nm* percha; **plein ~** (*Archit*) medio punto
cintré, e [sɛ̃tʀe] *adj* (*chemise*) entallado(-a); (*porte, fenêtre*) con cimbra
cirage [siʀaʒ] *nm* betún *m*
circonstance [siʀkɔ̃stɑ̃s] *nf* circunstancia; **œuvre/air/tête de ~** obra/aspecto/cara de circunstancias; **~s atténuantes** circunstancias *fpl* atenuantes
circuit [siʀkɥi] *nm* circuito; **~ automobile** circuito automovilístico; **~ de distribution** circuito de distribución; **~ fermé/intégré** circuito cerrado/ integrado
circulaire [siʀkylɛʀ] *adj, nf* circular *f*
circulation [siʀkylasjɔ̃] *nf* circulación *f*; **bonne/mauvaise ~** (*du sang*) buena/ mala circulación; **la ~** (*Auto*) la circulación, el tráfico; **il y a beaucoup de ~** hay mucho tráfico; **mettre en ~** poner en circulación
circuler [siʀkyle] *vi* (*aussi fig*) circular; **faire ~** hacer circular
cire [siʀ] *nf* cera; **~ à cacheter** lacre *m*
ciré, e [siʀe] *adj* encerado(-a) ■ *nm* impermeable *m*
cirer [siʀe] *vt* encerar
cirque [siʀk] *nm* circo; (*désordre*) desbarajuste *m*
ciseaux [sizo] *nmpl* tijeras *fpl*
citadin, e [sitadɛ̃, in] *nm/f, adj* ciudadano(-a)
citation [sitasjɔ̃] *nf* (*d'auteur*) cita; (*Jur*) citación *f*; (*Mil*) mención *f*
cité [site] *nf* ciudad *f*; **~ ouvrière** ciudad obrera; **~ universitaire** ciudad universitaria
citer [site] *vt* citar; (*nommer*) citar, mencionar; **~ (en exemple)** (*personne*) poner como ejemplo; **je ne veux ~ personne** no quiero nombrar a nadie
citoyen, ne [sitwajɛ̃, jɛn] *nm/f* ciudadano(-a)
citron [sitʀɔ̃] *nm* limón *m*; **~ pressé** (*boisson*) zumo natural de limón; **~ vert** limón verde
citronnade [sitʀɔnad] *nf* limonada
citrouille [sitʀuj] *nf* calabaza
civet [sivɛ] *nm* encebollado; **~ de lièvre** encebollado de liebre
civière [sivjɛʀ] *nf* camilla
civil, e [sivil] *adj* civil; (*poli*) cortés ■ *nm* civil *m*; **habillé en ~** vestido de paisano *ou* de civil; **dans le ~** en la vida civil; **mariage/enterrement ~** matrimonio/ entierro civil
civilisation [sivilizasjɔ̃] *nf* civilización *f*
civilisé, e [sivilize] *adj* civilizado(-a)
clair, e [klɛʀ] *adj* (*aussi fig*) claro(-a); (*sauce, soupe*) flojo(-a) ■ *adv*: **voir ~** ver claro ■ *nm*: **~ de lune** claro de luna; **pour être ~** para ser claro(-a); **y voir ~** (*comprendre*) verlo claro; **bleu/rouge ~** azul/rojo claro; **par temps ~** en un día claro; **tirer qch au ~** sacar algo en claro; **il ne voit plus très ~** ya no ve con mucha claridad; **mettre au ~** (*notes etc*) poner en limpio, pasar a limpio; **le plus ~ de son temps/argent** la mayor parte de su tiempo/dinero; **en ~** (*non codé*) no cifrado(-a); (*c'est-à-dire*) claramente, es decir
clairement [klɛʀmɑ̃] *adv* claramente
clairière [klɛʀjɛʀ] *nf* claro, calvero
clandestin, e [klɑ̃dɛstɛ̃, in] *adj* clandestino(-a); **passager ~** polizón *m*; **immigration ~e** inmigración *f* clandestina
claque [klak] *nf* bofetada ■ *nm* (*chapeau*) clac *m*; **la ~** (*Théâtre*) la claque
claquer [klake] *vi* (*coup de feu*) sonar; (*porte*) golpear ■ *vt* (*doigts*) castañetear; (*gifler*) abofetear; **~ la porte** dar un portazo; **elle claquait des dents** le castañeteaban los dientes; **se ~ un muscle** distenderse un músculo
claquettes [klakɛt] *nfpl* claquetas *fpl*
clarinette [klaʀinɛt] *nf* clarinete *m*
classe [klɑs] *nf* (*aussi fig*) clase *f*; (*local*) clase, aula; **un (soldat de) deuxième ~** un soldado raso; **1ère/2ème ~** 1ª/2ª clase; **de ~** (*de qualité*) de clase, de calidad; **faire la ~** dar clase; **aller en ~** ir a clase; **faire ses ~s** (*Mil*) hacer la instrucción; **aller en ~ verte/de neige/de mer** ir al campo/a la nieve/a la playa con el colegio; **~ dirigeante** clase dirigente; **~ grammaticale** clase *ou* categoría gramatical; **~ ouvrière/sociale/touriste** clase obrera/social/turista

CLASSES PRÉPARATOIRES

Las *classes préparatoires* consisten en dos años de estudios intensivos en que los estudiantes se preparan para los exámenes de acceso a las "grandes écoles". Estos cursos, que presentan gran dificultad, son una continuación del "Baccalauréat" y se hacen normalmente en un "lycée". Se considera que los colegios que imparten estas clases son más prestigiosos que el resto.

classement [klasmɑ̃] *nm* clasificación *f*; **premier au ~ général** primero en la clasificación general
classer [klase] *vt* clasificar; (*personne*: *péj*) encasillar; (*Jur*) archivar, cerrar; **se ~ premier/dernier** clasificarse el primero/el último
classeur [klasœʀ] *nm* (*cahier*) clasificador *m*; (*meuble*) archivador *m*; **~ (à feuillets mobiles)** carpeta (de anillas)
classique [klasik] *adj* clásico(-a); (*habituel*) típico(-a) ■ *nm* (*œuvre, auteur*) clásico; **études ~s** estudios *mpl* clásicos
clavecin [klav(ə)sɛ̃] *nm* clavicordio, clavecín *m*
clavicule [klavikyl] *nf* clavícula
clé [kle] *nf* = **clef**
clef [kle] *nf* llave *f*; (*de boîte de conserves*) abrelatas *m inv*, abridor *m*; (*fig*) clave *f* ■ *adj*: **problème/position ~** problema *m*/posición *f* clave; **mettre sous ~** poner bajo llave; **prendre la ~ des champs** tomar las de Villadiego; **prix ~s en main** precio llave en mano; **roman à ~** *novela en la que personas reales aparecen como personajes de ficción*; **à la ~** (*à la fin*) al final; **~ anglaise** *ou* **à molette** llave inglesa; **~ d'ut/de fa/de sol** clave de do/de fa/de sol; **~ de contact** llave de contacto; **~ de voûte** piedra angular; **~ USB** memoria *f* USB, llave *f* USB
clergé [klɛʀʒe] *nm* clero
cliché [kliʃe] *nm* cliché *m*; (*Ling*) tópico, cliché
client, e [klijɑ̃, klijɑ̃t] *nm/f* cliente(-a)
clientèle [klijɑ̃tɛl] *nf* clientela; **accorder/retirer sa ~ à** hacerse/dejar de ser cliente(-a) de
cligner [kliɲe] *vi*: **~ des yeux** (*rapidement*) parpadear; (*fermer à demi*) entornar los ojos; **~ de l'œil** guiñar (el ojo)
clignotant, e [kliɲɔtɑ̃, ɑ̃t] *adj* intermitente ■ *nm* (*Auto*) intermitente *m*, direccional *m* (*AM*); (*indice de danger*) señal *f* de peligro
clignoter [kliɲɔte] *vi* parpadear; (*yeux*) parpadear, pestañear
climat [klima] *nm* clima *m*; (*fig*) clima, ambiente *m*
climatisation [klimatizasjɔ̃] *nf* climatización *f*
climatisé, e [klimatize] *adj* climatizado(-a)
clin d'œil [klɛ̃dœj] *nm* guiño; **en un ~** en un abrir y cerrar de ojos
clinique [klinik] *adj* clínico(-a) ■ *nf* clínica
clip [klip] *nm* clip *m*
cliquer [klike] *vi* (*Inform*) clicar; **~ deux fois** clicar dos veces
clochard, e [klɔʃaʀ, aʀd] *nm/f* mendigo(-a)
cloche [klɔʃ] *nf* (*d'église*) campana; (*fam*: *niais*) tonto(-a); (: *les clochards*) los mendigos; (*chapeau*) sombrero de campana; **se faire sonner les ~s** (*fam*) recibir un rapapolvo; **~ à fromage** quesera
clocher [klɔʃe] *nm* campanario ■ *vi* (*fam*) fallar, no andar bien; **de ~** (*péj*) de pueblo
clochette [klɔʃɛt] *nf* campanilla; (*de vache*) esquila
cloison [klwazɔ̃] *nf* tabique *m*; (*fig*) separación *f*, barrera; **~ étanche** (*fig*) compartimento estanco
cloque [klɔk] *nf* ampolla
clôture [klotyʀ] *nf* (*des débats, d'un festival*) clausura; (*des portes*) cierre *m*; (*des inscriptions*) cierre del plazo; (*d'une manifestation*) cierre, final *m*; (*barrière*) cercado, valla
clou [klu] *nm* clavo; (*Méd*) divieso; **clous** *nmpl* (= *passage clouté*) *voir* **passage**; **pneus à ~s** neumáticos *mpl* para nieve *ou* montaña; **le ~ du spectacle** (*fig*) la principal atracción del espectáculo; **~ de girofle** clavo de especia
clown [klun] *nm* payaso, clown *m*; **faire le ~** hacer el payaso *ou* el tonto
club [klœb] *nm* club *m*
CM *sigle f* (*Scol*: = *cours moyen*) *voir* **cours**
CMU [seɛmy] *nf* (= *couverture maladie universelle*) *seguro de enfermedad para personas sin recursos económicos*
CNRS [seɛnɛʀɛs] *sigle m* (= *Centre national de la recherche scientifique*) ≈ CSIC *m* (= *Consejo Superior de Investigaciones Científicas*)
c/o *abr* (= *care of*) a/c (= *al cuidado de*)
coaguler [kɔagyle] *vi* (*aussi*: **se coaguler**) coagularse
cobaye [kɔbaj] *nm* cobaya *m ou f*, conejillo de Indias; (*fig*) cobaya
coca [kɔka] *nm* coca
cocaïne [kɔkain] *nf* cocaína
coccinelle [kɔksinɛl] *nf* mariquita
cocher [kɔʃe] *nm* cochero ■ *vt* marcar (*con una cruz*)
cochon [kɔʃɔ̃] *nm* cerdo, cancho (*AM*) ■ *nm/f* (*péj*) cerdo(-a) ■ *adj* (*fam*: *livre, histoire, propos*) verde; **~ d'Inde** conejillo de Indias, cobaya *m ou f*; **~ de lait** cochinillo, lechón *m*
cochonnerie [kɔʃɔnʀi] (*fam*) *nf* porquería; (*grivoiserie*) cochinada

cocktail [kɔktɛl] *nm* cóctel *m*, highball *ou* jaibol *m* (*AM*), daiquiri *ou* daiquirí *m* (*AM*)
cocorico [kɔkɔʀiko] *excl* ¡quiquiriquí! ■ *nm* quiquiriquí *m*
cocotte [kɔkɔt] *nf* olla, cacerola; **ma ~** (*fam*) guapa; **~ en papier** pajarita de papel; **~ (minute)®** olla a presión
code [kɔd] *nm* código; (*conventions*) reglas *fpl*; **se mettre en ~(s)** (*Auto*) poner las luces de cruce; **éclairage** *ou* **phares ~(s)** luz *f* de cruce; **~ à barres** código de barras; **~ civil** código civil; **~ de caractère** código de carácter; **~ de la route** código de la circulación; **~ machine** código máquina; **~ pénal** código penal; **~ postal** código postal; **~ secret** código secreto
cœur [kœʀ] *nm* corazón *m*; (*Cartes: couleur*) corazones *mpl*; (*: carte*) corazón; **affaire de ~** asunto del corazón, asunto sentimental; **avoir bon/du ~** tener buen corazón; **avoir mal au ~** tener náuseas; **contre son ~** contra su pecho; **opérer qn à ~ ouvert** operar a algn a corazón abierto; **recevoir qn à ~ ouvert** recibir a algn con las manos llenas; **parler à ~ ouvert** hablar con el corazón en la mano; **de tout son ~** de todo corazón; **avoir le ~ gros** *ou* **serré** estar acongojado; **en avoir le ~ net** saber a qué atenerse; **avoir le ~ sur la main** ser muy generoso; **par ~** de memoria; **de bon/grand ~** con toda el alma; **avoir à ~ de faire** empeñarse en hacer; **cela lui tient à ~** esto le apasiona; **prendre les choses à ~** tomar las cosas a pecho; **s'en donner à ~ joie** gozar; **être de (tout) ~ avec qn** apoyar a algn, estar (moralmente) con algn; **~ d'artichaut** corazón de alcachofa; **~ de la forêt** corazón del bosque; **~ de laitue** cogollo de lechuga; **~ de l'été** pleno verano; **~ du débat** (*fig*) centro del debate, meollo del debate
coffre [kɔfʀ] *nm* (*meuble*) arca; (*coffre-fort*) cofre *m*; (*d'auto*) maletero, baúl *m* (*AM*), maletera (*And, Csur*); **avoir du ~** (*fam*) tener mucho fuelle
coffret [kɔfʀɛ] *nm* cofrecito; **~ à bijoux** joyero
cognac [kɔɲak] *nm* coñac *m*
cogner [kɔɲe] *vt, vi* golpear; **se cogner** *vpr* darse un golpe; **~ sur/contre** golpear en/contra; **~ à la porte/fenêtre** golpear a la puerta/ventana
cohabiter [kɔabite] *vi* cohabitar
cohérent, e [kɔeʀɑ̃, ɑ̃t] *adj* coherente
coiffé, e [kwafe] *adj*: **bien/mal ~** bien/mal peinado(-a); **~ d'un béret** cubierto(-a) con una boina; **~ d'un chapeau** cubierto(-a) con un sombrero; **~ en arrière** peinado(-a) hacia atrás; **~ en brosse** peinado(-a) con el cepillo
coiffer [kwafe] *vt* peinar; (*colline, sommet*) coronar; (*Admin*) estar al frente de; (*dépasser*) ganar, sobrepasar; **se coiffer** *vpr* peinarse; (*se couvrir*) tocarse; **~ qn d'un béret** cubrir la cabeza de algn con una boina
coiffeur, -euse [kwafœʀ, øz] *nm/f* peluquero(-a)
coiffeuse [kwaføz] *nf* (*table*) tocador *m*, coqueta
coiffure [kwafyʀ] *nf* (*cheveux*) peinado; (*chapeau*) tocado; **la ~** la peluquería
coin [kwɛ̃] *nm* (*gén*) esquina; (*pour caler*) calzo; (*pour fendre le bois*) cuña; (*d'une table etc*) rincón *m*; (*poinçon*) troquel *m*; **l'épicerie du ~** el ultramarinos de la esquina; **dans le ~** por aquí; **au ~ du feu** al amor de la lumbre; **du ~ de l'œil** de reojo; **regard/sourire en ~** mirada/sonrisa de soslayo
coincé, e [kwɛ̃se] *adj* (*tiroir, pièce mobile*) atascado(-a); (*fig*) corto(-a)
coincer [kwɛ̃se] *vt* calzar; (*fam: par une question, une manœuvre*) pillar; **se coincer** *vpr* atascarse
coïncidence [kɔɛ̃sidɑ̃s] *nf* coincidencia
coïncider [kɔɛ̃side] *vi*: **~ avec** coincidir con
coing [kwɛ̃] *nm* membrillo
col¹ [kɔl] *nm* cuello; (*de montagne*) puerto; **~ de l'utérus** cuello del útero; **~ du fémur** cuello del fémur; **~ roulé** cuello vuelto
col² [kɔl] *abr* (= *colonne*) col., col.ª (= *columna*)
colère [kɔlɛʀ] *nf* ira, cólera, enojo (*esp AM*); **être en ~ (contre qn)** estar enfadado(-a) *ou* enojado(-a) (*esp AM*) (con algn); **mettre qn en ~** hacer enfadar a algn, enojar a algn (*esp AM*); **se mettre en ~** enfadarse, enojarse (*esp AM*); **piquer une ~** (*fam*) ponerse hecho una furia
coléreux, -euse [kɔleʀø, øz] *adj* colérico(-a)
colin [kɔlɛ̃] *nm* merluza
colique [kɔlik] *nf* cólico; (*fig*) tostón *m*; **~ néphrétique** cólico nefrítico
colis [kɔli] *nm* paquete *m*; **par ~ postal** por paquete postal
collaboration [kɔ(l)labɔʀasjɔ̃] *nf* colaboración *f*; (*Pol*) colaboracionismo; **en ~ avec** en colaboración con
collaborer [kɔ(l)labɔʀe] *vi* (*aussi Pol*) colaborar; **~ à** colaborar en

collant, e [kɔlɑ̃, ɑ̃t] *adj* adherente; (*robe*) ajustado(-a); (*péj: personne*) pegajoso(-a) ▪ *nm* (*bas*) pantis *mpl*; (*de danseur*) malla
colle [kɔl] *nf* (*à papier*) pegamento; (*à papiers peints*) cola; (*devinette*) pega; **avoir une ~** (*Scol*) quedarse castigado; **~ de bureau** goma de pegar; **~ forte** cola fuerte
collecte [kɔlɛkt] *nf* colecta; **faire une ~** hacer una colecta
collectif, -ive [kɔlɛktif, iv] *adj* colectivo(-a) ▪ *nm* colectivo; **immeuble ~** edificio social; **~ budgétaire** ley *f* de presupuestos adicional
collection [kɔlɛksjɔ̃] *nf* colección *f*; (*Comm*) muestrario; **pièce de ~** pieza de colección; **faire (la) ~ de** coleccionar, hacer (una) colección de; **(toute) une ~ de** (*fig*) (toda) una colección de; **~ (de mode)** colección (de moda)
collectionner [kɔlɛksjɔne] *vt* coleccionar
collectionneur, -euse [kɔlɛksjɔnœʀ, øz] *nm/f* coleccionista *m/f*
collectivité [kɔlɛktivite] *nf* colectivo; **la ~** la colectividad; **~s locales** administraciones *fpl* locales
collège [kɔlɛʒ] *nm* colegio; **~ d'enseignement secondaire** colegio de enseñanza media; **~ électoral** colegio electoral

COLLÈGE

El *collège* es un colegio público de educación secundaria para estudiantes de entre once y quince años. Los alumnos siguen un plan de estudios que consta de una serie de asignaturas comunes y varias optativas. Los colegios tienen libertad para elaborar sus propios horarios y escoger su propia metodología. Antes de que dejen el *collège*, se evalúa el trabajo de los alumnos durante la etapa y se les examina para la obtención del *brevet des collèges*.

collégien, ne [kɔleʒjɛ̃, jɛn] *nm/f* colegial *m/f*
collègue [kɔ(l)lɛg] *nm/f* colega *m/f*
coller [kɔle] *vt* pegar; (*papier peint*) encolar; (*fam: mettre*) meter; (*par une devinette*) pillar; (*Scol: fam*) catear ▪ *vi* (*être collant*) pegarse; (*adhérer*) pegar; **~ son front à la vitre** pegar la frente contra el cristal; **~ qch sur** pegar algo en; **~ à** adherir a; (*fig*) cuadrar con
collier [kɔlje] *nm* collar *m*; (*Tech*) collar *m*, abrazadera; **~ (de barbe), barbe en ~** sotabarba; **~ de serrage** brida de apriete
colline [kɔlin] *nf* colina
collision [kɔlizjɔ̃] *nf* colisión *f*; (*fig*) choque *m*; **entrer en ~ (avec)** chocar (con)
colloque [kɔ(l)lɔk] *nm* coloquio
collyre [kɔliʀ] *nm* colirio
colombe [kɔlɔ̃b] *nf* paloma
Colombie [kɔlɔ̃bi] *nf* Colombia
colonie [kɔlɔni] *nf* colonia; **~ (de vacances)** colonia (de vacaciones)
colonne [kɔlɔn] *nf* columna; **se mettre en ~ par deux/quatre** formar columna de a dos/cuatro; **en ~ par deux** en columna de a dos; **~ de secours** columna de socorro; **~ (vertébrale)** columna vertebral
colorant, e [kɔlɔʀɑ̃, ɑ̃t] *adj* colorante ▪ *nm* colorante *m*
colorer [kɔlɔʀe] *vt* colorear; **se colorer** *vpr* (*ciel*) colorearse; (*joues*) sonrojarse; (*tomates, raisins*) coger color
colorier [kɔlɔʀje] *vt* colorear, pintar; **album à ~** álbum *m* de colorear
coloris [kɔlɔʀi] *nm* colorido
colza [kɔlza] *nm* colza
coma [kɔma] *nm* coma *m*; **être dans le ~** estar en coma
combat [kɔ̃ba] *vb voir* **combattre** ▪ *nm* (*Mil*) combate *m*; (*fig*) lucha; **~ de boxe** combate de boxeo; **~ de rues** pelea callejera
combattant, e [kɔ̃batɑ̃, ɑ̃t] *vb voir* **combattre** ▪ *adj* combatiente ▪ *nm* combatiente *m*; (*d'une rixe*) contendiente *m*; **ancien ~** antiguo combatiente
combattre [kɔ̃batʀ] *vt, vi* combatir
combien [kɔ̃bjɛ̃] *adv* (*interrogatif*) cuánto(-a); (*nombre*) cuántos(-as); (*exclamatif: comme, que*) cómo, qué; **~ de** cuántos(-as); **~ de temps** cuánto tiempo; **~ coûte/pèse ceci?** ¿cuánto cuesta/pesa esto?; **vous mesurez ~?** ¿cuánto mide usted?; **ça fait ~?** ¿cuánto es?; **ça fait ~ en largeur?** ¿cuánto mide de ancho?
combinaison [kɔ̃binɛzɔ̃] *nf* combinación *f*; (*astuce*) plan *m*; (*vestido, Sport*) traje *m*; (*bleu de travail*) mono, overol *m* (*AM*)
combiné [kɔ̃bine] *nm* (*aussi:* **combiné téléphonique**) auricular *m*; (*Ski*) prueba mixta; (*vêtement*) conjunto (de lencería)
comble [kɔ̃bl] *adj* abarrotado(-a) ▪ *nm* (*du bonheur, plaisir*) colmo; **combles** *nmpl* (*Constr*) armazón *msg* del tejado; **de fond en ~** de arriba abajo; **pour ~ de**

malchance para colmo de desgracia; **c'est le ~!** ¡es el colmo!; **sous les ~s** en el desván
combler [kɔ̃ble] *vt* (*trou*) llenar; (*fig*) llenar, cubrir; (*satisfaire*) colmar; **~ qn de joie/d'honneurs** colmar a algn de alegría/de honores
comédie [kɔmedi] *nf* comedia; **jouer la ~** (*fig*) hacer la comedia; **~ musicale** comedia musical

Comédie française

La *Comédie française*, fundada en 1680 por Luis XIV, es el teatro nacional de Francia. Financiada con fondos públicos, la compañía actúa principalmente en el Palais Royal de París y pone en escena fundamentalmente obras del teatro clásico francés.

comédien, ne [kɔmedjɛ̃, jɛn] *nm/f* (*Théâtre, fig*) comediante(-a); (*comique*) cómico(-a)
comestible [kɔmɛstibl] *adj* comestible; **comestibles** *nmpl* comestibles *mpl*
comique [kɔmik] *adj* cómico(-a) ■ *nm* cómico(-a); **le ~ de qch** lo gracioso de algo
commandant [kɔmɑ̃dɑ̃] *nm* comandante *m*; **~ (de bord)** comandante (de a bordo)
commande [kɔmɑ̃d] *nf* (*Comm*) pedido; (*Inform*) mando; **commandes** *nfpl* mandos *mpl*; **passer une ~ (de)** cursar un pedido (de); **sur ~** de encargo; **véhicule à double ~** vehículo de doble mando; **~ à distance** mando a distancia
commander [kɔmɑ̃de] *vt* (*Comm*) encargar, pedir; (*diriger, ordonner*) mandar; (*contrôler*) regular, controlar; (*imposer*) exigir; **~ à** (*Mil*) mandar a; (*fig*) dominar a; **~ à qn de faire qch** ordenar a algn que haga algo

MOT-CLÉ

comme [kɔm] *prép* **1** (*comparaison*) como; **tout comme son père** igual que su padre; **fort comme un bœuf** fuerte como un toro; **il est petit comme tout** es muy pequeño; **il est rond comme une bille** (*fam*) está como una cuba; **comme c'est pas permis** (*fam*) como él (ella) solo(-a)
2 (*manière*): **comme ça** así; **comment ça va? - comme ça** ¿qué tal? - así, así; **comme ci, comme ça** así, así; **faites comme cela** hágalo así; **on ne parle pas comme ça à ...** no se habla así a ...
3 (*en tant que*): **donner comme prix/heure** dar como precio/hora; **travailler comme secrétaire** trabajar de secretaria
■ *conj* **1** (*ainsi que*) como; **elle écrit comme elle parle** escribe como habla; **comme on dit** como se dice; **comme si** como si; **comme quoi ...** (*disant que*) en el/la/los/las que dice *etc* que ...; (*d'où il s'ensuit que*) lo que demuestra que; **comme de juste** como es natural; **comme il faut** como es debido
2 (*au moment où, alors que*) cuando; **il est parti comme j'arrivais** se marchó cuando yo llegaba
3 (*parce que, puisque*) como; **comme il était en retard, ...** como se retrasaba, ...
■ *adv* (*exclamation*): **comme c'est bon/il est fort!** ¡qué bueno está!/¡qué fuerte es!

commencement [kɔmɑ̃smɑ̃] *nm* comienzo; **commencements** comienzos *mpl*
commencer [kɔmɑ̃se] *vt, vi* comenzar, empezar; (*être placé au début de*) iniciar; **~ à** *ou* **de faire** comenzar *ou* empezar a hacer; **~ par qch** comenzar *ou* empezar por algo; **~ par faire qch** comenzar *ou* empezar por hacer algo
comment [kɔmɑ̃] *adv* (*interrogatif*) cómo; **~?** ¿cómo?, ¿mande (usted)?; **~!** (*affirmatif: de quelle façon*) ¡claro!; **et ~!** ¡pero cómo!; **~ donc!** (*bien sûr*) ¡por supuesto!, ¡pues claro!; **~ aurais-tu fait?** ¿cómo habrías hecho?; **~ tu t'y serais pris?** ¿qué habrías hecho tú?; **~ faire?** ¿cómo hacemos?; **~ se fait-il que?** ¿cómo es que ... ?; **~ ça s'appelle?** ¿cómo se llama eso?; **~ est-ce qu'on ...?** ¿cómo se ...?; **le ~ et le pourquoi** el cómo y el por qué
commentaire [kɔmɑ̃tɛʀ] *nm* (*gén pl*) comentario; **~ (de texte)** comentario (de textos); **~ sur image** comentario con soporte gráfico
commerçant, e [kɔmɛʀsɑ̃, ɑ̃t] *adj* (*rue, ville*) comercial; (*personne*) comerciante ■ *nm/f* comerciante *m/f*
commerce [kɔmɛʀs] *nm* (*activité*) comercio, negocio; (*boutique*) comercio, tienda; (*fig: rapports*) trato; **le petit ~** el pequeño comercio; **faire ~ de** comerciar *ou* negociar en; (*fig: péj*) comerciar en; **chambre de ~** cámara de comercio; **livres de ~** libros de comercio; **vendu dans le ~** de venta en comercios; **vendu hors-~** de venta fuera de comercio; **~ en**

ou **de gros** comercio al por mayor; **~ équitable** comercio justo; **~ extérieur** comercio exterior; **~ intérieur** comercio interior

commercial, e, -aux [kɔmɛʀsjal, jo] *adj (aussi péj)* comercial ▪ *nm*: **les commerciaux** los representantes

commercialiser [kɔmɛʀsjalize] *vt* comercializar

commissaire [kɔmisɛʀ] *nm* comisario; **~ aux comptes** interventor *m ou* censor *m* de cuentas; **~ du bord** sobrecargo

commissariat [kɔmisaʀja] *nm* comisaría; *(Admin)* administración *f*

commission [kɔmisjɔ̃] *nf* comisión *f*; *(message)* recado; *(course)* encargo, recado; **commissions** *nfpl* compras *fpl*; **~ d'examen** comisión de examen, tribunal *m*

commode [kɔmɔd] *adj* cómodo(-a); *(air, personne)* amable; *(personne)*: **pas ~** difícil ▪ *nf* cómoda

commun, e [kɔmœ̃, yn] *adj* común, colectivo(-a) ▪ *nm*: **cela sort du ~** eso sale de lo común; **communs** *nmpl* dependencias *fpl*; **le ~ des mortels** el común de las gentes; **sans ~e mesure** sin comparación; **bien ~** bien *m* común; **être ~ à** ser propio de; **en ~** en común; **peu ~** poco común; **d'un ~ accord** de común acuerdo

communauté [kɔmynote] *nf* comunidad *f*; *(Jur)*: **régime de la ~** régimen *m* de la comunidad

commune [kɔmyn] *adj f voir* **commun** ▪ *nf* municipio

communication [kɔmynikasjɔ̃] *nf* comunicación *f*; **communications** *nfpl* comunicaciones *fpl*; **vous avez la ~** ya tiene la llamada; **donnez-moi la ~ avec** páseme la llamada con; **avoir la ~ (avec)** recibir la llamada (de); **mettre qn en ~ avec qn** *(en contact)* poner a algn en contacto con algn; *(au téléphone)* poner a algn en comunicación con; **~ avec préavis** aviso de conferencia; **~ interurbaine** llamada interurbana

communier [kɔmynje] *vi* comulgar

communion [kɔmynjɔ̃] *nf* comunión *f*; **première ~** primera comunión; **~ solennelle** comunión solemne

communiquer [kɔmynike] *vt* comunicar; *(demande, dossier)* presentar; *(maladie, chaleur)* transmitir ▪ *vi* comunicarse; **se communiquer à** *vpr* tra(n)smitirse a; **~ avec** comunicar con

communisme [kɔmynism] *nm* comunismo

communiste [kɔmynist] *adj, nm/f* comunista *m/f*

commutateur [kɔmytatœʀ] *nm* conmutador *m*

compact, e [kɔ̃pakt] *adj* compacto(-a); *(foule)* denso(-a)

compagne [kɔ̃paɲ] *nf* compañera

compagnie [kɔ̃paɲi] *nf* compañía; **la ~ de qn** la compañía de algn; **homme/femme de ~** hombre *m*/mujer *f* de compañía; **tenir ~ à qn** hacer compañía a algn; **fausser ~ à qn** plantar a algn; **en ~ de** en compañía de; **Dupont et ~, Dupont et Cie** Dupont y compañía, Dupont y Cía; **~ aérienne** compañía aérea

compagnon [kɔ̃paɲɔ̃] *nm* compañero; *(autrefois: ouvrier)* obrero

comparable [kɔ̃paʀabl] *adj*: **~ (à)** comparable (a)

comparaison [kɔ̃paʀɛzɔ̃] *nf* comparación *f*; **en ~ (de)** en comparación (con); **par ~ (à)** comparado(-a) (a); **sans ~** *(indubitablement)* sin comparación

comparer [kɔ̃paʀe] *vt* comparar; **~ qch/qn à** *ou* **et** comparar algo/algn a *ou* con

compartiment [kɔ̃paʀtimɑ̃] *nm (de train)* compartim(i)ento; *(case)* casilla

compas [kɔ̃pɑ] *nm* compás *m*

compatible [kɔ̃patibl] *adj*: **~ (avec)** compatible (con)

compatriote [kɔ̃patʀijɔt] *nm/f* compatriota *m/f*

compensation [kɔ̃pɑ̃sasjɔ̃] *nf* *(dédommagement)* compensación *f*; **en ~** en compensación

compenser [kɔ̃pɑ̃se] *vt* compensar

compétence [kɔ̃petɑ̃s] *nf (aussi Jur)* competencia

compétent, e [kɔ̃petɑ̃, ɑ̃t] *adj* competente

compétition [kɔ̃petisjɔ̃] *nf* competencia; *(Sport)* competición *f*; **la ~** la competición; **être en ~ avec** estar en competencia con; **~ automobile** competición automovilística

complément [kɔ̃plemɑ̃] *nm (gén, aussi Ling)* complemento; *(reste)* resto; **~ (circonstanciel) de lieu** complemento (circunstancial) de lugar; **~ d'agent** complemento agente; **~ d'information** *(Admin)* suplemento (informativo); **~ (d'objet) direct/indirect** complemento directo/indirecto; **~ de nom** complemento del nombre

complémentaire [kɔ̃plemɑ̃tɛʀ] *adj* complementario(-a)

complet, -ète [kɔ̃plɛ, ɛt] *adj* completo(-a) ■ *nm* (*aussi*: **complet-veston**) traje *m*; **au (grand) ~** en pleno
complètement [kɔ̃plɛtmɑ̃] *adv* completamente; (*étudier*) a fondo; **~ nu** completamente desnudo
compléter [kɔ̃plete] *vt* completar; **se compléter** *vpr* complementarse
complexe [kɔ̃plɛks] *adj* complejo(-a) ■ *nm* complejo; **~ industriel/portuaire/hospitalier** complejo industrial/portuario/hospitalario
complexé, e [kɔ̃plɛkse] *adj* acomplejado(-a)
complication [kɔ̃plikasjɔ̃] *nf* complicación *f*; **complications** *nfpl* (*Méd*) complicaciones *fpl*
complice [kɔ̃plis] *nm/f* cómplice *m/f*
compliment [kɔ̃plimɑ̃] *nm* cumplido; **compliments** *nmpl* (*félicitations*) enhorabuena *fsg*
compliqué, e [kɔ̃plike] *adj* complicado(-a)
comportement [kɔ̃pɔʀtəmɑ̃] *nm* comportamiento
comporter [kɔ̃pɔʀte] *vt* constar de; (*impliquer*) conllevar; **se comporter** *vpr* comportarse
composer [kɔ̃poze] *vt* componer ■ *vi* (*Scol*) redactar; (*transiger*) transigir; **se ~ de** componerse de; **~ un numéro** marcar *ou* discar (*AM*) un número
compositeur, -trice [kɔ̃pozitœʀ, tʀis] *nm/f* (*Mus*) compositor(a); (*Typo*) cajista *m/f*
composition [kɔ̃pozisjɔ̃] *nf* composición *f*; (*Scol: d'histoire, de math*) prueba; **de bonne ~** acomodadizo(-a); **~ française** redacción *f* de francés
composter [kɔ̃pɔste] *vt* (*dater*) fechar; (*poinçonner*) picar, perforar
compote [kɔ̃pɔt] *nf* compota; **~ de pommes** compota de manzana
compréhensible [kɔ̃pʀeɑ̃sibl] *adj* (*aussi fig*) comprensible
compréhensif, -ive [kɔ̃pʀeɑ̃sif, iv] *adj* comprensivo(-a)
comprendre [kɔ̃pʀɑ̃dʀ] *vt* (*se composer de, être muni de*) comprender, constar de; (*sens, problème*) comprender, entender; (*sympathiser avec*) comprender; (*point de vue*) entender; **se faire ~** hacerse entender; **je me fais ~?** ¿me explico?
compresse [kɔ̃pʀɛs] *nf* compresa
compresser [kɔ̃pʀese] *vt* (*Inform*) comprimir
comprimé, e [kɔ̃pʀime] *adj*: **air ~** aire *m* comprimido ■ *nm* comprimido, pastilla
compris, e [kɔ̃pʀi, iz] *pp de* **comprendre** ■ *adj* (*inclus*) incluido(-a); **~ entre ...** (*situé*) situado(-a) entre ...; **~?** ¿entendido?; **la maison ~e/non ~e** incluida la casa/sin incluir la casa; **y/non ~ la maison** inclusive la casa/sin incluir la casa; **service ~** servicio incluido; **100 euros tout ~** 100 euros con todo incluido
comptabilité [kɔ̃tabilite] *nf* contabilidad *f*; **~ en partie double** contabilidad por partida doble
comptable [kɔ̃tabl] *nm/f, adj* contable *m/f*, contador *m* (*AM*); **~ de** responsable de
comptant [kɔ̃tɑ̃] *adv*: **payer/acheter ~** pagar/comprar al contado
compte [kɔ̃t] *nm* cuenta; **comptes** *nmpl* (*comptabilité*) cuentas *fpl*; **ouvrir un ~** abrir una cuenta; **rendre des ~s à qn** (*fig*) dar cuentas a algn; **faire le ~ de** hacer la cuenta de; **tout ~ fait, au bout du ~** después de todo; **à ce ~-là** (*dans ce cas*) en este caso; (*à ce train-là*) a este paso; **en fin de ~** (*fig*) a fin de cuentas; **à bon ~** a buen precio; **avoir son ~** (*fig: fam*) tener su merecido; **pour le ~ de qn** por cuenta de algn; **pour son propre ~** por su propia cuenta; **sur le ~ de qn** (*à son sujet*) acerca de algn; **travailler à son ~** trabajar por su cuenta; **mettre qch sur le ~ de qn** echar la culpa de algo a algn; **prendre qch à son ~** hacerse cargo de algo; **trouver son ~ à** sacar provecho a, tener interés en; **régler un ~** ajustar cuentas; **rendre ~ (à qn) de qch** dar cuenta de algo (a algn); **tenir ~ de qch/que** tener en cuenta algo/que; **~ tenu de** teniendo en cuenta, habida cuenta de; **il a fait cela sans avoir tenu ~ de ...** hizo eso sin haber tenido en cuenta ...; **~ à rebours** cuenta atrás; **~ chèque postal, ~ chèques postaux** cuenta de cheques postales; **~ chèques** cuenta corriente con cheques; **~ client** cuentas por cobrar; **~ courant** cuenta corriente; **~ de dépôt/d'exploitation** cuenta de depósito/de explotación; **~ fournisseur** cuentas por pagar; **~ rendu** informe *m*; (*de film, livre*) reseña
compte-gouttes [kɔ̃tgut] *nm inv* cuentagotas *m inv*
compter [kɔ̃te] *vt* contar; (*facturer*) cobrar; (*comporter*) constar de ■ *vi* contar; (*être économe*) hacer números; **~ pour** (*valoir*) servir para, contar para; **~ parmi** figurar entre; **~ réussir/revenir** esperar aprobar/volver; **~ sur** (*se fier à*) contar con; **~ avec/sans qch/qn** contar

con/sin algo/algn; **sans ~ que** sin contar con que; **à ~ du 10 janvier** a partir del 10 de enero; **ça compte beaucoup pour moi** esto tiene mucha importancia para mí; **je compte bien que** espero que

compteur [kɔ̃tœʀ] *nm* (*d'auto*) cuentakilómetros *m inv*; (*à gaz, électrique*) contador *m*; **~ de vitesse** velocímetro

comptoir [kɔ̃twaʀ] *nm* (*de magasin*) mostrador *m*; (*de café*) barra; (*ville coloniale*) factoría

con, ne [kɔ̃, kɔn] (*fam!*) *adj, nm/f* gilipollas *m/f inv* (*fam!*)

concentré, e [kɔ̃sɑ̃tʀe] *adj* concentrado(-a) ▪ *nm* concentrado

concentrer [kɔ̃sɑ̃tʀe] *vt* concentrar; **se concentrer** *vpr* concentrarse

concerner [kɔ̃sɛʀne] *vt* concernir a; **en ce qui me concerne** en lo que a mí respecta; **en ce qui concerne ceci** en lo que concierne a esto, en lo referente a esto

concert [kɔ̃sɛʀ] *nm* (*Mus*) concierto; (*fig*) coro; **de ~** de concierto

concessionnaire [kɔ̃sesjɔnɛʀ] *nm/f* concesionario(-a)

concevoir [kɔ̃s(ə)vwaʀ] *vt* concebir; (*décoration etc*) imaginar; (*machine*) diseñar; (*éprouver*) sentir; (*comprendre, saisir*) comprender; **appartement bien/mal conçu** piso bien/mal diseñado

concierge [kɔ̃sjɛʀʒ] *nm/f* portero(-a); (*d'hôtel*) conserje *m*

concis, e [kɔ̃si, iz] *adj* conciso(-a)

conclure [kɔ̃klyʀ] *vt* (*accord, pacte*) firmar; (*terminer*) concluir, terminar; **~ qch de qch** deducir algo de algo; **~ à** (*Jur, gén*): **~ au suicide** decidirse *ou* pronunciarse por un suicidio; **~ à l'acquittement** pronunciarse por la absolución, dictar la libre absolución; **~ un marché** cerrar un trato; **j'en conclus que** deduzco que

conclusion [kɔ̃klyzjɔ̃] *nf* conclusión *f*; **conclusions** *nfpl* (*Jur*) conclusiones *fpl*; **en ~** en conclusión

conçois *etc* [kɔ̃swa] *vb voir* **concevoir**

concombre [kɔ̃kɔ̃bʀ] *nm* pepino

concours [kɔ̃kuʀ] *nm* concurso; (*Scol*) examen *m* eliminatorio; **recrutement par voie de ~** (*Admin*) incorporación *f* mediante oposición; (*Scol*) incorporación mediante examen eliminatorio; **apporter son ~ à** ayudar a; **~ de circonstances** cúmulo de circunstancias; **~ hippique** concurso hípico

concret, -ète [kɔ̃kʀɛ, ɛt] *adj* concreto(-a); **musique concrète** música concreta

conçu, e [kɔ̃sy] *pp de* **concevoir**

concubinage [kɔ̃kybinaʒ] *nm* concubinato

concurrence [kɔ̃kyʀɑ̃s] *nf* competencia; **en ~ avec** en competencia con; **jusqu'à ~ de** hasta un total de; **~ déloyale** competencia desleal

concurrent, e [kɔ̃kyʀɑ̃, ɑ̃t] *adj* (*société*) competidor(a); (*parti*) opositor(a) ▪ *nm/f* (*Sport, Écon*) competidor(a); (*Scol*) candidato(-a)

condamner [kɔ̃dɑne] *vt* condenar; (*malade*) desahuciar; (*fig*) invalidar; **~ qn à qch/à faire** (*obliger*) condenar a algn a algo/a hacer; **~ qn à 2 ans de prison** condenar a algn a 2 años de prisión; **~ qn à une amende** imponer una multa a algn

condensation [kɔ̃dɑ̃sasjɔ̃] *nf* condensación *f*

condition [kɔ̃disjɔ̃] *nf* condición *f*; (*rang social*) condición, clase *f*; (*ouvrière etc*) clase; **conditions** *nfpl* (*tarif, prix, circonstances*) condiciones *fpl*; **sans ~** *adj* sin condición ▪ *adv* incondicionalmente; **à/sous ~ de/que** a/con la condición de/de que; **en bonne ~** (*aliments, envoi*) en buen estado; **mettre en ~** (*Sport*) entrenar; (*Psych*) condicionar; **~s atmosphériques** condiciones atmosféricas; **~s de vie** condiciones de vida

conditionnement [kɔ̃disjɔnmɑ̃] *nm* acondicionamiento; (*emballage*) embalaje *m*, envasado; (*fig*) condicionamiento

condoléances [kɔ̃dɔleɑ̃s] *nfpl* pésame *m*

conducteur, -trice [kɔ̃dyktœʀ, tʀis] *adj* conductor(a) ▪ *nm* (*Élec*) conductor *m* ▪ *nm/f* conductor(a)

conduire [kɔ̃dɥiʀ] *vt* conducir; (*passager*) llevar; (*diriger*) dirigir; **se conduire** *vpr* comportarse, portarse; **~ vers/à** (*suj: route*) conducir a, llevar hacia/a; **~ à** (*suj: attitude, erreur*) llevar a; **~ qn quelque part** llevar a algn a algún sitio; **se ~ bien/mal** portarse bien/mal

conduite [kɔ̃dɥit] *nf* (*en auto*) conducción *f*, manejo (*AM*); (*comportement*) conducta; (*d'eau, gaz*) conducto; **sous la ~ de** bajo la dirección de; **~ à gauche** volante *m* a la izquierda; **~ forcée** tubería *ou* conducción *f* forzada; **~ intérieure** coche *m* cerrado, limusina

confection [kɔ̃fɛksjɔ̃] *nf* confección *f*; **la ~** (*Couture*) la confección; **vêtement de ~** ropa de confección

conférence [kɔ̃feʀɑ̃s] *nf* conferencia; **~ au sommet** conferencia cumbre; **~ de presse** conferencia de prensa

confesser [kɔ̃fese] *vt* confesar; **se confesser** *vpr* confesarse
confession [kɔ̃fesjɔ̃] *nf* confesión *f*
confiance [kɔ̃fjɑ̃s] *nf* confianza; **avoir ~ en** tener confianza en; **faire ~ à** confiar en; **en toute ~** con toda confianza; **mettre qn en ~** dar confianza a algn; **de ~** de confianza; **question/vote de ~** moción *f*/voto de confianza; **inspirer ~ à** inspirar confianza a; **digne de ~** digno de confianza; **~ en soi** confianza en sí mismo
confiant, e [kɔ̃fjɑ̃, jɑ̃t] *adj* confiado(-a)
confidence [kɔ̃fidɑ̃s] *nf* confidencia
confidentiel, le [kɔ̃fidɑ̃sjɛl] *adj* confidencial
confier [kɔ̃fje] *vt* confiar; **~ à qn** (*en dépôt, garde*) confiar a algn; **se ~ à qn** confiarse a algn
confirmation [kɔ̃fiʀmasjɔ̃] *nf* confirmación *f*
confirmer [kɔ̃fiʀme] *vt* confirmar; **~ qn dans une croyance** reafirmar a algn en sus creencias; **~ qn dans ses fonctions** ratificar a algn en sus funciones; **~ qch à qn** confirmar algo a algn
confiserie [kɔ̃fizʀi] *nf* confitería; **confiseries** *nfpl* golosinas *fpl*
confisquer [kɔ̃fiske] *vt* (*Jur*) confiscar; (*à un enfant*) quitar
confit, e [kɔ̃fi, it] *adj*: **fruits ~s** frutas *fpl* confitadas; **~ d'oie** *nm* conserva de oca en su grasa
confiture [kɔ̃fityʀ] *nf* confitura, mermelada; **~ d'oranges** confitura de naranja
conflit [kɔ̃fli] *nm* conflicto; (*fig*) choque *m*, conflicto; **~ armé** conflicto armado
confondre [kɔ̃fɔ̃dʀ] *vt* confundir; **se confondre** *vpr* confundirse; **se ~ en excuses/remerciements** deshacerse en disculpas/agradecimientos; **~ qch/qn avec qch/qn d'autre** confundir algo/a algn con algo/con algn
conforme [kɔ̃fɔʀm] *adj*: **~ à** conforme a; **copie certifiée ~ (à l'original)** copia compulsada; **~ à la commande** según el pedido, conforme con el pedido
conformément [kɔ̃fɔʀmemɑ̃] *adv*: **~ à** conforme a, según
conformer [kɔ̃fɔʀme] *vt*: **~ qch à** adecuar algo a; **se conformer à** *vpr* adecuarse a, adaptarse a
confort [kɔ̃fɔʀ] *nm* confort *m*; **tout ~** con todas las comodidades
confortable [kɔ̃fɔʀtabl] *adj* confortable, cómodo(-a); (*avance*) considerable
confronter [kɔ̃fʀɔ̃te] *vt* confrontar; (*textes*) cotejar, confrontar; (*Jur*) confrontar, hacer un careo entre
confus, e [kɔ̃fy, yz] *adj* confuso(-a)
confusion [kɔ̃fyzjɔ̃] *nf* confusión *f*; **~ des peines** confusión de las penas
congé [kɔ̃ʒe] *nm* (*vacances*) vacaciones *fpl*; (*arrêt de travail*) descanso; (*Mil*) permiso; (*avis de départ*) baja; **en ~** de vacaciones; (*en arrêt de travail*) de descanso; (*soldat*) de licencia; **semaine/jour de ~** semana/día *m* de vacaciones; **prendre ~ de qn** despedirse de algn; **donner son ~ à** despedir a; **~ de maladie** baja por enfermedad; **~ de maternité** baja maternal; **~s payés** vacaciones pagadas
congédier [kɔ̃ʒedje] *vt* despedir
congélateur [kɔ̃ʒelatœʀ] *nm* congelador *m*
congeler [kɔ̃ʒ(ə)le] *vt* congelar
congestion [kɔ̃ʒɛstjɔ̃] *nf* (*routière, postale*) congestión *f*; **~ cérébrale** derrame *m* cerebral; **~ pulmonaire** congestión pulmonar
congrès [kɔ̃gʀɛ] *nm* congreso
conifère [kɔnifɛʀ] *nm* conífera
conjoint, e [kɔ̃ʒwɛ̃, wɛ̃t] *adj* conjunto(-a) ■ *nm/f* (*époux*) cónyuge *m/f*
conjonctivite [kɔ̃ʒɔ̃ktivit] *nf* conjuntivitis *f inv*
conjoncture [kɔ̃ʒɔ̃ktyʀ] *nf* coyuntura; **la ~ économique** la coyuntura económica
conjugaison [kɔ̃ʒygɛzɔ̃] *nf* conjugación *f*
conjuguer [kɔ̃ʒyge] *vt* (*Ling*) conjugar; (*efforts*) conjugar, aunar
connaissance [kɔnɛsɑ̃s] *nf* (*savoir*) conocimiento; (*personne connue*) conocido(-a); (*conscience, perception*) conocimiento, sentido; **connaissances** *nfpl* (*savoir*) conocimientos *mpl*; **être sans ~** (*Méd*) estar sin conocimiento; **perdre/reprendre ~** perder/recobrar el conocimiento; **à ma/sa ~** por lo que sé/sabe; **faire ~ avec qn** *ou* **la ~ de qn** (*rencontrer*) conocer a algn; (*apprendre à connaître*) llegar a conocer a algn; **avoir ~ de** (*document, fait*) tener conocimiento de; **j'ai pris ~ de ...** ha llegado a mi conocimiento ...; **en ~ de cause** con conocimiento de causa; **de ~** conocido(-a)
connaisseur, -euse [kɔnɛsœʀ, øz] *nm/f* conocedor(a), entendido(-a) ■ *adj* de entendido(-a)

connaître [kɔnɛtʀ] *vt* conocer; (*adresse*) conocer, saber; **se connaître** *vpr* conocerse; (*se rencontrer*) conocerse, encontrarse; **~ qn de nom/vue** conocer a algn de nombre/vista; **ils se sont connus à Genève** se conocieron en Ginebra; **s'y ~ en qch** entender mucho de algo
connecter [kɔnɛkte] *vt* conectar
connerie [kɔnʀi] (*fam!*) *nf* gilipollez *f*
connexion [kɔnɛksjɔ̃] *nf* conexión *f*
connu, e [kɔny] *pp de* **connaître** ■ *adj* conocido(-a)
conquête [kɔ̃kɛt] *nf* conquista
consacrer [kɔ̃sakʀe] *vt* (*Rel*): **~ qch (à)** consagrar algo (a); (*fig*) consagrar; **~ qch à** (*employer*) dedicar algo a; **se consacrer** *vpr*: **se ~ à qch/à faire** dedicarse a algo/a hacer; **~ son temps/ argent à faire** dedicar su tiempo/dinero a hacer
conscience [kɔ̃sjɑ̃s] *nf* conciencia; **avoir ~ de** ser consciente de, tomar conciencia de; **prendre ~ de** (*présence, situation*) darse cuenta de; (*responsabilité*) tomar conciencia de; **avoir qch sur la ~** tener el peso de algo en la conciencia; **perdre/reprendre ~** perder/recuperar el conocimiento; **avoir bonne/mauvaise ~** tener buena/mala conciencia; **en (toute) ~** en conciencia; **~ professionnelle** conciencia profesional
consciencieux, -euse [kɔ̃sjɑ̃sjø, jøz] *adj* concienzudo(-a)
conscient, e [kɔ̃sjɑ̃, jɑ̃t] *adj* consciente; **~ de** consciente de
consécutif, -ive [kɔ̃sekytif, iv] *adj* consecutivo(-a); **~ à** debido(-a) a
conseil [kɔ̃sɛj] *nm* consejo ■ *adj*: **ingénieur-~** ingeniero consultor; **~ en recrutement** (*expert*) asesor *m* de contratación; **tenir ~** celebrar consejo; **je n'ai pas de ~ à recevoir de vous** no necesito recibir consejo de usted; **donner un ~/des ~s à qn** dar un consejo/consejos a algn; **demander ~ à qn** pedir consejo a algn; **prendre ~ (auprès de qn)** consultar (a algn); **~ d'administration** consejo de administración; **~ de classe/de discipline** (*Scol*) consejo escolar/ disciplinario; **~ de guerre** consejo de guerra; **~ de révision** junta de clasificación *ou* de revisión; **~ des ministres** consejo de ministros; **~ général** consejo general; **~ municipal** concejo, pleno municipal; **~ régional** consejo regional

CONSEIL GÉNÉRAL

En Francia, a cargo de cada uno de los "départements" hay un *Conseil général*, entre cuyas competencias se encuentran lo referente a personal, infraestructura de transportes, vivienda, becas escolares y desarrollo económico. Forman el consejo los "conseillers généraux", cada uno de los cuales representa a un "canton" y es elegido por un periodo de seis años. La mitad de los miembros del consejo son elegidos cada tres años.

conseiller[1] [kɔ̃seje] *vt* aconsejar a; **~ qch à qn** aconsejar algo a algn; **~ à qn de faire qch** aconsejar a algn hacer algo
conseiller[2]**, -ère** [kɔ̃seje, ɛʀ] *nm/f* consejero(-a); **~ matrimonial** asesor *m* matrimonial; **~ municipal** concejal *m*
consentement [kɔ̃sɑ̃tmɑ̃] *nm* consentimiento
consentir [kɔ̃sɑ̃tiʀ] *vt*: **~ (à qch/à faire)** consentir (en algo/en hacer); **~ qch à qn** consentir algo a algn
conséquence [kɔ̃sekɑ̃s] *nf* consecuencia; **conséquences** *nfpl* (*effet, répercussion*) consecuencias *fpl*; **en ~** (*donc*) en consecuencia, por consiguiente; (*de façon appropriée*) en consecuencia; **ne pas tirer à ~** no traer consecuencias; **sans ~** sin consecuencia; **lourd de ~** lleno de consecuencias
conséquent, e [kɔ̃sekɑ̃, ɑ̃t] *adj* (*personne, attitude*) consecuente; (*fam: important*) importante; **par ~** por consiguiente
conservateur, -trice [kɔ̃sɛʀvatœʀ, tʀis] *adj* conservador(a) ■ *nm/f* conservador(a) ■ *nm* (*Biol, Chim: produit*) conservante *m*
conservatoire [kɔ̃sɛʀvatwaʀ] *nm* (*de musique*) conservatorio; (*de comédiens*) escuela de arte dramático
conserve [kɔ̃sɛʀv] *nf* (*gén pl: aliments*) conserva; **en ~** en conserva; **de ~** (*ensemble*) juntos(-as); (*naviguer*) en conserva; **~s de poisson** conservas de pescado
conserver [kɔ̃sɛʀve] *vt* conservar; (*habitude*) mantener, conservar; **se conserver** *vpr* conservarse; **"~ au frais"** "conservar en frío"
considérable [kɔ̃sideʀabl] *adj* considerable
considération [kɔ̃sideʀasjɔ̃] *nf* consideración *f*; (*raison*) razonamiento,

consideración; **considérations** *nfpl* (*remarques, réflexions*) consideraciones *fpl*; **prendre en ~** tomar en consideración; **ceci mérite ~** esto merece ser considerado; **en ~ de** en consideración a
considérer [kɔ̃sideʀe] *vt* considerar; (*regarder*) examinar; **~ que** considerar que; **~ qch comme** considerar algo como
consigne [kɔ̃siɲ] *nf* (*de bouteilles*) importe *m* (del envase); (*retenue*) castigo; (*Mil*) arresto; (*ordre, instruction, de gare*) consigna; **~ automatique** consigna automática; **~s de sécurité** consignas de seguridad
consister [kɔ̃siste] *vi*: **~ en** *ou* **dans** consistir en; **~ à faire** consistir en hacer
console [kɔ̃sɔl] *nf*: **~ de jeu** consola (de videojuegos)
consoler [kɔ̃sɔle] *vt* consolar; **se ~ (de qch)** consolarse (de algo)
consommateur, -trice [kɔ̃sɔmatœʀ, tʀis] *nm/f* (*Écon*) consumidor(a); (*dans un café*) cliente *m/f*
consommation [kɔ̃sɔmasjɔ̃] *nf* consumición *f*; **la ~** (*Écon*) el consumo; **de ~** (*biens*) de consumo; **~ aux 100 km** (*Auto*) consumo cada 100 Km
consommer [kɔ̃sɔme] *vt* consumir; (*mariage*) consumar ▪ *vi* (*dans un café*) consumir, tomar
consonne [kɔ̃sɔn] *nf* consonante *f*
constamment [kɔ̃stamɑ̃] *adv* constantemente
constant, e [kɔ̃stɑ̃, ɑ̃t] *adj* constante
constat [kɔ̃sta] *nm* (*d'huissier*) acta; (*après un accident*) atestado; **faire un ~ démoralisant** llegar a una conclusión desmoralizante; **faire un ~ d'échec** reconocer su *etc* fracaso; **~ (à l'amiable)** (*Auto*) parte *m* amistoso
constatation [kɔ̃statasjɔ̃] *nf* (*d'un fait*) constatación *f*; (*remarque*) constatación, observación *f*
constater [kɔ̃state] *vt* (*remarquer*) advertir, observar; (*Admin, Jur*) testificar; (*dégâts*) constatar; **~ que** (*remarquer*) notar que; (*faire observer, dire*) advertir que
consterner [kɔ̃stɛʀne] *vt* consternar
constipé, e [kɔ̃stipe] *adj* estreñido(-a); (*fig*) crispado(-a)
constitué, e [kɔ̃stitɥe] *adj*: **~ de** constituido(-a) por, integrado(-a) por; **bien/mal ~** bien/mal constituido(-a) *ou* formado(-a)
constituer [kɔ̃stitɥe] *vt* constituir; (*équipe*) crear; (*dossier*) elaborar; (*collection*) reunir; **se ~ partie civile** constituirse en parte civil; **se ~ prisonnier** entregarse a la justicia
constructeur [kɔ̃stʀyktœʀ] *nm* constructor *m*; **~ automobile** fabricante *m* de coches
constructif, -ive [kɔ̃stʀyktif, iv] *adj* constructivo(-a)
construction [kɔ̃stʀyksjɔ̃] *nf* construcción *f*
construire [kɔ̃stʀɥiʀ] *vt* construir; **se construire** *vpr*: **ça s'est beaucoup construit dans la région** se edificó mucho en la región
consul [kɔ̃syl] *nm* cónsul *m*
consulat [kɔ̃syla] *nm* consulado
consultant, e [kɔ̃syltɑ̃, ɑ̃t] *adj* consultor(a)
consultation [kɔ̃syltasjɔ̃] *nf* consulta; **consultations** *nfpl* (*pourparlers*) deliberaciones *fpl*; **être en ~** (*délibération*) estar en deliberación; (*Méd*) estar pasando consulta; **aller à la ~** (*Méd*) ir a la consulta; **heures de ~** (*Méd*) horas *fpl* de consulta
consulter [kɔ̃sylte] *vt* consultar ▪ *vi* (*médecin*) examinar; **se consulter** *vt* consultarse
contact [kɔ̃takt] *nm* contacto; **au ~ de** al contacto con; **mettre/couper le ~** (*Auto*) encender *ou* poner/apagar *ou* quitar el contacto; **entrer en ~** (*fils, objets*) hacer contacto; **se mettre en ~ avec qn** (*Radio*) ponerse en contacto con algn; **prendre ~ avec** ponerse en contacto con
contacter [kɔ̃takte] *vt* contactar con
contagieux, -euse [kɔ̃taʒjø, jøz] *adj* contagioso(-a)
contaminer [kɔ̃tamine] *vt* contaminar
conte [kɔ̃t] *nm* cuento; **~ de fées** cuento de hadas
contempler [kɔ̃tɑ̃ple] *vt* contemplar
contemporain, e [kɔ̃tɑ̃pɔʀɛ̃, ɛn] *adj, nm/f* contemporáneo(-a)
contenir [kɔ̃t(ə)niʀ] *vt* (*aussi fig*) contener; (*local*) tener una capacidad de *ou* para; **se contenir** *vpr* contenerse
content, e [kɔ̃tɑ̃, ɑ̃t] *adj* contento(-a); **~ de qn/qch** contento(-a) con algn/algo; **~ de soi** contento(-a) de sí mismo(-a), satisfecho(-a) de sí mismo(-a); **je serais ~ que tu ...** me alegraría que tú ...
contenter [kɔ̃tɑ̃te] *vt* (*personne*) contentar; (*envie, caprice*) satisfacer; **se contenter de** *vpr* contentarse con
contenu, e [kɔ̃t(ə)ny] *pp de* **contenir** ▪ *adj* (*colère, sentiments*) contenido(-a) ▪ *nm* contenido
conter [kɔ̃te] *vt* contar, relatar; **il m'en a conté de belles!** ¡lo que me ha contado!

contestable [kɔ̃tɛstabl] *adj* discutible
conteste [kɔ̃tɛst]: **sans ~** *adv* sin discusión
contester [kɔ̃tɛste] *vt* discutir, cuestionar ▪ *vi* discutir
contexte [kɔ̃tɛkst] *nm* (*aussi fig*) contexto
continent [kɔ̃tinɑ̃] *nm* continente *m*
continu, e [kɔ̃tiny] *adj* continuo(-a); **(courant) ~** (corriente *f*) continua
continuel, e [kɔ̃tinɥɛl] *adj* (*qui se répète*) constante; (*continu: pluie etc*) continuo(-a)
continuer [kɔ̃tinɥe] *vt* continuar; (*voyage, études etc*) continuar, proseguir; (*suj: allée, rue*) seguir a continuación de ▪ *vi* continuar; (*voyageur*) continuar, seguir; **se continuer** *vpr* continuar; **vous continuez tout droit** siga todo derecho; **~ à** *ou* **de faire** seguir haciendo
contourner [kɔ̃tuʀne] *vt* (*aussi fig*) rodear, evitar
contraceptif, -ive [kɔ̃tʀasɛptif, iv] *adj* anticonceptivo(-a) ▪ *nm* anticonceptivo
contraception [kɔ̃tʀasɛpsjɔ̃] *nf* contracepción *f*
contracté, e [kɔ̃tʀakte] *adj* (*muscle*) contraído(-a); (*personne*) tenso(-a); **article ~** (*Ling*) artículo contracto
contracter [kɔ̃tʀakte] *vt* (*aussi fig*) contraer; (*assurance*) contratar; **se contracter** *vpr* (*métal, muscles*) contraerse; (*fig: personne*) crisparse
contractuel, le [kɔ̃tʀaktɥɛl] *adj* contractual ▪ *nm/f* (*agent*) controlador(a) del estacionamiento; (*employé*) empleado(-a) eventual del estado
contradiction [kɔ̃tʀadiksjɔ̃] *nf* contradicción *f*; **en ~ avec** en contradicción con
contradictoire [kɔ̃tʀadiktwaʀ] *adj* contradictorio(-a); **débat ~** debate *m* contradictorio
contraignant, e [kɔ̃tʀɛɲɑ̃, ɑ̃t] *vb voir* **contraindre** ▪ *adj* apremiante
contraindre [kɔ̃tʀɛ̃dʀ] *vt*: **~ qn à qch/à faire qch** forzar a algn a algo/a hacer algo
contrainte [kɔ̃tʀɛ̃t] *nf* coacción *f*; **sans ~** sin coacción
contraire [kɔ̃tʀɛʀ] *adj* contrario(-a), opuesto(-a) ▪ *nm* contrario; **~ à** contrario(-a) a, opuesto(-a) a; **au ~** al contrario; **je ne peux pas dire le ~** no puedo decir lo contrario; **le ~ de** lo contrario de
contrarier [kɔ̃tʀaʀje] *vt* (*irriter*) contrariar; (*mouvement, action*) dificultar
contrariété [kɔ̃tʀaʀjete] *nf* contrariedad *f*
contraste [kɔ̃tʀast] *nm* contraste *m*
contrat [kɔ̃tʀa] *nm* contrato; (*accord*) acuerdo; **~ de mariage/travail** contrato de matrimonio/trabajo
contravention [kɔ̃tʀavɑ̃sjɔ̃] *nf* (*infraction*) contravención *f*; (*amende*) multa; **dresser ~ à** poner una multa a
contre [kɔ̃tʀ] *prép* contra; (*en échange*) por; **par ~** en cambio
contrebande [kɔ̃tʀəbɑ̃d] *nf* contrabando; **faire la ~ de** hacer contrabando de
contrebas [kɔ̃tʀəbɑ]: **en ~** *adv* más abajo
contrebasse [kɔ̃tʀəbɑs] *nf* contrabajo
contrecœur [kɔ̃tʀəkœʀ]: **à ~** *adv* de mala gana, a regañadientes
contrecoup [kɔ̃tʀəku] *nm* rebote *m*; **par ~** de rebote
contredire [kɔ̃tʀədiʀ] *vt* contradecir; **se contredire** *vpr* contradecirse
contrefaçon [kɔ̃tʀəfasɔ̃] *nf* falsificación *f*; **~ de brevet** falsificación de la patente
contre-indication [kɔ̃tʀɛ̃dikasjɔ̃] (*pl* **~s**) *nf* contraindicación *f*
contre-indiqué, e [kɔ̃tʀɛ̃dike] (*pl* **~s, es**) *adj* contraindicado(-a)
contremaître [kɔ̃tʀəmɛtʀ] *nm* contramaestre *m*, capataz *m*
contre-plaqué [kɔ̃tʀəplake] (*pl* **~s**) *nm* contrachapado
contresens [kɔ̃tʀəsɑ̃s] *nm* contrasentido; **à ~** en sentido contrario
contretemps [kɔ̃tʀətɑ̃] *nm* contratiempo; **à ~** (*Mus*) a contratiempo; (*fig*) a destiempo
contribuer [kɔ̃tʀibɥe]: **~ à** *vt* contribuir a
contribution [kɔ̃tʀibysjɔ̃] *nf* contribución *f*; **les contributions** (*Admin*) la oficina de recaudación; **mettre à ~** utilizar los servicios de; **~s directes/indirectes** impuestos *mpl* directos/indirectos
contrôle [kɔ̃tʀol] *nm* (*Scol, d'un véhicule, gén*) control *m*; (*vérification*) control, comprobación *f*; (*maîtrise: de soi*) control, dominio; **~ continu** (*Scol*) evaluación *f* continua; **~ d'identité** control de identidad; **~ des changes/des prix** control de cambios/de precios; **~ des naissances** control de natalidad; **~ judiciaire** control judicial
contrôler [kɔ̃tʀole] *vt* controlar; (*vérifier*) comprobar; (*maîtriser*) dominar,

controlar; **se contrôler** *vpr* (*personne*) controlarse, dominarse
contrôleur, -euse [kɔ̃tʀolœʀ, øz] *nm/f* revisor(a), inspector(a) de boletos (*AM*); **~ aérien** controlador *m* aéreo; **~ de la navigation aérienne** controlador del tráfico aéreo; **~ des postes** inspector *m* de correos; **~ financier** interventor *m*
controversé, e [kɔ̃tʀɔvɛʀse] *adj* controvertido(-a)
contusion [kɔ̃tyzjɔ̃] *nf* contusión *f*
convaincre [kɔ̃vɛ̃kʀ] *vt*: **~ qn (de qch/ de faire)** convencer a algn (de algo/para que haga); **~ qn de** (*Jur*) inculpar a algn de
convalescence [kɔ̃valesɑ̃s] *nf* convalecencia; **maison de ~** casa de reposo
convenable [kɔ̃vnabl] *adj* (*personne, manières*) decoroso(-a), correcto(-a); (*moment, endroit*) adecuado(-a); (*salaire, travail*) aceptable
convenir [kɔ̃vniʀ] *vi* convenir; **~ à** (*être approprié à*) ser apropiado(-a) para; (*être utile à*) venir bien a; (*arranger, plaire à*) convenir a; **il convient de** (*bienséant*) es conveniente; **~ de** (*admettre*) admitir, reconocer; (*fixer*) convenir, acordar; **~ que** (*admettre*) admitir que; **~ de faire qch** acordar hacer algo; **il a été convenu que/de faire ...** se ha acordado que/ hacer ...; **comme convenu** como estaba acordado
convention [kɔ̃vɑ̃sjɔ̃] *nf* (*accord*) convenio; (*Art, Théâtre*) reglas *fpl*; (*Pol*) convención *f*; **conventions** *nfpl* (*règles, convenances*) convenciones *fpl*; **de ~** convencional; (*péj*) de cumplido; **~ collective** convenio colectivo
conventionné, e [kɔ̃vɑ̃sjɔne] *adj* (*clinique*) concertado(-a); (*médecin, pharmacie*) *que tiene un acuerdo con la Seguridad Social*
convenu, e [kɔ̃vny] *pp, adj* (*heure*) acordado(-a)
conversation [kɔ̃vɛʀsasjɔ̃] *nf* conversación *f*; **avoir de la ~** tener conversación
convertir [kɔ̃vɛʀtiʀ] *vt*: **~ qn (à)** convertir a algn (a); **se convertir** *vpr* convertirse; **~ qch en** transformar algo en, convertir algo en
conviction [kɔ̃viksjɔ̃] *nf* convicción *f*; **sans ~** sin convicción
convienne *etc* [kɔ̃vjɛn] *vb voir* **convenir**
convivial, e [kɔ̃vivjal, jo] *adj* sociable; (*Inform*) fácil de usar
convocation [kɔ̃vɔkasjɔ̃] *nf* convocatoria
convoquer [kɔ̃vɔke] *vt* (*assemblée, candidat*) convocar; (*subordonné, témoin*) convocar, citar; (*patient*) citar; **~ qn (à)** convocar a algn (a)
coopération [kɔɔpeʀasjɔ̃] *nf* cooperación *f*; **la C~ militaire/ technique** la cooperación militar/técnica
coopérer [kɔɔpeʀe] *vi*: **~ (à)** cooperar (en)
coordonné, e [kɔɔʀdɔne] *adj* coordinado(-a); **coordonnés** *nmpl* (*vêtements*) coordinados *mpl*
coordonner [kɔɔʀdɔne] *vt* coordinar
copain, copine [kɔpɛ̃, kɔpin] *nm/f* (*ami*) amigo(-a); (*de classe*) compañero(-a) ▪ *adj*: **être ~ avec** ser amigo(-a) de
copie [kɔpi] *nf* copia; (*feuille d'examen*) hoja de examen; (*devoir*) examen *m*; (*Journalisme*) ejemplar *m*; **~ certifiée conforme** copia compulsada; **~ papier** copia impresa
copier [kɔpje] *vt* copiar ▪ *vi* (*tricher*) copiar; **~ sur** copiar a; **~ coller** (*Inform*) copiar y pegar
copieur [kɔpjœʀ] *nm* copiadora
copieux, -euse [kɔpjø, jøz] *adj* (*repas*) copioso(-a), abundante; (*portion, notes, exemples*) abundante
copine [kɔpin] *nf voir* **copain**
coq [kɔk] *nm* gallo ▪ *adj inv*: **poids ~** (*Boxe*) peso gallo; **~ au vin** pollo al vino; **~ de bruyère** urogallo; **le ~ du village** (*fig, péj*) el Don Juan del pueblo
coque [kɔk] *nf* (*de noix*) cáscara; (*de bateau, d'avion*) casco; (*mollusque*) berberecho; **à la ~** (*Culin*) pasado por agua
coquelicot [kɔkliko] *nm* amapola
coqueluche [kɔklyʃ] *nf* (*Méd*) tos *f* ferina; **être la ~ de** (*fig*) ser el (la) preferido(-a) de
coquet, te [kɔkɛ, ɛt] *adj* (*qui veut plaire*) coqueto(-a); (*bien habillé*) elegante; (*robe, appartement*) coquetón(-ona); (*salaire*) considerable; (*somme*) bonito(-a)
coquetier [kɔk(ə)tje] *nm* huevera
coquillage [kɔkijaʒ] *nm* (*mollusque*) marisco; (*coquille*) concha
coquille [kɔkij] *nf* (*de mollusque*) concha; (*de noix, d'œuf*) cáscara; (*Typo*) errata; **~ de noix** (*Naut*) barquita; **~ d'œuf** *adj inv* (*couleur*) blanquecino(-a); **~ St Jacques** vieira
coquin, e [kɔkɛ̃, in] *adj* (*enfant, sourire, regard*) pícaro(-a); (*histoire*) picarón(-ona) ▪ *nm/f* pícaro(-a)
cor [kɔʀ] *nm* (*Mus*) trompa; (*au pied*) callo; **réclamer à ~ et à cri** reclamar a grito pelado; **~ anglais** corno inglés; **~ de chasse** cuerno de caza

corail, -aux [kɔʀaj, o] *nm* coral *m*
Coran [kɔʀɑ̃] *nm*: **le ~** el Corán
corbeau, x [kɔʀbo] *nm* cuervo
corbeille [kɔʀbɛj] *nf* cesta; (*Inform*) papelera de reciclaje; (*Théâtre*) piso principal; **la ~** (*à la Bourse*) el corro; **~ à ouvrage** costurero; **~ à pain** cesta del pan; **~ à papiers** cesto de los papeles; **~ de mariage** regalos *mpl* de boda
corde [kɔʀd] *nf* (*gén*) cuerda; (*de violon, raquette*) cuerda; **la ~** (*trame de tissu*) la trama; (*Athlétisme, Auto*) la cuerda; **les ~s** (*Boxe*) las cuerdas; **la ~ sensible** la vena sensible; **les (instruments à) ~s** los instrumentos de cuerda; **tapis/semelles de ~** alfombra/suelas *fpl* de esparto; **tenir la ~** (*Athlétisme, Auto*) llevar la cuerda; **tomber des ~s** llover a cántaros; **tirer sur la ~** tirar de la cuerda; **usé jusqu'à la ~** raído; **~ à linge** tendedero; **~ à nœuds** cuerda de nudos; **~ à sauter** comba; **~ lisse/raide** cuerda lisa/floja; **~s vocales** cuerdas *fpl* vocales
cordée [kɔʀde] *nf* cordada
cordialement [kɔʀdjalmɑ̃] *adv* cordialmente
cordon [kɔʀdɔ̃] *nm* cordón *m*; **~ littoral** cordón litoral; **~ ombilical** cordón umbilical; **~ sanitaire/de police** cordón sanitario/policial
cordonnerie [kɔʀdɔnʀi] *nf* zapatería
cordonnier [kɔʀdɔnje] *nm* zapatero
Corée [kɔʀe] *nf* Corea; **la ~ du Sud/du Nord** Corea del Sur/del Norte; **la République (démocratique populaire de) ~** la República (democrática popular de) Corea
coriace [kɔʀjas] *adj* correoso(-a)
corne [kɔʀn] *nf* cuerno; **~ d'abondance** cuerno de la abundancia; **~ de brume** sirena de bruma
cornée [kɔʀne] *nf* córnea
corneille [kɔʀnɛj] *nf* corneja
cornemuse [kɔʀnəmyz] *nf* cornamusa, gaita; **joueur de ~** gaitero
cornet [kɔʀnɛ] *nm* cucurucho; **~ à piston** cornetín *m*
corniche [kɔʀniʃ] *nf* (*d'armoire*) cornisa; (*route*) carretera de cornisa
cornichon [kɔʀniʃɔ̃] *nm* pepinillo
corporel, le [kɔʀpɔʀɛl] *adj* corporal; **soins ~s** cuidados *mpl* corporales
corps [kɔʀ] *nm* (*aussi fig*) cuerpo; **à son ~ défendant** a pesar suyo; **à ~ perdu** en cuerpo y alma; **le ~ diplomatique** el cuerpo diplomático; **perdu ~ et biens** (*Naut*) perdido con toda su carga; **prendre ~** tomar cuerpo; **faire ~ avec** formar cuerpo con, confundirse con; **~ et âme** cuerpo y alma; **~ à ~** *nm, adv* cuerpo a cuerpo; **~ constitués** (*Pol*) instituciones *fpl*; **~ consulaire/législatif** cuerpo consular/legal; **~ de ballet/de garde** cuerpo de ballet/de guardia; **~ du délit** (*Jur*) cuerpo del delito; **~ électoral** censo electoral; **~ enseignant** cuerpo docente; **~ étranger** (*Méd, Biol*) cuerpo extraño; **~ expéditionnaire/d'armée** cuerpo expedicionario/de ejército; **~ médical** clase *f* médica
correct, e [kɔʀɛkt] *adj* (*exact, bienséant*) correcto(-a); (*honnête*) justo(-a); (*passable*) correcto(-a), pasable
correcteur, -trice [kɔʀɛktœʀ, tʀis] *nm/f* (*d'examen*) examinador(a); (*Typo*) corrector(a)
correction [kɔʀɛksjɔ̃] *nf* corrección *f*; (*idée, trajectoire*) modificación *f*; (*coups*) paliza, golpiza (*AM*); **~ (des épreuves)** corrección (de pruebas); **~ sur écran** corrección en pantalla
correspondance [kɔʀɛspɔ̃dɑ̃s] *nf* correspondencia; (*de train, d'avion*) empalme *m*; **ce train assure la ~ avec l'avion de 10 heures** este tren enlaza con el vuelo de las 10; **cours par ~** curso por correspondencia; **vente par ~** venta por correo
correspondant, e [kɔʀɛspɔ̃dɑ̃, ɑ̃t] *adj* correspondiente ■ *nm/f* corresponsal *m/f*; (*au téléphone*) interlocutor(a)
correspondre [kɔʀɛspɔ̃dʀ] *vi* corresponder; (*chambres*) corresponderse; **~ à** corresponder a; (*se rapporter à*) corresponderse con; **~ avec qn** cartearse con algn
corrida [kɔʀida] *nf* corrida
corridor [kɔʀidɔʀ] *nm* pasillo
corrigé [kɔʀiʒe] *nm* (*Scol*) solución *f*
corriger [kɔʀiʒe] *vt* (*aussi Méd*) corregir; (*idée, trajectoire*) rectificar; (*punir*) castigar; **~ qn de qch** (*défaut*) corregir (algo) a algn; **il l'a corrigé** le dio una paliza; **se ~ de** corregirse de
corrompre [kɔʀɔ̃pʀ] *vt* corromper
corruption [kɔʀypsjɔ̃] *nf* corrupción *f*
corse [kɔʀs] *adj* corso(-a) ■ *nf*: **la C~** Córcega ■ *nm/f*: **Corse** corso(-a)
corsé, e [kɔʀse] *adj* (*café etc*) fuerte; (*problème*) arduo(-a); (*histoire*) escabroso(-a)
cortège [kɔʀtɛʒ] *nm* (*funèbre*) comitiva; (*de manifestants*) desfile *m*
cortisone [kɔʀtizɔn] *nf* cortisona
corvée [kɔʀve] *nf* (*aussi Mil*) faena

cosmétique [kɔsmetik] *nm* (*pour les cheveux*) fijador *m*; (*produit de beauté*) cosmético
cosmopolite [kɔsmɔpɔlit] *adj* cosmopolita
costaud, e [kɔsto, od] *adj* robusto(-a)
costume [kɔstym] *nm* traje *m*; (*de théâtre*) vestuario
costumé, e [kɔstyme] *adj* disfrazado(-a)
cote [kɔt] *nf* (*d'une valeur boursière*) cotización *f*; (*d'une voiture, d'un timbre*) valoración *f*; (*d'un cheval*): **la ~ de** la clasificación de; (*d'un candidat etc*) popularidad *f*; (*mesure*) cota; (*de classement, d'un document*) signatura; **avoir la ~** estar muy cotizado(-a); **inscrit à la ~** registrado; **~ d'alerte** nivel *m* de alarma; **~ de popularité** cota de popularidad; **~ mal taillée** (*fig*) cuenta aproximada
côte [kot] *nf* (*rivage*) costa; (*pente*) cuesta; (*Anat, Boucherie*) costilla; (*d'un tricot, tissu*) canalé *m*; **point de ~s** (*Tricot*) punto de canalé; **~ à ~** uno al lado de otro; **la ~ (d'Azur)** la costa Azul; **la C~ d'Ivoire** la costa de Marfil
côté [kote] *nm* (*gén, Géom*) lado; (*du corps*) costado; (*feuille*) cara; (*de la rivière*) orilla; **de 10 m de ~** de 10 m. de lado; **des deux ~s de la route/frontière** en ambos lados de la carretera/frontera; **de tous les ~s** por todos lados, por todas partes; **de quel ~ est-il parti?** ¿en qué dirección salió?; **de ce/de l'autre ~** de este/del otro lado; **d'un ~ ... de l'autre ~** por una parte ... por otra; **du ~ de** (*provenance*) por el lado de; (*direction*) en dirección a; **du ~ de Lyon** (*proximité*) por Lyon; **de ~** (*marcher, regarder*) de lado; (*être, se tenir*) a un lado; **laisser de ~** dejar de lado; **mettre de ~** poner a un lado; **sur le ~ de** por el lado de; **de chaque ~ (de)** a cada lado (de), a ambos lados (de); **du ~ gauche** por la izquierda; **de mon ~** por mi parte; **regarder de ~** mirar de soslayo; **à ~** al lado; **à ~ de** (*aussi fig*) al lado de; **à ~ (de la cible)** cerca (de la diana); **être aux ~s de** estar al/del lado de
côtelette [kotlɛt] *nf* chuleta
côtier, -ière [kotje, jɛʀ] *adj* costero(-a)
cotisation [kɔtizasjɔ̃] *nf* (*à un club, syndicat*) cuota; (*pour une pension, sécurité sociale*) cotización *f*
cotiser [kɔtize] *vi* (*à une assurance etc*): **~ (à)** cotizar; (*à une association*) pagar la cuota (de); **se cotiser** *vpr* pagar a escote
coton [kɔtɔ̃] *nm* algodón *m*; **drap/robe de ~** sábana/vestido de algodón; **~ hydrophile** algodón hidrófilo
Coton-Tige® [kɔtɔ̃tiʒ] (*pl* **Cotons-Tiges**) *nm* bastoncillo
cou [ku] *nm* cuello
couchant [kuʃɑ̃] *adj*: **soleil ~** sol *m* poniente
couche [kuʃ] *nf* (*de bébé*) pañal *m*; (*gén, Géologie*) capa; **couches** *nfpl* (*Méd*) parto *m*; **~s sociales** capas *fpl* sociales
couché, e [kuʃe] *adj* tumbado(-a), tendido(-a); (*au lit*) acostado(-a)
coucher [kuʃe] *nm* (*du soleil*) puesta (de sol) ▪ *vt* (*mettre au lit*) acostar; (*étendre*) tumbar, tender; (*loger*) alojar; (*idées*) anotar ▪ *vi* dormir; (*fam*): **~ avec qn** acostarse con algn; **se coucher** *vpr* (*pour dormir*) acostarse; (*pour se reposer*) tumbarse, acostarse; (*se pencher*) inclinarse; (*soleil*) ponerse; **à prendre avant le ~** (*Méd*) tomar antes de acostarse; **~ de soleil** puesta de sol
couchette [kuʃɛt] *nf* litera
coucou [kuku] *nm* cuclillo ▪ *excl* ¡hola!
coude [kud] *nm* codo; (*de la route*) recodo; **~ à ~** codo a codo
coudre [kudʀ] *vt, vi* coser
couette [kwɛt] *nf* (*édredon*) edredón *m*; **couettes** *nfpl* (*cheveux*) coletas *fpl*
couffin [kufɛ̃] *nm* (*de bébé*) moisés *m*
couler [kule] *vi* (*fleuve*) fluir; (*liquide, sang*) correr; (*stylo*) perder tinta; (*récipient*) gotear; (*nez*) moquear; (*bateau*) hundirse ▪ *vt* colar; (*bateau*) hundir; (*entreprise*) hundir, arruinar; **se couler dans** *vpr* colarse en; **~ une vie heureuse** llevar una vida feliz; **faire** *ou* **laisser ~** dejar correr; **faire ~ un bain** preparar un baño; **~ une bielle** (*Auto*) fundir una biela; **~ de source** caer por su peso; **~ à pic** irse a pique
couleur [kulœʀ] *nf* (*aussi fig*) color *m*; (*Cartes*) palo; **couleurs** *nfpl* (*du teint, dans un tableau*) colores *mpl*, colorido; (*Mil*) bandera; **film/télévision en ~s** película/televisión *f* en color; **de ~** de color; **sous ~ de faire** con el pretexto de hacer
couleuvre [kulœvʀ] *nf* culebra
coulisse [kulis] *nf* (*Tech*) ranura; **coulisses** *nfpl* (*Théâtre*) bastidores *mpl*; (*fig*): **dans les ~s** entre bastidores; **porte à ~** puerta de corredera
coup [ku] *nm* golpe *m*; (*avec arme à feu*) disparo; (*frappé par une horloge*) campanada; (*fam: fois*) vez *f*; (*Sport: geste*) jugada; (*Échecs*) movimiento; **à ~s de hache** a hachazos; **à ~s de marteau** a martillazos; **être sur un ~** tener un

asuntillo entre manos; **en ~ de vent** como un rayo; **donner un ~ de corne à qn** dar una cornada a algn; **donner** *ou* **passer un ~ de balai (dans)** dar un barrido (a), pasar la escoba (por); **boire un ~** echar un trago; **à tous les ~s** todas las veces; **à tous les ~s il a oublié** seguro que se le ha olvidado; **être dans le/hors du ~** estar/no estar en el ajo; **il a raté son ~** le falló la jugada; **du ~** así que; **pour le ~** por una vez; **d'un seul ~** (*subitement*) de repente; (*à la fois*) de un solo golpe; **du premier ~** al primer intento; **faire un ~ bas à qn** dar un golpe bajo a algn; **du même ~** al mismo tiempo; **à ~ sûr ...** seguro que ...; **après ~** después; **~ sur ~** uno(-a) tras otro(-a); **sur le ~** en el acto; **sous le ~ de** (*surprise etc*) afectado(-a) por; **tomber sous la ~ de la loi** (*Jur*) caer bajo el peso de la ley; **~ d'éclat** proeza; **~ d'envoi** saque *m* de centro; **~ d'essai** ensayo; **~ d'État** golpe de estado; **~ d'œil** vistazo, ojeada; **~ de chance** golpe de suerte; **~ de chapeau** sombrerazo; **~ de coude** codazo; **~ de couteau** cuchillada; **~ de crayon** trazo; **~ de feu** disparo; **~ de fil** (*fam*) llamada; **~ de filet** redada; **~ de foudre** flechazo; **~ de fouet** latigazo; **~ de frein** (*Auto*) frenazo; **~ de fusil** clavada; **~ de genou** rodillazo; **~ de grâce** golpe de suerte; **~ de main**: **donner un ~ de main à qn** echar una mano a algn; **~ de maître** acción *f* magistral; **~ de pied** patada; **~ de pinceau** pincelada; **~ de poing** puñetazo; **~ de soleil** insolación *f*; **~ de sonnette** timbrazo; **~ de téléphone** telefonazo, llamado (*AM*); **~ de tête** (*fig*) cabezonada; **~ de théâtre** (*fig*) hecho imprevisto; **~ de tonnerre** trueno; **~ de vent** ráfaga de viento; **~ du lapin** (*Auto*) golpe en la nuca; **~ dur** golpe duro; **~ fourré** mala jugada; **~ franc** golpe franco; **~ sec** golpe seco

coupable [kupabl] *adj, nm/f* culpable *m/f*

coupe [kup] *nf* corte *f*; (*verre, Sport*) copa; (*à fruits*) frutero; **vue en ~** corte transversal; **être sous la ~ de** estar bajo la férula de; **faire des ~s sombres dans** hacer un recorte drástico en

couper [kupe] *vt* cortar; (*retrancher*) suprimir; (*eau, courant*) cortar, quitar; (*appétit, fièvre*) quitar; (*vin, liquide*) aguar; (*Tennis etc*) volear ▪ *vi* cortar; (*prendre un raccourci*) atajar; (*Cartes*) cortar; (*: avec l'atout*) cortar triunfo; **se couper** *vpr* cortarse; (*en témoignant etc*) contradecirse; **se faire ~ les cheveux** cortarse el pelo; **~ l'appétit à qn** quitar el apetito a algn; **~ la parole à qn** quitar la palabra a algn, interrumpir a algn; **~ les vivres à qn** suprimir los subsidios a algn; **~ le contact** (*Auto*) quitar el contacto; **~ les ponts (avec qn)** cortar el contacto (con algn)

couple [kupl] *nm* pareja; **~ de torsion** par *m* de torsión

couplet [kuplɛ] *nm* (*Mus*) copla, estrofa; (*péj*) cantilena

coupole [kupɔl] *nf* cúpula

coupon [kupɔ̃] *nm* (*ticket*) cupón *m*, bono; (*tissu: rouleau*) pieza; (*: reste*) retal *m*

coupure [kupyʀ] *nf* corte *m*; (*billet de banque*) billete *m* de banco; (*de presse*) recorte *m*; **~ de courant/d'eau** corte de corriente/de agua

cour [kuʀ] *nf* (*de ferme*) corral *m*; (*jardin, immeuble*) patio; (*Jur*) tribunal *m*; (*royale*) corte *f*; **faire la ~ à qn** hacer la corte a algn; **~ d'appel** ≈ tribunal de apelación; **~ d'assises** ≈ Audiencia; **~ de cassation** ≈ tribunal supremo; **~ de récréation** patio; **~ des comptes** (*Admin*) tribunal de cuentas; **~ martiale** tribunal militar

courage [kuʀaʒ] *nm* valor *m*; (*ardeur, énergie*) coraje *m*; **un peu de ~** ánimo; **bon ~!** ¡ánimo!

courageux, -euse [kuʀaʒø, øz] *adj* valiente, valeroso(-a)

couramment [kuʀamɑ̃] *adv* (*souvent*) frecuentemente; (*parler*) con soltura

courant, e [kuʀɑ̃, ɑ̃t] *adj* (*fréquent*) corriente, común; (*gén, Comm*) corriente; (*en cours*) en curso ▪ *nm* (*aussi fig*) corriente *f*; **être au ~ (de)** estar al corriente (de); **mettre qn au ~ (de)** poner a algn al corriente (de); **se tenir au ~ (de)** mantenerse al corriente (de); **dans le ~ de** durante; **~ octobre** a lo largo de octubre; **le 10 ~** el 10 del corriente; **~ d'air** corriente de aire; **~ électrique** corriente eléctrica

courbature [kuʀbatyʀ] *nf* agotamiento; (*Sport*) agujetas *fpl*

courbe [kuʀb] *adj* curvo(-a) ▪ *nf* curva; **~ de niveau** curva de nivel

coureur, -euse [kuʀœʀ, øz] *nm/f* corredor(a) ▪ *adj m, nm* (*péj*) mujeriego ▪ *adj f, nf* (*péj*) pendón *m*; **~ automobile** corredor automovilístico; **~ cycliste** ciclista *m*

courge [kuʀʒ] *nf* calabaza

courgette [kuʀʒɛt] *nf* calabacín *m*

courir [kuʀiʀ] *vi* (*aussi fig*) correr ■ *vt* (*Sport*) disputar; (*danger, risque*) correr; ~ **les cafés/bals** frecuentar los cafés/ bailes; ~ **les magasins** ir de compras, ir de tiendas; **le bruit court que ...** corre la voz de que ...; **par les temps qui courent** en los tiempos que corren, en estos tiempos; ~ **après qn** correr detrás de algn; (*péj*) andar detrás de algn; **laisser ~ qch/qn** dejar en paz algo/a algn; **faire ~ qn** llevar a algn al retortero; **tu peux (toujours) ~!** ¡espera sentado!

couronne [kuʀɔn] *nf* (*aussi fig*) corona; ~ **(funéraire** *ou* **mortuaire)** corona (mortuoria)

courons *etc* [kuʀɔ̃] *vb voir* **courir**

courriel [kuʀjɛl] *nm* mail *m*, email *m*, correo electrónico; **envoyer qch par ~** enviar algo por mail *ou* email *ou* correo electrónico

courrier [kuʀje] *nm* correo; (*rubrique*) prensa; **qualité ~** calidad *f* de correspondencia; **long/moyen ~** (*Aviat*) avión *m* de distancias largas/medias; ~ **du cœur** prensa del corazón; ~ **électronique** correo electrónico

courroie [kuʀwa] *nf* correa; ~ **de transmission/de ventilateur** correa de transmisión/del ventilador

courrons *etc* [kuʀɔ̃] *vb voir* **courir**

cours [kuʀ] *vb voir* **courir** ■ *nm* clase *f*; (*série de leçons*) clases *fpl*, curso; (*établissement*) academia; (*des événements, d'une rivière*) curso; (*avenue*) avenida, paseo; (*Comm*) valor *m*, precio; (*Bourse*) cotización *f*; (*des matières premières*) valor; (*déroulement*) transcurso; **donner libre ~ à** dar rienda suelta a; **avoir ~** (*monnaie*) estar en circulación; (*fig*) estilarse; (*Scol*) tener clase; **en ~** (*année*) en curso; (*travaux*) en curso, pendiente; **en ~ de route** en el camino; **au ~ de** durante, en el transcurso de; **le ~ du change** el cambio; ~ **d'eau** río; ~ **du soir** (*Scol*) clase nocturna; ~ **élémentaire** (*Scol*) *ciclo inicial de educación primaria en el sistema francés*; ~ **moyen** (*Scol*) *ciclo medio de educación primaria en el sistema francés*; ~ **préparatoire** (*Scol*) *año preparatorio de educación primaria en el sistema francés*

course [kuʀs] *nf* (*gén, d'un taxi, du soleil*) carrera; (*d'un projectile*) trayectoria; (*d'une pièce mécanique*) recorrido; (*excursion en montagne*) marcha, excursión *f*; (*autocar*) recorrido; (*petite mission*) recado; **courses** *nfpl* compras *fpl*; (*Hippisme*) carreras *fpl* hípicas; **faire les** *ou* **ses ~s** ir de compras; **jouer aux ~s** apostar en las carreras; **à bout de ~** reventado(-a); ~ **à pied/automobile** carrera a pie/automovilística; ~ **de côte** (*Auto*) carrera de ascensión; **~s de chevaux** carreras de caballos; ~ **d'obstacles/de vitesse/par étapes** carrera de obstáculos/de velocidad/por etapas

court, e [kuʀ, kuʀt] *adj* (*temps*) corto(-a), breve; (*en longueur, distance*) corto(-a); (*en hauteur*) bajo(-a) ■ *adv* corto ■ *nm* (*de tennis*) pista, cancha; **tourner ~** cambiar completamente; **couper ~ à ...** acabar con ...; **à ~ de** escaso de; **prendre qn de ~** pillar a algn de imprevisto; **ça fait ~** es un poco escaso; **pour faire ~** para abreviar; **avoir le souffle ~** quedarse en seguida sin aliento; **tirer à la ~e paille** echar pajas; **faire la ~e échelle à qn** aupar a algn; ~ **métrage** (*Ciné*) cortometraje *m*

court-circuit [kuʀsiʀkɥi] (*pl* **courts-circuits**) *nm* cortocircuito

courtoisie [kuʀtwazi] *nf* cortesía

couru [kuʀy] *pp de* **courir** ■ *adj* (*spectacle*) concurrido(-a); **c'est ~ (d'avance)!** (*fam*) ¡está claro!

cousais *etc* [kuzɛ] *vb voir* **coudre**

couscous [kuskus] *nm* cuscús *m*, alcuzcuz *m*

cousin, e [kuzɛ̃, in] *nm/f* primo(-a); (*Zool*) mosquito; ~ **germain** primo carnal; ~ **issu de germain** primo segundo

coussin [kusɛ̃] *nm* cojín *m*; (*Tech*) almohadilla; ~ **d'air** (*Tech*) almohadilla neumática

cousu, e [kuzy] *pp de* **coudre** ■ *adj*: ~ **d'or** forrado(-a) de dinero

coût [ku] *nm* (*d'un travail, objet*) coste *m*, precio; **le ~ de la vie** el coste de la vida

couteau, x [kuto] *nm* cuchillo; ~ **à cran d'arrêt** navaja de resorte; ~ **à pain/de cuisine** cuchillo del pan/de cocina; ~ **de poche** navaja de bolsillo

coûter [kute] *vt* (*aussi fig*) costar ■ *vi*: ~ **à qn** costarle a algn; ~ **cher** costar caro; **ça va lui ~ cher** (*fig*) va a pagarlo caro; **combien ça coûte?** ¿cuánto cuesta?, ¿cuánto vale?; **coûte que coûte** a toda costa

coûteux, -euse [kutø, øz] *adj* costoso(-a); (*fig*) sacrificado(-a)

coutume [kutym] *nf* costumbre *f*; (*Jur*): **la ~** el derecho consuetudinario; **de ~** de costumbre, de ordinario

couture [kutyʀ] *nf* costura

couturier [kutyʀje] *nm* modisto
couturière [kutyʀjɛʀ] *nf* modista
couvent [kuvɑ̃] *nm* convento
couver [kuve] *vt* (*œufs, maladie*) incubar; (*personne*) mimar ▪ *vi* (*feu*) mantenerse; (*révolte*) incubarse, prepararse; **~ qch/qn des yeux** no quitar los ojos de algo/de algn; (*convoiter*) comerse con los ojos algo/a algn
couvercle [kuvɛʀkl] *nm* tapa
couvert, e [kuvɛʀ, ɛʀt] *pp de* **couvrir** ▪ *adj* (*ciel, coiffé d'un chapeau*) cubierto(-a); (*protégé*) protegido(-a), resguardado(-a) ▪ *nm* cubierto; **couverts** *nmpl* cubiertos *mpl*; **~ de** cubierto(-a) por; **bien ~** bien abrigado(-a); **mettre le ~** poner la mesa; **service de 12 ~s en argent** juego de 12 cubiertos de plata; **à ~** a cubierto, a resguardo; **sous le ~ de** bajo la apariencia de
couverture [kuvɛʀtyʀ] *nf* (*de lit*) manta, frazada (*AM*), cobija (*AM*); (*de bâtiment*) cubierta; (*de livre, cahier*) forro; (*d'un espion*) máscara; (*Assurance, Presse*) cobertura; **de ~** (*lettre etc*) de garantía; **~ chauffante** manta térmica
couvre-lit [kuvʀəli] (*pl* **~s**) *nm* colcha
couvrir [kuvʀiʀ] *vt* cubrir; (*d'ornements, d'éloges*): **~ qch/qn de** cubrir a algo/algn de; (*supérieur hiérarchique*) proteger; (*voix, pas*) cubrir, tapar; (*erreur*) ocultar; (*distance*) recorrer; (*Zool*) cubrir; **se couvrir** *vpr* cubrirse; **se ~ de** (*fleurs, boutons*) llenarse de
cow-boy [kobɔj] (*pl* **~s**) *nm* vaquero
crabe [kʀɑb] *nm* cangrejo (de mar)
cracher [kʀaʃe] *vi, vt* escupir; (*lave, injures*) escupir, arrojar; **~ du sang** escupir sangre
crachin [kʀaʃɛ̃] *nm* llovizna, garúa (*AM*)
craie [kʀɛ] *nf* (*substance*) greda; (*morceau*) tiza, gis *m* (*Mex*)
craindre [kʀɛ̃dʀ] *vt* temer; (*être sensible à*) no tolerar; **je crains que vous (ne) fassiez erreur** (me) temo que se equivoca; **~ de/que** temer/temer que; **crains-tu de ...?** ¿temes ...?
crainte [kʀɛ̃t] *nf* temor *m*; **soyez sans ~** no tema nada; **(de) ~ de/que** por temor a/a que
craintif, -ive [kʀɛ̃tif, iv] *adj* temeroso(-a)
crampe [kʀɑ̃p] *nf* calambre *m*; **~ d'estomac** cólico de estómago
crampon [kʀɑ̃pɔ̃] *nm* (*de semelle*) taco; (*Alpinisme*) crampón *m*
cramponner [kʀɑ̃pɔne] *vpr*: **se cramponner**: **se ~ (à)** agarrarse (a)
cran [kʀɑ̃] *nm* (*entaille, trou*) muesca; (*de courroie*) ojete *m*; (*courage*) agallas *fpl*; **être à ~** estar que se lo llevan los demonios; **~ d'arrêt** muelle *m*; **~ de sûreté** seguro
crapaud [kʀapo] *nm* sapo
craquement [kʀakmɑ̃] *nm* crujido
craquer [kʀake] *vi* (*bois, plancher*) crujir; (*fil, branche*) romperse; (*couture*) estallar; (*s'effondrer*) derrumbarse ▪ *vt*: **~ une allumette** frotar una cerilla; **je craque** (*enthousiasmé*) me vuelvo loco(-a)
crasse [kʀas] *nf* mugre *f* ▪ *adj* (*ignorance*) craso(-a)
crasseux, -euse [kʀasø, øz] *adj* mugriento(-a), mugroso(-a) (*AM*)
cravache [kʀavaʃ] *nf* fusta
cravate [kʀavat] *nf* corbata
crawl [kʀol] *nm* crol *m*
crayon [kʀɛjɔ̃] *nm* lápiz *m*; (*de rouge à lèvres etc*) perfilador *m*, lápiz; **écrire au ~** escribir con lápiz; **~ à bille** bolígrafo; **~ de couleur** lápiz de color; **~ optique** lápiz óptico
crayon-feutre [kʀɛjɔ̃føtʀ] (*pl* **crayons-feutres**) *nm* rotulador *m*
création [kʀeasjɔ̃] *nf* creación *f*; (*nouvelle robe, voiture etc*) creación, diseño
crèche [kʀɛʃ] *nf* (*de Noël*) nacimiento, belén *m*; (*garderie*) guardería
crédit [kʀedi] *nm* (*confiance, autorité, Écon*) crédito; (*d'un compte bancaire*) crédito, haber *m*; **crédits** *nmpl* fondos *mpl*; **payer/acheter à ~** pagar/comprar a plazos; **faire ~ à qn** tener confianza en algn
créditer [kʀedite] *vt*: **~ un compte (de)** abonar en cuenta
créer [kʀee] *vt* crear; (*spectacle*) montar; (*rôle*) crear
crémaillère [kʀemajɛʀ] *nf* cremallera; **direction à ~** (*Auto*) dirección *f* de cremallera; **pendre la ~** festejar el estreno de una casa
crème [kʀɛm] *nf* crema; (*du lait*) nata, crema; (*Pharmacie*) crema, pomada ▪ *adj inv* crema; **un (café) ~** un café con leche; **~ à raser** crema de afeitar; **~ Chantilly** nata Chantilly; **~ fouettée** nata batida; **~ glacée** helado
crémeux, -euse [kʀemø, øz] *adj* cremoso(-a)
créneau, x [kʀeno] *nm* (*de fortification*) almena; (*fig*) hueco; (*Comm*) segmento de mercado; **faire un ~** (*Auto*) aparcar hacia atrás
crêpe [kʀɛp] *nf* crep *f*, panqueque *m* (*AM*)

■ *nm* (*tissu*) crespón *m*; (*de deuil*) crespón, gasa negra; **semelle (de) ~** suela de crepé; **~ de Chine** crespón de China
crêperie [kʀɛpʀi] *nf* crepería
crépuscule [kʀepyskyl] *nm* crepúsculo
cresson [kʀesɔ̃] *nm* berro
creuser [kʀøze] *vt* cavar; (*bois*) vaciar; (*problème, idée*) cavilar; **ça creuse** (*l'estomac*) eso abre el apetito; **se ~ la cervelle** *ou* **la tête** romperse la cabeza
creux, -euse [kʀø, kʀøz] *adj* hueco(-a) ■ *nm* hueco; (*fig*) vacío; **heures creuses** (*transports*) horas *fpl* de menos tráfico; (*travail*) horas muertas; (*pour électricité, téléphone*) horas de tarifa baja; **mois/jours ~** meses *mpl*/días *mpl* muertos; **le ~ de l'estomac** la boca del estómago
crevaison [kʀəvɛzɔ̃] *nf* pinchazo
crevé, e [kʀəve] *adj* (*pneu*) pinchado(-a); (*fam*): **je suis ~** estoy reventado(-a)
crever [kʀəve] *vt* estallar, explotar ■ *vi* (*pneu, automobiliste*) pinchar; (*abcès, outre*) reventar; (*nuage*) descargar; (*fam: mourir*) palmarla; **~ d'envie/de peur** morirse de ganas/de miedo; **~ de faim/de soif/de froid** morirse de hambre/de sed/de frío; **~ l'écran** barrer; **cela lui a crevé un œil** esto le dejó tuerto
crevette [kʀəvɛt] *nf*: **~ rose** gamba; **~ grise** quisquilla, camarón *m*
cri [kʀi] *nm* grito; **à grands ~s** a grito pelado; **~s d'enthousiasme** gritos *mpl* de entusiasmo; **c'est le dernier ~** es el último grito; **~s de protestation** gritos de protesta
criard, e [kʀijaʀ, kʀijaʀd] *adj* (*couleur*) chillón(-ona)
cric [kʀik] *nm* (*Auto*) gato
crier [kʀije] *vi* gritar; (*grincer*) chirriar ■ *vt* (*ordre*) dar a gritos; (*injure*) lanzar; **sans ~ gare** sin avisar; **~ au secours** pedir socorro; **~ famine** quejarse de hambre; **~ grâce** pedir merced; **~ au scandale** poner el grito en el cielo; **~ au meurtre** clamar contra el asesinato
crime [kʀim] *nm* crimen *m*
criminel, le [kʀiminɛl] *adj* (*acte*) criminal; (*poursuites, droit*) penal; (*fig*) abominable ■ *nm/f* criminal *m/f*; **~ de guerre** criminal de guerra
crin [kʀɛ̃] *nm* crin *f*; (*comme fibre*) crin, cerda; **à tous ~s, à tout ~** de tomo y lomo
crinière [kʀinjɛʀ] *nf* (*de cheval*) crines *fpl*; (*lion*) melena
crique [kʀik] *nf* cala
criquet [kʀikɛ] *nm* langosta
crise [kʀiz] *nf* crisis *f inv*; **~ cardiaque** ataque *m* cardíaco; **~ de foie** cólico biliar; **~ de la foi** crisis de (la) fe; **~ de nerfs** ataque de nervios, crisis nerviosa
cristal, -aux [kʀistal, o] *nm* cristal *m*; (*neige*) cristal, copo; **cristaux** *nmpl* (*objets de verre*) cristalería *fsg*; **~ de plomb** vidrio de plomo, cristal de plomo; **~ de roche** cristal de roca; **cristaux de soude** sosa *fsg* en polvo
critère [kʀitɛʀ] *nm* criterio
critiquable [kʀitikabl] *adj* discutible
critique [kʀitik] *adj* crítico(-a) ■ *nf* (*aussi article*) crítica ■ *nm* crítico; **la ~** (*activité, personnes*) la crítica
critiquer [kʀitike] *vt* criticar
Croatie [kʀɔasi] *nf* Croacia
crochet [kʀɔʃɛ] *nm* gancho; (*tige, clef*) ganzúa; (*détour*) desvío, rodeo; (*Tricot*) ganchillo; (*Boxe*): **~ du gauche** gancho de izquierda; **crochets** *nmpl* (*Typo*) corchetes *mpl*; **vivre aux ~s de qn** vivir a expensas de algn
crocodile [kʀɔkɔdil] *nm* cocodrilo
croire [kʀwaʀ] *vt* creer; **~ qn honnête** creer en la honestidad de algn; **se ~ fort** considerarse fuerte; **~ que** creer que; **j'aurais cru que si** hubiera creído que sí; **je n'aurais pas cru cela (de lui)** nunca lo hubiera pensado (de él); **vous croyez?** ¿lo cree usted?, ¿lo piensa usted?; **vous ne croyez pas?** ¿no lo cree así?; **~ à** *ou* **en** creer en; **~ (en Dieu)** creer (en Dios)
croîs [kʀwa] *vb voir* **croître**
croisade [kʀwazad] *nf* cruzada
croisement [kʀwazmɑ̃] *nm* (*carrefour, Biol*) cruce *m*
croiser [kʀwaze] *vt* cruzar; (*personne, voiture*) cruzarse con, encontrar ■ *vi* navegar; **se croiser** *vpr* cruzarse; **~ les jambes/les bras** cruzar las piernas/los brazos; **se ~ les bras** (*fig*) cruzarse de brazos
croisière [kʀwazjɛʀ] *nf* crucero; **vitesse de ~** velocidad *f* de crucero
croissance [kʀwasɑ̃s] *nf* desarrollo, crecimiento; **troubles de la/maladie de ~** trastornos *mpl*/enfermedad *f* del crecimiento; **~ économique** desarrollo económico
croissant, e [kʀwasɑ̃, ɑ̃t] *vb voir* **croître** ■ *adj* creciente ■ *nm* (*gâteau*) croissant *m*; (*motif*) media luna; **~ de lune** media luna
croître [kʀwatʀ] *vi* crecer
croix [kʀwa] *nf* cruz *f*; **en ~** *adj* en cruz ■ *adv* en forma de cruz, en cruz; **la C~ Rouge** la Cruz Roja
croque-monsieur [kʀɔkməsjø] *nm inv* *sandwich de jamón y queso (tostado)*

croquer [kʀɔke] *vt* (*manger, fruit*) comer; (*dessiner*) bosquejar ▪ *vi* crujir; **chocolat à ~** chocolate *m* para comer
croquis [kʀɔki] *nm* croquis *m inv*, boceto; (*description*) bosquejo
crotte [kʀɔt] *nf* caca; **~!** (*fam*) ¡córcholis!, ¡concho!
crottin [kʀɔtɛ̃] *nm*: **~ (de cheval)** excremento (de caballo); (*petit fromage de chèvre*) *quesito redondo de cabra*
croustillant, e [kʀustijɑ̃, ɑ̃t] *adj* crujiente; (*histoire*) picante
croûte [kʀut] *nf* (*du fromage, pain*) corteza; (*de vol-au-vent*) hojaldre *m*; (*de glace*) capa; (*Méd*) costra, postilla; (*de tartre, peinture*) costra; (*péj: peinture*) mamarracho; **en ~** (*Culin*) en pastel; **~ au fromage/aux champignons** rebanada de pan tostado con queso/con champiñones; **~ de pain** (*morceau*) mendrugo; **~ terrestre** corteza terrestre
croûton [kʀutɔ̃] *nm* (*Culin*) picatoste *m*; (*extrémité: du pain*) cuscurro
croyant, e [kʀwajɑ̃, ɑ̃t] *vb voir* **croire** ▪ *adj* (*Rel*): **être/ne pas être ~** ser/no ser creyente ▪ *nm/f* (*Rel*) creyente *m/f*
CRS [seɛʀɛs] *sigle fpl* = *Compagnies républicaines de sécurité*
cru, e [kʀy] *pp de* **croire** ▪ *adj* (*non cuit*) crudo(-a); (*lumière, couleur*) fuerte, vivo(-a); (*description, langage*) crudo(-a); (*grossier*) grosero(-a) ▪ *nm* (*vignoble*) viñedo; (*vin*) caldo; **monter à ~** (*cheval*) montar a pelo; **de son (propre) ~** (*fig*) de su (propia) cosecha; **du ~** de la región
crû [kʀy] *pp de* **croître**
cruauté [kʀyote] *nf* crueldad *f*
cruche [kʀyʃ] *nf* cántaro
crucifix [kʀysifi] *nm* crucifijo
crudité [kʀydite] *nf* (*d'un éclairage, d'une couleur*) viveza; **crudités** *nfpl* (*Culin*) verduras *fpl* y hortalizas crudas
crue [kʀy] *adj f voir* **cru** ▪ *nf* crecida; **en ~** con crecida
cruel, le [kʀyɛl] *adj* (*personne, sort*) cruel; (*froid*) despiadado(-a)
crus *etc* [kʀy] *vb voir* **croire**
crûs *etc* [kʀy] *vb voir* **croître**
crustacés [kʀystase] *nmpl* crustáceos *mpl*
Cuba [kyba] *nm* Cuba
cubain, e [kybɛ̃, ɛn] *adj* cubano(-a) ▪ *nm/f*: **Cubain, e** cubano(-a)
cube [kyb] *nm* cubo; (*Math*): **2 au ~ = 8** 2 al cubo = 8; **gros ~** cubo grande; **mètre ~** metro cúbico; **élever au ~** (*Math*) elevar al cubo
cueillette [kœjɛt] *nf* recolección *f*, cosecha
cueillir [kœjiʀ] *vt* recoger; (*attraper*) pillar
cuiller [kɥijɛʀ] *nf* cuchara; **~ à café** cucharilla; **~ à soupe** cuchara sopera
cuillère [kɥijɛʀ] *nf* = **cuiller**
cuillerée [kɥijʀe] *nf* cucharada; **~ à soupe/café** cucharada sopera/de café
cuir [kɥiʀ] *nm* cuero
cuire [kɥiʀ] *vt* (*aliments, poterie*) cocer; (*au four*) asar ▪ *vi* cocerse; (*picoter*) escocer; **bien cuit** (*viande*) bien hecho *ou* pasado; **trop cuit** demasiado hecho *ou* pasado; **pas assez cuit** no muy hecho *ou* pasado; **cuit à point** hecho en su punto
cuisine [kɥizin] *nf* cocina; (*nourriture*) comida; **faire la ~** preparar la comida
cuisiné, e [kɥizine] *adj*: **plat ~** plato cocinado
cuisiner [kɥizine] *vt* cocinar; (*fam*) acribillar a preguntas a ▪ *vi* cocinar
cuisinier, -ière [kɥizinje, jɛʀ] *nm/f* cocinero(-a)
cuisinière [kɥizinjɛʀ] *nf* (*poêle*) cocina
cuisse [kɥis] *nf* (*Anat*) muslo; (*de poulet*) muslo; (*de mouton*) pierna
cuisson [kɥisɔ̃] *nf* cocción *f*
cuit, e [kɥi, kɥit] *pp de* **cuire** ▪ *adj* cocido(-a); (*viande*): **bien/très ~** bien/ muy hecho(-a)
cuivre [kɥivʀ] *nm* cobre *m*; **les ~s** (*Mus*) los cobres; **~ jaune** latón *m*; **~ (rouge)** cobre (rojizo)
cul [ky] (*fam!*) *nm* culo (*fam!*); **~ de bouteille** culo de botella
culbute [kylbyt] *nf* (*en jouant*) voltereta; (*accidentelle*) batacazo
culinaire [kylinɛʀ] *adj* culinario(-a)
culminant [kylminɑ̃] *adj*: **point ~** punto culminante
culot [kylo] *nm* (*d'ampoule*) casquillo; (*effronterie*) desfachatez *f*, descaro; **il a du ~** tiene cara
culotte [kylɔt] *nf* (*pantalon*) pantalón *m* corto; (*d'homme*) calzoncillos *mpl*, calzones *mpl* (*AM*); (*de femme*): **(petite) ~** bragas *fpl*, calzones *mpl* (*AM*); **~ de cheval** pantalón de montar; (*chez les femmes*) celulitis *f inv*
culte [kylt] *nm* culto
cultivateur, -trice [kyltivatœʀ, tʀis] *nm/f* cultivador(a)
cultivé, e [kyltive] *adj* (*terre*) cultivado(-a); (*personne*) culto(-a)
cultiver [kyltive] *vt* cultivar
culture [kyltyʀ] *nf* cultivo; (*connaissances*) cultura; **~s** cultivos *mpl*; **champs de ~s** campos *mpl* de cultivo; **~ physique** culturismo

culturel, le [kyltyʀɛl] *adj* cultural
cumin [kymɛ̃] *nm* comino
cure [kyʀ] *nf* (*Méd*) cura; (*Rel: fonction*) curato; (*: maison*) casa del cura; **faire une ~ de fruits** hacer una cura de frutas; **n'avoir ~ de** traerle a uno sin cuidado; **faire une ~ thermale** hacer una cura de aguas termales; **~ d'amaigrissement** régimen *m* de adelgazamiento; **~ de repos** cura de reposo; **~ de sommeil** cura de sueño
curé [kyʀe] *nm* cura *m*, párroco; **M. le ~** el Señor cura
cure-dent [kyʀdɑ̃] (*pl* **~s**) *nm* palillo, mondadientes *m inv*
curieusement [kyʀjøzmɑ̃] *adv* curiosamente
curieux, -euse [kyʀjø, jøz] *adj* curioso(-a) ■ *nmpl* curiosos *mpl*, mirones *mpl*
curiosité [kyʀjozite] *nf* curiosidad *f*; (*objet, site*) singularidad *f*
curriculum vitae [kyʀikylɔmvite] *nm inv* curriculum vitae *m*
cutané, e [kytane] *adj* cutáneo(-a)
cuve [kyv] *nf* cuba; (*à mazout etc*) depósito, tanque *m*
cuvette [kyvɛt] *nf* (*récipient*) palangana; (*du lavabo*) pila; (*des w-c*) taza; (*Géo*) hondonada
CV [seve] *sigle m* (= *cheval vapeur*) C.V. (= *caballos de vapor*); = *curriculum vitae*
cybercafé [sibɛʀkafe] *nm* cibercafé *m*
cyclable [siklabl] *adj*: **piste ~** pista para ciclistas
cycle [sikl] *nm* (*vélo*) velocípedo; (*naturel, biologique*) ciclo; **1er ~** (*Scol*) ≈ segunda etapa de educación primaria; **2ème ~** ≈ educación secundaria
cyclisme [siklism] *nm* ciclismo
cycliste [siklist] *nm/f* ciclista *m/f* ■ *adj*: **coureur ~** corredor *m* ciclista
cyclomoteur [siklomɔtœʀ] *nm* ciclomotor *m*
cyclone [siklon] *nm* ciclón *m*
cygne [siɲ] *nm* cisne *m*
cylindre [silɛ̃dʀ] *nm* cilindro; **moteur à 4 ~s en ligne** motor *m* de 4 cilindros en línea
cylindrée [silɛ̃dʀe] *nf* cilindrada; **une (voiture de) grosse ~** un coche de gran cilindrada
cymbale [sɛ̃bal] *nf* platillo
cynique [sinik] *adj* cínico(-a)
cystite [sistit] *nf* cistitis *f*

d

d' [d] *prép voir* **de**
dactylo [daktilo] *nf* (*aussi*: **dactylographe**) mecanógrafa; (*aussi*: **dactylographie**) mecanografía
dada [dada] *nm* tema *m* de siempre
daim [dɛ̃] *nm* (*Zool*) gamo; (*peau*) ante *m*; (*imitation*) piel *f* vuelta
dame [dam] *nf* señora; (*femme du monde*) dama; (*Cartes, Échecs*) reina; **dames** *nfpl* (*jeu*) damas *fpl*; **les (toilettes des) ~s** los servicios de señoras; **~ de charité** dama de la caridad; **~ de compagnie** señora de compañía
Danemark [danmaʀk] *nm* Dinamarca
danger [dɑ̃ʒe] *nm*: **le ~** el peligro; **un ~** un peligro; **être/mettre en ~** estar/poner en peligro; **être en ~ de mort** estar en peligro de muerte; **être hors de ~** estar fuera de peligro
dangereux, -euse [dɑ̃ʒʀø, øz] *adj* peligroso(-a)
danois, e [danwa, waz] *adj* danés(-esa) ■ *nm* (*Ling, chien*) danés *msg* ■ *nm/f*: **Danois, e** danés(-esa)

MOT-CLÉ

dans [dɑ̃] *prép* **1** (*position*) en; **dans le tiroir/le salon** en el cajón/el salón;

marcher dans la ville andar por la ciudad; **je l'ai lu dans un journal** lo leí en un periódico; **monter dans une voiture/le bus** subir en un coche/el autobús; **dans la rue** en la calle; **être dans les premiers** ser de los primeros
2 (*direction*) a; **elle a couru dans le salon** corrió al salón
3 (*provenance*) de; **je l'ai pris dans le tiroir/salon** lo saqué del cajón/salón; **boire dans un verre** beber en un vaso
4 (*temps*) dentro de; **dans 2 mois** dentro de dos meses; **dans quelques instants** dentro de unos momentos; **dans quelques jours** dentro de unos días; **il part dans quinze jours** se marcha dentro de quince días; **je serai là dans la matinée** estaré allí por la mañana
5 (*approximation*) alrededor de; **dans les 20 euros/4 mois** alrededor de 20 euros/4 meses
6 (*intention*) con; **dans le but de faire qch** con objeto de hacer algo

danse [dɑ̃s] *nf* danza; **une ~** un baile; **~ du ventre** danza del vientre; **~ moderne** danza moderna
danser [dɑ̃se] *vt, vi* bailar, danzar
danseur, -euse [dɑ̃sœʀ, øz] *nm/f* (*de ballet*) bailarín(-ina); (*cavalier*) pareja; **en danseuse** (*cyclisme*) de pie sobre los pedales; **~ de claquettes** bailarín(-ina) de claqué
date [dat] *nf* (*jour*) fecha; **de longue** *ou* **vieille ~** (*amitié*) viejo(-a); **de fraîche ~** reciente; **premier/dernier en ~** más antiguo/reciente; **prendre ~ (avec qn)** fijar fecha (con algn); **faire ~** hacer época; **~ limite** fecha límite; (*d'un aliment: aussi:* **date limite de vente**) fecha de caducidad; **~ de naissance** fecha de nacimiento
dater [date] *vt* fechar ■ *vi* estar anticuado(-a); **~ de** (*remonter à*) datar de; **à ~ de** a partir de
datte [dat] *nf* dátil *m*
dauber [dobe] (*fam*) *vi* (*puer*) apestar; **ça daube ici!** ¡huele que apesta!
dauphin [dofɛ̃] *nm* (*aussi Hist, fig*) delfín *m*
davantage [davɑ̃taʒ] *adv* más; (*plus longtemps*) más tiempo; **~ de** más; **~ que** más que

MOT-CLÉ

de, d' [də, d] (*de + le =* **du,** *de + les =* **des**) *prép* 1 (*appartenance*) de; **le toit de la maison** el tejado de la casa; **la voiture d'Élisabeth/de mes parents** el coche de Elisabeth/de mis padres
2 (*moyen*) con; **suivre des yeux** seguir con la mirada; **nier de la tête** negar con la cabeza; **estimé de ses collègues** estimado por sus colegas
3 (*provenance*) de; **il vient de Londres** viene de Londres; **elle est sortie du cinéma** salió del cine
4 (*caractérisation, mesure*): **un mur de brique** un muro de ladrillo; **un verre d'eau** un vaso de agua; **un billet de 50 euros** un billete de 50 euros; **une pièce de 2 m de large** *ou* **large de 2 m** una habitación de 2m de ancho; **un bébé de 10 mois** un bebé de 10 meses; **12 mois de crédit/travail** 12 meses de crédito/trabajo; **augmenter** *etc* **de 10 euros** aumentar *etc* 10 euros; **3 jours de libres** 3 días libres; **de nos jours** en nuestros días; **être payé 20 euros de l'heure** cobrar 20 euros por hora
5 (*rapport*): **de 14 à 18** de 14 a 18; **de Madrid à Paris** de Madrid a París; **voyager de pays en pays** viajar de país en país
6 de; (*cause*): **mourir de faim** morir(se) de hambre; **rouge de colère** rojo(-a) de ira
7 (*vb + de + infinitif*): **je vous prie de venir** le ruego que venga; **il m'a dit de rester** me dijo que me quedara
8: **cet imbécile de Pierre** el tonto de Pierre
■ *dét* (*partitif*): **du vin/de l'eau/des pommes** vino/agua/manzanas; **des enfants sont venus** vinieron unos niños; **pendant des mois** durante meses; **il mange de tout** come de todo; **y a-t'il du vin?** ¿hay vino?; **il n'a pas de chance/d'enfants** no tiene suerte/niños

dé [de] *nm* (*aussi:* **dé à coudre**) dedal *m*; (*à jouer*) dado; (*Culin*): **couper en dés** cortar en dados; **dés** *nmpl* (*jeu*) dados *mpl*; **un coup de dés** un golpe de suerte
déballer [debale] *vt* desembalar; (*fam: savoir, connaissance*) desembuchar
débarcadère [debaʀkadɛʀ] *nm* desembarcadero
débardeur [debaʀdœʀ] *nm* estibador *m*; (*maillot*) *camiseta corta sin mangas*
débarquer [debaʀke] *vt* desembarcar ■ *vi* desembarcar; (*fam*) plantarse
débarras [debaʀɑ] *nm* trastero; (*placard*) armario trastero; **"bon ~!"** "¡anda y que te zurzan!"
débarrasser [debaʀɑse] *vt* desalojar

■ *vi* quitar la mesa; **se débarrasser** *vpr*: **se ~ de** desembarazarse de; (*vêtement*) quitarse; (*habitude*) librarse de; **~ la table** quitar la mesa; **~ qn de qch** (*vêtements*) recogerle algo a algn; (*paquets*) ayudar a algn con algo; **~ qch de** desembarazar algo de
débat [deba] *nm* debate *m*; **débats** *nmpl* (*Pol*) debate *msg*
débattre [debatʀ] *vt* (*question, prix*) debatir, discutir; **se débattre** *vpr* debatirse
débauché, e [deboʃe] *adj, nm/f* vicioso(-a)
débit [debi] *nm* (*d'un liquide*) flujo; (*fleuve*) caudal *m*; (*élocution*) cadencia; (*d'un magasin*) ventas *fpl*; (*du trafic*) fluidez *f*; (*bancaire*) débito; **avoir un ~ de 10 euros** tener un débito de 10 euros; **gros/faible ~** mucho/poco débito; **~ de boissons** establecimiento de bebidas; **~ de données** (*Inform*) velocidad *f* de datos; **~ de tabac** estanco
déblayer [debleje] *vt* despejar
débloquer [deblɔke] *vt* desbloquear ■ *vi* (*fam*) disparatar; **~ le crédit** desbloquear los créditos
déboîter [debwate] *vi* (*Auto*) salirse de la fila; **se déboîter** *vpr* dislocarse
débordé, e [debɔʀde] *adj*: **être ~** estar desbordado(-a)
déborder [debɔʀde] *vi* (*rivière*) desbordarse; (*eau, lait*) derramarse ■ *vt* (*Mil, Sport*) adelantar; (*dépasser*): **~ (de) qch** rebosar de algo; **~ de joie/zèle** (*fig*) rebosar de alegría/fervor
débouché [debuʃe] *nm* (*gén pl*: *pour vendre un produit*) mercado; (*perspectives d'emploi*) posibilidades *fpl*; **au ~ de la vallée** a la salida del valle
déboucher [debuʃe] *vt* (*évier, tuyau etc*) destapar; (*bouteille*) descorchar ■ *vi* desembocar; **~ sur** desembocar en; (*fig*) conducir a; **~ de** salir de
debout [d(ə)bu] *adv* (*personne, chose*) de pie; (*levé, éveillé*) levantado(-a); **être encore ~** (*fig*) estar todavía en pie; **mettre qch/qn ~** poner algo/a algn de pie; **se mettre ~** ponerse de pie; **se tenir ~** mantenerse en pie; **"~!"** "¡pie!"; (*du lit*) "¡arriba!"; **cette histoire/ça ne tient pas ~** esta historia/eso no se tiene en pie
déboutonner [debutɔne] *vt* desabrochar, desabotonar; **se déboutonner** *vpr* desabrocharse, desabotonarse; (*fig*) desahogarse
débraillé, e [debʀɑje] *adj* (*tenue*) desaliñado(-a); (*manières*) descuidado(-a)
débrancher [debʀɑ̃ʃe] *vt* (*appareil électrique*) desenchufar; (*téléphone*) desconectar
débrayage [debʀɛjaʒ] *nm* (*Auto*: *aussi action*) desembrague *m*; (*grève*) paro
débrayer [debʀeje] *vi* (*Auto*) desembragar; (*cesser le travail*) hacer paro
débris [debʀi] *nm* trozo ■ *nmpl* restos *mpl*
débrouillard, e [debʀujaʀ, aʀd] *adj* avispado(-a)
débrouiller [debʀuje] *vt* (*affaire, cas*) desembrollar; (*écheveau*) desenredar; **se débrouiller** *vpr* arreglárselas
début [deby] *nm* comienzo, principio; **débuts** *nmpl* (*Ciné, Sport etc*) debut *msg*; (*carrière*) comienzos *mpl*; **un bon/mauvais ~** un buen/mal comienzo; **faire ses ~s** debutar; **au ~** al principio; **dès le ~** desde el principio
débutant, e [debytɑ̃, ɑ̃t] *nm/f, adj* principiante *m/f*
débuter [debyte] *vi* comenzar; (*personne*) debutar
décadent, e [dekadɑ̃, ɑ̃t] *adj* decadente
décaféiné, e [dekafeine] *adj* descafeinado(-a)
décalage [dekalaʒ] *nm* desfase *m*; (*écart*) separación *f*; (*désaccord*) desacuerdo; **un ~** (*de position*) un desplazamiento; (*temporel*) una diferencia; (*fig*) un desfase; **~ horaire** diferencia de horario
décalcomanie [dekalkɔmani] *nf* calcomanía
décaler [dekale] *vt* (*changer de position*) desplazar; (*dans le temps*: *avancer*) adelantar; (: *retarder*) aplazar; **~ de 10 cm** desplazar 10 cm; **~ de 2 h** variar en 2h
décapotable [dekapɔtabl] *adj* descapotable
décapsuleur [dekapsylœʀ] *nm* abrebotellas *m inv*
décédé, e [desede] *adj* fallecido(-a); **~ le 10 janvier** fallecido(-a) el 10 de enero
décéder [desede] *vi* fallecer
décembre [desɑ̃bʀ] *nm* diciembre *m*; *voir aussi* **juillet**
décennie [deseni] *nf* decenio
décent, e [desɑ̃, ɑ̃t] *adj* decente
déception [desɛpsjɔ̃] *nf* decepción *f*
décès [desɛ] *nm* fallecimiento; **acte de ~** partida de defunción
décevant, e [des(ə)vɑ̃, ɑ̃t] *adj* decepcionante
décevoir [des(ə)vwaʀ] *vt* decepcionar; (*espérances, confiance*) defraudar
décharge [deʃaʀʒ] *nf* (*dépôt d'ordures*) vertedero; (*Jur*) descargo; (*salve,*

électrique) descarga; **à la ~ de** en descargo de
décharger [deʃaʀʒe] *vt* descargar; **~ qn de** dispensar a algn de; **~ sa colère (sur)** (*fig*) descargar su cólera (en); **~ sa conscience** (*fig*) descargar la conciencia; **se ~ dans** (*se déverser*) derramarse en; **se ~ d'une affaire sur qn** delegar un asunto en algn
déchausser [deʃose] *vt* descalzar; (*skis*) quitar; **se déchausser** *vpr* (*personne*) descalzarse; (*dent*) descarnarse
déchets [deʃɛ] *nmpl* (*ordures*) restos *mpl*, residuos *mpl*
déchiffrer [deʃifʀe] *vt* (*nouvelle, dépêche*) leer; (*musique, partition*) ejecutar por primera vez; (*texte illisible*) descifrar
déchirant, e [deʃiʀɑ̃, ɑ̃t] *adj* desgarrador(a)
déchirement [deʃiʀmɑ̃] *nm* desgarrón *m*; (*chagrin*) desgarramiento; (*gén pl: conflit*) conflictividad *f*
déchirer [deʃiʀe] *vt* (*vêtement, livre*) desgarrar; (*mettre en morceaux*) rasgar; (*pour ouvrir*) rasgar; (*arracher*) arrancar; (*fig*) destrozar; **se déchirer** *vpr* desgarrarse; (*fig*) destrozarse; **se ~ un muscle/tendon** desgarrarse un músculo/tendón
déchirure [deʃiʀyʀ] *nf* desgarrón *m*; **~ musculaire** desgarrón muscular
décidé, e [deside] *adj* decidido(-a); **c'est ~** está decidido; **être ~ à faire** estar resuelto(-a) a hacer
décidément [desidemɑ̃] *adv* decididamente
décider [deside] *vt*: **~ qch** decidir algo; **se décider** *vpr* (*personne*) decidirse; (*problème, affaire*) resolverse; **~ que** decidir que; **~ qn (à faire qch)** animar a algn (a hacer algo); **~ de faire** decidir hacer; **~ de qch** decidir algo; **se ~ à faire qch** decidirse a hacer algo; **se ~ pour qch** decidirse por algo; **"décide-toi!"** "¡decídete!"
décimal, e, -aux [desimal, o] *adj* decimal
décimètre [desimɛtʀ] *nm* decímetro; **double ~** doble decímetro
décisif, -ive [desizif, iv] *adj* decisivo(-a)
décision [desizjɔ̃] *nf* decisión *f*; (*Admin, Jur*) resolución *f*; **prendre la ~ de faire** tomar la decisión de hacer; **emporter** *ou* **faire la ~** zanjar la cuestión
déclaration [deklaʀasjɔ̃] *nf* declaración *f*; **~ (d'amour)** declaración (de amor); **~ (de changement de domicile)** certificado (de cambio de domicilio); **~ de décès** certificación *f* de fallecimiento; **~ de guerre** declaración de guerra; **~ de naissance** partida de nacimiento; **~ (de perte)** denuncia (de pérdida); **~ de revenus** declaración de la renta; **~ (de sinistre)** declaración (de siniestro); **~ (de vol)** denuncia (de robo); **~ d'impôts** declaración de impuestos
déclarer [deklaʀe] *vt* declarar; (*vol etc: à la police*) denunciar; (*décès, naissance*) certificar; **se déclarer** *vpr* declararse; **~ que** declarar que; **~ qch/qn inutile** *etc* declarar algo/a algn inútil *etc*; **se ~ favorable/prêt à** declararse favorable/dispuesto a; **~ la guerre** declarar la guerra
déclencher [deklɑ̃ʃe] *vt* activar; (*attaque*) lanzar; (*grève*) poner en marcha; (*fig*) provocar; **se déclencher** *vpr* desencadenarse
décliner [dekline] *vi* (*empire, acteur*) decaer; (*jour, soleil, santé*) declinar ■ *vt* (*aussi Ling*) declinar; (*identité*) dar a conocer; **se décliner** *vpr* (*Ling*) declinarse
décoder [dekɔde] *vt* descodificar
décoiffer [dekwafe] *vt* (*déranger la coiffure*) despeinar; **se décoiffer** *vpr* despeinarse
déçois *etc* [deswa] *vb voir* **décevoir**
décollage [dekɔlaʒ] *nm* despegue *m*, decolaje *m* (*AM*)
décoller [dekɔle] *vt, vi* despegar, decolar (*AM*); **se décoller** *vpr* despegarse
décolleté, e [dekɔlte] *adj* escotado(-a) ■ *nm* escote *m*
décolorer [dekɔlɔʀe] *vt* decolorar; (*suj: âge, lumière*) descolorir; **se décolorer** *vpr* descolorirse
décommander [dekɔmɑ̃de] *vt* (*marchandise*) anular; (*réception*) cancelar; **se décommander** *vpr* (*invité etc*) excusarse; **il faut ~ les invités** tenemos que avisar a los invitados que no vengan
déconcerter [dekɔ̃sɛʀte] *vt* desconcertar
décongeler [dekɔ̃ʒ(ə)le] *vt* descongelar
déconner [dekɔne] (*fam*) *vi* (*en parlant*) decir pijadas; (*faire des bêtises*) hacer pijadas; **sans ~** en serio
déconseiller [dekɔ̃seje] *vt*: **~ qch (à qn)** desaconsejar algo (a algn); **~ à qn de faire** desaconsejar a algn hacer; **c'est déconseillé** no es aconsejable
décontracté, e [dekɔ̃tʀakte] *adj* (*personne*) relajado(-a); (*ambiance*) distendido(-a)
décontracter [dekɔ̃tʀakte] *vt*

descontraer; (*muscle*) relajar; **se décontracter** *vpr* (*personne*) relajarse

décor [dekɔʀ] *nm* (*d'un palais etc*) decoración *f*; (*paysage*) panorama *m*; (*gén pl: Théâtre, Ciné*) decorado; **changement de ~** (*fig*) cambio de situación; **entrer dans le ~** (*fig*) salirse de la carretera; **en ~ naturel** (*Ciné*) en exteriores

décorateur, -trice [dekɔʀatœʀ, tʀis] *nm/f* (*ouvrier*) decorador(a); (*Ciné*) escenógrafo(-a)

décoration [dekɔʀasjɔ̃] *nf* decoración *f*; (*médaille*) condecoración *f*

décorer [dekɔʀe] *vt* decorar; (*médailler*) condecorar

décortiquer [dekɔʀtike] *vt* (*riz*) descascarillar; (*amandes, crevettes*) pelar; (*fig*) desmenuzar

découdre [dekudʀ] *vt* descoser; **se découdre** *vpr* descoserse; **en ~** (*fig*) pelearse

découper [dekupe] *vt* recortar; (*volaille, viande*) trinchar; (*fig*) fragmentar; **se ~ sur** (*le ciel, fond*) perfilarse en

décourager [dekuʀaʒe] *vt* desanimar, desalentar; **se décourager** *vpr* desanimarse; **~ qn de faire/de qch** desalentar *ou* desanimar a algn de hacer/de algo

décousu, e [dekuzy] *pp de* **découdre** ■ *adj* descosido(-a); (*fig*) deshilvanado(-a)

découvert, e [dekuvɛʀ, ɛʀt] *pp de* **découvrir** ■ *adj* (*tête*) descubierto(-a); (*lieu*) pelado(-a) ■ *nm* (*bancaire*) descubierto; **à ~** (*Mil*) al descubierto; (*ouvertement*) abiertamente; (*Comm*) en descubierto; **à visage ~** a cara descubierta

découverte [dekuvɛʀt] *nf* descubrimiento; **aller à la ~ (de)** ir en busca (de)

découvrir [dekuvʀiʀ] *vt* descubrir; (*casserole*) destapar; (*apercevoir*) divisar; (*voiture*) descapotar ■ *vi* (*mer*) descubrirse; **se découvrir** *vpr* (*ôter le chapeau*) descubrirse; (*se déshabiller*) desvestirse; (*au lit*) destaparse; (*ciel*) despejarse; **~ que** descubrir que; **se ~ des talents de** descubrir que se tiene talento para

décrire [dekʀiʀ] *vt* describir

décrocher [dekʀɔʃe] *vt* descolgar; (*contrat etc*) conseguir ■ *vi* (*pour répondre au téléphone*) descolgar; (*abandonner*) retirarse; (*perdre sa concentration*) desconectar; **se décrocher** *vpr* (*tableau, rideau*) descolgarse

déçu, e [desy] *pp de* **décevoir** ■ *adj* (*personne*) decepcionado(-a); (*espoir*) frustrado(-a)

dédaigner [dedeɲe] *vt* desdeñar; **~ de faire** desdeñar hacer

dédaigneux, -euse [dedɛɲø, øz] *adj* desdeñoso(-a)

dédain [dedɛ̃] *nm* desdén

dedans [dədɑ̃] *adv* dentro, adentro (*esp AM*) ■ *nm* interior *m*; **là-~** ahí dentro; **au ~** (por) dentro; **en ~** por dentro

dédicacer [dedikase] *vt* dedicar

dédier [dedje] *vt*: **~ à** (*livre*) dedicar a; (*efforts*) consagrar a

dédommagement [dedɔmaʒmɑ̃] *nm* (*indemnité*) indemnización *f*

dédommager [dedɔmaʒe] *vt*: **~ qn (de)** indemnizar a algn (por); (*remercier*) recompensar a algn (por)

dédouaner [dedwane] *vt* aduanar

déduire [dedɥiʀ] *vt*: **~ qch (de)** deducir algo (de)

défaillance [defajɑ̃s] *nf* desfallecimiento; (*technique*) fallo; (*morale*) debilidad *f*; **~ cardiaque** fallo cardíaco

défaire [defɛʀ] *vt* (*installation, échafaudage*) desmontar; (*paquet etc*) abrir; (*nœud*) desatar; (*vêtement*) descoser; (*déranger*) deshacer; (*cheveux*) despeinar; **se défaire** *vpr* (*cheveux, nœud*) deshacerse; **se ~ de** deshacerse de; **~ ses bagages** deshacer las maletas; **~ le lit** (*pour changer les draps*) deshacer la cama; (*pour se coucher*) abrir la cama

défait, e [defɛ, ɛt] *pp de* **défaire** ■ *adj* deshecho(-a); (*nœud*) desatado(-a); (*visage*) descompuesto(-a)

défaite [defɛt] *nf* (*Mil*) derrota; (*gén: échec*) fracaso

défaut [defo] *nm* (*moral*) defecto; (*d'étoffe, métal*) falla; (*Inform*) fallo; **~ de** (*manque, carence*) falto de; **~ de la cuirasse** (*fig*) punto débil; **en ~** en falta; **faire ~** faltar; **à ~** al menos; **à ~ de** a falta de; **par ~** (*Jur*) en rebeldía; (*Inform*) por defecto

défavorable [defavɔʀabl] *adj* desfavorable

défavoriser [defavɔʀize] *vt* desfavorecer

défectueux, -euse [defɛktɥø, øz] *adj* defectuoso(-a)

défendre [defɑ̃dʀ] *vt* defender; (*interdire*) prohibir; **se défendre** *vpr* defenderse; (*se justifier*) justificarse; **~ à qn qch/de faire** prohibir a algn algo/hacer; **il est défendu de cracher** está prohibido escupir; **c'est défendu** está prohibido; **il se défend** (*fig*) va defendiéndose; **ça se défend** (*fig*) esto se sostiene; **se ~ de/contre** (*se protéger*) protegerse de/contra; **se ~ de** (*se garder de*) evitar; (*nier*) negar; **se ~ de vouloir** no tener la intención de

défense [defɑ̃s] *nf* defensa; **ministre de la ~** ministro de defensa; **la ~ nationale** la defensa nacional; **la ~ contre avions** la defensa aérea; **"~ de fumer/cracher"** "prohibido fumar/escupir"; **prendre la ~ de qn** defender a algn; **~ des consommateurs** defensa de los consumidores

défi [defi] *nm* desafío, reto; **mettre qn au ~ de faire qch** desafiar *ou* retar a algn a hacer algo; **relever un ~** aceptar un desafío

déficit [defisit] *nm* (*Comm*) déficit *m*; (*Psych etc*) deficiencia; **être en ~** tener déficit; **~ budgétaire** déficit presupuestario

défier [defje] *vt* desafiar; **se défier de** *vpr* desconfiar de; **~ qn de faire qch** desafiar a algn a hacer algo; **~ qn à** desafiar a algn a; **~ toute comparaison/concurrence** excluir toda comparación/competencia

défigurer [defigyʀe] *vt* desfigurar

défilé [defile] *nm* (*Géo*) desfiladero; (*soldats, manifestants*) desfile *m*; **un ~ de** (*voitures, visiteurs*) un desfile de

défiler [defile] *vi* desfilar; **se défiler** *vpr* escaquearse; **faire ~** (*bande, film*) proyectar; (*Inform*) hacer un scroll

définir [definiʀ] *vt* definir

définitif, -ive [definitif, iv] *adj* definitivo(-a); (*décision, refus*) irrevocable

définitive [definitiv] *nf*: **en ~** en definitiva

définitivement [definitivmɑ̃] *adv* definitivamente

déformer [defɔʀme] *vt* deformar; **se déformer** *vpr* deformarse

défouler [defule] *vpr*: **se défouler** (*gén*) desahogarse; (*Psych*) liberarse

défunt, e [defœ̃, œ̃t] *adj*: **son ~ père** su difunto padre ■ *nm/f* difunto(-a)

dégagé, e [degaʒe] *adj* (*ciel, vue*) despejado(-a); (*ton, air*) desenvuelto(-a)

dégager [degaʒe] *vt* liberar; (*exhaler*) desprender; (*désencombrer*) despejar; (*idée, aspect etc*) extraer; (*crédits*) desbloquear; **se dégager** *vpr* (*odeur*) desprenderse; (*passage bloqué, ciel*) despejarse; **se ~ de** liberarse de; **~ qn de** liberar a algn de; **dégagé des obligations militaires** exento de las obligaciones militares

dégâts [degɑ] *nmpl*: **faire des ~** causar daños

dégel [deʒɛl] *nm* deshielo; (*des prix etc*) descongelación *f*

dégeler [deʒ(ə)le] *vt* (*fig*) descongelar ■ *vi* deshelarse; **se dégeler** *vpr* (*atmosphère, relations*) animarse; **~ l'atmosphère** romper el hielo

dégivrer [deʒivʀe] *vt* (*frigo*) descongelar; (*vitres*) deshelar

dégonflé, e [degɔ̃fle] *adj* (*pneu*) desinflado(-a), deshinchado(-a) ■ *nm/f* (*fam*) rajado(-a)

dégonfler [degɔ̃fle] *vt* desinflar, deshinchar ■ *vi* deshincharse; **se dégonfler** *vpr* (*fam*) rajarse

dégouliner [deguline] *vi* chorrear; **~ de** chorrear

dégourdi, e [deguʀdi] *adj* espabilado(-a)

dégourdir [deguʀdiʀ] *vt* (*sortir de l'engourdissement*) desentumecer; (*faire tiédir*) templar; (*personne*) despabilar, espabilar; **se dégourdir** *vpr*: **se ~ (les jambes)** desentumecerse (las piernas)

dégoût [degu] *nm* asco; (*aversion*) repugnancia

dégoûtant, e [degutɑ̃, ɑ̃t] *adj* asqueroso(-a); **c'est ~!** (*injuste*) ¡no hay derecho!

dégoûté, e [degute] *adj* asqueado(-a); (*fig*) melindroso(-a); **~ de** asqueado(-a) de

dégoûter [degute] *vt* asquear; **~ qn de faire qch** (*aussi fig*) quitarle a algn las ganas de hacer algo; **se ~ de** (*se lasser de*) hartarse de

dégrader [degʀade] *vt* (*Mil, fig*) degradar; (*abîmer*) deteriorar; **se dégrader** *vpr* deteriorarse; (*roche*) erosionarse; (*Phys*) degradarse

degré [dəgʀe] *nm* grado; (*escalier*) peldaño; (*niveau, taux*) punto; **brûlure/équation au 1er/2ème ~** quemadura/ecuación *f* de 1er/2º grado; **le premier ~** (*Scol*) el primer grado; **alcool à 90 ~s** alcohol *m* de 90 grados; **vin de 10 ~s** vino de 10 grados; **par ~(s)** gradualmente

dégressif, -ive [degʀesif, iv] *adj* decreciente; **tarif ~** tarifa decreciente

dégringoler [degʀɛ̃gɔle] *vi* caer rodando; (*prix, Bourse etc*) hundirse ■ *vt* (*escalier*) bajar corriendo

dégueulasse [degœlas] (*fam*) *adj* asqueroso(-a)

déguisement [degizmɑ̃] *nm* disfraz *m*

déguiser [degize] *vt* disfrazar; **se déguiser** *vpr* disfrazarse; **se ~ en** disfrazarse de
dégustation [degystasjɔ̃] *nf* degustación *f*; (*vin*) cata
déguster [degyste] *vt* degustar; (*vin*) catar; (*fig*) saborear; (*fam*) pasarlas moradas
dehors [dəɔʀ] *adv* fuera, afuera (*esp AM*) ■ *nm* exterior *m* ■ *nmpl* (*apparences*) apariencias *fpl*; **mettre** *ou* **jeter ~** echar fuera; **au ~** (por) fuera; (*en apparence*) por fuera; **au ~ de** fuera de; **de ~** desde afuera; **en ~** (*vers l'extérieur*) hacia afuera; **en ~ de** (*hormis*) fuera de
déjà [deʒa] *adv* ya; **quel nom, ~?** (*interrogatif*) entonces, ¿qué nombre?; **c'est ~ pas mal** (*intensif*) no está nada mal; **as-tu ~ été en France?** ¿ya has estado en Francia?; **c'est ~ quelque chose** ya es algo
déjeuner [deʒœne] *vi* (*matin*) desayunar; (*à midi*) almorzar, comer ■ *nm* (*petit déjeuner*) desayuno; (*à midi*) almuerzo, comida; **~ d'affaires** comida de negocios
delà [dəla] *prép, adv*: **par-~** (*plus loin que*) más allá de; (*de l'autre côté de*) al otro lado de; **en ~ (de)/au-~ (de)** más allá (de)
délacer [delase] *vt* desatar
délai [delɛ] *nm* plazo; (*sursis*) prórroga; **sans ~** sin demora; **à bref ~** en breve plazo; **dans les ~s** dentro de los plazos; **un ~ de 30 jours** un plazo de 30 días; **~ de livraison** plazo de entrega; **compter un ~ de livraison de 10 jours** contar un plazo de entrega de 10 días
délaisser [delese] *vt* abandonar
délasser [delɑse] *vt* (*membres*) descansar; (*personne, esprit*) recrear; **se délasser** *vpr* recrearse
délavé, e [delave] *adj* descolorido(-a)
délayer [deleje] *vt* diluir; (*discours, devoir*) alargar
delco® [dɛlko] *nm* (*Auto*) delco
délégué, e [delege] *adj* delegado(-a) ■ *nm/f* delegado(-a); (*syndical*) enlace *m/f*; **ministre ~ à** ministro delegado de; **~ médical** delegado médico
déléguer [delege] *vt* delegar
délibéré, e [delibeʀe] *adj* deliberado(-a); (*déterminé*) resuelto(-a); **de propos ~** adrede
délicat, e [delika, at] *adj* delicado(-a); (*attentionné*) atento(-a); **procédés peu ~s** procedimientos *mpl* poco limpios
délicatement [delikatmɑ̃] *adv* delicadamente; (*subtilement*) con delicadeza
délice [delis] *nm* delicia; **délices** *nfpl* (*plaisirs*) placeres *mpl*
délicieux, -euse [delisjø, jøz] *adj* (*goût, femme*) delicioso(-a); (*sensation*) placentero(-a); (*robe*) precioso(-a)
délimiter [delimite] *vt* delimitar
délinquant, e [delɛ̃kɑ̃, ɑ̃t] *adj, nm/f* delincuente *m/f*
délirer [deliʀe] *vi* delirar
délit [deli] *nm* (*Jur, gén*) delito; **~ de droit commun** delito común; **~ de fuite** delito de fuga; **~ de presse** delito de prensa; **~ politique** delito político
délivrer [delivʀe] *vt* (*prisonnier*) liberar; (*passeport, certificat*) expedir; **~ qn de** (*ennemis, responsabilité*) liberar a algn de; (*maladie*) curar a algn de
deltaplane® [dɛltaplan] *nm* ala delta
déluge [delyʒ] *nm* diluvio; **~ de** (*grand nombre*) avalancha de
demain [d(ə)mɛ̃] *adv* mañana; **~ matin/soir** mañana por la mañana/tarde; **~ midi** mañana a mediodía; **à ~** hasta mañana
demande [d(ə)mɑ̃d] *nf* petición *f*; (*Admin, formulaire*) instancia, solicitud *f*; **la ~** (*Écon*) la demanda; **à la ~ générale** a petición general; **faire sa ~ (en mariage)** pedir la mano; **~ d'emploi** solicitud de empleo; **"~s d'emploi"** "demandas *fpl* de empleo"; **~ de naturalisation/poste** solicitud de nacionalidad/empleo
demandé, e [d(ə)mɑ̃de] *adj*: **très ~** muy solicitado(-a)
demander [d(ə)mɑ̃de] *vt* pedir; (*autorisation*) solicitar; (*Jur*) requerir; (*médecin, plombier, infirmier*) necesitar; (*personnel*) precisar; (*de l'habileté, du courage*) requerir; (*à qn*) exigir; **~ de la ponctualité** *etc* **de qn** (*suj*: *personne*) exigir puntualidad *etc* a algn; **~ la main de qn** (*fig*) pedir la mano de algn; **~ qch à qn** preguntar algo a algn; **~ des nouvelles de qn** pedir noticias de algn; **~ l'heure/son chemin** preguntar la hora/el camino; **~ pardon à qn** pedir perdón a algn; **~ à** *ou* **de voir/faire** solicitar ver/hacer; **~ à qn de faire** pedir a algn que haga; **~ que** pedir *ou* solicitar que; **se ~ si/pourquoi** *etc* preguntarse si/por qué *etc*; **il a demandé 500 euros par mois** pidió 500 euros al mes; **ils demandent 2 secrétaires et un ingénieur** solicitan 2 secretarias y un ingeniero; **~ la parole** pedir la palabra; **~ la permission de** pedir permiso para; **je n'en demandais pas davantage** no necesitaba más; **je me demande comment tu as pu ...** me pregunto cómo has podido ...; **je me le**

demande me lo pregunto; **je me demande vraiment pourquoi** es que no entiendo por qué; **on vous demande au téléphone** le llaman por teléfono; **il ne demande que ça/qu'à faire ...** (*iro*) justo lo que quería/lo que quería hacer ...; **je ne demande pas mieux que ...** no deseo otra cosa más que ...

demandeur, -euse [dəmɑ̃dœʀ, øz] *nm/f*: ~ **d'emploi** demandante *m/f* de empleo

démangeaison [demɑ̃ʒɛzɔ̃] *nf* picor *m*

démanger [demɑ̃ʒe] *vi* picar; **la main me démange** pegaría a algn; **l'envie** *ou* **ça le démange de faire ...** (*fig*) tiene muchas ganas de hacer ...

démaquillant, e [demakijɑ̃, ɑ̃t] *adj* desmaquillador(a) ▪ *nm* desmaquillador *m*

démaquiller [demakije] *vt* desmaquillar; **se démaquiller** *vpr* desmaquillarse

démarchage [demaʀʃaʒ] *nm*: ~ **téléphonique** venta por teléfono

démarche [demaʀʃ] *nf* (*allure*) paso; (*intervention*) trámite *m*; (*intellectuelle etc*) proceso; (*requête, tractation*) gestión *f*; **faire** *ou* **entreprendre des ~s (auprès de qn)** hacer *ou* iniciar gestiones (ante algn)

démarrage [demaʀaʒ] *nm* (*d'une voiture, Sport*) salida; (*Auto*) arranque *m*; ~ **en côte** salida en pendiente

démarrer [demaʀe] *vi* arrancar; (*coureur*) acelerar; (*travaux, affaire*) ponerse en marcha ▪ *vt* (*voiture*) arrancar; (*travail*) poner en marcha

démarreur [demaʀœʀ] *nm* (*Auto*) botón *m* de arranque

démêlant, e [demɛlɑ̃, ɑ̃t] *adj*: **crème ~e** *ou* **baume** ~ crema suavizante

démêler [demele] *vt* (*fil, cheveux*) desenredar; (*problèmes*) desembrollar

démêlés [demele] *nmpl* diferencias *fpl*

déménagement [demenaʒmɑ̃] *nm* mudanza; **entreprise/camion de** ~ empresa/camión *m* de mudanzas

déménager [demenaʒe] *vt* mudar ▪ *vi* mudarse

déménageur [demenaʒœʀ] *nm* encargado de mudanzas; (*entrepreneur*) empresario de mudanzas

démerder [demɛʀde] (*fam!*) *vi*: **se démerder** *vpr* arreglárselas; **démerde-toi tout seul!** ¡búscate la vida!

démettre [demɛtʀ] *vt*: ~ **qn de** destituir a algn de; **se démettre** *vpr* (*épaule etc*) dislocarse; **se ~ (de ses fonctions)** dimitir (de sus funciones)

demeurer [d(ə)mœʀe] *vi* (*habiter*) residir, vivir; (*séjourner*) permanecer; (*rester*) quedar, permanecer; **en ~ là** quedarse así

demi, e [dəmi] *adj*: **~-rempli** medio lleno(-a) ▪ *nm* (*bière*) caña; (*Football*) medio; **trois bouteilles et ~e** tres botellas y media; **il est deux heures/midi et ~e** son las dos/doce y media; **à ~** a medias; (*presque: sourd, idiot*) medio(-a); (*fini, corrigé*) a medio; **à la ~e** (*heure*) a la media; ~ **de mêlée/d'ouverture** (*Rugby*) medio de melé/de apertura

demi-douzaine [dəmiduzɛn] (*pl* **~s**) *nf* media docena

demi-finale [dəmifinal] (*pl* **~s**) *nf* semifinal *f*

demi-frère [dəmifʀɛʀ] (*pl* **~s**) *nm* medio hermano, hermanastro

demi-heure [dəmijœʀ] (*pl* **~s**) *nf* media hora

demi-journée [dəmiʒuʀne] (*pl* **~s**) *nf* media jornada

demi-litre [dəmilitʀ] (*pl* **~s**) *nm* medio litro

demi-livre [dəmilivʀ] (*pl* **~s**) *nf* media libra

demi-pension [dəmipɑ̃sjɔ̃] (*pl* **~s**) *nf* media pensión *f*; **être en** ~ estar de media pensión

démis, e [demi, iz] *pp de* **démettre** ▪ *adj* (*épaule etc*) dislocado(-a)

demi-sœur [dəmisœʀ] (*pl* **~s**) *nf* media hermana, hermanastra

démission [demisjɔ̃] *nf* dimisión *f*; **donner sa** ~ presentar la dimisión

démissionner [demisjɔne] *vi* dimitir

demi-tarif [dəmitaʀif] (*pl* **~s**) *nm* media tarifa; **voyager à** ~ viajar con media tarifa

demi-tour [dəmituʀ] (*pl* **~s**) *nm* media vuelta; **faire un** ~ dar media vuelta; **faire** ~ dar la vuelta

démocratie [demɔkʀasi] *nf* democracia; ~ **libérale/populaire** democracia liberal/popular

démocratique [demɔkʀatik] *adj* democrático(-a); (*sport, moyen de transport etc*) popular

démodé, e [demɔde] *adj* pasado(-a) de moda

demoiselle [d(ə)mwazɛl] *nf* señorita; ~ **d'honneur** dama de honor

démolir [demɔliʀ] *vt* (*bâtiment*) demoler; (*théorie, système*) echar abajo; (*personne*) arruinar

démon [demɔ̃] *nm* demonio; **le ~ du jeu** el demonio del juego; **le D~** el demonio

démonstration [demɔ̃stʀasjɔ̃] *nf* demostración *f*; (*aérienne, navale*) exhibición *f*
démonter [demɔ̃te] *vt* desmontar; (*discours, théorie*) desmoronar; (*personne*) desconcertar; **se démonter** *vpr* desconcertarse
démontrer [demɔ̃tʀe] *vt* demostrar; (*des talents, du courage*) mostrar
démouler [demule] *vt* (*gâteau*) extraer del molde
démuni, e [demyni] *adj* pelado(-a); **~ de** desprovisto(-a) de
dénicher [deniʃe] *vt* dar con
dénier [denje] *vt* negar; **~ qch à qn** denegar algo a algn
dénivellation [denivelasjɔ̃] *nf* desnivel *m*
dénombrer [denɔ̃bʀe] *vt* (*compter*) contar; (*énumérer*) enumerar
dénomination [denɔminasjɔ̃] *nf* (*nom*) denominación *f*
dénoncer [denɔ̃se] *vt* denunciar; **se dénoncer** *vpr* denunciarse
dénouement [denumã] *nm* desenlace *m*
dénouer [denwe] *vt* desatar; (*intrigue, affaire*) aclarar
denrée [dɑ̃ʀe] *nf* producto; **~s alimentaires** productos *mpl* alimenticios
dense [dɑ̃s] *adj* denso(-a)
densité [dɑ̃site] *nf* densidad *f*
dent [dɑ̃] *nf* diente *m*; **avoir une ~ contre qn** tener manía a algn; **avoir les ~s longues** tener hambre; **se mettre quelque chose sous la ~** tener algo que llevarse a la boca; **être sur les ~s** andar de cabeza; **faire ses ~s** salirle los dientes; **à belles ~s** con ganas; **en ~s de scie** dentado(-a); **ne pas desserrer les ~s** no despegar los labios; **~ de lait** diente de leche; **~ de sagesse** muela del juicio
dentaire [dɑ̃tɛʀ] *adj* dental; **cabinet ~** clínica dental; **école ~** escuela de odontología
dentelle [dɑ̃tɛl] *nf* encaje *m*
dentier [dɑ̃tje] *nm* dentadura
dentifrice [dɑ̃tifʀis] *adj*: **pâte/eau ~** pasta/agua dentífrica ■ *nm* dentífrico
dentiste [dɑ̃tist] *nm/f* dentista *m/f*
dentition [dɑ̃tisjɔ̃] *nf* (*dents*) dentadura; (*formation*) dentición *f*
dénué, e [denɥe] *adj*: **~ de** desprovisto(-a) de; (*intérêt*) falto(-a) de
déodorant [deɔdɔʀɑ̃] *nm* desodorante *m*
déontologie [deɔ̃tɔlɔʒi] *nf* deontología
dépannage [depanaʒ] *nm* reparación *f*; **service de ~** (*Auto*) servicio de reparaciones; **camion de ~** (*Auto*) camión *m* grúa *inv*
dépanner [depane] *vt* reparar; (*fig*) sacar de apuros
dépanneuse [depanøz] *nf* grúa
dépareillé, e [depaʀeje] *adj* (*collection, service*) descabalado(-a); (*gant, volume, objet*) desparejado(-a)
départ [depaʀ] *nm* partida, marcha; (*d'un employé*) despido; (*Sport, sur un horaire*) salida; **à son ~** a su marcha; **au ~** al principio; **courrier au ~** correo saliente
département [depaʀtəmɑ̃] *nm* ≈ provincia; (*de ministère*) ministerio; (*d'université*) departamento; (*de magasin*) sección *f*; **~ d'outre-mer** provincia de ultramar

DÉPARTEMENT

Francia se halla dividida en 96 unidades administrativas denominadas *départements*. Al frente de estas divisiones de la administración local se encuentra el *préfet*, nombrado por el gobierno, y su administración corre a cargo de un *Conseil général* electo. Los *départements* por lo general deben su nombre a algún accidente geográfico importante, como un río o una cordillera; véase también *DOM-TOM*.

dépassé, e [depɑse] *adj* pasado(-a) de moda; (*fig*) desbordado(-a)
dépasser [depɑse] *vt* (*véhicule, concurrent*) adelantar; (*endroit*) dejar atrás; (*somme, limite fixée, prévisions*) rebasar; (*fig*) superar; (*être en saillie sur*) sobresalir ■ *vi* (*Auto*) adelantarse; (*ourlet, jupon*) sobresalir; **se dépasser** *vpr* (*se surpasser*) superarse; **cela me dépasse** esto no me cabe en la cabeza; **être dépassé** estar desbordado
dépaysé, e [depeize] *adj* extrañado(-a)
dépaysement [depeizmɑ̃] *nm* extrañamiento
dépêcher [depeʃe] *vt* despachar; **se dépêcher** *vpr* darse prisa, apresurarse, apurarse (*AM*); **se ~ de faire qch** darse prisa *ou* apurarse (*AM*) en hacer algo
dépendance [depɑ̃dɑ̃s] *nf* dependencia; (*Méd*) adicción *f*
dépendre [depɑ̃dʀ] *vt* descolgar; **~ de** depender de; **ça dépend** depende
dépens [depɑ̃] *nmpl*: **aux ~ de** a expensas de
dépense [depɑ̃s] *nf* gasto; (*ÉCON*) desembolso; (*fig*) consumo; **une ~ de 100 euros** un gasto de 100 euros; **pousser qn à la ~** incitar a algn al

consumo; **~s de fonctionnement** gastos *mpl* de funcionamiento; **~ de temps** consumo *ou* gasto de tiempo; **~s d'investissement** gastos de inversión; **~ physique** consumo *ou* gasto físico; **~s publiques** gastos públicos

dépenser [depɑ̃se] *vt* gastar; (*fig*) consumir; **se dépenser** *vpr* fatigarse

dépeupler [depœple] *vt* despoblar; **se dépeupler** *vpr* despoblarse

dépilatoire [depilatwaʀ] *adj* depilatorio(-a)

dépister [depiste] *vt* (*Méd*) identificar; (*voleur*) descubrir el rastro de; (*semer, déjouer*) despistar

dépit [depi] *nm* despecho; **en ~ de** a pesar de; **en ~ du bon sens** sin sentido común

dépité, e [depite] *adj* contrariado(-a)

déplacé, e [deplase] *adj* fuera de lugar *inv*; **personne ~e** persona desplazada

déplacement [deplasmɑ̃] *nm* traslado; (*voyage*) viaje *m*; **en ~** de viaje; **~ d'air** corriente *f* de aire; **~ de vertèbre** vértebra dislocada

déplacer [deplase] *vt* mover; (*employé*) trasladar; (*conversation, sujet*) cambiar; **se déplacer** *vpr* (*objet, personne*) moverse; (*voyager*) desplazarse, viajar; (*vertèbre etc*) desplazarse; **se ~ en voiture/avion** desplazarse en coche/avión

déplaire [deplɛʀ] *vi* desagradar; **se déplaire** *vpr* hallarse a disgusto; **ceci me déplaît** esto me desagrada; **~ à qn** desagradar a algn; **il cherche à nous ~** intenta molestarnos

déplaisant, e [deplɛzɑ̃, ɑ̃t] *vb voir* **déplaire** ■ *adj* desagradable

dépliant [deplijɑ̃] *nm* folleto

déplier [deplije] *vt* desplegar; **se déplier** *vpr* desplegarse

déposer [depoze] *vt* poner, dejar; (*à la banque*) ingresar; (*caution*) prestar; (*serrure, moteur*) desmontar; (*rideau*) descolgar; (*roi*) deponer; (*Admin, Jur*) presentar ■ *vi* (*vin etc*) sedimentar; (*Jur*): **~ (contre)** declarar (contra); **se déposer** *vpr* depositarse; **~ son bilan** (*Comm*) declararse en quiebra; **~ de l'argent** ingresar dinero

dépositaire [depozitɛʀ] *nm/f* (*d'un secret*) confidente *m/f*; (*Comm*) concesionario(-a); **~ agréé** concesionario autorizado

déposition [depozisjɔ̃] *nf* (*Jur*) deposición *f*

dépôt [depo] *nm* (*d'argent*) ingreso; (*de sable*) sedimento; (*de poussière*) acumulación *f*; (*de candidature*) presentación *f*; (*entrepôt*) depósito; (*gare*) cochera; (*prison*) cárcel *f* transitoria; **~ bancaire** depósito bancario; **~ de bilan** declaración *f* de suspensión de pagos; **~ d'ordures** basurero, vertedero; **~ légal** depósito legal

dépourvu, e [depuʀvy] *adj*: **~ de** desprovisto(-a) de; **au ~**: **prendre qn au ~** coger a algn desprevenido(-a)

dépressif, -ive [depʀesif, iv] *adj* depresivo(-a)

dépression [depʀesjɔ̃] *nf* depresión *f*; **~ (nerveuse)** depresión (nerviosa)

déprimant, e [depʀimɑ̃, ɑ̃t] *adj* deprimente

déprime [depʀim] *nf* depresión *f*

déprimer [depʀime] *vt* deprimir

depuis [dəpɥi] *prép* desde ■ *adv* (*temps*) desde entonces; **~ que** desde que; **~ qu'il m'a dit ça** desde que me dijo eso; **~ combien de temps?** ¿cuánto tiempo hace?; **il habite Paris ~ 5 ans** vive en París desde hace 5 años, lleva 5 años viviendo en París; **~ quand le connaissez-vous?** ¿desde cuándo lo conoce usted?; **je le connais ~ 9 ans** lo conozco desde hace 9 años; **~ quand?** (*excl*) ¿desde cuándo?; **il a plu ~ Metz** ha estado lloviendo desde Metz; **elle a téléphoné ~ Valence** llamó por teléfono desde Valencia; **~ les plus petits jusqu'aux plus grands** desde los más pequeños hasta los más grandes; **je ne lui ai pas parlé ~** no he vuelto a hablar con él *ou* ella; **~ lors** desde entonces

député [depyte] *nm* (*Pol*) diputado(-a)

dérangement [deʀɑ̃ʒmɑ̃] *nm* molestia; **en ~** averiado(-a)

déranger [deʀɑ̃ʒe] *vt* desordenar; (*personne*) molestar; (*projet*) desarreglar; **se déranger** *vpr* molestarse; (*changer de place*) cambiar de sitio; **est-ce que cela vous dérange si ...?** ¿le molesta si ...?; **ça te dérangerait de faire ...?** ¿te importaría hacer ...?; **ne vous dérangez pas** no se moleste

déraper [deʀape] *vi* (*voiture*) derrapar, patinar; (*personne, couteau*) resbalar; (*économie etc*) dispararse

dérégler [deʀegle] *vt* (*mécanisme*) estropear; (*estomac*) indisponer; (*mœurs, vie*) desordenar; **se dérégler** *vpr* (*mécanisme*) estropearse; (*estomac*) indisponerse; (*mœurs, vie*) descarriarse

dérisoire [deʀizwaʀ] *adj* irrisorio(-a)

dérive [deʀiv] *nf* (*Naut*) orza de quilla; **aller à la ~** (*Naut, fig*) ir a la deriva; **~ des continents** (*Géologie*) deriva de los continentes

dérivé, e [derive] *adj* derivado(-a) ■ *nm* derivado
dermatologue [dɛʀmatɔlɔg] *nm/f* dermatólogo(-a)
dernier, -ière [dɛʀnje, jɛʀ] *adj* último(-a) ■ *nm/f* último(-a) ■ *nm* (*étage*) último piso; **lundi/le mois ~** el lunes/el mes pasado; **du ~ chic** de última moda; **le ~ cri** (*Mode*) el último grito; **les ~s honneurs** los últimos honores; **rendre le ~ soupir** exhalar el último suspiro; **en ~** al final, por último; **en ~ ressort** en última instancia; **avoir le ~ mot** tener la última palabra; **ce ~/cette dernière** este último/esta última
dernièrement [dɛʀnjɛʀmɑ̃] *adv* últimamente
dérogation [deʀɔgasjɔ̃] *nf* contravención *f*
dérouiller [deʀuje] *vt*: **se ~ les jambes** estirar las piernas
déroulement [deʀulmɑ̃] *nm* desenrollamiento; (*d'une opération etc*) desarrollo
dérouler [deʀule] *vt* (*ficelle, papier*) desenrollar; **se dérouler** *vpr* (*avoir lieu*) desarrollarse
dérouter [deʀute] *vt* (*avion, train*) desviar; (*fig*) despistar
derrière [dɛʀjɛʀ] *prép* detrás de; (*fig*) tras, más allá de ■ *adv* detrás, atrás ■ *nm* (*d'une maison*) trasera; (*postérieur*) trasero; **les pattes/roues de ~** las patas/ruedas traseras; **par ~** por detrás
DES [deəɛs] *sigle m* (= *diplôme d'études supérieures*) *diploma de pos(t)grado*
des [de] *dét voir* **de** ■ *prép + dét* = **de**
dès [dɛ] *prép* desde; **~ que** tan pronto como; **~ à présent** desde ahora; **~ réception** en cuanto se reciba; **~ son retour** en cuanto vuelva; **~ lors** desde entonces; (*en conséquence*) por lo tanto; **~ lors que** en cuanto; (*puisque, étant donné que*) ya que
désaccord [dezakɔʀ] *nm* desacuerdo; (*contraste*) discordancia
désagréable [dezagʀeabl] *adj* desagradable
désagrément [dezagʀemɑ̃] *nm* desagrado
désaltérer [dezalteʀe] *vt* quitar la sed a ■ *vi* refrescar; **se désaltérer** *vpr* beber; **ça désaltère** esto refresca
désapprobateur, -trice [dezapʀɔbatœʀ, tʀis] *adj* desaprobatorio(-a)
désapprouver [dezapʀuve] *vt* desaprobar
désarmant, e [dezaʀmɑ̃, ɑ̃t] *adj* conmovedor(a)
désastre [dezastʀ] *nm* desastre *m*
désastreux, -euse [dezastʀø, øz] *adj* desastroso(-a)
désavantage [dezavɑ̃taʒ] *nm* (*handicap*) inferioridad *f*; (*inconvénient*) desventaja
désavantager [dezavɑ̃taʒe] *vt* desfavorecer
descendant, e [desɑ̃dɑ̃, ɑ̃t] *vb voir* **descendre** ■ *adj voir* **marée** ■ *nm/f* descendiente *m/f*
descendre [desɑ̃dʀ] *vt* bajar; (*abattre*) cargarse; (*boire*) pimplar, soplar ■ *vi* bajar, descender; (*passager*) bajar(se); (*avion, chemin, marée*) bajar; (*nuit*) caer; **~ à pied/en voiture** bajar a pie/en coche; **~ de** (*famille*) descender de; **~ du train/d'un arbre/de cheval** bajar(se) del tren/de un árbol/del caballo; **~ à l'hôtel** quedarse en un hotel; **~ dans l'estime de qn** bajar en la estima de algn; **~ dans la rue** (*manifester*) salir a la calle; **~ dans le Midi** bajar al Sur de Francia; **~ la rue/rivière** ir calle/río abajo; **~ en ville** ir al centro
descente [desɑ̃t] *nf* bajada, descenso; (*route*) pendiente *f*; (*Ski*) descenso; **au milieu de la ~** en medio de la bajada; **~ de lit** alfombra de cama; **~ (de police)** redada (de la policía), allanamiento (*AM*)
description [dɛskʀipsjɔ̃] *nf* descripción *f*
déséquilibre [dezekilibʀ] *nm* desequilibrio; **en ~** desequilibrado(-a)
désert, e [dezɛʀ, ɛʀt] *adj* desierto(-a) ■ *nm* desierto
désertique [dezɛʀtik] *adj* desértico(-a)
désespéré, e [dezɛspeʀe] *adj, nm/f* desesperado(-a); **état ~** (*Méd*) estado desesperado
désespérer [dezɛspeʀe] *vi* desesperar; **se désespérer** *vpr* desesperarse; **~ de qn/qch** perder la esperanza en algn/algo; **~ de (pouvoir) faire qch** desesperar de (poder) hacer algo
désespoir [dezɛspwaʀ] *nm* desesperación *f*, desesperanza; **être** *ou* **faire le ~ de qn** ser la desesperación de algn; **en ~ de cause** como último recurso
déshabiller [dezabije] *vt* desvestir; **se déshabiller** *vpr* desnudarse, desvestirse (*esp AM*)
déshydraté, e [dezidʀate] *adj* deshidratado(-a)
desiderata [dezideʀata] *nmpl* desiderata *fsg*
désigner [deziɲe] *vt* (*montrer*) enseñar; (*dénommer*) designar; (*représentant*) nombrar

désillusion [dezi(l)lyzjɔ̃] *nf* desilusión *f*
désinfectant, e [dezɛ̃fɛktɑ̃, ɑ̃t] *adj* desinfectante ■ *nm* desinfectante *m*
désinfecter [dezɛ̃fɛkte] *vt* desinfectar
désintéressé, e [dezɛ̃teʀese] *adj* desinteresado(-a)
désintéresser [dezɛ̃teʀese] *vt*: **se ~ (de qn/qch)** desinteresarse (por algn/algo), perder el interés (por algn/algo)
désintoxication [dezɛ̃tɔksikasjɔ̃] *nf* (*Méd*) desintoxicación *f*; **faire une cure de ~** hacer una cura de desintoxicación
désinvolte [dezɛ̃vɔlt] *adj* impertinente
désir [deziʀ] *nm* deseo; **exprimer le ~ de** (*politesse*) expresar el deseo de
désirer [deziʀe] *vt* desear; **je désire ...** (*formule de politesse*) desearía ...; **~ que** desear que; **il désire que tu l'aides** desea que le ayudes; **~ faire qch** desear hacer algo; **ça laisse à ~** deja mucho que desear
désister [deziste] *vpr*: **se désister** desistir
désobéir [dezɔbeiʀ] *vi*: **~ (à qn/qch)** desobedecer (a algn/algo)
désobéissant, e [dezɔbeisɑ̃, ɑ̃t] *adj* desobediente
désodorisant, e [dezɔdɔʀizɑ̃, ɑ̃t] *adj* desodorante ■ *nm* desodorante *m*; (*d'appartement*) ambientador *m*
désolé, e [dezɔle] *adj* desolado(-a); **je suis ~, il n'y en a plus** lo siento, ya no hay más
désordonné, e [dezɔʀdɔne] *adj* desordenado(-a)
désordre [dezɔʀdʀ] *nm* desorden *m*; **désordres** *nmpl* (*Pol*) disturbios *mpl*; **en ~** en desorden; **dans le ~** (*tiercé*) sin dar el orden
désormais [dezɔʀmɛ] *adv* (de ahora) en adelante
desquelles [dekɛl] *prép + pron voir* **lequel**
desquels [dekɛl] *prép + pron voir* **lequel**
DESS [deəɛsɛs] *sigle m (= diplôme d'études supérieures spécialisées) diploma de pos(t)grado*
dessécher [deseʃe] *vt* desecar; (*cœur*) endurecer; **se dessécher** *vpr* secarse; (*peau, lèvres*) secarse, resecarse
desserrer [deseʀe] *vt* aflojar; (*poings, dents*) abrir; (*objets alignés*) espaciar; (*crédit*) reabrir; **ne pas ~ les dents** no despegar los labios
dessert [desɛʀ] *vb voir* **desservir** ■ *nm* (*moment du repas*) postres *mpl*; (*mets*) postre *m*
desservir [desɛʀviʀ] *vt* (*suj: moyen de transport*) cubrir el servicio de; (*: voie de communication*) comunicar; (*: vicaire: paroisse*) atender; (*personne*) perjudicar a; **~ la table** quitar la mesa
dessin [desɛ̃] *nm* dibujo; **le ~ industriel** el diseño industrial; **~ animé** dibujos *mpl* animados; **~ humoristique** dibujo humorístico, viñeta
dessinateur, -trice [desinatœʀ, tʀis] *nm/f* dibujante *m/f*; **dessinatrice de mode** diseñadora de moda; **~ industriel** delineante *m/f*
dessiner [desine] *vt* dibujar; (*concevoir*) diseñar; (*suj: robe: taille*) resaltar; **se dessiner** *vpr* perfilarse
dessous [d(ə)su] *adv* debajo, abajo ■ *nm* parte *f* inferior; (*de voiture*) bajos *mpl*; (*étage inférieur*): **les voisins/ l'appartement du ~** los vecinos/el piso de abajo; **dessous** *nmpl* (*fig*) secretos *mpl*; (*sous-vêtements*) ropa interior *fsg*; **en ~** (*sous*) debajo; (*plus bas*) por debajo; (*fig: en catimini*) a hurtadillas; **par-~** *adv* por debajo; **par ~** *prép* por debajo de; **de ~** de abajo; **de ~ le lit** debajo de la cama; **au-~** abajo, debajo; **au-~ de** por debajo de; (*zéro*) bajo; **au-~ de tout** incalificable; **avoir le ~** tener *ou* llevar la peor parte
dessous-de-plat [dəsudpla] *nm inv* salvamanteles *m inv*
dessus [d(ə)sy] *adv* encima, arriba ■ *nm* parte *f* superior; (*étage supérieur*): **les voisins/l'appartement du ~** los vecinos/ el piso de arriba; **en ~** encima, arriba; **c'est écrit ~** está ahí; **par-~** *adv* por encima, por arriba ■ *prép* por encima de, por arriba de; **au-~** encima, arriba; **au-~ de** por encima de; (*zéro*) sobre; **de ~** de arriba, de encima; **avoir/prendre le ~** ir ganando; **reprendre le ~** recobrarse; **bras ~ bras dessous** cogidos(-as) del brazo; **sens ~ dessous** patas arriba
dessus-de-lit [dəsydli] *nm inv* colcha
destin [dɛstɛ̃] *nm* destino
destinataire [dɛstinatɛʀ] *nm/f* destinatario(-a); **aux risques et périls du ~** a cuenta y riesgo del destinatario
destination [dɛstinasjɔ̃] *nf* destino; (*usage*) función *f*; **à ~ de** con destino a
destiner [dɛstine] *vt*: **~ qn à** destinar a algn a/para; **~ qch à** destinar algo a; **~ qch à qn** destinar a algn para algo; **se ~ à l'enseignement** pensar dedicarse a la enseñanza; **être destiné à** estar destinado(-a) a; (*usage*) ser para
destruction [dɛstʀyksjɔ̃] *nf* destrucción *f*

détachant [detaʃɑ̃] *nm* quitamanchas *m inv*
détacher [detaʃe] *vt* (*ôter*) desprender; (*délier*) desatar, soltar; (*Mil*) destacar; (*vêtement*) limpiar; **se détacher** *vpr* (*Sport*) descolgarse; (*prisonnier etc*) desatarse; (*tomber, se défaire*) desprenderse; **~ qn (auprès de** *ou* **à)** (*Admin*) enviar a algn (a); **se ~ (de qn** *ou* **qch)** (*se désintéresser*) perder interés (por algn *ou* algo); **se ~ sur** (*se dessiner*) destacarse en
détail [detaj] *nm* detalle *m*; **le ~** (*Comm*) la venta al por menor; **prix de ~** precio al por menor; **au ~** (*Comm*) al por menor; (*individuellement*) por unidades; **faire/ donner le ~ de** detallar; (*compte, facture*) desglosar; **en ~** en detalle
détaillant, e [detajɑ̃, ɑ̃t] *nm/f* minorista *m/f*
détaillé, e [detaje] *adj* detallado(-a)
détailler [detaje] *vt* detallar; (*personne*) examinar
détecter [detɛkte] *vt* detectar
détective [detɛktiv] *nm*: **~ (privé)** detective *m/f*
déteindre [detɛ̃dʀ] *vi* desteñir; (*suj*: *soleil*) decolorar; **~ sur** teñir; (*influencer*) influir sobre
détendre [detɑ̃dʀ] *vt* aflojar; (*lessive, linge*) recoger; (*gaz*) descomprimir; (*atmosphère etc*) relajar; **se détendre** *vpr* (*ressort*) aflojarse; (*se reposer*) descansar; (*se décontracter*) relajarse
détenir [det(ə)niʀ] *vt* poseer; (*otage*) retener; (*prisonnier*) tener preso a; (*record*) ostentar; **~ le pouvoir** (*Pol*) ostentar el poder
détente [detɑ̃t] *nf* distensión *f*, relajación *f*; (*politique, sociale*) distensión; (*loisirs*) esparcimiento, descanso; (*d'une arme*) disparador *m*, gatillo; (*d'un athlète qui saute*) resorte *m*
détention [detɑ̃sjɔ̃] *nf* posesión *f*; (*d'un otage*) retención *f*; (*d'un prisonnier*) encarcelamiento; **la ~ du pouvoir par ...** el hecho de que el poder fuera ostentado por ...; **~ préventive** *ou* **provisoire** prisión *f* preventiva
détenu, e [det(ə)ny] *pp de* **détenir** ▪ *nm/f* (*prisonnier*) preso(-a)
détergent [detɛʀʒɑ̃] *nm* detergente *m*
détériorer [deteʀjɔʀe] *vt* deteriorar; **se détériorer** *vpr* deteriorarse
déterminé, e [detɛʀmine] *adj* (*personne, air*) decidido(-a); (*but, intentions*) claro(-a); (*fixé*: *quantité etc*) determinado(-a)
déterminer [detɛʀmine] *vt* (*date etc*) determinar; **~ qn à faire qch** decidir a algn a hacer algo; **se ~ à faire qch** determinarse a hacer algo
détester [detɛste] *vt* (*haïr*) detestar, odiar; (*sens affaibli*) detestar
détour [detuʀ] *nm* rodeo; (*tournant, courbe*) curva, recodo; (*subterfuge*) subterfugio; **au ~ du chemin** a la vuelta del camino; **sans ~** (*fig*) sin rodeos
détourné, e [detuʀne] *adj* (*sentier, chemin*) indirecto(-a); (*moyen*) dudoso(-a)
détourner [detuʀne] *vt* desviar; (*avion*: *par la force*) secuestrar; (*yeux*) apartar; (*tête*) volver; (*de l'argent*) malversar; **se détourner** *vpr* (*tourner la tête*) apartar la cara; **~ la conversation/l'attention (de qn)** desviar la conversación/la atención (de algn); **~ qn de son devoir/ travail** apartar a algn de su deber/ trabajo
détraquer [detʀake] *vt* fastidiar, cargarse; (*santé, estomac*) estropear; **se détraquer** *vpr*: **ma montre s'est détraquée** se me ha fastidiado el reloj
détriment [detʀimɑ̃] *nm*: **au ~ de** en detrimento de; **à mon/son ~** en mi/su perjuicio
détroit [detʀwa] *nm* estrecho; **le ~ de Be(h)ring/de Gibraltar/de Magellan/ du Bosphore** el estrecho de Bering/de Gibraltar/de Magallanes/del Bósforo
détruire [detʀɥiʀ] *vt* destruir; (*population*) acabar con; (*hypothèse*) echar abajo; (*espoir*) romper; (*santé*) perjudicar
dette [dɛt] *nf* deuda; **~ de l'État** *ou* **publique** deuda pública
DEUG [døg] *sigle m* (= *diplôme d'études universitaires générales*) *diplomatura*

DEUG

En Francia, tras finalizar el segundo curso de estudios universitarios, los estudiantes se presentan a un examen para la obtención del *DEUG*, siglas del "diplôme d'études universitaires générales". Una vez obtenido el diploma pueden optar entre dejar definitivamente la universidad o seguir estudiando para la "licence". En dicho diploma se especifican las asignaturas más importantes que se han estudiado y puede obtenerse con matrícula de honor.

deuil [dœj] *nm* luto; **porter le ~** llevar luto; **être en/prendre le ~** estar/ponerse de luto
deux [dø] *adj inv, nm inv* dos *m inv*; **les ~** los (las) dos, ambos(-as); **ses ~ mains** las dos manos; **tous les ~ jours/mois** cada dos días/meses; **à ~ pas** a dos pasos; **~ points** (*ponctuation*) dos puntos *mpl*; *voir aussi* **cinq**
deuxième [døzjɛm] *adj, nm/f* segundo(-a); **~ classe** segunda clase *f*; *voir aussi* **cinquième**
deuxièmement [døzjɛmmɑ̃] *adv* en segundo lugar
deux-pièces [døpjɛs] *nm inv* dos piezas *m inv*; (*appartement*) apartamento de dos habitaciones
deux-roues [døʀu] *nm inv* vehículo de dos ruedas
devais [dəvɛ] *vb voir* **devoir**
dévaluation [devalɥasjɔ̃] *nf* devaluación *f*
devancer [d(ə)vɑ̃se] *vt* adelantar; (*arriver avant, aussi fig*) adelantarse a; **~ l'appel** (*Mil*) alistarse como voluntario
devant¹ [d(ə)vɑ̃] *vb voir* **devoir**
devant² [d(ə)vɑ̃] *adv* delante, adelante ■ *prép* (*en face de*) delante de, frente a; (*passer, être*) delante de; (*en présence de*) ante; (*face à*) ante, delante de; (*étant donné*) ante ■ *nm* (*de maison*) fachada; (*vêtement, voiture*) delantera; **prendre les ~s** adelantarse; **de ~** delantero(-a); **par ~** por delante; **aller au-~ de qn** ir al encuentro de algn; **aller au-~ de** (*désirs de qn*) anticiparse a; (*ennuis, difficultés*) encontrarse con; **par-~ notaire** ante notario
devanture [d(ə)vɑ̃tyʀ] *nf* (*façade*) fachada; (*étalage, vitrine*) escaparate *m*, vidriera (*AM*)
développement [dev(ə)lɔpmɑ̃] *nm* desarrollo; (*photo*) revelado; (*exposé*) exposición *f*; (*Géom*) proyección *f*; (*gén pl*) evolución *f*
développer [dev(ə)lɔpe] *vt* desarrollar; (*Photo*) revelar; (*Géom*) proyectar; **se développer** *vpr* desarrollarse; (*affaire*) evolucionar
devenir [dəv(ə)niʀ] *vt* volverse; **que sont-ils devenus?** ¿qué ha sido de ellos?; **~ médecin** hacerse médico; **~ vieux/grand** hacerse viejo/mayor
devez [dəve] *vb voir* **devoir**
déviation [devjasjɔ̃] *nf* desviación *f*; (*Auto*) desvío; **~ de la colonne (vertébrale)** desviación de la columna vertebral
devienne *etc* [dəvjɛn] *vb voir* **devenir**
deviner [d(ə)vine] *vt* adivinar; (*voir*) atisbar
devinette [d(ə)vinɛt] *nf* adivinanza
devins *etc* [dəvɛ̃] *vb voir* **devenir**
devis [d(ə)vi] *nm* presupuesto; **~ descriptif/estimatif** presupuesto detallado/aproximado
dévisager [devizaʒe] *vt* mirar de arriba abajo
devise [dəviz] *nf* (*formule*) lema *m*, divisa; (*Écon*) divisa; **devises** *nfpl* dinero *msg* extranjero
dévisser [devise] *vt* desatornillar; **se dévisser** *vpr* desatornillarse
devoir [d(ə)vwaʀ] *nm* deber *m* ■ *vt* deber; **il doit le faire** (*obligation*) debe hacerlo, tiene que hacerlo; **cela devait arriver** (*fatalité*) tenía que ocurrir (un día); **il doit partir demain** (*intention*) se va mañana; **il doit être tard** (*probabilité*) debe (de) ser tarde; **se faire un ~ de faire** creerse en la obligación de hacer; **se ~ de faire qch** sentirse obligado(-a) a hacer algo; **je devrais faire** tendría que hacer; **tu n'aurais pas dû** no deberías haberlo hecho; (*politesse*) no tendrías que haberlo hecho; **comme il se doit** (*comme il faut*) como debe ser; **se mettre en ~ de faire qch** empezar a hacer algo; **derniers ~s** honras *fpl* fúnebres; **je lui dois beaucoup** le debo mucho; **~s de vacances** deberes *mpl* de vacaciones
dévorer [devɔʀe] *vt* devorar; **~ qch/qn des yeux** *ou* **du regard** devorar algo/a algn con la mirada
dévoué, e [devwe] *adj* dedicado(-a)
dévouer [devwe] *vpr*: **se dévouer**: **se ~ (pour)** sacrificarse (por); **se ~ à** dedicarse a
devrai [dəvʀe] *vb voir* **devoir**
dézipper [dezipe] *vt* (*Inform*) descomprimir
diabète [djabɛt] *nm* (*Méd*) diabetes *f inv*
diabétique [djabetik] *adj, nm/f* diabético(-a)
diable [djɑbl] *nm* diablo; (*chariot à deux roues*) carretilla; **(petit) ~** (*enfant*) diablillo; **pauvre ~** pobre diablo; **une musique du ~** una música infernal; **il fait une chaleur du ~** hace un calor infernal; **avoir le ~ au corps** tener el diablo en el cuerpo; **habiter/être situé au ~** vivir/estar en el quinto infierno
diabolo [djabɔlo] *nm* (*jeu*) diábolo; (*boisson*) *mezcla de gaseosa y almíbar*; **~ menthe** menta con gas
diagnostic [djagnɔstik] *nm* diagnóstico

diagnostiquer [djagnɔstike] *vt* diagnosticar
diagonal, e, -aux [djagɔnal, o] *adj* diagonal
diagonale [djagɔnal] *nf* diagonal *f*; **en ~** en diagonal; (*fig*): **lire en ~** leer por encima
diagramme [djagʀam] *nm* diagrama *m*
dialecte [djalɛkt] *nm* dialecto
dialogue [djalɔg] *nm* diálogo; **cesser/ reprendre le ~** interrumpir/reanudar el diálogo; **~ de sourds** diálogo de besugos
diamant [djamɑ̃] *nm* diamante *m*
diamètre [djamɛtʀ] *nm* diámetro
diapositive [djapozitiv] *nf* diapositiva
diarrhée [djaʀe] *nf* diarrea
dictateur [diktatœʀ] *nm* dictador *m*
dictature [diktatyʀ] *nf* dictadura
dictée [dikte] *nf* dictado; **prendre sous ~** tomar al dictado
dicter [dikte] *vt* (*aussi fig*) dictar
dictionnaire [diksjɔnɛʀ] *nm* diccionario; **~ bilingue** diccionario bilingüe; **~ encyclopédique/de langue** diccionario enciclopédico/de la lengua
dièse [djɛz] *nm* sostenido; **touche ~** teela almohadilla
diesel [djezɛl] *nm* diesel *m*; **un (véhicule/moteur) ~** un (vehículo/ motor) diesel
diète [djɛt] *nf* dieta; **être à la ~** estar a dieta
diététique [djetetik] *adj* dietético(-a) ▪ *nf* dietética; **magasin ~** tienda de dietética
dieu, x [djø] *nm* (*aussi fig*) dios *msg*; **D~** Dios; **le bon D~** Dios; **mon D~!** ¡Dios mío!
différemment [difeʀamɑ̃] *adv* de forma diferente
différence [difeʀɑ̃s] *nf* diferencia; **à la ~ de** a diferencia de
différencier [difeʀɑ̃sje] *vt* diferenciar; **se différencier** *vpr* diferenciarse; **se ~ (de)** diferenciarse (de)
différent, e [difeʀɑ̃, ɑ̃t] *adj*: **~ (de)** distinto(-a) (de), diferente (de); **~s objets/personnages** varios objetos/ personajes; **à ~es reprises** en varias ocasiones; **pour ~es raisons** por distintas razones
différer [difeʀe] *vt* diferir, postergar (*AM*) ▪ *vi*: **~ (de)** diferir (de)
difficile [difisil] *adj* difícil; **faire le** *ou* **la ~** hacer remilgos
difficilement [difisilmɑ̃] *adv* difícilmente; **~ compréhensible/lisible** difícil de comprender/leer
difficulté [difikylte] *nf* dificultad *f*; **faire des ~s (pour)** poner dificultades (para); **en ~** en apuros; **avoir de la ~ à faire qch** tener dificultad en hacer algo
diffuser [difyze] *vt* emitir; (*nouvelle, idée*) difundir; (*Comm*) distribuir
digérer [diʒeʀe] *vt* (*aussi fig*) digerir
digeste [diʒɛst] *adj* digestible
digestif, -ive [diʒɛstif, iv] *adj* digestivo(-a) ▪ *nm* licor *m*
digestion [diʒɛstjɔ̃] *nf* digestión *f*; **bonne/mauvaise ~** buena/mala digestión
digne [diɲ] *adj* (*respectable*) digno(-a); **~ d'intérêt/d'admiration** digno de interés/de admiración; **~ de foi** digno de fe; **~ de qn/qch** digno de algn/algo
dignité [diɲite] *nf* dignidad *f*
digue [dig] *nf* dique *m*; (*pour protéger la côte*) rompeolas *m inv*
dilemme [dilɛm] *nm* dilema *m*
diligence [diliʒɑ̃s] *nf* diligencia; **faire ~** apresurarse
diluer [dilɥe] *vt* diluir; (*péj*: *discours etc*) meter paja en
dimanche [dimɑ̃ʃ] *nm* domingo; **le ~ des Rameaux/de Pâques** el domingo de Ramos/de Pascua; *voir aussi* **lundi**
dimension [dimɑ̃sjɔ̃] *nf* dimensión *f*; (*gén pl*: *cotes, coordonnées*) dimensiones *fpl*
diminuer [diminɥe] *vt* disminuir; (*dénigrer*) desacreditar; (*tricot*) menguar ▪ *vi* disminuir
diminutif [diminytif] *nm* (*Ling*) diminutivo; (*surnom*) diminutivo cariñoso
dinde [dɛ̃d] *nf* pava
dindon [dɛ̃dɔ̃] *nm* pavo
dîner [dine] *nm* cena, comida (*AM*) ▪ *vi* cenar; **~ de famille/d'affaires** cena familiar/de negocios
dingue [dɛ̃g] (*fam*) *adj* chalado(-a)
dinosaure [dinɔzɔʀ] *nm* dinosaurio
diplomate [diplɔmat] *adj* diplomático(-a) ▪ *nm/f* diplomático(-a) ▪ *nm* (*Culin*) *especie de bizcocho*
diplomatie [diplɔmasi] *nf* diplomacia
diplôme [diplom] *nm* diploma *m*, título; (*examen*) examen *m* de diplomatura; **avoir des ~s** tener títulos
diplômé, e [diplome] *adj, nm/f* titulado(-a), diplomado(-a)
dire [diʀ] *nm*: **au ~ de** al decir de, en la opinión de ▪ *vt* decir; (*suj*: *horloge etc*) decir, marcar; (*ordre, invitation*): **~ à qn qu'il fasse** *ou* **de faire qch** decir a algn que haga algo; (*objecter*): **n'avoir rien à ~ (à)** no tener nada que decir (a); (*signifier*): **vouloir ~ que** querer decir que; (*plaire*):

cela me/lui dit de faire me/le apetece hacer; (*penser*): **que dites-vous de ...?** ¿qué opina usted de ...?; **dires** *nmpl* opiniones *fpl*; **se dire** *vpr* decirse; (*se prétendre*): **se ~ malade** *etc* pretenderse enfermo(-a) *etc*; **ça se dit ... en anglais** se dice ... en inglés; **~ quelque chose/ce qu'on pense** decir algo/lo que uno piensa; **~ la vérité/l'heure** decir la verdad/la hora; **dis pardon** pide perdón; **dis merci** da las gracias; **on dit que** dicen que; **comme on dit** como se dice; **on dirait que** parece que; **on dirait du vin** *etc* parece vino *etc*; **ça ne me dit rien** no me apetece; (*rappeler qch*) no me suena; **à vrai ~** a decir verdad; **pour ainsi ~** por decirlo así; **cela va sans ~** ni qué decir tiene; **dis donc!/dites donc!** (*pour attirer attention*) ¡oye!/¡oiga!; (*au fait*) ¡a propósito!; (*agressif*) ¡oye!/¡oiga Ud!; **et ~ que ...** y pensar que ...; **ceci** *ou* **cela dit** a pesar de todo; (*à ces mots*) dicho esto; **c'est dit, voilà qui est dit** está dicho; **il n'y a pas à ~** realmente; **c'est ~ si** muestra hasta qué punto; **c'est beaucoup/peu ~** es mucho/poco decir; **cela ne se dit pas comme ça** no se dice así; **se ~ au revoir** decirse adiós; **c'est toi qui le dis** lo dices tú; **je ne vous le fais pas ~** estoy muy de acuerdo; **je te l'avais dit** te lo había dicho; **je ne peux pas ~ le contraire** no puedo decir lo contrario; **tu peux le ~, à qui le dis-tu** y que lo digas

direct, e [dirɛkt] *adj* directo(-a); (*personne*) franco(-a) ■ *nm* (*train, boxe*) directo; (*boxe*): **~ du gauche/du droit** directo con la izquierda/derecha; **train/bus ~** tren *m*/autobús *msg* directo; **en ~** en directo

directement [dirɛktəmɑ̃] *adv* directamente

directeur, -trice [dirɛktœr, tris] *adj* (*principe, fil*) rector(a) ■ *nm/f* director(a); **comité ~** comité *m* directivo; **~ général/commercial/du personnel** director(a) general/comercial/de personal; **~ de thèse** director(a) de tesis

direction [dirɛksjɔ̃] *nf* dirección *f*; **sous la ~ de** (*Mus*) bajo la dirección de; **en ~ de** en dirección a; **"toutes ~s"** (*Auto*) "todas las direcciones"

dirent [dir] *vb voir* **dire**

dirigeant, e [diriʒɑ̃, ɑ̃t] *adj, nm/f* dirigente *m/f*

diriger [diriʒe] *vt* dirigir; **se diriger** *vpr* orientarse; **~ sur** (*regard*) dirigir hacia; **~ son arme sur qn** apuntar a algn con un arma; **~ contre** (*critiques, plaisanteries*) dirigir contra; **se ~ vers** *ou* **sur** dirigirse hacia

dis [di] *vb voir* **dire**

discerner [disɛrne] *vt* (*apercevoir*) divisar; (*motif, cause*) discernir

discipline [disiplin] *nf* disciplina

discipliner [disipline] *vt* disciplinar; (*cheveux*) mantener

discontinu, e [diskɔ̃tiny] *adj* discontinuo(-a)

discontinuer [diskɔ̃tinɥe] *vi*: **sans ~** sin interrupción

discothèque [diskɔtɛk] *nf* discoteca

discours [diskur] *nm* discurso ■ *nmpl* (*bavardages*) palabrería *fsg*; **le ~** (*Ling*) el enunciado; **~ direct/indirect** discurso directo/indirecto

discret, -ète [diskrɛ, ɛt] *adj* discreto(-a); **un endroit ~** un lugar tranquilo

discrétion [diskresjɔ̃] *nf* discreción *f*; **à ~** (*boisson etc*) a discreción; **à la ~ de qn** según la voluntad de algn

discrimination [diskriminasjɔ̃] *nf* discriminación *f*; **sans ~** sin discriminación

discussion [diskysjɔ̃] *nf* discusión *f*; **discussions** *nfpl* negociaciones *fpl*

discutable [diskytabl] *adj* discutible

discuter [diskyte] *vt, vi* discutir; **~ de qch** discutir algo

dise [diz] *vb voir* **dire**

disjoncteur [disʒɔ̃ktœr] *nm* (*Élec*) interruptor *m*

disloquer [dislɔke] *vt* (*membre*) dislocar; (*chaise*) desencajar; (*troupe, manifestants*) disolver; **se disloquer** *vpr* (*parti*) desmembrarse, disgregarse; (*empire*) desmembrarse; **se ~ l'épaule** dislocarse el hombro

disons [dizɔ̃] *vb voir* **dire**

disparaître [disparɛtr] *vi* desaparecer; **faire ~ qch/qn** hacer desaparecer algo/a algn

disparition [disparisjɔ̃] *nf* desaparición *f*

disparu, e [dispary] *pp de* **disparaître** ■ *nm/f* (*dont on a perdu la trace*) desaparecido(-a); (*défunt*) fallecido(-a); **être porté ~** ser dado por desaparecido

dispensaire [dispɑ̃sɛr] *nm* dispensario

dispenser [dispɑ̃se] *vt* (*soins etc*) prestar; (*exempter*): **~ qn de qch/faire qch** dispensar a algn de algo/hacer algo; **se ~ de qch/faire qch** librarse de algo/hacer algo; **se faire ~ de qch** lograr eximirse de algo

disperser [dispɛrse] *vt* dispersar;

(*efforts*) dividir; **se disperser** *vpr* (*foule*) dispersarse; (*fig*) dividirse
disponible [dispɔnibl] *adj* disponible
disposé, e [dispoze] *adj* dispuesto(-a); **bien/mal ~** de buen/mal humor; **être bien/mal ~ pour** *ou* **envers qn** estar bien/mal dispuesto(-a) hacia algn; **~ à** dispuesto(-a) a; **pièces bien/mal ~es** habitaciones *fpl* bien/mal distribuidas
disposer [dispoze] *vt* disponer; (*préparer, inciter*): **~ qn à qch/faire qch** predisponer a algn para algo/hacer algo ▪ *vi*: **vous pouvez ~** puede retirarse; **~ de** disponer de; **se ~ à faire qch** disponerse a hacer algo
dispositif [dispozitif] *nm* dispositivo; (*d'un texte de loi*) parte *f* resolutiva; **~ de sûreté** dispositivo de seguridad
disposition [dispozisjɔ̃] *nf* disposición *f*; (*arrangement*) distribución *f*; (*gén pl*: *mesures*) medidas *fpl*; (: *préparatifs*) preparativos *mpl*; **dispositions** *nfpl* disposición *fsg*; **à la ~ de qn** a disposición de algn
disproportionné, e [dispʀɔpɔʀsjɔne] *adj* desproporcionado(-a)
dispute [dispyt] *nf* riña, disputa
disputer [dispyte] *vt* disputar; **se disputer** *vpr* reñir; (*match, etc*) disputarse; **~ qch à qn** disputar algo a algn
disqualifier [diskalifje] *vt* descalificar; **se disqualifier** *vpr* descalificarse
disque [disk] *nm* disco; **le lancement du ~** el lanzamiento de disco; **~ compact** disco compacto; **~ d'embrayage** (*Auto*) disco de embrague; **~ de stationnement** disco de estacionamiento; **~ dur** (*Inform*) disco duro; **~ laser** disco láser; **~ système** sistema *m* de disco
disquette [diskɛt] *nf* (*Inform*) diskette *m*; **~ à double/simple densité** diskette de densidad doble/sencilla; **~ double/une face** diskette de doble/una cara
dissertation [disɛʀtasjɔ̃] *nf* (*Scol*) redacción *f*
dissimuler [disimyle] *vt* disimular, ocultar; **se dissimuler** *vpr* cubrirse; (*être masqué, caché*) ocultarse
dissipé, e [disipe] *adj* (*indiscipliné*) distraído(-a)
dissolvant, e [disɔlvɑ̃, ɑ̃t] *nm* (*Chim*) disolvente *m*
dissuader [disɥade] *vt*: **~ qn de faire qch/de qch** disuadir a algn de hacer algo/de algo
distance [distɑ̃s] *nf* distancia; (*de temps*) diferencia; **à ~** a distancia; **avec la ~** con el tiempo; **(situé) à ~** (*Inform*) (situado) a distancia; **tenir qn à ~** tener a algn a raya; **se tenir à ~** mantenerse a distancia; **une ~ de 10 km** una distancia de 10km; **à 10 km de ~** a 10km de distancia; **à 2 ans de ~** con 2 años de diferencia; **prendre ses ~s** tomar las distancias; **garder ses ~s** guardar las distancias; **tenir la ~** resistir el recorrido; **~ focale** (*Photo*) distancia focal
distancer [distɑ̃se] *vt* (*concurrent*) distanciarse de; **se laisser ~** quedarse atrás
distant, e [distɑ̃, ɑ̃t] *adj* (*aussi fig*) distante; **~ de 5 km** distante 5km
distillerie [distilʀi] *nf* destilería
distinct, e [distɛ̃(kt), ɛ̃kt] *adj* distinto(-a); (*net*) claro(-a)
distinctement [distɛ̃ktəmɑ̃] *adv* (*voir*) con nitidez; (*parler*) con claridad
distinctif, -ive [distɛ̃ktif, iv] *adj* distintivo(-a)
distingué, e [distɛ̃ge] *adj* distinguido(-a)
distinguer [distɛ̃ge] *vt* distinguir; (*suj*: *caractéristique, trait*) caracterizar; **se distinguer** *vpr*: **se ~ (de)** distinguirse (de)
distraction [distʀaksjɔ̃] *nf* distracción *f*
distraire [distʀɛʀ] *vt* distraer; (*amuser*) distraer, entretener; (*somme d'argent*) distraer ▪ *vi* distraer; **se distraire** *vpr* distraerse; **~ qn de qch** distraer a algn de algo; **~ l'attention** distraer la atención
distrait, e [distʀɛ, ɛt] *pp de* **distraire** ▪ *adj* distraído(-a)
distrayant, e [distʀɛjɑ̃, ɑ̃t] *vb voir* **distraire** ▪ *adj* distraído(-a), entretenido(-a)
distribuer [distʀibɥe] *vt* repartir; (*hum*: *gifles, coups*) propinar; (*rôles*) repartir; (*Cartes*) dar; (*Comm*) distribuir
distributeur, -trice [distʀibytœʀ, tʀis] *nm/f* (*Comm*) distribuidor(a) ▪ *nm* (*Auto*) delco; **~ (automatique)** máquina (expendedora); (*Banque*) cajero
dit [di] *pp de* **dire** ▪ *adj*: **le jour ~** el día fijado; **X, ~ Pierrot** X, llamado Pierrot
dites [dit] *vb voir* **dire**
divan [divɑ̃] *nm* sofá *m*
divers, e [divɛʀ, ɛʀs] *adj* (*varié*) diverso(-a), vario(-a); (*différent*) variado(-a) ▪ *dét* (*plusieurs*) varios(-as), diversos(-as); **"~"** "varios"; **(frais) ~** gastos *mpl* varios
diversifier [divɛʀsifje] *vt* diversificar; **se diversifier** *vpr* diversificarse
diversité [divɛʀsite] *nf* diversidad *f*
divertir [divɛʀtiʀ] *vt* divertir; **se divertir** *vpr* divertirse

divertissement [divɛʀtismɑ̃] *nm* diversión *f*; (*Mus*) divertimento
diviser [divize] *vt* dividir; **se diviser** *vpr*: **se ~ en** dividirse en; **~ par** dividir por; **~ un nombre par un autre** dividir un número entre otro
division [divizjɔ̃] *nf* división *f*; **1ère/2ème ~** (*Sport*) 1a/2a división; **~ du travail** (*Écon*) división del trabajo
divorce [divɔʀs] *nm* (*aussi fig*) divorcio
divorcé, e [divɔʀse] *adj, nm/f* divorciado(-a)
divorcer [divɔʀse] *vi* divorciarse; **~ de** *ou* **d'avec qn** divorciarse de algn
divulguer [divylge] *vt* divulgar
dix [dis] *adj inv, nm inv* diez *m inv*; *voir aussi* **cinq**
dix-huit [dizɥit] *adj inv, nm inv* dieciocho *m inv*; *voir aussi* **cinq**
dix-huitième [dizɥitjɛm] *adj, nm/f* decimoctavo(-a) ■ *nm* (*partitif*) dieciochoavo; *voir aussi* **cinquantième**
dixième [dizjɛm] *adj, nm/f* décimo(-a) ■ *nm* décimo; *voir aussi* **cinquième**
dix-neuf [diznœf] *adj inv, nm inv* diecinueve *m inv*; *voir aussi* **cinq**
dix-neuvième [diznœvjɛm] *adj, nm/f* decimonoveno(-a) ■ *nm* (*partitif*) diecinueveavo; *voir aussi* **cinquantième**
dix-sept [disɛt] *adj inv, nm inv* diecisiete *m inv*; *voir aussi* **cinq**
dix-septième [disɛtjɛm] *adj, nm/f* decimoséptimo(-a) ■ *nm* (*partitif*) diecisieteavo; *voir aussi* **cinquantième**
dizaine [dizɛn] *nf* (*unité*) decena; **une ~ de ...** unos(-as) diez ...; **dire une ~ de chapelet** rezar una decena del rosario
do [do] *nm inv* (*Mus*) do
docile [dɔsil] *adj* dócil
dock [dɔk] *nm* dique *m*; (*hangar, bâtiment*) depósito, almacén *m*; **~ flottant** dique flotante
docker [dɔkɛʀ] *nm* estibador *m*
docteur [dɔktœʀ] *nm* (*médecin*) médico, doctor(a); (*d'Université*) doctor(a); **~ en médecine** doctor(a) en medicina
doctorat [dɔktɔʀa] *nm* (*aussi*: **doctorat d'État**) doctorado
doctrine [dɔktʀin] *nf* doctrina
document [dɔkymɑ̃] *nm* documento
documentaire [dɔkymɑ̃tɛʀ] *adj* documental ■ *nm*: **(film) ~** documental *m*
documentaliste [dɔkymɑ̃talist] *nm/f* documentalista *m/f*
documentation [dɔkymɑ̃tasjɔ̃] *nf* documentación *f*
documenter [dɔkymɑ̃te] *vt* documentar; **se ~ (sur)** documentarse (sobre)
dodo [dɔdo] *nm*: **aller faire ~** ir a la cama
dogue [dɔg] *nm* (perro) dogo
doigt [dwa] *nm* dedo; **être à deux ~s de** estar a dos dedos de; **un ~ de** (*fig*: *lait*) una gota de; (: *whisky*) un dedo de; **le petit ~** el (dedo) meñique; **au ~ et à l'œil** (*obéir*) puntualmente; **désigner** *ou* **montrer du ~** señalar con el dedo; **connaître qch sur le bout du ~** saber algo al dedillo; **mettre le ~ sur la plaie** poner el dedo en la llaga; **~ de pied** dedo del pie
doit *etc* [dwa] *vb voir* **devoir**
dollar [dɔlaʀ] *nm* dólar *m*
domaine [dɔmɛn] *nm* (*aussi fig*) dominio; (*Jur*): **tomber dans le ~ public** pasar al dominio público; **dans tous les ~s** en todos los órdenes
domestique [dɔmɛstik] *adj* doméstico(-a) ■ *nm/f* doméstico(-a), sirviente(-a), criado(-a)
domicile [dɔmisil] *nm* domicilio; **à ~** a domicilio; **élire ~ à** fijar el domicilio en; **sans ~ fixe** sin domicilio fijo; **~ conjugal/légal** domicilio conyugal/legal
domicilié, e [dɔmisilje] *adj*: **être ~ à** estar domiciliado(-a) en
dominant, e [dɔminɑ̃, ɑ̃t] *adj* dominante
dominer [dɔmine] *vt* dominar; (*passions etc*) dominar, controlar; (*surpasser*) sobrepasar a ■ *vi* dominar; (*être le plus nombreux*) predominar; **se dominer** *vpr* dominarse, controlarse
domino [dɔmino] *nm* dominó *m*; **dominos** *nmpl* (*jeu*) dominó *msg*
dommage [dɔmaʒ] *nm* daño, perjuicio; (*gén pl*: *dégâts, pertes*) daños *mpl*, pérdidas *fpl*; **c'est ~ de faire/que ...** es una lástima hacer/que ...; **~s corporels** daños físicos; **~s matériels** daños materiales
dompter [dɔ̃(p)te] *vt* domar; (*passions*) dominar
dompteur, -euse [dɔ̃(p)tœʀ, øz] *nm/f* domador(a)
DOM-ROM [dɔmʀɔm], **DOM-TOM** [dɔmtɔm] *sigle m ou sigle mpl* (*= département(s) d'outre-mer et région(s)/territoire(s) d'outre-mer*) *provincias y territorios franceses de ultramar*

DOM-TOM, ROM ET COM

Francia cuenta con cuatro "départements d'outre-mer" o *DOM*: Guadalupe, Martinica, Reunión y la Guayana francesa. Su forma de gobierno es similar a la de los "départements" de la metrópoli y sus habitantes tienen ciudadanía francesa. En lo que se refiere a la administración, también son "Régions" y por eso se les conoce también como *ROM* ("Régions d'outre-mer"). El término *DOM-TOM* se usa todavía con frecuencia, pero el término "Territoire d'outre-mer" ha sido sustituido por el de "Collectivité d'outre-mer" (*COM*). Entre los COM destacan la Polinesia francesa, Nueva Caledonia y Wallis y Futuna, así como los asentamientos polares. Aunque son independientes, cada territorio está supervisado por un representante del gobierno francés.

don [dɔ̃] *nm* (*cadeau*) regalo; (*charité*) donativo; (*aptitude*) don *m*; **avoir des ~s pour** tener don *ou* tener gracia para; **faire ~ de** regalar; **~ en argent** regalo en metálico

donc [dɔ̃k] *conj* (*en conséquence*) por tanto; (*après une digression*) así pues; **voilà ~ la solution** (*intensif*) aquí está la solución; **je disais ~ que** como decía; **c'est ~ que** así que; **c'est ~ que j'avais raison** entonces yo tenía razón; **venez ~ dîner à la maison** venid por favor a cenar a casa; **faites ~** ¡adelante!; **"allons ~!"** "¡no me digas!, "¡anda, vamos!"

donné, e [dɔne] *adj* (*convenu*): **prix/jour ~** precio/día *m* determinado; **c'est ~** es tirado, está regalado; **étant ~ que ...** puesto *ou* dado que ...

donnée [dɔne] *nf* dato

donner [dɔne] *vt* dar; (*offrir*) regalar; (*maladie*) pegar; (*film, spectacle*) echar, poner ■ *vi* (*fenêtre, chambre*): **~ sur** dar a; **se donner** *vpr*: **se ~ à fond (à son travail)** entregarse a fondo (a su trabajo); **~ dans** (*piège etc*) caer en; **faire ~ l'infanterie** hacer cargar a la infantería; **~ qch à qn** dar algo a algn; **~ l'heure à qn** decir la hora a algn; **~ le ton** (*fig*) marcar la tónica; **se ~ du mal** *ou* **de la peine (pour faire qch)** afanarse (por hacer algo); **s'en ~ (à cœur joie)** (*fam*) pasarlo bomba; **~ à penser/entendre que ...** parecer indicar que ...

MOT-CLÉ

dont [dɔ̃] *pron relatif* **1** (*complément d'un nom sujet*) cuyo(-a), cuyos(-as); **une méthode dont je ne connais pas les résultats** un método cuyos resultados desconozco; **c'est le chien dont le maître habite en face** es el perro cuyo dueño vive enfrente

2 (*complément de verbe ou adjectif*): **le voyage dont je t'ai parlé** el viaje del que te hablé; **le pays dont il est originaire** el país del que es originario; **la façon dont il l'a fait** la forma en que lo hizo

3 (*parmi lesquel(le)s*): **2 livres, dont l'un est gros** 2 libros, uno de los cuales es gordo; **il y avait plusieurs personnes, dont Gabrielle** había varias personas, entre ellas Gabriela; **10 blessés, dont 2 grièvement** 10 heridos, 2 de ellos de gravedad

doré, e [dɔʀe] *adj* dorado(-a)

dorénavant [dɔʀenavɑ̃] *adv* en adelante, en lo sucesivo

dorer [dɔʀe] *vt* dorar ■ *vi* (*Culin: poulet*): **(faire) ~** dorar; (: *gâteau*) bañar en yema; **se ~ au soleil** tostarse al sol; **~ la pilule à qn** dorar la píldora a algn

dorloter [dɔʀlɔte] *vt* mimar; **se faire ~** dejarse mimar

dormir [dɔʀmiʀ] *vi* (*aussi fig*) dormir; (*être endormi*) dormir, estar dormido(-a); **il dort bien/mal** duerme bien/mal; **ne fais pas de bruit, il dort** no hagas ruido, está durmiendo; **~ à poings fermés** dormir a pierna suelta

dortoir [dɔʀtwaʀ] *nm* dormitorio; **cité ~** ciudad *f* dormitorio

dos [do] *nm* espalda; (*d'un animal, de livre*) lomo; (*d'un chèque etc*) dorso; (*de la main*) dorso; **voir au ~** véase al dorso; **robe décolletée dans le ~** vestido escotado de espalda; **de ~** de espaldas; **~ à ~** de espaldas uno a otro; **sur le ~** (*s'allonger*) boca arriba; **à ~ de** (*chameau*) a lomo de; **elle a bon ~, ta mère!** ¡qué fácil es echarle la culpa a tu madre!; **se mettre qn à ~** enemistarse con algn

dosage [dozaʒ] *nm* dosificación *f*

dose [doz] *nf* dosis *f inv*; **forcer la ~** (*fig*) exagerar

doser [doze] *vt* (*aussi fig*) dosificar

dossier [dosje] *nm* expediente *m*; (*chemise, enveloppe*) carpeta; (*de chaise*) respaldo; (*Presse*) dossier *m*; **le ~ social/monétaire** (*fig*) la cuestión social/monetaria; **~ suspendu** expediente archivado

douane [dwan] *nf* aduana; (*taxes*) arancel *m*; **passer la ~** pasar la aduana; **en ~** en la aduana

douanier, -ière [dwanje, jɛʀ] *adj, nm/f* aduanero(-a)

double [dubl] *adj* doble ▪ *adv*: **voir ~** ver doble ▪ *nm* (*autre exemplaire*) copia; (*sosie*) doble; **le ~ (de)** el doble (de); **~ messieurs/mixte** (*Tennis*) dobles *mpl* masculinos/mixtos; **à ~ sens** con doble sentido; **à ~ tranchant** de doble filo; **faire ~ emploi** sobrar; **à ~s commandes** de doble mando; **en ~** por duplicado; **~ carburateur** doble carburador *m*; **~ toit** (*tente*) doble techo; **~ vue** doble vista
double-cliquer [dubləklike] *vi* hacer doble clic; **~ sur un dossier** hacer doble clic en un archivo
doubler [duble] *vt* duplicar; (*vêtement, chaussures*) forrar; (*voiture etc*) adelantar; (*film*) doblar; (*acteur*) doblar a ▪ *vi* duplicarse; (*Scol*): **~ (la classe)** repetir (curso); **se doubler** *vpr*: **se ~ de** (*fig*) complicarse con; **~ un cap** (*Naut*) doblar un cabo; (*fig*) pasar una etapa
doublure [dublyʀ] *nf* (*de vêtement*) forro; (*acteur*) doble *m*
douce [dus] *adj voir* **doux**
douceâtre [dusɑtʀ] *adj* dulzón(-ona)
doucement [dusmɑ̃] *adv* (*délicatement*) con cuidado; (*à voix basse*) bajo; (*lentement*) despacio; (*graduellement*) poco a poco
douceur [dusœʀ] *nf* suavidad *f*; (*d'une personne, saveur etc*) dulzura; (*de gestes*) delicadeza; **douceurs** *nfpl* golosinas *fpl*; **en ~** con suavidad
douche [duʃ] *nf* ducha; **douches** *nfpl* (*salle*) duchas *fpl*; **prendre une ~** ducharse; **~ écossaise** *ou* **froide** (*fig*) jarro de agua fría
doucher [duʃe] *vt*: **~ qn** duchar a algn; (*fig*) echar un jarro de agua fría a algn; **se doucher** *vpr* ducharse
doué, e [dwe] *adj* dotado(-a); **~ de** (*possédant*) dotado(-a) de; **être ~ pour** tener facilidad para
douille [duj] *nf* (*Élec*) casquillo; (*de projectile*) casquete *m*
douillet, te [dujɛ, ɛt] *adj* (*péj*) delicado(-a); (*lit*) mullido(-a); (*maison*) confortable
douleur [dulœʀ] *nf* dolor *m*; **ressentir des ~s** sentir dolores; **il a eu la ~ de perdre son père** tuvo la desgracia de perder a su padre
douloureux, -euse [duluʀø, øz] *adj* doloroso(-a); (*membre*) dolido(-a)
doute [dut] *nm* duda; **sans ~** seguramente; **sans nul** *ou* **aucun ~** sin ninguna duda; **hors de ~** fuera de duda; **nul ~ que** no hay ninguna duda de que; **mettre en ~** poner en duda; **mettre en ~ que** dudar que
douter [dute] *vt* dudar; **~ de** dudar de; **~ que** dudar que; **j'en doute** lo dudo; **se ~ de qch/que** sospechar algo/que; **je m'en doutais** me lo figuraba; **ne ~ de rien** estar muy seguro(-a)
douteux, -euse [dutø, øz] *adj* dudoso(-a); (*discutable*) discutible; (*péj*) de aspecto dudoso
doux, douce [du, dus] *adj* suave; (*personne, saveur*) dulce; (*gestes*) delicado(-a); (*climat, région*) templado(-a); (*eau*) blando(-a); **en douce** (*partir etc*) a la chita callando; **tout ~** despacio
douzaine [duzɛn] *nf* docena; **une ~ (de)** unos(-as) doce
douze [duz] *adj inv, nm inv* doce *m inv*; **les D~** los Doce; *voir aussi* **cinq**
douzième [duzjɛm] *adj, nm/f* duodécimo(-a) ▪ *nm* duodécimo; *voir aussi* **cinquième**
dragée [dʀaʒe] *nf* peladilla; (*Méd*) gragea
draguer [dʀage] *vt* (*rivière*) dragar; (*fam: filles*) ligar con ▪ *vi* ligar
dramatique [dʀamatik] *adj* dramático(-a) ▪ *nf* (*TV*) teledrama *m*
drame [dʀam] *nm* drama *m*; **~ de l'alcoolisme** drama del alcoholismo; **~ familial** drama familiar
drap [dʀa] *nm* sábana; (*tissu*) paño; **~ de dessous/de dessus** (sábana) bajera/encimera; **~ de plage** toalla de playa
drapeau, x [dʀapo] *nm* bandera; **sous les ~x** en filas; **le ~ blanc** la bandera blanca
drap-housse [dʀaus] (*pl* **draps-housses**) *nm* sábana ajustable
dresser [dʀese] *vt* levantar; (*liste*) redactar; (*animal domestique*) entrenar; (*animal de cirque*) amaestrar; **se dresser** *vpr* (*église, falaise*) erguirse; (*obstacle*) presentarse; (*sur la pointe des pieds*) ponerse de puntillas; (*avec grandeur, menace*) erguirse; **~ l'oreille** aguzar el oído; **~ la table** poner la mesa; **~ qn contre qn d'autre** indisponer a algn con algn; **~ un procès-verbal** *ou* **une contravention à qn** levantar acta a algn
dribbler [dʀible] *vt, vi* driblar
drogue [dʀɔg] *nf* droga; **~ douce/dure** droga blanda/dura
drogué, e [dʀɔge] *nm/f* drogadicto(-a)
droguer [dʀɔge] *vt* drogar; **se droguer** *vpr* drogarse
droguerie [dʀɔgʀi] *nf* droguería
droguiste [dʀɔgist] *nm/f* droguero(-a)
droit, e [dʀwa, dʀwat] *adj* derecho(-a),

recto(-a); (*opposé à gauche*) derecho(-a); (*fig*) recto(-a) ■ *adv* derecho ■ *nm* derecho; (*Boxe*): **direct/crochet du ~** directo/gancho de derecha; (*lois, matière*): **le ~** el derecho; **droits** *nmpl* (*taxes*) derechos *mpl*; **~ au but** *ou* **au fait** al grano; **~ au cœur** al corazón; **avoir le ~ de** tener el derecho de; **avoir ~ à** tener derecho a; **être en ~ de** tener el derecho de; **faire ~ à** hacer justicia a; **être dans son ~** estar en su derecho; **à bon ~** con razón; **de quel ~?** ¿con qué derecho?; **à qui de ~** a quien corresponda; **avoir ~ de cité (dans)** (*fig*) tener derecho de entrada (en); **~ coutumier** derecho consuetudinario; **~ de regard** derecho de control; **~ de réponse/de visite/de vote** derecho de réplica/de visita/al voto; **~s d'auteur** derechos de autor; **~s de douane** aranceles *mpl*, derechos arancelarios *ou* de aduana; **~s d'inscription** matrícula

droite [dʀwat] *nf* (*direction*) derecha; (*Math*) recta; (*Pol*): **la ~** la derecha; **à ~ (de)** a la derecha (de); **de ~** (*Pol*) de derechas

droitier, -ière [dʀwatje, jɛʀ] *adj, nm/f* diestro(-a)

drôle [dʀol] *adj* gracioso(-a); (*bizarre*) raro(-a); **un ~ de ...** un ... muy raro

dromadaire [dʀɔmadɛʀ] *nm* dromedario

du [dy] *prép + dét voir* **de**

dû, e [dy] *pp de* **devoir** ■ *adj* (*somme*) debido(-a); **dû à** debido a ■ *nm*: **le dû** lo debido

duel [dɥɛl] *nm* duelo; (*oratoire*) enfrentamiento; (*économique*) guerra

dune [dyn] *nf* duna

duplex [dyplɛks] *nm* (*appartement*) dúplex *m*; **émission en ~** doble emisión *f*

duquel [dykɛl] *prép + pron voir* **lequel**

dur, e [dyʀ] *adj* duro(-a); (*problème*) difícil; (*lumière*) fuerte; (*fam*) almidonado(-a) ■ *nm* (*construction*): **en ~** de fábrica ■ *adv* (*travailler, taper etc*) duramente, mucho ■ *nf*: **à la ~e** en condiciones penosas; **mener la vie ~e à qn** dar mala vida a algn; **~ d'oreille** duro(-a) de oído

durant [dyʀɑ̃] *prép* durante; **~ des mois, des mois ~** durante meses enteros

durcir [dyʀsiʀ] *vt, vi* endurecer; **se durcir** *vpr* endurecerse

durée [dyʀe] *nf* duración *f*; **de courte/longue ~** breve/prolongado(-a); **pile de longue ~** pila de larga duración; **pour une ~ illimitée** por un periodo ilimitado

durement [dyʀmɑ̃] *adv* (*très*) fuertemente; (*traiter*) severamente, duramente

durer [dyʀe] *vi* durar

dureté [dyʀte] *nf* dureza; (*de la lumière*) fuerza

durit® [dyʀit] *nm* durita

dus *etc* [dy] *vb voir* **devoir**

duvet [dyvɛ] *nm* plumón *m*; (*sac de couchage*) saco de dormir (de plumón)

DVD [devede] *nm* (= *digital versatile disc*) DVD *m* (= *disco de vídeo digital*); **lecteur ~** lector *m* de DVD

DVD-Rom [devedeʀɔm] *nm* DVD-Rom *m*

dynamique [dinamik] *adj* dinámico(-a)

dynamisme [dinamism] *nm* dinamismo

dynamo [dinamo] *nf* dinamo *f* (*m en AM*)

dysenterie [disɑ̃tʀi] *nf* disentería

dyslexie [dislɛksi] *nf* dislexia

e

EAU *abr* (= *Émirats arabes unis*) EAU *mpl* (= *Emiratos Ërabes Unidos*)
eau, x [o] *nf* agua; **eaux** *nfpl* (*thermales*) aguas *fpl*; **sans ~** (*whisky etc*) sin agua; **prendre l'~** (*chaussure etc*) dejar pasar el agua; **prendre les ~x** tomar las aguas; **tomber à l'~** (*fig*) fracasar; **à l'~ de rose** rosa; **~ bénite** agua bendita; **~ courante/douce/salée** agua corriente/dulce/salada; **~ de Cologne/de toilette** agua de Colonia/de olor; **~ de Javel** lejía; **~ de pluie** agua de lluvia; **~ distillée/lourde** agua destilada/pesada; **~ minérale/oxygénée** agua mineral/oxigenada; **~ plate/gazeuse** agua natural (del grifo)/con gas; **les E~x et Forêts** *administración de montes*; **~x ménagères** *ou* **usées** aguas *fpl* residuales; **~x territoriales** aguas jurisdiccionales
eau-de-vie [odvi] (*pl* **eaux-de-vie**) *nf* aguardiente *m*
ébène [ebɛn] *nf* ébano
ébéniste [ebenist] *nm* ebanista *m/f*
éblouir [ebluiʀ] *vt* (*aussi fig*) deslumbrar; (*aveugler*) cegar
éboueur [ebwœʀ] *nm* basurero
ébouillanter [ebujɑ̃te] *vt* escaldar; **s'ébouillanter** *vpr* escaldarse
éboulement [ebulmɑ̃] *nm* derrumbamiento; (*amas*) escombros *mpl*
ébranler [ebʀɑ̃le] *vt* (*vitres, immeuble*) estremecer; (*poteau, mur*) mover; (*résolution, personne*) hacer vacilar; (*régime*) desestabilizar; (*santé*) debilitar; **s'ébranler** *vpr* (*partir*) ponerse en movimiento
ébullition [ebylisjɔ̃] *nf* ebullición *f*; **en ~** en ebullición; (*fig*) en efervescencia
écaille [ekɑj] *nf* (*de poisson*) escama; (*de coquillage*) concha; (*matière*) concha, carey *m*; (*de peinture*) desconchón *m*
écailler [ekɑje] *vt* (*poisson*) escamar; (*huître*) abrir; (*aussi*: **faire s'écailler**) desconchar; **s'écailler** *vpr* (*peinture*) desconcharse
écart [ekaʀ] *nm* (*de temps*) lapso; (*dans l'espace*) separación *f*; (*de prix etc*) diferencia; (*embardée, mouvement*) desvío brusco; **à l'~** (*éloigné*) alejado(-a), apartado(-a); (*fig*) aislado(-a); **faire le grand ~** hacer el spaccato; **~ de conduite** desviación *f* de conducta; **~ de langage** grosería
écarté, e [ekaʀte] *adj* (*isolé*) apartado(-a); (*ouvert*) abierto(-a); **les jambes ~es** las piernas abiertas; **les bras ~s** los brazos abiertos
écarter [ekaʀte] *vt* (*éloigner*) alejar; (*personnes*) separar; (*ouvrir*) abrir; (*Cartes, candidat, possibilité*) descartar; **s'écarter** *vpr* (*parois, jambes*) abrirse; (*personne*) alejarse; **s'~ de** alejarse de; (*fig*) desviarse de
échafaudage [eʃafodaʒ] *nm* (*Constr*) andamiaje *m*; (*amas*) montón *m*
échalote [eʃalɔt] *nf* chalote *m*, chalota
échange [eʃɑ̃ʒ] *nm* intercambio; **en ~ (de)** a cambio (de); **~s commerciaux/culturels** intercambios *mpl* comerciales/culturales; **~s de lettres/de politesses** intercambio *msg* de cartas/de cumplidos; **~ de vues** cambio de impresiones
échanger [eʃɑ̃ʒe] *vt* intercambiar; **~ qch (contre)** (*troquer*) canjear algo (por); **~ qch avec qn** intercambiar algo con algn
échantillon [eʃɑ̃tijɔ̃] *nm* (*aussi fig*) muestra
échapper [eʃape]: **~ à** *vt* escapar de; (*punition, péril*) librarse de; **s'échapper** *vpr* escaparse; **~ à qn** escapársele a algn; **~ des mains de qn** escaparse de las manos de algn; **laisser ~** dejar escapar; **l'~ belle** escapar por los pelos
écharpe [eʃaʀp] *nf* (*cache-nez*) bufanda; (*de maire*) banda; **avoir un bras en ~**

tener un brazo en cabestrillo; **prendre en ~** (*dans une collision*) coger de refilón
échauffer [eʃofe] *vt* (*métal, moteur*) recalentar; (*corps, personne*) calentar; (*exciter*) irritar; **s'échauffer** *vpr* (*Sport*) calentarse; (*dans la discussion*) acalorarse
échéance [eʃeɑ̃s] *nf* (*date*) vencimiento; (*somme due*) deuda; (*d'engagements, promesses*) plazo; **à brève/longue ~** *adj, adv* a corto/largo plazo
échéant [eʃeɑ̃]: **le cas ~** *adv* llegado el caso
échec [eʃɛk] *nm* fracaso; (*Échecs*) jaque *m*; **échecs** *nmpl* (*jeu*) ajedrez *msg*; **~ et mat/au roi** jaque mate/al rey; **mettre en ~** hacer fracasar; **tenir en ~** tener en jaque; **faire ~ à** fracasar
échelle [eʃɛl] *nf* (*de bois*) escalera de mano; (*fig*) escala; **à l'~ de** a escala de; **sur une grande/petite ~** en gran/ pequeña escala; **faire la courte ~ à qn** aupar a algn; **~ de corde** escala de cuerda
échelon [eʃ(ə)lɔ̃] *nm* (*d'échelle*) escalón *m*; (*Admin*) escalafón *m*; (*Sport*) categoría
échelonner [eʃ(ə)lɔne] *vt* escalonar; **(versement) échelonné** pago a plazos
échiquier [eʃikje] *nm* tablero
écho [eko] *nm* (*aussi fig*) eco; (*potins*) cotilleo; **échos** *nmpl* (*Presse*) gacetilla *fsg*; **rester sans ~** (*suggestion*) no tener eco; **se faire l'~ de** hacerse eco de
échographie [ekogʀafi] *nf* ecografía
échouer [eʃwe] *vi* (*tentative*) fracasar; (*candidat*) suspender; (*bateau*) encallar; (*débris*) ser arrastrado(-a) a; (*aboutir: personne dans un café etc*) ir a parar ■ *vt* (*bateau*) embarrancar; **s'échouer** *vpr* embarrancarse
éclabousser [eklabuse] *vt* salpicar; (*fig*) mancillar
éclair [eklɛʀ] *nm* (*d'orage*) relámpago; (*de flash*) disparo; (*de génie, d'intelligence*) chispa ■ *adj inv* (*voyage etc*) relámpago *inv*
éclairage [eklɛʀaʒ] *nm* iluminación *f*; (*Ciné, lumière*) luz *f*; (*fig*) punto de vista; **~ indirect** iluminación indirecta
éclaircie [eklɛʀsi] *nf* escampada
éclaircir [eklɛʀsiʀ] *vt* (*aussi fig*) aclarar; (*sauce*) aguar; **s'éclaircir** *vpr* (*ciel*) despejarse; (*cheveux*) caerse; (*situation*) aclararse; **s'~ la voix** aclararse la voz
éclaircissement [eklɛʀsismɑ̃] *nm* (*d'une couleur*) aclarado; (*gén pl: explication*) aclaración *f*
éclairer [ekleʀe] *vt* (*suj: lampe, lumière*) iluminar; (*avec une lampe de poche*) alumbrar; (*instruire*) instruir; (*rendre compréhensible*) aclarar ■ *vi*: **~ bien/mal** iluminar bien/mal; **s'éclairer** *vpr* (*phare, rue*) iluminarse; (*situation*) aclararse; **s'~ à la bougie/l'électricité** alumbrarse con velas/con electricidad
éclat [ekla] *nm* (*de bombe, verre*) fragmento; (*du soleil, d'une couleur*) brillo; (*d'une cérémonie*) brillantez *f*; **faire un ~** (*scandale*) montar un número; **action d'~** hazaña; **voler en ~s** volar en pedazos; **des ~s de verre** cristales *mpl*; **~ de rire** carcajada; **~s de voix** subidas *fpl* de tono
éclatant, e [eklatɑ̃, ɑ̃t] *adj* (*couleur*) brillante; (*lumière*) resplandeciente; (*voix, son*) vibrante; (*évident*) incuestionable; (*succès*) clamoroso(-a); (*revanche*) sensacional
éclater [eklate] *vi* (*aussi fig*) estallar; (*groupe, parti*) fragmentarse; **s'éclater** *vpr* (*fam*) pasarlo bomba; **~ de rire/en sanglots** reventar de risa/en llanto
éclipse [eklips] *nf* eclipse *m*
écluse [eklyz] *nf* esclusa
écœurant [ekœʀɑ̃] *adj* asqueroso(-a)
écœurer [ekœʀe] *vt* (*suj: gâteau, goût*) dar asco; (*personne, attitude*) desagradar; (*démoraliser*) destrozar
école [ekɔl] *nf* escuela; **aller à l'~** ir a la escuela; **faire ~** formar escuela; **les Grandes Écoles** las Grandes Escuelas; **~ de danse/de dessin/de musique/de secrétariat** escuela de baile/de dibujo/ de música/de secretariado; **~ hôtelière** escuela de hostelería; **~ maternelle** escuela de párvulos; **~ normale (d'instituteurs)/supérieure** escuela normal (de maestros)/superior; **~ élémentaire, ~ primaire** escuela primaria; **~ privée/publique/ secondaire** escuela privada/pública/ secundaria

ÉCOLE MATERNELLE

En Francia la escuela infantil, la *école maternelle*, está subvencionada por el estado y, pese a no ser obligatoria, la mayoría de los niños de entre dos y seis años acuden a ella. La educación obligatoria comienza con la educación primaria, la *école primaire*, que va desde los seis hasta los diez u once años.

écolier, -ière [ekɔlje, jɛʀ] *nm/f* escolar *m/f*
écologie [ekɔlɔʒi] *nf* ecología
écologique [ekɔlɔʒik] *adj* ecológico(-a)

écologiste [ekɔlɔʒist] *nm/f* ecologista *m/f*
économe [ekɔnɔm] *adj* ahorrador(a) ■ *nm/f* (*de lycée etc*) ecónomo(-a)
économie [ekɔnɔmi] *nf* economía; (*vertu*) ahorro; (*plan, arrangement d'ensemble*) organización *f*; **économies** *nfpl* ahorros *mpl*; **une ~ de temps/ d'argent** un ahorro de tiempo/de dinero; **~ dirigée** economía planificada
économique [ekɔnɔmik] *adj* económico(-a)
économiser [ekɔnɔmize] *vt* ahorrar, economizar ■ *vi* ahorrar dinero
économiseur [ekɔnɔmizœʀ] *nm* (*Inform*): **~ d'écran** protector *m* de pantalla
écorce [ekɔʀs] *nf* corteza; (*de fruit*) piel *f*
écorcher [ekɔʀʃe] *vt* (*animal*) desollar; (*égratigner*) arañar; (*une langue*) lastimar; **s'~ le genou** *etc* arañarse la rodilla *etc*
écorchure [ekɔʀʃyʀ] *nf* arañazo
écossais, e [ekɔsɛ, ɛz] *adj* escocés(-esa) ■ *nm* (*Ling*) escocés *m*; (*tissu*) tela escocesa ■ *nm/f*: **Écossais, e** escocés(-esa)
Écosse [ekɔs] *nf* Escocia
écouter [ekute] *vt* escuchar; (*fig*) hacer caso de *ou* a, escuchar a ■ *vi* escuchar; **s'écouter** *vpr* (*s'apitoyer*) hacerse caso; **si je m'écoutais** (*suivre son impulsion*) si por mí fuera; **s'~ parler** escucharse hablar
écouteur [ekutœʀ] *nm* (*téléphone*) auricular *m*; **écouteurs** *nmpl* (*Radio*) auriculares *mpl*
écran [ekʀɑ̃] *nm* pantalla; **porter à l'~** llevar a la pantalla; **faire ~** hacer pantalla; **le petit ~** la pequeña pantalla; **~ de fumée** pantalla de humo
écrasant, e [ekʀɑzɑ̃, ɑ̃t] *adj* (*responsabilité, travail*) agobiante; (*supériorité, avance*) abrumador(a), aplastante
écraser [ekʀɑze] *vt* (*broyer*) aplastar; (*suj: voiture, train etc*) atropellar; (*ennemi, équipe adverse*) aplastar; (*Inform*) sobreescribir; (*suj: travail, impôts*) abrumar; (*: responsabilités*) agobiar; (*dominer, humilier*) humillar; **écrase(-toi)!** ¡cierra el pico!; **se faire ~** ser atropellado(-a); **s'~ (au sol)** (*avion*) estrellarse (contra el suelo); **s'~ contre/ sur** (*suj: voiture, objet*) estrellarse contra/ en
écrémer [ekʀeme] *vt* descremar
écrevisse [ekʀəvis] *nf* cangrejo de río
écrire [ekʀiʀ] *vt, vi* escribir; **s'écrire** *vpr* (*réciproque*) escribirse; (*mot*): **ca s'écrit comment?** ¿cómo se escribe eso?; **~ à qn (que)** escribir a algn (que)
écrit, e [ekʀi, it] *pp de* **écrire** ■ *adj*: **bien/mal ~** bien/mal escrito(-a) ■ *nm* escrito; **par ~** por escrito
écriteau, x [ekʀito] *nm* letrero
écriture [ekʀityʀ] *nf* escritura; (*style*) estilo; **écritures** *nfpl* (*Comm*) escrituras *fpl*; **les Écritures** las Escrituras; **Écriture (sainte)**: **l'Écriture (sainte)** la (sagrada) Escritura
écrivain [ekʀivɛ̃] *nm* escritor(a)
écrou [ekʀu] *nm* tuerca
écrouler [ekʀule] *vpr*: **s'écrouler** (*mur*) derrumbarse; (*personne, animal*) desplomarse; (*projet etc*) venirse abajo
écru [ekʀy] *adj* crudo(-a)
écu [eky] *nm* (*monnaie de la* CE) ecu *m*
écume [ekym] *nf* espuma; **~ de mer** espuma de mar
écureuil [ekyʀœj] *nm* ardilla
écurie [ekyʀi] *nf* cuadra; (*de course automobile*) escudería; (*de course hippique*) caballeriza
eczéma [ɛgzema] *nm* eczema *m*
EDF [ədeɛf] *sigle* = *Électricité de France*
éditer [edite] *vt* editar
éditeur, -trice [editœʀ, tʀis] *nm/f* editor(a)
édition [edisjɔ̃] *nf* edición *f*; (*Presse: exemplaires d'un journal*) tirada; **~ sur écran** (*Inform*) edición en pantalla; **l'~** (*industrie du livre*) la edición
édredon [edʀədɔ̃] *nm* edredón *m*
éducateur, -trice [edykatœʀ, tʀis] *adj* educativo(-a) ■ *nm/f* educador(a); **~ spécialisé** educador especializado
éducatif, -ive [edykatif, iv] *adj* educativo(-a)
éducation [edykasjɔ̃] *nf* educación *f*; **bonne/mauvaise ~** buena/mala educación; **sans ~** (*mal élevé*) sin educación; **~ permanente** educación permanente; **~ physique** educación física; **l'Éducation (Nationale)** (*Admin*) ≈ Educación
éduquer [edyke] *vt* educar; **bien/mal éduqué** bien/mal educado
effacer [efase] *vt* (*aussi fig*) borrar; **s'effacer** *vpr* borrarse; (*pour laisser passer*) apartarse
effarant, e [efaʀɑ̃, ɑ̃t] *adj* espantoso(-a)
effectif, -ive [efɛktif, iv] *adj* efectivo(-a) ■ *nm* (*Mil, Comm: gén pl*) efectivos *mpl*; (*d'une classe*) alumnado
effectivement [efɛktivmɑ̃] *adv* efectivamente; (*réellement*) realmente
effectuer [efɛktɥe] *vt* efectuar;

(*mouvement*) realizar; **s'effectuer** *vpr* efectuarse; (*mouvement*) producirse
effervescent, e [efɛʀvesɑ̃, ɑ̃t] *adj* (*aussi fig*) efervescente
effet [efɛ] *nm* efecto; **effets** *nmpl* (*vêtements etc*) prendas *fpl*; **avec ~ rétroactif** con efecto retroactivo; **faire de l'~** (*médicament, menace*) hacer efecto; (*nouvelle, décor*) causar efecto; **sous l'~ de** bajo el efecto de; **donner de l'~ à une balle** dar efecto a una pelota; **à cet ~** con este fin; **en ~** en efecto; **~ (de commerce)** efecto (comercial); **~ de couleur/de lumière/de style** efecto de color/de luz/de estilo; **~s de voix** efectos *mpl* de voz; **~s spéciaux** efectos especiales
efficace [efikas] *adj* eficaz
efficacité [efikasite] *nf* eficacia
effondrer [efɔ̃dʀe] *vpr*: **s'effondrer** (*mur, bâtiment*) desmoronarse; (*prix, marché*) hundirse; (*blessé, coureur etc*) desplomarse; (*craquer moralement*) hundirse
efforcer [efɔʀse]: **s'efforcer de** *vpr* esforzarse por; **s'~ de faire** esforzarse por hacer
effort [efɔʀ] *nm* esfuerzo; **faire un ~** hacer un esfuerzo; **faire tous ses ~s** hacer todos los esfuerzos posibles; **faire l'~ de ...** hacer el esfuerzo de ...; **sans ~** *adj, adv* sin esfuerzo; **~ de mémoire/de volonté** esfuerzo de memoria/de voluntad
effrayant, e [efʀɛjɑ̃, ɑ̃t] *adj* horroroso(-a), espantoso(-a)
effrayer [efʀeje] *vt* asustar; **s'effrayer (de)** *vpr* asustarse (de)
effréné, e [efʀene] *adj* desenfrenado(-a)
effronté, e [efʀɔ̃te] *adj* descarado(-a)
effroyable [efʀwajabl] *adj* espantoso(-a)
égal, e, -aux [egal, o] *adj* (*gén*) igual; (*terrain, surface*) liso(-a); (*vitesse, rythme*) regular ▪ *nm/f* igual *m/f*; **être ~ à** ser igual a; **ça lui/nous est ~** le/nos da igual; **c'est ~** es igual; **sans ~** sin igual; **à l'~ de** (*comme*) al igual que; **d'~ à ~** de igual a igual
également [egalmɑ̃] *adv* (*partager etc*) en partes iguales; (*en outre, aussi*) igualmente
égaler [egale] *vt* igualar; **3 plus 3 égalent 6** 3 más 3 igual a 6
égaliser [egalize] *vt* igualar ▪ *vi* (*Sport*) empatar
égalité [egalite] *nf* igualdad *f*; **être à ~ (de points)** estar empatados(-as) (en tantos); **~ d'humeur** serenidad *f*; **~ de droits** igualdad de derechos
égard [egaʀ] *nm* consideración *f*; **égards** *nmpl* (*marques de respect*) atenciones *fpl*; **à cet ~/certains ~s/tous ~s** a este respecto/en ciertos aspectos/por todos los conceptos; **en ~ à** en consideración a; **par/sans ~ pour** por/sin consideración para; **à l'~ de** con respecto a
égarer [egaʀe] *vt* (*perdre*) perder; (*personne*) echar a perder; **s'égarer** *vpr* (*aussi fig*) perderse; (*objet*) extraviarse
églefin [egləfɛ̃] *nm* abadejo
église [egliz] *nf* iglesia; **aller à l'~** (*être pratiquant*) ir a la iglesia; **Église catholique**: **l'Église catholique** la Iglesia católica; **Église presbytérienne**: **l'Église presbytérienne** la Iglesia presbiteriana
égoïsme [egɔism] *nm* egoísmo
égoïste [egɔist] *adj, nm/f* egoísta *m/f*
égout [egu] *nm* alcantarilla; **eaux d'~** aguas *fpl* residuales
égoutter [egute] *vt* escurrir ▪ *vi* gotear; **s'égoutter** *vpr* escurrirse; (*eau*) gotear
égouttoir [egutwaʀ] *nm* escurridero
égratignure [egʀatiɲyʀ] *nf* rasguño
Égypte [eʒipt] *nf* Egipto
égyptien, ne [eʒipsjɛ̃, jɛn] *adj* egipcio(-a) ▪ *nm/f*: **égyptien, ne** egipcio(-a)
eh [e] *excl* eh; **eh bien!** (*surprise*) ¡pero bueno!; **eh bien?** (*attente, doute*) ¿y bien?; **eh bien** (*donc*) entonces
élaborer [elabɔʀe] *vt* elaborar
élan [elɑ̃] *nm* (*Zool*) alce *m*; (*mouvement, lancée*) impulso; (*fig*) arrebato; **perdre son ~** perder impulso; **prendre de l'~** tomar carrerilla; **prendre son ~** tomar impulso
élancer [elɑ̃se] *vpr*: **s'élancer** lanzarse; (*arbre, clocher*) alzarse
élargir [elaʀʒiʀ] *vt* (*porte, route*) ensanchar; (*vêtement*) sacar a; (*fig*: *groupe, débat*) ampliar; (*Jur*) liberar; **s'élargir** *vpr* ensancharse
élastique [elastik] *adj* elástico(-a); (*Phys*) flexible; (*fig*: *parfois péj*) contemporizador(a) ▪ *nm* (*de bureau*) elástico, goma; (*pour la couture*) goma
élection [elɛksjɔ̃] *nf* elección *f*; **élections** *nfpl* (*Pol*) elecciones *fpl*; **sa terre/patrie d'~** su tierra/patria de elección; **~ partielle** elección parcial; **~s législatives** elecciones legislativas

ÉLECTIONS LEGISLATIVES

En Francia se celebran *élections législatives* cada cinco años con el fin de elegir a los "députés" de la

"Assemblée nationale". Hay además una "election présidentielle" en la que se elige al presidente y que tiene lugar cada siete años. La votación, que siempre tiene lugar en domingo, es por sufragio universal y en dos vueltas.

électoral, e, -aux [elɛktɔʀal, o] *adj* electoral
électricien, ne [elɛktʀisjɛ̃, jɛn] *nm/f* electricista *m/f*
électricité [elɛktʀisite] *nf* electricidad *f*; (*fig*) tensión *f*; **avoir l'~** tener corriente eléctrica; **fonctionner à l'~** funcionar con electricidad; **allumer/éteindre l'~** encender/apagar la luz; **~ statique** electricidad estática
électrique [elɛktʀik] *adj* eléctrico(-a); (*fig*) tenso(-a)
électrocuter [elɛktʀɔkyte] *vt* electrocutar
électroménager [elɛktʀomenaʒe] *adj*: **appareils ~s** aparatos *mpl* electrodomésticos; **l'~** (*secteur commercial*) el sector de electrodomésticos
électron [elɛktʀɔ̃] *nm* electrón *m*
électronique [elɛktʀɔnik] *adj* electrónico(-a) ■ *nf* electrónica
élégance [elegɑ̃s] *nf* elegancia
élégant, e [elegɑ̃, ɑ̃t] *adj* (*aussi fig*) elegante
élément [elemɑ̃] *nm* elemento; **éléments** *nmpl* (*eau, air etc*) elementos *mpl*; (*rudiments*) rudimentos *mpl*
élémentaire [elemɑ̃tɛʀ] *adj* elemental
éléphant [elefɑ̃] *nm* elefante *m*; **~ de mer** elefante marino
élevage [el(ə)vaʒ] *nm* (*de bétail, de volaille etc*) cría; (*activité, secteur économique*) ganadería; (*vin*) crianza
élevé, e [el(ə)ve] *adj* (*aussi fig*) elevado(-a); **bien/mal ~** bien/mal educado(-a)
élève [elɛv] *nm/f* alumno(-a); **~ infirmière** aspirante *f* a enfermera
élever [el(ə)ve] *vt* (*enfant, animaux, vin*) educar, criar; (*hausser*) subir; (*monument, âme, esprit*) elevar; **s'élever** *vpr* (*avion, alpiniste*) ascender; (*clocher, montagne*) alzarse; (*protestations*) levantar; (*cri*) oírse; (*niveau*) subir; (*température*) ascender; (*survenir: difficultés*) surgir; **~ une protestation/critique** elevar una protesta/crítica; **~ la voix/le ton** levantar la voz/el tono; **~ qn au rang/grade de** ascender *ou* elevar a algn al rango/grado de; **~ un nombre au carré/cube** elevar un número al cuadrado/al cubo; **s'~ contre qch** rebelarse contra algo; **s'~ à** (*frais, dégâts*) elevarse a
éleveur, -euse [el(ə)vœʀ, øz] *nm/f* (*de bétail*) ganadero(-a)
éliminatoire [eliminatwaʀ] *adj* eliminatorio(-a) ■ *nf* eliminatoria
éliminer [elimine] *vt* eliminar
élire [eliʀ] *vt* (*Pol etc*) elegir; **~ domicile à ...** domiciliarse en ...
elle [ɛl] *pron* ella; **Marie est-~ grande?** ¿María es grande?; **c'est à ~** es suyo(-a), es de ella; **ce livre est à ~** ese libro es suyo; **~-même** ella misma; (*après préposition*) sí misma; **avec ~** (*réfléchi*) consigo
éloigné, e [elwaɲe] *adj* (*gén*) alejado(-a); (*date, échéance, parent*) lejano(-a)
éloigner [elwaɲe] *vt* (*échéance, but*) retrasar; (*soupçons, danger*) ahuyentar; **s'éloigner** *vpr* alejarse; (*fig*) distanciarse; **~ qch (de)** alejar algo (de); **~ qn (de)** distanciar a algn (de); **s'~ de** alejarse de; (*fig: sujet, but*) salirse de
élu, e [ely] *pp de* **élire** ■ *nm/f* (*Pol*) elegido(-a), electo(-a); (*Rel*) elegido(-a)
Élysée [elize] *nm*: **l'~, le palais de l'~** el Elíseo, el palacio del Elíseo; **les Champs ~s** los Campos Elíseos

PALAIS DE L'ÉLYSÉE

El *palais de l'Élysée*, que está situado en el centro mismo de París, a muy poca distancia de los Campos Elíseos, es la residencia oficial del presidente francés. Fue construido en el siglo XVIII, y ha sido la residencia presidencial desde 1876. Se usa con frecuencia una versión reducida de su nombre, "l'Élysée", para referirse a la presidencia misma.

émail, -aux [emaj, o] *nm* esmalte *m*
e-mail [imɛl] *nm* mail *m*, email *m*, correo electrónico; **envoyer qch par ~** enviar algo por mail/email/correo electrónico
émanciper [emɑ̃sipe] *vt* (*Jur*) emancipar; (*gén: aussi moralement*) liberar; **s'émanciper** *vpr* (*fig*) liberarse
emballage [ɑ̃balaʒ] *nm* embalaje *m*; (*d'un cadeau*) envoltura; **~ perdu** embalaje no retornable
emballer [ɑ̃bale] *vt* (*gén, moteur*) embalar; (*cadeau*) envolver; (*fig: fam*) apetecer; **s'emballer** *vpr* (*moteur, personne*) embalarse; (*cheval*) desbocarse; (*fig*) propasarse

embarcadère [ɑ̃baʀkadɛʀ] *nm* embarcadero

embarquement [ɑ̃baʀkəmɑ̃] *nm* embarque *m*

embarquer [ɑ̃baʀke] *vt* embarcar; (*fam*: *voler*) mangar; (: *arrêter*) detener ▪ *vi* embarcar; **s'embarquer** *vpr* embarcarse; **s'~ dans** (*affaire, aventure*) embarcarse en

embarras [ɑ̃baʀa] *nm* (*gén pl*: *obstacle*) inconveniente *m*; (*confusion*) turbación *f*; (*ennui*) problema *m*; **être dans l'~** (*gêne financière*) estar en apuros; **~ gastrique** molestia intestinal

embarrassant, e [ɑ̃baʀasɑ̃, ɑ̃t] *adj* molesto(-a)

embarrasser [ɑ̃baʀase] *vt* (*encombrer*) estorbar; (*gêner*) molestar; (*troubler*) turbar; **s'~ de** (*paquets*) cargarse de; (*scrupules, problèmes*) preocuparse por

embaucher [ɑ̃boʃe] *vt* contratar; **s'embaucher comme** *vpr* inscribirse como

embêtant, e [ɑ̃bɛtɑ̃, ɑ̃t] *adj* molesto(-a), embromado(-a) (*AM*)

embêtement [ɑ̃bɛtmɑ̃] *nm* (*gén pl*) contratiempo

embêter [ɑ̃bete] *vt* (*importuner*) molestar, embromar (*AM*); (*ennuyer*) aburrir; (*contrarier*) fastidiar; **s'embêter** *vpr* aburrirse; (*iro*): **il ne s'embête pas!** ¡no se aburre!

emblée [ɑ̃ble]: **d'~** *adv* de golpe

embouchure [ɑ̃buʃyʀ] *nf* (*Géo*) desembocadura; (*Mus*) embocadura

embourber [ɑ̃buʀbe] *vpr*: **s'embourber** atascarse; **s'~ dans** (*fig*) atrancarse en

embouteillage [ɑ̃butɛjaʒ] *nm* embotellamiento

embranchement [ɑ̃bʀɑ̃ʃmɑ̃] *nm* (*routier*) bifurcación *f*; (*Science*) tipo

embrasser [ɑ̃bʀase] *vt* (*étreindre*) abrazar; (*donner un baiser*) besar; (*sujet, période*) abarcar; **s'embrasser** *vpr* besarse; **~ une carrière/un métier** abrazar una carrera/ un oficio; **~ du regard** abarcar con la mirada

embrayage [ɑ̃bʀɛjaʒ] *nm* embrague *m*

embrouiller [ɑ̃bʀuje] *vt* (*aussi fig*) enredar; (*personne*) liar; **s'embrouiller** *vpr* enredarse

embruns [ɑ̃bʀœ̃] *nmpl* salpicaduras *fpl*

embué, e [ɑ̃bɥe] *adj* empañado(-a); **yeux ~s de larmes** ojos *mpl* empañados por las lágrimas

émeraude [em(ə)ʀod] *nf, adj inv* esmeralda

émerger [emɛʀʒe] *vi* emerger; (*fig*) surgir

émeri [em(ə)ʀi] *nm*: **papier ~** papel *m* de esmeril

émerveiller [emɛʀveje] *vt* maravillar; **s'émerveiller** *vpr*: **s'~ (de qch)** maravillarse (de algo)

émettre [emɛtʀ] *vt, vi* emitir; **~ sur ondes courtes** emitir en onda corta

émeus *etc* [emø] *vb voir* **émouvoir**

émeute [emøt] *nf* motín *m*

émigrer [emigʀe] *vi* emigrar

émincer [emɛ̃se] *vt* (*viande*) trinchar; (*oignons etc*) cortar en rodajas finas

émission [emisjɔ̃] *nf* emisión *f*

emmêler [ɑ̃mele] *vt* (*aussi fig*) enmarañar; **s'emmêler** *vpr* enmarañarse

emménager [ɑ̃menaʒe] *vi* mudarse; **~ dans** instalarse en

emmener [ɑ̃m(ə)ne] *vt* llevar; (*comme otage, capture, avec soi*) llevarse; **~ qn au cinéma/restaurant** llevar a algn al cine/ restaurante

emmerder [ɑ̃mɛʀde] (*fam!*) *vt* dar el coñazo (*fam!*), fregar (*AM*) (*fam!*); **s'emmerder** *vpr* aburrirse la hostia (*fam!*); **je t'emmerde!** ¡que te den por culo! (*fam!*)

émotif, -ive [emɔtif, iv] *adj* (*troubles etc*) emocional; (*personne*) emotivo(-a)

émotion [emosjɔ̃] *nf* emoción *f*; **avoir des ~s** (*fig*) tener sobresaltos; **donner des ~s à** dar sobresaltos a; **sans ~** sin emoción

émouvoir [emuvwaʀ] *vt* (*troubler*) turbar; (*attendrir*) conmover; (*indigner*) indignar; (*effrayer*) atemorizar; **s'émouvoir** *vpr* (*se troubler*) turbarse; (*s'attendrir*) conmoverse; (*s'indigner*) indignarse; (*s'effrayer*) atemorizarse

empaqueter [ɑ̃pakte] *vt* empaquetar

emparer [ɑ̃paʀe]: **s'emparer de** *vpr* apoderarse de; (*Mil*) adueñarse de

empêchement [ɑ̃pɛʃmɑ̃] *nm* impedimento

empêcher [ɑ̃peʃe] *vt* impedir; **~ qn de faire qch** impedir a algn que haga algo; **~ que qch (n')arrive/que qn (ne) fasse** impedir que algo pase/que algn haga; **il n'empêche que** lo que no quiere decir que; **je ne peux pas m'~ de penser** no puedo dejar de pensar; **il n'a pas pu s'~ de rire** no pudo evitar reírse

empereur [ɑ̃pʀœʀ] *nm* emperador *m*

empiffrer [ɑ̃pifʀe] *vpr*: **s'empiffrer** (*péj*) atracarse

empiler [ɑ̃pile] *vt* apilar; **s'empiler** *vpr* amontonarse

empire [ɑ̃piʀ] *nm* imperio; (*fig*) dominio;

style E~ estilo imperio; **sous l'~ de** bajo el efecto de
empirer [ɑ̃piʀe] *vi* empeorar
emplacement [ɑ̃plasmɑ̃] *nm* emplazamiento; **sur l'~ de** en el emplazamiento de
emplettes [ɑ̃plɛt] *nfpl*: **faire des ~** ir de tiendas
emploi [ɑ̃plwa] *nm* empleo; **l'~** (*Comm, Écon*) el empleo; **d'~ facile/délicat** de uso fácil/delicado; **offre/demande d'~** oferta/demanda de empleo; **le plein ~** pleno empleo; **~ du temps** horario
employé, e [ɑ̃plwaje] *nm/f* empleado(-a); **~ de banque** empleado(-a) de banco; **~ de bureau** oficinista *m/f*; **~ de maison** criado(-a)
employer [ɑ̃plwaje] *vt* emplear; **~ la force/les grands moyens** emplear fuerza/fuerzas mayores; **s'~ à qch/à faire** esforzarse por algo/por hacer
employeur, -euse [ɑ̃plwajœʀ, øz] *nm/f* patrón(-ona), empresario(-a)
empoigner [ɑ̃pwaɲe] *vt* empuñar; **s'empoigner** *vpr* (*fig*) ir a las manos
empoisonner [ɑ̃pwazɔne] *vt* (*volontairement*) envenenar; (*accidentellement, empester*) intoxicar; (*fam: embêter*): **~ qn** fastidiar a algn; **s'empoisonner** *vpr* (*suicide*) envenenarse; (*accidentellement*) intoxicarse; **~ l'atmosphère** (*fig*) cargar la atmósfera; **il nous empoisonne l'existence** nos amarga la existencia
emporter [ɑ̃pɔʀte] *vt* llevar; (*en dérobant, enlevant*) arrebatar; (*suj: courant, vent, avalanche, choc*) arrastrar; (*: enthousiasme, colère*) arrebatar; (*gagner, Mil*) lograr; **s'emporter** *vpr* enfurecerse; **la maladie qui l'a emporté** la enfermedad que se lo ha llevado; **l'~** ganar; **l'~ sur** desbancar a; **boissons/plats chauds à ~** bebidas *fpl*/comidas *fpl* calientes para llevar
empreinte [ɑ̃pʀɛ̃t] *nf* (*aussi fig*) huella; **~ écologique** impacto ecológico; **~s (digitales)** huellas *fpl* (dactilares)
empressé, e [ɑ̃pʀese] *adj* solícito(-a); (*péj: prétendant, subordonné*) servil
empresser [ɑ̃pʀese]: **s'empresser** *vpr* apresurarse; **s'~ auprès de qn** mostrarse solícito con algn; **s'~ de faire** apresurarse a hacer
emprisonner [ɑ̃pʀizɔne] *vt* encarcelar; (*fig*) encerrar
emprunt [ɑ̃pʀœ̃] *nm* (*gén, Fin*) préstamo; (*littéraire*) imitación *f*; **nom d'~** (p)seudónimo; **~ d'État** empréstito de Estado; **~ public à 5%** empréstito público al 5%
emprunter [ɑ̃pʀœ̃te] *vt* (*gén, Fin*) pedir *ou* tomar prestado; (*route, itinéraire*) seguir; (*style, manière*) imitar
ému, e [emy] *pp de* **émouvoir** ■ *adj* (*de joie, gratitude*) emocionado(-a); (*d'attendrissement*) conmovido(-a)

MOT-CLÉ

en [ɑ̃] *prép* **1** (*endroit, pays*) en; (*direction*) a; **habiter en France/en ville** vivir en Francia/en la ciudad; **aller en France/en ville** ir a Francia/a la ciudad
2 (*temps*) en; **en 3 jours/20 ans** en 3 días/20 años; **en été/juin** en verano/junio
3 (*moyen*) en; **en avion/taxi** en avión/taxi
4 (*composition*) de; **c'est en verre/bois** es de cristal/madera; **un collier en argent** un collar de plata
5 (*description, état*): **une femme en rouge** una mujer de rojo; **peindre qch en rouge** pintar algo de rojo; **en T/étoile** en forma de T/en estrella; **en chemise/chaussettes** en camisa/calcetines; **en soldat** de soldado; **en civil** de civil *ou* paisano; **en deuil** de luto; **cassé en plusieurs morceaux** roto en varios pedazos; **en réparation** en reparación; **partir en vacances** marcharse de vacaciones; **le même en plus grand** el mismo en tamaño más grande; **en bon diplomate, il n'a rien dit** como buen diplomático, no dijo nada; **expert/licencié en ...** experto/licenciado en ...; **fort en maths** fuerte en matemáticas; **être en bonne santé** estar bien de salud; **en deux volumes/une pièce** en dos volúmenes/una pieza; (*pour locutions avec "en"*) *voir* **tant**; **croire** *etc*
6 (*en tant que*): **en bon chrétien** como buen cristiano; **je te parle en ami** te hablo como amigo
7 (*avec gérondif*): **en travaillant/dormant** al trabajar/dormir, trabajando/durmiendo; **en apprenant la nouvelle/sortant, ...** al saber la noticia/al salir, ...; **sortir en courant** salir corriendo
■ *pron* **1** (*indéfini*): **j'en ai ...** tengo ...; **en as-tu?** ¿tienes?; **en veux-tu?** ¿quieres?; **je n'en veux pas** no quiero; **j'en ai 2** tengo dos; **j'en ai assez** (*fig*) tengo bastante; (*j'en ai marre*) estoy harto de eso; **combien y en a-t-il?** ¿cuántos hay?; **où en étais-je?** ¿dónde estaba?; **j'en viens à penser que ...** eso me lleva a pensar que ...; **il en est ainsi** *ou* **de même pour toi!** ¡y tú igual!

2 (*provenance*) de allí; **j'en viens/sors** vengo/salgo (de allí)
3 (*cause*): **il en est malade/perd le sommeil** está enfermo/pierde el sueño (por ello); (*instrument, agent*): **il en est aimé** es estimado (por ello)
4 (*complément de nom, d'adjectif, de verbe*): **j'en connais les dangers/défauts** conozco los peligros/defectos de eso; **j'en suis fier** estoy orgulloso de ello; **j'en ai besoin** lo necesito

encadrer [ɑ̃kadʀe] *vt* (*tableau, image*) enmarcar; (*fig: entourer*) rodear; (*personnel*) formar; (*soldats etc*) tener a su mando; (*crédit*) controlar
encaisser [ɑ̃kese] *vt* (*chèque, argent*) cobrar; (*coup, défaite*) encajar
en-cas [ɑ̃ka] *nm inv* tentempié *m*
enceinte [ɑ̃sɛ̃t] *adj f*: **~ (de 6 mois)** encinta *ou* embarazada (de 6 meses) ▪ *nf* (*mur*) muralla; (*espace*) recinto; **~ (acoustique)** bafle *m*
encens [ɑ̃sɑ̃] *nm* incienso
enchaîner [ɑ̃ʃene] *vt* encadenar ▪ *vi* proseguir
enchanté, e [ɑ̃ʃɑ̃te] *adj* encantado(-a); **~ de faire votre connaissance** encantado(-a) de conocerle
enchère [ɑ̃ʃɛʀ] *nf* oferta; **faire une ~** hacer una oferta; **mettre/vendre aux ~s** sacar/vender en subasta; **les ~s montent** las ofertas suben; **faire monter les ~s** (*fig*) hacer subir las ofertas
enclencher [ɑ̃klɑ̃ʃe] *vt* (*mécanisme*) enganchar; (*affaire*) iniciar; **s'enclencher** *vpr* ponerse en marcha
encombrant, e [ɑ̃kɔ̃bʀɑ̃, ɑ̃t] *adj* voluminoso(-a)
encombrement [ɑ̃kɔ̃bʀəmɑ̃] *nm* (*d'un lieu*) obstrucción *f*; (*de circulation*) embotellamiento; (*des lignes téléphoniques*) saturación *f*; (*d'un objet*) volumen *m*
encombrer [ɑ̃kɔ̃bʀe] *vt* (*couloir, rue*) obstruir; (*mémoire, marché*) abarrotar; (*personne*) estorbar; **s'encombrer de** *vpr* (*bagages etc*) cargarse de *ou* con; **~ le passage** obstruir el paso

MOT-CLÉ

encore [ɑ̃kɔʀ] *adv* 1 (*continuation*) todavía; **il travaille encore** trabaja todavía; **pas encore** todavía no
2 (*de nouveau*): **elle m'a encore demandé de l'argent** me ha vuelto a pedir dinero; **encore!** (*insatisfaction*) ¡otra vez!; **encore un effort** un esfuerzo más; **j'irai encore demain** iré también mañana; **encore une fois** una vez más; **encore deux jours** dos días más
3 (*intensif*): **encore plus fort/mieux** aún más fuerte/mejor; **hier encore** todavía ayer; **non seulement ..., mais encore** no sólo ... sino también
4 (*restriction*) al menos; **encore pourrais-je le faire, si j'avais de l'argent** si al menos tuviera dinero, podría hacerlo; **si encore** si por lo menos; **(et puis) quoi encore?** ¿y qué más?; **encore que** *conj* aunque

encourager [ɑ̃kuʀaʒe] *vt* (*personne*) animar; (*activité, tendance*) fomentar; **~ qn à faire qch** animar a algn para que haga algo
encourir [ɑ̃kuʀiʀ] *vt* exponerse a
encre [ɑ̃kʀ] *nf* tinta; **~ de Chine** tinta china; **~ indélébile** tinta indeleble; **~ sympathique** tinta simpática *ou* invisible
encyclopédie [ɑ̃siklɔpedi] *nf* enciclopedia
endetter [ɑ̃dete] *vt* endeudar; **s'endetter** *vpr* endeudarse
endive [ɑ̃div] *nf* endibia
endormi, e [ɑ̃dɔʀmi] *pp de* **endormir** ▪ *adj* dormido(-a); (*indolent, lent*) lento(-a)
endormir [ɑ̃dɔʀmiʀ] *vt* adormecer, dormir; (*soupçons*) engañar; (*ennemi*) burlar; (*ennuyer*) adormecer; (*Méd*) anestesiar; **s'endormir** *vpr* (*aussi fig*) dormirse
endroit [ɑ̃dʀwa] *nm* lugar *m*, sitio; (*opposé à l'envers*) derecho; **à l'~** (*vêtement*) al derecho; **à l'~ de** (*à l'égard de*) con respecto a; **les gens de l'~** la gente del lugar; **par ~s** en algunos sitios; **à cet ~** en ese sitio
endurance [ɑ̃dyʀɑ̃s] *nf* resistencia
endurant, e [ɑ̃dyʀɑ̃, ɑ̃t] *adj* resistente
endurcir [ɑ̃dyʀsiʀ] *vt* endurecer; **s'endurcir** *vpr* endurecerse
endurer [ɑ̃dyʀe] *vt* aguantar
énergétique [enɛʀʒetik] *adj* energético(-a)
énergie [enɛʀʒi] *nf* (*aussi fig*) energía
énergique [enɛʀʒik] *adj* enérgico(-a)
énervant, e [enɛʀvɑ̃, ɑ̃t] *adj* irritante
énerver [enɛʀve] *vt* poner nervioso, enervar; **s'énerver** *vpr* ponerse nervioso, enervarse
enfance [ɑ̃fɑ̃s] *nf* (*âge*) niñez *f*; (*fig*) principio; (*enfants*) infancia; **c'est l'~ de l'art** está tirado; **petite ~** primera

infancia; **souvenir/ami d'~** recuerdo/amigo de infancia; **retomber en ~** volver a la niñez
enfant [ɑ̃fɑ̃] *nm/f* (*garçon, fillette: aussi fig*) niño(-a); (*fils, fille: aussi fig*) hijo(-a); **petit ~** nene(-a); **bon ~** bonachón(-ona); **~ adoptif** hijo adoptivo; **~ de chœur** (*Rel, fig*) monaguillo; **~ naturel/unique** hijo natural/único; **~ prodige** niño prodigio
enfantin, e [ɑ̃fɑ̃tɛ̃, in] *adj* (*aussi péj*) infantil
enfer [ɑ̃fɛʀ] *nm* infierno; **allure/bruit d'~** ritmo/ruido infernal
enfermer [ɑ̃fɛʀme] *vt* (*à clef etc*) encerrar; **s'enfermer** *vpr* encerrarse; **s'~ à clef** cerrarse con llave; **s'~ dans la solitude/le mutisme** encerrarse en la soledad/el mutismo
enfiler [ɑ̃file] *vt* (*perles*) ensartar; (*aiguille*) enhebrar; (*rue, couloir*) enfilar; **s'enfiler dans** *vpr* (*entrer dans*) enfilar; **~ qch** (*vêtement*) ponerse algo; **~ qch dans** (*insérer*) meter algo en
enfin [ɑ̃fɛ̃] *adv* (*pour finir*) finalmente; (*en dernier lieu, pour conclure*) por último; (*de restriction, résignation*) en fin; (*eh bien!*) ¡por fin!
enflammer [ɑ̃flɑme] *vt* (*aussi fig*) inflamar; **s'enflammer** *vpr* inflamarse
enflé, e [ɑ̃fle] *adj* (*aussi péj*) hinchado(-a)
enfler [ɑ̃fle] *vi* (*Méd*) inflamar, hincharse
enfoncer [ɑ̃fɔ̃se] *vt* (*clou*) clavar; (*forcer, défoncer, faire pénétrer*) hundir; (*lignes ennemies*) derrotar; (*fam: surpasser*) derribar ■ *vi* (*dans la vase etc*) hundirse; **s'enfoncer** *vpr* hundirse; **s'~ dans** hundirse en; (*forêt, ville*) adentrarse en; (*mensonge*) sumirse en; (*erreur*) andar en; **~ un chapeau sur la tête** calarse un sombrero en la cabeza; **~ qn dans la dette** hundir a algn en deudas
enfouir [ɑ̃fwiʀ] *vt* (*dans le sol*) enterrar; (*dans un tiroir, une poche*) meter en el fondo; **s'enfouir dans/sous** *vpr* refugiarse en/ocultarse bajo
enfuir [ɑ̃fɥiʀ] *vpr*: **s'enfuir** huir
engagement [ɑ̃gaʒmɑ̃] *nm* compromiso; (*contrat professionnel*) contrato; (*combat*) intervención *f*; (*recrutement*) alistamiento voluntario; (*Sport*) saque *m* de centro; **prendre l'~ de faire** comprometerse a hacer; **sans ~** (*Comm*) sin compromiso
engager [ɑ̃gaʒe] *vt* (*embaucher*) contratar; (*débat*) iniciar; (*: négociations*) entablar; (*lier*) comprometer; (*impliquer, entraîner*) implicar; (*argent*) colocar; (*faire intervenir*) hacer intervenir; **s'engager** *vpr* (*s'embaucher*) incorporarse; (*Mil*) alistarse; (*politiquement, promettre*) comprometerse; (*négociations*) entablarse; **10 chevaux sont engagés dans cette course** 10 caballos toman parte en esta carrera; **~ qn à faire/à qch** incitar a algn a hacer/a algo; **~ qch dans** (*faire pénétrer*) meter algo en; **s'~ à faire qch** comprometerse a hacer algo; **s'~ dans** (*rue, passage*) enfilar; (*s'emboîter*) encajarse en; (*voie, carrière, discussion*) meterse en
engelures [ɑ̃ʒlyʀ] *nfpl* sabañones *mpl*
engin [ɑ̃ʒɛ̃] *nm* máquina; (*péj*) artefacto; (*missile*) proyectil *m*; **~ blindé** vehículo blindado; **~ de terrassement** excavadora; **~ (explosif)** artefacto explosivo; **~s (spéciaux)** misiles *mpl*
engloutir [ɑ̃glutiʀ] *vt* (*aussi fig*) tragar; **s'engloutir** *vpr* hundirse
engouement [ɑ̃gumɑ̃] *nm* apasionamiento
engouffrer [ɑ̃gufʀe] *vt* engullir; **s'engouffrer dans** *vpr* (*suj: vent, eau*) penetrar en; (*: personnes*) precipitarse en
engourdir [ɑ̃guʀdiʀ] *vt* (*membres*) entumecer; (*esprit*) entorpecer; **s'engourdir** *vpr* entumecerse; entorpecerse
engrais [ɑ̃gʀɛ] *nm* abono; **~ chimique/minéral/naturel** abono químico/mineral/natural; **~ organique/vert** abono orgánico/verde
engraisser [ɑ̃gʀese] *vt* (*animal*) cebar; (*terre*) abonar ■ *vi* (*péj: personne*) forrarse
engrenage [ɑ̃gʀənaʒ] *nm* (*aussi fig*) engranaje *m*
engueuler [ɑ̃gœle] (*fam*) *vt*: **~ qn** cabrearse con algn
enhardir [ɑ̃aʀdiʀ] *vt* animar; **s'enhardir** *vpr* envalentonarse
énigmatique [enigmatik] *adj* enigmático(-a)
énigme [enigm] *nf* enigma *m*
enivrer [ɑ̃nivʀe] *vt* (*aussi fig*) embriagar, emborrachar; **s'enivrer** *vpr* (*en buvant*) emborracharse, embriagarse; **s'~ de** (*fig*) embriagarse de, emborracharse de
enjamber [ɑ̃ʒɑ̃be] *vt* franquear
enjeu, x [ɑ̃ʒø] *nm* apuesta; (*d'une élection, d'un match*) lo que está en juego
enjoué, e [ɑ̃ʒwe] *adj* alegre
enlaidir [ɑ̃lediʀ] *vt* afear ■ *vi* afearse
enlèvement [ɑ̃lɛvmɑ̃] *nm* (*rapt*) rapto; **l'~ des ordures ménagères** la recogida de basuras
enlever [ɑ̃l(ə)ve] *vt* quitar; (*ordures, meubles à déménager*) recoger; (*kidnapper*)

raptar; (*prix, victoire*) conseguir; (*Mil*) tomar; (*Mus*) ejecutar brillantemente; **s'enlever** *vpr* (*tache*) quitarse; **~ qch à qn** (*possessions, espoir*) quitar algo a algn; **la maladie qui nous l'a enlevé** (*euphémisme*) la enfermedad que nos lo ha llevado

enliser [ɑ̃lize] *vpr*: **s'enliser** hundirse; (*dialogue*) llegar a un punto muerto

enneigé, e [ɑ̃neʒe] *adj* (*pente, col*) nevado(-a); (*maison*) cubierto(-a) de nieve

ennemi, e [ɛnmi] *adj, nm/f* enemigo(-a) ■ *nm* (*Mil, gén*) enemigo; **être ~ de** (*tendance, activité*) ser enemigo(-a) de

ennui [ɑ̃nɥi] *nm* (*lassitude*) aburrimiento; (*difficulté*) problema *m*; **avoir/s'attirer des ~s** tener/buscarse problemas

ennuyer [ɑ̃nɥije] *vt* (*importuner, gêner*) molestar; (*contrarier*) fastidiar; (*lasser*) aburrir; **s'ennuyer** *vpr* (*se lasser*) aburrirse; **si cela ne vous ennuie pas** si no le molesta; **s'~ de qch/qn** (*regretter*) echar de menos algo/a algn

ennuyeux, -euse [ɑ̃nɥijø, øz] *adj* (*lassant*) aburrido(-a); (*contrariant*) molesto(-a)

énorme [enɔʀm] *adj* enorme

énormément [enɔʀmemɑ̃] *adv* (*avec vb*) muchísimo; **~ de neige/gens** muchísima nieve/gente

enquête [ɑ̃kɛt] *nf* (*judiciaire, administrative, de police*) investigación *f*; (*de journaliste, sondage*) encuesta

enquêter [ɑ̃kete] *vi* (*gén, police*) investigar; (*journaliste, sondage*) hacer una encuesta; **~ sur** investigar sobre

enragé, e [ɑ̃ʀaʒe] *adj* (*Méd*) rabioso(-a); (*furieux*) furioso(-a); (*passionné*) apasionado(-a); **~ de** fanático(-a) de

enrageant, e [ɑ̃ʀaʒɑ̃, ɑ̃t] *adj* irritante

enrager [ɑ̃ʀaʒe] *vi* dar rabia; **faire ~ qn** hacer rabiar a algn

enregistrement [ɑ̃ʀ(ə)ʒistʀəmɑ̃] *nm* (*d'un disque*) grabación *f*; (*d'un fichier, d'une plainte*) registro; **~ des bagages** facturación *f*; **~ magnétique** grabación magnética

enregistrer [ɑ̃ʀ(ə)ʒistʀe] *vt* (*Mus, Inform*) grabar; (*Admin, Comm, fig*) registrar; (*aussi*: **faire enregistrer**: *bagages*) facturar

enrhumer [ɑ̃ʀyme] *vpr*: **s'enrhumer** acatarrarse, constiparse, resfriarse

enrichir [ɑ̃ʀiʃiʀ] *vt* enriquecer; **s'enrichir** *vpr* enriquecerse

enrouer [ɑ̃ʀwe] *vpr*: **s'enrouer** enronquecer

enrouler [ɑ̃ʀule] *vt* enrollar; **s'enrouler** *vpr* enrollarse; **~ qch autour de** enrollar algo alrededor de

enseignant, e [ɑ̃sɛɲɑ̃, ɑ̃t] *adj, nm/f* docente *m/f*

enseignement [ɑ̃sɛɲ(ə)mɑ̃] *nm* enseñanza; **~ ménager/technique** enseñanza doméstica/técnica; **~ primaire/secondaire** enseñanza primaria/secundaria; **~ privé/public** enseñanza privada/pública

enseigner [ɑ̃seɲe] *vt* (*suj*: *professeur*) enseñar, dar clase de; (: *choses*) enseñar ■ *vi* (*être professeur*) dar clases; **~ qch à qn** enseñar algo a algn; **~ à qn que** enseñar a algn que

ensemble [ɑ̃sɑ̃bl] *adv* (*l'un avec l'autre*) juntos(-as); (*en même temps*) juntos(-as) ■ *nm* conjunto; **l'~ du/de la** la totalidad del/de la; **aller ~** (*être assorti*) combinarse; **impression/idée d'~** impresión *f*/idea de conjunto; **dans l'~** (*en gros*) en conjunto; **dans son ~** (*en gros, au total*) en su conjunto; **~ instrumental/vocal** conjunto *ou* grupo instrumental/vocal

ensoleillé, e [ɑ̃sɔleje] *adj* soleado(-a)

ensuite [ɑ̃sɥit] *adv* (*dans une succession*: *après*) a continuación; (*plus tard*) después; **~ de quoi** después de lo cual

entamer [ɑ̃tame] *vt* (*pain, bouteille*) empezar; (*hostilités, pourparlers*) iniciar; (*réputation, confiance*) mermar; (*bonne humeur*) hacer perder

entasser [ɑ̃tɑse] *vt* (*empiler*) amontonar; (*prisonniers etc*) hacinar; **s'entasser** *vpr* (*v vt*) amontonarse; hacinarse; **s'~ dans** hacinarse en, amontonarse en

entendre [ɑ̃tɑ̃dʀ] *vt* oír; (*comprendre*) entender; (*vouloir dire*) querer decir; **s'entendre** *vpr* (*sympathiser*) entenderse; (: *se mettre d'accord*) ponerse de acuerdo; **j'ai entendu dire que** he oído que; **s'~ à qch/à faire qch** ser competente para algo/para hacer algo; **~ être obéi/que** (*vouloir*) pretender ser obedecido/que; **~ parler de** oír hablar de; **~ raison** entrar en razón; **je m'entends** sé lo que (me) digo; **entendons-nous** expliquémonos; **(cela) s'entend** por supuesto, naturalmente; **laisser ~ que, donner à ~ que** dar a entender que; **qu'est-ce qu'il ne faut pas ~!** ¡lo que hay que oír!; **j'ai mal entendu** no he comprendido; **je suis heureux de vous l'~ dire** es un placer oírselo decir; **ça s'entend!** (*c'est audible*) ¡se oye!; **je vous entends très mal** le oigo muy mal

entendu, e [ɑ̃tɑ̃dy] *pp de* **entendre** ▪ *adj* (*affaire*) concluido(-a); (*air*) entendido(-a); **étant ~ que** dando por supuesto que; **(c'est) ~!** ¡de acuerdo!, ¡entendido!; **c'est ~** (*concession*) entendido; **bien ~!** ¡por supuesto!
entente [ɑ̃tɑ̃t] *nf* (*entre amis, pays*) entendimiento; (*accord, traité*) acuerdo; **à double ~** de doble sentido
enterrement [ɑ̃tɛʀmɑ̃] *nm* entierro
enterrer [ɑ̃teʀe] *vt* enterrar; (*suj: avalanche etc*) sepultar; (*dispute, projet*) echar tierra sobre
entêtant, e [ɑ̃tɛtɑ̃, ɑ̃t] *adj* (*odeur, atmosphère*) mareante
en-tête [ɑ̃tɛt] (*pl* **~s**) *nm* membrete *m*; **enveloppe/papier à ~** sobre *m*/papel *m* con membrete
entêté, e [ɑ̃tete] *adj* obstinado(-a), cabezota
entêter [ɑ̃tete] *vpr*: **s'entêter** obstinarse, empeñarse; **s'~ (à faire)** empeñarse (en hacer)
enthousiasme [ɑ̃tuzjasm] *nm* entusiasmo; **avec ~** con entusiasmo
enthousiasmer [ɑ̃tuzjasme] *vt* entusiasmar; **s'enthousiasmer** *vpr*: **s'~ (pour qch)** entusiasmarse (con algo)
enthousiaste [ɑ̃tuzjast] *adj, nm/f* entusiasta *m/f*
entier, -ère [ɑ̃tje, jɛʀ] *adj* entero(-a); (*en totalité*) entero(-a), completo(-a); (*personne, caractère*) íntegro(-a) ▪ *nm* (*Math*) entero; **en ~** por completo; **se donner tout ~ à qch** entregarse enteramente a algo; **lait ~** leche *f* entera; **nombre ~** número entero
entièrement [ɑ̃tjɛʀmɑ̃] *adv* enteramente
entonnoir [ɑ̃tɔnwaʀ] *nm* (*ustensile*) embudo; (*trou*) hoyo
entorse [ɑ̃tɔʀs] *nf* esguince *m*; **~ à la loi/au règlement** infracción *f* de la ley/del reglamento; **se faire une ~ à la cheville/au poignet** hacerse un esguince en el tobillo/en la muñeca
entourage [ɑ̃tuʀaʒ] *nm* (*personnes proches*) allegados *mpl*; (*ce qui enclôt*) cerco
entourer [ɑ̃tuʀe] *vt* (*par une clôture etc*) cercar; (*Mil, gén*) sitiar; (*faire cercle autour de*) rodear; (*apporter son soutien à*) atender; **s'entourer de** *vpr* (*collaborateurs*) rodearse de; **~ qch de** rodear algo con; **~ qn de soins/prévenances** prodigar a algn cuidados/atenciones; **s'~ de mystère/de luxe/de précautions** rodearse de misterio/de lujo/de precauciones
entracte [ɑ̃tʀakt] *nm* entreacto
entraide [ɑ̃tʀɛd] *nf* ayuda mutua
entrain [ɑ̃tʀɛ̃] *nm* ánimo; **avec ~** con entusiasmo; **faire qch sans ~** hacer algo sin entusiasmo *ou* sin ganas
entraînement [ɑ̃tʀɛnmɑ̃] *nm* entrenamiento; **~ à chaîne/galet** tracción *f* a cadena/rodillo; **manquer d'~** estar desentrenado(-a); **~ par ergots/friction** (*Inform*) arrastre *m* por tracción/fricción
entraîner [ɑ̃tʀene] *vt* (*tirer*) arrastrar; (*charrier*) acarrear; (*moteur, poulie*) accionar; (*emmener*) llevarse; (*joueurs, soldats*) guiar; (*Sport*) entrenar; (*influencer*) influenciar; (*impliquer, causer*) ocasionar; **s'entraîner** *vpr* (*Sport*) entrenarse; **~ qn à/à faire qch** (*inciter*) arrastrar a algn a/a hacer algo; **s'~ à qch/à faire qch** (*s'exercer*) ejercitarse en algo/en hacer algo
entraîneur, -euse [ɑ̃tʀɛnœʀ, øz] *nm/f* (*Sport*) entrenador(a); (*Hippisme*) picador(a)
entre [ɑ̃tʀ] *prép* entre; **l'un d'~ eux/nous** uno de ellos/nosotros; **le meilleur d'~ eux/nous** el mejor de ellos/nosotros; **ils préfèrent rester ~ eux** prefieren permanecer entre ellos; **~ autres (choses)** entre otras (cosas); **~ nous, ...** entre nosotros, ...; **ils se battent ~ eux** se pelean entre sí; **~ ces deux solutions, il n'y a guère de différence** entre estas dos soluciones no hay mucha diferencia
entrecôte [ɑ̃tʀəkot] *nf* entrecot(e) *m*
entrée [ɑ̃tʀe] *nf* entrada; **entrées** *nfpl*: **avoir ses ~s chez/auprès de** tener libre acceso a/fácil contacto con; **erreur d'~** error *m* de principio; **faire son ~ dans** (*aussi fig*) hacer su entrada en; **d'~** de entrada; **~ de service/des artistes** entrada de servicio/de artistas; **~ en matière** comienzo; **~ en scène** salida a escena; **~ en vigueur** entrada en vigor; **"~ interdite"** "prohibida la entrada"; **"~ libre"** "entrada libre"
entrefilet [ɑ̃tʀəfilɛ] *nm* noticia breve
entremets [ɑ̃tʀəmɛ] *nm* postre *m*
entrepôt [ɑ̃tʀəpo] *nm* almacén *m*, galpón *m* (*Csur*); **~ frigorifique** almacén frigorífico
entreprendre [ɑ̃tʀəpʀɑ̃dʀ] *vt* emprender; **~ qn sur un sujet** abordar a algn con un tema; **~ de faire qch** decidir hacer algo
entrepreneur [ɑ̃tʀəpʀənœʀ] *nm* empresario; **~ de pompes funèbres**

empresario de pompas fúnebres; **~ (en bâtiment)** contratista *m/f* (de obras)
entreprise [ɑ̃tʀəpʀiz] *nf* empresa; **~ agricole/de travaux publics** empresa agraria/de obras públicas
entrer [ɑ̃tʀe] *vi* entrar ■ *vt* (*marchandises: aussi faire entrer*) introducir; (*Inform*) meter; **(faire) ~ qch dans** (*objet*) meter algo en; **~ dans** entrar en; (*entrer en collision avec*) chocar con; (*vues, craintes de qn*) compartir; **~ au couvent/à l'hôpital** ingresar en el convento/en el hospital; **~ en fureur** enfurecerse; **~ en ébullition** entrar en ebullición; **~ en scène** salir a escena; **~ dans le système** (*Inform*) entrar en el sistema; **laisser ~ qch/qn** (*lumière, air*) dejar pasar algo/a algn; **faire ~** hacer pasar
entre-temps [ɑ̃tʀətɑ̃] *adv* entretanto
entretenir [ɑ̃tʀət(ə)niʀ] *vt* mantener; **s'entretenir** *vpr*: **s'~ (de qch)** conversar (sobre algo); **~ qn (de qch)** conversar con algn (sobre algo); **~ qn dans l'erreur** mantener a algn en el error
entretien [ɑ̃tʀətjɛ̃] *nm* (*d'une maison, d'une famille, service*) mantenimiento; (*discussion*) conversación *f*; (*audience*) entrevista; **entretiens** *nmpl* (*pourparlers*) conversaciones *fpl*; **frais d'~** gastos *mpl* de mantenimiento
entrevoir [ɑ̃tʀəvwaʀ] *vt* entrever; (*solution, problème*) vislumbrar
entrevue [ɑ̃tʀəvy] *nf* entrevista
entrouvert, e [ɑ̃tʀuvɛʀ, ɛʀt] *adj* entreabierto(-a)
énumérer [enymeʀe] *vt* enumerar
envahir [ɑ̃vaiʀ] *vt* invadir
envahissant, e [ɑ̃vaisɑ̃, ɑ̃t] *adj* (*péj: personne*) avasallador(a)
enveloppe [ɑ̃v(ə)lɔp] *nf* sobre *m*; (*revêtement, gaine*) revestimiento; **mettre sous ~** poner en un sobre; **~ à fenêtre** sobre de ventana; **~ autocollante** sobre autoadhesivo; **~ budgétaire** límite *m* presupuestario
envelopper [ɑ̃v(ə)lɔpe] *vt* (*aussi fig*) envolver; **s'~ dans un châle/une couverture** envolverse en un chal/una manta
enverrai *etc* [ɑ̃veʀe] *vb voir* **envoyer**
envers [ɑ̃vɛʀ] *prép* hacia ■ *nm*: **l'~** (*d'une feuille*) el dorso; (*d'un vêtement*) el revés; (*d'un problème*) la otra cara; **à l'~** al revés; **~ et contre tous** *ou* **tout** contra viento y marea
envie [ɑ̃vi] *nf* envidia; (*sur la peau*) antojo; (*autour des ongles*) padrastro; **avoir ~ de qch/de faire qch** tener ganas de algo/de hacer algo; **avoir ~ que** tener ganas de que; **donner à qn l'~ de qch/de faire qch** dar a algn ganas de algo/de hacer algo; **ça lui fait ~** le da envidia
envier [ɑ̃vje] *vt* envidiar; **~ qch à qn** envidiar algo a algn; **n'avoir rien à ~ à** no tener nada que envidiarle a
envieux, -euse [ɑ̃vjø, jøz] *adj, nm/f* envidioso(-a)
environ [ɑ̃viʀɔ̃] *adv* aproximadamente; **3 h/2 km ~** 3 h/2 Km aproximadamente; **~ 3 h/2 km** alrededor de 3 h/2 Km
environnant, e [ɑ̃viʀɔnɑ̃, ɑ̃t] *adj* cercano(-a); (*fig*): **milieu ~** entorno
environnement [ɑ̃viʀɔnmɑ̃] *nm* medioambiente
environs [ɑ̃viʀɔ̃] *nmpl* alrededores *mpl*; **aux ~ de** en los alrededores de; (*fig: temps, somme*) alrededor de
envisager [ɑ̃vizaʒe] *vt* considerar; (*avoir en vue*) prever; **~ de faire** tener planeado hacer
envoler [ɑ̃vɔle] *vpr*: **s'envoler** (*oiseau*) echarse a volar; (*avion*) despegar; (*papier, feuille*) volarse; (*espoir, illusion*) esfumarse
envoyé, e [ɑ̃vwaje] *nm/f* (*Pol*) enviado(-a) ■ *adj*: **bien ~** (*remarque*) atinado(-a); **~ spécial** enviado especial; **~ permanent** corresponsal *m* permanente
envoyer [ɑ̃vwaje] *vt* enviar; (*projectile, ballon*) lanzar; **s'envoyer** *vpr* (*fam: repas etc*) zamparse; **~ une gifle à qn** propinar una bofetada a algn; **~ une critique à qn** lanzar una crítica a algn; **~ les couleurs** izar la bandera nacional; **~ chercher qch/qn** mandar a buscar algo/a algn; **~ par le fond** (*bateau*) hundir
éolien, ne [eɔljɛ̃, jɛn] *adj*: **énergie ~ne** energía eólica ■ *nf* turbina eólica
épagneul, e [epaɲœl] *nm/f* podenco(-a)
épais, se [epɛ, ɛs] *adj* espeso(-a); (*foule*) denso(-a); (*tissu, mur*) grueso(-a), gordo(-a); (*forêt*) tupido(-a); (*péj: esprit*) corto(-a)
épaisseur [epɛsœʀ] *nf* (*v adj*) espesor *m*; grosor *m*
épaissir [epesiʀ] *vt* espesar ■ *vi* (*suj: sauce*) espesar; (*: partie du corps etc*) engordar; **s'épaissir** *vpr* (*sauce*) espesarse; (*brouillard*) ponerse espeso(-a)
épanouir [epanwiʀ] *vpr*: **s'épanouir** (*fleur*) abrirse; (*visage*) iluminarse; (*fig*) florecer
épargne [epaʀɲ] *nf* ahorro; **l'~-logement** el ahorro-vivienda

épargner [epaʀɲe] *vt* ahorrar; (*ennemi, récolte, région*) perdonar ■ *vi* ahorrar; **~ qch à qn** evitarle algo a algn
éparpiller [epaʀpije] *vt* esparcir; (*pour répartir*) diseminar; (*fig: efforts*) dispersar; **s'éparpiller** *vpr* esparcirse; (*fig: étudiant, chercheur etc*) dispersarse los esfuerzos
épatant, e [epatɑ̃, ɑ̃t] (*fam*) *adj* estupendo(-a)
épater [epate] *vt* (*fam*) impresionar
épaule [epol] *nf* (*Anat*) hombro; (*Culin*) espaldilla
épave [epav] *nf* restos *mpl*; (*fig: personne*) desecho
épée [epe] *nf* espada
épeler [ep(ə)le] *vt* deletrear; **comment s'épelle ce mot?** ¿cómo se deletrea esa palabra?
éperon [epʀɔ̃] *nm* (*de botte*) espuela; (*Géo, de navire*) espolón *m*
épervier [epɛʀvje] *nm* (*Zool*) gavilán *m*; (*Pêche*) esparavel *m*
épi [epi] *nm* (*de blé*) espiga; **~ de cheveux** remolino; **stationnement/se garer en ~** estacionamiento/aparcar en batería
épice [epis] *nf* especia
épicé, e [epise] *adj* (*aussi fig*) picante
épicer [epise] *vt* condimentar; (*fig*) salpimentar
épicerie [episʀi] *nf* (*magasin*) tienda de ultramarinos, boliche *m* (*AM*); (*produits*) comestibles *mpl*; **~ fine** ultramarinos *mpl* finos
épicier, -ière [episje, jɛʀ] *nm/f* tendero(-a)
épidémie [epidemi] *nf* epidemia
épiderme [epidɛʀm] *nm* epidermis *f inv*
épier [epje] *vt* (*personne*) espiar; (*arrivée, occasion*) estar pendiente de
épilepsie [epilɛpsi] *nf* epilepsia
épiler [epile] *vt* depilar; **s'~ les jambes/les sourcils** depilarse las piernas/las cejas; **se faire ~** (ir a) depilarse; **crème à ~** crema depilatoria; **pince à ~** pinzas *fpl* de depilar
épinards [epinaʀ] *nmpl* espinacas *fpl*
épine [epin] *nf* espina; **~ dorsale** espina dorsal
épingle [epɛ̃gl] *nf* alfiler *m*; **tirer son ~ du jeu** salir del apuro; **tiré à quatre ~s** de punta en blanco; **monter qch en ~** poner algo de manifiesto; **virage en ~ à cheveux** curva muy cerrada; **~ à chapeau** alfiler de sombrero; **~ à cheveux** horquilla; **~ de cravate** alfiler de corbata; **~ de nourrice** *ou* **de sûreté** *ou* **double** imperdible *m*
épisode [epizɔd] *nm* episodio; **film en trois ~s** película en tres episodios
épisodique [epizɔdik] *adj* episódico(-a)
épluche-légumes [eplyʃlegym] *nm inv* pelador *m*, mondador *m*
éplucher [eplyʃe] *vt* (*fruit, légumes*) pelar; (*fig: texte*) examinar minuciosamente
épluchures [eplyʃyʀ] *nfpl* mondas *fpl*
éponge [epɔ̃ʒ] *nf* esponja ■ *adj*: **tissu ~** tela de felpa; **passer l'~** (*fig*) hacer borrón y cuenta nueva; **passer l'~ sur** correr un tupido velo sobre; **jeter l'~** (*fig*) tirar la toalla; **~ métallique** estropajo metálico
éponger [epɔ̃ʒe] *vt* (*liquide, fig*) enjugar; (*surface*) pasar una esponja por; **s'~ le front** enjugarse la frente
époque [epɔk] *nf* época; **d'~** (*meuble etc*) de época; **à cette ~** (*dans l'histoire*) en aquella/esa época; (*les mois/années qui précèdent*) entonces; **à l'~ de/où** en la época de/en que; **faire ~** hacer época
épouse [epuz] *nf* esposa
épouser [epuze] *vt* casarse con; (*vues, idées*) adherirse a; (*forme, mouvement*) adaptarse a
épousseter [epuste] *vt* limpiar el polvo de
épouvantable [epuvɑ̃tabl] *adj* horroroso(-a); (*bruit, vent etc*) espantoso(-a)
épouvantail [epuvɑ̃taj] *nm* (*aussi fig*) espantapájaros *m inv*
épouvante [epuvɑ̃t] *nf* espanto; **film/livre d'~** película/novela de terror
épouvanter [epuvɑ̃te] *vt* (*terrifier*) horrorizar; (*sens affaibli*) espantar
époux, épouse [epu, uz] *nm/f* esposo(-a) ■ *nmpl*: **les ~** los esposos
épreuve [epʀœv] *nf* prueba; (*Scol*) examen *m*; **à l'~ des balles/du feu** a prueba de balas/de fuego; **à toute ~** a toda prueba; **mettre à l'~** poner a prueba; **~ de force/de résistance** prueba de fuerza/de resistencia; **~ de sélection** (prueba) eliminatoria
éprouvant, e [epʀuvɑ̃, ɑ̃t] *adj* duro(-a)
éprouver [epʀuve] *vt* (*machine*) probar; (*mettre à l'épreuve*) poner a prueba; (*faire souffrir*) marcar; (*fatigue, douleur*) sufrir, padecer; (*sentiment*) sentir; (*difficultés etc*) encontrar
épuisant, e [epɥizɑ̃, ɑ̃t] *adj* agotador(a)
épuisé, e [epɥize] *adj* agotado(-a)
épuisement [epɥizmɑ̃] *nm* agotamiento; **jusqu'à ~ des stocks** hasta que se agoten los stocks
épuiser [epɥize] *vt* agotar; **s'épuiser** *vpr* agotarse
épuisette [epɥizɛt] *nf* (*Pêche*) salabre *m*

équateur [ekwatœʀ] *nm* ecuador *m*; **Équateur** Ecuador *m*; **la république de l'Équateur** la república de Ecuador
équation [ekwasjɔ̃] *nf* ecuación *f*; **mettre en ~** convertir en ecuación; **~ du premier/second degré** ecuación de primer/segundo grado
équerre [ekɛʀ] *nf* (*pour dessiner, mesurer*) escuadra; (*pour fixer*) angular *m*; **à l'~, en ~, d'~** a *ou* en escuadra; **les jambes en ~** las piernas en ángulo recto; **double ~** doble escuadra
équilibre [ekilibʀ] *nm* equilibrio; **être/ mettre en ~** estar/poner en equilibrio; **avoir le sens de l'~** tener sentido del equilibrio; **garder/perdre l'~** guardar/ perder el equilibrio; **en ~ instable** en equilibrio inestable; **~ budgétaire** equilibrio presupuestario
équilibré, e [ekilibʀe] *adj* equilibrado(-a)
équilibrer [ekilibʀe] *vt* equilibrar; **s'équilibrer** *vpr* equilibrarse
équipage [ekipaʒ] *nm* (*de bateau, d'avion*) tripulación *f*; (*Sport, Automobile*) equipo; (*d'un roi*) séquito; **en grand ~** con gran cortejo
équipe [ekip] *nf* (*de joueurs*) equipo; (*de travailleurs*) cuadrilla; (*bande: parfois péj*) panda; **travailler par ~s** trabajar por equipos; **travailler en ~** trabajar en equipo; **faire ~ avec** formar equipo con; **~ de chercheurs/de sauveteurs/de secours** equipo de investigadores/de salvamento/de socorro
équipé, e [ekipe] *adj* equipado(-a)
équipement [ekipmɑ̃] *nm* equipo; (*d'une cuisine*) instalación *f*; **biens/ dépenses d'~** bienes *mpl*/gastos *mpl* de equipo; **~s sportifs/collectifs** instalaciones *fpl* deportivas/colectivas; **(le ministère de) l'Équipement** (*Admin*) ≈ MOPT *m* (*Ministerio de Obras Públicas y Transportes*)
équiper [ekipe] *vt* equipar; (*région*) dotar; **s'équiper** *vpr* equiparse; **~ qch/ qn de** equipar algo/a algn con
équipier, -ière [ekipje, jɛʀ] *nm/f* compañero(-a) de equipo
équitation [ekitasjɔ̃] *nf* equitación *f*; **faire de l'~** practicar la equitación
équivalent, e [ekivalɑ̃, ɑ̃t] *adj* equivalente ▪ *nm*: **l'~ de qch** el equivalente de algo
équivaloir [ekivalwaʀ]: **~ à** *vt* equivaler a
érable [eʀabl] *nm* arce *m*
érafler [eʀɑfle] *vt* arañar; **s'~ (la main/ les jambes)** arañarse (la mano/las piernas)
éraflure [eʀɑflyʀ] *nf* rasguño, arañazo
ère [ɛʀ] *nf* era; **en l'an 1050 de notre ~** en el año 1050 de nuestra era; **~ chrétienne**: **l'~ chrétienne** la era cristiana
érection [eʀɛksjɔ̃] *nf* erección *f*
éroder [eʀɔde] *vt* erosionar; (*suj: acide*) corroer
érotique [eʀɔtik] *adj* erótico(-a)
errer [eʀe] *vi* vagar
erreur [eʀœʀ] *nf* error *m*; (*de jeunesse*) desliz *m*; **tomber/être dans l'~** (*état*) incurrir/estar en el error; **induire qn en ~** inducir a algn a error; **par ~** por error; **faire ~** equivocarse; **~ d'écriture/ d'impression** error de escritura/de imprenta; **~ de date** equivocación *f* de fecha; **~ de fait/de jugement** error de hecho/de juicio; **~ judiciaire/ matérielle/tactique** error judicial/ material/táctico
éruption [eʀypsjɔ̃] *nf* erupción *f*; (*de joie, colère*) arrebato
es [ɛ] *vb voir* **être**
ès [ɛs] *prép*: **licencié ès lettres/sciences** licenciado en letras/ciencias; **docteur ès lettres** doctor(a) en letras
escabeau, x [ɛskabo] *nm* (*tabouret*) escabel *m*; (*échelle*) escalera de tijera
escalade [ɛskalad] *nf* escalada; **l'~ de la guerre/violence** la escalada de la guerra/violencia; **~ artificielle/libre** escalada artificial/libre
escalader [ɛskalade] *vt* escalar
escale [ɛskal] *nf* escala; **faire ~ (à)** hacer escala (en); **vol sans ~** vuelo sin escala; **~ technique** escala técnica
escalier [ɛskalje] *nm* escalera; **dans l'~** *ou* **les ~s** en la escalera *ou* las escaleras; **descendre l'~** *ou* **les ~s** bajar la escalera *ou* las escaleras; **~ à vis** *ou* **en colimaçon** escalera de caracol; **~ de secours/de service** escalera de socorro/de servicio; **~ roulant** *ou* **mécanique** escalera mecánica
escapade [ɛskapad] *nf* escapada
escargot [ɛskaʀgo] *nm* caracol *m*
escarpé, e [ɛskaʀpe] *adj* escarpado(-a)
esclavage [ɛsklavaʒ] *nm* esclavitud *f*
esclave [ɛsklav] *nm/f* esclavo(-a); **être ~ de qn/de qch** ser esclavo(-a) de algn/de algo
escompte [ɛskɔ̃t] *nm* descuento
escrime [ɛskʀim] *nf* esgrima; **faire de l'~** practicar la esgrima
escroc [ɛskʀo] *nm* estafador(a)
escroquer [ɛskʀɔke] *vt*: **~ qn (de qch)**

timar a algn (con algo); **~ qch (à qn)** estafar algo (a algn)

escroquerie [ɛskʀɔkʀi] *nf* estafa

espace [ɛspas] *nm* espacio; **manquer d'~** faltarle a algn espacio; **~ publicitaire/vital** espacio publicitario/vital

espacer [ɛspase] *vt* espaciar; **s'espacer** *vpr* espaciarse

espadon [ɛspadɔ̃] *nm* pez *m* espada *inv*, emperador *m*

espadrille [ɛspadʀij] *nf* alpargata

Espagne [ɛspaɲ] *nf* España

espagnol, e [ɛspaɲɔl] *adj* español(a) ■ *nm* (*Ling*) español *m*, castellano (*esp AM*) ■ *nm/f*: **Espagnol, e** español(a)

espèce [ɛspɛs] *nf* especie *f*; **espèces** *nfpl* (*Comm*) metálico; (*Rel*) especies *fpl*; (*sorte, genre*) clases *fpl*; **une ~ de** una especie de; **~ de maladroit/de brute!** ¡pedazo de *ou* so inútil/bruto!; **de toute ~** de toda clase; **payer en ~s** pagar en metálico; **l'~ humaine** la especie humana; **cas d'~** caso especial

espérance [ɛspeʀɑ̃s] *nf* esperanza; **contre toute ~** contra toda esperanza; **~ de vie** esperanza de vida

espérer [ɛspeʀe] *vt* esperar ■ *vi* confiar; **j'espère (bien)** eso espero; **~ que/faire** esperar que/hacer; **~ en qn/qch** confiar en algn/algo; **je n'en espérais pas tant** no esperaba tanto

espiègle [ɛspjɛgl] *adj* travieso(-a)

espion, ne [ɛspjɔ̃, jɔn] *nm/f* espía *m/f* ■ *adj*: **bateau/avion ~** barco/avión *m* espía

espionnage [ɛspjɔnaʒ] *nm* espionaje *m*; **film/roman d'~** película/novela de espionaje; **~ industriel** espionaje industrial

espionner [ɛspjɔne] *vt* espiar

espoir [ɛspwaʀ] *nm* esperanza; **l'~ de qch/de faire qch** la esperanza de algo/de hacer algo; **avoir bon ~ que** tener muchas esperanzas de que; **garder l'~ que** conservar la esperanza de que; **dans l'~ de/que** con la esperanza de/de que; **reprendre ~** recuperar la esperanza; **un ~ de la boxe/du ski** una promesa del boxeo/del esquí; **c'est sans ~** no tiene esperanza

esprit [ɛspʀi] *nm* espíritu *m*; **l'~ de parti/de clan** espíritu de partido/de clan; **paresse/vivacité d'~** pereza/vivacidad mental; **l'~ d'une loi/réforme** el espíritu de una ley/reforma; **l'~ d'équipe/de compétition/d'entreprise** espíritu de equipo/de competencia/de empresa; **dans mon ~** en mi opinión; **faire de l'~** hacerse el gracioso; **reprendre ses ~s** recuperar el sentido; **perdre l'~** perder la razón; **avoir bon/mauvais ~** tener buenas/malas intenciones; **avoir l'~ à faire qch** estar con ánimos para hacer algo; **avoir l'~ critique** tener sentido crítico; *voir aussi* **lettre**; **~s chagrins** espíritus *mpl* sombríos; **~ de contradiction** espíritu de contradicción; **~ de corps** sentido de solidaridad; **~ de famille** espíritu de familia; **l'~ malin** el espíritu del mal

esquimau, de, x [ɛskimo, od] *adj* esquimal ■ *nm* (*Ling*) esquimal *m*; (*glace*) pingüino ■ *nm/f*: **Esquimau, de** esquimal *m/f*; **chien ~** perro esquimal

essai [esɛ] *nm* (*d'une voiture, d'un vêtement*) prueba; (*tentative, aussi Sport*) intento; (*Rugby, Litt*) ensayo; **essais** *nmpl* (*Sport*) pruebas *fpl*; **à l'~** a prueba; **~ gratuit** prueba gratuita

essaim [esɛ̃] *nm* enjambre *m*; **~ d'enfants** (*fig*) enjambre de niños

essayer [eseje] *vt* probar ■ *vi* intentar, tratar de; **~ de faire qch** intentar hacer algo, tratar de hacer algo; **essayez un peu!** ¡inténtalo!; **s'~ à faire qch/à qch** ejercitarse en hacer algo/en algo

essence [esɑ̃s] *nf* (*carburant*) gasolina, nafta (*Arg*), bencina (*Chi*); (*d'une plante, fig*) esencia; (*espèce: d'arbre*) especie *f*; **par ~** (*par définition*) por esencia; **prendre** *ou* **faire de l'~** echar gasolina, repostar; **~ de café** extracto de café; **~ de citron/lavande/térébenthine** esencia de limón/lavanda/trementina

essentiel, le [esɑ̃sjɛl] *adj* esencial; **être ~ à** ser esencial para; **l'~ d'un discours/d'une œuvre** lo fundamental de un discurso/de una obra; **emporter/acheter l'~** llevar/comprar lo esencial; **c'est l'~** es lo esencial; **l'~ de** la mayor parte de

essieu, x [esjø] *nm* eje *m*

essor [esɔʀ] *nm* (*de l'économie etc*) auge *m*; **prendre son ~** (*oiseau*) tomar el vuelo

essorer [esɔʀe] *vt* escurrir; (*à la machine*) centrifugar

essoreuse [esɔʀøz] *nf* (*à rouleaux*) escurridor *m*; (*à tambour*) secadora

essouffler [esufle] *vt* sofocar; **s'essouffler** *vpr* sofocarse; (*fig: écrivain, cinéaste*) perder la inspiración; (*économie*) tambalearse

essuie-glace [esɥiglas] *nm inv* limpiaparabrisas *m inv*

essuyer [esɥije] *vt* secar; (*épousseter*)

limpiar; (*fig: défaite, tempête*) soportar; **s'essuyer** *vpr* secarse; **~ la vaisselle** secar los platos

est[1] [ɛ] *vb voir* **être**

est[2] [ɛst] *nm* este *m* ■ *adj inv* este *inv*; **à l'~** (*situation*) al este; (*direction*) hacia el este; **à l'~ de** al este de; **les pays de l'E~** los países del Este

est-ce que [ɛskə] *adv*: **~ c'est cher/ c'était bon?** ¿es caro?/¿estaba bueno?; **quand est-ce qu'il part?** ¿cuándo se marcha?; **où est-ce qu'il va?** ¿dónde va?; **qui est-ce qui le connaît/a fait ça?** ¿quién le conoce/ha hecho esto?

esthéticienne [ɛstetisjɛn] *nf* (*d'institut de beauté*) esteticista

esthétique [ɛstetik] *adj* estético(-a) ■ *nf* estética; **~ industrielle** diseño industrial

estimation [ɛstimasjɔ̃] *nf* valoración *f*; **d'après mes ~s** según mis cálculos

estime [ɛstim] *nf* estima; **avoir de l'~ pour qn** tener estima a algn

estimer [ɛstime] *vt* (*personne, qualité*) estimar, apreciar; (*expertiser: bijou etc*) valorar; (*évaluer: prix, distance*) calcular; **~ que/être ...** (*penser*) estimar que/ser ..., considerar que/ser ...; **s'~ satisfait/ heureux** sentirse satisfecho/feliz; **j'estime le temps nécessaire à 3 jours** calculo que necesitaremos unos 3 días

estival, e, -aux [ɛstival, o] *adj* estival; **station ~e** estación *f* estival

estivant, e [ɛstivɑ̃, ɑ̃t] *nm/f* veraneante *m/f*

estomac [ɛstɔma] *nm* estómago; **avoir l'~ creux/mal à l'~** tener el estómago vacío/tener dolor de estómago

estragon [ɛstʀagɔ̃] *nm* estragón *m*

estuaire [ɛstɥɛʀ] *nm* estuario

et [e] *conj* y; **et aussi/lui** y también/él; **et puis?** ¿y qué?; **et alors** *ou* **(puis) après?** (*qu'importe!*) ¿y qué?; (*ensuite*) ¿y entonces?

étable [etabl] *nf* establo

établi, e [etabli] *adj* (*en place, solide*) establecido(-a); (*vérité*) confirmado(-a) ■ *nm* banco

établir [etabliʀ] *vt* establecer; (*papiers d'identité*) hacer; (*facture*) hacer, realizar; (*liste, programme*) establecer, fijar; (*installer: entreprise, camp*) establecer, instalar; (*personne: aider à s'établir*) colocar; (*relations, liens d'amitié*) entablar, establecer; **s'établir** *vpr* establecerse; (*colonie*) asentarse; **~ un record** establecer un récord; **s'~ (à son compte)** establecerse (por su cuenta)

établissement [etablismɑ̃] *nm* establecimiento; (*papiers d'identité*) realización *f*; **~ commercial/industriel** establecimiento comercial/industrial; **~ de crédit** entidad *f* de crédito; **~ hospitalier/public** establecimiento hospitalario/público; **~ scolaire** establecimiento escolar

étage [etaʒ] *nm* (*d'immeuble*) piso, planta; (*de fusée*) cuerpo; (*de culture, végétation*) capa, estrato; **habiter à l'~/au deuxième ~** vivir en el primer piso/en el segundo piso; **maison à deux ~s** casa de dos pisos *ou* plantas; **de bas ~** de clase baja; (*médiocre*) de baja estofa

étagère [etaʒɛʀ] *nf* estante *m*

étai [etɛ] *nm* puntal *m*

étain [etɛ̃] *nm* estaño; **pot en ~** vasija de estaño

étais *etc* [etɛ] *vb voir* **être**

étaler [etale] *vt* (*carte, nappe*) extender, desplegar; (*beurre, liquide*) extender; (*paiements, dates*) escalonar; (*marchandises*) exponer; (*richesses, connaissances*) ostentar; **s'étaler** *vpr* (*liquide*) desparramarse; (*luxe etc*) ser ostensible; (*fam: tomber*) caer a lo largo; **s'~ sur** (*suj: travaux, paiements*) repartirse en

étalon [etalɔ̃] *nm* (*mesure*) patrón *m*; (*cheval*) semental *m*; **l'~-or** el patrón oro

étanche [etɑ̃ʃ] *adj* impermeable; (*fig: cloison*) entero(-a); **~ à l'air** hermético(-a)

étang [etɑ̃] *nm* estanque *m*

étant [etɑ̃] *vb voir* **être**; **donné**

étape [etap] *nf* etapa; **faire ~ à** hacer una etapa en; **brûler les ~s** quemar etapas

état [eta] *nm* estado; (*liste, inventaire*) registro; **être boucher de son ~** (*condition professionnelle*) ser carnicero de oficio; **en bon/mauvais ~** en buen/mal estado; **être en ~ (de marche)** funcionar; **remettre en ~** volver a poner en condiciones, arreglar; **hors d'~** fuera de uso, inservible; **être en ~/hors d'~ de faire qch** estar/no estar en condiciones de hacer algo; **en tout ~ de cause** en todo caso, de todos modos; **être dans tous ses ~s** estar fuera de sí; **faire ~ de** hacer valer; **être en ~ d'arrestation** (*Jur*) quedar arrestado(-a), estar detenido(-a); **en ~ de grâce** (*Rel, fig*) en estado de gracia; **en ~ d'ivresse** en estado de embriaguez; **~ civil** (*Admin*) estado civil; **~ d'urgence/de guerre/de siège** estado de excepción/de guerra/de sitio; **~ d'alerte** estado de alerta; **~ d'esprit** mentalidad *f*; **~ de choses** estado de cosas; **~ de santé** estado de salud; **~ de veille** estado de vigilia; **~ des lieux** estado del inmueble; **~s de service** (*Mil, Admin*) hoja *fsg* de servicios; **les États du Golfe** los Estados del Golfo

États-Unis [etazyni] *nmpl*: **les ~** los Estados Unidos

etc. [ɛtsetera] *abr* (= *et c(a)etera*) etc.

et c(a)etera [ɛtsetera] *adv* etcétera

été [ete] *pp de* **être** ■ *nm* verano; **en ~** en verano

éteindre [etɛ̃dʀ] *vt* apagar; (*incendie*) extinguir, apagar; (*Jur: dette*) extinguir; **s'éteindre** *vpr* (*aussi fig*) apagarse

éteint, e [etɛ̃, ɛ̃t] *pp de* **éteindre** ■ *adj* apagado(-a); **tous feux ~s** (*rouler*) con las luces apagadas

étendre [etɑ̃dʀ] *vt* extender; (*carte, tapis*) extender, desplegar; (*lessive, linge*) tender, colgar; (*blessé, malade*) tender; (*vin, sauce*) diluir, rebajar; (*fig: agrandir*) extender, ampliar; (*fam*) tumbar; (*Scol*) catear; **s'étendre** *vpr* extenderse; **s'~ (sur)** (*personne*) tenderse (sobre *ou* en); (*fig: sujet, problème*) extenderse (en); **s'~ jusqu'à/d'un endroit à un autre** extenderse hasta/de un sitio a otro

étendu, e [etɑ̃dy] *adj* (*terrain*) extenso(-a); (*connaissances, pouvoirs etc*) amplio(-a)

éternel, le [etɛʀnɛl] *adj* eterno(-a); (*habituel*) inseparable; **les neiges ~les** las nieves eternas *ou* perpetuas

éternité [etɛʀnite] *nf* eternidad *f*; **il y a** *ou* **ça fait une ~ que** hace una eternidad que; **de toute ~** de tiempo inmemorial

éternuement [etɛʀnymɑ̃] *nm* estornudo

éternuer [etɛʀnɥe] *vi* estornudar

êtes [ɛt(z)] *vb voir* **être**

étiez [etjɛ] *vb voir* **être**

étinceler [etɛ̃s(ə)le] *vi* resplandecer

étincelle [etɛ̃sɛl] *nf* chispa, fulgor *m*; (*fig*) destello, chispa

étiquette [etikɛt] *nf* (*aussi fig*) etiqueta; **l'~** (*protocole*) la etiqueta; **sans ~** (*Pol*) sin etiqueta

étirer [etiʀe] *vt* estirar; **s'étirer** *vpr* estirarse; (*convoi, route*): **s'~ sur plusieurs kilomètres** extenderse por varios kilómetros; **~ ses bras/jambes** estirar los brazos/las piernas

étoile [etwal] *nf* estrella; (*signe*) asterisco ■ *adj*: **danseur/danseuse ~** primer bailarín/primera bailarina; **la bonne/mauvaise ~ de qn** la buena/mala estrella de algn; **à la belle ~** al sereno, al aire libre; **~ de mer** estrella de mar; **~ filante** estrella fugaz; **~ polaire** estrella polar

étoilé, e [etwale] *adj* estrellado(-a)

étonnant, e [etɔnɑ̃, ɑ̃t] *adj* (*surprenant*) asombroso(-a), sorprendente; (*valeur intensive*) sorprendente

étonnement [etɔnmɑ̃] *nm* asombro, estupefacción *f*; **à mon grand ~ ...** con gran asombro mío ...

étonner [etɔne] *vt* asombrar, sorprender; **s'~ que/de** asombrarse de que/de; **cela m'étonnerait (que)** me sorprendería (que)

étouffer [etufe] *vt* (*personne*) ahogar; (*bruit*) acallar; (*nouvelle, scandale*) ocultar, tapar ■ *vi* (*aussi fig*) ahogarse; (*avoir trop chaud*) sofocarse, ahogarse; **s'étouffer** *vpr* (*en mangeant*) atragantarse

étourderie [etuʀdəʀi] *nf* descuido; **faute d'~** despiste *m*

étourdi, e [etuʀdi] *adj* aturdido(-a), distraído(-a)

étourdir [etuʀdiʀ] *vt* (*assommer*) aturdir, atontar; (*griser*) aturdir

étourdissement [etuʀdismɑ̃] *nm* aturdimiento

étrange [etʀɑ̃ʒ] *adj* extraño(-a), raro(-a)

étranger, -ère [etʀɑ̃ʒe, ɛʀ] *adj* (*d'un autre pays*) extranjero(-a), gringo(-a) (*AM*); (*pas de la famille*) extraño(-a); (*non familier*) extraño(-a), desconocido(-a) ■ *nm/f* (*d'un autre pays*) extranjero(-a); (*inconnu*) extraño(-a) ■ *nm*: **l'~** el extranjero; **~ à** ajeno(-a) a; **de l'~** del extranjero

étrangler [etʀɑ̃gle] *vt* (*intentionnellement*) estrangular; (*accidentellement*) ahogar; (*fig: presse, libertés*) ahogar, asfixiar; **s'étrangler** *vpr* (*en mangeant etc*) atragantarse; (*se resserrer: tuyau, rue*) estrecharse

MOT-CLÉ

être [ɛtʀ] *vb +attribut, vi* **1** (*qualité essentielle, permanente, profession*) ser; **il est fort/intelligent** es fuerte/inteligente; **être journaliste** ser periodista

2 (*état temporaire, position, + adj/pp*) estar; **comme tu es belle!** ¡qué guapa estás!; **être marié** estar casado; **il est à Paris/au salon** está en París/en el salón; **je ne serai pas ici demain** no estaré aquí mañana; **ça y est!** ¡ya está!

3: **être à** (*appartenir*) ser de; **le livre est à Paul** el libro es de Pablo; **c'est à moi/eux** es mío(-a)/suyo(-a) *ou* de ellos

4 (*+de: provenance, origine*): **il est de Paris** es de París; (*: appartenance*): **il est des nôtres** es de los nuestros; **être de Genève/de la même famille** ser de Ginebra/de la misma familia
5 (*date*): **nous sommes le 5 juin** estamos a 5 de junio
▪ *vb aux* **1** haber; **être arrivé/allé** haber llegado/ido; **il est parti** (él) se ha marchado; **il est parti hier** (*verbe au passé simple quand la période dans laquelle se situe l'action est révolue*) se marchó ayer
2 (*forme passive*) ser; **être fait par** ser hecho por; **il a été promu** ha sido ascendido
3 (*+à: obligation*): **c'est à faire/réparer** está por hacer/reparar; **c'est à essayer** está por ensayar; **il est à espérer/souhaiter que** es de esperar/desear que
▪ *vb impers* **1**: **il est** *+adjectif* es; **il est impossible de le faire** es imposible hacerlo; **il serait facile de/souhaitable que** sería fácil/deseable que
2 (*heure, date*): **il est** *ou* **c'est 10 heures** son las 10
3 (*emphatique*): **c'est moi** soy yo; **c'est à lui de le faire/de décider** tiene que hacerlo/decidirlo él
▪ *nm* ser *m*; **être humain** ser humano

étreinte [etʀɛ̃t] *nf* (*amicale, amoureuse*) abrazo; (*pour s'accrocher, retenir: aussi de lutteurs*) apretón *m*; **resserrer son ~ autour de** (*fig*) cerrar el cerco en torno a
étrennes [etʀɛn] *nfpl* (*cadeaux*) regalos *mpl*; (*gratifications*) aguinaldo *msg*
étrier [etʀije] *nm* estribo
étroit, e [etʀwa, wat] *adj* (*gén, fig*) estrecho(-a); **à l'~** con estrechez; **~ d'esprit** de miras estrechas
étude [etyd] *nf* estudio; (*de notaire*) bufete *m*; (*Scol: salle de travail*) sala de estudio; **études** *nfpl* (*Scol*) estudios *mpl*; **être à l'~** (*projet etc*) estar en estudio; **faire une ~ de cas** ver un caso práctico; **faire des ~s de droit/médecine** cursar estudios de *ou* estudiar derecho/medicina; **~s secondaires/supérieures** estudios secundarios/superiores; **~ de faisabilité/de marché** estudio de factibilidad/de mercado
étudiant, e [etydjɑ̃, jɑ̃t] *nm/f* (*Univ*) estudiante *m/f*, universitario(-a) ▪ *adj* estudiante
étudier [etydje] *vt, vi* estudiar
étui [etɥi] *nm* (*à lunettes*) funda, estuche *m*; (*cigarettes*) estuche
eu, eue [y] *pp de* **avoir**
EU(A) *sigle mpl* (= *États-Unis (d'Amérique)*) EE. UU. (= *Estados Unidos*)
euh [ø] *excl* ee
euro [øʀo] *nm* (*monnaie*) euro
Euroland [øʀolɑ̃d] *nm* zona (del) euro
Europe [øʀɔp] *nf* Europa; **l'~ centrale** la Europa central; **l'~ verte** la Europa verde
européen, ne [øʀɔpeɛ̃, ɛn] *adj* europeo(-a) ▪ *nm/f*: **Européen, ne** europeo(-a)
europhile [øʀofil] *adj, nm/f* europeísta *m/f*
eus *etc* [y] *vb voir* **avoir**
eux [ø] *pron* ellos; **~, ils ont fait ...** ellos han hecho ...
évacuer [evakɥe] *vt* evacuar
évader [evade] *vpr*: **s'évader** (*aussi fig*) evadirse
évaluer [evalɥe] *vt* evaluar, calcular
évangile [evɑ̃ʒil] *nm* evangelio; (*texte de la Bible*): **Évangile** Evangelio; **ce n'est pas l'Évangile** (*fig*) esto no es la Biblia
évanouir [evanwiʀ] *vpr*: **s'évanouir** desmayarse, desvanecerse; (*fig*) desvanecerse, desaparecer
évanouissement [evanwismɑ̃] *nm* (*Méd*) desmayo, desvanecimiento
évaporer [evapɔʀe] *vpr*: **s'évaporer** evaporarse
évasion [evazjɔ̃] *nf* (*aussi fig*) evasión *f*; **littérature d'~** literatura de evasión; **~ des capitaux** evasión de capitales; **~ fiscale** evasión fiscal
éveillé, e [eveje] *adj* despierto(-a)
éveiller [eveje] *vt* despertar; **s'éveiller** *vpr* (*aussi fig*) despertarse
événement [evɛnmɑ̃] *nm* acontecimiento; **événements** *nmpl* (*Pol etc: situation générale*) acontecimientos *mpl*
éventail [evɑ̃taj] *nm* abanico; **en ~** en abanico
éventualité [evɑ̃tɥalite] *nf* eventualidad *f*; **dans l'~ de** en la eventualidad de; **parer à toute ~** prevenir contra toda eventualidad
éventuel, le [evɑ̃tɥɛl] *adj* eventual
éventuellement [evɑ̃tɥɛlmɑ̃] *adv* eventualmente
évêque [evɛk] *nm* obispo
évidemment [evidamɑ̃] *adv* evidentemente; **~!** ¡claro!
évidence [evidɑ̃s] *nf* evidencia; **se rendre à/nier l'~** rendirse ante/negar la evidencia; **à l'~** sin duda alguna; **de toute ~** a todas luces; **en ~** en evidencia; **mettre en ~** (*problème, détail*) poner de manifiesto

évident, e [evidɑ̃, ɑ̃t] *adj* evidente; **ce n'est pas ~** (*cela pose des problèmes*) no es nada fácil; (*pas sûr*) no está claro
évier [evje] *nm* fregadero
éviter [evite] *vt* evitar; (*fig: problème, question*) evitar, eludir; (*importun, raseur: fuir*) rehuir, evitar; (*coup, projectile, obstacle*) esquivar; **~ de faire/que qch ne se passe** evitar hacer/que algo suceda; **~ qch à qn** evitar algo a algn
évoluer [evɔlɥe] *vi* evolucionar
évolution [evɔlysjɔ̃] *nf* evolución *f*; **évolutions** *nfpl* evoluciones *fpl*
évoquer [evɔke] *vt* evocar
ex- [ɛks] *préfixe*: **~ministre/président** ex-ministro/-presidente; **son ~mari/femme** su ex-marido/-mujer
ex. *abr* (= *exemple*) ej (= *ejemplo*)
exact, e [ɛgza(kt), ɛgzakt] *adj* (*précis*) exacto(-a); (*personne: ponctuel*) puntual; **l'heure ~e** la hora exacta
exactement [ɛgzaktəmɑ̃] *adv* exactamente
ex aequo [ɛgzeko] *adv* iguales ■ *adj inv*: **ils sont ~** han quedado iguales
exagéré, e [ɛgzaʒeʀe] *adj* exagerado(-a)
exagérer [ɛgzaʒeʀe] *vt* exagerar ■ *vi* (*abuser*) abusar; (*déformer les faits, la vérité*) exagerar; **encore en retard, tu exagères!** (*dépasser les bornes*) ¡otra vez tarde, te estás pasando!; **sans ~** sin exagerar; **s'~ qch** sobreestimar algo; **il ne faut pas/rien ~** no hay que exagerar
examen [ɛgzamɛ̃] *nm* examen *m*; **~ médical** examen *ou* reconocimiento médico; **à l'~** en examen; **~ blanc** prueba preliminar; **~ de conscience** examen de conciencia; **~ de la vue** examen de la vista; **~ final/d'entrée** examen final/de ingreso
examinateur, -trice [ɛgzaminatœʀ, tʀis] *nm/f* examinador(a)
examiner [ɛgzamine] *vt* examinar
exaspérant, e [ɛgzaspeʀɑ̃, ɑ̃t] *adj* exasperante
exaspérer [ɛgzaspeʀe] *vt* exasperar
exaucer [egzose] *vt* (*vœu*) otorgar; **~ qn** satisfacer a algn
excéder [ɛksede] *vt* (*dépasser*) exceder, sobrepasar; (*agacer*) crispar; **excédé de fatigue/travail** agotado de cansancio/de trabajo
excellent, e [ɛkselɑ̃, ɑ̃t] *adj* excelente
excentrique [ɛksɑ̃tʀik] *adj* excéntrico(-a)
excepté, e [ɛksɛpte] *adj*: **les élèves ~s/dictionnaires ~s** excepto los alumnos/los diccionarios ■ *prép*: **~ les élèves** salvo los alumnos; **~ si/quand ...** salvo si/cuando ...; **~ que** salvo que
exception [ɛksɛpsjɔ̃] *nf* excepción *f*; **faire ~** ser una excepción; **faire une ~** (*dérogation*) hacer una excepción; **sans ~** sin excepción; **à l'~ de** con excepción de; **mesure/loi d'~** medida/ley *f* de excepción
exceptionnel, le [ɛksɛpsjɔnɛl] *adj* excepcional
exceptionnellement [ɛksɛpsjɔnɛlmɑ̃] *adv* excepcionalmente
excès [ɛksɛ] *nm* exceso ■ *nmpl* (*abus*) excesos *mpl*; **à l'~** (*méticuleux, généreux*) en exceso; **tomber dans l'~ inverse** pasar de un extremo al otro; **avec/sans ~** con/sin exceso; **~ de langage** lenguaje *m* abusivo; **~ de pouvoir/de zèle** exceso de poder/de celo; **~ de vitesse** exceso de velocidad
excessif, -ive [ɛksesif, iv] *adj* excesivo(-a)
excitant [ɛksitɑ̃] *adj, nm* excitante *m*
excitation [ɛksitasjɔ̃] *nf* excitación *f*
exciter [ɛksite] *vt* excitar; **s'exciter** *vpr* excitarse; **~ qn à** (*la révolte, au combat*) incitar a algn a
exclamer [ɛksklame] *vpr*: **s'exclamer** exclamar; **"zut", s'exclama-t-il** "caramba", exclamó
exclure [ɛksklyʀ] *vt* excluir; (*d'une salle, d'un parti*) expulsar, excluir
exclusif, -ive [ɛksklyzif, iv] *adj* exclusivo(-a); **avec la mission exclusive/dans le but ~ de** con la misión exclusiva/con la finalidad exclusiva de
exclusion [ɛksklyzjɔ̃] *nf* expulsión *f*, exclusión *f*; **à l'~ de** con exclusión de
exclusivité [ɛksklyzivite] *nf* exclusividad *f*; **en ~** en exclusiva; **film passant en ~** película en exclusiva
excursion [ɛkskyʀsjɔ̃] *nf* excursión *f*; **faire une ~** hacer una *ou* ir de excursión
excuse [ɛkskyz] *nf* excusa; **excuses** *nfpl* (*expression de regret*) disculpas *fpl*; **faire des ~s** disculparse, excusarse; **mot d'~** (*Scol*) justificante *m*; **faire/présenter ses ~s** pedir disculpas; **lettre d'~s** carta de disculpa
excuser [ɛkskyze] *vt* excusar, disculpar; **s'excuser** *vpr* (*par politesse*) disculparse, excusarse; **~ qn de qch** (*dispenser*) dispensar a algn de algo; **s'~ (de)** disculparse (de), excusarse (por); **"excusez-moi"** (*en passant devant qn*) "discúlpeme"; (*pour attirer l'attention*) "perdón"; **se faire ~** excusarse
exécuter [ɛgzekyte] *vt* (*Inform, Mus,*

prisonnier) ejecutar; (*opération, mouvement*) efectuar, realizar; **s'exécuter** *vpr* cumplir
exemplaire [ɛgzɑ̃plɛʀ] *adj* ejemplar ▪ *nm* ejemplar *m*; **en deux/trois ~s** por duplicado/triplicado
exemple [ɛgzɑ̃pl] *nm* ejemplo; **par ~** por ejemplo; (*valeur intensive*) ¡no es posible!; **sans ~** (*bêtise, gourmandise*) sin igual; **donner l'~** dar ejemplo; **prendre ~ sur qn** tomar ejemplo de algn; **suivre l'~ de qn** seguir el ejemplo de algn; **à l'~ de** a ejemplo de; **servir d'~ (à qn)** servir de ejemplo (a algn); **pour l'~** (*punir*) para que sirva *etc* de escarmiento *ou* de ejemplo
exercer [ɛgzɛʀse] *vt* ejercer; (*former: personne*) acostumbrar; (*animal*) adiestrar; (*faculté, partie du corps*) ejercitar ▪ *vi* (*médecin*) ejercer; **s'exercer** *vpr* (*sportif*) entrenarse; (*musicien*) practicar; **s'~ (sur/contre)** (*pression, poussée*) ejercerse (sobre/contra); **s'~ à faire qch** ejercitarse en hacer algo
exercice [ɛgzɛʀsis] *nm* ejercicio; **à l'~** (*Mil*) de maniobras; **en ~** (*Admin*) en ejercicio, en activo; **dans l'~ de ses fonctions** en ejercicio de sus funciones; **~s d'assouplissement** ejercicios *mpl* de flexibilidad
exhiber [ɛgzibe] *vt* exhibir; **s'exhiber** *vpr* exhibirse
exhibitionniste [ɛgzibisjɔnist] *nm/f* exhibicionista *m/f*
exigeant, e [ɛgziʒɑ̃, ɑ̃t] *adj* exigente
exiger [ɛgziʒe] *vt* exigir
exil [ɛgzil] *nm* exilio; **en ~** en el exilio
exiler [ɛgzile] *vt* exiliar; **s'exiler** *vpr* exiliarse
existence [ɛgzistɑ̃s] *nf* existencia; **moyens d'~** medios *mpl* de existencia, medios de vida
exister [ɛgziste] *vi* existir; **il existe une solution/des solutions** existe una solución/existen soluciones
exorbitant, e [ɛgzɔʀbitɑ̃, ɑ̃t] *adj* exorbitante
exotique [ɛgzɔtik] *adj* exótico(-a)
expédier [ɛkspedje] *vt* (*lettre*) expedir; (*troupes, renfort*) enviar; (*péj: faire rapidement*) despachar; **~ par la poste** expedir por correo; **~ par bateau/avion** enviar por barco/avión
expéditeur, -trice [ɛkspeditœʀ, tʀis] *nm/f* remitente *m/f*
expédition [ɛkspedisjɔ̃] *nf* (*d'une lettre*) envío; (*Mil, scientifique*) expedición *f*; **~ punitive** expedición de castigo
expérience [ɛkspeʀjɑ̃s] *nf* experiencia; **une ~** (*scientifique*) un experimento; **avoir de l'~** tener experiencia; **avoir l'~ de** tener experiencia en; **faire l'~ de qch** experimentar algo; **~ d'électricité** prueba de electricidad; **~ de chimie** experimento de química
expérimenté, e [ɛkspeʀimɑ̃te] *adj* experimentado(-a)
expérimenter [ɛkspeʀimɑ̃te] *vt* experimentar
expert, e [ɛkspɛʀ, ɛʀt] *adj*: **~ en** experto(-a) en ▪ *nm* experto(-a), perito(-a); **~ en assurances** perito de seguros
expert-comptable [ɛkspɛʀkɔ̃tabl] (*pl* **experts-comptable**) *nm* perito contable
expirer [ɛkspiʀe] *vi* (*passeport, bail*) vencer, expirar; (*respirer*) espirar; (*litt: mourir*) expirar
explication [ɛksplikasjɔ̃] *nf* explicación *f*; (*discussion*) discusión *f*; **~ de texte** (*Scol*) comentario de texto
explicite [ɛksplisit] *adj* explícito(-a)
expliquer [ɛksplike] *vt* explicar; **s'expliquer** *vpr* explicarse; (*discuter*) discutir; (*se disputer*) pelearse; **je m'explique son retard/absence** (*comprendre*) me explico su retraso/ausencia; **~ (à qn) comment/que** explicar (a algn) cómo/que; **son erreur s'explique** su error tiene una explicación
exploit [ɛksplwa] *nm* hazaña
exploitant [ɛksplwatɑ̃] *nm* (*Agr*) agricultor(a), labrador(a); **les petits ~s** (*Agr*) los pequeños agricultores
exploitation [ɛksplwatasjɔ̃] *nf* explotación *f*; **~ agricole** explotación agrícola
exploiter [ɛksplwate] *vt* explotar; (*tirer parti de: faiblesse de qn*) aprovecharse de
explorer [ɛksplɔʀe] *vt* (*pays, grotte*) explorar; (*fig: domaine, problème*) examinar
exploser [ɛksploze] *vi* (*bombe*) explotar, estallar; (*joie, colère*) estallar; **faire ~** hacer estallar
explosif, -ive [ɛksplozif, iv] *adj* explosivo(-a) ▪ *nm* explosivo
explosion [ɛksplozjɔ̃] *nf* explosión *f*; **~ démographique** explosión demográfica
exportateur, -trice [ɛkspɔʀtatœʀ, tʀis] *adj, nm/f* exportador(a)
exportation [ɛkspɔʀtasjɔ̃] *nf* exportación *f*
exporter [ɛkspɔʀte] *vt* (*aussi fig*) exportar

exposant [ɛkspozɑ̃] *nm* (*personne*) expositor *m*; (*Math*) exponente *m*
exposé, e [ɛkspoze] *adj* (*orienté*) orientado(-a) ■ *nm* (*écrit*) informe *m*; (*oral*) charla; (*Scol*) exposición *f*; **~ à l'est/au sud** orientado(-a) al este/al sur; **bien ~** bien orientado(-a); **très ~** (*fig*: *personne*) muy expuesto
exposer [ɛkspoze] *vt* exponer; (*orienter*: *maison*) orientar; **s'exposer à** *vpr* exponerse a; **~ sa vie** (*mettre en danger*) exponer su vida; **~ qn/qch à** exponer a algn/algo a
exposition [ɛkspozisjɔ̃] *nf* exposición *f*; **temps d'~** (*Photo*) tiempo de exposición
exprès¹, expresse [ɛkspʀɛs] *adj* expreso(-a) ■ *adj inv*: **lettre/colis ~** carta/paquete *m* urgente; **envoyer qch en ~** enviar algo urgente
exprès² [ɛkspʀɛ] *adv* (*délibérément*) a propósito, adrede; (*spécialement*) expresamente; **faire ~ de faire qch** hacer algo deliberadamente; **il l'a fait/ne l'a pas fait ~** lo hizo/no lo hizo adrede *ou* a propósito
express [ɛkspʀɛs] *adj, nm*: **(café) ~** (café) exprés *m*; **(train) ~** (tren) expreso
expressif, -ive [ɛkspʀesif, iv] *adj* expresivo(-a)
expression [ɛkspʀesjɔ̃] *nf* expresión *f*; **réduit à sa plus simple ~** reducido a su mínima expresión; **liberté/moyens d'~** libertad *f*/medios *mpl* de expresión; **~ toute faite** frase *f* hecha
exprimer [ɛkspʀime] *vt* (*sentiment, idée*) expresar; (*litt, jus, liquide*) exprimir; **s'exprimer** *vpr* expresarse; **bien s'~** expresarse bien; **s'~ en français** expresarse en francés
expulser [ɛkspylse] *vt* expulsar; (*locataire*) echar
exquis, e [ɛkski, iz] *adj* (*personne, élégance, parfum*) exquisito(-a); (*temps*) delicioso(-a)
extasier [ɛkstɑzje] *vpr*: **s'extasier**: **s'~ sur** extasiarse ante
exténuer [ɛkstenɥe] *vt* extenuar
extérieur, e [ɛksteʀjœʀ] *adj* exterior; (*pressions, calme*) externo(-a) ■ *nm* exterior *m*; **contacts avec l'~** contactos *mpl* con el exterior; **à l'~** (*dehors*) fuera, afuera (*AM*); (*à l'étranger*) en el exterior; (*Sport*) por el exterior
externat [ɛkstɛʀna] *nm* externado
externe [ɛkstɛʀn] *adj* externo(-a) ■ *nm/f* externo(-a); (*étudiant en médecine*) alumno(-a) en prácticas
extincteur [ɛkstɛ̃ktœʀ] *nm* extintor *m*
extinction [ɛkstɛ̃ksjɔ̃] *nf* extinción *f*; **~ de voix** afonía
extra [ɛkstʀa] *adj inv, préf* extra ■ *nm* extra *m*; (*employé*) eventual *m/f*
extraire [ɛkstʀɛʀ] *vt* extraer; **~ qch de** extraer algo de
extrait, e [ɛkstʀɛ, ɛt] *pp de* **extraire** ■ *nm* extracto; (*de film, livre*) pasaje *m*; **~ de naissance** partida de nacimiento
extraordinaire [ɛkstʀaɔʀdinɛʀ] *adj* extraordinario(-a); **si par ~ ...** en el caso poco probable de que ...; **mission/envoyé ~** misión *f*/enviado especial; **ambassadeur ~** embajador *m* especial *ou* extraordinario; **assemblée ~** asamblea extraordinaria
extra-terrestre [ɛkstʀatɛʀɛstʀ] (*pl* **~s**) *nm/f* extraterrestre *m/f*
extravagant, e [ɛkstʀavagɑ̃, ɑ̃t] *adj* extravagante
extraverti, e [ɛkstʀavɛʀti] *adj* extravertido(-a), extrovertido(-a)
extrême [ɛkstʀɛm] *adj* extremo(-a) ■ *nm*: **les ~s** los extremos *mpl*; **d'une ~ simplicité/brutalité** (*intensif*) de una extrema simplicidad/brutalidad; **d'un ~ à l'autre** de un extremo a(l) otro; **à l'~** al extremo, en sumo grado; **à l'~ rigueur** en extremo rigor
extrêmement [ɛkstʀɛmmɑ̃] *adv* extremadamente
Extrême-Orient [ɛkstʀɛmɔʀjɑ̃] *nm* Extremo Oriente *m*
extrémité [ɛkstʀemite] *nf* extremo; (*d'un doigt, couteau*) punta; (*geste désespéré*) extremos *mpl*; **extrémités** *nfpl* (*pieds et mains*) extremidades *fpl*; **à la dernière ~** en las últimas
exubérant, e [ɛgzybeʀɑ̃, ɑ̃t] *adj* exuberante

f

F [ɛf] *abr = franc;* (*appartement*): **un F2/F3** un piso de 2/3 habitaciones
fa [fɑ] *nm inv* fa *m*
fabricant [fabʀikɑ̃] *nm* fabricante *m/f*
fabrication [fabʀikasjɔ̃] *nf* fabricación *f*
fabrique [fabʀik] *nf* fábrica
fabriquer [fabʀike] *vt* (*produire*) producir; (*construire*) fabricar; (*inventer*) inventar; (*forger*) acuñar; **~ en série** fabricar en serie; **qu'est-ce qu'il fabrique?** (*fam*) ¿qué está tramando?
fac [fak] *abr f* (*fam*) = *faculté*
façade [fasad] *nf* fachada; (*fig*) apariencia
face [fas] *nf* (*visage*) cara, rostro; (*côté*) cara; (*d'un problème, sujet*) aspecto ■ *adj*: **le côté ~** cara; **perdre la ~** perder prestigio; **sauver la ~** salvar las apariencias; **regarder qn en ~** mirar a algn a la cara; **la maison/le trottoir d'en ~** la casa/la acera de enfrente; **en ~ de** enfrente de ■ *prép* (*fig*) frente a; **de ~** de frente; **~ à** (*aussi fig*) frente a, ante; **faire ~ à qn/qch** hacer frente *ou* cara a algn/algo; **faire ~ à la demande** (*Comm*) hacer frente a la demanda; **~ à ~** *adv* frente a frente ■ *nm inv* debate *m*
facette [fasɛt] *nf* faceta; **à ~s** con muchas facetas
fâché, e [fɑʃe] *adj* enfadado(-a); (*désolé, contrarié*) contrariado(-a); **être ~ avec qn** (*brouillé*) estar enfadado(-a) con algn
fâcher [fɑʃe] *vt* enfadar; **se fâcher** *vpr*: **se ~ (contre** *ou* **avec qn)** enfadarse (con algn)
facile [fasil] *adj* (*aussi péj*) fácil; (*accommodant*) sencillo(-a); **~ à faire** fácil de hacer; **personne ~ à tromper** persona fácil de engañar
facilement [fasilmɑ̃] *adv* con facilidad, fácilmente; (*au moins*) por lo menos; **se fâcher/se tromper ~** enfadarse/equivocarse con facilidad
facilité [fasilite] *nf* facilidad *f*; (*occasion*) oportunidad *f*; **facilités** *nfpl* (*possibilités*) facilidades *fpl*; **il a la ~ de rencontrer des gens** tiene facilidad para encontrar gente; **~s de crédit/paiement** facilidades de crédito/pago
faciliter [fasilite] *vt* facilitar
façon [fasɔ̃] *nf* modo, manera; (*d'une robe, veste*) hechura; **façons** *nfpl* (*péj*) modales *mpl*; **faire des ~s** (*péj*: *être affecté*) ser remilgado(-a); (: *faire des histoires*) venir con historias; **de quelle ~ l'a-t-il fait/construit?** ¿cómo lo ha hecho/construido?; **sans ~** *adv* simplemente ■ *adj* (*personne, déjeuner*) sencillo(-a); **d'une autre ~** de otra manera; **en aucune ~** de ningún modo; **de ~ agréable/agressive** *etc* de manera agradable/agresiva *etc*; **de ~ à faire/à ce que** de modo que haga/de modo que; **de (telle) ~ que** de tal forma que; **de toute ~** de todos modos; **~ de parler** manera de hablar; **travail à ~** trabajo a destajo; **châle ~ cachemire** chal *m* imitación cachemir
facteur, -trice [faktœʀ, tʀis] *nm/f* cartero(-a) ■ *nm* (*Math, fig*) factor *m*; **~ d'orgues** fabricante *m/f* de órganos; **~ de pianos** fabricante de pianos; **~ rhésus** factor Rh
facture [faktyʀ] *nf* factura; (*façon de faire*: *d'un artisan*) ejecución *f*
facultatif, -ive [fakyltatif, iv] *adj* facultativo(-a); (*arrêt de bus*) discrecional
faculté [fakylte] *nf* facultad *f*; **facultés** *nfpl* (*moyens intellectuels*) facultades *fpl*
fade [fad] *adj* soso(-a), insípido(-a); (*couleur*) apagado(-a); (*fig*) insulso(-a)
faible [fɛbl] *adj* débil; (*sans volonté*) apático(-a); (*intellectuellement*) flojo(-a); (*protestations, résistance*) escaso(-a); (*rendement, revenu*) bajo(-a) ■ *nm*: **le ~ de qn/qch** el punto flaco de algn/algo; **avoir un ~ pour qn/qch** tener debilidad

por algn/algo; **~ d'esprit** retrasado(-a) mental
faiblesse [fɛblɛs] *nf* debilidad *f*; (*défaillance*) desmayo; (*lacune*) punto flaco; (*défaut*) defecto, debilidad
faiblir [febliʀ] *vi* debilitarse; (*vent*) amainar; (*résistance, intérêt*) decaer
faïence [fajɑ̃s] *nf* loza
faignant, e [fɛɲɑ̃, ɑ̃t] *nm/f, adj* = **fainéant**
faillir [fajiʀ] *vi*: **j'ai failli tomber/lui dire** estuve apunto de caer/decirle; **~ à une promesse/un engagement** faltar a una promesa/un compromiso
faillite [fajit] *nf* (*échec*) fracaso; **être en/faire ~** (*Comm*) estar en/hacer quiebra
faim [fɛ̃] *nf* hambre *f*; **la ~ dans le monde** el hambre en el mundo; **~ d'amour/de richesses** (*fig*) hambre de amor/de riquezas; **avoir ~** tener hambre; **je suis resté sur ma ~** me he quedado con hambre; (*fig*) me ha sabido a poco
fainéant, e [fɛneɑ̃, ɑ̃t] *adj, nm/f* holgazán(-ana), flojo(-a) (*AM*)

MOT-CLÉ

faire [fɛʀ] *vt* **1** (*fabriquer, être l'auteur de*) hacer; (*blé, soie*) producir; **faire du vin/une offre/un film** hacer vino/una oferta/una película; **faire du bruit/des taches/des dégâts** hacer ruido/manchas/destrozos; **fait à la main/la machine** hecho a mano/máquina
2 (*effectuer: travail, opération*) hacer; **que faites-vous?** ¿qué hace?; (*quel métier etc*) ¿a qué se dedica (usted)?; **faire la lessive** hacer la colada; **faire la cuisine/le ménage/les courses** hacer la cocina/la limpieza/las compras; **faire les magasins/l'Europe** ir de tiendas/por Europa
3 (*étudier, pratiquer*): **faire du droit/du français** hacer derecho/francés; **faire du sport/rugby** hacer deporte/rugby; **faire du cheval** montar a caballo; **faire du ski/du vélo** ir a esquiar/en bicicleta; **faire du violon/piano** tocar el violín/piano
4 (*simuler*): **faire le malade/l'ignorant** hacerse el enfermo/el ignorante
5 (*transformer, avoir un effet sur*): **faire de qn un frustré/avocat** hacer de algn un frustrado/abogado; **ça ne me fait rien** *ou* **ni chaud ni froid** no me importa nada; **ça ne fait rien** no importa; **je n'ai que faire de tes conseils** no me hacen falta tus consejos
6 (*calculs, prix, mesures*): **2 et 2 font 4** 2 y 2 son 4; **9 divisé par 3 fait 3** 9 entre 3 es 3; **ça fait 10 m/15 euros** son 10 m/15 euros; **je vous le fais 10 euros** (*j'en demande 10 euros*) se lo dejo en 10 euros; *voir* **mal**; **entrer**; **sortir**
7: **qu'a-t-il fait de sa valise/de sa sœur?** ¿qué ha hecho con su maleta/con su hermana?; **que faire?** ¿qué voy *etc* a hacer?; **tu fais bien de me le dire** haces bien en decírmelo
8: **ne faire que**; **il ne fait que critiquer** no hace más que criticar
9 (*dire*) decir; **"vraiment?" fit-il** "¿de verdad?" dijo
10 (*maladie*) tener; **faire du diabète/de la tension/de la fièvre** tener diabetes/tensión/fiebre
■ *vi* **1** (*agir, s'y prendre*) hacer; (*faire ses besoins*) hacer sus necesidades; **il faut faire vite** hay que darse prisa; **comment a-t-il fait?** ¿cómo ha hecho?; **faites comme chez vous** está en su casa
2 (*paraître*): **tu fais jeune dans ce costume** este traje te hace joven; **ça fait bien** queda bien
■ *vb substitut* hacer; **je viens de le faire** acabo de hacerlo; **ne le casse pas comme je l'ai fait** no lo rompas como he hecho yo; **je peux le voir? - faites!** ¿puedo verlo? - desde luego
■ *vb impers* **1**: **il fait beau** hace bueno; *voir aussi* **jour**; **froid** *etc*
2 (*temps écoulé, durée*): **ça fait 5 ans/heures qu'il est parti** hace 5 años/horas que se fue; **ça fait 2 ans/heures qu'il y est** hace 2 años/horas que está allí
■ *vb semi-aux*: **faire** + *infinitif* hacer + *infinitivo*; **faire tomber/bouger qch** hacer caer/mover algo; **cela fait dormir** esto hace dormir; **faire réparer qch** llevar algo a arreglar; **que veux-tu me faire croire/comprendre?** ¿qué quieres hacerme creer/comprender?; **il m'a fait ouvrir la porte** me hizo abrir la puerta; **il m'a fait traverser la rue** me ayudó a cruzar la calle
■ **se faire** *vpr, vi* **1** (*vin, fromage*) hacerse
2: **cela se fait beaucoup** eso se hace mucho; **cela ne se fait pas** eso no se hace
3: **se faire** + *nom ou pron*; **se faire une jupe** hacerse una falda; **se faire des amis** hacer amigos; **se faire du souci** inquietarse; **il ne s'en fait pas** no se preocupa; **se faire des illusions** hacerse ilusiones; **se faire beaucoup d'argent** hacer mucho dinero

4: **se faire** + *adj* (*devenir*): **se faire vieux** hacerse viejo; (*délibérément*): **se faire beau** ponerse guapo
5: **se faire à** (*s'habituer*) acostumbrarse a; **je n'arrive pas à me faire à la nourriture/au climat** no acabo de acostumbrarme a la comida/al clima
6: **se faire** +*infinitif*; **se faire opérer/examiner la vue** operarse/examinarse la vista; **se faire couper les cheveux** cortarse el pelo; **il va se faire tuer/punir** le van a matar/castigar; **il s'est fait aider par qn** le ha ayudado algn; **se faire faire un vêtement** hacerse un vestido; **se faire ouvrir (la porte)** hacerse abrir (la puerta); **je me suis fait expliquer le texte par Anne** Anne me explicó el texto
7 (*impersonnel*): **comment se fait-il que ...?** ¿cómo es que ...?; **il peut se faire que ...** puede ocurrir que ...

faire-part [fɛʀpaʀ] *nm inv*: **~ de mariage** participación *f* de boda; **~ de décès** esquela de defunción
faisan, e [fəzɑ̃, an] *nm/f* faisán(-ana)
faisons [fəzɔ̃] *vb voir* **faire**
fait[1] [fɛ] *vb voir* **faire** ■ *nm* hecho; **le ~ que ...** el hecho de que ...; **le ~ de manger/travailler** el hecho de comer/trabajar; **être le ~ de** ser la característica de; (*causé par*) ser cosa de, ser obra de; **être au ~ de** estar al corriente de; **au ~** a propósito; **aller droit au ~** ir al grano; **en venir au ~** pasar a los hechos; **mettre qn au ~** poner a algn al corriente; **de ~** *adj* (*opposé à: de droit*) de hecho ■ *adv* (*en fait*) en realidad; **du ~ que** por el hecho de que; **du ~ de** a causa de; **de ce ~** por esto; **en ~** de hecho; **en ~ de repas/vacances** a guisa de comida/vacaciones; **c'est un ~** es un hecho, es verdad; **le ~ est que ...** el caso es que ...; **prendre ~ et cause pour qn** tomar partido por algn; **prendre qn sur le ~** coger a algn con las manos en la masa; **hauts ~s** hazañas *fpl*; **dire à qn son ~** decir a algn cuatro cosas; **les ~s et gestes de qn** todos los movimientos de algn; **~ accompli** hecho consumado; **~ d'armes** hecho de armas; **~ divers** suceso
fait[2]**, e** [fɛ, fɛt] *pp de* **faire** ■ *adj* (*fromage*) curado(-a); (*melon*) maduro(-a); (*yeux*) maquillado(-a); (*ongles*) pintado(-a); **un homme ~** un hombre hecho; **être ~ pour** (*conçu pour*) estar pensado(-a) para; (*naturellement doué pour*) estar dotado(-a) para; **c'en est ~ de lui** es su fin; **c'en est ~ de notre tranquillité** se acabó la tranquilidad; **tout(e) ~(e)** (*préparé à l'avance*) ya listo(-a), ya preparado(-a); **idée toute ~e** idea común; **c'est bien ~ pour lui!** ¡le está bien empleado!
faites [fɛt] *vb voir* **faire**
falaise [falɛz] *nf* acantilado
falloir [falwaʀ] *vb impers* (*besoin*): **il va ~ 100 euros** se necesitarán 100 euros; **il doit ~ du temps pour ...** se necesitará tiempo para ...; **il faut faire les lits** (*obligation*) hay que hacer las camas; **il faut qu'il ait oublié/qu'il soit malade** (*hypothèse*) debe haberse olvidado/estar enfermo; **il faut que tu arrives à ce moment!** (*fatalité*) ¡sólo nos faltaba que llegaras ahora!; **il me faut/faudrait 100 euros/de l'aide** necesito/necesitaría 100 euros/ayuda; **il vous faut tourner à gauche après l'église** tiene que girar a la izquierda después de la iglesia; **nous avons ce qu'il (nous) faut** tenemos lo necesario; **il faut que je fasse les lits** tengo que hacer las camas; **il a fallu que je parte** tuve que irme; **il faudrait qu'elle rentre** convendría que volviese; **il faut toujours qu'il s'en mêle** está siempre entrometiéndose; **comme il faut** *adj, adv* (*bien, convenable*) como Dios manda; **s'en ~**: **il s'en faut/s'en est fallu de 5 minutes/100 euros (pour que ...)** faltan/faltaron 5 minutos/100 euros (para que ...); **il t'en faut peu!** ¡con poco te conformas!; **il ne fallait pas** (*pour remercier*) no era necesario; **faut le faire!** (*surprise*) ¡hay que ver!; **il faudrait que ...** convendría que ...; **il s'en faut de beaucoup que ...** mucho falta para que ...; **il s'en est fallu de peu que ...** faltó poco para que ...; **tant s'en faut!** ¡ni mucho menos!; **... ou peu s'en faut** ... o poco falta
famé, e [fame] *adj*: **mal ~** de mala fama
fameux, -euse [famø, øz] *adj* (*illustre*) famoso(-a), ilustre; (*bon*) excelente; (*parfois péj: de référence*) famoso(-a); **~ problème** (*intensif*) menudo problema; **ce n'est pas ~** no es maravilloso
familial, e, -aux [familjal, jo] *adj* familiar
familiarité [familjaʀite] *nf* familiaridad *f*; **familiarités** *nfpl* familiaridades *fpl*, confianzas *fpl*; **~ avec** (*connaissance*) conocimiento de
familier, -ière [familje, jɛʀ] *adj* (*connu*) familiar; (*rapports*) de confianza; (*Ling*) familiar, coloquial ■ *nm* asiduo(-a); **tu es un peu trop ~ avec lui** (*cavalier, impertinent*) te tomas demasiadas confianzas con él

famille [famij] *nf* familia; **il a de la ~ à Paris** tiene familia en París; **de ~** (*secrets*) de familia; (*dîner, fête*) en familia
famine [famin] *nf* hambruna
fan [fan] *nm/f* admirador(a)
fanatique [fanatik] *adj, nm/f* fanático(-a); **~ de rugby/de voile** (*sens affaibli*) entusiasta *m/f* del rugby/de la vela
faner [fane] *vpr*: **se faner** (*fleur*) marchitarse; (*couleur, tissu*) deslucirse
fanfare [fɑ̃faʀ] *nf* fanfarria, charanga; (*musique*) fanfarria; **en ~** (*avec bruit*) con gran estruendo
fantaisie [fɑ̃tezi] *nf* fantasía; (*caprice*) capricho ▪ *adj*: **bijou/pain ~** joya/pan *m* de fantasía; **œuvre de ~** obra de imaginación; **agir selon sa ~** hacer lo que le place
fantasme [fɑ̃tasm] *nm* fantasma *m*
fantastique [fɑ̃tastik] *adj* fantástico(-a); **littérature/cinéma ~** literatura fantástica/cine *m* fantástico
fantôme [fɑ̃tom] *nm* fantasma *m*; **gouvernement ~** gobierno en la sombra
faon [fɑ̃] *nm* cervatillo
FAQ *sigle f* (= *foire aux questions*) preguntas frecuentes
farce [faʀs] *nf* (*viande*) relleno; (*Théâtre*) farsa; **faire une ~ à qn** gastar una broma a algn; **magasin de ~s et attrapes** tienda de objetos de broma; **~s et attrapes** bromas *fpl* y engaños
farcir [faʀsiʀ] *vt* (*viande*) rellenar; **se farcir** *vpr* (*fam*): **je me suis farci la vaisselle** me tragué todo el fregado; **~ qch de** (*fig*) atiborrar algo con
farder [faʀde] *vt* maquillar; (*vérité*) disfrazar; **se farder** *vpr* maquillarse
farine [faʀin] *nf* harina; **~ de blé/de maïs** harina de trigo/de maíz; **~ lactée** harina lacteada
farouche [faʀuʃ] *adj* (*animal*) arisco(-a); (*personne*) esquivo(-a); (*déterminé*) tenaz; **peu ~** (*péj*) fácil
fart [faʀt] *nm* (*Ski*) cera
fascination [fasinasjɔ̃] *nf* (*fig*) fascinación *f*
fasciner [fasine] *vt* (*aussi fig*) fascinar
fascisme [faʃism] *nm* fascismo
fasse *etc* [fas] *vb voir* **faire**
fastidieux, -euse [fastidjø, jøz] *adj* fastidioso(-a)
fatal, e [fatal] *adj* mortal; (*inévitable*) fatal
fatalité [fatalite] *nf* fatalidad *f*
fatidique [fatidik] *adj* fatídico(-a)
fatigant, e [fatigɑ̃, ɑ̃t] *adj* fatigante; (*agaçant*) pesado(-a)
fatigue [fatig] *nf* fatiga, cansancio; (*d'un matériau*) deterioro; **les ~s du voyage** el cansancio del viaje
fatigué, e [fatige] *adj* fatigado(-a); (*estomac, foie*) malo(-a)
fatiguer [fatige] *vt* (*personne, membres*) fatigar, cansar; (*moteur etc*) forzar; (*importuner*) cansar ▪ *vi* (*moteur*) forzarse; **se fatiguer** *vpr* fatigarse, cansarse; **se ~ de** (*fig*) cansarse de; **se ~ à faire qch** molestarse en hacer algo
fauché, e [foʃe] (*fam*) *adj* pelado(-a)
faucher [foʃe] *vt* (*aussi fig*) segar; (*herbe*) segar, cortar; (*fam: voler*) birlar
faucon [fokɔ̃] *nm* halcón *m*
faudra [fodʀa] *vb voir* **falloir**
faufiler [fofile] *vt* hilvanar; **se faufiler** *vpr*: **se ~ dans/parmi/entre** deslizarse en/entre
faune [fon] *nf* (*fig, péj*) fauna ▪ *nm* fauno; **~ marine** fauna marina
fausse [fos] *adj voir* **faux²**
faussement [fosmɑ̃] *adv* (*accuser*) en falso; (*croire*) engañosamente
fausser [fose] *vt* (*serrure, objet*) torcer; (*résultat, données*) falsear; **~ compagnie à qn** dejar plantado(-a) a algn
faut [fo] *vb voir* **falloir**
faute [fot] *nf* (*de calcul*) error *m*; (*Sport, d'orthographe*) falta; (*Rel*) pecado, culpa; **par la ~ de** por culpa de; **c'est de sa/ma ~** es culpa suya/mía; **être en ~** hacer mal; (*être responsable*) tener la culpa; **prendre qn en ~** pillar a algn; **~ de** por falta de; **~ de mieux ...** a falta de algo mejor ...; **sans ~** (*à coup sûr*) sin falta; **~ d'inattention/d'orthographe** falta de atención/de ortografía; **~ de frappe** error de máquina; **~ de goût** falta de educación; **~ professionnelle** error profesional
fauteuil [fotœj] *nm* sillón *m*; **~ à bascule** mecedora; **~ club** sillón amplio de cuero; **~ d'orchestre** (*Théâtre*) butaca de patio; **~ roulant** sillón de ruedas
fautif, -ive [fotif, iv] *adj* (*incorrect*) erróneo(-a); (*responsable*) culpable ▪ *nm/f* culpable *m/f*
fauve [fov] *nm* fiera; (*peintre*) fauvista *m/f* ▪ *adj* (*couleur*) rojizo(-a)
faux¹ [fo] *nf* (*Agr*) guadaña
faux², fausse [fo, fos] *adj* falso(-a); (*inexact*) erróneo(-a); (*rire, personne*) falso(-a), hipócrita; (*barbe, dent*) postizo(-a); (*Mus*) desafinado(-a); (*opposé à bon, correct: numéro, clé*) confundido(-a) ▪ *adv*: **jouer/chanter ~** tocar/cantar desafinadamente ▪ *nm* (*peinture, billet*) falsificación *f*; **le ~** (*opposé*

au vrai) lo falso; **faire fausse route** ir por mal camino; **faire ~ bond à qn** fallarle a algn; **fausse alerte** falsa alarma; **fausse clé** llave *f* maestra; **fausse couche** aborto; **fausse joie** alegría fingida; **fausse note** (*Mus, fig*) nota discordante; **~ ami** (*Ling*) falso amigo; **~ col** cuello postizo; **~ départ** (*Sport, fig*) salida falsa; **~ frais** *nmpl* gastos *mpl* menudos; **~ frère** (*fig*: *péj*) cabrón *m*; **~ mouvement** movimiento en falso; **~ nez** nariz *f* postiza; **~ nom** seudónimo; **~ pas** (*aussi fig*) paso en falso; **~ témoignage** (*délit*) falso testimonio

faux-filet [fofilɛ] (*pl* **~s**) *nm* solomillo bajo

faveur [favœʀ] *nf* favor *m*; (*ruban*) cinta; **faveurs** *nfpl* favores *mpl*; **avoir la ~ de qn** gozar del favor de algn; **régime/traitement de ~** régimen *m*/tratamiento preferencial; **à la ~ de** (*la nuit, une erreur*) aprovechando; (*grâce à*) gracias a; **en ~ de qn/qch** en favor de algn/algo

favorable [favɔʀabl] *adj* favorable; **~ à qn/qch** favorable a algn/algo

favori, te [favɔʀi, it] *adj* favorito(-a) ▪ *nm/f* (*Sport*) favorito(-a); **favoris** *nmpl* (*barbe*) patillas *fpl*

favoriser [favɔʀize] *vt* favorecer

fécond, e [fekɔ̃, ɔ̃d] *adj* (*aussi fig*) fértil, fecundo(-a)

féconder [fekɔ̃de] *vt* fecundar

féculents [fekylɑ̃] *nmpl* féculas *fpl*

fédéral, e, -aux [fedeʀal, o] *adj* federal

fédération [fedeʀasjɔ̃] *nf* federación *f*

fée [fe] *nf* hada

feignant, e [fɛɲɑ̃, ɑ̃t] *nm/f, adj* = **fainéant**

feindre [fɛ̃dʀ] *vt, vi* fingir; **~ de faire** fingir hacer

fêler [fele] *vt* (*verre, assiette*) resquebrajar; (*os*) astillar; **se fêler** *vpr* (*v vt*) resquebrajarse; astillarse

félicitations [felisitasjɔ̃] *nfpl* felicidades *fpl*

féliciter [felisite] *vt* felicitar; **~ qn (de qch/d'avoir fait qch)** felicitar a algn (por algo/por haber hecho algo); **se ~ de qch/d'avoir fait qch** alegrarse de algo/de haber hecho algo

félin, e [felɛ̃, in] *adj* felino(-a) ▪ *nm* felino

femelle [fəmɛl] *nf* hembra ▪ *adj*: **souris/perroquet ~** ratón *m*/loro hembra; **prise/tuyau ~** (*Élec, Tech*) enchufe *m*/tubo hembra

féminin, e [feminɛ̃, in] *adj* femenino(-a); (*vêtements etc*) de mujer; (*parfois péj*) afeminado(-a) ▪ *nm* (*Ling*) femenino

féministe [feminist] *adj, nm/f* feminista *m/f*

femme [fam] *nf* mujer *f*; **être très ~** ser muy femenina; **devenir ~** hacerse mujer; **jeune ~** mujer joven; **~ au foyer** ama de casa; **~ célibataire/mariée** mujer soltera/casada; **~ d'affaires/d'intérieur** mujer de negocios/de su casa; **~ de chambre** doncella; **~ de ménage** asistenta; **~ de tête/du monde** mujer de carácter/de mundo; **~ fatale** mujer fatal

fémur [femyʀ] *nm* fémur *m*

fendre [fɑ̃dʀ] *vt* hender; (*suj*: *gel, séisme etc*) resquebrajar; (*foule, flots*) abrirse paso entre; **se fendre** *vpr* henderse; **~ l'air** surcar el aire

fenêtre [f(ə)nɛtʀ] *nf* ventana; **regarder par la ~** mirar por la ventana; **~ à guillotine** ventana de guillotina; **~ de lancement** (*Espace*) ventana de lanzamiento

fenouil [fənuj] *nm* hinojo

fente [fɑ̃t] *nf* (*fissure*) grieta, hendidura; (*de boîte à lettres*) ranura; (*dans un vêtement*) abertura

fer [fɛʀ] *nm* hierro; (*de cheval*) herradura; **fers** *nmpl* (*Méd*: *forceps*) fórceps *m inv*; **objet de** *ou* **en ~** objeto de hierro; **santé/main de ~** salud *f*/mano de hierro; **mettre aux ~s** encadenar; **au ~ rouge** con el hierro al rojo; **~ à cheval** herradura; **en ~ à cheval** (*fig*) en herradura; **~ à friser** plancha de rizar; **~ (à repasser)** plancha; **~ à souder** soldador *m*; **~ à vapeur** plancha de vapor; **~ de lance** (*Mil, fig*) punta de lanza; **~ forgé** hierro forjado

ferai *etc* [fəʀe] *vb voir* **faire**

fer-blanc [fɛʀblɑ̃] (*pl* **fers-blancs**) *nm* hojalata

férié, e [feʀje] *adj*: **jour ~** día *m* festivo

ferions *etc* [fəʀjɔ̃] *vb voir* **faire**

ferme [fɛʀm] *adj* firme; (*chair*) prieto(-a) ▪ *adv*: **travailler ~** trabajar mucho ▪ *nf* granja; **discuter ~** discutir enérgicamente; **tenir ~** mantenerse firme; **~ désir/intention de faire** firme deseo/intención *f* de hacer

fermé, e [fɛʀme] *adj* (*aussi fig*) cerrado(-a); (*gaz, eau*) cortado(-a); (*personne, visage*) huraño(-a)

fermenter [fɛʀmɑ̃te] *vi* (*aussi fig*) fermentar

fermer [fɛʀme] *vt* cerrar; (*rideaux*) correr; (*eau, électricité, route*) cortar ▪ *vi* cerrar; **se fermer** *vpr* cerrarse; **~ à clef**

cerrar con llave; **~ au verrou** cerrar con cerrojo; **~ la lumière/la radio/la télévision** apagar la luz/la radio/la televisión; **~ les yeux (sur qch)** (*fig*) hacer la vista gorda (sobre algo); **elle se ferme à l'amour** rehúye el amor

fermeté [fɛʀməte] *nf* firmeza; (*des muscles*) dureza; **avec ~** con firmeza

fermeture [fɛʀmətyʀ] *nf* cierre *m*, cerradura; (*dispositif*) cerradura; **jour/heure de ~** día *m*/hora de cierre; **~ à glissière** cierre de cremallera; **~ éclair®** cierre relámpago

fermier, -ière [fɛʀmje, jɛʀ] *adj*: **beurre/cidre ~** mantequilla/sidra de granja ■ *nm/f* (*locataire*) granjero(-a), colono; (*propriétaire*) granjero(-a), arrendatario(-a)

fermière [fɛʀmjɛʀ] *nf* (*femme de fermier*) granjera

féroce [feʀɔs] *adj* (*aussi fig*) feroz

ferons [fəʀɔ̃] *vb voir* **faire**

ferrer [feʀe] *vt* (*cheval*) herrar; (*chaussure, canne*) guarnecer con hierro, ferrar; (*poisson*) enganchar con el anzuelo

ferroviaire [feʀɔvjɛʀ] *adj* ferroviario(-a)

ferry(-boat) [fɛʀe(bot)] (*pl* **~s** *ou* **ferries**) *nm* ferry *m*, transbordador *m*

fertile [fɛʀtil] *adj* (*aussi fig*) fértil; **~ en événements/incidents** fértil en acontecimientos/incidentes

fervent, e [fɛʀvɑ̃, ɑ̃t] *adj* ferviente

fesse [fɛs] *nf* nalga; **les ~s** las nalgas

fessée [fese] *nf* nalgada; **donner une ~ à** dar una nalgada a

festin [fɛstɛ̃] *nm* festín *m*

festival [fɛstival] *nm* festival *m*

festivités [fɛstivite] *nfpl* fiestas *fpl*

fêtard, e [fɛtaʀ, aʀd] (*péj*) *nm/f* juerguista *m/f*

fête [fɛt] *nf* fiesta; (*kermesse*) romería; (*d'une personne*) santo; **faire la ~** irse de juerga *ou* de farra (*AM*); **faire ~ à qn** festejar a algn; **se faire une ~ de** estar deseando; **jour de ~** día *m* de fiesta; **les ~s (de fin d'année)** las fiestas (de fin de año); **salle/comité des ~s** sala/comité *m* de fiestas; **la ~ des Mères/des Pères** el día de la madre/del padre; **la F~ Nationale** *aniversario de la revolución francesa*; **~ de charité** fiesta de caridad; **~ foraine** feria; **~ mobile** fiesta móvil

FÊTE DE LA MUSIQUE

La *fête de la Musique* es un festival de música que se ha venido celebrando anualmente en Francia desde 1981. Tiene lugar el 21 de junio, y ese día en toda Francia se puede asistir gratuitamente a las actuaciones de músicos locales en parques, calles y plazas.

fêter [fete] *vt* (*personne*) festejar; (*événement, anniversaire*) festejar, celebrar

fétide [fetid] *adj* fétido(-a)

feu[1] [fø] *adj inv*: **~ le roi/M Dupont** el difunto rey/Sr Dupont; **~ son père** su difunto padre

feu[2]**, x** [fø] *nm* fuego; (*signal lumineux*) luz *f*; (*fig*) fuego, ardor *m*; (*: sensation de brûlure*) escocedura; **feux** *nmpl* (*éclat, lumière*) destello *msg*; (*Auto: de circulation*) semáforo *msg*; **tous ~x éteints** con las luces apagadas; **au ~!** ¡fuego!; **à ~ doux/vif** a poco fuego/fuego vivo; **à petit ~** a fuego lento; (*fig*) lentamente; **faire ~** abrir fuego; **ne pas faire long ~** (*fig*) no durar mucho; **commander le ~** (*Mil*) dirigir el combate; **tué au ~** (*Mil*) muerto en combate; **mettre à ~** (*fusée*) encender; **~ nourri/roulant** (*Mil*) fuego intenso/graneado; **être pris entre deux ~x** (*fig*) estar entre la espada y la pared; **en ~** ardiendo, quemando; **être tout ~ tout flamme (pour)** estar entusiasmadísimo(-a) (con); **avoir le ~ sacré** tener el fuego sagrado; **prendre ~** (*maison*) incendiarse; (*vêtements, rideaux*) prender fuego; **mettre le ~ à** meterle fuego a; **faire du ~** hacer fuego; **avez-vous du ~?** ¿tiene fuego?; **donner le ~ vert à qch/qn** (*fig*) dar luz verde a algo/a algn; **s'arrêter aux ~x** *ou* **au ~ rouge** pararse en el semáforo *ou* con el disco rojo; **leur amour fut un ~ de paille** su amor fue efímero; **~ arrière** (*Auto*) luz *f* trasera, piloto trasero; **~ d'artifice** fuegos *mpl* de artificio; (*spectacle*) fuegos artificiales; **~ de camp/de cheminée** fuego de campamento/de chimenea; **~ de joie** fogata; **~ orange/rouge/vert** (*Auto*) disco ámbar/rojo/verde; **~x de brouillard/de croisement/de position/de stationnement** (*Auto*) luces *fpl* de niebla/de cruce/de posición/intermitentes; **~x de route** (*Auto*) luces largas *ou* de carretera

feuillage [fœjaʒ] *nm* follaje *m*

feuille [fœj] *nf* hoja; (*plaque: de carton*) lámina; **rendre ~ blanche** (*Scol*) entregar el examen en blanco; **~ de chou** (*fam: péj*) periodicucho; **~ de déplacement** (*Mil*) parte *m* de desplazamiento; **~ de maladie** informe *m* médico; **~ de métal** lámina de metal; **~ (de papier)** hoja (de papel); **~ de paye** aviso de pago; **~ de présence** parte de asistencia; **~ de route** (*Comm*) hoja de ruta; **~ de température** gráfico de temperatura; **~ de vigne** hoja de parra; **~ d'impôts** declaración *f* de impuestos; **~ d'or** lámina de oro; **~ morte** hoja seca; **~ volante** hoja suelta

feuillet [fœjɛ] *nm* pliego, página

feuilleté, e [fœjte] *adj* (*Culin*) hojaldrado(-a); (*verre*) laminado(-a) ■ *nm* (*gâteau*) hojaldre *m*

feuilleter [fœjte] *vt* (*livre*) hojear

feuilleton [fœjtɔ̃] *nm* (*aussi TV, Radio*) serial *m*; (*partie*) capítulo

feutre [føtʀ] *nm* fieltro; (*chapeau*) sombrero de fieltro; (*stylo*) rotulador *m*

feutré, e [føtʀe] *adj* (*tissu*) afelpado(-a); (*pas, voix, atmosphère*) amortiguado(-a)

fève [fɛv] *nf* haba; (*dans la galette des Rois*) sorpresa

février [fevʀije] *nm* febrero; *voir aussi* **juillet**

fiable [fjabl] *adj* fiable

fiançailles [fjɑ̃sɑj] *nfpl* noviazgo

fiancé, e [fjɑ̃se] *nm/f* novio(-a) ■ *adj*: **être ~ (à)** estar prometido(-a) (con)

fiancer [fjɑ̃se] *vpr*: **se fiancer**: **se ~ (avec)** prometerse (con)

fibre [fibʀ] *nf* fibra; (*de bois*) veta; (*fig*) vena; **avoir la ~ paternelle/militaire/patriotique** tener la vena paternal/militar/patriótica; **~ de verre/optique** fibra de vidrio/óptica

ficeler [fis(ə)le] *vt* atar

ficelle [fisɛl] *nf* cordón; (*pain*) violín *m*; **ficelles** *nfpl* (*procédés cachés*) artificios *mpl*; **tirer sur la ~** (*fig*) pasarse

fiche [fiʃ] *nf* ficha; (*formulaire*) ficha, impreso; (*Élec*) enchufe *m*; **~ de paye** nómina; **~ signalétique** (*Police*) ficha; **~ technique** ficha técnica

ficher [fiʃe] *vt* (*pour un fichier*) anotar en fichas; (*suj: police, personne*) fichar; **~ qch dans** clavar algo en; **il ne fiche rien** (*fam*) no da golpe; **cela me fiche la trouille** (*fam*) eso me da miedo; **fiche-le dans un coin** (*fam*) ponlo en un rincón; **~ qn à la porte** (*fam*) poner a algn de patitas en la calle; **fiche(-moi) le camp** (*fam*) lárgate; **fiche-moi la paix** (*fam*) déjame en paz; **se ficher dans** *vpr* (*s'enfoncer*) clavarse en, hundirse en; **se ~ de** (*fam*) tomar el pelo a

fichier [fiʃje] *nm* fichero; (*à cartes*) archivador *m*, fichero; **~ actif** *ou* **en cours d'utilisation** (*Inform*) fichero activo *ou* en uso; **~ d'adresses** fichero de direcciones

fichu, e [fiʃy] *pp de* **ficher** ■ *adj* (*fam: fini, inutilisable*) estropeado(-a) ■ *nm* (*foulard*) pañoleta; **être/n'être pas ~ de** (*fam*) ser/no ser capaz de; **être mal ~** (*fam: santé*) estar fastidiado(-a); **bien/mal ~** (*fam: habillé*) bien/mal arreglado(-a); **~ temps/caractère** tiempo/carácter *m* pajolero

fictif, -ive [fiktif, iv] *adj* ficticio(-a); (*promesse, nom*) falso(-a)

fiction [fiksjɔ̃] *nf* ficción *f*

fidèle [fidɛl] *adj* fiel; (*loyal*) fiel, leal ■ *nm/f* (*Rel, fig*) devoto(-a); **les ~s** (*Rel*) los fieles; **~ à** fiel a

fidélité [fidelite] *nf* fidelidad *f*; **~ conjugale** fidelidad conyugal

fier[1] [fje]: **se fier à** *vpr* fiarse de

fier[2]**, fière** [fje, fjɛʀ] *adj* orgulloso(-a); (*hautain, méprisant*) arrogante, altivo(-a); **~ de qch/qn** orgulloso(-a) de algo/algn; **avoir fière allure** tener muy buen aspecto

fierté [fjɛʀte] *nf* (*v adj*) orgullo; arrogancia

fièvre [fjɛvʀ] *nf* (*aussi fig*) fiebre *f*; **avoir de la ~/39 de ~** tener fiebre/39 de fiebre; **~ jaune/typhoïde** fiebre amarilla/tifoidea

fiévreux, -euse [fjevʀø, øz] *adj* febril

figer [fiʒe] *vt* (*sang*) coagular; (*sauce*) cuajar; (*mode de vie, institutions etc*) entorpecer; (*personne*) petrificar; **se figer** *vpr* (*sang*) coagularse; (*huile*) cuajarse; (*personne, sourire*) petrificarse; (*institutions etc*) anquilosarse

fignoler [fiɲɔle] *vt* dar el último toque a

figue [fig] *nf* higo

figuier [figje] *nm* higuera

figurant, e [figyʀɑ̃, ɑ̃t] *nm/f* (*aussi péj*) figurante *m/f*; (*Théâtre*) figurante, comparsa *m/f*; (*Ciné*) figurante, extra *m*

figure [figyʀ] *nf* figura; (*visage*) cara; (*illustration, dessin*) figura, ilustración *f*; (*aspect*) aspecto; **se casser la ~** (*fam*) partirse la cara; **faire ~ de** (*avoir l'air de*) aparentar ser; (*passer pour*) quedar como; **faire bonne ~** poner buena cara; **faire triste ~** estar cabizbajo(-a); **prendre ~** tomar cuerpo; **~ de rhétorique/de style** figura retórica/estilística

figuré, e [figyʀe] *adj* figurado(-a)

figurer [figyʀe] *vi* figurar ■ *vt* representar, figurar; **se ~ qch/que** imaginarse algo/que; **figurez-vous que ...** figúrese que ...

figurine [figyʀin] *nf* figurita

fil [fil] *nm* hilo; (*du téléphone*) cable *m*; (*tranchant*) filo; **au ~ des heures/des années** a lo largo *ou* con el correr de las horas/de los años; **le ~ d'une histoire/**

de ses pensées el hilo de una historia/de sus pensamientos; **au ~ de l'eau** a favor de la corriente; **de ~ en aiguille** de una cosa a otra; **ne tenir qu'à un ~** estar pendiente de un hilo; **donner du ~ à retordre à qn** dar mucha guerra a algn; **donner/recevoir un coup de ~** dar/recibir un telefonazo; **~ à coudre** hilo de coser; **~ à pêche** sedal *m*; **~ à plomb** plomada; **~ à souder** hilo de estaño; **~ de fer** alambre *m*; **~ de fer barbelé** alambre de espino; **~ électrique** cable eléctrico

file [fil] *nf* (*de voitures*) fila; (*de clients*) cola; **prendre la ~** ponerse a la cola; **prendre la ~ de droite** (*Auto*) coger el carril de la derecha; **se mettre en ~** (*Auto*) ponerse en fila; **stationner en double ~** (*Auto*) aparcar en doble fila; **à la ~** (*d'affilée*) seguidos(-as); (*l'un derrière l'autre*) en fila; **à la** *ou* **en ~ indienne** en fila india; **~ (d'attente)** cola

filer [file] *vt* hilar; (*verre*) soplar; (*dérouler*) soltar; (*note*) modular; (*prendre en filature*) seguir los pasos a ■ *vi* (*bas, maille*) correrse, hacerse una carrera; (*liquide, pâte*) fluir; (*aller vite*) pasar volando; (*fam*: *partir*) largarse; **~ qch à qn** (*fam*: *donner*) dar algo a algn; **~ à l'anglaise** despedirse a la francesa; **~ doux** ser dócil; **~ un mauvais coton** estar de capa caída

filet [filɛ] *nm* red *f*; (*à cheveux*) redecilla; (*de poisson*) filete *m*; (*viande*) solomillo; (*d'eau, sang*) hilo; **tendre un ~** (*suj*: *police*) tender una trampa; **~ (à bagages)** red (del equipaje); **~ (à provisions)** bolsa (de la compra)

filiale [filjal] *nf* filial *f*, sucursal *f*

filière [filjɛʀ] *nf* escalafón *m*; **suivre la ~** seguir el escalafón

fille [fij] *nf* chica; (*opposé à fils*) hija; (*vieilli*: *opposé à femme mariée*) soltera; (*péj*) mujerzuela; **petite ~** niña; **vieille ~** solterona; **~ de joie** prostituta; **~ de salle** (*d'un restaurant*) camarera; (*d'un hôpital*) auxiliar *f*

fillette [fijɛt] *nf* chiquilla

filleul, e [fijœl] *nm/f* ahijado(-a)

film [film] *nm* película; (*couche*) capa; **~ d'animation** película de animación; **~ muet/parlant** película muda/sonora; **~ policier** película policíaca

fils [fis] *nm* hijo; **le F~ (de Dieu)** (*Rel*) el Hijo (de Dios); **~ à papa** (*péj*) niño de papá; **~ de famille** niño bien

filtre [filtʀ] *nm* filtro; **"~ ou sans ~?"** "¿con filtro o sin filtro?"; **~ à air** filtro de aire

filtrer [filtʀe] *vt* filtrar; (*candidats, nouvelles*) hacer una criba de ■ *vi* filtrarse; (*nouvelle, rumeurs*) filtrarse

fin[1] [fɛ̃] *nf* final *m*; (*d'un projet, d'un rêve*: *aussi mort*) final, fin *m* ■ *nm voir* **fin**[2]; **fins** *nfpl* (*desseins*) fines *mpl*; **à (la) ~ mai/juin** a finales de mayo/junio; **en ~ de journée** al final del día; **prendre ~** terminar, acabar; **mener à bonne ~** llevar a buen término; **toucher à sa ~** llegar a su fin; **mettre ~ à qch** poner fin a algo; **mettre ~ à ses jours** poner fin a sus días; **à la ~** finalmente; **sans ~** sin fin, interminable; (*sans cesse*) sin cesar; **à cette ~** para *ou* con este fin; **à toutes ~s utiles** por si es *etc* de utilidad; **~ de non-recevoir** (*Jur, Admin*) desestimación *f* de demanda; **~ de section** (*de ligne d'autobus*) final de zona

fin[2]**, e** [fɛ̃, fin] *adj* fino(-a); (*taille*) delgado(-a); (*effilé*) afilado(-a); (*subtil*) agudo(-a) ■ *adv* fino ■ *nm*: **vouloir jouer au plus ~ (avec qn)** querer dárselas de listo (con algn); **c'est ~!** (*iro*) ¡qué gracioso!; **avoir la vue ~e/l'ouïe ~e** tener vista aguda/buen oído; **le ~ fond de ...** lo más recóndito de ...; **le ~ mot de ...** el quid de ...; **la ~e fleur de ...** la flor y nata de ...; **or ~** oro puro; **linge ~** lencería fina *ou* selecta; **vin ~** vino selecto; **être ~ gourmet** tener un paladar muy fino; **être ~ tireur** ser un muy buen tirador; **~es herbes** hierbas *fpl* aromáticas; **~e mouche** (*fig*) persona perspicaz; **~ prêt/soûl** completamente listo/borracho

final, e [final] *adj* último(-a); (*Philos*) final ■ *nm* (*Mus*) final *m*; **quart/8èmes/16èmes de ~e** cuarto/octavos/dieciseisavos de final; **cause ~e** causa final

finale [final] *nf* (*Sport*) final *f*

finalement [finalmɑ̃] *adv* finalmente; (*après tout*) al final, después de todo

finaliste [finalist] *nm/f* finalista *m/f*

finance [finɑ̃s] *nf*: **la ~** las finanzas; **finances** *nfpl* (*d'un club, pays*) fondos *mpl*; (*activités et problèmes financiers*) finanzas; **moyennant ~** con dinero

financer [finɑ̃se] *vt* financiar

financier, -ière [finɑ̃sje, jɛʀ] *adj* financiero(-a) ■ *nm* financiero

finesse [finɛs] *nf* finura; delgadez *f*; afilamiento; agudeza; **finesses** *nfpl* (*subtilités*) sutilezas *fpl*; **~ de goût** delicadeza de gusto; **~ d'esprit** agudeza de espíritu

fini, e [fini] *adj* terminado(-a), acabado(-a); (*mode*) pasado(-a); (*persona*) acabado(-a); (*machine etc*) obsoleto(-a); (*Math, Philosophie*) finito(-a) ■ *nm* (*d'un objet manufacturé*) perfección *f*; **bien/mal ~** (*travail, vêtement*) bien/mal terminado(-a), bien/mal rematado(-a); **un égoïste/artiste ~** (*valeur intensive*) un egoísta/artista consumado

finir [finiʀ] *vt* acabar, terminar; (*être placé en fin de*: *période, livre*) finalizar ■ *vi* terminarse, acabarse; **~ quelque part** terminar en algún sitio; **~ de faire qch** (*terminer*) acabar de hacer algo; (*cesser*) dejar de hacer algo; **~ par qch/par faire qch** (*gén*) acabar con algo/haciendo *ou* por hacer algo; **il finit par m'agacer** acaba molestándome; **~ en pointe/tragédie** acabar en punta/tragedia; **en ~ (avec qn/qch)** acabar (con algn/algo); **à n'en plus ~** interminable; **il a fini son travail** acabó su trabajo; **il n'a pas encore fini de parler** no ha acabado todavía de hablar; **il finit de manger** está acabando de comer; **cela/il va mal ~** eso/él acabará mal; **c'est bientôt fini?** ¿terminas o no?

finition [finisjɔ̃] *nf* acabado, último toque *m*

finlandais, e [fɛ̃lɑ̃dɛ, ɛz] *adj* finlandés(-esa) ■ *nm/f*: **Finlandais, e** finlandés(-esa)

Finlande [fɛ̃lɑ̃d] *nf* Finlandia

firme [fiʀm] *nf* firma

fis [fi] *vb voir* **faire**

fisc [fisk] *nm*: **le ~** el fisco

fiscal, e, -aux [fiskal, o] *adj* fiscal; **l'année ~e** el año fiscal

fiscalité [fiskalite] *nf* (*système*) régimen *m* tributario; (*charges*) cargas *fpl* fiscales

fissure [fisyʀ] *nf* (*aussi fig*) fisura

fissurer [fisyʀe] *vpr*: **se fissurer** agrietarse

fit [fi] *vb voir* **faire**

fixation [fiksasjɔ̃] *nf* fijación *f*; **~ (de sécurité)** (*de ski*) fijación (de seguridad)

fixe [fiks] *adj* fijo(-a) ■ *nm* (*salaire de base*) sueldo base; **à date/heure ~** en fecha/hora fijada; **menu à prix ~** menú *m* de precio fijo

fixé, e [fikse] *adj*: **être ~ (sur)** saber a qué atenerse (respecto a); **à l'heure ~e** en la hora fijada; **au jour ~** en el día fijado

fixer [fikse] *vt* fijar; (*personne*) estabilizar; (*poser son regard sur*) fijar la mirada en; **~ qch à/sur** sujetar algo a/en, fijar algo a/en; **~ son regard/son attention sur** fijar su mirada/su atención en; **~ son choix sur qch** elegir algo; **se ~ quelque part** establecerse en algún sitio; **se ~ sur** (*suj*: *regard, attention*) fijarse en

flacon [flakɔ̃] *nm* frasco

flageolet [flaʒɔlɛ] *nm* (*Mus*) chirimía; (*Culin*: *gén pl*) frijoles *mpl*

flagrant, e [flagʀɑ̃, ɑ̃t] *adj* flagrante; **prendre qn en ~ délit** coger a algn en flagrante delito

flair [flɛʀ] *nm* (*aussi fig*) olfato

flairer [fleʀe] *vt* olfatear; (*fig*) oler

flamand, e [flamɑ̃, ɑ̃d] *adj* flamenco(-a) ■ *nm* (*Ling*) flamenco ■ *nm/f*: **Flamand, e** flamenco(-a); **les F~s** los flamencos

flamant [flamɑ̃] *nm* (*Zool*) flamenco

flambant [flɑ̃bɑ̃] *adv*: **~ neuf** nuevo flamante

flambé, e [flɑ̃be] *adj*: **banane/crêpe ~e** plátano/crep *m* flameado

flambée [flɑ̃be] *nf* llamarada; **~ de violence** (*fig*) ola de violencia; **~ des prix** disparo de los precios

flamber [flɑ̃be] *vi* llamear ■ *vt* (*poulet*) chamuscar; (*aiguille*) flamear

flamboyer [flɑ̃bwaje] *vi* (*aussi fig*) resplandecer

flamme [flam] *nf* llama; (*fig*) pasión *f*; **en ~s** en llamas

flan [flɑ̃] *nm* flan *m*; **en rester comme deux ronds de ~** quedarse patidifuso(-a)

flanc [flɑ̃] *nm* (*Anat*) costado; (*d'une armée*) flanco; (*montagne*) ladera; **à ~ de montagne/colline** en la ladera de la montaña/colina; **tirer au ~** (*fam*) escurrir el bulto; **prêter le ~ à** (*fig*) dar pie a

flancher [flɑ̃ʃe] *vi* flaquear

flanelle [flanɛl] *nf* franela

flâner [flɑne] *vi* callejear, deambular

flanquer [flɑ̃ke] *vt* flanquear; **~ qch sur/dans** (*fam*: *mettre*) tirar algo a/en; **~ par terre** (*fam*) arrojar al suelo; **~ à la porte** (*fam*) echar a la calle; **~ la frousse à qn** (*fam*) meter miedo a algn; **être flanqué de** (*suj*: *personne*) estar escoltado por

flaque [flak] *nf* charco

flash [flaʃ] (*pl* **~es**) *nm* (*Photo*: *dispositif*) flash *m*; (: *lumière*) flash, destello; **au ~** con el flash; **~ d'information** flash informativo; **~ publicitaire** flash publicitario

flatter [flate] *vt* (*personne*) halagar, adular; (*suj*: *honneurs, amitié*) halagar; (*animal*) acariciar; **se ~ de qch/de pouvoir faire qch** vanagloriarse de algo/de poder hacer algo

flatteur, -euse [flatœʀ, øz] *adj* (*photo, profil*) halagüeño(-a); (*éloges*) halagador(a) ■ *nm/f* (*personne*) adulador(a)

flèche [flɛʃ] *nf* flecha; (*de clocher*) aguja; (*de grue*) aguilón *m*; (*critique*) dardo;

monter en ~ (*fig*) subir como una flecha; **partir en ~** (*fig*) marcharse como una flecha

fléchettes *nfpl* (*jeu*) dardos *mpl*

flemme [flɛm] *nf*: **j'ai la ~ de faire** me da una pereza hacer

flétrir [fletʀiʀ] *vt* (*fleur*) marchitar; (*fruit*) secar; (*peau, visage*) ajar; **se flétrir** *vpr* marchitarse; pasarse; ajarse; **~ la mémoire de qn** (*fig*) mancillar la memoria de algn

fleur [flœʀ] *nf* flor *f*; **être en ~** estar en flor; **tissu/papier/assiette à ~s** tejido/papel *m*/plato de flores; **la (fine) ~ de** (*fig*) la flor y nata de; **être ~ bleue** ser sentimental; **à ~ de terre/peau** a flor de tierra/piel; **faire une ~ à qn** hacer un favor a algn; **~ de lis** flor de lis

fleuri, e [flœʀi] *adj* (*aussi fig*) florido(-a); (*papier, tissu*) floreado(-a); (*péj: teint, nez*) colorado(-a)

fleurir [flœʀiʀ] *vi* (*aussi fig*) florecer ▪ *vt* poner flores en

fleuriste [flœʀist] *nm/f* florista *m/f*

fleuve [flœv] *nm* río; **~ de sang/boue** (*fig*) río de sangre/barro; **discours-~** discurso interminable; **roman-~** novelón *m*

flexible [flɛksibl] *adj* (*aussi fig*) flexible

flic [flik] (*fam: péj*) *nm* poli *m*

flipper[1] [flipœʀ] *nm* flíper *m*

flipper[2] [flipe] *vi* (*fam*) amargarse

flirter [flœʀte] *vi* flirtear

flocon [flɔkɔ̃] *nm* copo; (*de laine etc: boulette*) pelotilla; **~s d'avoine** copos *mpl* de avena

flore [flɔʀ] *nf* flora; **~ bactérienne/microbienne** flora bacteriana/microbiana

florissant, e [flɔʀisɑ̃, ɑ̃t] *vb voir* **fleurir** ▪ *adj* (*entreprise, commerce*) floreciente, próspero(-a); (*santé, mine*) rebosante

flot [flo] *nm* (*fig*) oleada; (*de paroles, etc*) río; (*marée*) marea; **flots** *nmpl* (*de la mer*) olas *fpl*, mar *fsg*; **mettre/être à ~** (*aussi fig*) sacar/estar a flote; **à ~s** a raudales

flottant, e [flɔtɑ̃, ɑ̃t] *adj* (*vêtement*) de vuelo, ancho(-a); (*non fixe*) fluctuante

flotte [flɔt] *nf* flota; (*fam: eau*) agua; (*: pluie*) lluvia

flotter [flɔte] *vi* flotar; (*drapeau, cheveux*) ondear; (*vêtements*) volar; (*Écon*) fluctuar ▪ *vb impers* (*fam*): **il flotte** llueve ▪ *vt* (*aussi*: **faire flotter**: *bois*) transportar mediante corriente fluvial

flotteur [flɔtœʀ] *nm* (*d'hydravion etc*) flotador *m*; (*de canne à pêche*) boya

flou, e [flu] *adj* borroso(-a); (*idée*) vago(-a); (*robe*) amplio(-a)

fluide [flɥid] *adj* fluido(-a) ▪ *nm* fluido; (*force invisible*) efluvio

fluor [flyɔʀ] *nm* flúor *m*

fluorescent, e [flyɔʀesɑ̃, ɑ̃t] *adj* fluorescente

flûte [flyt] *nf* flauta; (*verre*) copa; (*pain*) *barra pequeña de pan*; **petite ~** flautín *m*; **~!** ¡caramba!; **~ à bec/traversière** flauta dulce/travesera; **~ de Pan** zampoña

flux [fly] *nm* (*aussi fig*) flujo; **le ~ et le reflux** el flujo y el reflujo

FM [ɛfɛm] *sigle f* (= *fréquence modulée*) FM *f* (= *frecuencia modulada*)

foc [fɔk] *nm* foque *m*

foi [fwa] *nf* fe *f*; **sous la ~ du serment** bajo juramento; **avoir ~ en** tener fe en; **ajouter ~ à** dar crédito a; **faire ~** acreditar, testificar; **digne de ~** fidedigno(-a); **sur la ~ de** en base a; **bonne/mauvaise ~** buena/mala fe; **être de bonne/mauvaise ~** actuar con buena/mala fe; **ma ~!** ¡lo juro!

foie [fwa] *nm* hígado; **~ gras** foie-gras *m inv*

foin [fwɛ̃] *nm* heno; **faire les ~s** segar el heno; **faire du ~** (*fig: fam*) armar jaleo

foire [fwaʀ] *nf* mercado; (*fête foraine*) feria, romería; (*fam*) bulla; **faire la ~** (*fig: fam*) irse de juerga *ou* de farra (*AM*); **~ aux questions** preguntas frecuentes; **~ (exposition)** feria de muestras

fois [fwa] *nf*: **une/deux ~** una vez/dos veces; **2 ~ 2** 2 por 2; **deux/quatre ~ plus grand (que)** dos/cuatro veces mayor (que); **encore une ~** una vez más; **cette ~** esta vez; **la ~ suivante/précédente** la próxima vez/vez anterior; **une ~ pour toutes** de una vez por todas; **une ~ que c'est fait** una vez que esté hecho; **une ~ qu'il prend une décision, il ne ...** (*quand*) una vez que toma una decisión, no ...; **une ~ couché, il s'endort tout de suite** (*dès que*) en cuanto se acuesta, se duerme; **à la ~** (*ensemble*) a la vez; **à la ~ grand et beau** grande y a la vez bonito; **des ~** a veces; **chaque ~ que** cada vez que; **si des ~ ...** (*fam*) si por casualidad ...; **"non mais, des ~!"** (*fam*) "¡ya vale!", "¡ya está bien!"; **il était une ~ ...** había una vez ...

fol [fɔl] *adj voir* **fou**

folie [fɔli] *nf* locura; **la ~ des grandeurs** el delirio de grandeza; **faire des ~s** hacer locuras, gastar a lo loco

folklorique [fɔlklɔʀik] *adj* folklórico(-a); (*péj*) estrambótico(-a)

folle [fɔl] *adj f, nf voir* **fou**
follement [fɔlmɑ̃] *adv (amoureux)* locamente; *(drôle, intéressant)* tremendamente; **avoir ~ envie de** tener unos celos tremendos de
foncé, e [fɔ̃se] *adj* oscuro(-a); **bleu/rouge ~** azul/rojo oscuro
foncer [fɔ̃se] *vt* oscurecer ▪ *vi* oscurecerse; *(fam: aller vite)* ir volando; **~ sur** *(fam)* arremeter contra
fonction [fɔ̃ksjɔ̃] *nf* función *f*; *(profession)* profesión *f*; *(poste)* cargo; **fonctions** *nfpl (activité, pouvoirs)* competencias *fpl*; *(corporelles, biologiques)* funciones *fpl*; **entrer en/reprendre ses ~s** tomar posesión de/reincorporarse a su cargo; **voiture/maison de ~** coche *m*/casa oficial; **être ~ de** depender de; **en ~ de** dependiendo de; **faire ~ de** *(suj: personne)* hacer las veces de; *(chose)* servir para; **la ~ publique** la función pública
fonctionnaire [fɔ̃ksjɔnɛʀ] *nm/f* funcionario(-a)
fonctionnement [fɔ̃ksjɔnmɑ̃] *nm* funcionamiento
fonctionner [fɔ̃ksjɔne] *vi* funcionar; **faire ~** poner en funcionamiento
fond [fɔ̃] *nm* fondo; **un ~ de verre/bouteille** el resto del vaso/de la botella; **donnez m'en seulement un ~** *(d'alcool etc)* póngame sólo un dedo; **le ~** *(Sport)* el fondo; **course/épreuve de ~** carrera/prueba de fondo; **au ~ de** *(récipient)* en el fondo de; *(salle)* al fondo de; **aller au ~ des choses/du problème** ir al fondo de las cosas/del problema; **le ~ de sa pensée** el fondo de su pensamiento; **sans ~** *(très profond)* sin fondo; **toucher le ~** *(aussi fig)* tocar fondo; **envoyer par le ~** echar a pique; **à ~** a fondo; *(soutenir)* a capa y espada; **à ~ (de train)** *(fam)* a todo correr, a toda marcha; **dans le ~, au ~** en resumidas cuentas; **de ~ en comble** de arriba a abajo; **~ de teint** maquillaje *m* de fondo; **~ sonore** fondo sonoro
fondamental, e, -aux [fɔ̃damɑ̃tal, o] *adj* fundamental
fondant, e [fɔ̃dɑ̃, ɑ̃t] *adj*: **la neige/glace ~e** la nieve/el hielo que se derrite ▪ *nm (bonbon)* bombón *m* (extra fino); **gâteau ~** *(au goût) pastel que se deshace en la boca*
fondation [fɔ̃dasjɔ̃] *nf* fundación *f*; **fondations** *nfpl (d'une maison)* cimientos *mpl*; **travaux de ~** *(Constr)* trabajos *mpl* de cimentación
fondé, e [fɔ̃de] *adj* fundado(-a); **bien/mal ~** bien/mal fundado(-a); **être ~ à croire** *etc* estar facultado(-a) *ou* autorizado(-a) para creer *etc*
fondement [fɔ̃dmɑ̃] *nm (le postérieur)* trasero; **fondements** *nmpl (d'un édifice)* cimientos *mpl*; *(de la société, d'une théorie)* cimientos, base *fsg*; **sans ~** sin fundamento
fonder [fɔ̃de] *vt* fundar; **~ qch sur** *(fig)* basar algo en; **se ~ sur qch** *(personne)* basarse en algo; **~ un foyer** fundar un hogar
fonderie [fɔ̃dʀi] *nf* fundición *f*
fondre [fɔ̃dʀ] *vt (neige, glace)* fundir, derretir; *(métal)* fundir; *(dans l'eau: sucre)* disolver; *(mélanger)* mezclar ▪ *vi* fundirse, derretirse; *(métal)* fundirse; *(dans l'eau)* disolverse; *(argent, courage)* esfumarse; **~ sur** *(se précipiter)* abatirse sobre; **se fondre** *vpr* confundirse; **faire ~** derretir; *(sucre)* disolver; **~ en larmes** deshacerse en lágrimas
fonds [fɔ̃] *nm (aussi fig)* fondo ▪ *nmpl (argent)* fondos *mpl*; **~ (de commerce)** fondo de comercio; **être en ~** tener fondos *ou* dinero; **à ~ perdus** a fondo perdido; **mise de ~** inversión *f* de capital; **le F~ monétaire international** el Fondo Monetario Internacional; **~ de roulement** fondo de operaciones; **~ publics** fondos *mpl* públicos
fondu, e [fɔ̃dy] *adj (beurre)* derretido(-a); *(neige)* fundido(-a), derretido(-a); *(métal)* fundido(-a); *(fig)* desvanecido(-a) ▪ *nm (Ciné)* fundido; **~ enchaîné** fundido encadenado
fondue [fɔ̃dy] *nf*: **~ (savoyarde)/bourguignonne** fondue *f* (saboyana)/burguiñona
font [fɔ̃] *vb voir* **faire**
fontaine [fɔ̃tɛn] *nf* fuente *f*
fonte [fɔ̃t] *nf (de la neige)* deshielo; *(d'un métal)* fundición *f*; *(métal)* hierro fundido *ou* colado; **en ~ émaillée** de hierro esmaltado; **la ~ des neiges** el deshielo
foot(ball) [fut(bol)] *nm* fútbol *m*; **jouer au foot(ball)** jugar al fútbol
footballeur, -euse [futbolœʀ, øz] *nm/f* futbolista *m/f*
footing [futiŋ] *nm*: **faire du ~** hacer footing
forain, e [fɔʀɛ̃, ɛn] *adj* ferial ▪ *nm/f (marchand)* feriante *m/f*; *(bateleur)* saltimbamqui *m*, titiritero(-a)
forçat [fɔʀsa] *nm* forzado
force [fɔʀs] *nf* fuerza; *(d'une armée)* potencia; *(intellectuelle, morale)* fortaleza; **forces** *nfpl (Mil, physiques)* fuerzas *fpl*; **d'importantes ~s de police** importantes

efectivos de la policía; **avoir de la ~** tener fuerza; **ménager ses/reprendre des ~s** ahorrar/recuperar fuerzas; **être à bout de ~** estar agotado(-a); **c'est au-dessus de mes/ses ~s** supera mis/sus fuerzas; **de toutes mes/ses ~s** con todas mis/sus fuerzas; **à la ~ du poignet** (*fig*) a pulso; **à ~ de critiques/de le critiquer/de faire** a fuerza de críticas/de criticarlo/de hacer; **arriver en ~** llegar en gran número; **de ~** (*prendre, enlever*) a la fuerza; **par la ~** por fuerza; **à toute ~** (*absolument*) a toda costa; **cas de ~ majeure** caso de fuerza mayor; **faire ~ de rames** remar con todas las fuerzas; **être de ~ à faire qch** ser capaz de hacer algo; **dans la ~ de l'âge** en la madurez; **de première ~** de primera; **par la ~ des choses** debido a las circunstancias; **par la ~ de l'habitude** por la fuerza de la costumbre; **la ~** (*Élec*) la energía; **la ~ armée** las fuerzas armadas; **la ~ publique** la fuerza pública; **les ~s de l'ordre** las fuerzas del orden; **c'est une ~ de la nature** (*personne*) es un sansón; **~ centrifuge/d'inertie** fuerza centrífuga/de la inercia; **~ d'âme** ánimo, valor *m*; **~ de caractère** fuerza de carácter; **~ de dissuasion** *ou* **de frappe** fuerza de disuasión; **~s d'intervention** fuerzas de intervención

forcé, e [fɔʀse] *adj* (*rire, attitude*) forzado(-a); (*bain, atterrissage*) forzoso(-a); (*comparaison*) rebuscado(-a); **c'est ~!** ¡es lógico!, ¡es inevitable!

forcément [fɔʀsemɑ̃] *adv* (*obligatoirement*) forzosamente; (*bien sûr*) como es lógico; **pas ~** no necesariamente; **il n'est pas ~ bête** no es que sea tonto

forcer [fɔʀse] *vt* forzar; (*Agr*) impulsar el crecimiento de ■ *vi* esforzarse; **~ qn à qch/à faire qch** obligar a algn a algo/a hacer algo; **se ~ à qch/faire qch** obligarse a algo/a hacer algo; **~ la main à qn** apretarle los tornillos a algn; **~ la dose** cargar la mano; **~ l'allure** aligerar; **~ la décision** determinar la decisión; **~ le destin** ir contra el destino; **~ l'attention** llamar la atención; **~ le respect** imponer el respeto; **~ la consigne** desacatar las órdenes

forestier, -ière [fɔʀɛstje, jɛʀ] *adj* forestal

forêt [fɔʀɛ] *nf* bosque *m*; **Office national des ~s** ≈ ICONA (*Instituto para la conservación de la naturaleza*); **~ vierge** selva virgen

forfait [fɔʀfɛ] *nm* (*Comm*) ajuste *m*; (*crime*) crimen *m*; **déclarer ~** (*Sport*) retirarse; **gagner par ~** ganar por incomparecencia; **travailler à ~** trabajar a destajo; **vendre/acheter à ~** vender/comprar a tanto alzado

forfaitaire [fɔʀfɛtɛʀ] *adj* concertado(-a)

forge [fɔʀʒ] *nf* forja; (*usine*) herrería

forgeron [fɔʀʒəʀɔ̃] *nm* herrero

formaliser [fɔʀmalize] *vpr*: **se formaliser** molestarse; **se ~ de qch** molestarse por algo

formalité [fɔʀmalite] *nf* requisito, trámite *m*; **simple ~** mera formalidad *f*

format [fɔʀma] *nm* formato; **petit ~** de tamaño pequeño

formater [fɔʀmate] *vt* formatear; **non formaté** sin formatear

formation [fɔʀmasjɔ̃] *nf* formación *f*; (*apprentissage*) educación *f*; **en ~** (*Mil, Aviat*) en formación; **la ~ permanente/continue** la formación permanente/continua; **la ~ professionnelle/des adultes** la formación profesional/de adultos

forme [fɔʀm] *nf* forma; (*type*) tipo; **formes** *nfpl* (*manières*) formas *fpl*; **en ~ de poire** con forma de pera; **sous ~ de** en forma de; **être en (bonne/pleine) ~** estar en (buena/plena) forma; **avoir la ~** estar en forma; **en bonne et due ~** con todos los requisitos; **y mettre les ~s** hacer las cosas como Dios manda; **sans autre ~ de procès** (*fig*) sin más ni más; **pour la ~** para guardar las apariencias; **prendre ~** tomar cuerpo

formel, le [fɔʀmɛl] *adj* (*preuve, décision*) categórico(-a); (*logique*) formal; (*extérieur*) formalista

formellement [fɔʀmɛlmɑ̃] *adv* absolutamente

former [fɔʀme] *vt* formar; (*projet, idée*) concebir; (*caractère, intelligence, goût*) formar, desarrollar; (*lettre etc*) componer; **se former** *vpr* formarse

formidable [fɔʀmidabl] *adj* estupendo(-a)

formulaire [fɔʀmylɛʀ] *nm* impreso

formule [fɔʀmyl] *nf* fórmula; (*de vacances, crédit*) sistema *m*; **selon la ~ consacrée** según la expresión consagrada; **~ de politesse** fórmula de cortesía; (*en fin de lettre*) fórmula epistolar

fort, e [fɔʀ, fɔʀt] *adj* (*aussi fig*) fuerte; (*élevé*) alto(-a); (*gros*) grueso(-a); (*quantité*) importante; (*soleil*) intenso(-a) ■ *adv* (*frapper, serrer, sonner*) con fuerza; (*parler*) alto; (*beaucoup*) mucho; (*très*) muy ■ *nm* (*édifice, fig*) fuerte *m*; **le(s) ~(s)**

(*gén pl: personne, pays*) los fuertes; **être ~ (en)** (*doué*) ser bueno(-a) (en); **c'est un peu ~!** ¡ya es demasiado!, ¡se pasa!; **à plus ~e raison** con mayor motivo; **se faire ~ de faire** comprometerse a hacer; **~ bien/peu** muy bien/poco; **au plus ~ de** en lo más álgido de; **vous aurez ~ à faire pour le convaincre** le costará trabajo convencerle; **~ comme un Turc** fuerte como un toro; **~e tête** rebelde *m/f*

forteresse [fɔʀtəʀɛs] *nf* fortaleza

fortifiant, e [fɔʀtifjɑ̃, jɑ̃t] *adj* fortificante ■ *nm* reconstituyente *m*

fortune [fɔʀtyn] *nf* fortuna; **des ~s diverses** (*sort*) diversas suertes; **faire ~** hacer fortuna; **de ~** improvisado(-a); **bonne/mauvaise ~** buena/mala fortuna

fortuné, e [fɔʀtyne] *adj* afortunado(-a)

forum [fɔʀɔm] *nm*: **~ de discussion** (*Internet*) foro de discusión; **participer à un ~ de discussion** participar en un foro de discusión

fosse [fos] *nf* fosa; **~ à purin** depósito de aguas de estiércol; **~ aux lions/aux ours** foso de los leones/de los osos; **~ commune** fosa común; **~ (d'orchestre)** foso (de la orquesta); **~ septique** fosa séptica; **~s nasales** fosas *fpl* nasales

fossé [fose] *nm* zanja; (*fig*) abismo

fossette [fosɛt] *nf* hoyuelo

fossile [fosil] *nm* fósil *m* ■ *adj*: **animal/coquillage ~** animal *m*/concha fósil

fou (fol), folle [fu, fɔl] *adj* loco(-a); (*regard*) extraviado(-a); (*fam: extrême*) inmenso(-a) ■ *nm/f* loco(-a) ■ *nm* (*d'un roi*) bufón *m*; (*Échecs*) alfil *m*; **fou de Bassan** alcatraz *m*; **fou à lier** loco(-a) de atar; **fou furieux/folle furieuse** loco(-a) agresivo(-a); **être fou de** estar loco(-a) por; **fou de chagrin** trastornado(-a) por el dolor; **fou de colère/joie** loco(-a) de ira/alegría; **faire le fou** hacer el tonto *ou* el indio; **avoir le fou rire** tener un ataque de risa; **ça prend un temps fou** (*fam*) esto lleva mucho tiempo; **il a eu un succès fou** (*fam*) tuvo un éxito loco; **herbe folle** hierbajo

foudre [fudʀ] *nf* rayo; **foudres** *nfpl* (*colère*) iras *fpl*; **s'attirer les ~s de qn** ganarse las iras de algn

foudroyant, e [fudʀwajɑ̃, ɑ̃t] *adj* fulminante

fouet [fwɛ] *nm* látigo, fuete (*AM*), rebenque (*AM*); (*Culin*) batidor *m*; **de plein ~** (*heurter*) de frente

fouetter [fwete] *vt* dar latigazos a; (*Culin, pluie, vagues etc*) batir

fougère [fuʒɛʀ] *nf* helecho

fougue [fug] *nf* fogosidad *f*

fougueux, -euse [fugø, øz] *adj* fogoso(-a)

fouille [fuj] *nf* (*v vt*) cacheo; registro; **fouilles** *nfpl* (*archéologiques*) excavaciones *fpl*

fouiller [fuje] *vt* (*suspect*) cachear; (*local, quartier*) registrar; (*creuser*) excavar; (*approfondir*) ahondar en ■ *vi* (*archéologue*) hacer excavaciones; **~ dans/parmi** hurgar en/entre

fouillis [fuji] *nm* revoltijo

foulard [fulaʀ] *nm* pañuelo; (*étoffe*) fular *m*

foule [ful] *nf*: **la ~** la muchedumbre, el gentío; **une ~ énorme/émue** una muchedumbre inmensa/emocionada; **une ~ de** una multitud de; **les ~s** las masas; **venir en ~** (*aussi fig*) llegar en masa

foulée [fule] *nf* (*Sport*) zancada; **dans la ~ de** inmediatamente después de

fouler [fule] *vt* (*écraser*) prensar; (*raisin*) pisar; **se fouler** *vpr* (*fam*) matarse trabajando; **se ~ la cheville/le bras** torcerse el tobillo/el brazo; **~ aux pieds** (*fig*) pasar por encima de; **~ le sol de son pays** pisar el suelo de su país

foulure [fulyʀ] *nf* esguince *m*

four [fuʀ] *nm* horno; (*échec*) fracaso; **allant au ~** resistente al horno

fourche [fuʀʃ] *nf* horca; (*de bicyclette*) horquilla; (*d'une route*) bifurcación *f*

fourchette [fuʀʃɛt] *nf* tenedor *m*; (*Statistique*) gama; **~ à dessert** tenedor de postre

fourchu, e [fuʀʃy] *adj* (*cheveu*) abierto(-a) en las puntas; (*arbre*) bifurcado(-a)

fourgon [fuʀgɔ̃] *nm* furgón *m*; **~ mortuaire** funeraria

fourgonnette [fuʀgɔnɛt] *nf* furgoneta

fourmi [fuʀmi] *nf* hormiga; **avoir des ~s dans les jambes/mains** (*fig*) tener un hormigueo en las piernas/manos

fourmilière [fuʀmiljɛʀ] *nf* (*aussi fig*) hormiguero

fourmiller [fuʀmije] *vi* (*gens*) hormiguear; **~ de** (*lieu*) estar plagado(-a) de

fourneau, x [fuʀno] *nm* horno

fourni, e [fuʀni] *adj* (*barbe, cheveux*) tupido(-a), poblado(-a); **bien/mal ~ (en)** bien/mal equipado(-a) (en)

fournir [fuʀniʀ] *vt* proporcionar; (*effort*) realizar; (*chose*) dar, proporcionar; **se fournir** *vpr*: **se ~ chez** abastecerse en; **~ qch à qn** proporcionar algo a algn; **~ qn en** abastecer a algn de

fournisseur, -euse [furnisœr, øz] *nm/f* proveedor(a)
fournitures *nfpl* material *msg*
fourrage [furaʒ] *nm* forraje *m*
fourré, e [fure] *adj* (*bonbon*) relleno(-a); (*manteau, botte*) forrado(-a) ■ *nm* maleza
fourrer [fure] (*fam*) *vt*: **~ qch dans** meter algo en; **se fourrer** *vpr*: **se ~ dans/sous** meterse en/bajo
fourrière [furjɛr] *nf* (*pour chiens*) perrera; (*voitures*) depósito de coches
fourrure [furyr] *nf* piel *f*; **manteau/col de ~** abrigo/cuello de piel
foutre [futr] (*fam!*) *vt* = **ficher**
foutu, e [futy] (*fam!*) *adj* = **fichu**
foyer [fwaje] *nm* hogar *m*; (*fig*) foco; (*Théâtre*) vestíbulo; (*d'étudiants etc*) residencia; (*salon*) salón *m*; **lunettes à double ~** gafas *fpl ou* anteojos *mpl* (*AM*) bifocales
fracassant, e [frakasɑ̃, ɑ̃t] *adj* (*fig*) estrepitoso(-a)
fraction [fraksjɔ̃] *nf* fracción *f*; (*Math*) fracción, quebrado; **une ~ de seconde** una fracción de segundo
fracture [fraktyr] *nf* (*Méd*) fractura; **~ de la jambe/du crâne** fractura de pierna/de cráneo; **~ ouverte** fractura abierta
fracturer [fraktyre] *vt* (*coffre, serrure*) forzar; (*os, membre*) fracturar; **se ~ la jambe/le crâne** fracturarse la pierna/el cráneo
fragile [fraʒil] *adj* (*aussi fig*) frágil; (*santé, personne*) delicado(-a)
fragilité [fraʒilite] *nf* fragilidad *f*
fragment [fragmɑ̃] *nm* (*d'un objet*) fragmento, trozo; (*d'un discours*) fragmento
fraîche [frɛʃ] *adj voir* **frais**
fraîcheur [frɛʃœr] *nf* (*voir frais*) frescor *m*, frescura; lozanía; frialdad *f*
fraîchir [freʃir] *vi* refrescar; (*vent*) levantarse
frais, fraîche [frɛ, frɛʃ] *adj* fresco(-a); (*teint*) lozano(-a); (*accueil*) frío(-a) ■ *adv*: **il fait ~** hace *ou* está fresco ■ *nm*: **mettre au ~** poner en el frigorífico ■ *nmpl* (*Comm, dépenses*) gastos *mpl*; **le voilà ~!** (*iron*) ¡va listo!, ¡está arreglado!; **des troupes fraîches** tropas *fpl* de refresco; **~ et dispos** preparado y listo; **à boire/servir ~** beber/servir frío; **légumes/fruits ~** verduras *fpl*/frutas *fpl* frescas; **~ débarqué de sa province** recién llegado de su provincia; **prendre le ~** tomar el fresco; **faire des ~** hacer gasto; **à grands/peu de ~** con mucho/poco gasto; **faire les ~ de** (*fig*) pagar la factura de; **faire les ~ de la conversation** ser el centro de la conversación; **rentrer dans ses ~** recuperar su dinero; **tous ~ payés** con todos los gastos pagados; **en être pour ses ~** (*aussi fig*) haber perdido el tiempo; **~ d'entretien** *nmpl* gastos de mantenimiento; **~ de déplacement/logement** gastos de desplazamiento/alojamiento; **~ de scolarité** gastos de matrícula; **~ fixes/variables** gastos fijos/variables; **~ généraux** gastos generales
fraise [frɛz] *nf* (*Bot, Tech*) fresa, frutilla (*AM*); (*de dentiste*) torno, fresa; **~ des bois** fresa silvestre
framboise [frɑ̃bwaz] *nf* frambuesa
franc, franche [frɑ̃, frɑ̃ʃ] *adj* franco(-a); (*refus, couleur*) claro(-a); (*coupure*) limpio(-a); (*intensif*) auténtico(-a) ■ *adv*: **à parler ~** francamente ■ *nm* (*Hist: monnaie*) franco; **~ de port** porte pagado; **ancien ~, ~ léger** franco viejo; **nouveau ~, ~ lourd** franco nuevo; **~ suisse** franco suizo
français, e [frɑ̃sɛ, ɛz] *adj* francés(-esa) ■ *nm* (*Ling*) francés *m* ■ *nm/f*: **Français, e** francés(-esa); **les F~** los franceses
France [frɑ̃s] *nf* Francia
franche [frɑ̃ʃ] *adj f voir* **franc**
franchement [frɑ̃ʃmɑ̃] *adv* francamente; (*tout à fait*) realmente; (*excl*) ¡pero bueno!
franchir [frɑ̃ʃir] *vt* (*aussi fig*) salvar; (*seuil*) franquear
franchise [frɑ̃ʃiz] *nf* franqueza; (*douanière, Assurance*) franquicia; (*Comm*) licencia; **en toute ~** con toda franqueza; **~ de bagages** franquicia de equipaje
franc-maçon [frɑ̃masɔ̃] (*pl* **~s**) *nm* francmasón(-ona)
franco [frɑ̃ko] *adv* (*Comm*): **~ (de port)** porte pagado
franco- [frɑ̃ko] *préf* franco-
francophone [frɑ̃kɔfɔn] *adj, nm/f* francófono(-a)
franc-parler [frɑ̃parle] *nm inv* franqueza
frange [frɑ̃ʒ] *nf* fleco, franja; (*de cheveux*) flequillo; (*fig*) franja
frangipane [frɑ̃ʒipan] *nf* crema almendrada
frappant, e [frapɑ̃, ɑ̃t] *adj* sorprendente
frappé, e [frape] *adj* (*vin, café*) helado(-a); **~ de** *ou* **par qch** impresionado(-a) por algo; **~ de panique**

presa del pánico; **~ de stupeur** estupefacto(-a)
frapper [fʀape] *vt* golpear; (*fig*) impresionar; (*malheur, impôt*) afectar; (*monnaie*) acuñar; **se frapper** *vpr* (*s'inquiéter, s'étonner*) impresionarse; **~ à la porte** llamar a la puerta; **~ dans ses mains** golpear con las manos; **~ du poing sur** dar un puñetazo en; **~ un grand coup** (*fig*) asestar un duro golpe
fraternel, le [fʀatɛʀnɛl] *adj* fraterno(-a); (*amical*) fraterno(-a), amistoso(-a)
fraternité [fʀatɛʀnite] *nf* fraternidad *f*
fraude [fʀod] *nf* fraude *m*; **passer qch en ~** pasar algo fraudulentamente; **~ électorale/fiscale** fraude electoral/fiscal
frayeur [fʀɛjœʀ] *nf* pavor *m*
fredonner [fʀədɔne] *vt* tararear
freezer [fʀizœʀ] *nm* congelador *m*
frein [fʀɛ̃] *nm* freno; **mettre un ~ à** (*fig*) poner freno a; **sans ~** sin freno; **~s à disques** frenos *mpl* de disco; **~ à main** freno de mano; **~s à tambours** frenos de tambor; **~ moteur** freno motor
freiner [fʀene] *vi* frenar ▪ *vt* frenar, parar
frêle [fʀɛl] *adj* frágil
frelon [fʀəlɔ̃] *nm* abejón *m*
frémir [fʀemiʀ] *vi* estremecerse; (*eau*) empezar a hervir; (*feuille etc*) temblar; **~ d'impatience/de colère** temblar de impaciencia/de ira
frêne [fʀɛn] *nm* fresno
fréquemment [fʀekamɑ̃] *adv* frecuentemente, seguido (*AM*)
fréquent, e [fʀekɑ̃, ɑ̃t] *adj* frecuente; (*opposé à rare*) corriente
fréquentation [fʀekɑ̃tasjɔ̃] *nf* frecuentación *f*, trato; **fréquentations** *nfpl* (*relations*): **de bonnes ~s** buenas relaciones; **une mauvaise ~** una mala compañía
fréquenté, e [fʀekɑ̃te] *adj*: **très ~** muy concurrido(-a); **mal ~** frecuentado(-a) por gente indeseable
fréquenter [fʀekɑ̃te] *vt* frecuentar; (*personne*) tratar, frecuentar; (*courtiser*) salir con; **se fréquenter** *vpr* tratarse, frecuentarse
frère [fʀɛʀ] *nm* hermano; (*Rel*) hermano, fraile *m*; **partis/pays ~s** partidos *mpl*/ países *mpl* hermanos
fresque [fʀɛsk] *nf* fresco; (*Litt*) retrato
fret [fʀɛ(t)] *nm* flete *m*
friand, e [fʀijɑ̃, fʀijɑ̃d] *adj*: **~ de** entusiasta de ▪ *nm* (*Culin*) empanadilla; (: *sucré*) empanadilla dulce
friandise [fʀijɑ̃diz] *nf* golosina
fric [fʀik] (*fam*) *nm* pasta
friche [fʀiʃ]: **en ~** *adj, adv* (*aussi fig*) inculto(-a)
friction [fʀiksjɔ̃] *nf* fricción *f*; (*chez le coiffeur*) masaje *m*; (*Tech*) rozamiento; (*fig*) fricciones *fpl*
frigidaire® [fʀiʒidɛʀ] *nm* nevera, frigorífico
frigo [fʀigo] *nm* = *frigidaire*
frigorifique [fʀigɔʀifik] *adj* frigorífico(-a)
frileux, -euse [fʀilø, øz] *adj* friolero(-a); (*fig*) encogido(-a)
frimer [fʀime] (*fam*) *vi* chulear
fringale [fʀɛ̃gal] *nf*: **avoir la ~** tener un hambre canina
fringues [fʀɛ̃g] (*fam*) *nfpl* trapos *mpl*
fripé, e [fʀipe] *adj* arrugado(-a)
frire [fʀiʀ] *vt* (*aussi*: **faire frire**) freír ▪ *vi* freírse
frisé, e [fʀize] *adj* rizado(-a); **(chicorée) ~e** (achicoria) rizada
frisson [fʀisɔ̃] *nm* escalofrío, estremecimiento
frissonner [fʀisɔne] *vi* tiritar, estremecerse; (*fig*) temblar
frit, e [fʀi, fʀit] *pp de* **frire** ▪ *adj* frito(-a); **(pommes) ~es** patatas *fpl ou* papas *fpl* (*AM*) fritas
frite [fʀit] *nf* patata frita
friteuse [fʀitøz] *nf* freidora; **~ électrique** freidora eléctrica
friture [fʀityʀ] *nf* (*huile*) aceite *m*; (*Radio*) ruido de fondo; **fritures** *nfpl*: **les ~s** los fritos; **~ (de poissons)** fritura (de pescado)
froid, e [fʀwa, fʀwad] *adj* (*aussi fig*) frío(-a) ▪ *nm*: **le ~** el frío; (*industrie*) la industria del frío; **il y a un ~ entre eux** hay tirantez entre ellos; **il fait ~** hace frío; **manger/boire ~** comer/beber frío; **avoir/prendre ~** tener/coger frío; **à ~** en frío; **les grands ~s** los grandes fríos; **jeter un ~** (*fig*) provocar el asombro; **être en ~ avec qn** estar enfadado(-a) con algn; **battre ~ à qn** tratar con frialdad a algn
froidement [fʀwadmɑ̃] *adv* con frialdad
froisser [fʀwase] *vt* arrugar; (*fig*) ofender; **se froisser** *vpr* arrugarse; (*fig*) mosquearse; **se ~ un muscle** distendérsele a algn un músculo
frôler [fʀole] *vt* (*aussi fig*) rozar
fromage [fʀɔmaʒ] *nm* queso; **~ blanc** queso fresco, requesón *m*; **~ de tête** queso de cerdo
froment [fʀɔmɑ̃] *nm* trigo
froncer [fʀɔ̃se] *vt* fruncir; **~ les sourcils** fruncir el ceño
fronde [fʀɔ̃d] *nf* honda; (*lance-pierre*)

tirachinas *m inv*; **esprit de ~** (*fig*) espíritu *m* crítico

front [fʀɔ̃] *nm* (*Anat*) frente *f*; (*Mil, Météo, fig*) frente *m*; **le F~ de libération/lutte pour** el frente de liberación/lucha por; **aller au/être sur le ~** (*Mil*) ir al/estar en el frente; **avoir le ~ de faire qch** tener la cara de hacer algo; **de ~** de frente; (*rouler*) al lado; (*simultanément*) al mismo tiempo; **faire ~ à** hacer frente a; **~ de mer** paseo marítimo

frontalier, -ière [fʀɔ̃talje, jɛʀ] *adj* fronterizo(-a) ■ *nm/f*: **(travailleurs) ~s** (trabajadores *mpl*) fronterizos *mpl*

frontière [fʀɔ̃tjɛʀ] *nf* (*aussi fig*) frontera; **poste ~** puesto fronterizo; **ville ~** ciudad *f* fronteriza; **à la ~** en la frontera

frotter [fʀɔte] *vi* frotar ■ *vt* frotar; (*pour nettoyer*) frotar, estregar; (*avec une brosse*) cepillar; **se ~ à qn/qch** (*fig: souvent nég*) acercarse a algn/algo; **~ une allumette** encender una cerilla; **se ~ les mains** (*fig*) frotarse las manos

fruit [fʀɥi] *nm* fruta; **fruits** *nmpl* (*fig*) frutos *mpl*; **~s de mer** mariscos *mpl*; **~s secs** frutos secos

fruité, e [fʀɥite] *adj* afrutado(-a)

fruitier, -ière [fʀɥitje, jɛʀ] *adj*: **arbre ~** árbol *m* frutal ■ *nm/f* frutero(-a)

frustrer [fʀystʀe] *vt* frustrar; **~ qn de qch** privar a algn de algo

fuchsia [fyʃja] *nm* fucsia

fuel(-oil) [fjul(ɔjl)] (*pl* **fuels(-oils)**) *nm* fuel(-oil) *m*

fugace [fygas] *adj* fugaz

fugitif, -ive [fyʒitif, iv] *adj* (*lueur, amour*) efímero(-a); (*prisonnier etc*) fugitivo(-a) ■ *nm/f* fugitivo(-a)

fugue [fyg] *nf* (*aussi Mus*) fuga; **faire une ~** fugarse

fuir [fɥiʀ] *vt* huir ■ *vi* huir; (*gaz, eau*) escapar; (*robinet*) perder agua; **~ devant l'ennemi** huir ante el enemigo

fuite [fɥit] *nf* huida; (*des capitaux etc*) fuga; (*d'eau*) escape *m*; (*divulgation*) filtración *f*; **être en ~** ser un(a) prófugo(-a); **mettre en ~** ahuyentar; **prendre la ~** escapar, huir

fulgurant, e [fylgyʀɑ̃, ɑ̃t] *adj* fulgurante

fumé, e [fyme] *adj* ahumado(-a)

fumée [fyme] *nf* humo; **partir en ~** (*fig*) volverse agua de borrajas

fumer [fyme] *vi* echar humo; (*personne*) fumar ■ *vt* (*cigarette, pipe*) fumar; (*jambon, poisson*) ahumar; (*terre, champ*) abonar

fûmes [fym] *vb voir* **être**

fumeur, -euse [fymœʀ, øz] *nm/f* fumador(a); **compartiment (pour) ~s/non-~s** compartimento de fumadores/no fumadores

fumier [fymje] *nm* estiércol *m*

funérailles [fyneʀaj] *nfpl* funeral *msg*

funiculaire [fynikylɛʀ] *nm* funicular *m*

fur [fyʀ]: **au ~ et à mesure** *adv* poco a poco; **au ~ et à mesure que** a medida que, conforme; **au ~ et à mesure de leur progression** a medida que avanzan, conforme avanzan

furet [fyʀɛ] *nm* (*Zool*) hurón *m*

fureter [fyʀ(ə)te] (*péj*) *vi* husmear, fisgonear

fureur [fyʀœʀ] *nf* furia, cólera; **la ~ du jeu** *etc* la pasión por el juego *etc*; **faire ~** estar en boga, hacer furor

furie [fyʀi] *nf* furia; **en ~** (*aussi fig*) desencadenado(-a)

furieux, -euse [fyʀjø, jøz] *adj* furioso(-a); (*combat, tempête*) violento(-a); **être ~ contre qn** estar furioso(-a) con algn

furoncle [fyʀɔ̃kl] *nm* forúnculo

furtif, -ive [fyʀtif, iv] *adj* furtivo(-a)

fus [fy] *vb voir* **être**

fusain [fyzɛ̃] *nm* (*Bot*) bonetero; (*Art*) carboncillo

fuseau, x [fyzo] *nm* (*pantalon*) fuso; (*pour filer*) huso; **en ~** (*jambes*) estilizado(-a); (*colonne*) ensanchado(-a) en el centro; **~ horaire** huso horario

fusée [fyze] *nf* cohete *m*; (*de feu d'artifice*) volador *m*; **~ éclairante** bengala

fusible [fyzibl] *nm* fusible *m*

fusil [fyzi] *nm* (*de guerre, à canon rayé*) fusil *m*; (*de chasse, à canon lisse*) escopeta; **~ à deux coups** escopeta de dos cañones; **~ sous-marin** fusil submarino

fusillade [fyzijad] *nf* (*bruit*) tiroteo; (*combat*) descarga de fusilería

fusiller [fyzije] *vt* fusilar; **~ qn du regard** fulminar a algn con la mirada

fusionner [fyzjɔne] *vi* fusionarse

fût[1] [fy] *vb voir* **être**

fût[2] [fy] *nm* (*tonneau*) tonel *m*, barril *m*; (*de canon*) caña; (*d'arbre*) tronco; (*de colonne*) fuste *m*

futé, e [fyte] *adj* ladino(-a)

futile [fytil] *adj* fútil

futur, e [fytyʀ] *adj* futuro(-a) ■ *nm*: **le ~** (*Ling*) el futuro; (*avenir*) el futuro, el porvenir; **son ~ époux** su futuro marido; **un ~ artiste** un futuro artista; **le ~ de qch/qn** el futuro de algo/algn; **au ~** (*Ling*) en futuro; **~ antérieur** futuro perfecto

fuyard, e [fɥijaʀ, aʀd] *nm/f* fugitivo(-a)

g

gâcher [gɑʃe] *vt* arruinar, estropear; (*vie*) arruinar; (*argent*) malgastar; (*plâtre, mortier*) amasar
gâchis [gɑʃi] *nm* (*désordre*) lío; (*gaspillage*) despilfarro
gaffe [gaf] *nf* (*instrument*) bichero; (*fam: erreur*) metedura de pata; **faire ~** (*fam*) tener cuidado
gag [gag] *nm* gag *m*
gage [gaʒ] *nm* (*dans un jeu, comme garantie*) prenda; (*fig: de fidélité*) prueba; **gages** *nmpl* (*salaire*) sueldo; **mettre en ~** empeñar; **laisser en ~** dejar en prenda
gagnant, e [gaɲɑ̃, ɑ̃t] *adj*: **billet/numéro ~** billete *m*/número premiado ▪ *adv*: **jouer ~** (*aux courses*) jugar a ganador ▪ *nm/f* (*aux courses*) acertante *m/f*; (*à la loterie*) ganador(a); (*dans un concours*) vencedor(a)
gagne-pain [gɑɲpɛ̃] *nm inv* medio de vida
gagner [gaɲe] *vt* ganar; (*suj: maladie, feu*) extenderse a; (*: sommeil, faim, fatigue*) apoderarse de; (*envahir*) invadir ▪ *vi* (*être vainqueur*) ganar; **~ qn/l'amitié de qn** (*se concilier*) granjearse a algn/la amistad de algn; **~ du temps/de la place** ganar tiempo/espacio; **~ sa vie** ganarse la vida; **~ du terrain** (*aussi fig*) ganar terreno; **~ qn de vitesse** (*aussi fig*) adelantarse a algn; **~ à faire qch** convenirle a algn hacer algo; **~ en élégance/rapidité** ganar en elegancia/rapidez; **il y gagne** sale ganando
gai, e [ge] *adj* alegre
gaiement [gemɑ̃] *adv* alegremente; (*de bon cœur*) con entusiasmo
gaieté [gete] *nf* alegría; **de ~ de cœur** de buena gana
gain [gɛ̃] *nm* (*revenu*) ingreso; (*bénéfice: gén pl*) ganancias *fpl*; (*avantage*) ventaja; (*lucre*) beneficio; **~ de temps/place** ahorro de tiempo/espacio; **avoir ~ de cause** (*fig*) ganar, tener razón; **obtenir ~ de cause** (*fig*) salirse con la suya; **quel ~ en as-tu tiré?** (*avantage*) ¿qué has ganado con eso?
gala [gala] *nm* gala; **soirée de ~** fiesta de gala
galant, e [galɑ̃, ɑ̃t] *adj* galante; (*entreprenant*) galanteador(a); **en ~e compagnie** (*homme*) en gentil compañía; (*femme*) en galante compañía
galerie [galʀi] *nf* galería; (*Théâtre*) palco; (*de voiture*) baca; (*fig: spectateurs*) público, galería; **~ de peinture** galería de arte; **~ marchande** centro comercial, galería comercial
galet [galɛ] *nm* guijarro; (*Tech*) arandela; **galets** *nmpl* guijarros *mpl*
galette [galɛt] *nf* (*gâteau*) roscón *m*; (*crêpe*) crepe *f*, panqueque *m* (*AM*); **~ des Rois** roscón de Reyes
galipette [galipɛt] *nf*: **faire des ~s** hacer piruetas
Galles [gal] *nfpl*: **le pays de ~** el país de Gales
gallois, e [galwa, waz] *adj* galés(-esa) ▪ *nm* (*Ling*) galés *m* ▪ *nm/f*: **Gallois, e** galés(-esa)
galon [galɔ̃] *nm* galón *m*; **prendre du ~** (*Mil, fig*) subir en el escalafón
galop [galo] *nm* galope *m*; **au ~** al galope; **~ d'essai** (*fig*) temporada de prueba
galoper [galɔpe] *vi* galopar; (*fig*) ir a galope
gambader [gɑ̃bade] *vi* brincar
gamin, e [gamɛ̃, in] *nm/f* chiquillo(-a), chamaco(-a) (*AM*), pibe(-a) (*Arg*), cabro(-a) (*And, Chi*) ▪ *adj* de chiquillo *ou* chamaco *ou* pibe *ou* cabro
gamme [gam] *nf* (*Mus*) escala; (*fig*) gama
gang [gɑ̃g] *nm* banda
gant [gɑ̃] *nm* guante *m*; **prendre des ~s** (*fig*) actuar con miramiento; **relever le ~** (*fig*) recoger el guante; **~ de toilette**

manopla de baño; **~s de boxe/de caoutchouc/de crin** guantes *mpl* de boxeo/de goma/de crin

garage [gaʀaʒ] *nm* garaje *m*; **~ à vélos** garaje de bicicletas

garagiste [gaʀaʒist] *nm/f* (*propriétaire*) dueño(-a) de un garaje; (*mécanicien*) mecánico(-a)

garantie [gaʀɑ̃ti] *nf* garantía; **(bon de) ~** (bono de) garantía; **~ de bonne exécution** garantía de funcionamiento

garantir [gaʀɑ̃tiʀ] *vt* garantizar; (*attester*) asegurar; **~ de qch** proteger contra *ou* de algo; **je vous garantis que ...** le garantizo que ...; **garanti pure laine/2 ans** garantizado pura lana/por 2 años

garçon [gaʀsɔ̃] *nm* niño; **mon/son ~** (*fils*) mi/su hijo; (*célibataire*) soltero; (*jeune homme*) chico; **petit ~** niño; **jeune ~** muchacho; **~ boucher/coiffeur** aprendiz *m* de carnicero/de peluquero; **~ d'écurie** mozo de cuadra; **~ de bureau** ordenanza *m*; **~ de café** camarero; **~ de courses** recadero; **~ manqué** medio chico

garde [gaʀd] *nm* guardia *m*; (*de domaine etc*) guarda *m* ■ *nf* guardia *f*; (*d'une arme*) guarnición *f*; (*Typo*) guarda; **de ~** *adj, adv* de guardia; **mettre en ~** poner en guardia; **mise en ~** advertencia; **prendre ~ (à)** tener cuidado (con); **être sur ses ~s** estar en guardia; **monter la ~** montar guardia; **avoir la ~ des enfants** tener la custodia de los hijos; **~ à vue** *nf* (*Jur*) detención *f* provisional; **~ champêtre** *nm* guarda rural; **~ d'enfants** *nf* niñera; **~ d'honneur** *nf* escolta; **~ des Sceaux** *nm* ≈ ministro de Justicia; **~ descendante** *nf* guardia saliente; **~ du corps** *nm* guardaespaldas *m inv*, guarura *m* (*Mex*) (*fam*); **~ forestier** *nm* guarda forestal; **~ mobile** *nm/f* policía *m/f* antidisturbios; **~ montante** *nf* guardia entrante

garde-boue [gaʀdəbu] *nm inv* guardabarros *m inv*

garde-chasse [gaʀdəʃas] (*pl* **gardes-chasse(s)**) *nm* guarda *m* de caza

garder [gaʀde] *vt* (*conserver: personne*) mantener; (*: sur soi: vêtement, chapeau*) quedarse con; (*: attitude*) conservar; (*surveiller: enfants*) cuidar; (*: prisonnier, lieu*) vigilar; **se garder** *vpr* (*aliment*) conservarse; **~ le lit** guardar cama; **~ la chambre** permanecer en la habitación; **~ la ligne** cuidar la línea; **~ le silence** guardar silencio; **~ à vue** (*Jur*) detener provisionalmente; **se ~ de faire qch** abstenerse de hacer algo; **pêche/chasse gardée** coto de pesca/caza

garderie [gaʀdəʀi] *nf* guardería

garde-robe [gaʀdəʀɔb] (*pl* **~s**) *nf* (*meuble*) ropero; (*vêtements*) guardarropa *m*

gardien, ne [gaʀdjɛ̃, jɛn] *nm/f* (*garde*) vigilante *m/f*; (*de prison*) oficial *m/f*; (*de domaine, réserve, cimetière*) guarda *m/f*; (*de musée etc*) guarda, vigilante; (*de phare*) farero; (*fig: garant*) garante *m/f*; (*d'immeuble*) portero(-a); **~ de but** portero, arquero (*esp AM*); **~ de la paix** guardia *m* del orden público; **~ de nuit** vigilante de noche

gare [gaʀ] *nf* estación *f* ■ *excl*: **~ à ...** cuidado con ...; **~ à ne pas ...** ten cuidado de no ...; **~ à toi** cuidado con lo que haces; **sans crier ~** sin avisar; **~ de triage** apartadero; **~ maritime** estación marítima; **~ routière** estación de autobuses; (*camions*) estacionamiento de camiones

garer [gaʀe] *vt* aparcar; **se garer** *vpr* (*véhicule, personne*) aparcar; (*pour laisser passer*) apartarse

garni, e [gaʀni] *adj* (*plat*) con guarnición ■ *nm* (*appartement*) piso amueblado

garniture [gaʀnityʀ] *nf* (*Culin: légumes*) guarnición *f*; (*: persil etc*) aderezo; (*: farce*) relleno; (*décoration*) adorno; (*protection*) revestimiento; **~ de cheminée** juego de chimenea; **~ de frein** (*Auto*) forro de freno; **~ périodique** compresa

gars [gɑ] *nm* (*fam: garçon*) chico; (*homme*) tío

Gascogne [gaskɔɲ] *nf* Gasconia

gas-oil [gazwal] *nm* gas-oil *m*

gaspiller [gaspije] *vt* derrochar, malgastar

gastronome [gastʀɔnɔm] *nm/f* gastrónomo(-a)

gastronomie [gastʀɔnɔmi] *nf* gastronomía

gastronomique [gastʀɔnɔmik] *adj*: **menu ~** menú *m* gastronómico

gâteau, x [gɑto] *nm* pastel *m* ■ *adj inv* (*fam*): **papa-/maman-~** padrazo/madraza; **~ d'anniversaire** pastel de cumpleaños; **~ de riz** pastel de arroz; **~ sec** galleta

gâter [gɑte] *vt* (*personne*) mimar; (*plaisir, vacances*) estropear; **se gâter** *vpr* (*dent, fruit*) picarse; (*temps, situation*) empeorar

gauche [goʃ] *adj* izquierda; (*personne, style*) torpe ■ *nm* (*Boxe*): **direct du ~** directo de izquierda ■ *nf* izquierda; **à ~** a la izquierda; **à (la) ~ de** a la izquierda de; **de ~** (*Pol*) de izquierdas

gaucher, -ère [goʃe, ɛʀ] *adj, nm/f* zurdo(-a)

gauchiste [goʃist] *adj, nm/f* izquierdista *m/f*

gaufre [gofʀ] *nf* (*pâtisserie*) gofre *m*; (*de cire*) panal *m*

gaufrette [gofʀɛt] *nf* barquillo

gaulois, e [golwa, waz] *adj* galo(-a); (*grivois*) picante ■ *nm/f*: **Gaulois, e** galo(-a)

gaz [gɑz] *nm inv* gas *m*; **avoir des ~** tener gases; **mettre les ~** (*Auto*) pisar el acelerador; **chambre/masque à ~** cámara/máscara de gas; **~ butane** gas butano; **~ carbonique** gas carbónico; **~ de ville** gas ciudad; **~ en bouteilles** gas en bombonas; **~ hilarant/lacrymogène** gas hilarante/lacrimógeno; **~ naturel/propane** gas natural/propano

gaze [gɑz] *nf* gasa

gazette [gazɛt] *nf* gaceta

gazeux, -euse [gɑzø, øz] *adj* gaseoso(-a); **eau/boisson gazeuse** agua/bebida con gas

gazoduc [gɑzodyk] *nm* gaseoducto

gazon [gɑzɔ̃] *nm* césped *m*; **motte de ~** cepellón *m*

geai [ʒɛ] *nm* arrendajo

géant, e [ʒeɑ̃, ɑ̃t] *adj* gigante ■ *nm/f* gigante(-a)

geindre [ʒɛ̃dʀ] *vi* gemir

gel [ʒɛl] *nm* (*temps*) helada; (*de l'eau*) hielo; (*fig*) congelación *f*; (*produit de beauté*) gel *m*; **~ douche** gel de ducha

gélatine [ʒelatin] *nf* gelatina

gelée [ʒ(ə)le] *nf* (*Culin*) gelatina; (*Météo*) helada; **viande en ~** carne *f* en gelatina; **~ blanche** escarcha; **~ royale** jalea real

geler [ʒ(ə)le] *vt* (*sol, liquide*) helar; (*Écon, aliment*) congelar ■ *vi* (*sol, personne*) helarse; **il gèle** hiela

gélule [ʒelyl] *nf* gragea

Gémeaux [ʒemo] *nmpl* (*Astrol*): **les ~** Géminis *mpl*; **être (des) ~** ser Géminis

gémir [ʒemiʀ] *vi* gemir

gémissement [ʒemismɑ̃] *nm* gemido

gênant, e [ʒɛnɑ̃, ɑ̃t] *adj* (*aussi fig*) molesto(-a)

gencive [ʒɑ̃siv] *nf* encía

gendarme [ʒɑ̃daʀm] *nm* gendarme *m*, ≈ guardia *m* civil

gendarmerie [ʒɑ̃daʀməʀi] *nf* ≈ Guardia Civil; (*caserne, bureaux*) ≈ cuartel *m* de la Guardia Civil

gendre [ʒɑ̃dʀ] *nm* yerno

gêné, e [ʒene] *adj* embarazoso(-a); (*dépourvu d'argent*) apurado(-a); **tu n'es pas ~!** ¡qué fresco eres!

gêner [ʒene] *vt* (*incommoder*) molestar; (*encombrer*) estorbar; (*déranger*) trastornar; **~ qn** (*embarrasser*) violentar a algn; **se gêner** *vpr* molestarse; **je vais me ~!** (*fam, iron*) ¡no pienso cortarme!; **ne vous gênez pas!** (*fam, iron*) ¡no se corte!

général, e, -aux [ʒeneʀal, o] *adj, nm* general ■ *nf*: **(répétition) ~e** ensayo general; **en ~** en general; **à la satisfaction ~e** con la satisfacción unánime; **à la demande ~e** a petición general; **assemblée/grève ~e** asamblea/huelga general; **culture/médecine ~e** cultura/medicina general

généralement [ʒeneʀalmɑ̃] *adv* (*communément*) al nivel general; (*habituellement*) generalmente; **~ parlant** en términos generales

généraliser [ʒeneʀalize] *vt, vi* generalizar; **se généraliser** *vpr* generalizarse

généraliste [ʒeneʀalist] *nm* médico general

génération [ʒeneʀasjɔ̃] *nf* generación *f*

généreux, -euse [ʒeneʀø, øz] *adj* generoso(-a)

générique [ʒeneʀik] *adj* genérico(-a) ■ *nm* (*Ciné, TV*) ficha técnica

générosité [ʒeneʀozite] *nf* generosidad *f*

genêt [ʒ(ə)nɛ] *nm* retama

génétique [ʒenetik] *adj* genético(-a) ■ *nf* genética

Genève [ʒ(ə)nɛv] *n* Ginebra

génial, e, -aux [ʒenjal, jo] *adj* (*aussi fam*) genial

génie [ʒeni] *nm* genio; **le ~** (*Mil*) el cuerpo de ingenieros; **de ~** genial; **bon/mauvais ~** espíritu *m* favorable/maligno; **avoir du ~** ser un genio; **~ civil** cuerpo de ingeniería civil

genièvre [ʒənjɛvʀ] *nm* (*Bot, Culin*) enebro; (*boisson*) ginebra; **grain de ~** enebrina

génisse [ʒenis] *nf* ternera; **foie de ~** hígado de ternera

génital, e, -aux [ʒenital, o] *adj* genital

génoise [ʒenwaz] *nf* bizcocho

genou, x [ʒ(ə)nu] *nm* rodilla; **à ~x** de rodillas; **se mettre à ~x** ponerse de rodillas; **prendre qn sur ses ~x** poner a algn encima de sus rodillas

genre [ʒɑ̃ʀ] *nm* género; (*allure*) estilo; **se donner un ~** darse tono; **avoir bon/mauvais ~** (*allure*) tener buena/mala presencia; (*éducation*) tener buenos/ malos modales

gens [ʒɑ̃] *nmpl, parfois nfpl* gente *f*; **de braves ~** buena gente; **de vieilles ~** ancianos; **les ~ d'Église** el clero; **les ~ du monde** la gente mundana; **jeunes ~** jóvenes *mpl*; **~ de maison** servidumbre *f*

gentil, le [ʒɑ̃ti, ij] *adj* (*aimable*) amable; (*enfant*) bueno(-a); (*endroit etc*) agradable; (*intensif*) encantador(a); **c'est très ~ à vous** es muy amable de su parte

gentillesse [ʒɑ̃tijɛs] *nf* (*v adj*) amabilidad *f*; bondad *f*; lo agradable; encanto

gentiment [ʒɑ̃timɑ̃] *adv* con amabilidad

géographie [ʒeɔgʀafi] *nf* geografía

géologie [ʒeɔlɔʒi] *nf* geología

géomètre [ʒeɔmɛtʀ] *nm/f*: **(arpenteur-)~** agrimensor(a)

géométrie [ʒeɔmetʀi] *nf* geometría; **à ~ variable** (*Aviat*) de geometría variable

géométrique [ʒeɔmetʀik] *adj* geométrico(-a)

géranium [ʒeʀanjɔm] *nm* geranio

gérant, e [ʒeʀɑ̃, ɑ̃t] *nm/f* gerente *m/f*; **~ d'immeuble** administrador(a) de fincas

gerbe [ʒɛʀb] *nf* (*de fleurs*) ramo; (*de blé*) gavilla; (*d'eau*) chorro; (*de particules*) haz *m*; (*d'étincelles*) lluvia

gercé, e [ʒɛʀse] *adj* agrietado(-a)

gerçure [ʒɛʀsyʀ] *nf* grieta

gérer [ʒeʀe] *vt* administrar

germain, e [ʒɛʀmɛ̃, ɛn] *adj voir* **cousin**

germe [ʒɛʀm] *nm* germen *m*; (*pousse*) brote *m*

germer [ʒɛʀme] *vi* germinar

gérondif [ʒeʀɔ̃dif] *nm* gerundio

geste [ʒɛst] *nm* gesto; **s'exprimer par ~s** expresarse mediante gestos; **faire un ~ de refus** hacer un ademán de desaprobación; **il fit un ~ de la main pour m'appeler** me llamó con la mano; **ne faites pas un ~** no haga ni el menor gesto

gestion [ʒɛstjɔ̃] *nf* gestión *f*; **~ de fichier(s)** (*Inform*) gestión de fichero(s)

gibier [ʒibje] *nm* caza; (*fig*) presa

gicler [ʒikle] *vi* brotar

gifle [ʒifl] *nf* bofetada

gifler [ʒifle] *vt* abofetear

gigantesque [ʒigɑ̃tɛsk] *adj* gigantesco(-a)

gigot [ʒigo] *nm* pierna

gigoter [ʒigɔte] *vi* patalear

gilet [ʒilɛ] *nm* (*de costume*) chaleco; (*tricot*) chaqueta (de punto); (*sous-vêtement*) camiseta; **~ de sauvetage** chaleco salvavidas; **~ pare-balles** chaleco antibalas

gin [dʒin] *nm* ginebra

gingembre [ʒɛ̃ʒɑ̃bʀ] *nm* jenjibre *m*

girafe [ʒiʀaf] *nf* jirafa

giratoire [ʒiʀatwaʀ] *adj*: **sens ~** sentido giratorio

girofle [ʒiʀɔfl] *nf*: **clou de ~** clavo

girouette [ʒiʀwɛt] *nf* veleta

gitan, e [ʒitɑ̃, an] *nm/f* gitano(-a)

gîte [ʒit] *nm* (*maison*) morada; (*du lièvre*) cama; **~ rural** casa de turismo rural

givre [ʒivʀ] *nm* escarcha

givré, e [ʒivʀe] *adj*: **citron/orange ~(e)** limón *m* escarchado/naranja escarchada; (*fam*) tronado(-a)

glace [glas] *nf* hielo; (*crème glacée*) helado; (*verre*) cristal *m*; (*miroir*) espejo; (*de voiture*) ventanilla; **glaces** *nfpl* (*Géo*) hielos *mpl*; **de ~** (*fig*) frío(-a); **il est resté de ~** ni se inmutó; **rompre la ~** (*fig*) romper el hielo

glacé, e [glase] *adj* helado(-a); (*fig*) frío(-a)

glacer [glase] *vt* (*lac, eau*) helar; (*refroidir*) enfriar; (*Culin, papier, tissu*) glasear; **~ qn** (*fig*) dejar helado(-a) a algn

glacial, e [glasjal] *adj* glacial

glacier [glasje] *nm* (*Géo*) glaciar *m*; (*marchand*) heladero; **~ suspendu** glaciar suspendido

glacière [glasjɛʀ] *nf* nevera

glaçon [glasɔ̃] *nm* témpano; (*pour boisson*) cubito de hielo

glaïeul [glajœl] *nm* gladiolo

glaise [glɛz] *nf* greda

gland [glɑ̃] *nm* (*de chêne*) bellota; (*décoration*) borla; (*Anat*) glande *m*

glande [glɑ̃d] *nf* glándula

glissade [glisad] *nf* (*par jeu*) deslizamiento; (*chute*) resbalón *m*; **faire des ~s** deslizarse

glissant, e [glisɑ̃, ɑ̃t] *adj* resbaladizo(-a)

glissement [glismɑ̃] *nm* (*aussi fig*) deslizamiento; **~ de terrain** corrimiento de tierra

glisser [glise] *vi* resbalar; (*patineur, fig*) deslizarse ■ *vt* (*introduire: erreur, citation*) deslizar; (*mot, conseil*) decir discretamente; **se glisser** *vpr* (*erreur etc*) deslizarse; **~ qch sous/dans** meter algo bajo/en; **~ sur** (*détail, fait*) pasar por alto; **se ~ dans/entre** (*personne*) deslizarse *ou* escurrirse en/entre

global, e, -aux [glɔbal, o] *adj* global

globe [glɔb] *nm* globo; (*d'une pendule*) fanal *m*; (*d'un objet*) campana de cristal; **sous ~** (*fig*) en una urna; **~ oculaire/terrestre** globo ocular/terrestre

globule [glɔbyl] *nm* glóbulo

gloire [glwaʀ] *nf* gloria; (*mérite*) mérito; (*personne*) celebridad *f*
glossaire [glɔsɛʀ] *nm* glosario
glousser [gluse] *vi* cloquear; (*rire*) reír ahogadamente
glouton, ne [glutɔ̃, ɔn] *adj* glotón(-ona)
gluant, e [glyɑ̃, ɑ̃t] *adj* pegajoso(-a)
glucose [glykoz] *nm* glucosa
glycine [glisin] *nf* glicina
GO [ʒeo] *sigle fpl* (= *grandes ondes*) OL ▪ *sigle m* (= *gentil organisateur*) *animador turístico del Club Mediterráneo*
go [go]: **tout de go** *adv* de sopetón
goal [gol] *nm* portero, guardameta *m*
gobelet [gɔblɛ] *nm* cubilete *m*
goéland [gɔelɑ̃] *nm* gaviota
goélette [gɔelɛt] *nf* goleta
goinfre [gwɛ̃fʀ] *adj, nm/f* tragón(-ona)
golf [gɔlf] *nm* golf *m*; **~ miniature** minigolf *m*
golfe [gɔlf] *nm* golfo; **~ d'Aden/de Gascogne/du Lion** golfo de Adén/de Vizcaya/de León; **~ Persique** golfo Pérsico
gomme [gɔm] *nf* (*à effacer*) goma (de borrar); (*résine*) resina; **boule** *ou* **pastille de ~** gominola
gommer [gɔme] *vt* (*aussi fig*) borrar; (*enduire de gomme*) engomar; (*détails etc*) atenuar
gonflé, e [gɔ̃fle] *adj* hinchado(-a); **être ~** (*fam*) tener jeta
gonfler [gɔ̃fle] *vt* hinchar ▪ *vi* hincharse; (*Culin, pâte*) inflarse
gonzesse [gɔ̃zɛs] (*fam*) *nf* tía (*fam!*)
gorge [gɔʀʒ] *nf* garganta; (*poitrine*) pecho; (*Géo*) garganta, desfiladero; (*rainure*) ranura; **avoir mal à la ~** tener dolor de garganta; **avoir la ~ serrée** tener un nudo en la garganta
gorgée [gɔʀʒe] *nf* trago; **boire à petites/grandes ~s** beber a pequeños/grandes tragos
gorille [gɔʀij] *nm* (*aussi fam*) gorila
gosse [gɔs] *nm/f* chiquillo(-a), chamaco(-a) (*AM*), pibe(-a) (*Arg*), cabro(-a) (*And, Chi*)
gothique [gɔtik] *adj* gótico(-a); **~ flamboyant** gótico flamígero
goudron [gudʀɔ̃] *nm* alquitrán *m*
goudronner [gudʀɔne] *vt* alquitranar
gouffre [gufʀ] *nm* sima, precipicio; (*fig*) abismo
goulot [gulo] *nm* cuello; **boire au ~** beber a morro
goulu, e [guly] *adj* glotón(-ona)
gourde [guʀd] *nf* (*récipient*) cantimplora; (*fam*) zoquete *m/f*
gourdin [guʀdɛ̃] *nm* porra
gourmand, e [guʀmɑ̃, ɑ̃d] *adj* goloso(-a)
gourmandise [guʀmɑ̃diz] *nf* gula; (*bonbon*) golosina
gourmet [guʀmɛ] *nm* gastrónomo(-a)
gousse [gus] *nf* vaina; **~ d'ail** diente *m* de ajo
goût [gu] *nm* gusto, sabor *m*; (*fig*) gusto; **goûts** *nmpl*: **chacun ses ~s** cado uno tiene sus gustos; **le (bon) ~** el (buen) gusto; **de bon/mauvais ~** de buen/mal gusto; **avoir du/manquer de ~** tener/no tener gusto; **avoir bon/mauvais ~** (*aliment*) saber bien/mal; (*personne*) tener mucho/poco gusto; **avoir du ~ pour** tener inclinación por; **prendre ~ à** aficionarse a
goûter [gute] *vt* (*aussi*: **goûter à**: *essayer*) probar; (*apprécier*) apreciar ▪ *vi* merendar ▪ *nm* merienda; **~ de qch** probar algo; **~ d'anniversaire/d'enfants** merienda de cumpleaños/de niños
goutte [gut] *nf* gota; (*alcool*) aguardiente *m*; **gouttes** *nfpl* (*Méd*) gotas *fpl*; **tomber ~ à ~** caer gota a gota
goutte-à-goutte [gutagut] *nm inv* bomba de perfusión; **alimenter au ~** alimentar gota a gota
gouttelette [gut(ə)lɛt] *nf* gotita
gouttière [gutjɛʀ] *nf* canalón *m*
gouvernail [guvɛʀnaj] *nm* timón *m*
gouvernement [guvɛʀnəmɑ̃] *nm* gobierno; **membre du ~** miembro del gobierno
gouverner [guvɛʀne] *vt* gobernar; (*fig: acte, émotion*) dominar
grâce [gʀɑs] *nf* gracia; (*faveur*) favor *m*; (*Jur*) indulto; **grâces** *nfpl* (*Rel*) gracias *fpl*; **de bonne/mauvaise ~** de buena/mala gana; **dans les bonnes ~s de qn** con el beneplácito de algn; **faire ~ à qn de qch** perdonar algo a algn; **rendre ~(s) à** dar las gracias a; **demander ~** pedir perdón; **droit de/recours en ~** (*Jur*) derecho de/recurso de indulto; **~ à** gracias a
gracieux, -euse [gʀasjø, jøz] *adj* elegante; (*charmant, élégant*) encantador(a); (*aimable*) amable; **à titre ~** con carácter gratuito; **concours ~** colaboración *f* desinteresada
grade [gʀad] *nm* grado; **monter en ~** ascender de grado
gradin [gʀadɛ̃] *nm* grada; **gradins** *nmpl* (*de stade*) gradas *fpl*; **en ~s** en gradas
gradué, e [gʀadɥe] *adj* graduado(-a); (*exercices*) progresivo(-a)
graduel, le [gʀadɥɛl] *adj* gradual

graduer [gʀadɥe] *vt* graduar; (*effort*) dosificar
graffiti [gʀafiti] *nmpl* grafiti *mpl*
grain [gʀɛ̃] *nm* grano; (*de chapelet*) cuenta; (*averse*) aguacero; **un ~ de** (*fig*) una pizca de; **mettre son ~ de sel** (*fam*) meter la nariz; **~ de beauté** lunar *m*; **~ de café/de poivre** grano de café/de pimienta; **~ de poussière** mota de polvo; **~ de raisin** uva; **~ de sable** (*fig*) minucia
graine [gʀɛn] *nf* semilla; **mauvaise ~** (*fig*) mala hierba; **une ~ de voyou** un macarra en ciernes
graissage [gʀɛsaʒ] *nm* engrase *m*
graisse [gʀɛs] *nf* grasa
graisser [gʀese] *vt* engrasar; (*tacher*) manchar de grasa
graisseux, -euse [gʀɛsø, øz] *adj* grasiento(-a); (*Anat*) adiposo(-a)
grammaire [gʀa(m)mɛʀ] *nf* gramática
gramme [gʀam] *nm* gramo
grand, e [gʀɑ̃, gʀɑ̃d] *adj* grande; (*avant le nom*) gran; (*haut*) alto(-a); (*fil, voyage, période*) largo(-a) ■ *adv*: **~ ouvert** abierto de par en par; **voir ~** pensar a otro nivel; **de ~ matin** de madrugada; **en ~** en grande; **un ~ homme/artiste** un gran hombre/artista; **avoir ~ besoin de** tener mucha necesidad de; **il est ~ temps de** ya es hora de; **son ~ frère** su hermano mayor; **il est assez ~ pour** ya es bastante mayor para, ya tiene años para; **au ~ air** al aire libre; **au ~ jour** (*fig*) en pleno día, en plena luz; **~ blessé/brûlé** herido/quemado grave; **~ écart** spagat *m*; **~ ensemble** gran barriada; **~e personne** persona mayor; **~es écoles** *universidades de élite francesas*; **~es lignes** líneas *fpl* principales; **~e surface** hipermercado; **~es vacances** vacaciones *fpl* de verano; **~ livre** (*Comm*) libro mayor; **~ magasin** grandes almacenes *mpl*; **~ malade/mutilé** enfermo/mutilado grave; **~ public** gran público

GRANDES ÉCOLES

Las *grandes écoles* son centros de estudios superiores muy prestigiosos que preparan a los estudiantes para el ejercicio de profesiones específicas. Sólo los estudiantes que han finalizado los dos años de "classes préparatoires" que siguen al "baccalauréat" pueden presentarse al examen selectivo de acceso a las mismas. Las *grandes écoles* tienen una fuerte identidad corporativa y de ellas se alimenta en gran medida la élite intelectual, administrativa y política francesa.

grand-chose [gʀɑ̃ʃoz] *nm/f inv*: **pas ~** poca cosa
Grande-Bretagne [gʀɑ̃dbʀətaɲ] *nf* Gran Bretaña
grandeur [gʀɑ̃dœʀ] *nf* tamaño; (*mesure, quantité, aussi fig*) magnitud *f*; (*gloire, puissance*) grandeza; **~ nature** *adj* tamaño natural
grandiose [gʀɑ̃djoz] *adj* grandioso(-a)
grandir [gʀɑ̃diʀ] *vi* (*enfant, arbre*) crecer; (*bruit, hostilité*) aumentar ■ *vt*: **~ qn** (*suj: vêtement, chaussure*) hacer más alto(-a) a algn; (*fig*) ennoblecer a algn
grand-mère [gʀɑ̃mɛʀ] (*pl* **grand(s)-mères**) *nf* abuela
grand-oncle [gʀɑ̃tɔ̃kl] (*pl* **grands-oncles**) *nm* tío abuelo
grand-peine [gʀɑ̃pɛn]: **à ~** *adv* a duras penas
grand-père [gʀɑ̃pɛʀ] (*pl* **grands-pères**) *nm* abuelo
grand-rue [gʀɑ̃ʀy] (*pl* **~s**) *nf* calle *f* mayor
grands-parents [gʀɑ̃paʀɑ̃] *nmpl* abuelos *mpl*
grand-tante [gʀɑ̃tɑ̃t] (*pl* **grand(s)-tantes**) *nf* tía abuela
grange [gʀɑ̃ʒ] *nf* granero
granit [gʀanit] *nm* granito
graphique [gʀafik] *adj* gráfico(-a) ■ *nm* gráfico
grappe [gʀap] *nf* (*Bot*) racimo; (*fig*) piña; **~ de raisin** racimo de uvas
gras, se [gʀɑ, gʀɑs] *adj* (*viande, soupe*) graso(-a); (*personne*) gordo(-a); (*surface, cheveux*) grasiento(-a); (*terre*) viscoso(-a); (*toux*) flemático(-a); (*rire*) ordinario(-a); (*plaisanterie*) grosero(-a); (*crayon*) grueso(-a); (*Typo*) en negrita ■ *nm* (*Culin*) gordo; **faire la ~se matinée** levantarse tarde
grassement [gʀɑsmɑ̃] *adv*: **~ payé** largamente pagado; (*rire*) de manera ordinaria
gratifiant, e [gʀatifjɑ̃, jɑ̃t] *adj* gratificante
gratin [gʀatɛ̃] *nm* gratín *m*; **au ~** gratinado(-a); **tout le ~ parisien** (*fig*) la flor y nata parisina
gratiné, e [gʀatine] *adj* gratinado(-a); (*fam*) espantoso(-a)
gratis [gʀatis] *adv, adj* gratis
gratitude [gʀatityd] *nf* gratitud *f*
gratte-ciel [gʀatsjɛl] *nm inv* rascacielos *m inv*

gratter [gʀate] *vt* (*frotter*) raspar; (*enlever*) quitar, borrar; (*bras, bouton*) rascar; **se gratter** *vpr* rascarse
gratuit, e [gʀatɥi, ɥit] *adj* (*aussi fig*) gratuito(-a)
gratuitement [gʀatɥitmɑ̃] *adv* gratuitamente
gravable [gʀavabl] *adj* (*CD, DVD*) escribible
grave [gʀav] *adj* grave; (*sujet, problème*) grave, serio(-a) ■ *nm* (*Mus*) grave *m*; **ce n'est pas ~!** ¡no importa!; **blessé ~** herido grave
gravement [gʀavmɑ̃] *adv* gravemente
graver [gʀave] *vt* grabar; **~ qch dans son esprit/sa mémoire** (*fig*) grabar algo en su alma/su memoria
graveur [gʀavœʀ] *nm*: **~ de CD/DVD** grabadora de CD/DVD
gravier [gʀavje] *nm* grava
gravillons [gʀavijɔ̃] *nmpl* gravilla
gravir [gʀaviʀ] *vt* subir
gravité [gʀavite] *nf* (*aussi Phys*) gravedad *f*
graviter [gʀavite] *vi* (*aussi fig*): **~ autour de** gravitar alrededor de
gravure [gʀavyʀ] *nf* grabado *m*
gré [gʀe] *nm*: **à son ~** a su gusto; **au ~ de** a merced de; **contre le ~ de qn** contra la voluntad de algn; **de son (plein) ~** por su propia voluntad; **de ~ ou de force** por las buenas o por las malas; **de bon ~** con mucho gusto; **il faut le faire bon ~ mal ~** hay que hacerlo, queramos o no; **de ~ à ~** (*Comm*) de común acuerdo; **savoir ~ à qn de qch** estar agradecido(-a) a algn por algo
grec, grecque [gʀɛk] *adj* griego(-a) ■ *nm* (*Ling*) griego ■ *nm/f*: **Grec, Grecque** griego(-a)
Grèce [gʀɛs] *nf* Grecia
greffe [gʀɛf] *nf* (*Agr*) injerto; (*Méd*) tra(n)splante *m* ■ *nm* (*Jur*) archivo; **~ du rein** transplante de riñón
greffer [gʀefe] *vt* (*tissu*) injertar; (*organe*) transplantar; **se greffer** *vpr*: **se ~ sur qch** incorporarse a algo
grêle [gʀɛl] *adj* flaco(-a) ■ *nf* granizo
grêler [gʀele] *vb impers*: **il grêle** graniza
grêlon [gʀɛlɔ̃] *nm* granizo
grelot [gʀəlo] *nm* cascabel *m*
grelotter [gʀəlɔte] *vi* tiritar
Grenade [gʀənad] *nf* (*ville, île*) Granada
grenade [gʀənad] *nf* granada; **~ lacrymogène** bomba lacrimógena
grenadine [gʀənadin] *nf* granadina
grenier [gʀənje] *nm* (*de maison*) desván *m*, altillo (*AM*), entretecho (*AM*); (*de ferme*) granero
grenouille [gʀənuj] *nf* rana
grès [gʀɛ] *nm* (*roche*) arenisca; (*poterie*) gres *msg*
grève [gʀɛv] *nf* huelga; (*plage*) playa; **se mettre en/faire ~** declararse en/hacer huelga; **~ bouchon** huelga parcial; **~ de la faim** huelga de hambre; **~ de solidarité** huelga de solidaridad; **~ du zèle** huelga de celo; **~ perlée/sauvage** huelga intermitente/salvaje; **~ sur le tas** huelga de brazos caídos; **~ surprise/tournante** huelga sorpresa/escalonada
gréviste [gʀevist] *nm/f* huelguista *m/f*
grièvement [gʀijɛvmɑ̃] *adv* gravemente; **~ blessé/atteint** herido/alcanzado de gravedad
griffe [gʀif] *nf* garra; (*fig: d'un couturier, parfumeur*) marca
griffer [gʀife] *vt* arañar
grignoter [gʀiɲɔte] *vt* roer; (*argent, temps*) consumir ■ *vi* (*manger peu*) picar; **il lui a grignoté quelques secondes** (*Sport*) consiguió arrancarle unos segundos
gril [gʀil] *nm* parrilla
grillade [gʀijad] *nf* carne *f* a la parrilla, asado (*AM*)
grillage [gʀijaʒ] *nm* (*treillis*) reja; (*clôture*) alambrada
grille [gʀij] *nf* reja; (*fig*) red *f*; **~ (des programmes)** (*Radio, TV*) parrilla (de programación); **~ des salaires** cuadro de salarios
grille-pain [gʀijpɛ̃] *nm inv* tostador *m* de pan
griller [gʀije] *vt* (*aussi*: **faire griller**: *pain, café*) tostar; (*: viande*) asar; (*ampoule, résistance*) fundir; (*feu rouge*) saltar ■ *vi* (*brûler*) asarse
grillon [gʀijɔ̃] *nm* grillo
grimace [gʀimas] *nf* mueca; **faire des ~s** hacer muecas
grimper [gʀɛ̃pe] *vt* trepar a *ou* por ■ *vi* empinarse; (*prix, nombre*) subir; (*Sport*) escalar ■ *nm*: **le ~** (*Sport*) la cuerda; **~ à/sur** trepar a/por
grincer [gʀɛ̃se] *vi* (*porte, roue*) chirriar; (*plancher*) crujir; **~ des dents** rechinar los dientes
grincheux, -euse [gʀɛ̃ʃø, øz] *adj* cascarrabias
grippe [gʀip] *nf* gripe *f*; **avoir la ~** tener gripe; **prendre qn/qch en ~** (*fig*) coger manía a algn/algo; **~ aviaire** gripe aviar
grippé, e [gʀipe] *adj*: **être ~** estar griposo(-a); (*moteur*) estar gripado(-a)
gris, e [gʀi, gʀiz] *adj* gris *inv*; (*ivre*) alegre ■ *nm* gris *msg*; **il fait ~** está nublado;

faire ~e mine (à qn) poner mala cara (a algn); **~ perle** gris perla
grisaille [grizaj] *nf* gris *msg*
griser [grize] *vt* (*fig*) embriagar; **se ~ de** (*fig*) embriagarse de
grive [griv] *nf* tordo
grivois, e [grivwa, waz] *adj* atrevido(-a)
Groenland [grɔɛnlɑ̃d] *nm* Groenlandia
grogner [grɔɲe] *vi* gruñir; (*personne*) gruñir, refunfuñar
grognon, ne [grɔɲɔ̃, ɔn] *adj* gruñón(-ona)
grommeler [grɔm(ə)le] *vi* mascullar
gronder [grɔ̃de] *vi* (*canon, tonnerre*) retumbar; (*animal*) gruñir; (*fig*) amenazar con estallar ■ *vt* regañar
gros, se [gro, gros] *adj* (*personne*) gordo(-a); (*paquet, problème, fortune*) gran, grande; (*travaux, dégâts*) importante; (*commerçant*) acaudalado(-a); (*orage, bruit*) fuerte; (*trait, fil*) grueso(-a) ■ *adv*: **risquer/gagner ~** arriesgar/ganar mucho ■ *nm* (*Comm*): **le ~** el por mayor; **écrire ~** escribir grueso; **en ~** en líneas generales; **prix de/vente en ~** precio/venta al por mayor; **par ~ temps** con temporal; **par ~se mer** con mar gruesa; **le ~ de** (*troupe, fortune*) el grueso de; **en avoir ~ sur le cœur** estar con el corazón muy triste; **~ intestin** intestino grueso; **~ lot** premio gordo; **~ mot** palabrota; **~ œuvre** (*Constr*) obra bruta; **~ plan** (*Photo*) primer plano; **en ~ plan** en primer plano; **~ porteur** (*Aviat*) avión *m* de gran capacidad; **~se caisse** (*Mus*) bombo; **~ sel** sal *f* gorda; **~ titre** (*Presse*) titular *m*
groseille [grozɛj] *nf* grosella; **~ à maquereau** grosella espinosa; **~ (blanche/rouge)** grosella (blanca/roja)
grosse [gros] *adj voir* **gros** ■ *nf* (*Comm*) gruesa
grossesse [grosɛs] *nf* embarazo; **~ nerveuse** falso embarazo
grosseur [grosœr] *nf* (*d'une personne*) gordura; (*d'un paquet*) tamaño; (*d'un trait*) grosor *m*; (*tumeur*) bulto
grossier, -ière [grosje, jɛr] *adj* (*vulgaire*) grosero(-a); (*laine*) basto(-a); (*travail, finition*) tosco(-a); (*erreur*) burdo(-a), craso(-a)
grossièrement [grosjɛrmɑ̃] *adv* groseramente; toscamente; (*en gros, à peu près*) aproximadamente; **il s'est ~ trompé** ha cometido un craso error
grossièreté [grosjɛrte] *nf* grosería
grossir [grosir] *vi* engordar; (*fig*) aumentar; (*rivière, eaux*) crecer ■ *vt* (*suj: vêtement*): **~ qn** hacer gordo a algn; (*nombre, importance*) aumentar; (*histoire, erreur*) exagerar
grossiste [grosist] *nm/f* (*Comm*) mayorista *m/f*
grotesque [grɔtɛsk] *adj* grotesco(-a)
grotte [grɔt] *nf* gruta
groupe [grup] *nm* grupo; **médecine/thérapie de ~** medicina/terapia de grupo; **~ de pression** grupo de presión; **~ électrogène** grupo electrógeno; **~ sanguin/scolaire** grupo sanguíneo/escolar
grouper [grupe] *vt* agrupar; **se grouper** *vpr* agruparse
grue [gry] *nf* grúa; (*Zool*) grulla; **faire le pied de ~** (*fam*) estar de plantón
guépard [gepar] *nm* guepardo
guêpe [gɛp] *nf* avispa
guère [gɛr] *adv* (*avec adjectif, adverbe*): **ne ... ~** poco; (*avec verbe*) poco, apenas; **tu n'es ~ raisonnable** eres poco razonable; **il ne la connaît ~** apenas la conoce; **il n'y a ~ de** apenas hay; **il n'y a ~ que toi qui puisse le faire** apenas hay otro que puede hacerlo más que tú
guérilla [gerija] *nf* guerrilla
guérillero [gerijero] *nm* guerrillero
guérir [gerir] *vt* curar ■ *vi* (*personne, chagrin*) curarse; (*plaie*) curarse, sanar; **~ de** (*Méd, fig*) curar de; **~ qn de** curar a algn de
guérison [gerizɔ̃] *nf* curación *f*
guérisseur, -euse [gerisœr, øz] *nm/f* curandero(-a)
guerre [gɛr] *nf* guerra; **~ atomique/de tranchées/d'usure** guerra atómica/de trincheras/de desgaste; **en ~** en guerra; **faire la ~ à** hacer la guerra a; **de ~ lasse** (*fig*) cansado(-a) de luchar; **de bonne ~** legítimo(-a); **~ civile** guerra civil; **~ de religion** guerra de religión; **~ froide/mondiale** guerra fría/mundial; **~ sainte** guerra santa; **~ totale** guerra total
guerrier, -ière [gɛrje, jɛr] *adj, nm/f* guerrero(-a)
guet [gɛ] *nm*: **faire le ~** estar al acecho
guet-apens [gɛtapɑ̃] *nm inv* emboscada
guetter [gete] *vt* (*pour épier, surprendre*) acechar; (*attendre*) aguardar
gueule [gœl] *nf* (*d'animal*) hocico; (*du canon, tunnel*) boca; (*fam: visage*) jeta; (*: bouche*) pico; **ta ~!** (*fam*) ¡cierra el pico!; **~ de bois** (*fam*) resaca
gueuler [gœle] (*fam*) *vi* chillar
gui [gi] *nm* muérdago
guichet [giʃɛ] *nm* (*d'un bureau, d'une banque*) ventanilla; (*d'une porte*) portillo;

les ~s (*à la gare, au théâtre*) la taquilla, la boletería (*AM*); **jouer à ~s fermés** actuar con todas las entradas vendidas
guide [gid] *nm* guía *m*; (*livre*) guía *f* ▪ *nf* guía; **guides** *nfpl* (*d'un cheval*) riendas *fpl*
guider [gide] *vt* guiar
guidon [gidɔ̃] *nm* manillar *m*
guillemets [gijmɛ] *nmpl*: **entre ~** entre comillas
guindé, e [gɛ̃de] *adj* estirado(-a)
guirlande [giʀlɑ̃d] *nf* guirnalda; **~ de Noël/lumineuse** guirnalda de Navidad/de luces
guise [giz] *nf*: **à votre ~** como guste; **en ~ de** (*en manière de, comme*) a guisa de; (*à la place de*) en lugar de
guitare [gitaʀ] *nf* guitarra; **~ sèche** guitarra española
guitariste [gitaʀist] *nm/f* guitarrista *m/f*
gymnase [ʒimnɑz] *nm* gimnasio
gymnaste [ʒimnast] *nm/f* gimnasta *m/f*
gymnastique [ʒimnastik] *nf* gimnasia; **~ corrective/rythmique** gimnasia correctiva/rítmica
gynécologie [ʒinekɔlɔʒi] *nf* ginecología
gynécologique [ʒinekɔlɔʒik] *adj* ginecológico(-a)
gynécologue [ʒinekɔlɔg] *nm/f* ginecólogo(-a)

h

habile [abil] *adj* hábil
habileté [abilte] *nf* habilidad *f*
habillé, e [abije] *adj* vestido(-a); (*robe, costume*) elegante; **~ de** (*Tech*) revestido(-a) de, forrado(-a) con
habiller [abije] *vt* vestir; (*objet*) revestir, forrar; **s'habiller** *vpr* vestirse; (*mettre des vêtements chic*) vestir bien, ir bien vestido(-a); **s'~ de/en** vestirse de; **s'~ chez/à** vestirse en
habit [abi] *nm* traje *m*; **habits** *nmpl* (*vêtements*) ropa; **prendre l'~** (*Rel*) tomar hábito; **~ (de soirée)** traje de etiqueta
habitant, e [abitɑ̃, ɑ̃t] *nm/f* habitante *m/f*; (*d'une maison*) ocupante *m/f*; (*d'un immeuble*) vecino(-a); **loger chez l'~** alojarse con gente local
habitation [abitasjɔ̃] *nf* (*fait de résider*) habitación *f*; (*domicile*) domicilio; (*bâtiment*) vivienda; **~s à loyer modéré** *viviendas oficiales de bajo alquiler*
habiter [abite] *vt* vivir en; (*suj: sentiment, envie*) anidar ▪ *vi*: **~ à** *ou* **dans** vivir en; **~ chez** *ou* **avec qn** vivir en casa de *ou* con algn; **~ rue Montmartre** vivir en la calle Montmartre
habitude [abityd] *nf* costumbre *f*; **avoir l'~ de faire/qch** tener la costumbre de hacer/algo; (*expérience*) estar

acostumbrado(-a) a hacer/algo; **avoir l'~ des enfants** estar acostumbrado(-a) a los niños; **prendre l'~ de faire qch** acostumbrarse a hacer algo; **perdre une ~** perder una costumbre; **d'~** normalmente; **comme d'~** como de costumbre; **par ~** por hábito *ou* costumbre

habitué, e [abitɥe] *adj*: **être ~ à** estar acostumbrado(-a) a ■ *nm/f* (*d'une maison*) amigo(-a); (*client: d'un café etc*) parroquiano(-a)

habituel, le [abitɥɛl] *adj* habitual

habituer [abitɥe] *vt*: **~ qn à qch/faire** acostumbrar a algn a algo/hacer; **s'~ à** acostumbrarse a; **s'~ à faire** acostumbrarse a hacer

hache ['aʃ] *nf* hacha

hacher ['aʃe] *vt* (*viande, persil*) picar; (*entrecouper*) cortar; **~ menu** hacer picadillo

hachis ['aʃi] *nm* picadillo; **~ de viande** picadillo de carne

haie ['ɛ] *nf* seto; (*Sport*) valla; (*fig: rang*) hilera; **200 m/400 m ~s** 200m/400m vallas; **~ d'honneur** hilera de honor

haillons ['ɑjɔ̃] *nmpl* harapos *mpl*, andrajos *mpl*

haine ['ɛn] *nf* odio

haïr ['aiʀ] *vt* odiar; **se haïr** *vpr* odiarse

hâlé, e ['ɑle] *adj* bronceado(-a)

haleine [alɛn] *nf* aliento; **perdre ~** perder el aliento *ou* la respiración; **à perdre ~** hasta perder el aliento; **avoir mauvaise ~** tener mal aliento; **reprendre ~** recobrar el aliento; **hors d'~** sin aliento; **tenir en ~** tener en vilo; **de longue ~** de mucho esfuerzo

haleter ['alte] *vi* jadear

hall ['ol] *nm* vestíbulo

halle ['al] *nf* mercado; **halles** *nfpl* (*marché principal*) mercado central

hallucination [alysinasjɔ̃] *nf* alucinación *f*; **~ collective** alucinación colectiva

halte ['alt] *nf* alto; (*escale*) parada; (*Rail*) apeadero; (*excl*) ¡alto!; **faire ~** hacer un alto, pararse

haltère [altɛʀ] *nm* pesa; **haltères** *nmpl* (*activité*): **faire des ~s** hacer pesas

haltérophilie [alteʀɔfili] *nf* halterofilia

hamac ['amak] *nm* hamaca

hameau, x ['amo] *nm* aldea

hameçon [amsɔ̃] *nm* anzuelo

hamster ['amstɛʀ] *nm* hámster *m*

hanche ['ɑ̃ʃ] *nf* cadera

handball ['ɑ̃dbal] (*pl* **~s**) *nm* balonmano

handicapé, e ['ɑ̃dikape] *adj, nm/f* disminuido(-a); **~ mental** disminuido psíquico; **~ moteur** paralítico; **~ physique** minusválido *ou* disminuido físico

hangar ['ɑ̃gaʀ] *nm* cobertizo, galpón *m* (*Csur*); (*Aviat*) hangar *m*

hanneton ['antɔ̃] *nm* abejorro

hanter ['ɑ̃te] *vt* (*suj: fantôme*) aparecer en; (*: idée, souvenir*) obsesionar, atormentar

hantise ['ɑ̃tiz] *nf* obsesión *f*

haras ['aʀɑ] *nm* acaballadero

harceler ['aʀsəle] *vt* (*Mil*) hostigar; (*Chasse, fig*) acosar; **~ de questions** acosar con preguntas

hardi, e ['aʀdi] *adj* audaz; (*décolleté, passage*) atrevido(-a)

hareng ['aʀɑ̃] *nm* arenque *m*; **~ saur** arenque ahumado

hargne ['aʀɲ] *nf* saña

hargneux, -euse ['aʀɲø, øz] *adj* arisco(-a), hosco(-a); (*critiques*) acerbo(-a)

haricot ['aʀiko] *nm* (*Bot*) judía; **~ blanc/rouge** alubia blanca/pinta; **~ vert** judía verde

harmonica [aʀmɔnika] *nm* armónica

harmonie [aʀmɔni] *nf* armonía

harmonieux, -euse [aʀmɔnjø, øz] *adj* armonioso(-a)

harpe ['aʀp] *nf* arpa

hasard ['azaʀ] *nm* azar *m*; **un ~** una casualidad; (*chance*) una suerte; **au ~** al azar; (*à l'aveuglette*) a ciegas; **par ~** por casualidad; **comme par ~** como de casualidad; **à tout ~** por si acaso

hâte ['ɑt] *nf* prisa; **à la ~** de prisa; **en ~** rápidamente; **avoir ~ de** tener prisa por

hâter ['ɑte] *vt* apresurar; **se hâter** *vpr* apresurarse; **se ~ de** apresurarse a

hâtif, -ive ['ɑtif, iv] *adj* precipitado(-a); (*fruit, légume*) temprano(-a)

hausse ['os] *nf* alza; (*de la température*) subida, aumento; **à la ~** al alza; **en ~** (*prix*) en alza; (*température*) en aumento

hausser ['ose] *vt* subir; **~ les épaules** encogerse de hombros; **se ~ sur la pointe des pieds** ponerse de puntillas

haut, e ['o, 'ot] *adj* alto(-a); (*température, pression*) elevado(-a), alto(-a); (*idée, intelligence*) brillante ■ *adv*: **être/monter/lever ~** estar/subir/levantar en alto ■ *nm* alto; (*d'un arbre*) copa; (*d'une montagne*) cumbre *f*; **de 3 m de ~** de 3 m de alto *ou* altura; **~ de 2 m/5 étages** de 2m/5 pisos de altura; **en ~e montagne** en alta montaña; **des ~s et des bas** altibajos *mpl*; **en ~ lieu** en las altas esferas; **à ~e voix, tout ~** en voz alta;

du ~ de desde lo alto de; **tomber de ~** caer desde lo alto; (*fig*) quedarse de una pieza; **dire qch bien ~** decir algo bien fuerte; **prendre qch de (très) ~** tomar algo con desdén; **traiter qn de ~** tratar con altanería a algn; **de ~ en bas** (*regarder*) de arriba abajo; (*frapper*) por todas partes; **~ en couleur** muy coloreado(-a); **un personnage ~ en couleur** un personaje excéntrico; **plus ~** más alto; (*dans un texte*) más arriba; **en ~** arriba; **en ~ de** (*être situé*) por encima de; (*aller, monter*) a lo alto de; **"~ les mains!"** "¡arriba las manos!"; **~e coiffure/couture** alta peluquería/costura; **~ débit** (*Internet*) banda ancha; **~e fidélité** (*Élec*) alta fidelidad *f*; **~e finance** altas finanzas *fpl*; **~e trahison** alta traición *f*

hautain, e ['otɛ̃, ɛn] *adj* altanero(-a)

hautbois ['obwɑ] *nm* oboe *m*

hauteur ['otœʀ] *nf* altura; (*noblesse*) grandeza; (*arrogance*) altanería, altivez *f*; **à ~ de** a la altura de; **à ~ des yeux** a la altura de los ojos; **à la ~ de** al nivel de; **à la ~** (*fig*) a la altura

haut-parleur ['opaʀlœʀ] (*pl* **~s**) *nm* altavoz *m*

hebdomadaire [ɛbdɔmadɛʀ] *adj* semanal ▪ *nm* semanario

hébergement [ebɛʀʒəmɑ̃] *nm* alojamiento, hospedaje *m*

héberger [ebɛʀʒe] *vt* alojar, hospedar; (*réfugiés*) alojar

hébergeur [ebɛʀʒœʀ] *nm* (*Internet*) servidor *m*

hébreu, x [ebʀø] *adj* hebreo(-a) ▪ *nm* hebreo

hectare [ɛktaʀ] *nm* hectárea

hein ['ɛ̃] *excl* (*comment?*) ¿eh?; **tu m'approuves, ~?** ¿estás de acuerdo, eh?; **il est venu, ~?** vino, ¿no?; **j'ai mal fait/eu tort, ~?** hice mal/me equivoqué, ¿no?; **que fais-tu, ~?** ¿qué haces, eh?

hélas ['elɑs] *excl* ¡ay! ▪ *adv* desgraciadamente

héler ['ele] *vt* llamar

hélice [elis] *nf* hélice *f*; **escalier en ~** escalera de caracol

hélicoptère [elikɔptɛʀ] *nm* helicóptero

helvétique [ɛlvetik] *adj* helvético(-a)

hématome [ematom] *nm* hematoma *m*

hémisphère [emisfɛʀ] *nm*: **~ nord/sud** hemisferio norte/sur

hémorragie [emɔʀaʒi] *nf* hemorragia; **~ cérébrale/interne/nasale** hemorragia cerebral/interna/nasal

hémorroïdes [emɔʀɔid] *nfpl* almorranas *fpl*, hemorroides *fpl*

hennir ['eniʀ] *vi* relinchar

hépatite [epatit] *nf* hepatitis *f*

herbe [ɛʀb] *nf* hierba; **en ~** en cierne; **de l'~** hierba; **touffe/brin d'~** mata/brizna de hierba

herbicide [ɛʀbisid] *nm* herbicida *m*

herbier [ɛʀbje] *nm* herbario

herboriste [ɛʀbɔʀist] *nm/f* herbolario(-a)

héréditaire [eʀeditɛʀ] *adj* hereditario(-a)

hérisson ['eʀisɔ̃] *nm* erizo

héritage [eʀitaʒ] *nm* herencia; (*legs*) testamento; **faire un (petit) ~** recibir una (pequeña) herencia

hériter [eʀite] *vi*: **~ qch (de qn)** heredar algo (de algn) ▪ *vt*: **il a hérité 2 millions de son oncle** heredó 2 millones de su tío; **~ de qn** heredar de algn

héritier, -ière [eʀitje, jɛʀ] *nm/f* heredero(-a)

hermétique [ɛʀmetik] *adj* hermético(-a); (*étanche*) impermeable

hermine [ɛʀmin] *nf* armiño

hernie ['ɛʀni] *nf* hernia

héroïne [eʀɔin] *nf* heroína

héroïque [eʀɔik] *adj* heroico(-a)

héron ['eʀɔ̃] *nm* garza

héros ['eʀo] *nm* héroe *m*

hésitant, e [ezitɑ̃, ɑ̃t] *adj* vacilante, indeciso(-a)

hésitation [ezitasjɔ̃] *nf* indecisión *f*, vacilación *f*

hésiter [ezite] *vi*: **~ (à faire)** vacilar *ou* dudar (en hacer); **je le dis sans ~** lo digo sin vacilar *ou* dudar; **~ sur qch** vacilar *ou* dudar sobre algo; **~ entre** dudar entre

hétérosexuel, le [eteʀɔsɛksɥɛl] *adj* heterosexual

hêtre ['ɛtʀ] *nm* haya

heure [œʀ] *nf* hora; (*Scol*) clase *f*; **c'est l'~** es la hora; **quelle ~ est-il?** ¿qué hora es?; **pourriez-vous me donner l'~, s'il vous plaît?** ¿me puede decir la hora, por favor?; **2 ~s (du matin)** las 2 (de la mañana); **à la bonne ~** (*parfois ironique*) ¡me alegro!; **être à l'~** ser puntual; (*montre*) estar en hora; **mettre à l'~** poner en hora; **100 km à l'~** 100 km por hora; **à toute ~** a todas horas; **24 ~s sur 24** 24 horas al día; **à l'~ qu'il est** a esta hora; (*fig*) a estas horas *ou* alturas; **une ~ d'arrêt** una hora de parada; **sur l'~** inmediatamente; **pour l'~** por ahora; **d'~ en ~** cada hora; (*d'une heure à l'autre*) de hora en hora; **d'une ~ à l'autre** dentro de nada; **de bonne ~** de madrugada; **le bus passe à l'~** el autobús pasa a la hora en punto; **2 ~s de marche/**

travail 2 horas de marcha/trabajo; **à l'~ actuelle** a estas horas, actualmente; **~ de pointe** hora punta; **~ locale/d'été** hora local/de verano; **~s supplémentaires/de bureau** horas *fpl* extraordinarias/de oficina

heureusement [œʀøzmɑ̃] *adv* afortunadamente; **~ que ...** menos mal que ...

heureux, -euse [œʀø, øz] *adj* feliz; (*caractère*) optimista; (*chanceux*) afortunado(-a); **être ~ de qch/faire** alegrarse de algo/hacer; **être ~ que** alegrarle a algn que; **s'estimer ~ que/de qch** darse por contento(-a) de que/de algo; **encore ~ que ...** y menos mal que ...

heurt ['œʀ] *nm* choque *m*; **heurts** *nmpl* (*fig*: *bagarre*) choques *mpl*; (: *désaccord*) desavenencias *fpl*

heurter ['œʀte] *vt* (*mur, porte*) chocar con *ou* contra; (*personne*) tropezar con; (*fig*: *personne, sentiment*) chocar (con); **se heurter** *vpr* chocar (con); (*voitures, personnes*) chocar; (*couleurs, tons*) contrastar; **se ~ à** (*fig*) enfrentarse a; **~ qn de front** enfrentarse a algn

hexagone [ɛgzagɔn] *nm* hexágono; (*la France*) Francia

hiberner [ibɛʀne] *vi* hibernar

hibou, x ['ibu] *nm* búho

hideux, -euse ['idø, øz] *adj* horrendo(-a)

hier [jɛʀ] *adv* ayer; **~ matin/soir/midi** ayer por la mañana/por la tarde/al mediodía; **toute la journée/la matinée d'~** todo el día/toda la mañana de ayer

hiérarchie ['jeʀaʀʃi] *nf* jerarquía

hindou, e [ɛ̃du] *adj* hindú ▪ *nm/f*: **Hindou, e** hindú *m/f*

hippie ['ipi] *adj, nm/f* hippy *m/f*

hippique [ipik] *adj* hípico(-a)

hippisme [ipism] *nm* hipismo

hippodrome [ipɔdʀom] *nm* hipódromo

hippopotame [ipɔpɔtam] *nm* hipopótamo

hirondelle [iʀɔ̃dɛl] *nf* golondrina

hisser ['ise] *vt* izar; **se ~ sur** levantarse sobre

histoire [istwaʀ] *nf* historia; (*chichis*: *gén pl*) lío; **histoires** *nfpl* (*ennuis*) problemas *mpl*; **l'~ de France** la historia de Francia; **l'~ sainte** la historia sagrada; **une ~ de** (*fig*) una cuestión de

historique [istɔʀik] *adj* histórico(-a) ▪ *nm*: **faire l'~ de** hacer la crónica de

hiver [ivɛʀ] *nm* invierno; **en ~** en invierno

hivernal, e, -aux [ivɛʀnal, o] *adj* invernal

hiverner [ivɛʀne] *vi* invernar

HLM ['aʃɛlɛm] *sigle m ou f* (= *habitations à loyer modéré*) viviendas oficiales de bajo alquiler

hobby ['ɔbi] *nm* hobby *m*

hocher ['ɔʃe] *vt*: **~ la tête** cabecear; (*signe négatif ou dubitatif*) menear la cabeza

hockey ['ɔkɛ] *nm*: **~ (sur glace/gazon)** hockey *m* (sobre hielo/hierba)

hold-up ['ɔldœp] *nm inv* atraco a mano armada

hollandais, e ['ɔlɑ̃dɛ, ɛz] *adj* holandés(-esa) ▪ *nm* (*Ling*) holandés *msg* ▪ *nm/f*: **Hollandais, e** holandés(-esa); **les H~** los holandeses

Hollande ['ɔlɑ̃d] *nf* Holanda ▪ *nm*: **hollande** (*fromage*) queso de Holanda

homard ['ɔmaʀ] *nm* bogavante *m*

homéopathique [ɔmeɔpatik] *adj* homeopático(-a)

homicide [ɔmisid] *nm* homicidio; **~ involontaire** homicidio involuntario

hommage [ɔmaʒ] *nm* homenaje *m*; **hommages** *nmpl* (*civilités*): **présenter ses ~s** presentar sus respetos; **rendre ~ à** rendir homenaje a; **en ~ de** en prueba de; **faire ~ de qch à qn** obsequiar algo a algn

homme [ɔm] *nm* hombre *m*; (*individu de sexe masculin*) hombre, varón *m*; **l'~ de la rue** el hombre de la calle; **~ à tout faire** hombre para todo; **~ d'affaires** hombre de negocios; **~ d'Église** eclesiástico; **~ d'État** estadista *m*; **~ de loi** abogado; **~ de main** matón *m*; **~ de paille** hombre de paja; **~ des cavernes** hombre de las cavernas

homogène [ɔmɔʒɛn] *adj* homogéneo(-a)

homologue [ɔmɔlɔg] *nm/f* homólogo(-a)

homologué, e [ɔmɔlɔge] *adj* homologado(-a)

homonyme [ɔmɔnim] *nm* (*Ling*) homónimo; (*d'une personne*) tocayo(-a)

homosexuel, le [ɔmɔsɛksɥɛl] *adj* homosexual

Hongrie ['ɔ̃gʀi] *nf* Hungría

hongrois, e ['ɔ̃gʀwa, waz] *adj* húngaro(-a) ▪ *nm* (*Ling*) húngaro ▪ *nm/f*: **Hongrois, e** húngaro(-a)

honnête [ɔnɛt] *adj* (*intègre*) honrado(-a), honesto(-a); (*juste, satisfaisant*) justo(-a), razonable

honnêtement [ɔnɛtmɑ̃] *adv* honestamente; (*équitablement*) justamente

honnêteté [ɔnɛtte] *nf* honestidad *f*

honneur [ɔnœʀ] *nm* honor *m*; (*faveur*) honra; (*mérite*): **l'~ lui revient** es mérito suyo; **à qui ai-je l'~?** ¿con quién tengo el honor de hablar?; **cela me/te fait ~** esto me/te honra; **"j'ai l'~ de ..."** "tengo el honor de ..."; **en l'~ de** (*personne*) en honor de; (*événement*) en celebración de; **faire ~ à** (*engagements*) cumplir con; (*famille, professeur*) hacer honor a; (*repas*) hacer los honores a; **être à l'~** (*personne*) ser admirado(-a); (*vêtement*) estar de moda; **être en ~** gozar de consideración; **membre d'~** miembro de honor; **table d'~** mesa de honor

honorable [ɔnɔʀabl] *adj* honorable; (*suffisant*) satisfactorio(-a)

honoraire [ɔnɔʀɛʀ] *adj* honorario(-a); **honoraires** *nmpl* honorarios *mpl*; **professeur ~** profesor(a) honorario(-a)

honorer [ɔnɔʀe] *vt* honrar; (*estimer*) respetar; (*Comm: chèque, dette*) pagar; **~ qn de** honrar a algn con; **s'~ de** honrarse con

honte ['ɔ̃t] *nf* vergüenza; **avoir ~ de** tener vergüenza de; **faire ~ à qn** avergonzar a algn

honteux, -euse ['ɔ̃tø, øz] *adj* avergonzado(-a); (*conduite, acte*) vergonzoso(-a)

hôpital, -aux [ɔpital, o] *nm* hospital *m*

hoquet ['ɔkɛ] *nm* hipo; **avoir le ~** tener hipo

horaire [ɔʀɛʀ] *adj* por hora ■ *nm* horario; **horaires** *nmpl* (*conditions, heures de travail*) horario *msg*; **~ mobile/à la carte** horario móvil/libre; **~ souple** *ou* **flexible** horario flexible

horizon [ɔʀizɔ̃] *nm* horizonte *m*; (*paysage*) panorama *m*; **horizons** *nmpl* (*fig*) horizontes *mpl*; **sur l'~** en el horizonte

horizontal, e, -aux [ɔʀizɔ̃tal, o] *adj* horizontal ■ *nf*: **à l'~e** en horizontal

horloge [ɔʀlɔʒ] *nf* reloj *m*; **~ normande** *modalidad de reloj de pie*; **~ parlante** reloj parlante *ou* telefónico

horloger, -ère [ɔʀlɔʒe, ɛʀ] *nm/f* relojero(-a)

hormis ['ɔʀmi] *prép* excepto

horoscope [ɔʀɔskɔp] *nm* horóscopo

horreur [ɔʀœʀ] *nf* horror *m*; **l'~ d'une action/d'une scène** lo horroroso de una acción/de una escena; **quelle ~!** ¡qué horror!; **avoir ~ de qch** sentir horror por algo; **cela me fait ~** eso me horroriza

horrible [ɔʀibl] *adj* horrible, horrendo(-a); (*laid*) horroroso(-a)

horrifier [ɔʀifje] *vt* horrorizar

hors ['ɔʀ] *prép* salvo; **~ de** fuera de; **~ de propos** fuera de lugar; **être ~ de soi** estar fuera de sí; **~ ligne/série** fuera de línea/de serie; **~ pair** fuera de serie; **~ service/d'usage** fuera de servicio/de uso

hors-bord ['ɔʀbɔʀ] *nm inv* fuera borda *m inv*

hors-d'œuvre ['ɔʀdœvʀ] *nm inv* entremés *m*

hors-la-loi ['ɔʀlalwa] *nm inv* forajido

hors-taxe [ɔʀtaks] *adj* libre de impuestos

hortensia [ɔʀtɑ̃sja] *nm* hortensia

hospice [ɔspis] *nm* (*de vieillards*) asilo; (*asile*) hospicio

hospitalier, -ière [ɔspitalje, jɛʀ] *adj* hospitalario(-a)

hospitaliser [ɔspitalize] *vt* hospitalizar

hospitalité [ɔspitalite] *nf* hospitalidad *f*; **offrir l'~ à qn** dar hospitalidad a algn

hostie [ɔsti] *nf* (*Rel*) hostia

hostile [ɔstil] *adj* hostil; **~ à** contrario(-a) a

hostilité [ɔstilite] *nf* hostilidad *f*; **hostilités** *nfpl* (*Mil*) hostilidades *fpl*

hôte [ot] *nm* (*maître de maison*) anfitrión *m* ■ *nm/f* (*invité*) huésped *m/f*; (*client*) cliente *m/f*; (*fig: occupant*) ocupante *m/f*; **~ payant** huésped de pago

hôtel [otɛl] *nm* hotel *m*; **aller à l'~** ir a un hotel; **~ de ville** ayuntamiento; **~ (particulier)** palacete *m*

hôtellerie [otɛlʀi] *nf* (*profession*) hostelería; (*auberge*) hostal *m*

hôtesse [otɛs] *nf* (*maîtresse de maison*) anfitriona; (*dans une agence, une foire*) azafata, recepcionista; **~ (de l'air)** azafata (de aviación), aeromoza (*AM*); **~ (d'accueil)** azafata (de recepción)

houblon ['ublɔ̃] *nm* lúpulo

houille ['uj] *nf* hulla; **~ blanche** hulla blanca

houle ['ul] *nf* marejada

houleux, -euse ['ulø, øz] *adj* (*mer*) encrespado(-a); (*discussion*) agitado(-a)

hourra ['uʀa] *nm* hurra *m* ■ *excl* ¡hurra!

housse ['us] *nf* funda

houx ['u] *nm* acebo

hublot ['yblo] *nm* portilla

huche ['yʃ] *nf*: **~ à pain** artesa

huer ['ɥe] *vt* abuchear ■ *vi* graznar

huile [ɥil] *nf* aceite *m*; (*Art*) óleo; (*fam*) pez *m* gordo; **mer d'~** balsa de aceite; **faire tache d'~** (*fig*) extenderse como cosa buena; **~ d'arachide/de table** aceite de cacahuete/de mesa; **~ de ricin/de foie de morue** aceite de ricino/de hígado de bacalao; **~ détergente** (*Auto*) aceite detergente; **~ essentielle** aceite volátil; **~ solaire** aceite bronceador

huissier [ɥisje] *nm* ordenanza *m*; (*Jur*) ujier *m*
huit ['ɥi(t)] *adj inv, nm inv* ocho *m inv*; **samedi en ~** el sábado en ocho días; **dans ~ jours** dentro de ocho días; *voir aussi* **cinq**
huitaine ['ɥitɛn] *nf*: **une ~ de** unos ocho; **une ~ de jours** unos ocho días
huitième ['ɥitjɛm] *adj, nm/f* octavo(-a) ▪ *nm* (*partitif*) octavo; *voir aussi* **cinquième**
huître [ɥitʀ] *nf* ostra
humain, e [ymɛ̃, ɛn] *adj* humano(-a) ▪ *nm* humano
humanitaire [ymanitɛʀ] *adj* humanitario(-a)
humanité [ymanite] *nf* humanidad *f*
humble [œ̃bl] *adj* humilde
humer ['yme] *vt* aspirar, oler
humeur [ymœʀ] *nf* (*momentanée*) humor *m*; (*tempérament*) carácter *m*; (*irritation*) mal humor; **de bonne/mauvaise ~** de buen/mal humor; **cela m'a mis de mauvaise/bonne ~** eso me puso de mal/buen humor; **je suis de mauvaise/bonne ~** estoy de mal/buen humor; **être d'~ à faire qch** estar de humor para hacer algo
humide [ymid] *adj* húmedo(-a); (*route*) mojado(-a)
humilier [ymilje] *vt* humillar; **s'~ devant qn** humillarse delante de algn
humilité [ymilite] *nf* humildad *f*
humoriste [ymɔʀist] *nm/f* humorista *m/f*
humoristique [ymɔʀistik] *adj* humorístico(-a)
humour [ymuʀ] *nm* humor *m*; **il a un ~ particulier** tiene un humor muy particular; **avoir de l'~** tener sentido del humor; **~ noir** humor negro
huppé, e ['ype] (*fam*) *adj* encopetado(-a)
hurlement ['yʀləmɑ̃] *nm* aullido, alarido
hurler ['yʀle] *vi* (*animal*) aullar; (*personne*) dar alaridos; (*de peur*) chillar; (*fig*: *vent etc*) ulular; (: *couleurs etc*) chocar; **~ à la mort** aullar a la muerte
hutte ['yt] *nf* choza
hydratant, e [idʀatɑ̃, ɑ̃t] *adj* hidratante
hydraulique [idʀolik] *adj* hidráulico(-a)
hydravion [idʀavjɔ̃] *nm* hidroavión *m*
hydrogène [idʀɔʒɛn] *nm* hidrógeno
hydroglisseur [idʀɔglisœʀ] *nm* hidroplano
hyène [jɛn] *nf* hiena
hygiénique [iʒenik] *adj* higiénico(-a)
hymne [imn] *nm* himno; **~ national** himno nacional
hyperlien [ipɛʀljɛ̃] *nm* hipervínculo
hypermarché [ipɛʀmaʀʃe] *nm* hipermercado
hypermétrope [ipɛʀmetʀɔp] *adj* hipermétrope
hypertension [ipɛʀtɑ̃sjɔ̃] *nf* hipertensión *f*
hypertexte [ipɛʀtɛkst] *nm* hipertexto
hypnose [ipnoz] *nf* hipnosis *fsg*
hypnotiser [ipnɔtize] *vt* hipnotizar
hypocrisie [ipɔkʀizi] *nf* hipocresía
hypocrite [ipɔkʀit] *adj, nm/f* hipócrita *m/f*
hypothèque [ipɔtɛk] *nf* hipoteca
hypothèse [ipɔtɛz] *nf* hipótesis *f inv*; **dans l'~ où ...** en la hipótesis de que ...
hystérique [isteʀik] *adj* histérico(-a)

i

iceberg [ajsbɛʀg] *nm* iceberg *m*
ici [isi] *adv* aquí; **jusqu'~** hasta aquí; (*temporel*) hasta ahora; **d'~ là** para entonces; (*en attendant*) mientras tanto; **d'~ peu** dentro de poco
idéal, e, -aux [ideal, o] *adj* ideal ■ *nm* (*modèle, type parfait*) ideal *m*; (*système de valeurs*) ideales *mpl*; **l'~ serait de/que** lo ideal sería/sería que
idéaliste [idealist] *adj, nm/f* idealista *m/f*
idée [ide] *nf* idea; **idées** *nfpl* (*opinions, conceptions*) ideas *fpl*; **se faire des ~s** hacerse ilusiones; **mon ~, c'est que ...** mi opinión es que ...; **je n'en ai pas la moindre ~** no tengo la menor idea; **à l'~ de/que** con la idea de/de que; **avoir ~ que, avoir dans l'~ que** tener la impresión de que; **il a dans l'~ que ...** (*il est convaincu que*) se le ha metido en la cabeza que ...; **en voilà des ~s!** ¡menuda idea!, ¡vaya ocurrencia!; **avoir des ~s larges/étroites** tener una mentalidad abierta/estrecha; **agir/vivre à son ~** actuar/vivir de acuerdo con sus propias ideas; **venir à l'~ de qn** ocurrírsele a algn; **~ fixe** idea fija; **~s noires** pensamientos *mpl* negros; **~s reçues** ideas preconcebidas
identifiant [idɑ̃tifjɑ̃] *nm* (*Inform*) nombre *m* de usuario
identifier [idɑ̃tifje] *vt* identificar; (*échantillons de pierre*) reconocer; **~ qch/qn à** identificar algo/a algn con; **s'~ avec** *ou* **à qch/qn** identificarse con algo/algn
identique [idɑ̃tik] *adj* idéntico(-a); **~ à** idéntico a
identité [idɑ̃tite] *nf* (*de vues, goûts*) semejanza; (*d'une personne*) identidad *f*; **~ judiciaire** identidad judicial
idiot, e [idjo, idjɔt] *adj* (*Méd*) retrasado(-a); (*péj: personne*) idiota, estúpido(-a); (*film, réflexion*) estúpido(-a) ■ *nm/f* idiota *m/f*; **l'~ du village** el tonto del pueblo
idiotie [idjɔsi] *nf* retraso mental; idiotez *f*; (*propos, remarque inepte*) estupidez *f*, idiotez
idole [idɔl] *nf* (*aussi fig*) ídolo
if [if] *nm* (*Bot*) tejo
ignoble [iɲɔbl] *adj* (*individu, procédé*) ruin, innoble; (*taudis, nourriture*) asqueroso(-a)
ignorant, e [iɲɔʀɑ̃, ɑ̃t] *adj, nm/f* ignorante *m/f*; **~ en** (*une matière quelconque*) ignorante en; **faire l'~** hacerse el tonto
ignorer [iɲɔʀe] *vt* (*loi, faits*) ignorar; (*personne, demande*) no hacer caso a, ignorar a; (*être sans expérience de: plaisir, guerre*) desconocer; **j'ignore comment/si** no sé cómo/si; **~ que** ignorar que, desconocer que; **je n'ignore pas que ...** soy consciente de que ...; **je l'ignore** lo ignoro
il [il] *pron* él; **ils** ellos; **il fait froid** hace frío; **il est midi** es mediodía; **Pierre est-il arrivé?** ¿ha llegado Pedro?; *voir aussi* **avoir**
île [il] *nf* isla; **les ~s** (*les Antilles*) las Antillas; **l'~ de Beauté** Córcega; **l'~ Maurice** la isla Mauricio; **les ~s anglo-normandes/Britanniques** las islas del Canal/Británicas; **les (~s) Baléares/Canaries** las (islas) Baleares/Canarias; **les (~s) Marquises** las (islas) Marquesas
illégal, e, -aux [i(l)legal, o] *adj* ilegal
illimité, e [i(l)limite] *adj* ilimitado(-a); (*confiance*) infinito(-a); (*congé, durée*) indefinido(-a)
illisible [i(l)lizibl] *adj* (*indéchiffrable*) ilegible; (*roman*) intragable, insoportable
illogique [i(l)lɔʒik] *adj* ilógico(-a)
illuminer [i(l)lymine] *vt* iluminar; **s'illuminer** *vpr* iluminarse
illusion [i(l)lyzjɔ̃] *nf* ilusión *f*; **se faire des ~s** hacerse ilusiones; **faire ~** dar el pego; **~ d'optique** ilusión óptica

illustration [i(l)lystʀasjɔ̃] *nf* ilustración *f*
illustré, e [i(l)lystʀe] *adj* ilustrado(-a) ■ *nm* (*périodique*) revista ilustrada; (*pour enfants*) tebeo
illustrer [i(l)lystʀe] *vt* ilustrar; (*de notes, commentaires*) glosar; **s'illustrer** *vpr* (*personne*) distinguirse
ils [il] *pron voir* **il**
image [imaʒ] *nf* imagen *f*; (*tableau, représentation*) imagen, representación *f*; **~ de** imagen de; **~ de marque** (*d'un produit*) imagen de marca; (*d'une personne, d'une entreprise*) reputación *f*; **~ d'Épinal** cromo; (*présentation simpliste*) imagen estereotipada; **~ pieuse** imagen piadosa
imagé, e [imaʒe] *adj* rico(-a) en imágenes
imaginaire [imaʒinɛʀ] *adj* imaginario(-a); **nombre ~** número imaginario
imagination [imaʒinasjɔ̃] *nf* imaginación *f*; (*chimère, invention*) imaginaciones *fpl*
imaginer [imaʒine] *vt* imaginar; (*inventer*) idear; **s'imaginer** *vpr* (*scène*) imaginarse; **~ que** suponer que; **j'imagine qu'il a voulu plaisanter** me figuro que habrá querido bromear; **que vas-tu ~ là?** ¡qué ocurrencias tienes!; **s'~ que** imaginarse que; **s'~ à 60 ans/en vacances** imaginarse a los 60 años/en vacaciones; **il s'imagine pouvoir faire ...** se imagina que va a poder hacer ...; **ne t'imagine pas que** no te imagines que
imbécile [ɛ̃besil] *adj, nm/f* imbécil *m/f*
imbu, e [ɛ̃by] *adj*: **~ de** imbuido(-a) de; **~ de soi-même/sa supériorité** engreído(-a)
imitateur, -trice [imitatœʀ, tʀis] *nm/f* imitador(a)
imitation [imitasjɔ̃] *nf* imitación *f*; **un sac ~ cuir** un bolso imitación cuero *ou* de cuero imitación; **c'est en ~ cuir** es de cuero de imitación; **à l'~ de** a imitación de
imiter [imite] *vt* imitar; (*ressembler à*) imitar a; **il se leva et je l'imitai** se levantó y yo le imité
immangeable [ɛ̃mɑ̃ʒabl] *adj* incomible
immatriculation [imatʀikylasjɔ̃] *nf* matrícula; inscripción *f*
immatriculer [imatʀikyle] *vt* matricular; (*à la Sécurité sociale*) inscribir; **se faire ~** matricularse, inscribirse; **voiture immatriculée dans la Seine** coche *m* con matrícula del departamento del Sena
immédiat, e [imedja, jat] *adj* inmediato(-a) ■ *nm*: **dans l'~** por ahora; **dans le voisinage ~ de** en el entorno próximo de
immédiatement [imedjatmɑ̃] *adv* inmediatamente
immense [i(m)mɑ̃s] *adj* inmenso(-a); (*succès, influence, avantage*) enorme
immerger [imɛʀʒe] *vt* sumergir; **s'immerger** *vpr* (*sous-marin*) sumergirse
immeuble [imœbl] *nm* (*bâtiment*) edificio ■ *adj* (*Jur: bien*) inmueble; **~ de rapport** edificio de renta; **~ locatif** edificio de alquiler
immigration [imigʀasjɔ̃] *nf* inmigración *f*
immigré, e [imigʀe] *nm/f* inmigrado(-a)
imminent, e [iminɑ̃, ɑ̃t] *adj* inminente
immobile [i(m)mɔbil] *adj* inmóvil; (*pièce de machine*) fijo(-a); (*dogmes, institutions*) inamovible; **rester/se tenir ~** quedar/quedarse inmóvil
immobilier, -ière [imɔbilje, jɛʀ] *adj* inmobiliario(-a) ■ *nm*: **l'~** (*Comm*) el sector inmobiliario; (*Jur*) los bienes inmuebles; *voir aussi* **promoteur**; **société**
immobiliser [imɔbilize] *vt* inmovilizar; (*file, circulation*) detener; (*véhicule: stopper*) detener, parar; **s'immobiliser** *vpr* (*personne*) inmovilizarse; (*machine, véhicule*) pararse
immoral, e, -aux [i(m)mɔʀal, o] *adj* inmoral
immortel, -elle [imɔʀtɛl] *adj* inmortal
immunisé, e [im(m)ynize] *adj*: **~ contre** inmunizado(-a) contra
immunité [imynite] *nf* inmunidad *f*; **~ diplomatique/parlementaire** inmunidad diplomática/parlamentaria
impact [ɛ̃pakt] *nm* impacto; (*d'une personne*) influencia
impair, e [ɛ̃pɛʀ] *adj* impar ■ *nm* (*gaffe*) torpeza; **numéros ~s** números *mpl* impares
impardonnable [ɛ̃paʀdɔnabl] *adj* imperdonable; **vous êtes ~ d'avoir fait cela** no tiene perdón por haber hecho esto
imparfait, e [ɛ̃paʀfɛ, ɛt] *adj* (*guérison, connaissance*) incompleto(-a); (*imitation, œuvre*) deficiente ■ *nm* (*Ling*) (pretérito) imperfecto
impartial, e, -aux [ɛ̃paʀsjal, jo] *adj* imparcial
impasse [ɛ̃pɑs] *nf* (*aussi fig*) callejón *m* sin salida; **faire une ~** (*Scol*) preparar sólo una parte del temario; **être dans l'~**

(*négociations*) estar en un punto muerto; **~ budgétaire** descubierto presupuestario

impassible [ɛ̃pasibl] *adj* impasible

impatience [ɛ̃pasjɑ̃s] *nf* impaciencia; **avec ~** con impaciencia; **mouvement/ signe d'~** movimiento/signo de impaciencia

impatient, e [ɛ̃pasjɑ̃, jɑ̃t] *adj* impaciente; **~ de faire qch** impaciente por hacer algo

impatienter [ɛ̃pasjɑ̃te] *vt* impacientar; **s'impatienter** *vpr* impacientarse; **s'~ de/contre** impacientarse por/contra

impeccable [ɛ̃pekabl] *adj* impecable; (*employé*) impecable, intachable; (*fam: formidable*) fenomenal

impensable [ɛ̃pɑ̃sabl] *adj* (*inconcevable*) impensable; (*incroyable*) increíble

imper [ɛ̃pɛʀ] *nm* = **imperméable**

impératif, -ive [ɛ̃peʀatif, iv] *adj* imperioso(-a); (*Jur*) preceptivo(-a) ■ *nm* (*Ling*): **l'~** el imperativo; **impératifs** *nmpl* (*d'une charge, fonction, de la mode*) imperativos *mpl*

impératrice [ɛ̃peʀatʀis] *nf* emperatriz *f*

imperceptible [ɛ̃pɛʀsɛptibl] *adj* imperceptible

impérial, e, -aux [ɛ̃peʀjal, jo] *adj* imperial

impérieux, -euse [ɛ̃peʀjø, jøz] *adj* (*air, ton*) imperioso(-a); (*pressant*) imperioso(-a), urgente

impérissable [ɛ̃peʀisabl] *adj* imperecedero(-a)

imperméable [ɛ̃pɛʀmeabl] *adj* impermeable ■ *nm* impermeable *m*; **~ à l'air** impermeable al aire; **~ à** (*fig: personne*) inaccesible a

impertinent, e [ɛ̃pɛʀtinɑ̃, ɑ̃t] *adj* impertinente

impitoyable [ɛ̃pitwajabl] *adj* despiadado(-a)

implanter [ɛ̃plɑ̃te] *vt* (*usine*) instalar; (*Méd, usage, mode*) implantar; (*race, immigrants, industrie*) establecer; (*idée*) inculcar; **s'implanter dans** *vpr* (*v vt*) implantarse en; instalarse en, establecerse en; **un préjugé solidement implanté** un prejuicio muy arraigado

impliquer [ɛ̃plike] *vt*: **~ qn (dans)** implicar a algn (en); (*supposer, entraîner*) implicar, suponer; (*Math*) implicar; **~ qch/que** significar algo/que

impoli, e [ɛ̃pɔli] *adj* descortés

impopulaire [ɛ̃pɔpylɛʀ] *adj* impopular

importance [ɛ̃pɔʀtɑ̃s] *nf* importancia; **avoir de l'~** tener importancia; **sans ~** sin importancia; **quelle ~?** ¿qué más da?; **d'~** de importancia

important, e [ɛ̃pɔʀtɑ̃, ɑ̃t] *adj* importante; (*gamme de produits*) extenso(-a); (*péj: airs, ton*) de importancia ■ *nm*: **l'~ (est de/que)** lo importante (es/es que); **c'est ~ à savoir** es importante saberlo

importateur, -trice [ɛ̃pɔʀtatœʀ, tʀis] *adj, nm/f* importador(a); **pays ~ de blé** país *m* importador de trigo

importation [ɛ̃pɔʀtasjɔ̃] *nf* (*de marchandises, fig*) importación *f*; (*d'animaux, plantes, maladies*) introducción *f*

importer [ɛ̃pɔʀte] *vt* (*Comm*) importar; (*maladies, plantes*) importar, introducir ■ *vi* (*être important*) importar; **~ à qn** importar a algn; **il importe de le faire/ que nous le fassions** es importante hacerlo/que lo hagamos; **peu m'importe** (*je n'ai pas de préférence*) ¡me da igual!; (*je m'en moque*) ¡a mí qué me importa!; **peu importe!** ¡qué importa!; **peu importe que** poco importa que; **peu importe le prix, nous paierons** no importa el precio, pagaremos; *voir aussi* **n'importe**

importun, e [ɛ̃pɔʀtœ̃, yn] *adj* (*curiosité, présence*) importuno(-a); (*visite, personne*) inoportuno(-a) ■ *nm/f* inoportuno(-a)

importuner [ɛ̃pɔʀtyne] *vt* importunar; (*suj: insecte, bruit*) molestar

imposant, e [ɛ̃pozɑ̃, ɑ̃t] *adj* (*aussi iron*) imponente

imposer [ɛ̃poze] *vt* (*taxer*) gravar; (*faire accepter par force*) imponer; **s'imposer** *vpr* imponerse; (*montrer sa prééminence*) destacar; (*être importun*) molestar; **~ qch à qn** imponer algo a algn; **~ les mains** (*Rel*) imponer las manos; **en ~ à qn** impresionar a algn; **en ~** (*personne, présence*) imponer; **ça s'impose!** ¡es de rigor!

impossible [ɛ̃pɔsibl] *adj* (*irréalisable, improbable*) imposible; (*enfant*) insoportable, inaguantable; (*absurde, extravagant*) increíble ■ *nm*: **l'~** lo imposible; **~ à faire** imposible de hacer; **il est ~ que** es imposible que; **il m'est ~ de le faire** me resulta imposible hacerlo; **faire l'~** hacer lo imposible; **si, par ~, je ne venais pas ...** si no viniera, lo cual es imposible ...

imposteur [ɛ̃pɔstœʀ] *nm* impostor(a)

impôt [ɛ̃po] *nm* (*taxe*) impuesto; **impôts** *nmpl* (*contributions*) impuestos *mpl*; **~ direct/foncier/indirect** impuesto directo/sobre la propiedad/indirecto; **~s locaux** impuestos municipales; **~ sur la fortune** impuesto sobre el patrimonio; **~ sur le chiffre d'affaires/le revenu** impuesto sobre el capital/la renta; **~ sur le revenu des personnes physiques** impuesto sobre la renta de las personas físicas; **~ sur les plus-values** impuesto sobre las plusvalías; **~ sur les sociétés** impuesto de sociedades

impotent, e [ɛ̃pɔtɑ̃, ɑ̃t] *adj* (*personne*) impedido(-a), inválido(-a); (*jambe, bras*) paralítico(-a)

impraticable [ɛ̃pʀatikabl] *adj* (*projet, idée*) impracticable; (*piste, chemin, sentier*) intransitable, impracticable

imprécis, e [ɛ̃pʀesi, iz] *adj* (*contours, renseignement*) impreciso(-a); (*souvenir*) impreciso(-a), borroso(-a); (*tir*) sin precisión

imprégner [ɛ̃pʀeɲe] *vt*: **~ (de)** impregnar (con *ou* de); (*de lumière*) bañar (de); (*suj: amertume, ironie etc*) cargar (de); **s'imprégner de** *vpr* impregnarse de; (*de lumière*) bañarse de; (*idée, culture*) imbuirse de, empaparse de

imprenable [ɛ̃pʀənabl] *adj* (*forteresse, citadelle*) inexpugnable; **vue ~** vista panorámica asegurada

impression [ɛ̃pʀesjɔ̃] *nf* (*sentiment, sensation: d'étouffement etc*) sensación *f*; (*Photo, d'un ouvrage*) impresión *f*; (*d'un tissu, papier peint*) imprimación *f*; (*dessin, motif*) imprimación, estampación *f*; **faire bonne/mauvaise ~** causar buena/mala impresión; **faire/produire une vive ~** (*émotion*) causar/producir una viva impresión; **donner l'~ d'être ...** dar la impresión de ser ...; **donner une ~ de/l'~ que** dar una impresión de/la impresión de que; **avoir l'~ de/que** tener la impresión de/de que; **faire ~** (*orateur, déclaration*) impresionar; **~s de voyage** impresiones *fpl* de viaje

impressionnant, e [ɛ̃pʀesjɔnɑ̃, ɑ̃t] *adj* impresionante

impressionner [ɛ̃pʀesjɔne] *vt* impresionar

impressionniste [ɛ̃pʀesjɔnist] *nm/f* impresionista *m/f*

imprévisible [ɛ̃pʀevizibl] *adj* imprevisible

imprévu, e [ɛ̃pʀevy] *adj* (*événement, succès*) imprevisto(-a); (*dépense, réaction, geste*) inesperado(-a) ■ *nm*: **l'~** lo imprevisto; **en cas d'~** en caso de imprevisto; **sauf ~** salvo imprevisto

imprimante [ɛ̃pʀimɑ̃t] *nf* (*Inform*) impresora; **~ à jet d'encre/à marguerite/(à) laser** impresora de chorro de tinta/de margarita/láser; **~ (ligne par) ligne** impresora de líneas; **~ matricielle** impresora matricial; **~ thermique** impresora térmica

imprimé, e [ɛ̃pʀime] *adj* (*motif, tissu*) estampado(-a); (*livre, ouvrage*) impreso(-a) ■ *nm* impreso; (*tissu*) estampado; (*dans une bibliothèque*) libro (impreso); **un ~ à fleurs/pois** un estampado de flores/lunares

imprimer [ɛ̃pʀime] *vt* imprimir; (*tissu*) estampar; (*visa, cachet*) sellar; (*mouvement, vitesse*) comunicar, transmitir; (*direction*) imprimir, comunicar

imprimerie [ɛ̃pʀimʀi] *nf* imprenta; (*technique*) tipografía

imprimeur [ɛ̃pʀimœʀ] *nm* impresor *m*; (*ouvrier*) tipógrafo

impropre [ɛ̃pʀɔpʀ] *adj* (*incorrect*) incorrecto(-a), impropio(-a); **~ à** (*suj: personne*) inepto(-a) para; (*: chose*) inadecuado(-a) para

improviser [ɛ̃pʀɔvize] *vt, vi* improvisar; **s'improviser** *vpr* improvisarse; **s'~ cuisinier** improvisarse como *ou* de cocinero; **~ qn cuisinier** improvisar a algn como *ou* de cocinero

improviste [ɛ̃pʀɔvist]: **à l'~** *adv* de improviso

imprudence [ɛ̃pʀydɑ̃s] *nf* imprudencia

imprudent, e [ɛ̃pʀydɑ̃, ɑ̃t] *adj, nm/f* imprudente *m/f*

impuissant, e [ɛ̃pɥisɑ̃, ɑ̃t] *adj* impotente; (*effort*) inútil, vano(-a) ■ *nm* impotente *m*; **~ à faire qch** incapaz de hacer algo

impulsif, -ive [ɛ̃pylsif, iv] *adj* impulsivo(-a)

impulsion [ɛ̃pylsjɔ̃] *nf* impulso; **~ donnée aux affaires/au commerce** (*fig*) impulso dado a los negocios/al comercio; **sous l'~ de leurs chefs ...** (*fig*) bajo la influencia de sus jefes ...

inabordable [inabɔʀdabl] *adj* (*lieu*) inaccesible; (*cher, exorbitant*) exorbitante

inacceptable [inaksɛptabl] *adj* inaceptable

inaccessible [inaksesibl] *adj* (*endroit*) inaccesible; (*obscur*) incomprensible; (*personne*) inaccesible, inabordable; (*objectif*) inalcanzable; **~ à** (*insensible à: suj: personne*) insensible a

inachevé, e [inaʃ(ə)ve] *adj* inacabado(-a)

inactif, -ive [inaktif, iv] *adj* inactivo(-a); (*machine, population*) inactivo(-a), parado(-a); (*inefficace*) ineficaz
inadapté, e [inadapte] *adj, nm/f* inadaptado(-a)
inadéquat, e [inadekwa(t), kwat] *adj* inadecuado(-a)
inadmissible [inadmisibl] *adj* inadmisible
inadvertance [inadvɛʀtɑ̃s]: **par ~** *adv* por inadvertencia, por descuido
inanimé, e [inanime] *adj* inanimado(-a); **tomber ~** caer exánime
inanition [inanisjɔ̃] *nf*: **tomber/mourir d'~** caer/morir de inanición
inaperçu, e [inapɛʀsy] *adj*: **passer ~** pasar desapercibido(-a)
inapte [inapt] *adj*: **~ à qch/faire qch** incapaz para *ou* de algo/hacer algo; (*Mil*) no apto(-a), incapacitado(-a)
inattendu, e [inatɑ̃dy] *adj* inesperado(-a); (*insoupçonné*) insospechado(-a) ▪ *nm*: **l'~** lo inesperado
inattentif, -ive [inatɑ̃tif, iv] *adj* (*lecteur, élève*) desatento(-a); **~ à** (*dangers, détails matériels*) despreocupado(-a) de
inattention [inatɑ̃sjɔ̃] *nf* desatención *f*, despreocupación *f*; **par ~** por descuido; **faute** *ou* **erreur d'~** despiste *m*; **une minute d'~** un momento de despiste
inauguration [inogyʀasjɔ̃] *nf* inauguración *f*, descubrimiento; **discours/cérémonie d'~** discurso/ceremonia de inauguración
inaugurer [inogyʀe] *vt* inaugurar; (*statue*) descubrir; (*politique*) inaugurar, estrenar
inavouable [inavwabl] *adj* inconfesable
inca [ɛ̃ka] *adj* inca ▪ *nm/f*: **I~** inca *m/f*
incalculable [ɛ̃kalkylabl] *adj* incalculable; **un nombre ~ de** un número incalculable de
incapable [ɛ̃kapabl] *adj* incapaz; **~ de faire qch** incapaz de hacer algo; (*pour des raisons physiques*) incapacitado(-a) para hacer algo; **je suis ~ d'y aller** (*dans l'impossibilité*) no puedo ir
incapacité [ɛ̃kapasite] *nf* (*incompétence*) incapacidad *f*; (*Jur*) inhabilitación *f*; **je suis dans l'~ de vous aider** (*impossibilité*) me resulta imposible ayudarle; **~ de travail** incapacidad laboral; **~ électorale** inhabilitación electoral; **~ partielle/permanente/totale** incapacidad parcial/definitiva/total
incarcérer [ɛ̃kaʀseʀe] *vt* encarcelar
incassable [ɛ̃kɑsabl] *adj* irrompible
incendie [ɛ̃sɑ̃di] *nm* incendio; **~ criminel/de forêt** incendio doloso/forestal
incendier [ɛ̃sɑ̃dje] *vt* incendiar; (*accabler de reproches*) vapulear; (*visage, pommette*) enrojecer
incertain, e [ɛ̃sɛʀtɛ̃, ɛn] *adj* incierto(-a); (*éventuel, douteux*) inseguro(-a), incierto(-a); (*temps*) inestable; (*indécis, imprécis*) indefinido(-a); (*personne*) indeciso(-a); (*pas, démarche*) inseguro(-a)
incertitude [ɛ̃sɛʀtityd] *nf* (*d'un résultat, d'un fait*) incertidumbre *f*; (*d'une personne*) indecisión *f*; **incertitudes** *nfpl* (*hésitations*) vacilaciones *fpl*; (*impondérables*) eventualidades *fpl*
incessamment [ɛ̃sesamɑ̃] *adv* inmediatamente
incessant, e [ɛ̃sesɑ̃, ɑ̃t] *adj* incesante
incident, e [ɛ̃sidɑ̃, ɑ̃t] *adj* (*Jur: accessoire*) incidental ▪ *nm* incidente *m*; **proposition ~e** (*Ling*) inciso; **~ de frontière** incidente fronterizo; **~ de parcours** (*fig*) pequeño contratiempo; **~ diplomatique** incidente diplomático; **~ technique** dificultad *f* técnica
incinérer [ɛ̃sineʀe] *vt* incinerar
inciser [ɛ̃size] *vt* hacer una incisión en
incisive [ɛ̃siziv] *nf* incisivo
inciter [ɛ̃site] *vt*: **~ qn à (faire) qch** incitar a algn a (hacer) algo; (*à la révolte etc*) incitar a
inclinable [ɛ̃klinabl] *adj* reclinable; **siège à dossier ~** asiento reclinable
inclination [ɛ̃klinasjɔ̃] *nf* inclinación *f*; **montrer de l'~ pour les sciences** mostrar inclinación hacia *ou* por las ciencias; **~ de (la) tête** inclinación de (la) cabeza; **~ (du buste)** inclinación
incliner [ɛ̃kline] *vt* inclinar ▪ *vi*: **~ à qch/à faire** tender a algo/a hacer; **s'incliner** *vpr* (*personne, toit*) inclinarse; (*chemin, pente*) bajar, descender; **~ la tête** *ou* **le front** (*pour saluer*) inclinar la cabeza; **s'~ devant (qn/qch)** (*rendre hommage à*) inclinarse (ante algn/algo); **s'~ (devant qch)** (*céder*) ceder (ante algo); **s'~ devant qn/qch** (*s'avouer battu*) doblegarse ante algn/algo
inclure [ɛ̃klyʀ] *vt* incluir; (*joindre à un envoi*) adjuntar
incognito [ɛ̃kɔɲito] *adv* de incógnito ▪ *nm*: **garder l'~** mantener el incógnito
incohérent, e [ɛ̃kɔeʀɑ̃, ɑ̃t] *adj* incoherente
incollable [ɛ̃kɔlabl] *adj* (*riz*) que no se pega; **il est ~** (*fam*) no hay quien lo pille
incolore [ɛ̃kɔlɔʀ] *adj* incoloro(-a); (*style*) insulso(-a)

incommoder [ɛ̃kɔmɔde] *vt*: **~ qn** incomodar a algn
incomparable [ɛ̃kɔ̃paʀabl] *adj* (*dissemblable*) no comparable; (*inégalable*) incomparable
incompatible [ɛ̃kɔ̃patibl] *adj* incompatible; **~ avec** incompatible con
incompétent, e [ɛ̃kɔ̃petɑ̃, ɑ̃t] *adj* (*ignorant*): **~ (en)** incompetente (en); (*incapable*) incapaz; (*Jur*) incompetente
incomplet, -ète [ɛ̃kɔ̃plɛ, ɛt] *adj* incompleto(-a)
incompréhensible [ɛ̃kɔ̃pʀeɑ̃sibl] *adj* incomprensible
incompris, e [ɛ̃kɔ̃pʀi, iz] *adj* incomprendido(-a)
inconcevable [ɛ̃kɔ̃s(ə)vabl] *adj* inconcebible; (*extravagant*) increíble
inconfortable [ɛ̃kɔ̃fɔʀtabl] *adj* (*aussi fig*) incómodo(-a)
incongru, e [ɛ̃kɔ̃gʀy] *adj* (*attitude, remarque*) improcedente; (*visite*) intempestivo(-a), inoportuno(-a)
inconnu, e [ɛ̃kɔny] *adj* desconocido(-a); (*joie, sensation*) desconocido(-a), extraño(-a) ▪ *nm/f* desconocido(-a); (*étranger, tiers*) extraño(-a) ▪ *nm*: **l'~** lo desconocido
inconnue [ɛ̃kɔny] *nf* (*Math, fig*) incógnita
inconsciemment [ɛ̃kɔ̃sjamɑ̃] *adv* inconscientemente
inconscient, e [ɛ̃kɔ̃sjɑ̃, jɑ̃t] *adj* inconsciente ▪ *nm* (*Psych*): **l'~** el inconsciente ▪ *nm/f* inconsciente *m/f*; **~ de** (*événement extérieur*) ajeno(-a) a; **il est ~ de ...** (*conséquences*) no es consciente de ...
inconsidéré, e [ɛ̃kɔ̃sideʀe] *adj* desconsiderado(-a)
inconsistant, e [ɛ̃kɔ̃sistɑ̃, ɑ̃t] *adj* inconsistente; (*caractère, personne*) débil; (*intrigue d'un roman*) flojo(-a)
inconsolable [ɛ̃kɔ̃sɔlabl] *adj* inconsolable
incontestable [ɛ̃kɔ̃tɛstabl] *adj* indiscutible
incontinent, e [ɛ̃kɔ̃tinɑ̃, ɑ̃t] *adj* (*Méd*) incontinente ▪ *adv* (*tout de suite*) al instante, en el acto
incontournable [ɛ̃kɔ̃tuʀnabl] *adj* inevitable
incontrôlable [ɛ̃kɔ̃tʀolabl] *adj* (*invérifiable*) no comprobable
inconvénient [ɛ̃kɔ̃venjɑ̃] *nm* inconveniente *m*, desventaja; (*d'un remède, changement*) inconveniente; **~s** inconvenientes *mpl*; **y a-t-il un ~ à ...?** (*risque*) ¿hay algún problema en ...?; (*objection*) ¿hay algún inconveniente en ...?; **si vous n'y voyez pas d'~** (*obstacle, objection*) si no tiene inconveniente
incorporer [ɛ̃kɔʀpɔʀe] *vt* incorporar; **~ (à)** (*mélanger*) incorporar (a); **~ (dans)** (*insérer*) insertar (en); **~ qn dans** (*Mil: affecter*) destinar a algn a
incorrect, e [ɛ̃kɔʀɛkt] *adj* incorrecto(-a)
incorrigible [ɛ̃kɔʀiʒibl] *adj* incorregible
incrédule [ɛ̃kʀedyl] *adj* (*Rel*) descreído(-a); (*personne, moue*) incrédulo(-a), escéptico(-a)
incroyable [ɛ̃kʀwajabl] *adj* increíble
incruster [ɛ̃kʀyste] *vt*: **~ qch dans** (*Art*) incrustar algo en; (*récipient, radiateur*) formar sarro en; **s'incruster** *vpr*: **s'~ dans** incrustarse en; (*invité*) instalarse, aposentarse; (*radiateur, conduite*) cubrirse de sarro; **~ un bijou de diamants** (*décorer*) incrustar diamantes en una joya
inculpé, e [ɛ̃kylpe] *nm/f* inculpado(-a), acusado(-a)
inculper [ɛ̃kylpe] *vt*: **~ (de)** inculpar (de), acusar (de)
inculquer [ɛ̃kylke] *vt*: **~ qch à qn** inculcar algo a *ou* en algn
Inde [ɛ̃d] *nf* India
indécent, e [ɛ̃desɑ̃, ɑ̃t] *adj* indecente, indecoroso(-a); (*inconvenant, déplacé*) desconsiderado(-a)
indéchiffrable [ɛ̃deʃifʀabl] *adj* (*aussi fig*) indescifrable; (*pensée, personnage*) inescrutable
indécis, e [ɛ̃desi, iz] *adj* (*paix, victoire*) dudoso(-a); (*temps*) dudoso(-a), inestable; (*contours, formes*) impreciso(-a), vago(-a); (*personne*) indeciso(-a)
indéfendable [ɛ̃defɑ̃dabl] *adj* (*aussi fig*) indefendible
indéfini, e [ɛ̃defini] *adj* indefinido(-a); (*nombre*) ilimitado(-a); (*Ling: article*) indeterminado(-a); **passé ~** perfecto
indéfiniment [ɛ̃definimɑ̃] *adv* indefinidamente
indéfinissable [ɛ̃definisabl] *adj* indefinible
indélébile [ɛ̃delebil] *adj* indeleble; (*fig*) imborrable
indélicat, e [ɛ̃delika, at] *adj* (*grossier*) falto(-a) de delicadeza; (*malhonnête*) deshonesto(-a)
indemne [ɛ̃dɛmn] *adj* indemne
indemniser [ɛ̃dɛmnize] *vt* indemnizar; **~ qn de qch** indemnizar a algn por algo; **se faire ~** cobrar una indemnización
indemnité [ɛ̃dɛmnite] *nf* (*dédommagement*) indemnización *f*;

(*allocation*) subsidio; **~ de licenciement** indemnización por despido; **~ de logement** subsidio de vivienda; **~ journalière de chômage** subsidio de paro; **~ parlementaire** dietas *fpl* parlamentarias
indépendamment [ɛ̃depɑ̃damɑ̃] *adv* independientemente; **~ de** (*en faisant abstraction de*) independientemente de; (*par surcroît, en plus*) además de
indépendance [ɛ̃depɑ̃dɑ̃s] *nf* independencia; **~ matérielle** independencia económica
indépendant, e [ɛ̃depɑ̃dɑ̃, ɑ̃t] *adj* independiente; **~ de** independiente de; **travailleur ~** trabajador autónomo; **chambre ~e** habitación *f* independiente
indescriptible [ɛ̃dɛskʀiptibl] *adj* indescriptible
indésirable [ɛ̃deziʀabl] *adj* indeseable
indestructible [ɛ̃dɛstʀyktibl] *adj* indestructible; (*marque, impression*) imborrable
indéterminé, e [ɛ̃detɛʀmine] *adj* indeterminado(-a); (*texte, sens*) impreciso(-a)
index [ɛ̃dɛks] *nm* índice *m*; **mettre qn/qch à l'~** poner a algn/algo en la lista negra
indicateur, -trice [ɛ̃dikatœʀ, tʀis] *nm/f* (*de la police*) confidente *m/f* ▪ *nm* (*livre, brochure*): **~ immobilier** guía inmobiliaria; (*Écon*) indicador *m*, índice *m* ▪ *adj*: **poteau ~** indicador, señal *f* de orientación; **panneau ~** panel *m* informativo; **~ de changement de direction** (*Auto*) indicador de cambio de dirección; **~ de niveau** indicador de nivel; **~ de pression** manómetro; **~ des chemins de fer** horario de trenes; **~ de vitesse** velocímetro
indicatif [ɛ̃dikatif] *nm* (*Ling*) indicativo; (*Radio*) sintonía; (*téléphonique*) prefijo ▪ *adj*: **à titre ~** a título informativo; **~ d'appel** (*Radio*) signo convencional
indication [ɛ̃dikasjɔ̃] *nf* indicación *f*; **indications** *nfpl* (*directives*) indicaciones *fpl*, instrucciones *fpl*; **~ d'origine** (*Comm*) indicación de origen *ou* de procedencia
indice [ɛ̃dis] *nm* indicio; (*Police*) indicio, pista; (*Écon, Science, Tech, Admin*) índice *m*; **~ de la production industrielle** índice de producción industrial; **~ de réfraction/des prix** índice de refracción/de precios; **~ de traitement** (*Admin*) escala de sueldos; **~ d'octane** (*d'un carburant*) índice de octano; **~ du coût de la vie** índice de coste de la vida; **~ inférieur** (*Inform*) índice inferior
indicible [ɛ̃disibl] *adj* (*joie, charme*) inefable; (*peine*) indecible
indien, ne [ɛ̃djɛ̃, jɛn] *adj* indio(-a), hindú ▪ *nm/f*: **Indien, ne** (*d'Amérique*) indio(-a); (*d'Inde*) indio(-a), hindú *m/f*; **l'océan I~** el Océano Indico
indifféremment [ɛ̃difeʀamɑ̃] *adv* indiferentemente, indistintamente
indifférence [ɛ̃difeʀɑ̃s] *nf* indiferencia
indifférent, e [ɛ̃difeʀɑ̃, ɑ̃t] *adj* indiferente; **~ à qn/qch** indiferente a algn/algo; **parler de choses ~es** hablar de cosas sin importancia; **ça m'est ~ (que ...)** me es indiferente (que ...)
indigène [ɛ̃diʒɛn] *adj, nm/f* indígena, criollo(-a) (*AM*)
indigeste [ɛ̃diʒɛst] *adj* indigesto(-a); (*fig*) pesado(-a)
indigestion [ɛ̃diʒɛstjɔ̃] *nf* indigestión *f*; **avoir une ~** tener una indigestión
indigne [ɛ̃diɲ] *adj* indigno(-a); **~ de** indigno(-a) de
indigner [ɛ̃diɲe] *vt* indignar; **s'indigner** *vpr*: **s'~ (de qch/contre qn)** (*se fâcher*) indignarse (por *ou* con algo/contra *ou* con algn)
indiqué, e [ɛ̃dike] *adj* (*date, lieu*) indicado(-a), acordado(-a); (*adéquat*) indicado(-a), adecuado(-a); **ce n'est pas très ~** no es muy adecuado; **remède/traitement ~** (*prescrit*) remedio/tratamiento adecuado
indiquer [ɛ̃dike] *vt* indicar; (*heure, solution*) indicar, informar; (*déterminer*) señalar, fijar; **~ qch/qn du doigt/du regard** (*désigner*) indicar *ou* señalar algo/a algn con el dedo/con la mirada; **à l'heure indiquée** a la hora acordada; **pourriez-vous m'~ les toilettes/l'heure?** ¿puede indicarme dónde están los servicios/decirme la hora?
indiscipliné, e [ɛ̃disipline] *adj* (*écolier, troupes*) indisciplinado(-a); (*cheveux etc*) rebelde
indiscret, -ète [ɛ̃diskʀɛ, ɛt] *adj* indiscreto(-a)
indiscutable [ɛ̃diskytabl] *adj* indiscutible
indispensable [ɛ̃dispɑ̃sabl] *adj* (*garanties, précautions, condition*) indispensable; (*objet, connaissances, personne*) imprescindible; **~ à qn/pour faire qch** imprescindible *ou* indispensable a algn/para hacer algo
indisposé, e [ɛ̃dispoze] *adj* indispuesto(-a)

indistinct, e [ɛ̃distɛ̃(kt), ɛ̃kt] *adj (objet)* indistinto(-a); (*voix, bruits, souvenirs*) confuso(-a)
indistinctement [ɛ̃distɛ̃ktəmɑ̃] *adv* indistintamente; **tous les Français ~** todos los franceses sin distinción
individu [ɛ̃dividy] *nm* individuo
individualiste [ɛ̃dividɥalist] *adj, nm/f* individualista *m/f*
individuel, le [ɛ̃dividɥɛl] *adj* individual; (*opinion*) personal; (*cas*) particular ■ *nm/f* (*athlète*) independiente *m/f*; **chambre/maison ~le** habitación *f*/casa individual; **propriété ~le** propiedad *f* particular
indolore [ɛ̃dɔlɔʀ] *adj* indoloro(-a)
Indonésie [ɛ̃dɔnezi] *nf* Indonesia
indu, e [ɛ̃dy] *adj*: **à des heures ~es** (*travailler*) tarde; (*rentrer*) a horas imprudentes
indulgent, e [ɛ̃dylʒɑ̃, ɑ̃t] *adj* indulgente
industrialiser [ɛ̃dystʀijalize] *vt* industrializar; **s'industrialiser** *vpr* industrializarse
industrie [ɛ̃dystʀi] *nf* industria; **petite/moyenne/grande ~** pequeña/mediana/gran industria; **~ automobile** industria automovilística; **~ du livre/du spectacle** industria del libro/del espectáculo; **~ légère/lourde/textile** industria ligera/pesada/textil
industriel, le [ɛ̃dystʀijɛl] *adj, nm/f* industrial *m/f*
inébranlable [inebʀɑ̃labl] *adj* inquebrantable; (*personne, certitude*) firme
inédit, e [inedi, it] *adj* inédito(-a)
inefficace [inefikas] *adj* ineficaz; (*machine, employé*) ineficiente
inégal, e, -aux [inegal, o] *adj* desigual; (*partage, part*) desproporcionado(-a); (*rythme, pouls, écrivain*) irregular; (*humeur*) variable
inégalable [inegalabl] *adj* inigualable
inégalé, e [inegale] *adj* inigualado(-a)
inégalité [inegalite] *nf* desigualdad *f*; (*d'un partage etc*) desproporción *f*; **inégalités** *nfpl* (*dans une œuvre*) desigualdades *fpl*; **~s d'humeur** variaciones *fpl* de humor; **~s de terrain** desigualdades del terreno
inépuisable [inepɥizabl] *adj* inagotable; **il est ~ sur** es inagotable en
inerte [inɛʀt] *adj* inerte; (*apathique*) pasivo(-a)
inespéré, e [inɛspeʀe] *adj* inesperado(-a)
inestimable [inɛstimabl] *adj* inestimable
inévitable [inevitabl] *adj* inevitable; (*effet*) consabido(-a), inevitable; (*hum: rituel*) consabido(-a)
inexact, e [inɛgza(kt), akt] *adj* inexacto(-a); (*traduction etc*) incorrecto(-a); (*non ponctuel*) impuntual
inexcusable [inɛkskyzabl] *adj* inexcusable
inexplicable [inɛksplikabl] *adj* inexplicable
in extremis [inɛkstʀemis] *adv* de milagro ■ *adj* (*préparatifs, sauvetage*) en el último momento; (*mariage, testament*) in extremis
infaillible [ɛ̃fajibl] *adj* infalible
infaisable [ɛ̃fəzabl] *adj* imposible de hacer
infarctus [ɛ̃faʀktys] *nm*: **~ (du myocarde)** infarto (de miocardio)
infatigable [ɛ̃fatigabl] *adj* infatigable, incansable
infect, e [ɛ̃fɛkt] *adj* pestilente; (*goût*) asqueroso(-a); (*temps*) horroroso(-a); (*personne*) odioso(-a)
infecter [ɛ̃fɛkte] *vt* (*atmosphère, eau*) contaminar; (*personne*) contagiar; (*plaie*) infectar; **s'infecter** *vpr* infectarse
infection [ɛ̃fɛksjɔ̃] *nf* (*puanteur*) pestilencia; (*Méd*) infección *f*
inférieur, e [ɛ̃feʀjœʀ] *adj* inferior; (*classes sociales, intelligence*) bajo(-a) ■ *nm/f* inferior *m/f*; **~ à** inferior a
infernal, e, -aux [ɛ̃fɛʀnal, o] *adj* infernal; (*satanique*) diabólico(-a); **tu es ~!** (*fam: enfant*) ¡eres un diablo!
infidèle [ɛ̃fidɛl] *adj* infiel; (*narrateur, récit*) inexacto(-a)
infiltrer [ɛ̃filtʀe] *vpr*: **s'infiltrer**: **s'~ dans** infiltrarse en; (*vent, lumière*) colarse en
infime [ɛ̃fim] *adj* ínfimo(-a)
infini, e [ɛ̃fini] *adj* infinito(-a); (*discussions*) interminable; (*précautions*) extremo(-a) ■ *nm*: **l'~** (*Math, Photo*) el infinito; **à l'~** (*Math*) al infinito; (*discourir*) interminablemente; (*agrandir, varier*) ampliamente
infiniment [ɛ̃finimɑ̃] *adv* infinitamente
infinité [ɛ̃finite] *nf*: **une ~ de** una infinidad de
infinitif, -ive [ɛ̃finitif, iv] *nm* (*Ling*) infinitivo ■ *adj* (*mode, proposition*) infinitivo(-a)
infirme [ɛ̃fiʀm] *adj, nm/f* inválido(-a); **~ moteur** deficiente *m/f* físico(-a)
infirmerie [ɛ̃fiʀməʀi] *nf* enfermería
infirmier, -ière [ɛ̃fiʀmje, jɛʀ] *nm/f* enfermero(-a), A.T.S. *m/f* ■ *adj*: **élève ~**

alumno(-a) de enfermería; **infirmière chef** enfermera jefe; **infirmière diplômée** diplomada en enfermería; **infirmière visiteuse** enfermera domiciliaria
infirmité [ɛ̃fiʀmite] *nf* invalidez *f*
inflammable [ɛ̃flamabl] *adj* inflamable
inflation [ɛ̃flasjɔ̃] *nf* inflación *f*; **~ galopante/rampante** inflación galopante/lenta
infliger [ɛ̃fliʒe] *vt* poner; **il m'infligea un affront** me agravió
influençable [ɛ̃flyɑ̃sabl] *adj* influenciable
influence [ɛ̃flyɑ̃s] *nf* influencia; (*d'une drogue*) efecto; (*Pol*) predominio
influencer [ɛ̃flyɑ̃se] *vt* influir
influent, e [ɛ̃flyɑ̃, ɑ̃t] *adj* influyente
informaticien, ne [ɛ̃fɔʀmatisjɛ̃, jɛn] *nm/f* informático(-a)
information [ɛ̃fɔʀmasjɔ̃] *nf* información *f*; **informations** *nfpl* (*Radio*) noticias *fpl*; **voyage d'~** viaje *m* de investigación; **~ politique/sportive** (*TV etc*) información política/deportiva; **journal d'~** diario informativo
informatique [ɛ̃fɔʀmatik] *nf* informática
informatiser [ɛ̃fɔʀmatize] *vt* informatizar
informer [ɛ̃fɔʀme] *vt*: **~ qn (de)** informar a algn (de) ■ *vi* (*Jur*): **~ contre qn/sur qch** informar contra algn/ sobre algo; **s'informer** *vpr*: **s'~ (sur)** informarse (sobre)
infos [ɛ̃fo] *nfpl* = **informations**
infraction [ɛ̃fʀaksjɔ̃] *nf* infracción *f*; **être en ~** haber cometido una infracción
infranchissable [ɛ̃fʀɑ̃ʃisabl] *adj* infranqueable; (*fig*) insalvable
infrarouge [ɛ̃fʀaʀuʒ] *adj* infrarrojo(-a) ■ *nm* infrarrojo
infrastructure [ɛ̃fʀastʀyktyʀ] *nf* infraestructura; **infrastructures** *nfpl* (*d'un pays etc*) infraestructuras *fpl*; **~ touristique/hôtelière/routière** infraestructura turística/hotelera/viaria
infuser [ɛ̃fyze] *vt* (*aussi*: **faire infuser**) dejar reposar
infusion [ɛ̃fyzjɔ̃] *nf* infusión *f*
ingénier [ɛ̃ʒenje] *vpr*: **s'ingénier**: **s'~ à faire qch** ingeniárselas para hacer algo
ingénierie [ɛ̃ʒeniʀi] *nf* ingeniería; **~ génétique** ingeniería genética
ingénieur [ɛ̃ʒenjœʀ] *nm* ingeniero; **~ agronome/du son** ingeniero agrónomo/de sonido; **~ chimiste/des mines** ingeniero químico/de minas
ingénieux, -euse [ɛ̃ʒenjø, jøz] *adj* ingenioso(-a)
ingrat, e [ɛ̃gʀa, at] *adj* (*personne, travail*) ingrato(-a); (*sol*) estéril; (*visage*) poco agraciado(-a) ■ *nm/f* ingrato(-a); **~ envers** ingrato con
ingrédient [ɛ̃gʀedjɑ̃] *nm* ingrediente *m*
inhabité, e [inabite] *adj* (*régions*) despoblado(-a); (*maison*) deshabitado(-a)
inhabituel, le [inabitɥɛl] *adj* inhabitual
inhibition [inibisjɔ̃] *nf* inhibición *f*
inhumain, e [inymɛ̃, ɛn] *adj* (*barbare*) inhumano(-a); (*cri etc*) atroz
inimaginable [inimaʒinabl] *adj* inimaginable
ininterrompu, e [inɛ̃teʀɔ̃py] *adj* ininterrumpido(-a); (*flot, vacarme*) continuo(-a)
initial, e, -aux [inisjal, jo] *adj, nf* inicial; **initiales** *nfpl* iniciales *fpl*
initiation [inisjasjɔ̃] *nf* iniciación *f*
initiative [inisjativ] *nf* (*aussi Pol*) iniciativa; **avoir de l'~** tener iniciativa; **esprit d'~** (espíritu de) iniciativa; **à** *ou* **sur l'~ de qn** a iniciativa de algn; **de sa propre ~** por propia iniciativa
initier [inisje] *vt* iniciar; **s'initier** *vpr*: **s'~ à** iniciarse en; **~ qn à** iniciar a algn en
injecter [ɛ̃ʒɛkte] *vt* inyectar
injection [ɛ̃ʒɛksjɔ̃] *nf* inyección *f*; **~ intraveineuse/sous-cutanée** inyección intravenosa/subcutánea; **à ~** (*moteur, système*) de inyección
injure [ɛ̃ʒyʀ] *nf* insulto
injurier [ɛ̃ʒyʀje] *vt* insultar
injurieux, -euse [ɛ̃ʒyʀjø, jøz] *adj* injurioso(-a)
injuste [ɛ̃ʒyst] *adj* injusto(-a); **~ (avec** *ou* **envers qn)** injusto(-a) (con algn)
injustice [ɛ̃ʒystis] *nf* injusticia; **haïr/abhorrer l'~** odiar/aborrecer la injusticia
inlassable [ɛ̃lɑsabl] *adj* incansable, infatigable
inné, e [i(n)ne] *adj* innato(-a)
innocent, e [inɔsɑ̃, ɑ̃t] *adj* inocente; (*crédule, naïf*) inocente, ingenuo(-a); (*jeu, plaisir*) inofensivo(-a) ■ *nm/f* inocente *m/f*; **faire l'~** hacerse el inocente
innocenter [inɔsɑ̃te] *vt* disculpar
innombrable [i(n)nɔ̃bʀabl] *adj* incontable
innover [inɔve] *vt* innovar ■ *vi*: **~ en art/en matière d'art** innovar en arte/en temas de arte
inoccupé, e [inɔkype] *adj* desocupado(-a)
inodore [inɔdɔʀ] *adj* inodoro(-a)
inoffensif, -ive [inɔfɑ̃sif, iv] *adj* inofensivo(-a); (*plaisanterie*) inocente

inondation [inɔ̃dasjɔ̃] *nf* inundación *f*; (*afflux massif*) invasión *f*
inonder [inɔ̃de] *vt* (*aussi fig*) inundar; (*pluie*) empapar; (*envahir*) invadir; **~ de** inundar de
inopportun, e [inɔpɔʀtœ̃, yn] *adj* inoportuno(-a)
inoubliable [inublijabl] *adj* inolvidable
inouï, e [inwi] *adj* inaudito(-a)
inox [inɔks] *adj, nm abr* acero inoxidable
inquiet, -ète [ɛ̃kjɛ, ɛ̃kjɛt] *adj* inquieto(-a) ■ *nm/f* inquieto(-a); **~ de qch/au sujet de qn** inquieto(-a) *ou* preocupado(-a) por algo/algn
inquiétant, e [ɛ̃kjetɑ̃, ɑ̃t] *adj* inquietante, preocupante
inquiéter [ɛ̃kjete] *vt* inquietar, preocupar; (*harceler*) hostigar; (*police*) molestar; **s'inquiéter** *vpr* inquietarse, preocuparse; **s'~ de** preocuparse por
inquiétude [ɛ̃kjetyd] *nf* inquietud *f*, preocupación *f*; **donner de l'~** *ou* **des ~s à** preocupar a; **avoir de l'~** *ou* **des ~s au sujet de** estar preocupado(-a) por
insaisissable [ɛ̃sezisabl] *adj* (*ennemi*) incapturable; (*nuance*) imperceptible; (*bien*) inembargable
insalubre [ɛ̃salybʀ] *adj* insalubre
insatisfait, e [ɛ̃satisfɛ, ɛt] *adj* insatisfecho(-a)
inscription [ɛ̃skʀipsjɔ̃] *nf* inscripción *f*; (*indication*) inscripción, letrero; (*à une institution*) inscripción, matrícula
inscrire [ɛ̃skʀiʀ] *vt* escribir, inscribir; (*renseignement*) anotar; (*à un budget*) hacer asiento de; (*nom: sur une liste etc*) anotar, apuntar; **s'inscrire** *vpr* (*pour une excursion etc*) apuntarse, inscribirse; **~ qn à** matricular *ou* apuntar a algn a; **s'~ (à)** (*un club, parti*) apuntarse (a), matricularse (en); (*l'université, un examen*) matricularse (en); **s'~ dans** (*suj: projet*) insertarse en; **s'~ en faux contre qch** desmentir algo
insecte [ɛ̃sɛkt] *nm* insecto
insecticide [ɛ̃sɛktisid] *adj* insecticida ■ *nm* insecticida *m*
insensé, e [ɛ̃sɑ̃se] *adj* insensato(-a)
insensible [ɛ̃sɑ̃sibl] *adj* insensible; (*pouls, mouvement*) imperceptible; **~ aux compliments/à la chaleur** insensible a los halagos/al calor
inséparable [ɛ̃sepaʀabl] *adj* inseparable; **inséparables** *nmpl* (*oiseaux*) periquitos *mpl*
insigne [ɛ̃siɲ] *nm* emblema *m* ■ *adj* insigne; (*service*) notable
insignifiant, e [ɛ̃siɲifjɑ̃, jɑ̃t] *adj* insignificante; (*paroles, visage, livre*) insustancial
insinuer [ɛ̃sinɥe] *vt* insinuar; **s'insinuer** *vpr*: **s'~ dans** (*odeur, humidité*) filtrarse en; (*personne*) colarse en
insipide [ɛ̃sipid] *adj* insípido(-a), insulso(-a); (*film etc*) insulso(-a); (*personne*) soso(-a)
insister [ɛ̃siste] *vi* insistir; **~ sur** insistir en; **~ pour (faire) qch** insistir en (hacer) algo
insolation [ɛ̃sɔlasjɔ̃] *nf* insolación *f*
insolent, e [ɛ̃sɔlɑ̃, ɑ̃t] *adj* insolente, descarado(-a); (*indécent*) injurioso(-a) ■ *nm/f* insolente *m/f*, descarado(-a)
insolite [ɛ̃sɔlit] *adj* extraño(-a)
insoluble [ɛ̃sɔlybl] *adj* (*problème*) sin solución; **~ (dans)** insoluble (en)
insomnie [ɛ̃sɔmni] *nf* insomnio; **avoir des ~s** tener insomnio
insouciant, e [ɛ̃susjɑ̃, jɑ̃t] *adj* despreocupado(-a); (*imprévoyant*) dejado(-a)
insoupçonnable [ɛ̃supsɔnabl] *adj* insospechable
insoupçonné, e [ɛ̃supsɔne] *adj* insospechado(-a)
insoutenable [ɛ̃sut(ə)nabl] *adj* (*argument, opinion*) insostenible; (*lumière, chaleur, spectacle*) insoportable; (*effort*) insufrible
inspecter [ɛ̃spɛkte] *vt* inspeccionar; (*personne*) dar un repaso a; (*maison*) revisar
inspecteur, -trice [ɛ̃spɛktœʀ, tʀis] *nm/f* inspector(a); **~ d'Académie** inspector de enseñanza; **~ (de police)** inspector (de policía); **~ des Finances** *ou* **des impôts** inspector de hacienda; **~ (de l'enseignement) primaire** ≈ inspector de educación primaria
inspection [ɛ̃spɛksjɔ̃] *nf* inspección *f*; **~ des Finances/du Travail** inspección de Hacienda/de trabajo
inspirer [ɛ̃spiʀe] *vt* inspirar; (*intentions*) sugerir ■ *vi* inspirar; **s'inspirer** *vpr*: **s'~ de qch** inspirarse en algo; **~ qch à qn** sugerir algo a algn; (*crainte, horreur*) inspirar algo a algn; **ça ne m'inspire pas beaucoup/vraiment pas** eso no me dice mucho/nada
instable [ɛ̃stabl] *adj* inestable; (*personne, population*) nómada
installation [ɛ̃stalasjɔ̃] *nf* instalación *f*; (*dans un lieu précis*) colocación *f*; (*chez qn*) alojamiento; (*sur un siège*) acomodo *f*; **installations** *nfpl* (*équipement*): **~s**

portuaires instalaciones *fpl* portuarias; **une ~ provisoire** *ou* **de fortune** un alojamiento provisional; **l'~ électrique** la instalación eléctrica; **~s industrielles** instalaciones industriales

installer [ɛ̃stale] *vt* instalar; (*asseoir, coucher*) acomodar; (*dans un lieu déterminé*) colocar; (*appartement*) acondicionar; (*fonctionnaire, magistrat*) dar posesión a; **s'installer** *vpr* instalarse; (*à un emplacement*) acomodarse; (*maladie, grève*) arraigarse; **~ une chambre dans le grenier** construir una habitación en el ático; **s'~ à l'hôtel/chez qn** alojarse en el hotel/en casa de algn

instance [ɛ̃stɑ̃s] *nf* (*Jur*) instancia; **instances** *nfpl* (*prières*) insistencia *fsg*; **les ~s internationales** los organismos internacionales; **affaire en ~** asunto pendiente; **courrier en ~** correo pendiente; **être en ~ de divorce** estar en trámites de divorcio; **train en ~ de départ** tren *m* a punto de salir; **en première ~** en primera instancia

instant, e [ɛ̃stɑ̃, ɑ̃t] *adj* (*prière etc*) apremiante ▪ *nm* instante *m*; **sans perdre un ~** sin perder un instante; **en** *ou* **dans un ~** en un instante; **à l'~**: **je l'ai vu à l'~** lo he visto hace nada; **à l'~ (même) où** en el (mismo) momento en que; **à chaque** *ou* **tout ~** a cada instante; **pour l'~** por el momento; **par ~s** por momentos; **de tous les ~s** constante; **dès l'~ où** *ou* **que ...** desde el momento en que *ou* en cuanto ...; **d'un ~ à l'autre** de un momento a otro, en cualquier momento

instantané, e [ɛ̃stɑ̃tane] *adj* instantáneo(-a) ▪ *nm* (*Photo*) instantánea

instar [ɛ̃staʀ]: **à l'~ de** *prép* a semejanza de

instaurer [ɛ̃stɔʀe] *vt* implantar; **s'instaurer** *vpr* establecerse

instinct [ɛ̃stɛ̃] *nm* instinto; **avoir l'~ des affaires/du commerce** tener instinto para los negocios/el comercio; **d'~** por instinto; **~ grégaire/de conservation** instinto gregario/de conservación

instinctivement [ɛ̃stɛ̃ktivmɑ̃] *adv* instintivamente

instituer [ɛ̃stitɥe] *vt* establecer; (*un organisme*) fundar; (*évêque*) designar; (*héritier*) nombrar; **s'instituer** *vpr* (*relations*) establecerse; **s'~ défenseur d'une cause** erigirse en defensor(a) de una causa

institut [ɛ̃stity] *nm* instituto; **l'I~ de France** *institución que agrupa las cinco academias en Francia*, ≈ Real Academia Española; **~ de beauté** instituto de belleza; **~ médico-légal** instituto médico legal; **I~ universitaire de technologie (IUT)** ≈ Escuela Politécnica

instituteur, -trice [ɛ̃stitytœʀ, tʀis] *nm/f* maestro(-a)

institution [ɛ̃stitysjɔ̃] *nf* institución *f*; (*régime*) régimen *m*; (*collège*) colegio privado; **institutions** *nfpl* (*structures politiques et sociales*) instituciones *fpl*

instructif, -ive [ɛ̃stʀyktif, iv] *adj* instructivo(-a)

instruction [ɛ̃stʀyksjɔ̃] *nf* (*enseignement*) enseñanza; (*savoir*) cultura; (*Jur, Inform*) instrucción *f*; **instructions** *nfpl* (*directives, mode d'emploi*) instrucciones *fpl*; **~ publique/primaire** enseñanza pública/de educación primaria; **~ ministérielle/préfectorale** circular *f* ministerial/de la Prefectura; **~ civique** formación *f* cívica; **~ religieuse** formación religiosa

instruire [ɛ̃stʀɥiʀ] *vt* (*élèves*) enseñar; (*Mil, Jur*) instruir; **s'instruire** *vpr* instruirse; **s'~ de qch auprès de qn** informarse sobre algo por algn; **~ qn de qch** informar a algn de algo

instruit, e [ɛ̃stʀɥi, it] *pp de* **instruire** ▪ *adj* instruido(-a), culto(-a)

instrument [ɛ̃stʀymɑ̃] *nm* herramienta; (*Mus*) instrumento; **~ à cordes/à percussion/à vent/de musique** instrumento de cuerda/de percusión/de viento/musical; **~ de mesure/de travail** instrumento de medición/de trabajo

insu [ɛ̃sy] *nm*: **à l'~ de qn** a espaldas de algn; **à son ~** a sus espaldas

insuffisant, e [ɛ̃syfizɑ̃, ɑ̃t] *adj* insuficiente; (*dimensions*) reducido(-a); **~ en maths** insuficiente en matemáticas

insulaire [ɛ̃sylɛʀ] *adj* insular; (*attitude*) cerrado(-a)

insuline [ɛ̃sylin] *nf* insulina

insulte [ɛ̃sylt] *nf* insulto

insulter [ɛ̃sylte] *vt* insultar

insupportable [ɛ̃sypɔʀtabl] *adj* insoportable

insurmontable [ɛ̃syʀmɔ̃tabl] *adj* insuperable; (*angoisse, aversion*) invencible

intact, e [ɛ̃takt] *adj* intacto(-a); (*réputation*) íntegro(-a)

intarissable [ɛ̃taʀisabl] *adj* inagotable; **il est ~ sur ...** es incansable cuando habla de ...

intégral, e, -aux [ɛ̃tegʀal, o] *adj* total; (*édition*) completo(-a); **nu ~** desnudo integral
intégralement [ɛ̃tegʀalmɑ̃] *adv* totalmente, completamente
intégralité [ɛ̃tegʀalite] *nf* totalidad *f*; **dans son ~** en su totalidad
intégrant, e [ɛ̃tegʀɑ̃, ɑ̃t] *adj*: **faire partie ~e de qch** formar parte integrante de algo
intègre [ɛ̃tɛgʀ] *adj* íntegro(-a)
intégrer [ɛ̃tegʀe] *vt* (*personnes*) integrar; (*théories, paragraphe*) incorporar ■ *vi* (*argot universitaire*) ingresar; **s'intégrer** *vpr*: **s'~ à** *ou* **dans qch** integrarse en algo
intégrisme [ɛ̃tegʀism] *nm* integrismo
intellectuel, le [ɛ̃telɛktɥɛl] *adj, nm/f* intelectual *m/f*
intelligence [ɛ̃teliʒɑ̃s] *nf* inteligencia; (*compréhension*) comprensión *f*; **intelligences** *nfpl* (*fig*) cómplices *mpl*; **regard/sourire d'~** mirada/sonrisa de complicidad; **vivre en bonne/mauvaise ~ avec qn** llevarse bien/mal con algn; **avoir des ~s dans la place** (*Mil*) tener contactos en el sitio; **être d'~** estar de común acuerdo; **~ artificielle** inteligencia artificial
intelligent, e [ɛ̃teliʒɑ̃, ɑ̃t] *adj* inteligente, listo(-a); (*personne, animal*) inteligente
intelligible [ɛ̃teliʒibl] *adj* (*proposition etc*) inteligible; **parler de façon peu ~** hablar de forma poco clara
intempéries [ɛ̃tɑ̃peʀi] *nfpl* tiempo inclemente
intempestif, -ive [ɛ̃tɑ̃pɛstif, iv] *adj* intempestivo(-a)
intenable [ɛ̃t(ə)nabl] *adj* inaguantable, insoportable; (*position*) indefendible; (*enfant*) inaguantable
intendant, e [ɛ̃tɑ̃dɑ̃, ɑ̃t] *nm/f* (*Mil*) intendente *m*; (*Scol, régisseur*) administrador(a)
intense [ɛ̃tɑ̃s] *adj* intenso(-a)
intensif, -ive [ɛ̃tɑ̃sif, iv] *adj* intensivo(-a); **cours ~** curso intensivo; **culture intensive** cultivo intensivo
intenter [ɛ̃tɑ̃te] *vt*: **~ un procès/une action contre** *ou* **à qn** entablar proceso/una acción contra algn
intention [ɛ̃tɑ̃sjɔ̃] *nf* intención *f*; (*but, objectif*) intención *f*, propósito; **contrecarrer les ~s de qn** oponerse a las intenciones de algn; **avec** *ou* **dans l'~ de nuire** con la premeditación de dañar; **avoir l'~ de faire qch** tener la intención de hacer algo; **à l'~ de qn** para algn; (*prière, messe*) por algn; (*fête*) en honor de algn; (*film, ouvrage*) dedicado(-a) a algn; **à cette ~** con este propósito; **sans ~ de** sin intención de; **faire qch sans mauvaise ~** hacer algo sin mala intención; **agir dans une bonne ~** actuar con buena intención
intentionné, e [ɛ̃tɑ̃sjɔne] *adj*: **être bien/mal ~** tener buena/mala intención
interactif, -ive [ɛ̃tɛʀaktif, iv] *adj* (*aussi Inform*) interactivo(-a)
intercepter [ɛ̃tɛʀsɛpte] *vt* interceptar; (*lumière etc*) impedir el paso de
interchangeable [ɛ̃tɛʀʃɑ̃ʒabl] *adj* intercambiable
interdiction [ɛ̃tɛʀdiksjɔ̃] *nf* interdicción *f*, prohibición *f*; **~ de fumer** prohibido *ou* se prohibe fumar; **~ de séjour** interdicción de residencia
interdire [ɛ̃tɛʀdiʀ] *vt* prohibir; (*Admin, Rel: personne*) inhabilitar; **~ qch à qn** prohibir algo a algn; **~ à qn de faire qch** prohibir a algn hacer algo; (*suj: chose*) impedir que algn haga algo; **s'~ qch** (*éviter*) privarse de algo; **il s'interdit d'y penser** se niega a pensar en ello
interdit, e [ɛ̃tɛʀdi, it] *pp de* **interdire** ■ *adj* (*stupéfait*) estupefacto(-a); (*prêtre*) inhabilitado(-a), incapacitado(-a); (*écrivain*) vedado(-a); (*livre*) censurado(-a) ■ *nm* pauta; **prononcer l'~ contre qn** vetar a algn; **film ~ aux moins de 18/13 ans** película prohibida a los menores de 18/13 años; **sens/stationnement ~** dirección *f*/estacionamiento prohibido(-a); **~ de chéquier** *persona a la que se le deniega un talonario de cheques*; **~ de séjour** expulsado(-a)
intéressant, e [ɛ̃teʀesɑ̃, ɑ̃t] *adj* interesante; **faire l'~** hacerse el interesante
intéressé, e [ɛ̃teʀese] *adj* interesado(-a) ■ *nm/f*: **l'intéressé, e** el (la) interesado(-a)
intéresser [ɛ̃teʀese] *vt* (*élèves etc*) interesar; (*Admin: mesure, loi*) concernir; (*Comm: aux bénéfices*) dar participación en; **ce film m'a beaucoup intéressé** he encontrado muy interesante esta película; **ça n'intéresse personne** eso no interesa a nadie; **~ qn dans une affaire** hacer partícipe a algn en un negocio; **~ qn à qch** interesar a algn en algo; **s'~ à qn/à ce que fait qn/qch** interesarse por algn/por lo que hace algn/algo; **s'~ à un sport** interesarse por un deporte
intérêt [ɛ̃teʀɛ] *nm* interés *msg*; (*avantage, originalité*): **l'~ de ...** lo interesante de ...; **intérêts** *nmpl*

(*avantage*) intereses *mpl*; **porter de l'~ à qn** interesarse por algn; **agir par ~** actuar por interés; **avoir des ~s dans une société** tener intereses en una compañía; **il a ~ à acheter cette voiture** le interesa comprar ese coche; **tu aurais ~ à te taire!** ¡más te vale callarte!; **il y a ~ à ...** interesa ...; **~ composé** interés compuesto

intérieur, e [ɛ̃teʀjœʀ] *adj* interior ■ *nm* interior *m*; **ministère de l'I~** ministerio del Interior; **un ~ bourgeois/ confortable** una decoración burguesa/ confortable; **à l'~ (de)** en el interior *ou* dentro *ou* adentro (*esp AM*) (de); (*fig*) dentro (de); **en ~** (*Ciné*) en interiores; **vêtement/veste/chaussures d'~** prenda/chaqueta/zapatos *mpl* de estar en casa

intérieurement [ɛ̃teʀjœʀmɑ̃] *adv* por dentro

intérim [ɛ̃teʀim] *nm* interinidad *f*; **assurer l'~ (de qn)** hacer la interinidad (de algn); **faire de l'~** hacer sustituciones; **par ~** *adj* interino(-a) ■ *adv* de interino

intérimaire [ɛ̃teʀimɛʀ] *adj, nm/f* interino(-a); **personnel ~** personal *m* interino

interligne [ɛ̃tɛʀliɲ] *nm* línea; (*Mus*) espacio; **simple/double ~** un/doble espacio

interlocuteur, -trice [ɛ̃tɛʀlɔkytœʀ, tʀis] *nm/f* interlocutor(a); **~ valable** (*Pol*) interlocutor válido

intermédiaire [ɛ̃tɛʀmedjɛʀ] *adj* intermedio(-a) ■ *nm/f* intermediario(-a); **intermédiaires** *nmpl* (*Comm*) intermediarios *mpl*; **par l'~ de** por mediación de

interminable [ɛ̃tɛʀminabl] *adj* interminable

intermittence [ɛ̃tɛʀmitɑ̃s] *nf*: **par ~** (*travailler*) con intermitencias; (*entendre qch*) a intervalos

internat [ɛ̃tɛʀna] *nm* internado; (*Méd*: *fonction*) interno; (: *concours*) ≈ MIR

international, e, -aux [ɛ̃tɛʀnasjɔnal, o] *adj* internacional ■ *nm/f* (*Sport*) jugador(a) internacional

internaute [ɛ̃tɛʀnot] *nmf* internauta *mf*

interne [ɛ̃tɛʀn] *adj* interno(-a) ■ *nm/f* (*élève*) interno(-a); (*Méd*) médico(-a) interno(-a)

Internet [ɛ̃tɛʀnɛt] *nm* Internet *m*

interpeller [ɛ̃tɛʀpəle] *vt* interpelar; (*police*) detener

interphone [ɛ̃tɛʀfɔn] *nm* interfono; (*d'un appartement*) portero automático

interposer [ɛ̃tɛʀpoze] *vt* interponer; **s'interposer** *vpr* interponerse; **par personnes interposées** por un intermediario

interprète [ɛ̃tɛʀpʀɛt] *nm/f* intérprete *m/f*; **être l'~ de qn/de qch** ser el portavoz de algn/de algo

interpréter [ɛ̃tɛʀpʀete] *vt* interpretar

interrogatif, -ive [ɛ̃teʀɔgatif, iv] *adj* interrogativo(-a)

interrogation [ɛ̃teʀɔgasjɔ̃] *nf* interrogación *f*; **~ écrite/orale** (*Scol*) control *m* escrito/oral; **~ directe/ indirecte** (*Ling*) interrogación directa/ indirecta

interrogatoire [ɛ̃teʀɔgatwaʀ] *nm* interrogatorio

interroger [ɛ̃teʀɔʒe] *vt* interrogar; (*données*) consultar; (*candidat*) examinar; **s'interroger** *vpr* preguntarse; **~ qn (sur qch)** preguntar a algn (por algo); **~ qn du regard** preguntar a algn con la mirada

interrompre [ɛ̃teʀɔ̃pʀ] *vt* interrumpir; (*circuit électrique, communications*) cortar; **s'interrompre** *vpr* interrumpirse

interrupteur [ɛ̃teʀyptœʀ] *nm* interruptor *m*; **~ à bascule** interruptor basculante

interruption [ɛ̃teʀypsjɔ̃] *nf* interrupción *f*; **sans ~** sin interrupción; **~ (volontaire) de grossesse** interrupción (voluntaria) del embarazo

intersection [ɛ̃tɛʀsɛksjɔ̃] *nf* intersección *f*

intervalle [ɛ̃tɛʀval] *nm* intervalo; **à deux mois d'~** con dos meses de intervalo; **à ~s rapprochés** con mucha frecuencia; **par ~s** a ratos; **dans l'~** mientras tanto

intervenir [ɛ̃tɛʀvəniʀ] *vi* (*survenir*) ocurrir, tener lugar; (*circonstances, volonté etc*) influir; **~ dans** intervenir en; **~ (pour faire qch)** intervenir (para hacer algo); **~ auprès de qn/en faveur de qn** interceder ante algn/en favor de algn; **la police a dû ~** la policía tuvo que intervenir; **les médecins ont dû ~** los médicos tuvieron que intervenir

intervention [ɛ̃tɛʀvɑ̃sjɔ̃] *nf* intervención *f*; **~ (chirurgicale)** intervención (quirúrgica); **prix d'~** precio de intervención; **~ armée** intervención armada

interview [ɛ̃tɛʀvju] *nf* interviú *f*, entrevista

interviewer [*vb* ɛ̃tɛʀvjuve, *n* ɛ̃tɛʀvjuvœʀ] *vt* entrevistar a ■ *nm* entrevistador(a)

intestin, e [ɛ̃tɛstɛ̃, in] *adj*: **querelles/ luttes ~es** querellas *fpl*/luchas *fpl* internas ■ *nm* intestino; **~ grêle** intestino delgado
intime [ɛ̃tim] *adj* íntimo(-a); (*convictions*) profundo(-a) ■ *nm/f* íntimo(-a)
intimider [ɛ̃timide] *vt* intimidar
intimité [ɛ̃timite] *nf* intimidad *f*; **dans l'~** en la intimidad; (*sans formalités*) informalmente
intolérable [ɛ̃tɔleʀabl] *adj* (*chaleur*) insoportable; (*inadmissible*) intolerable
intolérant, e [ɛ̃tɔleʀɑ̃, ɑ̃t] *adj* intolerante
intoxication [ɛ̃tɔksikasjɔ̃] *nf* intoxicación *f*; (*fig*) contaminación *f*; **~ alimentaire** intoxicación alimenticia
intoxiquer [ɛ̃tɔksike] *vt* (*aussi fig*) intoxicar; (*fig*) contaminar; **s'intoxiquer** *vpr* intoxicarse
intraitable [ɛ̃tʀɛtabl] *adj* despiadado(-a); **~ (sur)** intransigente (en); **demeurer ~** permanecer inflexible
intranet [ɛ̃tʀanɛt] *nm* Intranet *f*
intransigeant, e [ɛ̃tʀɑ̃ziʒɑ̃, ɑ̃t] *adj* intransigente; (*morale, passion*) firme
intransitif, -ive [ɛ̃tʀɑ̃zitif, iv] *adj* intransitivo(-a)
intrépide [ɛ̃tʀepid] *adj* intrépido(-a); (*inébranlable*) tenaz
intrigue [ɛ̃tʀig] *nf* intriga; (*liaison amoureuse*) aventura
intriguer [ɛ̃tʀige] *vi, vt* intrigar
introduction [ɛ̃tʀɔdyksjɔ̃] *nf* introducción *f*, incorporación *f*; **paroles/ chapitre d'~** palabras *fpl*/capítulo de introducción; **lettre/mot d'~** carta/nota de presentación
introduire [ɛ̃tʀɔdɥiʀ] *vt* introducir; (*visiteur*) hacer pasar a; (*mots*) incorporar; **s'introduire** *vpr* introducirse; **~ qn auprès de qn** conducir a algn ante algn; **~ qn dans un club** introducir a algn en un club; **s'~ dans** introducirse en; **~ une correction au clavier** teclear una corrección
introuvable [ɛ̃tʀuvabl] *adj* (*personne*) ilocalizable; (*Comm*: *rare*: *édition, livre*) imposible de encontrar; **ma montre est ~** no encuentro mi reloj por ningún sitio
intrus, e [ɛ̃tʀy, yz] *nm/f* intruso(-a)
intuition [ɛ̃tɥisjɔ̃] *nf* intuición *f*; **avoir une ~** tener un presentimiento; **avoir l'~ de qch** tener la intuición de algo; **avoir de l'~** tener intuición
inusable [inyzabl] *adj* duradero(-a)
inutile [inytil] *adj* inútil; (*superflu*) innecesario(-a)
inutilement [inytilmɑ̃] *adv* inútilmente
inutilisable [inytilizabl] *adj* inutilizable
invalide [ɛ̃valid] *adj, nm/f* inválido(-a); **~ de guerre** inválido de guerra; **~ du travail** inválido(-a) laboral
invariable [ɛ̃vaʀjabl] *adj* invariable
invasion [ɛ̃vazjɔ̃] *nf* (*aussi fig*) invasión *f*; (*de sauterelles, rats*) plaga, invasión
inventaire [ɛ̃vɑ̃tɛʀ] *nm* (*aussi fig*) inventario; **faire un ~** (*Comm, Jur, gén*) hacer un inventario; **faire** *ou* **procéder à l'~** hacer inventario
inventer [ɛ̃vɑ̃te] *vt* inventar; (*moyen*) idear; **~ de faire qch** discurrir hacer algo
inventeur, -trice [ɛ̃vɑ̃tœʀ, tʀis] *nm/f* inventor(a)
inventif, -ive [ɛ̃vɑ̃tif, iv] *adj* inventivo(-a)
invention [ɛ̃vɑ̃sjɔ̃] *nf* invención *f*; (*objet inventé, expédient*) invento; (*fable, mensonge*) ficción *f*, invención; **manquer d'~** no tener imaginación
inverse [ɛ̃vɛʀs] *adj* (*ordre*) inverso(-a); (*sens*) inverso(-a), contrario(-a) ■ *nm*: **l'~** lo contrario; **en proportion ~** en proporción inversa; **dans l'ordre ~** en orden inverso; **dans le sens ~ des aiguilles d'une montre** en sentido contrario a las agujas del reloj; **en** *ou* **dans le sens ~** en sentido contrario; **à l'~** al contrario
inversement [ɛ̃vɛʀsəmɑ̃] *adv* inversamente
inverser [ɛ̃vɛʀse] *vt* invertir
investir [ɛ̃vɛstiʀ] *vt* (*personne*) investir; (*Mil*) cercar, sitiar; (*argent, capital*) invertir ■ *vi* invertir; **~ qn de** (*d'une fonction, d'un pouvoir*) investir a algn con
investissement [ɛ̃vɛstismɑ̃] *nm* inversión *f*
invisible [ɛ̃vizibl] *adj* invisible; **il est ~ aujourd'hui** (*fig*) hoy no está para nadie
invitation [ɛ̃vitasjɔ̃] *nf* invitación *f*; **à/ sur l'~ de qn** por/a invitación de algn; **carte/lettre d'~** tarjeta/carta de invitación
invité, e [ɛ̃vite] *nm/f* invitado(-a)
inviter [ɛ̃vite] *vt* invitar; **~ qn à faire qch** (*engager, exhorter*) invitar a algn a hacer algo; **~ à qch** (*à la méfiance*) incitar a algo; (*à la promenade, méditation*) invitar a algo
invivable [ɛ̃vivabl] *adj* insoportable
involontaire [ɛ̃vɔlɔ̃tɛʀ] *adj* involuntario(-a)
invoquer [ɛ̃vɔke] *vt* invocar; (*excuse, argument*) invocar, alegar; (*loi, texte*)

apelar; (*jeunesse, ignorance*) alegar; **~ la clémence/le secours de qn** implorar la clemencia/la ayuda de algn
invraisemblable [ɛ̃vʀɛsɑ̃blabl] *adj* (*histoire*) inverosímil; (*aplomb, toupet*) increíble
iode [jɔd] *nm* yodo
ion [jɔ̃] *nm* ión *m*
irai *etc* [iʀe] *vb voir* **aller**
Irak [iʀak] *nm* Irak *m*
irakien, ne [iʀakjɛ̃, jɛn] *adj* iraquí ▪ *nm/f*: **Irakien, ne** iraquí *m/f*
Iran [iʀɑ̃] *nm* Irán *m*
iranien, ne [iʀanjɛ̃, jɛn] *adj* iraní ▪ *nm* (*Ling*) iraní *m* ▪ *nm/f*: **Iranien, ne** iraní *m/f*
irions *etc* [iʀjɔ̃] *vb voir* **aller**
iris [iʀis] *nm* (*Bot*) lirio; (*Anat*) iris *m inv*
irlandais, e [iʀlɑ̃dɛ, ɛz] *adj* irlandés(-esa) ▪ *nm* (*Ling*) irlandés *m* ▪ *nm/f*: **Irlandais, e** irlandés(-esa); **les I~** los irlandeses
Irlande [iʀlɑ̃d] *nf* Irlanda; **la mer d'~** el mar de Irlanda; **~ du Nord/Sud** Irlanda del Norte/Sur
ironie [iʀɔni] *nf* ironía; **~ du sort** ironía del destino
ironique [iʀɔnik] *adj* irónico(-a)
ironiser [iʀɔnize] *vi* ironizar
irons *etc* [iʀɔ̃] *vb voir* **aller**
irradier [iʀadje] *vi* irradiar ▪ *vt* irradiar, difundir
irraisonné, e [iʀɛzɔne] *adj* irrazonable
irrationnel, le [iʀasjɔnɛl] *adj* irracional
irréalisable [iʀealizabl] *adj* irrealizable
irrécupérable [iʀekypeʀabl] *adj* irrecuperable
irréel, le [iʀeɛl] *adj* irreal; (*Ling*): **(mode) ~** (modo) condicional *m ou* hipotético
irréfléchi, e [iʀefleʃi] *adj* irreflexivo(-a); (*geste, mouvement, acte*) inconsciente
irrégularité [iʀegylaʀite] *nf* irregularidad *f*; **irrégularités** *nfpl* irregularidades *fpl*; (*inégalité*) desigualdades *fpl*
irrégulier, -ière [iʀegylje, jɛʀ] *adj* irregular; (*développement, accélération*) irregular, desigual; (*peu honnête*) deshonesto(-a)
irrémédiable [iʀemedjabl] *adj* irremediable
irremplaçable [iʀɑ̃plasabl] *adj* irremplazable; (*personne*) irremplazable, insustituible
irréparable [iʀepaʀabl] *adj* (*aussi fig*) irreparable
irréprochable [iʀepʀɔʃabl] *adj* (*personne, vie*) irreprochable, intachable; (*tenue, toilette*) intachable
irrésistible [iʀezistibl] *adj* irresistible; (*concluant: logique*) contundente; (*qui fait rire*) graciosísimo(-a)
irrésolu, e [iʀezɔly] *adj* irresoluto(-a)
irrespectueux, -euse [iʀɛspɛktɥø, øz] *adj* irrespetuoso(-a)
irresponsable [iʀɛspɔ̃sabl] *adj, nm/f* irresponsable *m/f*
irriguer [iʀige] *vt* irrigar
irritable [iʀitabl] *adj* irritable
irriter [iʀite] *vt* irritar; **s'~ contre qn/de qch** irritarse con algn/por algo
irruption [iʀypsjɔ̃] *nf* irrupción *f*; **faire ~ dans un endroit/chez qn** irrumpir en un lugar/en casa de algn
Islam [islam] *nm*: **l'~** el Islam
islamique [islamik] *adj* islámico(-a)
Islande [islɑ̃d] *nf* Islandia
isolant, e [izɔlɑ̃, ɑ̃t] *adj, nm* aislante *m*
isolation [izɔlasjɔ̃] *nf*: **~ acoustique/thermique** aislamiento acústico/térmico
isolé, e [izɔle] *adj* (*aussi fig*) aislado(-a); (*éloigné*) apartado(-a)
isoler [izɔle] *vt* (*aussi fig*) aislar; **s'isoler** *vpr* (*pour travailler*) aislarse
Israël [isʀaɛl] *nm* Israel *m*
israélien, ne [isʀaeljɛ̃, jɛn] *adj* israelí ▪ *nm/f*: **Israélien, ne** israelí *m/f*
israélite [isʀaelit] *adj* (*Rel*) israelita ▪ *nm/f*: **Israélite** israelita *m/f*
issu, e [isy] *adj*: **~ de** descendiente de; (*fig*) resultante de
issue [isy] *nf* salida; (*solution*) salida, solución *f*; **à l'~ de** al concluir; **chemin/rue sans ~** camino/calle *f* sin salida; **~ de secours** salida de socorro
Italie [itali] *nf* Italia
italien, ne [italjɛ̃, jɛn] *adj* italiano(-a) ▪ *nm* (*Ling*) italiano ▪ *nm/f*: **Italien, ne** italiano(-a)
italique [italik] *nm*: **(mettre un mot) en ~(s)** (poner una palabra) en cursiva
itinéraire [itineʀɛʀ] *nm* itinerario
IUT *sigle m* (= *Institut universitaire de technologie*) *voir* **institut**
IVG [iveʒe] *sigle f* (= *interruption volontaire de grossesse*) interrupción *f* voluntaria del embarazo
ivoire [ivwaʀ] *nm* marfil *m*
ivre [ivʀ] *adj* (*saoul*) ebrio(-a), beodo(-a); **~ de colère/de bonheur** ebrio(-a) de ira/de felicidad; **~ mort** borracho perdido
ivrogne [ivʀɔɲ] *nm/f* borracho(-a)

j

j' [ʒ] *pron voir* **je**
jacinthe [ʒasɛ̃t] *nf* jacinto; **~ des bois** jacinto silvestre
jadis [ʒɑdis] *adv* antaño
jaillir [ʒajiʀ] *vi* (*liquide*) brotar; (*fig*) surgir
jais [ʒɛ] *nm* azabache *m*; **(d'un noir) de ~** (negro) azabache
jalousie [ʒaluzi] *nf* celos *mpl*; (*store*) celosía
jaloux, -se [ʒalu, uz] *adj* (*envieux*) envidioso(-a); (*possessif*) celoso(-a); **être ~ de qn/qch** estar celoso(-a) de algn/algo, tener envidia de algn/algo
jamais [ʒamɛ] *adv* nunca, jamás; (*sans négation*) alguna vez; **~ de la vie!** ¡nunca jamás!; **ne ... ~** no ... nunca; **si ~ ...** si alguna vez ...; **à (tout) ~, pour ~** para siempre
jambe [ʒɑ̃b] *nf* (*Anat*) pierna; (*d'un cheval*) pata; (*d'un pantalon*) pernil *m*; **à toutes ~s** a toda velocidad
jambon [ʒɑ̃bɔ̃] *nm* jamón *m*; **~ cru/fumé** jamón crudo/ahumado
jante [ʒɑ̃t] *nf* llanta
janvier [ʒɑ̃vje] *nm* enero; *voir aussi* **juillet**
Japon [ʒapɔ̃] *nm* Japón *m*
japonais, e [ʒapɔnɛ, ɛz] *adj* japonés(-esa) ■ *nm* (*Ling*) japonés *m* ■ *nm/f*: **Japonais, e** japonés(-esa)
jardin [ʒaʀdɛ̃] *nm* jardín *m*; **~ botanique** jardín botánico; **~ d'acclimatation** zoo de especies exóticas; **~ d'enfants** jardín de infancia; **~ japonais** jardín japonés; **~ potager** huerto; **~ public** parque *m* público; **~s suspendus** jardines *mpl* colgantes
jardinage [ʒaʀdinaʒ] *nm* jardinería
jardiner [ʒaʀdine] *vi* cuidar el jardín
jardinier, -ière [ʒaʀdinje, jɛʀ] *nm/f* jardinero(-a); **~ paysagiste** jardinero(-a) artístico(-a)
jardinière [ʒaʀdinjɛʀ] *nf* (*de fenêtre*) jardinera; **~ d'enfants** educadora infantil; **~ (de légumes)** (*Culin*) menestra
jargon [ʒaʀgɔ̃] *nm* jerga
jarret [ʒaʀɛ] *nm* (*Anat*) corva; (*Culin*) morcillo
jauge [ʒoʒ] *nf* (*capacité*) capacidad *f*; (*d'un navire*) arqueo; (*instrument*) aspilla, varilla graduada; **~ (de niveau) d'huile** indicador *m* (del nivel) de aceite
jaune [ʒon] *adj* amarillo(-a) ■ *nm* amarillo; (*aussi*: **jaune d'œuf**) yema ■ *nm/f* (*péj*): **J~** (*de race jaune*) amarillo(-a); (*briseur de grève*) esquirol(a) ■ *adv*: **rire ~** (*fam*) reír falsamente
jaunir [ʒoniʀ] *vt* amarillear ■ *vi* amarillear(se)
jaunisse [ʒonis] *nf* ictericia
Javel [ʒavɛl] *nf voir* **eau**
javelot [ʒavlo] *nm* jabalina; **faire du ~** hacer jabalina
je [ʒə] *pron* yo
jean [dʒin] *nm* (*Textile*) tela vaquera; (*pantalon*) vaqueros *mpl*, blue-jean(s) *m(pl)* (*esp AM*)
jeep [(d)ʒip] *nf* jeep *m*
Jésus-Christ [ʒezykʀi(st)] *n* Jesucristo; **600 avant/après ~** *ou* **J.-C.** en el año 600 antes/después de Jesucristo *ou* J.C.
jet¹ [dʒɛt] *nm* (*avion*) jet *m*, avión *m* a reacción
jet² [ʒɛ] *nm* (*lancer*) lanzamiento; (*distance*) tiro; (*jaillissement, tuyau*) chorro; **premier ~** (*fig*) bosquejo, esbozo; **arroser au ~** regar a chorro; **d'un (seul) ~** de un tirón, de una sola vez; **du premier ~** a la primera; **~ d'eau** chorro de agua; (*fontaine*) surtidor *m*
jetable [ʒ(ə)tabl] *adj* desechable
jetée [ʒəte] *nf* (*digue*) escollera; (*Aviat*) muelle *m* de embarque
jeter [ʒ(ə)te] *vt* (*lancer*) lanzar, botar (*AM*); (*se défaire de*) tirar; (*passerelle, pont*) construir, tender; (*bases, fondations*) establecer, sentar; (*regard*) echar; (*cri, insultes*) lanzar; (*lumière, son*) dar; **~**

l'ancre echar el ancla; **~ un coup d'œil (à)** echar un vistazo (a); **~ qch à qn** lanzar algo a algn; **~ les bras en avant/la tête en arrière** echar los brazos hacia adelante/la cabeza hacia atrás; **~ le trouble/l'effroi parmi ...** sembrar la confusión/el miedo entre ...; **~ un sort à qn** echar una maldición a algn; **~ qn dans la misère** hundir a algn en la miseria; **~ qn dans l'embarras** meter a algn en un apuro; **~ qn dehors** echar a algn fuera; **~ qn en prison** meter a algn en la cárcel; **~ l'éponge** (*fig*) tirar la toalla; **~ des fleurs à qn** (*fig*) echar flores a algn; **~ la pierre à qn** (*accuser, blâmer*) acusar a algn; **se ~ contre/dans/sur** arrojarse contra/en/sobre; **se ~ dans** (*suj: fleuve*) desembocar en; **se ~ par la fenêtre** tirarse por la ventana; **se ~ à l'eau** (*fig*) lanzarse a hacer algo

jeton [ʒ(ə)tɔ̃] *nm* ficha; **jetons** *nmpl* (*de présence*) dieta *fsg ou* prima *fsg* de asistencia

jette *etc* [ʒɛt] *vb voir* **jeter**

jeu, x [ʒø] *nm* juego; (*interprétation*) actuación *f*, interpretación *f*; (*Mus*) interpretación; (*Tech*) juego, holgura; (*défaut de serrage*) holgura; **par ~** por juego; **d'entrée de ~** desde el principio; **cacher son ~** ocultar las intenciones; **c'est le ~** *ou* **la règle du ~** es el juego, son las reglas del juego; **c'est un ~ (d'enfant)** es un juego (de niños); **il a beau ~ de dire ça** le resulta fácil decir eso; **être/remettre en ~** (*Football*) estar/poner en juego; **être en ~** (*fig*) estar en juego; **entrer/mettre en ~** (*fig*) entrar/poner en juego; **entrer dans le ~/le ~ de qn** (*fig*) entrar en el juego/en el juego de algn; **se piquer** *ou* **se prendre au ~** cegarse por el juego; **jouer gros ~** jugar fuerte, arriesgar mucho; **~ d'orgue(s)** registros *mpl*; **~ de boules** (*activité*) juego de bolos; (*endroit*) bolera; **~ de cartes** juego de naipes; (*paquet*) baraja; **~ de clés/d'aiguilles** (*série*) juego de llaves/de agujas; **~ de construction** juego de construcción, mecano; **~ d'échecs** ajedrez *m*; **~ d'écritures** traspaso de cuenta a cuenta; **~ de hasard/de mots** juego de azar/de palabras; **~ de l'oie** juego de la oca; **~ de massacre** (*à la foire, fig*) pim pam pum *m*; **~ de patience/de société** juego de paciencia/de salón; **~ de physionomie** expresión *f*; **~x de lumière** juego de luces; **J~x olympiques** Juegos *mpl* Olímpicos

jeudi [ʒødi] *nm* jueves *m inv*; **~ saint** jueves santo; *voir aussi* **lundi**

jeun [ʒœ̃]: **à ~** *adv* en ayunas

jeune [ʒœn] *adj* joven; (*récent*) joven, reciente ■ *adv*: **faire ~** hacer joven; **s'habiller ~** vestirse juvenil; **les ~s** los jóvenes; **~ fille** muchacha, chica; **~ homme** muchacho, chico; **~ loup** (*Écon, Pol*) joven cachorro; **~ premier** galán *m*; **~s gens** jóvenes *mpl*; **~s mariés** recién casados *mpl*

jeûne [ʒøn] *nm* ayuno

jeunesse [ʒœnɛs] *nf* juventud *f*

joaillier, -ière [ʒɔaje, jɛʀ] *nm/f* joyero(-a)

joie [ʒwa] *nf* (*bonheur intense*) alegría, gozo; (*vif plaisir*) alegría; **joies** *nfpl* (*agrément*) alegrías *fpl*; (*iron: ennuis*) encantos *mpl*

joindre [ʒwɛ̃dʀ] *vt* juntar, unir; (*qch à qch*) juntar ■ *vi* (*se toucher*) encajar; **se joindre** *vpr* (*mains etc*) unirse; **~ qch à** (*ajouter*) adjuntar algo a; **~ un fichier à un mail** (*Inform*) adjuntar un archivo a un correo; **~ qn** (*réussir à contacter*) dar con algn, localizar a algn; **~ les mains/talons** juntar las manos/los talones; **~ les deux bouts** (*fig*) llegar a final de mes; **se ~ à** (*s'unir*) unirse a; (*se mêler*) sumarse a; **se ~ à qch** (*participer à*) sumarse a algo

joint, e [ʒwɛ̃, ɛ̃t] *pp de* **joindre** ■ *adj* junto(-a) ■ *nm* (*articulation, assemblage*) junta, empalme *m*; (*ligne, en ciment*) junta; **sauter à pieds ~s** saltar con los pies juntos; **~ à** (*un paquet, une lettre*) adjunto(-a) a; **pièce ~e** pieza adjunta; **chercher/trouver le ~** (*fig*) buscar/encontrar la solución; **~ de cardan/de culasse** junta de cardán/de culata; **~ de robinet** junta de grifo; **~ universel** junta universal

joli, e [ʒɔli] *adj* bonito(-a), lindo(-a) (*AM*) (*fam*); **une ~e somme/situation** una buena suma/un buen puesto; **c'est du ~!** (*iron*) ¡muy bonito!; **un ~ gâchis/travail** (*iron*) menudo lío/trabajo; **c'est bien ~ mais ...** está muy bien pero ...

jonc [ʒɔ̃] *nm* (*Bot*) junco; (*bague, bracelet*) anillo

jonction [ʒɔ̃ksjɔ̃] *nf* (*action*) unión *f*; **(point de) ~** (*de routes*) empalme *m*, enlace *m*; (*de fleuves*) confluencia; **opérer une ~** (*Mil etc*) reunirse

jongleur, -euse [ʒɔ̃glœʀ, øz] *nm/f* malabarista *m/f*

jonquille [ʒɔ̃kij] *nf* junquillo

Jordanie [ʒɔʀdani] *nf* Jordania

joue [ʒu] *nf* mejilla; **mettre en ~** apuntar

jouer [ʒwe] *vt* jugar; (*pièce de théâtre*) representar; (*film, rôle*) interpretar; (*simuler*) fingir; (*morceau de musique*) ejecutar, tocar ■ *vi* jugar; (*Mus*) ejecutar, tocar; (*Ciné, Théâtre*) actuar; (*aux cartes, à la roulette*) jugar a; (*bois, porte*) combarse; (*clé, pièce*) tener juego *ou* holgura; **~ au héros** dárselas de héroe; **~ sur** (*miser*) jugar con; **~ de** (*instrument*) tocar; (*fig*): **~ du couteau** manejar el cuchillo; **~ des coudes** abrirse paso con los codos; **~ à** (*jeu, sport*) jugar a; **~ avec** (*sa santé etc*) jugar con; **se ~ de** (*difficultés*) pasar por alto; **se ~ de qn** (*tromper*) engañar a algn; **~ un tour à qn** jugar una mala pasada a algn; **~ la comédie** (*fig*) hacer teatro; **~ à la baisse/ à la hausse** (*Bourse*) jugar a la baja/al alza; **~ serré** actuar con tiento; **~ de malchance** *ou* **malheur** tener mala suerte; **~ sur les mots** tergiversar las palabras; **à toi/nous de ~** (*fig*) te toca a ti/nos toca a nosotros; **~ aux courses** jugar a las carreras

jouet [ʒwɛ] *nm* juguete *m*; **être le ~ de** (*fig*) ser el juguete de

joueur, -euse [ʒwœʀ, øz] *nm/f* jugador(a); (*musique*) músico ■ *adj* juguetón(-ona); **être beau/mauvais ~** (*fig*) ser un buen/mal perdedor

jouir [ʒwiʀ]: **~ de** *vt* (*avoir*) gozar de; (*savourer*) disfrutar de

jour [ʒuʀ] *nm* día *m*; (*clarté*) luz *f*; (*ouverture*) hueco, vano; (*Couture*) calado; **jours** *nmpl* (*vie*) días *mpl*; **de nos ~s** hoy en día; **sous un ~ favorable/nouveau** (*fig*) bajo el aspecto más favorable/ nuevo; **tous les ~s** todos los días, a diario; **de ~** de día; **d'un ~ à l'autre** de un día a otro; **du ~ au lendemain** de la noche a la mañana; **au ~ le ~, de ~ en ~** día a día; **il fait ~** es de día; **en plein ~** en pleno día; **au ~** a la luz del día; **au petit ~** de madrugada, al amanecer; **au grand ~** (*fig*) a todas luces, de forma evidente; **mettre au ~** (*découvrir*) sacar a la luz; **être/mettre à ~** estar/poner al día; **mise à ~** puesta al día; **donner le ~ à** dar a luz a; **voir le ~** salir a la luz; **se faire ~** (*fig*) abrirse camino, triunfar; **~ férié** día festivo; **le ~ J** ≈ el día D

journal, -aux [ʒuʀnal, o] *nm* periódico; (*personnel*) diario; **le J~ officiel (de la République française)** el Boletín oficial (de la República Francesa), ≈ el Boletín oficial del Estado; **~ de bord** diario de a bordo; **~ de mode** revista de moda; **~ parlé** diario hablado; **~ télévisé** diario televisado, telediario

journalier, -ière [ʒuʀnalje, jɛʀ] *adj* diario(-a) ■ *nm/f* jornalero(-a)

journalisme [ʒuʀnalism] *nm* periodismo

journaliste [ʒuʀnalist] *nm/f* periodista *m/f*

journée [ʒuʀne] *nf* día *m*; (*travail d'une journée*) jornada; **la ~ continue** la jornada continua

joyau, x [ʒwajo] *nm* (*aussi fig*) joya

joyeux, -euse [ʒwajø, øz] *adj* feliz, alegre; **~ Noël!** ¡feliz Navidad!; **~ anniversaire!** ¡feliz cumpleaños!

jubiler [ʒybile] *vi* regocijarse

jucher [ʒyʃe] *vt*: **~ qch/qn sur** poner algo/a algn sobre ■ *vi* (*oiseau*): **~ sur** morar en; **se ~ sur** posarse en *ou* sobre

judas [ʒyda] *nm* mirilla

judiciaire [ʒydisjɛʀ] *adj* judicial

judicieux, -euse [ʒydisjø, jøz] *adj* juicioso(-a), sensato(-a)

judo [ʒydo] *nm* judo

juge [ʒyʒ] *nm* juez *m/f*; **être bon/ mauvais ~** (*fig*) ser un buen/mal árbitro; **~ d'instruction/de paix** juez de instrucción/de paz; **~ de touche** (*Football*) juez de línea; **~ des enfants** juez de menores

jugé [ʒyʒe]: **au ~** *adv* a bulto; (*fig*) a bulto, a ojo

jugement [ʒyʒmɑ̃] *nm* (*Jur*) sentencia; (*gén*) juicio; **~ de valeur** juicio de valor

juger [ʒyʒe] *vt* juzgar; (*Jur*) juzgar, sentenciar ■ *nm*: **au ~** a bulto; **~ qn/qch satisfaisant** considerar a algn/algo satisfactorio; **~ bon de faire ...** juzgar oportuno hacer ...; **~ que** estimar que; **~ de qch** juzgar algo; **jugez de ma surprise** imagine mi sorpresa

juif, -ive [ʒɥif, ʒɥiv] *adj* judío(-a) ■ *nm/f*: **Juif, ive** judío(-a)

juillet [ʒɥijɛ] *nm* julio; **le premier ~** el uno de julio; **le deux/onze ~** el dos/once de julio; **début/fin ~** a primeros/finales de julio; **le 14 ~** el 14 de julio (*la fiesta nacional francesa*)

14 JUILLET

En Francia, *le 14 juillet* es una fiesta nacional en conmemoración del asalto a la Bastilla durante la Revolución Francesa, celebrada con desfiles, música, baile y fuegos artificiales. En París tiene lugar un desfile militar por los Champs-Élysées que presencia el Presidente de la República.

juin [ʒɥɛ̃] *nm* junio; *voir aussi* **juillet**

jumeau, -elle, x [ʒymo, ɛl] *adj, nm/f* gemelo(-a); **maisons jumelles** casas *fpl* gemelas
jumeler [ʒym(ə)le] *vt* (*Tech*) acoplar; (*villes*) hermanar; **roues jumelées** ruedas *fpl* gemelas; **billets de loterie jumelés** décimos *mpl* de lotería dobles; **pari jumelé** apuesta doble
jumelle [ʒymɛl] *vb voir* **jumeler** ▪ *adj, nf voir* **jumeau**; **jumelles** *nfpl* (*instrument*) gemelos *mpl*
jument [ʒymɑ̃] *nf* yegua
jungle [ʒœ̃gl] *nf* jungla, selva; (*fig*) jungla
jupe [ʒyp] *nf* falda, pollera (*AM*)
jupon [ʒypɔ̃] *nm* enaguas *fpl*
juré [ʒyʀe] *nm* jurado ▪ *adj*: **ennemi ~** enemigo jurado
jurer [ʒyʀe] *vt* jurar ▪ *vi* jurar; **~ (avec)** (*couleurs etc*) chocar (con), desentonar (con); **~ de faire/que** jurar hacer/que; **~ de qch** jurar algo, responder de algo; **ils ne jurent que par lui** creen a ciegas en él; **je vous jure!** ¡se lo juro!
juridique [ʒyʀidik] *adj* jurídico(-a)
juron [ʒyʀɔ̃] *nm* juramento
jury [ʒyʀi] *nm* (*Jur*) jurado; (*Scol*) tribunal *m*
jus [ʒy] *nm* jugo, zumo (*Esp*); (*de viande*) jugo; (*fam: courant*) corriente *f* (eléctrica); (*: café*) café *m*; **~ de fruits** jugo *ou* zumo (*Esp*) de frutas; **~ d'orange/de pommes/de raisin/de tomates** zumo de naranja/de manzana/de uvas/de tomate
jusque [ʒysk]: **jusqu'à** *prép* hasta; **jusqu'au matin/soir** hasta la mañana/la tarde; **jusqu'à ce que** hasta que; **jusqu'à présent** *ou* **maintenant** hasta ahora; **~ sur/dans** hasta arriba de/en; (*y compris*) hasta, incluso; **~ vers** hasta cerca de; **~-là** hasta ahí; **jusqu'ici** (*temps*) hasta ahora; (*espace*) hasta aquí
justaucorps [ʒystokɔʀ] *nm* malla
juste [ʒyst] *adj* justo(-a); (*légitime*) justo(-a), legítimo(-a); (*étroit*) ajustado(-a); (*insuffisant*) escaso(-a) ▪ *adv* (*avec exactitude, précision*) con precisión; (*étroitement*) apretado; (*chanter*) afinado; (*seulement*) solamente, nomás (*AM*); **~ assez/au-dessus** bastante/hasta por encima de; **pouvoir tout ~ faire qch** poder sólo hacer algo; **au ~** exactamente; **comme de ~** como es lógico; **le ~ milieu** el término medio; **à ~ titre** con razón
justement [ʒystəmɑ̃] *adv* justamente; **c'est ~ ce qu'il fallait faire** es precisamente lo que había que hacer
justesse [ʒystɛs] *nf* (*exactitude, précision*) precisión *f*, exactitud *f*; (*d'une remarque*) propiedad *f*; (*d'une opinion*) rectitud *f*; **de ~** por poco
justice [ʒystis] *nf* justicia; **rendre la ~** administrar justicia; **traduire en ~** citar ante la justicia, hacer comparecer ante la justicia; **obtenir ~** lograr justicia; **rendre ~ à qn** hacer justicia a algn; **se faire ~** (*se venger*) tomarse la justicia por su mano; (*se suicider*) suicidarse
justificatif, -ive [ʒystifikatif, iv] *adj* justificativo(-a) ▪ *nm* justificante *m*
justifier [ʒystifje] *vt* justificar; **se justifier** *vpr* justificarse; **~ de** probar; **non justifié** injustificado(-a); **justifié à droite/gauche** justificado a la derecha/izquierda
juteux, -euse [ʒytø, øz] *adj* jugoso(-a); (*fam*) jugoso(-a), sustancioso(-a)
juvénile [ʒyvenil] *adj* juvenil

k

K [kɑ] *abr* (= *kilooctet*) K
kaki [kaki] *adj inv* caqui
kangourou [kɑ̃guʀu] *nm* canguro
karaté [kaʀate] *nm* kárate *m*
kascher [kaʃɛʀ] *adj inv de acuerdo con las normas dietéticas de la ley hebraica*
kayak [kajak] *nm* kayak *m*
képi [kepi] *nm* quepis *m*
kermesse [kɛʀmɛs] *nf* romería
kidnapper [kidnape] *vt* secuestrar
kilo [kilo] *nm* kilo
kilogramme [kilɔgʀam] *nm* kilogramo
kilométrage [kilɔmetʀaʒ] *nm* kilometraje *m*; **faible ~** poco kilometraje, pocos kilómetros
kilomètre [kilɔmɛtʀ] *nm* kilómetro; **~s (à l')heure** kilómetros por hora
kilométrique [kilɔmetʀik] *adj* kilométrico(-a); **compteur ~** cuentakilómetros *m inv*
kilowatt [kilowat] *nm* kilovatio
kinésithérapeute [kineziteʀapøt] *nm/f* kinesiólogo(-a)
kiosque [kjɔsk] *nm* (*de jardin, à journaux*) kiosco *ou* quiosco; (*fleurs*) puesto; (*Tél etc*) torreta
kir [kiʀ] *nm* kir *m* (*vino blanco con licor de grosella negra*)
kiwi [kiwi] *nm* kiwi *m*
klaxon [klaksɔn] *nm* bocina, claxon *m*
klaxonner [klaksɔne] *vi* tocar la bocina *ou* el claxon
km *abr* (= *kilomètre(s)*) km. (= *kilómetro(s)*)
km/h *abr* (= *kilomètres/heure*) km/h.
Ko *abr* (*Inform*: = *kilooctet*) K
K.-O. [kao] *adj inv* K.O.
koala [kɔala] *nm* koala *m*
kosovar [kɔsɔvaʀ] *adj* Kosovar ▪ *nm/f*: **K~** Kosovar *m/f*
Kosovo [kɔsɔvo] *nm* Kosovo
kyste [kist] *nm* quiste *m*

l

l' [l] *dét voir* **le**
la [la] *nm* (*Mus*) la *m inv* ▪ *dét, pron voir* **le**
là [la] *adv* (*plus loin*) ahí, allí; (*ici*) aquí; (*dans le temps*) entonces; **est-ce que Catherine est là?** ¿está Catherine?; **elle n'est pas là** no está; **c'est là que** ahí *ou* allí es donde; (*ici*) aquí es donde; **là où** allí donde; **de là** (*fig*) de ahí; **par là** (*fig*) con eso; **tout est là** todo está ahí; (*fig*) ahí está el fondo de la cuestión
là-bas [labɑ] *adv* allí
laboratoire [labɔʀatwaʀ] *nm* laboratorio; **~ d'analyses/de langues** laboratorio de análisis/de idiomas
laborieux, -euse [labɔʀjø, jøz] *adj* laborioso(-a); (*vie*) sacrificado(-a); **classes laborieuses** clases *fpl* trabajadoras
labourer [labuʀe] *vt* (*aussi fig*) labrar
labyrinthe [labiʀɛ̃t] *nm* laberinto
lac [lak] *nm* lago; **les Grands L~s** los Grandes Lagos; **~ Léman** lago Lemán
lacet [lasɛ] *nm* (*de chaussure*) cordón *m*; (*de route*) curva cerrada; (*piège*) lazo; **chaussures à ~s** zapatos de cordones
lâche [lɑʃ] *adj* (*poltron*) cobarde; (*procédé etc*) ruin, vil; (*desserré, pas tendu*) flojo(-a); (*morale, mœurs*) relajado(-a) ▪ *nm/f* cobarde *m/f*
lâcher [lɑʃe] *nm* (*de ballons, d'oiseaux*) lanzamiento ▪ *vt* (*aussi fig*) soltar; (*Sport: distancer*) despegarse de; (*fam: abandonner*) dejar colgado(-a) ▪ *vi* soltar; **~ les amarres** (*Naut*) soltar amarras; **~ les chiens** (*contre*) soltar los perros; **~ prise** (*fig*) soltarse
lacrymogène [lakʀimɔʒɛn] *adj* lacrimógeno(-a)
lacune [lakyn] *nf* laguna
là-dedans [ladədɑ̃] *adv* ahí dentro; (*fig*) en eso
là-dessous [ladsu] *adv* ahí debajo; (*fig*) detrás de eso
là-dessus [ladsy] *adv* ahí encima; (*fig*) luego; (*à ce sujet*) al respecto
lagune [lagyn] *nf* laguna
là-haut [lao] *adv* allí arriba
laid, e [lɛ, lɛd] (*aussi fig*) *adj* feo(-a)
laideur [lɛdœʀ] *nf* fealdad *f*; (*fig*) vileza
lainage [lɛnaʒ] *nm* (*vêtement*) jersey *m ou* chaqueta de lana; (*étoffe*) tejido de lana
laine [lɛn] *nf* lana; **pure ~** pura lana; **~ à tricoter** lana para tejer; **~ de verre** lana de vidrio; **~ peignée/vierge** lana cardada/virgen
laïque [laik] *adj, nm/f* laico(-a)
laisse [lɛs] *nf* (*de chien*) correa; **tenir en ~** tener atado(-a); (*fig*) manejar a su antojo
laisser [lese] *vt* dejar; **~ qch quelque part** dejar algo en algún sitio; **se ~ exploiter** dejarse explotar; **se ~ aller** abandonarse; **laisse-toi faire** déjate hacer; **rien ne laisse penser que ...** nada permite pensar que ...; **cela ne laisse pas de surprendre** esto no deja de sorprender; **~ qn tranquille** dejar a algn en paz
laisser-aller [leseale] *nm inv* abandono; (*péj: absence de soin*) desaliño
laissez-passer [lesepɑse] *nm inv* salvoconducto
lait [lɛ] *nm* leche *f*; **frère/sœur de ~** hermano/hermana de leche; **~ concentré/condensé** leche concentrada/condensada; **~ de beauté** leche de belleza; **~ de chèvre/de vache** leche de cabra/de vaca; **~ démaquillant** leche desmaquillante; **~ écrémé/entier/en poudre** leche descremada/entera/en polvo; **~ maternel** leche materna
laitage [lɛtaʒ] *nm* producto lácteo
laiterie [lɛtʀi] *nf* lechería
laitier, -ière [letje, jɛʀ] *adj* (*produit, industrie*) lácteo(-a); **vache laitière** vaca lechera
laiton [lɛtɔ̃] *nm* latón *m*
laitue [lety] *nf* lechuga

lambeau, x [lɑ̃bo] *nm* jirón *m*; (*de conversation*) retazo; **en ~x** hecho(-a) jirones
lame [lam] *nf* (*de couteau etc*) hoja; (*de paquet etc*) lámina; (*vague*) ola; **~ de fond** mar *m* de fondo; **~ de rasoir** cuchilla de afeitar
lamelle [lamɛl] *nf* laminilla; **couper en ~s** cortar en lascas
lamentable [lamɑ̃tabl] *adj* lamentable
lamenter [lamɑ̃te] *vpr*: **se lamenter (sur)** quejarse (de)
lampadaire [lɑ̃padɛʀ] *nm* lámpara de pie; (*dans la rue*) farola
lampe [lɑ̃p] *nf* lámpara; (*de radio*) válvula; **~ à alcool** lámpara de alcohol; **~ à arc** arco voltaico; **~ à bronzer** lámpara (de rayos) UVA; **~ de chevet/halogène** lámpara de mesa/halógena; **~ à pétrole** lámpara de petróleo, quinqué *m*; **~ à souder** soplete *m*; **~ de poche** linterna; **~ témoin** piloto
lance [lɑ̃s] *nf* lanza; **~ à eau** manguera; **~ d'incendie/d'arrosage** manguera de incendios/de riego
lancée [lɑ̃se] *nf*: **être/continuer sur sa ~** aprovechar el impulso inicial
lancement [lɑ̃smɑ̃] *nm* lanzamiento; (*d'un bateau*) botadura; **offre de ~** oferta de lanzamiento
lance-pierres [lɑ̃spjɛʀ] *nm inv* tirachinas *m inv*
lancer [lɑ̃se] *nm* lanzamiento ■ *vt* lanzar; (*bateau*) botar; (*mandat d'arrêt*) dictar; (*emprunt*) emitir; (*moteur*) poner en marcha; **se lancer** *vpr* lanzarse; **se ~ sur** *ou* **contre** lanzarse sobre *ou* contra; **~ qch à qn** lanzar algo a algn; (*de façon agressive*) arrojar algo a algn; **~ un appel** lanzar un llamamiento; **~ qn sur un sujet** mencionar un tema a algn; **se ~ dans** lanzarse en; **~ du poids** lanzamiento de peso
landau [lɑ̃do] *nm* coche *m ou* carro de niño
lande [lɑ̃d] *nf* landa
langage [lɑ̃gaʒ] *nm* lenguaje *m*; **~ d'assemblage/de programmation** (*Inform*) lenguaje ensamblador/de programación; **~ évolué** (*Inform*) lenguaje evolucionado *ou* de última generación; **~ machine** (*Inform*) lenguaje máquina
langouste [lɑ̃gust] *nf* langosta
langoustine [lɑ̃gustin] *nf* cigala
langue [lɑ̃g] *nf* lengua; **~ de terre** franja de tierra; **tirer la ~ (à)** sacar la lengua (a); **donner sa ~ au chat** rendirse; **de ~ française** de lengua francesa; **~ de bois** *lenguaje engañoso de los políticos*; **~ maternelle** lengua materna; **~ verte** germanía, argot *m*; **~ vivante** lengua viva; **~s étrangères** lenguas *fpl* extranjeras
languette [lɑ̃gɛt] *nf* lengüeta
langueur [lɑ̃gœʀ] *nf* languidez *f*
languir [lɑ̃giʀ] *vi* languidecer; **se languir** *vpr* languidecer; **faire ~ qn** hacer esperar a algn
lanière [lanjɛʀ] *nf* (*de fouet*) tralla; (*de valise, bretelle*) correa
lanterne [lɑ̃tɛʀn] *nf* linterna; (*de voiture*) luz *f* de población; **~ rouge** (*fig*) farolillo rojo; **~ vénitienne** farolillo veneciano
laper [lape] *vt* beber a lengüetadas
lapidaire [lapidɛʀ] *adj* (*aussi fig*) lapidario(-a); **musée ~** museo de lápidas
lapin [lapɛ̃] *nm* conejo; **coup du ~** golpe *m* en la nuca; **poser un ~ à qn** dar un plantón a algn; **~ de garenne** conejo de monte
Laponie [lapɔni] *nf* Laponia
laps [laps] *nm*: **~ de temps** lapso
laque [lak] *nm ou f* laca
laquelle [lakɛl] *pron voir* **lequel**
larcin [laʀsɛ̃] *nm* ratería
lard [laʀ] *nm* (*graisse*) tocino; (*bacon*) bacon *m*
lardon [laʀdɔ̃] *nm* (*Culin*) torrezno; (*fam: enfant*) chiquillo(-a)
large [laʀʒ] *adj* ancho(-a); (*généreux*) espléndido(-a) ■ *adv*: **calculer ~** calcular por lo alto; **voir ~** ver con amplitud ■ *nm*: **5 m de ~** 5m de ancho; **le ~** alta mar; **au ~ de** a la altura de; **ne pas en mener ~** temblarle las rodillas a algn; **~ d'esprit** de mentalidad abierta
largement [laʀʒəmɑ̃] *adv* ampliamente; (*au minimum*) al menos; (*de loin*) indudablemente; (*sans compter*) generosamente; **il a ~ le temps** tiene tiempo de sobra; **il a ~ de quoi vivre** tiene ampliamente de qué vivir
largesse [laʀʒɛs] *nf* esplendidez *f*, largueza; **largesses** *nfpl* (*dons*) regalos *mpl* espléndidos
largeur [laʀʒœʀ] *nf* anchura; (*impression visuelle, fig*) amplitud *f*
larguer [laʀge] *vt* (*fam*) pasar de; **~ les amarres** soltar amarras
larme [laʀm] *nf* lágrima; **une ~ de** (*fig*) una gota de; **en ~s** llorando; **pleurer à chaudes ~s** llorar a lágrima viva
larmoyer [laʀmwaje] *vi* (*yeux*) lagrimear; (*se plaindre*) lloriquear

larvé, e [laʀve] *adj* larvado(-a)
laryngite [laʀɛ̃ʒit] *nf* laringitis *f inv*
las, lasse [lɑ, lɑs] *adj* fatigado(-a); **~ de qch/qn/de faire qch** cansado(-a) *ou* harto(-a) de algo/algn/de hacer algo
laser [lazɛʀ] *nm*: **(rayon) ~** (rayo) láser *m*; **chaîne** *ou* **platine ~** cadena *ou* pletina láser; **disque ~** disco láser
lasse [lɑs] *adj f voir* **las**
lasser [lɑse] *vt (ennuyer)* cansar; *(décourager)* agotar; **se lasser de** *vpr* cansarse de
latéral, e, -aux [lateʀal, o] *adj* lateral
latin, e [latɛ̃, in] *adj* latino(-a) ■ *nm (Ling)* latín *m* ■ *nm/f*: **Latin, e** latino(-a); **j'y perds mon ~** no me aclaro
latitude [latityd] *nf* latitud *f*; **avoir la ~ de faire** *(fig)* tener la libertad de hacer; **à 48 degrés de ~ Nord** a 48 grados latitud norte; **sous toutes les ~s** *(fig)* en todas las latitudes
lauréat, e [lɔʀea, at] *nm/f* galardonado(-a)
laurier [lɔʀje] *nm* laurel *m*; **lauriers** *nmpl (fig)* laureles *mpl*
lavable [lavabl] *adj* lavable
lavabo [lavabo] *nm* lavabo; **lavabos** *nmpl (toilettes)* servicios *mpl*
lavage [lavaʒ] *nm* lavado; **~ d'estomac/d'intestin** lavado de estómago/de intestino; **~ de cerveau** lavado de cerebro
lavande [lavɑ̃d] *nf* lavanda
lave [lav] *nf* lava
lave-linge [lavlɛ̃ʒ] *nm inv* lavadora
laver [lave] *vt (aussi fig)* lavar; *(baigner)* bañar; *(accusation, affront)* limpiar; **se laver** *vpr* lavarse; **se ~ les dents/les mains** lavarse los dientes/las manos; **se ~ les mains de qch** *(fig)* lavarse las manos con respecto a algo; **~ la vaisselle** fregar los platos; **~ le linge** lavar la ropa; **~ qn d'une accusation** alejar una acusación que recae sobre algn; **~ qn de tous soupçons** limpiar a algn de toda sospecha
laverie [lavʀi] *nf*: **~ (automatique)** lavandería
lavette [lavɛt] *nf* estropajo; *(brosse)* cepillo; *(fig: péj)* calzonazos *m inv*
laveur, -euse [lavœʀ, øz] *nm/f (de carreaux)* lavacristales *m inv*; *(de voitures)* lavacoches *m/f inv*
lave-vaisselle [lavvɛsɛl] *nm inv* lavaplatos *m inv*
lavoir [lavwaʀ] *nm* lavadero; *(bac)* tina
laxatif, -ive [laksatif, iv] *adj, nm* laxante *m*
layette [lɛjɛt] *nf* canastilla

MOT-CLÉ

le, l', la [lə, l, la] *(pl* **les***) art déf* **1** *(masculin)* el; *(féminin)* la; *(pluriel)* los (las); **la pomme/l'arbre** la manzana/el árbol; **les étudiants/femmes** los estudiantes/las mujeres
2 *(indiquant la possession)*: **avoir les yeux gris/le nez rouge** tener los ojos grises/la nariz roja
3 *(temps)*: **travailler le matin/le soir** trabajar por la mañana/la tarde; **le jeudi** *(d'habitude)* los jueves; *(ce jeudi-là)* el jueves; **le lundi je vais toujours au cinéma** los lunes voy siempre al cine
4 *(distribution, évaluation)* el (la); **10 euros le mètre/la douzaine** 10 euros el metro/la docena; **le tiers/quart de** el tercio/cuarto de
■ *pron* **1** *(masculin)* lo; *(féminin)* la; *(pluriel)* los (las); **je le/la/les vois** lo/la/los(las) veo
2 *(remplaçant une phrase)*: **je ne le savais pas** no lo sabía; **il était riche et ne l'est plus** era rico y ya no lo es

lécher [leʃe] *vt* lamer; *(finir, polir)* pulir; **se lécher** *vpr*: **se ~ qch** chuparse algo; **~ les vitrines** mirar los escaparates
lèche-vitrines [lɛʃvitʀin] *nm inv*: **faire du ~** mirar escaparates
leçon [l(ə)sɔ̃] *nf* clase *f*; *(fig)* lección *f*; **faire la ~** dar la lección; **faire la ~ à** *(fig)* dar una lección a; **~ de choses** clase práctica; **~s de conduite** clases de conducir; **~s particulières** clases particulares
lecteur, -trice [lɛktœʀ, tʀis] *nm/f* lector(a) ■ *nm (Tech)*: **~ de cassettes** cassette *m*; *(Inform)*: **~ de disquette(s)** *ou* **de disque** lector *m* de disquete(s) *ou* de disco; **~ CD/de disques compacts** lector *m ou* reproductor *m* CD/de discos compactos; **~ MP3** reproductor *m* de MP3
lecture [lɛktyʀ] *nf* lectura; **en première/seconde ~** *(d'une loi)* en primera/segunda lectura
légal, e, -aux [legal, o] *adj* legal
légaliser [legalize] *vt* legalizar
légalité [legalite] *nf* legalidad *f*; **être dans/sortir de la ~** estar dentro/salirse de la ley
légendaire [leʒɑ̃dɛʀ] *adj* legendario(-a); *(fig)* ilustre
légende [leʒɑ̃d] *nf* leyenda; *(d'une photo)* pie *m*
léger, -ère [leʒe, ɛʀ] *adj* ligero(-a); *(erreur, retard)* leve; *(peu sérieux, personne)*

superficial; (*volage*) frívolo(-a); **blessé ~** herido leve; **à la légère** a la ligera

légèrement [leʒɛʀmɑ̃] *adv* ligeramente, suavemente; (*parler, agir*) superficialmente; **~ plus grand** ligeramente mayor; **~ en retard** con un ligero *ou* pequeño retraso

légèreté [leʒɛʀte] *nf* ligereza; (*d'une personne*) superficialidad *f*; (*d'une femme*) frivolidad *f*

LÉGION D'HONNEUR

Creada por Napoleón en 1802 para premiar los servicios prestados a la nación, *la Légion d'honneur* es una prestigiosa orden encabezada por el Presidente de la República, el "Grand Maître". Sus miembros reciben una paga anual libre de impuestos.

législatif, -ive [leʒislatif, iv] *adj* legislativo(-a)

législatives [leʒislativ] *nfpl* elecciones *fpl* legislativas

légitime [leʒitim] *adj* (*aussi fig*) legítimo(-a); **en (état de) ~ défense** (*Jur*) en (estado de) legítima defensa

legs [lɛg] *nm* (*Jur, fig*) legado

léguer [lege] *vt*: **~ qch à qn** (*aussi fig*) legar algo a algn

légume [legym] *nm* verdura; **~s secs** legumbres *fpl*; **~s verts** verduras

lendemain [lɑ̃dmɛ̃] *nm*: **le ~** el día siguiente; **le ~ matin/soir** el día siguiente por la mañana/por la noche; **le ~ de** el día después de; **au ~ de** inmediatamente después de; **penser au ~** pensar en el mañana; **sans ~** sin futuro, sin porvenir; **de beaux ~s** días *mpl* felices; **des ~s qui chantent** un futuro feliz

lent, e [lɑ̃, lɑ̃t] *adj* lento(-a)

lentement [lɑ̃tmɑ̃] *adv* lentamente

lenteur [lɑ̃tœʀ] *nf* lentitud *f*; **lenteurs** *nfpl* (*actions, décisions lentes*) lentitud *fsg*

lentille [lɑ̃tij] *nf* (*Optique*) lente *f*; (*Bot, Culin*) lenteja; **~ d'eau** (*Bot*) lenteja de agua; **~s de contact** lentillas *fpl*

léopard [leɔpaʀ] *nm* leopardo; **tenue ~** (*Mil*) ropa de camuflaje

lèpre [lɛpʀ] *nf* lepra

lequel, laquelle [ləkɛl, lakɛl] (*pl* **lesquels, lesquelles**) (*à + lequel =* **auquel,** *de + lequel =* **duquel** *etc*) *pron* (*interrogatif*) cuál; (*relatif: personne*) el/la cual, que; (*: après préposition*) el/la cual; **laquelle des chambres est la sienne?** ¿cuál de las habitaciones es la suya?; **un homme sur la compétence duquel on ne peut compter** un hombre con cuya competencia no se puede contar ■ *adj*: **auquel cas** en cuyo caso; **il prit un livre, ~ livre ...** cogió un libro, el cual ...

les [le] *dét voir* **le**

lesbienne [lɛsbjɛn] *nf* lesbiana

léser [leze] *vt* perjudicar; (*Méd*) lesionar

lésiner [lezine] *vi*: **~ (sur)** escatimar (en)

lésion [lezjɔ̃] *nf* lesión *f*; **~s cérébrales** lesiones *fpl* cerebrales

lesquels, lesquelles [lekɛl] *pron voir* **lequel**

lessive [lesiv] *nf* detergente *m*; (*linge*) colada; (*opération*) lavado; **faire la ~** hacer la colada

lessiver [lesive] *vt* lavar

lest [lɛst] *nm* lastre *m*; **jeter** *ou* **lâcher du ~** (*fig*) soltar lastre

leste [lɛst] *adj* ágil, ligero(-a); (*désinvolte*) confianzudo(-a); (*osé*) atrevido(-a)

lettre [lɛtʀ] *nf* carta; (*Typo*) letra; **lettres** *nfpl* (*Art, Scol*) letras *fpl*; **à la ~** (*fig*) al pie de la letra; **par ~** por carta; **en ~s majuscules** *ou* **capitales** en letras mayúsculas; **en toutes ~s** por extenso, sin abreviar; **~ anonyme/piégeé** carta anónima/bomba; **~ de change/de crédit** letra de cambio/de crédito; **~ de voiture aérienne** carta de porte; **~ morte**: **rester ~ morte** quedarse en papel mojado; **~ ouverte** (*Pol, de journal*) carta abierta; **~s de noblesse** cartas *fpl* de nobleza

leucémie [løsemi] *nf* leucemia

leur [lœʀ] *adj possessif* su ■ *pron* (*objet indirect*) les; (*: après un autre prénom à la troisième personne*) se; **~ maison** su casa; **~s amis** sus amigos; **à ~ avis** en su opinión; **à ~ approche** al acercarse ellos; **à ~ vue** al verles; **je ~ ai dit la vérité** les dije la verdad; **je le ~ ai donné** se lo di; **le(la) ~, les ~s** (*possessif*) el (la) suyo(-a), los (las) suyos(-as)

leurs [lœʀ] *adj voir* **leur**

levain [ləvɛ̃] *nm* levadura; **sans ~** sin levadura

levé, e [ləve] *adj*: **être ~** estar levantado(-a) ■ *nm*: **~ de terrain** levantamiento de terreno; **à mains ~es** (*vote*) a mano alzada; **au pied ~** de forma improvisada

levée [ləve] *nf* (*Postes*) recogida; (*Cartes*) baza; **~ d'écrou** liberación *f*; **~ de boucliers** (*fig*) levantamiento de protestas; **~ de terre** terraplén *m*; **~ de troupes** reclutamiento; **~ du corps** levantamiento del cadáver; **~ en masse**

(*Mil*) reclutamiento en masa
lever [l(ə)ve] *vt* levantar; (*vitre*) subir; (*difficulté*) superar; (*impôts*) recaudar; (*armée*) reclutar; (*Chasse*) ahuyentar; (*fam: fille*) enrollarse con ■ *vi* (*Culin*) levantarse; (*semis, graine*) brotar ■ *nm*: **au ~** al amanecer; **se lever** *vpr* levantarse; (*soleil*) salir; **ça va se ~** va a despejar; **~ de rideau** (*pièce*) pieza preliminar; **~ de soleil/du jour** amanecer *m*; **~ du rideau** subida del telón
levier [ləvje] *nm* palanca; (*fig*) incentivo; **faire ~ sur** hacer palanca en; **~ de changement de vitesse/de commande** palanca de cambios/de mando
lèvre [lɛvʀ] *nf* labio; (*d'une plaie*) labio, borde *m*; **du bout des ~s** (*manger*) con desgana; (*rire, parler*) de dientes afuera; (*répondre*) con altivez; **petites/grandes ~s** (*Anat*) labios pequeños/grandes
lévrier [levʀije] *nm* galgo
levure [l(ə)vyʀ] *nf*: **~ de boulanger/chimique** levadura de pan/química; **~ de bière** levadura de cerveza
lexique [lɛksik] *nm* glosario
lézard [lezaʀ] *nm* lagarto
lézarde [lezaʀd] *nf* grieta
liaison [ljɛzɔ̃] *nf* (*rapport*) relación *f*; (*Rail, Aviat, Phonétique*) enlace *m*; (*relation amoureuse*) relaciones *fpl*; (*hum*) lío; (*Culin*) trabazón *f*; **entrer/être en ~ avec** entrar/estar en comunicación con; **~ (de transmission de données)** (*Inform*) enlace (de transmisión de datos); **~ radio/téléphonique** (*contact*) contacto radiofónico/telefónico
liane [ljan] *nf* liana
liasse [ljas] *nf* fajo
Liban [libɑ̃] *nm* Líbano
libanais, e [libanɛ, ɛz] *adj* libanés(-esa) ■ *nm/f*: **Libanais, e** libanés(-esa)
libeller [libele] *vt*: **~ (au nom de)** extender (a la orden de); (*lettre, rapport*) redactar
libellule [libelyl] *nf* libélula
libéral, e, -aux [libeʀal, o] *adj, nm/f* liberal *m/f*; **les professions ~es** las profesiones liberales
libéralisme [libeʀalism] *nm* liberalismo
libérer [libeʀe] *vt* liberar; (*de prison*) poner en libertad; (*soldat*) licenciar; (*cran d'arrêt, levier*) soltar; (*Écon*) liberalizar; **se libérer** *vpr* (*de rendez-vous*) escaparse; **~ qn de** liberar a algn de
liberté [libɛʀte] *nf* libertad *f*; (*loisir*) tiempo libre; **libertés** *nfpl* (*privautés*) libertades *fpl*; **mettre/être en ~** poner/estar en libertad; **en ~ provisoire/surveillée/conditionnelle** en libertad provisional/vigilada/condicional; **jours/heures de ~** días *mpl*/horas *fpl* libres; **~ d'action** libertad de acción; **~ d'association/de la presse/syndicale** libertad de asociación/de prensa/sindical; **~ d'esprit/de conscience** libertad de juicio/de conciencia; **~ d'opinion/de culte/de réunion** libertad de opinión/de culto/de reunión; **~s individuelles** libertades individuales; **~s publiques** libertades públicas
libraire [libʀɛʀ] *nm/f* librero(-a)
librairie [libʀeʀi] *nf* librería
libre [libʀ] *adj* (*aussi fig*) libre; (*propos, manières*) atrevido(-a); (*ligne téléphonique*) desocupado(-a); (*Scol*) privado(-a); **de ~** (*place*) libre; **~ de** libre de; **~ de qch/de faire** libre de algo/de hacer; **avoir le champ ~** tener el campo libre; **en vente ~** de venta libre; **~ arbitre** libre albedrío; **~ concurrence/entreprise** libre competencia/empresa
libre-échange [libʀeʃɑ̃ʒ] *nm* librecambio
libre-service [libʀəsɛʀvis] (*pl* **libres-services**) *nm* autoservicio
Libye [libi] *nf* Libia
licence [lisɑ̃s] *nf* licencia; (*diplôme*) ≈ licenciatura; (*des mœurs*) libertinaje *m*

LICENCE

Una vez obtenido el "DEUG", los estudiantes universitarios franceses tienen que realizar un tercer año de estudios universitarios para obtener la *licence*, que viene a ser el equivalente de la licenciatura española.

licencié, e [lisɑ̃sje] *nm/f*: **~ ès lettres/en droit** ≈ licenciado(-a) en letras/derecho; (*Sport*) poseedor(a) de licencia
licenciement [lisɑ̃simɑ̃] *nm* despido
licencier [lisɑ̃sje] *vt* despedir
licite [lisit] *adj* lícito(-a)
lie [li] *nf* heces *fpl*
lié, e [lje] *adj*: **être très ~ avec qn** (*fig*) tener mucha confianza con algn; **être ~ par** (*serment, promesse*) estar comprometido(-a) por; **avoir partie ~e (avec qn)** actuar de común acuerdo (con algn)
liège [ljɛʒ] *nm* corcho
lien [ljɛ̃] *nm* ligadura; (*analogie*) vinculación *f*; (*rapport affectif, culturel*) vínculo; **~s de famille** lazos *mpl*

familiares; **~ de parenté** lazo de parentesco
lier [lje] *vt* (*attacher*) atar; (*joindre*) unir, ligar; (*fig*) unir; (*moralement*) vincular; (*sauce*) espesar; **se ~ (avec qn)** relacionarse (con algn); **~ qch à** (*attacher*) atar algo a; (*associer*) relacionar algo con; **~ amitié (avec)** trabar amistad (con); **~ conversation (avec)** entablar conversación (con); **~ connaissance (avec)** entablar relación (con), trabar conocimiento (con)
lierre [ljɛʀ] *nm* hiedra
lieu, x [ljø] *nm* (*position*) lugar *m*, sitio; (*endroit*) lugar; **lieux** *nmpl* (*habitation, salle*): **vider** *ou* **quitter les ~x** desalojar el lugar; (*d'un accident, manifestation*): **arriver/être sur les ~x** llegar al/estar en el lugar; **en ~ sûr** en lugar seguro; **en haut ~** en altas esferas; **en premier/dernier ~** en primer/último lugar; **avoir ~** tener lugar, suceder; **avoir ~ de faire** (*se demander, s'inquiéter*) tener razones *ou* motivos para hacer; **tenir ~ de** hacer las veces de, fungir de (*AM*); **donner ~ à** dar lugar a; **au ~ de** en lugar de, en vez de; **au ~ qu'il y aille** en vez de ir él; **~ commun** lugar común; **~ de départ** punto de partida; **~ de naissance/rendez-vous/travail** lugar de nacimiento/encuentro/trabajo; **~ géométrique** punto geométrico; **~ public** lugar público
lieu-dit [ljødi] (*pl* **lieux-dits**) *nm* aldea
lieutenant [ljøt(ə)nɑ̃] *nm* teniente *m*; **~ de vaisseau** teniente de navío
lièvre [ljɛvʀ] *nm* liebre *f*; **lever un ~** (*fig*) levantar la liebre
ligament [ligamɑ̃] *nm* ligamento
ligne [liɲ] *nf* línea; **en ~** (*Inform*) en línea; **en ~ droite** en línea recta; **"à la ~"** "aparte"; **entrer en ~ de compte** entrar en cuenta; **garder la ~** guardar la línea; **~ de départ/d'arrivée** línea de salida/de llegada; **~ d'horizon** línea del horizonte; **~ de but/de touche** línea de meta/de banda; **~ de conduite** línea de conducta; **~ de flottaison/de mire** línea de flotación/de mira; **~ directrice** línea directriz; **~ médiane** línea media; **~ ouverte**: **émission à ~ ouverte** emisión *f* en línea abierta
lignée [liɲe] *nf* (*race, famille*) linaje *m*; (*postérité*) descendencia
ligoter [ligɔte] *vt* (*bras, personne*) amarrar; (*fig*) atar
ligue [lig] *nf* (*association*) liga, asociación *f*; (*Sport*) liga; **~ arabe** (*Pol*) liga árabe
lilas [lilɑ] *nm* lila
limace [limas] *nf* babosa
limande [limɑ̃d] *nf* gallo
lime [lim] *nf* lima; (*arbre*) lima, limero; **~ à ongles** lima de uñas
limer [lime] *vt* limar
limitation [limitasjɔ̃] *nf* limitación *f*; **sans ~ de temps** sin límite de tiempo; **~ de vitesse** limitación de velocidad; **~ des armements/des naissances** reducción *f* de armamento/de nacimientos
limite [limit] *nf* (*aussi fig*) límite *m*; (*de terrain*) límite, linde *m ou f*; **dans la ~ de** dentro de; **à la ~** (*au pire*) como mucho; **sans ~s** sin límites; **vitesse/charge ~** velocidad *f*/carga límite; **cas ~** caso límite; **date ~ de vente/consommation** fecha límite de venta/consumo; **prix ~** precio límite; **~ d'âge** límite de edad
limiter [limite] *vt* (*délimiter*) delimitar; **se limiter** *vpr*: **se ~ (à qch/à faire)** limitarse (a algo/a hacer); (*chose*) reducirse a; **~ qch (à)** (*restreindre*) limitar algo (a)
limitrophe [limitʀɔf] *adj* limítrofe; **~ de** limítrofe con
limoger [limɔʒe] *vt* destituir
limon [limɔ̃] *nm* limo
limonade [limɔnad] *nf* gaseosa
lin [lɛ̃] *nm* lino
linceul [lɛ̃sœl] *nm* mortaja
linge [lɛ̃ʒ] *nm* (*serviettes etc*) ropa blanca; (*pièce de tissu*) lienzo; (*aussi*: **linge de corps**) ropa interior; (*lessive*) colada; **~ sale** ropa sucia
lingerie [lɛ̃ʒʀi] *nf* lencería
lingot [lɛ̃go] *nm* lingote *m*
linguistique [lɛ̃gɥistik] *adj* lingüístico(-a) ■ *nf* lingüística
lion, ne [ljɔ̃, ɔn] *nm/f* león (leona); (*Astrol*): **le L~** Leo; **être (du) L~** ser de Leo; **~ de mer** león marino
lionceau, x [ljɔ̃so] *nm* cachorro de león
liqueur [likœʀ] *nf* licor *m*
liquidation [likidasjɔ̃] *nf* liquidación *f*; (*règlement*) liquidación, pago; (*meurtre*) asesinato; **~ judiciaire** liquidación judicial
liquide [likid] *adj* líquido(-a) ■ *nm* líquido; **en ~** (*Comm*) en líquido; **air ~** aire *m* líquido
liquider [likide] *vt* liquidar
lire [liʀ] *nf* (*monnaie italienne*) lira ■ *vt, vi* (*aussi fig*) leer; **~ qch à qn** leer algo a algn
lis [lis] *vb voir* **lire** ■ *nm* = **lys**
lisible [lizibl] *adj* legible; **ce livre n'est pas ~** no merece la pena leer este libro
lisière [lizjɛʀ] *nf* (*de forêt, bois*) lindero, linde *m ou f*; (*de tissu*) orillo
lisons [lizɔ̃] *vb voir* **lire**

lisse [lis] *adj* liso(-a)
liste [list] *nf* lista; **faire la ~ de** hacer la lista de; **~ civile** *presupuesto de la casa real o del jefe del Estado*; **~ d'attente** lista de espera; **~ de mariage** lista de boda; **~ électorale/noire** lista electoral/negra
listing [listiŋ] *nm* (*Inform*) listado; **qualité ~** calidad *f* de listado
lit [li] *nm* cama; (*de rivière*) lecho; **faire son ~** hacerse la cama; **aller/se mettre au ~** ir a/meterse en la cama; **prendre le ~** (*malade etc*) guardar cama; **d'un premier ~** (*Jur*) del primer matrimonio; **~ d'enfant** cuna; **~ de camp** cama de campaña; **~ simple/double** cama sencilla/de matrimonio
literie [litʀi] *nf* ropa de cama
litige [litiʒ] *nm* litigio; **en ~** en litigio
litre [litʀ] *nm* litro; **~ de vin/bière** litro de vino/cerveza
littéraire [liteʀɛʀ] *adj* literario(-a)
littéral, e, -aux [liteʀal, o] *adj* literal
littérature [liteʀatyʀ] *nf* literatura
littoral, e, -aux [litɔʀal, o] *adj, nm* litoral *m*
livide [livid] *adj* lívido(-a)
livraison [livʀɛzɔ̃] *nf* entrega; (*de plusieurs marchandises*) reparto; **~ à domicile** reparto a domicilio
livre [livʀ] *nm* libro ■ *nf* (*poids, monnaie*) libra; **traduire qch à ~ ouvert** traducir algo de corrido; **~ blanc** libro blanco; **~ d'or** libro de oro; **~ de bord** diario de navegación; **~ de chevet/de comptes** libro de cabecera/de cuentas; **~ de cuisine** libro de cocina; **~ de messe** libro de misa, misal *m*; **~ de poche** libro de bolsillo; **~ électronique** libro electrónico
livré, e [livʀe] *adj*: **~ à** (*soumis à*) sometido(-a) a; **~ à soi-même** abandonado a sí mismo
livrer [livʀe] *vt* (*marchandises, otage, complice*) entregar; (*plusieurs colis etc*) repartir; (*client*) hacer una entrega a; (*secret, information*) revelar; **se livrer à** *vpr* entregarse a; (*se confier à*) confiarse a; (*s'abandonner à*) darse a, entregarse a; (*enquête*) llevar a cabo; **~ bataille** librar una batalla
livret [livʀɛ] *nm* (*petit livre*) librito; (*d'opéra*) libreto; **~ de caisse d'épargne** libreta de ahorros; **~ de famille** libro de familia; **~ scolaire** libro escolar
livreur, -euse [livʀœʀ, øz] *nm/f* repartidor(a)
local, e, -aux [lɔkal, o] *adj* local ■ *nm* local *m*; **locaux** *nmpl* (*d'une compagnie*) locales *mpl*
localité [lɔkalite] *nf* localidad *f*
locataire [lɔkatɛʀ] *nm/f* inquilino(-a)
location [lɔkasjɔ̃] *nf* alquiler *m*; (*par le propriétaire*) arriendo, alquiler; **"~ de voitures"** "alquiler de coches"
locomotive [lɔkɔmɔtiv] *nf* (*aussi fig*) locomotora
locution [lɔkysjɔ̃] *nf* (*Ling*) locución *f*
loge [lɔʒ] *nf* (*d'artiste*) camerino; (*de spectateurs*) palco; (*de concierge*) portería, conserjería; (*de franc-maçon*) logia
logement [lɔʒmɑ̃] *nm* alojamiento; (*maison, appartement*) vivienda; **le ~** (*Pol, Admin*) la vivienda; **chercher un ~** buscar una vivienda; **construire des ~s bon marché** construir viviendas baratas; **crise du ~** crisis *fsg* de la vivienda; **~ de fonction** alojamiento de servicio
loger [lɔʒe] *vt* alojar; (*suj: hôtel, école*) alojar, albergar ■ *vi* vivir; **se loger** *vpr*: **trouver à se ~** encontrar dónde alojarse *ou* vivir; **se ~ dans** (*suj: balle, flèche*) alojarse en
logeur, -euse [lɔʒœʀ, øz] *nm/f* casero(-a)
logiciel [lɔʒisjɛl] *nm* (*Inform*) software *m*, soporte *m* lógico
logique [lɔʒik] *adj* lógico(-a) ■ *nf* lógica; **la ~ de qch** la lógica de algo; **c'est ~** (*fam*) es lógico
logo [lɔgo] *nm* (*Comm*) logotipo
loi [lwa] *nf* ley *f*; **livre/tables de la ~** (*Rel*) libro/tablas *fpl* de la ley; **les ~s de la mode** (*fig*) las leyes de la moda; **avoir force de ~** tener fuerza de ley; **faire la ~** dictar la ley; **la ~ de la jungle/du plus fort** la ley de la jungla/del más fuerte; **proposition/projet de ~** propuesta/proyecto de ley; **~ d'orientation** ≈ Ley de Autonomía Universitaria
loin [lwɛ̃] *adv* lejos; **~ de** lejos de; **pas ~ de 1 000 euros** no mucho menos de 1000 euros; **au ~** a lo lejos; **de ~** de lejos; (*de beaucoup*) con mucho; **il revient de ~** (*fig*) ha vuelto a nacer; **de ~ en ~** de vez en cuando; **aussi ~ que je puisse me rappeler ...** que yo recuerde ...; **~ de là** ni mucho menos
lointain, e [lwɛ̃tɛ̃, ɛn] *adj* (*aussi fig*) lejano(-a) ■ *nm*: **dans le ~** en la lejanía
loir [lwaʀ] *nm* lirón *m*
loisir [lwaziʀ] *nm*: **heures de ~** horas *fpl* de ocio; **loisirs** *nmpl* tiempo libre *msg*; (*activités*) diversiones *fpl*; **prendre/avoir le ~ de faire qch** tomarse/tener tiempo para hacer algo; **(tout) à ~** con (toda) tranquilidad; (*autant qu'on le désire*) todo lo que se quiera, tanto como se quiera

londonien, ne [lɔ̃dɔnjɛ̃, jɛn] *adj* londinense ▪ *nm/f*: **Londonien, ne** londinense *m/f*

Londres [lɔ̃dʀ] *n* Londres

long, longue [lɔ̃, lɔ̃g] *adj* (*aussi fig*) largo(-a) ▪ *adv*: **en dire/savoir ~** decir/saber mucho ▪ *nm*: **de 5 mètres de ~** de 5 metros de largo; **faire/ne pas faire ~ feu** durar mucho/poco; **au ~ cours** (*Naut*) de altura; **de longue date** de antiguo; **longue durée** larga duración; **de longue haleine** arduo(-a); **être ~ à faire** ser lento(-a) para hacer; **en ~** a lo largo; **(tout) le ~ de** (*rue, bord*) a lo largo de; **tout au ~ de** (*année, vie*) a lo largo de; **de ~ en large** de un lado a otro; **en ~ et en large** (*fig*) a fondo

longer [lɔ̃ʒe] *vt* bordear, costear; (*suj*: *mur, route*) bordear

longiligne [lɔ̃ʒiliɲ] *adj* longilíneo(-a)

longitude [lɔ̃ʒityd] *nf* longitud *f*; **à 45 degrés de ~ Nord** a 45 grados longitud norte

longtemps [lɔ̃tɑ̃] *adv* mucho tiempo; **avant ~** dentro de poco; **pour/pendant ~** para/durante mucho tiempo; **je n'en ai pas pour ~** no voy a tardar mucho tiempo; **mettre ~ à faire qch** costarle mucho tiempo a algn *ou* algo hacer algo; **ça ne va pas durer ~** eso no va a durar mucho; **elle/il en a pour ~ (à le faire)** le va a llevar un buen rato (hacerlo); **il y a/n'y a pas ~ que je travaille** hace/no hace mucho que trabajo; **il y a ~ que je n'ai pas travaillé** llevo mucho tiempo sin trabajar

longue [lɔ̃g] *adj f voir* **long** ▪ *nf*: **à la ~** a la larga

longuement [lɔ̃gmɑ̃] *adv* mucho tiempo, largamente; (*en détail*) detenidamente

longueur [lɔ̃gœʀ] *nf* longitud *f*; **longueurs** *nfpl* (*fig*): **il y a des ~s dans ce film** hay momentos lentos en esta película; **une ~ (de piscine)** un largo (de piscina); **sur une ~ de 10 km** en una distancia de 10 Km; **en ~** a lo largo; **tirer en ~** alargarse demasiado; **à ~ de journée** durante todo el día; **d'une ~** (*Sport*) por un largo, por un cuerpo; **~ d'onde** longitud de onda

loquet [lɔkɛ] *nm* picaporte *m*

lorgner [lɔʀɲe] *vt* (*regarder*) mirar de reojo; (*convoiter*) echar la vista *ou* el ojo a

lors [lɔʀ]: **~ de** *prép* durante; **~ même que** aun cuando

lorsque [lɔʀsk] *conj* cuando

losange [lɔzɑ̃ʒ] *nm* rombo; **en ~** en forma de rombo, romboidal

lot [lo] *nm* lote *m*; (*de loterie*) premio; (*destin*) suerte *f*; **~ de consolation** premio de consolación

loterie [lɔtʀi] *nf* (*tombola*) lotería, rifa; (*fig*) lotería; **L~ nationale** Lotería nacional

lotion [losjɔ̃] *nf* loción *f*; **~ après rasage** loción para después del afeitado; **~ capillaire** loción capilar

lotissement [lɔtismɑ̃] *nm* (*de maisons, d'immeubles*) urbanización *f*; (*parcelle*) parcelación *f*

loto [lɔto] *nm* lotería; **le ~** (*jeu de hasard*) la loto

lotte [lɔt] *nf* (*de mer*) rape *m*

louanges [lwɑ̃ʒ] *nfpl* (*compliments*) elogios *mpl*, alabanzas *fpl*

loubard [lubaʀ] *nm* macarra *m*

louche [luʃ] *adj* sospechoso(-a) ▪ *nf* cucharón *m*

loucher [luʃe] *vi* bizquear; **~ sur qch** (*fig*) írsele los ojos tras de algo

louer [lwe] *vt* alquilar; (*réserver*) reservar; (*faire l'éloge de*) elogiar; (*Rel*: *Dieu*) alabar a; **"à ~"** "se alquila"; **se ~ de qch/d'avoir fait qch** felicitarse por algo/por haber hecho algo

loufoque [lufɔk] (*fam*) *adj* estrafalario(-a)

loup [lu] *nm* lobo; (*poisson*) róbalo, lubina; (*masque*) antifaz *m*; **jeune ~** (joven) cachorro; **~ de mer** (*marin*) lobo de mar

loupe [lup] *nf* (*Optique*) lupa; **~ de noyer** (*Menuiserie*) nudo de nogal; **à la ~** (*fig*) con lupa

louper [lupe] (*fam*) *vt* (*train etc*) perder; (*examen*) catear

lourd, e [luʀ, luʀd] *adj* (*aussi fig*) pesado(-a); (*chaleur, temps*) bochornoso(-a); (*responsabilité, impôts*) importante; (*parfum, vin*) fuerte ▪ *adv*: **peser ~** pesar mucho; **~ de** (*conséquences, menaces*) lleno(-a) de; **artillerie/industrie ~e** artillería/industria pesada

lourdaud, e [luʀdo, od] (*péj*) *adj* torpe, tosco(-a); (*au moral*) zafio(-a)

lourdement [luʀdəmɑ̃] *adv*: **marcher/tomber ~** andar con paso pesado/caer como un plomo; (*insister, appuyer*) excesivamente; **se tromper ~** equivocarse burdamente

loutre [lutʀ] *nf* nutria

louveteau, x [luv(ə)to] *nm* (*Zool*) lobezno; (*scout*) joven scout *m*

louvoyer [luvwaje] *vi* (*Naut*) bordear; (*fig*) andar con rodeos

loyal, e, -aux [lwajal, o] *adj* leal; (*fair-play*) legal

loyauté [lwajote] *nf* lealtad *f*
loyer [lwaje] *nm* alquiler *m*; **~ de l'argent** interés *msg*
lu [ly] *pp de* **lire**
lubie [lybi] *nf* capricho, antojo
lubrifiant [lybʀifjɑ̃] *nm* lubrificante *m*
lubrifier [lybʀifje] *vt* lubrificar
lubrique [lybʀik] *adj* lúbrico(-a)
lucarne [lykaʀn] *nf* tragaluz *m*
lucide [lysid] *adj* lúcido(-a)
lucratif, -ive [lykʀatif, iv] *adj* lucrativo(-a); **à but non ~** sin ánimo de lucro
lueur [lɥœʀ] *nf* resplandor *m*; (*pâle: d'étoile, de lune, lampe*) resplandor, fulgor *m*; (*fig: de désir, colère*) señal *f*; (*de raison, d'intelligence*) chispa; (*d'espoir*) rayo, chispa
luge [lyʒ] *nf* trineo (*pequeño*); **faire de la ~** deslizarse en trineo
lugubre [lygybʀ] *adj* lúgubre; (*lumière, temps*) lóbrego(-a)
lui[1] [lɥi] *pron* (*objet indirect*) le; (*: après un autre pronom à la troisième personne*) se; (*sujet, objet direct: aussi forme emphatique*) él; **je ~ ai donné de l'argent** le di dinero; **je le ~ donne** se lo doy; **elle est riche, ~ est pauvre** ella es rica, él es pobre; **~, il est à Paris** él está en París; **c'est ~ qui l'a fait** lo hizo él; **à ~** (*possessif*) suyo(-a), suyos(-as), de él; **cette voiture est à ~** ese coche es suyo; **je la connais mieux que ~** la conozco mejor que él; **~-même** él mismo; **il a agi de ~-même** obró por sí mismo
lui[2] [lɥi] *pp de* **luire**
luire [lɥiʀ] *vi* brillar, relucir
luisant, e [lɥizɑ̃, ɑ̃t] *vb voir* **luire** ■ *adj* reluciente, brillante
lumière [lymjɛʀ] *nf* luz *f*; (*éclaircissement*) iluminación *f*, luz; (*personne*) lumbrera; **lumières** *nfpl* (*d'une personne*) luces *fpl*; **à la ~ de** (*aussi fig*) a la luz de; **à la ~ électrique** con luz eléctrica; **faire de la ~** encender la luz; **faire (toute) la ~ sur** (*fig*) esclarecer, aclarar; **mettre qch en ~** (*fig*) poner algo en claro, sacar algo a la luz; **~ du jour/du soleil** luz del día/del sol
luminaire [lyminɛʀ] *nm* luminaria
lumineux, -euse [lyminø, øz] *adj* (*aussi fig*) luminoso(-a); (*éclairé*) iluminado(-a)
lunatique [lynatik] *adj* lunático(-a)
lundi [lœ̃di] *nm* lunes *m inv*; **on est ~** estamos a lunes; **le ~ 20 août** el lunes 20 de agosto; **il est venu ~** llegó el lunes; **le(s) ~(s)** (*chaque lundi*) el (los) lunes; **"à ~"** "hasta el lunes"; **~ de Pâques** lunes de Pascua; **~ de Pentecôte** lunes de Pentecostés
lune [lyn] *nf* luna; **pleine/nouvelle ~** luna llena/nueva; **être dans la ~** estar en la luna; **~ de miel** luna de miel
lunette [lynɛt] *nf*: **~s** *nfpl* gafas *fpl*, anteojos *mpl* (*AM*); **~ arrière** (*Auto*) ventanilla trasera; **~ d'approche** catalejo; **~s de plongée** gafas de bucear; **~s noires/de soleil** gafas negras/de sol
lustre [lystʀ] *nm* araña; (*éclat*) brillo
lustrer [lystʀe] *vt* lustrar; (*vêtement*) gastar
luth [lyt] *nm* laúd *m*
lutin [lytɛ̃] *nm* duende *m*
lutte [lyt] *nf* lucha; **de haute ~** en reñida lucha; **~ des classes** lucha de clases; **~ libre** (*Sport*) lucha libre
lutter [lyte] *vi* luchar; (*Sport*) luchar, combatir; **~ pour/contre qn/qch** luchar por/contra algn/algo
luxe [lyks] *nm* lujo; **de ~** de lujo; **un ~ de** (*fig*) un lujo de
Luxembourg [lyksɑ̃buʀ] *nm* Luxemburgo
luxer [lykse] *vt*: **se ~ l'épaule/le genou** luxarse el hombro/la rodilla
luxueux, -euse [lyksɥø, øz] *adj* lujoso(-a)
lycée [lise] *nm* instituto, liceo (*AM*); **~ technique** instituto técnico

LYCÉE

Los estudiantes franceses pasan los tres últimos años de educación secundaria en un *lycée*, que es donde se examinan del "baccalauréat" antes de comenzar los estudios universitarios. Hay varios tipos de *lycée*, entre ellos los "lycées d'enseignement technologique", que ofrecen cursos técnicos, y los "lycées d'enseignement professionnel", que ofrecen cursos que preparan directamente para una profesión. Algunos *lycées*, especialmente aquellos que cubren una zona territorial muy extensa o los que imparten cursos especializados, ofrecen a los alumnos la posibillidad de quedarse internos.

lycéen, ne [liseɛ̃, ɛn] *nm/f* alumno(-a) de instituto

lyophilisé, e [ljɔfilize] *adj* liofilizado(-a)
lyrique [liʀik] *adj* lírico(-a); **artiste ~** artista lírico(-a); **théâtre ~** teatro lírico; **comédie ~** comedia lírica
lys [lis] *nm* (*Bot*) lirio; (*emblème*) lis *m*

m

M *abr* (= *Monsieur*) Sr. (= *Señor*)
m' [m] *pron voir* **me**
ma [ma] *dét voir* **mon**
macaron [makaʀɔ̃] *nm* (*gâteau*) mostachón *m*; (*insigne*) insignia; (*natte*) rodete *m*
macaroni [makaʀɔni] *nm* macarrones *mpl*; **~ au fromage** *ou* **au gratin** macarrones al queso *ou* gratinados
macédoine [masedwan] *nf*: **~ de fruits** macedonia de frutas; **~ de légumes** menestra (*sin carne*)
macérer [maseʀe] *vi, vt* macerar
mâcher [mɑʃe] *vt* masticar; **ne pas ~ ses mots** no tener pelos en la lengua; **~ le travail à qn** (*fig*) darle a algn el trabajo mascado
machin [maʃɛ̃] (*fam*) *nm* chisme *m*; (*personne*): **M~** fulano
machinal, e, -aux [maʃinal, o] *adj* maquinal
machinalement *adv* mecánicamente
machination [maʃinasjɔ̃] *nf* maquinación *f*
machine [maʃin] *nf* máquina; (*d'un navire, aussi fig*) maquinaria; (*fam*: *personne*): **M~** fulana; **faire ~ arrière** dar marcha atrás; **~ à coudre/à écrire/à tricoter** máquina de coser/de escribir/de

tricotar; **~ à laver** lavadora; **~ à sous** máquina tragaperras *inv*; **~ à vapeur** máquina a *ou* de vapor

mâchoire [mɑʃwaʀ] *nf* mandíbula; (*Tech*) mordaza; **~ de frein** zapata

mâchonner [mɑʃɔne] *vt* mordisquear

maçon [masɔ̃] *nm* albañil *m*

maçonnerie [masɔnʀi] *nf* albañilería; (*murs*) muros *mpl*

Madame [madam] (*pl* **Mesdames**) *nf*: **~ X** la señora X; **occupez-vous de ~/de Monsieur/de Mademoiselle** atienda a la señora/al señor/a la señorita; **bonjour ~/Monsieur/Mademoiselle** (*ton déférent*) buenos días señora/señor/señorita; **madame/monsieur** (*pour appeler*) ¡(oiga) señora/señor!; **~/Monsieur/Mademoiselle** (*sur lettre*) Señora/Señor/Señorita; **chère ~/cher Monsieur/chère Mademoiselle** estimado(-a) Señora/Señor/Señorita; **~ la Directrice** (la) señora directora; **Mesdames** Señoras

madeleine [madlɛn] *nf* (*gâteau*) magdalena

Mademoiselle [madmwazɛl] (*pl* **Mesdemoiselles**) *nf* Señorita; *voir aussi* **Madame**

madère [madɛʀ] *nm* madeira *m*

magasin [magazɛ̃] *nm* tienda; (*entrepôt*) almacén *m*; (*d'une arme*) recámara; (*Photo*) carga; **en ~** (*Comm*) en almacén; **faire les ~s** ir de tiendas; **~ d'alimentation** tienda de ultramarinos

magazine [magazin] *nm* revista; (*radiodiffusé, télévisé*) magazine *m*

Maghreb [magʀɛb] *nm* Magreb *m*

magicien, ne [maʒisjɛ̃, jɛn] *nm/f* mago(-a)

magie [maʒi] *nf* magia; **~ noire** magia negra

magique [maʒik] *adj* mágico(-a)

magistral, -aux [maʒistʀal, o] *adj* magistral; **cours ~** (*ex cathedra*) clase *f* teórica

magistrat [maʒistʀa] *nm* magistrado

magnétique [maɲetik] *adj* magnético(-a)

magnétophone [maɲetɔfɔn] *nm* magnetófono; **~ (à cassettes)** cassette *m*

magnétoscope [maɲetɔskɔp] *nm* magnetoscopio

magnifique [maɲifik] *adj* magnífico(-a)

magret [magʀɛ] *nm*: **~ de canard** filete *m* de pechuga de pato

mai [mɛ] *nm* mayo; *voir aussi* **juillet**

MAI

Le premier mai es la fiesta del primero de mayo francés. Es costumbre intercambiar y llevar puestas ramitas de lirio de los valles. *Le 8 mai* es una fiesta oficial en Francia en la que se conmemora la rendición del ejército alemán ante Eisenhower el 7 de mayo de 1945. En la mayoría de las poblaciones hay desfiles de veteranos de guerra. La agitación social que tuvo lugar en mayo y junio de 1968, con manifestaciones estudiantiles, huelgas y disturbios, se conoce genéricamente como "les événements de *mai 68*". El gobierno de De Gaulle resistió la presión, aunque se vio abocado a realizar reformas educativas y a avanzar hacia la descentralización.

maigre [mɛgʀ] *adj* (*après nom*: *personne, animal*) delgado(-a), flaco(-a); (: *viande, fromage*) magro(-a); (*fig*: *avant nom*: *repas, salaire, profit*) escaso(-a); (: *résultat*) mediocre ▪ *adv*: **faire ~** comer de vigilia; **jours ~s** días *mpl* de vigilia

maigreur [mɛgʀœʀ] *nf* delgadez *f*, flaqueza; (*de la végétation*) escasez *f*

maigrir [megʀiʀ] *vi* adelgazar ▪ *vt* (*suj*: *vêtement*): **~ qn** hacer parecer más delgado(-a) a algn

mail [mɛl] *nm* mail *m*, email *m*, correo electrónico

maille [mɑj] *nf* (*boucle*) eslabón *m*; (*ouverture*: *dans un filet etc*) punto; **avoir ~ à partir avec qn** andar en dimes y diretes con algn; **~ à l'endroit/à l'envers** punto del derecho/del revés

maillet [majɛ] *nm* (*outil*) mazo; (*de croquet*) palo

maillon [mɑjɔ̃] *nm* (*d'une chaîne*) eslabón *m*

maillot [majo] *nm* malla; (*de sportif*) camiseta; (*lange de bébé*) pañal *m*; **~ (de corps)** camiseta; **~ de bain** traje *m* de baño, bañador *m*; **~ deux pièces** biquini *m*; **~ jaune** (*Cyclisme*) maillot *m* amarillo

main [mɛ̃] *nf* mano *f*; **la ~ dans la ~** cogidos(-as) de la mano; **à une ~** con una mano; **à deux ~s** con las dos manos; **à la ~** a mano; **se donner la ~** darse la mano; **donner** *ou* **tendre la ~ à qn** dar *ou* tender la mano a algn; **se serrer la ~** estrecharse la mano; **serrer la ~ à qn** estrechar la mano a algn; **demander la ~ d'une femme** pedir la mano de una mujer; **sous la ~** a mano; **haut les ~s** arriba las manos; **à ~ levée** (*Art*) a pulso; **à ~s levées** (*voter*) a mano alzada; **attaque à ~ armée** ataque *m* a mano armada; **à ~ droite/gauche** a mano derecha/ izquierda; **de première ~** de primera mano; **de ~ de maître** con mano maestra; **à remettre en ~s propres** a entregar en mano; **faire ~ basse sur qch** apoderarse de algo; **mettre la dernière ~ à qch** dar el último toque a algo; **mettre la ~ à la pâte** poner manos a la obra; **avoir qch/qn bien en ~** conocer algo/a algn bien; **prendre qch en ~** (*fig*) hacerse cargo de algo; **avoir la ~** (*Cartes*) ser mano; **céder/passer la ~** (*Cartes*) ceder/ pasar la mano; **forcer la ~ à qn** obligar a algn; **s'en laver les ~s** (*fig*) lavarse las manos; **se faire la ~** entrenarse; **perdre la ~** estar desentrenado(-a); **en un tour de ~** (*fig*) en un periquete; **~ courante** pasamanos *m inv*

main-d'œuvre [mɛ̃dœvʀ] (*pl* **mains-d'œuvre**) *nf* mano *f* de obra

mainmise [mɛ̃miz] *nf* confiscación *f*; (*fig*): **avoir la ~ sur** tener control sobre

mains-libres [mɛ̃libʀ] *adj inv* (*téléphone, kit*) manos libres

maint, e [mɛ̃, mɛ̃t] *adj* varios(-as); **à ~es reprises** en repetidas ocasiones

maintenant [mɛ̃t(ə)nɑ̃] *adv* ahora; (*ceci dit*) ahora bien; **~ que** ahora que

maintenir [mɛ̃t(ə)niʀ] *vt* mantener; (*personne, foule, animal*) contener; **se maintenir** *vpr* mantenerse; (*préjugé*) conservarse

maintien [mɛ̃tjɛ̃] *nm* mantenimiento; (*attitude, allure, contenance*) compostura; **~ de l'ordre** mantenimiento del orden

maire [mɛʀ] *nm* alcalde *m*, intendente *m* (*Csur*), regente *m* (*Mex*)

mairie [meʀi] *nf* ayuntamiento

mais [mɛ] *conj* pero; **~ non!** ¡que no!; **~ enfin!** ¡pero bueno!; **~ encore** sino que

maïs [mais] *nm* maíz *m*

maison [mɛzɔ̃] *nf* casa; (*famille*): **fils/ ami de la ~** niño/amigo de la casa ■ *adj inv* (*Culin*) casero(-a); (*dans un restaurant, fig*) de la casa; (*syndicat*) propio(-a); (*fam: bagarre etc*) bárbaro(-a); **à la ~** en casa; (*direction*) a casa; **~ centrale/mère** casa central/matriz; **~ close** *ou* **de passe** casa de citas; **~ d'arrêt** prisión *f*; **~ de campagne** casa de campo; **~ de la culture** casa de la cultura; **~ de repos** casa de reposo; **~ de correction** correccional *m*; **~ de retraite** asilo de ancianos; **~ de santé** centro de salud; **~ des jeunes** casa de la juventud

MAISONS DES JEUNES ET DE LA CULTURE

Las *maisons des jeunes et de la culture* son centros juveniles que organizan una amplia gama de actividades deportivas y culturales y además llevan a cabo una labor social. Están parcialmente subvencionados por el estado.

maître, maîtresse [mɛtʀ, mɛtʀɛs] *nm/f* (*chef*) jefe(-a); (*possesseur, propriétaire*) dueño(-a); (*Scol*) maestro(-a) ■ *nm* (*peintre etc*) maestro; (*Jur*): **M~** *título que se da en Francia a abogados, procuradores y notarios* ■ *adj* maestro(-a); (*Cartes*) principal; **voiture de ~** coche *m* con chófer; **maison de ~** casa señorial; **être ~ de** dominar; **se rendre ~ de** (*pays, ville*) adueñarse de; (*situation, incendie*) dominar; **passer ~ dans l'art de** llegar a dominar el arte de; **rester ~ de soi** dominarse a sí mismo; **une maîtresse femme** toda una mujer; **~ à penser** maestro; **~ auxiliaire** (*Scol*) profesor *m* adjunto; **~ chanteur** chantajista *m*; **~ d'armes** maestro de armas; **~ d'école** maestro de escuela; **~ d'hôtel** (*domestique*) mayordomo; (*d'hôtel*) jefe de comedor, maître *m*; **~ d'œuvre** (*Constr*) contratista *m/f*; **~ d'ouvrage** (*Constr*) maestro de obras; **~ de chapelle** maestro de capilla; **~ de conférences** (*Univ*) profesor(a); **~ de maison** amo *ou* dueño de casa; **~ nageur** monitor(a) de natación; **~ queux** jefe de cocina

maîtresse [mɛtʀɛs] *nf* (*amante*) amante *f*; **~ d'école** maestra de escuela; **~ de maison** (*hôtesse*) señora *ou* dueña de la casa; (*ménagère*) ama de casa

maîtrise [metʀiz] *nf* (*aussi*: **maîtrise de soi**) dominio de sí mismo; (*calme*) serenidad *f*; (*habileté, virtuosité*) maestría; (*suprématie*) dominio; (*diplôme*) ≈ licenciatura; (*contremaîtres et chefs d'équipe*) capataces *mpl*

MAÎTRISE

La *maîtrise* es una licenciatura francesa que obtienen aquellos estudiantes universitarios que completan dos años más de estudios tras obtener el "DEUG". Es requisito indispensable para aquellos estudiantes que quieren continuar en la universidad haciendo investigación o presentarse a la "agrégation".

maîtriser [metʀize] *vt* dominar; **se maîtriser** *vpr* dominarse
majestueux, -euse [maʒɛstɥø, øz] *adj* majestuoso(-a); (*fleuve, édifice*) imponente
majeur, e [maʒœʀ] *adj* mayor; (*Jur: personne*) mayor de edad; (*préoccupation*) principal ■ *nm/f* (*Jur*) mayor *m/f* de edad ■ *nm* (*doigt*) corazón *m*; **en ~e partie** en su mayor parte; **la ~e partie de** la mayor parte de
majorer [maʒɔʀe] *vt* recargar
majoritaire [maʒɔʀitɛʀ] *adj* mayoritario(-a); **système/scrutin ~** sistema *m*/escrutinio mayoritario
majorité [maʒɔʀite] *nf* mayoría; (*Jur*) mayoría de edad; **en ~** en su mayoría; **avoir la ~** tener la mayoría; **la ~ silencieuse** la mayoría silenciosa; **~ absolue/relativa** mayoría absoluta/relativa; **~ civile** mayoría de edad (*para el ejercicio de los derechos civiles*); **~ électorale** *mayoría de edad para votar*; **~ pénale** mayoría de edad
majuscule [maʒyskyl] *adj, nf*: **(lettre) ~** (letra) mayúscula
mal, maux [mal, mo] *nm* (*tort, épreuve, malheur*) desgracia; (*douleur physique*) dolor *m*; (*maladie*) mal *m*; (*difficulté*) dificultad *f*; (*souffrance morale*) sufrimiento; (*péché*): **le ~** el mal ■ *adv* mal ■ *adj m*: **c'est ~ (de faire)** está mal (hacer); **être ~** (*mal installé*) estar incómodo(-a); **se sentir/se trouver ~** sentirse/encontrarse mal; **être ~ avec qn** andar de malas con algn; **il comprend ~** no entiende bien; **il a ~ compris** ha entendido mal; **~ tourner** ir mal; **dire du ~ de qn** hablar mal de algn; **ne vouloir de ~ à personne** no querer hacer daño a nadie; **il n'a rien fait de ~** no ha hecho nada malo; **penser du ~ de qn** pensar mal de algn; **ne voir aucun ~ à** no ver ningún mal en; **sans penser** *ou* **songer à ~** sin mala intención; **craignant ~ faire** temiendo hacer mal; **faire du ~ à qn** hacer daño a algn; **il n'y a pas de ~** no pasa nada; **se donner du ~ pour faire qch** tomarse trabajo para hacer algo; **se faire ~** hacerse daño; **se faire ~ au pied** hacerse daño en el pie; **ça fait ~** duele; **j'ai ~ (ici)** me duele (aquí); **j'ai ~ au dos** me duele la espalda; **avoir ~ à la tête/aux dents** tener dolor de cabeza/de muelas; **avoir ~ au cœur** tener náuseas; **j'ai du ~ à faire** me cuesta hacerlo; **avoir le ~ de l'air** marearse (en los aviones); **avoir le ~ du pays** tener morriña; **prendre ~** ponerse enfermo(-a); **~ de la route/de mer** mareo; **~ en point** *adj inv* bastante mal; **~ de ventre** dolor de barriga
malade [malad] *adj* enfermo(-a); (*poitrine, jambe*) malo(-a) ■ *nm/f* enfermo(-a); **tomber ~** caer enfermo(-a); **être ~ du cœur** estar enfermo(-a) del corazón; **~ mental** enfermo mental; **grand ~** enfermo grave
maladie [maladi] *nf* enfermedad *f*; **être rongé par la ~** estar consumido por la enfermedad; **~ bleue** cianosis *f inv*; **~ de peau** enfermedad de la piel
maladif, -ive [maladif, iv] *adj* enfermizo(-a)
maladresse [maladʀɛs] *nf* torpeza
maladroit, e [maladʀwa, wat] *adj* torpe
malaise [malɛz] *nm* malestar *m*; **avoir un ~** marearse
malaria [malaʀja] *nf* malaria
malaxer [malakse] *vt* amasar; (*mêler*) mezclar
malchance [malʃɑ̃s] *nf* mala suerte; (*mésaventure*) desgracia; **par ~** por desgracia; **quelle ~!** ¡qué mala suerte!
malchanceux, -euse [malʃɑ̃sø, øz] *adj* desafortunado(-a)
mâle [mɑl] *nm* macho ■ *adj* macho; (*enfant*) varón; (*viril*) varonil, viril; **prise ~** (*Élec*) clavija; **souris ~** ratón *m* macho
malédiction [malediksjɔ̃] *nf* maldición *f*; (*fatalité, malchance*) desgracia
malentendant, e [malɑ̃tɑ̃dɑ̃, ɑ̃t] *nm/f*: **les ~s** las personas con defectos de audición
malentendu [malɑ̃tɑ̃dy] *nm* malentendido
malfaçon [malfasɔ̃] *nf* defecto
malfaisant, e [malfəzɑ̃, ɑ̃t] *adj* (*bête*) dañino(-a); (*être*) malo(-a); (*idées, influence*) nocivo(-a)
malfaiteur [malfɛtœʀ] *nm* malhechor *m*; (*voleur*) ladrón *m*
malfamé, e [malfame] *adj* de mala fama
malformation [malfɔʀmasjɔ̃] *nf* malformación *f*
malgache [malgaʃ] *adj* malgache ■ *nm* (*Ling*) malgache *m* ■ *nm/f*: **M~** malgache *m/f*
malgré [malgʀe] *prép* (*contre le gré de*) contra la voluntad de; (*en dépit de*) a pesar de; **~ moi/lui** a pesar mío/suyo; **~ tout** a pesar de todo
malheur [malœʀ] *nm* desgracia; (*ennui, inconvénient*) inconveniente *m*; **par ~** por

desgracia; **quel ~!** ¡qué desgracia!; **faire un ~** (*fam*: *un éclat*) explotar; (: *avoir du succès*) arrasar
malheureusement [maløʀøzmɑ̃] *adv* desgraciadamente
malheureux, -euse [maløʀø, øz] *adj* (*triste*: *personne*) infeliz, desdichado(-a); (*existence, accident*) desgraciado(-a), desdichado(-a); (*malchanceux*: *candidat*) derrotado(-a); (: *tentative*) fracasado(-a); (*insignifiant*) miserable ■ *nm/f* desgraciado(-a); **la malheureuse femme/victime** la desdichada mujer/víctima; **avoir la main malheureuse** (*au jeu*) tener poca fortuna; (*tout casser*) ser un manazas; **les ~** los desamparados
malhonnête [malɔnɛt] *adj* deshonesto(-a)
malhonnêteté [malɔnɛtte] *nf* falta de honradez
malice [malis] *nf* malicia; (*méchanceté*): **par ~** por maldad; **sans ~** sin malicia
malicieux, -ieuse [malisjø, jøz] *adj* malicioso(-a)
malin, -igne [malɛ̃, maliɲ] *adj* (*f gén maline*) astuto(-a); (*malicieux*: *sourire*) pícaro(-a); (*Méd*) maligno(-a); **faire le ~** dárselas de listo; **éprouver un ~ plaisir à** regodearse con; **c'est ~!** (*ironique*) ¡qué listo!
malingre [malɛ̃gʀ] *adj* enteco(-a)
malle [mal] *nf* baúl *m*; **~ arrière** (*Auto*) maletero
mallette [malɛt] *nf* maletín *m*; (*coffret*) cofre *m*; **~ de voyage** maletín de viaje
malmener [malməne] *vt* maltratar; (*fig*: *adversaire*) dejar maltrecho(-a)
malodorant, e [malɔdɔʀɑ̃, ɑ̃t] *adj* maloliente
malpoli, e [malpɔli] *nm/f* maleducado(-a)
malsain, e [malsɛ̃, ɛn] *adj* malsano(-a); (*esprit, curiosité*) morboso(-a)
malt [malt] *nm* malta; **whisky pur ~** whisky *m* de malta
Malte [malt] *nf* Malta
maltraiter [maltʀete] *vt* maltratar; (*critiquer, éreinter*) vapulear
malveillance [malvɛjɑ̃s] *nf* mala voluntad *f*; (*intention de nuire*) mala intención *f*; (*Jur*) malevolencia
malversation [malvɛʀsasjɔ̃] *nf* malversación *f*
maman [mamɑ̃] *nf* mamá
mamelle [mamɛl] *nf* teta
mamelon [mam(ə)lɔ̃] *nm* (*Anat*) pezón *m*; (*petite colline*) montecillo
mamie [mami] (*fam*) *nf* abuelita, nana
mammifère [mamifɛʀ] *nm* mamífero
mammouth [mamut] *nm* mamut *m*
manche [mɑ̃ʃ] *nf* manga; (*d'un jeu, tournoi*) partida; (*Géo*): **la M~** Canal *m* de la Mancha ■ *nm* mango; (*de violon, guitare*) mástil *m*; **se débrouiller comme un ~** (*fam*: *maladroit*) hacer las cosas con los pies; **faire la ~** tocar en la calle; **~ à air** *nf* (*Aviat*) manga de aire; **~ à balai** *nm* palo de escoba; (*Aviat*) palanca de mando; (*Inform*) palanca
manchette [mɑ̃ʃɛt] *nf* (*de chemise*) puño; (*coup*) *golpe dado con el antebrazo*; (*Presse*) cabecera, titular *m*; **faire la ~ des journaux** saltar a los titulares
manchot, e [mɑ̃ʃo, ɔt] *adj* manco(-a) ■ *nm* (*Zool*) pingüino
mandarine [mɑ̃daʀin] *nf* mandarina
mandat [mɑ̃da] *nm* (*postal*) giro; (*d'un député, président*) mandato; (*procuration*) poder *m*; (*Police*) orden *f*; **toucher un ~** cobrar un giro; **~ d'amener** orden de comparecencia; **~ d'arrêt** orden de arresto; **~ de dépôt** orden de prisión; **~ de police** orden de registro
mandataire [mɑ̃datɛʀ] *nm/f* mandatario(-a)
manège [manɛʒ] *nm* (*école d'équitation*) picadero; (*à la foire*) tiovivo; (*fig*: *manœuvre*) maniobra; **faire un tour de ~** dar una vuelta en tiovivo; **~ de chevaux de bois** caballitos *mpl*
manette [manɛt] *nf* palanca; **~ de jeu** (*Inform*) palanca de juego
mangeable [mɑ̃ʒabl] *adj* (*comestible*) comestible; (*juste bon à manger*) comible
mangeoire [mɑ̃ʒwaʀ] *nf* pesebre *m*
manger [mɑ̃ʒe] *vt* comer; (*ronger*: *suj*: *rouille etc*) carcomer; (*consommer*) gastar; (*capital*) despilfarrar ■ *vi* comer
mangue [mɑ̃g] *nf* mango
maniable [manjabl] *adj* manejable; (*fig*: *personne*) manipulable
maniaque [manjak] *adj* maniático(-a) ■ *nm/f* (*obsédé, fou*) maníaco(-a); (*pointilleux*) maniático(-a)
manie [mani] *nf* manía
manier [manje] *vt* manejar; **se manier** *vpr* (*fam*) darse prisa
manière [manjɛʀ] *nf* manera; (*genre, style*) estilo; **manières** *nfpl* (*attitude*) modales *mpl*; (*chichis*) melindres *mpl*; **de ~ à** con objeto de; **de telle ~ que** de tal manera que; **de cette ~** de esta manera; **d'une ~ générale** en general; **de toute ~** de todas maneras; **d'une certaine ~** en cierto sentido; **manquer de ~s** carecer de educación; **faire des ~s** andar con

remilgos; **sans ~s** sin ceremonias; **employer la ~ forte** emplear la fuerza; **complément/adverbe de ~** complemento/adverbio de modo

maniéré, e [manjeʀe] *adj* amanerado(-a)

manifestant, e [manifɛstɑ̃, ɑ̃t] *nm/f* manifestante *m/f*

manifestation [manifɛstasjɔ̃] *nf* manifestación *f*; (*fête, réunion etc*) acto

manifeste [manifɛst] *adj* manifiesto(-a) ■ *nm* manifiesto

manifester [manifɛste] *vt* manifestar ■ *vi* (*Pol*) manifestarse; **se manifester** *vpr* manifestarse; (*témoin*) presentarse

manigancer [manigɑ̃se] *vt* tramar

manipulation [manipylasjɔ̃] *nf* manipulación *f*; **~ génétique** manipulación genética

manipuler [manipyle] *vt* manipular

manivelle [manivɛl] *nf* manivela

mannequin [mankɛ̃] *nm* (*Couture*) maniquí *m*; (*Mode*) modelo; **taille ~** talla maniquí

manœuvre [manœvʀ] *nf* maniobra ■ *nm* obrero; **fausse ~** maniobra falsa

manœuvrer [manœvʀe] *vt* maniobrar; (*levier, personne*) manejar ■ *vi* maniobrar

manoir [manwaʀ] *nm* casa solariega

manque [mɑ̃k] *nm* falta; **manques** *nmpl* (*lacunes*) lagunas *fpl*; **par ~ de** por falta de; **~ à gagner** lucro cesante

manqué, e [mɑ̃ke] *adj* fracasado(-a), fallido(-a); **garçon ~**: **cette petite est un vrai garçon ~** esta niña tenía que haber nacido chico

manquer [mɑ̃ke] *vi* faltar; (*échouer*) fallar, fracasar ■ *vt* (*coup, objectif*) fallar; (*cours, réunion*) faltar a; (*occasion*) perder ■ *vb impers*: **il (nous) manque encore 100 euros** nos faltan todavía 100 euros; **il manque des pages** faltan páginas; **l'argent qui leur manque** el dinero que les falta; **la voix lui a manqué** le falló la voz; **~ à qn** (*absent etc*): **il/cela me manque** le/lo echo de menos; **~ à** faltar a; **~ de** carecer de; **nous manquons de feutres** se nos han agotado los rotuladores, no nos quedan rotuladores; **j'ai manqué la photo** no me ha salido bien la foto; **ne pas ~ qn** vérselas con algn; **ne pas ~ de faire**: **il n'a pas manqué de le dire** no dejó de decirlo; **~ (de) faire**: **il a manqué (de) se tuer** por poco se mata; **il ne manquerait plus que ...** faltaría sólo que ...; **je n'y manquerai pas** no dejaré de hacerlo

mansarde [mɑ̃saʀd] *nf* buhardilla

mansardé, e [mɑ̃saʀde] *adj* abuhardillado(-a)

manteau, x [mɑ̃to] *nm* abrigo; (*de cheminée*) campana; **sous le ~** bajo cuerda

manucure [manykyʀ] *nf* manicura

manuel, le [manɥɛl] *adj* manual ■ *nm/f*: **je suis un ~** lo mío es trabajar con las manos ■ *nm* (*livre*) manual *m*; **travailleur ~** trabajador *m* manual

manufacture [manyfaktyʀ] *nf* manufactura

manufacturé, e [manyfaktyʀe] *adj* manufacturado(-a)

manuscrit, e [manyskʀi, it] *adj* manuscrito(-a) ■ *nm* manuscrito

manutention [manytɑ̃sjɔ̃] *nf* manipulación *f*

mappemonde [mapmɔ̃d] *nf* mapamundi *m*

maquereau, x [makʀo] *nm* (*Zool*) caballa; (*fam: proxénète*) chulo

maquette [makɛt] *nf* maqueta; (*d'une page illustrée, affiche*) boceto

maquillage [makijaʒ] *nm* maquillaje *m*

maquiller [makije] *vt* (*aussi fig*) maquillar; (*passeport*) falsificar; **se maquiller** *vpr* maquillarse

maquis [maki] *nm* (*Géo*) monte *m* bajo; (*fig*) embrollo; (*Mil*) maquis *m inv*

maraîcher, -ère [maʀeʃe, ɛʀ] *adj*: **cultures maraîchères** cultivos *mpl* de huerta ■ *nm/f* hortelano(-a)

marais [maʀɛ] *nm* pantano; **~ salant** salina

marasme [maʀasm] *nm* marasmo

marathon [maʀatɔ̃] *nm* maratón *m*

marbre [maʀbʀ] *nm* mármol *m*; (*Typo*) platina; **rester de ~** quedarse de piedra

marc [maʀ] *nm* (*de raisin, pommes*) orujo; **~ de café** poso de café

marchand, e [maʀʃɑ̃, ɑ̃d] *nm/f* comerciante *m/f*; (*au marché*) vendedor(a) ■ *adj*: **prix ~** precio de coste; **valeur ~e** valor *m* comercial; **qualité ~e** calidad *f* corriente; **~ au détail/en gros** vendedor minorista/mayorista; **~ de biens** corredor *m* de fincas; **~ de canons** (*péj*) traficante *m* de armas; **~ de charbon/de cycles** vendedor de carbón/de bicicletas; **~ de couleurs** droguero(-a); **~ de fruits** frutero(-a); **~ de journaux** vendedor de periódicos; **~ de légumes** verdulero(-a); **~ de poisson** pescadero(-a); **~ de sable** (*fig*) *genio fabuloso que duerme a los niños*; **~ de tableaux** marchante *m/f*; **~ de tapis** vendedor de alfombras; **~ de vins**

vinatero(-a); **~ des quatre saisons** vendedor ambulante de frutas y verduras
marchander [maʀʃɑ̃de] *vt, vi* regatear
marchandise [maʀʃɑ̃diz] *nf* mercancía
marche [maʀʃ] *nf* marcha; (*d'escalier*) escalón *m*; (*allure, démarche*) paso; (*du temps, progrès*) curso; **ouvrir/fermer la ~** abrir/cerrar la marcha; **à une heure de ~** a una hora de camino; **dans le sens de la ~** (*Rail*) en el sentido de la marcha; **monter/prendre en ~** subir/coger en marcha; **mettre en ~** poner en marcha; **remettre qch en ~** arreglar algo; **se mettre en ~** ponerse en marcha; **~ à suivre** pasos *mpl* a seguir; (*sur notice*) método; **~ arrière** (*Auto*) marcha atrás; **faire ~ arrière** (*Auto*) dar marcha atrás
marché [maʀʃe] *nm* mercado; (*accord, affaire*) trato; **par dessus le ~** por añadidura; **faire son ~** ir a la compra; **mettre le ~ en main à qn** obligar a algn a tomar una decisión; **~ à terme/au comptant** (*Bourse*) operación *f* a plazo/al contado; **~ aux fleurs** mercado de flores; **~ aux puces** rastro, mercadillo; **M~ commun** Mercado Común; **~ du travail** mercado de trabajo; **~ noir** mercado negro
marcher [maʀʃe] *vi* andar; (*se promener*) caminar; (*Mil, affaires*) marchar; (*fonctionner*) funcionar; (*fam: croire naïvement*) tragar; **d'accord, je marche** (*fam*) bueno, me parece bien; **~ sur** caminar por; (*mettre le pied sur*) pisar; (*Mil*) avanzar hacia; **~ dans** (*herbe etc*) caminar por; (*flaque*) meterse en; **faire ~ qn** (*pour rire*) tomar el pelo a algn; (*pour tromper*) engañar a algn
marcheur, -euse [maʀʃœʀ, øz] *nm/f* andarín(-ina)
mardi [maʀdi] *nm* martes *m inv*; **M~ gras** martes de Carnaval; *voir aussi* **lundi**
mare [maʀ] *nf* charco; **~ de sang** charco de sangre
marécage [maʀekaʒ] *nm* ciénaga
marécageux, -euse [maʀekaʒø, øz] *adj* cenagoso(-a)
maréchal, -aux [maʀeʃal, o] *nm* mariscal *m*; **~ des logis** sargento
marée [maʀe] *nf* marea; (*poissons*) pescado fresco; **contre vents et ~s** (*fig*) contra viento y marea; **~ basse/haute** marea baja/alta; **~ d'équinoxe** marea de equinoccio; **~ humaine** marea humana; **~ montante/descendante** flujo/reflujo; **~ noire** marea negra
marelle [maʀɛl] *nf* rayuela
margarine [maʀgaʀin] *nf* margarina
marge [maʀʒ] *nf* margen *m*; **en ~ (de)** al margen (de); **~ bénéficiaire** (*Comm*) margen de beneficios; **~ de fluctuation** banda de fluctuación; **~ d'erreur/de sécurité** margen de error/de seguridad
marginal, e, -aux [maʀʒinal, o] *adj* marginal ▪ *nm/f* persona marginal
marguerite [maʀgəʀit] *nf* margarita
mari [maʀi] *nm* marido
mariage [maʀjaʒ] *nm* matrimonio; (*noce*) boda; (*fig: de mots, couleurs*) combinación *f*; **~ blanc** matrimonio no consumado; **~ civil/religieux** matrimonio civil/religioso; **~ d'amour/ d'intérêt/de raison** matrimonio por amor/por interés/de conveniencia
marié, e [maʀje] *adj* casado(-a) ▪ *nm/f* novio(-a); **les ~s** los novios; **les (jeunes) ~s** los (recién) casados
marier [maʀje] *vt* casar; (*fig: couleur*) combinar; **se marier** *vpr* casarse; **se ~ (avec)** casarse (con); (*fig*) casar (con)
marin, e [maʀɛ̃, in] *adj* marino(-a); (*carte, lunette*) náutico(-a) ▪ *nm* marino; (*matelot*) marinero; **avoir le pied ~** no marearse en los barcos
marine [maʀin] *adj f voir* **marin** ▪ *nf* (*aussi Art*) marina; (*couleur*) azul marino ▪ *adj inv* azul marino ▪ *nm* marine *m*, soldado de infantería de marina; **~ à voiles** marina de vela; **~ marchande/de guerre** marina mercante/de guerra
mariner [maʀine] *vt, vi* escabechar; **faire ~ qn** (*fam*) tener a algn plantado
marionnette [maʀjɔnɛt] *nf* (*aussi péj*) marioneta; **marionnettes** *nfpl* (*spectacle*) marionetas *fpl*
maritalement [maʀitalmɑ̃] *adv* maritalmente
maritime [maʀitim] *adj* marítimo(-a)
mark [maʀk] *nm* marco
marmelade [maʀməlad] *nf* mermelada; **en ~** (*fig*) hecho(-a) migas; **~ d'oranges** mermelada de naranja
marmite [maʀmit] *nf* (*récipient*) marmita; (*contenu*) cocido
marmonner [maʀmɔne] *vt* mascullar
marmotte [maʀmɔt] *nf* marmota
marmotter [maʀmɔte] *vt* mascullar
Maroc [maʀɔk] *nm* Marruecos *msg*
marocain, e [maʀɔkɛ̃, ɛn] *adj* marroquí ▪ *nm/f*: **Marocain, e** marroquí *m/f*
maroquinerie [maʀɔkinʀi] *nf* marroquinería
marquant, e [maʀkɑ̃, ɑ̃t] *adj* destacado(-a); (*personnalité*) especial

marque [maʀk] *nf* marca; (*d'une fonction, d'un grade*) distintivo; **~ du pluriel** (*Ling*) terminación *f* de plural; **à vos ~s!** (*Sport*) ¡preparados!; **quelle est la ~?** ¿cómo van?; **~ d'affection/de joie** demostración *f* de afecto/de alegría; **de ~** *adj* (*Comm: produit*) de marca; (*fig*) destacado(-a); **~ de fabrique** marca de fábrica; **~ déposée** marca registrada

marquer [maʀke] *vt* marcar; (*inscrire*) anotar; (*frontières*) señalar; (*suj: chose: laisser une trace sur*) dejar una marca en; (*endommager*) afectar; (*fig: impressionner*) impresionar; (*assentiment, refus*) manifestar ▪ *vi* dejar marca; (*Sport*) marcar; **~ qch de/par** señalar algo con; **~ qn de son influence** influir en algn; **~ qn de son empreinte** dejar su impronta en algn; **~ un temps d'arrêt** hacer una pausa; **~ le pas** (*fig*) marcar el paso; **~ d'une pierre blanche** señalar con una piedra blanca; **~ les points** apuntar los tantos

marqueterie [maʀkɛtʀi] *nf* marquetería

marquis, e [maʀki, iz] *nm/f* marqués(-esa)

marraine [maʀɛn] *nf* madrina

marrant, e [maʀɑ̃, ɑ̃t] (*fam*) *adj* divertido(-a); **ce n'est pas ~** no tiene gracia

marre [maʀ] (*fam*) *adv*: **en avoir ~ de** estar harto(-a) de

marrer [maʀe]: **se marrer** *vpr* (*fam*) desternillarse de risa

marron, ne [maʀɔ̃, ɔn] *nm* (*aussi fam*) castaña ▪ *adj inv* (*couleur*) marrón *inv* ▪ *adj* (*péj*) clandestino(-a); (*: faux*) falso(-a); **~s glacés** castañas *fpl* confitadas

marronnier [maʀɔnje] *nm* castaño

Mars [maʀs] *nm ou f* Marte *m*

mars [maʀs] *nm* marzo; *voir aussi* **juillet**

Marseillais

La *Marseillaise* es el himno nacional francés desde 1879. La letra del "Chant de guerre de l'armée du Rhin", título original de la canción, fue escrita en 1792 por el capitán del ejército Rouget de Lisle con una melodía anónima. Adoptada más tarde como marcha militar por el batallón de Marsella, terminó conociéndose como la Marsellesa.

Marseille [maʀsɛj] *n* Marsella

marsouin [maʀswɛ̃] *nm* marsopa

marteau [maʀto] *nm* martillo; (*de porte*) aldaba; **~ pneumatique** martillo neumático

marteau-piqueur [maʀtopikœʀ] (*pl* **marteaux-piqueurs**) *nm* martillo neumático

marteler [maʀtəle] *vt* martillear; (*mots, phrases*) recalcar

martien, ne [maʀsjɛ̃, jɛn] *adj* marciano(-a)

martyr, e [maʀtiʀ] *nm/f* mártir *m/f* ▪ *adj* mártir; **enfants ~s** niños *mpl* mártires

martyre [maʀtiʀ] *nm* (*aussi fig*) martirio; **souffrir le ~** pasar un martirio

martyriser [maʀtiʀize] *vt* martirizar

marxiste [maʀksist] *adj, nm/f* marxista *m/f*

mascara [maskaʀa] *nm* rímel *m*

masculin, e [maskylɛ̃, in] *adj* masculino(-a) ▪ *nm* masculino

masochiste [mazɔʃist] *adj, nm/f* masoquista *m/f*

masque [mask] *nm* (*aussi fig*) máscara; (*d'escrime, de soudeur*) careta; (*Méd: pour endormir*) mascarilla; **~ à gaz** máscara de gas, careta antigás *inv*; **~ à oxygène** máscara de oxígeno; **~ de beauté** mascarilla de belleza; **~ de plongée** gafas *fpl* de bucear

masquer [maske] *vt* ocultar; (*goût, odeur*) disimular

massacre [masakʀ] *nm* matanza; **jeu de ~** (*à la foire*) pim pam pum *m*; (*fig*) destrozo

massacrer [masakʀe] *vt* matar, exterminar; (*fig*) destrozar

massage [masaʒ] *nm* masaje *m*

masse [mas] *nf* masa; (*de cailloux, documents, mots*) montón *m*; (*d'un édifice, navire*) mole *f*; (*maillet*) maza; **la ~** (*péj: peuple*) la masa; **les ~s laborieuses/paysannes** las masas trabajadoras/campesinas; **la grande ~ des ...** la gran masa de ...; **une ~ de, des ~s de** (*fam*) un montón de, montones de; **en ~** juntos(-as); (*plus nombreux*) en masa; **~ monétaire/salariale** (*Fin*) masa monetaria/salarial

masser [mase] *vt* concentrar; (*personne, jambe*) dar masaje a; **se masser** *vpr* concentrarse

masseur, -euse [masœʀ, øz] *nm/f* masajista *m/f* ▪ *nm* (*appareil*) vibrador *m*

massif, -ive [masif, iv] *adj* (*porte, silhouette, or*) macizo(-a); (*dose, déportations*) masivo(-a) ▪ *nm* macizo

massue [masy] *nf* maza; **argument ~** argumento contundente
mastic [mastik] *nm* masilla
mastiquer [mastike] *vt* masticar; (*fente, vitre*) enmasillar
mat, e [mat] *adj* mate *inv*; (*son*) sordo(-a); **être ~** (*Échecs*) ser mate
mât [mɑ] *nm* (*Naut*) mástil *m*; (*poteau*) poste *m*
match [matʃ] *nm* partido; **~ aller/retour** partido de ida/de vuelta; **~ nul** empate *m*; **faire ~ nul** empatar
matelas [mat(ə)lɑ] *nm* colchón *m*; **~ à ressorts** colchón de muelles; **~ pneumatique** colchón de aire
matelasser [mat(ə)lase] *vt* (*fauteuil*) rellenar; (*manteau*) acolchar
matelot [mat(ə)lo] *nm* marinero
mater [mate] *vt* (*personne*) someter; (*révolte*) dominar; (*fam*) controlar
matérialiser [mateʀjalize] *vt* materializar; **se matérialiser** *vpr* materializarse
matérialiste [mateʀjalist] *adj, nm/f* materialista *m/f*
matériau [mateʀjo] *nm* material *m*; **matériaux** *nmpl* (*documents*) material *msg*; **~x de construction** materiales *mpl* de construcción
matériel, le [mateʀjɛl] *adj* material ■ *nm* material *m*; (*de camping*) equipo; (*de pêche*) aparejos *mpl*; (*Inform*) soporte *m* físico; **il n'a pas le temps ~ de le faire** no tiene tiempo material para hacerlo; **~ d'exploitation** (*Comm*) material de explotación; **~ roulant** (*Rail*) material móvil
maternel, le [matɛʀnɛl] *adj* (*amour*) maternal; (*par filiation: grand-père*) materno(-a)
maternelle [matɛʀnɛl] *nf* (*aussi*: **école maternelle**) escuela de párvulos
maternité [matɛʀnite] *nf* maternidad *f*
mathématique [matematik] *adj* matemático(-a); **mathématiques** *nfpl* matemáticas *fpl*; **~s modernes** matemáticas modernas
maths [mat] *nfpl* matemáticas *fpl*, mates *fpl* (*fam*)
matière [matjɛʀ] *nf* (*Phys*) materia; (*Comm, Tech*) material *m*; (*d'un livre etc*) tema *m*; (*Scol*) asignatura; **en ~ de** en materia de; (*en ce qui concerne*) en cuanto a; **donner ~ à** dar motivo de; **~ grise** materia gris; **~ plastique** plástico; **~s fécales** heces *fpl*; **~s grasses** grasas *fpl*; **~s premières** materias primas

HÔTEL MATIGNON

L'hôtel Matignon es el despacho y residencia del primer ministro francés en París. Por extensión, el término "Matignon" se emplea frecuentemente para designar al Primer Ministro o a su equipo.

matin [matɛ̃] *nm* mañana; **le ~** por la mañana; **dimanche ~** el domingo por la mañana; **jusqu'au ~** hasta la mañana; **le lendemain ~** a la mañana siguiente; **hier/demain ~** ayer/mañana por la mañana; **du ~ au soir** de la mañana a la noche; **une heure du ~** la una de la mañana; **à demain ~!** ¡hasta mañana por la mañana!; **un beau ~** un día de éstos; **de grand** *ou* **bon ~** de madrugada; **tous les dimanches ~s** todos los domingos por la mañana
matinal, e, -aux [matinal, o] *adj* (*toilette, gymnastique*) matutino(-a), matinal; (*de bonne heure*) tempranero(-a); **être ~** (*personne*) ser madrugador(a)
matinée [matine] *nf* mañana; (*réunion*) sesión *f* de la tarde; (*spectacle*) función *f* de tarde, vermú *m* (*AM*); **en ~** por la tarde
matou [matu] *nm* gato
matraque [matʀak] *nf* (*de malfaiteur*) cachiporra; (*de policier*) porra
matricule [matʀikyl] *nf* matrícula ■ *nm* (*Mil*) número de registro; (*Admin*) registro
matrimonial, e, -aux [matʀimɔnjal, jo] *adj* matrimonial
maudit, e [modi, it] *adj* maldito(-a)
maugréer [mogʀee] *vi* refunfuñar
maussade [mosad] *adj* (*personne*) malhumorado(-a); (*ciel, temps*) desapacible
mauvais, e [mɔvɛ, ɛz] *adj* malo(-a); (*placé avant le nom*) mal; (*rire*) perverso(-a) ■ *nm*: **le ~** lo malo ■ *adv*: **il fait ~** hace malo; **sentir ~** oler mal; **la mer est ~e** el mar está agitado; **~ coucheur** persona con malas pulgas; **~ coup** (*fig*) golpe *m*; **~ garçon** delincuente *m*; **~ joueur** mal jugador *m*; **~ pas** mal paso; **~ payeur** moroso; **~ plaisant** gracioso; **~ traitements** malos tratos *mpl*; **~e herbe** mala hierba; **~e langue** lengua viperina; **~e passe** aprieto; (*période*) mala racha; **~e tête** terco(-a)
mauve [mov] *nm* malva ■ *adj* malva *inv*
maux [mo] *nmpl voir* **mal**
maxime [maksim] *nf* máxima
maximum [maksimɔm] *adj* máximo(-a)

■ *nm* máximo; **le ~ de chances** el máximo de posibilidades; **atteindre un/son ~** alcanzar un/su máximo; **au ~** *adv* (*le plus possible*) al máximo; (*tout au plus*) como máximo
mayonnaise [majɔnɛz] *nf* mayonesa
mazout [mazut] *nm* fuel-oil *m*; **chaudière/poêle à ~** caldera/estufa de fuel-oil
M(e) *abr* = **maître**
me [mə] *pron* me; **il m'a donné un livre** me ha dado un libro
mec [mɛk] (*fam*) *nm* tío
mécanicien, ne [mekanisjɛ̃, jɛn] *nm/f* mecánico(-a); (*Rail*) maquinista *m/f*; **~ de bord** *ou* **navigant** (*Aviat*) mecánico(-a) de vuelo
mécanique [mekanik] *adj* mecánico(-a) ■ *nf* mecánica; (*mécanisme*) mecanismo; **s'y connaître en ~** saber de mecánica; **ennui ~** problema *m* mecánico; **~ hydraulique/ondulatoire** mecánica hidráulica/ondulatoria
mécanisme [mekanism] *nm* mecanismo
méchamment [meʃamɑ̃] *adv* cruelmente
méchanceté [meʃɑ̃ste] *nf* maldad *f*, malicia
méchant, e [meʃɑ̃, ɑ̃t] *adj* (*personne*) malvado(-a); (*sourire*) malicioso(-a); (*enfant*) travieso(-a), revoltoso(-a); (*animal*) malo(-a); (*avant le nom*: *affaire, humeur*) mal; (: *intensif*) malísimo(-a)
mèche [mɛʃ] *nf* mecha; (*de fouet*) tralla; (*de cheveux*: *coupés*) mechón *m*; (: *d'une autre couleur*) mecha; **se faire faire des ~s** (*chez le coiffeur*) hacerse mechas; **vendre la ~** irse de la lengua; **être de ~ avec qn** estar conchabado(-a) con algn
méchoui [meʃwi] *nm* cordero asado
méconnaissable [mekɔnɛsabl] *adj* irreconocible
méconnaître [mekɔnɛtʀ] *vt* (*ignorer*) desconocer; (*méjuger*) infravalorar
mécontent, e [mekɔ̃tɑ̃, ɑ̃t] *adj*: **~ (de)** descontento(-a) (con); (*contrarié*) disgustado(-a) ■ *nm* descontento
mécontentement [mekɔ̃tɑ̃tmɑ̃] *nm* descontento
médaille [medaj] *nf* medalla
médaillon [medajɔ̃] *nm* medallón *m*; **en ~** *adj* (*carte etc*) en forma de medallón
médecin [med(ə)sɛ̃] *nm* médico(-a); **~ de famille/du bord** médico de familia/de a bordo; **~ généraliste/légiste/traitant** médico general/forense/de cabecera
médecine [med(ə)sin] *nf* medicina; **~ du travail/générale/infantile** medicina laboral/general/infantil; **~ légale/préventive** medicina legal/preventiva
médiatique [medjatik] *adj* de *ou* en los medios de comunicación
médical, e, -aux [medikal, o] *adj* médico(-a)
médicament [medikamɑ̃] *nm* medicamento
médiéval, e, -aux [medjeval, o] *adj* medieval
médiocre [medjɔkʀ] *adj* mediocre
méditer [medite] *vt* meditar; (*préparer*) planear ■ *vi* (*réfléchir*) meditar; **~ de faire qch** planear hacer algo; **~ sur qch** meditar sobre algo
Méditerranée [meditɛʀane] *nf*: **la (mer) ~** el (mar) Mediterráneo
méditerranéen, ne [meditɛʀaneɛ̃, ɛn] *adj* mediterráneo(-a) ■ *nm/f*: **Méditerranéen, ne** mediterráneo(-a)
méduse [medyz] *nf* medusa
méfait [mefɛ] *nm* (*faute*) fechoría; **méfaits** *nmpl* (*ravages*) daños *mpl*
méfiance [mefjɑ̃s] *nf* desconfianza, recelo
méfiant, e [mefjɑ̃, jɑ̃t] *adj* desconfiado(-a), receloso(-a)
méfier [mefje] *vpr*: **se méfier** desconfiar; **se ~ de** desconfiar de; (*faire attention*) tener cuidado con
mégarde [megaʀd] *nf*: **par ~** por descuido; (*par erreur*) por equivocación
mégère [meʒɛʀ] (*péj*) *nf* arpía, bruja
mégot [mego] *nm* colilla
meilleur, e [mɛjœʀ] *adj* mejor; (*superlatif*): **le ~ (de)** (*personne*) el mejor (de); (*chose*) lo mejor (de) ■ *adv* mejor ■ *nm*: **le ~** (*personne*) el mejor; (*chose*) lo mejor ■ *nf*: **la ~e** la mejor; **le ~ des deux** el mejor de los dos; **c'est la ~e!** ¡es el colmo!; **de ~e heure** más temprano; **~ marché** más barato
mél [mɛl] *nm* mail *m*, email *m*, correo electrónico
mélancolie [melɑ̃kɔli] *nf* melancolía
mélancolique [melɑ̃kɔlik] *adj* melancólico(-a)
mélange [melɑ̃ʒ] *nm* mezcla; **sans ~** (*pur*) sin mezcla; (*parfait*) perfecto(-a)
mélanger [melɑ̃ʒe] *vt* mezclar; (*mettre en désordre*) mezclar, desordenar; (*confondre*): **vous mélangez tout!** ¡usted lo mezcla *ou* confunde todo!; **se mélanger** *vpr* mezclarse
mêlée [mele] *nf* (*bataille*) pelea, contienda; (*fig*) conflicto, lucha; (*Rugby*) melé *f*

mêler [mele] *vt* mezclar; (*thèmes*) reunir, juntar; (*brouiller*) enredar, revolver; **se mêler** *vpr* mezclarse; **se ~ à** mezclarse con; **se ~ de** entrometerse en; **~ qn à une affaire** implicar a algn en un asunto; **mêle-toi de tes affaires!** ¡métete en tus asuntos!
mélodie [melɔdi] *nf* melodía
mélodieux, -euse [melɔdjø, jøz] *adj* melodioso(-a)
mélodrame [melɔdʀam] *nm* melodrama *m*
mélomane [melɔman] *nm/f* melómano(-a)
melon [m(ə)lɔ̃] *nm* melón *m*; (*aussi*: **chapeau melon**) sombrero hongo; **~ d'eau** sandía
membre [mɑ̃bʀ] *nm* (*aussi Anat*) miembro; (*Ling*): **~ de phrase** constituyente *m* de la frase ■ *adj* miembro *inv*; **être ~ de** ser miembro de; **~ (viril)** miembro (viril)
mémé [meme] (*fam*) *nf* abuelita; (*vieille femme*) viejecita

MOT-CLÉ

même [mɛm] *adj* **1** (*avant le nom*) mismo(-a); **en même temps** al mismo tiempo; **ils ont les mêmes goûts** tienen los mismos gustos; **la même chose** lo mismo
2 (*après le nom*: *renforcement*): **il est la loyauté même** es la lealtad misma; **ce sont ses paroles mêmes** son sus mismas palabras
■ *pron*: **le(la) même** el (la) mismo(-a)
■ *adv* **1** (*renforcement*): **il n'a même pas pleuré** ni siquiera lloró; **même lui l'a dit** incluso él lo dijo; **ici même** aquí mismo
2: **à même**; **à même la bouteille** de la botella misma; **à même la peau** junto a la piel; **être à même de faire** estar en condiciones de hacer
3: **de même**; **faire de même** hacer lo mismo; **lui de même** también él; **de même que** lo mismo que; **de lui-même** por sí mismo; **il en va de même pour** lo mismo va para
4: **même si** *conj* aunque (*+subjonctif*)

mémoire [memwaʀ] *nf* memoria; (*souvenir*) recuerdo ■ *nm* (*Admin, Jur, Scol*) memoria; **mémoires** *nmpl* (*souvenirs*) memorias *fpl*; **avoir la ~ des visages/chiffres** tener memoria para las caras/los números; **n'avoir aucune ~** no tener nada de memoria; **avoir de la ~** tener memoria; **à la ~ de** en memoria de, en recuerdo de; **pour ~** *adv* a título de información; **de ~ d'homme** desde tiempo inmemorial; **de ~** *adv* de memoria; **mettre en ~** (*Inform*) guardar en memoria; **~ morte/vive** memoria ROM/RAM; **~ non volatile** *ou* **rémanente** memoria no volátil
mémorable [memɔʀabl] *adj* memorable
menace [mənas] *nf* amenaza; **~ en l'air** amenaza vana
menacer [mənase] *vt* amenazar; **~ qn de qch/de faire qch** amenazar a algn con algo/con hacer algo
ménage [menaʒ] *nm* quehaceres *mpl* domésticos, limpieza; (*couple*) matrimonio; (*Admin, famille*) familia; **faire le ~** hacer la limpieza; **faire des ~s** trabajar de asistenta; **monter son ~** poner la casa; **se mettre en ~ (avec)** casarse (con); **heureux en ~** bien casado; **faire bon/mauvais ~ avec qn** hacer buenas/malas migas con algn; **~ à trois** triángulo amoroso; **~ de poupée** juego de batería de cocina de muñeca
ménagement [menaʒmɑ̃] *nm* deferencia; **ménagements** *nmpl* (*égards*) miramientos *mpl*; **avec/sans ~** con/sin miramientos
ménager¹ [menaʒe] *vt* (*personne*) tratar con deferencia; (*animal, adversaire*) tratar bien; (*monture*) no fatigar; (*vêtements*) tener cuidado con; (*entretien*) organizar; (*ouverture*) instalar; **se ménager** *vpr* cuidarse; **se ~ qch** procurarse algo; **~ qch à qn** tener algo guardado para algn
ménager², -ère [menaʒe, ɛʀ] *adj* doméstico(-a); (*enseignement*) del hogar; (*eaux*) residual
ménagère [menaʒɛʀ] *nf* ama de casa; (*service de couverts*) estuche *m* de cubertería
ménagerie [menaʒʀi] *nf* (*lieu*) jaulas *fpl* de fieras; (*animaux*) fieras *fpl*
mendiant, e [mɑ̃djɑ̃, jɑ̃t] *nm/f* mendigo(-a), pordiosero(-a) ■ *nm postre de almendras, higos, avellanas y uvas*
mendier [mɑ̃dje] *vt, vi* mendigar
mener [m(ə)ne] *vt* dirigir; (*enquête, vie, affaire*) llevar ■ *vi*: **~ (à la marque)** (*Sport*) estar a la *ou* ir en cabeza; **~ à/dans/chez** (*emmener*) llevar a/en/a casa de; **~ qch à bonne fin/à terme/à bien** llevar algo a buen fin/a término/a buen término; **~ à rien/à tout** llevar *ou* conducir a nada/a todas partes
meneur, -euse [mənœʀ, øz] *nm/f*

dirigente *m/f*; (*péj*: *agitateur*) cabecilla *m/f*; **~ d'hommes** líder *m* innato; **~ de jeu** (*Radio, TV*) animador(a)
méningite [menɛ̃ʒit] *nf* meningitis *f*
ménopause [menopoz] *nf* menopausia
menottes [mənɔt] *nfpl* esposas *fpl*
mensonge [mɑ̃sɔ̃ʒ] *nm* mentira
mensonger, -ère [mɑ̃sɔ̃ʒe, ɛʀ] *adj* falso(-a)
mensualité [mɑ̃sɥalite] *nf* mensualidad *f*
mensuel, le [mɑ̃sɥɛl] *adj* mensual ▪ *nm/f* asalariado(-a) pagado(-a) mensualmente ▪ *nm* (*Presse*) publicación *f* mensual
mensurations [mɑ̃syʀasjɔ̃] *nfpl* medidas *fpl*
mental, e, -aux [mɑ̃tal, o] *adj* mental
mentalité [mɑ̃talite] *nf* mentalidad *f*; **quelle ~!** ¡qué mentalidad!
menteur, -euse [mɑ̃tœʀ, øz] *nm/f* mentiroso(-a), embustero(-a)
menthe [mɑ̃t] *nf* menta; **~ (à l'eau)** menta (con agua)
mention [mɑ̃sjɔ̃] *nf* mención *f*; (*Scol, Univ*): **~ passable/assez bien/bien/très bien** aprobado/bien/notable/sobresaliente; **faire ~ de** hacer mención de; **"rayer la ~ inutile"** (*Admin*) "tache lo que no proceda"
mentionner [mɑ̃sjɔne] *vt* mencionar
mentir [mɑ̃tiʀ] *vi* mentir; **~ à qn** mentir a algn
menton [mɑ̃tɔ̃] *nm* (*Anat*) mentón *m*, barbilla; **double/triple ~** papada
menu, e [məny] *adj* menudo(-a); (*voix*) débil; (*frais*) módico(-a) ▪ *adv*: **couper/hacher ~** cortar/picar en trocitos ▪ *nm* menú *m* (*tb Inform*); **par le ~** (*raconter*) con todo detalle; **~ déroulant** menú desplegable; **~e monnaie** dinero suelto
menuiserie [mənɥizʀi] *nf* carpintería; **plafond en ~** artesonado
menuisier [mənɥizje] *nm* carpintero
méprendre [mepʀɑ̃dʀ] *vpr*: **se méprendre** equivocarse, confundirse; **se ~ sur** confundirse en, equivocarse en; **à s'y ~** hasta el punto de confundirse
mépris [mepʀi] *pp de* **méprendre** ▪ *nm* desprecio, menosprecio; **au ~ de** a despecho de
méprisable [mepʀizabl] *adj* despreciable
méprisant, e [mepʀizɑ̃, ɑ̃t] *adj* despreciativo(-a)
méprise [mepʀiz] *nf* equivocación *f*
mépriser [mepʀize] *vt* despreciar, menospreciar
mer [mɛʀ] *nf* mar *m*; (*fig*: *vaste étendue*): **~ de sable/de feu** mar de arena/de fuego; **en ~** en el mar; **prendre la ~** hacerse a la mar; **en haute/pleine ~** en alta mar; **la ~ Adriatique** el mar Adriático; **la ~ des Antilles** *ou* **des Caraïbes** el mar de las Antillas *ou* del Caribe; **la ~ Baltique** el mar Báltico; **la ~ Caspienne** el mar Caspio; **la ~ de Corail** el mar del Coral; **la ~ Égée** el mar Egeo; **~ fermée** mar interior; **la ~ Ionienne** el mar Jónico; **la ~ Morte** el mar Muerto; **la ~ Noire** el mar Negro; **la ~ du Nord** el mar del Norte; **la ~ Rouge** el mar Rojo; **la ~ des Sargasses** el mar de los Sargazos; **la ~ Tyrrhénienne** el mar Tirreno; **les ~s du Sud** los mares del Sur
mercenaire [mɛʀsənɛʀ] *nm* mercenario
mercerie [mɛʀsəʀi] *nf* mercería
merci [mɛʀsi] *excl* gracias ▪ *nm*: **dire ~ à qn** dar las gracias a algn ▪ *nf* merced *f*; **à la ~ de qn/qch** a merced de algn/algo; **~ beaucoup** muchas gracias; **~ de/pour** gracias por; **non, ~** no, gracias; **sans ~** despiadado(-a)
mercredi [mɛʀkʀədi] *nm* miércoles *m inv*; **~ des cendres** miércoles de Ceniza; *voir aussi* **lundi**
mercure [mɛʀkyʀ] *nm* mercurio
merde [mɛʀd] (*fam!*) *nf* mierda (*fam!*) ▪ *excl* ¡mierda! (*fam!*); (*surprise, impatience*) ¡joder! (*fam!*), ¡coño! (*fam!*)
mère [mɛʀ] *nf* madre *f*; (*fam*) tía ▪ *adj* (*idée*) central; (*langue*) madre; **~ adoptive/porteuse** madre adoptiva/de alquiler; **~ célibataire/de famille** madre soltera/de familia
merguez [mɛʀgɛz] *nf salchicha muy condimentada*
méridional, e, -aux [meʀidjɔnal, o] *adj* meridional; (*du midi de la France*) del Sur de Francia ▪ *nm/f* nativo(-a) *ou* habitante *m/f* del Sur de Francia
meringue [məʀɛ̃g] *nf* merengue *m*
mérite [meʀit] *nm* mérito; (*valeur*) mérito, valor *m*; **le ~ lui revient** el mérito es suyo; **je n'ai pas de ~ à le faire** no tengo mérito al hacer eso
mériter [meʀite] *vt* merecer, ameritar (*AM*); **~ de réussir** merecer aprobar; **il mérite qu'on fasse ...** merece que se haga ...
merle [mɛʀl] *nm* mirlo
merveille [mɛʀvɛj] *nf* maravilla; **faire ~/des ~s** hacer maravillas; **à ~** a las mil maravillas; **les sept ~s du monde** las siete maravillas del mundo
merveilleux, -euse [mɛʀvɛjø, øz] *adj* maravilloso(-a)

mes [me] *dét voir* **mon**
mésange [mezɑ̃ʒ] *nf* herrerillo; **~ bleue** alionín *m*
mésaventure [mezavɑ̃tyʀ] *nf* infortunio
Mesdames [medam] *nfpl voir* **Madame**
Mesdemoiselles [medmwazɛl] *nfpl voir* **Mademoiselle**
mesquin, e [mɛskɛ̃, in] *adj*: **esprit ~/ personne ~e** espíritu ruin/persona mezquina
mesquinerie [mɛskinʀi] *nf* mezquindad *f*
message [mesaʒ] *nm* mensaje *m*; **~ d'erreur/de guidage** (*Inform*) mensaje de error/de ayuda; **~ publicitaire** anuncio publicitario; **~ téléphoné** aviso telefónico
messager, -ère [mesaʒe, ɛʀ] *nm/f* mensajero(-a)
messagerie [mesaʒʀi] *nf*: **~ électronique** (*Internet*) correo electrónico; **~ vocale** (*service*) buzón *m* de voz
messe [mɛs] *nf* misa; **aller à la ~** ir a misa; **~ basse/chantée/noire** misa rezada/cantada/negra; **faire des ~s basses** (*fig, péj*) andar con secretos; **~ de minuit** misa del gallo
Messieurs [mesjø] *nmpl voir* **Monsieur**
mesure [m(ə)zyʀ] *nf* (*dimension, étalon*) medida; (*évaluation*) medición *f*; (*Mus*) compás *msg*; (*modération, retenue*) mesura, comedimiento; **prendre des ~s** tomar medidas; **sur ~** a la medida; **à la ~ de** a la medida de; **dans la ~ de/où** en la medida de/en que; **dans une certaine ~** en cierta medida; **à ~ que** a medida que; **en ~** (*Mus*) al compás; **être en ~ de** estar en condiciones de; **dépasser la ~** (*fig*) pasarse de la raya; **unité/système de ~** unidad *f*/sistema *m* de medida
mesurer [məzyʀe] *vt* (*aussi fig*) medir; (*limiter: argent, temps*) escatimar; **~ qch à** evaluar algo según; **se ~ avec/à qn** medirse con algn; **il mesure 1 m 80** mide 1m 80
métal, -aux [metal, o] *nm* metal *m*
métallique [metalik] *adj* metálico(-a)
météo [meteo] *nf* (*bulletin*) tiempo; (*service*) servicio meteorológico
météore [meteɔʀ] *nm* meteoro
météorologie [meteɔʀɔlɔʒi] *nf* meteorología; (*service*) instituto nacional de meteorología
méthode [metɔd] *nf* método
méticuleux, -euse [metikylø, øz] *adj* meticuloso(-a)
métier [metje] *nm* oficio; (*technique, expérience*) práctica; (*aussi*: **métier à tisser**) telar *m*; **le ~ de roi** (*fonction, rôle*) la función de rey; **être du ~** ser del oficio
métis, se [metis] *adj, nm/f* mestizo(-a), cholo(-a) (*And*)
métrage [metʀaʒ] *nm* medición *f* en metros; (*longueur de tissu*) medida en metros; (*Ciné*) metraje *m*; **long/moyen/ court ~** (*Ciné*) largometraje/ mediometraje/cortometraje *m*
mètre [mɛtʀ] *nm* metro; **un 100/800 ~s** (*Sport*) los 100/800 metros; **~ carré/ cube** metro cuadrado/cúbico
métrique [metʀik] *adj*: **système ~** sistema métrico ■ *nf* métrica
métro [metʀo] *nm* metro, subterráneo (*AM*)
métropole [metʀɔpɔl] *nf* metrópoli *f*, metrópolis *f inv*
mets [mɛ] *vb voir* **mettre** ■ *nm* plato
metteur [metœʀ] *nm*: **~ en scène** (*Théâtre*) director *m* escénico; (*Ciné*) director

MOT-CLÉ

mettre [mɛtʀ] *vt* **1** poner; **mettre en bouteille** embotellar; **mettre en sac** poner en sacos; **mettre en pages** compaginar; **mettre qch en terre** enterrar algo; **mettre en examen** detener (*para ser interrogado*); **mettre à la poste** echar al correo; **mettre qn debout/assis** levantar/sentar a algn
2 (*vêtements: revêtir*) poner; (*: soi-même*) ponerse; (*installer*) poner; **mets ton gilet** ponte el chaleco
3 (*faire fonctionner: chauffage, réveil*) poner; (*: lumière*) dar; (*installer: gaz, eau*) poner; **faire mettre le gaz/l'électricité** poner gas/electricidad; **mettre en marche** poner en marcha
4 (*consacrer*): **mettre du temps/2 heures à faire qch** tardar tiempo/dos horas en hacer algo
5 (*noter, écrire*) poner; **qu'est-ce que tu as mis sur la carte?** ¿qué has puesto en la postal?; **mettre au pluriel** poner en plural
6 (*supposer*): **mettons que ...** pongamos que ...
7: **y mettre du sien** (*dépenser, dans une affaire*) poner de su parte
se mettre *vpr*: **vous pouvez vous mettre là** puede ponerse allí; **où ça se met?** ¿dónde se pone eso?; **se mettre au lit** meterse en la cama; **se mettre qn à**

dos ganarse la enemistad de algn; **se mettre de l'encre sur les doigts** mancharse los dedos de tinta; **se mettre bien/mal avec qn** ponerse a bien/mal con algn; **se mettre en maillot de bain** ponerse en bañador; **n'avoir rien à se mettre** no tener nada que ponerse; **se mettre à faire qch** ponerse a hacer algo; **se mettre au piano** (*s'asseoir*) sentarse al piano; (*apprendre*) estudiar piano; **se mettre au travail/à l'étude** ponerse a trabajar/a estudiar; **se mettre au régime** ponerse a régimen; **allons, il faut s'y mettre!** ¡venga, vamos a ponernos a trabajar!

meuble [mœbl] *nm* mueble *m*; (*ameublement, mobilier*) mobiliario ▪ *adj* mueble; **biens ~s** (*Jur*) bienes *mpl* muebles
meublé, e [mœble] *adj*: **chambre ~e** habitación *f* amueblada ▪ *nm* (*pièce*) habitación amueblada; (*appartement*) piso amueblado
meubler [mœble] *vt* amueblar; (*fig*) llenar ▪ *vi* decorar; **se meubler** *vpr* amueblar la casa
meugler [møgle] *vi* mugir
meule [møl] *nf* muela; (*Agr*) almiar *m*; (*de fromage*) rueda grande de queso
meunier, -ière [mønje, jɛʀ] *nm/f* molinero(-a) ▪ *adj inv*: **sole meunière** (*Culin*) lenguado a la molinera
meurs *etc* [mœʀ] *vb voir* **mourir**
meurtre [mœʀtʀ] *nm* asesinato
meurtrier, -ière [mœʀtʀije, ijɛʀ] *nm/f* asesino(-a) ▪ *adj* mortal; (*arme, instinct*) asesino(-a)
meurtrir [mœʀtʀiʀ] *vt* magullar; (*fig*) herir
meus *etc* [mœ] *vb voir* **mouvoir**
meute [møt] *nf* jauría
mexicain, e [mɛksikɛ̃, ɛn] *adj* mexicano(-a), mejicano(-a) ▪ *nm/f*: **Mexicain, e** mexicano(-a), mejicano(-a)
Mexico [mɛksiko] *n* México, Méjico
Mexique [mɛksik] *nm* México, Méjico
Mgr *abr* (= *Monseigneur*) Mons. (= *Monseñor*)
mi [mi] *nm inv* (*Mus*) mi *m* ▪ *préf* medio; **à la mi-janvier** a mediados de enero; **mi-bureau/chambre** mitad oficina/mitad dormitorio; **à mi-jambes/-corps** a media pierna/cuerpo; **à mi-hauteur/-pente** a media altura/pendiente
miauler [mjole] *vi* maullar
miche [miʃ] *nf* hogaza
mi-chemin [miʃmɛ̃]: **à ~** *adv* (*aussi fig*) a medio camino
mi-clos, e [miklo, kloz] (*pl* **~, es**) *adj* entornado(-a)
micro [mikʀo] *nm* micrófono; (*Inform*) micro
microbe [mikʀɔb] *nm* microbio
micro-onde [mikʀoɔ̃d] (*pl* **~s**) *nf*: **four à ~s** horno microondas
micro-ordinateur [mikʀoɔʀdinatœʀ] (*pl* **~s**) *nm* microordenador *m*
microphone [mikʀɔfɔn] *nm* micrófono
microprocesseur [mikʀopʀɔsesœʀ] *nm* microprocesador *m*
microscope [mikʀɔskɔp] *nm* microscopio; **examiner au ~** examinar en el microscopio; **~ électronique** microscopio electrónico
microscopique [mikʀɔskɔpik] *adj* microscópico(-a); (*opération*) con microscopio
midi [midi] *nm* mediodía *m*; (*sud*) sur *m*, mediodía; **le M~ (de la France)** el sur de Francia; **à ~** a mediodía; **tous les ~s** todos los días a las doce; **le repas de ~** la comida de mediodía, el almuerzo; **en plein ~** en pleno día
mie [mi] *nf* miga
miel [mjɛl] *nm* miel *f*; **être tout ~** (*fig*) ser muy meloso(-a)
mielleux, -euse [mjelø, øz] (*péj*) *adj* meloso(-a)
mien, ne [mjɛ̃, mjɛn] *adj* mío(-a) ▪ *pron*: **le ~, la ~ne, les ~s** el mío, la mía, los míos; **les ~s** (*ma famille*) los míos
miette [mjɛt] *nf* migaja; (*fig: de la conversation etc*) retazo; **en ~s** hecho añicos; **une ~ de** una pizca de

MOT-CLÉ

mieux [mjø] *adv* **1** (*d'une meilleure façon*): **mieux (que)** mejor (que); **elle travaille/mange mieux** trabaja/come mejor; **elle va mieux** va mejor; **j'aime mieux le cinéma** me gusta más el cine; **j'attendais mieux de vous** esperaba algo más de usted; **qui mieux est** y lo que es mejor; **crier à qui mieux mieux** gritar a cual más; **de mieux en mieux** cada vez mejor
2 (*de la meilleure façon*) mejor; **ce que je sais le mieux** lo que mejor sé; **les livres les mieux faits** los libros mejor hechos
▪ *adj* **1** (*plus à l'aise, en meilleure forme*) mejor; **se sentir mieux** encontrarse mejor
2 (*plus satisfaisant, plus joli*) mejor; **c'est mieux ainsi** es mejor así; **c'est le mieux**

des deux es el mejor de los dos; **le(la) mieux, les mieux** el (la) mejor, los (las) mejores; **demandez-lui, c'est le mieux** pregúntele, es lo mejor; **il est mieux sans moustache** está mejor sin bigote; **il est mieux que son frère** es mejor que su hermano
3: **au mieux** en el mejor de los casos; **être au mieux avec** llevarse muy bien con; **tout est pour le mieux** todo va de maravilla
■ *nm* 1 (*amélioration, progrès*) mejoría; **faute de mieux** a falta de algo mejor
2: **faire de son mieux** hacer cuanto se pueda; **du mieux qu'il peut** lo mejor que puede

mignon, ne [miɲɔ̃, ɔn] *adj* mono(-a); (*aimable*) majo(-a)
migraine [migʀɛn] *nf* jaqueca
mijoter [miʒɔte] *vt* (*plat*) cocer a fuego lento; (: *préparer avec soin*) hacer (con mimo); (*affaire*) tramar ■ *vi* cocer a fuego lento; (*personne*: *attendre*) esperar largo tiempo
milieu, x [miljø] *nm* medio; (*social, familial*) medio, entorno; **il y a un ~ entre ...** (*fig*) hay un término medio entre ...; **au ~ de** en medio de; (*fig*) entre; **au beau** *ou* **en plein ~ (de)** justo en medio *ou* mitad de; **le juste ~** el término medio; **le ~** (*pègre*) el hampa; **~ de terrain** (*Football*: *joueur*) medio campo; (: *joueurs*) medio
militaire [militɛʀ] *adj, nm* militar *m*; **marine/aviation ~** marina/aviación *f* militar; **service ~** servicio militar
militant, e [militɑ̃, ɑ̃t] *adj, nm/f* militante *m/f*
militer [milite] *vi* militar; **~ pour/contre** militar a favor de/en contra de
mille [mil] *adj inv, nm inv* mil ■ *nm*: **~ marin** milla marina; **page ~** página mil; **mettre dans le ~** dar en el blanco; (*fig*) dar en el clavo
millefeuille [milfœj] *nm* milhojas *m inv*
millénaire [milenɛʀ] *nm* milenio ■ *adj* milenario(-a)
mille-pattes [milpat] *nm inv* ciempiés *m inv*
millet [mijɛ] *nm* mijo
milliard [miljaʀ] *nm* mil millones *mpl*
milliardaire [miljaʀdɛʀ] *adj, nm/f* multimillonario(-a)
millier [milje] *nm* millar *m*; **un ~ (de)** un millar (de); **par ~s** por miles, a millares
milligramme [miligʀam] *nm* miligramo
millimètre [milimɛtʀ] *nm* milímetro
million [miljɔ̃] *nm* millón *m*; **deux ~s de** dos millones de; **toucher cinq ~s** ganar cinco millones
millionnaire [miljɔnɛʀ] *adj, nm/f* millonario(-a)
mime [mim] *nm/f* mimo; (*imitateur*) imitador(a) ■ *nm* (*art*) mimo
mimer [mime] *vt* mimar; (*singer*) imitar
minable [minabl] *adj* penoso(-a)
mince [mɛ̃s] *adj* delgado(-a); (*étoffe, filet d'eau*) fino(-a); (*fig*) escaso(-a) ■ *excl*: **~ alors!** ¡caramba!
minceur [mɛ̃sœʀ] *nf* delgadez *f*
mincir [mɛ̃siʀ] *vi* adelgazar
mine [min] *nf* (*aussi fig*) mina; (*physionomie*) cara, aspecto; **mines** *nfpl* (*péj*) melindres *mpl*, remilgos *mpl*; **les M~s** (*Admin*) Dirección *f* de Minas; **avoir bonne/mauvaise ~** tener buena/mala cara; **tu as bonne ~!** (*iron*: *aspect*) ¡vaya pinta que tienes!; (: *action*) ¡has hecho el ridículo!; **faire grise ~** poner mala cara; **faire ~ de faire** simular hacer algo; **ne pas payer de ~** tener mala pinta; **~ de rien** como quien no quiere la cosa, como si nada; **~ à ciel ouvert** mina a cielo abierto
miner [mine] *vt* minar
minerai [minʀɛ] *nm* mineral *m*
minéral, e, -aux [mineʀal, o] *adj, nm* mineral *m*
minéralogique [mineʀalɔʒik] *adj* mineralógico(-a); **plaque ~** matrícula; **numéro ~** número de matrícula
minet, te [minɛ, ɛt] *nm/f* gatito(-a), minino(-a); (*péj*) chuleta *m/f*
mineur, e [minœʀ] *adj* (*souci*) secundario(-a); (*poète, personne*) menor ■ *nm/f* (*Jur*) menor *m/f* ■ *nm* (*travailleur*) minero; (*Mil*) minador *m*; **~ de fond** minero de interior
miniature [minjatyʀ] *adj, nf* miniatura; **en ~** en miniatura
minibus [minibys] *nm* microbús *msg*
minier, -ière [minje, jɛʀ] *adj* minero(-a)
mini-jupe [miniʒyp] (*pl* **~s**) *nf* minifalda
minime [minim] *adj* mínimo(-a) ■ *nm/f* (*Sport*) alevín *m/f*
minimiser [minimize] *vt* minimizar
minimessage [minimesaʒ] *nm* SMS *m*, mensaje *m* de texto
minimum [minimɔm] *adj* mínimo(-a) ■ *nm* mínimo; **un ~ de** un mínimo de; **au ~** como mínimo; **~ vital** (*salaire*) salario mínimo; (*niveau de vie*) mínimos *mpl* vitales
ministère [ministɛʀ] *nm* ministerio; **~ public** (*Jur*) ministerio público

ministre [ministʀ] *nm* ministro; **~ d'Etat** ministro de Estado
Minitel® [minitɛl] *nm* Minitel® *m*

MINITEL

Minitel es un terminal informático personal facilitado de forma gratuita por la compañía France-Télécom a sus abonados. Hace las veces de guía telefónica informatizada y de vía de acceso a distintos servicios, tales como horarios de trenes, información bursátil y ofertas de empleo. A los servicios se accede marcando un número de teléfono y su uso se factura a cada abonado.

minoritaire [minɔʀitɛʀ] *adj* minoritario(-a)
minorité [minɔʀite] *nf* minoría; (*d'une personne*) minoría de edad; **la/une ~ de** la/una minoría de; **être en ~** estar en minoría; **mettre en ~** (*Pol*) poner en minoría
minuit [minɥi] *nm* medianoche *f*
minuscule [minyskyl] *adj* minúsculo(-a) ▪ *nf*: **(lettre) ~** (letra) minúscula
minute [minyt] *nf* minuto; (*Jur*) minuta ▪ *excl* ¡un momento!; **d'une ~ à l'autre** de un momento a otro; **à la ~** en seguida; **entrecôte/steak ~** entrecot(e) *m*/bisté *m* al minuto
minuter [minyte] *vt* cronometrar
minuterie [minytʀi] *nf* programador *m*; (*d'escalier d'immeuble*) interruptor *m* (de la luz)
minutieux, -euse [minysjø, jøz] *adj* minucioso(-a)
mirabelle [miʀabɛl] *nf* ciruela mirabel; (*eau de vie*) licor *m* de ciruela
miracle [miʀɑkl] *nm* milagro; **par ~** de milagro; **faire/accomplir des ~s** hacer milagros
mirage [miʀaʒ] *nm* espejismo
mire [miʀ] *nf* (*d'un fusil*) mira; (*TV*) carta de ajuste; **point/ligne de ~** punto/línea de mira
miroir [miʀwaʀ] *nm* espejo; (*fig*) espejo, reflejo
miroiter [miʀwate] *vi* espejear, relucir; **faire ~ qch à qn** seducir a algn con algo
mis, e [mi, miz] *pp de* **mettre** ▪ *adj* puesto(-a); **bien/mal ~** bien/mal vestido(-a)
mise [miz] *nf* (*argent*) apuesta; (*tenue*) porte *m*; **être de ~** estar de moda; **~ à feu** encendido; **~ à jour** puesta al día; **~ à mort** matanza; **~ à pied** despido; **~ à prix** tasación *f*; **~ à jour** (*Inform*) actualización *f*; **~ au point** (*Photo*) enfoque *m*; (*fig*) aclaración *f*; **~ de fonds** inversión *f* de capital; **~ en bouteilles** embotellado; **~ en plis** marcado; **~ en scène** (*Théâtre, Ciné*) dirección *f*; (*Théâtre: matérielle*) puesta en escena; **~ en service** puesta en servicio; **~ sur pied** organización *f*
miser [mize] *vt* apostar; **~ sur** *vt* apostar a; (*fig*) contar con
misérable [mizeʀabl] *adj* miserable; (*insignifiant*) insignificante; (*honteux*) vergonzoso(-a) ▪ *nm/f* miserable *m/f*
misère [mizɛʀ] *nf* miseria; **misères** *nfpl* (*malheurs, peines*) desgracias *fpl*; (*ennuis*) dificultades *fpl*; **être dans la ~** estar en la miseria; **salaire de ~** salario de miseria; **faire des ~s à qn** hacer rabiar a algn; **~ noire** triste miseria
missile [misil] *nm* misil *m*; **~ autoguidé/balistique/stratégique** misil teledirigido/balístico/estratégico; **~ de croisière** misil de crucero
mission [misjɔ̃] *nf* misión *f*; (*fonction, vocation*) función *f*; **partir en ~** (*Admin, Pol*) ir a realizar una misión; **~ de reconnaissance** (*Mil*) misión de reconocimiento
missionnaire [misjɔnɛʀ] *nm/f* misionero(-a)
mité, e [mite] *adj* apolillado(-a)
mi-temps [mitɑ̃] *nf inv* (*Sport: période*) tiempo; (*: pause*) descanso; **à ~** *adv* media jornada ▪ *adj* de media jornada
miteux, -euse [mitø, øz] *adj* mísero(-a)
mitigé, e [mitiʒe] *adj* moderado(-a)
mitoyen, ne [mitwajɛ̃, jɛn] *adj* medianero(-a); **maisons ~nes** casas *fpl* adosadas
mitrailler [mitʀɑje] *vt* ametrallar; (*photographier*) fotografiar; **~ qn de** (*fig*) bombardear a algn con *ou* a
mitraillette [mitʀɑjɛt] *nf* metralleta
mitrailleuse [mitʀɑjøz] *nf* ametralladora
mi-voix [mivwa]: **à ~** *adv* a media voz
mixage [miksaʒ] *nm* (*Ciné*) mezcla *f* de sonido
mixer, mixeur [miksœʀ] *nm* (*Culin*) batidora
mixte [mikst] *adj* mixto(-a); **à usage ~** para uso mixto; **cuisinière ~** cocina mixta
mixture [mikstyʀ] *nf* mixtura; (*péj*) mejunje *m*

Mlle (*pl* **~s**) *abr* (= *Mademoiselle*) Srta. (= *Señorita*)
MM *abr* (= *Messieurs*) ≈ Srs. (= *Señores*); *voir aussi* **Monsieur**
mm. *abr* (= *millimètre(s)*) mm. (= *milímetros*)
Mme (*pl* **~s**) *abr* (= *Madame*) ≈ Sra. (= *Señora*)
mobile [mɔbil] *adj* móvil, movible; (*pièce, feuillet*) suelto(-a); (*population, main d'œuvre*) móvil; (*reflets*) cambiante; (*regard*) vivo(-a), vivaz ▪ *nm* móvil *m*
mobilier, -ière [mɔbilje, jɛʀ] *adj* mobiliario(-a) ▪ *nm* mobiliario; **effets/valeurs ~s** (*Jur*) efectos *mpl*/valores *mpl* mobiliarios; **vente/saisie mobilière** (*Jur*) venta/embargo de mobiliario
mobiliser [mɔbilize] *vt* movilizar
mocassin [mɔkasɛ̃] *nm* mocasín *m*
moche [mɔʃ] (*fam*) *adj* feo(-a)
modalité [mɔdalite] *nf* modalidad *f*; **modalités** *nfpl* (*Jur*) modalidades *fpl*; **~s de paiement** modalidades de pago
mode [mɔd] *nf* moda ▪ *nm* modo; (*Inform*) modo, modalidad *f*; **à la ~** de moda; **travailler dans la ~** trabajar en la confección; **~ de production/d'exploitation** modo de producción/de explotación; **~ d'emploi** instrucciones *fpl* de uso; **~ de paiement** forma de pago; **~ de vie** modo de vida; **~ dialogué** (*Inform*) modalidad conversacional
modèle [mɔdɛl] *nm* modelo; (*qualités*): **un ~ de fidélité/générosité** un modelo de fidelidad/generosidad ▪ *adj* modelo; (*cuisine, ferme*) piloto; **~ en carton/métal** modelo en cartón/metal; **~ courant/de série** (*Comm*) modelo corriente/de serie; **~ déposé** (*Comm*) modelo patentado *ou* registrado; **~ réduit** modelo reducido
modeler [mɔd(ə)le] *vt* modelar; (*suj: vêtement, érosion*) moldear; **~ qch sur** *ou* **d'après** moldear algo según
modem [mɔdɛm] *nm* (*Inform*) modem *m*, módem *m*
modéré, e [mɔdeʀe] *adj, nm/f* moderado(-a)
modérer [mɔdeʀe] *vt* moderar; **se modérer** *vpr* moderarse
moderne [mɔdɛʀn] *adj* moderno(-a) ▪ *nm* (*Art*) arte *m* moderno; **le ~** (*ameublement*) lo moderno; **enseignement ~** enseñanza moderna
moderniser [mɔdɛʀnize] *vt* modernizar; **se moderniser** *vpr* modernizarse
modernité [mɔdɛʀnite] *nf* modernidad *f*
modeste [mɔdɛst] *adj* modesto(-a)
modestie [mɔdɛsti] *nf* modestia; **fausse ~** falsa modestia
modifier [mɔdifje] *vt* modificar; **se modifier** *vpr* modificarse
modique [mɔdik] *adj* módico(-a)
module [mɔdyl] *nm* módulo; **~ lunaire** módulo lunar
moduler [mɔdyle] *vt* (*air*) entonar; (*son*) emitir; (*adapter*) adaptar
moelle [mwal] *nf* médula; **jusqu'à la ~** (*fig*) hasta la médula; **~ épinière** médula espinal
moelleux, -euse [mwalø, øz] *adj* (*étoffe*) esponjoso(-a); (*siège*) mullido(-a); (*vin, chocolat*) suave; (*voix, son*) aterciopelado(-a)
mœurs [mœʀ(s)] *nfpl* costumbres *fpl*; **~ simples/bohèmes** costumbres sencillas/bohemias; **femme de mauvaises ~** mujer *f* de la vida; **passer dans les ~** entrar en las costumbres; **contraire aux bonnes ~** contrario a las buenas costumbres
moi [mwa] *pron* (*sujet*) yo; (*objet direct/indirect*) me ▪ *nm* (*Psych*) yo *m*; **c'est ~** soy yo; **c'est ~ qui l'ai fait** lo hice yo; **c'est ~ que vous avez appelé?** ¿me ha llamado a mí?; **apporte-le-~** tráemelo; **donnez m'en un peu** deme un poco; **à ~** (*possessif*) mío (mía), míos (mías); **le livre est à ~** ese libro es mío; **avec ~** conmigo; **des poèmes de ~** (*appartenance*) poemas míos; **sans ~** sin mí; **~, je ...** (*emphatique*) yo, ...; **plus grand que ~** más grande que yo
moi-même [mwamɛm] *pron* yo mismo
moindre [mwɛ̃dʀ] *adj* menor; **le/la ~, les ~s** el/la menor, los/las menores; **c'est la ~ des politesses** es lo menos que se puede decir *ou* hacer; **c'est la ~ des choses** es lo mínimo
moine [mwan] *nm* monje *m*, fraile *m*
moineau, x [mwano] *nm* gorrión *m*

MOT-CLÉ

moins [mwɛ̃] *adv* **1** (*comparatif*): **moins (que)** menos (que); **il a 3 ans de moins que moi** tiene 3 años menos que yo; **moins intelligent que** menos inteligente que; **moins je travaille, mieux je me porte** cuanto menos trabajo, mejor me encuentro
2 (*superlatif*): **le moins** el (lo) menos; **c'est ce que j'aime le moins** es lo que menos me gusta; **le moins doué** el menos dotado; **pas le moins du monde** en lo más mínimo; **au moins, du moins**

por lo menos, al menos
3: **moins de** (*quantité, nombre*) menos; **moins de sable/d'eau** menos arena/agua; **moins de livres/de gens** menos libros/gente; **moins de 2 ans/100 euros** menos de 2 años/100 euros; **moins de midi** antes de mediodía
4: **de/en moins**; **100 euros/3 jours de moins** 100 euros/3 días menos; **3 livres en moins** 3 libros menos; **de l'argent en moins** menos dinero; **le soleil en moins** sin el sol; **de moins en moins** cada vez menos; **en moins de deux** en un santiamén
5: **à moins de/que** *conj* a menos que, a no ser que; **à moins de faire** a no ser que se haga *etc*; **à moins que tu ne fasses** a menos que hagas; **à moins d'un accident** a no ser por un accidente ▪ *prép*: **4 moins 2** 4 menos 2; **il est moins 5** son menos 5; **il fait moins 5** hay cinco grados bajo cero

mois [mwa] *nm* mes *msg*; (*salaire, somme due*) mensualidad *f*; **treizième** *ou* **double ~** (*Comm*) paga extra
moisi, e [mwazi] *adj* enmohecido(-a) ▪ *nm* moho; **odeur/goût de ~** olor *m*/gusto a moho
moisir [mwaziʀ] *vi* enmohecerse; (*fig*) criar moho ▪ *vt* enmohecer
moisissure [mwazisyʀ] *nf* moho
moisson [mwasɔ̃] *nf* siega, cosecha; (*céréales*) cosecha; (*époque*) siega; **faire ~ de souvenirs/renseignements** (*fig*) hacer acopio de recuerdos/informaciones
moissonner [mwasɔne] *vt* segar, cosechar; (*champ*) segar; (*fig*) recolectar
moissonneuse [mwasɔnøz] *nf* segadora
moite [mwat] *adj* (*peau*) sudoroso(-a); (*atmosphère*) húmedo(-a)
moitié [mwatje] *nf* mitad *f*; **sa ~** (*épouse*) su media naranja; **la ~** la mitad; **la ~ du temps/des gens** la mitad del tiempo/de la gente; **à la ~ de** a mitad de; **~ moins grand** la mitad de grande; **~ plus long** la mitad más largo; **à ~** a medias; **à ~ prix** a mitad de precio; **de ~** en la mitad; **moitié moitié** mitad y mitad
moka [mɔka] *nm* moka; (*gâteau*) tarta de moka
molaire [mɔlɛʀ] *nf* molar *m*
molester [mɔlɛste] *vt* maltratar
molle [mɔl] *adj f voir* **mou**
mollement [mɔlmɑ̃] *adv* débilmente; (*péj*) desganadamente
mollet [mɔlɛ] *nm* pantorrilla ▪ *adj m*: **œuf ~** huevo pasado por agua
molletonné, e [mɔltɔne] *adj* forrado(-a) de muletón
mollir [mɔliʀ] *vi* flaquear; (*Naut: vent*) amainar
mollusque [mɔlysk] *nm* (*Zool*) molusco; (*fig: personne*) blandengue *m/f*
môme [mom] (*fam*) *nm/f* chiquillo(-a); (*fille*) chavala
moment [mɔmɑ̃] *nm* momento; **les grands ~s de l'histoire** los grandes momentos de la historia; **~ de gêne/de bonheur** momento violento/de felicidad; **profiter du ~** aprovechar el momento; **ce n'est pas le ~** no es el mejor momento; **à un certain ~** en cierto momento; **à un ~ donné** en un momento dado; **à quel ~?** ¿en qué momento?; **au même ~** en el mismo momento; **pour un bon ~** un buen rato; **en avoir pour un bon ~** tener para rato; **pour le ~** por el momento; **au ~ de** en el momento de; **au ~ où** en el momento en que; **à tout ~** a cada momento *ou* rato; (*continuellement*) constantemente; **en ce ~** en este momento; (*aujourd'hui*) en los momentos actuales; **sur le ~** al principio; **par ~s** por momentos; **d'un ~ à l'autre** de un momento a otro; **du ~ où** *ou* **que** (*dès lors que*) puesto que; (*à condition que*) siempre que; **n'avoir pas un ~ à soi** no tener ni un momento libre para sí; **derniers ~s** últimos momentos *mpl*
momentané, e [mɔmɑ̃tane] *adj* momentáneo(-a)
momentanément [mɔmɑ̃tanemɑ̃] *adv* momentáneamente
momie [mɔmi] *nf* momia
mon, ma [mɔ̃, ma] (*pl* **mes**) *dét* mi; (*pl*) mis
Monaco [mɔnako] *nm*: **(la principauté de) ~** (el principado de) Mónaco
monarchie [mɔnaʀʃi] *nf* monarquía; **~ absolue/parlementaire** monarquía absoluta/parlamentaria
monastère [mɔnastɛʀ] *nm* monasterio
mondain, e [mɔ̃dɛ̃, ɛn] *adj* mundano(-a) ▪ *nm/f* hombre *m* mundano/mujer *f* mundana; **carnet ~** agenda
monde [mɔ̃d] *nm* mundo; **le ~ capitaliste/végétal/du spectacle** el mundo capitalista/vegetal/del espectáculo; **être/ne pas être du même ~** ser/no ser del mismo mundo; **il y a du ~** (*beaucoup de gens*) hay mucha gente; (*quelques personnes*) hay gente; **y a-t-il du**

~ dans le salon? ¿hay gente en el salón?; **beaucoup/peu de ~** mucha/poca gente; **meilleur du ~** mejor del mundo; **mettre au ~** dar a luz; **l'autre ~** el otro mundo; **tout le ~** todo el mundo; **pas le moins du ~** de ninguna manera; **se faire un ~ de qch** hacerse un mundo de algo; **tour du ~** vuelta al mundo; **homme/femme du ~** hombre *m*/mujer *f* de mundo

mondial, e, -aux [mɔ̃djal, jo] *adj* mundial

mondialement [mɔ̃djalmɑ̃] *adv* mundialmente

mondialisation [mɔ̃djalizasjɔ̃] *nf* globalización *f*

monégasque [mɔnegask] *adj* monegasco(-a) ■ *nm/f*: **Monégasque** monegasco(-a)

monétaire [mɔnetɛʀ] *adj* monetario(-a)

moniteur, -trice [mɔnitœʀ, tʀis] *nm/f* monitor(a) ■ *nm* (*Inform*) monitor *m*; **~ cardiaque** (*Méd*) monitor cardíaco; **~ d'auto-école** monitor de auto-escuela

monnaie [mɔnɛ] *nf* moneda; **avoir de la ~** (*petites pièces*) tener cambio; **avoir/faire la ~ de 20 euros** tener cambio de/cambiar 20 euros; **donner/faire à qn la ~ de 20 euros** dar el cambio de/cambiar 20 euros a algn; **rendre à qn la ~ (sur 20 euros)** darle la vuelta a algn (de 20 euros); **servir de ~ d'échange** servir de moneda de cambio; **payer en ~ de singe** pagar con promesas vanas; **c'est ~ courante** es moneda corriente; **~ légale** moneda legal

monologue [mɔnɔlɔg] *nm* monólogo; **~ intérieur** monólogo interior

monologuer [mɔnɔlɔge] *vi* monologar

monopole [mɔnɔpɔl] *nm* monopolio

monospace [mɔnɔspas] *nm* monovolumen *m*

monotone, e [mɔnɔtɔn] *adj* monótono(-a)

Monsieur [məsjø] (*pl* **Messieurs**) *nm* (*titre*) señor, don; **un/le monsieur** un/el señor; *voir aussi* **Madame**

monstre [mɔ̃stʀ] *nm* monstruo ■ *adj* (*fam*) monstruo *inv*; **un travail ~** un trabajo monstruo; **~ sacré** (*Théâtre, Ciné*) monstruo sagrado

monstrueux, -euse [mɔ̃stʀyø, øz] *adj* monstruoso(-a)

mont [mɔ̃] *nm*: **par ~s et par vaux** por todas partes; **le ~ de Vénus** el monte de Venus; **le M~ Blanc** el Mont Blanc

montage [mɔ̃taʒ] *nm* montaje *m*; **~ sonore** montaje sonoro

montagnard, e [mɔ̃taɲaʀ, aʀd] *adj, nm/f* montañés(-esa)

montagne [mɔ̃taɲ] *nf* montaña; (*fig*): **une ~ de** una montaña de; **la haute ~** la alta montaña; **la moyenne ~** la montaña media; **les ~s Rocheuses** las Montañas Rocosas; **~s russes** montaña *fsg* rusa

montagneux, -euse [mɔ̃taɲø, øz] *adj* montañoso(-a)

montant, e [mɔ̃tɑ̃, ɑ̃t] *adj* ascendente; (*chemin*) ascendente, cuesta arriba; (*col*) cerrado(-a) ■ *nm* importe *m*; (*de fenêtre*) jamba; (*de lit, d'échelle*) larguero

monte-charge [mɔ̃tʃaʀʒ] *nm inv* montacargas *m inv*

montée [mɔ̃te] *nf* subida; (*côte*) cuesta; **au milieu de la ~** en medio de la cuesta *ou* de la subida

monter [mɔ̃te] *vi* subir; (*Cartes*) echar una carta de más valor; (*à cheval*): **~ bien/mal** montar bien/mal ■ *vt* montar; (*escalier, valise etc*) subir; (*tente, échafaudage, machine*) armar; **se monter** *vpr* proveerse; **~ dans un train/avion/taxi** subir en un tren/avión/taxi; **~ sur/à un arbre/une échelle** subir a un árbol/una escalera; **~ à cheval/bicyclette** montar a caballo/en bicicleta; **~ à pied/en voiture** subir a pie/en coche; **~ à bord** subir a bordo; **~ à la tête de qn** subírsele a la cabeza de algn; **~ son ménage** montar la casa; **~ son trousseau** preparar el ajuar; **~ sur les planches** subir a un escenario; **~ en grade** ascender; **~ à la tête à qn** fastidiar a algn; **~ la tête à qn** calentarle la cabeza a algn; **~ qch en épingle** destacar algo; **~ la garde** montar la guardia; **~ à l'assaut** lanzarse al asalto; **se ~ à** ascender a

montre [mɔ̃tʀ] *nf* reloj *m*; **~ en main** reloj en mano; **faire ~ de** hacer alarde de; (*faire preuve de*) dar muestras de; **contre la ~** contra reloj; **~ de plongée** reloj sumergible

montrer [mɔ̃tʀe] *vt* mostrar, enseñar; (*suj*: *panneau*) señalar; (: *vêtement*) descubrir; **se montrer** *vpr* mostrarse; **~ qch à qn** mostrar algo a algn; **~ qch du doigt** señalar algo con el dedo; **~ à qn qu'il a tort** demostrar a algn que está equivocado; **~ à qn son affection/amitié** demostrar su afecto/amistad a algn; **se ~ habile/à la hauteur/intelligent** mostrarse hábil/a la altura/inteligente

monture [mɔ̃tyʀ] *nf* (*bête*) montura

monument [mɔnymɑ̃] *nm* monumento; **~ aux morts** monumento a los caídos

monumental, e, -aux [mɔnymɑ̃tal, o] *adj* monumental

moquer [mɔke]: **se moquer de** *vpr* burlarse de; (*mépriser*) importarle a algn muy poco; **se ~ de qn** (*tromper*) burlarse de algn

moquette [mɔkɛt] *nf* moqueta

moqueur, -euse [mɔkœʀ, øz] *adj* burlón(-ona)

moral, e, -aux [mɔʀal, o] *adj, nm* moral *f*; **au ~, sur le plan ~** moralmente; **avoir le ~ à zéro** tener la moral por los suelos

morale [mɔʀal] *nf* moral *f*; (*d'une fable etc*) moraleja; **faire la ~ à qn** echarle un sermón a algn

moralité [mɔʀalite] *nf* moralidad *f*; (*conclusion*) moraleja

morceau, x [mɔʀso] *nm* trozo, pedazo; (*Mus, œuvre littéraire*) fragmento; (*Culin: de viande*) tajada; **couper en/déchirer en ~x** cortar en/rasgar en trozos; **mettre en ~x** hacer pedazos

morceler [mɔʀsəle] *vt* parcelar

mordant, e [mɔʀdɑ̃, ɑ̃t] *adj* (*ironie*) mordaz; (*froid*) cortante ■ *nm* (*dynamisme*) ímpetu *m*, bríos *mpl*; (*Chim*) mordiente *m*; (*d'un article*) mordacidad *f*

mordiller [mɔʀdije] *vt* mordisquear

mordre [mɔʀdʀ] *vt* morder; (*suj: insecte, froid*) picar; (*: ancre, vis*) penetrar en ■ *vi* (*poisson*) picar; **~ dans** morder en; **~ sur** (*fig*) sobrepasar; **~ à qch** cogerle gusto a algo; **~ à l'hameçon** morder el anzuelo

mordu, e [mɔʀdy] *pp de* **mordre** ■ *adj* (*amoureux*) loco(-a) ■ *nm/f*: **un ~ de voile/de jazz** un loco de la vela/del jazz

morfondre [mɔʀfɔ̃dʀ] *vpr*: **se morfondre** aburrirse esperando

morgue [mɔʀg] *nf* (*arrogance*) altivez *f*; (*endroit*) depósito de cadáveres

morne [mɔʀn] *adj* (*personne, regard*) apagado(-a); (*temps*) desapacible; (*vie, conversation*) monótono(-a)

morose [mɔʀoz] *adj* taciturno(-a); (*Écon*) moroso(-a)

mors [mɔʀ] *nm* bocado

morse [mɔʀs] *nm* (*Zool*) morsa; (*Tél*) morse *m*

morsure [mɔʀsyʀ] *nf* picadura; (*plaie*) mordedura

mort, e [mɔʀ, mɔʀt] *pp de* **mourir** ■ *adj, nm/f* muerto(-a) ■ *nf* muerte *f*; (*fig*) fin *m* ■ *nm* (*Cartes*) muerto; **il y a eu plusieurs ~s** hubo varios muertos; **de ~** de muerte; **à ~** (*blessé etc*) de muerte; **à la ~ de qn** a la muerte de algn; **à la vie, à la ~** de por vida; **~ ou vif** vivo o muerto; **~ de peur/fatigue** muerto(-a) de miedo/cansancio; **~s et blessés** muertos y heridos; **faire le ~** hacer el muerto; (*fig*) callarse como un muerto; **se donner la ~** darse muerte; **~ clinique** muerte clínica

mortalité [mɔʀtalite] *nf* mortalidad *f*; **~ infantile** mortalidad infantil

mortel, le [mɔʀtɛl] *adj, nm/f* mortal *m/f*

mort-né, e [mɔʀne] (*pl* **~s, es**) *adj* nacido(-a) muerto(-a); (*fig*) fracasado(-a)

mortuaire [mɔʀtɥɛʀ] *adj*: **cérémonie ~** ceremonia fúnebre; **avis ~s** esquelas *fpl*; **chapelle ~** capilla ardiente; **couronne ~** corona mortuoria; **domicile ~** domicilio del difunto; **drap ~** mortaja

morue [mɔʀy] *nf* bacalao

mosaïque [mɔzaik] *nf* mosaico; (*fig*): **une ~ de** un mosaico de; **parquet ~** parquet *m* mosaico

Moscou [mɔsku] *n* Moscú

mosquée [mɔske] *nf* mezquita

mot [mo] *nm* palabra; (*bon mot etc*) ocurrencia, gracia; **mettre/écrire/recevoir un ~** (*message*) poner/escribir/recibir unas líneas; **le ~ de la fin** la conclusión; **~ à ~** *adj, adv* palabra por palabra ■ *nm* traducción *f* literal; **sur/à ces ~s** después de/con estas palabras; **en un ~** en una palabra; **~ pour ~** palabra por palabra; **à ~s couverts** con medias palabras; **avoir le dernier ~** tener la última palabra; **prendre qn au ~** coger *ou* tomar la palabra a algn; **se donner le ~** ponerse de acuerdo; **avoir son ~ à dire** tener algo que decir; **avoir des ~s avec qn** tener unas palabras con algn; **~ d'ordre** contraseña; **~ de passe** contraseña, santo y seña; **~s croisés** crucigrama *msg*

motard [mɔtaʀ] *nm* motociclista *m*; (*de la police*) motorista *m*

motel [mɔtɛl] *nm* motel *m*

moteur, -trice [mɔtœʀ, tʀis] *adj* (*Anat*) motor(a); (*Tech*) motor (motriz); (*Auto*): **à 4 roues motrices** con 4 ruedas motrices ■ *nm* motor *m*; (*mobile*) causa; **à ~** a motor; **~ à deux/à quatre temps** motor de dos/de cuatro tiempos; **~ à explosion/à réaction** motor de explosión/de reacción; **~ de recherche** buscador *m*; **~ thermique** motor térmico

motif [mɔtif] *nm* motivo; **motifs** *nmpl* (*Jur*) alegato; **sans ~** sin motivo

motivation [mɔtivasjɔ̃] *nf* motivación *f*

motiver [mɔtive] *vt* motivar

moto [moto] *nf* moto *f*; **~ de trial** moto de trial; **~ verte** motocross *m*

motocycliste [mɔtɔsiklist] *nm/f* motociclista *m/f*

motorisé, e [mɔtɔʀize] *adj* motorizado(-a)
motrice [mɔtʀis] *nf* (*Rail*) locomotora ▪ *adj f voir* **moteur**
motte [mɔt] *nf*: **~ de terre** terrón *m*; **~ de beurre** pella de mantequilla; **~ de gazon** montón *m* de césped
mou (mol), molle [mu, mɔl] *adj* blando(-a); (*péj*: *visage*) insulso(-a); (: *résistance*) débil ▪ *nm* débil *m*; (*abats*) bofe *m*; **avoir du mou** estar flojo(-a); **j'ai les jambes molles** me flaquean las piernas; **donner du mou** aflojar
mouche [muʃ] *nf* mosca; (*Escrime*) zapatilla; (*de taffetas*) lunar *m* postizo; (*sur une cible*) diana; **prendre la ~** picarse; **faire ~** dar en el blanco; **bateau-~** lancha del Sena; **~ tsé-tsé** mosca tsetsé
moucher [muʃe] *vt* (*enfant*) sonar; (*chandelle, lampe*) despabilar; (*fig*) dar una lección a; **se moucher** *vpr* sonarse
moucheron [muʃʀɔ̃] *nm* mosca pequeña
mouchoir [muʃwaʀ] *nm* pañuelo; **~ en papier** pañuelo de papel
moudre [mudʀ] *vt* moler
moue [mu] *nf* mueca; **faire la ~** poner cara de asco
mouette [mwɛt] *nf* gaviota
moufle [mufl] *nf* manopla; (*Tech*) aparejo
mouillé, e [muje] *adj* mojado(-a)
mouiller [muje] *vt* mojar; (*Culin*) añadir agua a; (*diluer*) aguar; (*Naut*) fondear ▪ *vi* (*Naut*) fondear; **se mouiller** *vpr* (*aussi fam*) mojarse; **~ l'ancre** fondear, echar el ancla
moulant, e [mulɑ̃, ɑ̃t] *adj* ceñido(-a)
moule [mul] *vb voir* **moudre** ▪ *nf* mejillón *m* ▪ *nm* molde *m*; (*modèle plein*) modelo; **~ à gâteaux** molde para pasteles; **~ à gaufre/à tarte** molde para barquillos/para tartas
mouler [mule] *vt* moldear, vaciar; (*lettre*) escribir cuidadosamente; (*suj*: *vêtement, bas*) ceñir, ajustar; **~ qch sur** (*fig*) adaptar algo a
moulin [mulɛ̃] *nm* molino; (*fam*: *moteur*) motor *m*; **~ à café/à poivre** molinillo de café/de pimienta; **~ à eau/à vent** molino de agua/de viento; **~ à légumes** pasapurés *m inv*; **~ à paroles** cotorra; **~ à prières** cilindro de oraciones
moulinet [mulinɛ] *nm* (*d'un treuil*) torniquete *m*; (*d'une canne à pêche*) carrete *m*; **faire des ~s avec un bâton/les bras** hacer molinetes con un palo/los brazos
moulinette® [mulinɛt] *nf* pequeño pasapurés *m*
moulu, e [muly] *pp de* **moudre** ▪ *adj* molido(-a)
mourant, e [muʀɑ̃, ɑ̃t] *vb voir* **mourir** ▪ *adj* moribundo(-a); (*son*) mortecino(-a); (*regard*) lánguido(-a) ▪ *nm/f* moribundo(-a); **raviver le feu ~** reavivar las ascuas
mourir [muʀiʀ] *vi* morir(se); (*civilisation*) desaparecer; (*flamme*) apagarse; **~ de faim/de froid/d'ennui** morir(se) de hambre/de frío/de aburrimiento; **~ de rire/de vieillesse** morirse de risa/de viejo; **~ assassiné** morir asesinado; **~ d'envie de faire** morirse de ganas de hacer; **à ~**: **s'ennuyer à ~** morirse de aburrimiento
mousse [mus] *nf* (*Bot*) musgo; (*écume*) espuma; (*Culin*) mousse *f*; (*en caoutchouc etc*) gomaespuma ▪ *nm* grumete *m*; **bain de ~** baño de espuma; **bas ~** media de espuma; **balle ~** pelota de esponja; **~ à raser** espuma de afeitar; **~ carbonique** espuma de gas carbónico; **~ de foie gras** mousse de foie gras; **~ de nylon** espuma de nylon; (*tissu*) tejido en espuma de nylon
mousseline [muslin] *nf* (*Textile*) muselina; **pommes ~** (*Culin*) puré *m* de patatas
mousser [muse] *vi* espumar, hacer espuma
mousseux, -euse [musø, øz] *adj* (*chocolat*) cremoso(-a) ▪ *nm*: **(vin) ~** (vino) espumoso
mousson [musɔ̃] *nf* monzón *m*
moustache [mustaʃ] *nf* bigote *m*; **moustaches** *nfpl* (*d'animal*) bigotes *mpl*
moustachu, e [mustaʃy] *adj* bigotudo(-a)
moustiquaire [mustikɛʀ] *nf* mosquitero
moustique [mustik] *nm* mosquito
moutarde [mutaʀd] *nf, adj inv* mostaza; **~ extra-forte** mostaza extra fuerte
mouton [mutɔ̃] *nm* (*Zool*) carnero; (*peau*) piel *f* de carnero; (*fourrure*) mutón *m*; (*Culin, péj*: *personne*) cordero; **moutons** *nmpl* (*fig*: *nuages*) nubecillas *fpl*; (*poussière*) pelusa *fsg*
mouvement [muvmɑ̃] *nm* movimiento; (*geste*) gesto; (*d'une phrase*) expresividad *f*; (*d'un terrain, sol*) accidentes *mpl*; (*de montre*) mecanismo; **en ~** en movimiento; **mettre qch en ~** poner algo en funcionamiento; **~ de colère/d'humeur** arrebato de cólera/de mal humor; **~ d'opinion** cambio de opinión; **le ~ perpétuel** el movimiento continuo;

~ révolutionnaire/syndical movimiento revolucionario/sindical
mouvementé, e [muvmɑ̃te] *adj* accidentado(-a); (*récit*) animado(-a); (*agité*) agitado(-a)
mouvoir [muvwaʀ] *vt* mover; (*machine*) accionar; (*fig: personne*) animar; **se mouvoir** *vpr* moverse
moyen, ne [mwajɛ̃, jɛn] *adj* medio(-a); (*élève, résultat*) regular ■ *nm* medio; **moyens** *nmpl* (*capacités*) medios *mpl*; **au ~ de** por medio de; **y a-t-il ~ de...?** ¿hay modo de ...?; **par quel ~?** ¿de qué manera?, ¿cómo?; **avec les ~s du bord** (*fig*) con todos los medios disponibles; **par tous les ~s** por todos los medios; **employer les grands ~s** emplear medios más persuasivos; **par ses propres ~s** por sus propios medios; **~ âge** edad *f* media; **~ d'expression** forma de expresión; **~ de locomotion/de transport** medio de locomoción/de transporte; **~ terme** término medio
moyennant [mwajɛnɑ̃] *prép* (*somme d'argent: contre une acquisition*) al precio de; (*: contre un service*) a cambio de; **~ quoi** mediante lo cual
moyenne [mwajɛn] *nf* media, promedio; (*Math, Statistique*) media; (*Scol*) nota media; (*Auto*) promedio; **en ~** por término medio; **faire la ~** hacer la media; **~ d'âge** edad *f* media; **~ entreprise** (*Comm*) mediana empresa
Moyen-Orient [mwajɛnɔʀjɑ̃] *nm* Medio Oriente *m*
moyeu, x [mwajø] *nm* cubo
MST [ɛmɛste] *sigle f* = *maladie sexuellement transmissible*
mû, mue [my] *pp de* **mouvoir**
muer [mɥe] *vi* mudar; (*jeune garçon*): **il mue** está mudando la voz; **se muer** *vpr*: **se ~ en** convertirse en
muet, te [mɥɛ, mɥɛt] *adj, nm/f* mudo(-a); (*protestation, joie, douleur*) silencioso(-a) ■ *nm*: **le ~** (*Ciné*) el cine mudo; (*fig*): **~ d'admiration/d'étonnement** mudo(-a) de admiración/de extrañeza
mufle [myfl] *nm* hocico; (*goujat*) patán *m* ■ *adj* patán
mugir [myʒiʀ] *vi* mugir; (*sirène*) sonar
muguet [mygɛ] *nm* muguete *m*, lirio del valle; (*Méd*) muguete
mule [myl] *nf* mula; **mules** *nfpl* (*pantoufles*) chinelas *fpl*
mulet [mylɛ] *nm* mulo; (*poisson*) mújol *m*
multimillionnaire [myltimiljɔnɛʀ] *adj, nm/f* multimillonario(-a)
multinationale [myltinasjɔnal] *nf* multinacional *f*
multiple [myltipl] *adj* múltiple ■ *nm* múltiplo
multiplication [myltiplikasjɔ̃] *nf* multiplicación *f*
multiplier [myltiplije] *vt* multiplicar; **se multiplier** *vpr* multiplicarse
municipal, e, -aux [mynisipal, o] *adj* municipal
municipalité [mynisipalite] *nf* municipalidad *f*, ayuntamiento; (*commune*) municipio
munir [myniʀ] *vt*: **~ qn de** proveer a algn de; **~ qch de** dotar algo de; **se munir** *vpr*: **se ~ de** proveerse de
munitions [mynisjɔ̃] *nfpl* municiones *fpl*
mur [myʀ] *nm* muro; (*cloison*) pared *f*; (*de terre*) tapia; (*de rondins*) cercado; **~ d'incompréhension/de haine** (*obstacle*) muro de incomprensión/de odio; **faire le ~** salir sin permiso; **~ pare-feu** (*Internet*) muro cortafuegos; **~ du son** barrera del sonido
mûr, e [myʀ] *adj* maduro(-a); (*fig*) a punto
muraille [myʀɑj] *nf* muralla
mural, e, -aux [myʀal, o] *adj* mural; (*plante*) trepador(a) ■ *nm* mural *m*
mûre [myʀ] *nf* (*du mûrier*) mora; (*de la ronce*) zarzamora
muret [myʀɛ] *nm* muro bajo
mûrir [myʀiʀ] *vt, vi* madurar
murmure [myʀmyʀ] *nm* murmullo; **~ d'approbation/d'admiration/de protestation** murmullo de aprobación/de admiración/de protesta; **murmures** *nmpl* (*plaintes*) murmullo *msg*, protesta *fsg*
murmurer [myʀmyʀe] *vi* murmurar; **~ que** murmurar que
muscade [myskad] *nf*: **noix de ~** nuez *f* moscada
muscat [myska] *nm* uva moscatel; (*vin*) moscatel *m*
muscle [myskl] *nm* músculo
musclé, e [myskle] *adj* musculoso(-a); (*fig: politique, régime*) duro(-a)
musculaire [myskylɛʀ] *adj* muscular
musculation [myskylasjɔ̃] *nf*: **travail/exercice de ~** trabajo/ejercicio de musculación
museau, x [myzo] *nm* hocico
musée [myze] *nm* museo
museler [myz(ə)le] *vt* poner un bozal a; (*opposition, presse*) amordazar
muselière [myzəljɛʀ] *nf* bozal *m*
musette [myzɛt] *nf* morral *m* ■ *adj inv*: **orchestre/valse ~** orquesta/vals *msg* popular

musical, e, -aux [myzikal, o] *adj* musical
music-hall [myzikol] (*pl* **~s**) *nm* music-hall *m*
musicien, ne [myzisjɛ̃, jɛn] *adj* músico(-a)
musique [myzik] *nf* música; (*d'un vers, d'une phrase*) musicalidad *f*; **faire de la ~** componer música; (*jouer d'un instrument*) tocar música; **~ de chambre/de fond** música de cámara/de fondo; **~ militaire/ de film** música militar/de banda sonora
musulman, e [myzylmɑ̃, an] *adj, nm/f* musulmán(-ana)
mutation [mytasjɔ̃] *nf* (*Admin*) traslado; (*Biol*) mutación *f*
muter [myte] *vt* (*Admin*) trasladar
mutilé, e [mytile] *nm/f* mutilado(-a); **grand ~** gravemente mutilado; **~ du travail/de guerre** mutilado(-a) laboral/ de guerra
mutiler [mytile] *vt* mutilar; (*endroit*) deteriorar, degradar
mutin, e [mytɛ̃, in] *adj* (*enfant*) travieso(-a); (*air, ton*) pícaro(-a) ■ *nm/f* (*Mil*) amotinado(-a)
mutinerie [mytinʀi] *nf* motín *m*
mutisme [mytism] *nm* mutismo
mutuel, le [mytɥɛl] *adj* mutuo(-a); (*établissement*) mutualista
mutuelle [mytɥɛl] *nf* mutualidad *f*, mutua
myope [mjɔp] *adj, nm/f* miope *m/f*
myosotis [mjɔzɔtis] *nm* nomeolvides *m inv*
myrtille [miʀtij] *nf* arándano
mystère [mistɛʀ] *nm* misterio; **~ de la Trinité/de la foi** (*Rel*) misterio de la Santísima Trinidad/de la fe
mystérieux, -euse [misteʀjø, jøz] *adj* misterioso(-a)
mystifier [mistifje] *vt* mistificar; (*tromper*) engañar
mythe [mit] *nm* mito; **le ~ de la galanterie française** el mito de la galantería francesa
mythique [mitik] *adj* mítico(-a)
mythologie [mitɔlɔʒi] *nf* mitología

n

n' [n] *adv voir* **ne**
nacre [nakʀ] *nf* nácar *m*
nage [naʒ] *nf* natación *f*; (*style*) estilo; **traverser/s'éloigner à la ~** atravesar/ alejarse a nado; **en ~** bañado(-a) en sudor; **100 m ~ libre** 100m libres; **~ indienne** natación *f* de costado; **~ libre** estilo libre; **~ papillon** estilo mariposa
nageoire [naʒwaʀ] *nf* aleta
nager [naʒe] *vi* nadar; (*fig*) estar pez ■ *vt* nadar (a); **~ dans des vêtements** flotar en la ropa; **~ dans le bonheur** rebosar de alegría
nageur, euse [naʒœʀ, øz] *nm/f* nadador(-a)
naïf, -ïve [naif, naiv] *adj* ingenuo(-a); (*air*) inocente
nain, e [nɛ̃, nɛn] *adj, nm/f* enano(-a)
naissance [nɛsɑ̃s] *nf* nacimiento; **donner ~ à** (*enfant*) dar a luz a; (*fig*) originar; **prendre ~** nacer; **aveugle/ Français de ~** ciego/francés de nacimiento; **à la ~ des cheveux** en la raíz del cabello; **lieu de ~** lugar de nacimiento
naître [nɛtʀ] *vi* nacer; (*résulter*): **~ (de)** nacer (de); **il est né en 1990** ha nacido en 1990; **il naît plus de filles que de garçons** nacen más niñas que niños; **faire ~** (*fig*) originar

naïve [naiv] *adj voir* **naïf**
naïveté [naivte] *nf* ingenuidad *f*
nana [nana] (*fam*) *nf* chica
nappe [nap] *nf* mantel *m*; (*fig*): **~ d'eau** capa de agua; **~ de brouillard** capa de niebla; **~ de gaz/mazout** capa de gas/ fuel-oil
napperon [napʀɔ̃] *nm* tapete *m*; **~ individuel** mantel *m* individual
naquit *etc* [naki] *vb voir* **naître**
narguer [naʀge] *vt* provocar
narine [naʀin] *nf* ventana (de la nariz)
natal, e [natal] *adj* natal
natalité [natalite] *nf* natalidad *f*
natation [natasjɔ̃] *nf* natación *f*; **faire de la ~** hacer natación, nadar
natif, -ive [natif, iv] *adj* nativo(-a); (*inné*) natural; (*originaire*): **~ de** natural de
nation [nasjɔ̃] *nf* nación *f*; **les N~s Unies** las Naciones Unidas
national, e, -aux [nasjɔnal, o] *adj* nacional; **nationaux** *nmpl* nacionales *mpl*; **obsèques ~es** exequias *fpl* nacionales
nationale [nasjɔnal] *nf*: **(route) ~** (carretera) nacional *f*
nationaliser [nasjɔnalize] *vt* nacionalizar
nationalisme [nasjɔnalism] *nm* nacionalismo
nationaliste [nasjɔnalist] *nm/f* nacionalista *m/f*
nationalité [nasjɔnalite] *nf* nacionalidad *f*; **il est de ~ française** es de nacionalidad francesa
natte [nat] *nf* (*tapis*) estera; (*cheveux*) coleta
naturaliser [natyʀalize] *vt* naturalizar
nature [natyʀ] *nf* naturaleza; (*tempérament*) temperamento ■ *adj* natural; (*café*) solo; (*Culin*) al natural; **payer en ~** pagar en especie; **peint d'après ~** pintado del natural; **~ morte** naturaleza muerta, bodegón *m*; **être de ~ à faire qch** (*propre à*) ser adecuado(-a) para hacer algo; **il n'est pas de ~ à accepter** está claro que no va a aceptar
naturel, le [natyʀɛl] *adj* natural ■ *nm* (*caractère*) natural *m*; (*aisance*) naturalidad *f*; **au ~** (*Culin*) al natural
naturellement [natyʀɛlmɑ̃] *adv* naturalmente
naufrage [nofʀaʒ] *nm* naufragio; (*fig*) ruina; **faire ~** naufragar
nausée [noze] *nf* náusea, asco; **avoir la ~** *ou* **des ~s** tener náuseas
nautique [notik] *adj* náutico(-a); **sports ~s** deportes náuticos
naval, e [naval] *adj* naval
navet [navɛ] *nm* nabo; (*péj: film*) tostón *m*
navette [navɛt] *nf* lanzadera; (*en car etc*) recorrido; **faire la ~ (entre)** ir y venir (entre); **~ spatiale** nave *f* espacial
navigateur [navigatœʀ] *nm* navegante *m/f*; (*Inform*) navegador *m*
navigation [navigasjɔ̃] *nf* navegación *f*; **compagnie de ~** compañía de navegación
naviguer [navige] *vi* navegar; **~ sur Internet** navegar por Internet
navire [naviʀ] *nm* buque *m*; **~ marchand/de guerre** buque mercante/ de guerra
navrer [navʀe] *vt* afligir; **je suis navré** lo siento en el alma; **je suis navré que** siento muchísimo que
ne [nə] *adv* no; (*explétif*) *non traduit*; **je ne le veux pas** no lo quiero; **je crains qu'il ne vienne** temo que venga; **je ne veux que ton bonheur** sólo quiero tu felicidad; *voir* **pas**; **plus**; **jamais**
né, e [ne] *pp de* **naître** ■ *adj*: **un comédien né** un comediante nato; **né en 1990** nacido(-a) en 1990; **née Dupont** de soltera Dupont; **bien né(e)** de buena cuna; **né de ... et de ...** (*sur acte de naissance etc*) hijo(-a) de ... y de ...; **né d'une mère française** hijo de madre francesa
néanmoins [neɑ̃mwɛ̃] *adv* no obstante
néant [neɑ̃] *nm* nada; **réduire à ~** reducir a la nada; (*espoir*) quitar
nécessaire [nesesɛʀ] *adj* necesario(-a) ■ *nm*: **faire le ~** hacer lo necesario; **est-il ~ que je m'en aille?** ¿es preciso que me vaya?; **il est ~ de ...** es necesario ...; **n'emporter que le strict ~** llevar sólo lo estrictamente necesario; **~ de couture** costurero; **~ de toilette/de voyage** neceser *m* de aseo/de viaje
nécessité [nesesite] *nf* necesidad *f*; **se trouver dans la ~ de faire qch** encontrarse en la necesidad de hacer algo; **par ~** por necesidad
nécessiter [nesesite] *vt* necesitar
nectar [nɛktaʀ] *nm* néctar *m*
néerlandais, e [neɛʀlɑ̃dɛ, ɛz] *adj* neerlandés(-esa) ■ *nm* (*Ling*) neerlandés *m* ■ *nm/f*: **Néerlandais, e** neerlandés(-esa)
nef [nɛf] *nf* nave *f*
néfaste [nefast] *adj* nefasto(-a)
négatif, -ive [negatif, iv] *adj* negativo(-a) ■ *nm* (*Photo*) negativo
négligé, e [negliʒe] *adj* descuidado(-a) ■ *nm* salto de cama

négligeable [negliʒabl] *adj* despreciable; **non ~** no *ou* nada despreciable
négligent, e [negliʒɑ̃, ɑ̃t] *adj* (*personne*) descuidado(-a); (*geste, attitude*) negligente
négliger [negliʒe] *vt* descuidar; (*avis, précautions*) ignorar, no hacer caso; **se négliger** *vpr* descuidarse; **~ de faire qch** olvidarse de hacer algo
négociant, e [negɔsjɑ̃, jɑ̃t] *nm/f* negociante *m/f*
négociation [negɔsjasjɔ̃] *nf* negociación *f*; **~s collectives** negociaciones *fpl* colectivas
négocier [negɔsje] *vt* negociar; (*virage, obstacle*) sortear ▪ *vi* (*Pol*) negociar
nègre [nɛgʀ] (*péj*) *nm* (*aussi écrivain*) negro ▪ *adj* negro(-a)
neige [nɛʒ] *nf* nieve *f*; **battre les œufs en ~** (*Culin*) batir los huevos a punto de nieve; **~ carbonique** nieve carbónica; **~ fondue** aguanieve *f*; **~ poudreuse** nieve fresca
neiger [neʒe] *vi* nevar
nénuphar [nenyfaʀ] *nm* nenúfar *m*
néon [neɔ̃] *nm* neón *m*
néo-zélandais, e [neoʒelɑ̃dɛ, ɛz] (*pl* **~, es**) *adj* neocelandés(-esa) ▪ *nm/f*: **Néo-zélandais, e** neocelandés(-esa)
nerf [nɛʀ] *nm* nervio; **nerfs** *nmpl* nervios *mpl*; **être** *ou* **vivre sur les ~s** estar *ou* vivir en tensión; **être à bout de ~s** estar al borde de un ataque de nervios; **passer ses ~s sur qn** pagarlas con algn
nerveux, -euse [nɛʀvø, øz] *adj* nervioso(-a); (*cheval*) vigoroso(-a); (*tendineux*) con nervios; **une voiture nerveuse** un coche que tiene buena aceleración
nervosité [nɛʀvozite] *nf* nerviosismo; (*passagère*) alteración *f*
n'est-ce pas [nɛspɑ] *adv*: **"c'est bon, ~?"** "está bueno, ¿verdad?"; **"il a peur, ~?"** "tiene miedo, ¿verdad?"; **"~ que c'est bon?"** "¿verdad que está bueno?"; **lui, ~, il peut se le permettre** él puede permitírselo, ¿no es así?
net, nette [nɛt] *adj* (*évident, sans équivoque*) evidente; (*distinct, propre, sans tache*) limpio(-a); (*photo, film*) nítido(-a); (*Comm*) neto(-a) ▪ *adv* (*refuser*) rotundamente ▪ *nm*: **mettre au ~** poner en limpio; **s'arrêter ~** pararse en seco; **la lame a cassé ~** la hoja se rompió de un golpe; **faire place ~te** despejar; **~ d'impôt** exento de impuestos
nettement [nɛtmɑ̃] *adv* claramente; **~ mieux/meilleur** mucho mejor
netteté [nɛtte] *nf* (*v adj*) limpieza; nitidez *f*
nettoyage [netwajaʒ] *nm* limpieza; **~ à sec** limpieza en seco
nettoyer [netwaje] *vt* limpiar
neuf[1] [nœf] *adj inv, nm inv* nueve *m inv*; *voir aussi* **cinq**
neuf[2]**, neuve** [nœf, nœv] *adj* nuevo(-a) ▪ *nm*: **repeindre à ~** pintar de nuevo; **remettre à ~** dejar como nuevo; **n'acheter que du ~** comprar sólo cosas nuevas; **quoi de ~?** ¿qué hay de nuevo?
neutre [nøtʀ] *adj* neutro(-a); (*Pol*) neutral ▪ *nm* neutro
neuve [nœv] *adj voir* **neuf**[2]
neuvième [nœvjɛm] *adj, nm/f* noveno(-a) ▪ *nm* (*partitif*) noveno; *voir aussi* **cinquième**
neveu, x [n(ə)vø] *nm* sobrino
nez [ne] *nm* nariz *f*; (*d'avion etc*) morro; **rire au ~ de qn** reírse en las barbas *ou* narices de algn; **avoir du ~** tener olfato; **avoir le ~ fin** tener buen olfato; **~ à ~ avec** cara a cara con; **à vue de ~** a ojo de buen cubero
ni [ni] *conj*: **ni l'un ni l'autre ne sont ...** ni uno ni otro son ...; **il n'a rien vu ni entendu** no ha visto ni oído nada
niche [niʃ] *nf* (*du chien*) perrera; (*de mur*) hornacina, nicho; (*farce*) diablura
nicher [niʃe] *vi* anidar; **se ~ dans** (*oiseau*) anidar en; (*se cacher: enfant*) esconderse; (*se blottir*) acurrucarse
nid [ni] *nm* nido; **~ d'abeilles** (*Couture*) nido de abeja; **~ de poule** bache *m*
nièce [njɛs] *nf* sobrina
nier [nje] *vt* negar
Nil [nil] *nm*: **le ~** el Nilo
n'importe [nɛ̃pɔʀt] *adv*: **"~!"** "¡no tiene importancia!"; **~ qui** cualquiera; **~ quoi** cualquier cosa; **~ où** a *ou* en cualquier sitio; **~ quoi!** (*fam*) ¡pamplinas!; **~ lequel/laquelle d'entre nous** cualquiera de nosotros(-as); **~ quel/quelle** cualquier/cualquiera; **à ~ quel prix** a cualquier precio; **~ quand** en cualquier momento; **~ comment, il part ce soir** se va esta noche, sea como sea; **~ comment** (*sans soin*) de cualquier manera
niveau, x [nivo] *nm* nivel *m*; **au ~ de** a nivel de; (*à côté de*) a la altura de; (*fig*) en cuanto a; **de ~ (avec)** a nivel (con); **le ~ de la mer** el nivel del mar; **~ (à bulle)** nivel (de aire); **~ (d'eau)** nivel (de agua); **~ de vie** (*Écon*) nivel de vida; **~ social** (*Écon*) nivel social
niveler [niv(ə)le] *vt* nivelar
noble [nɔbl] *adj, nm/f* noble *m/f*

noblesse [nɔblɛs] *nf* nobleza
noce [nɔs] *nf* boda; **il l'a épousée en secondes ~s** se ha casado con ella en segundas nupcias; **faire la ~** (*fam*) ir de juerga; **~s d'argent/d'or/de diamant** bodas de plata/de oro/de diamante
nocif, -ive [nɔsif, iv] *adj* nocivo(-a)
nocturne [nɔktyʀn] *adj* nocturno(-a) ■ *nf* (*Sport*) nocturno; (*d'un magasin*): **"~ le mercredi"** "abrimos hasta tarde el miércoles"
Noël [nɔɛl] *nm* Navidad *f*
nœud [nø] *nm* nudo; (*ruban*) lazo; (*fig: liens*) vínculo; **~ coulant** nudo corredizo; **~ de vipères** (*fig*) nido de víboras; **~ gordien** nudo gordiano; **~ papillon** pajarita
noir, e [nwaʀ] *adj* negro(-a); (*obscur, sombre*) oscuro(-a); (*roman*) policíaco(-a); (*travail*) sumergido(-a) ■ *nm/f* (*personne*) negro(-a) ■ *nm* negro; (*obscurité*): **dans le ~** en la oscuridad ■ *adv*: **au ~** ilegalmente; **il fait ~** está oscuro
noircir [nwaʀsiʀ] *vi* ennegrecer ■ *vt* ensombrecer; (*réputation*) manchar; (*personne*) difamar
noire [nwaʀ] *nf* (*Mus*) negra
noisette [nwazɛt] *nf* avellana; (*Culin: de beurre etc*) nuececilla ■ *adj* (*yeux*) color avellana
noix [nwa] *nf* nuez *f*; (*Culin*): **une ~ de beurre** una nuez de mantequilla; **à la ~** (*fam*) de tres al cuarto; **~ de cajou** nuez de acajú; **~ de coco** coco; **~ de veau** (*Culin*) babilla de ternera; **~ muscade** nuez moscada
nom [nɔ̃] *nm* nombre *m*; **connaître qn de ~** conocer a algn de nombre; **au ~ de** en nombre de; **~ d'une pipe** *ou* **d'un chien!** (*fam*) ¡caramba!; **~ commun/propre** nombre común/propio; **~ composé** (*Ling*) nombre compuesto; **~ de Dieu!** (*fam!*) ¡maldito sea!; **~ d'emprunt** apodo; **~ de famille** apellido; **~ de fichier** nombre de fichero; **~ de jeune fille** apellido de soltera; **~ déposé** nombre registrado
nomade [nɔmad] *adj, nm/f* nómada *m/f*
nombre [nɔ̃bʀ] *nm* número; **venir en ~** venir muchos; **depuis ~ d'années** desde hace muchos años; **ils sont au ~ de 3** son 3; **au ~ de mes amis** entre mis amigos; **sans ~** innumerable; **(bon) ~ de** numerosos(-as); **~ entier/premier** número entero/primo
nombreux, -euse [nɔ̃bʀø, øz] *adj* (*avec nom pl*) numerosos(-as); **la foule nombreuse** la gran muchedumbre; **un public ~** mucho público; **peu ~** poco numeroso(-a); **de ~ cas** numerosos casos
nombril [nɔ̃bʀi(l)] *nm* ombligo
nommer [nɔme] *vt* nombrar; (*baptiser*) llamar; **se nommer** *vpr*: **il se nomme Jean** se llama Jean; (*se présenter*) presentarse; **un nommé Leduc** un tal Leduc
non [nɔ̃] *adv* no; **Paul est venu, ~?** ha venido Paul, ¿verdad *ou* no?; **répondre** *ou* **dire que ~** responder *ou* decir que no; **~ (pas) que ...** no porque ...; **~ plus**: **moi ~ plus** yo tampoco; **je préférerais que ~** preferiría que no; **il se trouve que ~** resulta que no; **mais ~, ce n'est pas mal** que no, que no está mal; **~ mais ...!** ¡pero bueno ...!; **~ mais des fois!** ¡qué te *etc* has *etc* creído!; **~ loin** no muy lejos; **~ seulement** no sólo; **~ sans** no sin antes
non... [nɔ̃] *préf* no
non alcoolisé, e [nɔ̃alkɔɔlize] *adj* sin alcohol
nonante [nɔnɑ̃t] *adj, nm* (*Belgique, Suisse*) noventa
nonchalant, e [nɔ̃ʃalɑ̃, ɑ̃t] *adj* indolente
non-fumeur, -euse [nɔ̃fymœʀ, øz] (*pl* **~s, euses**) *nm/f* no fumador(a)
non-sens [nɔ̃sɑ̃s] *nm* disparate *m*
nord [nɔʀ] *nm* norte *m*; (*région*): **le N~** el Norte ■ *adj inv* norte; **au ~** (*situation*) al norte; (*direction*) hacia el norte; **au ~ de** al norte de; **perdre le ~** perder el norte; *voir aussi* **pôle**; **sud**
nord-est [nɔʀɛst] *nm inv* nordeste *m*
nordique [nɔʀdik] *adj* nórdico(-a)
nord-ouest [nɔʀwɛst] *nm inv* noroeste *m*
normal, e, -aux [nɔʀmal, o] *adj* normal
normale [nɔʀmal] *nf*: **la ~** la normalidad
normalement [nɔʀmalmɑ̃] *adv* normalmente
normand, e [nɔʀmɑ̃, ɑ̃d] *adj* normando(-a) ■ *nm/f*: **Normand, e** normando(-a)
Normandie [nɔʀmɑ̃di] *nf* Normandía
norme [nɔʀm] *nf* norma
Norvège [nɔʀvɛʒ] *nf* Noruega
norvégien, ne [nɔʀveʒjɛ̃, jɛn] *adj* noruego(-a) ■ *nm* (*Ling*) noruego ■ *nm/f*: **Norvégien, ne** noruego(-a)
nos [no] *dét voir* **notre**
nostalgie [nɔstalʒi] *nf* nostalgia
nostalgique [nɔstalʒik] *adj* nostálgico(-a)
notable [nɔtabl] *adj, nm/f* notable *m/f*
notaire [nɔtɛʀ] *nm* notario
notamment [nɔtamɑ̃] *adv* particularmente, especialmente

note [nɔt] *nf* nota; (*facture*) cuenta; (*annotation*) nota, anotación *f*; **prendre des ~s** tomar notas *ou* apuntes; **prendre ~ de** tomar nota de; **forcer la ~** pasarse de la raya; **une ~ de tristesse/de gaieté** una nota de tristeza/de alegría; **~ de service** nota de servicio

noter [nɔte] *vt* (*écrire*) anotar, apuntar; (*remarquer*) señalar, notar; (*Scol*) calificar; (*Admin*) evaluar; **notez bien que ...** fíjense bien que ...

notice [nɔtis] *nf* nota; (*brochure*): **~ explicative** folleto explicativo

notifier [nɔtifje] *vt*: **~ qch à qn** notificar algo a algn

notion [nosjɔ̃] *nf* noción *f*; **notions** *nfpl* nociones *fpl*

notoire [nɔtwaʀ] *adj* notorio(-a); **le fait est ~** el hecho es notorio

notre [nɔtʀ] (*pl* **nos**) *dét* nuestro(-a)

nôtre [notʀ] *adj* nuestro(-a) ■ *pron*: **le ~** el *ou* lo nuestro; **la ~** la nuestra; **les ~s** los (las) nuestros(-as); **soyez des ~s** únase a nosotros

nouer [nwe] *vt* anudar, atar; (*fig*: *amitié*) trabar; (: *alliance*) formar; **se nouer** *vpr* (*pièce de théâtre*): **c'est là où l'intrigue se noue** es ahí donde se urde la intriga; **~ la conversation** entablar conversación; **avoir la gorge nouée** tener un nudo en la garganta

noueux, -euse [nwø, øz] *adj* nudoso(-a); (*main*) huesudo(-a); (*vieillard*) enjuto(-a)

nourrice [nuʀis] *nf* nodriza; **mettre en ~** dar a criar

nourrir [nuʀiʀ] *vt* alimentar; (*fig*: *espoir*) mantener; (: *haine*) guardar; **logé, nourri** alojamiento y comida; **bien/mal nourri** bien/mal alimentado(-a); **~ au sein** amamantar; **se ~ de légumes** alimentarse de verduras; **se ~ de rêves** vivir de fantasías

nourrissant, e [nuʀisɑ̃, ɑ̃t] *adj* alimenticio(-a)

nourriture [nuʀityʀ] *nf* alimento, comida; (*fig*) alimento

nous [nu] *pron* nosotros(-as); (*objet direct, indirect*) nos; **c'est ~ qui l'avons fait** lo hicimos nosotros; **~ les Marseillais** nosotros los marselleses; **il ~ le dit** nos lo dice; **il ~ en a parlé** nos habló de eso; **à ~** (*possession*) nuestro(-a), nuestros(-as); **ce livre est à ~** ese libro es nuestro; **avec/sans ~** con/sin nosotros; **un poème de ~** un poema nuestro; **plus riche que ~** más rico que nosotros; **~ mêmes** nosotros(-as) mismos(-as)

nouveau (nouvel), -elle, -aux [nuvo, nuvɛl] *adj* nuevo(-a); (*original*) novedoso(-a) ■ *nm/f* nuevo(-a), novato(-a) ■ *nm*: **il y a du nouveau** hay novedades; **de nouveau, à nouveau** de nuevo, otra vez; **Nouvel An** año nuevo; **nouveaux mariés** recién casados; **nouveau riche** *adj* nuevo(-a) rico(-a); **nouvelle vague** *adj* (*gén*) nueva ola; (*Ciné*) nouvelle vague *f*; **nouveau venu** recién llegado; **nouvelle venue** recién llegada

nouveau-né, e [nuvone] (*pl* **~s, es**) *adj, nm/f* recién nacido(-a)

nouveauté [nuvote] *nf* (*aussi Comm*) novedad *f*

nouvel [nuvɛl] *adj m voir* **nouveau**

nouvelle [nuvɛl] *adj f voir* **nouveau** ■ *nf* noticia; (*Litt*) cuento; **nouvelles** *nfpl* noticias *fpl*; **je suis sans ~s de lui** no tengo noticias de él

Nouvelle-Calédonie [nuvɛlkaledɔni] *nf* Nueva Caledonia

nouvellement [nuvɛlmɑ̃] *adv* (*arrivé etc*) recién

Nouvelle-Zélande [nuvɛlzelɑ̃d] *nf* Nueva Zelanda, Nueva Zelandia (*AM*)

novembre [nɔvɑ̃bʀ] *nm* noviembre *m*; *voir aussi* **juillet**

> **11 NOVEMBRE**
>
> En Francia, el *11 novembre* es el día festivo en que se conmemora la firma, en las cercanías de Compiègne, del armisticio que puso punto final a la primera guerra mundial.

noyade [nwajad] *nf* ahogamiento

noyau, x [nwajo] *nm* núcleo; (*de fruit*) hueso

noyer [nwaje] *nm* nogal *m* ■ *vt* ahogar; (*fig*: *submerger*) sumergir; (: *délayer*) desleír; **se noyer** *vpr* ahogarse; **se ~ dans** (*fig*) perderse en; **~ son chagrin** ahogar su pena; **~ son moteur** (*Auto*) inundar el motor; **~ le poisson** dar largas al asunto

NU *abr* (= *Nations unies*) NN.UU. *fpl*

nu, e [ny] *adj* desnudo(-a) ■ *nm* (*Art*) desnudo; **le nu intégral** desnudo integral; **(les) pieds nus** descalzo(-a); **(la) tête nue** con la cabeza descubierta; **à mains nues** sólo con las manos, con las manos desnudas; **se mettre nu** desnudarse; **mettre à nu** desnudar

nuage [nɥaʒ] *nm* nube *f*; (*fig*): **sans ~s** (*bonheur etc*) completo(-a); **être dans les**

~s estar en las nubes; **un ~ de lait** una gota de leche

nuageux, -euse [nɥaʒø, øz] *adj* nuboso(-a), nublado(-a)

nuance [nɥɑ̃s] *nf* matiz *m*; **il y a une ~ (entre ...)** hay una leve diferencia (entre ...); **une ~ de tristesse** un algo de tristeza

nuancer [nɥɑ̃se] *vt* matizar

nucléaire [nykleɛʀ] *adj* nuclear ■ *nm*: **le ~** (*secteur*) la industria nuclear; (*énergie*) la energía nuclear

nudiste [nydist] *nm/f* nudista *m/f*

nuée [nɥe] *nf*: **une ~ de** una nube de

nuire [nɥiʀ] *vi* perjudicar; **~ à qn/qch** ser perjudicial para algn/algo

nuisible [nɥizibl] *adj* perjudicial; **animal ~** animal dañino

nuit [nɥi] *nf* noche *f*; **5 ~s de suite** 5 noches seguidas; **payer sa ~** pagar la noche; **il fait ~** es de noche; **cette ~** esta noche; **de ~** por la noche; **~ blanche** noche en blanco *ou* en vela; **~ de noces** noche de bodas; **~ de Noël** Nochebuena; **~ des temps**: **la ~ des temps** la noche de los tiempos

nul, nulle [nyl] *adj* (*aucun*) ninguno(-a); (*minime, non valable, péj*) nulo(-a) ■ *pron* nadie; **résultat ~, match ~** (*Sport*) empate *m*; **~le part** en ningún sitio; (*aller etc*) a ningún sitio

nullement [nylmɑ̃] *adv* de ningún modo

numérique [nymeʀik] *adj* numérico(-a)

numéro [nymeʀo] *nm* número; (*fig*): **un (drôle de) ~** un elemento gracioso; **faire** *ou* **composer un ~** marcar un número; **~ de téléphone** número de teléfono; **~ d'identification personnel** número personal de identificación; **~ d'immatriculation** *ou* **minéralogique** número de matrícula; **~ vert** número verde

numéroter [nymeʀɔte] *vt* numerar

nuque [nyk] *nf* nuca

nu-tête [nytɛt] *adj inv* cabeza descubierta

nutritif, -ive [nytʀitif, iv] *adj* nutritivo(-a)

nylon [nilɔ̃] *nm* nylon *m*

O

oasis [ɔazis] *nf ou m* oasis *m inv*

obéir [ɔbeiʀ] *vi* obedecer; **~ à** obedecer a; (*loi*) acatar; (*suj: moteur, véhicule*) responder a

obéissance [ɔbeisɑ̃s] *nf* obediencia

obéissant, e [ɔbeisɑ̃, ɑ̃t] *adj* obediente

obèse [ɔbɛz] *adj* obeso(-a)

obésité [ɔbezite] *nf* obesidad *f*

objecter [ɔbʒɛkte] *vt* (*prétexter*) pretextar; **~ qch à** objetar algo a; **~ (à qn) que** objetar (a algn) que

objecteur [ɔbʒɛktœʀ] *nm*: **~ de conscience** objetor *m* de conciencia

objectif, -ive [ɔbʒɛktif, iv] *adj* objetivo(-a) ■ *nm* objetivo; **~ à focale variable** objetivo de distancia focal variable; **~ grand angulaire** objetivo gran angular

objection [ɔbʒɛksjɔ̃] *nf* objeción *f*; **~ de conscience** objeción de conciencia

objectivité [ɔbʒɛktivite] *nf* objetividad *f*

objet [ɔbʒɛ] *nm* objeto; (*but*) objetivo; (*sujet*) tema *m*; **être** *ou* **faire l'~ de** ser objeto de; **sans ~** sin objeto; **(bureau des) ~s trouvés** (oficina de) objetos perdidos; **~ d'art** objeto de arte; **~s de toilette** artículos *mpl* de tocador; **~s personnels** objetos personales

obligation [ɔbligasjɔ̃] *nf* obligación *f*; (*gén pl*: *devoir*) compromisos *mpl*; **sans ~ d'achat/de votre part** sin compromiso de compra/por su parte; **être dans l'~ de faire qch** estar obligado(-a) a hacer algo; **avoir l'~ de faire qch** tener la obligación de hacer algo; **~s familiales** obligaciones *fpl* familiares; **~s militaires** obligaciones militares; **~s mondaines** compromisos *mpl* sociales
obligatoire [ɔbligatwaʀ] *adj* obligatorio(-a)
obligatoirement [ɔbligatwaʀmɑ̃] *adv* (*nécessairement*) obligatoriamente; (*fatalement*) a la fuerza
obligé, e [ɔbliʒe] *adj* obligado(-a); **être très ~ à qn** estar muy agradecido a algn; **je suis ~ de le faire** estoy obligado a hacerlo
obliger [ɔbliʒe] *vt* obligar; (*aider, rendre service à*): **votre offre m'oblige beaucoup** le agradezco mucho que se haya ofrecido
oblique [ɔblik] *adj* oblicuo(-a); **regard ~** mirada torcida; **en ~** en diagonal
oblitérer [ɔbliteʀe] *vt* matar; (*Méd*) obliterar; (*effacer peu à peu*) borrar
obnubiler [ɔbnybile] *vt* obsesionar
obscène [ɔpsɛn] *adj* obsceno(-a)
obscur, e [ɔpskyʀ] *adj* oscuro(-a); (*exposé*) confuso(-a); (*vague*) ligero(-a); (*inconnu*) desconocido(-a)
obscurcir [ɔpskyʀsiʀ] *vt* oscurecer; (*rendre peu intelligible*) confundir; **s'obscurcir** *vpr* (*ciel, jour*) oscurecerse
obscurité [ɔpskyʀite] *nf* oscuridad *f*; **dans l'~** en la oscuridad
obsédé, e [ɔpsede] *nm/f*: **un ~ de** un obseso de; **~ sexuel** obseso sexual
obséder [ɔpsede] *vt* obsesionar; **être obsédé par** estar obsesionado por
obsèques [ɔpsɛk] *nfpl* exequias *fpl*
observateur, -trice [ɔpsɛʀvatœʀ, tʀis] *adj, nm/f* observador(a)
observation [ɔpsɛʀvasjɔ̃] *nf* observación *f*; (*d'un règlement etc*) cumplimiento; **faire une ~ à qn** (*reproche*) criticarle a algn; **en ~** (*Méd*) en observación; **avoir l'esprit d'~** tener un espíritu observador
observatoire [ɔpsɛʀvatwaʀ] *nm* observatorio; (*lieu élevé*) puesto de observación
observer [ɔpsɛʀve] *vt* observar; (*remarquer*) notar; **s'observer** *vpr* controlarse; **faire ~ qch à qn** hacer ver algo a algn
obsession [ɔpsesjɔ̃] *nf* obsesión *f*; **avoir l'~ de** estar obsesionado(-a) por
obstacle [ɔpstakl] *nm* obstáculo; **faire ~ à** obstaculizar
obstiné, e [ɔpstine] *adj* (*caractère*) obstinado(-a); (*effort*) tenaz
obstiner [ɔpstine] *vpr*: **s'obstiner** obstinarse; **s'~ à faire qch** empeñarse en hacer algo; **s'~ sur qch** obcecarse con algo
obstruer [ɔpstʀye] *vt* obstruir; **s'obstruer** *vpr* obstruirse
obtenir [ɔptəniʀ] *vt* conseguir, obtener; (*diplôme*) obtener; **~ de pouvoir faire qch** conseguir poder hacer algo; **~ qch à qn** conseguir algo a algn; **~ de qn qu'il fasse** conseguir que algn haga; **ils ont obtenu satisfaction** se ha accedido a sus demandas
obturateur [ɔptyʀatœʀ] *nm* (*Photo*) obturador *m*; **~ à rideau** obturador de cortina
obus [ɔby] *nm* obús *msg*
occasion [ɔkazjɔ̃] *nf* ocasión *f*, oportunidad *f*, chance *m ou f* (*AM*); (*acquisition avantageuse*) ganga; (*circonstance*) ocasión; **à plusieurs ~s** en varias ocasiones; **à cette/la première ~** en esta/la primera ocasión; **avoir l'~ de faire** tener la oportunidad *ou* la ocasión de hacer; **être l'~ de** ser el momento para; **à l'~** si llega el caso; (*un jour*) en alguna ocasión; **à l'~ de** con motivo de; **d'~** de segunda mano, de ocasión
occasionnel, le [ɔkazjɔnɛl] *adj* (*fortuit*) ocasional; (*non régulier*) eventual
occasionner [ɔkazjɔne] *vt* ocasionar, causar; **~ qch à qn** causar algo a algn
occident [ɔksidɑ̃] *nm* (*Géo*) occidente *m*; (*Pol*): **l'O~** Occidente *m*
occidental, e [ɔksidɑ̃tal, o] *adj* occidental ■ *nm/f* occidental *m/f*
occupation [ɔkypasjɔ̃] *nf* ocupación *f*; **l'O~** (1941-44) la Ocupación
occupé, e [ɔkype] *adj* ocupado(-a); (*ligne téléphonique*) comunicando; **j'ai l'esprit ~** estoy preocupado(-a)
occuper [ɔkype] *vt* ocupar; (*surface, période*) cubrir; (*main d'œuvre, personnel*) emplear; **s'occuper** *vpr* ocuparse; **s'~ de** (*être responsable de*) encargarse de; (*clients etc*) ocuparse de; (*s'intéresser à*) dedicarse a; **ça occupe trop de place** esto ocupa demasiado sitio
occurrence [ɔkyʀɑ̃s] *nf*: **en l'~** en este caso
océan [ɔseɑ̃] *nm* océano; **~ Indien** Océano Índico
octet [ɔktɛ] *nm* (*Inform*) byte *m*, octeto
octobre [ɔktɔbʀ] *nm* octubre *m*; *voir aussi* **juillet**

oculiste [ɔkylist] *nm/f* oculista *m/f*
odeur [ɔdœʀ] *nf* olor *m*; **mauvaise ~** mal olor
odieux, -euse [ɔdjø, jøz] *adj* abominable; (*enfant*) odioso(-a)
odorant, e [ɔdɔʀɑ̃, ɑ̃t] *adj* oloroso(-a)
odorat [ɔdɔʀa] *nm* olfato; **avoir l'~ fin** tener un olfato muy fino
œil [œj] (*pl* **yeux**) *nm* ojo; **avoir un ~ au beurre noir** *ou* **poché** tener un ojo a la funerala; **à l'~** (*fam*) por la cara; **à l'~ nu** a simple vista; **avoir l'~** estar ojo avizor; **avoir l'~ sur qn** no quitar ojo a algn; **faire de l'~ à qn** guiñar el ojo a algn; **voir qch d'un bon/mauvais ~** ver algo con buenos/malos ojos; **à l'~ vif** de mirada expresiva; **tenir qn à ~** no quitar los ojos de encima a algn; **à mes/ses yeux** para mí/él; **de ses propres yeux** con sus propios ojos; **fermer les yeux (sur)** (*fig*) hacer la vista gorda (a); **ne pas pouvoir fermer l'~** no pegar ojo; **~ pour ~, dent pour dent** ojo por ojo, diente por diente; **les yeux fermés** a ciegas; **pour ses beaux yeux** (*fig*) por su cara bonita; **~ de verre** ojo de cristal
œil-de-bœuf [œjdəbœf] (*pl* **œils-de-bœuf**) *nm* claraboya
œillères [œjɛʀ] *nfpl* anteojeras *fpl*; **avoir des ~** (*fig: péj*) ser de miras muy estrechas
œillet [œjɛ] *nm* (*Bot*) clavel *m*; (*trou, bordure rigide*) ojete *m*
œuf [œf] *nm* huevo, blanquillo (*Mex*); **étouffer qch dans l'~** cortar algo de raíz; **~ à la coque/au plat/dur** huevo cocido/al plato/duro; **~ à repriser** huevo de zurzir; **~ de Pâques** huevo de Pascua; **~ mollet** huevo pasado por agua; **~ poché** huevo escalfado; **~s brouillés** huevos *mpl* revueltos
œuvre [œvʀ] *nf* trabajo; (*art*) obra; (*organisation charitable*) obra benéfica ■ *nm* (*d'un artiste*) obra; (*Constr*): **le gros ~** el armazón; **œuvres** *nfpl* (*Rel*) obras *fpl*; **être/se mettre à l'~** estar/ponerse manos a la obra; **mettre en ~** poner en práctica; **bonnes ~s, ~s de bienfaisance** obras de caridad; **~ d'art** obra de arte
offense [ɔfɑ̃s] *nf* ofensa, agravio; (*Rel*) ofensa
offenser [ɔfɑ̃se] *vt* ofender; (*bon sens, bon goût, principes*) ir contra; **s'~ de qch** ofenderse por algo
offert, e [ɔfɛʀ, ɛʀt] *pp de* **offrir**
office [ɔfis] *nm* (*charge*) cargo; (*bureau, agence*) oficina; (*messe*) oficio ■ *nm ou f* (*pièce*) antecocina; **faire ~ de** hacer las veces de; **d'~** automáticamente; **bons ~s** (*Pol*) buenos oficios *mpl*; **~ du tourisme** oficina de turismo
officiel, le [ɔfisjɛl] *adj* oficial ■ *nm/f* personalidad *f*; (*Sport*) juez *m*
officier [ɔfisje] *nm* oficial *m/f* ■ *vi* (*Rel*) oficiar; **~ de l'état-civil** teniente *m* (alcalde); **~ de police** oficial de policía; **~ ministériel** funcionario(-a) ministerial
officieux, -euse [ɔfisjø, jøz] *adj* oficioso(-a)
offrande [ɔfʀɑ̃d] *nf* regalo; (*Rel*) ofrenda
offre [ɔfʀ] *vb voir* **offrir** ■ *nf* oferta; (*Admin: soumission*) licitación *f*; **"~s d'emploi"** "ofertas *fpl* de empleo"; **~ d'emploi** oferta de empleo; **~ publique d'achat** oferta pública de compra; **~s de service** ofertas de servicio
offrir [ɔfʀiʀ] *vt* regalar, ofrecer; (*proposer*) ofrecer; (*Comm*) ofertar; (*présenter*) presentar; **s'offrir** *vpr* (*se présenter*) presentarse; (*vacances*) tomarse; (*voiture*) regalarse; **~ (à qn) de faire qch** proponer (a algn) hacer algo; **~ à boire à qn** ofrecer de beber a algn; **~ ses services à qn** ofrecer sus servicios a algn; **~ le bras à qn** ofrecer el brazo a algn; **s'~ à faire qch** ofrecerse para hacer algo; **s'~ comme guide/en otage** ofrecerse como guía/como rehén; **s'~ aux regards** exponerse a las miradas
OGM *sigle m* (= *organisme génétiquement modifié*) OMG *m* (= *organismo modificado genéticamente*)
oie [wa] *nf* ganso, oca; **~ blanche** (*fig, péj*) pava
oignon [ɔɲɔ̃] *nm* cebolla; (*de tulipe etc*) bulbo; (*Méd*) juanete *m*; **ce ne sont pas tes ~s** (*fam*) no es asunto tuyo; **petits ~s** cebolletas *fpl*
oiseau, x [wazo] *nm* ave *f*, pájaro; **~ de nuit** ave nocturna; **~ de proie** ave de rapiña
oisif, -ive [wazif, iv] *adj* ocioso(-a) ■ *nm/f* (*péj*) holgazán(-ana)
ola [ɔla] *nf* (*Sport*) ola
oléoduc [ɔleɔdyk] *nm* oleoducto
olive [ɔliv] *nf* aceituna, oliva; (*type d'interrupteur*) oliveta ■ *adj inv* verde oliva *inv*
olivier [ɔlivje] *nm* olivo
OLP [ɔɛlpe] *sigle f* (= *Organisation de libération de la Palestine*) OLP *f* (= *Organización para la Liberación de Palestina*)
olympique [ɔlɛ̃pik] *adj* olímpico(-a); **piscine ~** piscina olímpica
ombragé, e [ɔ̃bʀaʒe] *adj* (*coin*) con sombra; (*colline*) umbrío(-a); (*avenue*): **être ~** tener sombra

ombre [ɔ̃bʀ] *nf* sombra; **il n'y a pas l'~ d'un doute** no hay la menor sombra de duda; **à l'~** (*aussi fam*) a la sombra; **à l'~ de** a la sombra de; (*fig*) al amparo de; **donner/faire de l'~** dar/hacer sombra; **dans l'~** en la sombra; **vivre dans l'~** (*fig*) vivir en la sombra; **laisser qch dans l'~** (*fig*) dejar algo en la sombra; **~ à paupières** sombra de ojos; **~ portée** sombra proyectada; **~s chinoises** sombras *fpl* chinescas

omelette [ɔmlɛt] *nf* tortilla; **~ au fromage/aux herbes** tortilla de queso/a las hierbas; **~ baveuse/flambée** tortilla poco hecha/flambeada; **~ norvégienne** souflé *m* helado

omettre [ɔmɛtʀ] *vt* omitir; **~ de faire qch** omitir hacer algo

omoplate [ɔmɔplat] *nf* omóplato, omoplato

MOT-CLÉ

on [ɔ̃] *pron* **1** (*indéterminé*): **on peut le faire ainsi** se puede hacer así; **on frappe à la porte** llaman a la puerta
2 (*quelqu'un*): **on les a attaqués** les atacaron; **on vous demande au téléphone** le llaman por teléfono
3 (*nous*) nosotros(-as); **on va y aller demain** vamos a ir (allí) mañana
4 (*les gens*): **autrefois, on croyait ...** antes, se creía ...; **on dit que ...** dicen que ..., se dice que ...
5: **on ne peut plus** *adv*: **il est on ne peut plus stupide** no puede ser más estúpido

oncle [ɔ̃kl] *nm* tío

onctueux, -euse [ɔ̃ktɥø, øz] *adj* cremoso(-a)

onde [ɔ̃d] *nf* onda; **sur l'~** (*eau*) en el agua; **sur les ~s** en antena; **mettre en ~s** difundir por radio; **grandes/petites ~s** onda *fsg* larga/media; **~ de choc** onda expansiva; **~ porteuse** onda hertziana; **~s courtes** onda *fsg* corta; **~s moyennes** onda *fsg* media; **~s sonores** ondas *fpl* acústicas

ondée [ɔ̃de] *nf* chaparrón *m*

on-dit [ɔ̃di] *nm inv* rumor *m*

onduler [ɔ̃dyle] *vi* ondular; (*route*) serpentear

onéreux, -euse [ɔneʀø, øz] *adj* oneroso(-a); **à titre ~** (*Jur*) a título oneroso

ongle [ɔ̃gl] *nm* uña; **manger ses ~s** comerse las uñas; **se ronger les ~s** morderse las uñas; **se faire les ~s** arreglarse las uñas

ont [ɔ̃] *vb voir* **avoir**

ONU [ɔny] *sigle f* (= *Organisation des Nations unies*) ONU *f* (= *Organización de las Naciones Unidas*)

onze ['ɔ̃z] *adj inv, nm inv* once *m inv* ■ *nm* (*Football*): **le ~ tricolore** *la selección francesa de fútbol*; *voir aussi* **cinq**

onzième ['ɔ̃zjɛm] *adj, nm/f* undécimo(-a) ■ *nm* (*partitif*) onceavo; *voir aussi* **cinquième**

OPA [ɔpea] *sigle f* (= *offre publique d'achat*) OPA *f* (= *Oferta Pública de Adquisición*)

opaque [ɔpak] *adj* opaco(-a); (*brouillard*) denso(-a); (*nuit*) oscuro(-a); **~ à** opaco(-a) a

opéra [ɔpeʀa] *nm* ópera

opérateur, -trice [ɔpeʀatœʀ, tʀis] *nm/f* operador(a); **~ (de prise de vues)** operador(a) (de cámara)

opération [ɔpeʀasjɔ̃] *nf* operación *f*; **salle d'~** quirófano; **table d'~** mesa de operaciones; **~ à cœur ouvert** (*Méd*) operación a corazón abierto; **~ de sauvetage** maniobra de salvamento; **~ publicitaire** campaña publicitaria

opératoire [ɔpeʀatwaʀ] *adj* operatorio(-a); (*choc etc*) postoperatorio(-a); **bloc ~** zona quirúrgica

opérer [ɔpeʀe] *vt* operar; (*faire, exécuter*) realizar ■ *vi* (*agir*) hacer efecto; (*Méd*) operar; **s'opérer** *vpr* realizarse; **~ qn des amygdales/du cœur** operar a algn de las anginas/del corazón; **se faire ~** operarse

opérette [ɔpeʀɛt] *nf* opereta

opiner [ɔpine] *vi*: **~ de la tête** asentir con la cabeza; **~ à** asentir a

opinion [ɔpinjɔ̃] *nf* opinión *f*; (*point de vue*) posición *f*; **opinions** *nfpl* convicciones *fpl*, ideas *fpl*; **avoir (une) bonne/mauvaise ~ de** tener buena/mala opinión de; **l'~ américaine/ouvrière** la posición americana/obrera; **~ (publique)**: **l'~ (publique)** la opinión pública

opportun, e [ɔpɔʀtœ̃, yn] *adj* oportuno(-a); **en temps ~** en el momento oportuno

opportuniste [ɔpɔʀtynist] *adj, nm/f* oportunista *m/f*

opposant, e [ɔpozɑ̃, ɑ̃t] *adj* opositor(a); **opposants** *nmpl* opositores *mpl*; (*membres de l'opposition*) oposición *f*

opposé, e [ɔpoze] *adj* opuesto(-a) ■ *nm*: **l'~** (*contraire*) lo opuesto; **il est tout l'~ de son frère** es todo lo contrario de su hermano; **être ~ à** ser opuesto a; **à l'~** (*direction*) en dirección contraria; (*fig*) al contrario; **à l'~ de** al otro lado de; (*fig*) totalmente opuesto(-a) a; (*contrairement à*) al contrario de

opposer [ɔpoze] *vt* (*meubles, objets*) colocar enfrente; (*personnes etc*) enfrentar; (*couleurs*) contrastar; (*rapprocher, comparer*) contrastar; (*suj: conflit*) dividir; (*résistance*) oponer; **s'opposer** *vpr* oponerse; **~ qch à** (*comme obstacle, défense*) interponer algo en; (*comme objection*) objetar algo contra; (*en contraste*) poner algo frente a; **s'~ à** oponerse a; (*tenir tête*) enfrentarse a; **sa religion s'y oppose** su religión se lo impide; **s'~ à ce que qn fasse** oponerse a que algn haga

opposition [ɔpozisjɔ̃] *nf* oposición *f*; (*entre deux personnes etc*) enfrentamiento; (*contraste*) contraste *m*; **par ~** por oposición; **par ~ à** a diferencia de; **entrer en ~ avec qn** entrar en conflicto con algn; **être en ~ avec** estar en contra de; **faire ~ à un chèque** bloquear un cheque

oppressant, e [ɔpʀesɑ̃, ɑ̃t] *adj* agobiante

oppresser [ɔpʀese] *vt* oprimir; (*chaleur*) agobiar; **se sentir oppressé** sentirse oprimido

oppression [ɔpʀesjɔ̃] *nf* opresión *f*; (*chaleur*) agobio

opprimer [ɔpʀime] *vt* oprimir; (*la liberté etc*) reprimir

opter [ɔpte] *vi*: **~ pour/entre** optar por/entre

opticien, ne [ɔptisjɛ̃, jɛn] *nm/f* óptico(-a)

optimisme [ɔptimism] *nm* optimismo

optimiste [ɔptimist] *adj, nm/f* optimista *m/f*

option [ɔpsjɔ̃] *nf* (*aussi Comm, Auto, Jur*) opción *f*; (*Scol*) optativa; **matière/texte à ~** (*Scol*) asignatura optativa/texto optativo; **prendre une ~ sur** (*Jur*) tomar opción por; **~ par défaut** (*Inform*) opción por defecto

optique [ɔptik] *adj* óptico(-a) ▪ *nf* óptica; (*fig*) enfoque *m*

or [ɔʀ] *nm* oro ▪ *conj* ahora bien; **d'or** (*fig*) de oro; **en or** (*aussi fig*) de oro; **un mari/enfant en or** un marido/hijo de oro; **affaire en or** negocio magnífico; (*objet*) ganga; **plaqué or** chapado en oro; **or blanc/jaune** oro blanco/amarillo; **or noir** oro negro

orage [ɔʀaʒ] *nm* (*aussi fig*) tormenta

orageux, -euse [ɔʀaʒø, øz] *adj* (*aussi fig*) tormentoso(-a); (*chaleur*) bochornoso(-a)

oral, e, -aux [ɔʀal, o] *adj* oral ▪ *nm* (*Scol*) oral *m*; **par voie ~e** (*Méd*) por vía oral

orange [ɔʀɑ̃ʒ] *nf* naranja ▪ *adj inv* naranja *inv* ▪ *nm* (*couleur*) naranja *m*; **~ amère** naranja amarga; **~ pressée** zumo de naranja natural; **~ sanguine** naranja sanguina *ou* agria

orangé, e [ɔʀɑ̃ʒe] *adj* anaranjado(-a), naranja *inv*

orangeade [ɔʀɑ̃ʒad] *nf* naranjada

oranger [ɔʀɑ̃ʒe] *nm* naranjo

orateur [ɔʀatœʀ] *nm* orador(a)

orbite [ɔʀbit] *nf* (*Anat, Phys*) órbita; **placer/mettre un satellite sur** *ou* **en ~** poner/situar un satélite en órbita; **dans l'~ de** (*fig*) en la órbita de; **mettre sur ~** (*fig*) poner en órbita

orchestre [ɔʀkɛstʀ] *nm* orquesta; (*de jazz, danse*) orquesta, grupo; (*Théâtre, Ciné: places*) patio de butacas; (*: spectateurs*) platea

orchidée [ɔʀkide] *nf* orquídea

ordi [ɔʀdi] (*fam*) *nm* ordenata *m*

ordinaire [ɔʀdinɛʀ] *adj* ordinario(-a); (*coutumier, de tous les jours*) corriente ▪ *nm* (*menus*): **l'~** lo corriente ▪ *nf* (*essence*) normal *f*; **intelligence au-dessous de l'~** inteligencia por debajo de lo normal *ou* la media; **d'~** por lo general, corrientemente; **à l'~** de costumbre

ordinateur [ɔʀdinatœʀ] *nm* ordenador *m*; **mettre sur ~** meter en ordenador; **~ domestique** ordenador de uso doméstico; **~ individuel** *ou* **personnel** ordenador personal

ordonnance [ɔʀdɔnɑ̃s] *nf* disposición *f*, ordenación *f*; (*groupement*) disposición; (*Méd*) receta, prescripción *f*; (*décret*) mandamiento judicial, mandato; (*Mil*) ordenanza, reglamento; **~ de non-lieu** (*Jur*) auto de sobreseimiento; **d'~**: **officier d'~** ayudante *m* de campo

ordonné, e [ɔʀdɔne] *adj* ordenado(-a)

ordonner [ɔʀdɔne] *vt* ordenar, arreglar; (*Rel, Math*) ordenar; (*Méd*) recetar, prescribir; **s'ordonner** *vpr* ordenarse; **~ à qn de faire** ordenar *ou* mandar a algn que haga; **~ le huis clos** (*Jur*) ordenar que la audiencia sea a puerta cerrada

ordre [ɔʀdʀ] *nm* orden *m*; (*directive, Rel*) orden *f*; (*association professionnelle*) colegio; **ordres** *nmpl* (*Rel*): **être/entrer dans les ~s** pertenecer/entrar en las órdenes; **mettre en ~** poner en orden; **avoir de l'~** tener orden, ser ordenado(-a); **procéder par ~** proceder ordenadamente *ou* por orden; **par ~**

d'entrée en scène por orden de aparición; **mettre bon ~ à** poner orden en; **rentrer dans l'~** volver a la normalidad; **je n'ai pas d'~ à recevoir de vous** usted no tiene que darme ninguna orden; **être aux ~s de qn/sous les ~s de qn** estar a las órdenes de algn; **jusqu'à nouvel ~** hasta nuevo aviso; **rappeler qn à l'~** llamar a algn al orden; **donner (à qn) l'~ de** dar (a algn) la orden de; **payer à l'~ de** (*Comm*) pagar a la orden de; **dans le même ~/un autre ~ d'idées** en el mismo orden/en otro orden de cosas; **d'~ pratique** de orden *ou* tipo práctico; **de premier/second ~** de primer/segundo orden; **~ de grandeur** orden de tamaño; **~ de grève** orden convocatoria de huelga; **~ de mission** (*Mil*) orden de misión; **~ de route** orden de destino; **~ du jour** orden del día; **à l'~ du jour** (*fig*) al orden del día; **~ public** orden público

ordure [ɔʀdyʀ] *nf* basura; (*propos*) grosería, indecencia; **ordures** *nfpl* (*balayures*) basura *fsg*, desechos *mpl*, restos *mpl*; **~s ménagères** basura

oreille [ɔʀɛj] *nf* oreja; (*ouïe*) oído; (*de marmite, tasse*) asa; **avoir de l'~** tener oído; **avoir l'~ fine** tener buen oído; **l'~ basse** con las orejas gachas; **se faire tirer l'~** hacerse de rogar; **parler/dire qch à l'~ de qn** hablar/decir algo al oído de algn

oreiller [ɔʀeje] *nm* almohada

oreillons [ɔʀɛjɔ̃] *nmpl* paperas *fpl*

ores [ɔʀ]: **d'~ et déjà** *adv* desde ahora, de aquí en adelante

orfèvrerie [ɔʀfɛvʀəʀi] *nf* orfebrería

organe [ɔʀgan] *nm* órgano; (*véhicule, instrument*) vehículo; (*voix*) voz *f*; (*représentant*) órgano, portavoz *m*; **~s de transmission** (*Tech*) órganos de transmisión

organigramme [ɔʀganigʀam] *nm* organigrama *m*

organique [ɔʀganik] *adj* orgánico(-a)

organisateur, -trice [ɔʀganizatœʀ, tʀis] *nm/f* organizador(a)

organisation [ɔʀganizasjɔ̃] *nf* organización *f*; **O~ des Nations unies** Organización de Naciones Unidas; **O~ du traité de l'Atlantique Nord** Organización del tratado del Atlántico Norte; **O~ mondiale de la santé** Organización mundial de la salud; **O~ scientifique du travail** Organización científica del trabajo

organiser [ɔʀganize] *vt* organizar; (*mettre sur pied*) organizar, preparar; **s'organiser** *vpr* (*personne*) organizarse; (*choses*) arreglarse, ordenarse

organisme [ɔʀganism] *nm* organismo; (*association*) organismo, organización *f*

organiste [ɔʀganist] *nm/f* organista *m/f*

orgasme [ɔʀgasm] *nm* orgasmo

orge [ɔʀʒ] *nf* cebada

orgue [ɔʀg] *nm* (*Mus*) órgano; **orgues** *nfpl* (*Géo*) basaltos *mpl* prismáticos; **~ de Barbarie** organillo; **~ électrique** *ou* **électronique** órgano electrónico

orgueil [ɔʀgœj] *nm* orgullo, soberbia; **~ de** (*fierté, gloire, vanité*) orgullo de

orgueilleux, -euse [ɔʀgøjø, øz] *adj* orgulloso(-a), vanidoso(-a)

oriental, e, -aux [ɔʀjɑ̃tal, o] *adj* oriental ▪ *nm/f*: **Oriental, e** oriental *m/f*

orientation [ɔʀjɑ̃tasjɔ̃] *nf* orientación *f*; **avoir le sens de l'~** tener sentido de la orientación; **~ professionnelle** orientación profesional

orienté, e [ɔʀjɑ̃te] *adj* (*article, journal*) orientado(-a); **bien/mal ~** (*appartement*) bien/mal orientado(-a); **~ au sud** orientado(-a) al sur

orienter [ɔʀjɑ̃te] *vt* (*situer*) orientar, situar; (*placer: pièce mobile*) colocar, poner; (*tourner*) dirigir; (*voyageur*) orientar, dirigir; **s'orienter** *vpr* orientarse; **(s')~ vers** (*recherches*) orientar(se) *ou* dirigir(se) hacia

origan [ɔʀigɑ̃] *nm* orégano

originaire [ɔʀiʒinɛʀ] *adj* originario(-a); (*défaut*) de origen; **être ~ de** ser originario(-a) *ou* natural de

original, e, -aux [ɔʀiʒinal, o] *adj* original; (*bizarre, curieux*) original, extravagante ▪ *nm/f* (*fam: excentrique*) excéntrico(-a), extravagante *m/f*; (*: fantaisiste*) extravagante ▪ *nm* (*document*) original *m*

origine [ɔʀiʒin] *nf* origen *m*; (*d'une idée*) origen, procedencia; **origines** *nfpl* (*d'une personne*) orígenes *mpl*; (*commencements*): **les ~s de la vie** los orígenes de la vida; **d'~** (*nationalité*) de origen, natural de; (*pneus etc*) de origen; (*bureau postal*) de procedencia; **dès l'~** desde el principio; **à l'~ (de)** al principio (de); **avoir son ~ dans qch** tener su origen en algo

originel, le [ɔʀiʒinɛl] *adj* original

orme [ɔʀm] *nm* olmo

ornement [ɔʀnəmɑ̃] *nm* adorno; (*garniture*) ornamento; (*fig*) ornato, ornamento; **ornements** *nmpl*: **~s sacerdotaux** ornamentos *mpl* sacerdotales

orner [ɔʀne] *vt* adornar; **~ qch de** adornar algo con
ornière [ɔʀnjɛʀ] *nf* carril *m*; (*impasse*) atolladero; **sortir de l'~** (*fig*) salir del camino trillado
orphelin, e [ɔʀfəlɛ̃, in] *adj, nm/f* huérfano(-a); **~ de mère/de père** huérfano de madre/de padre
orphelinat [ɔʀfəlina] *nm* orfanato
orteil [ɔʀtɛj] *nm* dedo del pie; **gros ~** dedo gordo del pie
orthographe [ɔʀtɔgʀaf] *nf* ortografía
orthopédique [ɔʀtɔpedik] *adj* ortopédico(-a)
ortie [ɔʀti] *nf* ortiga; **~ blanche** ortiga blanca
OS [oɛs] *sigle m* (= *ouvrier spécialisé*) *voir* **ouvrier**
os [ɔs] *nm* hueso; **sans os** (*Boucherie*) deshuesado(-a); **os à moelle** hueso de cañada; **os de seiche** jibión *m*
osciller [ɔsile] *vi* oscilar; (*au vent etc*) oscilar, balancearse; **~ entre** (*hésiter*) vacilar *ou* dudar entre
osé, e [oze] *adj* (*tentative*) osado(-a); (*plaisanterie*) atrevido(-a)
oseille [ozɛj] *nf* (*Bot*) acedera; (*fam: argent*) pasta, parné *m*
oser [oze] *vt, vi* osar, atreverse; **~ faire qch** atreverse a hacer algo; **je n'ose pas** no me atrevo
osier [ozje] *nm* mimbre *m*; **d'~, en ~** de mimbre
osseux, -euse [ɔsø, øz] *adj* óseo(-a); (*charpente, carapace*) de hueso, huesoso(-a); (*main, visage*) huesudo(-a)
otage [ɔtaʒ] *nm* rehén *m*; **prendre qn comme** *ou* **en ~** tomar *ou* coger a algn de *ou* como rehén
OTAN [ɔtɑ̃] *sigle f* (= *Organisation du traité de l'Atlantique Nord*) OTAN *f* (= *Organización del Tratado del Atlántico Norte*)
otarie [ɔtaʀi] *nf* león *m* marino, otaria
ôter [ote] *vt* quitar; (*soustraire*) quitar, restar; **~ qch de** quitar algo de; **~ qch à qn** quitar algo a algn; **6 ôté de 10 égale 4** 10 menos 6 igual a 4
otite [ɔtit] *nf* otitis *f inv*
ou [u] *conj* o, u; **l'un ou l'autre** una u otra; **ou … ou** o … o; **ou bien** o bien

MOT-CLÉ

où [u] *pron relatif* **1** (*lieu*) donde, en que; **la chambre où il était** la habitación en que *ou* donde estaba; **le village d'où je viens** el pueblo de donde vengo; **les villes par où il est passé** las ciudades por donde pasó
2 (*direction*) adonde; **la ville où je me rends** la ciudad adonde me dirijo
3 (*temps, état*) (en) que; **le jour où il est parti** el día (en) que se marchó; **au prix où c'est** al precio que está
■ *adv* **1** (*interrogatif*) ¿dónde?; **où est-il?** ¿dónde está?; **par où?** ¿por dónde?; **d'où vient que …?** ¿cómo es que …?
2 (*direction*) (a)dónde; **où va-t-il?** ¿(a)dónde va?
3 (*relatif*) donde; **je sais où il est** sé donde está; **où que l'on aille** vayamos donde vayamos, dondequiera que vayamos

ouate ['wat] *nf* (*bourre*) algodón *m*, guata; (*coton*): **tampon d'~** tapón *m* de algodón; **~ hydrophile/de cellulose** algodón hidrófilo/de celulosa
oubli [ubli] *nm* olvido; **l'~** (*absence de souvenirs*) el olvido; **tomber dans l'~** caer en el olvido
oublier [ublije] *vt* olvidar; (*ne pas mettre*) olvidar, omitir; (*famille*) descuidar; (*responsabilités*) descuidar, olvidar; **s'oublier** *vpr* olvidarse; (*euphémisme*) orinarse, mearse; **~ que/de faire qch** olvidar que/olvidar hacer algo; **~ l'heure** olvidar la hora
ouest [wɛst] *nm* oeste *m* ■ *adj inv* oeste; **l'O~** (*région, Pol*) el Oeste; **à l'~ (de)** al oeste (de); **vent d'~** viento del oeste
ouf ['uf] *excl* uf
oui ['wi] *adv* sí; **répondre ~** responder que sí; **mais ~, bien sûr** pues claro que sí, naturalmente; **je suis sûr que ~** estoy seguro que sí; **je pense que ~** creo que sí; **pour un ~ ou pour un non** por un quítame allá esas pajas
ouï-dire ['widiʀ] *nm inv*: **par ~** de oídas
ouïe [wi] *nf* oído; **ouïes** *nfpl* (*de poisson*) agallas *fpl*; (*d'un violon*) eses *fpl*
ouragan [uʀagɑ̃] *nm* huracán *m*
ourlet [uʀlɛ] *nm* (*Couture*) dobladillo; (*de l'oreille*) repliegue *m*; **faire un ~ à** hacer un dobladillo a; **faux ~** (*Couture*) falso dobladillo
ours [uʀs] *nm inv* oso; (*homme insociable*) oso, cardo; **~ blanc/brun** oso blanco/pardo; **~ (en peluche)** oso de peluche; **~ mal léché** oso, hurón *m*; **~ marin** oso marino
oursin [uʀsɛ̃] *nm* erizo de mar
ourson [uʀsɔ̃] *nm* osezno(-a)
ouste [ust] *excl* ¡fuera!, ¡largo de aquí!
outil [uti] *nm* herramienta, instrumento; **~ de travail** herramienta
outiller [utije] *vt* equipar de herramienta *ou* de maquinaria

outrage [utʀaʒ] *nm* ultraje *m*; **faire subir les derniers ~s à** (*femme*) someter a los peores ultrajes a; **~ à la pudeur** (*Jur*) ultraje al pudor; **~ à magistrat** (*Jur*) ultraje *ou* injurias *fpl* a un magistrado; **~ aux bonnes mœurs** (*Jur*) ultraje a las buenas costumbres
outrance [utʀɑ̃s] *nf* exageración *f*, exceso; **à ~** a ultranza
outre [utʀ] *nf* odre *m* ■ *prép* además de ■ *adv*: **passer ~** hacer caso omiso; **passer ~ à** hacer caso omiso a; **en ~** además, por añadidura; **~ que** además de que; **~ mesure** sin medida, desmesuradamente
outre-Atlantique [utʀatlɑ̃tik] *adv* al otro lado del Atlántico
outremer [utʀəmɛʀ] *adj*: **bleu/ciel ~** azul/cielo de ultramar
outre-mer [utʀəmɛʀ] *adv* ultramar; **d'~** de ultramar, ultramarino(-a)
ouvert, e [uvɛʀ, ɛʀt] *pp de* **ouvrir** ■ *adj* (*aussi fig*) abierto(-a); (*accueillant*: *milieu*) abierto(-a), acogedor(-a), hospitalario(-a); **à bras ~s** con los brazos abiertos; **à livre ~** como un libro abierto; (*traduire*) de corrido; **à cœur ~** (*fig*) con el corazón en la mano
ouvertement [uvɛʀtəmɑ̃] *adv* (*agir*) abiertamente; (*dire*) abiertamente, francamente
ouverture [uvɛʀtyʀ] *nf* apertura; (*orifice, Mus*) obertura; **ouvertures** *nfpl* (*offres*) propuestas *fpl*; **l'~** (*Pol*) la apertura; **~ (du diaphragme)** (*Photo*) abertura (del diafragma); **heures/jours d'~** (*Comm*) horas *fpl*/días *mpl* de apertura; **~ d'esprit** apertura de ideas, amplitud *f* de ideas
ouvrable [uvʀabl] *adj*: **jour ~** día *m* laborable; **heures ~s** horas *fpl* laborables
ouvrage [uvʀaʒ] *nm* obra; (*Mil*) *elemento autónomo de una línea fortificada*; **panier** *ou* **corbeille à ~** cesta de costura; **~ à l'aiguille** labor *f* de aguja; **~ d'art** (*Génie Civil*) obra de ingeniería
ouvre-boîte(s) [uvʀəbwat] *nm inv* abrelatas *m inv*
ouvre-bouteille(s) [uvʀəbutɛj] *nm inv* abrebotellas *m inv*
ouvreuse [uvʀøz] *nf* acomodadora
ouvrier, -ière [uvʀije, ijɛʀ] *nm/f* obrero(-a) ■ *nf* (*Zool*) obrera ■ *adj* obrero(-a); (*conflits*) laboral; (*revendications*) obrero(-a); **classe ouvrière** clase *f* obrera; **~ agricole** trabajador *m* agrario; **~ qualifié** obrero calificado; **~ spécialisé** obrero especialista
ouvrir [uvʀiʀ] *vt* abrir; (*fonder*) abrir, fundar; (*commencer, mettre en train*) abrir, empezar ■ *vi* abrir; (*commencer*) abrir, empezar; **s'ouvrir** *vpr* abrirse; **~** *ou* **s'~ sur** comenzar con; **s'~ à** abrirse a; **s'~ à qn** confiarse a algn; **s'~ les veines** abrirse las venas; **~ l'œil** (*fig*) abrir los ojos, enterarse; **~ l'appétit à qn** abrir el apetito a algn; **~ des horizons/perspectives** abrir horizontes/perspectivas; **~ l'esprit** ampliar *ou* abrir las ideas; **~ une session** (*Inform*) abrir una sesión; **~ à cœur/trèfle** (*Cartes*) abrir *ou* salir con corazones/trébol
ovaire [ɔvɛʀ] *nm* ovario
ovale [ɔval] *adj* oval, ovalado(-a)
OVNI [ɔvni] *sigle m* (= *objet volant non identifié*) OVNI *m* (= *objeto volante no identificado*)
oxyder [ɔkside] *vpr*: **s'oxyder** oxidarse
oxygène [ɔksiʒɛn] *nm* oxígeno; **cure d'~** (*fig*) cura de oxígeno
oxygéné, e [ɔksiʒene] *adj*: **cheveux ~s** cabellos *mpl* oxigenados; **eau ~e** agua oxigenada
ozone [ozon] *nm* ozono

p

pacifique [pasifik] *adj* pacífico(-a) ■ *nm*: **le P~, l'océan P~** el (Océano) Pacífico

pack [pak] *nm* pack *m*

pacotille [pakɔtij] (*péj*) *nf* pacotilla; **de ~** de pacotilla

PACS [paks] *nm* (*= pacte civil de solidarité*) *pacto civil de solidaridad*

pacte [pakt] *nm* pacto; **~ d'alliance/de non-agression** pacto de alianza/de no agresión

pagaille [pagaj] *nf* (*désordre*) follón *m*, desbarajuste *m*; **en ~** (*en grande quantité*) a porrillo; (*en désordre*) a barullo

page [paʒ] *nf* página; (*passage: d'un roman*) pasaje *m* ■ *nm* paje *m*; **mettre en ~s** compaginar; **mise en ~** compaginación *f*; **être à la ~** (*fig*) estar al día; **~ blanche** página en blanco; **~ d'accueil** (*Internet*) página de inicio; **~ de garde** guarda; **~ Web** (*Inform*) (página) web

paiement [pɛmɑ̃] *nm* = **payement**

païen, ne [pajɛ̃, pajɛn] *adj, nm/f* pagano(-a)

paillasson [pajasɔ̃] *nm* felpudo

paille [pɑj] *nf* paja; (*défaut*) defecto; **être sur la ~** (*être ruiné*) estar a dos velas; **~ de fer** estropajo metálico

paillettes [pɑjɛt] *nfpl* lentejuelas *fpl*

pain [pɛ̃] *nm* pan *m*; (*Culin: de poisson, légumes*) pastel *m*; **petit ~** panecillo; **~ complet** pan integral; **~ d'épice(s)** alfajor *m*; **~ de campagne/de seigle** pan de pueblo/de centeno; **~ de cire** librillo de cera; **~ de mie** pan de molde; **~ de sucre** pan de azúcar; **~ fantaisie/viennois** pan de lujo/de Viena; **~ grillé** pan tostado; **~ perdu** torrija

pair, e [pɛʀ] *adj* par ■ *nm* par *m*; **aller** *ou* **marcher de ~ (avec)** correr *ou* ir parejo(-a) (con); **au ~** (*Fin*) a la par; **valeur au ~** valor *m* a la par; **jeune fille au ~** chica au pair

paire [pɛʀ] *nf* par *m*; **une ~ de lunettes/tenailles** un par de gafas/tenazas; **les deux font la ~** son tal para cual

paisible [pezibl] *adj* apacible; (*ville, lac*) tranquilo(-a)

paix [pɛ] *nf* paz *f*; (*fig: tranquillité*) paz, sosiego; **faire la ~ avec** hacer las paces con; **vivre en ~ avec** vivir en paz con; **avoir la ~** tener paz

Pakistan [pakistɑ̃] *nm* Paquistán *m*

palais [palɛ] *nm* palacio; (*Anat*) paladar *m*; **le P~ Bourbon** El Palacio Borbón (*sede de la asamblea nacional*); **le P~ de Justice** Palacio de Justicia, la audiencia nacional; **le P~ de l'Elysée** El Palacio del Elíseo (*residencia oficial del Presidente de la República francesa*); **~ des expositions** palacio de exposiciones

pâle [pɑl] *adj* pálido(-a); **une ~ imitation** (*fig*) una pálida imitación; **~ de colère/d'indignation** pálido(-a) de rabia/de indignación; **bleu/vert ~** azul/verde pálido

Palestine [palɛstin] *nf* Palestina

palette [palɛt] *nf* paleta; (*plateau de chargement*) plataforma; **~ riche/pauvre/brillante** (*ensemble de couleurs*) paleta rica/pobre/brillante

pâleur [pɑlœʀ] *nf* palidez *f*

palier [palje] *nm* (*d'escalier*) rellano; (*d'une machine*) cojinete *m*; (*d'un graphique*) nivel *m*; (*phase stable*) nivel estable; **en ~** a altura constante; **par ~s** (*progresser*) gradualmente

pâlir [pɑliʀ] *vi* (*personne*) palidecer; (*couleur*) decolorar; **faire ~ qn** hacer palidecer a algn

pallier [palje] *vt*: **~ à** paliar

palme [palm] *nf* palma; (*de plongeur*) aleta; **~s (académiques)** *galardón al mérito académico*

palmé, e [palme] *adj* palmeado(-a)

palmier [palmje] *nm* palmera

pâlot, e [pɑlo, ɔt] *adj* paliducho(-a)
palourde [paluʀd] *nf* almeja
palper [palpe] *vt* palpar
palpitant, e [palpitɑ̃, ɑ̃t] *adj* palpitante
palpiter [palpite] *vi* palpitar; (*plus fort*) latir
paludisme [palydism] *nm* paludismo
pamphlet [pɑ̃flɛ] *nm* panfleto
pamplemousse [pɑ̃pləmus] *nm* pomelo
pan [pɑ̃] *nm* (*d'un manteau, rideau*) faldón *m*; (*côté*) cara; (*d'affiche etc*) lado ■ *excl* ¡pum!; **~ de chemise** pañal *m*; **~ de mur** lienzo de pared
panache [panaʃ] *nm* (*de plumes*) penacho; **avoir du/aimer le ~** (*fig*) tener caballerosidad/gustarle a algn la caballerosidad
panaché, e [panaʃe] *adj*: **œillet ~** clavel *m* matizado ■ *nm* (*bière*) clara, cerveza con gaseosa; **glace ~e** helado de varios gustos; **salade ~e** ensalada mixta; **bière ~e** cerveza con gaseosa
pancarte [pɑ̃kaʀt] *nf* (*affiche, écriteau*) cartel *m*; (*dans un défilé*) pancarta
pancréas [pɑ̃kʀeɑs] *nm* páncreas *m inv*
pané, e [pane] *adj* empanado(-a)
panier [panje] *nm* cesta; (*à diapositives*) carro; **mettre au ~** tirar a la basura; **~ à provisions** cesta de la compra; **~ à salade** (*Culin*) escurridor *m*; (*Police*) coche *m* celular; **~ de crabes** (*fig*) nido de víboras; **~ percé** (*fig*) manirroto(-a)
panier-repas [panjeʀ(ə)pɑ] (*pl* **paniers-repas**) *nm* almuerzo
panique [panik] *nf* pánico ■ *adj*: **peur ~** miedo cerval; **terreur ~** terror *f* pánico
paniquer [panike] *vt* aterrorizar ■ *vi* aterrorizarse, espantarse
panne [pan] *nf* (*d'un mécanisme, moteur*) avería; (*Théâtre*) papel *m* de poca importancia; **mettre en ~** (*Naut*) ponerse al pairo, pairar; **être/tomber en ~** tener una avería, descomponerse/estar descompuesto (*esp Mex*); **tomber en ~ d'essence** *ou* **sèche** quedarse sin gasolina; **~ d'électricité** *ou* **de courant** corte *m* eléctrico
panneau, x [pano] *nm* (*écriteau*) letrero; (*de boiserie, de tapisserie*) panel *m*; (*Archit*) tablero; (*Couture*) paño; **donner/tomber dans le ~** caer en la trampa; **~ d'affichage** tablón *m* de anuncios; **~ de signalisation** señal *f* de tráfico; **~ électoral** panel electoral; **~ indicateur** panel indicador; **~ publicitaire** valla publicitaria
panoplie [panɔpli] *nf* (*d'armes*) panoplia; (*fig*) arsenal *m*; **~ de pompier/ d'infirmière** disfraz *m* de bombero/de enfermera
panorama [panɔʀama] *nm* panorama *m*
panse [pɑ̃s] *nf* panza
pansement [pɑ̃smɑ̃] *nm* venda, apósito; **~ adhésif** tirita, curita (*AM*)
pantalon [pɑ̃talɔ̃] *nm* (*aussi*: **pantalons, paire de pantalons**) pantalón *m*; **~ de golf/de pyjama** pantalón de golf/de pijama; **~ de ski** pantalón de esquí
panthère [pɑ̃tɛʀ] *nf* pantera; (*fourrure*) piel *f* de pantera
pantin [pɑ̃tɛ̃] *nm* (*marionnette*) pelele *m*, monigote *m*; (*péj: personne*) pelele
pantoufle [pɑ̃tufl] *nf* zapatilla
paon [pɑ̃] *nm* pavo real
papa [papa] *nm* papá *m*
pape [pap] *nm* papa *m*
paperasse [papʀas] (*péj*) *nf*: **des ~s** *ou* **de la ~** papelotes *mpl*; (*administrative*) papeles *mpl*
paperasserie [papʀasʀi] (*péj*) *nf* papelorio; (*administrative*) papeleo
papeterie [papɛtʀi] *nf* (*fabrication du papier*) fabricación *f* de papel; (*usine*) papelera; (*magasin*) papelería; (*articles*) artículos *mpl* de papelería
papi [papi] (*fam*) *nm* abuelito
papier [papje] *nm* papel *m*; (*article*) artículo; (*écrit officiel*) documento; **papiers** *nmpl* (*aussi*: **papiers d'identité**) documentación *f*, papeles *mpl*; **sur le ~** (*théoriquement*) en teoría; **jeter une phrase sur le ~** poner una frase sobre el papel; **noircir du ~** emborronar papel; **~ à dessin** papel de dibujo; **~ à lettres** papel de cartas; **~ à pliage accordéon** papel plisado de acordeón; **~ bible/ pelure** papel biblia/cebolla; **~ bulle/ calque** papel de estraza/de calcar; **~ buvard/carbone** papel secante/carbón; **~ collant** papel de goma; **~ couché/ glacé** papel cuché/glaseado; **~ (d')aluminium** papel de aluminio; **~ d'Arménie** papel de Armenia; **~ d'emballage** papel de envolver; **~ de brouillon** papel de borrador; **~ de soie/ de tournesol** papel de seda/de tornasol; **~ de verre** papel de lija; **~ en continu** papel continuo; **~ gommé/thermique** papel engomado/térmico; **~ hygiénique** papel higiénico; **~ journal** papel de periódico; (*pour emballer*) papel de envolver; **~ kraft/mâché** papel kraft/ maché; **~ machine** papel de máquina de escribir; **~ peint** papel pintado

papillon [papijɔ̃] *nm* mariposa; (*fam: contravention*) multa; (*écrou*) tuerca de mariposa; **~ de nuit** mariposa nocturna
papillote [papijɔt] *nf* papillote *m*
papoter [papɔte] *vi* parlotear
paprika [papʀika] *nm* paprika *m*
paquebot [pak(ə)bo] *nm* paquebote *m*
pâquerette [pɑkʀɛt] *nf* margarita
Pâques [pɑk] *nfpl* (*fête*) Pascua *fsg* ■ *nm* (*période*) Semana Santa; **faire ses ~** comulgar por Pascua Florida; **l'île de ~** la isla de Pascua
paquet [pakɛ] *nm* paquete *m*; (*de linge, vêtements*) bulto; (*tas*): **un ~ de** un manojo de; **paquets** *nmpl* (*bagages*) bultos *mpl*; **mettre le ~** (*fam*) poner toda la carne en el asador; **~ de mer** golpe *m* de mar
paquet-cadeau [pakɛkado] (*pl* **paquets-cadeaux**) *nm* paquete *m* regalo *inv*

MOT-CLÉ

par [paʀ] *prép* **1** (*agent, cause*) por; **par amour** por amor; **peint par un grand artiste** pintado por un gran artista
2 (*lieu, direction*) por; **passer par Lyon/la côte** pasar por Lyon/la costa; **par la fenêtre** (*jeter, regarder*) por la ventana; **par le haut/bas** por arriba/abajo; **par ici** por aquí; **par où?** ¿por dónde?; **par là** por allí; **par-ci, par-là** aquí y allá; **être/jeter par terre** estar en el/tirar al suelo
3 (*fréquence, distribution*) por; **3 fois par semaine** 3 veces por *ou* a la semana; **3 par jour/par personne** 3 al día/por persona; **par centaines** a cientos, a centenares; **2 par 2** (*marcher, entrer, prendre etc*) de 2 en 2
4 (*moyen*) por; **par la poste** por correo
5 (*manière*): **prendre par la main** coger *ou* agarrar de la mano; **prendre par la poignée** coger *ou* agarrar por el asa; **finir** *etc* **par** terminar *etc* por; **le film se termine par une scène d'amour** la película termina con una escena de amor; **Pau commence par la lettre "p"** Pau empieza por "p"

parabolique [paʀabɔlik] *adj* parabólico(-a)
parachute [paʀaʃyt] *nm* paracaídas *m inv*; **~ ventral** paracaídas de delantal
parachutiste [paʀaʃytist] *nm/f* paracaidista *m/f*; (*soldat*) paracaidista *m*
parade [paʀad] *nf* (*Mil*) desfile *m*; (*de cirque, bateleurs*) cabalgata; (*Escrime, Boxe*) parada; **trouver la ~ à une attaque/mesure** hallar la contrapartida a un ataque/medida; **faire ~ de qch** lucir algo; **de ~** (*habit, épée*) de gala; (*superficiel*) superficial
paradis [paʀadi] *nm* paraíso; **P~ terrestre** paraíso terrenal
paradoxe [paʀadɔks] *nm* paradoja
paraffine [paʀafin] *nf* parafina
parages [paʀaʒ] *nmpl* (*Naut*) aguas *fpl*; **dans les ~ (de)** en los alrededores (de)
paragraphe [paʀagʀaf] *nm* párrafo
paraître [paʀɛtʀ] *vb +attribut* parecer, verse (*AM*) ■ *vi* (*apparaître*) aparecer; (*Presse, Édition*) publicarse; (*se montrer, venir*) mostrarse; (*sembler*) parecer; (*un certain âge*) aparentar, representar; **aimer/vouloir ~** (*personne*) gustarle a algn/querer aparentar; **il paraît que** parece que; **il me paraît que** me parece que; **il paraît absurde de/préférable que** parece absurdo/preferible que; **laisser ~ qch** dejar ver algo; **~ en justice** comparecer ante la justicia; **~ en scène/en public/à l'écran** aparecer en escena/en público/en la pantalla; **il ne paraît pas son âge** no representa su edad
parallèle [paʀalɛl] *adj* paralelo(-a) ■ *nm* paralelo ■ *nf* (*droite, ligne*) paralela; **faire un ~ entre** establecer un paralelo entre; **en ~** en paralelo; **mettre en ~** (*choses opposées*) confrontar; (*choses semblables*) cotejar
paralyser [paʀalize] *vt* paralizar
paralysie [paʀalizi] *nf* parálisis *f inv*
paramédical, e, -aux [paʀamedikal, o] *adj*: **personnel ~** personal *m* paramédico
paraphrase [paʀafʀɑz] *nf* paráfrasis *f inv*
parapluie [paʀaplɥi] *nm* paraguas *m inv*; **~ à manche télescopique** paraguas con mango telescópico; **~ atomique/nucléaire** paraguas atómico/nuclear; **~ pliant** paraguas plegable
parasite [paʀazit] *nm* parásito ■ *adj* parásito(-a); **parasites** *nmpl* (*Tél*) parásitos *mpl*
parasol [paʀasɔl] *nm* quitasol *m*
paratonnerre [paʀatɔnɛʀ] *nm* pararrayos *m inv*
parc [paʀk] *nm* parque *m*; (*pour le bétail*) aprisco; (*de voitures*) aparcamiento; **~ à huîtres** criadero de ostras; **~ automobile** (*d'un pays*) parque automovilístico; (*d'une société*) parque móvil; **~ d'attractions** parque de atracciones; **~ national/naturel** parque nacional/natural; **~ de**

stationnement aparcamiento; **~ zoologique** parque zoológico

parcelle [paʀsɛl] *nf (d'or, de vérité)* partícula; *(de terrain)* parcela

parce que [paʀs(ə)kə] *conj* porque

parchemin [paʀʃəmɛ̃] *nm* pergamino

parc(o)mètre [paʀk(ɔ)mɛtʀ] *nm* parquímetro

parcourir [paʀkuʀiʀ] *vt* recorrer; *(journal, article)* echar un vistazo a; **~ qch des yeux** *ou* **du regard** recorrer algo con la vista

parcours [paʀkuʀ] *vb voir* **parcourir** ▪ *nm (trajet, itinéraire)* trayecto; *(Sport)* recorrido; **sur le ~** en el trayecto; **~ du combattant** *(Mil)* pista americana

par-dessous [paʀd(ə)su] *prép* por debajo de ▪ *adv* por debajo

pardessus [paʀdəsy] *nm* abrigo

par-dessus [paʀd(ə)sy] *prép* por encima de ▪ *adv* por encima; **~ le marché** para colmo

par-devant [paʀd(ə)vɑ̃] *prép* ante ▪ *adv* por delante

pardon [paʀdɔ̃] *nm* perdón *m* ▪ *excl* ¡perdón!; *(se reprendre)* ¡disculpe!; **demander ~ à qn (de ...)** pedir perdón a algn (por ...); **je vous demande ~** le pido perdón; *(contradiction)* discúlpeme

pardonner [paʀdɔne] *vt* perdonar; **~ qch à qn** perdonar algo a algn; **~ à qn** perdonar a algn; **qui ne pardonne pas** *(maladie, erreur)* que no perdona

pare-brise [paʀbʀiz] *nm inv* parabrisas *m inv*

pare-chocs [paʀʃɔk] *nm inv* parachoques *m inv*

pareil, le [paʀɛj] *adj* igual; *(similaire)* parecido(-a) ▪ *adv*: **habillés ~** vestidos de la misma manera; **faire ~** hacer lo mismo; **un courage ~** tal valor; **de ~s livres** tales libros; **j'en veux un ~** quiero uno igual; **rien de ~** nada parecido; **ses ~s** sus semejantes; **ne pas avoir son (sa) ~(le)** no tener igual; **~ à** parecido(-a) a; **sans ~** sin igual; **c'est du ~ au même** es lo mismo; **en ~ cas** en un caso parecido; **rendre la ~le à qn** pagar a algn con la misma moneda

parent, e [paʀɑ̃, ɑ̃t] *nm/f* pariente(-a) ▪ *adj*: **être ~(s) de qn** ser pariente(s) de algn; **parents** *nmpl (père et mère)* padres *mpl*; *(famille, proches)* parientes *mpl*; **~s adoptifs** padres adoptivos; **~s en ligne directe** parientes por línea directa; **~s par alliance** parientes políticos

parenté [paʀɑ̃te] *nf (rapport, lien)* parentesco; *(personnes)* parentela; *(ressemblance, affinité)* afinidad *f*; *(entre caractères)* similitud *f*

parenthèse [paʀɑ̃tɛz] *nf* paréntesis *m inv*; **ouvrir/fermer la ~** abrir/cerrar el paréntesis; **entre ~s** *(aussi fig)* entre paréntesis; **mettre entre ~s** dejar de lado

paresse [paʀɛs] *nf* pereza, holgazanería

paresseux, -euse [paʀesø, øz] *adj* perezoso(-a), flojo(-a) *(AM)*; *(démarche, attitude)* indolente; *(estomac)* atónico(-a) ▪ *nm (Zool)* perezoso

parfait, e [paʀfɛ, ɛt] *pp de* **parfaire** ▪ *adj* perfecto(-a) ▪ *nm (Ling)* pretérito perfecto; *(Culin)* helado ▪ *excl* ¡perfecto!, ¡muy bien!

parfaitement [paʀfɛtmɑ̃] *adv* perfectamente ▪ *excl* ¡seguro!, ¡desde luego!; **cela lui est ~ égal** le da completamente igual

parfois [paʀfwa] *adv* a veces

parfum [paʀfœ̃] *nm* perfume *m*; *(de tabac, vin)* aroma *m*; *(de glace etc)* sabor *m*

parfumé, e [paʀfyme] *adj* perfumado(-a); **~ au café** aromatizado(-a) con café, con sabor a café

parfumer [paʀfyme] *vt* perfumar; *(crème, gâteau)* aromatizar; **se parfumer** *vpr* perfumarse

parfumerie [paʀfymʀi] *nf* perfumería; **rayon ~** sección *f* de perfumería

pari [paʀi] *nm* apuesta; **P~ Mutuel Urbain** *apuestas mutuas en las carreras de caballos*

parier [paʀje] *vt* apostar; **j'aurais parié que si/non** hubiera apostado que sí/no

Paris [paʀi] *n* París

parisien, ne [paʀizjɛ̃, jɛn] *adj (personne, vie)* parisino(-a); *(Géo, Admin)* parisiense ▪ *nm/f*: **Parisien, ne** parisiense *m/f*

parjure [paʀʒyʀ] *nm (faux serment)* perjurio ▪ *nm/f (personne)* perjuro(-a)

parking [paʀkiŋ] *nm* aparcamiento

parlant, e [paʀlɑ̃, ɑ̃t] *adj (portrait, image)* vivo(-a), elocuente; *(comparaison, preuve)* concluyente; *(Ciné)* sonoro(-a) ▪ *adv*: **généralement/humainement ~** en términos generales/a nivel humano; **techniquement ~** técnicamente hablando

parlement [paʀləmɑ̃] *nm* parlamento

parlementaire [paʀləmɑ̃tɛʀ] *adj* parlamentario(-a) ▪ *nm/f (député)* parlamentario(-a); *(négociateur)* delegado(-a)

parler [paʀle] *nm* habla ▪ *vi* hablar; *(malfaiteur, complice)* hablar, cantar; **~ de**

qch/qn hablar de algo/algn; **~ (à qn) de** hablar (a algn) de; **~ de faire qch** hablar de hacer algo; **~ pour qn** (*intercéder, plaider*) hablar en favor de algn; **~ le/en français** hablar el/en francés; **~ affaires/politique** hablar de negocios/de política; **~ en dormant** hablar en sueños; **~ du nez** hablar gangoso; **~ par gestes** hablar por señas; **~ en l'air** hablar a la ligera; **sans ~ de** (*fig*) sin hablar de; **tu parles!** ¡ya ves!; **les faits parlent d'eux-mêmes** los hechos hablan por sí mismos; **n'en parlons plus** no se hable más

parloir [paʀlwaʀ] *nm* locutorio; (*d'un hôpital*) sala de visitas

parmi [paʀmi] *prép* entre, en medio de

paroi [paʀwa] *nf* pared *f*; **~ (rocheuse)** pared (rocosa)

paroisse [paʀwas] *nf* parroquia

parole [paʀɔl] *nf* palabra; **paroles** *nfpl* (*d'une chanson*) letra *fsg*; **la bonne ~** la palabra de Dios; **tenir ~** cumplir con su palabra; **n'avoir qu'une ~** no tener más que una palabra; **avoir/prendre la ~** tener/tomar la palabra; **demander/obtenir la ~** pedir/conseguir la palabra; **donner la ~ à qn** conceder la palabra a algn; **perdre la ~** (*fig*) perder la palabra; **sur ~**: **croire qn sur ~** confiar en la palabra de algn; **prisonnier sur ~** preso bajo palabra; **temps de ~** tiempo asignado para hablar; **histoire sans ~s** historieta muda; **ma ~!** (*surprise*) ¡pero bueno!, ¡por Dios!; **~ d'honneur** palabra de honor

parquet [paʀkɛ] *nm* (*plancher*) parqué *m*; **le ~** (*Jur*) el tribunal de justicia

parrain [paʀɛ̃] *nm* padrino

parrainer [paʀene] *vt* apadrinar; (*suj: entreprise*) patrocinar

pars [paʀ] *vb voir* **partir**

parsemer [paʀsəme] *vt* cubrir; **~ qch de** sembrar algo de

part [paʀ] *vb voir* **partir** ■ *nf* parte *f*; (*de gâteau, fromage*) trozo, pedazo; (*titre*) acción *f*; **prendre ~ à** (*débat etc*) tomar parte en; (*soucis, douleur*) compartir; **faire ~ de qch à qn** comunicar algo a algn; **pour ma ~** por mi parte; **à ~ entière** de pleno derecho; **de la ~ de** de parte de; **c'est de la ~ de qui?** (*au téléphone*) ¿de parte de quién?; **de toute(s) ~(s)** de todas partes; **de ~ et d'autre** a *ou* en ambos lados; **de ~ en ~** de parte a parte; **d'une ~ ... d'autre ~** por una parte ... por otra; **nulle/autre/quelque ~** en ninguna/en otra/en alguna parte; **à ~** *adv* aparte ■ *adj* (*personne, place*) aparte ■ *prép*: **à ~ cela** a parte de eso, excepto eso; **pour une large/bonne ~** en una larga/buena medida; **prendre qch en bonne/mauvaise ~** tomar algo en buen/mal sentido; **faire la ~ des choses** tener en cuenta las circunstancias, sopesar los pros y los contras; **faire la ~ du feu** (*fig*) cortar por lo sano; **faire la ~ trop belle à qn** darle todo en bandeja a algn

part. *abr* = **particulier**

partage [paʀtaʒ] *nm* reparto; **en ~**: **donner/recevoir qch en ~** dar/recibir algo en herencia; **sans ~** (*régner*) sin compartir el poder

partager [paʀtaʒe] *vt* repartir; **se partager** *vpr* repartirse; **~ un gâteau en quatre/une ville en deux** dividir un pastel en cuatro/una ciudad en dos; **~ qch avec qn** compartir algo con algn; **~ la joie de qn/la responsabilité d'un acte** compartir la alegría de algn/la responsabilidad de un acto

partenaire [paʀtənɛʀ] *nm/f* compañero(-a); **~s sociaux** agentes *mpl* sociales

parterre [paʀtɛʀ] *nm* (*de fleurs*) parterre *m*, arriate *m*; (*Théâtre*) patio de butacas

parti [paʀti] *nm* (*Pol, décision*) partido; (*groupe*) bando; (*personne à marier*): **un beau/riche ~** un buen partido; **tirer ~ de** sacar partido de; **prendre le ~ de faire qch** tomar la decisión de hacer algo; **prendre le ~ de qn** ponerse a favor de algn; **prendre ~ (pour/contre qn)** tomar partido (por/contra algn); **prendre son ~ de qch** resignarse a algo; **~ pris** prejuicio

partial, e, -aux [paʀsjal, jo] *adj* parcial

participant, e [paʀtisipɑ̃, ɑ̃t] *nm/f* participante *m/f*; (*à un concours*) concursante *m/f*; (*d'une société*) miembro, accionista *m/f*

participation [paʀtisipasjɔ̃] *nf* participación *f*; **la ~ aux frais** la contribución a los gastos; **la ~ aux bénéfices** la participación en los beneficios; **la ~ ouvrière** la participación obrera; **"avec la ~ de"** "con la participación de"

participer [paʀtisipe]: **~ à** *vt* participar en; (*chagrin*) compartir; **~ de** (*tenir de la nature de*) participar de

particularité [paʀtikylaʀite] *nf* particularidad *f*

particulier, -ière [paʀtikylje, jɛʀ] *adj* particular; (*intérêt, style*) propio(-a); (*entretien, conversation*) privado(-a); (*spécifique*) propio(-a), individual ■ *nm* (*individu*) particular *m*; **"~ vend ..."** (*Comm*) "particular vende ..."; **avec un soin ~** con un cuidado especial; **avec une attention particulière** con una atención especial; **~ à** propio(-a) de; **en ~** (*précisément*) en concreto; (*en privé*) en privado; (*surtout*) especialmente

particulièrement [paʀtikyljɛʀmɑ̃] *adv* (*notamment*) principalmente; (*spécialement*) especialmente

partie [paʀti] *nf* parte *f*; (*profession, spécialité*) rama; (*Jur, fig: adversaire*) parte contraria; (*de cartes, tennis, fig*) partida; **~ de campagne/de pêche** salida al campo/de pesca; **en ~** en parte; **faire ~ de qch** formar parte de algo; **prendre qn à ~** habérselas con algn; (*malmener*) atacar a algn, meterse con algn; **en grande/majeure ~** en gran/la mayor parte; **ce n'est que ~ remise** es sólo cosa diferida, otra vez será; **avoir ~ liée avec qn** estar aliado(-a) con algn; **~ civile** (*Jur*) parte civil; **~ publique** (*Jur*) ministerio público

partiel, le [paʀsjɛl] *adj, nm* parcial *m*

partir [paʀtiʀ] *vi* (*gén*) partir; (*train, bus etc*) salir; (*s'éloigner*) marcharse; (*pétard, fusil*) dispararse; (*bouchon*) saltar; (*cris*) surgir; (*se détacher*) desprenderse; (*tache*) desaparecer; (*affaire, moteur*) arrancar; **~ de** (*lieu*) salir de; (*suj: personne, route*) partir de; (*date*) comenzar en; (*suj: abonnement*) comenzar a partir de; (*: proposition*) nacer de, manar de; **~ pour/à** (*lieu, pays*) salir para/hacia; **~ de rien** comenzar de la nada; **à ~ de** a partir de

partisan, e [paʀtizɑ̃, an] *nm/f* seguidor(a), partidario(-a) ▪ *adj* partidario(-a); **être ~ de qch/de faire qch** ser partidario(-a) de algo/de hacer algo

partition [paʀtisjɔ̃] *nf* (*Mus*) partitura

partout [paʀtu] *adv* por todas partes; **~ où il allait** por dondequiera que iba; **de ~** de todas partes; **trente/quarante ~** (*Tennis*) iguales a treinta/a cuarenta, empate *m* a treinta/a cuarenta

paru, e [paʀy] *pp de* **paraître**

parution [paʀysjɔ̃] *nf* aparición *f*, publicación *f*

parvenir [paʀvəniʀ]: **~ à** *vt* llegar a, arribar a (*AM*); **~ à ses fins/à la fortune/à un âge avancé** alcanzar sus fines/la fortuna/una edad avanzada; **~ à faire qch** (*réussir*) conseguir hacer algo; **faire ~ qch à qn** hacer llegar algo a algn

pas¹ [pa] *nm* paso; **~ à ~** paso a paso; **de ce ~** al momento; **marcher à grands ~** andar dando zancadas; **mettre qn au ~** meter a algn en vereda; **rouler au ~** (*Auto*) ir a paso lento; **au ~ de gymnastique/de course** a paso ligero/a la carrera; **à ~ de loup** con paso sigiloso; **faire les cent ~** ir y venir, ir de un lado para otro; **faire les premiers ~** (*aussi fig*) dar los primeros pasos; **retourner** *ou* **revenir sur ses ~** volver sobre sus pasos; **se tirer d'un mauvais ~** salir del atolladero; **sur le ~ de la porte** en el umbral (de la puerta); **le ~ de Calais** (*détroit*) el paso *ou* estrecho de Calais; **~ de porte** (*Comm*) entrada

MOT-CLÉ

pas² [pɑ] *adv* **1** (*avec ne, non etc*): **ne ... pas** no; **je ne vais pas à l'école** no voy a la escuela; **je ne mange pas de pain** no como pan; **il ne ment pas** no miente; **ils n'ont pas de voiture/d'enfants** no tienen coche/niños; **il m'a dit de ne pas le faire** me ha dicho que no lo haga; **non pas que ...** no es que ...; **je n'en sais pas plus** no sé más; **il n'y avait pas plus de 200 personnes** no había más de 200 personas; **je ne reviendrai pas de sitôt** tardaré en volver

2 (*sans ne etc*): **pas moi** yo no; (*renforçant l'opposition*): **elle travaille, (mais) lui pas** *ou* **pas lui** ella trabaja, (pero) él no; (*dans des réponses négatives*): **pas de sucre, merci!** ¡sin azúcar, gracias!; **une pomme pas mûre** una manzana que no está madura; **je suis très content - moi pas** *ou* **pas moi** yo estoy muy contento - yo no; **pas plus tard qu'hier** ayer mismo; **pas du tout** (*réponse*) en absoluto; **ça ne me plaît pas du tout** no me gusta nada; **ils sont 4 et non (pas) 3** son 4 y no 3; **pas encore** todavía no; **ceci est à vous ou pas?** ¿eso es suyo o no?

3: **pas mal** *adv* no está mal; **ça va? - pas mal** ¿qué tal? - bien; **pas mal de** (*beaucoup de*): **ils ont pas mal d'argent** no andan mal de dinero

passage [pɑsaʒ] *nm* paso; (*traversée*) travesía; (*extrait*) pasaje *m*; **sur le ~ du cortège** en el recorrido del cortejo; **"laissez/n'obstruez pas le ~"** "dejen/no impidan el paso"; **de ~** (*touristes*) de paso; (*amants etc*) de paso, de un día; **au ~** (*en passant*) al paso, de paso; **~ à niveau** paso a nivel; **~ à tabac** paliza; **~ à vide** (*fig*) mal momento; **~ clouté** paso de peatones; ~ **interdit** prohibido el paso; ~ **protégé/souterrain** paso protegido/ subterráneo

passager, -ère [pasaʒe, ɛʀ] *adj* pasajero(-a); (*rue etc*) concurrido(-a) ■ *nm/f* pasajero(-a); ~ **clandestin** polizón *m*

passant, e [pasɑ̃, ɑ̃t] *adj* transitado(-a) ■ *nm/f* transeúnte *m/f* ■ *nm* (*d'une ceinture, courroie*) trabilla; *voir aussi* **passer**

passe [pas] *nf* pase *m*; (*chenal*) pase, pasaje *m* ■ *nm* (*passe-partout*) llave *f* maestra; (*de cambrioleur*) ganzúa; **être en ~ de faire** estar a punto de hacer; **être dans une bonne/mauvaise ~** (*fig*) tener buena/mala racha; ~ **d'armes** (*fig*) intercambio de réplicas

passé, e [pase] *adj* pasado(-a); (*couleur, tapisserie*) pasado(-a), descolorido(-a) ■ *prép*: ~ **10 heures/7 ans/ce poids** después de las 10/de 7 años/a partir de ese peso ■ *nm* pasado; (*Ling*) pretérito; **dimanche ~** el domingo pasado; **les vacances ~es** las vacaciones pasadas; **il est ~ midi** *ou* **midi ~** ya es pasado mediodía *ou* mediodía pasado; **par le ~** hace tiempo, en otro tiempo; ~ **de mode** pasado(-a) de moda; ~ **simple/composé** perfecto simple/pretérito perfecto

passe-partout [paspaʀtu] *nm inv* llave *f* maestra ■ *adj inv*: **tenue/phrase ~** vestimenta/frase *f* válida para todo momento

passeport [paspɔʀ] *nm* pasaporte *m*

passer [pase] *vi* pasar; (*air*) correr; (*liquide, café*) filtrarse, colarse; (*couleur, papier*) decolorarse ■ *vt* pasar; (*obstacle*) pasar, superar; (*doubler*) adelantar, pasar; (*frontière, rivière etc*) cruzar; (*examen: se présenter*) hacer; (*: réussir*) aprobar; (*réplique, plaisanterie*) dejar pasar; (*film, émission, disque*) poner; (*vêtement*) ponerse; (*café*) filtrar; **se passer** *vpr* (*scène, action*) transcurrir; (*s'écouler*) pasar; (*arriver*): **que s'est-il passé?** ¿qué ha pasado?; ~ **par** pasar por; ~ **chez qn** (*ami etc*) pasar por la casa de algn; ~ **sur** (*fig*) pasar por alto; ~ **qch (à qn)** (*faute, bêtise*) pasar por alto algo (a algn), aguantar algo (a algn); ~ **qch à qn** (*grippe*) pasar algo a algn; ~ **dans les mœurs/la langue** pasar a las costumbres/a la lengua; ~ **devant/ derrière qn/qch** pasar delante/detrás de algn/algo; ~ **avant qch/qn** (*être plus important que*) estar antes de algo/de algn; ~ **devant** (*accusé*) comparecer ante; (*projet de loi*) ser presentado(-a) a; **laisser ~** dejar pasar; ~ **dans la classe supérieure** pasar al curso superior; ~ **directeur/président** ascender a director/ a presidente; ~ **en seconde/troisième** (*Auto*) meter segunda/tercera; ~ **à la radio/télévision** salir en la radio/ televisión; ~ **à l'action** pasar a la acción; ~ **aux aveux** decidirse a confesar; ~ **inaperçu** pasar desapercibido; ~ **outre (à qch)** hacer caso omiso (de algo); ~ **pour riche/un imbécile/avoir fait qch** pasar por rico/un imbécil/haber hecho algo; ~ **à table** sentarse a la mesa; ~ **au salon/à côté** pasar al salón/a la habitación del lado; ~ **à l'étranger/à l'opposition/à l'ennemi** pasarse al extranjero/a la oposición/al enemigo; **ne faire que ~** pasar solamente; **passe encore de** todavía pase que; **en passant**: **dire/remarquer qch en passant** decir/ señalar algo de pasada; **venir voir qn/ faire en passant** venir a ver a algn/hacer de paso; **faire ~ à qn le goût/l'envie de qch** quitarle a algn el gusto/las ganas de algo; **faire ~ qch/qn pour** hacer pasar algo/a algn por; **(faire) ~ qch dans/par** meter algo en/por; **passons** pasemos de eso; **ce film passe au cinéma/à la télé** ponen esa película en el cine/en la tele; ~ **une radio/la visite médicale** hacerse una radiografía/un reconocimiento; ~ **son chemin** pasar de largo; **je passe mon tour** paso; ~ **qch en fraude** pasar algo de contrabando; ~ **la tête/la main par la portière** sacar la cabeza/la mano por la ventanilla; ~ **l'aspirateur** pasar la aspiradora; **je vous passe M. X** (*au téléphone*) le pongo *ou* comunico (*AM*) con el Sr. X; (*je lui passe l'appareil*) le paso a *ou* con el Sr. X; ~ **la parole à qn** cederle la palabra a algn; ~ **qn par les armes** pasar a algn por las armas; ~ **commande** hacer un pedido; ~ **un marché/accord** concertar un negocio/acuerdo; **se ~ les mains sous l'eau** lavarse las manos; **se ~ de l'eau sur le visage** echarse agua por la cara; **cela se passe de commentaires** habla por sí solo; **se ~ de qch** (*s'en priver*) pasarse sin algo

passerelle [pasʀɛl] *nf* pasarela; ~ **(de commandement)** puente *m* (de mando)

passe-temps [pastɑ̃] *nm inv* pasatiempo

passif, -ive [pasif, iv] *adj* pasivo(-a) ■ *nm* (*Ling*) pasiva; (*Comm*) pasivo

passion [pasjɔ̃] *nf* pasión *f*; (*fanatisme*) fanatismo; **avoir la ~ de** tener pasión

por; **la ~ du jeu/de l'argent** la pasión por el juego/por el dinero; **fruit de la ~** (*Bot*) fruta de la pasión
passionnant, e [pasjɔnɑ̃, ɑ̃t] *adj* apasionante
passionné, e [pasjɔne] *adj* apasionado(-a) ■ *nm/f*: **~ de** entusiasta *m/f ou* apasionado(-a) de; **être ~ de** ser un(a) apasionado(-a) de
passionnément [pasjɔnemɑ̃] *adv* apasionadamente
passionner [pasjɔne] *vt* apasionar; **se ~ pour qch** apasionarse por algo
passoire [pɑswaʀ] *nf* colador *m*; (*à légumes*) pasapurés *m inv*
pastèque [pastɛk] *nf* sandía
pasteur [pastœʀ] *nm* pastor *m*
pasteuriser [pastœʀize] *vt* pasteurizar
pastille [pastij] *nf* pastilla; **~s pour la toux** pastillas de la tos
patate [patat] *nf* patata, papa (*AM*); **~ douce** batata, camote *m* (*AM*)
patauger [patoʒe] *vi* (*pour s'amuser*) chapotear; (*avec effort*) atascarse; **~ dans** (*en marchant*) tropezar en; (*exposé etc*) encasquillarse en, atascarse en
pâte [pɑt] *nf* pasta; (*à frire*) albardilla; **pâtes** *nfpl* (*macaroni etc*) pastas *fpl*; **fromage à ~ dure/molle** queso seco/cremoso; **~ à choux** crema de petisús; **~ à modeler** plastilina; **~ à papier** pasta de papel; **~ brisée** pasta quebrada; **~ d'amandes** pasta de almendra; **~ de fruits** fruta escarchada; **~ feuilletée** masa de hojaldre
pâté [pɑte] *nm* (*Culin*) paté *m*; (*tache d'encre*) borrón *m*; **~ de foie/de lapin** paté de hígado/de liebre; **~ de maisons** manzana de casas; **~ (de sable)** flan *m* (de arena); **~ en croûte** paté empanado
pâtée [pɑte] *nf* cebo
paternel, le [patɛʀnɛl] *adj* paterno(-a)
pâteux, -euse [pɑtø, øz] *adj* pastoso(-a); **avoir la bouche/langue pâteuse** tener la boca/lengua pastosa
pathétique [patetik] *adj* patético(-a)
patience [pasjɑ̃s] *nf* paciencia; (*Cartes*) solitario; **être à bout de ~** estar a punto de perder la paciencia; **perdre ~** perder la paciencia; **prendre ~** tomárselo con calma
patient, e [pasjɑ̃, jɑ̃t] *adj, nm/f* paciente *m/f*
patienter [pasjɑ̃te] *vi* esperar
patin [patɛ̃] *nm* patín *m*; **~ (de frein)** (*Tech*) zapata; **~s (à glace)** patines *mpl* (de cuchilla); **~s à roulettes** patines de ruedas
patinage [patinaʒ] *nm* patinaje *m*; **~ artistique/de vitesse** patinaje artístico/de velocidad
patiner [patine] *vi* patinar; **se patiner** *vpr* cubrirse de pátina
patineur, -euse [patinœʀ, øz] *nm/f* patinador(a)
patinoire [patinwaʀ] *nf* pista de patinaje
pâtir [pɑtiʀ]: **~ de** *vt* padecer de
pâtisserie [pɑtisʀi] *nf* pastelería; (*à la maison*) repostería; **pâtisseries** *nfpl* (*gâteaux*) pasteles *mpl*
pâtissier, -ière [pɑtisje, jɛʀ] *nm/f* pastelero(-a)
patois [patwa] *nm* dialecto
patrie [patʀi] *nf* patria
patrimoine [patʀimwan] *nm* patrimonio; **~ génétique** herencia genética
patriotique [patʀijɔtik] *adj* patriótico(-a)
patron, ne [patʀɔ̃, ɔn] *nm/f* (*chef*) jefe(-a), patrón(-ona); (*propriétaire*) dueño(-a); (*Méd*) médico(-a) jefe; (*Rel*) patrono(-a) ■ *nm* (*Couture*) patrón *m*; **~s et employés** patronos *mpl* y empleados; **~ de thèse** director *m* de tesis
patronat [patʀɔna] *nm* empresariado
patronner [patʀɔne] *vt* (*personne, entreprise*) patrocinar; (*candidature*) apoyar
patrouille [patʀuj] *nf* patrulla; **~ de chasse** (*Aviat*) escuadrilla de caza; **~ de reconnaissance** patrulla de reconocimiento
patte [pat] *nf* (*jambe*) pierna; (*d'animal*) pata; (*languette de cuir, d'étoffe*) lengüeta; (*de poche*) solapa; **~s (de lapin)** (*favoris*) patillas *fpl*; **à ~s d'éléphant** (*pantalon*) de pata de elefante; **~s d'oie** (*rides*) patas *fpl* de gallo; **~s de mouche** (*fig*) letra *fsg*
pâturage [pɑtyʀaʒ] *nm* pasto
paume [pom] *nf* palma (de la mano)
paumé, e [pome] (*fam*) *adj* marginado(-a)
paupière [popjɛʀ] *nf* párpado
pause [poz] *nf* (*arrêt, halte*) parada; (*en parlant*) pausa; (*Mus*) silencio
pauvre [povʀ] *adj, nm/f* pobre *m/f*; **pauvres** *nmpl*: **les ~s** los pobres; **~ en calcium** pobre en calcio
pauvreté [povʀəte] *nf* pobreza
pavé, e [pave] *adj* pavimentado(-a) ■ *nm* (*bloc de pierre*) adoquín *m*; (*pavage, pavement*) pavimento; (*de viande*) trozo grueso; (*fam: article, livre*) tocho; **être sur le ~** estar en la calle; **~ numérique**

(*Inform*) teclado numérico; **~ publicitaire** panel *m* publicitario
pavillon [pavijɔ̃] *nm* pabellón *m*; (*maisonnette, villa*) chalet *m*; **~ de complaisance** pabellón de conveniencia
payant, e [pɛjɑ̃, ɑ̃t] *adj* (*hôte, spectateur*) que paga; (*entreprise, coup*) rentable; **c'est ~** hay que pagar; **c'est un spectacle ~** es un espectáculo en el que hay que pagar
paye [pɛj] *nf* paga
payement [pɛjmɑ̃] *nm* pago
payer [peje] *vt* pagar ■ *vi* (*métier*) dar dinero; (*effort, tactique*) dar fruto; **il me l'a fait ~ 10 euros** me ha cobrado 10 euros; **~ qn de** (*ses efforts, peines*) recompensar a algn por; **~ qch à qn** pagar algo a algn; **ils nous ont payé le voyage** nos han pagado el viaje; **~ par chèque/en espèces** pagar con cheque/ en metálico; **~ cher qch** pagar caro algo; (*fig*) costar caro algo; **~ de sa personne** darse por entero; **~ d'audace** dar prueba de audacia; **cela ne paie pas de mine** eso tiene mal aspecto, eso no tiene buena cara; **se ~ qch** comprarse algo; **se ~ de mots** contentarse con palabras; **se ~ la tête de qn** burlarse de algn, tomar el pelo a algn; (*duper*) tomar el pelo a algn
pays [pei] *nm* país *msg*; (*région*) región *f*; (*village*) pueblo; **du ~** del país; **le ~ de Galles** el país de Gales
paysage [peizaʒ] *nm* paisaje *m*
paysan, ne [peizɑ̃, an] *nm/f* campesino(-a); (*aussi péj*) pueblerino(-a), paleto(-a) ■ *adj* rústico(-a)
Pays-Bas [peiba] *nmpl*: **les ~** los Países Bajos
PC [pese] *sigle m* (= *Parti communiste*) *partido comunista*; (= *personal computer*) OP (= *ordenador personal*)
PDA *sigle m* (= *personal digital assistant*) PDA *m*
PDG [pedeʒe] *sigle m* (= *président directeur général*) *voir* **président**
péage [peaʒ] *nm* peaje *m*; (*endroit*) paso de peaje; **autoroute/pont à ~** carretera/ puente *m* de peaje
peau, x [po] *nf* piel *f*; (*de la peinture*) película; (*du lait*) nata; **une ~** (*morceau de peau*) un pellejo; **gants de ~** guantes *mpl* de piel; **être bien/mal dans sa ~** encontrarse/no encontrarse bien consigo mismo; **se mettre dans la ~ de qn** ponerse en el pellejo de algn; **faire ~ neuve** cambiar; **~ d'orange** piel de naranja; **~ de chamois** gamuza
péché [peʃe] *nm* pecado; **~ mignon** punto flaco, debilidad *f*
pêche [pɛʃ] *nf* pesca; (*endroit*) coto de pesca; (*fruit*) melocotón *m*, durazno (*AM*); **aller à la ~** ir de pesca; **avoir la ~** (*fam*) estar en buena forma; **~ à la ligne** pesca con caña; **~ sous-marine** pesca submarina
pécher [peʃe] *vi* pecar; (*être insuffisant*) ser incompleto(-a); **~ contre la bienséance/les bonnes mœurs** pecar contra la decencia/las buenas costumbres
pêcher [peʃe] *nm* melocotonero ■ *vi* ir de pesca ■ *vt* pescar; (*chercher*) sacar; **~ au chalut** pescar con red
pécheur, -eresse [peʃœʀ, peʃʀɛs] *nm/f* pecador(a)
pêcheur [pɛʃœʀ] *nm* pescador *m*; **~ de perles** pescador de perlas
pédagogie [pedagɔʒi] *nf* pedagogía
pédagogique [pedagɔʒik] *adj* pedagógico(-a); **formation ~** formación *f* pedagógica
pédale [pedal] *nf* pedal *m*; **mettre la ~ douce** atenuar la expresión, bajar el tono
pédalo [pedalo] *nm* barca a pedal
pédant, e [pedɑ̃, ɑ̃t] (*péj*) *adj, nm/f* pedante *m/f*
pédestre [pedɛstʀ] *adj*: **tourisme ~** turismo pedestre; **randonnée ~** excursión *f* a pie
pédiatre [pedjatʀ] *nm/f* pediatra *m/f*
pédicure [pedikyʀ] *nm/f* pedicuro(-a)
pègre [pɛgʀ] *nf* hampa
peigne [pɛɲ] *vb voir* **peindre**; **peigner** ■ *nm* peine *m*
peigner [peɲe] *vt* peinar; **se peigner** *vpr* peinarse
peignoir [pɛɲwaʀ] *nm* (*chez le coiffeur*) peinador *m*; (*de sportif*) albornoz *m*; (*déshabillé*) salto de cama; **~ de bain** *ou* **de plage** albornoz
peindre [pɛ̃dʀ] *vt* pintar
peine [pɛn] *nf* pena; (*effort, difficulté*) trabajo; (*Jur*) condena; **faire de la ~ à qn** hacer sufrir a algn; **prendre la ~ de faire** tomarse la molestia de hacer; **se donner de la ~** esforzarse; **ce n'est pas la ~ de faire/que vous fassiez** no vale la pena hacer/que haga; **avoir de la ~ à faire** costarle trabajo a algn hacer; **donnez-vous/veuillez vous donner la ~ d'entrer** sírvase usted entrar; **pour la ~** en compensación; **c'est ~ perdue** es perder el tiempo; **à ~** apenas, recién (*AM*); **à ~ était-elle sortie qu'il se mit à pleuvoir** apenas salió se puso a llover; **c'est à ~ si**

... apenas si ...; **sous ~**: **sous ~ d'être puni** so pena de ser castigado; **défense d'afficher sous ~ d'amende** prohibido fijar carteles bajo multa; **~ capitale** *ou* **de mort** pena capital *ou* de muerte

peiner [pene] *vi* cansarse ■ *vt* apenar

peintre [pɛ̃tʀ] *nm* pintor(a); **~ en bâtiment** pintor (de brocha gorda)

peinture [pɛ̃tyʀ] *nf* pintura; **ne pas pouvoir voir qn en ~** no poder ver a algn ni en pintura; **"~ fraîche"** "recién pintado"; **~ brillante/mate** pintura brillante/mate; **~ laquée** laca

péjoratif, -ive [peʒɔʀatif, iv] *adj* peyorativo(-a), despectivo(-a)

pêle-mêle [pɛlmɛl] *adv* en desorden

peler [pəle] *vt* pelar ■ *vi* pelarse

pèlerin [pɛlʀɛ̃] *nm* peregrino

pèlerinage [pɛlʀinaʒ] *nm* peregrinación *f*; (*lieu*) centro de peregrinación

pelle [pɛl] *nf* pala; **~ à gâteau** *ou* **à tarte** paleta; **~ mécanique** excavadora

pellicule [pelikyl] *nf* (*couche fine*) película; (*Photo*) rollo, carrete *m*; (*Ciné*) cinta; **pellicules** *nfpl* (*Méd*) caspa *fsg*

pelote [p(ə)lɔt] *nf* (*de fil, laine*) ovillo; (*d'épingles, d'aiguilles*) acerico; (*balle, jeu*): **~ (basque)** pelota (vasca)

peloton [p(ə)lɔtɔ̃] *nm* pelotón *m*; **~ d'exécution** pelotón de ejecución

pelotonner [p(ə)lɔtɔne] *vpr*: **se pelotonner** acurrucarse

pelouse [p(ə)luz] *nf* césped *m*; (*Courses*) pista

peluche [p(ə)lyʃ] *nf* (*flocon de poussière, poil*) pelusa; **animal en ~** muñeco de peluche

pelure [p(ə)lyʀ] *nf* piel *f*; **~ d'oignon** capa; (*couleur*) violáceo

pénal, e, -aux [penal, o] *adj* penal

pénalité [penalite] *nf* penalidad *f*; (*Sport*) sanción *f*

penchant [pɑ̃ʃɑ̃] *nm* inclinación *f*; **avoir un ~ pour qch** tener una inclinación hacia algo

pencher [pɑ̃ʃe] *vi* inclinarse ■ *vt* inclinar; **se pencher** *vpr* inclinarse; (*se baisser*) agacharse; **se ~ sur** inclinarse sobre; (*fig*) examinar; **se ~ au dehors** asomarse; **~ pour** (*fig*) inclinarse por

pendant, e [pɑ̃dɑ̃, ɑ̃t] *adj* (*jambes, langue etc*) colgante; (*Admin, Jur*) pendiente ■ *nm*: **être le ~ de** ser el compañero de; (*fig*) ser equiparable con ■ *prép* durante; **faire ~ à** hacer pareja con; **~ que** mientras; **~s d'oreilles** pendientes *mpl*

pendentif [pɑ̃dɑ̃tif] *nm* colgante *m*

penderie [pɑ̃dʀi] *nf* ropero

pendre [pɑ̃dʀ] *vt* colgar; (*personne*) ahorcar ■ *vi* colgar; **se ~ (à)** (*se suicider*) ahorcarse (de); **se ~ à** colgarse de; **~ à** colgar de; **~ qch à** colgar algo de

pendule [pɑ̃dyl] *nf* (*horloge*) reloj *m* péndulo ■ *nm* péndulo

pénétrer [penetʀe] *vi* penetrar ■ *vt* entrar; (*suj: projectile, mystère, secret*) penetrar; **~ dans/à l'intérieur de** penetrar en/en el interior de; (*suj: air, eau*) entrar en; **se ~ de qch** llenarse de algo

pénible [penibl] *adj* penoso(-a); **il m'est ~ de ...** me resulta penoso ...

péniblement [penibləmɑ̃] *adv* penosamente; (*tout juste*) a duras penas

péniche [peniʃ] *nf* chalana; (*Mil*): **~ de débarquement** lanchón *m* de desembarco

pénicilline [penisilin] *nf* penicilina

péninsule [penɛ̃syl] *nf* península

pénis [penis] *nm* pene *m*

pénitence [penitɑ̃s] *nf* penitencia; **être/mettre en ~** (*enfant*) estar castigado(-a)/castigar; **faire ~** hacer penitencia

pénitencier [penitɑ̃sje] *nm* (*prison*) penitenciaría

pénombre [penɔ̃bʀ] *nf* penumbra

pensée [pɑ̃se] *nf* (*aussi Bot*) pensamiento; (*maxime, sentence*) aforismo; (*démarche*): **~ claire/obscure/organisée** ideas *fpl* claras/oscuras/organizadas; **en ~** con el pensamiento; **representer qch par la** *ou* **en ~** imaginarse algo con el pensamiento

penser [pɑ̃se] *vi* pensar; (*avoir une opinion*): **je ne pense pas comme vous** no pienso como usted ■ *vt* pensar; (*concevoir: problème, machine*) pensar, idear; **~ à** pensar en; **~ que** pensar que, creer que; **~ (à) faire qch** pensar (en) hacer algo; **~ du bien/du mal de qn/qch** pensar bien/mal de algn/algo; **faire ~ à** hacer pensar en, recordar; **n'y pensons plus** (*pour excuser, pardonner*) olvidémoslo; **qu'en pensez-vous?** ¿qué opina usted?; **je le pense aussi** yo también lo creo; **je ne le pense pas** no lo creo; **j'aurais pensé que si/non** habría creído que sí/no; **je pense que oui/non** creo que sí/no; **vous n'y pensez pas!** ¡ni lo sueñe!; **sans ~ à mal** sin mala intención

pensif, -ive [pɑ̃sif, iv] *adj* pensativo(-a)

pension [pɑ̃sjɔ̃] *nf* pensión *f* de jubilación; (*prix du logement, hôtel*) pensión; (*école*) internado; **prendre ~ chez qn/dans un hôtel** alojarse en casa de algn/en un hotel; **prendre qn en ~** coger a algn en pensión; **mettre en ~** (*enfant*) meter interno; **~ alimentaire** (*d'étudiant*) pensión alimenticia; (*de divorcée*) pensión; **~ complète** pensión completa; **~ d'invalidité** subsidio de invalidez; **~ de famille** casa de huéspedes; **~ de guerre** pensión de mutilado

pensionnaire [pɑ̃sjɔnɛʀ] *nm/f* (*d'un hôtel*) huésped *m*; (*d'école*) interno(-a)

pensionnat [pɑ̃sjɔna] *nm* pensionado; (*élèves*) internado

pente [pɑ̃t] *nf* pendiente *f*; (*descente*) cuesta; **en ~** en pendiente, en cuesta

Pentecôte [pɑ̃tkot] *nf*: **la ~** Pentecostés *msg*; **lundi de ~** lunes *m inv* de Pentecostés

pénurie [penyʀi] *nf* penuria, escasez *f*; **~ de main d'œuvre** escasez de mano de obra

pépé [pepe] (*fam*) *nm* abuelo

pépin [pepɛ̃] *nm* (*Bot*) pepita; (*fam*: *ennui*) lío; (: *parapluie*) paraguas *m inv*

pépinière [pepinjɛʀ] *nf* vivero; (*fig*) cantera

perçant, e [pɛʀsɑ̃, ɑ̃t] *adj* (*vue, regard, yeux*) perspicaz; (*cri, voix*) agudo(-a)

percepteur [pɛʀsɛptœʀ] *nm* (*Admin*) recaudador(a) de impuestos

perception [pɛʀsɛpsjɔ̃] *nf* percepción *f*; (*d'impôts etc*) recaudación *f*; (*bureau*) oficina de recaudación

percer [pɛʀse] *vt* (*métal etc*) perforar; (*coffre-fort*) abrir; (*pneu*) pinchar; (*abcès*) reventar; (*trou etc*) abrir; (*suj*: *lumière*: *obscurité*) atravesar; (*mystère, énigme*) penetrar; (*suj*: *bruit*: *oreilles, tympan*) traspasar ■ *vi* (*aube, dent etc*) salir; (*artiste*) abrirse camino

perceuse [pɛʀsøz] *nf* taladradora, perforadora; **~ à percussion** perforadora neumática

percevoir [pɛʀsəvwaʀ] *vt* percibir; (*taxe, impôt*) recaudar

perche [pɛʀʃ] *nf* (*Zool*) perca; (*pièce de bois, métal*) vara; (*Sport*) pértiga; (*TV, Radio, Ciné*): **~ à son** jirafa del micrófono

percher [pɛʀʃe] *vt*: **~ qch sur** colocar algo sobre; **se percher** *vpr* (*oiseau*) encaramarse

perchoir [pɛʀʃwaʀ] *nm* percha; (*Pol*) sede *f*

perçois *etc* [pɛʀswa] *vb voir* **percevoir**

perçu, e [pɛʀsy] *pp de* **percevoir**

percussion [pɛʀkysjɔ̃] *nf* percusión *f*

percuter [pɛʀkyte] *vt* percutir; (*suj*: *véhicule*) chocar ■ *vi*: **~ contre** chocar contra

perdant, e [pɛʀdɑ̃, ɑ̃t] *nm/f* perdedor(a) ■ *adj* (*numéro*) no agraciado(-a)

perdre [pɛʀdʀ] *vt* perder; (*argent*) gastar ■ *vi* perder; **se perdre** *vpr* perderse; **il ne perd rien pour attendre** a ése le espero yo

perdrix [pɛʀdʀi] *nf* perdiz *f*

perdu, e [pɛʀdy] *pp de* **perdre** ■ *adj* perdido(-a); (*malade, blessé*): **il est ~** está desahuciado; **à vos moments ~s** en sus ratos libres

père [pɛʀ] *nm* padre *m*; **pères** *nmpl* padres *mpl*; **de ~ en fils** de padre a hijo; **~ de famille** padre de familia; **mon ~** (*Rel*) padre; **le ~ Noël** el papa Noel

perfection [pɛʀfɛksjɔ̃] *nf* perfección *f*; **à la ~** a la perfección

perfectionné, e [pɛʀfɛksjɔne] *adj* perfeccionado(-a)

perfectionner [pɛʀfɛksjɔne] *vt* perfeccionar

perforatrice [pɛʀfɔʀatʀis] *nf* perforadora, taladradora

perforer [pɛʀfɔʀe] *vt* perforar

performant, e [pɛʀfɔʀmɑ̃, ɑ̃t] *adj* (*Écon*) competitivo(-a); (*Tech*) en buen rendimiento

perfusion [pɛʀfyzjɔ̃] *nf* perfusión *f*; **être sous ~** tener puesto el gotero

péril [peʀil] *nm* peligro; **au ~ de sa vie** con riesgo de su vida; **à ses risques et ~s** por su cuenta y riesgo

périmé, e [peʀime] *adj* (*conception, idéologie*) pasado(-a) de moda; (*passeport, billet*) caducado(-a)

périmètre [peʀimɛtʀ] *nm* perímetro; (*zone*) superficie *f*

période [peʀjɔd] *nf* periodo; **~ de l'ovulation/d'incubation** periodo de ovulación/de incubación

périodique [peʀjɔdik] *adj* periódico(-a) ■ *nm* periódico; **garniture** *ou* **serviette ~** compresa

périphérique [peʀifeʀik] *adj* periférico(-a) ■ *nm* (*Inform*) periférico; (*Auto*): **(boulevard) ~** carretera de circunvalación

périr [peʀiʀ] *vi* (*personne*) perecer; (*navire*) naufragar

périssable [peʀisabl] *adj* perecedero(-a)

perle [pɛʀl] *nf* (*aussi personne, chose*) perla; (*de verre etc*) cuenta; (*de rosée, sang, sueur*) gota; (*erreur*) gazapo

permanence [pɛʀmanɑ̃s] *nf* permanencia; (*local*) guardia; (*Scol*)

permanencia; **assurer une ~** (*service public, bureaux*) estar abierto(-a); **être de ~** estar de guardia; **en ~** permanentemente
permanent, e [pɛʀmanɑ̃, ɑ̃t] *adj* permanente; (*spectacle*) continuo(-a) ■ *nm* (*d'un syndicat*) representante *m*; (*d'un parti*) miembro permanente
permanente [pɛʀmanɑ̃t] *nf* permanente *f*
perméable [pɛʀmeabl] *adj* permeable; **~ à** (*fig*) influenciable por
permettre [pɛʀmɛtʀ] *vt* permitir; **rien ne permet de penser que ...** nada permite pensar que ...; **~ à qn de faire qch** permitir a algn hacer algo; **se ~ (de faire) qch** permitirse (hacer) algo; **permettez!** ¡perdone!
permis, e [pɛʀmi, iz] *pp de* **permettre** ■ *nm* permiso; **~ d'inhumer** permiso de inhumación; **~ de chasse/pêche/construction** licencia de caza/pesca/construcción; **~ de conduire** carnet *m* de conducir; **~ de séjour/de travail** permiso de residencia/de trabajo; **~ poids lourds** carnet de primera
permission [pɛʀmisjɔ̃] *nf* permiso; **en ~** (*Mil*) de permiso; **avoir la ~ de faire qch** tener permiso para hacer algo
Pérou [peʀu] *nm* Perú *m*
perpétuel, le [pɛʀpetɥɛl] *adj* perpetuo(-a); (*Admin etc*) vitalicio(-a); (*jérémiades*) continuo(-a)
perpétuité [pɛʀpetɥite] *nf*: **à ~** *adj* a perpetuidad ■ *adv* perpetuamente; **être condamné à ~** estar condenado a cadena perpetua
perplexe [pɛʀplɛks] *adj* perplejo(-a)
perquisitionner [pɛʀkizisjɔne] *vi* registrar
perron [peʀɔ̃] *nm* escalinata
perroquet [peʀɔkɛ] *nm* loro
perruche [peʀyʃ] *nf* cotorra
perruque [peʀyk] *nf* peluca
persécuter [pɛʀsekyte] *vt* perseguir
persévérer [pɛʀseveʀe] *vi* perseverar; **~ à croire que** obstinarse en creer que; **~ dans qch** perseverar en algo
persil [pɛʀsi] *nm* perejil *m*
Persique [pɛʀsik] *adj*: **le golfe ~** el Golfo pérsico
persistant, e [pɛʀsistɑ̃, ɑ̃t] *adj* persistente; (*feuilles, feuillage*) perenne; **arbre à feuillage ~** árbol de hoja perenne
persister [pɛʀsiste] *vi* persistir; **~ dans qch** persistir en algo; **~ à faire qch** empeñarse en hacer algo
personnage [pɛʀsɔnaʒ] *nm* personaje *m*
personnalité [pɛʀsɔnalite] *nf* personalidad *f*
personne [pɛʀsɔn] *nf* persona; (*Ling*): **première/troisième ~** primera/tercera persona ■ *pron* nadie; **personnes** *nfpl* personas *fpl*; **il n'y a ~** no hay nadie; **10 euros par ~** 10 euros por persona; **en ~** en persona; **~ à charge** (*Jur*) persona a su cargo; **~ âgée** persona mayor; **~ civile/morale** (*Jur*) persona civil/moral
personnel, le [pɛʀsɔnɛl] *adj* personal; (*égoïste*) suyo(-a); (*taxe, contribution*) individual ■ *nm* (*domestiques*) servidumbre *f*; (*employés*) plantilla; **il a des idées très ~les sur le sujet** tiene sus propias ideas sobre el tema; **service du ~** servicio de personal
personnellement [pɛʀsɔnɛlmɑ̃] *adv* personalmente
perspective [pɛʀspɛktiv] *nf* perspectiva; **perspectives** *nfpl* (*d'avenir*) perspectivas *fpl*; **en ~** en perspectiva
perspicace [pɛʀspikas] *adj* perspicaz
perspicacité [pɛʀspikasite] *nf* perspicacia
persuader [pɛʀsɥade] *vt*: **~ qn (de qch/de faire qch)** persuadir a algn (de algo/de hacer algo); **j'en suis persuadé** estoy convencido
persuasif, -ive [pɛʀsɥazif, iv] *adj* persuasivo(-a)
perte [pɛʀt] *nf* pérdida; (*morale*) perdición *f*; **pertes** *nfpl* (*personnes tuées*) bajas *fpl*; (*Comm*) déficit *m*; **vendre à ~** hacer dumping; **à ~ de vue** hasta perderse de vista; (*discourir, raisonner*) hasta nunca acabar; **en pure ~** sin ganancia alguna; **courir à sa ~** arriesgar mucho; **être en ~ de vitesse** (*fig*) estar de capa caída; **avec ~ et fracas** sin contemplaciones; **~ de chaleur/d'énergie** pérdida de calor/de energía; **~ sèche** pérdida total; **~s blanches** flujo *msg*
pertinent, e [pɛʀtinɑ̃, ɑ̃t] *adj* pertinente
perturbation [pɛʀtyʀbasjɔ̃] *nf* perturbación *f*; **~ (atmosphérique)** perturbación (atmosférica)
perturber [pɛʀtyʀbe] *vt* perturbar
pervenche [pɛʀvɑ̃ʃ] *nf* (*Bot*) rincapervinca ■ *adj*: **bleu ~** azul intenso
pervers, e [pɛʀvɛʀ, ɛʀs] *adj, nm/f* perverso(-a); **effet ~** efecto perverso
pervertir [pɛʀvɛʀtiʀ] *vt* pervertir; (*altérer, dénaturer*) desnaturalizar
pesant, e [pəzɑ̃, ɑ̃t] *adj* pesado(-a) ■ *nm*: **valoir son ~ de** valer su peso en
pèse-personne [pɛzpɛʀsɔn] (*pl* **~(s)**) *nm* báscula

peser [pəze] *vt* pesar; (*considérer, comparer*) ponderar ■ *vi* pesar; (*fig*) tener peso; **~ sur** (*levier, bouton*) apretar sobre; (*fig*) abrumar; (*suj: aliment, fardeau, impôt*) pesar; (*influencer: décision*) influir en; **~ à qn** molestar a algn; **~ cent kilos/peu** pesar cien kilos/ poco
pessimiste [pesimist] *adj, nm/f* pesimista *m/f*
peste [pɛst] *nf* (*Méd*) peste *f*; (*femme, fillette*): **quelle ~!** ¡es más mala que la peste!
pet [pɛ] (*fam!*) *nm* pedo
pétale [petal] *nm* pétalo
pétanque [petɑ̃k] *nf* petanca
pétard [petaʀ] *nm* (*feu d'artifice*) petardo, cohete *m*; (*de cotillon*) petardo
péter [pete] (*fam*) *vi* (*sauter*) estallar; (*casser*) romperse; (*fam!*) tirarse pedos
pétillant, e [petijɑ̃, ɑ̃t] *adj* (*eau*) con gas; (*vin*) espumoso(-a); (*regard*) chispeante
pétiller [petije] *vi* (*flamme, bois*) chisporrotear; (*mousse, champagne*) burbujear; (*joie, yeux*) chispear; (*fig*): **~ d'intelligence** chispear de ingenio
petit, e [p(ə)ti, it] *adj* pequeño(-a), chico(-a) (*esp AM*); (*personne, cri*) bajo(-a); (*mince*) fino(-a); (*court*) corto(-a) ■ *nm/f* (*petit enfant*) pequeño(-a) ■ *nm* (*d'un animal*) cachorro(-a); **petits** *nmpl*: **la classe des ~s** la clase de párvulos; **faire des ~s** (*animal*) tener cachorros; **en ~** en pequeño; **mon ~** mi niño; **ma ~e** mi niña; **pauvre ~** pobre crío; **pour ~s et grands** para pequeños y mayores; **les tout-~s** los pequeñitos; **~ à ~** poco a poco; **~(e) ami(e)** novio(-a); **~ déjeuner** desayuno; **~ doigt** dedo meñique; **~ écran** televisión *f*; **~ four** pastelillo; **~ pain** panecillo; **~e monnaie** calderilla; **~e vérole** viruela; **~s pois** guisantes *mpl*, arvejas *fpl* (*AM*), chícharos *mpl* (*Mex*); **les ~es annonces** anuncios *mpl* por palabras; **~es gens** gente *f* humilde
petite-fille [pətitfij] (*pl* **petites-filles**) *nf* nieta
petit-fils [pətifis] (*pl* **petits-fils**) *nm* nieto
pétition [petisjɔ̃] *nf* petición *f*; **faire signer une ~** recoger firmas
petits-enfants [pətizɑ̃fɑ̃] *nmpl* nietos *mpl*
pétrin [petʀɛ̃] *nm* artesa; (*fig*): **être dans le ~** estar en un apuro
pétrir [petʀiʀ] *vt* (*argile, cire*) moldear; (*pâte*) amasar; (*palper fortement*) manosear
pétrole [petʀɔl] *nm* petróleo; **lampe à ~** lámpara de petróleo; **~ lampant** petróleo lampante
pétrolier, -ière [petʀɔlje, jɛʀ] *adj* petrolero(-a) ■ *nm* petrolero; (*technicien*) técnico de petróleo

MOT-CLÉ

peu [pø] *adv* **1** poco; **il boit peu** bebe poco; **il est peu bavard** es poco hablador; **elle est un peu grande** es un poco grande; **peu avant/après** poco antes/después; **depuis peu** desde hace poco
2 (*modifiant nom*): **peu de** poco(-a), pocos(-as); (*quantité*): **il a peu d'espoir** tiene pocas esperanzas; **il y a peu d'arbres** hay pocos árboles; **avoir peu de pain** tener poco pan; **pour peu de temps** por poco tiempo; **c'est (si) peu de chose** eso es (muy) poca cosa
3: **peu à peu** poco a poco; **à peu près** *adv* más o menos; **à peu près 10 kg/10 euros** unos 10 kg/10 euros, como 10 kg/10 euros (*AM*); **à peu de frais** con poco gasto
■ *nm* **1**: **le peu de gens qui** los pocos que; **le peu de sable qui** la poca arena que; **le peu de courage qui nous restait** el poco valor que nos quedaba
2: **un peu** un poco; **un petit peu** un poquito; **un peu d'espoir** cierta esperanza; **essayez un peu!** ¡mire a ver!; **un peu plus/moins de** un poco más/ menos de; **un peu plus et il ratait son train** un poco más y pierde el tren; **pour peu qu'il travaille, il réussira** a poco que trabaje, aprobará
■ *pron*: **peu le savent** pocos lo saben; **avant** *ou* **sous peu** dentro de poco; **de peu**: **il a gagné de peu** ganó por poco; **il s'en est fallu de peu (qu'il ne le blesse)** faltó muy poco (para que lo hiriese); **éviter qch de peu** evitar algo por poco; **il est de peu mon cadet** es un poco más pequeño que yo

peuple [pœpl] *nm* pueblo; (*péj*): **le ~** el pueblo; (*masse indifférenciée*): **un ~ de vacanciers** una masa de veraneantes; **il y a du ~** hay un gentío
peupler [pœple] *vt* poblar; **se peupler** *vpr* (*aussi fig*) poblarse
peuplier [pøplije] *nm* álamo
peur [pœʀ] *nf* miedo; **avoir ~ (de qn/ qch/de faire qch)** tener miedo (de *ou* a algn/algo/de hacer algo); **avoir ~ que**

temer que; **prendre ~** asustarse; **la ~ de qn/qch/faire qch** el temor de algn/algo/ hacer algo; **faire ~ à qn** asustar a algn; **de ~ de/que** por miedo a/a que

peureux, -euse [pøʀø, øz] *adj* (*personne*) miedoso(-a); (*regard*) atemorizado(-a)

peut [pø] *vb voir* **pouvoir**

peut-être [pøtɛtʀ] *adv* quizá(s), a lo mejor; **~ bien (qu'il fera/est)** puede (que haga/sea); **~ que** quizá(s), a lo mejor; **~ fera-t-il beau dimanche** quizás haga bueno el domingo, a lo mejor hace bueno el domingo

phallocrate [falɔkʀat] *nm* falócrata *m*

phare [faʀ] *nm* faro ▪ *adj*: **produit ~** producto estrella; **se mettre en ~s, mettre ses ~s** poner la luz larga; **~s de recul** faros de marcha atrás

pharmacie [faʀmasi] *nf* farmacia; (*produits, armoire*) botiquín *m*

pharmacien, ne [faʀmasjɛ̃, jɛn] *nm/f* farmacéutico(-a)

phénomène [fenɔmɛn] *nm* fenómeno; (*personne*) bicho raro; (*monstre*) monstruo

philanthrope [filɑ̃tʀɔp] *nm/f* filántropo

philosophe [filɔzɔf] *adj, nm/f* filósofo(-a)

philosophie [filɔzɔfi] *nf* filosofía

phobie [fɔbi] *nf* fobia

phoque [fɔk] *nm* foca; (*fourrure*) piel *f* de foca

phosphorescent, e [fɔsfɔʀesɑ̃, ɑ̃t] *adj* fosforescente

photo [fɔto] *nf* (*abr de photographie*) foto *f* ▪ *adj* (*abr de photographique*): **appareil/ pellicule ~** máquina/carrete *m* de fotos; **en ~**: **être mieux en ~ qu'au naturel** salir mejor en foto que al natural; **prendre (qn) en ~** hacer una foto (a algn); **il aime la ~** le gusta la fotografía; **faire de la ~** hacer fotografía; **~ d'identité** foto de carnet; **~ en couleurs** foto en color

photo... [fɔto] *préfixe* foto...

photocopie [fɔtɔkɔpi] *nf* fotocopia

photocopier [fɔtɔkɔpje] *vt* fotocopiar

photocopieuse *nf* fotocopiadora

photographe [fɔtɔgʀaf] *nm/f* fotógrafo(-a)

photographie [fɔtɔgʀafi] *nf* fotografía

photographier [fɔtɔgʀafje] *vt* fotografiar

phrase [fʀɑz] *nf* (*Ling, propos*) frase *f*; **phrases** *nfpl* (*péj*) palabras *fpl*

physicien, ne [fizisjɛ̃, jɛn] *nm/f* físico(-a)

physique [fizik] *adj* físico(-a) ▪ *nm* físico ▪ *nf* física; **au ~** físicamente

physiquement [fizikmɑ̃] *adv* físicamente

pianiste [pjanist] *nm/f* pianista *m/f*

piano [pjano] *nm* piano; **~ à queue** piano de cola; **~ mécanique** organillo

pianoter [pjanɔte] *vi* tocar el piano, teclear; (*tapoter*) tamborilear

pic [pik] *nm* pico; (*Zool*) pájaro carpintero; **à ~** escarpado(-a); (*fig*): **arriver/tomber à ~** venir/caer de perilla; **couler à ~** (*bateau*) irse a pique; **~ à glace** pico

pichet [piʃɛ] *nm* jarro

picorer [pikɔʀe] *vt* picotear

pie [pi] *nf* (*Zool*) urraca; (*fig: femme*) cotorra ▪ *adj inv*: **cheval ~** caballo pío

pièce [pjɛs] *nf* pieza; (*d'un logement*) habitación *f*; (*Théâtre*) obra; (*de monnaie*) moneda; (*Couture*) parche *m*; (*document*) documento; (*de bétail*) cabeza de ganado; **mettre en ~s** hacer pedazos; **en ~s** roto(-a) en pedazos; **dix euros ~** diez euros la unidad; **vendre à la ~** vender por unidades; **travailler/payer à la ~** trabajar/cobrar a destajo; **créer/ inventer de toutes ~s** crear/inventar completamente; **maillot une ~** bañador *m*; **un deux-~s cuisine** apartamento con dos habitaciones y cocina; **un trois-~s** (*costume*) un tres piezas *m inv*; (*appartement*) apartamento con tres habitaciones; **tout d'une ~** de una pieza; (*personne: franc*) cabal franco(-a); (*: sans souplesse*) rígido(-a); **~ d'identité**: **avez-vous une ~ d'identité?** ¿tiene usted algún documento de identidad?; **~ à conviction** prueba de convicción; **~ d'eau** estanque *m*; **~ de rechange** pieza de recambio; **~ de résistance** (*plat*) plato fuerte; **~ jointe** (*Inform*) archivo adjunto; **~ montée** tarta nupcial; **~s détachées** piezas *fpl* de repuesto; **en ~s détachées** (*à monter*) en piezas montables; **~s justificatives** comprobante *msg*

pied [pje] *nm* pie *m*; (*Zool, d'un meuble, d'une échelle*) pata; (*d'une falaise*) base *f*; **~s nus** *ou* **nu-~s** descalzo(-a); **à ~** a pie; **à ~ sec** a pie enjuto; **à ~ d'œuvre** al pie del cañón; **au ~ de la lettre** al pie de la letra; **au ~ levé** de repente; **de ~ en cap** de los pies a la cabeza; **en ~** (*portrait, photo*) de cuerpo entero; **avoir ~** hacer pie; **avoir le ~ marin** no marearse; **perdre ~** (*fig*) perder pie; **sur ~** (*Agr*) antes de recoger; (*rétabli*) restablecido(-a); **être sur ~ dès cinq heures** estar en pie desde las cinco; **mettre sur ~** (*entreprise*) poner en pie; **mettre à ~** echar a la calle; **sur le ~ de guerre** en pie de guerra; **sur un ~ d'égalité** sobre una base de igualdad; **sur ~ d'intervention** en alerta; **faire du ~ à**

qn dar con el pie a algn; **mettre les ~s quelque part** poner los pies en algún sitio; **faire des ~s et des mains** revolver Roma con Santiago; **mettre qn au ~ du mur** poner a algn entre la espada y la pared; **quel ~!** ¡fantástico!; **c'est le ~!** (*fam*) ¡es fenomenal!; **se lever du bon ~** levantarse con buen pie; **il s'est levé du ~ gauche** se ha levantado con el pie izquierdo; **~ de nez** palmo de narices; **~ de lit** pata de la cama; **~ de salade** planta de ensalada; **~ de vigne** cepa

pied-noir [pjenwaʀ] (*pl* **pieds-noirs**) *nm/f francés nacido en Argelia*

piège [pjɛʒ] *nm* trampa; **prendre au ~** coger en la trampa; **tomber dans un ~** caer en la trampa

piéger [pjeʒe] *vt* (*animal*) coger en la trampa; (*avec une bombe, mine*) colocar un explosivo en; (*fig*) hacer caer en una trampa; **lettre/voiture piégée** carta/coche *m* bomba *inv*

piercing [pjɛʀsiŋ] *nm* piercing *m*

pierre [pjɛʀ] *nf* piedra; **poser la première ~** poner la primera piedra; **mur de ~s sèches** muro de piedras secas; **faire d'une ~ deux coups** matar dos pájaros de un tiro; **~ à briquet** piedra de mechero; **~ de taille/de touche** piedra tallada/de toque; **~ fine/ponce** piedra fina/pómez; **~ tombale** lápida sepulcral

pierreries [pjɛʀʀi] *nfpl* pedrería

piétiner [pjetine] *vi* patalear; (*marquer le pas*) marcar el paso; (*fig*) estancarse, atascarse ▪ *vt* (*aussi fig*) pisotear

piéton, ne [pjetɔ̃, ɔn] *nm/f* peatón *m/f* ▪ *adj* peatonal

piétonnier, -ière [pjetɔnje, jɛʀ] *adj* peatonal

pieu, x [pjø] *nm* estaca; (*fam: lit*) catre *m*

pieuvre [pjœvʀ] *nf* pulpo

pieux, -euse [pjø, pjøz] *adj* piadoso(-a)

pigeon [piʒɔ̃] *nm* palomo; **~ voyageur** paloma mensajera

piger [piʒe] (*fam*) *vt, vi* pillar

pigiste [piʒist] *nm/f* (*typographe*) tipógrafo(-a) que trabaja a destajo; (*journaliste*) periodista *m/f* que trabaja por líneas

pignon [piɲɔ̃] *nm* piñón *m*; (*d'un mur*) aguilón *m*; **avoir ~ sur rue** (*fig*) estar bien establecido

pile [pil] *nf* pila; (*pilier*) pilar *m* ▪ *adj*: **le côté ~** cruz *f* ▪ *adv* (*net, brusquement*) en seco; (*à temps, à point nommé*) justo a tiempo; **à deux heures ~** a las dos en punto; **jouer à ~ ou face** jugar a cara o cruz; **~ ou face?** ¿cara o cruz?

piler [pile] *vt* machacar

pilier [pilje] *nm* (*colonne, support, Rugby*) pilar *m*; (*personne*) apoyo; **~ de bar** asiduo de un bar

piller [pije] *vt* saquear

pilote [pilɔt] *nm* piloto ▪ *adj*: **appartement-~** piso-piloto; **~ d'essai/de chasse/de course/de ligne** piloto de pruebas/de caza/de carreras/civil

piloter [pilɔte] *vt* pilotar; (*automobile*) conducir; (*fig*): **~ qn** guiar a algn; **piloté par menu** (*Inform*) guiado por menú

pilule [pilyl] *nf* píldora; **prendre la ~** tomar la píldora

piment [pimɑ̃] *nm* pimiento, ají *m* (*AM*); (*fig*) sal y pimienta; **~ rouge** guindilla

pimenté, e [pimɑ̃te] *adj* salpimentado(-a)

pin [pɛ̃] *nm* pino; **~ maritime/parasol** pino marítimo/piñonero

pinard [pinaʀ] (*fam*) *nm* vino

pince [pɛ̃s] *nf* pinza; (*outil*) pinzas *fpl*; **~ à épiler** pinza de depilar; **~ à linge** pinza de la ropa; **~ à sucre** tenacillas *fpl* para el azúcar; **~ universelle** alicates *mpl*; **~s de cycliste** pinzas para bicicleta

pincé, e [pɛ̃se] *adj* (*air*) forzado(-a); (*nez, bouche*) fino(-a)

pinceau, x [pɛ̃so] *nm* pincel *m*

pincée [pɛ̃se] *nf*: **une ~ de sel/poivre** una pizca de sal/pimienta

pincer [pɛ̃se] *vt* (*personne*) pellizcar; (*Mus: cordes*) puntear; (*suj: vêtement: aussi Couture*) entallar; (*fam: malfaiteur*) pescar; **se ~ le doigt** pillarse el dedo; **se ~ le nez** taparse la nariz

pinède [pinɛd] *nf* pinar *m*

pingouin [pɛ̃gwɛ̃] *nm* pingüino

ping-pong [piŋpɔ̃g] (*pl* **~s**) *nm* ping-pong *m*

pinson [pɛ̃sɔ̃] *nm* pinzón *m*

pintade [pɛ̃tad] *nf* pintada

pion, ne [pjɔ̃, ɔn] *nm/f* (*Scol, péj*) vigilante *m/f* ▪ *nm* (*Échecs*) peón *m*; (*Dames*) ficha

pionnier [pjɔnje] *nm* pionero(-a); (*fig*) precursor *m*

pipe [pip] *nf* pipa; **fumer la ~** fumar en pipa; **~ de bruyère** pipa (de raíz) de brezo

pipi [pipi] (*fam*) *nm*: **faire ~** hacer pis

piquant, e [pikɑ̃, ɑ̃t] *adj* punzante; (*saveur*) picante; (*description, style*) penetrante; (*caustique*) mordaz ▪ *nm* (*épine*) espina; (*de hérisson*) púa; (*fig*): **le ~** lo picante

pique [pik] *nf* pica; (*parole blessante*): **envoyer** *ou* **lancer des ~s à qn** tirar *ou*

lanzar indirectas a algn ■ *nm* (*Cartes*) picas *fpl*, ≈ espadas *fpl*
pique-nique [piknik] (*pl* **~s**) *nm* picnic *m*
pique-niquer [piknike] *vi* ir de picnic
piquer [pike] *vt* picar; (*percer*) pinchar; (*Méd*) poner una inyección a; (: *animal blessé*) poner una inyección para matar; (*suj: vers*) apolillar; (*Couture*) pespuntear; (*fam: prendre*) coger; (: *voler*) birlar; (: *arrêter*) pillar; (*planter*): **~ qch dans** clavar algo en; (*fixer*): **~ qch à/sur** colocar algo en ■ *vi* (*oiseau, avion*) bajar en picado; (*saveur*) picar; **se piquer** *vpr* (*avec une aiguille*) pincharse; (*se faire une piqûre*) ponerse una inyección; (*se vexer*) picarse; **se ~ de faire** alardear de hacer; **~ sur** bajar en picado sobre; **~ du nez** caerse de narices; (*dormir*) dar una cabezada; **~ une tête** meterse en el agua; **~ un galop/un cent mètres** ir al galope/correr cien metros; **~ une crise** coger una rabieta; **~ au vif** (*fig*) herir en carne viva
piquet [pikɛ] *nm* estaca; **mettre un élève au ~** castigar a un alumno contra la pared; **~ de grève** piquete *m* de huelga; **~ d'incendie** cuerpo permanente de bomberos
piqûre [pikyʀ] *nf* (*gén*) picadura; (*Méd*) inyección *f*; (*Couture*) pespunte *m*; (*tache*) mancha; **faire une ~ à qn** poner una inyección a algn
piratage [piʀataʒ] *nm* (*Inform*) piratería
pirate [piʀat] *nm* (*aussi fig*) pirata *m/f*; (*Inform*) pirata *m/f* informático(-a), hacker *m* ■ *adj*: **émetteur ~** emisora pirata; **~ de l'air** pirata del aire
pirater [piʀate] *vi* (*Inform*) piratear
pire [piʀ] *adj* (*comparatif*) peor; (*superlatif*): **le (la) ~** el/lo (la) peor ■ *nm*: **le ~ (de)** lo peor (de); **au ~** en el peor de los casos
pirouette [piʀwɛt] *nf* (*demi-tour*) pirueta; (*Danse*) vuelta; (*fig*): **répondre par une ~** salirse por peteneras
pis [pi] *nm* (*de vache*) ubre *f*; (*pire*): **le ~** lo peor ■ *adj, adv* peor; **on aurait pu faire ~** podría haber sido peor; **de mal en ~** de mal en peor; **qui ~ est** y lo que es peor; **au ~ aller** en el peor de los casos
piscine [pisin] *nf* piscina; **~ couverte/en plein air/olympique** piscina cubierta/al aire libre/olímpica
pissenlit [pisɑ̃li] *nm* cardillo
pisser [pise] (*fam!*) *vi* mear (*fam!*)
pistache [pistaʃ] *nf* pistacho
piste [pist] *nf* pista, rastro; (*sentier*) camino; (*d'un magnétophone*) banda; **être sur la ~ de qn** estar tras la pista de algn; **~ cavalière** camino de herradura; **~ cyclable** pista para ciclistas; **~ sonore** banda sonora
pistolet [pistɔlɛ] *nm* pistola; **~ à air comprimé/à bouchon/à eau** pistola de aire comprimido/con tapón/de agua
pistolet-mitrailleur [pistɔlɛmitʀajœʀ] (*pl* **pistolets-mitrailleurs**) *nm* pistola ametralladora
piston [pistɔ̃] *nm* (*Tech*) pistón *m*; (*fig*) enchufe *m*; (*Mus*): **cornet/trombone à ~s** corneta/trombón *m* de pistones
pistonner [pistɔne] *vt* enchufar
piteux, -euse [pitø, øz] *adj* (*résultat*) deplorable; (*air*) lastimoso(-a); **en ~ état** en estado lamentable
pitié [pitje] *nf* piedad *f*; **sans ~** sin piedad; **faire ~** dar pena *ou* lástima; **par ~, ...** por piedad, ...; **il me fait ~** me da lástima; **avoir ~ de qn** (*épargner*) compadecerse de algn
pitoyable [pitwajabl] *adj* lamentable; (*réponse, acteur*) penoso(-a)
pittoresque [pitɔʀɛsk] *adj* pintoresco(-a)
PJ [peʒi] *sigle f* (= *police judiciaire*) *voir* **police** ■ *sigle fpl* (= *pièces jointes*) documentos adjuntos
placard [plakaʀ] *nm* (*armoire*) armario (empotrado); (*affiche*) anuncio; (*Typo*) prueba; **~ publicitaire** anuncio publicitario
place [plas] *nf* plaza; (*emplacement*) lugar *m*; (*espace libre*) sitio; (*siège*) asiento; (*prix: au cinéma etc*) entrada; (: *dans un bus*) billete *m*; (*situation: d'une personne*) situación *f*; (*Univ, emploi*) puesto; **en ~** en su sitio; **de ~ en ~** de un sitio a otro; **sur ~** en el sitio; (*sur les lieux*): **faire une enquête/se rendre sur ~** hacer una encuesta/presentarse in situ; **faire de la ~** hacer sitio; **faire ~ à qch** dar paso a algo; **prendre ~** tomar asiento; **ça prend de la ~** ocupa sitio; **à votre ~ ...** en su lugar ...; **remettre qn à sa ~** poner a algn en su sitio; **ne pas rester** *ou* **tenir en ~** no estarse quieto(-a); **à la ~** (*en échange*) en su lugar; **à la ~ de** en lugar de; **une quatre ~s** (*Auto*) un cuatro plazas *m inv*; **il y a 20 ~s assises/debout** hay 20 plazas de asiento/de pie; **~ d'honneur** lugar de honor; **~ forte** plaza fuerte; **~s arrière/avant** asientos *mpl* traseros/delanteros
placé, e [plase] *adj* (*Hippisme*) clasificado(-a); **haut ~** (*fig*) bien situado(-a); **être bien/mal ~** (*objet*) estar bien/mal colocado(-a); (*spectateur*) estar

bien/mal situado(-a); (*concurrent*) tener buena/mala posición; **être bien/mal ~ pour** estar en una buena/mala posición para
placement [plasmɑ̃] *nm* (*emploi*) colocación *f*; (*Fin*) inversión *f*; **agence/bureau de ~** oficina de empleo
placer [plase] *vt* (*convive, spectateur*) acomodar; (*chose*) colocar; (*élève, employé*) dar empleo a; (*marchandises, valeurs*) vender; (*capital*) invertir; (*événement, pays*) situar; **se placer** *vpr* (*Courses*) clasificarse; **se ~ au premier rang/devant qch** (*chose, pays*) encontrarse en primera fila/delante de algo; **~ qn chez qn/sous les ordres de qn** colocar a algn en casa de algn/bajo las órdenes de algn; **~ qn dans un emploi de** colocar a algn de
plafond [plafɔ̃] *nm* techo; (*Aviat*) altura máxima; (*fig*) tope *m*
plage [plaʒ] *nf* playa; (*station*) balneario; (*de disque*) banda sonora; (*fig*): **~ horaire/musicale/de prix** banda horaria/musical/de precios; **~ arrière** (*Auto*) maletero
plaider [plede] *vi* (*avocat*) pleitear; (*plaignant*) litigar ■ *vt* (*cause*) defender; **~ l'irresponsabilité/la légitime défense** alegar irresponsabilidad/legítima defensa; **~ coupable/non coupable** declararse culpable/inocente; **~ pour** *ou* **en faveur de qn** (*fig*) declarar a favor de algn
plaidoyer [plɛdwaje] *nm* (*Jur, fig*) alegato
plaie [plɛ] *nf* herida
plaignant, e [plɛɲɑ̃, ɑ̃t] *vb voir* **plaindre** ■ *adj, nm/f* demandante *m/f*
plaindre [plɛ̃dʀ] *vt* compadecer; **se plaindre** *vpr* quejarse; **se ~ que** quejarse de que
plaine [plɛn] *nf* llanura
plain-pied [plɛ̃pje]: **de ~** *adv* al mismo nivel; (*fig*) sin dificultad; **de ~ avec** al mismo nivel que
plainte [plɛ̃t] *nf* queja; (*gémissement*) lamento; (*Jur*): **porter ~** poner una denuncia
plaire [plɛʀ] *vi* gustar; **se plaire** *vpr* (*quelque part*) estar a gusto; **~ à**: **cela me plaît** eso me gusta; **essayer de ~ à qn** tratar de agradar a algn; **se ~ à** complacerse en; **elle plaît aux hommes** gusta a los hombres; **ce qu'il vous plaira** lo que usted quiera; **s'il vous plaît** por favor
plaisance [plɛzɑ̃s] *nf* (*aussi*: **navigation de plaisance**) navegación *f* de recreo
plaisant, e [plɛzɑ̃, ɑ̃t] *adj* agradable; (*personne*) grato(-a); (*histoire, anecdote*) divertido(-a)
plaisanter [plɛzɑ̃te] *vi* bromear ■ *vt* (*personne*) gastar una broma a; **pour ~** en broma; **on ne plaisante pas avec cela** con eso no se bromea; **tu plaisantes!** ¡no hablas en serio!
plaisanterie [plɛzɑ̃tʀi] *nf* broma
plaisir [pleziʀ] *nm*: **le ~** el placer; **plaisirs** *nmpl*: **chaque âge a ses ~s** cada edad tiene su encanto; **boire/manger avec ~** beber/comer con ganas; **faire ~ à qn** complacer a algn; (*suj*: *cadeau, nouvelle*) agradar a algn; **prendre ~ à qch/à faire qch** complacerse en algo/en hacer algo; **j'ai le ~ de ...** tengo el gusto de ...; **M et Mme X ont le ~ de vous faire part de ...** el señor y la señora X se complacen en hacerles partícipes de ...; **se faire un ~ de faire qch** tener mucho gusto en hacer algo; **faites-moi le ~ de ...** hágame usted el favor de ...; **à ~** a placer; (*sans raison*) sin motivo; **au ~ (de vous revoir)** hasta que nos veamos; **pour le** *ou* **par** *ou* **pour son ~** por gusto
plaît [plɛ] *vb voir* **plaire**
plan, e [plɑ̃, an] *adj* plano(-a) ■ *nm* plano; (*projet, Écon*) plan *m*; **au premier/second ~** en primer/segundo plano; **sur tous les ~s** (*aspect*) en todos los aspectos; **à l'arrière ~** en segundo plano; **laisser/rester en ~** dejar/quedar en suspenso; **sur le même ~** al mismo nivel; **de premier/second ~** (*personnage*) de primera/segunda plana; **sur le ~ sexuel** en el terreno de la sexualidad; **~ d'action** plan de acción; **~ d'eau** estanque *m*; **~ de cuisson** rejilla de cocina; **~ de sustentation** plano de sustentación; **~ de travail** (*dans une cuisine*) encimera; **~ de vol** plan de vuelo; **~ directeur** (*Mil*) plano de campaña; (*Écon*) plan rector
planche [plɑ̃ʃ] *nf* tabla; (*de dessins*) lámina; (*de salades etc*) hilera; (*d'un plongeoir*) tablón *m*; **planches** *nfpl*: **les ~s** (*Théâtre*) las tablas; **en ~s** de tablas; **faire la ~** (*dans l'eau*) hacer el muerto; **avoir du pain sur la ~** tener tela que cortar; **~ à découper** tabla de cortar; **~ à dessin** tablero de dibujo; **~ à pain** tabla; **~ à repasser** tabla de planchar; **~ (à roulettes)** monopatín *m*; **~ à voile** (*objet*) tabla de windsurfing; (*Sport*) windsurfing *m*; **~ de salut** (*fig*) tabla de salvación
plancher [plɑ̃ʃe] *nm* suelo; (*d'une maison*) piso; (*fig*): **~ des salaires/cotisations** nivel *m* mínimo salarial/de las cotizaciones ■ *vi* trabajar duro

planer [plane] *vi* (*oiseau*) cernerse; (*avion*) planear; (*odeur etc*) flotar; (*fam: être euphorique*) estar ciego(-a); **~ sur** cernerse sobre

planète [planɛt] *nf* planeta *m*

planeur [planœʀ] *nm* planeador *m*

planifier [planifje] *vt* planificar

planning [planiŋ] *nm* programación *f*; **~ familial** planificación *f* familiar

plant [plɑ̃] *nm* planta joven

plante [plɑ̃t] *nf* planta; (*Anat*): **~ du pied** planta del pie; **~ d'appartement** planta de interior; **~ verte** planta verde

planter [plɑ̃te] *vt* plantar; (*pieu*) clavar; (*drapeau*) plantar, poner; (*tente*) montar; (*décors*) instalar; (*fam: mettre*) plantar; (*: abandonner*): **~ là** dejar plantado(-a); **se planter** *vpr* (*fam: se tromper*) meter la pata; **~ de/en vignes** plantar de/con viñas; **se ~ devant qn/qch** plantarse delante de algn/algo

plaque [plak] *nf* placa; (*d'ardoise, de verre*) hoja; **~ chauffante** placa calientaplatos; **~ d'identité** placa (de identidad); **~ minéralogique/d'immatriculation** placa mineralógica/de matrícula; **~ de beurre** cucharada de mantequilla; **~ de chocolat** tableta de chocolate; **~ de cuisson** quemador *m*; **~ de four** placa de horno; **~ de police** placa (de identidad); **~ de propreté** placa protectora; **~ sensible** (*Photo*) placa sensible; **~ tournante** (*fig*) centro

plaqué, e [plake] *nm* (*métal*): **~ or/argent** chapado en oro/plata; (*bois*): **~ acajou** enchapado en caoba ■ *adj*: **~ or/argent** chapado(-a) en oro/plata

plaquer [plake] *vt* (*bijou*) chapar; (*bois*) enchapar; (*Rugby*) hacer un placaje a; (*fam: laisser tomber*) dejar plantado(-a); (*aplatir*): **~ qch sur/contre** aplastar algo sobre/contra; **se ~ contre** pegarse a; **~ qn contre** sujetar a algn con fuerza contra

plaquette [plakɛt] *nf* (*de chocolat*) tableta; (*beurre*) cucharada; (*livre*) folleto; (*de pilules*) tableta; (*Inform*) tarjeta de circuitos impresos; **~ de frein** (*Auto*) almohadilla de freno

plastique [plastik] *adj* plástico(-a) ■ *nm* plástico ■ *nf* plástica; **bouteille en ~** botella de plástico; **chirurgie ~** cirugía plástica

plastiquer [plastike] *vt* volar con goma dos

plat, e [pla, at] *adj* llano(-a); (*chapeau, bateau*) chato(-a); (*ventre, poitrine*) plano(-a); (*cheveux*) lacio(-a); (*vin*) insípido(-a); (*banal*) anodino(-a) ■ *nm* (*Culin: mets*) plato; (*: récipient*) fuente *f*; (*partie plate*): **le ~ de la main** la palma de la mano; (*d'une route*): **rouler sur du ~** conducir en lo llano; **à ~** *adv* a lo largo ■ *adj* (*neumático*) desinflado(-a); (*personne*) rendido(-a); **à ~ ventre** boca abajo; **batterie à ~** batería descargada; **talons ~s** zapatos *mpl* planos; **~ cuisiné** plato precocinado; **~ de résistance** plato fuerte; **~ du jour** plato del día; **~s préparés** platos preparados

platane [platan] *nm* plátano

plateau, x [plato] *nm* bandeja; (*d'une table*) superficie *f*; (*d'une balance, de tourne-disque*) plato; (*Géo*) meseta; (*d'un graphique*) nivel *m*; (*Ciné, TV*) plató; **~ à fromage** tabla de quesos

plate-bande [platbɑ̃d] (*pl* **plates-bandes**) *nf* arriate *m*

plate-forme [platfɔʀm] (*pl* **plates-formes**) *nf* plataforma; **~ de forage/petrolière** plataforma de perforación/petrolera

platine [platin] *nm* platino ■ *nf* platina ■ *adj inv*: **cheveux/blond ~** cabello/rubio platino *inv*; **~ cassette/laser/disque** platina de casete/de compact-disc/de tocadiscos; **~ laser** platina láser

plâtre [plɑtʀ] *nm* yeso; (*Méd, statue*) escayola; **plâtres** *nmpl* (*revêtements*) revestimientos *mpl* de escayola; **avoir un bras dans le ~** tener un brazo escayolado

plein, e [plɛ̃, plɛn] *adj* lleno(-a); (*journée*) ocupado(-a); (*porte, roue*) macizo(-a); (*joues, formes*) relleno(-a); (*mer*) alto(-a); (*chienne, jument*) preñada ■ *prép*: **avoir de l'argent ~ les poches** tener los bolsillos llenos de dinero ■ *nm*: **faire le ~ (d'essence)** llenar el depósito (de gasolina); **faire le ~ de spectateurs/voix** llenar la sala/conseguir la mayoría de los votos; **les ~s** (*écriture*) el trazo grueso; **avoir les mains ~es** tener las manos llenas; **à ~es mains** a manos llenas; **à ~, en ~** de lleno; **à ~ régime** al máximo; **à ~ temps, à temps ~** a tiempo completo; **en ~ air** al aire libre; **jeux de ~ air** juegos de aire libre; **en ~ vent/soleil** a pleno viento/sol; **en ~e mer** en altamar; **en ~e rue** en medio de la calle; **en ~ milieu** en medio; **en ~ jour/~e nuit** en pleno día/plena noche; **en ~e croissance** en pleno crecimiento; **en ~ sur** de lleno sobre; **en avoir ~ le dos** (*fam*) estar hasta la coronilla; **~s pouvoirs** plenos poderes *mpl*

pleurer [plœʀe] *vt, vi* llorar; **~ sur** llorar por; **~ de rire** llorar de risa

pleurnicher [plœʀniʃe] *vi* lloriquear

pleurs [plœʀ] *nmpl*: **en ~** deshecho(-a) en lágrimas

pleut [plø] *vb voir* **pleuvoir**

pleuvoir [pløvwaʀ] *vb impers*: **il pleut** llueve ■ *vi* (*fig*) llover; **il pleut des cordes** *ou* **à verse/à torrents** llueve a cántaros/torrencialmente

pli [pli] *nm* pliegue *m*; (*d'un drapé, rideau*) doblez *f*; (*d'une jupe*) tabla; (*d'un pantalon*) raya; (*aussi*: **faux pli**) arruga; (*ride*) arruga; (*enveloppe*) sobre *m*; (*Admin*) carta; (*Cartes*) baza; **prendre le ~ de faire qch** adquirir el hábito de hacer algo; **ça ne va pas faire un ~** no cabe duda; **~ d'aisance** tabla

pliant, e [plijɑ̃, plijɑ̃t] *adj* plegable ■ *nm* silla de tijera

plier [plije] *vt* doblar; (*tente etc*) plegar; (*pour ranger*) recoger; (*genou, bras*) flexionar ■ *vi* curvarse; (*céder*) ceder; **se plier à** *vpr* doblegarse a; **~ bagage** (*fig*) tomar las de Villadiego

plisser [plise] *vt* arrugar; (*jupe*) hacerle tablas a, plisar; **se plisser** *vpr* arrugarse

plomb [plɔ̃] *nm* plomo; (*d'une cartouche*) perdigón *m*; (*sceau*) precinto; (*Élec*) fusible *m*; **sommeil de ~** sueño pesado; **soleil de ~** sol abrasador

plomberie [plɔ̃bʀi] *nf* fontanería, plomería (*AM*); (*installation*) cañería

plombier [plɔ̃bje] *nm* fontanero, plomero (*AM*), gasfíter *m* (*Chi*), gasfitero (*Chi*)

plonge [plɔ̃ʒ] *nf*: **faire la ~** fregar los platos

plongeant, e [plɔ̃ʒɑ̃, ɑ̃t] *adj* (*vue*) desde arriba; (*tir*) oblicuo(-a); (*décolleté*) pronunciado(-a)

plongée [plɔ̃ʒe] *nf* inmersión *f*; (*Sport*: *sans bouteilles*) buceo; (*Ciné, TV*) plano tomado desde arriba, plano picado; **~ (sous-marine)** submarinismo; **sous-marin en ~** submarino sumergido

plongeoir [plɔ̃ʒwaʀ] *nm* trampolín *m*

plongeon [plɔ̃ʒɔ̃] *nm* zambullida; (*Football*) estirada

plonger [plɔ̃ʒe] *vi* (*personne*) zambullirse; (*sous-marin*) sumergirse; (*oiseau, avion*) lanzarse en picado; (*Football*) hacer una estirada; (*regard*) dirigir; (*personne*): **~ dans un sommeil profond** sumirse en un sueño profundo ■ *vt* sumergir; (*arme, racine*) clavar; **~ dans l'obscurité** sumir en la oscuridad; **~ qn dans l'embarras/le découragement** sumir a algn en la confusión/el desánimo

plongeur, -euse [plɔ̃ʒœʀ, øz] *nm/f* buceador(a); (*avec bouteilles*) submarinista *m/f*; (*de restaurant*): **travailler comme ~** fregar los platos

plu [ply] *pp de* **plaire**; **pleuvoir**

pluie [plɥi] *nf* lluvia; (*averse*) chaparrón *m*; **une ~ de** (*fig*) una lluvia de; **retomber en ~** caer en forma de lluvia; **sous la ~** bajo la lluvia

plume [plym] *nf* pluma; **dessin à la ~** dibujo en plumilla

plumer [plyme] *vt* desplumar

plupart [plypaʀ]: **la ~** *pron* la mayor parte; **la ~ du temps** la mayoría de las veces; **dans la ~ des cas** en la mayoría de los casos; **pour la ~** en su mayoría

pluriel [plyʀjɛl] *nm* plural *m*; **au ~** en plural

MOT-CLÉ

plus *adv* [ply] 1 (*forme négative*): **ne ... plus** ya no; **je n'ai plus d'argent** ya no tengo dinero; **il ne travaille plus** ya no trabaja

2 [plys] (*comparatif*) más; **plus intelligent (que)** más inteligente (que); **plus d'intelligence/de possibilités (que)** más inteligencia/posibilidades (que); (*superlatif*): **le plus** el más; **c'est lui qui travaille le plus** es él quien más trabaja; **le plus grand** el más grande; **(tout) au plus** a lo sumo, a lo más

3 (*davantage*) más; **il travaille plus (que)** trabaja más (que); **plus il travaille, plus il est heureux** cuanto más trabaja, más feliz es; **il était plus de minuit** era más de medianoche; **plus de 3 heures/4 kilos** más de 3 horas/4 kilos; **3 heures/kilos de plus que** 3 horas/kilos más que; **il a 3 ans de plus que moi** tiene 3 años más que yo; **de plus** (*en supplément*) de más; (*en outre*) además; **de plus en plus** cada vez más; **plus de pain** más pan; **sans plus** sin más; **3 kilos en plus** 3 kilos de más; **en plus de cela ...** además de eso ...; **d'autant plus que** tanto más cuando, más aún cuando; **qui plus est** y lo que es más; **plus ou moins** más o menos; **ni plus ni moins** ni más ni menos

■ *prép*: **4 plus 2** 4 más 2

plusieurs [plyzjœʀ] *dét, pron* varios(-as); **ils sont ~** son varios

plus-que-parfait [plyskəpaʀfɛ] *nm* (*Ling*) pluscuamperfecto

plus-value [plyvaly] (*pl* **~s**) *nf* (*Écon*) plusvalía; (*bénéfice*) beneficio; (*budgétaire*) excedente *m*

plutôt [plyto] *adv* más bien; **je ferais ~ ceci** haría más bien esto; **fais ~ comme ça** haz mejor así; **~ que (de) faire qch** en lugar de hacer algo; **~ grand/rouge** más bien grande/rojo
pluvieux, -euse [plyvjø, jøz] *adj* lluvioso(-a)
PME [peɛmə] *sigle fpl* (*= petites et moyennes entreprises*) ≈ PYME *fsg* (*= pequeña y mediana empresa*)
PMU [peɛmy] *sigle m* (*= pari mutuel urbain*) *voir* **pari**

PMU

PMU, siglas de "pari mutuel urbain", es una red de ventanillas de apuestas regulada por el gobierno que se encuentran en los bares que muestran el signo PMU. Para apostar se compran boletos, que tienen un precio fijo y se hacen predicciones sobre quiénes van a ganar u ocupar las primeras posiciones en las carreras de caballos. La apuesta tradicional es la "tiercé", que es una triple apuesta, aunque hay otras apuestas múltiples, como "quarté" etc, que se están haciendo cada vez más populares.

PNB [peɛnbe] *sigle m* (*= produit national brut*) PNB *m* (*= producto nacional bruto*)
pneu, x [pnø] *nm* neumático, llanta (*AM*); (*message*) misiva tubular
pneumonie [pnømɔni] *nf* neumonía
poche [pɔʃ] *nf* bolsillo; (*Zool*) buche *m* ■ *nm* libro de bolsillo; **de ~** de bolsillo; **en être de sa ~** pagarlo de su bolsillo; **c'est dans la ~** es cosa hecha
pochette [pɔʃɛt] *nf* (*de timbres*) sobre *m*; (*d'aiguilles etc*) estuche *m*; (*sac: de femme*) bolso de mano; (*: d'homme*) bolso; (*sur veste*) pañuelo; **~ d'allumettes** canterilla de cerillas; **~ de disque** funda de discos; **~ surprise** sobre sorpresa
podcast [pɔdkast] *nm* podcast *m*
podcaster [pɔdkaste] *vi* podcastear
poêle [pwɑl] *nm* estufa ■ *nf*: **~ (à frire)** sartén *f* (*m en AM*)
poème [pɔɛm] *nm* poema *m*
poésie [pɔezi] *nf* poesía
poète [pɔɛt] *nm* poeta *m* ■ *adj* poeta
poétique [pɔetik] *adj* poético(-a)
poids [pwɑ] *nm* peso; (*pour peser*) pesa; (*Sport*) pesas *fpl*; **vendre qch au ~** vender algo al peso; **prendre/perdre du ~** coger/perder peso; **faire le ~** (*fig*) dar la talla; **argument de ~** argumento de peso; **~ et haltères** *nmpl* pesas y halterofilia; **~ lourd** peso pesado; (*camion: aussi:* **PL**) camión *m* de carga pesada; **~ mort** (*Tech*) peso muerto; (*fig: péj*) lastre *m*; **~ mouche/plume/coq/moyen** (*Boxe*) peso mosca/pluma/gallo/medio; **~ utile** carga
poignant, e [pwaɲɑ̃, ɑ̃t] *adj* conmovedor(a)
poignard [pwaɲaʀ] *nm* puñal *m*
poignarder [pwaɲaʀde] *vt* apuñalar
poigne [pwaɲ] *nf* fuerza; (*main, poing*) mano *f*; (*fig*) firmeza; **à ~** con firmeza
poignée [pwaɲe] *nf* puñado; (*de couvercle, valise*) asa; (*tiroir*) tirador *m*; (*porte*) picaporte *m*; (*de cuisine*) manopla *f*; **~ de main** apretón *m* de manos
poignet [pwaɲɛ] *nm* muñeca; (*d'une chemise*) puño
poil [pwal] *nm* pelo; (*de pinceau, brosse*) cerda; **à ~** (*fam: tout nu*) en pelota; **au ~** (*parfait*) estupendo; **de tout ~** de toda calaña; **être de bon/mauvais ~** (*fam*) estar de buenas/malas; **~ à gratter** picapica
poilu, e [pwaly] *adj* peludo(-a)
poinçonner [pwɛ̃sɔne] *vt* (*billet, ticket*) picar; (*marchandise, bijou*) contrastar
poing [pwɛ̃] *nm* puño; **dormir à ~s fermés** dormir a pierna suelta
point [pwɛ̃] *vb voir* **poindre** ■ *nm* punto; (*Couture, Tapisserie*) puntada ■ *adv voir* **pas**; **il n'est ~ bête** no es ningún tonto; **faire le ~** (*Naut*) determinar la posición; (*fig*) recapitular; **faire le ~ sur** analizar la situación de; **en tout ~** de todo punto; **sur le ~ de faire qch** a punto de hacer algo; **au ~ que** hasta el punto que; **mettre au ~** poner a punto; (*appareil de photo*) enfocar; (*affaire*) precisar; **à ~** (*Culin*) en su punto; **à ~ nommé** en el momento oportuno; **au ~ de vue scientifique** desde el punto de vista científico; **~ chaud** (*Mil, Pol*) punto álgido; **~ culminant** punto culminante; **~ d'eau** punto de agua; **~ d'exclamation/d'interrogation** signo de exclamación/de interrogación; **~ de chaînette/de croix/de tige** punto de cadeneta/de cruz/de tallo; **~ de chute** (*fig*) lugar *m* de parada; **~ de côté** punzada en el costado; **~ de départ/d'arrivée/d'arrêt/de chute** punto de partida/de llegada/de parada/de caída; **~ de jersey** (*Tricot*) punto liso *ou* de jersey; **~ de non-retour** punto sin retorno; **~ de repère** punto de referencia; **~ de vente** punto de venta; **~ de vue** (*paysage*) vista;

(*fig*) punto de vista; **~ faible** punto débil; **~ final** punto final; **~ mort** punto muerto; **~ mousse** (*Tricot*) punto de malla; **~ noir** punto negro; **~s cardinaux** puntos cardinales; **~s de suspension** puntos suspensivos

pointe [pwɛ̃t] *nf* punta; (*d'un clocher*) remate *m*; (*fig*): **une ~ d'ail/d'accent** una pizca de ajo/de acento; **pointes** *nfpl* (*Danse*) zapatillas *fpl* de puntas; **être à la ~ de qch** estar en la vanguardia de algo; **faire** *ou* **pousser une ~ jusqu'à ...** llegar hasta ...; **sur la ~ des pieds** de puntillas; **en ~** *adv, adj* en punta; **de ~** (*industries etc*) de vanguardia; (*vitesse*) tope; **heures/jours de ~** horas *fpl*/días *mpl* punta; **faire du 180 en ~** (*Auto*) llevar une velocidad tope de 180; **faire des ~s** (*Danse*) bailar de puntillas; **~ d'asperge** punta de espárrago; **~ de courant** sobretensión *f*; **~ de tension** (*Inform*) punto de tensión; **~ de vitesse** escapada

pointer [pwɛ̃te] *vt* puntear; (*employés, ouvriers*) fichar; (*canon, doigt*) apuntar ■ *vi* (*ouvrier, employé*) fichar; (*pousses*) brotar; (*jour*) despuntar; **~ les oreilles** aguzar las orejas

pointeur [pwɛ̃tœʀ] *nm* (*Inform*) cursor *m*

pointillé [pwɛ̃tije] *nm* línea de puntos; (*Art*) punteado

pointilleux, -euse [pwɛ̃tijø, øz] *adj* puntilloso(-a)

pointu, e [pwɛ̃ty] *adj* puntiagudo(-a); (*son, voix, fig*) agudo(-a)

pointure [pwɛ̃tyʀ] *nf* número

point-virgule [pwɛ̃viʀgyl] (*pl* **points-virgules**) *nm* punto y coma *m*

poire [pwaʀ] *nf* pera; (*fam: péj*) memo(-a); **~ à injections** jeringa de inyecciones; **~ électrique/à lavement** pera eléctrica/de lavativa

poireau, x [pwaʀo] *nm* puerro

poirier [pwaʀje] *nm* peral *m*; **faire le ~** hacer el pino

pois [pwɑ] *nm* guisante *m*; (*sur une étoffe*) lunar *m*; **à ~** de lunares; **~ cassés** guisantes *mpl* secos; **~ chiche** garbanzo; **~ de senteur** guisante de olor

poison [pwazɔ̃] *nm* veneno

poisseux, -euse [pwasø, øz] *adj* pegajoso(-a)

poisson [pwasɔ̃] *nm* pez *m*; (*Culin*) pescado; (*Astrol*): **P~s** Piscis *msg*; **être (des) P~s** ser Piscis; **prendre du ~** pescar; **"~ d'avril!"** "¡inocente!"; **~ d'avril** inocentada; **~ volant/rouge** pez volador/de colores

poissonnerie [pwasɔnʀi] *nf* pescadería

poissonnier, -ière [pwasɔnje, jɛʀ] *nm/f* pescadero(-a) ■ *nf* besuguera

poitrine [pwatʀin] *nf* pecho

poivre [pwavʀ] *nm* pimienta; **~ blanc/gris** pimienta blanca/negra; **~ de cayenne** cayena; **~ moulu/en grains** pimienta molida/en grano; **~ et sel** *adj inv* (*cheveux*) entrecano(-a); **~ vert** pimienta verde

poivron [pwavʀɔ̃] *nm* pimiento morrón; **~ rouge/vert** pimiento rojo/verde

polaire [pɔlɛʀ] *adj* polar

polar [pɔlaʀ] (*fam*) *nm* novela policial *ou* policíaca

pôle [pol] *nm* (*Géo, Élec*) polo; (*chose en opposition*) polo opuesto; **~ d'attraction** polo de atracción; **~ de développement** (*Écon*) polo de desarrollo; **le ~ Nord/Sud** el polo Norte/Sur

poli, e [pɔli] *adj* (*personne*) educado(-a), elegante; (*surface*) liso(-a)

police [pɔlis] *nf*: **la ~** la policía; (*discipline*): **assurer la ~ de** *ou* **dans** mantener el orden en; (*Assurance*): **~ d'assurance** póliza de seguros; **être dans la ~** estar en la policía; **peine de simple ~** pena leve; **~ de caractère** (*Typo, Inform*) tipo de letra; **~ des mœurs** *policía encargada del control de la prostitución*; **~ judiciaire** policía judicial; **~ secours** servicio urgente de policía; **~ secrète** policía secreta

policier, -ière [pɔlisje, jɛʀ] *adj* policial, policiaco(-a) ■ *nm* policía *m/f*, agente *m* (*AM*); (*aussi*: **roman policier**) novela policiaca

polio(myélite) [pɔljɔ(mjelit)] *nf* poliomielitis *f inv*

polir [pɔliʀ] *vt* pulir

politesse [pɔlitɛs] *nf* cortesía; (*civilité*): **la ~** la urbanidad; **politesses** *nfpl* (*actes*) cumplidos *mpl*; **devoir/rendre une ~ à qn** deber/devolver un cumplido a algn

politicien, ne [pɔlitisjɛ̃, jɛn] *nm/f* político(-a); (*péj*) politicastro(-a) ■ *adj* político(-a)

politique [pɔlitik] *adj, nm/f* político(-a) ■ *nf* política; **~ étrangère/intérieure** política exterior/interior

pollen [pɔlɛn] *nm* polen *m*

polluant, e [pɔlɥɑ̃, ɑ̃t] *adj* contaminante; **produit ~** producto contaminante

polluer [pɔlɥe] *vt* contaminar; **air pollué/eaux polluées** aire *m* contaminado/aguas *fpl* contaminadas

pollution [pɔlɥsjɔ̃] *nf* polución *f*

polo [pɔlo] *nm* polo

Pologne [pɔlɔɲ] *nf* Polonia
polonais, e [pɔlɔnɛ, ɛz] *adj* polaco(-a) ▪ *nm* (*Ling*) polaco ▪ *nm/f*: **Polonais, e** polaco(-a)
poltron, ne [pɔltʀɔ̃, ɔn] *adj* cobarde
polycopier [pɔlikɔpje] *vt* multicopiar
Polynésie [pɔlinezi] *nf* Polinesia; **la ~ française** la Polinesia francesa
polyvalent, e [pɔlivalɑ̃, ɑ̃t] *adj* polivalente ▪ *nm* tasador *m* de impuestos
pommade [pɔmad] *nf* pomada
pomme [pɔm] *nf* manzana; (*boule décorative*) pomo; (*pomme de terre*): **un steak (~s) frites** un filete con patatas (fritas); **tomber dans les ~s** (*fam*) darle a algn un patatús; **~ d'Adam** nuez *f* de Adán; **~ d'arrosoir** alcachofa; **~ de pin** piña; **~ de terre** patata, papa (*AM*); **~s allumettes/vapeur** patatas paja/al vapor
pommette [pɔmɛt] *nf* pómulo
pommier [pɔmje] *nm* manzano
pompe [pɔ̃p] *nf* (*appareil*) bomba; (*faste*) pompa; **en grande ~** con gran pompa; **~ à eau** bomba de agua; **~ (à essence)** surtidor *m* (de gasolina); **~ à huile** bomba de aceite; **~ à incendie** bomba de incendios; **~ de bicyclette** bomba de bicicleta; **~s funèbres** pompas *fpl* fúnebres
pomper [pɔ̃pe] *vt* bombear; (*aspirer*) aspirar; (*absorber*) empapar ▪ *vi* bombear
pompeux, -euse [pɔ̃pø, øz] (*péj*) *adj* pomposo(-a)
pompier [pɔ̃pje] *nm* bombero ▪ *adj m* (*style*) vulgar
pompiste [pɔ̃pist] *nm/f* encargado(-a) de una gasolinera
poncer [pɔ̃se] *vt* alisar con piedra pómez
ponctuation [pɔ̃ktɥasjɔ̃] *nf* puntuación *f*
ponctuel, le [pɔ̃ktɥɛl] *adj* puntual
pondéré, e [pɔ̃deʀe] *adj* ponderado(-a)
pondre [pɔ̃dʀ] *vt* (*œufs*) poner; (*fig: fam*) parir ▪ *vi* poner
poney [pɔnɛ] *nm* poney *m*, poni *m*
pont [pɔ̃] *nm* (*aussi Auto*) puente *m*; (*Naut*) cubierta; **faire le ~** hacer puente; **faire un ~ d'or à qn** tender un puente de plata a algn; **~ à péage** puente de peaje; **~ aérien** puente aéreo; **~ basculant** puente basculante; **~ d'envol** (*sur un porte-avions*) cubierta de despegue; **~ élévateur** puente elevador; **~ roulant** puente grúa; **~ suspendu/tournant** puente colgante/giratorio; **P~s et Chaussées** (*Univ*) Caminos, Canales y Puertos
pont-levis [pɔ̃lvi] (*pl* **ponts-levis**) *nm* puente *m* levadizo
pop [pɔp] *adj inv* pop *inv* ▪ *nf*: **la ~** la música pop
pop-corn [pɔpkɔʀn] *nm inv* palomitas *fpl* de maíz
populaire [pɔpylɛʀ] *adj* popular
popularité [pɔpylaʀite] *nf* popularidad *f*
population [pɔpylasjɔ̃] *nf* población *f*; **~ active/agricole** población activa/agrícola; **~ civile** población civil; **~ ouvrière** población obrera
populeux, -euse [pɔpylø, øz] *adj* populoso(-a)
porc [pɔʀ] *nm* (*Zool*) cerdo, chancho (*AM*); (*Culin*) carne *f* de cerdo
porcelaine [pɔʀsəlɛn] *nf* porcelana
porc-épic [pɔʀkepik] (*pl* **porcs-épics**) *nm* puerco espín
porche [pɔʀʃ] *nm* porche *m*
porcherie [pɔʀʃəʀi] *nf* porqueriza; (*fig*) pocilga
pore [pɔʀ] *nm* poro
porno [pɔʀno] *adj* (*abr de pornographique*) porno *inv* ▪ *nm* película porno
port [pɔʀ] *nm* porte *m*; (*Naut*) puerto; **arriver à bon ~** llegar a buen puerto; **le ~ de l'uniforme est interdit dans ...** está prohibido llevar el uniforme en ...; **~ d'arme** (*Jur*) tenencia de armas; **~ d'attache** (*Naut*) puerto de amarre; (*fig*) refugio; **~ de commerce/de pêche** puerto comercial/pesquero; **~ d'escale** puerto de escala; **~ de tête** porte de cabeza; **~ dû/payé** (*Comm*) porte debido/pagado; **~ franc** puerto franco; **~ pétrolier** puerto petrolero
portable [pɔʀtabl] *adj* (*vêtement*) ponedero(-a); (*ordinateur etc*) portátil ▪ *nm* (*téléphone*) móvil *m*; (*ordinateur*) portátil *m*
portail [pɔʀtaj] *nm* portal *m*; (*d'une cathédrale*) pórtico
portant, e [pɔʀtɑ̃, ɑ̃t] *adj* sustentador(a); (*roues*) de apoyo; **être bien/mal ~** (*personne*) tener buena/mala salud
portatif, -ive [pɔʀtatif, iv] *adj* portátil
porte [pɔʀt] *nf* puerta; **mettre qn à la ~** poner a algn en la calle; **prendre la ~** coger la puerta; **à ma/sa ~** a la puerta de mi/su casa; **faire du ~ à ~** (*Comm*) vender de puerta en puerta, vender a domicilio; **journée ~s ouvertes** jornada de puertas abiertas; **~ (d'embarquement)** (*Aviat*) puerta de embarque; **~ d'entrée** puerta

de entrada; **~ de secours** salida de emergencia; **~ de service** puerta de servicio

porté, e [pɔʀte] *adj*: **être ~ à faire qch** estar dispuesto(-a) a hacer algo; **être ~ sur qch** darle a algo

porte-avions [pɔʀtavjɔ̃] *nm inv* portaaviones *m inv*

porte-bagages [pɔʀtbagaʒ] *nm inv* portaequipajes *m inv*

porte-bonheur [pɔʀtbɔnœʀ] *nm inv* amuleto

porte-clefs [pɔʀtəkle] *nm inv* llavero

porte-documents [pɔʀtdɔkymɑ̃] *nm inv* cartera de mano, portafolio(s) *m* (*AM*)

portée [pɔʀte] *nf* alcance *m*; (*capacités*) capacidad *f*; (*d'une chienne etc*) camada; (*Mus*) pentagrama *m*; (*fig*) aptitud *f* intelectual; **à (la) ~ (de)** al alcance de; **hors de ~ (de)** fuera del alcance (de); **à ~ de la main** al alcance de la mano; **à ~ de voix** a poca distancia; **à la ~ de toutes les bourses** al alcance de todos los bolsillos; **ce n'est pas à sa ~** (*fig*) eso no está a su alcance

porte-fenêtre [pɔʀtfənɛtʀ] (*pl* **portes-fenêtres**) *nf* puerta vidriera

portefeuille [pɔʀtəfœj] *nm* cartera; (*Pol*) cartera (ministerial); **faire un lit en ~** hacer la petaca

portemanteau, x [pɔʀt(ə)mɑ̃to] *nm* perchero

porte-monnaie [pɔʀtmɔnɛ] *nm inv* monedero

porte-parole [pɔʀtpaʀɔl] *nm inv* portavoz *m*, vocero(-a) (*AM*)

porter [pɔʀte] *vt* llevar; (*fig: poids d'une affaire*) soportar; (*: responsabilité*) cargar con; (*suj: jambes*) sostener; (*: arbre*) dar, producir ■ *vi* llegar; (*fig*) surtir efecto; **se porter** *vpr*: **se ~ bien/mal** encontrarse bien/mal; (*aller*): **se ~ vers** dirigirse hacia; **se ~ garant** avalar; **~ sur** (*suj: édifice*) apoyarse sobre; (*: accent*) caer en; (*: bras, tête*) dar contra; (*: conférence*) tratar de; **elle portait le nom de Rosalie** llevaba el nombre de Rosalie; **~ qn au pouvoir** conducir a algn al poder; **~ secours/assistance à qn** prestar socorro/asistencia a algn; **~ bonheur à qn** traer buena suerte a algn; **~ son âge** representar su edad; **~ un toast** brindar; **~ de l'argent au crédit d'un compte** ingresar dinero en una cuenta; **~ une somme sur un registre** asentar una cantidad en un registro; **~ atteinte à (l'honneur/la réputation de qn)** atentar contra (el honor/la reputación de algn); **se faire ~ malade** declararse enfermo(-a); **se ~ partie civile** constituirse parte civil; **se ~ candidat à la députation** presentarse como candidato a la diputación; **~ un jugement sur qn/qch** emitir un juicio sobre algn/algo; **~ un livre/récit à l'écran** llevar un libro/relato a la pantalla; **~ la main à son chapeau/une cuillère à sa bouche** llevarse la mano al sombrero/una cuchara a la boca; **~ son attention/regard/effort sur** fijar su atención/mirada/esfuerzo sobre; **~ un fait à la connaissance de qn** llevar un hecho al conocimiento de algn; **~ à croire** llevar a pensar

porteur, -euse [pɔʀtœʀ, øz] *nm/f* (*de messages*) mensajero(-a); (*Méd*) portador(a) ■ *nm* (*de bagages*) mozo de equipaje; (*Comm: d'un chèque*) portador *m*; (*: d'une action*) tenedor *m* ■ *adj*: **être ~ de** ser portador de; **gros ~** (*avion*) avión *m* de gran capacidad; **au ~** (*billet, chèque*) al portador

porte-voix [pɔʀtəvwa] *nm inv* megáfono

portier [pɔʀtje] *nm* portero

portière [pɔʀtjɛʀ] *nf* puerta

portion [pɔʀsjɔ̃] *nf* (*part*) ración *f*; (*partie*) parte *f*

porto [pɔʀto] *nm* oporto

portrait [pɔʀtʀɛ] *nm* retrato; **elle est le ~ de sa mère** (*fig*) es el vivo retrato de su madre

portrait-robot [pɔʀtʀɛʀɔbo] (*pl* **portraits-robots**) *nm* retrato robot

portuaire [pɔʀtɥɛʀ] *adj* portuario(-a)

portugais, e [pɔʀtygɛ, ɛz] *adj* portugués(-esa) ■ *nm* (*Ling*) portugués *m* ■ *nm/f*: **Portugais, e** portugués(-esa)

Portugal [pɔʀtygal] *nm* Portugal *m*

pose [poz] *nf* (*de moquette*) instalación *f*; (*de rideau, papier peint*) colocación *f*; (*position*) postura; **(temps de) ~** (*Photo*) (tiempo de) exposición *f*

posé, e [poze] *adj* comedido(-a)

poser [poze] *vt* poner; (*moquette, carrelage*) instalar; (*rideaux, papier peint*) colocar; (*question*) hacer; (*principe*) establecer; (*problème*) plantear; (*personne: mettre en valeur*) dar notoriedad a; (*déposer*): **~ qch (sur)** dejar algo (sobre) ■ *vi* (*modèle*) posar; **se poser** *vpr* (*oiseau, avion*) posarse; (*question*) plantearse; **se ~ en** erigirse en; **~ son** *ou* **un regard sur qn/qch** poner sus ojos sobre *ou* en algn/algo; **~ sa candidature** (*à un emploi*) presentarse; (*Pol*) presentar su candidatura

positif, -ive [pozitif, iv] *adj* positivo(-a); (*Philos*) positivista

position [pozisjɔ̃] *nf* posición *f*; (*posture*) postura; (*métier*) cargo; (*d'un compte en banque*) situación *f*; **être dans une ~ difficile/délicate** estar en una situación difícil/delicada; **prendre ~** tomar posiciones

posologie [pozɔlɔʒi] *nf* posología

posséder [pɔsede] *vt* poseer; (*qualité*) estar dotado(-a) de; (*métier, langue*) dominar, conocer a fondo; (*suj: jalousie, colère*) dominar; (*fam: duper*) engañar

possession [pɔsesjɔ̃] *nf* posesión *f*; **être/entrer en ~ de qch** estar/entrar en posesión de algo; **en sa/ma ~** en su/mi posesión; **prendre ~ de qch** tomar posesión de algo; **être en ~ de toutes ses facultés** tener pleno dominio de sus facultades

possibilité [pɔsibilite] *nf* posibilidad *f*; **possibilités** *nfpl* (*moyens*) medios *mpl*; (*potentiel*) posibilidades *fpl*; **avoir la ~ de faire qch** tener la posibilidad de hacer algo

possible [pɔsibl] *adj* posible; (*projet*) realizable ■ *nm*: **faire (tout) son ~** hacer (todo) lo (que sea) posible; **il est ~ que** es posible que; **autant que ~** en la medida de lo posible; **si (c'est) ~** si es posible; **(ce n'est) pas ~!** ¡no puede ser!; **comme c'est pas ~** a más no poder; **le plus/moins de livres ~** el mayor/menor número de libros posible; **le plus/moins d'eau ~** la mayor/menor cantidad de agua posible; **aussitôt** *ou* **dès que ~** en cuanto sea posible; **gentil au ~** amable al máximo

postal, e, -aux [pɔstal, o] *adj* postal; **sac ~** correspondencia

poste [pɔst] *nf* (*service*) correo; (*administration*) correos *mpl*; (*bureau*) oficina de correos ■ *nm* (*Mil*) puesto; (*charge*) cargo; (*de radio, télévision*) aparato; (*Tél*) extensión *f*; (*de budget*) partida, asiento; (*Ind*): **~ de nuit** turno de noche; **postes** *nfpl*: **agent/employé des ~s** agente *m*/empleado de correos; **mettre à la ~** echar al correo; **~ de commandement** *nm* (*Mil etc*) puesto de mando; **~ de contrôle** *nm* puesto de control; **~ de douane** *nm* puesto aduanero; **~ d'essence** *nm* punto de repuesto; **~ d'incendie** *nm* boca de incendio; **~ de péage** *nm* puesto de peaje; **~ de pilotage** *nm* puesto de pilotaje; **~ (de police)** *nm* puesto (de policía); **~ de secours** *nm* puesto de socorro; **~ de travail** *nm* puesto de trabajo; **~ émetteur** *nm* (*Radio*) emisora; **~ restante** *nf* lista de correos; **P~s et Télécommunications** *nm* Correos y Telecomunicaciones

poster¹ [pɔste] *vt* (*lettre*) echar al correo; (*personne*) apostar; **se poster** *vpr* apostarse

poster² [pɔstɛʀ] *nm* póster *m*

postérieur, e [pɔsteʀjœʀ] *adj* posterior ■ *nm* (*fam*) trasero

postuler [pɔstyle] *vt* solicitar

pot [po] *nm* (*récipient*) cacharro; (*en métal*) bote *m*; (*fam: chance*): **avoir du ~** tener potra; **boire** *ou* **prendre un ~** (*fam*) tomar una copa; **découvrir le ~ aux roses** descubrir el pastel; **~ à tabac** tabaquera; **~ d'échappement** (*Auto*) silenciador *m*; **~ (de chambre)** orinal *m*; **~ de fleurs** tiesto, maceta

potable [pɔtabl] *adj* potable; (*travail*) aceptable; (*fig*) pasable

potage [pɔtaʒ] *nm* sopa

potager, -ère [pɔtaʒe, ɛʀ] *adj* hortícola; **(jardin) ~** huerto

pot-au-feu [pɔtofø] *nm inv* cocido; (*viande*) carne *f* para el cocido ■ *adj inv* (*fam*) casero(-a)

pot-de-vin [podvɛ̃] (*pl* **pots-de-vin**) *nm* gratificación *f*

pote [pɔt] (*fam*) *nm* amigo, compadre *m* (*AM*), manito (*Mex*)

poteau, x [pɔto] *nm* poste *m*; **~ de départ/d'arrivée** línea de salida/meta; **~ (d'exécution)** paredón *m*; **~ indicateur** poste indicador; **~ télégraphique** poste telegráfico; **~x (de but)** postes (de portería)

potelé, e [pɔt(ə)le] *adj* rollizo(-a)

potentiel, le [pɔtɑ̃sjɛl] *adj, nm* potencial *m*

poterie [pɔtʀi] *nf* (*fabrication*) alfarería; (*objet*) objeto de barro, cerámica

potier [pɔtje] *nm* alfarero

potiron [pɔtiʀɔ̃] *nm* calabaza

pou, x [pu] *nm* piojo

poubelle [pubɛl] *nf* cubo *ou* bote *m* (*AM*) de la basura

pouce [pus] *nm* pulgar *m*; **se tourner** *ou* **se rouler les ~s** (*fig*) estar mano sobre mano; **manger sur le ~** comer de pie y deprisa

poudre [pudʀ] *nf* polvo; (*fard*) polvos *mpl*; (*explosif*) pólvora; **en ~**: **café/savon/lait en ~** café *m* molido/detergente *m*/leche *f* en polvo; **~ à canon** pólvora de cañón; **~ à éternuer** polvos estornudatorios; **~ à priser** polvo de rapé; **~ à récurer** polvos de blanqueo; **~ de riz** polvos de arroz

poudreuse [pudʀøz] *nf* nieve *f* en polvo
poudrier [pudʀije] *nm* polvera
pouffer [pufe] *vi*: **~ (de rire)** partirse de risa
poulailler [pulaje] *nm* (*aussi Théâtre*) gallinero
poulain [pulɛ̃] *nm* potro; (*fig*) pupilo
poule [pul] *nf* gallina; (*Sport*) campeonato; (*Rugby*) liga; (*fam: fille de mœurs légères*) golfa; (*: maîtresse*) amante *f*; **~ d'eau** polla de agua; **~ mouillée** cobarde *m/f*, gallina *m/f*; **~ pondeuse** gallina ponedora
poulet [pulɛ] *nm* pollo; (*fam*) poli *m*
poulie [puli] *nf* polea
pouls [pu] *nm* pulso; **prendre le ~ de qn** tomar el pulso a algn
poumon [pumɔ̃] *nm* pulmón *m*; **~ artificiel/d'acier** pulmón artificial/de acero
poupée [pupe] *nf* muñeca; **jouer à la ~** jugar a las muñecas; **de ~** (*très petit*): **jardin/maison de ~** jardín *m*/casa de muñecas

MOT-CLÉ

pour [puʀ] *prép* **1** (*destination, temps*): **elle est partie pour Paris** se ha ido a París; **le train pour Séville** el tren para *ou* a Sevilla; **j'en ai pour une heure** tengo para una hora; **il faut le faire pour après les vacances** hay que hacerlo para después de vacaciones; **pour toujours** para siempre
2 (*au prix de, en échange de*) por; **il l'a acheté pour 50 euros** lo compró por 50 euros; **donnez-moi pour 80 euros d'essence** deme 80 euros de gasolina; **je te l'échange pour ta montre** te lo cambio por tu reloj
3 (*en vue de, intention, en faveur de*): **pour le plaisir** por gusto; **pour ton anniversaire** para tu cumpleaños; **je le fais pour toi** lo hago por ti; **pastilles pour la toux** pastillas *fpl* para la tos; **pour que** para que; **pour faire** para hacer; **pour quoi faire?** ¿para qué?; **je suis pour la démocratie** estoy por la democracia
4 (*à cause de*): **fermé pour (cause de) travaux** cerrado por obras; **c'est pour cela que je le fais** por eso lo hago; **être pour beaucoup dans qch** influir mucho en algo; **ce n'est pas pour dire, mais ...** (*fam*) no es por nada pero ...; **pour avoir fait** por haber hecho
5 (*à la place de*): **il a parlé pour moi** habló por mí
6 (*rapport, comparaison*): **mot pour mot** palabra por palabra; **ça fait un an jour pour jour** hoy hace justamente un año; **10 pour cent** diez por ciento; **pour un Français, il parle bien suédois** para ser francés, habla bien el sueco; **pour riche qu'il soit** por rico que sea
7 (*comme*): **la femme qu'il a eue pour mère** la mujer que tuvo por madre
8 (*point de vue*): **pour moi, il a tort** para mí que se equivoca; **pour ce qui est de ...** por lo que se refiere a ...; **pour autant que je sache** que yo sepa
▪ *nm*: **le pour et le contre** los pros y los contras

pourboire [puʀbwaʀ] *nm* propina
pourcentage [puʀsɑ̃taʒ] *nm* porcentaje *m*; **travailler au ~** trabajar al tanto por ciento
pourchasser [puʀʃase] *vt* perseguir
pourparlers [puʀpaʀle] *nmpl* negociaciones *fpl*; **être en ~ avec** estar en tratos con
pourpre [puʀpʀ] *adj* púrpura
pourquoi [puʀkwa] *adv, conj* por qué ▪ *nm*: **le ~ (de)** el porqué (de); **~ dis-tu cela?** ¿por qué dices eso?; **~ se taire/faire cela?** ¿por qué *ou* para qué callarse/hacer eso?; **~ ne pas faire ...?** ¿por qué no hacer ...?; **~ pas?** ¿por qué no?; **je voudrais savoir/ne comprends pas ~ ...** quisiera saber/no entiendo por qué ...; **dire/expliquer ~** decir/explicar por qué; **c'est ~ ...** por eso ...
pourrai *etc* [puʀe] *vb voir* **pouvoir**
pourri, e [puʀi] *adj* podrido(-a); (*roche, câble*) fragmentado(-a); (*temps, climat*) horrible; (*fig*) corrompido(-a) ▪ *nm*: **sentir le ~** oler a podrido
pourriel [puʀjɛl] *nm* (*Internet*) correo *m* basura *inv*
pourrir [puʀiʀ] *vi* podrirse; (*cadavre*) descomponerse; (*fig: situation*) degradarse ▪ *vt* pudrir; (*fig: corrompre: personne*) corromper; (*: gâter: enfant*) echar a perder
pourriture [puʀityʀ] *nf* podredumbre *f*
poursuite [puʀsɥit] *nf* persecución *f*; (*fig: de la fortune*) búsqueda; **poursuites** *nfpl* (*Jur*) diligencias *fpl*; **(course) ~** (*Cyclisme*) persecución
poursuivre [puʀsɥivʀ] *vt* perseguir; (*mauvais payeur*) acosar, perseguir; (*femme*) pretender a; (*obséder*) obsesionar, perseguir; (*fortune, gloire*) perseguir, buscar; (*continuer: voyage, études*) proseguir ▪ *vi* proseguir;

se poursuivre *vpr* seguirse; **~ qn en justice** demandar a *ou* querellarse contra algn; **~ qn au pénal/au civil** querellarse contra algn por vía penal/por vía civil

pourtant [puʀtɑ̃] *adv* sin embargo; **et/mais ~** y/pero sin embargo; **c'est ~ facile** sin embargo es fácil

pourtour [puʀtuʀ] *nm* (*d'un quadrilatère*) perímetro; (*d'un lieu*) contorno

pourvoir [puʀvwaʀ] *vt* (*Comm*): **~ qn en** proveer a algn de, suministrar a algn ■ *vi*: **~ à** ocuparse de; (*emploi*) atender a; **se pourvoir** *vpr* (*Jur*): **se ~ en cassation** *etc* interponer un recurso de casación *etc*; **~ qn de qch** (*recommandation, emploi*) proporcionar algo a algn; (*qualités*) dotar a algn de algo; **~ qch de** equipar algo con

pourvu, e [puʀvy] *pp de* **pourvoir** ■ *adj*: **~ de** provisto(-a) de; **~ que** (*à condition que*) con tal que; **~ qu'il soit là!** (*espérons que*) ¡ojalá que esté!

pousse [pus] *nf* brote *m*; (*bourgeon*) botón *m*, yema; **~s de bambou** brotes *mpl* de bambú

poussée [puse] *nf* (*pression, attaque*) empuje *m*; (*coup*) empujón *m*; (*Méd*) acceso; (*fig: des prix*) aumento; (*: révolutionnaire*) ola; (*: d'un parti politique*) crecimiento

pousser [puse] *vt* empujar; (*acculer*): **~ qn à qch/à faire qch** arrastrar *ou* empujar a algn a algo/a algn a hacer algo; (*cri*) lanzar, exhalar; (*élève*) hacer trabajar, estimular; (*études*) seguir, continuar; (*moteur, voiture*) forzar ■ *vi* crecer; (*aller*): **~ jusqu'à un endroit/plus loin** seguir hasta un lugar/hasta más lejos; **se pousser** *vpr* echarse a un lado; **faire ~** (*plante*) sembrar, plantar; **~ qn à bout** sacar a algn de sus casillas; **il a poussé la gentillesse jusqu'à ...** ha extremado su amabilidad hasta ...

poussette [pusɛt] *nf* cochecito de niño

poussière [pusjɛʀ] *nf* (*la poussière*) polvo; (*une poussière*) mota; **et des ~s** (*fig*) y pico; **~ de charbon** carbonilla

poussiéreux, -euse [pusjeʀø, øz] *adj* sucio(-a) de polvo; (*route*) polvoriento(-a)

poussin [pusɛ̃] *nm* pollito

poutre [putʀ] *nf* viga; **~s apparentes** vigas *fpl* aparentes

pouvoir [puvwaʀ] *nm* (*aussi Jur*) poder *m*; (*Pol: dirigeants*): **le ~** el poder ■ *vt, vb semi-aux, vb impers* poder ■ *vi*: **il se peut que** puede ser que; **les ~s public** los poderes públicos; **je me porte on ne peut mieux** me encuentro perfectamente; **je ne peux pas le réparer** no puedo arreglarlo; **déçu de ne pas ~ le faire** decepcionado por no poder hacerlo; **tu ne peux pas savoir!** ¡no puedes imaginarte!; **je n'en peux plus** no puedo más; **je ne peux pas dire le contraire** no puedo decir lo contrario; **j'ai fait tout ce que j'ai pu** hice todo lo que pude; **qu'est-ce que je pouvais bien faire?** ¿qué iba a *ou* podía hacer yo?; **tu peux le dire!** ¡ya lo creo!; **il aurait pu le dire!** ¡podría haberlo dicho!; **vous pouvez aller au cinéma** podéis ir al cine; **il a pu avoir un accident** pudo haber un accidente; **il peut arriver que ...** puede suceder que ...; **il pourrait pleuvoir** puede que llueva; **~ absorbant** poder de absorción; **~ calorifique** poder calorífico; **~ d'achat** poder adquisitivo

prairie [pʀeʀi] *nf* pradera

praline [pʀalin] *nf* (*bonbon*) garapiñado; (*au chocolat*) bombón *m*

praticable [pʀatikabl] *adj* (*chemin*) transitable; (*projet*) practicable, factible

pratiquant, e [pʀatikɑ̃, ɑ̃t] *adj* practicante

pratique [pʀatik] *nf* práctica; (*coutume*) usos *mpl*; (*conduite*) actuación *f*, prácticas *fpl* ■ *adj* (*intelligence*) práctico(-a), positivo(-a); (*personne*) práctico(-a); (*instrument*) práctico(-a), útil; (*horaire*) adaptado(-a), adecuado(-a); **dans la ~** en la práctica; **mettre en ~** poner en práctica, llevar a la práctica

pratiquement [pʀatikmɑ̃] *adv* (*dans la pratique*) de una manera práctica; (*à peu près*) prácticamente

pratiquer [pʀatike] *vt* practicar; (*méthode, théorie*) poner en práctica; (*métier*) ejercer; (*intervention*) efectuar, realizar; (*abri*) instalar ■ *vi* (*Rel*) practicar

pré [pʀe] *nm* prado

préalable [pʀealabl] *adj* previo(-a) ■ *nm* (*condition*) condición *f* previa; **condition ~ (de)** condición previa (a); **sans avis ~** sin previo aviso; **au ~** de antemano

préambule [pʀeɑ̃byl] *nm* preámbulo; (*fig*) preludio; **sans ~** sin preámbulos

préau, x [pʀeo] *nm* (*d'une cour d'école*) cobertizo; (*d'un hôpital, d'une prison*) patio; (*d'un monastère*) claustro

préavis [pʀeavi] *nm*: **~ (de licenciement)** notificación *f* (de despido); **communication avec ~** (*Tél*) llamada con aviso; **~ de congé** aviso de desahucio

précaution [pʀekosjɔ̃] *nf* precaución *f*; (*prudence*) atención *f*; **avec/sans ~** con/sin precaución; **prendre des ~s/ses ~s**

tomar precauciones/sus precauciones; **par ~** por precaución; **pour plus de ~** para mayor garantía; **~s oratoires** retórica *fsg* cuidadosa

précédemment [pʀesedamɑ̃] *adv* anteriormente

précédent, e [pʀesedɑ̃, ɑ̃t] *adj* precedente, anterior ■ *nm* precedente *m*; **sans ~** sin precedentes; **le jour ~** el día antes

précéder [pʀesede] *vt* preceder; **elle m'a précédé de quelques minutes** llegó unos minutos antes que yo

prêcher [pʀeʃe] *vt* (*Rel*): **~ l'Evangile** predicar el Evangelio; (*conseiller*) aconsejar ■ *vi* predicar; (*fig*) sermonear

précieux, -euse [pʀesjø, jøz] *adj* precioso(-a); (*temps, qualités*) valioso(-a), importante; (*ami, conseils*) valioso(-a); (*littérature, style*) preciosista

précipice [pʀesipis] *nm* precipicio; (*fig*) abismo, perdición *f*; **au bord du ~** (*fig*) al borde del abismo *ou* de la perdición

précipitamment [pʀesipitamɑ̃] *adv* precipitadamente

précipitation [pʀesipitasjɔ̃] *nf* (*hâte*) precipitación *f*; (*Chim*) precipitado; **précipitations** *nfpl* (*Météo*): **~s (atmosphériques)** precipitaciones *fpl*

précipité, e [pʀesipite] *adj* (*respiration*) jadeante; (*pas*) apresurado(-a); (*démarche, entreprise*) precipitado(-a)

précipiter [pʀesipite] *vt* (*faire tomber*) arrojar, tirar; (*pas*) apresurar; (*événements*) precipitar; **se précipiter** *vpr* (*respiration*) acelerarse; (*événements*) precipitarse; **se ~ sur/vers** lanzarse sobre/hacia; **se ~ au devant de qn** abalanzarse hacia algn

précis, e [pʀesi, iz] *adj* conciso(-a); (*vocabulaire*) conciso(-a), preciso(-a); (*bruit, point*) preciso(-a), determinado(-a); (*dessin, esprit*) seguro(-a), preciso(-a); (*heure*) preciso(-a), exacto(-a); (*tir, mesures*) exacto(-a) ■ *nm* compendio

précisément [pʀesizemɑ̃] *adv* (*avec précision*) de manera precisa; (*dans une réponse*) exactamente; (*dans négation*) precisamente; (*justement*) justamente

préciser [pʀesize] *vt* precisar; **se préciser** *vpr* precisarse, concretarse

précision [pʀesizjɔ̃] *nf* precisión *f*; (*détail*) exactitud *f*; **précisions** *nfpl* (*plus amples détails*) precisiones *fpl*

précoce [pʀekɔs] *adj* precoz

préconçu, e [pʀekɔ̃sy] (*péj*) *adj* preconcebido(-a)

préconiser [pʀekɔnize] *vt* preconizar

prédécesseur [pʀedesesœʀ] *nm* predecesor *m*; **prédécesseurs** *nmpl* (*ancêtres, précurseurs*) predecesores *mpl*

prédilection [pʀedilɛksjɔ̃] *nf*: **avoir une ~ pour qn/qch** tener predilección por algn/algo; **de ~** favorito(-a), preferido(-a)

prédire [pʀediʀ] *vt* (*événement improbable*) predecir, vaticinar; (*événement probable*) augurar

prédominer [pʀedɔmine] *vi* predominar

préface [pʀefas] *nf* prólogo; (*fig*) preliminar *m*

préfecture [pʀefɛktyʀ] *nf* prefectura, ≈ gobierno civil; (*ville*) capital *f* de departamento; **~ de police** dirección *f* general de policía de París

PRÉFECTURE

La *préfecture* es la oficina central del "département". El "préfet", que es un alto cargo del funcionariado designado por el gobierno, se encarga de poner en práctica la política gubernamental. Las 22 regiones francesas, cada una de las cuales comprende una serie de "départements", cuentan también con un "préfet de région".

préférable [pʀefeʀabl] *adj* preferible; **il est ~ de faire qch** es preferible hacer algo; **être ~ à** ser preferible a

préféré, e [pʀefeʀe] *adj* preferido(-a) ■ *nm/f* favorito(-a)

préférence [pʀefeʀɑ̃s] *nf* preferencia; **de ~** preferentemente; **de ~ à/par ~ à** antes que/en lugar de; **avoir une ~ pour qn/qch** tener predilección por algn/algo; **n'avoir pas de ~** no tener predilección; **donner la ~ à qn** dar preferencia a algn; **par ordre de ~** por orden de preferencia; **obtenir la ~ (sur qn)** pasar delante (de algn)

préférer [pʀefeʀe] *vt*: **~ qch/qn (à)** preferir algo/a algn (a); **~ faire qch** preferir hacer algo; **je préférerais du thé** preferiría té

préfet [pʀefɛ] *nm* prefecto, ≈ gobernador *m* civil; **~ de police** director *m* general de policía de París

préhistorique [pʀeistɔʀik] *adj* prehistórico(-a)

préjudice [pʀeʒydis] *nm* perjuicio; **porter ~ à qch/à qn** perjudicar algo/a algn; **au ~ de qn/de qch** en perjuicio de algn/de algo

préjugé [pʀeʒyʒe] *nm* prejuicio; **avoir un ~ contre qn/qch** tener prejuicios contra algn/algo; **bénéficier d'un ~ favorable** beneficiarse de un prejuicio favorable

prélasser [pʀelɑse] *vpr*: **se prélasser** relajarse

prélèvement [pʀelɛvmɑ̃] *nm* extracción *f*, toma; **faire un ~ de sang** hacer una extracción de sangre

prélever [pʀel(ə)ve] *vt* (*échantillon*) tomar, sacar; (*organe*) extraer; **~ (sur)** (*retirer*) sacar (de); (*déduire*) descontar (de), deducir (de)

prématuré, e [pʀematyʀe] *adj* prematuro(-a); (*retraite, nouvelle*) anticipado(-a) ▪ *nm/f* prematuro(-a)

premier, -ière [pʀəmje, jɛʀ] *adj* primero(-a); (*avant un nom masculin*) primer; (*après le nom*: *cause, principe*) primordial; (: *objectif*) principal ▪ *adj m* (*Math*) primo ▪ *nm/f* primero(-a) ▪ *nm* (*premier étage*) primero ▪ *nf* (*vitesse, classe*) primera; (*Scol*) *sexto año de educación secundaria en el sistema francés*; (*Théâtre, Ciné*) estreno; **au ~ abord** en un primer momento; **au** *ou* **du ~ coup** al instante; **de ~ ordre** de primer orden; **à la première occasion** en la primera ocasión; **de première qualité** de primera calidad; **de ~ choix** de primera; **de première importance** de capital importancia; **de première nécessité** de primera necesidad; **le ~ venu** el primero que venga; **jeune ~** joven *m* promesa; (*Ciné*) galán *m*; **première classe** primera clase *f*; **le ~ de l'an** el primero de año, el día de año nuevo; **première communion** primera comunión *f*; **enfant du ~ lit** hijo de primer matrimonio; **en ~ lieu** en primer lugar; **~ âge** infancia, primera edad *f*; **P~ Ministre** primer(-a) ministro(-a)

premièrement [pʀəmjɛʀmɑ̃] *adv* primeramente; (*en premier lieu*) en primer lugar; (*introduisant une objection*) primero

prémonition [pʀemɔnisjɔ̃] *nf* premonición *f*

prenant, e [pʀənɑ̃, ɑ̃t] *vb voir* **prendre** ▪ *adj* (*film, livre*) cautivador(a); (*activité*) acaparador(a)

prénatal, e [pʀenatal] *adj* prenatal

prendre [pʀɑ̃dʀ] *vt* coger, agarrar (*AM*); (*aller chercher*) recoger; (*emporter avec soi*) llevar; (*poisson*) pescar; (*place*) ocupar; (*Cartes*) levantar; (*Échecs, aliment*) comer; (*boisson*) beber; (*médicament, notes, mesures*) tomar; (*bain, douche*) darse; (*moyen de transport, route*) tomar, coger; (*essence*) echar; (*commande*) tomar nota de; (*passager, personnel, élève*) coger, tomar (*AM*); (*exemple*) poner; (*photographie*) sacar; (*renseignements, ordres*) recibir; (*avis*) pedir; (*engagement, critique*) aceptar; (*attitude*) adoptar; (*du poids*) ganar; (*de la valeur*) adquirir, ganar; (*vacances, repos*) tomar(se); (*coûter*: *temps*) requerir, llevar; (: *efforts, argent*) requerir; (*prélever*: *pourcentage, argent, cotisation*) quedarse con; (*traiter*: *enfant*) tratar; (: *problème*) tratar, llevar ▪ *vi* (*pâte, peinture*) espesar; (*ciment*) fraguar; (*semis, vaccin*) agarrar; (*plaisanterie*) encajar; (*mensonge*) ser creído(-a); (*feu, incendie*) comenzar; (*bois, allumette*) prender; **~ qn par la main** coger a algn de la mano; **~ qn dans ses bras** abrazar a algn; **~ au piège** coger *ou* pillar en la trampa; **~ la relève** relevar, tomar el relevo; **~ la défense de qn** salir en defensa de algn, defender a algn; **~ des risques** arriesgarse; **~ l'air** tomar el aire; **~ son temps** tomarse el tiempo necesario, no precipitarse; **~ le deuil** ponerse de luto; **~ feu** prender fuego; **~ l'eau** entrarle agua a; **~ de l'âge** envejecer; **~ sa retraite** jubilarse; **~ la parole** tomar la palabra; **~ la fuite** emprender la huida; **~ la porte** coger *ou* agarrar la puerta; **~ son origine** (*mot*) tomar su origen; **~ sa source** (*rivière*) nacer; **~ congé de qn** despedirse de algn; **~ un virage** tomar una curva; **~ le lit** guardar cama; **~ le voile** (*Rel*) tomar los hábitos, profesar; **~ qn comme** *ou* **pour** coger *ou* tomar a algn como *ou* de; **~ sur soi** responsabilizarse de; **~ sur soi de faire qch** responsabilizarse de hacer algo; **~ du plaisir à qch** cogerle *ou* tomarle gusto a algo; **~ de l'intérêt à qch** tomar interés por algo; **~ qch au sérieux** tomar(se) algo en serio; **~ qn en faute** coger *ou* pillar a algn in fraganti; **~ qn en sympathie/horreur** coger *ou* agarrar simpatía/odio a algn; **~ qn pour qn/qch** tomar a algn por algn/algo; **~ qch pour prétexte** tomar algo como pretexto; **~ qn à témoin** poner a algn por testigo; **à tout ~** bien mirado; **~ (un) rendez-vous avec qn** concertar una entrevista con algn; **~ à gauche** coger *ou* tomar a la izquierda; **s'en ~ à** emprenderla con; **se ~ pour** creerse; **se ~ d'amitié pour qn** hacer amistad con algn; **se ~ d'affection pour qn** cobrar afecto a algn; **s'y ~ bien/mal** (*procéder*) hacerlo bien/mal; **il faudra s'y ~ à l'avance** habrá que hacerlo

con antelación; **s'y ~ à deux fois** intentarlo dos veces; **se ~ par le cou/la taille** agarrarse del cuello/de la cintura; **se ~ par la main** (*gén*) agarrarse de la mano; (*fig*) armarse de valor; **se ~ les doigts** pillarse los dedos
preneur [pʀənœʀ] *nm*: **je suis ~** estoy dispuesto a comprar; **trouver ~** encontrar comprador
prénom [pʀenɔ̃] *nm* nombre *m* (de pila)
préoccupation [pʀeɔkypasjɔ̃] *nf* preocupación *f*
préoccuper [pʀeɔkype] *vt* (*personne*) preocupar, inquietar; **se ~ de qch/de faire qch** preocuparse por algo/de hacer algo
préparatifs [pʀepaʀatif] *nmpl* preparativos *mpl*
préparation [pʀepaʀasjɔ̃] *nf* preparación *f*; (*Chim*) preparado
préparer [pʀepaʀe] *vt* preparar; **se préparer** *vpr* prepararse; **~ qn à** (*nouvelle etc*) preparar a algn para; **se ~ (à qch/à faire qch)** prepararse (para algo/para hacer algo)
prépondérant, e [pʀepɔ̃deʀɑ̃, ɑ̃t] *adj* preponderante
préposé, e [pʀepoze] *adj*: **~ (à qch)** encargado(-a) (de algo) ▪ *nm/f* encargado(-a); (*Admin: facteur*) cartero *m/f*; **~ des douanes** agente *m/f* de aduanas
préposition [pʀepozisjɔ̃] *nf* preposición *f*
préretraite [pʀeʀ(ə)tʀɛt] *nf* prejubilación *f*
près [pʀɛ] *adv* cerca; **~ de** (*lieu*) cerca de; (*la retraite*) próximo a; (*mourir*) a punto de; (*temps, quantité*) alrededor de; **de ~** de cerca; **à 5 m/5 kg ~** 5 m/5 kg más o menos; **à cela ~ que** salvo que, excepto que; **je ne suis pas ~ de lui pardonner/d'oublier** estoy lejos de perdonarle/de olvidar; **on n'est pas à un jour ~** un día más o menos da igual
présage [pʀezaʒ] *nm* presagio; (*d'un événement*) presentimiento
presbyte [pʀɛsbit] *adj* présbita, hipermétrope
presbytère [pʀɛsbitɛʀ] *nm* casa parroquial
prescription [pʀɛskʀipsjɔ̃] *nf* (*Jur*) mandato, orden *f*; (*instruction*) disposición *f*; (*Méd*) prescripción *f* facultativa, receta
prescrire [pʀɛskʀiʀ] *vt* (*Jur*) dictar; (*ordonner*) prescribir; (*remède*) recetar; (*suj: circonstances*) recomendar; **se prescrire** *vpr* (*Jur*) prescribir, anularse
présence [pʀezɑ̃s] *nf* presencia; (*au bureau etc*) presencia, asistencia; **en ~ de** (*personne*) en presencia de; (*incidents etc*) en medio de; **en ~** presentes; **sentir une ~** sentir una presencia; **faire acte de ~** hacer acto de presencia; **~ d'esprit** presencia de ánimo
présent, e [pʀezɑ̃, ɑ̃t] *adj, nm* presente *m*; **présents** *nmpl*: **les ~s** (*personnes*) los presentes; **"~!"** (*à un contrôle*) "¡presente!"; **la ~e lettre/loi** (*Admin, Comm*) la presente carta/ley; **à ~** en la actualidad, ahora; **dès à/jusqu'à ~** desde/hasta ahora; **à ~ que** ahora que
présentation [pʀezɑ̃tasjɔ̃] *nf* presentación *f*; **faire les ~s** hacer las presentaciones
présenter [pʀezɑ̃te] *vt* presentar; (*billet, pièce d'identité*) enseñar; (*fig: spectacle*) ofrecer; (*thèse*) defender; (*remettre: note*) entregar; (*matière: à un examen*) hacer, exponer; (*condoléances, félicitations, remerciements*) dar ▪ *vi*: **~ mal/bien** tener buena/mala presencia; **se présenter** *vpr* presentarse; (*solution, doute*) surgir; **~ qch à qn** (*fauteuil etc*) enseñar *ou* mostrar algo a algn; (*plat*) presentar algo a algn; **se ~ bien/mal** (*affaire*) presentarse bien/mal; **se ~ à l'esprit** venir a la cabeza
préservatif [pʀezɛʀvatif] *nm* preservativo
préserver [pʀezɛʀve] *vt*: **~ qch/qn de** (*protéger*) preservar *ou* proteger algo/a algn de
président [pʀezidɑ̃] *nm* presidente *m*; **~ du jury** (*Jur*) presidente del jurado; **~ d'un jury d'examen/de concours** presidente del tribunal; **~ de la République** presidente de la República; **~ directeur général** director *m* gerente
présidentielles [pʀezidɑ̃sjɛl] *nfpl* (*élections*) elecciones *fpl* presidenciales
présider [pʀezide] *vt* presidir; **~ à qch** presidir algo
presque [pʀɛsk] *adv* casi; **~ toujours/autant** casi siempre/tanto; **~ tous/rien** casi todos/nada; **il n'a ~ pas d'argent** casi no tiene dinero, apenas tiene dinero; **il n'y avait ~ personne** no había casi nadie; **la voiture s'est ~ arrêtée** el coche casi se para, por poco se para el coche; **il n'y avait personne, ou ~** no había nadie, o casi nadie; **on pourrait ~ dire que** casi podría decirse que; **~ à chaque pas** casi a cada paso; **la ~ totalité (de)** la casi totalidad (de)

presqu'île [pʀɛskil] *nf* península
pressant, e [pʀɛsɑ̃, ɑ̃t] *adj* apremiante; (*personne*) atosigante; (*besoin*) acuciante; **se faire ~** volverse atosigante
presse [pʀɛs] *nf* prensa; **mettre un ouvrage sous ~** meter una obra en prensa; **avoir bonne/mauvaise ~** (*fig*) tener buena/mala prensa; **~ d'information/d'opinion** prensa de información/de opinión; **~ du cœur** prensa del corazón; **~ féminine** prensa femenina
pressé, e [pʀese] *adj* (*personne*) apresurado(-a), apurado(-a) (*AM*); (*lettre, besogne*) urgente ▪ *nm*: **aller/courir au plus ~** acudir/atender a lo más urgente; **être ~ de faire qch** tener prisa por hacer algo; **orange ~e** zumo de naranja
presse-citron [pʀɛssitʀɔ̃] *nm inv* exprimelimones *m inv*
pressentiment [pʀesɑ̃timɑ̃] *nm* presentimiento
pressentir [pʀesɑ̃tiʀ] *vt* presentir; (*prendre contact avec, sonder*) sondear
presse-papiers [pʀɛspapje] *nm inv* pisapapeles *m inv*
presser [pʀese] *vt* (*fruit*) exprimir; (*éponge*) escurrir; (*interrupteur, bouton*) pulsar; (*brusquer*) acosar ▪ *vi* (*être urgent*) urgir, correr prisa; **se presser** *vpr* (*se hâter*) darse prisa, apurarse (*AM*); (*se grouper*) apiñarse; **le temps presse** el tiempo apremia; **rien ne presse** no hay prisa; **~ le pas** *ou* **l'allure** aligerar (el paso); **~ qn de faire qch** (*inciter*) inducir *ou* presionar a algn a hacer algo; **~ qn de questions** acosar a algn a preguntas; **~ ses débiteurs** apremiar a sus deudores; **~ qn entre** *ou* **dans ses bras** estrechar a algn entre *ou* en sus brazos; **se ~ contre qn** apretujarse contra algn
pressing [pʀesiŋ] *nm* (*repassage*) planchado; (*magasin*) tintorería
pression [pʀesjɔ̃] *nf* presión *f*; (*bouton*) automático; **faire ~ sur qn/qch** ejercer presión sobre algn/algo; **sous ~** a presión; (*fig*) presionado(-a); **~ artérielle** tensión *f* arterial; **~ atmosphérique** presión atmosférica
prestataire [pʀɛstatɛʀ] *nm/f* beneficiario(-a); **~ de services** (*Comm*) prestador *m* de servicios
prestation [pʀɛstasjɔ̃] *nf* (*allocation*) prestación *f*, ayuda; (*d'une assurance*) prestación, indemnización *f*; (*d'une entreprise*) contribución *f*; (*d'un joueur, artiste, homme politique*) actuación *f*; **~ de serment** jura; **~ de service** prestación de servicios; **~s familiales** prestaciones *fpl* familiares (de la Seguridad Social)
prestidigitateur, -trice [pʀɛstidiʒitatœʀ, tʀis] *nm/f* prestidigitador(a)
prestige [pʀɛstiʒ] *nm* prestigio
prestigieux, -euse [pʀɛstiʒjø, jøz] *adj* prestigioso(-a)
présumer [pʀezyme] *vt*: **~ que** presumir que; **~ de qn/qch** sobreestimar algn/a algo; **présumé coupable/innocent** presunto culpable/inocente
prêt, e [pʀɛ, pʀɛt] *adj* listo(-a), presto(-a); (*cérémonie, repas*) listo(-a), preparado(-a) ▪ *nm* préstamo; **~ à faire qch** (*préparé à*) listo(-a) para hacer algo; (*disposé à*) dispuesto(-a) a hacer algo; **~ à toute éventualité** preparado(-a) para lo que venga; **~ à tout** dispuesto(-a) a todo; **à vos marques, ~s? partez!** ¡preparados, listos, ya!; **~ sur gages** préstamo bajo fianza
prêt-à-porter [pʀɛtapɔʀte] (*pl* **prêts-à-porter**) *nm* prêt-à-porter *f*
prétendre [pʀetɑ̃dʀ] *vt* (*avoir la ferme intention de*) pretender; (*affirmer*): **~ que** mantener que; **~ à** aspirar a
prétendu, e [pʀetɑ̃dy] *adj* supuesto(-a)
prétentieux, -euse [pʀetɑ̃sjø, jøz] *adj* presuntuoso(-a); (*maison, villa*) pretencioso(-a)
prétention [pʀetɑ̃sjɔ̃] *nf* pretensión *f*; **sans ~** sin pretensiones
prêter [pʀete] *vt* (*livres, argent*): **~ qch (à)** prestar algo (a); (*propos etc*): **~ à qn** achacar a algn ▪ *vi* (*aussi*: **se prêter**: *tissu, cuir*) dar de sí; **~ à**: **~ aux commentaires/à équivoque/à rire** prestarse a comentarios/a equívoco/a risa; **se ~ à qch** prestarse a algo; **~ assistance à** prestar socorro a; **~ attention/serment** prestar atención/juramento; **~ l'oreille** aguzar el oído; **~ sur gages** prestar bajo fianza; **~ de l'importance à** prestar importancia a
prétexte [pʀetɛkst] *nm* pretexto; **sous aucun ~** bajo ningún pretexto; **sous ~ de** con el pretexto de
prétexter [pʀetɛkste] *vt* poner el pretexto de; **~ que** poner el pretexto de que
prêtre [pʀɛtʀ] *nm* sacerdote *m*
preuve [pʀœv] *nf* prueba; **jusqu'à ~ du contraire** hasta que se demuestre lo contrario; **faire ~ de** dar pruebas de; **faire ses ~s** dar prueba de sus aptitudes; **~ matérielle** (*Jur*) prueba material; **~ par neuf** prueba del nueve

prévaloir [pʀevalwaʀ] *vi* prevalecer; **se prévaloir de qch** *vpr* contar con la ventaja de algo; (*tirer vanité de*) enorgullecerse de algo
prévenant, e [pʀev(ə)nɑ̃, ɑ̃t] *adj* atento(-a)
prévenir [pʀev(ə)niʀ] *vt* prevenir; (*besoins, etc*) anticiparse a; **~ qn (de qch)** (*avertir*) prevenir a algn (de algo); **~ qn contre** (*influencer*) predisponer a algn contra
préventif, -ive [pʀevɑ̃tif, iv] *adj* preventivo(-a); **détention/prison/arrestation préventive** detención *f* preventiva/prisión *f* preventiva/arresto preventivo
prévention [pʀevɑ̃sjɔ̃] *nf* prevención *f*; **faire six mois de ~** pasar seis meses en prisión preventiva; **~ routière** seguridad *f* vial
prévenu, e [pʀev(ə)ny] *pp de* **prévenir** ▪ *nm/f* preso(-a) ▪ *adj*: **être ~ contre qn** estar prevenido(-a) contra algn; **j'ai été ~ en votre faveur** me han dado buenas referencias sobre usted
prévision [pʀevizjɔ̃] *nf*: **~s** previsión *f*; **en ~ de l'orage** en caso de que haya tormenta; **~s météorologiques** previsión meteorológica
prévoir [pʀevwaʀ] *vt* prever; **prévu pour 4 personnes** con cabida para 4 personas; **prévu pour 10 h** previsto para las 10
prévoyant, e [pʀevwajɑ̃, ɑ̃t] *vb voir* **prévoir** ▪ *adj* prevenido(-a), precavido(-a)
prévu [pʀevy] *pp de* **prévoir**
prier [pʀije] *vi* rezar ▪ *vt* rogar; (*Rel*) rezar; (*demander avec fermeté*) mandar; **~ qn à dîner** invitar a algn a cenar; **se faire ~** hacerse rogar; **je vous en prie** (*allez-y*) pase por favor; (*de rien*) de nada
prière [pʀijɛʀ] *nf* oración *f*; (*demande*) ruego; **dire une/des/sa ~(s)** rezar una/algunas/su(s) oración(oraciones); **"~ de faire/ne pas faire ..."** "se ruega hacer/no hacer ..."
primaire [pʀimɛʀ] *adj* primario(-a); (*péj*) primitivo(-a); (: *explication*) superficial ▪ *nm* (*Scol*: *aussi*: **enseignement primaire**): **le ~** ≈ primera etapa de la educación primaria
prime [pʀim] *nf* (*bonification, Assurance, Bourse*) prima; (*subside*) ayuda; (*Comm*: *cadeau*) bonificación *f* ▪ *adj*: **de ~ abord** de entrada; **~ de risque/de transport** prima de riesgo/gastos *mpl* de transporte
primer [pʀime] *vt* (*l'emporter sur*): **~ sur qch** primar sobre algo; (*récompenser*) premiar ▪ *vi* primar
primeurs [pʀimœʀ] *nfpl* (*fruits, légumes*) frutos *mpl* tempranos
primevère [pʀimvɛʀ] *nf* primavera
primitif, -ive [pʀimitif, iv] *adj* primitivo(-a); (*texte etc*) antiguo(-a) ▪ *nm/f* primitivo(-a)
primordial, e, -aux [pʀimɔʀdjal, jo] *adj* primordial
prince [pʀɛ̃s] *nm* príncipe *m*; **~ charmant** príncipe azul; **~ de Galles** (*Textile*) príncipe de Gales; **~ héritier** príncipe heredero
princesse [pʀɛ̃sɛs] *nf* princesa
principal, e, -aux [pʀɛ̃sipal, o] *adj* principal ▪ *nm* (*Scol*) director *m*; (*Fin*) principal *m*; (*essentiel*): **le ~** lo importante
principe [pʀɛ̃sip] *nm* principio; **principes** *nmpl* (*moraux etc*) principios *mpl*; **partir du ~ que** partir del principio de que; **pour le ~** por principios; **de/en/par ~** de/en/por principio
printemps [pʀɛ̃tɑ̃] *nm* primavera
priorité [pʀijɔʀite] *nf* prioridad *f*; **en ~** con prioridad; **~ à droite** prioridad a la derecha
pris, e [pʀi, pʀiz] *pp de* **prendre** ▪ *adj* (*place, journée*) ocupado(-a); (*billets*) sacado(-a); (*crème, glace*) en su punto; (*ciment*) fraguado(-a); **avoir le nez ~/la gorge ~e** (*Méd*) tener la nariz/la garganta irritada; **être ~ de peur/de fatigue** entrarle a algn miedo/cansancio
prise [pʀiz] *nf* (*d'une ville*) toma; (*de judo, catch*) llave *f*; (*Pêche, Chasse*) presa; (*Élec*) conexión *f*; (*fiche*) enchufe *m*; **ne pas avoir de/avoir ~** no tener/tener donde agarrarse; **en ~** (*Auto*) en directa; **être aux ~s avec qn** enfrentarse con algn; **lâcher ~** soltarse; **donner ~ à** (*fig*) dar pie a; **avoir ~ sur qn** tener influencia sobre algn; **~ d'eau** toma de agua; **~ d'otages** captura de rehenes; **~ de contact** toma de contacto; **~ de courant** conexión; **~ de sang** toma de sangre; **~ de son** toma de sonido; **~ de tabac** toma de rapé; **~ de terre** toma de tierra; **~ de vue** (*Photo*) toma de vista; **~ de vue(s)** toma de planos; **~ en charge** (*par un taxi*) bajada de bandera; (*par la sécurité sociale*) cobertura; **~ multiple** ladrón *m*; **~ péritel** euroconector *m*
priser [pʀize] *vt* (*tabac*) inhalar; (*estimer*) apreciar
prison [pʀizɔ̃] *nf* cárcel *f*, prisión *f*; (*Mil*) prisión militar; (*fig*) cárcel; **faire de/risquer la ~** estar en/correr el riesgo de ir

a la cárcel; **être condamné à cinq ans de ~** ser condenado a cinco años de cárcel

prisonnier, -ière [pʀizɔnje, jɛʀ] *nm/f* preso(-a); (*soldat, otage*) prisionero(-a) ■ *adj* preso(-a); **faire qn ~** hacer prisionero(-a) a algn

privé, e [pʀive] *adj* privado(-a); **~ de** privado(-a) de; **en ~** en privado; **dans le ~** (*Écon*) en el sector privado

priver [pʀive] *vt* privar; **se priver** *vpr*: **(ne pas) se ~ (de)** (no) privarse (de)

privilège [pʀivilɛʒ] *nm* privilegio

prix [pʀi] *nm* precio; (*récompense*) premio; **grand ~ automobile** gran premio automovilístico; **mettre à ~** sacar a la venta; **au ~ fort** al precio más alto; **acheter qch à ~ d'or** comprar algo a precio de oro; **hors de ~** carísimo(-a); **à aucun ~** por nada del mundo; **à tout ~** cueste lo que cueste; **~ conseillé** precio de venta al público, PVP *m*; **~ d'achat/de revient/de vente** precio de compra/de coste/de venta

probable [pʀɔbabl] *adj* probable

probablement [pʀɔbabləmɑ̃] *adv* probablemente

problème [pʀɔblɛm] *nm* problema *m*

procédé [pʀɔsede] *nm* proceso; (*comportement*) proceder *m*

procéder [pʀɔsede] *vi* proceder; **~ à** (*Jur*) proceder a, pasar a

procès [pʀɔsɛ] *nm* (*Jur*) juicio; (*: poursuites*) proceso; **être en ~ avec qn** estar en pleito con algn; **faire le ~ de qch/qn** (*fig*) criticar algo/a algn; **sans autre forme de ~** sin más ni más

processeur [pʀɔsesœʀ] *nm* procesador *m*

processus [pʀɔsesys] *nm* proceso

procès-verbal [pʀɔsɛvɛʀbal] (*pl* **procès-verbaux**) *nm* (*constat*) atestado; (*aussi*: **P.V.**) multa; (*d'une réunion*) acta

prochain, e [pʀɔʃɛ̃, ɛn] *adj* próximo(-a) ■ *nm* prójimo; **la ~e fois** la próxima vez; **la semaine ~e** la semana que viene; **à la ~e!** (*fam*) ¡hasta otra!; **un jour ~** cualquier día

prochainement [pʀɔʃɛnmɑ̃] *adv* pronto; (*au cinéma*) próximamente

proche [pʀɔʃ] *adj* (*ami*) cercano(-a), próximo(-a); **proches** *nmpl* (*parents*) familiares *mpl*; (*amis*): **l'un de ses ~s** una de sus amistades; **être ~ (de)** estar cerca (de); (*fig: parent*) estar unido(-a) a; **de ~ en ~** progresivamente

proclamer [pʀɔklame] *vt* declarar; (*la république, son innocence*) proclamar; (*résultat d'un examen*) publicar

procuration [pʀɔkyʀasjɔ̃] *nf* poder *m*; **donner ~ à qn** hacer un poder a algn; **voter/acheter par ~** votar/comprar por poder

procurer [pʀɔkyʀe] *vt* (*fournir*) proporcionar; (*causer*) dar; **se procurer** *vpr* conseguir

procureur [pʀɔkyʀœʀ] *nm*: **~ (de la République)** ≈ fiscal *m*; **~ général** ≈ fiscal del tribunal supremo

prodige [pʀɔdiʒ] *nm* prodigio; **un ~ d'ingéniosité** un prodigio de ingenio

prodiguer [pʀɔdige] *vt* prodigar

producteur, -trice [pʀɔdyktœʀ, tʀis] *adj, nm/f* productor(a); **société productrice** productora

productif, -ive [pʀɔdyktif, iv] *adj* productivo(-a); (*personnel*) eficiente

production [pʀɔdyksjɔ̃] *nf* producción *f*

productivité [pʀɔdyktivite] *nf* productividad *f*

produire [pʀɔdɥiʀ] *vt* producir; (*Admin, Jur: documents, témoins*) presentar ■ *vi* producir; **se produire** *vpr* producirse; (*acteur*) actuar

produit, e [pʀɔdɥi, it] *pp de* **produire** ■ *nm* producto; (*profit*) rendimiento; **~ d'entretien** producto de limpieza; **~ des ventes** producto de la venta; **~ national brut** producto nacional bruto; **~ net** beneficio neto; **~ pour la vaisselle** lavavajillas *m inv*; **~s agricoles** productos *mpl* agrícolas; **~s alimentaires** productos alimenticios; **~s de beauté** productos de belleza

prof [pʀɔf] *abr* (*= professeur*) prof. (*= profesor*)

proférer [pʀɔfeʀe] *vt* proferir

professeur [pʀɔfesœʀ] *nm* profesor(a); (*titulaire d'une chaire*) catedrático(-a); **~ (de faculté)** profesor(a) (de universidad)

profession [pʀɔfesjɔ̃] *nf* profesión *f*; **faire ~ de** hacer profesión de; **de ~**: **ballerine de ~** bailarina de profesión; **"sans ~"** "sin profesión"; (*femme mariée*) "sus labores"

professionnel, le [pʀɔfesjɔnɛl] *adj* profesional ■ *nm/f* profesional *m/f*; (*ouvrier qualifié*) obrero(-a) cualificado(-a)

profil [pʀɔfil] *nm* perfil *m*; (*d'une voiture*) línea; (*section*) sección *f*; **de ~** de perfil; **~ des ventes** perfil de ventas; **~ psychologique** perfil psicológico

profit [pʀɔfi] *nm* (*avantage*) provecho; (*Comm, Fin*) beneficio; **au ~ de qn/qch** en beneficio de algn/algo; **tirer** *ou* **retirer ~ de qch** sacar provecho de algo; **mettre à ~ qch** sacar partido de algo; **~s et pertes** (*Comm*) pérdidas *fpl* y beneficios

profitable [pRɔfitabl] *adj* provechoso(-a)
profiter [pRɔfite]: **~ de** *vt* aprovecharse de; (*lecture*) sacar provecho de; (*occasion*) aprovechar; **~ de ce que ...** aprovecharse de que ...; **~ à qch/à qn** beneficiar algo/a algn
profond, e [pRɔfɔ̃, ɔ̃d] *adj* profundo(-a); (*trou, eaux*) hondo(-a); **au plus ~ de** desde lo más hondo *ou* profundo de; **la France ~e** la Francia profunda
profondément [pRɔfɔ̃demɑ̃] *adv* profundamente; **~ endormi** profundamente dormido
profondeur [pRɔfɔ̃dœR] *nf* profundidad *f*; **en ~** en profundidad; **~ de champ** (*Photo*) profundidad de campo
programme [pRɔgRam] *nm* programa *m*; **au ~ de ce soir** (*TV*) en la programación de esta noche
programmer [pRɔgRame] *vt* programar
programmeur, -euse [pRɔgRamœR, øz] *nm/f* (*Inform*) programador(a)
progrès [pRɔgRɛ] *nm* progreso, avance *m*; (*gén pl: d'un incendie, d'une épidémie etc*) avance *m*; **faire des/être en ~** hacer progresos
progresser [pRɔgRese] *vi* (*mal etc*) avanzar; (*élève, recherche*) progresar
progressif, -ive [pRɔgResif, iv] *adj* progresivo(-a)
progression [pRɔgResjɔ̃] *nf* (*d'un mal etc*) avance *m*; (*Math*) progresión *f*
proie [pRwɑ] *nf* presa; (*fig*) víctima; **être la ~ de** ser presa de; **être en ~ à** ser presa de
projecteur [pRɔʒɛktœR] *nm* (*de théâtre, cirque*) foco; (*de films, photos*) proyector *m*
projectile [pRɔʒɛktil] *nm* proyectil *m*
projection [pRɔʒɛksjɔ̃] *nf* proyección *f*; **les ~s du camion** lo que el camión lanzó al pasar
projet [pRɔʒɛ] *nm* proyecto; **faire des ~s** hacer planes; **~ de loi** proyecto de ley
projeter [pRɔʒ(ə)te] *vt* proyectar; (*jeter*) lanzar; (*envisager*) planear
prolétaire [pRɔletɛR] *nm* proletario(-a)
prolongement [pRɔlɔ̃ʒmɑ̃] *nm* prolongación *f*; **prolongements** *nmpl* (*fig*) repercusiones *fpl*; **être dans le ~ de** ser una prolongación de
prolonger [pRɔlɔ̃ʒe] *vt* prolongar; (*délai*) prorrogar; **se prolonger** *vpr* prolongarse
promenade [pRɔm(ə)nad] *nf* paseo; **faire une ~** dar un paseo; **partir en ~** salir de paseo; **~ à pied/à vélo/en voiture** paseo andando/en bici/en coche
promener [pRɔm(ə)ne] *vt* dar un paseo a; (*fig: qch*) llevar consigo; (*doigts, main*) recorrer; **se promener** *vpr* pasearse; **se ~ sur** (*fig*) recorrer; **son regard se promena sur ...** recorrió con la mirada ...
promesse [pRɔmɛs] *nf* promesa; **~ d'achat/de vente** compromiso de compra/de venta
promettre [pRɔmɛtR] *vt, vi* prometer; **se ~ de faire qch** comprometerse a hacer algo; **~ à qn de faire qch** prometer a algn hacer algo
promiscuité [pRɔmiskɥite] *nf* promiscuidad *f*
promontoire [pRɔmɔ̃twaR] *nm* promontorio
promoteur, -trice [pRɔmɔtœR, tRis] *nm/f* propulsor(a); **~ (immobilier)** promotor (inmobiliario)
promotion [pRɔmosjɔ̃] *nf* promoción *f*; (*avancement*) ascenso; **article en ~** artículo en oferta; **~ des ventes** promoción de ventas
promouvoir [pRɔmuvwaR] *vt* (*à un grade, poste*) ascender a; (*recherche etc*) promover; (*Comm: produit*) promocionar
prompt, e [pRɔ̃(pt), pRɔ̃(p)t] *adj* rápido(-a); **~ à qch/à faire qch** dado(-a) a algo/a hacer algo
prôner [pRone] *vt* (*louer*) ensalzar; (*préconiser*) preconizar
pronom [pRɔnɔ̃] *nm* pronombre *m*
prononcer [pRɔnɔ̃se] *vt* pronunciar; (*souhait, vœu*) formular; **se prononcer** *vpr* pronunciarse; **se ~ sur qch** pronunciarse sobre algo; **ça se prononce comment?** ¿cómo se pronuncia eso?
prononciation [pRɔnɔ̃sjasjɔ̃] *nf* pronunciación *f*
pronostic [pRɔnɔstik] *nm* pronóstico
propagande [pRɔpagɑ̃d] *nf* propaganda; **faire de la ~ pour qch** hacer propaganda de algo
propager [pRɔpaʒe] *vt* propagar; **se propager** *vpr* propagarse; (*espèce*) multiplicarse
prophète, prophétesse [pRɔfɛt, pRɔfetɛs] *nm/f* profeta (profetisa)
prophétie [pRɔfesi] *nf* (*d'un prophète*) profecía; (*d'une cartomancienne*) predicción *f*
propice [pRɔpis] *adj* propicio(-a)
proportion [pRɔpɔRsjɔ̃] *nf* proporción *f*; (*relation, pourcentage*) relación *f*; **à ~ de** en proporción directa a; **en ~ de** (*selon*) en proporción a; (*en comparaison de*) en comparación a; **hors de ~**

desproporcionado(-a); **toute(s) ~(s) gardée(s)** manteniendo las proporciones

propos [pʀɔpo] *nm* (*paroles*) palabras *fpl*; (*intention*) propósito; **à ~ de** a propósito de; **à tout ~** a cada momento; **à ce ~** a ese respecto; **à ~** a propósito; **hors de ~, mal à ~** fuera de lugar

proposer [pʀɔpoze] *vt* proponer; (*loi, motion*) presentar; **se ~ (pour faire qch)** ofrecerse (para hacer algo); **se ~ de faire qch** proponerse hacer algo

proposition [pʀɔpozisjɔ̃] *nf* propuesta; (*offre*) oferta; (*Ling*) proposición *f*; **sur la ~ de** a propuesta de; **~ de loi** propuesta de ley

propre [pʀɔpʀ] *adj* limpio(-a); (*net*) pulcro(-a); (*fig: honnête*) intachable; (*intensif possessif, sens*) propio(-a) ▪ *nm*: **le ~ de** lo propio de; **~ à** (*particulier*) propio(-a) de; (*convenable*) apropiado(-a) para; **au ~** (*Ling*) en sentido propio; **mettre** *ou* **recopier au ~** pasar a limpio; **avoir qch/appartenir à qn en ~** tener algo/pertenecer a algn en propiedad; **~ à rien** *nm/f* (*péj*) inútil *m/f*

proprement [pʀɔpʀəmɑ̃] *adv* (*manger etc*) correctamente; (*rangé etc*) con esmero; (*avec décence*) honradamente; (*exclusivement*) propiamente; (*littéralement*) verdaderamente; **à ~ parler** a decir verdad; **le village ~ dit** el pueblo propiamente dicho

propreté [pʀɔpʀəte] *nf* limpieza; (*d'une personne: pour s'habiller etc*) pulcritud *f*

propriétaire [pʀɔpʀijetɛʀ] *nm/f* propietario(-a); (*d'un chien etc*) dueño(-a); (*pour le locataire*) casero(-a); **~ (immobilier)** propietario; **~ récoltant** labrador; **~ terrien** terrateniente *m/f*

propriété [pʀɔpʀijete] *nf* propiedad *f*; (*villa, terres*) casa de campo; (*exploitations agricoles*) granja; **~ artistique et littéraire/industrielle** propiedad intelectual/industrial

propulser [pʀɔpylse] *vt* (*missile, engin*) propulsar; (*projeter*) lanzar

prose [pʀoz] *nf* prosa

prospecter [pʀɔspɛkte] *vt* prospectar; (*Comm*) estudiar el mercado de

prospectus [pʀɔspɛktys] *nm* prospecto

prospère [pʀɔspɛʀ] *adj* próspero(-a); **il a la santé ~** está rebosante de salud

prospérer [pʀɔspeʀe] *vi* prosperar

prosterner [pʀɔstɛʀne] *vpr*: **se prosterner** prosternarse

prostituée [pʀɔstitɥe] *nf* prostituta

prostitution [pʀɔstitysjɔ̃] *nf* prostitución *f*

protecteur, -trice [pʀɔtɛktœʀ, tʀis] *adj* protector(a); (*Écon*) proteccionista; (*péj: air, ton*) paternalista ▪ *nm/f* protector(a); **~ des arts** mecenas *m*

protection [pʀɔtɛksjɔ̃] *nf* protección *f*; **écran/enveloppe de ~** pantalla protectora/sobre *m* protector; **~ civile/judiciaire** protección civil/judicial; **~ maternelle et infantile** protección materna y de la infancia

protéger [pʀɔteʒe] *vt* proteger; (*moralement*) amparar; (*carrière*) apoyar; (*Écon*) patrocinar; **se ~ de/contre qch** protegerse de/contra algo

protège-slip [pʀɔtɛʒslip] *nm* salva-slip *m*

protéine [pʀɔtein] *nf* proteína

protestant, e [pʀɔtɛstɑ̃, ɑ̃t] *adj, nm/f* protestante *m/f*

protestation [pʀɔtɛstasjɔ̃] *nf* protesta

protester [pʀɔtɛste] *vi* protestar

prothèse [pʀɔtɛz] *nf* prótesis *f inv*; (*pour remplacer un organe*) implante *m*; **~ dentaire** prótesis dental; (*science*) fabricación *f* de prótesis dentales

protocole [pʀɔtɔkɔl] *nm* protocolo; (*procès-verbal*) acta de protocolo; **chef du ~** jefe *m* de protocolo; **~ d'accord** proposición *f* de acuerdo; **~ opératoire** (*Méd*) parte *m* médico

proue [pʀu] *nf* proa

prouesse [pʀuɛs] *nf* proeza

prouver [pʀuve] *vt* probar; (*montrer*) demostrar

provenance [pʀɔv(ə)nɑ̃s] *nf* procedencia; (*d'un mot, d'une coutume*) origen *m*; **en ~ de** procedente de

provenir [pʀɔv(ə)niʀ]: **~ de** *vt* proceder de; (*tirer son origine de*) provenir de; (*résulter de*) derivarse de

proverbe [pʀɔvɛʀb] *nm* proverbio

province [pʀɔvɛ̃s] *nf* provincia

proviseur [pʀɔvizœʀ] *nm* director(a) de instituto

provision [pʀɔvizjɔ̃] *nf* provisión *f*; (*acompte, avance*) anticipo; (*Comm*) provisión de fondos; **provisions** *nfpl* (*vivres*) provisiones *fpl*; **faire ~ de qch** abastecerse de algo; **placard** *ou* **armoire à ~s** despensa

provisoire [pʀɔvizwaʀ] *adj* provisional, provisorio(-a) (*AM*); (*personne*) interino(-a); **mise en liberté ~** puesta en libertad provisional

provisoirement [pʀɔvizwaʀmɑ̃] *adv* provisionalmente

provocant, e [pʀɔvɔkɑ̃, ɑ̃t] *adj* (*agressif*) provocante; (*excitant*) provocativo(-a)

provoquer [pʀɔvɔke] *vt* provocar; (*curiosité*) despertar
proxénète [pʀɔksenɛt] *nm* proxeneta *m*
proximité [pʀɔksimite] *nf* (*dans l'espace*) cercanía; (*dans le temps*) proximidad *f*; **à ~ (de)** cerca (de)
prudemment [pʀydamɑ̃] *adv* con prudencia
prudence [pʀydɑ̃s] *nf* prudencia; **avec ~** con prudencia; **par (mesure de) ~** como medida de precaución
prudent, e [pʀydɑ̃, ɑ̃t] *adj* prudente; (*sage, conseillé*) sensato(-a); **ce n'est pas ~** no es sensato; **soyez ~!** ¡tened cuidado!
prune [pʀyn] *nf* ciruela
pruneau, x [pʀyno] *nm* ciruela pasa
prunier [pʀynje] *nm* ciruelo
PS [peɛs] *sigle m* = *Parti socialiste*; (= *post-scriptum*) PD (= *postdata*)
pseudonyme [psødɔnim] *nm* seudónimo; (*de comédien*) nombre *m* artístico
psychanalyse [psikanaliz] *nf* (p)sicoanálisis *m inv*
psychiatre [psikjatʀ] *nm/f* (p)siquiatra *m/f*
psychiatrique [psikjatʀik] *adj* (p)siquiátrico(-a)
psychique [psiʃik] *adj* (p)síquico(-a)
psychologie [psikɔlɔʒi] *nf* (p)sicología
psychologique [psikɔlɔʒik] *adj* (p)sicológico(-a)
psychologue [psikɔlɔg] *nm/f* (p)sicólogo(-a); **être ~** (*fig*) ser (p)sicólogo(-a)
pu [py] *pp de* **pouvoir**
puanteur [pɥɑ̃tœʀ] *nf* pestilencia
pub [pyb] *nf* (*fam: publicité*) publicidad *f*
public, -ique [pyblik] *adj* público(-a) ■ *nm* público; **en ~** en público; **interdit au ~** prohibido al público; **le grand ~** el público en general
publicitaire [pyblisitɛʀ] *adj* publicitario(-a) ■ *nm/f* publicista *m/f*; **rédacteur/dessinateur ~** redactor *m*/ dibujante *m* publicitario
publicité [pyblisite] *nf* publicidad *f*; **une ~** un anuncio; **faire trop de ~ autour de qch/qn** dar demasiada publicidad a algo/algn
publier [pyblije] *vt* publicar; (*décret, loi*) promulgar
publipostage [pyblipɔstaʒ] *nm* envío masivo de correo
publique [pyblik] *adj f voir* **public**
puce [pys] *nf* pulga; (*Inform*) pulgada; **marché aux ~s** mercadillo; **mettre la ~ à l'oreille de qn** intrigar a algn, poner la mosca detrás de la oreja a algn
pudeur [pydœʀ] *nf* pudor *m*
pudique [pydik] *adj* (*chaste*) pudoroso(-a); (*discret*) recatado(-a)
puer [pɥe] (*péj*) *vi, vt* apestar (a)
puéricultrice [pɥeʀikyltʀis] *nf* puericultora
puéril, e [pɥeʀil] *adj* pueril
puis [pɥi] *vb voir* **pouvoir** ■ *adv* (*ensuite*) después, luego; (*dans une énumération*) luego; (*en outre*): **et ~** y además, y encima; **et ~ après!** ¡y qué!; **et ~ quoi encore?** ¡y qué más!
puiser [pɥize] *vt*: **~ (dans)** sacar (de)
puisque [pɥisk] *conj* ya que, como; **~ je te le dis!** (*valeur intensive*) ¡que te lo digo yo!
puissance [pɥisɑ̃s] *nf* potencia; (*pouvoir*) poder *m*; **deux (à la) ~ cinq** (*Math*) dos (elevado) a la quinta; **les ~s occultes** los poderes ocultos
puissant, e [pɥisɑ̃, ɑ̃t] *adj* poderoso(-a); (*homme, voix*) fuerte; (*raisonnement*) consistente; (*moteur*) potente; (*éclairage, drogue, vent*) fuerte
puits [pɥi] *nm* pozo; **~ artésien/de mine** pozo artesano/minero; **~ de science** pozo de sabiduría
pull [pyl], **pull-over** [pylɔvɛʀ] (*pl* **~-overs**) *nm* jersey *m*
pulluler [pylyle] *vi* pulular; (*fig*) abundar
pulpe [pylp] *nf* pulpa
pulvériser [pylveʀize] *vt* pulverizar; (*fig: adversaire*) machacar
punaise [pynɛz] *nf* (*Zool*) chinche *f*; (*clou*) chincheta
punch [pœnʃ] *nm* (*boisson*) ponche *m*; (*Boxe*) puñetazo; (*fig*) vitalidad *f*
punir [pyniʀ] *vt* castigar; (*faute, infraction*) sancionar; (*crime*) condenar; **~ qn de qch** castigar a algn por algo
punition [pynisjɔ̃] *nf* castigo
pupille [pypij] *nf* (*Anat*) pupila ■ *nm/f* (*enfant*) pupilo(-a); **~ de l'État** hospiciano(-a); **~ de la Nation** huérfano(-a) de guerra
pupitre [pypitʀ] *nm* (*Scol*) pupitre *m*; (*Rel, Mus*) atril *m*; (*Inform*) consola; **~ de commande** consola de mandos
pur, e [pyʀ] *adj* puro(-a); (*intentions*) bueno(-a) ■ *nm* duro; **~ et simple** mero(-a); **en ~e perte** en balde; **~e laine** pura lana
purée [pyʀe] *nf* puré *m*; **~ de pois** (*fig*) niebla muy espesa; **~ de tomates** tomate *m* triturado
purement [pyʀmɑ̃] *adv* puramente

purgatoire [pyʀgatwaʀ] *nm* purgatorio
purger [pyʀʒe] *vt* purgar; (*vidanger*) limpiar
pur-sang [pyʀsɑ̃] *nm inv* pura sangre *m*
pus [py] *vb voir* **pouvoir** ■ *nm* pus *m*
putain [pytɛ̃] (*fam!*) *nf* puta; **~!** ¡joder!; **ce/cette ~ de ...** este(-a) puto(-a) ...
puzzle [pœzl] *nm* rompecabezas *m inv*
PV [peve] *sigle m* (= *procès-verbal*) multa
pyjama [piʒama] *nm* pijama *m*, piyama *m ou f* (*AM*)
pyramide [piʀamid] *nf* pirámide *f*; **~ humaine** pirámide humana
Pyrénées [piʀene] *nfpl*: **les ~** los Pirineos

q

QI [kyi] *sigle m* (= *quotient intellectuel*) C.I. *m* (= *coeficiente intelectual*)
quadragénaire [k(w)adʀaʒenɛʀ] *nm/f* (*de quarante ans*) cuadragenario(-a); (*de quarante à cinquante ans*) cuarentón(-ona); **les ~s** los mayores de cuarenta años
quadruple [k(w)adʀypl] *adj* cuádruple ■ *nm*: **le ~ de** el cuádruplo de
quadruplés, -ées [k(w)adʀyple] *nm/fpl* cuatrillizos(-as)
quai [ke] *nm* (*d'un port*) muelle *m*; (*d'une gare*) andén *m*; (*d'un cours d'eau, canal*) orilla; **être à ~** (*navire*) estar atracado; (*train*) estar en el andén; **le Q~ d'Orsay** *Ministerio de Asuntos Exteriores*; **le Q~ des Orfèvres** *la sede de la Policía Judicial*
qualification [kalifikasjɔ̃] *nf* calificación *f*; (*désignation*) designación *f*, nombramiento; (*aptitude*) capacitación *f*; **~ professionnelle** cualificación *f* profesional
qualifier [kalifje] *vt* calificar; **se qualifier** *vpr* (*Sport*) calificarse; **~ qch de crime** calificar algo de crimen; **~ qn d'artiste** calificar a algn de artista; **être qualifié pour** estar cualificado *ou* capacitado para
qualité [kalite] *nf* calidad *f*; (*valeur,*

aptitude) cualidad *f*; **en ~ de** en calidad de; **ès ~s** como tal; **avoir ~ pour** tener autoridad para; **de ~** *adj* de calidad; **rapport ~-prix** relación *f* calidad-precio
quand [kɑ̃] *conj* cuando; (*chaque fois que*) cada vez que; (*alors que*) cuando, mientras ■ *adv*: **~ arrivera-t-il?** ¿cuándo llegará?; **~ je serai riche, j'aurai une belle maison** cuando yo sea rico, tendré una casa bonita; **~ même** (*cependant, pourtant*) sin embargo; (*tout de même*): **tu exagères ~ même** desde luego te pasas; **~ bien même** aun cuando, así +*subjun* (*AM*)
quant [kɑ̃]: **~ à** *prép* en cuanto a; (*au sujet de*): **il n'a rien dit ~ à ses projets** no dijo nada sobre sus planes; **~ à moi, ...** en cuanto a mí ..., por lo que se refiere a mí ...
quantité [kɑ̃tite] *nf* cantidad *f*; (*grand nombre*): **une** *ou* **des ~(s) de** una cantidad *ou* cantidades de; **~ négligeable** (*Science*) cantidad insignificante; **en grande ~** en gran cantidad; **en ~s industrielles** en cantidades industriales; **du travail en ~** cantidad de trabajo
quarantaine [kaʀɑ̃tɛn] *nf* (*isolement*) cuarentena; (*nombre*): **une ~ (de)** unos cuarenta; (*âge*): **avoir la ~** estar en la cuarentena; **mettre en ~** poner en cuarentena; (*fig*) hacer el vacío
quarante [kaʀɑ̃t] *adj inv, nm inv* cuarenta *m inv*; *voir aussi* **cinq**
quarantième [kaʀɑ̃tjɛm] *adj, nm/f* cuadragésimo(-a) ■ *nm* (*partitif*) cuarentavo; *voir aussi* **cinquantième**
quart [kaʀ] *nm* cuarto ■ *nm* (*Naut, surveillance*) guardia; **le ~ de** la cuarta parte de; **un ~ de l'héritage** un cuarto de la herencia; **un ~ de fromage** un cuarto (de kilo) de queso; **un kilo un** *ou* **et ~** un kilo y cuarto; **2h et** *ou* **un ~** las dos y cuarto; **1h moins le ~** la una menos cuarto; **il est moins le ~** son menos cuarto; **être de/prendre le ~** estar de/ entrar de guardia; **au ~ de tour** (*fig*) a la primera; **~s de finale** (*Sport*) cuartos *mpl* de final; **~ d'heure** cuarto de hora; **~ de tour** cuarto de vuelta
quartier [kaʀtje] *nm* cuarto; (*d'une ville*) barrio; (*d'orange*) gajo; **quartiers** *nmpl* (*Mil*) cuarteles *mpl*; (*Blason*) cuartel *m*; **cinéma de ~** cine *m* de barrio; **avoir ~ libre** estar libre; (*Mil*) tener permiso; **ne pas faire de ~** no dar cuartel; **~ commerçant** zona *ou* barrio comercial; **~ général** cuartel general; **~ résidentiel** barrio residencial
quartz [kwaʀts] *nm* cuarzo
quasi [kazi] *adv* casi ■ *préf*: **~-certitude/ totalité** cuasicerteza/cuasitotalidad *f*
quasiment [kazimɑ̃] *adv* casi
quatorze [katɔʀz] *adj inv, nm inv* catorce *m inv*; *voir aussi* **cinq**
quatorzième [katɔʀzjɛm] *adj, nm/f* decimocuarto(-a) ■ *nm* (*partitif*) catorceavo; *voir aussi* **cinquantième**
quatre [katʀ] *adj inv, nm inv* cuatro *m inv*; **à ~ pattes** a cuatro patas; **être tiré à ~ épingles** estar hecho un maniquí; **faire les ~ cents coups** armar las mil y una; **se mettre en ~ pour qn** desvivirse por algn; **monter/descendre (l'escalier) ~ à ~** subir/ bajar (los escalones) de cuatro en cuatro; **à ~ mains** *adj* (*morceau*) a cuatro manos; *voir aussi* **cinq**
quatre-vingt-dix [katʀəvɛ̃dis] *adj inv, nm inv* noventa *m inv*; *voir aussi* **cinq**
quatre-vingt-dixième [katʀ(ə)vɛ̃dizjɛm] *adj, nm/f* nonagésimo(-a) ■ *nm* (*partitif*) noventavo; *voir aussi* **cinquantième**
quatre-vingtième [katʀəvɛ̃tjɛm] *adj, nm/f* octogésimo(-a) ■ *nm* (*partitif*) ochentavo; *voir aussi* **cinquantième**
quatre-vingts [katʀəvɛ̃] *adj inv, nm inv* ochenta *m inv*; *voir aussi* **cinq**
quatrième [katʀijɛm] *adj, nm/f* cuarto(-a) ■ *nf* (*Auto*) cuarta; (*Scol*) *tercer año de educación secundaria en el sistema francés*; *voir aussi* **cinquième**
quatuor [kwatɥɔʀ] *nm* cuarteto

MOT-CLÉ

que [kə] *conj* **1** (*introduisant complétive*) que; **il sait que tu es là** sabe que estás allí; **je veux que tu acceptes** quiero que aceptes; **il a dit que oui** dijo que sí
2 (*reprise d'autres conjonctions*): **quand il rentrera et qu'il aura mangé** cuando vuelva y haya comido; **si vous y allez ou que vous lui téléphonez** si usted va (allí) o le llama por teléfono
3 (*en tête de phrase*: *hypothèse, souhait etc*): **qu'il le veuille ou non** quiera o no quiera; **qu'il fasse ce qu'il voudra!** ¡que haga lo que quiera!
4 (*après comparatif*): **aussi grand que** tan grande como; **plus grand que** más grande que; *voir aussi* **plus**
5 (*temps*): **elle venait à peine de sortir qu'il se mit à pleuvoir** acababa justo de salir cuando se puso a llover; **il y a 4 ans qu'il est parti** hace 4 años que se marchó
6 (*attribut*): **c'est une erreur que de croire ...** es un error creer ...

7 (*but*): **tenez-le qu'il ne tombe pas** sujételo (para) que no se caiga
8 (*seulement*): **ne ... que** sólo, no más que; **il ne boit que de l'eau** sólo bebe agua, no bebe más que agua
▪ *adv* (*exclamation*): **qu'est-ce qu'il est bête!** ¡qué tonto es!; **qu'est-ce qu'il court vite!** ¡cómo corre!; **que de livres!** ¡cuántos libros!
▪ *pron* 1 (*relatif*): **l'homme que je vois** el hombre que veo; (*temps*): **un jour que j'étais ...** un día en que yo estaba ...; **le livre que tu lis** el libro que lees
2 (*interrogatif*): **que fais-tu?, qu'est-ce que tu fais?** ¿qué haces?; **que préfères-tu, celui-ci ou celui-là?** ¿cuál prefieres, éste o ése?; **que fait-il dans la vie?** ¿a qué se dedica?; **qu'est-ce que c'est?** ¿qué es?; **que faire?** ¿qué se puede hacer?; *voir aussi* **aussi**; **autant** *etc*

Québec [kebɛk] *nm* Quebec *m*

MOT-CLÉ

quel, quelle [kɛl] *adj* 1 (*interrogatif: avant un nom*) qué; (*avant un verbe: personne*) quién; (*: chose*) cuál; **sur quel auteur va-t-il parler?** ¿sobre qué autor va a hablar?; **quels acteurs préférez-vous?** ¿(a) qué actores prefiere?; **quel est cet homme?** ¿quién es este hombre?; **quel livre veux-tu?** ¿qué libro quieres?; **quel est son nom?** ¿cuál es su nombre?
2 (*exclamatif*): **quelle surprise/coïncidence!** ¡qué sorpresa/coincidencia!; **quel dommage qu'il soit parti!** ¡qué pena que se haya marchado!
3: **quel que soit** (*personne*) sea quien sea, quienquiera que sea; (*chose*) sea cual sea, cualquiera que sea; **quel que soit le coupable** sea quien sea el culpable; **quel que soit votre avis** sea cual sea su opinión
▪ *pron interrogatif*: **de tous ces enfants, quel est le plus intelligent?** de todos esos niños, ¿cuál es el más inteligente?

quelconque [kɛlkɔ̃k] *adj* cualquier(a); (*sans valeur*) mediocre; **pour une raison ~** por cualquier razón

MOT-CLÉ

quelque [kɛlk] *adj* 1 (*suivi du singulier*) algún(-una); (*suivi du pluriel*) algunos(-as); **cela fait quelque temps que je ne l'ai (pas) vu** hace algún tiempo que no lo he visto; **il a dit quelques mots de remerciement** dijo algunas palabras de agradecimiento; **les quelques enfants qui ...** los pocos niños que ...; **il habite à quelque distance d'ici** vive a cierta distancia de aquí; **a-t-il quelques amis?** ¿tiene amigos?; **20 kg et quelque(s)** 20 kg y pico
2: **quelque ... que**; **quelque livre qu'il choisisse** cualquier libro que elija; **par quelque temps qu'il fasse** haga el tiempo que haga
3: **quelque chose** *pron* algo; **quelque chose d'autre** otra cosa; **y être pour quelque chose** tener algo que ver; **ça m'a fait quelque chose!** (*fig*) ¡sentí una cosa!; **puis-je faire quelque chose pour vous?** ¿puedo hacer algo por usted?; **c'est déjà quelque chose** algo es algo; **quelque part** (*position*) en alguna parte; (*direction*) a alguna parte; **quelque sorte**: **en quelque sorte** (*pour ainsi dire*) en cierto modo; (*bref*) o sea
▪ *adv* 1 (*environ, à peu près*): **une route de quelque 100 km** una carretera de unos 100 km
2: **quelque peu** algo; **il est quelque peu vulgaire** es algo vulgar

quelquefois [kɛlkəfwa] *adv* a veces
quelques-uns, -unes [kɛlkəzœ̃, yn] *pron* algunos(-as); **~ des lecteurs** unos cuantos lectores
quelqu'un, e [kɛlkœ̃] *pron* alguien; (*entre plusieurs*) alguno(-a); **~ d'autre** otro(-a); **être ~** (*de valeur*) ser algn
qu'en dira-t-on [kɑ̃diʀatɔ̃] *nm inv*: **le ~** el qué dirán
querelle [kəʀɛl] *nf* pelea; **chercher ~ à qn** buscar pelea con algn
quereller [kəʀele] *vpr*: **se quereller** pelearse
qu'est-ce que [kɛskə] *voir* **que**; **qui**
qu'est-ce qui [kɛski] *voir* **que**; **qui**
question [kɛstjɔ̃] *nf* (*gén*) pregunta; (*problème*) cuestión *f*, problema *m*; **il a été ~ de** se trató de; **il est ~ de les emprisonner** se trata de encarcelarlos; **c'est une ~ de temps/d'habitude** es cuestión de tiempo/de costumbre; **de quoi est-il ~?** ¿de qué se trata?; **il n'en est pas ~** ni hablar, ni mucho menos; **en ~** en cuestión; **hors de ~** fuera de lugar; **je ne me suis jamais posé la ~** nunca me he planteado el problema; **(re)mettre en ~** poner en tela de juicio; **poser la ~ de confiance** (*Pol*) pedir un voto de confianza; **~ d'actualité** (*Presse*) tema *m*

de actualidad; **~ piège** pregunta capciosa; **~s économiques/sociales** cuestiones económicas/sociales; **~ subsidiaire** cuestión subsidiaria
questionnaire [kɛstjɔnɛʀ] *nm* cuestionario
questionner [kɛstjɔne] *vt* preguntar; **~ qn sur qch** preguntar a algn acerca de algo
quête [kɛt] *nf* (*collecte*) colecta; (*recherche*) búsqueda; **faire la ~** (*à l'église*) pasar la bandeja; (*artiste*) pasar la gorra; **se mettre en ~ de qch** ir en busca de algo
quetsche [kwɛtʃ] *nf* ciruela damascena
queue [kø] *nf* cola; (*de lettre, note*) rabo; (*d'une casserole*) asa; (*poêle*) mango; (*d'un fruit, d'une feuille*) rabillo; (*cheveux*) coleta; (*Billard*) taco; **en ~ (de train)** en cola; **faire la ~** hacer cola; **se mettre à la ~** ponerse a la cola; **histoire sans ~ ni tête** historia sin pies ni cabeza; **à la ~ leu leu** uno tras otro; (*fig*) en fila india; **faire une ~ de poisson à qn** (*Auto*) ponerse bruscamente delante de algn al adelantar; **finir en ~ de poisson** (*projets*) terminar en agua de borrajas; **~ de cheval** cola de caballo

MOT-CLÉ

qui [ki] *pron* **1** (*interrogatif*) quién; (: *plural*) quiénes; (*objet*): **qui (est-ce que) j'emmène?** ¿a quién llevo?; **je ne sais pas qui c'est** no sé quién es; **à qui est ce sac?** ¿de quién es este bolso?; **à qui parlais-tu?** ¿con quién hablabas?
2 (*relatif*) que; (: *après prép*) quien, el (la) que; (: *plural*) quienes, los (las) que; **l'ami de qui je vous ai parlé** el amigo de quien *ou* del que le hablé; **la personne avec qui je l'ai vu** la persona con quien lo vi
3 (*sans antécédent*): **amenez qui vous voulez** traiga a quien quiera; **qui que ce soit** quienquiera que sea

quiconque [kikɔ̃k] *pron* quienquiera que; (*n'importe qui*) cualquiera
quille [kij] *nf* bolo; (*d'un bateau*) quilla; (*Mil: fam*) licencia; **(jeu de) ~s** juego de bolos
quincaillerie [kɛ̃kajʀi] *nf* (*ustensiles, métier*) quincallería; (*magasin*) ferretería
quinquagénaire [kɛ̃kaʒenɛʀ] *nm/f* (*de cinquante ans*) quincuagenario(-a); (*de cinquante à soixante ans*) cincuentón(-ona); **les ~s** los mayores de cincuenta años
quinte [kɛ̃t] *nf*: **~ (de toux)** golpe *m* de tos
quintuple [kɛ̃typl] *adj* quíntuplo ■ *nm*: **le ~ de** el quíntuplo de
quintuplés, -ées [kɛ̃typle] *nm/fpl* quintillizos(-as)
quinzaine [kɛ̃zɛn] *nf* quincena; **une ~ (de jours)** una quincena (de días)
quinze [kɛ̃z] *adj inv, nm inv* quince *m inv*; **demain en ~** desde mañana en quince días; **lundi en ~** desde lunes en quince días; **dans ~ jours** dentro de quince días; **le ~ de France** (*Rugby*) el equipo internacional francés de rugby; *voir aussi* **cinq**
quinzième [kɛ̃zjɛm] *adj, nm/f* decimoquinto(-a) ■ *nm* (*partitif*) quinceavo; *voir aussi* **cinquantième**
quiproquo [kipʀɔko] *nm* malentendido; (*Théâtre*) quid pro quo *m*
quittance [kitɑ̃s] *nf* (*reçu*) recibo; (*facture*) recibo, factura
quitte [kit] *adj*: **être ~ envers qn** estar en paz con algn; **être ~ de** haberse librado de; **en être ~ à bon compte** escaparse por los pelos; **~ à être renvoyé** aunque me echen; **je resterai ~ à attendre pendant 3 heures** me quedaré aunque tenga que esperar 3 horas; **~ ou double** doble o nada; (*fig*): **c'est du ~ ou double** es el todo por el todo
quitter [kite] *vt* dejar; (*fig: espoir, illusion*) perder; (*vêtement*) quitarse; **se quitter** *vpr* (*couples, interlocuteurs*) separarse; **~ la route** (*véhicule*) salir de la carretera; **ne quittez pas** (*au téléphone*) no se retire; **ne pas ~ qn d'une semelle** pisarle los talones a algn
qui-vive [kiviv] *nm inv*: **être sur le ~** estar alerta
quoi [kwa] *pron interrog* **1** (*interrogation directe*) qué; **~ de plus beau que ...?** ¿hay algo más hermoso que ...?; **~ de neuf?** ¿qué hay de nuevo?; **~ encore?** ¿y ahora, qué?; **et puis ~ encore!** ¡y qué más!; **~?** (*qu'est-ce que tu dis?*) ¿qué?
2 (*interrogation directe avec prép*) qué; **à ~ penses-tu?** ¿en qué piensas?; **de ~ parlez-vous?** ¿de qué habláis?; **en ~ puis-je vous aider?** ¿en qué puedo ayudarle?; **à ~ bon?** ¿para qué?
3 (*interrogation indirecte*) qué; **dis-moi à ~ ça sert** dime para qué sirve; **je ne sais pas à ~ il pense** no sé en qué piensa
■ *pron rel* **1** que; **ce à ~ tu penses** lo que piensas; **de ~ écrire** algo para escribir; **il n'a pas de ~ se l'acheter** no tiene con qué comprarlo; **il y a de ~ être fier** es para estar orgulloso; **merci - il n'y a pas de ~** gracias - no hay de qué

2 (*locutions*): **après ~** después de lo cual; **sur ~** sobre qué; **sans ~, faute de ~** si no; **comme ~** (*déduction*) así que; **un message comme ~ il est arrivé** un mensaje en el que dice que ha llegado
3: **~ qu'il arrive** pase lo que pase; **~ qu'il en soit** sea lo que sea; **~ qu'elle fasse** haga lo que haga; **si vous avez besoin de ~ que ce soit** si necesita cualquier cosa
■ *excl* qué

quoique [kwak(ɑ)] *conj* aunque

quotidien, ne [kɔtidjɛ̃, jɛn] *adj* cotidiano(-a) ■ *nm* (*journal*) diario; (*vie quotidienne*) vida diaria; **les grands ~s** los grandes diarios

quotidiennement [kɔtidjɛnmɑ̃] *adv* diariamente

quotient [kɔsjɑ̃] *nm* (*Math*) cociente *m*; **~ intellectuel** coeficiente *m* intelectual

r

R [ɛʀ] *abr* (= *route*) ctra. (= *carretera*); (= *rue*) C (= *calle*)

rabais [ʀabɛ] *nm* rebaja; **au ~** rebajado

rabaisser [ʀabese] *vt* (*prétentions, autorité*) bajar, reducir; (*influence*) disminuir; (*personne, mérites*) rebajar

rabattre [ʀabatʀ] *vt* (*couvercle, siège*) bajar; (*fam*) volver; (*couture*) dobladillar; (*balle*) rechazar; (*gibier*) ojear; (*somme d'un prix*) rebajar; (*orgueil, prétentions*) bajar; (*Tricot*) cerrar; **se rabattre** *vpr* bajarse; **se ~ devant qn** (*véhicule, coureur*) colocarse delante de algn; **se ~ sur** (*accepter*) conformarse con

rabbin [ʀabɛ̃] *nm* rabino

rabougri, e [ʀabugʀi] *adj* (*végétal*) mustio(-a); (*personne*) canijo(-a)

raccommoder [ʀakɔmɔde] *vt* (*vêtement, linge*) remendar; (*chaussette*) zurcir; (*fam*) reconciliar; **se raccommoder avec** *vpr* (*fam*) reconciliarse con

raccompagner [ʀakɔ̃paɲe] *vt* acompañar

raccord [ʀakɔʀ] *nm* (*Tech*) racor *m*, empalme *m*; (*Ciné*) ajuste *m*; **~ de maçonnerie/de peinture** retoque *m* de albañilería/de pintura

raccorder [ʀakɔʀde] *vt* (*tuyaux, fils

électriques) empalmar; (*bâtiments, routes*) reparar; (*suj: pont, passerelle*) enlazar; **se raccorder à** *vpr* empalmarse con; (*fig*) relacionarse con; **~ qn au réseau du téléphone** conectar a algn a la red telefónica

raccourci [ʀakuʀsi] *nm* atajo; (*fig*) resumen *m*; **en ~** en resumen

raccourcir [ʀakuʀsiʀ] *vt* acortar ■ *vi* (*vêtement*) encoger; (*jours*) acortarse

raccrocher [ʀakʀɔʃe] *vt* (*tableau, vêtement*) volver a colgar; (*récepteur*) colgar; (*fig*) recuperar ■ *vi* (*Tél*) colgar; **se raccrocher à** *vpr* (*branche*) agarrarse a; (*fig*) aferrarse a; **ne raccrochez pas** (*Tél*) no cuelgue

race [ʀas] *nf* raza; (*ascendance, origine*) casta; (*espèce*) calaña; **de ~** de raza

rachat [ʀaʃa] *nm* (*v vt*) compra; repesca; rescate *m*; redención *f*

racheter [ʀaʃ(ə)te] *vt* volver a comprar; (*part, firme: aussi d'occasion*) comprar; (*pension, rente*) liquidar; (*Rel*) redimir; (*mauvaise conduite, oubli, défaut*) compensar; (*candidat*) repescar; (*prisonnier*) rescatar; **se racheter** *vpr* (*Rel*) redimirse; (*gén*) rehabilitarse; **~ du lait/des œufs** comprar más leche/huevos

racial, e, -aux [ʀasjal, jo] *adj* racial

racine [ʀasin] *nf* (*aussi fig*) raíz *f*; **~ carrée/cubique** raíz cuadrada/cúbica; **prendre ~** (*fig: s'attacher*) arraigar; (*: s'établir*) echar raíces

raciste [ʀasist] *adj, nm/f* racista *m/f*

racket [ʀakɛt] *nm* chantaje *m*

raclée [ʀɑkle] (*fam*) *nf* paliza, golpiza (*AM*)

racler [ʀɑkle] *vt* (*os, casserole*) raspar; (*tache, boue*) frotar; (*suj: chose: frotter contre*) rascar; **se ~ la gorge** carraspear

racontars [ʀakɔ̃taʀ] *nmpl* habladurías *fpl*

raconter [ʀakɔ̃te] *vt*: **~ (à qn)** contar (a algn)

radar [ʀadaʀ] *nm* radar *m*

rade [ʀad] *nf* rada; **en ~ de Toulon** en la rada de Toulon; **laisser/rester en ~** (*fig*) dejar/quedarse plantado(-a)

radeau, x [ʀado] *nm* balsa; **~ de sauvetage** balsa salvavidas

radiateur [ʀadjatœʀ] *nm* radiador *m*; **~ à gaz** radiador de gas; **~ électrique** radiador eléctrico

radiation [ʀadjasjɔ̃] *nf* radiación *f*

radical, e, -aux [ʀadikal, o] *adj* radical; (*moyen, remède*) infalible ■ *nm* radical *m*

radieux, -euse [ʀadjø, jøz] *adj* (*aussi fig*) radiante

radin, e [ʀadɛ̃, in] (*fam*) *adj* tacaño(-a)

radio [ʀadjo] *nf* radio *f* (*m en AM*); (*radioscopie*) radioscopia; (*radiographie*) radiografía ■ *nm* (*personne*) radiotelegrafista *m/f ou* radiotelefonista *m/f*; **à la ~** en la radio; **avoir la ~** tener radio; **passer à la ~** (*personne*) salir por la radio; (*programme*) poner por la radio; **passer une ~** hacerse una radiografía; **~ libre** radio libre

radio... [ʀadjo] *préf* radio...

radioactif, -ive [ʀadjoaktif, iv] *adj* radioactivo(-a)

radiocassette [ʀadjokasɛt] *nf* radiocasete *m*

radiographie [ʀadjɔgʀafi] *nf* radiografía

radiophonique [ʀadjɔfɔnik] *adj*: **programme/jeu ~** programa *m*/juego radiofónico; **émission ~** emisión *f* radiofónica

radio-réveil [ʀadjoʀevɛj] (*pl* **radios-réveils**) *nm* radio-despertador *m*

radis [ʀadi] *nm* rábano; **~ noir** rábano picante

radoter [ʀadɔte] *vi* chochear

radoucir [ʀadusiʀ] *vt* mejorar; **se radoucir** *vpr* (*température, temps*) suavizarse; (*se calmer*) calmarse

rafale [ʀafal] *nf* ráfaga; **souffler en ~s** soplar viento racheado; **tir en ~** disparo a ráfaga; **~ de mitrailleuse** ráfaga de ametralladora

raffermir [ʀafɛʀmiʀ] *vt* (*tissus, muscle*) fortalecer; (*fig*) afianzar; **se raffermir** *vpr* (*v vt*) fortalecerse; afianzarse

raffinement [ʀafinmɑ̃] *nm* refinamiento

raffiner [ʀafine] *vt* refinar

raffinerie [ʀafinʀi] *nf* refinería

raffoler [ʀafɔle]: **~ de** *vt* volverse loco(-a) por

rafle [ʀɑfl] *nf* redada, allanamiento (*esp AM*)

rafler [ʀɑfle] (*fam*) *vt* arrasar

rafraîchir [ʀafʀeʃiʀ] *vt* refrescar; (*atmosphère, température*) enfriar; (*fig*) renovar ■ *vi*: **mettre une boisson à ~** poner una bebida a enfriar; **se rafraîchir** *vpr* refrescarse; **~ la mémoire** *ou* **les idées à qn** refrescarle a algn la memoria *ou* las ideas

rafraîchissant, e [ʀafʀeʃisɑ̃, ɑ̃t] *adj* refrescante

rafraîchissement [ʀafʀeʃismɑ̃] *nm* (*de la température*) enfriamiento; (*boisson*) refresco; **rafraîchissements** *nmpl* refrescos *mpl*

rage [ʀaʒ] *nf* rabia; **faire ~** (*tempête*) bramar; **l'incendie faisait ~** el incendio se propagaba con todo vigor; **~ de dents** tremendo dolor *m* de muelas

ragot [ʀago] (*fam*) *nm* chisme *m*

ragoût [ʀagu] *nm* guiso

raide [ʀɛd] *adj* (*cheveux*) liso(-a); (*ankylosé*) entumecido(-a); (*peu souple*: *câble, personne*) tenso(-a); (*escarpé*) empinado(-a); (*étoffe etc*) tieso(-a); (*fam*: *surprenant*) inaudito(-a); (: *sans argent*) pelado(-a); (: *alcool, spectacle, paroles*) fuerte ■ *adv*: **le sentier monte ~** el camino sube muy empinado; **tomber ~ mort** quedarse en el sitio

raideur [ʀɛdœʀ] *nf* rigidez *f*; (*d'un câble*) tirantez *f*; (*des cheveux*) lisura; (*d'une côte*) pendiente *f*; (*des meubles*) entumecimiento; **avec ~** (*marcher, danser*) con envaramiento

raidir [ʀediʀ] *vt* (*muscles, membres*) contraer; (*câble, fil de fer*) tensar; **se raidir** *vpr* (*personne, muscles*) contraerse; (*câble*) ponerse tenso(-a); (*se crisper*) ponerse tieso(-a); (*intransigeant*) mantenerse firme; **la discipline s'est raidie** la disciplina se ha vuelto severa

raie [ʀɛ] *nf* raya

raifort [ʀɛfɔʀ] *nm* rábano picante

rail [ʀɑj] *nm* (*barre d'acier*) riel *m*; **le ~** el ferrocarril; **les ~s** (*la voie ferrée*) las vías *fpl*; **par ~** por ferrocarril

railler [ʀɑje] *vt* burlarse de

rainure [ʀenyʀ] *nf* ranura

raisin [ʀɛzɛ̃] *nm* uva; **~ blanc/noir** (*variété*) uva blanca/negra; **~ muscat** uva moscatel; **~s secs** (uvas) pasas

raison [ʀɛzɔ̃] *nf* razón *f*; **avoir ~** tener razón; **donner ~ à qn** dar la razón a algn; **avoir ~ de qn/qch** vencer a algn/algo; **se faire une ~** conformarse; **perdre/recouvrer la ~** perder/recobrar el juicio; **ramener qn à la ~** hacer entrar en razón a algn; **demander ~ à qn de** (*affront etc*) pedir satisfacción a algn por; **entendre ~** atenerse a razones; **plus que de ~** más de lo debido; **~ de plus** razón de más; **à plus forte ~** con mayor motivo; **en ~ de** (*à cause de*) a causa de; **à ~ de** a razón de; **sans ~** sin razón; **pour la simple ~ que** por la sencilla razón de que; **pour quelle ~ dit-il ceci?** ¿por qué razón dice esto?; **il y a plusieurs ~s à cela** existen varias razones para esto; **~ d'État** razón de estado; **~ d'être** razón de ser; **~ sociale** razón social

raisonnable [ʀɛzɔnabl] *adj* razonable; (*doué de raison*) racional

raisonnement [ʀɛzɔnmɑ̃] *nm* raciocinio; (*argumentation*) razonamiento; **raisonnements** *nmpl* objeciones *fpl*

raisonner [ʀɛzɔne] *vi* razonar; (*péj*) argumentar ■ *vt* (*personne*) hacer entrar en razón a; **se raisonner** *vpr* reflexionar

rajeunir [ʀaʒœniʀ] *vt* rejuvenecer; (*attribuer un âge moins avancé à*) hacer más joven a; (*fig*) remozar ■ *vi* (*personne*) rejuvenecer; (*entreprise, quartier*) renovarse

rajouter [ʀaʒute] *vt* (*commentaire*) añadir; **~ que ...** añadir que ...; **en ~** cargar las tintas; **~ du sel/un œuf** añadir sal/un huevo

rajuster [ʀaʒyste] *vt* (*cravate, coiffure*) arreglar; (*salaires, prix*) reajustar; (*machine, tir etc*) ajustar; **se rajuster** *vpr* (*arranger ses vêtements*) arreglarse

ralenti [ʀalɑ̃ti] *nm*: **au ~** (*aussi fig*) a ralentí; (*Ciné*) a cámara lenta; **tourner au ~** (*Auto*) rodar a ralentí

ralentir [ʀalɑ̃tiʀ] *vt* (*marche, allure*) aminorar; (*production, expansion*) disminuir ■ *vi* (*véhicule, coureur*) disminuir la velocidad; **se ralentir** *vpr* (*processus, effort etc*) verse reducido

râler [ʀɑle] *vi* producir estertores; (*fam*: *protester*) gruñir

rallier [ʀalje] *vt* (*rassembler*) reunir; (*rejoindre*) incorporarse a; (*gagner à sa cause*) captar; **se rallier à** *vpr* (*avis, opinion*) adherirse a

rallonge [ʀalɔ̃ʒ] *nf* (*de table*) larguero; (*argent*) gratificación *f*; (*Élec*) alargador *m*; (*fig*: *Écon*) ampliación *f*

rallonger [ʀalɔ̃ʒe] *vt* alargar ■ *vi* alargarse

rallye [ʀali] *nm* rally *m*

ramassage [ʀamɑsaʒ] *nm* recogida; **~ scolaire** transporte *m* escolar

ramasser [ʀamɑse] *vt* recoger; (*fam*: *arrêter*) pescar; **se ramasser** *vpr* (*se pelotonner*) encogerse

ramassis [ʀamɑsi] (*péj*) *nm* revoltijo

rambarde [ʀɑ̃baʀd] *nf* barandilla

rame [ʀam] *nf* (*aviron*) remo; (*de métro*) tren *m*; (*de papier*) resma; **faire force de ~s** remar con fuerza; **~ de haricots** *ramo que sirve para que se enrosquen las judías*

rameau, x [ʀamo] *nm* (*aussi fig*) rama; **les R~x** Domingo de Ramos

ramener [ʀam(ə)ne] *vt* volver a traer; (*reconduire*) llevar; (*rapporter, revenir avec*) traer consigo; (*rendre*) devolver; (*faire revenir*) hacer volver; (*rétablir*) restablecer; **se ramener** *vpr* (*fam*) llegar; **~ qch sur** (*couverture, visière*) echar algo hacia; **~ qch à** (*faire revenir*) devolver algo a; (*Math, réduire*) reducir algo a; **~ qn à la vie** volver a algn a la vida; **se ~ à** reducirse a

ramer [Rame] *vi* remar

ramollir [Ramɔliʀ] *vt* (*amollir*) ablandar; **se ramollir** *vpr* reblandecerse

rampe [Rɑ̃p] *nf* (*d'escalier*) barandilla; (*dans un garage*) rampa; (*d'un terrain, d'une route*) declive *m*; (*Théâtre*): **la ~** candilejas *fpl*; **passer la ~** llegar al público; **~ de lancement** plataforma de lanzamiento

ramper [Rɑ̃pe] *vi* (*reptile, animal*) reptar; (*plante, personne, aussi péj*) arrastrarse

rancard [Rɑ̃kaʀ] (*fam*) *nm* (*rendez-vous*) cita; (*renseignement*) soplo

rancart [Rɑ̃kaʀ] (*fam*) *nm*: **mettre au ~** (*objet, projet*) arrinconar; (*personne*) arrumbar

rance [Rɑ̃s] *adj* rancio(-a)

rancœur [Rɑ̃kœʀ] *nf* rencor *m*

rançon [Rɑ̃sɔ̃] *nf* rescate *m*; **la ~ du succès** *etc* (*fig*) el precio del éxito *etc*

rancune [Rɑ̃kyn] *nf* rencor *m*; **garder ~ à qn (de qch)** guardar rencor a algn (por algo); **sans ~!** ¡olvidémoslo!

rancunier, -ière [Rɑ̃kynje, jɛʀ] *adj* rencoroso(-a)

randonnée [Rɑ̃dɔne] *nf* (*excursion*) excursión *f*; (*à pied*) caminata; (*activité*) caminata, excursión

rang [Rɑ̃] *nm* (*rangée*) fila; (*d'un cortège, groupe de soldats*) hilera; (*de perles, de tricot*) vuelta; (*grade*) grado; (*condition sociale*) rango; (*position dans un classement*) posición *f*; **rangs** *nmpl* (*Mil*) filas *fpl*; **se mettre en ~s/sur un ~** ponerse en filas/en una fila; **sur 3 ~s** en 3 filas; **se mettre en ~s par 4** ponerse en fila de 4; **se mettre sur les ~s** (*fig*) ponerse entre los candidatos; **au premier/dernier ~** en el primer/último puesto; (*rangée de sièges*) en primera/última fila; **rentrer dans le ~** volverse más comedido; **au ~ de** en la categoría de; **avoir ~ de** tener rango de

rangé, e [Rɑ̃ʒe] *adj* ordenado(-a); (*vie*) asentado(-a), reposado(-a)

rangée [Rɑ̃ʒe] *nf* fila

ranger [Rɑ̃ʒe] *vt* ordenar; (*voiture dans la rue*) aparcar; (*en cercle etc*) disponer; **se ranger** *vpr* (*se placer/disposer*) colocarse; (*véhicule, conducteur*) hacerse a un lado; (*: s'arrêter*) parar; (*piéton*) apartarse; (*s'assagir*) sosegarse; **se ~ à** ponerse del lado de; **~ qch/qn parmi** (*fig*) situar algo/algn entre

ranimer [Ranime] *vt* (*personne, courage*) reanimar; (*réconforter, attiser*) avivar; (*colère, douleur*) despertar

rapace [Rapas] *nm* rapaz *f* ▪ *adj* (*péj*) rapaz; **~ diurne/nocturne** rapaz diurna/nocturna

râpe [Rɑp] *nf* (*Culin*) rallador *m*; (*à bois*) escofina

râper [Rɑpe] *vt* (*Culin*) rallar; (*gratter, râcler*) raspar

rapide [Rapid] *adj* rápido(-a) ▪ *nm* rápido

rapidement [Rapidmɑ̃] *adv* rápidamente

rapiécer [Rapjese] *vt* remendar

rappel [Rapɛl] *nm* (*Mil, d'un exilé, d'un ambassadeur*) llamamiento; (*Méd*) vacuna de refuerzo; (*Théâtre etc*) llamada a escena; (*de salaire*) atrasos *mpl*; (*d'une aventure, d'un nom, d'un titre*) recuerdo; (*de limitation de vitesse*) *señal recordatoria de limitación de velocidad*; (*Tech*) retroceso; (*Naut*) *hecho de colgarse la tripulación al exterior de un velero para equilibrarlo*; (*Alpinisme: aussi*: **rappel de corde**) descenso con cuerda, rappel *m*; **~ à l'ordre** llamada al orden

rappeler [Rap(ə)le] *vt* (*retéléphoner à*) volver a llamar; (*pour faire revenir*) llamar nuevamente; (*ambassadeur*) retirar; (*acteur*) llamar a escena; (*Mil*) llamar a filas; (*suj: événement, affaires*) recordar; **se rappeler** *vpr* acordarse de; **se ~ que ...** acordarse de que ...; **~ qn à la vie** volver a algn a la vida; **~ qn à la décence** llamar a algn a la decencia; **~ qch à qn** (*faire se souvenir*) recordar algo a algn; (*évoquer, faire penser à*) traer algo a la memoria de algn; **ça rappelle la Provence** eso me recuerda a Provenza; **~ à qn de faire qch** recordarle a algn hacer algo

rapport [Rapɔʀ] *nm* (*compte rendu*) informe *m*; (*d'expert*) dictamen *m*; (*profit*) rendimiento; (*lien, analogie*) relación *f*; (*proportion*) razón *f*; **rapports** *nmpl* (*entre personnes, groupes, pays*) relaciones *fpl*; **avoir ~ à** tener relación con; **être en ~ avec** estar relacionado(-a) con; **être/se mettre en ~ avec qn** estar/ponerse en contacto con algn; **par ~ à** (*comparé à*) en comparación con; (*à propos de*) respecto a; **sous le ~ de** desde el punto de vista de; **sous tous (les) ~s** desde cualquier punto de vista; **~ qualité-prix** relación calidad-precio; **~s (sexuels)** contactos *mpl* (sexuales)

rapporter [Rapɔʀte] *vt* (*remettre à sa place, rendre*) devolver; (*apporter de* *nouveau*) volver a traer; (*revenir avec, ramener*) traer; (*Couture*) añadir; (*suj: investissement, entreprise*) rendir; (*: activité*) producir; (*relater*) referir; (*Jur*) revocar ■ *vi* (*investissement, propriété*) rentar; (*activité*) dar beneficio; (*péj: moucharder*) chivarse; **se rapporter** *vpr*: **se ~ à** relacionarse con; **s'en ~ à qn/au jugement de qn** fiarse de algn/de la opinión de algn; **~ qch à** (*rendre*) devolver algo a; (*relater*) relatar algo a; (*fig*) atribuir algo a

rapprochement [ʀapʀɔʃmɑ̃] *nm* (*réconciliation*) acercamiento; (*analogie, rapport*) cotejo

rapprocher [ʀapʀɔʃe] *vt* (*faire paraître plus proche*) acercar; (*deux objets*) juntar, arrimar; (*réunions, visites*) aumentar el número de; (*réunir*) unir; (*associer, comparer*) cotejar; **se rapprocher** *vpr* acercarse; **~ qch (de)** (*chaise d'une table*) arrimar algo (a); **se ~ de** (*lieu, personne*) acercarse a, aproximarse a; (*présenter une analogie avec*) asemejarse a

raquette [ʀakɛt] *nf* raqueta; (*de ping-pong*) pala

rare [ʀɑʀ] *adj* raro(-a); (*sentiment*) extraño(-a); (*main-d'œuvre, denrées*) escaso(-a); (*beaux jours*) raro(-a), poco(-a); (*cheveux, herbe*) ralo(-a); **il est ~ que** es extraño que; **se faire ~** escasear; (*personne*) dejarse ver poco

rarement [ʀɑʀmɑ̃] *adv* raramente

RAS [ɛʀaɛs] *abr* (= *rien à signaler*) sin novedad

ras, e [ʀɑ, ʀɑz] *adj* (*tête, cheveux*) rapado(-a); (*poil*) corto(-a); (*herbe, mesure, cuillère*) raso(-a) ■ *adv* (*couper*) al rape; **faire table ~e** hacer tabla rasa; **en ~e campagne** en pleno campo; **à ~ bords** colmado(-a); **au ~ de** a(l) ras de; **en avoir ~ le bol** (*fam*) estar hasta el moño; **~ du cou** (*pull, robe*) (de) cuello redondo

raser [ʀɑze] *vt* (*barbe, cheveux*) rasurar; (*menton, personne*) afeitar; (*fam: ennuyer*) dar la lata a; (*quartier*) derribar; (*frôler*) rozar; **se raser** *vpr* afeitarse; (*fam*) aburrirse

rasoir [ʀɑzwaʀ] *nm* navaja de afeitar; **~ électrique** maquinilla eléctrica; **~ mécanique** *ou* **de sûreté** maquinilla de afeitar

rassasier [ʀasazje] *vt* saciar; **être rassasié** estar saciado

rassemblement [ʀasɑ̃bləmɑ̃] *nm* reunión *f*; (*Pol*) concentración *f*; (*Mil*) formación *f*

rassembler [ʀasɑ̃ble] *vt* (*réunir*) reunir; (*regrouper*) agrupar; (*accumuler, amasser*) acumular; **se rassembler** *vpr* reunirse; **~ ses idées** poner en orden sus ideas; **~ son courage** armarse de valor

rasseoir [ʀaswaʀ] *vpr*: **se rasseoir** volver a sentarse

rassurer [ʀasyʀe] *vt* tranquilizar; **se rassurer** *vpr* tranquilizarse; **rassure-toi** tranquilízate

rat [ʀa] *nm* rata; (*danseuse*) joven bailarina; **~ musqué** ratón *m* almizclero

rate [ʀat] *nf* (*Anat*) bazo

raté, e [ʀate] *adj* (*tentative, opération*) frustrado(-a); (*vacances, spectacle*) malogrado(-a) ■ *nm/f* fracasado(-a) ■ *nm* (*Auto*) detonación *f*; (*d'arme à feu*) fallo

râteau, x [ʀɑto] *nm* rastrillo

rater [ʀate] *vi* (*coup de feu*) fallar; (*échouer*) fracasar ■ *vt* (*cible, balle, train*) perder; (*occasion etc*) dejar escapar; (*démonstration, plat*) estropear; (*examen*) suspender; **~ son coup** fallar

ration [ʀasjɔ̃] *nf* (*aussi fig*) ración *f*; **~ alimentaire** ración alimenticia

RATP [ɛʀatepe] *sigle f* (= *Régie autonome des transports parisiens*) *administración de transportes parisinos*

rattacher [ʀataʃe] *vt* atar de nuevo; **se rattacher** *vpr*: **se ~ à** (*avoir un lien avec*) asemejarse a; **~ qch à** (*incorporer*) incorporar algo a; **~ qch à** (*relier*) relacionar algo con; **~ qn à** (*lier*) vincular a algn con

rattraper [ʀatʀape] *vt* (*fugitif, animal échappé*) volver a coger; (*retenir, empêcher de tomber*) coger; (*atteindre, rejoindre*) alcanzar; (*imprudence, erreur*) reparar, subsanar; **se rattraper** *vpr* (*compenser une perte de temps*) ponerse al día; (*regagner ce qu'on a perdu*) recuperarse; (*se dédommager d'une privation*) explayarse; (*réparer une gaffe etc*) justificarse; (*éviter une erreur, bévue*) enmendarse; **se ~ (à)** (*se raccrocher*) agarrarse (a); **~ son retard/le temps perdu** recuperar el retraso/el tiempo perdido

rature [ʀatyʀ] *nf* tachadura

rauque [ʀok] *adj* ronco(-a)

ravages [ʀavaʒ] *nmpl* (*de la guerre, de l'alcoolisme*) estragos *mpl*; (*d'un incendie, orage*) devastación *f*; **faire des ~** (*aussi fig*) hacer estragos

ravi, e [ʀavi] *adj* encantado(-a); **être ~ de/que ...** estar encantado(-a) de/de que ...

ravin [ʀavɛ̃] *nm* hondonada

ravir [ʀaviʀ] *vt* (*enchanter*) encantar;

~ qch à qn arrebatar algo a algn; **à ~** de maravilla; **être beau à ~** ser guapo a más no poder; **chanter à ~** cantar que es un primor
raviser [ʀavize] *vpr*: **se raviser** cambiar de opinión
ravissant, e [ʀavisɑ̃, ɑ̃t] *adj* encantador(a)
ravisseur, -euse [ʀavisœʀ, øz] *nm/f* secuestrador(a)
ravitailler [ʀavitaje] *vt* abastecer; (*véhicule*) echar gasolina a; **se ravitailler** *vpr* abastecerse
raviver [ʀavive] *vt* avivar; (*flamme, douleur*) reavivar
rayé, e [ʀeje] *adj* (*à rayures*) a *ou* de rayas; (*éraflé*) rayado(-a)
rayer [ʀeje] *vt* rayar; (*d'une liste*) tachar
rayon [ʀɛjɔ̃] *nm* rayo; (*Géom, d'une roue*) radio; (*étagère*) estante *m*; (*de grand magasin*) departamento, sección *f*; (*fig: domaine*) asunto; (*d'une ruche*) panal *m*; **rayons** *nmpl* (*radiothérapie*) rayos *mpl*; **dans un ~ de ...** (*périmètre*) en un radio de ...; **~ d'action** radio de acción; **~ de braquage** (*Auto*) radio de giro; **~ de soleil** rayo de sol; **~ laser/vert** rayo láser/verde; **~s cosmiques/infrarouges/ultraviolets** rayos cósmicos/infrarrojos/ultravioletas; **~s X** rayos X
rayonnement [ʀɛjɔnmɑ̃] *nm* (*solaire*) radiación *f*; (*fig*) influencia; (*d'une doctrine*) difusión *f*
rayonner [ʀɛjɔne] *vi* irradiar; (*fig*) ejercer su influencia; (*avenues, axes*) divergir; (*touristes: excursionner*) recorrer
rayure [ʀejyʀ] *nf* (*motif*) raya; (*éraflure*) rayado; (*rainure, d'un fusil*) estría; **à ~s** a *ou* de rayas
raz-de-marée [ʀɑdmaʀe] *nm inv* maremoto; (*fig*) conmoción *f*
ré [ʀe] *nm inv* (*Mus*) re *m*
réaction [ʀeaksjɔ̃] *nf* reacción *f*; **par ~** por reacción; **avion/moteur à ~** avión *m*/motor *m* de reacción; **~ en chaîne** reacción en cadena
réactionnaire [ʀeaksjɔnɛʀ] *adj* reaccionario(-a)
réadapter [ʀeadapte] *vt* readaptar; **se ~ (à)** readaptarse (a)
réagir [ʀeaʒiʀ] *vi* reaccionar; **~ à** reaccionar ante; **~ contre** reaccionar contra; **~ sur** repercutir sobre
réalisateur, -trice [ʀealizatœʀ, tʀis] *nm/f* realizador(a)
réalisation [ʀealizasjɔ̃] *nf* realización *f*
réaliser [ʀealize] *vt* realizar; (*rêve, souhait*) cumplir; (*exploit*) llevar a cabo; (*comprendre, se rendre compte de*) darse cuenta de; **se réaliser** *vpr* (*projet, prévision*) realizarse; **~ que** darse cuenta de que
réaliste [ʀealist] *adj, nm/f* realista *m/f*
réalité [ʀealite] *nf* realidad *f*; **en ~** en realidad; **dans la ~** en la realidad
réanimation [ʀeanimasjɔ̃] *nf* reanimación *f*; **service de ~** servicio de reanimación
réapparaître [ʀeapaʀɛtʀ] *vi* reaparecer
rébarbatif, -ive [ʀebaʀbatif, iv] *adj* (*mine*) repelente; (*travail*) fastidioso(-a); (*style*) árido(-a)
rebattu, e [ʀ(ə)baty] *adj* trillado(-a)
rebelle [ʀəbɛl] *adj, nm/f* rebelde *m/f*; **~ à** (*la patrie*) rebelado(-a) contra; (*fermé à qch, contre qch*) negado(-a) para
rebeller [ʀ(ə)bele] *vpr*: **se rebeller** rebelarse; **se ~ contre** rebelarse contra
rebondi, e [ʀ(ə)bɔ̃di] *adj* (*ventre*) panzudo(-a); (*joues*) relleno(-a)
rebondir [ʀ(ə)bɔ̃diʀ] *vi* rebotar; (*fig*) reanudarse
rebord [ʀ(ə)bɔʀ] *nm* (*d'une table etc*) reborde *m*; (*d'un fossé*) borde *m*
rebours [ʀ(ə)buʀ]: **à ~** *adv* (*brosser*) a contrapelo; (*comprendre*) al revés; (*tourner: pages*) a la inversa; **compter à ~** contar hacia atrás
rebrousser [ʀ(ə)bʀuse] *vt* (*cheveux, poils*) levantar hacia atrás; **~ chemin** dar marcha atrás
rebuter [ʀ(ə)byte] *vt* (*suj: travail, matière*) repeler; (*: attitude, manières*) disgustar
récalcitrant, e [ʀekalsitʀɑ̃, ɑ̃t] *adj* (*cheval*) indómito(-a); (*caractère, personne*) recalcitrante
recapitaliser [ʀəkapitalize] *vt* (*entreprise*) recapitalizar
récapituler [ʀekapityle] *vt* recapitular
receler [ʀ(ə)səle] *vt* (*produit d'un vol*) ocultar; (*malfaiteur, déserteur*) encubrir; (*fig*) encerrar
receleur, -euse [ʀ(ə)səlœʀ, øz] *nm/f* encubridor(a)
récemment [ʀesamɑ̃] *adv* recientemente, recién (*AM*)
recensement [ʀ(ə)sɑ̃smɑ̃] *nm* (*de la population*) censo; (*des ressources, possibilités*) inventario, recuento
recenser [ʀ(ə)sɑ̃se] *vt* (*population*) censar; (*inventorier*) hacer el recuento *ou* el inventario de; (*dénombrer*) computar
récent, e [ʀesɑ̃, ɑ̃t] *adj* reciente
récépissé [ʀesepise] *nm* recibo
récepteur, -trice [ʀesɛptœʀ, tʀis] *adj* receptor(a) ■ *nm* (*de téléphone*) auricular

m; **~ (de papier)** (*Inform*) introductor *m* de hoja; **~ (de radio)** receptor *m*

réception [ʀesɛpsjɔ̃] *nf* recepción *f*; (*accueil*) acogida *f*; (*pièces*) salas *fpl* de recepción; (*Sport*) caída; **jour/heures de ~** día *m*/horas *fpl* de recepción

réceptionniste [ʀesɛpsjɔnist] *nm/f* recepcionista *m/f*

recette [ʀ(ə)sɛt] *nf* (*Culin, fig*) receta; (*Comm*) ingreso; (*Admin: bureau des impôts*) oficina de recaudación; **recettes** *nfpl* (*Comm: rentrées d'argent*) entradas *fpl*; **faire ~** (*spectacle, exposition*) ser taquillero(-a); **~ postale** ingresos *mpl* postales

recevoir [ʀ(ə)səvwaʀ] *vt* recibir; (*prime, salaire*) cobrar; (*visiteurs, ambassadeur*) acoger; (*candidat, plainte*) admitir ▪ *vi* (*donner des réceptions, audiences etc*) recibir visitas; **se recevoir** *vpr* (*athlète*) caer; **il reçoit de 8 à 10** sus horas de visita son de 8 a 10; (*docteur, dentiste*) pasa consulta de 8 a 10; **il m'a reçu à 2h** me recibió a las 2; **~ qn à dîner** recibir a algn a cenar; **être reçu** (*à un examen*) aprobar; **être bien/ mal reçu** ser bien/mal recibido

rechange [ʀ(ə)ʃɑ̃ʒ]: **de ~** *adj* (*pièces, roue*) de repuesto; (*fig*) de recambio; **des vêtements de ~** vestidos *mpl* para cambiarse

recharge [ʀ(ə)ʃaʀʒ] *nf* recambio

rechargeable [ʀ(ə)ʃaʀʒabl] *adj* recargable

recharger [ʀ(ə)ʃaʀʒe] *vt* (*camion*) volver a cargar; (*fusil, batterie*) recargar; (*appareil de photo, briquet, stylo*) cargar

réchaud [ʀeʃo] *nm* (*portable*) hornillo; (*chauffe-plat*) calientaplatos *m inv*

réchauffer [ʀeʃofe] *vt* (*plat*) recalentar; (*mains, doigts, personne*) calentar; **se réchauffer** *vpr* calentarse; (*température*) subir

rêche [ʀɛʃ] *adj* áspero(-a)

recherche [ʀ(ə)ʃɛʀʃ] *nf* (*action*) búsqueda; (*raffinement*) afectación *f*; (*scientifique etc*) investigación *f*; **recherches** *nfpl* (*de la police*) indagaciones *fpl*; (*scientifiques*) investigaciones *fpl*; **être/se mettre à la ~ de** estar investigando/ponerse a la búsqueda de

recherché, e [ʀ(ə)ʃɛʀʃe] *adj* (*rare*) codiciado(-a); (*entouré*) solicitado(-a); (*style, allure*) rebuscado(-a)

rechercher [ʀ(ə)ʃɛʀʃe] *vt* buscar; (*objet égaré, lettre*) rebuscar; (*cause d'un phénomène, nouveau procédé*) investigar; (*la perfection, le bonheur etc*) perseguir; **"~ et remplacer"** (*Inform*) "buscar y sustituir"

rechute [ʀ(ə)ʃyt] *nf* recaída; **faire** *ou* **avoir une ~** (*Méd*) recaer *ou* tener una recaída

récidiver [ʀesidive] *vi* reincidir; (*fig*) reiterar; (*Méd: malade*) recaer; (*: maladie*) reproducirse

récif [ʀesif] *nm* arrecife *m*

récipient [ʀesipjɑ̃] *nm* recipiente *m*

réciproque [ʀesipʀɔk] *adj* (*mutuel*) recíproco(-a); (*partagé: confiance, amitié*) mutuo(-a) ▪ *nf*: **la ~** (*l'inverse*) la inversa

récit [ʀesi] *nm* relato

récital [ʀesital] *nm* recital *m*

réciter [ʀesite] *vt* recitar

réclamation [ʀeklamasjɔ̃] *nf* reclamación *f*; **service des ~s** servicio de reclamaciones

réclame [ʀeklam] *nf*: **la ~** la publicidad; **une ~** (*annonce, prospectus*) un anuncio; **faire de la ~ (pour qch/qn)** hacer publicidad (de algo/algn); **article en ~** artículo de oferta

réclamer [ʀeklame] *vt* (*aide, nourriture*) pedir; (*exiger*) reclamar; (*nécessiter*) requerir ▪ *vi* (*protester*) reclamar; **se ~ de qn** (*se recommander de*) apelar a algn

réclusion [ʀeklyzjɔ̃] *nf* reclusión *f*; **~ à perpétuité** cadena perpetua

recoiffer [ʀ(ə)kwafe] *vt* volver a peinar; **se recoiffer** *vpr* volverse a peinar

recoin [ʀəkwɛ̃] *nm* (*aussi fig*) rincón *m*

reçois *etc* [ʀəswa] *vb voir* **recevoir**

recoller [ʀ(ə)kɔle] *vt* volver a pegar

récolte [ʀekɔlt] *nf* cosecha; (*fig*) acopio

récolter [ʀekɔlte] *vt* cosechar; (*fam: ennuis, coups*) ganarse, cobrar

recommandé, e [ʀ(ə)kɔmɑ̃de] *adj* recomendado(-a) ▪ *nm* (*Postes*): **en ~** certificado(-a)

recommander [ʀ(ə)kɔmɑ̃de] *vt* recomendar; (*Postes*) certificar; **~ qch à qn** recomendar algo a algn; **~ à qn de faire ...** recomendar a algn hacer ...; **~ qn auprès de qn/à qn** recomendar algn a algn; **il est recommandé de faire** se recomienda hacer; **se ~ à qn** encomendarse a algn; **se ~ de qn** apoyarse en algn

recommencer [ʀ(ə)kɔmɑ̃se] *vt* (*reprendre*) seguir con; (*refaire*) repetir; (*erreur*) reincidir ▪ *vi* volver a empezar; (*récidiver*) volver a las andadas; **~ à faire** volver a hacer; **ne recommence pas!** ¡no empieces!

récompense [ʀekɔ̃pɑ̃s] *nf* recompensa; **recevoir qch en ~** recibir algo como recompensa

récompenser [ʀekɔ̃pɑ̃se] *vt* recompensar; **~ qn de** *ou* **pour qch** recompensar a algn por algo
réconcilier [ʀekɔ̃silje] *vt* reconciliar; **se réconcilier** *vpr* reconciliarse; **~ qn avec qn** reconciliar a algn con algn; **~ qn avec qch** reconciliar a algn con algo; **se ~ avec** reconciliarse con
reconduire [ʀ(ə)kɔ̃dɥiʀ] *vt* (*à la porte*) acompañar hasta la salida; (*à son domicile*) acompañar; (*Jur, Pol*) reconducir
réconfort [ʀekɔ̃fɔʀ] *nm* consuelo
réconforter [ʀekɔ̃fɔʀte] *vt* (*aussi fig*) reconfortar
reconnaissance [ʀ(ə)kɔnɛsɑ̃s] *nf* reconocimiento; (*gratitude*) agradecimiento; **en ~** (*Mil*) de reconocimiento; **~ de dette** reconocimiento de deuda
reconnaissant, e [ʀ(ə)kɔnɛsɑ̃, ɑ̃t] *vb voir* **reconnaître** ■ *adj* agradecido(-a); **je vous serais ~ de bien vouloir ...** le estaría muy agradecido(-a) si quisiera ...
reconnaître [ʀ(ə)kɔnɛtʀ] *vt* reconocer; (*distinguer*) distinguir; **~ que** reconocer que; **~ qch/qn à** reconocer algo/a algn por; **~ à qn**: **je lui reconnais certaines qualités/une grande franchise** le reconozco ciertas cualidades/una gran franqueza; **se ~ quelque part** (*s'y retrouver*) orientarse en un lugar
reconnu, e [ʀ(ə)kɔny] *pp de* **reconnaître** ■ *adj* indiscutible
reconstituer [ʀ(ə)kɔ̃stitɥe] *vt* reconstituir; (*fresque, vase brisé*) recomponer; (*fortune, patrimoine*) rehacer
reconstruire [ʀ(ə)kɔ̃stʀɥiʀ] *vt* (*aussi fig*) reconstruir
recontacter [ʀ(ə)kɔ̃takte] *vt*: **~ qn** volver contactar con algn
reconvertir [ʀ(ə)kɔ̃vɛʀtiʀ] *vt* reconvertir; **se ~ dans** reconvertirse en
record [ʀ(ə)kɔʀ] *adj, nm* récord *m*; **battre tous les ~s** (*fig*) batir todos los récords; **en un temps/à une vitesse ~** en un tiempo/a una velocidad récord; **~ du monde** récord del mundo
recoucher [ʀ(ə)kuʃe] *vt* (*enfant*) volver a acostar; **se recoucher** *vpr* volverse a acostar
recoupement [ʀ(ə)kupmɑ̃] *nm*: **par ~** atando cabos; **faire un ~/des ~s** verificar un hecho/hechos
recouper [ʀ(ə)kupe] *vt* (*tranche*) volver a cortar; (*vêtement*) retocar ■ *vi* (*Cartes*) volver a cortar; **se recouper** *vpr* (*témoignages*) coincidir
recourbé, e [ʀ(ə)kuʀbe] *adj* (*nez, tige de métal*) encorvado(-a); (*bec*) corvo(-a)
recourber [ʀ(ə)kuʀbe] *vt* (*branche, tige de métal*) doblar
recourir [ʀ(ə)kuʀiʀ] *vi* (*courir de nouveau*) correr de nuevo; (*refaire une course*) volver a correr; **~ à** recurrir a
recours [ʀ(ə)kuʀ] *vb voir* **recourir** ■ *nm*: **le ~ à la ruse/violence** el recurso de la astucia/violencia; **avoir ~ à** recurrir a; **en dernier ~** como último recurso; **c'est sans ~** no tiene remedio; **~ en grâce** petición *f* de indulto
recouvrer [ʀ(ə)kuvʀe] *vt* (*la vue, santé, raison*) recobrar; (*impôts, créance*) recaudar
recouvrir [ʀ(ə)kuvʀiʀ] *vt* (*récipient*) volver a cubrir; (*livre*) volver a forrar; (*couvrir entièrement*) recubrir; (*fig*) encubrir; (*embrasser*) abarcar; **se recouvrir** *vpr* (*idées, concepts*) superponerse
récréation [ʀekʀeasjɔ̃] *nf* recreo
recroqueviller [ʀ(ə)kʀɔk(ə)vije] *vpr*: **se recroqueviller** (*plantes, feuilles*) marchitarse; (*personne*) acurrucarse
recrudescence [ʀ(ə)kʀydesɑ̃s] *nf* recrudecimiento
recruter [ʀ(ə)kʀyte] *vt* (*Mil, clients, adeptes*) reclutar; (*personnel*) contratar
rectangle [ʀɛktɑ̃gl] *nm* rectángulo; **~ blanc** (*TV*) ≈ rombo
rectangulaire [ʀɛktɑ̃gylɛʀ] *adj* rectangular
rectificatif, -ive [ʀɛktifikatif, iv] *adj* rectificativo(-a) ■ *nm* rectificativo
rectifier [ʀɛktifje] *vt* (*tracé*) enderezar; (*calcul*) rectificar; (*erreur*) corregir
rectiligne [ʀɛktiliɲ] *adj* rectilíneo(-a)
recto [ʀɛkto] *nm* anverso
reçu, e [ʀ(ə)sy] *pp de* **recevoir** ■ *adj* (*admis*) admitido(-a) ■ *nm* (*récépissé*) recibo
recueil [ʀəkœj] *nm* selección *f*
recueillir [ʀ(ə)kœjiʀ] *vt* recoger; (*matériaux, voix, suffrages*) conseguir; (*fonds*) conseguir, recolectar; (*renseignements, dépositions*) reunir; (*réfugiés*) acoger; **se recueillir** *vpr* recogerse
recul [ʀ(ə)kyl] *nm* retroceso; **avoir un mouvement de ~** hacer un movimiento de retroceso; **prendre du ~** retroceder; (*fig*) considerar con detenimiento; **avec le ~** con perspectiva
reculé, e [ʀ(ə)kyle] *adj* (*isolé*) apartado(-a); (*lointain*) lejano(-a)
reculer [ʀ(ə)kyle] *vi* (*aussi fig*) retroceder; (*véhicule, conducteur*) dar marcha atrás;

(*se dérober, hésiter*) echarse atrás ■ *vt* (*meuble, véhicule*) retirar; (*mur, frontières*) alejar; (*fig: possibilités, limites*) ampliar; (*: date, livraison, décision*) aplazar, postergar (*AM*); **~ devant** (*danger, difficulté*) echarse atrás ante; **~ pour mieux sauter** retrasar el asunto
reculons [ʀ(ə)kylɔ̃]: **à ~** *adv* hacia atrás
récupérer [ʀekypeʀe] *vt* recuperar; (*forces*) recobrar ■ *vi* (*après un effort etc*) recuperarse
récurer [ʀekyʀe] *vt* fregar; **poudre à ~** detergente *m* de fregar
reçut [ʀəsy] *vb voir* **recevoir**
recyclable [ʀ(ə)siklabl] *adj* reciclable
recyclage [ʀ(ə)siklaʒ] *nm* reciclaje *m*; **cours de ~** curso de adaptación
recycler [ʀ(ə)sikle] *vt* reciclar; (*Scol*) adaptar; (*employés*) reciclar, reconvertir; **se recycler** *vpr* reciclarse
rédacteur, -trice [ʀedaktœʀ, tʀis] *nm/f* redactor(a); **~ en chef** redactor(a) jefe; **~ publicitaire** redactor(a) publicitario(a)
rédaction [ʀedaksjɔ̃] *nf* redacción *f*
redescendre [ʀ(ə)desɑ̃dʀ] *vi* volver a bajar ■ *vt* bajar
redessiner [ʀ(ə)desine] *vt* (*paysage, jardin*) rediseñar; (*frontière*) volver a trazar
rédiger [ʀediʒe] *vt* redactar
redire [ʀ(ə)diʀ] *vt* repetir; **avoir/trouver qch à ~** (*critiquer*) tener/encontrar algo que criticar
redoubler [ʀ(ə)duble] *vt* (*classe*) repetir; (*lettre*) duplicar ■ *vi* (*tempête, violence*) arreciar; (*Scol*) repetir; **~ de** (*amabilité, efforts*) redoblar; **le vent redouble de violence** el viento arrecia con violencia
redoutable [ʀ(ə)dutabl] *adj* temible
redouter [ʀ(ə)dute] *vt* temer; **~ que** temer que; **je redoute de faire sa connaissance** temo conocerlo
redressement [ʀ(ə)dʀɛsmɑ̃] *nm* (*de l'économie etc*) restablecimiento; **maison de ~** reformatorio; **~ fiscal** recuperación *f* fiscal
redresser [ʀ(ə)dʀese] *vt* enderezar; (*situation, économie*) restablecer; **se redresser** *vpr* (*objet penché*) enderezarse; (*personne*) erguirse; (*se tenir très droit*) ponerse derecho; (*fig: pays, situation*) restablecerse; **~ (les roues)** enderezarse
réduction [ʀedyksjɔ̃] *nf* reducción *f*; (*rabais, remise*) rebaja; **en ~** (*en plus petit*) reducido(-a)
réduire [ʀedɥiʀ] *vt* reducir; (*jus, sauce*) consumir; **se réduire à** *vpr* reducirse a; **se ~ en** (*se transformer en*) convertirse en; **~ qn au silence/à l'inaction/à la misère** reducir a algn al silencio/a la inactividad/a la miseria; **~ qch à** (*fig*) reducir algo a; **~ qch en** transformar algo en; **en être réduit à** no tener otro remedio que
réduit, e [ʀedɥi, it] *pp de* **réduire** ■ *adj* reducido(-a) ■ *nm* cuchitril *m*
redynamiser [ʀ(ə)dinamize] *vt* (*économie, secteur, tourisme*) redinamizar
rééducation [ʀeedykasjɔ̃] *nf* rehabilitación *f*; **centre de ~** centro de rehabilitación; **~ de la parole** logopedia
réel, le [ʀeɛl] *adj* real; (*intensif: avant le nom*) verdadero(-a) ■ *nm*: **le ~** lo real
réellement [ʀeɛlmɑ̃] *adv* realmente
réexpédier [ʀeɛkspedje] *vt* (*à l'envoyeur*) devolver; (*au destinataire*) remitir
refaire [ʀ(ə)fɛʀ] *vt* hacer de nuevo; (*recommencer, faire tout autrement*) rehacer; (*réparer, restaurer*) restaurar; **se refaire** *vpr* (*en santé, argent etc*) reponerse; **se ~ une santé** mejorarse, recuperarse; **se ~ à qch** acostumbrarse de nuevo a algo; **être refait** (*fam*) ser engañado *ou* timado; **il faut ~ les peintures** tenemos que repintar
réfectoire [ʀefɛktwaʀ] *nm* refectorio, comedor *m*
référence [ʀefeʀɑ̃s] *nf* referencia; **références** *nfpl* (*garanties, recommandations*) referencias *fpl*; **faire ~ à** hacer referencia a; **ouvrage de ~** manual *m* de consulta; **ce n'est pas une ~** (*fig*) menuda referencia; **~s exigées** con informes
référer [ʀefeʀe]: **se référer à** *vpr* remitirse a; (*se rapporter à*) referirse a; **en ~ à qn** remitir a algn
refermer [ʀ(ə)fɛʀme] *vt* volver a cerrar; **se refermer** *vpr* cerrarse
refiler [ʀ(ə)file] (*fam*) *vt*: **~ qch à qn** encajar algo a algn
réfléchi, e [ʀefleʃi] *adj* reflexivo(-a); (*action, décision*) pensado(-a)
réfléchir [ʀefleʃiʀ] *vt* reflejar ■ *vi* reflexionar; **~ à** *ou* **sur** reflexionar acerca de; **c'est tout réfléchi** está todo pensado
reflet [ʀ(ə)flɛ] *nm* reflejo; **reflets** *nmpl* (*du soleil, des cheveux*) reflejos *mpl*; (*d'une étoffe, d'un métal*) destellos *mpl*
refléter [ʀ(ə)flete] *vt* reflejar; **se refléter** *vpr* reflejarse
réflexe [ʀeflɛks] *nm* reflejo ■ *adj*: **acte/mouvement ~** acto/movimiento reflejo; **avoir de bons ~s** tener buenos reflejos; **~ conditionné** reflejo condicionado
réflexion [ʀeflɛksjɔ̃] *nf* reflexión *f*; (*remarque désobligeante*) reproche *m*; **réflexions** *nfpl* (*méditations*) reflexiones

fpl; **sans ~** sin pensar; **après ~, ~ faite, à la ~** pensándolo bien; **cela demande ~** eso exige reflexión; **délai de ~** tiempo para reflexionar; **groupe de ~** gabinete *m* de estrategia

réforme [ʀefɔʀm] *nf* reforma; (*Mil*) baja; **la R~** (*Rel*) la Reforma; **conseil de ~** (*Mil*) tribunal *m* médico

réformer [ʀefɔʀme] *vt* reformar; (*recrue*) declarar inútil; (*soldat*) dar de baja

refouler [ʀ(ə)fule] *vt* (*envahisseurs*) rechazar; (*liquide*) impeler; (*fig: larmes*) contener; (*Psych, colère*) reprimir

refrain [ʀ(ə)fʀɛ̃] *nm* estribillo; (*air*) canción *f*; (*leitmotiv*) cantinela

refréner [ʀəfʀene] *vt* refrenar

réfrigérateur [ʀefʀiʒeʀatœʀ] *nm* frigorífico, nevera, heladera (*AM*), refrigeradora (*AM*)

refroidir [ʀ(ə)fʀwadiʀ] *vt* enfriar ▪ *vi* (*plat, moteur*) enfriar; **se refroidir** *vpr* (*personne*) enfriarse, coger frío; (*temps*) refrescar; (*fig*) enfriarse

refroidissement [ʀ(ə)fʀwadismɑ̃] *nm* enfriamiento

refuge [ʀ(ə)fyʒ] *nm* refugio; (*pour piétons*) abrigo; **chercher/trouver ~ auprès de qn** buscar/encontrar refugio en algn; **demander ~ à qn** pedir asilo a algn

réfugié, e [ʀefyʒje] *adj, nm/f* refugiado(-a)

réfugier [ʀefyʒje] *vpr*: **se réfugier** refugiarse

refus [ʀ(ə)fy] *nm* rechazo; **ce n'est pas de ~** (*fam*) se agradece

refuser [ʀ(ə)fyze] *vt* (*ne pas accorder*) denegar; (*ne pas accepter*) rechazar; (*candidat*) suspender ▪ *vi* (*cheval*) rehusar; **~ que/de faire** negarse a que/a hacer; **~ qch à qn** negar algo a algn; **~ du monde** cerrar las puertas a la gente; **se ~ à qch/faire qch** negarse a algo/hacer algo; **se ~ à qn** no entregarse a algn; **il ne se refuse rien** no se priva de nada

regagner [ʀ(ə)gaɲe] *vt* (*argent*) volver a ganar; (*affection, amitié*) recuperar; (*lieu, place*) regresar a; **~ le temps perdu** recuperar el tiempo perdido; **~ du terrain** recuperar terreno

régal [ʀegal] *nm* (*mets, fig*) placer *m*; **c'est un (vrai) ~** es un (verdadero) placer, es una (verdadera) delicia; **un ~ pour les yeux** una delicia para la vista

régaler [ʀegale] *vt*: **~ qn** obsequiar a algn; **se régaler** *vpr* (*faire un bon repas*) regalarse; (*fig*) disfrutar; **~ qn de** obsequiar a algn con

regard [ʀ(ə)gaʀ] *nm* mirada; **parcourir/menacer du ~** recorrer/amenazar con la mirada; **au ~ de** (*loi, morale*) a la luz de; **en ~** (*en face, vis à vis*) en frente; **en ~ de** en comparación con

regardant, e [ʀ(ə)gaʀdɑ̃, ɑ̃t] *adj* (*économe*) ahorrativo(-a); (*péj*) tacaño(-a); **très/peu ~ sur** (*qualité, propreté*) muy/poco mirado(-a) con

regarder [ʀ(ə)gaʀde] *vt* mirar; (*situation, avenir*) ver; (*son intérêt etc*) mirar, preocuparse por; (*concerner*) concernir ▪ *vi* ver, mirar; **~ la télévision** ver *ou* mirar la televisión; **~ qn/qch comme** (*juger*) considerar a algn/algo como; **~ (qch) dans le dictionnaire/l'annuaire** mirar (algo) en el diccionario/en la guía telefónica; **~ par la fenêtre** mirar por la ventana; **~ à** (*dépense*) reparar en; (*qualité, détails*) mirar; **~ (vers)** (*être orienté vers*) mirar (hacia); **ne pas ~ à la dépense** no mirar por el dinero; **cela me regarde** eso me atañe, eso es cosa mía; **cela te regarde?** ¿a ti qué te importa?

régénérant, e [ʀeʒeneʀɑ̃, ɑ̃t] *adj* (*lait, crème*) regenerador(a), revitalizante; **soin du visage ~** crema facial revitalizante

régie [ʀeʒi] *nf* (*Admin*) administración *f* (*del estado o de una institución pública*); (*Comm, Industrie*) corporación *f* pública; (*Ciné, Théâtre*) departamento de producción; (*Radio, TV*) sala de control; **la ~ de l'État** la administración del Estado

régime [ʀeʒim] *nm* régimen *m*; (*fig: allure*) paso; (*de bananes, dattes*) racimo; **se mettre au/suivre un ~** ponerse a/estar a régimen; **~ sans sel** régimen sin sal; **à bas/haut ~** (*Auto*) a pocas/muchas revoluciones; **à plein ~** a toda velocidad; **~ matrimonial** régimen matrimonial

régiment [ʀeʒimɑ̃] *nm* regimiento; **un ~ de** (*fig: fam*) un regimiento de; **un copain de ~** un compañero de la mili

région [ʀeʒjɔ̃] *nf* región *f*; **la ~ parisienne** la región de Paris

régional, e, -aux [ʀeʒjɔnal, o] *adj* regional

régir [ʀeʒiʀ] *vt* regir

régisseur [ʀeʒisœʀ] *nm* (*d'un domaine, d'une propriété*) administrador(a); (*Théâtre, Ciné*) regidor(a)

registre [ʀəʒistʀ] *nm* registro; **~ de comptabilité** libro de cuentas; **~ de l'état civil** registro civil

réglable [ʀeglabl] *adj* (*siège, flamme etc*) regulable; (*achat*) pagadero(-a)

réglage [ʀeglaʒ] *nm* ajuste *m*, regulación *f*; (*d'un moteur*) reglaje *m*
réglé, e [ʀegle] *adj* (*affaire*) zanjado(-a); (*vie, personne*) ordenado(-a); (*papier*) rayado(-a); (*arrangé*) arreglado(-a); (*femme*): **bien ~e** de período regular
règle [ʀɛgl] *nf* regla; **règles** *nfpl* (*Physiol*) reglas *fpl*; **avoir pour ~ de ...** tener por norma ...; **en ~** (*papiers d'identité*) en regla; **être/se mettre en ~** estar/ponerse en regla; **dans** *ou* **selon les ~s** en *ou* según las normas; **être la ~** ser la norma; **être de ~** ser (la) norma; **en ~ générale** por regla general; **~ à calcul** regla de cálculo; **~ de trois** regla de tres
règlement [ʀɛgləmɑ̃] *nm* (*règles*) reglamento; (*paiement*) pago; (*d'un conflit, d'une affaire*) arreglo, solución *f*; **~ à la commande** pago al hacer el pedido; **~ en espèces/par chèque** pago en metálico/por cheque; **~ de compte(s)** ajuste *m* de cuentas; **~ intérieur** reglamento de régimen interno; **~ judiciaire** pago de costas
réglementaire [ʀɛgləmɑ̃tɛʀ] *adj* reglamentario(-a)
réglementation [ʀɛgləmɑ̃tasjɔ̃] *nf* reglamentación *f*
réglementer [ʀɛgləmɑ̃te] *vt* reglamentar
régler [ʀegle] *vt* (*mécanisme, machine*) ajustar; (*moteur, thermostat*) regular; (*modalités*) determinar; (*emploi du temps etc*) organizar; (*question, problème*) arreglar; (*facture, fournisseur*) pagar; (*papier*) rayar; **~ qch sur** acoplar algo a, adaptar algo a; **~ son compte à qn** ajustarle la cuenta a algn; **~ un compte avec qn** ajustar las cuentas con algn
réglisse [ʀeglis] *nf ou m* regaliz *m*; **pâte/bâton de ~** pasta/barra de regaliz
règne [ʀɛɲ] *nm* reinado; (*fig*) reino; **le ~ végétal/animal** el reino vegetal/animal
régner [ʀeɲe] *vi* (*aussi fig*) reinar
regorger [ʀ(ə)gɔʀʒe] *vi*: **~ de** rebosar de
regret [ʀ(ə)gʀɛ] *nm* (*nostalgie*) nostalgia; (*d'un acte commis*) arrepentimiento; (*d'un projet non réalisé*) pesar *m*; **à ~** *ou* **avec ~** con pesar; **à mon grand ~** con mi mayor pesar; **être au ~ de devoir/ne pas pouvoir faire ...** lamentar mucho tener que/no poder hacer ...; **j'ai le ~ de vous informer que ...** siento comunicarle que ...
regrettable [ʀ(ə)gʀetabl] *adj* lamentable; **il est ~ que** es lamentable que
regretter [ʀ(ə)gʀete] *vt* lamentar; (*jeunesse, personne, passé*) echar de menos; **~ d'avoir fait** lamentar haber hecho; **~ de** sentir; **~ que** lamentar que; **je regrette** lo siento; **non, je regrette** no, lo siento
regrouper [ʀ(ə)gʀupe] *vt* reagrupar; (*contenir*) reunir; **se regrouper** *vpr* reagruparse
régulier, -ière [ʀegylje, jɛʀ] *adj* regular; (*employé*) puntual; (*fam: correct, loyal*) formal; **clergé ~** (*Rel*) clero regular; **armées/troupes régulières** (*Mil*) ejércitos *mpl*/tropas *fpl* regulares
régulièrement [ʀegyljɛʀmɑ̃] *adv* con regularidad; (*légalement, normalement*) regularmente; (*normalement*) normalmente
rehausser [ʀəose] *vt* (*mur, plafond*) levantar; (*fig*) realzar
rein [ʀɛ̃] *nm* riñón *m*; **reins** *nmpl* (*Anat: dos, muscles du dos*) riñones *mpl*; **avoir mal aux ~s** tener dolor de riñones; **~ artificiel** riñón artificial
réincarnation [ʀeɛ̃kaʀnasjɔ̃] *nf* reencarnación *f*
reine [ʀɛn] *nf* reina; **~ mère** reina madre
reine-claude [ʀɛnklod] (*pl* **reines-claudes**) *nf* ciruela claudia
réinscriptible [ʀeɛ̃skʀiptibl] *adj* (*CD, DVD*) reescribible
réinsertion [ʀeɛ̃sɛʀsjɔ̃] *nf* reinserción *f*
réintégrer [ʀeɛ̃tegʀe] *vt* (*lieu*) volver a; (*fonctionnaire*) reintegrar
rejaillir [ʀ(ə)ʒajiʀ] *vi* (*liquide*) salpicar; **~ sur** salpicar en; (*fig*) repercutir sobre
rejet [ʀəʒɛ] *nm* rechazo; (*Poésie*) encabalgamiento *m*; (*Bot*) retoño; **phénomène de ~** (*Méd*) fenómeno de rechazo
rejeter [ʀəʒ(ə)te] *vt* rechazar; (*renvoyer*) lanzar de nuevo; (*aliments*) rechazar, vomitar; (*déverser*) vertir; **~ un mot à la fin d'une phrase** dejar una palabra al final de la frase; **~ la tête/les épaules en arrière** echar la cabeza/los hombros hacia atrás; **~ la responsabilité de qch sur qn** echar la responsabilidad de algo sobre algn
rejoindre [ʀ(ə)ʒwɛ̃dʀ] *vt* (*famille, régiment*) reunirse con; (*lieu*) retornar a; (*concurrent*) alcanzar; (*suj: route etc*) llegar a; **se rejoindre** *vpr* (*personnes*) reunirse; (*routes*) juntarse; (*fig: observations, arguments*) asemejarse; **je te rejoins au café** te veo en el café
réjouir [ʀeʒwiʀ] *vt* alegrar; **se réjouir** *vpr* regocijarse, alegrarse; **se ~ de qch/de faire qch** alegrarse de algo/de hacer algo; **se ~ que** alegrarse de que

réjouissances [ʀeʒwisɑ̃s] *nfpl* (*joie collective*) regocijos *mpl*; (*fête*) festejos *mpl*
relâche [ʀəlɑʃ] *nf*: **faire ~** (*navire*) hacer escala; (*Ciné*) no haber función; **jour de ~** día *m* de descanso; **sans ~** sin descanso
relâché, e [ʀ(ə)lɑʃe] *adj* relajado(-a)
relâcher [ʀ(ə)lɑʃe] *vt* (*ressort, étreinte, cordes*) aflojar; (*animal, prisonnier*) soltar; (*discipline*) relajar ▪ *vi* (*Naut*) hacer escala; **se relâcher** *vpr* (*cordes*) aflojarse; (*discipline*) relajarse; (*élève*) aflojar
relais [ʀ(ə)lɛ] *nm*: **(course de) ~** (carrera de) relevos *mpl*; (*Radio, TV*) repetidor *m*; **satellite de ~** satélite *m* repetidor; **servir de ~** (*intermédiaire*) servir de relevo; **équipe de ~** equipo de relevo; **travail par ~** trabajo por turnos; **prendre le ~ (de qn)** tomar el relevo (de algn); **~ de poste** (*pour diligences*) posta *f*; **~ routier** restaurante *m* de carretera
relancer [ʀ(ə)lɑ̃se] *vt* (*balle*) lanzar de nuevo; (*moteur*) poner en marcha de nuevo; (*fig: économie, agriculture*) reactivar; **~ qn** (*harceler*) hostigar a algn
relatif, -ive [ʀ(ə)latif, iv] *adj* relativo(-a); **~ à** relativo(-a) a
relation [ʀ(ə)lasjɔ̃] *nf* (*récit*) relato; (*rapport*) relación *f*; **relations** *nfpl* relaciones *fpl*; **avoir des ~s** tener relaciones; **être/entrer en ~(s) avec** estar/entrar en relación(relaciones) con; **mettre qn en ~(s) avec** poner a algn en relación con; **avoir** *ou* **entretenir des ~s avec** tener *ou* mantener relaciones con; **~s internationales** relaciones internacionales; **~s publiques** relaciones públicas; **~s (sexuelles)** relaciones (sexuales)
relativement [ʀ(ə)lativmɑ̃] *adv* relativamente; **~ à** en relación con
relaxer [ʀəlakse] *vt* (*détendre*) relajar; (*Jur*) poner en libertad; **se relaxer** *vpr* relajarse
relayer [ʀ(ə)leje] *vt* (*collaborateur, coureur*) relevar; (*Radio, TV*) retransmitir; **se relayer** *vpr* (*dans une activité, course*) relevarse
reléguer [ʀ(ə)lege] *vt* relegar; **~ au second plan** relegar a un segundo plano; **se sentir relégué** sentirse relegado
relevé, e [ʀəl(ə)ve] *adj* (*bord de chapeau*) alzado(-a); (*manches*) arremangado(-a); (*virage*) peraltado(-a); (*conversation, style*) elevado(-a); (*sauce, plat*) sazonado(-a) ▪ *nm* (*liste*) relación *f*; (*de cotes*) alzado; (*facture*) extracto; (*d'un compteur*) lectura; **~ de compte** saldo; **~ d'identité bancaire** número de cuenta
relève [ʀəlɛv] *nf* relevo; **prendre la ~** (*aussi fig*) tomar el relevo
relever [ʀəl(ə)ve] *vt* levantar; (*niveau de vie, salaire*) aumentar; (*col*) subir; (*style, conversation*) animar; (*plat, sauce*) sazonar; (*sentinelle, équipe*) relevar; (*fautes, points*) señalar; (*traces, anomalies*) constatar; (*remarque*) contestar a; (*défi*) hacer frente a; (*noter*) tomar nota de, anotar; (*compteur*) leer; (*copies*) recoger; (*Tricot*) coger ▪ *vi* (*jupe, bord*) levantar, arremangar; **se relever** *vpr* levantarse; **se ~ (de)** (*fig*) recuperarse (de); **~ de** (*maladie*) salir de; (*être du ressort de, du domaine de*) ser de la competencia de; (*Admin*) depender de; **~ qn de** (*fonctions*) eximir a algn de; (*Rel: vœux*) liberar a algn de; **~ la tête** levantar la cabeza; (*fig*) levantar cabeza
relief [ʀəljɛf] *nm* relieve *m*; (*de pneu*) dibujo; **reliefs** *nmpl* (*restes*) restos *mpl*; **en ~** en relieve; **mettre en ~** (*fig*) poner de relieve; **donner du ~ à** (*fig*) dar relieve a
relier [ʀəlje] *vt* (*routes, bâtiments*) unir; (*fig: idées etc*) relacionar; (*livre*) encuadernar; **~ qch à** unir algo con; **livre relié cuir** libro encuadernado en piel
religieux, -euse [ʀ(ə)liʒjø, jøz] *adj* religioso(-a) ▪ *nm* religioso ▪ *nf* religiosa; (*gâteau*) pastelillo de crema
religion [ʀ(ə)liʒjɔ̃] *nf* religión *f*; (*piété, dévotion*) fe *f*; **entrer en ~** hacer los votos
relire [ʀ(ə)liʀ] *vt* releer; **se relire** *vpr* releerse
reluire [ʀ(ə)lɥiʀ] *vi* relucir
remanier [ʀ(ə)manje] *vt* (*roman, pièce*) modificar; (*ministère*) reorganizar
remarquable [ʀ(ə)maʀkabl] *adj* notable
remarque [ʀ(ə)maʀk] *nf* comentario
remarquer [ʀ(ə)maʀke] *vt* notar; **se remarquer** *vpr* notarse; **se faire ~** (*péj*) hacerse notar; **faire ~ (à qn) que** hacer notar (a algn) que; **faire ~ qch (à qn)** hacer notar algo (a algn); **~ que** (*dire*) observar que; **remarquez que ...** observe que ...
rembourrer [ʀɑ̃buʀe] *vt* rellenar
remboursement [ʀɑ̃buʀsəmɑ̃] *nm* reembolso; **envoi contre ~** envío contra reembolso
rembourser [ʀɑ̃buʀse] *vt* reembolsar
remède [ʀ(ə)mɛd] *nm* (*médicament*) medicamento; (*traitement, fig*) remedio; **trouver un ~ à** encontrar una solución a
remémorer [ʀ(ə)memɔʀe] *vpr*: **se remémorer** acordarse de

remerciements [ʀ(ə)mɛʀsimɑ̃] *nmpl* gracias *fpl*; **(avec) tous mes ~** (con) todo mi agradecimiento
remercier [ʀ(ə)mɛʀsje] *vt* (*donateur, bienfaiteur*) dar las gracias a; (*congédier: employé*) despedir; **~ qn de qch** agradecerle algo a algn; **je vous remercie d'être venu** le agradezco que haya venido; **non, je vous remercie** no, muchas gracias
remettre [ʀ(ə)mɛtʀ] *vt* (*vêtement*) volver a ponerse; (*rétablir*): **~ qn** restablecer a algn; (*reconnaître*) recordar a algn; (*restituer*): **~ qch à qn** devolver algo a algn; (*paquet, argent, récompense*) entregar algo a algn; (*ajourner, reporter*): **~ qch (à)** aplazar algo (hasta *ou* para); **se remettre** *vpr* (*malade*) reponerse; (*temps*) mejorar; **~ qch quelque part** colocar de nuevo algo en algún sitio; **~ du sel/un sucre** añadir sal/un azucarillo; **se ~ de** (*maladie, chagrin*) recuperarse de; **s'en ~ à** remitirse a; **se ~ à faire/qch** ponerse de nuevo a hacer/algo; **~ qch en place** colocar algo en su sitio; **~ une pendule à l'heure** poner un reloj en hora; **~ un moteur/une machine en marche** poner un motor/una máquina en marcha; **~ en état** reparar; **~ en ordre/ en usage** volver a poner en orden/al uso; **~ en cause** *ou* **question** poner en tela de juicio; **~ sa démission** presentar su dimisión; **~ qch à plus tard** dejar algo para más tarde; **~ qch à neuf** dejar algo como nuevo; **~ qn à sa place** (*fig*) poner a algn en su sitio
remise [ʀ(ə)miz] *nf* (*d'un colis, d'une récompense*) entrega; (*rabais, réduction*) descuento; (*lieu, local*) trastero, galpón *m* (*Csur*); **~ à neuf** renovación *f*; **~ de fonds** remesa de fondos; **~ de peine** remisión *f* de pena; **~ en cause** replanteamiento; **~ en jeu** (*Football*) saque *m*; **~ en marche/ en ordre** puesta en marcha/en orden; **~ en question** replanteamiento
remontant [ʀ(ə)mɔ̃tɑ̃] *nm* estimulante
remonte-pente [ʀ(ə)mɔ̃tpɑ̃t] (*pl* **~s**) *nm* remonte *m*
remonter [ʀ(ə)mɔ̃te] *vi* volver a subir; (*sur un cheval*) volver a montar; (*dans une voiture*) volver a montarse; (*jupe*) subir ■ *vt* volver a subir; (*fleuve*) remontar; (*hausser*) subir; (*fig: personne, moral*) animar; (*moteur, meuble, mécanisme*) montar de nuevo; (*garde-robe, collection*) reponer; (*montre*) dar cuerda; **~ à** (*dater de*) remontarse a; **~ en voiture** volver a montarse en coche; **~ le moral à qn** levantar la moral a algn
remontrer [ʀ(ə)mɔ̃tʀe] *vt*: **~ qch (à qn)** (*montrer de nouveau*) volver a enseñar algo (a algn); **en ~ à qn** (*fig*) dar lecciones a algn
remords [ʀ(ə)mɔʀ] *nm* remordimiento; **avoir des ~** tener remordimiento
remorque [ʀ(ə)mɔʀk] *nf* remolque *m*; **prendre en ~** llevar en remolque; **être en ~** ir remolcado(-a); **être à la ~** (*fig*) estar a remolque
remorquer [ʀ(ə)mɔʀke] *vt* remolcar
remorqueur [ʀ(ə)mɔʀkœʀ] *nm* remolcador *m*
remous [ʀəmu] *nm* remolino ■ *nmpl* (*fig*) alboroto *msg*
remparts [ʀɑ̃paʀ] *nmpl* murallas *fpl*
remplaçant, e [ʀɑ̃plasɑ̃, ɑ̃t] *nm/f* sustituto(-a); (*Théâtre*) suplente *m/f*
remplacement [ʀɑ̃plasmɑ̃] *nm* sustitución *f*; **assurer le ~ de qn** sustituir a algn; **faire des ~s** hacer sustituciones
remplacer [ʀɑ̃plase] *vt* (*mettre qn/qch à la place de*) sustituir; (*ami, époux etc*) cambiar de; (*temporairement*) reemplazar; (*pneu, ampoule*) cambiar; (*tenir lieu de*) sustituir (a); **~ qch par qch d'autre/qn par qn d'autre** cambiar una cosa por otra/a algn por otro(-a)
rempli, e [ʀɑ̃pli] *adj* (*journée*) cargado(-a); (*forme, visage*) relleno(-a); **~ de** lleno(-a) de
remplir [ʀɑ̃pliʀ] *vt* llenar; (*questionnaire*) rellenar; (*obligations, conditions, rôle*) cumplir (con); **se remplir** *vpr* llenarse; **~ qch de** llenar algo de; **~ qn de** (*joie, admiration*) llenar a algn de
remporter [ʀɑ̃pɔʀte] *vt* (*livre, marchandise*) devolver; (*fig: victoire, succès*) lograr
remuant, e [ʀəmɥɑ̃, ɑ̃t] *adj* (*enfant etc*) revoltoso(-a)
remue-ménage [ʀ(ə)mymenaʒ] *nm inv* zafarrancho
remuer [ʀəmɥe] *vt* (*meuble, objet*) mudar; (*partie du corps*) mover; (*café, salade, sauce*) remover; (*émouvoir*) conmover ■ *vi* moverse; (*fig: opposants*) agitarse; **se remuer** *vpr* (*aussi fam*) moverse; (*fig*) desvivirse
rémunérer [ʀemyneʀe] *vt* remunerar, pagar
renard [ʀ(ə)naʀ] *nm* zorro
renchérir [ʀɑ̃ʃeʀiʀ] *vi* encarecerse; **~ (sur)** ir más allá (de)
rencontre [ʀɑ̃kɔ̃tʀ] *nf* (*Sport, congrès, gén*) encuentro; (*de cours d'eau*) confluencia; (*véhicules*) choque *m*; (*idées*) coincidencia; (*entrevue*) entrevista; **faire**

la ~ de qn conocer a algn; **aller à la ~ de qn** ir al encuentro de algn; **amis/amours de ~** amigos/amores de paso

rencontrer [Rɑ̃kɔ̃tRe] *vt* encontrar (a); (*avoir une entrevue avec*) entrevistarse con; (*Sport: équipe*) enfrentarse con; (*mot, opposition*) encontrar; (*regard, yeux*) encontrarse con; **se rencontrer** *vpr* (*fleuves*) confluir; (*personnes, regards*) encontrarse; (*véhicules*) chocar

rendement [Rɑ̃dmɑ̃] *nm* rendimiento; (*d'une culture*) producto; **à plein ~** a pleno rendimiento

rendez-vous [Rɑ̃devu] *nm inv* cita; **recevoir sur ~** recibir previa cita; **donner ~ à qn** dar una cita a algn; **fixer un ~ à qn** fijar una cita con algn; **avoir ~ (avec qn)** tener una cita (con algn); **prendre ~ (avec qn)** pedir cita (con algn); **prendre ~ chez le médecin** pedir hora con el médico; **~ orbital** acoplamiento de satélites; **~ spatial** cita en el espacio

rendre [Rɑ̃dR] *vt* devolver; (*honneurs*) rendir; (*sons*) producir; (*pensée, tournure*) traducir, expresar; (*Jur: verdict*) fallar; (*: jugement, arrêt*) dictar ■ *vi* (*suj: terre, pêche etc*) ser productivo(-a); **se rendre** *vpr* rendirse; **~ qn célèbre/qch possible** hacer a algn célebre/algo posible; **se ~ quelque part** irse a algún sitio; **se ~ compte de qch** darse cuenta de algo; **~ la vue/l'espoir/la santé à qn** devolver la vista/la esperanza/la salud a algn; **~ la liberté** devolver la libertad; **~ la monnaie** dar las vueltas; **se ~ à** (*arguments etc*) rendirse a; (*ordres*) someterse; **se ~ insupportable/malade** volverse insoportable/enfermo(-a)

rênes [Rɛn] *nfpl* riendas

renfermé, e [Rɑ̃fɛRme] *adj* (*fig*) reservado(-a) ■ *nm*: **sentir le ~** oler a cerrado

renfermer [Rɑ̃fɛRme] *vt* contener; **se ~ (sur soi-même)** encerrarse (en sí mismo)

renforcer [Rɑ̃fɔRse] *vt* reforzar; (*soupçons*) aumentar; **~ qn dans ses opinions** confirmar a algn en sus opiniones

renforts *nmpl* (*Mil, gén*) refuerzo *msg*; **à grand renfort de** con gran acompañamiento de

renfrogné, e [Rɑ̃fRɔɲe] *adj* sombrío(-a)

renier [Rənje] *vt* renegar de

renifler [R(ə)nifle] *vi* resoplar ■ *vt* aspirar

renne [Rɛn] *nm* reno

renom [Rənɔ̃] *nm* renombre *m*; **vin de grand ~** vino de gran fama

renommé, e [R(ə)nɔme] *adj* renombrado(-a), famoso(-a)

renommée [R(ə)nɔme] *nf* fama; **la ~** el renombre

renoncer [R(ə)nɔ̃se]: **~ à** *vt* renunciar a; (*opinion, croyance*) renegar de; **~ à faire qch** renunciar a hacer algo; **j'y renonce** renuncio

renouer [Rənwe] *vt* (*cravate, lacets*) atar de nuevo; (*fig*) reanudar; **~ avec** volver a; **~ avec qn** reconciliarse con algn

renouvelable [R(ə)nuv(ə)labl] *adj* (*contrat, bail, énergie*) renovable; (*expérience*) repetible

renouveler [R(ə)nuv(ə)le] *vt* renovar; (*eau d'une piscine, pansement*) cambiar; (*demande, remerciements*) reiterar; (*exploit, méfait*) repetir; **se renouveler** *vpr* (*incident*) repetirse; (*cellules etc*) reproducirse; (*artiste, écrivain*) renovarse

renouvellement [R(ə)nuvɛlmɑ̃] *nm* renovación *f*; (*pansement*) cambio; (*demande*) reiteración *f*; (*exploit, incident*) repetición *f*; (*cellules etc*) reproducción *f*

rénover [Renɔve] *vt* (*immeuble, enseignement*) renovar; (*meuble*) restaurar; (*quartier*) remozar

renseignement [Rɑ̃sɛɲmɑ̃] *nm* información *f*; **prendre des ~s sur** pedir referencia sobre; **(guichet des) ~s** (ventanilla de) información; **(service des) ~s** (*Tél*) (servicio de) información; **service/agent de ~s** (*Mil*) servicio/agente *m* de información; **les ~s généraux** dirección *f* general de seguridad

renseigner [Rɑ̃seɲe] *vt* (*suj: expérience*) mostrar; (*: document*) informar; **se renseigner** *vpr* informarse; **~ qn (sur)** informar a algn (sobre)

rentabilité [Rɑ̃tabilite] *nf* rentabilidad *f*; **seuil de ~** mínimo de rentabilidad

rentable [Rɑ̃tabl] *adj* rentable

rente [Rɑ̃t] *nf* renta; **~ viagère** renta vitalicia

rentrée [Rɑ̃tRe] *nf*: **~ (d'argent)** ingreso; **la ~ (des classes)** el comienzo (del curso); **la ~ (parlementaire)** ≈ la reapertura (de las Cortes); **réussir/faire sa ~** (*artiste, acteur*) tener éxito en/hacer su reaparición

rentrer [Rɑ̃tRe] *vi* entrar; (*entrer de nouveau*) volver a entrar; (*revenir chez soi*) irse a casa; (*revenu, argent*) ingresar ■ *vt* meter; (*foins*) recoger; (*griffes*) guardar; (*fig: larmes, colère etc*) tragarse; **~ le ventre** (*effacer*) meter la tripa; **~ dans** (*famille, patrie*) volver a; (*arbre, mur*) chocar contra; (*catégorie etc*) entrar en; **~ dans l'ordre** volver al orden; **~ dans ses frais** cubrir sus gastos

renverse [ʀɑ̃vɛʀs]: **à la ~** *adv* (*tomber*) de espaldas

renverser [ʀɑ̃vɛʀse] *vt* (*chaise, verre*) dejar caer; (*piéton*) atropellar; (*: tuer*) matar; (*liquide*) derramar; (*: volontairement*) verter; (*retourner*) poner boca abajo; (*ordre des mots etc*) invertir; (*tradition etc*) echar abajo; (*gouvernement etc*) derrochar; (*stupéfier*) asombrar; **se renverser** *vpr* (*pile d'objets, récipient*) caerse; (*véhicule*) volcarse; (*liquide*) derramarse; **~ la tête/le corps (en arrière)** echar la cabeza/el cuerpo hacia atrás; **se ~ (en arrière)** echarse hacia atrás; **~ la vapeur** dar marcha atrás

renvoi [ʀɑ̃vwa] *nm* reenvío, devolución *f*; (*d'un élève*) expulsión *f*; (*d'un employé*) despido; (*de la lumière*) reflejo; (*référence*) llamada, nota; (*éructation*) eructo

renvoyer [ʀɑ̃vwaje] *vt* devolver; (*élève*) expulsar; (*domestique, employé*) despedir; (*lumière*) reflejar; **~ qn quelque part** volver a enviar a algn a algún sitio; **~ qch (à)** (*ajourner, différer*) aplazar algo (para); **~ qch à qn** devolver algo a algn; **~ qn à** (*référer*) remitir a algn a

repaire [ʀ(ə)pɛʀ] *nm* (*aussi fig*) guarida

répandre [ʀepɑ̃dʀ] *vt* derramar; (*gravillons, sable etc*) echar; (*lumière, chaleur, odeur*) despedir; (*nouvelle, usage*) propagar; (*terreur, joie*) sembrar; **se répandre** *vpr* (*liquide*) derramarse; (*odeur, fumée*) propagarse; (*foule*) desparramarse; (*épidémie, mode*) difundirse; **se ~ en** (*injures, compliments*) deshacerse en

répandu, e [ʀepɑ̃dy] *pp de* **répandre** ■ *adj* (*courant*) extendido(-a); **papiers ~s par terre/sur un bureau** papeles esparcidos por el suelo/sobre la mesa

réparation [ʀepaʀasjɔ̃] *nf* arreglo; **réparations** *nfpl* reparaciones *fpl*; **en ~** en reparación; **demander à qn ~ de** (*offense etc*) demandar a algn la reparación de

réparer [ʀepaʀe] *vt* arreglar; (*déchirure, avarie, aussi fig*) reparar

repartie [ʀepaʀti] *nf* réplica; **avoir de la ~** tener una respuesta fácil; **esprit de ~** espíritu *m* de réplica

repartir [ʀepaʀtiʀ] *vi* (*retourner*) regresar; (*partir de nouveau*) volver a marcharse; (*affaire*) comenzar de nuevo; **~ à zéro** recomenzar de cero

répartir [ʀepaʀtiʀ] *vt* repartir; **se répartir** *vpr* (*travail, rôles*) repartirse; **~ sur** repartir en; **~ en** dividir en

répartition [ʀepaʀtisjɔ̃] *nf* reparto

repas [ʀ(ə)pɑ] *nm* comida; **à l'heure des ~** a la hora de comer

repassage [ʀ(ə)pɑsaʒ] *nm* planchado

repasser [ʀ(ə)pɑse] *vi* (*passer de nouveau*) volver a pasar ■ *vt* (*vêtement, tissu*) planchar; (*examen, film*) repetir; (*leçon, rôle*) repasar; **~ qch à qn** (*plat, pain*) volver a pasar algo a algn

repentir [ʀəpɑ̃tiʀ] *nm* arrepentimiento; **se repentir** *vpr* arrepentirse; **se ~ de qch/d'avoir fait qch** arrepentirse de algo/de haber hecho algo

répercussions [ʀepɛʀkysjɔ̃] *nfpl* (*fig*) repercusiones *fpl*

répercuter [ʀepɛʀkyte] *vt* repercutir; (*consignes, charges etc*) transmitir; **se répercuter** *vpr* repercutir; **se ~ sur** (*fig*) repercutir en

repère [ʀ(ə)pɛʀ] *nm* referencia; (*Tech*) marca; (*monument etc*) lugar *m* de referencia; **point de ~** punto de referencia

repérer [ʀ(ə)peʀe] *vt* (*erreur, connaissance*) ver; (*abri, ennemi*) localizar; **se repérer** *vpr* orientarse; **se faire ~** hacerse notar

répertoire [ʀepɛʀtwaʀ] *nm* repertorio; (*carnet*) agenda; (*Inform, de carnet*) directorio; (*indicateur*) índice *m*

répéter [ʀepete] *vt* repetir; (*nouvelle, secret*) volver a contar; (*leçon, rôle*) repasar; (*Théâtre*) ensayar ■ *vi* (*Théâtre etc*) ensayar; **se répéter** *vpr* repetirse; **je te répète que ...** te repito que ...

répétitif, -ive [ʀepetitif, iv] *adj* repetitivo(-a)

répétition [ʀepetisjɔ̃] *nf* repetición *f*; (*Théâtre*) ensayo; **répétitions** *nfpl* clases *fpl* particulares; **armes à ~** armas de repetición; **~ générale** (*Théâtre*) ensayo general

répit [ʀepi] *nm* descanso; (*fig*) respiro; **sans ~** sin tregua

replier [ʀ(ə)plije] *vt* doblar; **se replier** *vpr* replegarse; **se ~ sur soi-même** ensimismarse

réplique [ʀeplik] *nf* réplica; **donner la ~ à** contestar a; **sans ~** tajante

répliquer [ʀeplike] *vt* contestar; (*avec impertinence*) replicar; **~ à** (*critique, personne*) rebatir (a); **~ que ...** contestar que ...

répondeur [ʀepɔ̃dœʀ] *nm*: **~ automatique** (*Tél*) contestador *m* automático

répondre [Repɔ̃dR] *vi* contestar, responder; (*freins, mécanisme*) responder; **~ à** responder a *ou* contestar a; (*affection*) corresponder a; (*salut, provocation, description*) responder a; **~ que** responder que; **~ de** responder de

réponse [Repɔ̃s] *nf* respuesta; **avec ~ payée** (*Postes*) a cobro revertido; **avoir ~ à tout** tener respuesta para todo; **en ~ à** en respuesta a; **carte-~** carta de respuesta; **bulletin-~** cupón *m* de concurso

reportage [R(ə)pɔRtaʒ] *nm* reportaje *m*

reporter[1] [R(ə)pɔRtɛR] *nm* reportero

reporter[2] [Rəpɔ̃Rte] *vt* (*total, notes*): **~ qch sur** pasar algo a; (*ajourner, renvoyer*): **~ qch (à)** aplazar algo (hasta); **se ~ à** (*époque*) remontarse a; (*document, texte*) remitirse a

repos [R(ə)po] *nm* descanso; (*après maladie*) reposo; (*fig*) sosiego; (*Mil*): **~!** ¡descansen!; **en ~** en reposo; **au ~** en reposo; (*soldat*) en descanso; **de tout ~** seguro(-a)

reposant, e [R(ə)pozɑ̃, ɑ̃t] *adj* descansado(-a)

reposer [R(ə)poze] *vt* (*verre, livre*) volver a poner; (*rideaux, carreaux*) volver a colocar; (*question, problème*) replantear; (*délasser*) descansar ▪ *vi* (*liquide, pâte*) reposar; (*personne*): **ici repose ...** aquí descansa ...; **se reposer** *vpr* descansar; **~ sur** (*suj: bâtiment*) descansar sobre; (*fig: affirmation*) basarse en; **se ~ sur qn** apoyarse en algn

repoussant, e [R(ə)pusɑ̃, ɑ̃t] *adj* repulsivo(-a)

repousser [R(ə)puse] *vi* volver a crecer ▪ *vt* rechazar; (*rendez-vous, entrevue*) aplazar; (*répugner*) repeler; (*tiroir, table*) empujar

reprendre [R(ə)pRɑ̃dR] *vt* (*prisonnier*) volver a coger; (*Mil: ville*) volver a tomar; (*objet posé etc*) recoger; (*objet prêté, donné*) recuperar; (*se resservir de*) volver a tomar; (*racheter*) comprar; (*travail, promenade, études*) reanudar; (*explication, histoire*) volver a; (*emprunter: argument, idée*) tomar; (*article etc*) rehacer; (*jupe, pantalon*) arreglar; (*émission, pièce*) repetir; (*personne*) corregir ▪ *vi* (*cours, classes*) reanudarse; (*froid, pluie etc*) volver, llegar de nuevo; (*affaires, industrie*) reactivarse; **se reprendre** *vpr* (*se corriger*) corregirse; (*se ressaisir*) reponerse; **je reprends** (*poursuivre*) prosigo; **je viendrai te ~ à 4h** (*chercher*) pasaré a recogerte a las cuatro; **reprit-il** (*dire*) contestó; **s'y ~** recomenzar; **~ courage/des forces** recobrar valor/fuerzas; **~ ses habitudes/sa liberté** recuperar sus costumbres/su libertad; **~ la route** volver a ponerse en marcha; **~ connaissance** recobrar el conocimiento; **~ haleine** *ou* **son souffle** recobrar el aliento; **~ la parole** retomar la palabra

représentant, e [R(ə)pRezɑ̃tɑ̃, ɑ̃t] *nm/f* representante *m/f*

représentation [R(ə)pRezɑ̃tasjɔ̃] *nf* representación *f*; **faire de la ~** (*Comm*) trabajar como representante; **frais de ~** (*d'un diplomate*) gastos *mpl* de representación

représenter [R(ə)pRezɑ̃te] *vt* representar; **se représenter** *vpr* (*occasion*) volver a presentarse; (*s'imaginer, se figurer*) figurarse; **se ~ à** (*examen, élections*) volver a presentarse a

répression [RepResjɔ̃] *nf* represión *f*; **mesures de ~** medidas *fpl* represivas

réprimer [RepRime] *vt* reprimir

repris, e [R(ə)pRi] *pp de* **reprendre** ▪ *nm*: **~ de justice** individuo con antecedentes penales

reprise [R(ə)pRiz] *nf* (*d'une ville*) toma; (*entreprise*) compra; (*article*) reestructuración *f*; (*jupe, pantalon*) arreglo; (*recommencement*) reanudación *f*; (*de la parole*) proseguimiento; (*Théâtre, TV, Ciné*) reposición *f*; (*Boxe etc*) repetición *f*; (*Auto: en accélérant*) reprise *m*; (*Comm*) compra; (*de location*) traspaso; (*raccommodage*) zurcido; **la ~ des hostilités** la reanudación de las hostilidades; **à plusieurs ~s** repetidas veces

repriser [R(ə)pRize] *vt* zurcir; **aiguille/coton à ~** aguja/hilo de zurcir

reproche [R(ə)pRɔʃ] *nm* reproche *m*; **ton/air de ~** tono/aire *m* de reproche; **faire des ~s à qn** hacer reproches a algn; **faire ~ à qn de qch** reprochar algo a algn; **sans ~(s)** sin reproche

reprocher [R(ə)pRɔʃe] *vt*: **~ qch à (qn)** reprochar algo a (algn); **se ~ qch/d'avoir fait qch** reprocharse algo/haber hecho algo

reproduction [R(ə)pRɔdyksjɔ̃] *nf* (*aussi Biol*) reproducción *f*; **droits de ~** derechos *mpl* de reproducción; **"~ interdite"** "prohibida su reproducción"

reproduire [R(ə)pRɔdɥiR] *vt* reproducir; **se reproduire** *vpr* (*Biol, fig*) reproducirse

reptile [Rɛptil] *nm* reptil *m*

république [ʀepyblik] *nf* república; **R~ arabe du Yémen** República árabe del Yemen; **R~ Centrafricaine** República Centroafricana; **R~ de Corée** República de Corea; **R~ démocratique allemande** República democrática alemana; **R~ d'Irlande** República de Irlanda; **R~ dominicaine** República Dominicana; **R~ fédérale d'Allemagne** República federal de Alemania; **R~ populaire de Chine** República popular de China; **R~ populaire démocratique de Corée** República popular democrática de Corea; **R~ populaire du Yémen** República popular del Yemen

répugnant, e [ʀepyɲɑ̃, ɑ̃t] *adj* repugnante

répugner [ʀepyɲe] *vt* repugnar; **je répugne à le faire** me repugna hacerlo

réputation [ʀepytasjɔ̃] *nf* reputación *f*; (*d'une maison*) fama; **avoir la ~ d'être ...** tener fama de ser ...; **connaître qn/qch de ~** conocer a algn/algo por la fama; **de ~ mondiale** de fama mundial

réputé, e [ʀepyte] *adj* famoso(-a); **être ~ pour** ser famoso(-a) por

requérir [ʀəkeʀiʀ] *vt* requerir; (*demander au nom de la loi*) demandar, requerir; (*Jur: peine*) pedir

requête [ʀəkɛt] *nf* (*prière*) petición *f*; (*Jur*) demanda, requerimiento

requin [ʀəkɛ̃] *nm* tiburón *m*; (*fam: fig*) buitre *m*

requis, e [ʀəki, iz] *pp de* **requérir** ▪ *adj* (*conditions, âge*) requerido(-a)

RER [ɛʀøɛʀ] *sigle m* (= *Réseau express régional*) *red de trenes rápidos de París y de la periferia*; (*train*) *uno de esos trenes*

rescapé, e [ʀɛskape] *nm/f* superviviente *m/f*

rescousse [ʀɛskus] *nf*: **aller/venir à la ~ de** ir/venir en socorro de; **appeler qn à la ~** pedir la ayuda de algn

réseau, x [ʀezo] *nm* red *f*

réservation [ʀezɛʀvasjɔ̃] *nf* reserva

réserve [ʀezɛʀv] *nf* reserva; (*d'un magasin*) depósito; (*de pêche, chasse*) coto; **réserves** *nfpl* reservas *fpl*; **la ~** (*Mil*) la reserva; **officier de ~** oficial en la reserva; **sous toutes ~s** con muchas reservas; **sous ~ de** a reserva de; **sans ~** sin reservas; **avoir/mettre/tenir qch en ~** tener/poner/guardar algo en reserva; **de ~** de reserva; **~ naturelle** reserva natural

réservé, e [ʀezɛʀve] *adj* reservado(-a); (*chasse, pêche*) vedado(-a); **~ à/pour** reservado(-a) a/para

réserver [ʀezɛʀve] *vt* reservar; (*réponse, assentiment etc*) reservarse; **~ qch pour/à** (*mettre de côté, garder*) reservar algo para/a; **~ qch à qn** reservar algo a algn; **se ~ qch** reservarse algo; **se ~ de faire qch** reservarse el hacer algo; **se ~ le droit de faire qch** reservarse el derecho de hacer algo

réservoir [ʀezɛʀvwaʀ] *nm* depósito

résidence [ʀezidɑ̃s] *nf* (*Admin*) sede *f*; (*habitation luxueuse*) residencia; (*groupe d'immeubles*) conjunto residencial; **(en) ~ surveillée** (*Jur*) (en) arresto domiciliario; **~ principale/secondaire** residencia principal/secundaria; **~ universitaire** residencia universitaria

résidentiel, le [ʀezidɑ̃sjɛl] *adj* residencial

résider [ʀezide] *vi*: **~ à/dans/en** residir en; **~ dans/en** (*fig*) radicar en

résidu [ʀezidy] *nm* (*péj*) deshecho; (*Chim, Phys*) residuo

résigner [ʀeziɲe] *vt* resignar; **se résigner** *vpr* resignarse; **se ~ à qch/faire qch** resignarse a algo/hacer algo

résilier [ʀezilje] *vt* rescindir

résistance [ʀezistɑ̃s] *nf* resistencia; **la R~** (*Pol*) la Resistencia

résistant, e [ʀezistɑ̃, ɑ̃t] *adj* resistente ▪ *nm/f* militante *m/f* de la Resistencia

résister [ʀeziste] *vi* resistir; **~ à** resistir a; (*personne*) oponerse a

résolu, e [ʀezɔly] *pp de* **résoudre** ▪ *adj* decidido(-a); **être ~ à qch/faire qch** estar decidido(-a) a algo/hacer algo

résolution [ʀezɔlysjɔ̃] *nf* resolución *f*; (*fermeté*) decisión *f*; (*Inform*) definición *f*; **prendre la ~ de** tomar la resolución de; **bonnes ~s** determinaciones *fpl*

résolve *etc* [ʀesɔlv] *vb voir* **résoudre**

résonner [ʀezɔne] *vi* resonar; **~ de** resonar con

résorber [ʀezɔʀbe] *vpr*: **se résorber** (*Méd*) reabsorberse; (*déficit, chômage*) reducirse

résoudre [ʀezudʀ] *vt* resolver; **~ qn à faire qch** inducir a que algn haga algo; **~ de faire qch** decidir hacer algo; **se ~ à qch/faire qch** decidirse por algo/a *ou* por hacer algo

respect [ʀɛspɛ] *nm* respeto; **respects** *nmpl*: **présenter ses ~s à qn** presentar sus respetos a algn; **tenir qn en ~** mantener a algn a distancia; (*fig*) tener a algn a raya

respecter [ʀɛspɛkte] *vt* respetar; **faire ~** hacer respetar; **le lexicographe qui se respecte** (*fig*) el lexicógrafo que se precie

respectueux, -euse [ʀɛspɛktɥø, øz]

adj respetuoso(-a); **à une distance respectueuse** a una distancia respetuosa; **~ de** respetuoso(-a) con
respiration [ʀɛspiʀasjɔ̃] *nf* respiración *f*; **retenir sa ~** contener su respiración; **~ artificielle** respiración artificial
respirer [ʀɛspiʀe] *vi* respirar ■ *vt* (*odeur, parfum, grand air*) aspirar; (*santé, calme, paix*) respirar
resplendir [ʀɛsplɑ̃diʀ] *vi* resplandecer; **~ (de)** resplandecer (de)
responsabilité [ʀɛspɔ̃sabilite] *nf* responsabilidad *f*; **accepter/refuser la ~ de** aceptar/declinar la responsabilidad de; **prendre ses ~s** asumir su responsabilidad; **décliner toute ~** declinar cualquier responsabilidad; **~ civile/collective/morale/pénale** responsabilidad civil/colectiva/moral/penal
responsable [ʀɛspɔ̃sabl] *adj, nm/f* responsable *m/f*
ressaisir [ʀ(ə)seziʀ] *vpr*: **se ressaisir** (*se maîtriser*) serenarse; (*équipe sportive, concurrent*) recuperarse
ressasser [ʀ(ə)sase] *vt* rumiar; (*histoires, critiques*) repetir
ressemblance [ʀ(ə)sɑ̃blɑ̃s] *nf* semejanza; (*Art*) parecido; (*analogie, trait commun*) similitud *f*
ressemblant, e [ʀ(ə)sɑ̃blɑ̃, ɑ̃t] *adj* parecido(-a)
ressembler [ʀ(ə)sɑ̃ble]: **~ à** *vt* parecerse a; **se ressembler** *vpr* parecerse
ressentiment [ʀ(ə)sɑ̃timɑ̃] *nm* resentimiento
ressentir [ʀ(ə)sɑ̃tiʀ] *vt* sentir; **se ~ de** resentirse de
resserrer [ʀ(ə)seʀe] *vt* apretar; (*liens d'amitié*) estrechar; **se resserrer** *vpr* (*route, vallée*) estrecharse; (*liens, nœuds*) apretarse; **se ~ (autour de)** (*fig*) acercarse (a)
resservir [ʀ(ə)sɛʀviʀ] *vt*: **~ de qch (à qn)** volver a servir algo (a algn) ■ *vi* (*être réutilisé*) servir de nuevo; **~ qn (d'un plat)** volver a servir a algn (un plato); **se ~ de** (*plat*) volver a servirse
ressort [ʀəsɔʀ] *vb voir* **ressortir** ■ *nm* muelle *m*; **avoir du/manquer de ~** tener/carecer de coraje; **en dernier ~** en última instancia; **être du ~ de** ser de la competencia de
ressortir [ʀəsɔʀtiʀ] *vi* (*sortir à nouveau*) salir de nuevo; (*projectile etc*) salir; (*couleur, broderie, détail*) resaltar ■ *vt* sacar de nuevo; **~ de**: **il ressort de ceci que ...** resulta de eso que ...; **~ à** (*Admin, Jur*) ser de la jurisdicción de; **faire ~ qch** (*fig*) hacer resaltar algo
ressortissant, e [ʀ(ə)sɔʀtisɑ̃, ɑ̃t] *nm/f* súbdito(-a)
ressources [ʀ(ə)suʀs] *nfpl* recursos *mpl*
ressusciter [ʀesysite] *vt* (*personne*) resucitar; (*art, mode*) resurgir ■ *vi* (*Christ, aussi fig*) resucitar
restant, e [ʀɛstɑ̃, ɑ̃t] *adj* restante ■ *nm* (*d'une somme, quantité*): **le ~ (de)** el resto (de); **un ~ de** unas sobras de; (*vestige*) un resto de
restaurant [ʀɛstɔʀɑ̃] *nm* restaurante *m*; **manger au ~** comer en un restaurante; **~ d'entreprise/universitaire** comedor *m* de una empresa/universitario
restauration [ʀɛstɔʀasjɔ̃] *nf* restauración *f*; **~ rapide** comida rápida
restaurer [ʀɛstɔʀe] *vt* restaurar; **se restaurer** *vpr* comer
reste [ʀɛst] *nm* resto; (*Math*) residuo; **restes** *nmpl* (*Culin*) sobras *fpl*; (*d'une cité, dépouille mortelle*) restos *mpl*; **utiliser un ~ de poulet/soupe/tissu** utilizar un resto de pollo/sopa/tejido; **faites ceci, je me charge du ~** haced esto, del resto me encargo yo; **pour le ~, quant au ~** por lo demás, en cuanto a lo demás; **le ~ du temps/des gens** el resto del tiempo/de la gente; **avoir du temps/de l'argent de ~** tener tiempo/dinero de sobra; **et tout le ~** y todo lo demás; **ne voulant pas être** *ou* **demeurer en ~** no queriendo ser menos; **partir sans attendre** *ou* **demander son ~** (*fig*) marcharse sin esperar respuesta; **du ~, au ~** (*au surplus, d'ailleurs*) además
rester [ʀɛste] *vi* (*dans un lieu*) quedarse; (*dans un état, une position*) quedar; (*être encore là, subsister*) permanecer; (*durer*) persistir ■ *vb impers*: **il me reste du pain** me queda pan; **il (me) reste 2 œufs** (me) quedan 2 huevos; **il (me) reste 10 minutes** (me) quedan 10 minutos; **voilà tout ce qui (me) reste** esto es todo lo que (me) queda; **ce qui (me) reste à faire** lo que (me) falta por hacer; **(il) reste à savoir/établir si ...** queda por saber/establecer si ...; **il reste que ..., il n'en reste pas moins que ...** sin embargo ..., con todo y con eso ...; **en ~ à** (*stade, menaces*) quedarse en; **restons-en là** dejémoslo aquí; **~ immobile/assis/habillé** quedarse inmóvil/sentado/vestido; **~ sur sa faim/une impression** quedarse con las ganas/una impresión; **y ~** (*fam*): **il a failli y ~** por poco estira la pata

restituer [ʀɛstitɥe] *vt*: **~ qch (à qn)** (*objet, somme*) restituir algo (a algn); (*texte, inscription*) reconstruir; (*Tech: énergie, son*) reproducir
restreindre [ʀɛstʀɛ̃dʀ] *vt* restringir; **se restreindre** *vpr* restringirse
restriction [ʀɛstʀiksjɔ̃] *nf* restricción *f*; **restrictions** *nfpl* (*rationnement*) restricciones *fpl*; **faire des ~s** (*critiquer*) tener reservas; (*mentales*) hacer restricción mental; **sans ~** sin reservas
résultat [ʀezylta] *nm* resultado; **résultats** *nmpl* resultados *mpl*; **exiger/obtenir des ~s** exigir/obtener resultados; **~s sportifs** resultados deportivos
résulter [ʀezylte]: **~ de** *vt* resultar de; **il résulte de ceci que ...** de ello resulta que ...
résumé [ʀezyme] *nm* resumen *m*; (*ouvrage succinct*) compendio *m*; **faire le ~ de** hacer el resumen de; **en ~** en resumen
résumer [ʀezyme] *vt* resumir; **se résumer** *vpr* (*personne*) sintetizar; **se ~ à** (*se réduire à*) resumirse a
résurrection [ʀezyʀɛksjɔ̃] *nf* (*Rel*) resurrección *f*; (*fig*) reaparición *f*
rétablir [ʀetabliʀ] *vt* restablecer; **se rétablir** *vpr* restablecerse; (*Gymnastique etc*): **se ~ (sur)** elevarse (sobre); **~ qn** restablecer a algn; **~ qn dans son emploi/ses droits** (*Admin*) restablecer a algn en su empleo/en sus derechos
rétablissement [ʀetablismɑ̃] *nm* restablecimiento; (*Gymnastique etc*) elevación *f*; **faire un ~** (*Gymnastique etc*) hacer una elevación
retaper [ʀ(ə)tape] *vt* arreglar; (*fig: fam*) restablecer; (*redactylographier*) pasar de nuevo a máquina, mecanografiar de nuevo
retard [ʀ(ə)taʀ] *nm* retraso; **arriver en ~** llegar con retraso; **être en ~** (*personne*) llegar tarde; (*train*) traer retraso; (*dans paiement, travail*) retrasarse; (*pays*) estar retrasado(-a); **être en ~ (de 2 heures)** retrasarse (2 horas); **avoir un ~ de 2 heures/2 km** (*Sport*) llevar un retraso de 2 horas/2 km; **rattraper son ~** recuperarse de un retraso; **avoir du ~** estar retrasado(-a); (*sur un programme*) estar atrasado(-a); **prendre du ~** (*train, avion*) retrasarse; (*montre*) atrasarse; **sans ~** sin retraso; **~ à l'allumage** (*Auto*) retardo en la chispa; **~ scolaire** retraso escolar
retardataire [ʀ(ə)taʀdatɛʀ] *adj* (*enfant*) retrasado(-a); (*idées*) atrasado(-a) ■ *nm/f* rezagado(-a)
retardement [ʀ(ə)taʀdəmɑ̃]: **à ~** *adj* de efecto retardado; (*aussi Photo, mécanisme*) de mecanismo retardado; **bombe à ~** (*aussi fig*) bomba de relojería
retarder [ʀ(ə)taʀde] *vt*: **~ qn (d'une heure)** retrasar a algn (una hora); (*montre*) atrasar; (*travail, études*) retrasar ■ *vi* (*horloge, montre*) atrasar; (: *d'habitude*) estar atrasado(-a); (*fig: personne*) no estar al tanto; **je retarde (d'une heure)** mi reloj va una hora atrasada
retenir [ʀət(ə)niʀ] *vt* retener; (*objet qui glisse*) agarrar; (*objet suspendu*) sujetar; (*odeur, chaleur, lumière etc*) conservar; (*colère, larmes*) contener; (*chanson, date*) recordar; (*suggestion, proposition*) aceptar; (*place, chambre*) reservar; (*Math*) llevarse; **se retenir** *vpr* (*euphémisme*) aguantarse; (*se raccrocher*): **se ~ (à)** agarrarse (a); **~ qn (de faire)** impedir a algn (hacer); **se ~ (de faire qch)** contenerse (de hacer algo); **je pose 3 et je retiens 2** pongo 3 y me llevo 2; **~ un rire/sourire** contener la risa/sonrisa; **~ son souffle** *ou* **haleine** contener su respiración *ou* aliento; **il m'a retenu à dîner** me ha hecho quedarme a cenar
retentir [ʀ(ə)tɑ̃tiʀ] *vi* resonar; (*fig*) repercutir; **~ de** retumbar con; **~ sur** (*fig*) repercutir sobre
retentissant, e [ʀ(ə)tɑ̃tisɑ̃, ɑ̃t] *adj* (*voix, choc*) ruidoso(-a); (*succès etc*) clamoroso(-a)
retenue [ʀət(ə)ny] *nf* (*somme prélevée*) deducción *f*; (*Math*) lo que se lleva; (*Scol*) castigo; (*modération*) moderación *f*; (*réserve*) reserva; (*Auto*) cola
réticence [ʀetisɑ̃s] *nf* reticencia; **sans ~** sin reticencia
réticent, e [ʀetisɑ̃, ɑ̃t] *adj* reticente
rétine [ʀetin] *nf* retina
retiré, e [ʀ(ə)tiʀe] *adj* (*personne, vie*) solitario(-a); (*quartier*) alejado(-a)
retirer [ʀ(ə)tiʀe] *vt* retirar; (*vêtement, lunettes*) quitarse; **~ qch à qn** quitarle algo a algn; **~ qch/qn de** sacar algo/a algn de; **se retirer** *vpr* retirarse; **~ un bénéfice/des avantages de** sacar beneficio de/ventajas de
retomber [ʀ(ə)tɔ̃be] *vi* caer; (*tomber de nouveau*) caer de nuevo; **~ malade/dans l'erreur** volver a caer enfermo/en el error; **~ sur qn** recaer sobre algn
rétorquer [ʀetɔʀke] *vt*: **~ (à qn) que** replicar (a algn) que
retouche [ʀ(ə)tuʃ] *nf* retoque *m*; **faire une** *ou* **des ~(s) à** dar un *ou* unos retoque(s) a

retoucher [ʀ(ə)tuʃe] *vt* retocar
retour [ʀ(ə)tuʀ] *nm* vuelta; (*d'un lieu, vers un lieu*) regreso; **au ~** a la vuelta; **pendant le ~** durante el regreso; **à mon/ton ~** a mi/tu regreso; **au ~ de** a la vuelta de; **être de ~ (de)** estar de vuelta (de); **de ~ à Lyons** de vuelta en Lyons; **de ~ chez moi** de vuelta en casa; **"de ~ dans 10 minutes"** "vuelvo en 10 minutos"; **en ~** en cambio; **par ~ du courrier** a vuelta de correo; **un juste ~ des choses** un castigo merecido; **un de ces jours, il y aura un ~ de manivelle** un día se le virará la tortilla; **match ~** partido de vuelta; **~ à l'envoyeur** (*Postes*) devuelto a su procedencia; **~ (automatique) à la ligne** (*Inform*) salto de línea automático; **~ aux sources** (*fig*) vuelta a las raíces; **~ de bâton** contragolpe *m*; **~ de chariot** vuelta de carretilla; **~ de flamme** retorno de llama; (*fig*) contragolpe *m*; **~ en arrière** (*Ciné, Litt, fig*) vuelta atrás; (*mesure*) paso atrás; **~ offensif** vuelta ofensiva
retourner [ʀ(ə)tuʀne] *vt* (*dans l'autre sens*) dar la vuelta a, voltear (*AM*); (*caisse*) poner boca abajo; (*arme*) volver; (*renvoyer, restituer, argument*) devolver; (*sac, vêtement*) volver del revés; (*terre, sol, foin, émouvoir*) revolver ■ *vi* volver; (*aller de nouveau*): **~ quelque part/vers/chez** volver de nuevo a algún sitio/hacia/a casa de; **se retourner** *vpr* volverse, voltearse (*AM*); (*voiture*) dar vuelta de campana; (*tourner la tête*) volverse; **~ à** volver a; **s'en ~** regresar; **se ~ contre qn/qch** (*fig*) volverse contra algn/algo; **savoir de quoi il retourne** saber de qué se trata; **~ sa veste** *ou* **se ~** (*fig: fam*) cambiar de bando; **~ en arrière** *ou* **sur ses pas** volver atrás *ou* sobre sus pasos; **~ aux sources** volver a las raíces
retrait [ʀ(ə)tʀɛ] *nm* retiro; (*d'un tissu au lavage*) encogimiento; **en ~** apartado(-a); **écrire en ~** escribir dejando un margen; **~ du permis (de conduire)** retirada de carnet (de conducir)
retraite [ʀ(ə)tʀɛt] *nf* retiro; (*d'une armée*) retirada; (*d'un employé, fonctionnaire*) jubilación *f*; **être à la ~** estar jubilado(-a); **mettre à la ~** jubilar (a); **prendre sa ~** jubilarse; **~ anticipée** jubilación anticipada; **~ aux flambeaux** desfile *m* con antorchas
retraité, e [ʀ(ə)tʀete] *adj* retirado(-a), jubilado(-a) ■ *nm/f* jubilado(-a)
retrancher [ʀ(ə)tʀɑ̃ʃe] *vt* suprimir; (*couper, aussi fig*) mutilar; **~ qch de** (*nombre, somme*) sustraer algo de; **se ~ derrière/dans** (*Mil*) parapetarse detrás de/en; (*fig*) refugiarse en
rétrécir [ʀetʀesiʀ] *vt, vi* (*vêtement*) encoger; **se rétrécir** *vpr* estrecharse
rétro [ʀetʀo] *adj inv*: **mode/style ~** moda/estilo retro *inv* ■ *nm* (*fam*) = **rétroviseur**
rétroprojecteur [ʀetʀopʀɔʒɛktœʀ] *nm* retroproyector *m*
rétrospective [ʀetʀɔspɛktiv] *nf* retrospectiva
rétrospectivement [ʀetʀɔspɛktivmɑ̃] *adv* retrospectivamente
retrousser [ʀ(ə)tʀuse] *vt* (*pantalon etc*) arremangar; (*fig: nez*) arrugar; (*lèvres*) fruncir
retrouvailles [ʀ(ə)tʀuvɑj] *nfpl* reencuentro
retrouver [ʀ(ə)tʀuve] *vt* encontrar; (*sommeil, calme, santé*) recobrar; (*expression, style*) reconocer; (*rejoindre*) encontrarse con; **se retrouver** *vpr* encontrarse; (*s'orienter*) orientarse; **se ~ dans** (*calculs, dossiers, désordre*) desenvolverse en; **s'y ~** (*rentrer dans ses frais*) salir ganando
rétroviseur [ʀetʀɔvizœʀ] *nm* retrovisor *m*
Réunion [ʀeynjɔ̃] *nf*: **la ~, l'île de la ~** la (isla de la) Reunión
réunion [ʀeynjɔ̃] *nf* reunión *f*; (*séance, congrès*) encuentro; **~ électorale** mitin *m* electoral; **~ sportive** tertulia deportiva
réunir [ʀeyniʀ] *vt* reunir; (*rapprocher*) juntar; (*rattacher*) unir; **se réunir** *vpr* reunirse; (*s'allier*) unirse; (*chemins, cours d'eau etc*) juntarse; **~ qch à** sumar algo a
réussi, e [ʀeysi] *adj* (*robe, photographie*) logrado(-a); (*réception*) exitoso(-a)
réussir [ʀeysiʀ] *vi* (*tentative, projet*) ser un éxito; (*plante, culture*) darse bien; (*personne*) tener éxito; (*: à un examen*) salir bien de ■ *vt* (*examen, plat*) salir bien; **~ à faire qch** lograr hacer algo; **~ à qn** (*aliment*) sentar bien a algn; **le travail/le mariage lui réussit** el trabajo/el matrimonio le sienta bien
réussite [ʀeysit] *nf* éxito; (*de qn: aussi pl*) éxitos *mpl*, triunfos *mpl*; (*Cartes*) solitario
revaloir [ʀ(ə)valwaʀ] *vt*: **je vous revaudrai cela** se lo pagaré con la misma moneda
revanche [ʀ(ə)vɑ̃ʃ] *nf* revancha; **prendre sa ~ (sur)** tomar la revancha (contra); **en ~** en cambio; (*en compensation*) en compensación

rêve [ʀɛv] *nm* sueño; **paysage/silence de ~** paisaje/silencio de ensueño; **la voiture/maison de ses ~s** el coche/la casa de sus sueños; **~ éveillé** ensueño
réveil [ʀevɛj] *nm* despertar *m*; (*pendule*) despertador *m*; **au ~, je ...** al despertar, yo ...; **sonner le ~** (*Mil*) tocar a diana
réveiller [ʀeveje] *vt* despertar; **se réveiller** *vpr* despertarse; (*fig: se secouer*) espabilarse
réveillon [ʀevɛjɔ̃] *nm* cena de Nochebuena; (*de la Saint-Sylvestre*) cena de Nochevieja; (*dîner, soirée*) cotillón *m*
réveillonner [ʀevɛjɔne] *vi celebrar la cena de Nochebuena ou* la cena de Nochevieja
révélateur, -trice [ʀevelatœʀ, tʀis] *adj* revelador(a) ▪ *nm* (*Photo*) revelador *m*
révéler [ʀevele] *vt* revelar; **se révéler** *vpr* revelarse; **~ qn/qch** dar algn/algo a conocer; **se ~ facile/faux** resultar fácil/falso; **se ~ cruel** mostrarse cruel; **se ~ un allié sûr** resultar ser un aliado seguro
revenant, e [ʀ(ə)vənɑ̃, ɑ̃t] *nm/f* fantasma *m*
revendeur, -euse [ʀ(ə)vɑ̃dœʀ, øz] *nm/f* revendedor(a)
revendication [ʀ(ə)vɑ̃dikasjɔ̃] *nf* reivindicación *f*; (*gén pl: Pol etc*) reivindicaciones *fpl*; **journée de ~** (*Pol*) día de reivindicación
revendiquer [ʀ(ə)vɑ̃dike] *vt* reivindicar; (*responsabilité*) asumir ▪ *vi* (*Pol*) reivindicar
revendre [ʀ(ə)vɑ̃dʀ] *vt* revender; **~ du sucre** (*vendre davantage de*) volver a vender azucar; **à ~** de sobra; **avoir du talent/de l'énergie à ~** tener talento/energía para dar y tomar
revenir [ʀəv(ə)niʀ] *vi* (*venir de nouveau*) venir de nuevo; (*rentrer*) regresar, volver; (*saison, mode, calme*) volver; **~ (à qn)** volverle (a algn); **faire ~ de la viande/des légumes** rehogar la carne/las verduras; **~ cher/à 100 euros (à qn)** resultar caro/a 100 euros (a algn); **~ à** (*études, conversation, projet*) volver a; (*équivaloir à*) venir a ser; **~ à qn** (*rumeur, nouvelle*) llegar a los oídos de algn; (*part, responsabilité*) corresponder a algn; (*souvenir, nom*) venirle a algn *ou* a la mente; **~ de** (*fig*) salir de; **~ sur** (*question*) volver sobre; (*promesse*) retractarse de; **~ à la charge** volver a la carga; **~ à soi** volver en sí; **n'en pas ~**: **je n'en reviens pas** no vuelvo de mi asombro; **~ sur ses pas** dar marcha atrás; **cela revient au même/à dire que** eso equivale a lo mismo/a decir que; **je reviens de loin** (*fig*) me escapé de una buena
revenu, e [ʀəv(ə)ny] *pp de* **revenir** ▪ *nm* renta; (*d'une terre*) rendimiento; **revenus** *nmpl* ingresos *mpl*
rêver [ʀeve] *vi* soñar ▪ *vt* soñar con; **~ de** *ou* **à** soñar con; **~ que** soñar que
réverbère [ʀevɛʀbɛʀ] *nm* farola
réverbérer [ʀevɛʀbeʀe] *vt* reverberar
revers [ʀ(ə)vɛʀ] *nm* revés *msg*; (*d'une feuille*) envés *msg*; (*de la main*) dorso; (*d'une pièce, médaille*) reverso; **d'un ~ de main** de un revés; **le ~ de la médaille** (*fig*) el lado malo; **prendre à ~** (*Mil*) coger por la espalda; **~ de fortune** revés de fortuna
revêtement [ʀ(ə)vɛtmɑ̃] *nm* revestimiento; (*d'une chaussée*) firme *m*; (*d'un tuyau etc*) capa
revêtir [ʀ(ə)vetiʀ] *vt* revestir; (*vêtement*) ponerse; **~ qn de** vestir a algn con; **~ qch de** revestir algo de; (*signature, visa*) estampar algo con
rêveur, -euse [ʀɛvœʀ, øz] *adj* soñador(a) ▪ *nm/f* soñador(a); (*péj: utopiste*) quijote *m*
revient [ʀəvjɛ̃] *vb voir* **revenir** ▪ *nm*: **prix de ~** (*Comm*) precio de coste
revigorer [ʀ(ə)vigɔʀe] *vt* vigorizar
revirement [ʀ(ə)viʀmɑ̃] *nm* (*d'une personne*) cambio de opinión; (*d'une situation, de l'opinion*) cambio brusco
réviser [ʀevize] *vt* revisar; (*Scol, comptes*) repasar
révision [ʀevizjɔ̃] *nf* revisión *f*; **conseil de ~** (*Mil*) junta de clasificación y revisión; **faire ses ~s** (*Scol*) repasar; **la ~ des 10000 km** (*Auto*) la revisión de los 10.000 km
revivre [ʀ(ə)vivʀ] *vi* recuperar fuerzas; (*traditions, coutumes*) recuperarse ▪ *vt* revivir; **faire ~** (*mode, institution, usage*) resucitar; (*personnage, époque*) hacer revivir
revoir [ʀ(ə)vwaʀ] *vt* volver a ver; (*par la mémoire*) recordar; (*texte, édition*) revisar; (*matière, programme*) repasar ▪ *nm*: **au ~** adiós *msg*; **se revoir** *vpr* (*amis*) volverse a ver; **au ~ Monsieur/Madame** adiós señor/señora; **dire au ~ à qn** decir adiós a algn
révoltant, e [ʀevɔltɑ̃, ɑ̃t] *adj* indignante
révolte [ʀevɔlt] *nf* rebelión *f*; (*indignation*) indignación *f*
révolter [ʀevɔlte] *vt* indignar; **se révolter** *vpr*: **se ~ (contre)** rebelarse (contra); (*s'indigner*) indignarse (con)
révolu, e [ʀevɔly] *adj* (*de jadis*) pasado(-a); (*fini: période, époque*)

terminado(-a); (*Admin: complété: année etc*): **âgé de 18 ans ~s** con 18 años cumplidos; **après 3 ans ~s** después de pasados 3 años
révolution [ʀevɔlysjɔ̃] *nf* revolución *f*; **être en ~** (*pays etc*) estar en revolución; **la ~ industrielle** la revolución industrial; **la R~ française** la Revolución Francesa
révolutionnaire [ʀevɔlysjɔnɛʀ] *adj, nm/f* revolucionario(-a)
revolver [ʀevɔlvɛʀ] *nm* pistola; (*à barillet*) revólver *m*
révoquer [ʀevɔke] *vt* revocar; (*fonctionnaire*) destituir
revue [ʀ(ə)vy] *nf* revista; **passer en ~** (*Mil*) pasar revista (a); (*fig: problèmes, possibilités*) estudiar; **~ de (la) presse** revista de prensa
rez-de-chaussée [ʀed(ə)ʃose] *nm inv* planta baja
RF [ɛʀɛf] *sigle f* = *République française*
Rhin [ʀɛ̃] *nm*: **le ~** el Rin
rhinocéros [ʀinɔseʀɔs] *nm* (*Zool*) rinoceronte *m*
Rhône [ʀon] *nm*: **le ~** el Ródano
rhubarbe [ʀybaʀb] *nf* ruibarbo
rhum [ʀɔm] *nm* ron *m*
rhumatisme [ʀymatism] *nm* reumatismo, reúma; **avoir des ~s** tener reúma
rhume [ʀym] *nm* catarro; **~ de cerveau** catarro de nariz; **le ~ des foins** la fiebre del heno
ricaner [ʀikane] *vi* (*avec méchanceté*) reírse burlonamente; (*bêtement*) reírse con risa tonta; (*avec gêne*) reírse con sofocación
riche [ʀiʃ] *adj* (*aussi fig*) rico(-a); **riches** *nmpl*: **les ~s** los ricos; **~ en/de** rico(-a) en/de
richesse [ʀiʃɛs] *nf* riqueza; **richesses** *nfpl* riquezas *fpl*; **la ~ en vitamines d'un aliment** la riqueza vitamínica de un alimento
ricochet [ʀikɔʃɛ] *nm* rebote *m*; **faire ~** rebotar; (*fig*) tener repercusión; **faire des ~s** hacer cabrillas; **par ~** de rebote
ride [ʀid] *nf* arruga; (*sur l'eau, le sable*) onda
rideau, x [ʀido] *nm* (*de fenêtre*) visillo; (*Théâtre*) telón *m*; (*d'arbres etc*) hilera; **tirer/ouvrir les ~x** correr/descorrer las cortinas; **le ~ de fer** (*Pol*) el Telón de Acero; **~ de fer** cierre *m* metálico
rider [ʀide] *vt* arrugar; (*eau, sable etc*) ondear; **se rider** *vpr* arrugarse
ridicule [ʀidikyl] *adj* ridículo(-a); (*dérisoire*) risible ■ *nm* ridículo; (*travers: gén pl*) defectos *mpl*; **tourner qn en ~** poner a algn en ridículo
ridiculiser [ʀidikylize] *vt* ridiculizar; **se ridiculiser** *vpr* ridiculizarse
rien [ʀjɛ̃] *pron*: **(ne) ... ~** (no) ... nada ■ *nm*: **un petit ~** (*cadeau*) un detalle (de nada); **des ~s** naderías *fpl*; **qu'est-ce que vous avez? - ~** ¿qué le pasa? - nada; **il n'a ~ dit/fait** no dijo/hizo nada; **il n'a ~** (*n'est pas blessé*) no tiene nada; **de ~!** ¡de nada!; **n'avoir peur de ~** no tener miedo de nada; **a-t-il jamais ~ fait pour nous?** ¿ha hecho alguna vez algo por nosotros?; **~ d'intéressant** nada interesante; **~ d'autre** nada más; **~ du tout** nada en absoluto; **~ que** nada más que; **~ que pour lui faire plaisir** nada más que por agradarle; **~ que la vérité** nada más que la verdad; **~ que cela** nada más que eso; **un ~ de** una pizca de; **en un ~ de temps** en nada de tiempo
rieur, -euse [ʀ(i)jœʀ, ʀ(i)jøz] *adj* reidor(a); (*yeux, expression*) risueño(-a)
rigide [ʀiʒid] *adj* rígido(-a)
rigoler [ʀigɔle] *vi* reírse; (*s'amuser*) pasarlo bien; (*ne pas parler sérieusement, plaisanter*) estar de broma
rigolo, -ote [ʀigɔlo, ɔt] (*fam*) *adj* gracioso(-a); (*curieux, étrange*) raro(-a) ■ *nm/f* gracioso(-a); (*péj: fumiste*) cantamañanas *m inv*
rigoureusement [ʀiguʀøzmɑ̃] *adv* rigurosamente; **~ vrai/interdit** totalmente cierto/prohibido
rigoureux, -euse [ʀiguʀø, øz] *adj* riguroso(-a); (*morale*) rígido(-a); (*interdiction*) total
rigueur [ʀigœʀ] *nf* rigor *m*; (*de la morale*) rigidez *f*; (*d'une interdiction*) rigurosidad *f*; **de ~** de rigor; **être de ~** ser de rigor; **à la ~** en último extremo; **tenir ~ à qn de qch** guardar rencor a algn por algo
rillettes [ʀijɛt] *nfpl especie de paté de cerdo u oca*
rime [ʀim] *nf* rima; **n'avoir ni ~ ni raison** no tener pies ni cabeza
rinçage [ʀɛ̃saʒ] *nm* aclarado
rincer [ʀɛ̃se] *vt* enjuagar; (*linge*) aclarar; **se ~ la bouche** (*chez le dentiste etc*) enjuagarse la boca
ringard, e [ʀɛ̃gaʀ, aʀd] (*péj*) *adj* anticuado(-a)
riposter [ʀipɔste] *vi* replicar ■ *vt*: **~ que** responder que; **~ à** responder a
rire [ʀiʀ] *vi* reír; (*se divertir*) reírse; (*plaisanter*) bromear ■ *nm* risa; **se ~ de** reírse de; **tu veux ~!** (*désapprobation*) ¡estás de broma!; **~ aux éclats/aux**

larmes reírse a carcajadas/hasta llorar; **~ jaune** reírse sin ganas; **~ sous cape** reírse para sus adentros; **~ au nez de qn** reírse en las narices de algn; **pour ~** en broma
risible [ʀizibl] *adj* risible
risque [ʀisk] *nm* riesgo; **aimer le ~** amar el riesgo; **l'attrait du ~** la emoción del riesgo; **prendre un ~/des ~s** correr un riesgo/riesgos; **à ses ~s et périls** por su cuenta y riesgo; **au ~ de** a riesgo de; **~ d'incendie** riesgo de incendio
risqué, e [ʀiske] *adj* arriesgado(-a); (*plaisanterie, histoire*) escabroso(-a)
risquer [ʀiske] *vt* arriesgar; (*allusion, comparaison, question*) aventurar; (*Mil, gén*) arriesgarse a; **tu risques qu'on te renvoie** te arriesgas a que te despidan; **ça ne risque rien** no hay riesgo alguno; **il risque de se tuer** puede matarse; **il a risqué de se tuer** por poco si se mata; **ce qui risque de se produire** lo que puede producirse; **il ne risque pas de recommencer** no hay peligro de que vuelva a empezar; **se ~ dans** aventurarse en; **se ~ à qch/faire qch** arriesgarse a algo/hacer algo; **~ le tout pour le tout** arriesgar el todo por el todo
rissoler [ʀisɔle] *vi, vt*: **(faire) ~ de la viande/des légumes** dorar la carne/las verduras
ristourne [ʀistuʀn] *nf* rebaja, descuento
rite [ʀit] *nm* rito; (*fig*) ritual *m*; **~s d'initiation** ritos iniciáticos
rivage [ʀivaʒ] *nm* (*côte, littoral*) costa; (*grève, plage*) orilla
rival, e, -aux [ʀival, o] *adj* rival ■ *nm/f* (*adversaire*) rival *m/f*; **sans ~** sin rival
rivaliser [ʀivalize] *vi*: **~ avec** rivalizar con; **~ d'élégance/de générosité avec qn** rivalizar en elegancia/en generosidad con algn
rivalité [ʀivalite] *nf* rivalidad *f*
rive [ʀiv] *nf* orilla
riverain, e [ʀiv(ə)ʀɛ̃, ɛn] *adj, nm/f* (*d'une rivière*) ribereño(-a); (*d'une route*) vecino(-a)
rivière [ʀivjɛʀ] *nf* río; **~ de diamants** collar *m* de diamantes
riz [ʀi] *nm* arroz *m*; **~ au lait** arroz con leche
rizière [ʀizjɛʀ] *nf* arrozal *m*
RMI [ɛʀɛmi] *sigle m* (= *revenu minimum d'insertion*) *ayuda compensatoria*
RN [ɛʀɛn] *sigle f* (= *route nationale*) N. (= *carretera nacional*)
robe [ʀɔb] *nf* vestido; (*de juge, d'avocat*) toga; (*d'ecclésiastique*) hábito; (*d'un animal*) pelo; **~ de baptême** traje *m* de bautismo; **~ de chambre** bata; **~ de grossesse** vestido premamá; **~ de mariée** vestido de novia; **~ de soirée** traje de noche
robinet [ʀɔbinɛ] *nm* grifo, canilla (*AM*); **~ du gaz** llave *f* del gas; **~ mélangeur** grifo mezclador
robot [ʀɔbo] *nm* robot *m*; **~ de cuisine** robot de cocina
robuste [ʀɔbyst] *adj* robusto(-a); (*moteur, voiture*) resistente
robustesse [ʀɔbystɛs] *nf* robustez *f*
roc [ʀɔk] *nm* roca
rocade [ʀɔkad] *nf* (*Auto*) circunvalación *f*
rocaille [ʀɔkaj] *nf* rocalla ■ *adj*: **style ~** estilo rococó
roche [ʀɔʃ] *nf* roca; **une ~** un peñasco; **~s éruptives/calcaires** rocas volcánicas/calizas
rocher [ʀɔʃe] *nm*: **un ~** un peñasco; **le ~** (*matière*) la roca; (*Anat*) temporal *m*
rocheux, -euse [ʀɔʃø, øz] *adj* rocoso(-a); **les (montagnes) Rocheuses** (*Géo*) las (montañas) Rocosas
rock (and roll) [ʀɔk(ɛnʀɔl)] *nm* rock (and roll) *m*
rodage [ʀɔdaʒ] *nm* (*voiture*) rodaje *m*; (*spectacle*) perfeccionamiento; **en ~** (*Auto*) en rodaje
rôder [ʀode] *vi* rondar; (*péj*) vagabundear
rôdeur, -euse [ʀodœʀ, øz] *nm/f* vagabundo(-a)
rogne [ʀɔɲ] *nf*: **être en ~** estar rabiando; **mettre en ~** hacer rabiar; **se mettre en ~** cogerse un berrinche
rogner [ʀɔɲe] *vt* recortar; (*prix etc*) rebajar ■ *vi*: **~ sur** (*dépenses etc*) recortar
rognons [ʀɔɲɔ̃] *nmpl* riñones *mpl*
roi [ʀwa] *nm* rey *m*; **le jour** *ou* **la fête des R~s, les R~s** el día de Reyes, los Reyes; **les R~s mages** los Reyes magos
rôle [ʀol] *nm* (*Ciné, Théâtre, aussi fig*) papel *m*; (*fonction*) función *f*; **jouer un ~ important dans ...** desempeñar un papel importante en ...
romain, e [ʀɔmɛ̃, ɛn] *adj* romano(-a) ■ *nm/f*: **Romain, e** romano(-a)
roman, e [ʀɔmɑ̃, an] *adj* románico(-a) ■ *nm* novela; **~ d'espionnage** novela de espionaje; **~ noir/policier** novela negra/policíaca
romancer [ʀɔmɑ̃se] *vt* novelar
romancier, -ière [ʀɔmɑ̃sje, jɛʀ] *nm/f* novelista *m/f*
romand, e [ʀɔmɑ̃, ɑ̃d] *adj* de lengua francesa ■ *nm/f*: **Romand, e** suizo(-a) de lengua francesa

romanesque [ʀɔmanɛsk] *adj* (*incroyable, fantastique*) fabuloso(-a); (*sentimental, rêveur*) romántico(-a); (*Litt*) novelesco(-a)

roman-feuilleton [ʀɔmɑ̃fœjtɔ̃] (*pl* **romans-feuilletons**) *nm* folletín *m*

romanichel, le [ʀɔmaniʃɛl] *nm/f* gitano(-a)

romantique [ʀɔmɑ̃tik] *adj* romántico(-a)

romarin [ʀɔmaʀɛ̃] *nm* romero

rompre [ʀɔ̃pʀ] *vt* romper ■ *vi* (*fiancés*) romper; **se rompre** *vpr* romperse; **~ avec** romper con; **applaudir à tout ~** aplaudir a rabiar; **~ la glace** (*fig*) romper el hielo; **rompez!** (*Mil*) ¡rompan filas!; **se ~ les os** *ou* **le cou** romperse los huesos *ou* la crisma

rompu, e [ʀɔ̃py] *pp de* **rompre** ■ *adj* (*fourbu*) deshecho(-a); **~ à** avezado(-a) en

ronces [ʀɔ̃s] *nfpl* zarzas *fpl*

ronchonner [ʀɔ̃ʃɔne] (*fam*) *vi* refunfuñar

rond, e [ʀɔ̃, ʀɔ̃d] *adj* redondo(-a); (*fam: ivre*) alegre; (*sincère, décidé*): **être ~ en affaires** ser serio(-a) en los negocios ■ *nm* redondo ■ *adv*: **tourner ~** (*moteur*) marchar bien; **je n'ai plus un ~** (*fam: sou*) no me queda ni una perra; **ça ne tourne pas ~** (*fig*) eso no marcha bien; **pour faire un compte ~** para redondear la cuenta; **avoir le dos ~** ser cargado(-a) de hombros; **en ~** (*s'asseoir, danser*) en corro; **faire des ~s de jambe** hacer zalamerías; **~ de serviette** servilletero

ronde [ʀɔ̃d] *nf* ronda; (*danse*) corro; (*Mus: note*) redonda; **à 10 km à la ~** a 10 km a la redonda; **passer qch à la ~** pasar algo en corro

rondelet, te [ʀɔ̃dlɛ, ɛt] *adj* regordete(-a); (*fig: somme*) suculento(-a); (*: bourse*) lleno(-a)

rondelle [ʀɔ̃dɛl] *nf* (*Tech*) arandela; (*tranche*) loncha

rond-point [ʀɔ̃pwɛ̃] (*pl* **ronds-points**) *nm* rotonda

ronflement [ʀɔ̃fləmɑ̃] *nm* (*d'une personne*) ronquido; (*d'un moteur*) zumbido

ronfler [ʀɔ̃fle] *vi* (*personne*) roncar; (*moteur, poêle*) zumbar

ronger [ʀɔ̃ʒe] *vt* (*suj: souris, chien etc*) roer; (*: vers*) carcomer; (*: insectes*) ficar; (*: rouille*) corroer; (*fig: suj: mal, pensée*) carcomer, atormentar; **~ son frein** morder el freno; **se ~ d'inquiétude/de souci** reconcomerse de inquietud/de preocupación; **se ~ les ongles** comerse las uñas; **se ~ les sangs** quemarse la sangre

rongeur [ʀɔ̃ʒœʀ] *nm* roedor *m*

ronronner [ʀɔ̃ʀɔne] *vi* ronronear

rosbif [ʀɔsbif] *nm* rosbif *m*

rose [ʀoz] *nf* rosa; (*vitrail*) rosetón *m* ■ *adj* rosa *inv* ■ *nm* (*couleur*) rosa *m*; **~ bonbon** (*couleur*) rosa caramelo; **~ des sables/des vents** *nf* rosa de las arenas/ de los vientos

rosé, e [ʀoze] *adj* rosa *inv*; **(vin) ~** (vino) rosado

roseau, x [ʀozo] *nm* caña

rosée [ʀoze] *adj f voir* **rosé** ■ *nf* rocío; **une goutte de ~** una gota de rocío

rosier [ʀozje] *nm* rosal *m*

rossignol [ʀɔsiɲɔl] *nm* (*Zool*) ruiseñor *m*; (*crochet*) ganzúa

rotation [ʀɔtasjɔ̃] *nf* rotación *f*; (*fig*) movimiento; (*renouvellement*) renovación *f*; **par ~** por rotación; **~ des cultures** alternancia de cultivos; **~s des stocks** (*Comm*) renovación de existencia

roter [ʀɔte] (*fam*) *vi* eructar

rôti [ʀoti] *nm* carne *f* de asar; (*cuit*) asado de carne

rotin [ʀɔtɛ̃] *nm* mimbre *m ou f*; **fauteuil en ~** sillón *m* de mimbre

rôtir [ʀotiʀ] *vt* asar ■ *vi* asarse; **se ~ au soleil** tostarse al sol

rôtisserie [ʀɔtisʀi] *nf* (*restaurant*) restaurante-parrilla *m*; (*comptoir, magasin*) establecimiento de precocinados

rôtissoire [ʀɔtiswaʀ] *nf* asador *m*

rotule [ʀɔtyl] *nf* rótula

rouage [ʀwaʒ] *nm* (*d'un mécanisme*) engranaje *m*; (*de montre*) maquinaria; (*fig*) mecanismo; **rouages** *nmpl* (*fig*) máquina *fsg*

roue [ʀu] *nf* rueda; **faire la ~** (*paon*) pavonearse; (*Gymnastique*) dar la vuelta pineta; **descendre en ~ libre** (*Auto*) bajar en punto muerto; **pousser à la ~** alentar; **grande ~** (*à la foire*) noria; **~ à aubes** rueda de álabes; **~ de secours** rueda de repuesto; **~ dentée** rueda dentada; **~s avant/arrière** ruedas delanteras/ traseras

rouer [ʀwe] *vt*: **~ qn de coups** moler a algn a palos

rouge [ʀuʒ] *adj* rojo(-a) ■ *nm/f* (*Pol*) rojo(-a) ■ *nm* (*couleur*) rojo; (*fard*) carmín *m*; **(vin) ~** (vino) tinto; **passer au ~** (*signal*) ponerse el disco rojo; (*automobiliste*) pasar en rojo; **porter au ~** (*métal*) poner al rojo; **être sur la liste ~** (*Tél*) no constar en la guía; **~ de honte/ colère** rojo(-a) de vergüenza/de cólera; **se fâcher tout ~, voir ~** ponerse hecho una furia; **~ (à lèvres)** barra de labios

rouge-gorge [ʀuʒgɔʀʒ] (*pl* **rouges-gorges**) *nm* petirrojo
rougeole [ʀuʒɔl] *nf* sarampión *m*
rougeoyer [ʀuʒwaje] *vi* ponerse rojo
rouget [ʀuʒɛ] *nm* salmonete *m*
rougeur [ʀuʒœʀ] *nf* rojez *f*; (*honte*) rubor *m*; (*échauffement*) colores *mpl*; **rougeurs** *nfpl* (*Méd*) enrojecimiento
rougir [ʀuʒiʀ] *vi* enrojecer; (*fraise, tomate*) ponerse rojo; (*ciel*) arrebolarse
rouille [ʀuj] *nf* moho; (*Culin*) *alioli con pimiento rojo que acompaña la sopa de pescado* ▪ *adj inv* (*couleur*) óxido *inv*
rouillé, e [ʀuje] *adj* oxidado(-a); (*personne, mémoire*) embotado(-a)
rouiller [ʀuje] *vt* oxidar; (*corps, esprit*) embotar ▪ *vi* oxidarse; **se rouiller** *vpr* oxidarse; (*mentalement*) embotarse; (*physiquement*) debilitarse
roulant, e [ʀulɑ̃, ɑ̃t] *adj* rodante; (*surface, trottoir*) transportador(a); **matériel/personnel ~** (*Rail*) material/ personal móvil
rouleau, x [ʀulo] *nm* rollo; (*de pièces de monnaie*) cartucho; (*de machine à écrire, à peinture*) rodillo; (*à mise en plis*) rulo; (*Sport*) balanceo; (*vague*) rompiente *m*; **être au bout du ~** (*fig*) estar en las últimas; **~ à pâtisserie** rodillo; **~ compresseur** apisonadora; **~ de pellicule** rollo de película, carrete *m* de fotos
roulement [ʀulmɑ̃] *nm* rodamiento; (*voiture etc*) circulación *f*; (*bruit*: *de véhicule*) ruido; (: *du tonnerre*) fragor *m*; (*d'ouvriers*) turno; (*de capitaux*) circulación; **par ~** por turno; **~ (à billes)** rodamiento (de bolas); **~ d'yeux** movimiento de ojos; **~ de tambour** redoble *m* de tambor
rouler [ʀule] *vt* hacer rodar; (*Culin, tissu, papier*) enrollar; (*cigarette, aussi fam*) liar ▪ *vi* rodar; (*voiture, train*) circular, estar en marcha; (*automobiliste*) circular; (*bateau*) balancearse; (*tonnerre*) retumbar; **~ en bas de** (*dégringoler*) caer rodando por; **~ sur** (*suj*: *conversation*) tratar sobre; **se ~ dans** (*boue*) revolcarse en; (*couverture*) envolverse en; **~ dans la farine** (*fam*) timar; **~ les épaules/ hanches** contonearse; **~ les "r"** marcar las "r"; **~ sur l'or** ser riquísimo(-a); **~ (sa bosse)** rodar, viajar
roulette [ʀulɛt] *nf* rueda; (*pâtissier*) carretilla; **la ~** la ruleta; **table/fauteuil à ~s** mesa/silla de ruedas; **la ~ russe** la ruleta rusa
roulis [ʀuli] *nm* balanceo
roulotte [ʀulɔt] *nf* carro, carromato
roumain, e [ʀumɛ̃, ɛn] *adj* rumano(-a) ▪ *nm* (*Ling*) rumano ▪ *nm/f*: **Roumain, e** rumano(-a)
Roumanie [ʀumani] *nf* Rumania
roupiller [ʀupije] (*fam*) *vi* echar una cabezada
rouquin, e [ʀukɛ̃, in] (*péj*) *nm/f* pelirrojo(-a)
rouspéter [ʀuspete] (*fam*) *vi* refunfuñar
rousse [ʀus] *adj voir* **roux**
roussir [ʀusiʀ] *vt* (*herbe, linge*) quemar ▪ *vi* (*feuilles*) amarillear; (*Culin*): **faire ~ la viande/les oignons** dorar la carne/las cebollas
route [ʀut] *nf* carretera; (*itinéraire, parcours*) ruta; (*fig*) camino; **par (la) ~** por (la) carretera; **il y a 3 heures de ~** hay 3 horas de camino; **en ~** por el camino; **en ~!** ¡en marcha!; **en cours de ~** en *ou* por el camino; **mettre en ~** poner en marcha; **se mettre en ~** ponerse en camino; **faire ~ vers** dirigirse hacia; **faire fausse ~** (*fig*) ir por mal camino; **~ nationale** ≈ carretera nacional
routier, -ière [ʀutje, jɛʀ] *adj* (*réseau, carte*) de carreteras; (*circulation*) de carretera ▪ *nm* (*camionneur*) camionero; (*restaurant*) restaurante *m* de carretera; (*scout*) guía *m*; (*cycliste*) corredor *m*; **vieux ~** perro viejo
routine [ʀutin] *nf* rutina; **visite/ contrôle de ~** visita/control *m* rutinario(-a) *ou* de rutina
routinier, -ière [ʀutinje, jɛʀ] *adj* (*aussi péj*) rutinario(-a)
rouvrir [ʀuvʀiʀ] *vt* (*porte, valise*) volver a abrir ▪ *vi* (*suj*: *école, piscine*) volver a abrirse; **se rouvrir** *vpr* (*porte, blessure*) volver a abrirse
roux, rousse [ʀu, ʀus] *adj, nm/f* pelirrojo(-a) ▪ *nm* (*Culin*) salsa rubia
royal, e, -aux [ʀwajal, o] *adj* real; (*festin, cadeau*) regio(-a); (*indifférence*) soberano(-a); (*paix*) completo(-a)
royaume [ʀwajom] *nm* reino; (*fig*) dominios *mpl*; **le ~ des cieux** el reino de los cielos
royauté [ʀwajote] *nf* (*dignité*) realeza; (*régime*) monarquía
RTT [ɛʀtete] *nf* (= *réduction du temps de travail*) *reducción de las horas de trabajo*
ruban [ʀybɑ̃] *nm* cinta; (*de velours, de soie*) lazo; (*pour ourlet, couture*) galón *m*; (*décoration*) condecoración *f*; **~ adhésif** cinta adhesiva; **~ encreur** cinta mecanográfica
rubéole [ʀybeɔl] *nf* rubeola

rubis [Rybi] *nm* rubí *m*; **payer ~ sur l'ongle** pagar a toca teja
rubrique [RybRik] *nf* (*titre, catégorie*) rúbrica; (*Presse: article*) sección *f*
ruche [Ryʃ] *nf* colmena
rude [Ryd] *adj* (*barbe, toile, voix*) áspero(-a); (*métier, épreuve, climat*) duro(-a); (*bourru*) rudo(-a); **un ~ paysan/montagnard** (*fruste*) un rudo campesino/montañés; **un(e) ~ appétit/peur** (*fam*) un gran apetito/miedo; **être mis à ~ épreuve** ser sometido a severa prueba
rudement [Rydmɑ̃] *adv* (*tomber, frapper*) bruscamente; (*traiter, reprocher*) duramente; **elle est ~ belle/riche** (*fam: très*) es super bonita/rica; **j'ai ~ faim** (*fam*) tengo un montón de hambre; **tu as ~ de la chance/du courage** (*fam: beaucoup*) tienes un montón de suerte/de ánimo
rudimentaire [Rydimɑ̃tɛR] *adj* rudimentario(-a)
rudiments [Rydimɑ̃] *nmpl* rudimentos *mpl*
rue [Ry] *nf* calle *f*; **être à la ~** estar en la calle; **jeter qn à la ~** echar a algn a la calle
ruée [Rɥe] *nf* riada; **la ~ vers l'or** la fiebre del oro
ruelle [Rɥɛl] *nf* callejuela
ruer [Rɥe] *vi* cocear; **se ruer** *vpr*: **se ~ sur** (*provisions, adversaire*) arrojarse sobre; **se ~ vers/dans/hors de** precipitarse hacia/en/fuera de; **~ dans les brancards** plantar cara
rugby [Rygbi] *nm* rugby *m*; **~ à quinze** rugby; **~ à treize** rugby de trece
rugir [RyʒiR] *vi* rugir; (*personne*) bramar ▪ *vt* (*menaces, injures*) lanzar a voz en grito
rugueux, -euse [Rygø, øz] *adj* rugoso(-a)
ruine [Rɥin] *nf* ruina; **tomber en ~** caerse, venirse abajo; **être au bord de la ~** (*fig*) estar al borde de la ruina
ruiner [Rɥine] *vt* arruinar; **se ruiner** *vpr* arruinarse
ruineux, -euse [Rɥinø, øz] *adj* ruinoso(-a)
ruisseau, x [Rɥiso] *nm* (*cours d'eau*) arroyo; (*caniveau*) cuneta; **~x de larmes/sang** (*fig*) ríos *mpl* de lágrimas/sangre
ruisseler [Rɥis(ə)le] *vi* (*eau, pluie, larmes*) correr; (*mur, visage*) chorrear; **~ d'eau, ~ de pluie** chorrear agua; **~ de sueur** chorrear de sudor; **~ de lumière** centellear luz; **son visage ruisselait de larmes** las lágrimas le corrían por las mejillas
rumeur [RymœR] *nf* rumor *m*
ruminer [Rymine] *vi, vt* (*aussi fig*) rumiar
rupture [RyptyR] *nf* rotura; (*des négociations, d'un couple*) ruptura; (*d'un contrat*) incumplimiento; **en ~ de ban** (*fig*) libre de obligaciones; **être en ~ de stock** estar agotado
rural, e, -aux [RyRal, o] *adj* rural; **ruraux** *nmpl*: **les ruraux** los campesinos
ruse [Ryz] *nf* astucia; **une ~** un ardid; **par ~** con astucia
rusé, e [Ryze] *adj* astuto(-a)
russe [Rys] *adj* ruso(-a) ▪ *nm* (*Ling*) ruso ▪ *nm/f*: **Russe** ruso(-a)
Russie [Rysi] *nf* Rusia; **la ~ blanche/Soviétique** la Rusia blanca/Soviética
rustine [Rystin] *nf* parche *m*
rustique [Rystik] *adj* (*aussi péj*) rústico(-a); (*plante*) resistente
rythme [Ritm] *nm* ritmo; (*des saisons*) paso; **au ~ de 10 par jour** a razón de 10 al día
rythmé, e [Ritme] *adj* rítmico(-a)

S

s' [s] *pron voir* **se**
s/ *abr* (= *sur*) sobre
SA [ɛsa] *sigle f* (= *société anonyme*) S.A. (= *Sociedad Anónima*); (= *Son Altesse*) S.A. (= *Su Alteza*)
sa [sa] *dét voir* **son**
sable [sɑbl] *nm* arena; **~s mouvants** arenas *fpl* movedizas
sablé, e [sɑble] *adj* enarenado(-a) ■ *nm* galleta; **pâte ~e** masa de galleta
sabler [sɑble] *vt* enarenar; **~ le champagne** (*fig*) celebrar algo con champán
sabot [sabo] *nm* (*chaussure*) zueco; (*de cheval, bœuf*) casco; (*Tech*) zapata; **~ (de Denver)** cepo; **~ de frein** zapata de freno
saboter [sabɔte] *vt* sabotear
sac [sak] *nm* saco; (*pillage*) saqueo; **mettre à ~** saquear; **~ à dos** mochila; **~ à main** bolso de mano, cartera (*AM*); **~ à provisions** bolsa de la compra; **~ de couchage** saco de dormir; **~ de voyage** bolsa de viaje; **~ de plage** bolsa playera
saccadé, e [sakade] *adj* (*gestes, voix*) brusco(-a); (*voix*) entrecortado(-a)
saccager [sakaʒe] *vt* (*piller*) saquear; (*dévaster*) devastar
saccharine [sakaʀin] *nf* sacarina
sachet [saʃɛ] *nm* bolsita; (*de poudre, lavande*) saquito; **thé en ~s** té *m* en bolsitas
sacoche [sakɔʃ] *nf* bolso, talego; (*de bicyclette, motocyclette*) talego; (*du facteur*) cartera; (*d'outils*) bolsa
sacré, e [sakʀe] *adj* sagrado(-a); (*fam: satané*) maldito(-a); (*Anat*) sacro(-a); **il a une ~e chance/un ~ culot** (*fam*) tiene una suerte/cara increíble
sacrement [sakʀəmɑ̃] *nm* sacramento; **administrer les derniers ~s à qn** administrar los últimos sacramentos a algn
sacrifice [sakʀifis] *nm* sacrificio; **faire le ~ de** sacrificar
sacrifier [sakʀifje] *vt* sacrificar; **se sacrifier** *vpr* sacrificarse; **~ à** (*mode, tradition*) seguir; **articles sacrifiés** artículos *mpl* a precio de saldo, gangas *fpl*
sacristie [sakʀisti] *nf* sacristía
sadique [sadik] *adj, nm/f* sádico(-a)
safran [safʀɑ̃] *nm* azafrán *m*
sage [saʒ] *adj* (*avisé, prudent*) sensato(-a); (*enfant*) bueno(-a); (*jeune fille, vie*) casto(-a) ■ *nm* sabio; (*Pol*) consejero
sage-femme [saʒfam] (*pl* **sages-femmes**) *nf* comadrona
sagesse [saʒɛs] *nf* (*bon sens, prudence*) sensatez *f*; (*philosophie du sage*) sabiduría; (*d'un enfant*) buena conducta
Sagittaire [saʒitɛʀ] *nm* (*Astrol*) Sagitario; **être (du) ~** ser Sagitario
Sahara [saaʀa] *nm* Sáhara *m*
saignant, e [sɛɲɑ̃, ɑ̃t] *adj* (*viande*) poco hecho(-a); (*blessure*) sangrante
saigner [seɲe] *vi* sangrar ■ *vt* (*Méd, fig*) sangrar a; (*animal*) desangrar; **~ qn à blanc** (*fig*) esquilmar a algn; **~ du nez** sangrar por la nariz
saillir [sajiʀ] *vi* sobresalir ■ *vt* (*Élevage*) cubrir; **faire ~** (*muscles etc*) hacer sobresalir
sain, e [sɛ̃, sɛn] *adj* sano(-a); (*habitation*) salubre; (*affaire, entreprise*) saneado(-a); **~ et sauf** sano y salvo; **~ d'esprit** sano(-a) de espíritu
saindoux [sɛ̃du] *nm* manteca de cerdo
saint, e [sɛ̃, sɛ̃t] *adj, nm/f* santo(-a) ■ *nm* (*statue*) santo; **la S~e Vierge** la Virgen Santísima
sainteté [sɛ̃tte] *nf* santidad *f*; **sa S~ le pape** su Santidad el Papa
sais *etc* [sɛ] *vb voir* **savoir**
saisie [sezi] *nf* (*Jur*) embargo; **~ (de données)** (*Inform*) recogida de datos
saisir [seziʀ] *vt* (*personne, chose: prendre*) agarrar; (*fig: occasion, prétexte*) aprovechar; (*comprendre*) comprender;

(*entendre*) captar; (*suj: sensations, émotions*) sobrecoger; (*Inform*) procesar; (*Culin*) soasar; (*Jur: biens, personne*) embargar; (*: publication interdite*) secuestrar; **se saisir de** *vpr* (*personne*) apoderarse de; **~ un tribunal d'une affaire** someter un caso a un tribunal; **elle fut saisie de douleur/crainte** le embargó el dolor/fue presa del pánico
saisissant, e [sezisɑ̃, ɑ̃t] *adj* (*spectacle, contraste*) sobrecogedor(a); (*froid*) penetrante
saison [sɛzɔ̃] *nf* temporada, época; (*du calendrier*) estación *f*; **la ~** (*touristique*) la temporada; **la belle/mauvaise ~** la buena/mala temporada; **être de ~** ser de la temporada; **en/hors ~** en/fuera de temporada; **haute/basse/morte ~** temporada alta/media/baja; **la ~ des pluies/des amours** la época de las lluvias/de los amores
saisonnier, -ière [sɛzɔnje, jɛʀ] *adj* (*produits, culture*) estacional; (*travail*) temporal ■ *nm* (*travailleur*) temporero; (*vacancier*) turista *m* estacional
salade [salad] *nf* ensalada; (*fam: confusion*) embrollo; **salades** *nfpl* (*fam*): **raconter des ~s** contar cuentos; **haricots en ~** judías *fpl* en ensalada; **~ composée** ensalada mixta; **~ de concombres/d'endives** ensalada de pepinos/de endibias; **~ de fruits** macedonia de frutas; **~ de laitues/de tomates** ensalada de lechuga/de tomate; **~ niçoise** *ensalada con aceitunas, anchoas, tomates*; **~ russe** ensaladilla rusa
saladier [saladje] *nm* ensaladera
salaire [salɛʀ] *nm* salario; (*journalier*) jornal *m*; (*fig*) recompensa; **un ~ de misère** un salario de miseria; **~ brut/net** salario bruto/neto; **~ de base** sueldo base; **~ minimum interprofessionnel de croissance** ≈ salario mínimo interprofesional
salarié, e [salaʀje] *adj, nm/f* asalariado(-a)
salaud [salo] (*fam!*) *nm* cabrón *m* (*fam!*), hijo de la chingada (*Mex*) (*fam!*)
sale [sal] *adj* sucio(-a); (*avant le nom: fam*) malo(-a)
salé, e [sale] *adj* salado(-a); (*fig: histoire, plaisanterie*) picante; (*fam: note, facture*) desorbitado(-a) ■ *nm* (*porc salé*) carne *f* de cerdo salada; **bien ~** muy salado(-a); **petit ~** saladillo
saler [sale] *vt* (*plat*) echar sal; (*pour conserver*) salar
saleté [salte] *nf* suciedad *f*; (*action vile*) cochinada; (*chose sans valeur*) porquería; (*obscénité*) guarrada; **j'ai attrapé une ~** (*microbe etc*) se me ha pegado una enfermedad; **vivre dans la ~** vivir en la inmundicia
salière [saljɛʀ] *nf* salero
salir [saliʀ] *vt* manchar; (*fig*) mancillar; **se salir** *vpr* (*aussi fig*) ensuciarse
salissant, e [salisɑ̃, ɑ̃t] *adj* sucio(-a)
salle [sal] *nf* sala; (*pièce*) sala, habitación *f*; (*de restaurant*) salón *m*; **faire ~ comble** tener un llenazo; **~ à manger** comedor *m*; **~ commune** sala común; **~ d'armes** (*pour l'escrime*) sala de esgrima; **~ d'attente** sala de espera; **~ d'eau** aseo; **~ de bain(s)** cuarto de baño; **~ de bal** salón de baile; **~ de cinéma** sala de cine; **~ de classe** aula; **~ de concert** sala de conciertos; **~ de consultation** sala de consulta; **~ de douches** cuarto de duchas; **~ de jeux** sala de juegos; **~ d'embarquement** sala de embarque; **~ de projection** sala de proyección; **~ de séjour** cuarto de estar; **~ des machines** sala de máquinas; **~ de spectacle** sala de espectáculos; **~ des ventes** salón de ventas; **~ d'exposition** sala de exposiciones; **~ d'opération** sala de operaciones; **~ obscure** sala oscura
salon [salɔ̃] *nm* salón *m*, living *m* (*AM*); (*mondain, littéraire*) salón, tertulia; **~ de coiffure** salón de peluquería; **~ de thé** salón de té
salope [salɔp] (*fam!*) *nf* marrana
saloperie [salɔpʀi] (*fam!*) *nf* (*obscénité, publication obscène*) guarradas *fpl*; (*action vile*) marranada; (*chose sans valeur, de mauvaise qualité*) porquería
salopette [salɔpɛt] *nf* pantalón *m* de peto; (*de travail*) mono, overol *m* (*AM*)
salsifis [salsifi] *nm* salsifí *m*
salubre [salybʀ] *adj* salubre
saluer [salɥe] *vt* saludar; (*fig: acclamer*) aclamar, saludar
salut [saly] *nm* (*Rel, sauvegarde*) salvación *f*; (*Mil, parole d'accueil*) saludo ■ *excl* (*fam: bonjour*) ¡hola!; (*: au revoir*) ¡hasta luego!, ¡chao! *ou* ¡chau! (*esp AM*); (*style relevé*) ¡salve!; **~ public** salud *f* pública
salutations [salytasjɔ̃] *nfpl* saludos *mpl*; **recevez mes ~ distinguées** *ou* **respectueuses** (*dans une lettre*) reciba mis cordiales *ou* respetuosos saludos
samedi [samdi] *nm* sábado; *voir aussi* **lundi**
SAMU [samy] *sigle m* (= *service d'assistance médicale d'urgence*) ≈ servicio médico de urgencia

sanction [sɑ̃ksjɔ̃] *nf* sanción *f*; **prendre des ~s contre** tomar medidas sancionadoras contra
sanctionner [sɑ̃ksjɔne] *vt* sancionar
sandale [sɑ̃dal] *nf* sandalia
sandwich [sɑ̃dwi(t)ʃ] *nm* sandwich *m*, bocadillo, emparedado (*esp AM*); **être pris en ~ (entre)** estar aprisionado (entre)
sang [sɑ̃] *nm* sangre *f*; **être en ~** estar cubierto de sangre; **jusqu'au ~** hasta hacer(le) sangrar; **se faire du mauvais ~** preocuparse; **~ bleu** sangre azul
sang-froid [sɑ̃fʀwa] *nm inv* sangre *f* fría; **garder/perdre/reprendre son ~** conservar/perder/recobrar la sangre fría; **faire qch de ~** hacer algo a sangre fría
sanglant, e [sɑ̃glɑ̃, ɑ̃t] *adj* (*visage, arme*) ensangrentado(-a); (*combat, fig*) sangriento(-a)
sangle [sɑ̃gl] *nf* correa; **sangles** *nfpl* (*pour lit etc*) cinchas *fpl*; **fauteuil/lit de ~(s)** sillón *m*/catre *m* de tijera
sanglier [sɑ̃glije] *nm* jabalí *m*
sanglot [sɑ̃glo] *nm* sollozo
sangloter [sɑ̃glɔte] *vi* sollozar
sangsue [sɑ̃sy] *nf* sanguijuela
sanguin, e [sɑ̃gɛ̃, in] *adj* sanguíneo(-a)
sanitaire [sanitɛʀ] *adj* sanitario(-a); **sanitaires** *nmpl* sanitarios *mpl*; **installation/appareil ~** instalación *f*/aparato sanitario(-a)
sans [sɑ̃] *prép* sin; **~ qu'il s'en aperçoive** sin que se dé cuenta; **~ scrupules** sin escrúpulos; **~ manches** sin mangas
sans-abri [sɑ̃zabʀi] *nm/f inv* persona sin hogar
sans-emploi [sɑ̃zɑ̃plwa] *nm/f inv* desempleado(-a)
sans-gêne [sɑ̃ʒɛn] *adj inv* desenfadado(-a) ■ *nm inv* desenfado
santé [sɑ̃te] *nf* salud *f*; **avoir une ~ de fer** tener una salud de hierro; **avoir une ~ délicate** tener una salud delicada; **être en bonne ~** estar bien de salud; **boire à la ~ de qn** beber a la salud de algn; **"à la ~ de ..."** "a la salud de ..."; **"à votre/ta ~!"** "¡a su/tu salud!"; **service de ~** servicio sanitario; **la ~ publique** la salud pública
saoudien, ne [saudjɛ̃, jɛn] *adj* saudí, saudita ■ *nm/f*: **Saoudien, ne** saudí *m/f*, saudita *m/f*
saoul, e [su, sul] *adj* = **soûl**
saper [sape] *vt* socavar; **se saper** *vpr* (*fam*) vestirse
sapeur-pompier [sapœʀpɔ̃pje] (*pl* **sapeurs-pompiers**) *nm* bombero
saphir [safiʀ] *nm* zafiro; (*d'électrophone*) aguja
sapin [sapɛ̃] *nm* (*Bot*) abeto; (*bois*) pino; **~ de Noël** pino de Navidad
sarcastique [saʀkastik] *adj* sarcástico(-a)
Sardaigne [saʀdɛɲ] *nf* Cerdeña
sardine [saʀdin] *nf* sardina; **~s à l'huile** sardinas en aceite
SARL [ɛsaɛʀɛl] *sigle f* (= *société à responsabilité limitée*) ≈ SL (= *sociedad limitada*)
sarrasin [saʀazɛ̃] *nm* (*Bot*) alforfón *m*, trigo sarraceno; (*farine*) harina de alforfón, harina de trigo sarraceno
satané, e [satane] *adj* (*maudit*) maldito(-a)
satellite [satelit] *nm* satélite *msg*; **pays ~** país *msg* satélite *inv*; **retransmis par ~** retransmitido vía satélite; **~ (artificiel)** satélite (artificial)
satin [satɛ̃] *nm* satén *m*
satire [satiʀ] *nf* sátira; **faire la ~ de** satirizar
satirique [satiʀik] *adj* satírico(-a)
satisfaction [satisfaksjɔ̃] *nf* satisfacción *f*; **à ma grande ~** para gran satisfacción mía; **donner ~ (à)** satisfacer; **ils ont obtenu ~** se ha accedido a sus demandas
satisfaire [satisfɛʀ] *vt* satisfacer; **se satisfaire de** *vpr* contentarse con; **~ à** cumplir con; (*conditions*) responder a
satisfaisant, e [satisfəzɑ̃, ɑ̃t] *adj* satisfactorio(-a)
satisfait, e [satisfɛ, ɛt] *pp de* **satisfaire** ■ *adj* (*personne, air*) satisfecho(-a); (*curiosité, désir*) complacido(-a); **~ de** satisfecho(-a) de
saturer [satyʀe] *vt* saturar; **~ qn/qch de** saturar a algn/algo de; **être saturé de qch** (*publicité*) estar harto de algo; **je suis saturé de travail** estoy saturado de trabajo
sauce [sos] *nf* salsa; **en ~** en salsa; **~ à salade** salsa de ensalada; **~ aux câpres** salsa de alcaparras; **~ blanche** salsa blanca; **~ chasseur** salsa chasseur (*con chalotes, vino blanco, champiñones y hierbas*); **~ mayonnaise/piquante** salsa mayonesa/picante; **~ suprême/vinaigrette** salsa suprema/vinagreta; **~ tomate** salsa de tomate
saucière [sosjɛʀ] *nf* salsera
saucisse [sosis] *nf* salchicha
saucisson [sosisɔ̃] *nm* salchichón *m*; **~ à l'ail** salchichón al ajo; **~ sec** salchichón curado
sauf[1] [sof] *prép* salvo; **~ que ...** salvo que ...; **~ si ...** salvo que ...; **~ avis contraire** salvo aviso contrario; **~ empêchement**

salvo impedimento; **~ erreur/imprévu** salvo error/imprevisto
sauf², sauve [sof, sov] *adj* (*personne*) ileso(-a); (*fig*: *honneur*) a salvo; **laisser la vie sauve à qn** perdonar la vida a algn
sauge [soʒ] *nf* salvia
saugrenu, e [sogʀəny] *adj* (*accoutrement*) estrafalario(-a); (*idée, question*) ridículo(-a)
saule [sol] *nm* sauce *m*; **~ pleureur** sauce llorón
saumon [somɔ̃] *nm* salmón *m* ■ *adj inv* (*couleur*) color salmón *inv*
saupoudrer [sopudʀe] *vt*: **~ qch de** (*de sel, sucre*) espolvorear algo de; (*fig*) salpicar algo de
saur [sɔʀ] *adj m*: **hareng ~** arenque *m* ahumado
saut [so] *nm* salto; **faire un ~** dar un salto; **faire un ~ chez qn** dar un salto a casa de algn; **au ~ du lit** al levantarse; **~ en hauteur/longueur/à la perche** salto de altura/longitud/con pértiga; **~ à la corde** salto a la comba; **~ de page** (*Inform*) avance *m* de página; **~ en parachute** salto en paracaídas; **~ périlleux** salto mortal
sauter [sote] *vi* saltar; (*exploser*) estallar; (*se rompre*) romperse; (*se détacher*) soltarse ■ *vt* (*obstacle*) franquear; (*fig*: *omettre*) saltarse; **faire ~** (*avec explosifs*) volar; (*Culin*) saltear; **~ à pieds joints/à cloche-pied** saltar con los pies juntos/a pata coja; **~ dans/sur/vers** (*se précipiter*) echarse en/sobre/hacia; **~ en parachute** saltar en paracaídas; **~ à la corde** saltar a la cuerda; **~ à bas du lit** saltar de la cama; **~ de joie/de colère** saltar de alegría/de rabia; **~ au cou de qn** echarse al cuello de algn; **~ d'un sujet à l'autre** pasar de un tema a otro; **~ aux yeux** saltar a la vista; **~ au plafond** (*fig*) subirse por las paredes
sauterelle [sotʀɛl] *nf* (*Zool*) saltamontes *m inv*
sautiller [sotije] *vi* dar saltitos
sauvage [sovaʒ] *adj* (*animal, peuplade*) salvaje; (*plante*) silvestre; (*lieu*) agreste; (*insociable*) huraño(-a); (*non officiel*) no autorizado(-a) ■ *nm/f* (*primitif*) salvaje *m/f*; (*brute*) bárbaro(-a)
sauve [sov] *adj f voir* **sauf²**
sauvegarde [sovgaʀd] *nf* salvaguardia; **sous la ~ de** bajo el amparo de; **disquette/fichier de ~** disquete *m*/ fichero de seguridad
sauvegarder [sovgaʀde] *vt* salvaguardar; (*Inform*) grabar; (*: copier*) hacer una copia de seguridad de
sauve-qui-peut [sovkipø] *nm inv* desbandada ■ *excl* ¡sálvese quien pueda!
sauver [sove] *vt* salvar; **se sauver** *vpr* (*s'enfuir*) largarse; (*fam*: *partir*) irse; **~ qn de** salvar a algn de; **~ la vie à qn** salvar la vida a algn; **~ les apparences** guardar las apariencias
sauvetage [sov(ə)taʒ] *nm* salvamento; **ceinture** *ou* **brassière** *ou* **gilet de ~** cinturón *m ou* camisa *ou* chaleco salvavidas *inv*; **~ en montagne** rescate *m* de montaña
sauveteur [sov(ə)tœʀ] *nm* salvador *m*
sauvette [sovɛt]: **à la ~** *adj, adv* (*vendre, aussi*: *se marier etc*) precipitadamente; **vente à la ~** venta ambulante no autorizada
sauveur [sovœʀ] *nm* salvador *m*; **le S~** (*Rel*) el Salvador
savant, e [savɑ̃, ɑ̃t] *adj* (*érudit, instruit, habile*) sabio(-a); (*souvent ironique*: *compétent, calé*) erudito(-a); (*compliqué, difficile*) complejo(-a) ■ *nm/f* sabio(-a); **animal ~** animal amaestrado
saveur [savœʀ] *nf* sabor *m*
savoir [savwaʀ] *vt* saber; (*connaître*: *date, fait etc*) conocer ■ *nm* saber *m*; **se savoir** *vpr* (*chose*: *être connu*) saberse; **se ~ malade/incurable** saberse enfermo/ incurable; **~ nager/se montrer ferme** saber nadar/mostrarse firme; **~ que** saber que; **~ si/comment/combien ...** saber si/cómo/cuánto ...; **il faut ~ que ...** es preciso saber que ...; **il est petit: tu ne peux pas ~ ...** no creerías lo pequeño que es ...; **vous n'êtes pas sans ~ que ...** usted no ignora que ...; **je crois ~ que ...** creo saber que ...; **je n'en sais rien** yo no sé nada de eso; **à ~** a saber; **à ~ que ...** a saber que ...; **faire ~ qch à qn** hacer saber algo a algn; **ne rien vouloir ~** no querer saber nada; **pas que je sache** que yo sepa, no; **sans le ~** sin saberlo; **en ~ long** saber un rato largo
savon [savɔ̃] *nm* jabón *m*; **un ~** (*morceau*) una pastilla de jabón; **passer un ~ à qn** (*fam*) echarle un rapapolvo a algn
savonner [savɔne] *vt* enjabonar; **se savonner** *vpr* enjabonarse; **se ~ les mains/pieds** enjabonarse las manos/los pies
savonnette [savɔnɛt] *nf* jaboncillo
savourer [savuʀe] *vt* saborear
savoureux, -euse [savuʀø, øz] *adj* sabroso(-a)
saxo(phone) [saksɔ(fɔn)] *nm* saxo(fón) *m*

scabreux, -euse [skabʀø, øz] *adj* escabroso(-a)
scandale [skɑ̃dal] *nm* escándalo; **au grand ~ de ...** (*indignation*) con gran indignación de ...; **faire du ~** (*tapage*) armar un escándalo; **faire ~** causar escándalo
scandaleux, -euse [skɑ̃dalø, øz] *adj* escandaloso(-a)
scandinave [skɑ̃dinav] *adj* escandinavo(-a) ■ *nm/f*: **Scandinave** escandinavo(-a)
Scandinavie [skɑ̃dinavi] *nf* Escandinavia
scanner[1] [skanɛʀ] *nm* escáner *m*
scanner[2] [skane] *vt* escanear
scarabée [skaʀabe] *nm* escarabajo
scarlatine [skaʀlatin] *nf* escarlatina
scarole [skaʀɔl] *nf* escarola
sceau, x [so] *nm* sello; **sous le ~ du secret** bajo secreto
sceller [sele] *vt* sellar; (*barreau, chaîne etc*) fijar
scénario [senaʀjo] *nm* (*Ciné*) guión *m*; (*fig, idée*) plan *m*
scène [sɛn] *nf* escena; (*lieu, décors*) escena, escenario; (*dispute bruyante*) altercado; **la ~ politique/internationale** la escena política/internacional; **sur le devant de la ~** (*fig*) de plena actualidad; **entrer en ~** entrar en escena; **par ordre d'entrée en ~** por orden de aparición; **mettre en ~** (*Théâtre, fig*) poner en escena; (*Ciné*) dirigir; **porter à/adapter pour la ~** llevar al/adaptar para el teatro; **faire une ~ (à qn)** hacerle una escena (a algn); **~ de ménage** riña conyugal
sceptique [sɛptik] *adj, nm/f* escéptico(-a)
schéma [ʃema] *nm* esquema *m*
schématique [ʃematik] *adj* esquemático(-a)
sciatique [sjatik] *adj*: **nerf ~** nervio ciático ■ *nf* ciática
scie [si] *nf* sierra; (*fam: péj: rengaine*) cantinela; (*: personne*) pesadez *f*; **~ à bois** sierra para madera; **~ à découper** segueta; **~ à métaux** sierra para metales; **~ circulaire/sauteuse** sierra circular/de vaivén
sciemment [sjamɑ̃] *adv* conscientemente
science [sjɑ̃s] *nf* ciencia; (*savoir*) saber *m*; (*savoir-faire*) saber hacer *m*; **les ~s** (*Scol*) las ciencias; **~s appliquées/expérimentales** ciencias aplicadas/experimentales; **~s humaines/naturelles** ciencias humanas/naturales; **~s occultes** ciencias ocultas; **~s politiques/sociales** ciencias políticas/sociales
science-fiction [sjɑ̃sfiksjɔ̃] (*pl* **sciences-fictions**) *nf* ciencia ficción
scientifique [sjɑ̃tifik] *adj, nm/f* científico(-a)
scier [sje] *vt* serrar; (*partie en trop*) aserrar
scierie [siʀi] *nf* aserradero
scintiller [sɛ̃tije] *vi* centellear
sciure [sjyʀ] *nf*: **~ (de bois)** serrín *m* (de madera)
sclérose [skleʀoz] *nf* esclerosis *f inv*; **~ artérielle** esclerosis arterial, arteriosclerosis *f inv*; **~ en plaques** esclerosis en placas
scolaire [skɔlɛʀ] *adj* escolar; **l'année ~** el curso escolar; (*à l'université*) el curso académico; **en âge ~** en edad escolar
scolariser [skɔlaʀize] *vt* escolarizar
scolarité [skɔlaʀite] *nf* escolaridad *f*; **frais de ~** gastos *mpl* de escolaridad; **la ~ obligatoire** la escolaridad obligatoria
scooter [skutœʀ] *nm* escúter *m*
score [skɔʀ] *nm* (*Sport*) tanteo; (*dans un test*) puntuación *f*; (*électoral etc*) resultado
scorpion [skɔʀpjɔ̃] *nm* escorpión *m*; **le S~** (*Astrol*) escorpio; **être (du) S~** ser escorpio
scotch [skɔtʃ] *nm* (*whisky*) whisky *m* escocés; **S~®** (*adhésif*) celo, cinta adhesiva
scout, e [skut] *adj* de scout ■ *nm/f* scout *m/f*, explorador(a)
script [skʀipt] *nm* (*écriture*) letra cursiva; (*Ciné*) guión *m*
scrupule [skʀypyl] *nm* escrúpulo; **être sans ~s** no tener escrúpulos; **il se fait un ~ de lui mentir** le da reparo mentirle
scruter [skʀyte] *vt* (*objet, visage*) escrutar; (*horizon, alentours*) otear
scrutin [skʀytɛ̃] *nm* (*vote*) escrutinio; (*ensemble des opérations*) votación *f*; **ouverture/clôture d'un ~** apertura/cierre *m* de la votación; **~ à deux tours** votación a doble vuelta; **~ de liste** sistema *m* de lista cerrada; **~ majoritaire/proportionnel** sistema mayoritario/proporcional; **~ uninominal** elección *f* uninominal
sculpter [skylte] *vt* esculpir
sculpteur [skyltœʀ] *nm* escultor *m*
sculpture [skyltyʀ] *nf* escultura; **~ sur bois** escultura en madera
SDF *sigle m* (*= sans domicile fixe*) persona sin hogar; **les ~** los sin techo
SE *abr* (*= Son Excellence*) S. Exc. (*= Su Excelencia*)

se [sə] *pron* se; **se voir comme on est** verse como uno es; **ils s'aiment** se quieren; **cela se répare facilement** eso se arregla fácilmente; **se casser la jambe/laver les mains** romperse una pierna/lavarse las manos
séance [seɑ̃s] *nf* sesión *f*; **ouvrir/lever la ~** abrir/levantar la sesión; **~ tenante**: **obéir/régler une affaire ~ tenante** obedecer/arreglar un asunto en el acto
seau, x [so] *nm* cubo, balde *m* (*esp AM*); **~ à glace** cubitera
sec, sèche [sɛk, sɛʃ] *adj* seco(-a); (*maigre, décharné*) enjuto(-a); (*style, graphisme*) árido(-a); (*départ, démarrage*) brusco(-a) ■ *nm*: **tenir au ~** mantener en sitio seco ■ *adv* (*démarrer*) bruscamente; **je le prends** *ou* **bois ~** lo tomo *ou* bebo puro; **à pied ~** a pie enjuto; **à ~** (*cours d'eau*) agotado(-a); (*à court d'idées*) vacío(-a); (*à court d'argent*) pelado(-a); **une toux sèche** una tos seca; **avoir la gorge sèche** tener la garganta seca; **boire ~** (*beaucoup*) ser un gran bebedor; **raisins ~s** pasas *fpl*
sécateur [sekatœʀ] *nm* podadera
sèche [sɛʃ] *adj f voir* **sec** ■ *nf* (*fam*) pitillo
sèche-cheveux [sɛʃʃəvø] *nm inv* secador *m* de pelo
sèche-linge [sɛʃlɛ̃ʒ] *nm inv* secadora
sèchement [sɛʃmɑ̃] *adv* (*frapper etc*) bruscamente; (*répliquer etc*) secamente
sécher [seʃe] *vt* secar; (*fam: Scol: classe*) pirarse ■ *vi* secarse; (*fam: candidat*) estar pez; **se sécher** *vpr* secarse
sécheresse [sɛʃʀɛs] *nf* (*du climat, sol*) sequedad *f*; (*fig: du style*) aridez *f*; (*absence de pluie*) sequía
séchoir [seʃwaʀ] *nm* (*à linge*) tendedero; (*tabac, fruits*) secadero
second, e [s(ə)gɔ̃, ɔ̃d] *adj* segundo(-a) ■ *nm* (*adjoint*) ayudante *m*; (*étage*) segundo; (*Naut*) segundo de a bordo; **doué de ~e vue** dotado de un sexto sentido; **en ~** en segunda; **trouver son ~ souffle** (*Sport, fig*) recobrar fuerzas; **être dans un état ~** estar enajenado(-a); **de ~e main** de segunda mano
secondaire [s(ə)gɔ̃dɛʀ] *adj* secundario(-a); (*Scol*) medio(-a), secundario(-a)
seconde [s(ə)gɔ̃d] *nf* segundo; (*Scol*) *quinto año de educación secundaria en el sistema francés*; (*Auto*) segunda; **voyager en ~** (*Transport*) viajar en segunda
seconder [s(ə)gɔ̃de] *vt* (*assister*) ayudar; (*favoriser*) secundar
secouer [s(ə)kwe] *vt* sacudir; (*passagers*) zarandear; (*fam: faire se démener*) pinchar; **se secouer** *vpr* (*chiens*) sacudirse; (*fam: se démener*) menearse, moverse; **~ la poussière d'un tapis/manteau** sacudir el polvo de una alfombra/de un abrigo; **~ la tête** (*pour dire oui*) asentir con la cabeza; (*pour dire non*) negar con la cabeza
secourir [s(ə)kuʀiʀ] *vt* socorrer; (*prodiguer des soins à*) auxiliar
secourisme [s(ə)kuʀism] *nm* socorrismo
secouriste [s(ə)kuʀist] *nm/f* socorrista *m/f*
secours¹ [s(ə)kuʀ] *vb voir* **secourir**
secours² [s(ə)kuʀ] *nm* socorro ■ *nmpl* (*aide financière, matérielle*) ayuda *fsg*; (*soins à un malade, blessé*) auxilio *msg*; (*équipes de secours*) servicios *mpl* de socorro; **au ~!** ¡socorro!; **appeler au ~** pedir socorro; **appeler qn à son ~** pedir socorro a algn; **aller au ~ de qn** acudir en ayuda de algn; **porter ~ à qn** prestar socorro a algn; **les premiers ~** los primeros auxilios; **sa mémoire/cet outil lui a été d'un grand ~** su memoria/esta herramienta le ha sido de gran ayuda; **le ~ en montagne** el servicio de rescate de montaña
secousse [s(ə)kus] *nf* sacudida; (*électrique*) descarga; (*fig: psychologique*) conmoción *f*; **~ sismique/tellurique** sacudida sísmica/telúrica
secret, -ète [səkʀɛ, ɛt] *adj* secreto(-a); (*renfermé: personne*) reservado(-a) ■ *nm* secreto; **le ~ de qch** (*raison cachée, recette*) el secreto de algo; **en ~** (*sans témoins*) en secreto; **au ~** (*prisonnier*) incomunicado(-a); **~ d'État/de fabrication** secreto de Estado/de fabricación; **~ professionnel** secreto profesional
secrétaire [s(ə)kʀetɛʀ] *nm/f* secretario(-a) ■ *nm* (*meuble*) secreter *m*; **~ d'ambassade** secretario de embajada; **~ d'État** secretario de Estado; **~ de direction** secretario de dirección; **~ de mairie** secretario municipal; **~ de rédaction** secretario de redacción; **~ général** secretario general; **~ médicale** auxiliar médico
secrétariat [s(ə)kʀetaʀja] *nm* (*profession*) secretariado; (*bureau, fonction*) secretaría; **~ d'État** secretaría de Estado; **~ général** secretaría general
secteur [sɛktœʀ] *nm* sector *m*; **branché sur le ~** conectado a la red; **fonctionne sur pile et ~** funciona con pilas y con

electricidad; **le ~ privé/public** el sector privado/público; **le ~ primaire/secondaire/tertiaire** el sector primario/secundario/terciario

section [sɛksjɔ̃] *nf* sección *f*; (*d'une route, d'un parcours*) tramo; (*d'un chapitre, d'une œuvre*) parte *f*; **la ~ rythmique/des cuivres** la sección rítmica/los cobres; **tube de ~ 6,5 mm** tubo de 6,5 mm de sección

sectionner [sɛksjɔne] *vt* (*membre, tige*) seccionar; **se sectionner** *vpr* (*câble*) romperse

sécu [seky] (*fam*) *nf* (= *Sécurité sociale*) *voir* **sécurité**

sécurité [sekyʀite] *nf* seguridad *f*; **impression de ~** impresión *f* de seguridad; **être en ~** estar seguro(-a); **dispositif/système de ~** dispositivo/sistema *m* de seguridad; **mesures de ~** medidas *fpl* de seguridad; **la ~ de l'emploi** la garantía de trabajo; **la ~ internationale/nationale** la seguridad internacional/nacional; **la ~ routière** la seguridad vial; **la S~ sociale** la Seguridad Social

sédentaire [sedɑ̃tɛʀ] *adj* sedentario(-a)

séduction [sedyksjɔ̃] *nf* seducción *f*

séduire [sedɥiʀ] *vt* seducir

séduisant, e [sedɥizɑ̃, ɑ̃t] *vb voir* **séduire** ■ *adj* seductor(a)

ségrégation [segʀegasjɔ̃] *nf* segregación *f*; **~ raciale** segregación racial

seigle [sɛgl] *nm* (*Bot*) centeno; (*farine*) harina de centeno

seigneur [sɛɲœʀ] *nm* señor *m*; **le S~** (*Rel*) el Señor

sein [sɛ̃] *nm* (*Anat*) seno; (*fig: poitrine*) pecho; **au ~ de** en el seno de; **donner le ~ à** dar el pecho a; **nourrir au ~** amamantar

séisme [seism] *nm* seísmo

seize [sɛz] *adj inv, nm inv* dieciséis *m inv*; *voir aussi* **cinq**

seizième [sɛzjɛm] *adj, nm/f* decimosexto(-a) ■ *nm* (*partitif*) dieciseisavo; *voir aussi* **cinquantième**

séjour [seʒuʀ] *nm* (*villégiature*) estancia; (*pièce*) cuarto de estar

séjourner [seʒuʀne] *vi* permanecer

sel [sɛl] *nm* sal *f*; **~ de cuisine/de table** sal de cocina/de mesa; **~ fin/gemme** sal fina/gema; **~s de bain** sales de baño

sélection [selɛksjɔ̃] *nf* selección *f*; **faire/opérer une ~ parmi** hacer/realizar una selección entre; **épreuve de ~** (*Sport*) prueba de selección; **~ naturelle/professionnelle** selección natural/profesional

sélectionner [selɛksjɔne] *vt* seleccionar

self-service [sɛlfsɛʀvis] (*pl* **~s**) *adj* autoservicio ■ *nm* self-service *m*, restaurante *m* autoservicio

selle [sɛl] *nf* (*de cheval*) silla de montar; (*de bicyclette*) sillín *m*; (*Culin*) paletilla; **selles** *nfpl* (*Méd*) deposiciones *fpl*; **aller à la ~** (*Méd*) hacer sus necesidades; **se mettre en ~** montar

seller [sele] *vt* ensillar

selon [s(ə)lɔ̃] *prép* según; **~ que** según que; **~ moi** a mi modo de ver

semaine [s(ə)mɛn] *nf* semana; **en ~** durante la semana; **la ~ de quarante heures** la semana de cuarenta horas; **la ~ du blanc/du livre** la semana de la ropa blanca/del libro; **à la petite ~** (*vivre etc*) al día; **une organisation à la petite ~** una organización de miras cortas; **la ~ sainte** la Semana Santa

semblable [sɑ̃blabl] *adj* semejante ■ *nm* (*prochain*) semejante *m*; **~ à** parecido(-a) a; **de ~s mésaventures/calomnies** (*de ce genre*) semejantes desgracias/calumnias

semblant [sɑ̃blɑ̃] *nm*: **un ~ d'intérêt/de vérité** una apariencia de interés/de verdad; **faire ~ (de faire qch)** fingir (hacer algo)

sembler [sɑ̃ble] *vi* parecer ■ *vb impers*: **il semble inutile/bon de ...** parece inútil/bien ...; **il semble (bien) que/ne semble pas que** parece (bien) que/no parece que; **il me semble (bien) que** me parece (bien) que; **il me semble le connaître** me parece que lo conozco; **cela leur semblait cher/pratique** eso les parecía caro/práctico; **~ être** parecer ser; **comme/quand bon lui semble** como/cuando le parece bien; **me semble-t-il, à ce qu'il me semble** me parece, en mi opinión

semelle [s(ə)mɛl] *nf* (*de chaussure*) suela; (: *intérieure*) plantilla; (*de bas, chaussette*) planta; (*d'un ski*) plancha; **battre la ~** golpear el suelo con los pies para calentarlos; (*fig*) recorrer; **~s compensées** suelas *fpl* de plataforma

semer [s(ə)me] *vt* (*Agr*) sembrar; (*fig: éparpiller*) esparcir; (: *poursuivants*) despistar; **~ la confusion** sembrar la confusión; **~ la discorde/terreur parmi ...** sembrar la discordia/el terror entre ...; **semé de difficultés/d'erreurs** sembrado de dificultades/de errores

semestre [s(ə)mɛstʀ] *nm* semestre *m*
séminaire [seminɛʀ] *nm* seminario
semi-remorque [səmiʀəmɔʀk] (*pl* **~s**) *nf* (*remorque*) semirremolque *m* ■ *nm* (*camion*) semirremolque
semoule [s(ə)mul] *nf* sémola; **~ de maïs/de riz** harina de maíz/de arroz
sénat [sena] *nm*: **le S~** el Senado

SÉNAT

El *Sénat* es la cámara alta del parlamento francés, que se reúne en el Palais du Luxembourg de París. A una tercera parte de sus miembros, los "sénateurs", los elige cada tres años, por un periodo de nueve, un colegio electoral formado por los "députés" y otros representantes electos. El *Sénat* posee una amplia gama de poderes, pero en caso de controversia, éstos pueden ser revocados por la cámara baja, la "Assemblée nationale".

sénateur [senatœʀ] *nm* senador(a)
sens[1] [sɑ̃s] *vb voir* **sentir**
sens[2] [sɑ̃s] *nm* sentido ■ *nmpl* (*sensualité*) sentidos *mpl*; **avoir le ~ des affaires/de la mesure** tener el don de los negocios/de la medida; **en dépit du bon ~** sin sentido común; **tomber sous le ~** caer por su propio peso; **ça n'a pas de ~** eso no tiene sentido; **en ce ~ que** (*dans la mesure où*) en la medida en que; (*c'est-à-dire que*) en el sentido de que; **en un ~, dans un ~** en cierto sentido; **à mon ~** en mi opinión; **dans le ~ des aiguilles d'une montre** en el sentido de las agujas del reloj; **dans le ~ de la longueur/largeur** a lo largo/ancho; **dans le mauvais ~** en mal sentido; **bon ~** sensatez *f*; **reprendre ses ~** volver en sí; **~ commun** sentido común; **~ dessus dessous** desordenado, patas arriba; **~ figuré** sentido figurado; **~ interdit** dirección *f* prohibida; **~ propre** sentido propio; **~ unique** dirección *f* única
sensation [sɑ̃sasjɔ̃] *nf* sensación *f*; **faire ~** causar sensación; **à ~** (*péj*) sensacionalista
sensationnel, le [sɑ̃sasjɔnɛl] *adj* sensacional
sensé, e [sɑ̃se] *adj* sensato(-a)
sensibiliser [sɑ̃sibilize] *vt* (*Photo*) sensibilizar; **~ qn (à)** sensibilizar a algn (para)
sensibilité [sɑ̃sibilite] *nf* sensibilidad *f*
sensible [sɑ̃sibl] *adj* sensible; (*différence, progrès*) apreciable; **~ à** sensible a
sensiblement [sɑ̃sibləmɑ̃] *adv* sensiblemente; **ils ont ~ le même poids** (*à peu près*) tienen casi el mismo peso
sensiblerie [sɑ̃sibləʀi] *nf* sensiblería
sensuel, le [sɑ̃sɥɛl] *adj* sensual
sentence [sɑ̃tɑ̃s] *nf* sentencia
sentier [sɑ̃tje] *nm* sendero
sentiment [sɑ̃timɑ̃] *nm* sentimiento; (*avis, opinion*) opinión *f*; **sentiments** *nmpl*: **les ~s** los sentimientos; **avoir le ~ de/que** tener la impresión de/que; **recevez mes ~s respectueux/dévoués** (*dans une lettre*) reciba usted mis más sinceros respetos; **veuillez agréer l'expression de mes ~s distingués** (*dans une lettre*) reciba usted mis más atentos saludos; **faire du ~** (*péj*) apelar a la sensiblería; **si vous me prenez par les ~s** si usted apela a mis sentimientos
sentimental, e, -aux [sɑ̃timɑ̃tal, o] *adj* sentimental
sentinelle [sɑ̃tinɛl] *nf* centinela; **en ~** de guardia
sentir [sɑ̃tiʀ] *vt* sentir; (*goût*) notar; (*apprécier*) apreciar; (*par l'odorat*) oler; (*avoir le goût de*) saber a; (*au toucher*) sentir; (*avoir une odeur de, aussi fig*) oler a ■ *vi* oler mal; **~ bon/mauvais** oler bien/mal; **se ~ à l'aise/mal à l'aise** sentirse a gusto *ou* cómodo/incómodo; **se ~ mal** encontrarse mal; **se ~ le courage/la force de faire qch** sentirse con ánimo/fuerza para hacer algo; **se ~ coupable de faire qch** sentirse culpable por haber hecho algo; **ne plus se ~ de joie** rebosar de alegría; **ne pas pouvoir ~ qn** (*fam*) no poder tragar a algn
séparation [sepaʀasjɔ̃] *nf* separación *f*; (*mur, cloison*) división *f*; **~ de biens/de corps** separación de bienes/de cuerpos; **~ des pouvoirs** separación de (los) poderes
séparatiste [sepaʀatist] *nm/f, adj* separatista *m/f*
séparé, e [sepaʀe] *adj* separado(-a); **~ de** separado(-a) de
séparément [sepaʀemɑ̃] *adv* separadamente
séparer [sepaʀe] *vt* separar; **se séparer** *vpr* separarse; (*amis etc*) despedirse; (*route, tige*) bifurcarse; (*éléments, parties*) desmontarse; (*écorce*) desprenderse; **se ~ de** (*époux*) separarse de; (*employé, objet personnel*) deshacerse de; **~ qn de** (*ami, allié*) separar a algn de; **~ une pièce/un jardin en deux** dividir una habitación/un jardín en dos

sept [sɛt] *adj inv, nm inv* siete *m inv*; *voir aussi* **cinq**
septante [sɛptɑ̃t] *adj inv, nm inv* (*Belgique, Suisse*) setenta *m inv*
septembre [sɛptɑ̃bʀ] *nm* se(p)tiembre *m*; *voir aussi* **juillet**
septicémie [sɛptisemi] *nf* septicemia
septième [sɛtjɛm] *adj, nm/f* sé(p)timo(-a) ■ *nm* (*partitif*) sé(p)timo; **être au ~ ciel** estar en el sé(p)timo cielo; *voir aussi* **cinquième**
septique [sɛptik] *adj*: **fosse ~** foso séptico
séquelles [sekɛl] *nfpl* secuelas *fpl*
serein, e [səʀɛ̃, ɛn] *adj* sereno(-a); (*visage, regard, personne*) apacible
sergent [sɛʀʒɑ̃] *nm* sargento
série [seʀi] *nf* serie *f*; (*de clefs, outils*) juego; (*Sport*) fase *f*; **en/de/hors ~** en/de/fuera de serie; **imprimante ~** impresora en serie; **soldes de fin de ~s** saldos *mpl* de fin de serie; **~ noire** (*roman policier*) policiaca; (*suite de malheurs*) serie de desgracias; **~ (télévisée)** serie (televisiva)
sérieusement [seʀjøzmɑ̃] *adv* con seriedad; **il parle ~** habla en serio; **~?** ¿en serio?
sérieux, -euse [seʀjø, jøz] *adj* serio(-a); (*client*) serio(-a), formal; (*moral, rangé*) formal ■ *nm* seriedad *f*; **garder son ~** mantener su seriedad; **manquer de ~** no tener fundamento; **prendre qch/qn au ~** tomarse algo/a algn en serio; **se prendre au ~** tomarse en serio; **tu es ~?** ¿lo dices en serio?; **c'est ~?** ¿en serio?; **ce n'est pas ~** (*critique*) eso no es serio; **une sérieuse différence/augmentation** una considerable diferencia/aumento
serin [s(ə)ʀɛ̃] *nm* canario
seringue [s(ə)ʀɛ̃g] *nf* jeringa
serment [sɛʀmɑ̃] *nm* (*juré*) juramento; (*promesse*) promesa solemne; **prêter ~** prestar juramento; **faire le ~ de** prestar juramento de; **témoigner sous ~** atestiguar bajo juramento
sermon [sɛʀmɔ̃] *nm* sermón *m*
séropositif, -ive [seʀopozitif, iv] *adj* (*Méd*) seropositivo(-a)
sérotonine [seʀɔtɔnin] *nf* serotonina
serpent [sɛʀpɑ̃] *nm* serpiente *f*; **~ à lunettes/à sonnettes** serpiente de anteojos/de cascabel; **~ monétaire (européen)** sistema *m* monetario (europeo)
serpenter [sɛʀpɑ̃te] *vi* serpentear
serpillière [sɛʀpijɛʀ] *nf* bayeta
serre [sɛʀ] *nf* (*construction*) invernadero; **serres** *nfpl* (*griffes*) garras *fpl*; **~ chaude/froide** invernadero templado/frío
serré, e [seʀe] *adj* apretado(-a); (*habits*) ajustado(-a); (*lutte, match*) reñido(-a); (*café*) fuerte ■ *adv*: **jouer ~** jugar sobre seguro; **écrire ~** escribir con letra apretada; **avoir le cœur ~** tener el corazón en un puño; **avoir la gorge ~e** tener un nudo en la garganta
serrer [seʀe] *vt* apretar; (*tenir: chose*) asir; (*: personne*) abrazar; (*rapprocher*) apretujar; (*frein, robinet*) apretar; (*automobiliste, cycliste*) arrimarse a ■ *vi*: **~ à droite/gauche** pegarse a la derecha/a la izquierda; **se serrer** *vpr* (*se rapprocher*) apretujarse; **~ la main à qn** estrechar la mano a algn; **~ qn dans ses bras/contre son cœur** estrechar a algn entre sus brazos/contra su pecho; **~ la gorge/le cœur à qn** oprimir la garganta/el pecho a algn; **~ les dents** apretar los dientes; **~ qn de près** seguir de cerca a algn; **~ le trottoir** pegarse a la acera; **~ sa droite/gauche** pegarse a su derecha/izquierda; **se ~ contre qn** estrecharse contra algn; **se ~ les coudes** prestarse ayuda; **se ~ la ceinture** (*fig*) apretarse el cinturón; **~ la vis à qn** (*fig*) apretar las clavijas a algn; **~ les rangs** cerrar filas
serrure [seʀyʀ] *nf* cerradura, chapa (*AM*)
serrurier [seʀyʀje] *nm* cerrajero
sert *etc* [sɛʀ] *vb voir* **servir**
servante [sɛʀvɑ̃t] *nf* sirvienta, mucama (*Csur*), recamarera (*Mex*)
serveur, -euse [sɛʀvœʀ, øz] *nm/f* (*de restaurant*) camarero(-a); (*Tennis*) *jugador que tiene el servicio*; (*Cartes*) mano *m/f* ■ *nm*: **~ de données** (*Inform*) base *f* de datos ■ *adj*: **centre ~** (*Inform*) banco de datos
serviable [sɛʀvjabl] *adj* servicial
service [sɛʀvis] *nm* servicio; (*aide, faveur*) favor *m*; (*Rel*) oficio; (*Sport*) servicio, saque *m*; **services** *nmpl* (*travail, prestations*) servicios *mpl*; (*Écon*) sector *m* servicios; **~ compris/non compris** servicio incluido/no incluido; **faire le ~** servir; **être en ~ chez qn** (*domestique*) estar de servicio en casa de algn; **être au ~ de (qn)** estar al servicio de (algn); **pendant le ~** de servicio; **porte de ~** puerta de servicio; **premier/second ~** primer/segundo turno; **rendre ~ (à qn)** ayudar (a algn), echar una mano (a algn); (*suj: objet*) ser de utilidad (a algn); **il aime rendre ~** le gusta hacer favores; **rendre un ~ à qn** hacer un favor a algn; **reprendre du ~** volver al servicio activo;

heures de ~ horas de servicio; **être de ~** estar de servicio; **avoir 25 ans de ~** tener 25 años de servicio; **être/mettre en ~** estar/poner en servicio; **hors ~** fuera de servicio; **en ~ commandé** en comisión de servicio; **~ à café/à glaces** servicio de café/de helado; **~ après vente** servicio pos(t)-venta; **~ à thé** servicio de té; **~ d'ordre** servicio de orden; **~ funèbre** servicio funerario; **~ militaire/public** servicio militar/público; **~s secrets/ sociaux** servicios secretos/sociales

serviette [sɛʀvjɛt] *nf* (*de table*) servilleta; (*de toilette*) toalla; (*porte-documents*) cartera, portafolio(s) *m* (*AM*); **~ éponge** toalla de felpa; **~ hygiénique** compresa

servir [sɛʀviʀ] *vt* servir; (*client: au magasin*) atender; (*rente, pension*) pagar ■ *vi* servir; **se servir** *vpr* servirse; **se ~ chez qn** servirse en casa de algn; **se ~ de** (*plat*) servirse de; (*voiture, outil*) utilizar; (*relations, amis*) valerse de; **~ à qn** (*suj: diplôme, livre*) servir a algn; **ça m'a servi pour faire ...** eso me ha servido para hacer ...; **~ à qch/faire qch** (*outil*) servir para algo/hacer algo; **~ qn** (*aider*) ayudar a algn; **qu'est-ce que je vous sers?** ¿qué le sirvo?; **est-ce que je peux vous ~ quelque chose?** ¿le sirvo a usted algo?; **vous êtes servi?** ¿le atienden a usted?; **ça peut ~** eso puede servir; **ça peut encore ~** todavía puede servir eso; **à quoi cela sert-il (de faire)?** ¿de qué sirve (hacer)?; **cela ne sert à rien** eso no sirve para nada; **~ (à qn) de** hacer (a algn) de; **~ dans l'infanterie** (*être militaire*) servir en infantería; **~ la messe** ayudar a misa; **~ une cause** servir a una causa; **~ les intérêts de qn** servir a los intereses de algn; **~ à dîner/déjeuner à qn** servir de cenar/almorzar a algn; **~ le dîner à 18 h** servir la cena a las 6 de la tarde

serviteur [sɛʀvitœʀ] *nm* servidor *m*

ses [se] *dét voir* **son**

seuil [sœj] *nm* umbral *m*; **recevoir qn sur le ~ (de sa maison)** recibir a algn en la puerta (de su casa); **au ~ de** (*fig*) en el umbral de; **~ de rentabilité** (*Comm*) punto de equilibrio

seul, e [sœl] *adj* (*sans compagnie*) solo(-a); (*avec nuance affective: isolé*) solitario(-a); (*objet, mot etc*) aislado(-a) ■ *adv*: **vivre ~** vivir solo(-a) ■ *nm/f*: **j'en veux un(e) ~(e)** quiero sólo uno(-a); **le ~ livre/ homme** el único libro/hombre; **lui ~ peut ...** sólo él puede ...; **à lui (tout) ~** sólo a él; **d'un ~ coup** *adv* (*subitement*) de pronto; (*à la fois*) de una vez; **~ ce livre** sólo ese libro; **parler tout ~** hablar solo; **faire qch (tout) ~** hacer algo (completamente) solo; **~ à ~** a solas; **il en reste un(e) ~(e)** queda sólo uno(-a); **pas un(e) ~(e)** ni siquiera uno(-a)

seulement [sœlmɑ̃] *adv*: **~ 5, 5 ~** solamente 5; **~ eux** (*exclusivement*) únicamente ellos; **~ hier/à 10 h** (*pas avant*) sólo ayer/a las 10; **il consent, ~ il demande des garanties** (*toutefois*) consiente, pero pide garantías; **non ~ ... mais aussi** *ou* **encore** no solamente ... pero también *ou* además

sève [sɛv] *nf* savia

sévère [sevɛʀ] *adj* severo(-a); (*style, tenue*) austero(-a); (*pertes*) serio(-a), grave

sexe [sɛks] *nm* sexo; **le ~ fort/faible** el sexo fuerte/débil

sexiste [sɛksist] *nm/f, adj* sexista *m/f*

sexuel, le [sɛksɥɛl] *adj* sexual; **acte ~** acto sexual

shampooing [ʃɑ̃pwɛ̃] *nm* (*lavage*) lavado; (*produit*) champú *m*; **se faire un ~** hacerse un lavado con champú; **~ colorant/traitant** champú colorante/ tratante

short [ʃɔʀt] *nm* pantalón *m* corto, short *m*

SI [ɛsi] *abr* (= *syndicat d'initiative*) oficina de turismo

MOT-CLÉ

si [si] *adv* **1** (*oui*) sí; **Paul n'est pas venu? - si!** ¿no ha venido Pablo? - ¡sí!; **mais si!** ¡que sí!; **je suis sûr que si** estoy seguro (de) que sí; **je vous assure que si** le aseguro que sí; **il m'a répondu que si** me contestó que sí; **j'admets que si** reconozco que sí

2 (*tellement*): **si gentil/rapidement** tan amable/rápidamente; **si rapide qu'il soit** por muy rápido que sea

■ *conj* si; **si tu veux** si quieres; **je me demande si ...** me pregunto si ...; **si seulement** si sólo; **si ce n'est ...** (*sinon*) sino ...; **si ce n'est que ...** excepto que ...; **si tant est que ...** siempre y cuando ...; **(tant et) si bien que** tanto que; **s'il pouvait (seulement) venir!** ¡si (al menos) pudiera venir!; **s'il le fait, c'est que ...** si lo hace, es que ...; **s'il est aimable, eux par contre ...** él es amable, pero en cambio ellos ...; **si j'étais toi ...** yo que tú ...

■ *nm inv* (*Mus*) si *m*

Sicile [sisil] *nf* Sicilia
SIDA [sida] *sigle m* (= *syndrome immuno-déficitaire acquis*) SIDA *m* (= *Síndrome de Inmunodeficiencia Adquirida*)
sidéré, e [sideʀe] *adj* atónito(-a)
sidérurgie [sideʀyʀʒi] *nf* siderurgia
siècle [sjɛkl] *nm* siglo *m*; **le ~ des lumières/de l'atome** el siglo de las luces/del átomo
siège [sjɛʒ] *nm* asiento; (*dans une assemblée*) puesto; (*député*) escaño; (*tribunal, assemblée, organisation*) sede *f*; (*d'une entreprise*) oficina central; (*d'une douleur, maladie*) foco; (*Mil*) sitio; **lever le ~** levantar el sitio; **mettre le ~ devant une ville** sitiar una ciudad; **se présenter par le ~** (*nouveau-né*) nacer de nalgas; **~ arrière/avant** asiento trasero/delantero; **~ baquet** *asiento ajustable de los coches de carreras*; **~ social** sede social
siéger [sjeʒe] *vi* (*député*) ocupar un escaño; (*assemblée, tribunal*) celebrar sesión; (*résider, se trouver*) residir
sien, ne [sjɛ̃, sjɛn] *pron*: **le ~, la ~ne** el suyo, la suya; **les ~s, les ~nes** los suyos, las suyas; **y mettre du ~** poner de su parte; **faire des ~nes** (*fam*) hacer de las suyas; **les ~s** (*sa famille*) los suyos
sieste [sjɛst] *nf* siesta; **faire la ~** dormir la siesta
sifflement [sifləmɑ̃] *nm* silbido
siffler [sifle] *vi* silbar; (*train, avec un sifflet*) pitar ▪ *vt* silbar; (*orateur, faute, départ*) pitar; (*fam: verre, bouteille*) soplarse
sifflet [siflɛ] *nm* (*instrument*) silbato; (*sifflement*) silbido; **sifflets** *nmpl* (*de mécontentement*) pitidos *mpl*; **coup de ~** pitido
siffloter [siflɔte] *vi, vt* silbar ligeramente
sigle [sigl] *nm* sigla
signal, -aux [siɲal, o] *nm* señal *f*; **donner le ~ de** dar la señal de; **~ d'alarme/d'alerte** señal de alarma/de alerta; **~ de détresse** señal de socorro; **~ horaire/optique/sonore** señal horaria/óptica/sonora; **signaux (lumineux)** (*Auto*) semáforo *msg*; **signaux routiers** señales de circulación
signalement [siɲalmɑ̃] *nm* descripción *f*
signaler [siɲale] *vt* señalar; **~ qch à qn/(à qn) que** señalar algo a algn/(a algn) que; **~ qn à la police** advertir a la policía sobre algn; **se signaler (par)** *vpr* distinguirse (por); **se ~ à l'attention de qn** llamar la atención de algn
signature [siɲatyʀ] *nf* firma
signe [siɲ] *nm* signo; (*mouvement, geste*) seña; **ne pas donner ~ de vie** no dar señales de vida; **c'est bon/mauvais ~** es buena/mala señal; **c'est ~ que** es señal de que; **faire un ~ de la tête/main** hacer una seña con la cabeza/la mano; **faire ~ à qn** (*fig*) hacer saber algo a algn; **faire ~ à qn d'entrer** hacer señas a algn para que entre; **en ~ de** en señal de; **~s extérieurs de richesse** signos externos de riqueza; **~ de la croix** señal *f* de la cruz; **~ de ponctuation** signo de puntuación; **~ du zodiaque** signo del Zodíaco; **~s particuliers** señas individuales
signer [siɲe] *vt* firmar; **se signer** *vpr* santiguarse
significatif, -ive [siɲifikatif, iv] *adj* significativo(-a)
signification [siɲifikasjɔ̃] *nf* significado
signifier [siɲifje] *vt* significar; **~ qch (à qn)** (*faire connaître*) comunicar algo (a algn); **~ qch à qn** (*Jur*) notificar algo a algn
silence [silɑ̃s] *nm* silencio; (*Mus*) pausa; **garder le ~ sur qch** guardar silencio sobre algo; **passer sous ~** silenciar; **réduire au ~** hacer callar; **"~!"** "¡silencio!"
silencieux, -euse [silɑ̃sjø, jøz] *adj* silencioso(-a) ▪ *nm* silenciador *m*
silhouette [silwɛt] *nf* silueta
sillage [sijaʒ] *nm* estela; **dans le ~ de** (*fig*) tras los pasos de
sillon [sijɔ̃] *nm* surco
sillonner [sijɔne] *vt* (*suj: rides, crevasses*) formar surcos en; (*parcourir en tous sens*) surcar; (*suj: routes, voyageurs*) atravesar
simagrées [simagʀe] *nfpl* melindres *mpl*
similaire [similɛʀ] *adj* similar
similicuir [similikɥiʀ] *nm* cuero artificial
similitude [similityd] *nf* semejanza
simple [sɛ̃pl] *adj* (*aussi péj*) simple; (*peu complexe*) sencillo(-a), simple; (*repas, vie*) sencillo(-a) ▪ *nm* (*Tennis*): **~ messieurs/dames** individual *m* masculino/femenino; **simples** *nfpl* (*plantes médicinales*) simples *mpl*; **une ~ objection/formalité** una mera objeción/formalidad; **un ~ employé/particulier** un(a) simple empleado/persona; **cela varie du ~ au double** se duplica; **dans le plus ~ appareil** como Dios lo trajo al mundo; **réduit à sa plus ~ expression** reducido a su mínima expresión; **~ course** *adj* (*Transport*) trayecto de ida; **~ d'esprit** *nm/f* simplón(-ona); **~ soldat** soldado raso
simplicité [sɛ̃plisite] *nf* sencillez *f*;

(*candeur*) candidez *f*; **en toute ~** con toda sencillez
simplifier [sɛ̃plifje] *vt* simplificar
simplissime [sɛ̃plisim] *adj* sencillísimo(-a)
simuler [simyle] *vt* fingir; (*suj: substance, revêtement*) simular, imitar; (*vente, contrat*) simular
simultané, e [simyltane] *adj* simultáneo(-a)
sincère [sɛ̃sɛʀ] *adj* sincero(-a); **mes ~s condoléances** mi más sentido pésame
sincèrement [sɛ̃sɛʀmɑ̃] *adv* sinceramente; (*franchement*) francamente
sincérité [sɛ̃seʀite] *nf* sinceridad *f*; **en toute ~** con toda franqueza
singe [sɛ̃ʒ] *nm* mono
singer [sɛ̃ʒe] *vt* imitar
singeries [sɛ̃ʒʀi] *nfpl* (*simagrées*) remilgos *mpl*; (*grimaces*) monerías *fpl*
singulariser [sɛ̃gylaʀize] *vt* singularizar; **se singulariser** *vpr* caracterizarse
singularité [sɛ̃gylaʀite] *nf* singularidad *f*
singulier, -ière [sɛ̃gylje, jɛʀ] *adj* singular ▪ *nm* (*Ling*) singular *m*
sinistre [sinistʀ] *adj* siniestro(-a) ▪ *nm* siniestro; **un ~ imbécile/crétin** (*intensif*) un imbécil/cretino redomado
sinistré, e [sinistʀe] *adj* siniestrado(-a) ▪ *nm/f* damnificado(-a)
sinon [sinɔ̃] *conj* (*autrement, sans quoi*) de lo contrario; (*sauf*) salvo; (*si ce n'est*) si no
sinueux, -euse [sinɥø, øz] *adj* (*ruelles*) sinuoso(-a); (*fig: raisonnement*) retorcido(-a)
sinus [sinys] *nm* seno
sinusite [sinyzit] *nf* sinusitis *f inv*
sirène [siʀɛn] *nf* sirena; **~ d'alarme** sirena de alarma
sirop [siʀo] *nm* (*de fruit etc*) concentrado; (*boisson*) sirope *m*, zumo; (*pharmaceutique*) jarabe *m*; **~ contre la toux** jarabe contra la tos; **~ de framboise/de menthe** concentrado de frambuesa/de menta; (*boisson*) sirope *ou* zumo de frambuesa/de menta
siroter [siʀɔte] *vt* beber a sorbos
sismique [sismik] *adj* sísmico(-a)
site [sit] *nm* (*paysage, environnement*) paraje *m*; (*d'une ville etc*) emplazamiento; **~ (pittoresque)** paisaje *m* (pintoresco); **~s historiques/naturels/touristiques** parajes históricos/naturales/turísticos; **~ Web** sitio (Web)
sitôt [sito] *adv*: **~ parti** nada más marcharse (*etc*); **~ après** inmediatamente después; **pas de ~** no tan pronto; **~ (après) que** tan pronto como
situation [sitɥasjɔ̃] *nf* situación *f*; (*emploi, place*) puesto; **être en ~ de faire qch** estar en situación de hacer algo; **~ de famille** estado civil
situé, e [sitɥe] *adj* situado(-a)
situer [sitɥe] *vt* situar; (*en pensée*) localizar; **se situer** *vpr*: **se ~ à** *ou* **dans/près de** situarse en/cerca de
six [sis] *adj inv, nm inv* seis *m inv*; *voir aussi* **cinq**
sixième [sizjɛm] *adj, nm/f* sexto(-a) ▪ *nm* (*partitif*) sexto ▪ *nf* (*Scol*) *primer año de educación secundaria en el sistema francés*; *voir aussi* **cinquième**
skaï [skaj] *nm* skay *m*
skate(board) [skɛt(bɔʀd)] *nm* (*sport*) skate(board) *m*; (*planche*) monopatín *m*
sketch [skɛtʃ] *nm* sketch *m*
ski [ski] *nm* esquí *m*; **une paire de ~s, des ~s** un par de esquís, esquís *mpl*; **faire du ~** esquiar; **aller faire du ~** ir a esquiar; **~ alpin** esquí alpino; **~ de fond/de piste/de randonnée** esquí de fondo/de pista/de paseo; **~ évolutif** método intensivo de esquí; **~ nautique** esquí náutico
skier [skje] *vi* esquiar
skieur, -euse [skjœʀ, skjøz] *nm/f* esquiador(a)
slip [slip] *nm* (*d'homme*) calzoncillo, slip *m*, calzones *mpl* (*AM*); (*de femme*) braga, calzones *mpl* (*AM*); (*de bain: d'homme*) bañador *m*; (*: de femme*) braga (del bikini)
slogan [slɔgɑ̃] *nm* eslogan *m*
SMIC [smik] *sigle m* (= *salaire minimum interprofessionnel de croissance*) *salario mínimo interprofesional*
smoking [smɔkiŋ] *nm* esmoquin *m*
SMS [ɛsɛmɛs] *sigle m* (= *Short Message Service*) mensaje *m* de texto, SMS *m*
SNCF [ɛsɛnseɛf] *sigle f* (= *Société nationale des chemins de fer français*) *red nacional de ferrocarriles franceses*
snob [snɔb] *adj, nm/f* esnob *m/f*
snobisme [snɔbism] *nm* esnobismo
snowboardeur, -euse [snobɔʀdœʀ, øz] *nm/f* aficionado(-a) al snowboard
sobre [sɔbʀ] *adj* sobrio(-a); **~ de (gestes/compliments)** parco(-a) de (gestos/cumplidos)
sobriquet [sɔbʀikɛ] *nm* mote *m*
sociable [sɔsjabl] *adj* sociable
social, e, -aux [sɔsjal, jo] *adj* social
socialisme [sɔsjalism] *nm* socialismo
socialiste [sɔsjalist] *adj, nm/f* socialista *m/f*

société [sɔsjete] *nf* sociedad *f*; (*d'abeilles, de fourmis*) comunidad *f*; **rechercher/se plaire dans la ~ de** (*compagnie*) buscar/estar a gusto en la compañía de; **~ anonyme/à responsabilité limitée** sociedad anónima/de responsabilidad limitada; **~ de capitaux** sociedad de capitales; **la ~ de consommation** la sociedad de consumo; **~ de services** sociedad de servicios; **~ d'investissement à capital variable** sociedad inversora de capital variable; **~ par actions** sociedad por acciones; **~ savante** sociedad cultural

sociologie [sɔsjɔlɔʒi] *nf* sociología

socle [sɔkl] *nm* (*de colonne, statue*) pedestal *m*; (*de lampe*) pie *m*

socquette [sɔkɛt] *nf* calcetín *m* corto

sœur [sœʀ] *nf* hermana; (*religieuse*) hermana, sor *f*; **~ Elisabeth** (*Rel*) sor Elisabeth; **~ aînée/cadette/de lait** hermana mayor/menor/de leche

soi [swa] *pron* sí mismo(-a); **cela va de ~** ni que decir tiene

soi-disant [swadizɑ̃] *adj inv* supuesto(-a) ▪ *adv* presuntamente

soie [swa] *nf* seda; (*de porc, sanglier*) cerda; **~ sauvage** seda salvaje

soierie [swaʀi] *nf* sedería

soif [swaf] *nf* sed *f*; **~ du pouvoir** sed de poder; **avoir ~** tener sed; **donner ~ (à qn)** dar sed (a algn)

soigné, e [swaɲe] *adj* (*personne*) cuidado(-a); (*travail*) esmerado(-a); (*fam: rhume, facture etc*) señor(a)

soigner [swaɲe] *vt* cuidar (a); (*maladie*) curar; (*clientèle, invités*) atender (a)

soigneux, -euse [swaɲø, øz] *adj* cuidadoso(-a); **~ de** cuidadoso(-a) con

soi-même [swamɛm] *pron* sí mismo(-a)

soin [swɛ̃] *nm* cuidado; **soins** *nmpl* (*à un malade, aussi hygiène*) cuidados *mpl*; (*attentions, prévenance*) detalles *mpl*; **avoir** *ou* **prendre ~ de qch/qn** ocuparse de algo/algn; **laisser à qn le ~ de faire qch** dejar a algn al cargo de hacer algo; **sans ~** *adj* descuidado(-a) ▪ *adv* descuidadamente; **~s de la chevelure/de beauté/du corps** cuidados del cabello/de belleza/corporales; **les ~s du ménage** los quehaceres domésticos; **les premiers ~s** primeros auxilios *mpl*; **aux bons ~s de** a la atención *ou* al cuidado de; **être aux petits ~s pour qn** tener mil detalles con algn; **confier qn aux ~s de qn** confiar a algn a los cuidados de algn

soir [swaʀ] *nm* tarde *f*, noche *f* ▪ *adv*: **dimanche ~** el domingo por la tarde; **il fait frais/il travaille le ~** hace fresco/trabaja por la tarde; **ce ~** esta tarde; **"à ce ~!"** "¡hasta la tarde!"; **la veille au ~** la víspera por la noche; **sept heures du ~** las siete de la tarde; **dix heures du ~** las diez de la noche; **le repas du ~** la cena; **le journal du ~** el diario de la tarde; **hier ~** ayer por la noche; **demain ~** mañana por la noche

soirée [swaʀe] *nf* (*moment de la journée*) tarde *f*; (*tard*) noche *f*; (*réception*) velada; **donner un film/une pièce en ~** dar una película/una obra de teatro en función de noche

soit [swa] *vb voir* **être** ▪ *conj* es decir ▪ *adv* (*assentiment*) sea, de acuerdo; **~ ..., ~ ...** sea ... sea ...; **~ un triangle ABC** tenemos un triángulo ABC; **~ que ..., ~ que ...** *ou* **ou que ...** ya sea ... ya sea ...

soixantaine [swasɑ̃tɛn] *nf* (*nombre*): **la ~** los sesenta; **avoir la ~** rondar los sesenta; **une ~ de ...** unos sesenta ...

soixante [swasɑ̃t] *adj inv, nm inv* sesenta *m inv*; *voir aussi* **cinq**

soixante-dix [swasɑ̃tdis] *adj inv, nm inv* setenta *m inv*; *voir aussi* **cinq**

soixante-dixième [swasɑ̃tdizjɛm] *adj, nm/f* septuagésimo(-a) ▪ *nm* (*partitif*) setentavo; *voir aussi* **cinquantième**

soixantième [swasɑ̃tjɛm] *adj, nm/f* sexagésimo(-a) ▪ *nm* (*partitif*) sesentavo; *voir aussi* **cinquantième**

soja [sɔʒa] *nm* soja; **germes de ~** brotes *mpl* de soja

sol [sɔl] *nm* suelo; (*revêtement*) suelo, piso ▪ *nm inv* (*Mus*) sol *m*

solaire [sɔlɛʀ] *adj* solar; (*huile, filtre*) bronceador(a); **cadran ~** reloj *m* de sol

soldat [sɔlda] *nm* soldado; **~ de plomb** soldadito de plomo; **S~ inconnu** soldado desconocido

solde [sɔld] *nf* (*Mil*) sueldo ▪ *nm* (*Comm*) saldo; **soldes** *nm ou fpl* (*Comm*) saldos *mpl*; **à la ~ de qn** (*péj*) a sueldo de algn; **en ~** rebajado; **aux ~s** en las rebajas; **~ créditeur/débiteur** *ou* **à payer** saldo acreedor/deudor

solder [sɔlde] *vt* (*compte: en acquittant le solde*) saldar; (*: en l'arrêtant*) liquidar; (*marchandise*) rebajar; **se solder par** *vpr* resultar en; **article soldé (à) 10 euros** artículo rebajado a 10 euros

sole [sɔl] *nf* lenguado

soleil [sɔlɛj] *nm* sol *m*; (*feu d'artifice*) rueda; (*acrobatie*) vuelta de campana; (*Bot*) girasol *m*; **il y a** *ou* **il fait du ~** hace sol; **au ~** al sol; **en plein ~** a pleno sol; **le ~ couchant** la puesta del sol; **le ~ de**

minuit el sol de medianoche; **le ~ levant** la salida del sol
solennel, le [sɔlanɛl] *adj* solemne
solfège [sɔlfɛʒ] *nm* solfeo
solidaire [sɔlidɛʀ] *adj* solidario(-a); (*choses, pièces mécaniques*) interdependiente; **être ~ de** (*compatriotes, collègues*) ser solidario(-a) con; (*mécanisme*) ser interdependiente de
solidarité [sɔlidaʀite] *nf* solidaridad *f*; (*de mécanismes, phénomènes*) interdependencia; **par ~ (avec)** (*cesser le travail*) por solidaridad (con); **contrat de ~** acuerdo de cooperación
solide [sɔlid] *adj* sólido(-a); (*personne, estomac*) fuerte ■ *nm* (*Phys, Géom*) sólido; **un ~ coup de poing** (*fam*) un buen puñetazo; **une ~ engueulade** una buena bronca; **avoir les reins ~s** (*fig*) tener los nervios de acero; **~ au poste** (*fig*) inquebrantable en el trabajo
soliste [sɔlist] *nm/f* solista *m/f*
solitaire [sɔlitɛʀ] *adj* solitario(-a); (*endroit, maison*) desierto(-a) ■ *nm/f* solitario(-a) ■ *nm* (*diamant, jeu*) solitario
solitude [sɔlityd] *nf* soledad *f*
solliciter [sɔlisite] *vt* solicitar; (*moteur*) activar; (*suj: attractions etc*) tentar; (*: occupations*) absorber; **~ qn** tentar a algn; **~ qch de qn** solicitar algo de algn
sollicitude [sɔlisityd] *nf* solicitud *f*
soluble [sɔlybl] *adj* soluble
solution [sɔlysjɔ̃] *nf* solución *f*; (*d'une situation, crise*) desenlace *m*; **~ de continuité** solución de continuidad; **~ de facilité** solución fácil
solvable [sɔlvabl] *adj* solvente
sombre [sɔ̃bʀ] *adj* oscuro(-a); (*fig*) taciturno(-a); (*: avenir*) sombrío(-a); **une ~ brute** un bestia
sombrer [sɔ̃bʀe] *vi* (*bateau*) zozobrar; **~ corps et biens** desaparecer personas y bienes; **~ dans la misère** caer en la miseria
sommaire [sɔmɛʀ] *adj* somero(-a) ■ *nm* sumario; (*en fin ou début de chapitre*) resumen *m*; **faire le ~ de** hacer el resumen de; **exécution ~** ejecución *f* sumaria
somme [sɔm] *nf* (*Math, d'argent*) suma; (*fig*) cantidad *f* ■ *nm*: **faire un ~** echar un sueño; **faire la ~ de** hacer la suma de; **en ~** en resumidas cuentas; **~ toute** en resumen
sommeil [sɔmɛj] *nm* sueño; **avoir ~** tener sueño; **avoir le ~ léger** tener el sueño ligero; **en ~** (*fig*) en suspenso
sommeiller [sɔmeje] *vi* dormitar; (*fig*) estar en suspenso
sommet [sɔmɛ] *nm* cima; (*fig*) cúspide *f*; (*de la perfection, gloire, conférence*) cumbre *f*; (*Géom*) vértice *m*; **l'air pur des ~s** el aire puro de las montañas
sommier [sɔmje] *nm* somier *m*; **~ à lattes/à ressorts** somier de láminas/de muelles; **~ métallique** somier de malla metálica
somnambule [sɔmnɑ̃byl] *nm/f* sonámbulo(-a)
somnifère [sɔmnifɛʀ] *nm* somnífero
somnoler [sɔmnɔle] *vi* dormitar
somptueux, -euse [sɔ̃ptɥø, øz] *adj* suntuoso(-a)
son[1], sa [sɔ̃] (*pl* **ses**) *dét* su
son[2] [sɔ̃] *nm* sonido; (*résidu de mouture*) salvado; (*sciure*) serrín *m*; **régler le ~** (*Radio, TV*) regular el volumen; **~ et lumière** luz y sonido
sondage [sɔ̃daʒ] *nm* sondeo; **~ (d'opinion)** sondeo (de opinión)
sonde [sɔ̃d] *nf* sonda; (*Tech*) barrena; **~ à avalanche** sonda para las avalanchas; **~ spatiale** sonda espacial
sonder [sɔ̃de] *vt* sondear; (*plaie, malade*) sondar; (*fig: conscience etc*) indagar (en); (*: personne*) tantear; **~ le terrain** (*fig*) tantear el terreno
songe [sɔ̃ʒ] *nm* sueño
songer [sɔ̃ʒe]: **~ à** *vt* (*rêver à*) soñar con; (*penser à*) pensar en; (*envisager*) considerar; **~ que** considerar que
songeur, -euse [sɔ̃ʒœʀ, øz] *adj* pensativo; **ça me laisse ~** eso me deja pensativo(-a)
sonnant, e [sɔnɑ̃, ɑ̃t] *adj*: **espèces ~es et trébuchantes** dinero contante y sonante; **à huit heures ~es** a las ocho en punto
sonné, e [sɔne] *adj* (*fam: fou*) sonado(-a); **il est midi ~** son las doce dadas; **il a quarante ans bien ~s** tiene cuarenta años bien cumplidos
sonner [sɔne] *vi* (*cloche*) tañer; (*réveil, téléphone*) sonar; (*à la porte*) llamar ■ *vt* (*cloche*) tañer; (*domestique, portier, infirmière*) llamar a; (*messe, réveil, tocsin*) tocar a; (*fam: suj: choc, coup*) dejar sonado(-a); **~ du clairon** tocar la corneta; **~ bien/mal** sonar bien/mal; **~ creux** sonar a hueco; (*résonner*) retumbar; **~ faux** (*instrument*) desafinar; (*rire*) sonar a falso; **~ les heures** dar las horas; **minuit vient de ~** acaban de dar la medianoche; **~ chez qn** llamar a casa de algn
sonnerie [sɔnʀi] *nf* timbre *m*; (*d'horloge*) campanadas *fpl*; (*mécanisme d'horloge*)

mecanismo del reloj; **~ d'alarme** alarma; **~ de clairon** toque *m* de corneta
sonnette [sɔnɛt] *nf* (*clochette*) campanilla; (*de porte, électrique*) timbre *m*; (*son produit*) tilín *m*; **~ d'alarme** timbre de alarma; **~ de nuit** timbre nocturno
sonore [sɔnɔʀ] *adj* sonoro(-a); **effets ~s** efectos *mpl* sonoros
sonorisation [sɔnɔʀizasjɔ̃] *nf* sonorización *f*
sonorité [sɔnɔʀite] *nf* sonoridad *f*; **sonorités** *nfpl* timbre *msg*
sophistiqué, e [sɔfistike] *adj* sofisticado(-a)
sorbet [sɔʀbɛ] *nm* sorbete *m*
sorcier, -ière [sɔʀsje, jɛʀ] *nm/f* brujo(-a) ■ *adj*: **ce n'est pas ~** (*fam*) no es nada del otro mundo
sordide [sɔʀdid] *adj* sórdido(-a); (*avarice, gains, affaire*) mísero(-a)
sort [sɔʀ] *vb voir* **sortir** ■ *nm* (*fortune, destin*) suerte *f*; (*destinée*) destino; (*condition, situation*) fortuna *f*; **jeter un ~** hechizar; **un coup du ~** un golpe de suerte; **c'est une ironie du ~** es una ironía del destino; **le ~ en est jeté** la suerte está echada; **tirer au ~** sortear; **tirer qch au ~** sortear algo
sorte [sɔʀt] *vb voir* **sortir** ■ *nf* clase *f*, especie *f*; **une ~ de** una especie de; **de la ~** de este modo; **en quelque ~** en cierto modo; **de ~ à** de modo que; **de (telle) ~ que, en ~ que** de (tal) modo que; (*si bien que*) de tal modo que; **faire en ~ que** procurar que
sortie [sɔʀti] *nf* salida; (*parole incongrue*) disparate *m*; (*d'un gaz, de l'eau*) escape *m*; **~s** gastos *mpl*; (*Inform*) salida, output *m*; **faire une ~** (*fig*) hacer una crítica; **à sa ~ ...** a su salida ...; **à la ~ de l'école/l'usine** a la salida del colegio/de la fábrica; **à la ~ de ce nouveau modèle** a la salida al mercado de ese nuevo modelo; **"~ de camions"** "salida de camiones"; **~ de bain** albornoz *m*; **~ de secours** salida de emergencia; **~ papier** copia impresa
sortilège [sɔʀtilɛʒ] *nm* sortilegio
sortir [sɔʀtiʀ] *nm*: **au ~ de l'hiver/de l'enfance** al final del invierno/de la infancia ■ *vi* salir; (*bourgeon, plante*) brotar; (*eau, fumée*) desprenderse ■ *vt* llevar; (*mener dehors, promener: personne, chien*) sacar; (*produit etc*) salir al mercado; (*fam: expulser: personne*) echar; (*: débiter: boniments, incongruités*) echar; (*Inform: sur papier*) sacar; **~ de** salir de; (*rails etc, aussi fig*) salirse de; (*famille, université*) proceder de; **se ~ de** (*affaire, situation*) salir de; **~ qch (de)** sacar algo (de); **~ de ses gonds** (*fig*) salirse de sus casillas; **~ qn d'affaire/d'embarras** sacar a algn de un asunto/de un apuro; **~ du système** (*Inform*) finalizar la sesión; **~ de table** levantarse de la mesa; **s'en ~** (*malade*) reponerse; (*d'une difficulté etc*) salir de apuros
sosie [sɔzi] *nm* doble *m/f*
sot, sotte [so, sɔt] *adj, nm/f* necio(-a)
sottise [sɔtiz] *nf*: **la ~** la necedad; **une ~** una tontería
sou [su] *nm*: **être près de ses ~s** ser un(a) agarrado(-a); **être sans le ~** estar sin blanca; **économiser ~ à ~** ahorrar poco a poco; **n'avoir pas un ~ de bon sens** no tener ni una pizca de sentido común; **de quatre ~s** de tres al cuarto
soubresaut [subʀəso] *nm* (*de peur etc*) sobresalto; (*d'un cheval*) corcovo; (*d'un véhicule*) barquinazo
souche [suʃ] *nf* (*d'un arbre*) cepa; (*d'un registre, carnet*) matriz *f*; **dormir comme une ~** dormir como un tronco; **de vieille ~** de rancio abolengo; **carnet** *ou* **chéquier à ~(s)** talonario de cheques con resguardo
souci [susi] *nm* preocupación *f*, inquietud *f*; (*Bot*) caléndula; **se faire du ~** inquietarse; **avoir (le) ~ de** preocuparse por; **~s financiers** problemas *mpl* financieros
soucier [susje]: **se ~ de** *vpr* preocuparse por
soucieux, -euse [susjø, jøz] *adj* preocupado(-a); **~ de son apparence/que le travail soit bien fait** preocupado por su apariencia/por que el trabajo esté bien hecho; **peu ~ de/que ...** poco cuidadoso de/de que ...
soucoupe [sukup] *nf* platillo; **~ volante** platillo volante
soudain, e [sudɛ̃, ɛn] *adj* repentino(-a) ■ *adv* de repente
soude [sud] *nf* sosa; **~ caustique** sosa cáustica
souder [sude] *vt* soldar; (*fig: amis, organismes*) unir (a); **se souder** *vpr* (*os*) soldarse
soudure [sudyʀ] *nf* soldadura; (*alliage*) aleación *f*; **faire la ~** (*Comm*) hacer durar; (*fig*) empalmar
souffle [sufl] *nm* soplo; (*respiration*) respiración *f*; (*d'une explosion*) onda expansiva; (*d'un ventilateur*) aire *m*; **retenir son ~** contener la respiración; **avoir du/manquer de ~** tener/faltarle el resuello; **être à bout de ~** estar sin aliento; **avoir le ~ court** faltarle la

respiración enseguida; **second ~** (*fig*) fuerzas recobradas; **~ au cœur** (*Méd*) soplo en el corazón
soufflé, e [sufle] *adj* (*Culin*) inflado(-a); (*fam: ahuri*) alucinado(-a) ■ *nm* (*Culin*) suflé *m*
souffler [sufle] *vi* soplar; (*haleter*) resoplar; (*pour éteindre etc*): **~ sur** soplar ■ *vt* soplar; (*suj: explosion*) volar; **~ qch à qn** (*dire*) apuntar algo a algn; (*fam: voler*) birlar algo a algn; **~ son rôle à qn** apuntar su papel a algn; **laisser ~** (*fig*) dejar respirar; **ne pas ~ mot** no decir ni pío
souffrance [sufʀɑ̃s] *nf* sufrimiento; **en ~** (*marchandise*) detenido(-a); (*affaire*) en suspenso
souffrant, e [sufʀɑ̃, ɑ̃t] *adj* (*personne*) indispuesto(-a); (*air*) doliente
souffre-douleur [sufʀədulœʀ] *nm inv* chivo expiatorio
souffrir [sufʀiʀ] *vi* sufrir ■ *vt* (*faim, soif, torture*) padecer; (*supporter: gén négatif*) sufrir; (*exception, retard*) admitir; **~ de** padecer de; **~ des dents** padecer de los dientes; **ne pas pouvoir ~ qch/que ...** no poder soportar algo/que ...; **faire ~ qn** (*suj: personne*) hacer sufrir a algn; (*: dents, blessure etc*) hacer padecer a algn
soufre [sufʀ] *nm* azufre *m*
souhait [swɛ] *nm* deseo; **tous nos ~s pour la nouvelle année** nuestros mejores deseos para el año nuevo; **tous nos ~s de prompt rétablissement** nuestros mejores deseos de un pronto restablecimiento; **riche** *etc* **à ~** rico *etc* a pedir a boca; **"à vos ~s!"** "¡Jesús!"
souhaitable [swɛtabl] *adj* aconsejable
souhaiter [swete] *vt* desear; **~ le bonjour à qn** dar los buenos días a algn; **~ la bonne année à qn** desearle un feliz año nuevo a algn; **~ bon voyage** *ou* **bonne route à qn** desear buen viaje a algn; **il est à ~ que** es de desear que
soûl, e [su, sul] *adj* (*aussi fig*) borracho(-a) ■ *nm*: **boire/manger tout son ~** beber/comer hasta hartarse
soulagement [sulaʒmɑ̃] *nm* alivio
soulager [sulaʒe] *vt* aliviar; (*de remords*) aplacar; **~ qn de** (*fardeau*) aligerar a algn de; **~ qn de son portefeuille** (*hum*) afanar la cartera a algn
soûler [sule] *vt* emborrachar; (*boisson, fig*) embriagar; **se soûler** *vpr* emborracharse; (*fig*): **se ~ de** (*vitesse etc*) emborracharse de
soulever [sul(ə)ve] *vt* levantar; (*peuple, province*) sublevar; (*l'opinion*) indignar; (*difficultés*) provocar; (*question, problème, débat*) plantear; **se soulever** *vpr* levantarse; (*peuple, province*) sublevarse; **cela (me) soulève le cœur** eso me revuelve el estómago
soulier [sulje] *nm* zapato; **une paire de ~s, des ~s** un par de zapatos, unos zapatos; **~ bas** zapato plano; **~s plats/à talons** zapatos *mpl* sin tacón/de tacón
souligner [suliɲe] *vt* subrayar; (*fig*) destacar; (*détail, l'importance de qch*) remarcar
soumettre [sumɛtʀ] *vt* someter; **se soumettre** *vpr*: **se ~ (à)** someterse (a)
soumis, e [sumi, iz] *pp de* **soumettre** ■ *adj* (*personne, air*) sumiso(-a); (*peuples*) sometido(-a); **revenus ~ à l'impôt** ganancias sujetas a impuesto
soumission [sumisjɔ̃] *nf* sumisión *f*; (*Comm*) licitación *f*
soupçon [supsɔ̃] *nm* sospecha; **un ~ de** una pizca de; **avoir ~ de** tener sospecha de; **au dessus de tout ~** por encima de toda sospecha
soupçonner [supsɔne] *vt* sospechar; **~ que** sospechar que; **je le soupçonne d'être l'assassin** sospecho que es el asesino
soupçonneux, -euse [supsɔnø, øz] *adj* desconfiado(-a)
soupe [sup] *nf* sopa; **être ~ au lait** tener genio *ou* prontos; **~ à l'oignon/de poisson** sopa de cebolla/de pescado; **~ populaire** sopa de pobres
souper [supe] *vi* cenar ■ *nm* cena; **avoir soupé de qch** (*fam*) estar hasta la coronilla de algo
soupeser [supəze] *vt* sopesar
soupière [supjɛʀ] *nf* sopera
soupir [supiʀ] *nm* suspiro; (*Mus*) silencio de negra; **~ d'aise/de soulagement** suspiro de gozo/de alivio; **rendre le dernier ~** exhalar el último suspiro
soupirer [supiʀe] *vi* suspirar; **~ après qch** suspirar por algo
souple [supl] *adj* flexible; (*fig: caractère*) dócil; (*: démarche, taille*) desenvuelto(-a); **disque(tte) ~** (*Inform*) disco flexible
souplesse [suplɛs] *nf* flexibilidad *f*; (*du caractère*) docilidad *f*; (*de la démarche*) desenvoltura; **en ~, avec ~** con suavidad
source [suʀs] *nf* fuente *f*; (*point d'eau*) manantial *m*; (*fig: cause, point de départ*) origen *m*; (*: d'une information*) fuente *f*; **sources** *nfpl* (*fig*) fuentes *fpl*; **prendre sa ~ à/dans** (*cours d'eau*) tener su origen/ nacer en; **tenir qch de bonne ~/de ~ sûre** saber algo de buena fuente/de buena tinta; **~ d'eau minérale** manantial

ou fuente de agua mineral; **~ de chaleur/ lumineuse** fuente de calor/de luz; **~ thermale** manantial *ou* fuente termal

sourcil [suʀsi] *nm* ceja

sourciller [suʀsije] *vi*: **sans ~** sin pestañear

sourd, e [suʀ, suʀd] *adj* sordo(-a); (*couleur*) mate ▪ *nm/f* sordo(-a); **être ~ à** hacerse el sordo(-a) ante

sourdine [suʀdin] *nf* (*Mus*) sordina; **en ~** por lo bajo; **mettre une ~ à** (*fig*) contener

sourd-muet, sourde-muette [suʀmyɛ, suʀdmyɛt] (*pl* **sourds-muets, sourdes-muettes**) *adj, nm/f* sordomudo(-a)

souriant, e [suʀjɑ̃, jɑ̃t] *vb voir* **sourire** ▪ *adj* sonriente

sourire [suʀiʀ] *nm* sonrisa ▪ *vi* sonreír; **~ à qn** (*aussi fig*) sonreír a algn; **faire un ~ à qn** hacer una sonrisa a algn; **garder le ~** mantener la sonrisa

souris [suʀi] *vb voir* **sourire** ▪ *nf* (*Zool, Inform*) ratón *m*

sournois, e [suʀnwa, waz] *adj* disimulado(-a), solapado(-a)

sous [su] *prép* debajo de, bajo; **~ la pluie/ le soleil** bajo la lluvia/el sol; **~ mes yeux** ante mis ojos; **~ terre** *adj* bajo tierra ▪ *adv* debajo de la tierra; **~ vide** *adj* al vacío ▪ *adv* en vacío; **~ les coups de** por los golpes de; **~ les critiques** ante las críticas; **~ le choc** bajo los efectos del choque; **~ l'influence/l'action de** bajo la influencia/la acción de; **~ les ordres/la protection de** bajo las órdenes/la protección de; **~ telle rubrique/lettre** en tal sección/letra; **être ~ antibiotiques** estar tomando antibióticos; **~ Louis XIV** bajo el reinado de Luis XIV; **~ cet angle** desde este ángulo; **~ ce rapport** bajo esta perspectiva; **~ peu** dentro de poco

sous... [su] *préf* sub...

sous-bois [subwa] *nm inv* maleza

souscrire [suskʀiʀ]: **~ à** *vt* (*une publication*) suscribir a; (*fig: approuver*) suscribir a

sous-directeur, -trice [sudiʀɛktœʀ, tʀis] (*pl* **~s, trices**) *nm/f* subdirector(a)

sous-entendre [suzɑ̃tɑ̃dʀ] *vt* sobrentender; **~ que** sobrentender que

sous-entendu, e [suzɑ̃tɑ̃dy] (*pl* **~s, es**) *adj* (*idée, message*) implícito(-a); (*Ling*) elíptico(-a) ▪ *nm* insinuación *f*

sous-estimer [suzɛstime] *vt* subestimar

sous-jacent, e [suʒasɑ̃, ɑ̃t] (*pl* **~s, es**) *adj* (*couche, matériau*) subyacente; (*fig: idée*) latente; (*: difficulté*) de fondo

sous-louer [sulwe] *vt* subarrendar

sous-marin, e [sumaʀɛ̃, in] (*pl* **~s, es**) *adj* submarino(-a) ▪ *nm* submarino

soussigné, e [susiɲe] *adj*: **je ~ ...** yo, el que suscribe ... ▪ *nm/f*: **le/les ~(s)** el (los) abajo firmante(s)

sous-sol [susɔl] (*pl* **~s**) *nm* sótano; (*Géo*) subsuelo; **en ~** en el sótano

sous-tasse [sutas] (*pl* **~s**) *nf* platillo

sous-titre [sutitʀ] (*pl* **~s**) *nm* subtítulo

soustraction [sustʀaksjɔ̃] *nf* sustracción *f*

soustraire [sustʀɛʀ] *vt* sustraer; **~ qch (à qn)** (*dérober*) sustraer algo (a algn); **~ qn à** alejar a algn de; **se ~ à** sustraerse a

sous-traitant [sutʀɛtɑ̃] (*pl* **~s**) *nm* subcontratista *m*

sous-traiter [sutʀete] *vt* (*Comm: affaire*) ceder en subcontrato ▪ *vi* (*devenir sous-traitant*) trabajar como subcontratista; (*faire appel à un sous-traitant*) subcontratar

sous-vêtements *nmpl* ropa interior

soutane [sutan] *nf* sotana

soute [sut] *nf* (*aussi*: **soute à bagages**) bodega

soutenir [sut(ə)niʀ] *vt* sostener; (*consolider*) reforzar; (*fortifier, remonter*) dar fuerza a; (*réconforter, aider*) apoyar; (*assaut, choc*) resistir; (*intérêt, effort*) mantener; (*thèse*) defender; **se soutenir** *vpr* (*s'aider mutuellement*) apoyarse; (*point de vue*) defenderse; (*dans l'eau, sur ses jambes*) mantenerse, sostenerse; **~ que** (*assurer*) mantener que; **~ la comparaison avec** ser comparable con; **~ le regard de qn** sostener la mirada de algn

soutenu, e [sut(ə)ny] *pp de* **soutenir** ▪ *adj* (*attention, efforts*) constante; (*style*) elevado(-a); (*couleur*) vivo(-a)

souterrain, e [suteʀɛ̃, ɛn] *adj* subterráneo(-a); (*fig*) oculto(-a) ▪ *nm* subterráneo

soutien [sutjɛ̃] *nm* apoyo; **apporter son ~ à** prestar su apoyo a; **~ de famille** *hijo varón exento del servicio militar por mantener a su familia*

soutien-gorge [sutjɛ̃gɔʀʒ] (*pl* **soutiens-gorge**) *nm* sujetador *m*, corpiño (*AM*)

soutirer [sutiʀe] *vt*: **~ qch à qn** sonsacar algo a algn

souvenir [suv(ə)niʀ] *nm* recuerdo; (*réminiscence*) memoria **se souvenir** *vpr*: **se ~ de** recordar, acordarse de; **se ~ que** recordar que, acordarse de que; **garder le ~ de** conservar el recuerdo de; **en ~ de** como recuerdo de; **avec mes affectueux**

~s, ... con mis más afectuosos saludos, ...; **avec mes meilleurs ~s, ...** con mis mejores recuerdos, ...
souvent [suvɑ̃] *adv* a menudo, con frecuencia, seguido (*AM*); **peu ~** pocas veces, con poca frecuencia; **le plus ~** la mayoría de las veces
souverain, e [suv(ə)ʀɛ̃, ɛn] *adj* (*aussi fig*) soberano(-a) ■ *nm/f* soberano(-a); **le ~ pontife** el sumo pontífice
soyeux, -euse [swajø, øz] *adj* sedoso(-a)
spacieux, -euse [spasjø, jøz] *adj* espacioso(-a)
spaghettis [spageti] *nmpl* espaguetis *mpl*
sparadrap [spaʀadʀa] *nm* esparadrapo, curita (*AM*)
spatial, e, -aux [spasjal, jo] *adj* espacial
speaker, ine [spikœʀ, kʀin] *nm/f* locutor(a)
spécial, e, -aux [spesjal, jo] *adj* especial
spécialement [spesjalmɑ̃] *adv* especialmente; **pas ~** no demasiado
spécialiser [spesjalize] *vt*: **se spécialiser** *vpr* especializarse
spécialiste [spesjalist] *nm/f* especialista *m/f*
spécialité [spesjalite] *nf* especialidad *f*; **~ médicale/pharmaceutique** especialidad médica/farmacéutica
spécifier [spesifje] *vt* especificar; **~ que** especificar que
spécimen [spesimɛn] *nm* (*exemple représentatif*) espécimen *m*; (*revue etc*) ejemplar *m* gratuito ■ *adj* modelo(-a)
spectacle [spɛktakl] *nm* espectáculo; **se donner en ~** (*péj*) dar un espectáculo; **pièce/revue à grand ~** obra/revista espectacular; **au ~ de ...** a la vista de ...
spectaculaire [spɛktakylɛʀ] *adj* espectacular
spectateur, -trice [spɛktatœʀ, tʀis] *nm/f* espectador(a)
spéculer [spekyle] *vi* especular; **~ sur** (*Fin, Comm*) especular con; (*réfléchir*) especular sobre; (*fig: compter sur*) contar con
spéléologie [speleɔlɔʒi] *nf* espeleología
sperme [spɛʀm] *nm* esperma *m*
sphère [sfɛʀ] *nf* esfera; **~ d'activité/d'influence** esfera de acción/de influencia
spirale [spiʀal] *nf* espiral *f*; **en ~** en espiral
spirituel, le [spiʀitɥɛl] *adj* espiritual; (*fin, amusant*) ingenioso(-a); **musique ~le** música sacra; **concert ~** concierto de música sacra
splendide [splɑ̃did] *adj* espléndido(-a); (*effort, réalisation*) extraordinario(-a)
spontané, e [spɔ̃tane] *adj* espontáneo(-a)
spontanéité [spɔ̃taneite] *nf* espontaneidad *f*
sport [spɔʀ] *nm* deporte *m* ■ *adj inv* (*vêtement, ensemble*) de sport; (*fair-play*) deportivo(-a); **faire du ~** hacer deporte; **~ de combat** deporte de combate; **~ d'équipe** deporte de equipo; **~ d'hiver** deporte de invierno; **~ individuel** deporte individual
sportif, -ive [spɔʀtif, iv] *adj* deportivo(-a) ■ *nm/f* deportista *m/f*; **les résultats ~s** los resultados deportivos
spot [spɔt] *nm* (*lampe*) foco; **~ (publicitaire)** anuncio *ou* spot *m* (publicitario)
square [skwaʀ] *nm* plazoleta
squelette [skəlɛt] *nm* esqueleto
squelettique [skəletik] *adj* (*maigreur*) esquelético(-a); (*arbre*) seco(-a); (*fig: exposé*) pobre; (*effectifs*) mermado(-a)
stabiliser [stabilize] *vt* estabilizar
stable [stabl] *adj* estable
stade [stad] *nm* estadio
stage [staʒ] *nm* (*d'études pratiques*) práctica; (*de perfectionnement*) cursillo; (*d'avocat stagiaire*) pasantía
stagiaire [staʒjɛʀ] *nm/f* persona en periodo de práctica; (*de perfectionnement*) cursillista *m/f* ■ *adj*: **avocat ~** pasante *m*
stagner [stagne] *vi* estancarse
stand [stɑ̃d] *nm* (*d'exposition*) stand *m*; (*de foire*) puesto; **~ de ravitaillement** (*Auto, Cyclisme*) puesto de avituallamiento; **~ de tir** (*Mil, Sport*) galería de tiro; (*à la foire*) puesto de tiro al blanco
standard [stɑ̃daʀ] *adj inv* estándar ■ *nm* estándar *m*; (*téléphonique*) central *f* telefónica, conmutador *m* (*AM*)
standardiste [stɑ̃daʀdist] *nm/f* telefonista *m/f*
standing [stɑ̃diŋ] *nm* nivel *m* de vida; **immeuble de grand ~** inmueble de lujo
starter [staʀtɛʀ] *nm* (*Auto*) estárter *m*; (*Sport*) juez *m* de salida; **mettre le ~** poner el estárter
station [stasjɔ̃] *nf* estación *f*; (*de bus, métro*) parada; (*Radio, TV*) emisora; (*posture*): **la ~ debout** la posición de pie; **~ balnéaire** *centro turístico en la costa*; **~ de graissage/de lavage** estación de engrase/de lavado; **~ de ski** estación de esquí; **~ de sports d'hiver** estación de

esquí; ~ **de taxis** parada de taxis; ~ **thermale** balneario

stationnement [stasjɔnmɑ̃] *nm* (*Auto*) aparcamiento; **zone de ~ interdit** zona de aparcamiento prohibido; ~ **alterné** aparcamiento alterno

stationner [stasjɔne] *vi* aparcar

station-service [stasjɔ̃sɛʀvis] (*pl* **stations-service**) *nf* gasolinera, estación *f* de servicio

statistique [statistik] *nf* estadística ■ *adj* estadístico(-a); **statistiques** *nfpl* estadísticas *fpl*

statue [staty] *nf* estatua

statu quo [statykwo] *nm*: **maintenir le ~** mantener el statu quo

statut [staty] *nm* estatuto; **statuts** *nmpl* (*Jur, Admin*) estatutos *mpl*

statutaire [statytɛʀ] *adj* estatutario(-a)

Sté *abr* = **société**

steak [stɛk] *nm* bistec *m*, bife *m* (*Arg*)

sténo... [steno] *préf* esteno...

sténo(graphe) [stenɔ(gʀaf)] *nm/f* taquígrafo(-a)

sténo(graphie) [stenɔ(gʀafi)] *nf* taquigrafía *f*; **prendre en sténo** taquigrafiar

stérile [steʀil] *adj* estéril; (*théorie, discussion*) irrelevante; (*effort*) frustrado(-a)

stérilet [steʀilɛ] *nm* espiral *f*

stériliser [steʀilize] *vt* esterilizar

stimulant, e [stimylɑ̃, ɑ̃t] *adj* estimulante ■ *nm* (*Méd*) estimulante *m*; (*fig*) aliciente *m*, incentivo

stimuler [stimyle] *vt* (*aussi fig*) estimular

stipuler [stipyle] *vt* estipular; ~ **que** estipular que

stock [stɔk] *nm* (*Comm*) existencias *fpl*, stock *m*; (*d'or*) reservas *fpl*; (*fig*) reserva; **en ~** en almacén

stocker [stɔke] *vt* almacenar

stop [stɔp] *nm* (*Auto: panneau*) stop *m*; (*: feux arrière*) luz *f* de freno; (*dans un télégramme*) stop; (*auto-stop*) auto-stop *m* ■ *excl* ¡alto!

stopper [stɔpe] *vt* (*navire, machine*) detener; (*mouvement, attaque*) parar; (*Couture*) zurcir ■ *vi* pararse

store [stɔʀ] *nm* (*en tissu*) cortinilla; (*en bois*) persiana; (*de magasin*) toldo

strabisme [stʀabism] *nm* estrabismo

strapontin [stʀapɔ̃tɛ̃] *nm* asiento plegable

stratégie [stʀateʒi] *nf* estrategia

stratégique [stʀateʒik] *adj* estratégico(-a)

stress [stʀɛs] *nm* estrés *msg*

stressant, e [stʀesɑ̃, ɑ̃t] *adj* estresante

stresser [stʀese] *vt* estresar

strict, e [stʀikt] *adj* estricto(-a); (*parents*) severo(-a); (*tenue*) de etiqueta; (*langage, ameublement, décor*) riguroso(-a); **c'est son droit le plus ~** es su justo derecho; **dans la plus ~e intimité** en la más estricta intimidad; **au sens ~ du mot** en sentido estricto del término; **le ~ nécessaire** *ou* **minimum** lo esencial

strident, e [stʀidɑ̃, ɑ̃t] *adj* estridente

strophe [stʀɔf] *nf* estrofa

structure [stʀyktyʀ] *nf* estructura; **~s d'accueil** medios *mpl* de acogida; **~s touristiques** infraestructura turística

studieux, -euse [stydjø, jøz] *adj* estudioso(-a); (*vacances, retraite*) de estudio

studio [stydjo] *nm* estudio; (*logement*) apartamento-estudio; (*de danse*) sala (de danza)

stupéfait, e [stypefɛ, ɛt] *adj* estupefacto(-a)

stupéfiant, e [stypefjɑ̃, jɑ̃t] *adj, nm* estupefaciente *m*

stupéfier [stypefje] *vt* dejar estupefacto(-a); (*étonner*) asombrar

stupeur [stypœʀ] *nf* estupor *m*

stupide [stypid] *adj* estúpido(-a); (*hébété*) atónito(-a)

stupidité [stypidite] *nf* estupidez *f*

style [stil] *nm* estilo; **meuble/robe de ~** mueble *m*/vestido de estilo; **en ~ télégraphique** en forma telegráfica; ~ **administratif** estilo administrativo; ~ **de vie** estilo de vida; ~ **journalistique** estilo periodístico

stylé, e [stile] *adj* con clase

styliste [stilist] *nm/f* (*dessinateur industriel*) diseñador(a); (*écrivain*) estilista *m/f*

stylo [stilo] *nm*: ~ **à encre** *ou* **(à) plume** estilográfica; ~ **(à) bille** bolígrafo, birome *f* (*Csur*)

su, e [sy] *pp de* **savoir** ■ *nm*: **au su de** a sabiendas de

suave [sɥav] *adj* suave

subalterne [sybaltɛʀn] *adj, nm/f* subalterno(-a)

subconscient [sypkɔ̃sjɑ̃] *nm* subconsciente *m*

subir [sybiʀ] *vt* padecer; (*mauvais traitements, revers, modification*) sufrir; (*influence, charme*) experimentar; (*traitement, opération, examen*) pasar; (*personne*) soportar; (*dégâts*) padecer

subit, e [sybi, it] *adj* repentino(-a)

subitement [sybitmɑ̃] *adv* repentinamente
subjectif, -ive [sybʒɛktif, iv] *adj* subjetivo(-a)
subjonctif [sybʒɔ̃ktif] *nm* subjuntivo
subjuguer [sybʒyge] *vt* encantar
submerger [sybmɛʀʒe] *vt* sumergir; (*fig: de travail*) desbordar; (*: par la douleur*) ahogar
subordonné, e [sybɔʀdɔne] *adj* (*Ling*) subordinado(-a) ■ *nm/f* (*Admin, Mil*) subordinado(-a); **~ à** (*personne*) subordinado a; (*résultats*) supeditado(-a) a
subrepticement [sybʀɛptismɑ̃] *adv* con disimulo
subside [sybzid] *nm* subsidio
subsidiaire [sybzidjɛʀ] *adj*: **question ~** pregunta adicional
subsister [sybziste] *vi* (*monument, erreur*) perdurar; (*personne, famille*) subsistir; (*survivre*) sobrevivir
substance [sypstɑ̃s] *nf* su(b)stancia; (*fig*) esencia; **en ~** en esencia
substituer [sypstitɥe] *vt*: **~ qch/qn à** sustituir algo/a algn por; **se ~ à qn** reemplazar a algn
substitut [sypstity] *nm* (*Jur*) sustituto; (*succédané*) su(b)stitutivo
subterfuge [syptɛʀfyʒ] *nm* subterfugio
subtil, e [syptil] *adj* sutil
subvenir [sybvəniʀ] *vt*: **~ à** atender a
subvention [sybvɑ̃sjɔ̃] *nf* subvención *f*
subventionner [sybvɑ̃sjɔne] *vt* subvencionar
suc [syk] *nm* (*Bot, d'une viande*) jugo; (*d'un fruit*) zumo; **~s gastriques** jugos *mpl* gástricos
succéder [syksede]: **~ à** *vt* suceder a; **se succéder** *vpr* sucederse
succès [syksɛ] *nm* éxito; (*d'un produit, une mode*) auge *m*; **succès** *nmpl* (*féminins etc*) conquistas *fpl*; **avec ~** con éxito; **sans ~** sin éxito; **avoir du ~** tener éxito; **à ~** de éxito; **~ de librairie** éxito de librería
successeur [syksesœʀ] *nm* sucesor *m*
successif, -ive [syksesif, iv] *adj* sucesivo(-a)
succession [syksesjɔ̃] *nf* (*d'événements, d'incidents*) sucesión *f*, serie *f*; (*de formalités etc*) serie; (*patrimoine*) sucesión; **prendre la ~ de** suceder a
succomber [sykɔ̃be] *vi* sucumbir; **~ à** sucumbir a
succulent, e [sykylɑ̃, ɑ̃t] *adj* suculento(-a)
succursale [sykyʀsal] *nf* sucursal *f*; **magasin à ~s multiples** almacén *m* con múltiples sucursales
sucer [syse] *vt* chupar; **~ son pouce** chuparse el dedo
sucette [sysɛt] *nf* (*bonbon*) piruleta; (*de bébé*) chupete *m*
sucre [sykʀ] *nm* azúcar *m ou f*; (*morceau de sucre*) terrón *m* de azúcar; **~ cristallisé** azúcar en polvo; **~ d'orge** pirulí *m*; **~ de betterave/de canne** azúcar de remolacha/de caña; **~ en morceaux/en poudre** azúcar de cortadillo/en polvo; **~ glace** azúcar glasé
sucré, e [sykʀe] *adj* con azúcar; (*au goût*) azucarado(-a); (*péj: ton, voix*) meloso(-a)
sucrer [sykʀe] *vt* poner azúcar en *ou* a; (*fam*) quitar; **se sucrer** *vpr* (*fam*) (*le thé etc*) echarse azúcar; (*fig*) forrarse
sucreries *nfpl* (*bonbons*) golosinas *fpl*
sucrier, -ière [sykʀije, ijɛʀ] *adj* azucarero(-a) ■ *nm* azucarero
sud [syd] *nm* sur *m* ■ *adj inv* sur *inv*; **au ~** al sur; **au ~ de** al sur de
sud-africain, e [sydafʀikɛ̃, ɛn] (*pl* **~s, es**) *adj* sudafricano(-a) ■ *nm/f*: **Sud-Africain, e** sudafricano(-a)
sud-américain, e [sydameʀikɛ̃, ɛn] (*pl* **~s, es**) *adj* sudamericano(-a) ■ *nm/f*: **Sud-Américain, e** sudamericano(-a)
sud-est [sydɛst] *nm inv* sudeste *m inv* ■ *adj inv* sudeste *inv*
sud-ouest [sydwɛst] *nm inv* sudoeste *m inv* ■ *adj inv* sudoeste *inv*
Suède [sɥɛd] *nf* Suecia
suédois, e [sɥedwa, waz] *adj* sueco(-a) ■ *nm* (*Ling*) sueco ■ *nm/f*: **Suédois, e** sueco(-a)
suer [sɥe] *vi* sudar ■ *vt* (*fig*) exhalar; **~ à grosses gouttes** sudar la gota gorda
sueur [sɥœʀ] *nf* sudor *m*; **en ~** bañado(-a) en sudor; **donner des ~s froides à qn/avoir des ~s froides** dar a algn/tener sudores fríos
suffire [syfiʀ] *vi* bastar; (*intensif*): **il suffit d'une négligence pour que ...** un descuido basta para que ...; **se suffire** *vpr* ser autosuficiente; **il suffit qu'on oublie pour que ...** basta olvidarse para que ...; **cela lui suffit** eso le basta; **cela suffit pour les irriter/qu'ils se fâchent** eso basta para irritarles/para que se enfaden; **"ça suffit!"** "¡basta ya!"
suffisamment [syfizamɑ̃] *adv* suficientemente; **~ de** suficiente
suffisant, e [syfizɑ̃, ɑ̃t] *adj* suficiente; (*air, ton*) de suficiencia
suffixe [syfiks] *nm* sufijo
suffoquer [syfɔke] *vt* sofocar; (*par l'émotion, la colère, les larmes*) ahogar;

(*nouvelle etc*) dejar sin respiración ▪ *vi* sofocarse; **~ de colère/d'indignation** ponerse rojo(-a) de cólera/de indignación
suffrage [syfʀaʒ] *nm* voto; **suffrages** *nmpl* (*du public etc*) votos *mpl*; **~ universel/direct/indirect** sufragio universal/directo/indirecto; **~s exprimés** votos efectivos
suggérer [sygʒeʀe] *vt* sugerir; **~ (à qn) que** insinuar (a algn) que; **~ que/de faire** sugerir que/hacer
suggestion [sygʒɛstjɔ̃] *nf* sugerencia; (*Psych*) sugestión *f*
suicide [sɥisid] *nm* suicidio ▪ *adj*: **opération ~** operación *f* suicida
suicider [sɥiside] *vpr*: **se suicider** suicidarse
suie [sɥi] *nf* hollín *m*
suisse [sɥis] *adj* suizo(-a) ▪ *nm* (*bedeau*) pertiguero(-a) ▪ *nm/f*: **Suisse** suizo(-a)
Suissesse [sɥisɛs] *nf* suiza
suite [sɥit] *nf* (*continuation*) continuación *f*; (*de maisons, rues, succès*) sucesión *f*; (*Math, liaison logique*) serie *f*; (*conséquence, résultat*) resultado; (*Mus, appartement*) suite *f*; (*escorte*) séquito; **suites** *nfpl* (*d'une maladie, chute*) secuelas *fpl*; **prendre la ~ de** (*directeur etc*) tomar el relevo de; **donner ~ à** dar curso a; **faire ~ à** ser continuación de; **(faisant) ~ à votre lettre du ...** en respuesta a su carta del ...; **sans ~** sin pies ni cabeza; **de ~** (*d'affilée*) seguido(-a); (*immédiatement*) enseguida; **par la ~** luego; **à la ~** *adj* seguido(-a) ▪ *adv* a continuación; **à la ~ de** (*derrière*) tras; (*en conséquence de*) como consecuencia de; **par ~ de** como consecuencia de; **avoir de la ~ dans les idées** tener perseverancia en las ideas; **attendre la ~ des événements** esperar el curso de los acontecimientos
suivant, e [sɥivɑ̃, ɑ̃t] *vb voir* **suivre** ▪ *adj* siguiente ▪ *prép* según; **~ que** según que; **"au ~!"** "¡el siguiente!"
suivi, e [sɥivi] *pp de* **suivre** ▪ *adj* seguido(-a); (*article*) de venta permanente; (*discours etc*) coherente ▪ *nm* seguimiento; **très/peu ~** con mucho/poco éxito
suivre [sɥivʀ] *vt* seguir; (*mari, ami etc*) acompañar; (*suj: remords, pensées*) perseguir; (*imagination, fantaisie, goût*) dejarse guiar por; (*cours*) asistir a; (*comprendre: programme, leçon*) comprender; (*élève, malade, affaire*) llevar el seguimiento de; (*raisonnement*) seguir el hilo de; (*article*) proveerse de ▪ *vi* (*écouter attentivement*) atender; (*assimiler le programme*) comprender; (*venir après*) seguirse; **se suivre** *vpr* sucederse; (*raisonnement*) ser coherente; **~ des yeux** seguir con la mirada; **faire ~** (*lettre*) reexpedir; **~ son cours** seguir su curso; **"à ~"** "continuará"
sujet, te [syʒɛ, ɛt] *adj*: **être ~ à** (*accidents, vertige etc*) ser propenso(-a) a ▪ *nm/f* (*d'un souverain etc*) súbdito(-a) ▪ *nm* tema *m*; (*d'une dispute etc*) motivo, causa; (*élève*) alumno; (*Ling*) sujeto; **un ~ de dispute/discorde/mécontentement** una causa de riña/discordia/descontento; **c'est à quel ~?** ¿qué se le ofrece?; **avoir ~ de se plaindre** tener motivo para quejarse; **un mauvais ~** (*péj*) una mala persona; **au ~ de** a propósito de; **~ à caution** cuestionable; **~ de conversation** tema de conversación; **~ d'examen** (*Scol*) tema de examen; **~ d'expérience** conejillo de Indias
super [sypɛʀ] *adj inv* (*fam*) súper *inv* ▪ *nm* súper *f*
super... [sypɛʀ] *préf* super...
superbe [sypɛʀb] *adj* espléndido(-a); (*situation, performance*) magnífico(-a) ▪ *nf* soberbia
superficie [sypɛʀfisi] *nf* superficie *f*; (*fig*) apariencia
superficiel, le [sypɛʀfisjɛl] *adj* superficial
superflu, e [sypɛʀfly] *adj* superfluo(-a) ▪ *nm*: **le ~** lo superfluo
supérieur, e [sypeʀjœʀ] *adj* superior; (*air, sourire*) de superioridad ▪ *nm* superior *m* ▪ *nm/f* Superior(a); **Mère ~e** madre *f* superiora; **à l'étage ~** en el piso de arriba; **~ en nombre** superior en número
supériorité [sypeʀjɔʀite] *nf* superioridad *f*; **~ numérique** superioridad numérica
supermarché [sypɛʀmaʀʃe] *nm* supermercado
superposer [sypɛʀpoze] *vt* superponer; **se superposer** *vpr* (*images, souvenirs*) confundirse; **lits superposés** literas *fpl*
superpuissance [sypɛʀpɥisɑ̃s] *nf* superpotencia
superstitieux, -euse [sypɛʀstisjø, jøz] *adj* supersticioso(-a)
superviser [sypɛʀvize] *vt* supervisar
supplanter [syplɑ̃te] *vt* (*personne*) suplantar; (*méthode, machine*) sustituir
suppléant, e [sypleɑ̃, ɑ̃t] *adj* (*juge, fonctionnaire*) suplente; (*professeur*)

sustituto(-a) ■ *nm/f* sustituto(-a); **médecin ~** médico suplente
suppléer [syplee] *vt* suplir; (*remplacer, aussi Admin*) sustituir a; **~ à** suplir
supplément [syplemɑ̃] *nm* suplemento; **un ~ de frites** una porción extra de patatas fritas; **en ~** (*au menu etc*) no incluido; **~ d'information** suplemento de información
supplémentaire [syplemɑ̃tɛʀ] *adj* suplementario(-a); (*train etc*) adicional; **contrôles ~s** refuerzo de controles
supplications [syplikasjɔ̃] *nfpl* súplicas *fpl*
supplice [syplis] *nm* suplicio; **être au ~** (*appréhension*) estar atormentado(-a); (*gêne, douleur*) no aguantar más
supplier [syplije] *vt* suplicar
support [sypɔʀ] *nm* soporte *m*; **~ audio-visuel/publicitaire** soporte audio-visual/publicitario
supportable [sypɔʀtabl] *adj* soportable
supporter[1] [sypɔʀtœʀ] *nm* seguidor(a)
supporter[2] [sypɔʀte] *vt* soportar; (*choc*) resistir a; (*équipe*) apoyar
supposer [sypoze] *vt* suponer; **~ que** suponer que; **en supposant** *ou* **à ~ que** suponiendo que
suppositoire [sypozitwaʀ] *nm* supositorio
suppression [sypʀesjɔ̃] *nf* supresión *f*
supprimer [sypʀime] *vt* suprimir; (*personne, témoin gênant*) quitar de en medio, suprimir; **~ qch à qn** quitarle algo a algn
suprême [sypʀɛm] *adj* (*pouvoir etc*) supremo(-a); (*bonheur, habileté*) sumo(-a); **un ~ espoir** (*ultime*) una última esperanza; **les honneurs ~s** los honores póstumos

MOT-CLÉ

sur[1] [syʀ] *prép* **1** en; (*par dessus, au-dessus*) encima de, sobre; **pose-le sur la table** ponlo en la mesa; **je n'ai pas d'argent sur moi** no llevo dinero encima; **avoir de l'influence/un effet sur ...** tener influencia/un efecto sobre ...; **avoir accident sur accident** tener accidente tras accidente; **sur ce** tras esto
2 (*direction*) hacia; **en allant sur Paris** yendo hacia París; **sur votre droite** a su derecha
3 (*à propos de*) acerca de, sobre; **un livre/une conférence sur Balzac** un libro/una conferencia sobre Balzac
4 (*proportion, mesures*) de entre, de cada; **un sur 10** uno de cada 10; (*Scol: note*) uno sobre 10; **sur 20, 2 sont venus** de 20, han venido 2; **4m sur 2** 4m por 2

sur[2]**, e** [syʀ] *adj* agrio(-a)
sûr, e [syʀ] *adj* seguro(-a); (*renseignement, ami, voiture*) de confianza; (*goût, réflexe etc*) agudo(-a); **peu ~** (*ami etc*) no de mucha confianza; (*méthode*) no muy seguro(-a); (*réflexe etc*) no muy agudo(-a); **être ~ de qn** confiar en algn; **c'est ~ et certain** sin lugar a dudas; **~ de soi** seguro de sí mismo(-a); **le plus ~ est de ...** lo más seguro es ...
surcharge [syʀʃaʀʒ] *nf* sobrecarga; (*correction, ajout*) tachón *m*; **prendre des passagers en ~** coger pasajeros en exceso; **~ de bagages** exceso de equipaje; **~ de travail** exceso de trabajo
surcharger [syʀʃaʀʒe] *vt* (*véhicule*) cargar en exceso; (*personne*) cargar; (*texte*) tachar; (*timbre-poste, fig*) sobrecargar; (*décoration*) recargar
surcroît [syʀkʀwa] *nm*: **un ~ de** un aumento de; **par** *ou* **de ~** por añadidura; **en ~** en añadidura
surdité [syʀdite] *nf* sordera; **atteint de ~ totale** que padece de sordera total
sûrement [syʀmɑ̃] *adv* (*fonctionner etc*) con seguridad; (*certainement*) seguramente; **~ pas** seguro que no
surenchère [syʀɑ̃ʃɛʀ] *nf* (*aux enchères*) sobrepuja; (*sur prix fixe*) encarecimiento; **~ de violence** subida de violencia
surenchérir [syʀɑ̃ʃeʀiʀ] *vi* (*Comm*) sobrepujar; (*fig*): **~ sur qn** aventajar a algn
surestimer [syʀɛstime] *vt* sobreestimar
sûreté [syʀte] *nf* fiabilidad *f*; (*du goût etc*) agudeza; (*Jur*) garantía; **être/mettre en ~** (*personne*) estar/poner a salvo; (*objet*) estar/poner en lugar seguro; **pour plus de ~** para mayor seguridad; **crime contre la ~ de l'État** crimen contra la seguridad del Estado; **la S~ (nationale)** *brigada de investigación criminal francesa*
surf [sœʀf] *nm* surf *m*; **faire du ~** hacer surf, surfear
surface [syʀfas] *nf* superficie *f*; **faire ~** salir a la superficie; **en ~** (*nager, naviguer*) en la superficie; (*fig*) aparentemente; **la pièce fait 100m² de ~** la habitación mide 100m² de superficie; **~ de réparation** (*Sport*) área de castigo; **~ porteuse** *ou* **de sustentation** (*Aviat*) plano de sustentación
surfait, e [syʀfɛ, ɛt] *adj* sobreestimado(-a)

surfer [syʀfe] *vi* hacer surf, surfear; **~ sur Internet** navegar por Internet
surgelé, e [syʀʒəle] *adj* congelado(-a)
surgir [syʀʒiʀ] *vi* aparecer; (*de terre*) salir; (*fig*) surgir
surhumain, e [syʀymɛ̃, ɛn] *adj* sobrehumano(-a)
sur-le-champ [syʀləʃɑ̃] *adv* en el acto
surlendemain [syʀlɑ̃d(ə)mɛ̃] *nm*: **le ~** a los dos días; **le ~ de** dos días después de; **le ~ soir** a los dos días por la noche
surmenage [syʀmənaʒ] *nm* (*Méd*) agotamiento; **le ~ intellectuel** el agotamiento intelectual
surmener [syʀməne] *vt* agotar; **se surmener** *vpr* agotarse
surmonter [syʀmɔ̃te] *vt* vencer; (*suj: coupole etc*) coronar
surnaturel, le [syʀnatyʀɛl] *adj* sobrenatural ■ *nm*: **le ~** lo sobrenatural
surnom [syʀnɔ̃] *nm* (*gén*) sobrenombre *m*; (*péj*) apodo
surnombre [syʀnɔ̃bʀ] *nm*: **être en ~** estar de más
surpeuplé, e [syʀpœple] *adj* superpoblado(-a)
surplace [syʀplas] *nm*: **faire du ~** (*rester en équilibre*) mantener el equilibrio; (*dans un embouteillage etc*) ir a paso de caracol
surplomber [syʀplɔ̃be] *vi* sobresalir ■ *vt* destacar sobre
surplus [syʀply] *nm* (*Comm*) excedente *m*; **~ de bois** sobrante *m* de leña; **au ~** por lo demás; **~ américain** (*magasin*) tienda de excedentes americanos
surprenant, e [syʀpʀənɑ̃, ɑ̃t] *vb voir* **surprendre** ■ *adj* sorprendente
surprendre [syʀpʀɑ̃dʀ] *vt* sorprender; (*secret, conversation*) descubrir; (*voisins, amis etc*) sorprender con una visita; (*fig*) captar; **~ la vigilance/bonne foi de qn** burlar la vigilancia/buena fe de algn; **se ~ à faire qch** sorprenderse haciendo algo
surpris, e [syʀpʀi, iz] *pp de* **surprendre** ■ *adj* de sorpresa; **~ de/que** sorprendido(-a) por/de que
surprise [syʀpʀiz] *nf* sorpresa; **faire une ~ à qn** dar una sorpresa a algn; **voyage sans ~s** viaje sin sobresaltos; **avoir la ~ de** tener la sorpresa de; **par ~** por sorpresa
surprise-partie [syʀpʀizpaʀti] (*pl* **surprises-parties**) *nf* guateque *m*
surréaliste [syʀʀealist] *adj* surrealista
sursaut [syʀso] *nm* sobresalto; **en ~** de un sobresalto; **~ d'énergie** resuello de energía; **~ d'indignation** pronto de indignación
sursauter [syʀsote] *vi* sobresaltarse
sursis [syʀsi] *nm* (*Jur: d'une peine*) indulto; (*: à la condamnation à mort*) aplazamiento; (*Mil*): **~ (d'appel** *ou* **d'incorporation)** prórroga (de llamada *ou* de incorporación a filas); (*fig*) periodo de espera; **condamné à 5 mois (de prison) avec ~** condenado a 5 meses (de prisión) con indulto; **on lui a accordé le ~** (*Mil*) se le concedió la prórroga; (*Jur*) se le indultó
surtout [syʀtu] *adv* sobre todo; **il songe ~ à ses propres intérêts** piensa sobre todo en sus propios intereses; **il aime le sport, ~ le football** le gusta el deporte, sobre todo el fútbol; **~ pas d'histoires/ ne dites rien!** ¡sobre todo nada de líos/no diga nada!; **~ pas!** ¡de ninguna manera!; **~ pas lui!** ¡él, de ninguna manera!; **~ que** ... sobre todo porque ...
surveillance [syʀvɛjɑ̃s] *nf* vigilancia; **être sous la ~ de qn** estar bajo la vigilancia de algn; **sous ~ médicale** bajo control médico; **la ~ du territoire** ≈ servicio de inteligencia *ou* contraespionaje
surveillant, e [syʀvɛjɑ̃, ɑ̃t] *nm/f* (*Scol, de prison*) vigilante *m/f*; (*de travaux*) capataz *m/f*
surveiller [syʀveje] *vt* (*enfant etc*) cuidar de; (*Mil, gén*) vigilar; (*travaux, cuisson*) atender; **se surveiller** *vpr* controlarse; **~ son langage/sa ligne** cuidar su vocabulario/la línea
survenir [syʀvəniʀ] *vi* sobrevenir; (*personne*) llegar de improviso
survêtement [syʀvɛtmɑ̃] *nm* chandal *m ou* chándal *m*
survie [syʀvi] *nf* supervivencia; **équipement de ~** equipo de supervivencia; **une ~ de quelques mois** una supervivencia de algunos meses
survivant, e [syʀvivɑ̃, ɑ̃t] *vb voir* **survivre** ■ *nm/f* superviviente *m/f*; (*Jur*) heredero(-a)
survivre [syʀvivʀ] *vi* sobrevivir; **~ à** sobrevivir a; **la victime a peu de chances de ~** la víctima tiene pocas posibilidades de sobrevivir
survoler [syʀvɔle] *vt* (*lieu*) sobrevolar; (*livre, écrit*) leer por encima; (*question, problèmes*) tratar por encima
survolté, e [syʀvɔlte] *adj* (*fig: personne*) superexcitado(-a); (*: ambiance*) acalorado(-a); **un appareil ~** un aparato con exceso de voltaje
sus [sy(s)] *vb voir* **savoir** ■ *prép*: **en ~ de** (*Jur, Admin*) además de; **en ~** además; **~ à ...!** *excl*: **~ au tyran!** ¡a por el tirano!

susceptible [sysɛptibl] *adj* susceptible; **~ de** susceptible de; **~ d'amélioration** *ou* **d'être amélioré** susceptible de mejora *ou* de ser mejorado; **être ~ de faire** (*capacité*) estar capacitado(-a) para hacer; (*probabilité*): **il est ~ de devenir ...** es probable que llegue a ser ...
susciter [sysite] *vt* (*ennuis etc*): **~ (à qn)** originar (a algn); (*admiration etc*) suscitar
suspect, e [syspɛ(kt), ɛkt] *adj* sospechoso(-a); (*vin etc*) de poca confianza ■ *nm/f* sospechoso(-a); **être (peu) ~ de** ser (poco) sospechoso(-a) de
suspecter [syspɛkte] *vt* sospechar; **~ qn d'être/d'avoir fait qch** sospechar que algn es/que algn ha hecho algo
suspendre [syspɑ̃dʀ] *vt* suspender; **se suspendre** *vpr*: **se ~ à** aferrarse a, colgarse de; **~ qch (à)** colgar algo (de)
suspendu, e [syspɑ̃dy] *pp de* **suspendre** ■ *adj* (*accroché*): **~ à** colgado(-a) de; (*perché*): **~ au-dessus de** suspendido(-a) sobre; **voiture bien/mal ~e** coche con buena/mala suspensión; **être ~ aux lèvres de qn** estar pendiente de los labios de algn
suspens [syspɑ̃]: **en ~** *adv* suspendido(-a); **tenir en ~** (*lecteurs, spectateurs*) mantener en suspense
suspense [syspɛns] *nm* suspense *m*
suspension [syspɑ̃sjɔ̃] *nf* suspensión *f*; (*lustre*) lámpara de techo; **en ~** en suspensión; **~ d'audience** suspensión de la vista
suture [sytyʀ] *nf*: **point de ~** punto de sutura
svelte [svɛlt] *adj* esbelto(-a)
SVP [ɛsvepe] *abr* (*= s'il vous plaît*) por favor
syllabe [si(l)lab] *nf* sílaba
symbole [sɛ̃bɔl] *nm* símbolo; **~ graphique** (*Inform*) icono
symbolique [sɛ̃bɔlik] *adj* simbólico(-a) ■ *nf* simbolismo
symboliser [sɛ̃bɔlize] *vt* simbolizar
symétrique [simetʀik] *adj* simétrico(-a)
sympa [sɛ̃pa] *adj inv voir* **sympathique**
sympathie [sɛ̃pati] *nf* simpatía; (*condoléances*) pésame *m*; **accueillir avec ~** acoger con gusto; **avoir de la ~ pour qn** tener simpatía a algn; **témoignages de ~** muestras *fpl* de condolencia; **croyez à toute ma ~** mi más sentido pésame
sympathique [sɛ̃patik] *adj* (*personne*) simpático(-a); (*déjeuner etc*) agradable
sympathisant, e [sɛ̃patizɑ̃, ɑ̃t] *nm/f* simpatizante *m/f*
sympathiser [sɛ̃patize] *vi* simpatizar; **~ avec qn** simpatizar con algn
symphonie [sɛ̃fɔni] *nf* sinfonía
symptôme [sɛ̃ptom] *nm* síntoma *m*
synagogue [sinagɔg] *nf* sinagoga
syncope [sɛ̃kɔp] *nf* (*Méd*) síncope *m*; (*Mus*) síncopa; **elle est tombée en ~** le dio un síncope
syndic [sɛ̃dik] *nm* administrador *m*
syndical, e, -aux [sɛ̃dikal, o] *adj* sindical; **centrale ~e** central *f* sindical
syndicaliste [sɛ̃dikalist] *nm/f* sindicalista *m/f*
syndicat [sɛ̃dika] *nm* (*Pol*) sindicato; (*autre association d'intérêts*) asociación *f*; **~ d'initiative** oficina de turismo; **~ de producteurs** unión *f* de productores; **~ de propriétaires** comunidad *f* de propietarios; **~ patronal** organización *f* patronal
syndiqué, e [sɛ̃dike] *adj* sindicado(-a); **non ~(e)** no sindicado(-a)
syndiquer [sɛ̃dike] *vpr*: **se syndiquer** sindicarse
syndrome [sɛ̃dʀom] *nm* síndrome *m*; **~ de fatigue chronique** síndrome de fatiga crónica
synonyme [sinɔnim] *adj* sinónimo(-a) ■ *nm* sinónimo
syntaxe [sɛ̃taks] *nf* sintaxis *fsg*
synthèse [sɛ̃tɛz] *nf* síntesis *f inv*; **faire la ~ de** hacer la síntesis de
synthétique [sɛ̃tetik] *adj* sintético(-a); (*méthode, esprit*) de síntesis
Syrie [siʀi] *nf* Siria
systématique [sistematik] *adj* (*classement, étude*) sistemático(-a); (*exploitation, opposition*) automático(-a); (*péj*) dogmático(-a)
système [sistɛm] *nm* sistema *m*; **utiliser le ~ D** (*fam*) utilizar el ingenio; **~ décimal** sistema decimal; **~ d'exploitation à disques** (*Inform*) sistema de operación con discos; **~ expert** sistema experto; **~ métrique** sistema métrico; **~ nerveux/solaire** sistema nervioso/solar

t

t' [t] *pron voir* **te**
ta [ta] *dét voir* **ton**[1]
tabac [taba] *nm* tabaco ■ *adj inv*: **(couleur) ~** (color) tabaco *inv*; **passer qn à ~** (*fam*: *battre*) dar una tunda a algn, zurrar a algn; **faire un ~** (*fam*) tener mucho éxito; **(débit** *ou* **bureau de) ~** estanco; **~ à priser** tabaco en polvo, rapé *m*; **~ blond/brun/gris** tabaco rubio/ moreno/picado
tabagisme [tabaʒism] *nm* tabaquismo
table [tabl] *nf* mesa; (*invités*) comensales *mpl*; (*liste*) lista; (*numérique*) tabla; **à ~!** ¡a comer!; **se mettre à ~** sentarse a la mesa; (*fam*) cantar de plano; **mettre** *ou* **dresser/desservir la ~** poner/quitar la mesa; **faire ~ rase de** hacer tabla rasa con; **~ à repasser** tabla de planchar; **~ basse** mesa baja; **~ d'écoute** tablero de interceptaciones telefónicas; **~ d'harmonie** tabla de armonía; **~ d'hôte** menú *m ou* plato del día; **~ de cuisson** cocina (de electricidad *ou* de gas); **~ de lecture** (*Mus*) tabla de lectura; **~ de multiplication** tabla de multiplicar; **~ de nuit** *ou* **de chevet** mesita de noche; **~ de toilette** mueble *m* de lavabo; **~ des matières** índice *m*; **~ ronde** (*débat*) mesa redonda; **~ roulante** carro, carrito; **~ traçante** (*Inform*) mesa de trazado
tableau, x [tablo] *nm* cuadro; (*panneau*) tablero; (*schéma*) cuadro, gráfico; **~ chronologique** cuadro cronológico; **~ d'affichage** tablón *m ou* tablero de anuncios; **~ de bord** (*Auto*) cuadro de instrumentos; (*Aviat*) cuadro de mandos; **~ de chasse** caza; **~ de contrôle** (*d'une machine*) cuadro de control; (*d'une installation*) cuadro *ou* panel *m* de control; **~ de maître** obra de maestro; **~ noir** encerado
tablette [tablɛt] *nf* (*planche*) anaquel *m*, tabla; **~ de chocolat** tableta de chocolate
tablier [tablije] *nm* delantal *m*; (*du cuisinier*) mandil *m*; (*de pont*) calzada; (*: en bois*) tableado; (*de cheminée*) tapadera
tabou, e [tabu] *adj, nm* tabú *m*
tabouret [tabuʀɛ] *nm* taburete *m*
tac [tak] *nm*: **répondre qch du ~ au ~** saltar con algo
tache [taʃ] *nf* mancha; (*petite*) manchita; **faire ~ d'huile** extenderse como cosa buena; **~ de rousseur** *ou* **de son** peca; **~ de vin** (*sur la peau*) mancha
tâche [tɑʃ] *nf* tarea, labor *f*; (*rôle*) papel *m*; **travailler à la ~** trabajar a destajo
tacher [taʃe] *vt* manchar; (*réputation*) manchar, mancillar; **se tacher** *vpr* (*fruits*) picarse
tâcher [tɑʃe] *vi*: **~ de faire** tratar de hacer, procurar hacer
tacheté, e [taʃte] *adj*: **~ (de)** salpicado(-a) *ou* moteado(-a) (de)
tact [takt] *nm* tacto; **avoir du ~** tener tacto
tactique [taktik] *adj* táctico(-a) ■ *nf* táctica
taie [tɛ] *nf*: **~ (d'oreiller)** funda (de la almohada)
taille [tɑj] *nf* tallado; poda; (*du corps, d'un vêtement*) talle *m*, cintura; (*hauteur*) estatura; (*grandeur*) tamaño; (*Comm*) talla; (*envergure*) dimensión *f*, envergadura; **de ~ à faire** capaz de hacer; **de ~** importante; **quelle ~ faites-vous?** ¿cuál es su talla?
taille-crayon(s) [tɑjkʀɛjɔ̃] *nm inv* sacapuntas *m inv*
tailler [tɑje] *vt* (*pierre, diamant*) tallar; (*arbre, plante*) podar; (*vêtement*) cortar; (*crayon*) afilar; **se tailler** *vpr* (*ongles, barbe*) cortarse; (*victoire, réputation*) conseguir; (*fam*: *s'enfuir*) largarse, pirarse; **~ dans la chair/le bois** hacer un corte en la carne/madera; **~ grand/petit** (*suj*: *vêtement*) estar cortado grande/ pequeño

tailleur [tajœʀ] *nm* sastre *m*; (*vêtement pour femmes*) traje *m* de chaqueta; **en ~** a la turca; **~ de diamants** lapidario de diamantes
taillis [taji] *nm* bosque *m* bajo
taire [tɛʀ] *vt* ocultar ▪ *vi*: **faire ~ qn** (*aussi fig*) hacer callar a algn; **se taire** *vpr* (*s'arrêter de parler*) callarse; (*ne pas parler*) callar(se); (*fig: bruit, voix*) cesar; **tais-toi!** ¡cállate!; **taisez-vous!** ¡callaos!; (*vouvoiement*) ¡cállese!
talc [talk] *nm* talco
talent [talɑ̃] *nm* talento; **talents** *nmpl* (*personnes*) talentos *mpl*; **avoir du ~** tener talento
talkie-walkie [tokiwoki] (*pl* **talkies-walkies**) *nm* walkie-talkie *m*
talon [talɔ̃] *nm* (*Anat, de chaussette*) talón *m*; (*de chaussure*) tacón *m*; (*de jambon, pain*) extremo; (*de chèque, billet*) matriz *f*; **être sur les ~s de qn** pisarle los talones a algn; **tourner/montrer les ~s** volver la espalda; **~s plats/aiguilles** tacones bajos/muy finos
talus [taly] *nm* (*Géo*) talud *m*; **~ de déblai** montón *m* de tierra (*procedente de una excavación*); **~ de remblai** terraplén *m*
tambour [tɑ̃buʀ] *nm* tambor *m*; (*porte*) cancel *m*; **sans ~ ni trompette** a la chita callando
tambourin [tɑ̃buʀɛ̃] *nm* tamboril *m*
tambouriner [tɑ̃buʀine] *vi*: **~ contre** repiquetear en *ou* contra
Tamise [tamiz] *nf*: **la ~** el Támesis
tamisé, e [tamize] *adj* tamizado(-a)
tampon [tɑ̃pɔ̃] *nm* (*de coton, d'ouate, bouchon*) tapón *m*; (*pour nettoyer, essuyer*) muñequilla, bayeta; (*pour étendre*) muñequilla; (*amortisseur: Rail, fig*) tope *m*; (*Inform: aussi mémoire tampon*) tampón *m*; (*cachet, timbre*) matasellos *m inv*; (*Chim*) disolución *f* reguladora, disolución tampón; **~ (hygiénique)** tampón (higiénico); **~ à récurer** estropajo metálico; **~ buvard** secante *m*; **~ encreur** tampón
tamponner [tɑ̃pɔne] *vt* (*essuyer*) taponar; (*heurter*) chocar; (*document, lettre*) sellar; **se tamponner** *vpr* (*voitures*) chocar
tamponneuse [tɑ̃pɔnøz] *adj*: **autos ~s** coches *mpl* de choque
tandem [tɑ̃dɛm] *nm* tándem *m*
tandis [tɑ̃di]: **~ que** *conj* mientras que
tanguer [tɑ̃ge] *vi* (*Naut*) cabecear, arfar
tant [tɑ̃] *adv* tanto; **~ de** (*sg*) tanto(-a); (*pl*) tantos(-as); **~ que** (*tellement*) tanto que; (*comparatif*) hasta que, mientras que; **~ mieux** mejor; **~ mieux pour lui** mejor para él; **~ pis** (*peu importe*) ¡qué más da!; (*qu'à cela ne tienne*) no tiene importancia; **~ pis pour lui** peor para él; **un ~ soit peu** (*un peu*) un poco; (*même un peu*) algo, por poco que; **s'il est un ~ soit peu subtil, il comprendra** si es algo sutil *ou* por poco sutil que sea, lo entenderá; **~ bien que mal** mal que bien; **~ s'en faut** ni mucho menos
tante [tɑ̃t] *nf* tía
tantôt [tɑ̃to] *adv* (*cet après-midi*) esta tarde, por la tarde; **~ ... ~** (*parfois*) unas veces ... otras veces
taon [tɑ̃] *nm* tábano
tapage [tapaʒ] *nm* alboroto; (*fig*) escándalo; **~ nocturne** (*Jur*) escándalo nocturno
tapageur, -euse [tapaʒœʀ, øz] *adj* alborotador(a); (*toilette*) llamativo(a); (*publicité*) sensacionalista
tape [tap] *nf* cachete *m*; (*dans le dos*) palmada
tape-à-l'œil [tapalœj] *adj inv* vistoso(-a), llamativo(-a)
taper [tape] *vt* (*personne*) pegar; (*porte*) cerrar de golpe; (*dactylographier*) escribir a máquina; (*Inform*) teclear ▪ *vi* (*soleil*) apretar; **se taper** *vpr* (*fam: travail*) chuparse, cargarse; (*: boire, manger*) soplarse, zamparse; **~ qn de 5 euros** (*fam*) dar un sablazo de 5 euros a algn; **~ sur qn** pegar a algn; (*fig*) poner como un trapo a algn; **~ sur qch** golpear en algo; **~ à** (*porte etc*) llamar a; **~ dans** (*se servir*) echar mano de; **~ des mains/pieds** palmear/patalear; **~ (à la machine)** escribir a máquina
tapi, e [tapi] *adj*: **~ dans/derrière** (*blotti*) acurrucado(-a) en/detrás de; (*caché*) agazapado(-a) en/detrás de
tapis [tapi] *nm* alfombra; (*de table*) tapete *m*; **être/mettre sur le ~** (*fig*) estar/poner sobre el tapete; **aller/envoyer au ~** (*Boxe*) estar/enviar a la lona; **~ de sol** tela impermeable (de tienda de campaña); **~ roulant** cinta transportadora, pasillo rodante
tapisser [tapise] *vt* (*avec du papier peint*) empapelar; **~ qch (de)** (*recouvrir*) revestir algo (con)
tapisserie [tapisʀi] *nf* tapiz *m*; (*travail*) tapizado; (*papier peint*) empapelado; **faire ~** (*fig*) quedarse cruzado(-a) de brazos
tapissier, -ière [tapisje, jɛʀ] *nm/f*: **~(-décorateur)** tapicero
tapoter [tapɔte] *vt* dar golpecitos en, golpetear

taquiner [takine] *vt* pinchar
tard [taʀ] *adv* tarde ▪ *nm*: **sur le ~** (*à une heure avancée*) tarde; (*vers la fin de la vie*) en la madurez; **au plus ~** a más tardar; **plus ~** más tarde
tarder [taʀde] *vi* tardar; **~ à faire** tardar en hacer; **il me tarde d'être** estoy impaciente por estar; **sans (plus) ~** sin (más) demora, sin (más) tardar
tardif, -ive [taʀdif, iv] *adj* tardío(-a)
tarif [taʀif] *nm* tarifa; (*liste*) tarifa, lista de precios; (*prix*) tarifa, precio; **voyager à plein ~/à ~ réduit** viajar con tarifa completa/con tarifa reducida; **~ douanier** arancel *m* aduanero
tarir [taʀiʀ] *vi, vt* secarse, agotarse
tarte [taʀt] *nf* tarta; **~ à la crème/aux pommes** tarta de crema/de manzana
tartine [taʀtin] *nf* rebanada; **~ beurrée/de miel** rebanada con mantequilla/con miel
tartiner [taʀtine] *vt* untar; **fromage** *etc* **à ~** queso *etc* para untar
tartre [taʀtʀ] *nm* sarro
tas [tɑ] *nm* montón *m*; (*de bois, livres*) pila, montón; **un ~ de** (*beaucoup de*) un montón de; **en ~** amontonado(-a); **dans le ~** (*fig*) a ciegas, a bulto; **formé sur le ~** formado en la práctica
tasse [tɑs] *nf* taza; **boire la ~** (*en se baignant*) tragar agua; **~ à café/à thé** taza de café/de té
tassé, e [tɑse] *adj*: **bien ~** (*café etc*) bien cargado(-a)
tasser [tɑse] *vt* apisonar, pisar; **se tasser** *vpr* (*sol, terrain*) hundirse; (*avec l'âge*) encorvarse; (*problème*) arreglarse; **~ qch dans** amontonar algo en
tata [tata] *nf* tita
tâter [tɑte] *vt* tantear; **se tâter** *vpr* (*hésiter*) reflexionar; **~ de** (*prison etc*) probar; **~ le terrain** tantear el terreno
tatillon, ne [tatijɔ̃, ɔn] *adj* puntilloso(-a)
tâtonnement [tɑtɔnmɑ̃] *nm*: **par ~s** a tientas
tâtonner [tɑtɔne] *vi* andar a tientas; (*fig*) tantear
tâtons [tɑtɔ̃]: **à ~** *adv*: **chercher/avancer à ~** buscar/avanzar a tientas
tatouage [tatwaʒ] *nm* tatuaje *m*
tatouer [tatwe] *vt* tatuar
taudis [todi] *nm* cuchitril *m*
taule [tol] (*fam*) *nf* chirona
taupe [top] *nf* topo
taureau, x [tɔʀo] *nm* (*Zool*) toro; **le T~** (*Astrol*) Tauro; **être (du) T~** ser Tauro
tauromachie [tɔʀɔmaʃi] *nf* tauromaquia
taux [to] *nm* tasa; (*proportion: d'alcool*) porcentaje *m*; (*: de participation*) índice *m*; **~ d'escompte** porcentaje de descuento; **~ d'intérêt** tipo de interés; **~ de mortalité** índice *ou* tasa de mortalidad
taxe [taks] *nf* tasa, impuesto; (*douanière*) arancel *m*; **toutes ~s comprises** impuestos incluidos; **~ à** *ou* **sur la valeur ajoutée** impuesto sobre el valor añadido; **~ de base** (*Tél*) tarifa base; **~ de séjour** *suplemento en las estaciones termales o centros turísticos*
taxer [takse] *vt* (*personne*) gravar con impuestos; (*produit*) tasar; **~ qn de** tachar *ou* calificar a algn de; (*accuser de*) acusar a algn de
taxi [taksi] *nm* taxi *m*
Tchécoslovaquie [tʃekɔslɔvaki] *nf* Checoslovaquia
tchèque [tʃɛk] *adj* checo(-a) ▪ *nm* (*Ling*) checo ▪ *nm/f*: **Tchèque** checo(-a)
Tchétchénie [tʃetʃeni] *nf*: **la ~** Chechenia
te [tə] *pron* te
technicien, ne [tɛknisjɛ̃, jɛn] *nm/f* técnico *m/f*
technico-commercial, e, -aux [tɛknikokɔmɛʀsjal, jo] *adj* técnico-comercial
technique [tɛknik] *adj* técnico(-a) ▪ *nf* técnica
techniquement [tɛknikmɑ̃] *adv* técnicamente
techno [tɛkno] *nf* (*fam: Mus*): **la (musique) ~** tecno *m*, música tecno
technologie [tɛknɔlɔʒi] *nf* tecnología
technologique [tɛknɔlɔʒik] *adj* tecnológico(-a)
teck [tɛk] *nm* teca
tee-shirt [tiʃœʀt] (*pl* **~s**) *nm* camiseta
teindre [tɛ̃dʀ] *vt* teñir; **se teindre** *vpr*: **se ~ (les cheveux)** teñirse (el pelo)
teint, e [tɛ̃, tɛ̃t] *pp de* **teindre** ▪ *adj* teñido(-a) ▪ *nm* (*permanent*) tez *f*; (*momentané*) color *m* ▪ *nf*: **une ~e de** (*fig: d'humour etc*) un matiz de; **grand ~** *adj inv* (*tissu*) de color sólido; **bon ~** *adj inv* (*couleur*) sólido(-a); (*catholique, communiste etc*) convencido(-a)
teinté, e [tɛ̃te] *adj* (*verres, lunettes*) ahumado(-a); (*bois*) teñido(-a); **~ acajou** teñido(-a) en caoba; **~ de** teñido(-a) de
teinter [tɛ̃te] *vt* teñir
teinture [tɛ̃tyʀ] *nf* (*opération*) tintura, tinte *m*; (*substance*) tinte; **~ d'iode/d'arnica** tintura de yodo/de árnica
teinturerie [tɛ̃tyʀʀi] *nf* tintorería

teinturier, -ière [tɛ̃tyʀje, jɛʀ] *nm/f* tintorero(-a)
tel, telle [tɛl] *adj (pareil)* tal, semejante; *(indéfini)* tal; **~ un/des ...** tal como.../ como ...; **un ~/de ~s ...** un tal/tales ...; **rien de ~** nada como; **~ quel** tal cual; **~ que** tal como
télé [tele] *nf* tele *f*; **à la ~** en la tele
télé... [tele] *préf* tele...
télécabine [telekabin] *nf* teleférico (monocable)
télécarte [telekaʀt] *nf* tarjeta de teléfono
téléchargeable [teleʃaʀʒabl] *adj* descargable
télécharger [teleʃaʀʒe] *vt (Inform)* cargar
télécommande [telekɔmɑ̃d] *nf* telemando
téléconférence [telekɔ̃feʀɑ̃s] *nf* (servicio de) teleconferencia
télécopieur [telekɔpjœʀ] *nm* máquina de fax
télédistribution [teledistʀibysjɔ̃] *nf* teledistribución *f*
télégramme [telegʀam] *nm* telegrama *m*; **~ téléphoné** telegrama por teléfono
télégraphier [telegʀafje] *vt, vi* telegrafiar
téléguider [telegide] *vt* teledirigir
télématique [telematik] *nf* telemática ▪ *adj* telemático(-a)
téléobjectif [teleɔbʒɛktif] *nm* teleobjetivo
télépathie [telepati] *nf* telepatía
téléphérique [telefeʀik] *nm* teleférico
téléphone [telefɔn] *nm (appareil)* teléfono; **avoir le ~** tener teléfono; **au ~** al teléfono; **~ arabe** *transmisión de noticias de persona a persona*; **~ avec appareil photo intégré** teléfono con cámara; **~ rouge** teléfono rojo; **~ sans fil** teléfono inalámbrico
téléphoner [telefɔne] *vt, vi* llamar por teléfono; **~ à** llamar por teléfono a
téléphonique [telefɔnik] *adj* telefónico(-a); **cabine/appareil ~** cabina telefónica/aparato telefónico; **conversation/appel/liaison ~** conversación *f*/llamada/comunicación *f* telefónica
téléréalité [teleʀealite] *nf* telerrealidad *f*
télescope [telɛskɔp] *nm* telescopio
télescoper [telɛskɔpe] *vt* chocar de frente; **se télescoper** *vpr* chocarse de frente
téléscripteur [teleskʀiptœʀ] *nm* teleimpresor *m*
télésiège [telesjɛʒ] *nm* telesilla
téléski [teleski] *nm* telesquí *m*; **~ à archets/à perche** telesquí de arcos/de trole
téléspectateur, -trice [telespɛktatœʀ, tʀis] *nm/f* telespectador(a)
télétravail [teletʀavaj] *nm* teletrabajo
téléviseur [televizœʀ] *nm* televisor *m*
télévision [televizjɔ̃] *nf* televisión *f*; **(poste de) ~** televisión; **avoir la ~** tener televisión; **à la ~** en la televisión; **~ en circuit fermé** televisión en circuito cerrado; **~ numérique** televisión digital; **~ par câble** televisión por cable
télex [telɛks] *nm* télex *m*
telle [tɛl] *adj voir* **tel**
tellement [tɛlmɑ̃] *adv* tan; **~ grand/ cher (que)** tan grande/caro (que); **~ de** *(sg)* tanto(-a); *(pl)* tantos(-as); **il était ~ fatigué qu'il s'est endormi** estaba tan cansado que se durmió; **il s'est endormi ~ il était fatigué** se durmió de lo cansado que estaba; **je n'ai pas ~ envie d'y aller** no tengo muchas *ou* tantas ganas de ir; **pas ~ fort/lentement** no tan fuerte/ lento; **il ne mange pas ~** no come tanto
téméraire [temeʀɛʀ] *adj* temerario(-a)
témoignage [temwaɲaʒ] *nm* testimonio; *(d'affection etc)* muestra
témoigner [temwaɲe] *vt (intérêt, gratitude)* manifestar ▪ *vi (Jur)* testimoniar, atestiguar; **~ que** declarar que; *(démontrer)* demostrar que; **~ de** dar pruebas de
témoin [temwɛ̃] *nm* testigo; *(preuve)* prueba ▪ *adj* testigo *inv*; *(appartement)* piloto *inv* ▪ *adv*: **~ le fait que ...** prueba de ello ...; **être ~ de** ser testigo de; **prendre à ~** tomar como *ou* por testigo; **appartement ~** piso piloto; **~ à charge** testigo de cargo; **T~ de Jéhovah** testigo de Jehová; **~ de moralité** testigo de moralidad; **~ oculaire** testigo ocular
tempe [tɑ̃p] *nf* sien *f*
tempérament [tɑ̃peʀamɑ̃] *nm* temperamento; *(santé)* constitución *f*; **à ~** *(vente)* a plazos; **avoir du ~** tener mucho temperamento
température [tɑ̃peʀatyʀ] *nf* temperatura; **prendre la ~ de** tomar la temperatura de; *(fig)* tantear; **avoir** *ou* **faire de la ~** tener fiebre; **feuille/courbe de ~** gráfica/curva de temperatura
tempête [tɑ̃pɛt] *nf (en mer)* temporal *m*; *(à terre)* tormenta; **vent de ~** viento de tormenta; *(fig)* gran tensión *f*; **~ d'injures/de mots** torrente *m* de injurias/de palabras; **~ de neige/de sable** tormenta de nieve/de arena

temple [tɑ̃pl] *nm* templo
temporaire [tɑ̃pɔʀɛʀ] *adj* temporal
temps [tɑ̃] *nm* tiempo; (*époque*) tiempo, época; **les ~ changent/sont durs** los tiempos cambian/son duros; **il fait beau/mauvais ~** hace buen/mal tiempo; **passer/employer son ~ à faire qch** pasar/emplear el tiempo en hacer algo; **avoir le ~/tout le ~/juste le ~** tener tiempo/mucho tiempo/el tiempo justo; **avoir du ~ de libre** tener tiempo libre; **avoir fait son ~** (*fig*) haber pasado a la historia; **en ~ de paix/de guerre** en tiempo de paz/de guerra; **en ~ utile** *ou* **voulu** a su debido tiempo; **de ~ en ~, de ~ à autre** de vez en cuando; **en même ~** al mismo tiempo; **à ~** a tiempo; **pendant ce ~** mientras tanto; **à plein/mi-~** (*travailler*) jornada completa/media jornada; **à ~ partiel** *adv, adj* a tiempo parcial; **dans le ~** hace tiempo, antaño; **de tout ~** de toda la vida; **du ~ que, au/du ~ où** en los tiempos en que, cuando; **~ chaud/froid** tiempo caluroso/frío; **~ d'accès** (*Inform*) tiempo de acceso; **~ d'arrêt** parada; **~ de pose** tiempo de exposición; **~ mort** (*Sport*) tiempo muerto; (*Comm*) tiempo de inactividad; **~ partagé/réel** (*Inform*) tiempo compartido/verdadero *ou* real
tenable [t(ə)nabl] *adj* soportable
tenace [tənas] *adj* tenaz; (*infection*) persistente
tenant, e [tənɑ̃, ɑ̃t] *adj voir* **séance** ■ *nm/f* (*Sport*): **~ du titre** poseedor(a) del título ■ *nm*: **d'un seul ~** de una sola pieza; **les ~s et les aboutissants** los detalles nimios
tendance [tɑ̃dɑ̃s] *nf* tendencia; **~ à la hausse/baisse** tendencia a la alza/baja; **avoir ~ à** tener tendencia a
tendeur [tɑ̃dœʀ] *nm* tensor *m*
tendre [tɑ̃dʀ] *adj* (*à manger*) tierno(-a), blando(-a); (*matière*) blando(-a); (*affectueux*) cariñoso(-a); (*lettre, regard, émotion*) tierno(-a); (*couleur, bleu*) suave ■ *vt* (*élastique, peau*) extender, estirar; (*muscle, arc*) tensar; (*offrir*) ofrecer; (*piège*) tender; **se tendre** *vpr* tensarse; **~ à qch/à faire qch** tender a algo/a hacer algo; **~ qch à qn** alcanzar algo a algn; **~ l'oreille** aguzar el oído; **~ le bras/la main** alargar el brazo/extender la mano; **~ la perche à qn** (*fig*) echar un capote a algn; **tendu de soie** tapizado en seda
tendrement [tɑ̃dʀəmɑ̃] *adv* tiernamente
tendresse [tɑ̃dʀɛs] *nf* ternura; **tendresses** *nfpl* (*caresses*) caricias *fpl*
tendu, e [tɑ̃dy] *pp de* **tendre** ■ *adj* (*allongé*) estirado(-a); (*raidi*) tensado(-a)
ténèbres [tenɛbʀ] *nfpl* tinieblas *fpl*
teneur [tənœʀ] *nf* proporción *f*; (*d'une lettre*) texto; **~ en cuivre** proporción de cobre
tenir [t(ə)niʀ] *vt* (*avec la main, un objet*) tener; (*qn: par la main, le cou etc*) agarrar, coger; (*garder, maintenir: position*) mantener; (*maintenir fixé*) sujetar; (*prononcer: propos, discours*) proferir; (*magasin, hôtel*) regentar; (*promesse*) cumplir; (*un rôle*) desempeñar; (*Mil: ville, région*) ocupar; (*fam: un rhume*) estar con; (*Auto: la route*) agarrarse a ■ *vi* (*être fixé*) aguantar; (*neige, gel*) cuajar; (*survivre*) aguantar; (*peinture, colle*) agarrar; (*capacité*) caber; **se tenir** *vpr* (*par la main*) cogerse, agarrarse; (*à qch*) agarrarse; (*conférence*) celebrarse; (*personne, monument*) estar; (*récit*) ser coherente; (*se comporter*) comportarse; **~ à** (*personne, chose*) tener cariño a; (*avoir pour cause*) deberse a; **~ à faire** tener interés en hacer; **~ de** (*parent*) salir; **~ qch pour** considerar algo como; **~ qn pour** tener a algn por; **~ qch de qn** (*histoire*) saber algo por algn; **~ lieu de** servir de; **~ compte de** tener en cuenta; **~ le lit** guardar cama; **~ la solution/le coupable** tener la solución/el culpable; **~ une réunion/un débat** celebrar una reunión/un debate; **~ la caisse/les comptes** llevar la contabilidad/las cuentas; **~ de la place** ocupar espacio; **~ l'alcool** aguantar el alcohol; **~ le coup, ~ bon** aguantar; **~ 3 jours/2 mois** resistir *ou* aguantar 3 días/2 meses; **~ au chaud/à l'abri** mantener caliente/protegido(-a); **~ chaud** (*suj: vêtement*) mantener abrigado; (*: café*) mantener caliente; **~ prêt** tener listo; **~ parole** mantener su *etc* palabra; **~ en respect** mantener a distancia; **~ sa langue** mantener la boca cerrada; **se ~ debout/droit** tenerse en pie/derecho; **bien/mal se ~** comportarse bien/mal; **s'en ~ à qch** atenerse a algo; **se ~ prêt/sur ses gardes** estar listo/en guardia; **se ~ tranquille** estarse quieto; **ça ne tient qu'à lui** es cosa suya; **il tient cela de son père** en eso ha salido a su padre; **nous ne tenons pas tous à cette table** no cabemos todos en esta mesa; **ça ne tient pas debout** no tiene ni pies ni cabeza; **qu'à cela ne tienne** por eso que no

quede; **je n'y tiens pas** no me apetece; **tiens/tenez, voilà le stylo!** ¡toma/tome, aquí está la pluma!; **tiens, Pierre!** ¡anda, Pierre!; **tiens?** ¡anda!; **tiens-toi bien!** ¡agárrate!

tennis [tenis] *nm* tenis *msg*; (*aussi*: **court de tennis**) cancha (de tenis) ▪ *nm ou f pl* (*aussi*: **chaussures de tennis**) playeras *fpl*; **~ de table** tenis de mesa

tennisman [tenisman] *nm* tenista *m*

tension [tɑ̃sjɔ̃] *nf* tensión *f*; (*concentration, effort*) esfuerzo; **faire** *ou* **avoir de la ~** tener tensión; **~ nerveuse/raciale** tensión nerviosa/racial

tentation [tɑ̃tasjɔ̃] *nf* tentación *f*

tentative [tɑ̃tativ] *nf* intento; **~ d'évasion/de suicide** intento de fuga/de suicidio

tente [tɑ̃t] *nf* tienda; **~ à oxygène** tienda de oxígeno

tenter [tɑ̃te] *vt* tentar; (*attirer: suj: musique, objet*) encantar; **~ qch/de faire qch** intentar algo/hacer algo; **être tenté de penser/croire** estar tentado a pensar/creer; **~ sa chance** tentar la suerte

tenture [tɑ̃tyʀ] *nf* colgadura

tenu, e [t(ə)ny] *pp de* **tenir** ▪ *adj*: **maison bien ~e** casa bien cuidada; **les comptes de cette entreprise sont mal ~s** llevan mal las cuentas de esta empresa; **être ~ de faire/de ne pas faire/à qch** estar obligado(-a) a hacer/a no hacer/a algo

ter [tɛʀ] *adj*: **16 ~** 16 C

terme [tɛʀm] *nm* término; (*Fin*) vencimiento; **être en bons/mauvais ~s avec qn** estar en buenos/malos términos con algn; **en d'autres ~s** en otras palabras; **vente/achat à ~** (*Comm*) venta/compra a plazos; **au ~ de** al término de; **à court/moyen/long ~** *adj, adv* a corto/medio/largo plazo; **moyen ~** término medio; **à ~** (*Méd*) a los nueve meses; **avant ~** (*Méd*) antes de tiempo; **mettre un ~ à** poner término a; **toucher à son ~** estar acabándose

terminaison [tɛʀminɛzɔ̃] *nf* (*Ling*) terminación *f*

terminal, e, -aux [tɛʀminal, o] *adj* terminal ▪ *nm* (*Inform*) terminal *m*; (*pétrolier, gare*) terminal *f*

terminale [tɛʀminal] *nf* (*Scol*) *sé(p)timo año de educación secundaria en el sistema francés*

terminer [tɛʀmine] *vt* terminar, acabar; **se terminer** *vpr* terminar(se), acabar(se); **se ~ par/en** (*repas, chansons*) acabar *ou* terminar con; (*pointe, boule*) acabar *ou* terminar en

terne [tɛʀn] *adj* apagado(-a); (*personne, style*) insípido(-a)

ternir [tɛʀniʀ] *vt* (*couleur, peinture*) desteñir; (*fig: honneur, réputation*) empañar; **se ternir** *vpr* desteñirse

terrain [teʀɛ̃] *nm* terreno; (*à bâtir*) solar *m*, terreno; (*Sport, fig: domaine*) campo; **sur le ~** sobre el terreno; **gagner/perdre du ~** ganar/perder terreno; **~ d'atterrissage** pista de aterrizaje; **~ d'aviation** campo de aviación; **~ d'entente** vía de entendimiento; **~ de camping** camping *m*; **~ de football/de golf** *etc* campo de fútbol/de golf *etc*; **~ de jeu** patio de juego; **~ vague** solar *m*

terrasse [teʀas] *nf* terraza; (*sur le toit*) azotea; **culture en ~s** cultivo en bancales

terrasser [teʀase] *vt* (*adversaire*) derribar; (*suj: maladie etc*) fulminar

terre [tɛʀ] *nf* tierra; (*population*) mundo; **terres** *nfpl* (*propriété*) tierras *fpl*; **travail de la ~** trabajo del campo; **en ~** de barro; **mettre en ~** enterrar; **à ~, par ~** (*mettre, être*) en el suelo *ou* piso (*AM*); (*jeter, tomber*) al suelo; **~ à ~** *adj inv* prosaico(-a); **la T~** la Tierra; **la T~ promise/Sainte** la Tierra prometida/Santa; **T~ Adélie/de Feu** Tierra de Adelaida/de Fuego; **~ cuite** terracota, arcilla cocida; **~ de bruyère** tierra de brezo; **~ ferme** tierra firme; **~ glaise** arcilla

terreau [teʀo] *nm* mantillo

terre-plein [tɛʀplɛ̃] (*pl* **~s**) *nm* (*Constr*) terraplén *m*

terrestre [teʀɛstʀ] *adj* terrestre; (*Rel*) terrenal; (*globe*) terráqueo(-a)

terreur [teʀœʀ] *nf* terror *m*; (*Pol*): **régime de la ~** régimen *m* del terror

terrible [teʀibl] *adj* terrible; (*fam*) estupendo(-a), regio(-a)

terrien, ne [teʀjɛ̃, jɛn] *adj* campesino(-a) ▪ *nm/f* (*non martien etc*) terrícola *m/f*; (*qui ne vit pas sur la côte*) hombre *m*/mujer *f* de tierra adentro; **propriétaire ~** terrateniente *m/f*

terrier [tɛʀje] *nm* madriguera; (*chien*) terrier *m*

terrifier [teʀifje] *vt* aterrorizar

terrine [teʀin] *nf* tarro; (*Culin*) *conserva de carnes en tarro*

territoire [teʀitwaʀ] *nm* territorio; **T~ des Afars et des Issas** Territorio de los Afars y de los Isas

terroriser [teʀɔʀize] *vt* aterrorizar

terrorisme [teʀɔʀism] *nm* terrorismo

terroriste [teʀɔʀist] *adj, nm/f* terrorista *m/f*
tertiaire [tɛʀsjɛʀ] *adj (Écon, Géo)* terciario(-a) ▪ *nm (Écon)* sector *m* servicios
tes [te] *dét voir* **ton¹**
test [tɛst] *nm* prueba, examen *m*; **~ de niveau** prueba de nivel
testament [tɛstamɑ̃] *nm* testamento; **faire son ~** hacer testamento
tester [tɛste] *vt* testar; *(personne, produit etc)* someter a prueba
testicule [tɛstikyl] *nm* testículo
tétanos [tetanos] *nm* tétano, tétanos *msg*
têtard [tɛtaʀ] *nm* renacuajo
tête [tɛt] *nf* cabeza; *(visage)* cara; *(Football)* cabezazo; **de ~** *adj (wagon, voiture)* delantero(-a); *(concurrent)* en cabeza ▪ *adv (calculer)* mentalmente; **par ~** por persona, por cabeza; **être à la ~ de qch** estar al frente de algo; **il fait une ~ de plus que moi** me lleva un palmo; **gagner d'une (courte) ~** ganar por (casi) una cabeza; **prendre la ~ de qch** tomar la dirección de algo; **perdre la ~** perder la cabeza; **ça ne va pas la ~?** *(fam)* ¿no estás bien de la cabeza?; **il s'est mis en ~ de le faire** se le ha metido en la cabeza hacerlo; **tenir ~ à qn** hacer frente a algn; **la ~ la première** de cabeza; **la ~ basse** cabizbajo(-a); **la ~ en bas** cabeza abajo; **avoir la ~ dure** *(fig)* ser duro(-a) de mollera; **faire une ~** *(Football)* dar un cabezazo; **faire la ~** estar de morros, poner mala cara; **en ~** *(Sport)* a la cabeza; *(arriver, partir)* primero(-a); **de la ~ aux pieds** de la cabeza a los pies; **~ brûlée** *(fig)* cabeza loca; **~ chercheuse/ d'enregistrement/d'impression** cabeza buscadora/grabadora/impresora; **~ d'affiche** *(Théâtre etc)* cabecera del reparto; **~ de bétail** res *f*; **~ de lecture** cabeza de lectura; **~ de ligne** *(Transport)* central *f*; **~ de liste** *(Pol)* cabeza de lista; **~ de mort** calavera; **~ de pont** *(Mil, fig)* cabeza de puente; **~ de série** *(Tennis)* cabeza de serie; **~ de Turc** cabeza de turco; **~ de veau** *(Culin)* cabeza de ternero
tête-à-queue [tɛtakø] *nm inv*: **faire un ~** derrapar y quedar en sentido contrario
téter [tete] *vt* mamar
tétine [tetin] *nf (de vache)* ubre *f*; *(de biberon)* tetina; *(sucette)* chupete *m*
têtu, e [tety] *adj* terco(-a), testarudo(-a)
teuf [tøf] *(fam) nf* fiesta; **faire la ~** estar de fiesta
texte [tɛkst] *nm* texto; *(passage)*: **~s choisis** textos *mpl* escogidos; **apprendre son ~** *(Théâtre, Ciné)* aprender el papel; **un ~ de loi** un texto de ley
textile [tɛkstil] *adj* textil ▪ *nm* tejido; *(industrie)*: **le ~** la industria textil
Texto® [tɛksto] *nm* mensaje *m* de texto, SMS *m*
texture [tɛkstyʀ] *nf* textura
TGV [teʒeve] *sigle m (= train à grande vitesse)* ≈ AVE *(= Alta Velocidad Española)*
thaïlandais, e [tajlɑ̃dɛ, ɛz] *adj* tailandés(-esa) ▪ *nm/f*: **Thaïlandais, e** tailandés(-esa)
Thaïlande [tailɑ̃d] *nf* Tailandia
thé [te] *nm* té *m*; **prendre le ~** tomar el té; **faire le ~** hacer un té; **~ au citron/au lait** té con limón/con leche
théâtral, e, -aux [teɑtʀal, o] *adj (aussi péj)* teatral
théâtre [teɑtʀ] *nm* teatro; *(fig: lieu)*: **le ~ de** el escenario de; **faire du ~** hacer teatro; **~ filmé** teatro grabado
théière [tejɛʀ] *nf* tetera
thème [tɛm] *nm* tema; *(traduction)* traducción *f* inversa; **~ astral** carta astral
théologie [teɔlɔʒi] *nf* teología
théorie [teɔʀi] *nf* teoría; **en ~** en teoría; **~ musicale** teoría de la música
théorique [teɔʀik] *adj* teórico(-a)
thérapie [teʀapi] *nf* terapia
thermal, e, -aux [tɛʀmal, o] *adj* termal; **station/cure ~e** estación *f*/cura termal
thermique [tɛʀmik] *adj* térmico(-a); **ascendance ~** ascendencia térmica
thermomètre [tɛʀmɔmɛtʀ] *nm* termómetro
thermos® [tɛʀmos] *nm ou f*: **(bouteille) ~** termo
thermostat [tɛʀmɔsta] *nm* termostato
thèse [tɛz] *nf* tesis *f inv*; *(opinion)* teoría; **pièce/roman à ~** obra/novela de tesis
thon [tɔ̃] *nm* atún *m*
thym [tɛ̃] *nm* tomillo
tibia [tibja] *nm* tibia
tic [tik] *nm (nerveux)* tic *m*; *(de langage etc)* muletilla
ticket [tikɛ] *nm* billete *m*, boleto *(AM)*; *(de cinéma, théâtre)* entrada; **~ de caisse** ticket *m ou* tique(t) *m* de compra; **~ de quai** ticket *ou* tique(t) de andén; **~ de rationnement** cupón *m* de racionamiento; **~ modérateur** *porcentaje correspondiente al asegurado en los gastos de la Seguridad social*; **~ repas** vale *m* (para la comida)
tiède [tjɛd] *adj* tibio(-a), templado(-a);

(*bière*) caliente; (*thé, café*) tibio(-a); (*air*) templado(-a) ■ *adv*: **boire ~** beber cosas templadas; **recevoir un accueil ~** tener una acogida tibia
tiédir [tjediʀ] *vi* templarse
tien, ne [tjɛ̃, tjɛn] *adj* tuyo(-a) ■ *pron*: **le(la) ~(ne)** el/la tuyo(-a); **les ~s/les ~nes** los tuyos/las tuyas; **les ~s** (*ta famille*) los tuyos
tiens [tjɛ̃] *vb, excl voir* **tenir**
tiercé [tjɛʀse] *nm* apuesta triple
tiers, tierce [tjɛʀ, tjɛʀs] *adj* tercero(-a) ■ *nm* (*Jur*) tercero; (*fraction*) tercio; **assurance au ~** seguro contra terceros; **une tierce personne** una tercera persona; **le ~ monde** el tercer mundo; **~ payant** (*Méd, Pharmacie*) *sistema en que la compañía de seguros paga directamente por la asistencia médica del paciente*; **~ provisionnel** (*Fin*) *pago fraccionado del impuesto sobre la renta*
tige [tiʒ] *nf* (*de fleur, plante*) tallo; (*branche d'arbre*) rama; (*baguette*) varilla
tignasse [tiɲas] (*péj*) *nf* greñas *fpl*
tigre [tigʀ] *nm* tigre *m*
tigré, e [tigʀe] *adj* (*tacheté*) picado(-a); (*rayé*) atigrado(-a)
tigresse [tigʀɛs] *nf* tigresa
tilleul [tijœl] *nm* (*arbre*) tilo; (*boisson*) tila
timbre [tɛ̃bʀ] *nm* timbre *m*; (*aussi*: **timbre-poste**) sello, estampilla (*AM*); (*cachet de la poste*) sello; **~ dateur** fechador *m*; **~ fiscal** timbre fiscal; **~ tuberculinique** (*Méd*) *pegatina vendida en la lucha contra la tuberculosis*
timbré, e [tɛ̃bʀe] *adj* (*enveloppe*) timbrado(-a), sellado(-a); (*voix*) timbrado(-a); (*fam*) tocado(-a) de la cabeza; **papier ~** papel *m* timbrado
timide [timid] *adj* tímido(-a); **le soleil est ~** el sol no se atreve a salir
timidement [timidmɑ̃] *adv* tímidamente
timidité [timidite] *nf* timidez *f*
tintamarre [tɛ̃tamaʀ] *nm* escandalera
tinter [tɛ̃te] *vi* tintinar
tique [tik] *nf* garrapata
TIR [tiʀ] *sigle mpl* (= *transports internationaux routiers*) TIR *m*, *transporte internacional por carretera*
tir [tiʀ] *nm* tiro; (*stand*) tiro al blanco; **~ à l'arc** tiro con arco; **~ au fusil** tiro con fusil; **~ au pigeon** tiro de pichón; **~ de barrage/de mitraillette/d'obus** fuego de barrera/disparo de ametralladora/tiro de obús
tirage [tiʀaʒ] *nm* (*Photo*) revelado; (*Typo, Inform*) impresión *f*; (*d'un journal, de livre*) tirada; (: *édition*) edición *f*; (*d'un poêle etc*) tiro; (*de loterie*) sorteo; (*désaccord*) fricción *f*; **~ au sort** sorteo
tire [tiʀ] *nf*: **voleur à la ~** ratero; **vol à la ~** tirón *m*
tiré, e [tiʀe] *adj* (*visage*) cansado(-a) ■ *nm* (*Comm*) librado; **~ par les cheveux** difícil de creer; **~ à part** separata
tire-bouchon [tiʀbuʃɔ̃] (*pl* **~s**) *nm* sacacorchos *m inv*
tirelire [tiʀliʀ] *nf* hucha
tirer [tiʀe] *vt* (*sonnette etc*) tirar de, jalar (*AM*); (*remorque*) arrastrar, jalar (*AM*); (*trait*) trazar; (*porte*) cerrar; (*rideau, panneau*) correr; (*extraire: carte, numéro, conclusion*) sacar; (*Comm: chèque*) extender; (*loterie*) sortear; (*en faisant feu*) tirar, disparar; (: *animal*) disparar (a); (*journal, livre*) imprimir; (*Photo*) revelar; (*Football*) sacar, tirar ■ *vi* (*faire feu*) disparar; (*cheminée, Sport*) tirar; **se tirer** *vpr* (*fam*) largarse; **~ qch de** sacar algo de; (*le jus d'un citron*) extraer algo de; (*un son d'un instrument*) obtener algo de; **~ une substance d'une matière première** obtener una sustancia de una materia prima; **~ 6 mètres** (*Naut*) tener 6 metros de calado; **s'en ~** salir bien; **~ sur** tirar de; (*faire feu sur*) disparar a; (*pipe*) fumar en; (*avoisiner*) acercarse a; **~ la langue** sacar la lengua; **~ avantage/parti de** sacar provecho/partido de; **~ son nom/origine de** recibir su nombre/origen de; **~ qn de** (*embarras etc*) sacar a algn de; **~ à l'arc/à la carabine** tirar con arco/con carabina; **~ en longueur** no tener fin; **~ à sa fin** tocar a su fin; **~ les cartes** echar las cartas
tiret [tiʀɛ] *nm* guión *m*
tireur, -euse [tiʀœʀ, øz] *nm/f* (*Mil*) tirador(a); (*Comm*) librador(a); **bon ~** buen tirador; **~ d'élite** tirador de primera; **tireuse de cartes** echadora de cartas
tiroir [tiʀwaʀ] *nm* cajón *m*
tiroir-caisse [tiʀwaʀkɛs] (*pl* **tiroirs-caisses**) *nm* caja
tisane [tizan] *nf* tisana, infusión *f*
tisser [tise] *vt* tejer; (*réseau*) establecer
tissu¹ [tisy] *nm* tejido; (*fig*) sarta; **~ de mensonges** sarta de mentiras
tissu², e [tisy] *adj*: **~ de** tejido(-a) de
tissu-éponge [tisyepɔ̃ʒ] (*pl* **tissus-éponges**) *nm* felpa
titre [titʀ] *nm* título; (*de journal, aussi télévisé*) titular *m*; (*Chim: d'alliage*) ley *f*; (: *de solution*) título; (: *d'alcool*) graduación *f*; **en ~** titular; **à juste ~** con toda razón; **à quel ~?** ¿a título de qué?; **à aucun ~** bajo

ninguna razón; **au même ~ (que)** al igual (que); **au ~ de la coopération** *etc* en nombre de la cooperación *etc*; **à ~ d'exemple** como ejemplo; **à ~ d'exercice** como ejercicio; **à ~ exceptionnel** excepcionalmente; **à ~ amical** amistosamente; **à ~ d'information** a modo de información; **à ~ gracieux** gratis; **à ~ provisoire/d'essai** de forma provisional/a modo de ensayo; **à ~ privé/consultatif** a título privado/ consultativo; **~ courant** titulillo; **~ de propriété** título de propiedad; **~ de transport** billete *m*
tituber [titybe] *vi* titubear
titulaire [titylɛʀ] *adj* titular ▪ *nm* titular *m*; **être ~ de** ser titular de
toast [tost] *nm* tostada; (*de bienvenue*) brindis *m inv*; **porter un ~ à qn** brindar por algn
toboggan [tɔbɔgɑ̃] *nm* tobogán *m*; (*Auto*) paso a desnivel
toc [tɔk] *nm*: **en ~** de imitación
tocsin [tɔksɛ̃] *nm* rebato, toque *m* de alarma
tohu-bohu [tɔybɔy] *nm inv* (*désordre*) revoltijo; (*tumulte*) barullo
toi [twa] *pron* tú; **~, tu n'y vas pas** tú no vas; **c'est ~?** ¿eres tú?; **je veux aller avec ~** quiero ir contigo; **pour/sans ~** para/sin ti; **des livres à ~** libros tuyos
toile [twal] *nf* tela; (*bâche*) lona; (*tableau*) tela, lienzo; **grosse ~** tela basta; **tisser sa ~** tejer su tela; **~ cirée** hule *m*; **~ d'araignée** telaraña; **~ de fond** telón *m* de fondo; **~ de jute** tela de saco; **~ de lin** lienzo; **~ de tente** lona; **~ émeri** tela de esmeril
toilette [twalɛt] *nf* aseo; (*s'habiller et se préparer*) arreglo; (*habillement*) vestimenta; **toilettes** *nfpl* servicios *mpl*; **les ~s des dames/messieurs** los servicios de señoras/caballeros; **faire sa ~** asearse; **faire la ~ de** (*animal*) lavar y arreglar a; (*texte*) preparar; **articles de ~** artículos *mpl* de aseo; **~ intime** aseo íntimo
toi-même [twamɛm] *pron* tú mismo
toit [twa] *nm* techo; (*de bâtiment*) tejado; **~ ouvrant** techo solar
toiture [twatyʀ] *nf* tejado, techumbre *f*
tôle [tol] *nf* chapa; **~ d'acier** chapa de acero; **~ ondulée** chapa ondulada
tolérable [tɔleʀabl] *adj* tolerable
tolérant, e [tɔleʀɑ̃, ɑ̃t] *adj* tolerante
tolérer [tɔleʀe] *vt* tolerar; (*Admin: hors taxe*) autorizar
tollé [tɔ(l)le] *nm*: **un ~ (d'injures/de protestations)** una sarta (de insultos/de protestas)
tomate [tɔmat] *nf* tomate *m*
tombe [tɔ̃b] *nf* tumba
tombeau, x [tɔ̃bo] *nm* tumba; **à ~ ouvert** a toda velocidad
tombée [tɔ̃be] *nf*: **à la ~ du jour** *ou* **de la nuit** al atardecer, al anochecer
tomber [tɔ̃be] *vi* caer; (*accidentellement*) caerse; (*prix, température*) bajar ▪ *vt*: **~ la veste** (*fam*) quitarse la chaqueta; **laisser ~** abandonar; **~ sur** encontrarse con; (*attaquer*) echarse sobre; (*critiquer*) echarse encima de; **~ de fatigue/de sommeil** caerse de cansancio/de sueño; **~ à l'eau** (*fig*) irse al garete; **~ juste** salir bien; **~ en panne** tener una avería; **~ en ruine** caerse en ruinas; **le 15 tombe un mardi** el 15 cae en martes; **~ bien/mal** (*vêtement*) quedar bien/mal; **ça tombe bien/mal** (*fig*) viene bien/mal; **il est bien/mal tombé** (*fig*) le ha ido bien/mal
tombola [tɔ̃bɔla] *nf* tómbola
tome [tɔm] *nm* tomo
ton¹, ta [tɔ̃, ta] (*pl* **tes**) *dét* tu
ton² [tɔ̃] *nm* tono; **élever** *ou* **hausser le ~** levantar la voz; **donner le ~** llevar la voz cantante; **si vous le prenez sur ce ~** si lo toma usted así; **de bon ~** de buen tono; **~ sur ~** en la misma gama de color
tonalité [tɔnalite] *nf* tonalidad *f*; (*au téléphone*) señal *f*
tondeuse [tɔ̃døz] *nf* (*à gazon*) cortadora de césped; (*de coiffeur*) maquinilla (de cortar el pelo); (*pour la tonte*) esquiladora
tondre [tɔ̃dʀ] *vt* (*pelouse*) cortar; (*haie*) podar; (*mouton*) esquilar; (*cheveux*) rapar
tonifier [tɔnifje] *vi* (*air*) vivificar; (*eau*) tonificar ▪ *vt* (*organisme*) entonar; (*peau*) tonificar
tonique [tɔnik] *adj* (*lotion*) tónico(-a); (*médicament, personne*) estimulante; (*froid*) tonificante; (*air*) vivificador(a) ▪ *nm* (*médicament*) estimulante *m*; (*lotion*) tónico; (*boisson*) tónica ▪ *nf* (*Mus*) tónica
tonne [tɔn] *nf* tonelada
tonneau, x [tɔno] *nm* tonel *m*; (*Naut*): **jauger 2.000 ~x** tener una capacidad de 2.000 toneladas; **faire des ~x** (*voiture*) dar vueltas de campana; (*avion*) hacer rizos
tonnelle [tɔnɛl] *nf* glorieta
tonner [tɔne] *vi* tronar; (*parler avec véhémence*): **~ contre qn/qch** despotricar contra algn/algo; **il tonne** truena
tonnerre [tɔnɛʀ] *nm* trueno; **du ~** (*fam*) bárbaro(-a); **coup de ~** infortunio; **~ d'applaudissements** salva de aplausos

tonton [tɔ̃tɔ̃] *nm* tito
tonus [tɔnys] *nm*: **avoir du ~** estar entonado(-a); **donner du ~** entonar
top [tɔp] *nm*: **au 3ème ~** a la tercera señal ■ *adj*: **~ secret** top secret ■ *excl* ¡ya!; **le ~ 50** ≈ los 40 principales
topinambour [tɔpinɑ̃buʀ] *nm* batata
torche [tɔʀʃ] *nf* antorcha
torchon [tɔʀʃɔ̃] *nm* trapo; (*à vaisselle*) paño de cocina
tordre [tɔʀdʀ] *vt* (*chiffon*) estrujar; (*barre*) torcer; (*visage*) retorcer; **se tordre** *vpr* torcerse; (*ver, serpent*) retorcerse; **se ~ le pied/bras** torcerse el pie/brazo; **se ~ de douleur/de rire** retorcerse de dolor/desternillarse de risa
tordu, e [tɔʀdy] *pp de* **tordre** ■ *adj* idiota
tornade [tɔʀnad] *nf* tornado
torrent [tɔʀɑ̃] *nm* torrente *m*; (*fig*): **un ~ de** un torrente de; **il pleut à ~s** llueve a mares
torsade [tɔʀsad] *nf* retorcido; (*Archit*) espiral *f*
torse [tɔʀs] *nm* torso; (*poitrine*) pecho ■ *adj f voir* **tors**
tort [tɔʀ] *nm* (*défaut*) defecto; (*préjudice*) perjuicio; **torts** *nmpl* (*Jur*) daños y perjuicios *mpl*; **avoir ~** estar equivocado(-a); **être dans son ~** tener la culpa; **donner ~ à qn** echar la culpa a algn; (*fig*: *suj*: *chose*) perjudicar a algn; **causer du ~ à** perjudicar a; **être en ~** tener la culpa; **à ~** sin razón; **à ~ ou à raison** con razón o sin ella; **à ~ et à travers** a tontas y a locas
torticolis [tɔʀtikɔli] *nm* tortícolis *f inv*
tortiller [tɔʀtije] *vt* retorcer; **se tortiller** *vpr* retorcerse
tortionnaire [tɔʀsjɔnɛʀ] *nm* verdugo
tortue [tɔʀty] *nf* tortuga
tortueux, -euse [tɔʀtɥø, øz] *adj* tortuoso(-a)
torture [tɔʀtyʀ] *nf* tortura
torturer [tɔʀtyʀe] *vt* torturar
tôt [to] *adv* (*au début d'une portion de temps*) temprano; (*au bout de peu de temps*) pronto; **~ ou tard** tarde o temprano; **si ~** tan pronto; **au plus ~** cuanto antes; **plus ~** antes; **il eut ~ fait de faire ...** muy pronto hizo ...
total, e, -aux [tɔtal, o] *adj* total ■ *nm* total *m*; **au ~** en total; (*fig*) en resumidas cuentas; **faire le ~** hacer el total
totalement [tɔtalmɑ̃] *adv* totalmente
totaliser [tɔtalize] *vt* totalizar
totalitaire [tɔtalitɛʀ] *adj* totalitario(-a)
totalité [tɔtalite] *nf* totalidad *f*; **revoir qch en ~** revisar algo en totalidad
toubib [tubib] (*fam*) *nm* médico
touchant, e [tuʃɑ̃, ɑ̃t] *adj* conmovedor(a)
touche [tuʃ] *nf* (*de piano, de machine à écrire*) tecla; (*de violon*) diapasón *m*; (*de télécommande*) botón *m*; (*Peinture, fig*) toque *m*; (*Rugby*) línea lateral; (*Football*: *aussi*: **remise en touche**) saque *m* de banda; (: *ligne de touche*) línea de banda; (*Escrime*) tocado; **en ~** fuera de banda; **avoir une drôle de ~** (*fam*) tener una pinta extraña; **~ sensitive** *ou* **à effleurement** control *m* sensible al tacto; **~ de commande/de fonction/de retour** (*Inform*) tecla de mando/de función/de retorno
toucher [tuʃe] *nm* tacto; (*Mus*) modo de tocar ■ *vt* tocar; (*mur, pays*) lindar con; (*atteindre*) alcanzar; (*émouvoir*: *suj*: *amour, fleurs*) conmover; (: *catastrophe, malheur, crise*) afectar; (*concerner*) atañer; (*contacter*) contactar con; (*prix, récompense*) recibir; (*salaire, chèque*) cobrar; (*problème, sujet*) abordar; **se toucher** *vpr* tocarse; **au ~** al tacto; **~ à qch** tocar algo; (*concerner*) atañer a algo; **~ au but** llegar a la meta; **je vais lui en ~ un mot** le diré dos palabras sobre ello; **~ à sa fin** *ou* **son terme** tocar a su fin
touffe [tuf] *nf* (*d'herbe*) mata; (*de poils*) mechón *m*
touffu, e [tufy] *adj* (*haie, forêt*) frondoso(-a); (*cheveux*) tupido(-a); (*style, texte*) denso(-a)
toujours [tuʒuʀ] *adv* siempre; (*encore*) todavía; **~ plus** cada vez más; **pour ~** para siempre; **depuis ~** desde siempre; **~ est-il que** lo cierto es que; **essaie ~** prueba a intentarlo; **il vit ~ ici** sigue viviendo aquí
toupie [tupi] *nf* peonza
tour [tuʀ] *nf* torre *f*; (*appartements*) bloque *m* (de pisos) ■ *nm* (*promenade*) paseo, vuelta; (*excursion*) excursión *f*; (*Sport, Pol, de vis, de roue*) vuelta; (*d'être servi ou de jouer etc*) turno; (*de la conversation*) giro; (*ruse*) ardid *m*; (*de prestidigitation etc*) número; (*de cartes*) truco; (*de potier, à bois*) torno; **de 3 m de ~** (*circonférence*) de 3 m de perímetro; **faire le ~ de** dar la vuelta a; (*questions, possibilités*) dar vueltas a; **faire un ~** dar una vuelta; **faire le ~ de l'Europe** dar la vuelta a Europa; **faire 2/3 ~s** dar 2 o 3 vueltas; **fermer à double ~** cerrar bajo siete llaves; **c'est mon/son ~** es mi/su

turno; **c'est au ~ de Philippe** le toca a Philippe; **à ~ de rôle, ~ à ~** por turnos, en orden; **à ~ de bras** con todas las fuerzas; **en un ~ de main** en un santiamén, en un abrir y cerrar de ojos; **~ d'horizon** *nm* (*fig*) panorama; **~ de chant** *nm* recital *m* de canto; **~ de contrôle** *nf* torre de control; **~ de force** *nm* hazaña; **~ de garde** *nm* recorrido de guardia; **~ de lancement** *nf* plataforma de lanzamiento; **~ de lit** *nm* cubrecama *m*; **~ de main** *nm* habilidad *f*; **~ de passe-passe** *nm* juego de manos; **~ de poitrine/de tête** *nm* contorno de pecho/de cabeza; **~ de reins** *nm* lumbago; **~ de taille** *nm* contorno de cintura

tourbe [turb] *nf* turba

tourbillon [turbijɔ̃] *nm* (*d'eau, de poussière*) remolino; (*de vent, fig*) torbellino

tourbillonner [turbijɔne] *vi* arremolinarse; (*objet, personne*) dar vueltas

tourelle [turɛl] *nf* torrecilla; (*de véhicule*) torreta

tourisme [turism] *nm* turismo; **office du ~** oficina de turismo; **avion de ~** avión *m* de turismo; **voiture de ~** turismo; **faire du ~** hacer turismo

touriste [turist] *nm/f* turista *m/f*

touristique [turistik] *adj* turístico(-a)

tourment [turmɑ̃] *nm* tormento

tourmenter [turmɑ̃te] *vt, vpr*: **se tourmenter** atormentarse

tournage [turnaʒ] *nm* rodaje *m*

tournant, e [turnɑ̃, ɑ̃t] *adj* (*feu, scène*) giratorio(-a); (*chemin*) sinuoso(-a); (*escalier*) de caracol; (*mouvement*) envolvente ■ *nm* (*de route*) curva; (*fig*) giro; *voir aussi* **grève**; **plaque**

tournée [turne] *nf* (*du facteur*) ronda; (*d'artiste, de politicien*) gira; **payer une ~** pagar una ronda; **faire la ~ de** hacer un recorrido por; **~ électorale/musicale** gira electoral/musical

tourner [turne] *vt* girar, voltear (*AM*); (*sauce, mélange*) revolver; (*Naut: cap*) rodear; (*difficulté etc*) esquivar; (*scène, film*) rodar; (*: produire*) producir; (*jouer dans*) actuar en ■ *vi* girar, voltear (*AM*); (*vent*) cambiar de dirección; (*moteur*) estar en marcha; (*compteur*) estar andando; (*lait etc*) agriarse; (*chance, vie*) cambiar; (*fonctionner: société etc*) marchar; **se tourner** *vpr* volverse; **se ~ vers** volverse hacia; (*personne: pour demander: aide, conseil*) dirigirse a; (*profession*) inclinarse por; (*question*) detenerse en; **bien/mal ~** salir bien/mal; **~ autour de** dar vueltas alrededor de; (*soleil: suj: terre*) girar alrededor de; (*péj: personne: importuner*) andar rondando a; **~ autour du pot** (*fig*) andarse con rodeos; **~ à/en** volverse, convertirse en; **~ à la pluie/au rouge** volverse lluvioso/ponerse rojo; **~ en ridicule** ridiculizar; **~ le dos à** dar la espalda a; **~ court** desviarse; **se ~ les pouces** (*fig*) estar con los brazos cruzados; **~ la tête** girar la cabeza; **~ la tête à qn** volver loco(-a) a algn; **~ de l'œil** (*fam*) desmayarse; **~ la page** (*fig*) hacer borrón y cuenta nueva

tournesol [turnəsɔl] *nm* girasol *m*

tournevis [turnəvis] *nm* destornillador *m*

tournoi [turnwa] *nm* (*Hist*) torneo; **~ de bridge/tennis** torneo de bridge/tenis; **~ des 5 nations** (*Rugby*) campeonato de las 5 naciones

tournure [turnyr] *nf* (*Ling*) giro; (*d'une pièce, d'un texte*) carácter *m*, aspecto; **prendre ~** tomar forma; **~ d'esprit** manera de enfocar las cosas

tourte [turt] *nf* (*Culin*): **~ à la viande** pastel *m* de carne

tourterelle [turtərɛl] *nf* tórtola

tous [tu] *dét, pron voir* **tout**

Toussaint [tusɛ̃] *nf*: **la ~** el día de Todos los Santos

tousser [tuse] *vi* toser

MOT-CLÉ

tout, e [tu, tut] (*pl* **tous, toutes**) *adj*

1 (*avec article*) todo(-a); **tout le lait/l'argent** toda la leche/todo el dinero; **toute la nuit** toda la noche; **tout le livre** todo el libro; **toutes les trois/deux semaines** cada tres/dos semanas; **tout le temps** *adv* todo el tiempo; **tout le monde** *pron* todo el mundo; **c'est tout le contraire** es todo lo contrario; **tout un pain/un livre** un pan/un libro entero; **c'est tout une affaire/une histoire** es todo un caso/una historia; **toutes les nuits** todas las noches; **toutes les fois que ...** todas las veces que ...; **tous les deux** los dos, ambos; **toutes les trois** las tres

2 (*sans article*): **à tout âge/à toute heure** a cualquier edad/hora; **pour toute nourriture, il avait ...** por todo alimento, tenía ...; **à toute vitesse** a toda velocidad; **de tous côtés** *ou* **de toutes parts** de todos (los) lados *ou* de todas partes; **à tout hasard** por si acaso

▪ *pron* todo(-a); **il a tout fait** lo hizo todo; **je les vois toutes** las veo a todas; **nous y sommes tous allés** fuimos todos; **en tout** en total; **tout ce qu'il sait** todo lo que sabe; **en tout et pour tout, ...** en total ...; **tout ou rien** todo o nada; **c'est tout** eso es todo, nada más; **tout ce qu'il y a de plus aimable** el (la) más amable del mundo
▪ *nm* todo; **du tout au tout** del todo; **le tout est de ...** lo importante es ...; **pas du tout** en absoluto
▪ *adv* **1** (**toute** *avant adj f commençant par consonne ou h aspiré*) (*très, complètement*): **elle était tout émue** estaba muy emocionada; **elle était toute petite** era muy pequeñita; **tout à côté** al lado; **tout près** muy cerca; **le tout premier** el primero de todos; **tout seul** solo; **le livre tout entier** el libro entero; **tout en haut/bas** arriba/abajo del todo; **tout droit** todo recto; **tout ouvert** completamente abierto; **tout rouge** todo rojo; **parler tout bas** hablar muy bajo; **tout simplement** sencillamente; **fais-le tout doucement** hazlo despacito
2: **tout en** mientras; **tout en travaillant il ...** mientras trabaja, ...
3: **tout d'abord** en primer lugar; **tout à coup** de repente; **tout à fait** (*complètement*: *fini, prêt*) del todo; (*exactement*: *vrai, juste, identique*) perfectamente; **"tout à fait!"** (*oui*) "¡desde luego!"; **tout à l'heure** (*passé*) hace un rato; (*futur*) luego; **à tout à l'heure!** ¡hasta luego!; **tout de même** sin embargo; **tout de suite** enseguida; **tout terrain** *ou* **tous terrains** *adj inv* todo terreno *inv*

toutefois [tutfwa] *adv* sin embargo, no obstante
toutes [tut] *dét, pron voir* **tout**
toux [tu] *nf* tos *f inv*
toxicomane [tɔksikɔman] *adj* toxicómano(-a)
toxique [tɔksik] *adj* tóxico(-a)
trac [tʀak] *nm* nerviosismo; **avoir le ~** estar nervioso(-a), estar como un flan
tracasser [tʀakase] *vt* (*suj*: *problème, idée*) preocupar; (*harceler*) molestar; **se tracasser** *vpr* preocuparse; **il n'a pas été tracassé par la police** no le molestó la policía
trace [tʀas] *nf* huella; (*de pneu, de brûlure etc*) marca; (*d'encre, indice, quantité minime*) rastro; (*de blessure, de maladie*) secuela; (*d'une civilisation etc*) restos *mpl*; **avoir une ~ d'accent étranger** tener un ligero acento extranjero; **suivre qn à la ~** seguir la pista *ou* el rastro de algn; **~s de freinage/de pneus** marcas de frenada/de neumáticos; **~s de pas** huellas *fpl* de pasos
tracer [tʀase] *vt* trazar
tract [tʀakt] *nm* panfleto
tracteur [tʀaktœʀ] *nm* tractor *m*
traction [tʀaksjɔ̃] *nf* tracción *f*; **~ avant/arrière** tracción delantera/trasera; **~ électrique/mécanique** tracción eléctrica/mecánica
tradition [tʀadisjɔ̃] *nf* tradición *f*
traditionnel, le [tʀadisjɔnɛl] *adj* tradicional
traducteur, -trice [tʀadyktœʀ, tʀis] *nm/f* traductor(a) ▪ *nm* (*Inform*) traductor *m*; **~ interprète** traductor(a) intérprete
traduction [tʀadyksjɔ̃] *nf* traducción *f*; **~ simultanée** traducción simultánea
traduire [tʀadɥiʀ] *vt* traducir; **se traduire** *vpr*: **se ~ par** traducirse por; **~ en/du français** traducir al/del francés; **~ qn en justice** hacer comparecer a algn ante la justicia
trafic [tʀafik] *nm* tráfico; **~ d'armes** tráfico de armas; **~ de drogue** narcotráfico
trafiquant, e [tʀafikɑ̃, ɑ̃t] *nm/f* traficante *m/f*
trafiquer [tʀafike] *vt* (*péj*) amañar ▪ *vi* traficar
tragédie [tʀaʒedi] *nf* tragedia
tragique [tʀaʒik] *adj* trágico(-a) ▪ *nm*: **prendre qch au ~** tomar algo por lo trágico
trahir [tʀaiʀ] *vt* (*aussi fig*) traicionar; (*suj*: *objet*): **~ qn** descubrir a algn; **~ un manque** revelar una ausencia; **se trahir** *vpr* traicionarse
trahison [tʀaizɔ̃] *nf* traición *f*
train [tʀɛ̃] *nm* tren *m*; (*allure*) paso; (*ensemble*) serie *f*; **être en ~ de faire qch** estar haciendo algo; **mettre qch en ~** empezar a hacer algo; **mettre qn en ~** animar a algn; **se mettre en ~** (*commencer*) ponerse manos a la obra; (*faire de la gymnastique*) ponerse en forma; **se sentir en ~** sentirse en forma; **aller bon ~** ir a buen paso; **~ à grande vitesse/spécial** tren de alta velocidad/especial; **~ arrière/avant** tren trasero/delantero; **~ autos-couchettes** tren coche-cama; **~ d'atterrissage** tren de aterrizaje; **~ de pneus** juego de neumáticos; **~ de vie** tren de vida; **~ électrique** (*jouet*) tren eléctrico

traîne [tʀɛn] *nf* cola; **être à la ~** (*en arrière*) ir rezagado(-a); (*en désordre*) estar de cualquier manera
traîneau, x [tʀɛno] *nm* trineo
traîner [tʀene] *vt* tirar de; (*maladie*): **il traîne un rhume depuis l'hiver** lleva arrastrando un resfriado desde el invierno ■ *vi* rezagarse; (*être en désordre*) estar tirado(-a); (*vagabonder*) callejear; (*durer*) alargarse; **se traîner** *vpr* arrastrarse; (*marcher avec difficulté*) andar con dificultad; (*durer*) alargarse; **se ~ par terre** (*enfant*) arrastrarse por el suelo; **~ qn au cinéma** (*emmener*) arrastrar a algn al cine; **~ les pieds** arrastrar los pies; **~ par terre** (*balayer le sol*) arrastrar por el suelo; **~ qch par terre** arrastrar algo por el suelo; **~ en longueur** ir para largo
train-train [tʀɛ̃tʀɛ̃] *nm inv* rutina
traire [tʀɛʀ] *vt* ordeñar
trait, e [tʀɛ, ɛt] *pp de* **traire** ■ *nm* trazo; (*caractéristique*) rasgo; (*flèche*) punta; **traits** *nmpl* (*du visage*) rasgos *mpl*; **d'un ~** de un tirón; **boire à longs ~s** beber a grandes tragos; **de ~** (*animal*) de tiro; **avoir ~ à** referirse a; **~ pour ~** punto por punto; **~ d'esprit** agudeza; **~ d'union** guión *m*; (*fig*) lazo; **~ de caractère** rasgo de carácter; **~ de génie** idea luminosa
traitant [tʀɛtɑ̃] *adj m*: **votre médecin ~** su médico de cabecera; **shampooing ~** champú *m* tratante; **crème ~e** crema tratante
traite [tʀɛt] *nf* (*Comm*) letra de cambio; (*Agr*) ordeño; (*trajet*) trecho; **d'une (seule) ~** de un (solo) tirón; **~ des blanches/noirs** trata de blancas/negros
traité [tʀete] *nm* tratado
traitement [tʀɛtmɑ̃] *nm* tratamiento; (*salaire*) sueldo; **suivre un ~** seguir un tratamiento; **mauvais ~s** malos tratos *mpl*; **~ de données/de l'information/ par lots** (*Inform*) procesamiento de datos/de la información/por paquetes; **~ de texte** (*Inform*) procesamiento *ou* tratamiento de textos
traiter [tʀete] *vt, vi* tratar; **~ qn d'idiot** llamar idiota a algn; **~ de qch** tratar de algo; **bien/mal ~** tratar bien/mal
traiteur [tʀɛtœʀ] *nm* negocio de comidas por encargo *ou* de catering
traître, -esse [tʀɛtʀ, tʀɛtʀɛs] *adj* traicionero(-a) ■ *nm/f* traidor(a); **prendre qn en ~** actuar a traición contra algn
trajectoire [tʀaʒɛktwaʀ] *nf* trayectoria, recorrido
trajet [tʀaʒɛ] *nm* trayecto; (*Anat, fig*) recorrido; (*d'un projectile*) trayectoria
trampoline [tʀɑ̃pɔlin], **trampolino** [tʀɑ̃pɔlino] *nm* trampolín *m*
tramway [tʀamwɛ] *nm* tranvía *m*
tranchant, e [tʀɑ̃ʃɑ̃, ɑ̃t] *adj* (*lame*) afilado(-a); (*personne*) resuelto(-a); (*couleurs*) contrastado(-a) ■ *nm* (*d'un couteau*) filo; (*de la main*) borde *m*; **à double ~** de doble filo
tranche [tʀɑ̃ʃ] *nf* (*de pain*) rebanada; (*de jambon, fromage*) loncha; (*de saucisson*) rodaja; (*de gâteau*) porción *f*; (*d'un couteau, livre etc*) canto; (*de travaux*) etapa; (*de temps*) rato; (*Comm*) serie *f*; (*Admin: de revenues, d'impôts*) zona; **~ d'âge/de salaires** tramo de edad/de salarios; **~ (d'émission)** (*Loterie*) fase *f* (de emisión); **~ de vie** periodo de la vida cotidiana; **~ de silicium** capa de silicio
tranché, e [tʀɑ̃ʃe] *adj* (*couleurs*) contrastado(-a); (*opinions*) tajante
trancher [tʀɑ̃ʃe] *vt* cortar; (*question*) zanjar ■ *vi*: **~ avec** *ou* **sur** contrastar con
tranquille [tʀɑ̃kil] *adj* tranquilo(-a); (*mer*) sereno(-a); **se tenir ~** estarse quieto(-a); **avoir la conscience ~** tener la conciencia tranquila; **laisse-moi/laisse-ça ~!** ¡déjame/deja eso en paz!
tranquillisant, e [tʀɑ̃kilizɑ̃, ɑ̃t] *adj* tranquilizador(a) ■ *nm* (*Méd*) tranquilizante *m*
tranquillité [tʀɑ̃kilite] *nf* tranquilidad *f*; **en toute ~** con toda tranquilidad; **~ d'esprit** tranquilidad de espíritu
transférer [tʀɑ̃sfeʀe] *vt* transferir; (*prisonnier, bureaux*) trasladar; (*titre*) transmitir
transfert [tʀɑ̃sfɛʀ] *nm* transferencia; (*d'un prisonnier, de bureaux*) traslado; (*d'un titre*) transmisión *f*; **~ de fonds** transferencia de fondos
transformation [tʀɑ̃sfɔʀmasjɔ̃] *nf* transformación *f*; **transformations** *nfpl* (*travaux*) reformas *fpl*; **industries de ~** industrias *fpl* de transformación
transformer [tʀɑ̃sfɔʀme] *vt* transformar; (*maison, magasin, vêtement*) reformar; **se transformer** *vpr* transformarse; **~ en**: **~ la houille en énergie** transformar la hulla en energía
transfusion [tʀɑ̃sfyzjɔ̃] *nf*: **~ sanguine** transfusión *f* sanguínea
transgresser [tʀɑ̃sgʀese] *vt* transgredir
transi, e [tʀɑ̃zi] *adj* helado(-a)
transiger [tʀɑ̃ziʒe] *vi* transigir; **~ sur** *ou* **avec qch** transigir sobre *ou* con algo

transit [tʀɑ̃zit] *nm* tránsito; **de/en ~** de/en tránsito
transiter [tʀɑ̃zite] *vt* hacer circular
transition [tʀɑ̃zisjɔ̃] *nf* transición *f*
transitoire [tʀɑ̃zitwaʀ] *adj* transitorio(-a); (*fugitif*) pasajero(-a)
transmettre [tʀɑ̃smɛtʀ] *vt* transmitir; (*secret*) revelar; (*recette*) pasar, dar
transmission [tʀɑ̃smisjɔ̃] *nf* transmisión *f*; **transmissions** *nfpl* (*Mil*) (cuerpo de) transmisiones; **~ de données** (*Inform*) transmisión de datos; **~ de pensée** transmisión del pensamiento
transparent, e [tʀɑ̃spaʀɑ̃, ɑ̃t] *adj* transparente; (*intention*) evidente
transpercer [tʀɑ̃spɛʀse] *vt* (*suj: arme*) traspasar; (*fig*) penetrar; **~ un vêtement/mur** traspasar un vestido/muro
transpiration [tʀɑ̃spiʀasjɔ̃] *nf* transpiración *f*
transpirer [tʀɑ̃spiʀe] *vi* transpirar; (*information, nouvelle*) trascender
transplanter [tʀɑ̃splɑ̃te] *vt* (*Bot, Méd*) trasplantar; (*personne*) desplazar
transport [tʀɑ̃spɔʀ] *nm* transporte *m*; **~ de colère/joie** arrebato de ira/alegría; **voiture/avion de ~** coche *m*/avión *m* de transporte; **~ aérien** transporte aéreo; **~ de marchandises/de voyageurs** transporte de mercancías/de viajeros; **~s en commun** transportes públicos; **~s routiers** transportes por carretera
transporter [tʀɑ̃spɔʀte] *vt* llevar; (*voyageurs, marchandises*) transportar; (*Tech: énergie, son*) conducir; **se transporter** *vpr*: **se ~ quelque part** trasladarse a algún sitio; **~ qn à l'hôpital** llevar a algn al hospital; **~ qn de bonheur/joie** colmar a algn de felicidad/alegría
transporteur [tʀɑ̃spɔʀtœʀ] *nm* transportista *m*
transvaser [tʀɑ̃svɑze] *vt* transvasar
transversal, e, -aux [tʀɑ̃svɛʀsal, o] *adj* transversal; **axe ~** (*Auto*) eje *m* transversal
trapèze [tʀapɛz] *nm* trapecio
trappe [tʀap] *nf* (*de cave, grenier*) trampa, trampilla; (*piège*) trampa
trapu, e [tʀapy] *adj* bajo(-a) y fortachón(-ona)
traquenard [tʀaknaʀ] *nm* cepo
traquer [tʀake] *vt* acorralar; (*harceler*) acosar
traumatiser [tʀomatize] *vt* traumatizar
travail, -aux [tʀavaj, o] *nm* trabajo; (*Méd*) parto; **travaux** *nmpl* (*de réparation, agricoles*) trabajos *mpl*; (*de construction, sur route*) obras *fpl*; **être/entrer en ~** (*Méd*) estar de parto/tener las primeras contracciones; **être sans ~** estar sin trabajo; **~ (au) noir** trabajo clandestino; **~ d'intérêt général** trabajo de servicio a la comunidad; **~ de forçat** = **travaux forcés**; **~ posté** trabajo a turnos; **travaux des champs** faenas *fpl* del campo; **travaux dirigés** (*Scol*) ejercicios *mpl* dirigidos; **travaux forcés** trabajos forzados; **travaux manuels** (*Scol*) trabajos manuales; **travaux ménagers** tareas *fpl* domésticas; **travaux pratiques** prácticas *fpl*; **travaux publics** obras públicas
travailler [tʀavaje] *vi* trabajar; (*bois*) alabearse; (*argent*) producir ▪ *vt* trabajar; (*discipline*) estudiar; (*influencer*) ejercer influencia sobre; **cela le travaille** eso le preocupa; **ton imagination travaille de trop** eso son cosas de tu imaginación; **~ la terre** trabajar la tierra; **~ son piano** ejercitarse en el piano; **~ à** trabajar en; (*contribuer à*) contribuir a; **~ à faire** esforzarse en hacer
travailleur, -euse [tʀavajœʀ, øz] *adj, nm/f* trabajador(a); **~ intellectuel** intelectual *m*; **~ manuel** *ou* **de force** obrero; **~ social** trabajador *m* social; **travailleuse familiale** empleada del servicio doméstico
travailliste [tʀavajist] *adj, nm/f* laborista
travers [tʀavɛʀ] *nm* (*défaut*) imperfección *f*; **en ~ (de)** atravesado(-a) (en); **au ~ (de)** a través (de); **de ~** *adj* de través ▪ *adv* oblicuamente; (*fig*) al revés; **à ~** a través; **regarder de ~** (*fig*) mirar de reojo
traverse [tʀavɛʀs] *nf* (*Rail*) traviesa; **chemin de ~** atajo
traversée [tʀavɛʀse] *nf* travesía
traverser [tʀavɛʀse] *vt* atravesar; (*rue*) cruzar; (*percer: suj: pluie, froid*) traspasar
traversin [tʀavɛʀsɛ̃] *nm* cabezal *m*
travesti [tʀavɛsti] *nm* (*artiste de cabaret*) travestido; (*homosexuel*) travesti *m*
trébucher [tʀebyʃe] *vi*: **~ (sur)** tropezar (con)
trèfle [tʀɛfl] *nm* trébol *m*; **~ à quatre feuilles** trébol de cuatro hojas
treize [tʀɛz] *adj inv, nm inv* trece *m inv*; *voir aussi* **cinq**
treizième [tʀɛzjɛm] *adj, nm/f* decimotercero(-a) ▪ *nm* (*partitif*) treceavo; *voir aussi* **cinquantième**
tréma [tʀema] *nm* diéresis *f inv*

tremblement [tʀɑ̃bləmɑ̃] *nm* temblor *m*; **~ de terre** temblor de tierra, terremoto
trembler [tʀɑ̃ble] *vi* temblar; **~ de** (*froid, fièvre*) tiritar de, temblar de; (*peur*) temblar de; **~ pour qn** temer por algn
trémousser [tʀemuse] *vpr*: **se trémousser** menearse
trempé, e [tʀɑ̃pe] *adj* empapado(-a); **acier ~** acero templado
tremper [tʀɑ̃pe] *vt* empapar; (*pain, chemise*) mojar ■ *vi* estar en remojo; **se tremper** *vpr* zambullirse; **~ dans** (*fig, péj*) estar metido(-a) *ou* implicado(-a) en; **se faire ~** quedarse empapado(-a); **faire ~, mettre à ~** poner en remojo; **~ qch dans** remojar algo en, poner algo en remojo en
tremplin [tʀɑ̃plɛ̃] *nm* trampolín *m*
trentaine [tʀɑ̃tɛn] *nf* treintena; **avoir la ~** tener unos treinta años; **une ~ (de)** unos(-as) treinta
trente [tʀɑ̃t] *adj inv, nm inv* treinta *m inv*; *voir aussi* **cinq**; **voir ~-six chandelles** ver las estrellas; **être/se mettre sur son ~ et un** estar/ir vestido de punta en blanco; **~-trois tours** *nm* disco de 33 revoluciones
trentième [tʀɑ̃tjɛm] *adj, nm/f* trigésimo(-a) ■ *nm* (*partitif*) treintavo; *voir aussi* **cinquantième**
trépidant, e [tʀepidɑ̃, ɑ̃t] *adj* trepidante
trépigner [tʀepiɲe] *vi*: **~ (d'enthousiasme/d'impatience)** patalear (de entusiasmo/de impaciencia)
très [tʀɛ] *adv* muy; **~ beau/bien** muy bonito/bien; **~ critiqué/industrialisé** muy criticado/industrializado; **j'ai ~ envie de** tengo muchas ganas de; **j'ai ~ faim** tengo mucha hambre
trésor [tʀezɔʀ] *nm* tesoro; (*vertu précieuse*) joya; (*gén pl: richesses*) riquezas *fpl*; **T~ (public)** Tesoro (público)
trésorerie [tʀezɔʀʀi] *nf* tesorería; **difficultés de ~** problemas *mpl* de financieros; **~ générale** tesorería general
trésorier, -ière [tʀezɔʀje, jɛʀ] *nm/f* tesorero(-a)
tressaillir [tʀesajiʀ] *vi* (*de peur*) estremecerse; (*de joie, d'émotion*) vibrar; (*s'agiter*) temblar
tressauter [tʀesote] *vi* sobresaltar
tresse [tʀɛs] *nf* trenza
tresser [tʀese] *vt* trenzar
tréteau, x [tʀeto] *nm* caballete *m*; **les ~x** (*Théâtre*) las tablas
treuil [tʀœj] *nm* torno
trêve [tʀɛv] *nf* tregua; **~ de ...** basta de ...; **sans ~** sin tregua; **les États de la T~** los Estados de la Tregua
tri [tʀi] *nm* selección *f*; (*Inform*) clasificación *f*, ordenación *f*; **le ~** (*Postes: action*) la clasificación; (*: bureau*) la sala de batalla
triangle [tʀijɑ̃gl] *nm* triángulo; **~ équilatéral/isocèle/rectangle** triángulo equilátero/isósceles/rectángulo
triangulaire [tʀijɑ̃gylɛʀ] *adj* triangular
tribord [tʀibɔʀ] *nm*: **à ~** a estribor
tribu [tʀiby] *nf* tribu *f*
tribunal, -aux [tʀibynal, o] *nm* tribunal *m*; (*bâtiment*) juzgado; **~ d'instance/de grande instance** juzgado de paz/de primera instancia; **~ de commerce** tribunal de comercio; **~ de police/pour enfants** tribunal correccional/de menores
tribune [tʀibyn] *nf* tribuna; (*d'église, de tribunal*) púlpito; (*de stade*) tribuna, grada; **~ libre** (*Presse*) tribuna libre
tribut [tʀiby] *nm* tributo; **payer un lourd ~ à** pagar un tributo muy caro a
tributaire [tʀibytɛʀ] *adj*: **être ~ de** ser tributario(-a) de, ser deudor(a) de
tricher [tʀiʃe] *vi* (*à un examen*) copiar; (*aux cartes, courses*) hacer trampas
tricheur, -euse [tʀiʃœʀ, øz] *nm/f* tramposo(-a)
tricolore [tʀikɔlɔʀ] *adj* tricolor; (*français: drapeau, équipe*) francés(-esa)
tricot [tʀiko] *nm* punto; (*ouvrage*) prenda de punto; **~ de corps** camiseta
tricoter [tʀikɔte] *vt* tricotar; **machine/aiguille à ~** máquina/aguja de hacer punto *ou* de tricotar
tricycle [tʀisikl] *nm* triciclo
trier [tʀije] *vt* (*classer*) clasificar; (*choisir*) seleccionar; (*fruits, grains*) seleccionar, escoger
trimestre [tʀimɛstʀ] *nm* trimestre *m*
trimestriel, le [tʀimɛstʀijɛl] *adj* trimestral
trinquer [tʀɛ̃ke] *vi* chocar los vasos; (*porter un toast*) brindar; (*fam*) pagar el pato; **~ à qch/la santé de qn** brindar por algo/a la salud de algn
triomphe [tʀijɔ̃f] *nm* triunfo; (*réussite: exposition*) éxito; **être reçu/porté en ~** ser recibido con aclamaciones/ser llevado a hombros
triompher [tʀijɔ̃fe] *vi* triunfar; (*jubiler*) no caber en sí de gozo; (*exceller*) sobresalir; **~ de qch/qn** triunfar sobre algo/algn
tripes [tʀip] *nfpl* (*Culin*) callos *mpl*; (*fam*) tripas *fpl*
triple [tʀipl] *adj* triple ■ *nm*: **le ~ (de)** el triple (de); **en ~ exemplaire** por triplicado

tripler [tʀiple] *vi, vt* triplicar
triplés, -ées [tʀiple] *nm/fpl* (*bébés*) trillizos *mpl*
tripoter [tʀipɔte] *vt* (*objet*) manosear; (*fam*) sobar ▪ *vi* (*fam*) revolver
triste [tʀist] *adj* triste; **un ~ personnage/une ~ affaire** (*péj*) un personaje mediocre/un asunto turbio; **c'est pas ~!** (*fam*) ¡qué cachondeo!
tristesse [tʀistɛs] *nf* tristeza
trivial, e, -aux [tʀivjal, jo] *adj* (*commun*) trivial; (*langage, plaisanteries*) ordinario(-a)
troc [tʀɔk] *nm* trueque *m*
trognon [tʀɔɲɔ̃] *nm* (*de fruit*) corazón *m*; (*de légume*) troncho
trois [tʀwɑ] *adj inv, nm inv* tres *m inv*; *voir aussi* **cinq**
troisième [tʀwazjɛm] *adj, nm/f* tercero(-a) ▪ *nf* (*Auto*) tercera; (*Scol*) *cuarto año de educación secundaria en el sistema francés*; **~ âge**: **le ~ âge** la tercera edad; *voir aussi* **cinquième**
trombe [tʀɔ̃b] *nf* tromba; **en ~** en tromba; **des ~s d'eau** trombas *fpl* de agua
trombone [tʀɔ̃bɔn] *nm* (*Mus*) trombón *m*; (*de bureau*) clip *m*; **~ à coulisse** trombón de varas
trompe [tʀɔ̃p] *nf* trompa; **~ d'Eustache** trompa de Eustaquio; **~s utérines** trompas *fpl* de Falopio
tromper [tʀɔ̃pe] *vt* engañar; (*espoir, attente*) frustrar; (*vigilance, poursuivants*) burlar; (*suj: distance, ressemblance*) confundir; **se tromper** *vpr* equivocarse; **se ~ de voiture/jour** equivocarse de coche/día; **se ~ de 3 cm/20 euros** equivocarse en 3 cm/20 euros
trompette [tʀɔ̃pɛt] *nf* trompeta; **nez en ~** nariz *f* respingona
trompeur, -euse [tʀɔ̃pœʀ, øz] *adj* engañoso(-a)
tronc [tʀɔ̃] *nm* (*Bot, Anat*) tronco; (*d'église*) cepillo; **~ commun** (*Scol*) ciclo común; **~ de cône** cono truncado
tronçon [tʀɔ̃sɔ̃] *nm* tramo
tronçonner [tʀɔ̃sɔne] *vt* (*arbre*) cortar en trozos; (*pierre*) partir en trozos
trône [tʀon] *nm* trono; **monter sur le ~** subir al trono
trop [tʀo] *adv* demasiado; (*devant adverbe*) muy, demasiado; **~ (souvent)/(longtemps)** demasiado (a menudo)/(tiempo); **~ de sucre/personnes** demasiado azúcar/demasiadas personas; **ils sont ~** son demasiados; **de ~, en ~**: **des livres en ~** libros *mpl* de sobra; **du lait en ~** leche *f* de sobra; **3 livres/5 euros de ~** 3 libras/5 euros de más
tropical, e, -aux [tʀɔpikal, o] *adj* tropical
tropique [tʀɔpik] *nm* trópico; **tropiques** *nmpl* (*régions*) trópicos *mpl*; **~ du Cancer/du Capricorne** trópico de Cáncer/Capricornio
trop-plein [tʀoplɛ̃] (*pl* **~s**) *nm* (*tuyau*) desagüe *m*; (*liquide*) (lo) sobrante *m*, exceso
troquer [tʀɔke] *vt*: **~ qch contre qch** trocar algo por algo; (*fig*) cambiar algo por algo
trot [tʀo] *nm* trote *m*; **aller au ~** ir al trote; **partir au ~** marchar corriendo
trotter [tʀɔte] *vi* trotar
trottinette [tʀɔtinɛt] *nf* patinete *m*
trottoir [tʀɔtwaʀ] *nm* acera, vereda (*AM*), andén (*AM*); **faire le ~** (*péj*) hacer la calle; **~ roulant** cinta móvil
trou [tʀu] *nm* agujero; (*moment de libre*) hueco; **~ d'aération** boca de ventilación; **~ d'air** bache *m*; **~ de la serrure** ojo de la cerradura; **~ de mémoire** fallo de la memoria; **~ noir** (*Astron*) agujero negro
troublant, e [tʀublɑ̃, ɑ̃t] *adj* (*ressemblance*) sorprendente; (*yeux, regard*) turbador(a); (*beauté*) perturbador(a)
trouble [tʀubl] *adj* turbio(-a); (*image, mémoire*) confuso(-a) ▪ *adv*: **voir ~** ver borroso ▪ *nm* (*désarroi*) desconcierto; (*émoi sensuel*) trastorno; (*embarras*) confusión *f*; (*zizanie*) desavenencia; **troubles** *nmpl* (*Pol*) disturbios *mpl*; (*Méd*) trastornos *mpl*; **~s de la personnalité/de la vision** trastornos de la personalidad/de la visión
trouble-fête [tʀubləfɛt] *nm/f inv* aguafiestas *m/f inv*
troubler [tʀuble] *vt* turbar; (*impressionner, inquiéter*) perturbar; (*d'émoi amoureux*) trastornar; (*liquide*) enturbiar; (*ordre*) alterar; (*tranquillité*) turbar, alterar; **se troubler** *vpr* turbarse; **~ l'ordre public** alterar el orden público
trouer [tʀue] *vt* agujerear; (*fig*) atravesar
trouille [tʀuj] (*fam*) *nf*: **avoir la ~** tener mieditis
troupe [tʀup] *nf* (*Mil*) tropa; (*d'écoliers*) grupo; **la ~** (*l'armée*) el ejército; (*les simples soldats*) la tropa; **~ (de théâtre)** compañía (de teatro); **~s de choc** fuerzas *fpl* de choque
troupeau, x [tʀupo] *nm* (*de moutons*) rebaño; (*de vaches*) manada

trousse [tʀus] *nf* (*étui*) estuche *m*; (*d'écolier*) cartera; (*de docteur*) maletín *m*; **aux ~s de** pisándole los talones a; **~ à outils** bolsa de herramientas; **~ de toilette** neceser *m*; **~ de voyage** bolsa de viaje
trousseau, x [tʀuso] *nm* ajuar *m*; **~ de clefs** manojo de llaves
trouvaille [tʀuvɑj] *nf* hallazgo; (*fig: idée, expression*) idea
trouver [tʀuve] *vt* encontrar, hallar; **se trouver** *vpr* (*être*) encontrarse, hallarse; **aller/venir ~ qn** ir/venir a ver a algn; **~ le loyer cher/le prix excessif** parecerle a algn el alquiler caro/el precio excesivo; **je trouve que** me parece que; **~ à boire/critiquer** encontrar algo de beber/algo que criticar; **~ asile/refuge** hallar asilo/refugio; **se ~ loin/à 3 km** encontrarse lejos/a 3 km; **ils se trouvent être frères** resulta que son hermanos; **elles se trouvent avoir le même manteau** resulta que tienen el mismo abrigo; **il se trouve que** resulta que; **se ~ bien/mal** sentirse *ou* encontrarse bien/mal
truand [tʀyɑ̃] *nm* truhán *m*, timador *m*
truander [tʀyɑ̃de] (*fam*) *vt* timar
truc [tʀyk] *nm* (*astuce*) maña, artificio; (*de cinéma, magie*) truco; (*fam: machin, chose*) cosa, chisme *m*; **demande à ~** (*fam: personne*) pregunta a ése *ou* ésa; **avoir le ~** coger el tranquillo *ou* truco; **c'est pas son (***ou* **mon** *etc***) ~** (*fam*) no es lo suyo (*ou* lo mío *etc*)
truffe [tʀyf] *nf* (*Bot*) trufa; (*fam: nez*) napias *fpl*
truffer [tʀyfe] *vt* (*Culin*) trufar; **truffé de** (*fig: erreurs*) repleto de; (*: pièges*) lleno de
truie [tʀɥi] *nf* cerda, marrana
truite [tʀɥit] *nf* trucha
truquer [tʀyke] *vt* trucar; (*élections*) amañar
TSVP [teɛsvepe] *abr* (= *tournez s'il vous plaît*) sigue
TTC [tetese] *abr* (= *toutes taxes comprises*) todo incluido
tu[1] [ty] *pron* tú ▪ *nm*: **employer le tu** tratar de tú
tu[2]**, e** [ty] *pp de* **taire**
tuba [tyba] *nm* tuba; (*Sport*) tubo de respiración
tube [tyb] *nm* tubo; (*chanson, disque*) éxito; **~ à essai** tubo de ensayo; **~ de peinture** tubo de pintura; **~ digestif** tubo digestivo
tuberculose [tybɛʀkyloz] *nf* tuberculosis *f*
tuer [tɥe] *vt* matar; (*vie, activité*) acabar con, destruir; (*commerce*) arruinar; (*inspiration, amour*) destruir; **se tuer** *vpr* (*se suicider*) suicidarse; (*dans un accident*) matarse; **se ~ au travail** (*fig*) matarse trabajando
tuerie [tyʀi] *nf* matanza
tue-tête [tytɛt]: **à ~** *adv* a voz en grito, a grito pelado
tueur [tɥœʀ] *nm* asesino; **~ à gages** asesino a sueldo
tuile [tɥil] *nf* teja; (*fam*) contratiempo, problema *m*
tulipe [tylip] *nf* tulipán *m*
tuméfié, e [tymefje] *adj* tumefacto(-a)
tumeur [tymœʀ] *nf* tumor *m*
tumulte [tymylt] *nm* tumulto
tumultueux, -euse [tymyltɥø, øz] *adj* tumultuoso(-a); (*passionné*) apasionado(-a)
tunique [tynik] *nf* túnica
Tunisie [tynizi] *nf* Túnez *m*
tunisien, ne [tynizjɛ̃, jɛn] *adj* tunecino(-a) ▪ *nm/f*: **Tunisien, ne** tunecino(-a)
tunnel [tynɛl] *nm* túnel *m*
turbulent, e [tyʀbylɑ̃, ɑ̃t] *adj* revoltoso(-a)
turc, turque [tyʀk] *adj* turco(-a) ▪ *nm* (*Ling*) turco ▪ *nm/f*: **Turc, Turque** turco(-a); **à la turque** *adv* (*assis*) a la turca ▪ *adj* (*w.c.*) sin asiento
turf [tyʀf] *nm* deporte *m* hípico
turfiste [tyʀfist] *nm/f* aficionado(-a) a las carreras de caballos
Turquie [tyʀki] *nf* Turquía
turquoise [tyʀkwaz] *adj inv* turquesa *inv* ▪ *nf* turquesa
tutelle [tytɛl] *nf* tutela; **être/mettre sous la ~ de** estar/poner bajo la tutela de
tuteur, -trice [tytœʀ, tʀis] *nm/f* (*Jur*) tutor(a) ▪ *nm* (*de plante*) tutor *m*, rodrigón *m*
tutoyer [tytwaje] *vt*: **~ qn** tutear a algn
tuyau, x [tɥijo] *nm* tubo; (*fam: conseil*) consejo; **~ d'arrosage** manguera de riego; **~ d'échappement** tubo de escape; **~ d'incendie** manga de incendios
tuyauterie [tɥijɔtʀi] *nf* cañería, tubería
TVA [tevea] *sigle f* (= *taxe à la valeur ajoutée*) ≈ IVA (= *impuesto sobre el valor añadido*)
tympan [tɛ̃pɑ̃] *nm* tímpano
type [tip] *nm* tipo; (*fam: homme*) tío ▪ *adj* tipo; **avoir le ~ nordique** tener el tipo nórdico; **le ~ standard** (*modèle*) el tipo *ou* modelo standard; **le ~ travailleur** (*représentant*) el típico trabajador
typé, e [tipe] *adj* típico(-a)
typique [tipik] *adj* típico(-a)

tyran [tiʀɑ̃] *nm* tirano
tyrannique [tiʀanik] *adj* tiránico(-a)
tzigane [dzigan] *adj* cíngaro(-a), zíngaro(-a) ▪ *nm/f*: **Tzigane** cíngaro(-a), zíngaro(-a)

u

UE *sigle f* (= *Union européenne*) UE *f*
ulcère [ylsɛʀ] *nm* úlcera; **~ à l'estomac** úlcera de estómago
ultérieur, e [ylteʀjœʀ] *adj* ulterior, posterior; **reporté à une date ~e** aplazado hasta nuevo aviso
ultérieurement [ylteʀjœʀmɑ̃] *adv* posteriormente
ultime [yltim] *adj* último(-a)

MOT-CLÉ

un, une [œ̃, yn] *art indéf* un(a); **un garçon/vieillard** un chico/viejo; **une fille** una niña
▪ *pron* uno(-a); **l'un des meilleurs** uno de los mejores; **l'un ..., l'autre ...** uno ..., el otro ...; **les uns ..., les autres ...** (los) unos ..., (los) otros ...; **l'un et l'autre** uno y otro; **l'un ou l'autre** uno u otro; **pas un seul** ni uno; **un par un** uno a uno
▪ *num* uno(-a); **une pomme seulement** una manzana solamente
▪ *nf*: **la une** (*Presse*) la primera página; (*chaîne de télévision*) la primera (cadena)

unanime [ynanim] *adj* unánime; **ils sont ~s à penser que ...** piensan de forma unánime que ...

unanimité [ynanimite] *nf* unanimidad *f*; **à l'~** por unanimidad; **faire l'~** obtener la unanimidad
uni, e [yni] *adj* (*tissu*) uniforme; (*surface, couleur*) liso(-a); (*groupe, pays*) unido(-a) ■ *nm* tejido liso
unifier [ynifje] *vt* unificar; **s'unifier** *vpr* unificarse
uniforme [ynifɔʀm] *adj* (*aussi fig*) uniforme ■ *nm* uniforme *m*; **être sous l'~** (*Mil*) estar haciendo la mili
uniformiser [ynifɔʀmize] *vt* uniformizar, uniformar
union [ynjɔ̃] *nf* unión *f*; mezcla; **l'U~ des républiques socialistes soviétiques** (*Hist*) la Unión de repúblicas socialistas soviéticas; **l'U~ soviétique** (*Hist*) la Unión soviética; **~ conjugale** unión conyugal; **~ de consommateurs** unión de consumidores; **~ douanière** unión aduanera; **~ libre** unión libre
unique [ynik] *adj* único(-a); **ménage à salaire ~** matrimonio con un solo sueldo; **route à voie ~** carretera de una sola dirección; **fils/fille ~** hijo único/hija única; **~ en France** único en Francia
uniquement [ynikmɑ̃] *adv* únicamente
unir [yniʀ] *vt* unir; (*couleurs*) mezclar; **s'unir** *vpr* unirse; **~ qch à** unir algo a; **s'~ à** *ou* **avec** unirse a *ou* con
unisson [ynisɔ̃]: **à l'~** *adv* al unísono
unitaire [ynitɛʀ] *adj* unitario(-a)
unité [ynite] *nf* unidad *f*; **~ centrale (de traitement)** (*Inform*) unidad central (de proceso); **~ d'action** unidad de acción; **~ de valeur** (*Scol*) ≈ asignatura; **~ de vues** acuerdo de puntos de vista
univers [ynivɛʀ] *nm* (*aussi fig*) universo
universel, le [ynivɛʀsɛl] *adj* universal
universitaire [ynivɛʀsitɛʀ] *adj, nm/f* universitario(-a)
université [ynivɛʀsite] *nf* universidad *f*
urbain, e [yʀbɛ̃, ɛn] *adj* urbano(-a)
urbanisme [yʀbanism] *nm* urbanismo
urgence [yʀʒɑ̃s] *nf* urgencia ■ *adv*: **d'~** urgentemente; **en cas d'~** en caso de urgencia; **service des ~s** servicio de urgencias
urgent, e [yʀʒɑ̃, ɑ̃t] *adj* urgente
urine [yʀin] *nf* orina
urinoir [yʀinwaʀ] *nm* urinario
urne [yʀn] *nf* urna; **aller aux ~s** ir a las urnas; **~ funéraire** urna funeraria
urticaire [yʀtikɛʀ] *nf* urticaria
us [ys] *nmpl*: **us et coutumes** usos *mpl* y costumbres
US(A) [yɛs(a)] *sigle mpl* (= *United States (of America)*) EE. UU. *mpl* (= *Estados Unidos*)
usage [yzaʒ] *nm* (*aussi Ling*) uso; (*coutume, bonnes manières*) costumbre *f*; **l'~** (*la coutume*) la costumbre; **c'est l'~** es costumbre; **faire ~ de** (*pouvoir, droit*) hacer uso de; **avoir l'~ de** tener uso de; **à l'~** con el uso; **à l'~ de** para uso de; **en ~** en uso; **hors d'~** fuera de uso, en desuso; **à ~ interne/externe** (*Méd*) de uso interno/externo; **~ de faux** (*Jur*) uso de dinero falso *ou* documentos falsos
usagé, e [yzaʒe] *adj* usado(-a)
usager, -ère [yzaʒe, ɛʀ] *nm/f* usuario(-a)
usé, e [yze] *adj* usado(-a); (*santé, personne*) desgastado(-a); (*banal, rebattu*) manido(-a); **eaux ~es** aguas *fpl* sucias
user [yze] *vt* usar; (*consommer*) gastar; (*fig: santé, personne*) desgastar; **s'user** *vpr* (*outil, vêtement*) gastarse; (*fig: facultés, santé*) desgastarse; **il s'use à la tâche** *ou* **au travail** el trabajo le está consumiendo; **~ de** (*moyen, droit, procédé*) servirse de
usine [yzin] *nf* fábrica; **~ à gaz** planta de gas; **~ atomique/marémotrice** central *f* nuclear/maremotriz
usité, e [yzite] *adj* empleado(-a); **peu ~** poco empleado(-a)
ustensile [ystɑ̃sil] *nm* utensilio; **~ de cuisine** utensilio de cocina
usuel, le [yzɥɛl] *adj* usual
usure [yzyʀ] *nf* desgaste *m*; (*de l'usurier*) usura; **avoir qn à l'~** acabar convenciendo a algn; **~ normale** desgaste normal
utérus [yteʀys] *nm* útero
utile [ytil] *adj* útil; **~ à qn/qch** útil a algn/para algo; **si cela peut vous être ~, ...** si eso puede serle útil, ...
utilisation [ytilizasjɔ̃] *nf* utilización *f*
utiliser [ytilize] *vt* (*aussi péj*) utilizar; (*Culin: restes*) aprovechar; (*consommer*) gastar
utilitaire [ytilitɛʀ] *adj* (*objet, véhicule*) utilitario(-a); (*préoccupations, but*) interesado(-a) ■ *nm* (*Inform*) utilidad *f*
utilité [ytilite] *nf* utilidad *f*; **jouer les ~s** (*Théâtre*) actuar de figurante; **reconnu d'~ publique** (*Admin*) reconocido de utilidad pública; **ce n'est d'aucune/c'est d'une grande ~** no es de ninguna/es de gran utilidad
utopie [ytɔpi] *nf* utopía

V

va [va] *vb voir* **aller**
vacance [vakɑ̃s] *nf* (*Admin*) vacante *f*; **vacances** *nfpl* vacaciones *fpl*; **les grandes ~s** las vacaciones de verano; **prendre des/ses ~s (en juin)** coger las vacaciones (en junio); **aller en ~s** ir de vacaciones; **~s de Noël/de Pâques** vacaciones de Navidad/de Semana Santa
vacancier, -ière [vakɑ̃sje, jɛʀ] *nm/f* veraneante *m/f*
vacant, e [vakɑ̃, ɑ̃t] *adj* vacante; (*appartement*) desocupado(-a)
vacarme [vakaʀm] *nm* alboroto
vaccin [vaksɛ̃] *nm* vacuna; **~ antidiphtérique/antivariolique** vacuna contra la difteria/contra la viruela
vaccination [vaksinasjɔ̃] *nf* vacunación *f*
vacciner [vaksine] *vt* vacunar; **~ qn contre** vacunar a algn contra; **être vacciné** (*fig: fam*) estar vacunado(-a)
vache [vaʃ] *nf* vaca; (*cuir*) piel *f* ▪ *adj* (*fam*) duro(-a); **manger de la ~ enragée** pasar las de Caín; **période des ~s maigres** época de vacas flacas; **~ à eau** bolsa de agua; **~ à lait** (*fam: péj*) *persona de la que se abusa*; **~ laitière** vaca lechera
vachement [vaʃmɑ̃] (*fam*) *adv* super
vacherie [vaʃʀi] (*fam*) *nf* faena
vaciller [vasije] *vi* vacilar; (*mémoire, raison*) fallar; **~ dans ses réponses/ses résolutions** vacilar en las respuestas/las soluciones
va-et-vient [vaevjɛ̃] *nm inv* vaivén *m*; (*Élec*) conmutador *m*
vagabond, e [vagabɔ̃, ɔ̃d] *adj* vagabundo(-a); (*pensées*) errabundo(-a) ▪ *nm* vagabundo; (*voyageur*) trotamundos *m inv*
vagabonder [vagabɔ̃de] *vi* vagabundear; (*suj: pensées*) vagar
vagin [vaʒɛ̃] *nm* vagina
vague [vag] *nf* ola; (*d'une chevelure etc*) onda ▪ *adj* (*indications*) poco claro(-a); (*silhouette, souvenir*) vago(-a); (*angoisse*) indefinido(-a); (*manteau, robe*) suelto(-a) ▪ *nm*: **rester dans le ~** hablar con vaguedad; **être dans le ~** estar en el aire; **un ~ cousin** un primo cualquiera; **regarder dans le ~** mirar al vacío; **~ à l'âme** *nm* nostalgia; **~ d'assaut** *nf* (*Mil*) ola de ataques; **~ de chaleur** *nf* ola de calor; **~ de fond** *nf* mar de fondo; **~ de froid** *nf* ola de frío
vaillant, e [vajɑ̃, ɑ̃t] *adj* (*courageux*) valeroso(-a), valiente; (*vigoureux*) saludable; **n'avoir plus** *ou* **pas un sou ~** no tener ni un cuarto
vain, e [vɛ̃, vɛn] *adj* vano(-a); **en ~** en vano
vaincre [vɛ̃kʀ] *vt* vencer, derrotar
vaincu, e [vɛ̃ky] *pp de* **vaincre** ▪ *nm/f* vencido(-a), derrotado(-a)
vainqueur [vɛ̃kœʀ] *adj m, nm* ganador *m*
vaisseau, x [vɛso] *nm* (*Anat*) vaso; (*Naut*) navío; **enseigne/capitaine de ~** alférez *m*/capitán *m* de navío; **~ spatial** nave *f* espacial
vaisselier [vɛsəlje] *nm* aparador *m*
vaisselle [vɛsɛl] *nf* vajilla; (*lavage*) fregado; **faire la ~** fregar los platos
valable [valabl] *adj* válido(-a); (*motif, solution*) admisible; (*interlocuteur, écrivain*) aceptable
valet [valɛ] *nm* criado; (*péj*) lacayo; (*cintre*) colgador *m* de ropa; (*Cartes*) sota; **~ de chambre** ayuda *m* de cámara; **~ de ferme** mozo de labranza; **~ de pied** lacayo
valeur [valœʀ] *nf* valor *m*; (*prix*) precio; **valeurs** *nfpl* (*morales*) valores *mpl* morales; **mettre en ~** valorizar; (*fig*) destacar; **avoir/prendre de la ~** tener/adquirir valor; **sans ~** sin valor; **~ absolue** valor absoluto; **~ d'échange** valor de cambio; **~s mobilières/nominales** valores mobiliarios/nominales

valide [valid] *adj* (*personne*) sano(-a); (*passeport, billet*) válido(-a)
valider [valide] *vt* validar
valise [valiz] *nf* maleta, valija (*AM*); **faire sa ~** hacer la maleta; **la ~ (diplomatique)** la valija (diplomática)
vallée [vale] *nf* valle *m*
vallon [valɔ̃] *nm* pequeño valle *m*
valoir [valwaʀ] *vi* valer ■ *vt* (*prix, valeur*) valer; (*un effort, détour*) merecer; (*causer, procurer: suj: chose*): **~ qch à qn** valer algo a algn; (*négatif*) costar algo a algn; **se valoir** *vpr* ser equivalente; (*péj*) ser tal para cual; **faire ~** (*ses droits*) hacer valer; (*domaine, capitaux*) valorizar; **faire ~ que** insistir en que; **se faire ~** alardear; **à ~ sur** a cuenta de; **vaille que vaille** mal que bien; **cela ne me dit rien qui vaille** eso me da mala espina; **ce climat** *etc* **ne me vaut rien** este clima *etc* no me sienta nada bien; **~ la peine** merecer la pena; **~ mieux**: **il vaut mieux se taire/que je fasse comme ceci** más vale callarse/que lo haga así; **ça ne vaut rien** eso no vale nada; **~ cher** costar mucho dinero; **il faut faire ~ que tu as de l'expérience** tienes que conseguir que valoren tu experiencia; **que vaut ce candidat/cette méthode?** ¿qué valor tiene ese candidato/ese método?
valse [vals] *nf* vals *m*; **la ~ des prix** el baile de precios
vandalisme [vɑ̃dalism] *nm* vandalismo
vanille [vanij] *nf* vainilla; **glace/crème à la ~** helado/crema de vainilla
vanité [vanite] *nf* vanidad *f*; **tirer ~ de** vanagloriarse de
vaniteux, -euse [vanitø, øz] *adj* vanidoso(-a)
vanne [van] *nf* compuerta; (*fam*) pulla; **lancer une ~ à qn** tirar pullas a algn
vannerie [vanʀi] *nf* cestería
vantard, e [vɑ̃taʀ, aʀd] *adj* jactancioso(-a)
vanter [vɑ̃te] *vt* alabar; **se vanter** *vpr* jactarse; **se ~ de qch** jactarse *ou* presumir de algo; **se ~ d'avoir fait/de pouvoir faire** jactarse *ou* presumir de haber hecho/de poder hacer
vapeur [vapœʀ] *nf* vapor *m*; (*brouillard, buée*) vaho; **vapeurs** *nfpl* (*bouffées de chaleur*): **j'ai des ~s** tengo sofocos; **les ~s du vin** (*émanation*) los vapores del vino; **machine/locomotive à ~** máquina/locomotora de vapor; **à toute ~** a toda máquina; **renverser la ~** (*Tech, fig*) cambiar de marcha; **cuit à la ~** (*Culin*) cocinado al vapor
vaporeux, -euse [vapɔʀø, øz] *adj* vaporoso(-a)
vaporisateur [vapɔʀizatœʀ] *nm* vaporizador *m*
vaporiser [vapɔʀize] *vt* vaporizar
varappe [vaʀap] *nf* escalada de rocas
vareuse [vaʀøz] *nf* (*blouson*) marinera; (*d'uniforme*) guerrera
variable [vaʀjabl] *adj* variable; (*Tech*) adaptable; (*résultats*) diverso(-a) ■ *nf* (*Math*) variable *f*
varice [vaʀis] *nf* variz *f*
varicelle [vaʀisɛl] *nf* varicela
varié, e [vaʀje] *adj* variado(-a); (*goûts, résultats*) diverso(-a); **hors d'œuvre ~s** entremeses *mpl* variados
varier [vaʀje] *vi* variar, cambiar; (*différer*) variar ■ *vt* cambiar; **~ sur** (*différer d'opinion*) discrepar en
variété [vaʀjete] *nf* variedad *f*; **variétés** *nfpl*: **spectacle/émission de ~s** espectáculo/programa de variedades; **une (grande) ~ de** (gran) variedad de
variole [vaʀjɔl] *nf* viruela
vas [va] *vb voir* **aller**; **~-y!** ¡venga!; (*quelque part*) ¡ve!
vase [vɑz] *nm* vaso ■ *nf* fango; **en ~ clos** aislado(-a); **~ de nuit** orinal *m*; **~s communicants** vasos comunicantes
vaseux, -euse [vɑzø, øz] *adj* fangoso(-a); (*fam: confus, étourdi*) confuso(-a); (*: fatigué*) hecho(-a) polvo
vasistas [vazistɑs] *nm* tragaluz *m*
vaste [vast] *adj* amplio(-a)
vautour [votuʀ] *nm* buitre *m*
vautrer [votʀe] *vpr*: **se vautrer** revolcarse; **se ~ dans/sur** revolcarse en; (*vice*) hundirse en
va-vite [vavit]: **à la ~** *adv* de prisa y corriendo

VDQS

VDQS, siglas de "vin délimité de qualité supérieure", es la segunda categoría más alta de los vinos franceses, tras *AOC*, e indica que se trata de un vino de gran calidad procedente de viñedos con denominación de origen. A ésta le sigue el *vin de pays*. *Vin de table* o *vin ordinaire* es vino de mesa de origen indeterminado y a menudo se trata de una mezcla.

veau, x [vo] *nm* ternero; (*Culin*) ternera; (*peau*) becerro; **tuer le ~ gras** echar la casa por la ventana

vécu, e [veky] *pp de* **vivre** ■ *adj* vivido(-a)
vedette [vədɛt] *nf* estrella; (*personnalité*) figura; (*canot*) lancha motora; **mettre qn en ~** (*Ciné etc*) poner a algn en primer plano; **avoir la ~** estar en primera plana
végétal, e, -aux [veʒetal, o] *adj, nm* vegetal *m*
végétalien, ne [veʒetaljɛ̃, jɛn] *adj, nm/f* vegetariano(-a) estricto(-a)
végétarien, ne [veʒetaʀjɛ̃, jɛn] *adj, nm/f* vegetariano(-a)
végétation [veʒetasjɔ̃] *nf* vegetación *f*; **végétations** *nfpl* (*Méd*) vegetaciones *fpl*; **opérer qn des ~s** operar a algn de vegetaciones; **~ arctique/tropicale** vegetación ártica/tropical
véhicule [veikyl] *nm* vehículo; **~ utilitaire** vehículo utilitario
veille [vɛj] *nf* vigilancia; (*Psych*) vigilia; (*jour*): **la ~ de** el día anterior a; **la ~ au soir** la noche anterior; **à la ~ de** en vísperas de; **l'état de ~** el estado de vigilia
veillée [veje] *nf* velada; **~ d'armes** vela de armas; **~ (mortuaire)** velatorio
veiller [veje] *vi* velar; (*être vigilant*) vigilar ■ *vt* velar; **~ à** (*s'occuper de*) velar por; (*faire attention à*) procurar; (*prendre soin de*) cuidar de; **~ à faire/à ce que** ocuparse de hacer/de que; **~ sur** cuidar de
veilleur [vɛjœʀ] *nm*: **~ de nuit** sereno
veilleuse [vɛjøz] *nf* (*lampe*) lamparilla de noche; (*Auto, flamme*) piloto; **en ~** a media luz; (*affaire*) a la espera
veinard, e [vɛnaʀ, aʀd] (*fam*) *nm/f* suertudo(-a)
veine [vɛn] *nf* vena; (*du bois, marbre etc*) veta; **avoir de la ~** (*fam*) tener chiripa
véliplanchiste [veliplɑ̃ʃist] *nm/f* windsurfista *m/f*
vélo [velo] *nm* bici *f*; **faire du/aimer le ~** hacer ciclismo/gustarle a uno el ciclismo
vélomoteur [velɔmɔtœʀ] *nm* velomotor *m*
velours [v(ə)luʀ] *nm* terciopelo; **~ côtelé** pana; **~ de coton/de laine** veludillo/fieltro; **~ de soie** terciopelo de seda
velouté, e [vəlute] *adj* (*peau*) aterciopelado(-a); (*lumière, couleurs*) suave; (*au goût*) cremoso(-a); (*: vin*) suave ■ *nm* (*Culin*): **~ d'asperges/de tomates** crema de espárragos/sopa de tomate
velu, e [vəly] *adj* velloso(-a)
vendange [vɑ̃dɑ̃ʒ] *nf* vendimia; (*raisins récoltés*) cosecha (de uvas)
vendanger [vɑ̃dɑ̃ʒe] *vi, vt* vendimiar
vendeur, -euse [vɑ̃dœʀ, øz] *nm/f* (*de magasin*) vendedor(a), dependiente(-a); (*Comm*) vendedor(a) ■ *nm* (*Jur*) vendedor *m*; **~ de journaux** vendedor *ou* voceador *m* (*AM*) de periódicos, canillita *m* (*Csur*)
vendre [vɑ̃dʀ] *vt* vender; **~ qch à qn** vender algo a algn; **cela se vend à la douzaine** se vende por docenas; **cela se vend bien** esto se vende bien; **"à ~"** "en venta"
vendredi [vɑ̃dʀədi] *nm* viernes *m inv*; **V~ saint** Viernes Santo; *voir aussi* **lundi**
vénéneux, -euse [venenø, øz] *adj* venenoso(-a)
vénérien, ne [veneʀjɛ̃, jɛn] *adj* venéreo(-a)
vengeance [vɑ̃ʒɑ̃s] *nf* venganza
venger [vɑ̃ʒe] *vt* vengar; **se venger** *vpr* vengarse; **se ~ de/sur qch/qn** vengarse de/en algo/algn
venimeux, -euse [vənimø, øz] *adj* venenoso(-a)
venin [vənɛ̃] *nm* veneno
venir [v(ə)niʀ] *vi* venir, llegar; **~ de** (*lieu*) venir de; (*cause*) proceder de; **~ de faire**: **je viens d'y aller/de le voir** acabo de ir/de verle; **s'il vient à pleuvoir** si llegara a llover; **en ~ à faire**: **j'en viens à croire que** llego a pensar que; **il en est venu à mendier** ha llegado a mendigar; **en ~ aux mains** llegar a las manos; **les années/générations à ~** los años/generaciones venideros(-as); **où veux-tu en ~?** ¿hasta dónde quieres llegar?; **je te vois ~** te veo venir; **il me vient une idée** se me ocurre una idea; **il me vient des soupçons** empiezo a sospechar; **laisser ~** esperar antes de actuar; **faire ~** llamar; **d'où vient que ...?** ¿cómo es posible que ...?; **~ au monde** venir al mundo
vent [vɑ̃] *nm* viento; **il y a du ~** hace viento; **c'est du ~** (*fig*) son palabras al aire; **au ~** a barlovento; **sous le ~** a sotavento; **avoir le ~ debout** *ou* **en face/arrière** *ou* **en poupe** tener viento en contra *ou* de cara/a favor *ou* en popa; **(être) dans le ~** (*fam*) (estar) a la moda; **prendre le ~** (*fig*) tantear el terreno; **avoir ~ de** enterarse de; **contre ~s et marées** contra viento y marea
vente [vɑ̃t] *nf* venta; **mettre en ~** poner en venta; **~ aux enchères** subasta; **~ de charité** venta de beneficencia; **~ par correspondance** venta por correspondencia
venteux, -euse [vɑ̃tø, øz] *adj* ventoso(-a)
ventilateur [vɑ̃tilatœʀ] *nm* ventilador *m*
ventiler [vɑ̃tile] *vt* ventilar; (*total, statistiques*) repartir

ventouse [vɑ̃tuz] *nf* ventosa
ventre [vɑ̃tʀ] *nm* vientre *m*; (*fig*) panza; **avoir/prendre du ~** tener/echar barriga; **j'ai mal au ~** me duele la barriga
venu, e [v(ə)ny] *pp de* **venir** ▪ *adj*: **être mal ~ à** *ou* **de faire** ser poco oportuno hacer; **mal/bien ~** poco/muy oportuno(-a)
ver [vɛʀ] *nm* gusano; (*intestinal*) lombriz *f*; (*du bois*) polilla; **~ à soie** gusano de seda; **~ blanc** larva de abejorro; **~ de terre** lombriz *f*; **~ luisant** luciérnaga; **~ solitaire** tenia; *voir aussi* **vers**
verbe [vɛʀb] *nm* verbo; **avoir le ~ sonore** (*voix*) hablar alto; **la magie du ~** (*expression*) la magia del verbo; **le V~** (*Rel*) el Verbo
verdâtre [vɛʀdɑtʀ] *adj* verdusco(-a)
verdict [vɛʀdik(t)] *nm* veredicto
verdir [vɛʀdiʀ] *vi* verdear, verdecer ▪ *vt* pintar de verde
verdure [vɛʀdyʀ] *nf* (*arbres, feuillages*) verde *m*, verdor *m*; (*légumes verts*) verdura
véreux, -euse [veʀø, øz] *adj* agusanado(-a); (*malhonnête*) corrompido(-a)
verge [vɛʀʒ] *nf* (*Anat*) verga; (*baguette*) vara
verger [vɛʀʒe] *nm* huerto
verglacé, e [vɛʀglase] *adj* helado(-a)
verglas [vɛʀglɑ] *nm* hielo
véridique [veʀidik] *adj* verídico(-a)
vérification [veʀifikasjɔ̃] *nf* (*des comptes etc*) revisión *f*; (*d'une chose par une autre*) verificación *f*; **~ d'identité** (*Police*) identificación *f*
vérifier [veʀifje] *vt* (*mécanisme, comptes*) revisar; (*hypothèse*) comprobar; (*suj*: *chose*: *prouver*) corroborar; (*Inform*) verificar; **se vérifier** *vpr* verificarse
véritable [veʀitabl] *adj* verdadero(-a); (*ami, amour*) auténtico(-a); (*or, argent*) de ley; **un ~ désastre/miracle** un auténtico desastre/milagro
vérité [veʀite] *nf* verdad *f*; (*d'un fait, d'un portrait*) autenticidad *f*; (*sincérité*) sinceridad *f*; **à la** *ou* **en ~** en realidad

VERLAN

Verlan es un tipo de argot que se hizo popular en los años cincuenta. Consiste en invertir el orden de las sílabas de las palabras, el término *verlan* mismo proviene de "l'envers" ("à l'envers" = al revés). Son ejemplos típicos, "féca" ("café"), "ripou" ("pourri"), "meuf" ("femme"), y "beur" ("Arabe").

vermeil, le [vɛʀmɛj] *adj* bermejo(-a) ▪ *nm* corladura
vermine [vɛʀmin] *nf* parásitos *mpl*; (*fig*) chusma
vermoulu, e [vɛʀmuly] *adj* carcomido(-a)
verni, e [vɛʀni] *adj* barnizado(-a); (*fam*) suertudo(-a); **cuir ~** cuero charolado; **souliers ~s** zapatos *mpl* de charol
vernir [vɛʀniʀ] *vt* barnizar; (*poteries, ongles*) esmaltar
vernis [vɛʀni] *nm* barniz *m*; (*fig*) capa; **~ à ongles** esmalte *m* de uñas
vernissage [vɛʀnisaʒ] *nm* barnizado; (*d'une exposition*) inauguración *f*
vérole [veʀɔl] *nf* (*aussi*: **petite vérole**) viruela; (*fam*: *syphilis*) sífilis *fsg*
verre [vɛʀ] *nm* vidrio, cristal *m*; (*récipient, contenu*) vaso, copa; (*de lunettes*) cristal *m*; **verres** *nmpl* (*lunettes*) gafas *fpl*; **boire** *ou* **prendre un ~** beber *ou* tomar una copa; **~ à dents** vaso de aseo; **~ à liqueur/à vin** copa de *ou* para licor/vino; **~ à pied** copa; **~ armé** cristal reforzado; **~ de lampe** cristal de lámpara; **~ de montre** cristal del reloj; **~ dépoli/trempé/feuilleté** cristal esmerilado/templado/laminado; **~s de contact** lentes *mpl* de contacto, lentillas *fpl*; **~s fumés** cristales *mpl* ahumados
verrière [vɛʀjɛʀ] *nf* cristalera
verrou [veʀu] *nm* cerrojo; (*Géo, Mil*) bloqueo; **mettre le ~** poner el cerrojo; **mettre qn/être sous les ~s** (*fig*) meter a algn/estar en chirona
verrouillage [veʀujaʒ] *nm* cierre *m*; **~ central** (*Auto*) cierre automático
verrouiller [veʀuje] *vt* (*porte*) cerrar con cerrojo; (*Mil*: *brèche*) bloquear
verrue [veʀy] *nf* verruga
vers [vɛʀ] *nm* verso ▪ *prép* hacia; (*dans les environs de*) hacia, cerca de; (*temporel*) alrededor de, sobre ▪ *nmpl* (*poésie*) versos *mpl*
versant [vɛʀsɑ̃] *nm* ladera
versatile [vɛʀsatil] *adj* versátil
verse [vɛʀs]: **à ~** *adv* a cántaros; **il pleut à ~** llueve a cántaros
Verseau [vɛʀso] *nm* (*Astrol*) Acuario; **être (du) ~** ser (de) Acuario
versement [vɛʀsəmɑ̃] *nm* pago; (*sur un compte*) ingreso; **en 3 ~s** en 3 plazos
verser [vɛʀse] *vt* verter, derramar; (*dans une tasse etc*) echar; (*argent*: *à qn*) pagar;

(: *sur un compte*) ingresar; (*véhicule*) volcar; (*soldat: affecter*): **~ qn dans** destinar a algn a; **~ dans** (*fig*) versar sobre; **~ à un compte** ingresar *ou* abonar en una cuenta

version [vɛʀsjɔ̃] *nf* (*Scol: traduction*) versión *f*; **film en ~ originale** película en versión original

verso [vɛʀso] *nm* dorso, reverso; **voir au ~** ver al dorso

vert, e [vɛʀ, vɛʀt] *adj* verde; (*vin*) agraz; (*personne: vigoureux*) lozano(-a); (*langage, propos*) fuerte ▪ *nm* verde *m*; **en voir des ~es (et des pas mûres)** (*fam*) pasarlas negras; **en dire des ~es (et des pas mûres)** (*fam*) hablar a las claras; **se mettre au ~** irse a descansar al campo; **~ bouteille/d'eau/pomme** *adj inv* verde botella/agua/manzana *inv*

vertèbre [vɛʀtɛbʀ] *nf* vértebra

vertement [vɛʀtəmɑ̃] *adv* severamente

vertical, e, -aux [vɛʀtikal, o] *adj* vertical

verticale [vɛʀtikal] *nf* vertical *f*; **à la ~** en vertical

verticalement [vɛʀtikalmɑ̃] *adv* verticalmente

vertige [vɛʀtiʒ] *nm* vértigo; (*étourdissement*) mareo; (*égarement*) escalofríos *mpl*; **ça me donne le ~** me da vértigo; (*m'impressionne*) me alucina; (*m'égare*) me da escalofríos

vertigineux, -euse [vɛʀtiʒinø, øz] *adj* vertiginoso(-a)

vertu [vɛʀty] *nf* virtud *f*; **en ~ de** en virtud de

vertueux, -euse [vɛʀtɥø, øz] *adj* virtuoso(-a); (*femme*) decente; (*conduite*) meritorio(-a)

verve [vɛʀv] *nf* inspiración *f*; **être en ~** estar en vena

verveine [vɛʀvɛn] *nf* verbena

vésicule [vezikyl] *nf* vesícula; **~ biliaire** vesícula biliar

vessie [vesi] *nf* vejiga

veste [vɛst] *nf* chaqueta, americana, saco (*AM*); **retourner sa ~** (*fig: fam*) cambiar de chaqueta; **~ croisée/droite** chaqueta cruzada/recta *ou* sin cruzar

vestiaire [vɛstjɛʀ] *nm* (*au théâtre etc*) guardarropa; (*de stade etc*) vestuario; **(armoire) ~** taquilla

vestibule [vɛstibyl] *nm* vestíbulo

vestige [vɛstiʒ] *nm* vestigio; **vestiges** *nmpl* (*de ville, civilisation*) vestigios *mpl*

vestimentaire [vɛstimɑ̃tɛʀ] *adj* (*dépenses*) en vestimenta; (*détail*) de la vestimenta; (*élégance*) en el vestir

veston [vɛstɔ̃] *nm* americana

vêtement [vɛtmɑ̃] *nm* vestido; (*Comm*): **le ~** la confección; **vêtements** *nmpl* ropa; **~s de sport** ropa de sport

vétérinaire [veteʀinɛʀ] *adj, nm/f* veterinario(-a)

vêtir [vetiʀ] *vt* vestir; **se vêtir** *vpr* vestirse

vêtu, e [vety] *pp de* **vêtir** ▪ *adj*: **~ de** vestido(-a) de; **chaudement ~** abrigado(-a)

vétuste [vetyst] *adj* vetusto(-a)

veuf, veuve [vœf, vœv] *adj, nm/f* viudo(-a)

veuve [vœv] *adj f voir* **veuf**

vexant, e [vɛksɑ̃, ɑ̃t] *adj* (*contrariant*) molesto(-a); (*blessant*) humillante

vexations [vɛksasjɔ̃] *nfpl* (*insultes*) humillaciones *fpl*; (*brimades*) molestias *fpl*

vexer [vɛkse] *vt* ofender, humillar; **se vexer** *vpr* ofenderse

viable [vjabl] *adj* viable

Viagra® [vjagʀa] *nm* Viagra®

viande [vjɑ̃d] *nf* carne *f*; **~ blanche/rouge** carne blanca/roja

vibrer [vibʀe] *vi* vibrar ▪ *vt* (*Tech*) someter a vibraciones; **faire ~** hacer vibrar

vice [vis] *nm* vicio; **~ de fabrication/construction** defecto de fabricación/construcción; **~ caché** (*Comm*) vicio oculto; **~ de forme** (*Jur*) defecto de forma

vice... [vis] *préf* vice...

vicié, e [visje] *adj* viciado(-a); (*goût*) estropeado(-a)

vicieux, -euse [visjø, jøz] *adj* vicioso(-a); (*prononciation*) erróneo(-a)

vicinal, e, -aux [visinal, o] *adj* vecinal; **chemin ~** camino vecinal

victime [viktim] *nf* víctima; **être (la) ~ de** ser (la) víctima de; **être ~ d'une attaque/d'un accident** ser víctima de un ataque/de un accidente

victoire [viktwaʀ] *nf* victoria, triunfo

victuailles [viktɥaj] *nfpl* vitualla

vidange [vidɑ̃ʒ] *nf* (*d'un fossé, réservoir*) vaciado; (*Auto*) cambio de aceite; (*de lavabo*) desagüe *m*; **vidanges** *nfpl* (*matières*) aguas *fpl* fecales; **faire la ~** (*Auto*) cambiar el aceite; **tuyau de ~** tubo de desagüe

vidanger [vidɑ̃ʒe] *vt* vaciar; **faire ~ la voiture** cambiar el aceite del coche

vide [vid] *adj* vacío(-a) ▪ *nm* vacío; (*futilité, néant*) nada; **~ de** desprovisto(-a) de; **sous ~** al vacío; **emballé sous ~** envasado al vacío; **regarder dans le ~**

mirar al vacío; **avoir peur du ~** tener miedo del vacío; **parler dans le ~** hablar en el aire; **faire le ~** hacer el vacío; **faire le ~ autour de qn** hacer el vacío a algn; **à ~** (*sans occupants*) desocupado(-a); (*sans charge*) vacante; (*Tech*) en falso

vidéo [video] *nf* vídeo ▪ *adj inv* vídeo; **~ inverse** (*Inform*) vídeo inverso

vide-ordures [vidɔʀdyʀ] *nm inv* vertedero de basuras

vider [vide] *vt* vaciar; (*lieu*) desalojar; (*bouteille, verre*) beber; (*volaille, poisson*) limpiar; (*querelle*) liquidar; (*fatiguer*) agotar; (*fam*) echar; **se vider** *vpr* vaciarse; **~ les lieux** desalojar el local

videur [vidœʀ] *nm* matón *m*

vie [vi] *nf* vida; (*animation*) vitalidad *f*; **être en ~** estar vivo(-a); **sans ~** sin vida; **à ~** para toda la vida, vitalicio(-a); **élu/membre à ~** elegido/miembro vitalicio; **dans la ~ courante** en la vida real; **avoir la ~ dure** tener siete vidas; **mener la ~ dure à qn** hacerle la vida imposible a algn

vieil [vjɛj] *adj m voir* **vieux**; **~ or** *adj inv* oro viejo *inv*

vieillard [vjɛjaʀ] *nm* anciano; **les ~s** los ancianos

vieille [vjɛj] *adj f voir* **vieux**; **~ fille** solterona

vieilleries [vjɛjʀi] *nfpl* antiguallas *fpl*

vieillesse [vjɛjɛs] *nf* vejez *f*; **la ~** (*vieillards*) los ancianos

vieillir [vjejiʀ] *vi* envejecer; (*se flétrir*) avejentarse; (*institutions, doctrine*) anticuarse; (*vin*) hacerse añejo(-a) ▪ *vt* avejentar; (*attribuer un âge plus avancé*) envejecer; **se vieillir** *vpr* avejentarse; **il a beaucoup vieilli** ha envejecido mucho

vierge [vjɛʀʒ] *adj* virgen; (*page*) en blanco ▪ *nf* virgen *f*; (*Astrol*): **la V~** Virgo; **être (de la) V~** ser Virgo; **~ de** sin

vietnamien, ne [vjɛtnamjɛ̃, jɛn] *adj* vietnamita ▪ *nm* (*Ling*) vietnamita *m* ▪ *nm/f*: **Vietnamien, ne** vietnamita *m/f*

vieux (vieil), vieille [vjø, vjɛj] *adj* viejo(-a); (*ancien*) antiguo(-a) ▪ *nm*: **le vieux et le neuf** lo antiguo y lo nuevo ▪ *nm/f* viejo(-a), anciano(-a) ▪ *nmpl*: **les vieux** los viejos; **un petit vieux** un viejecito; **mon vieux/ma vieille** (*fam*) hombre/mujer; **mon pauvre vieux** pobrecito; **prendre un coup de vieux** envejecer de repente; **se faire vieux** hacerse viejo(-a); **un vieux de la vieille** (*fam*) un viejo experimentado; **vieux garçon** solterón; **vieux jeu** *adj inv* chapado(-a) a la antigua; **vieux rose** *adj inv* rosa asalmonado *inv*

vif, vive [vif, viv] *adj* vivo(-a); (*alerte*) espabilado(-a); (*emporté*) impulsivo(-a); (*air*) tonificante; (*vent, froid*) cortante; (*émotion*) fuerte; (*déception, intérêt*) profundo(-a); **brûlé ~** quemado vivo; **eau vive** agua viva; **source vive** manantial *m*; **de vive voix** de viva voz; **toucher** *ou* **piquer qn au ~** dar a algn en el punto débil; **tailler** *ou* **couper dans le ~** cortar por lo sano; **à ~** en carne viva; **avoir les nerfs à ~** tener los nervios de punta; **sur le ~** (*Art*) del natural; **entrer dans le ~ du sujet** entrar en el meollo de la cuestión

vigne [viɲ] *nf* (*plante*) vid *f*; (*plantation*) viña; **~ vierge** viña loca

vigneron [viɲ(ə)ʀɔ̃] *nm* viñador *m*

vignette [viɲɛt] *nf* viñeta; (*Auto*) pegatina; (*sur médicament*) resguardo de precio

vignoble [viɲɔbl] *nm* viñedo; (*vignes d'une région*) viñedos *mpl*

vigoureux, -euse [viguʀø, øz] *adj* vigoroso(-a)

vigueur [vigœʀ] *nf* vigor *m*; (*Jur*): **être/entrer en ~** estar/entrar en vigor; **en ~** vigente

vilain, e [vilɛ̃, ɛn] *adj* (*laid*) feo(-a); (*affaire, blessure*) malo(-a); (*enfant*) malo(-a) ▪ *nm* (*paysan*) villano; **ça va faire du/tourner au ~** esto va a ponerse feo; **~ mot** palabrota

villa [villa] *nf* villa, chalet *m*

village [vilaʒ] *nm* pueblo; (*aussi*: **petit village**) aldea; **~ de toile** campamento; **~ de vacances** lugar *m* de vacaciones

villageois, e [vilaʒwa, waz] *adj, nm/f* lugareño(-a); (*d'un petit village*) aldeano(-a)

ville [vil] *nf* ciudad *f*, villa, municipio; **habiter en ~** vivir en la ciudad; **aller en ~** ir a la ciudad; **~ nouvelle** ciudad nueva

vin [vɛ̃] *nm* vino; (*liqueur*) licor *m*; **il a le ~ gai/triste** la bebida le pone alegre/triste; **~ blanc/rosé/rouge** vino blanco/rosado/tinto; **~ d'honneur** vino de honor; **~ de messe** vino de misa; **~ de pays/de table** vino del país/de mesa; **~ nouveau/ordinaire** vino nuevo/corriente

vinaigre [vinɛgʀ] *nm* vinagre *m*; **tourner au ~** (*fig*) aguarse; **~ d'alcool/de vin** vinagre de alcohol/de vino

vinaigrette [vinɛgʀɛt] *nf* vinagreta

vindicatif, -ive [vɛ̃dikatif, iv] *adj* vindicativo(-a)

vingt [vɛ̃] *adj inv, nm inv* veinte *m inv*; **~-quatre heures sur ~-quatre** las veinticuatro horas del día; *voir aussi* **cinq**

vingtaine [vɛ̃tɛn] *nf*: **une ~ (de)** unos veinte
vingtième [vɛ̃tjɛm] *adj, nm/f* vigésimo(-a) ■ *nm (partitif)* veinteavo; **le ~ siècle** el siglo veinte; *voir aussi* **cinquantième**
vinicole [vinikɔl] *adj* vinícola
vinyle [vinil] *nm* vinilo
viol [vjɔl] *nm* violación *f*
violacé, e [vjɔlase] *adj* violáceo(-a)
violemment [vjɔlamɑ̃] *adv* violentamente
violence [vjɔlɑ̃s] *nf* violencia; **violences** *nfpl (actes)* agresiones *fpl*; **la ~** la violencia; **faire ~ à qn** violentar a algn; **se faire ~** contenerse
violent, e [vjɔlɑ̃, ɑ̃t] *adj* violento(-a); *(besoin, désir)* imperante
violer [vjɔle] *vt* violar
violet, te [vjɔlɛ, ɛt] *adj, nm* violeta *m*
violette [vjɔlɛt] *nf* violeta
violon [vjɔlɔ̃] *nm* violín *m*; *(fam: prison)* chirona; **premier ~** *(Mus)* primer violín; **~ d'Ingres** pasatiempo favorito
violoncelle [vjɔlɔ̃sɛl] *nm* violoncelo, violonchelo
violoniste [vjɔlɔnist] *nm/f* violinista *m/f*
vipère [vipɛʀ] *nf* víbora
virage [viʀaʒ] *nm (d'un véhicule)* giro; *(d'une route, piste)* curva; *(Chim, Photo)* virado; *(de cuti-réaction) momento en que la reacción cutánea pasa de negativa a positiva*; **prendre un ~** tomar una curva; **~ sans visibilité** *(Auto)* curva sin visibilidad; **~ sur l'aile** *(Aviat)* viraje *m* sobre el ala
virée [viʀe] *nf* vuelta
virement [viʀmɑ̃] *nm (Comm)* transferencia; **~ bancaire/postal** giro bancario/postal
virer [viʀe] *vt*: **~ qch (sur)** *(Comm: somme)* hacer una transferencia (a); *(Photo)* virar algo (en); *(fam)* echar ■ *vi* virar; *(Méd: cuti-réaction)* volverse positivo(-a); **~ au bleu/rouge** pasar al azul/rojo; **~ de bord** *(Naut)* virar de bordo; **~ sur l'aile** *(Aviat)* virar sobre el ala
virevolter [viʀvɔlte] *vi* dar vueltas; *(aller en tous sens)* ir de aquí para allá
virgule [viʀgyl] *nf* coma; **4 ~ 2** *(Math)* 4 coma 2; **~ flottante** decimal *f* flotante
viril, e [viʀil] *adj* viril; *(énergique, courageux)* viril, varonil
virtuel, le [viʀtɥɛl] *adj* virtual
virtuose [viʀtɥoz] *adj, nm/f* virtuoso(-a)
virus [viʀys] *nm* virus *m inv*
vis [vi] *vb voir* **voir**; **vivre** ■ *nf* [vis] tornillo; **~ à tête plate/ronde** tornillo de cabeza chata/redonda; **~ platinées** *(Auto)* platinos *mpl*; **~ sans fin** tornillo sin fin
visa [viza] *nm* visa, visado; **~ de censure** *(Ciné)* visado de censura
visage [vizaʒ] *nm* cara, rostro; *(fig: aspect)* cara; **à ~ découvert** a cara descubierta
vis-à-vis [vizavi] *adv* enfrente de, frente a ■ *nm inv (personne)* persona de enfrente; *(chose)*: **nous avons la poste pour ~** nuestra casa está enfrente de Correos; **~ de** frente a, enfrente de; *(à l'égard de)* con respecto a; *(en comparaison de)* en comparación con; **en ~** frente a frente, cara a cara; **sans ~** *(immeuble)* sin vecinos
visée [vize] *nf (avec une arme)* puntería; *(Arpentage)* mira; **visées** *nfpl (intentions)* objetivos *mpl*; **avoir des ~s sur qch/qn** hacer proyectos sobre algo/algn
viser [vize] *vi* apuntar ■ *vt* apuntar; *(carrière etc)* aspirar a; *(concerner)* atañer a; *(apposer un visa sur)* visar; **~ à qch/faire qch** pretender algo/hacer algo
visibilité [vizibilite] *nf* visibilidad *f*; **bonne/mauvaise ~** buena/mala visibilidad; **sans ~** sin visibilidad
visible [vizibl] *adj* visible; *(évident)* evidente; *(disponible)*: **est-il ~?** ¿está para recibir?
visière [vizjɛʀ] *nf* visera; **mettre sa main en ~** hacer visera con la mano
vision [vizjɔ̃] *nf* visión *f*; *(conception)* idea; **en première ~** *(Ciné)* en estreno
visionneuse [vizjɔnøz] *nf* visionador *m*
visite [vizit] *nf* visita; *(expertise, d'inspection)* inspección *f*; **la ~** *(Méd)* la consulta; *(Mil)* la revisión; **faire une ~ à qn** hacer una visita a algn; **rendre ~ à qn** visitar a algn; **être en ~ (chez qn)** estar de visita (en casa de algn); **heures de ~** horas *fpl* de visita; **le droit de ~** *(Jur)* el derecho de visita; **~ de douane** inspección de aduana; **~ domiciliaire** visita domiciliaria; **~ médicale** revisión médica
visiter [vizite] *vt* visitar
visiteur, -euse [vizitœʀ, øz] *nm/f (touriste)* visitante *m/f*; *(chez qn)*: **avoir un ~** tener visita; **~ de prison** *(Admin)* inspector *m* de prisiones; **~ des douanes** inspector de aduanas; **~ médical** visitador médico
vison [vizɔ̃] *nm* visón *m*
visser [vise] *vt* atornillar; *(serrer: couvercle)* enroscar
visuel, le [vizɥɛl] *adj* visual ■ *nm (Inform)* unidad *f* de despliegue visual

vital, e, -aux [vital, o] *adj* vital
vitamine [vitamin] *nf* vitamina
vite [vit] *adv* rápidamente, de prisa; (*sans délai*) pronto; **faire ~** darse prisa; **ce sera ~ fini** pronto estará terminado; **viens ~!** ¡corre!
vitesse [vitɛs] *nf* rapidez *f*; (*d'un véhicule, corps, fluide*) velocidad *f*; (*Auto*): **les ~s** las marchas; **prendre qn de ~** ganar a algn por la mano; **faire de la ~** ir a mucha velocidad; **prendre de la ~** coger velocidad; **à toute ~** a toda marcha; **en perte de ~** (*avion*) perdiendo velocidad; (*fig*) perdiendo fuerza; **changer de ~** (*Auto*) cambiar de marcha; **en première/deuxième ~** (*Auto*) en primera/en segunda; **~ acquise** velocidad adquirida; **~ de croisière** velocidad de crucero; **~ de pointe** máximo de velocidad; **~ du son** velocidad del sonido
viticulteur [vitikyltœʀ] *nm* viticultor *m*
vitrail, -aux [vitʀaj, o] *nm* vidriera; (*technique*) fabricación *f* de vidrieras
vitre [vitʀ] *nf* vidrio, cristal *m*; (*d'une portière, voiture*) cristal
vitré, e [vitʀe] *adj* con cristales; **porte ~e** puerta vidriera
vitrine [vitʀin] *nf* escaparate *m*, vidriera (*AM*); (*petite armoire*) vitrina; **mettre un produit en ~** poner un producto en el escaparate; **~ publicitaire** panel *m* publicitario
vivable [vivabl] *adj* soportable
vivace [vivatʃe] *adj* (*arbre, plante*) resistente; (*haine*) tenaz ■ *adv* (*Mus*) vivace
vivacité [vivasite] *nf* vivacidad *f*
vivant, e [vivɑ̃, ɑ̃t] *vb voir* **vivre** ■ *adj* viviente; (*animé*) vivo(-a) ■ *nm*: **du ~ de qn** en vida de algn; **les ~s et les morts** los vivos y los muertos
vive [viv] *adj f voir* **vif** ■ *vb voir* **vivre** ■ *excl*: **~ le roi/la république!** ¡viva el rey/la república!; **~ les vacances!** ¡vivan las vacaciones!; **~ la liberté!** ¡viva la libertad!
vivement [vivmɑ̃] *adv* vivamente ■ *excl*: **~ qu'il s'en aille!** ¡que se vaya pronto!; **~ les vacances!** ¡que lleguen ya las vacaciones!
vivier [vivje] *nm* vivero; (*étang*) criadero
vivifiant, e [vivifjɑ̃, jɑ̃t] *adj* vivificante
vivoter [vivɔte] *vi* ir tirando
vivre [vivʀ] *vi* vivir; (*souvenir: demeurer*) subsistir ■ *vt* vivir ■ *nm*: **le ~ et le logement** comida y alojamiento; **vivres** *nmpl* (*provisions*) víveres *mpl*; **la victime vit encore** la víctima sigue viva; **savoir ~** saber vivir; **se laisser ~** dejarse estar; **ne plus ~** no poder vivir; **apprendre à ~ à qn** meter a algn en cintura; **il a vécu** ha vivido mucho; **cette mode/ce régime a vécu** esta moda/este régimen ha muerto; **il est facile/difficile à ~** tiene buen/mal carácter; **faire ~ qn** mantener a algn; **~ bien/mal** vivir bien/mal; **~ de** vivir de
vlan [vlɑ̃] *excl* ¡pum!
VO [veo] *sigle f* (= *version originale*) V.O. (= *versión original*)
vocabulaire [vɔkabylɛʀ] *nm* vocabulario
vocation [vɔkasjɔ̃] *nf* vocación *f*; **avoir la ~** tener vocación
vœu, x [vø] *nm* deseo; (*à Dieu*) voto; **faire ~ de** hacer voto de; **avec tous nos meilleurs ~x** muchas felicidades; **~x de bonheur/de bonne année** deseos *mpl* de felicidad/felicitaciones *fpl* de año nuevo
vogue [vɔg] *nf* moda; **en ~** en boga
voici [vwasi] *prép* aquí está; **et ~ que ...** y entonces ...; **il est parti ~ 3 ans** se fue hace tres años; **~ une semaine que je l'ai vue** hace una semana que la vi; **me ~** aquí estoy; *voir aussi* **voilà**
voie[1] [vwa] *vb voir* **voir**
voie[2] [vwa] *nf* vía; (*Auto*) carril *m*; **par ~ buccale** *ou* **orale/rectale** por vía oral/rectal; **suivre la ~ hiérarchique** (*Admin*) seguir los medios oficiales; **ouvrir/montrer la ~** abrir/mostrar el camino; **être en bonne ~** estar en el buen camino; **mettre qn sur la ~** encaminar a algn; **être en ~ d'achèvement/de rénovation** estar en vías de acabar/de renovar; **route à 2/3 ~s** carretera de dos/tres carriles; **par la ~ aérienne/maritime** por vía aérea/marítima; **par ~ ferrée** por vía férrea, por ferrocarril; **~ à sens unique** vía de dirección única; **~ d'eau** vía navegable; (*entrée d'eau*) vía de agua; **~ de fait** (*Jur*) vía de hecho; **~ de garage** (*aussi fig*) vía muerta; **~ express** vía urgente; **~ ferrée/navigable** vía férrea/navegable; **~ lactée** vía láctea; **~ prioritaire** (*Auto*) carril prioritario; **~ privée** camino privado; **~ publique** vía pública
voilà [vwala] *prép* he ahí, ahí está; **les ~** *ou* **voici** ahí *ou* aquí están; **en ~** *ou* **voici un** ahí *ou* aquí hay *ou* está uno; **~** *ou* **voici deux ans** hace dos años; **~** *ou* **voici deux ans que ...** hace dos años que ...; **et ~!** ¡eso es todo!, ¡ya está!; **~ tout** eso es todo; **"~"** *ou* **"voici"** (*en offrant qch*) "aquí tiene"

voile [vwal] *nm* velo; (*qui dissimule une ouverture etc*) cortina; (*Photo*) veladura ▪ *nf* vela; **la ~** (*Sport*) la vela; **prendre le ~** (*Rel*) tomar el velo; **mettre à la ~** (*Naut*) hacerse a la vela; **~ au poumon** *nm* (*Méd*) mancha en el pulmón; **~ du palais** *nm* (*Anat*) velo del paladar

voiler [vwale] *vt* poner las velas a; (*fig*) velar, ocultar; (*Photo*) velar; (*fausser: roue*) alabear; (*: bois*) combar; **se voiler** *vpr* (*lune*) ocultarse; (*regard*) apagarse; (*ciel*) cubrirse; (*Tech*) combarse; **sa voix se voila** se le ahogó la voz; **se ~ la face** cubrirse la cara

voilier [vwalje] *nm* velero

voilure [vwalyʀ] *nf* (*d'un voilier*) velamen *m*; (*d'un avion*) planos *mpl* sustentadores; (*d'un parachute*) tela de paracaídas

voir [vwaʀ] *vi* ver; (*comprendre*): **je vois** comprendo ▪ *vt* ver; (*considérer*) considerar; (*constater*): **~ que/comme** ver que/como; **se voir** *vpr*: **se ~ critiquer** verse criticado(-a); **cela se voit** (*cela arrive*) eso sucede; (*c'est évident*) es evidente; **~ à faire qch** (*veiller à*) asegurarse de hacer algo; **~ loin/venir** ver lejos/venir; **faire ~ qch à qn** enseñar algo a algn; **vois comme il est beau!** ¡mira lo bonito que es!; **en faire ~ à qn** (*fam*) enseñar a algn lo que es bueno; **ne pas pouvoir ~ qn** no poder ver a algn; **regardez-~** mire; **montrez-~** déjeme ver; **dites-~** diga, explíquese; **voyons!** ¡vamos!; **c'est à ~!** ¡habrá que verlo!; **c'est à vous de ~** usted verá; **c'est ce qu'on va ~** eso habrá que verlo; **avoir quelque chose à ~ avec** tener algo que ver con; **cela n'a rien à ~ avec lui** esto no tiene nada que ver con él

voire [vwaʀ] *adv* incluso

voisin, e [vwazɛ̃, in] *adj* cercano(-a), próximo(-a); (*contigu*) vecino(-a), próximo(-a); (*ressemblant*) parecido(-a), vecino(-a) ▪ *nm/f* vecino(-a); (*de table etc*) compañero(-a); **nos ~s les Anglais** nuestros vecinos ingleses; **~ de palier** vecino(-a) de enfrente

voisinage [vwazinaʒ] *nm* vecindad *f*, proximidad *f*; (*environs*) vecindad, cercanía; (*quartier, voisins*) vecindad; **relations de bon ~** relaciones *fpl* de buena vecindad

voiture [vwatyʀ] *nf* coche *m*, auto (*esp AM*), carro (*AM*); **en ~!** (*Rail*) ¡al tren!; **~ à bras** carro con varales; **~ d'enfant** cochecito de niño; **~ d'infirme** coche de inválido; **~ de sport** coche deportivo

voix [vwɑ] *nf* voz *f*; (*Pol*) voto; **~ passive/active** (*Ling*) voz pasiva/activa; **la ~ de la conscience/raison** la voz de la conciencia/ razón; **à haute ~** en voz alta; **à ~ basse** en voz baja; **faire la grosse ~** sacar el vozarrón; **avoir de la ~** tener voz; **rester sans ~** quedarse sin voz; **à 2/4 ~** (*Mus*) a 2/4 voces; **avoir/ne pas avoir ~ au chapitre** tener/no tener voz ni voto; **mettre aux ~** poner a votación; **~ de basse/de ténor** voz de bajo/de tenor

vol [vɔl] *nm* vuelo; (*mode d'appropriation*) robo; (*larcin*) hurto; **un ~ de perdrix** una bandada de perdices; **à ~ d'oiseau** a vuelo de pájaro; **au ~**: **attraper qch au ~** coger algo al vuelo; **saisir une remarque au ~** coger una advertencia al vuelo; **prendre son ~** levantar el vuelo; **de haut ~** de altos vuelos; **en ~** en vuelo; **~ à l'étalage** hurto en las tiendas; **~ à la tire** tirón *m* (de bolsa); **~ à main armée** robo *ou* atraco a mano armada; **~ à voile** vuelo a vela; **~ avec effraction** robo con infracción; **~ de nuit** vuelo nocturno; **~ en palier** (*Aviat*) vuelo horizontal; **~ libre/sur aile delta** (*Sport*) vuelo libre/en ala delta; **~ plané** (*Aviat*) vuelo planeado; **~ qualifié/simple** (*Jur*) hurto agravado/ simple

vol. *abr* (= *volume*) vol. (= *volumen*)

volage [vɔlaʒ] *adj* voluble

volaille [vɔlɑj] *nf* (*oiseaux*) aves *fpl* de corral; (*viande, oiseau*) ave *f*

volant, e [vɔlɑ̃, ɑ̃t] *adj* volante, volador(a) ▪ *nm* volante *m*; (*feuillet détachable*) talón *m*; **le personnel ~, les ~s** (*Aviat*) la tripulación; **~ de sécurité** margen *m* de seguridad

volcan [vɔlkɑ̃] *nm* volcán *m*

volée [vɔle] *nf* (*d'oiseaux*) bandada; (*Tennis*) voleo; **rattraper qch à la ~** coger algo al vuelo; **lancer/semer à la ~** lanzar/ sembrar al voleo; **à toute ~** (*sonner les cloches*) al vuelo; (*lancer un projectile*) al voleo; **de haute ~** (*de haut rang*) de alto rango; (*de grande envergure*) de altos vuelos; **~ (de coups)** paliza; **~ de flèches** lluvia de flechas; **~ d'obus** descarga de obuses

voler [vɔle] *vi* volar; (*voleur*) robar, hurtar ▪ *vt* (*objet*) robar; (*idée*) apropiarse de; **~ en éclats** volar en mil pedazos; **~ de ses propres ailes** volar con sus propias alas; (*fig*) valerse por sí mismo(-a); **~ au vent** flotar al viento; **~ qch à qn** robar algo a algn

volet [vɔlɛ] *nm* (*de fenêtre*) postigo; (*Aviat*) flap *m*; (*de feuillet*) hoja; (*d'un plan*)

aspecto; **trié sur le ~** muy escogido(-a); **~ de freinage** (*Aviat*) tren *m* de frenado
voleur, -euse [vɔlœʀ, øz] *adj, nm/f* ladrón(-ona)
volontaire [vɔlɔ̃tɛʀ] *adj* voluntario(-a); (*délibéré*) deliberado(-a); (*caractère*) decidido(-a) ■ *nm/f* voluntario(-a); **(engagé) ~** (*Mil*) voluntario
volonté [vɔlɔ̃te] *nf* voluntad *f*; **se servir/boire à ~** servirse/beber a voluntad; **bonne/mauvaise ~** buena/mala voluntad; **les dernières ~s de qn** la última voluntad de algn
volontiers [vɔlɔ̃tje] *adv* con gusto; (*habituellement*) habitualmente; **"~"** "con mucho gusto"
volt [vɔlt] *nm* voltio
volte-face [vɔltəfas] *nf inv* media vuelta; (*fig*) cambio; **faire ~** dar media vuelta
voltige [vɔltiʒ] *nf* (*au cirque*) acrobacia (en el aire); (*Équitation*) acrobacia ecuestre; (*Aviat*) acrobacia aérea; **(numéro de haute) ~** número de acrobacia; (*fig*) ejercicio mental
voltiger [vɔltiʒe] *vi* revolotear
volubile [vɔlybil] *adj* locuaz
volume [vɔlym] *nm* volumen *m*
volumineux, -euse [vɔlyminø, øz] *adj* voluminoso(-a)
volupté [vɔlypte] *nf* voluptuosidad *f*; (*esthétique etc*) gozo
vomi [vɔmi] *nm* vómito
vomir [vɔmiʀ] *vi* vomitar ■ *vt* vomitar; (*exécrer*) abominar
vomissements *nmpl*: **être pris de ~** comenzar a devolver *ou* vomitar de pronto
vorace [vɔʀas] *adj* voraz
vos [vo] *dét voir* **votre**
vote [vɔt] *nm* voto; (*suffrage*) voto, votación *f*; (*consultation*) votación; **~ secret** *ou* **à bulletins secrets** votación secreta; **~ à main levée** voto a mano alzada; **~ par correspondance/procuration** voto por correspondencia/poder
voter [vɔte] *vi, vt* votar
votre [vɔtʀ] (*pl* **vos**) *dét* vuestro(-a), su
vôtre [votʀ] *dét*: **le/la ~** el (la) vuestro(-a); **les ~s** los (las) vuestros(-as); (*forme de politesse*) los (las) suyos(-as); **à la ~** ¡salud!
vouer [vwe] *vt*: **~ qch à Dieu/un saint** consagrar algo a Dios/un santo; **se vouer** *vpr*: **se ~ à** dedicarse a; **~ sa vie/son temps à** consagrar la vida/el tiempo a; **~ une haine/amitié éternelle à qn** profesar odio/amistad eterna a algn

MOT-CLÉ

vouloir [vulwaʀ] *vt* 1 querer; **voulez-vous du thé?** ¿quiere té?; **que me veut-il?** ¿qué quiere de mí?; **sans le vouloir** sin querer; **je voudrais qch/faire** quería *ou* quisiera algo/hacer; **le hasard a voulu que ...** el azar quiso que ...; **la tradition veut que ...** la tradición es que ...; **vouloir faire/que qn fasse qch** querer hacer/que algn haga algo; **que veux-tu que je te dise?** ¿qué quieres que te diga?
2 (*consentir*): **tu veux venir? - oui, je veux bien** (*bonne volonté*) ¿quieres venir? - sí, me parece bien; **allez, tu viens? - oui, je veux bien** (*concession*) venga, ¿vienes? - ¡bueno!; **oui, si on veut** (*en quelque sorte*) sí, en cierto modo; **si vous voulez** si quiere; **veuillez attendre** tenga la amabilidad de esperar; **veuillez agréer ...** le saluda atentamente ...; **comme vous voudrez** como quiera
3: **en vouloir à**; **en vouloir à qn** estar resentido con algn; **je lui en veux d'avoir fait ça** me sienta muy mal que haya hecho eso; **s'en vouloir d'avoir fait qch** estar arrepentido de haber hecho algo; **il en veut à mon argent** se interesa por mi dinero; **je ne veux pas de mal** no le deseo nada malo
4: **vouloir de qch/qn**; **l'entreprise ne veut plus de lui** la empresa ya no le quiere; **elle ne veut pas de son aide** ella no quiere su ayuda
5: **vouloir dire (que)** (*signifier*) querer decir (que)
■ *nm*: **le bon vouloir de qn** la buena voluntad de algn

voulu, e [vuly] *pp de* **vouloir** ■ *adj* (*requis*) requerido(-a); (*délibéré*) deliberado(-a)
vous [vu] *pron* (*sujet*: *pl*: *familier*) vosotros(-as), ustedes (*AM*); (: *forme de politesse*) ustedes; (: *singulier*) usted; (*objet direct*: *pl*) os, les (*AM*); (: *forme de politesse*) les (las) *ou* los; (: *singulier*) le (la) *ou* lo; (*objet indirect*: *pl*) os, les (*AM*); (: *forme de politesse*) les; (: *singulier*) le; (*réfléchi, réciproque*: *direct, indirect*) os; (: *forme de politesse*) se ■ *nm*: **employer le ~** emplear el usted; **je ~ le jure** os lo juro; (*politesse*) se lo juro; **je ~ prie de ...** os pido que ...; (*politesse*: *pluriel*) les pido que ...; (: *singulier*) le pido que ...; **~ pouvez ~ asseoir** podéis sentaros; (*politesse*: *pluriel*) pueden sentarse; (: *singulier*) puede usted sentarse; **à ~** vuestro(-a),

vuestros(-as); (*formule de politesse*) suyo(-a), suyos(-as); **ce livre est à ~** ese libro es vuestro; (*politesse*) ese libro es suyo; **avec/sans ~** con/sin vosotros; (*politesse: pluriel*) con/sin ustedes; (*: singulier*) con/sin usted; **je vais chez ~** voy a vuestra casa; (*politesse*) voy a su casa; **~-même** (*sujet*) usted mismo(-a); (*après prép*) sí mismo(-a); (*emphatique*): **~-même, ~ ...** usted, ...; **~-mêmes** (*sujet*) vosotros(-as) *ou* (*AM*) ustedes mismos(-as); (*forme de politesse*) ustedes mismos(-as); (*après prép*) sí mismos(-as); (*emphatique*): **~-mêmes, ~ ...** vosotros ..., ustedes ... (*AM*); (*forme de politesse*) ustedes, ...

vouvoyer [vuvwaje] *vt*: **~ qn** tratar de usted a algn

voyage [vwajaʒ] *nm* viaje *m*; **être/partir en ~** estar/ir *ou* salir de viaje; **faire un ~** hacer un viaje; **faire bon ~** hacer un buen viaje; **aimer le ~** gustarle a algn los viajes *ou* viajar; **les gens du ~** los saltimbanquis *mpl*; **~ d'affaires** viaje de negocios; **~ d'agrément** viaje de placer; **~ de noces** viaje de novios; **~ organisé** viaje organizado

voyager [vwajaʒe] *vi* viajar

voyageur, -euse [vwajaʒœʀ, øz] *adj, nm/f* viajero(-a); **un grand ~** un gran viajero; **~ (de commerce)** viajante *m/f* (de comercio)

voyant, e [vwajɑ̃, ɑ̃t] *adj* llamativo(-a) ■ *nm/f* vidente *m/f* ■ *nm* indicador *m* luminoso

voyelle [vwajɛl] *nf* vocal *f*

voyou [vwaju] *adj, nm* (*enfant*) granuja *m*

vrac [vʀak]: **en ~** *adj, adv* en desorden; (*Comm*) a granel

vrai, e [vʀɛ] *adj* verdadero(-a), cierto(-a); (*or, cheveux*) auténtico(-a) ■ *nm*: **le ~** lo verdadero, lo verídico; **son ~ nom** su auténtico nombre; **un ~ comédien/sportif** un auténtico comediante/deportista; **à dire ~, à ~ dire** a decir verdad; **il est ~ que** cierto que; **être dans le ~** estar en lo cierto

vraiment [vʀɛmɑ̃] *adv* verdaderamente; **"~?"** "¿de verdad?", "¿es cierto?"; **il est ~ rapide** es realmente rápido

vraisemblable [vʀɛsɑ̃blabl] *adj* (*plausible*) verosímil; (*probable*) probable

vraisemblablement [vʀɛsɑ̃blabləmɑ̃] *adv* probablemente

vraisemblance [vʀɛsɑ̃blɑ̃s] *nf* verosimilitud *f*; (*probabilité*) probabilidad *f*; (*romanesque*) realismo; **selon toute ~** con toda seguridad

vrombir [vʀɔ̃biʀ] *vi* zumbar

VRP [veɛʀpe] *sigle m* (= *voyageur, représentant, placier*) representante

VTT [vetete] *sigle m* (= *vélo tout terrain*) *bicicleta todo terreno*

vu[1] [vy] *prép* visto; **vu que** visto que

vu[2]**, e** [vy] *pp de* **voir** ■ *adj*: **bien/mal vu** bien/mal visto(-a) ■ *nm*: **au vu et au su de tous** a cara descubierta; **ni vu ni connu** ni visto ni oído; **c'est tout vu** está claro

vue [vy] *nf* vista; (*spectacle*) visión *f*; **vues** *nfpl* (*idées*) opiniones *fpl*; (*dessein*) proyectos *mpl*; **perdre la ~** perder la vista; **perdre de ~** perder de vista; (*principes, objectifs*) olvidar; **à la ~ de tous** a la vista de todos; **hors de ~** fuera de la vista; **à première ~** a primera vista; **connaître qn de ~** conocer a algn de vista; **à ~** (*Comm*) a vista; **tirer à ~** disparar sin dar la voz de alto; **à ~ d'œil** a ojos vistas; **avoir ~ sur** tener vistas a; **en ~** a la vista; (*Comm*) en vistas; **avoir qch en ~** tener algo en vistas; **arriver/être en ~ d'un endroit** llegar/estar a la vista de un lugar; **en ~ de faire qch** con intención de hacer algo; **~ d'ensemble** vista de conjunto; **~ de l'esprit** teoría pura

vulgaire [vylgɛʀ] *adj* vulgar; **de ~s touristes/chaises de cuisine** simples turistas/sillas de cocina; **nom ~** (*Bot, Zool*) nombre *m* común

vulgariser [vylgaʀize] *vt* (*connaissances*) divulgar; (*rendre vulgaire*) vulgarizar

vulnérable [vylneʀabl] *adj* vulnerable; (*stratégiquement*) atacable

W

wagon [vagɔ̃] *nm* vagón *m*
wagon-lit [vagɔ̃li] (*pl* **wagons-lits**) *nm* coche-cama *m*
wagon-restaurant [vagɔ̃ʀɛstɔʀɑ̃] (*pl* **wagons-restaurants**) *nm* coche-restaurante *m*
wallon, ne [walɔ̃, ɔn] *adj* valón(-ona) ▪ *nm* (*Ling*) valón *m* ▪ *nm/f*: **Wallon, ne** valón(-ona)
watt [wat] *nm* vatio
w-c [vese] *nmpl* W-C *mpl*
Web [wɛb] *nm inv*: **le ~** la Red, la Web
webcam [wɛbkam] *nf* webcam *f*
week-end [wikɛnd] (*pl* **~s**) *nm* fin *m* de semana
western [wɛstɛʀn] *nm* película del oeste, western *m*
whisky [wiski] (*pl* **whiskies**) *nm* whisky *m*
wifi [wifi] *nm* Wi-Fi *m*

X

xénophobe [gzenɔfɔb] *nm/f* xenófobo(-a)
xérès [gzeʀɛs] *nm* jerez *m*
xylophone [gzilɔfɔn] *nm* xilófono

y z

y [i] *adv* allí; (*plus près*) ahí; (*ici*) aquí ▪ *pron* (*la préposition espagnole dépend du verbe employé*) a *ou* de *ou* en él, ella, ello; **nous y sommes enfin** ya estamos aquí; **à l'hôtel? j'y reste 3 semaines** ¿en el hotel? me voy a quedar 3 semanas; **j'y pense** (*je n'ai pas oublié*) lo tengo en mente; (*décision à prendre*) me lo estoy pensando; **j'y suis!** ¡ya caigo!; **je n'y suis pour rien** no he tenido nada que ver (en esto); **s'y entendre (en qch)** entender de (algo); *voir aussi* **aller**; **avoir**
yacht ['jɔt] *nm* yate *m*
yaourt ['jauʀt] *nm* yogur *m*
yeux ['jø] *nmpl de* **œil**
yoga ['jɔga] *nm* yoga *m*
yoghourt ['jɔguʀt] *nm* = **yaourt**
yougoslave ['jugɔslav] (*Hist*) *adj* yugoslavo(-a) ▪ *nm/f*: **Yougoslave** yugoslavo(-a)
Yougoslavie ['jugɔslavi] *nf* (*Hist*) Yugoslavia

zapper [zape] *vi* hacer zapping
zapping [zapiŋ] *nm*: **faire du ~** hacer zapping, zapear
zèbre [zɛbʀ] *nm* cebra
zébré, e [zebʀe] *adj* rayado(-a)
zèle [zɛl] *nm* celo; **faire du ~** (*péj*) pasarse en el celo
zélé, e [zele] *adj* (*fonctionnaire*) diligente; (*défenseur*) celoso(-a)
zéro [zeʀo] *adj* cero ▪ *nm* (*Scol*) cero; **au-dessus/au-dessous de ~** sobre/bajo cero; **réduire à ~** reducir a cero; **partir de ~** partir de cero; **trois (buts) à ~** tres (goles) a cero
zeste [zɛst] *nm* cáscara; **un ~ de citron** un trocito de limón
zézayer [zezeje] *vi* cecear
zigouiller [ziguje] (*fam*) *vt* cepillarse a, cargarse a
zigzag [zigzag] *nm* zigzag *m*
zigzaguer [zigzage] *vi* zigzaguear
zinc [zɛ̃g] *nm* (*Chim*) cinc *m*; (*comptoir*) barra
zipper [zipe] *vt* (*Inform*) comprimir
zizi [zizi] (*fam*) *nm* pito
zodiaque [zɔdjak] *nm* zodíaco
zona [zona] *nm* zona
zone [zon] *nf* zona; (*Inform*) campo; **la ~** (*quartiers*) las barriadas marginales;

de seconde ~ (*fig*) de segunda; **~ bleue** zona azul; **~ d'action** (*Mil*) radio de acción; **~ d'extension** *ou* **d'urbanisation** zona urbanizable; **~ franche** zona franca; **~ industrielle** polígono industrial; **~ résidentielle** zona residencial; **~s monétaires** zonas *fpl* monetarias

zoo [zo(o)] *nm* zoo

zoologie [zɔɔlɔʒi] *nf* zoología

zoologique [zɔɔlɔʒik] *adj* zoológico(-a)

zut [zyt] *excl* ¡mecachis!

Perspectives sur l'espagnol

Introduction

Perspectives sur l'espagnol vous propose une initiation passionnante au monde hispanophone. En vous emmenant sur les lieux où l'espagnol se parle à travers le monde, les pages qui suivent vous offrent la possibilité de faire connaissance avec cette langue et avec ses locuteurs.

Des conseils pratiques sur la langue et des notes abordant les problèmes de traduction les plus fréquents vous aideront à parler l'espagnol avec davantage d'assurance. Une partie très utile consacrée à la correspondance vous fournit toutes les informations dont vous avez besoin pour pouvoir communiquer efficacement.

Nous avons également inclus un certain nombre de liens vers des ressources en ligne qui vous permettront d'approfondir vos lectures sur les pays hispanophones et la langue espagnole.

Nous espérons que vous prendrez plaisir à consulter votre supplément *Perspectives sur l'espagnol*. Nous sommes sûrs qu'il vous aidera à mieux connaître le monde hispanophone et à prendre confiance en vous, à l'écrit comme à l'oral.

L'Espagne et ses régions

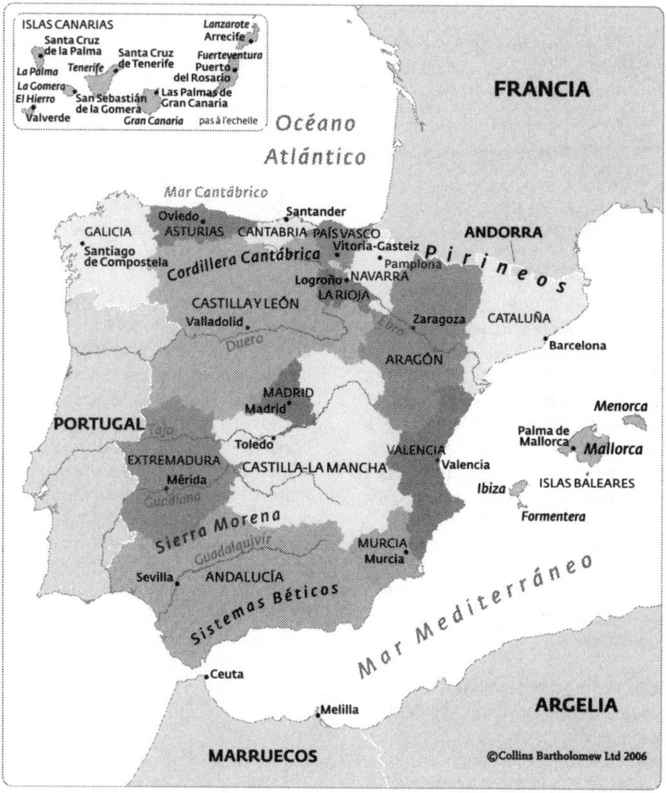

L'Espagne et ses régions

Les six plus grandes villes espagnoles

Ville	*Nom des habitants*	*Population*
Madrid	los madrileños	2,938,700
Barcelona	los barceloneses	1,504,900
Valencia	los valencianos	738,500
Sevilla	los sevillanos	683,600
Zaragoza	los zaragozanos	614,900
Málaga	los malagueños	524,400

L'Espagne partage la péninsule Ibérique avec le Portugal, son voisin de l'ouest. L'entité politique espagnole se compose du territoire continental, des îles Baléares en Méditerranée et des îles Canaries dans l'Atlantique, au nord-ouest de l'Afrique. Les villes de Ceuta et Melilla, situées sur la côte du Maroc, sont également espagnoles.

Le chef de l'État est le roi Juan Carlos Ier. Le Premier ministre, chef du parti majoritaire au Parlement, dirige le gouvernement et est élu tous les quatre ans.

L'Espagne est organisée en dix-sept régions administratives appelées *comunidades autónomas*. Chaque région, elle-même composée de plusieurs *provincias* plus petites a son propre Parlement et peut légiférer dans des domaines comme le logement, les infrastructures, la santé et l'éducation. Le gouvernement central conserve ses compétences en matière de défense, d'affaires étrangères et de justice.

L'identité régionale est forte dans de nombreuses parties de l'Espagne, et si le castillan (*castellano*) est parlé par la majorité de la population, d'autres langues et dialectes occupent également une place importante et sont pour un nombre significatif d'Espagnols des langues maternelles. Trois de ces langues sont appelés *lenguas cooficiales* : le basque (*euskara*), le catalan (*catalán*) et le galicien (*gallego*). La Constitution leur conférant un statut officiel, elles sont utilisées dans les documents de l'administration, l'enseignement, etc.

Portrait de l'Espagne

- L'Espagne est le deuxième plus grand pays d'Europe occidentale par sa superficie, avec 504,800 km² de territoire (pratiquement la taille de la France, qui est de 549,000 km²).

- La montagne la plus haute d'Espagne, le Teide (3,718 m), se trouve dans les îles Canaries, à Ténérife.

- L'Èbre, fleuve d'une longueur de 910 km, prend sa source dans les monts Cantabriques et se jette dans la Méditerranée.

- L'Espagne compte 40,8 millions d'habitants. La population espagnole est l'une de celles qui dans le monde augmentent le moins rapidement.

- Le catholicisme est la religion principale en Espagne.

- L'économie espagnole occupe le dixième rang mondial (l'économie française se classe au cinquième rang).

- Près de 52 millions de touristes étrangers visitent l'Espagne chaque année. L'Andalousie est la destination la plus populaire.

Quelques liens utiles :
www.ine.es
Institut espagnol de la statistique.
www.cervantes.es
Informations sur la culture et la langue espagnoles.

Le monde hispanophone

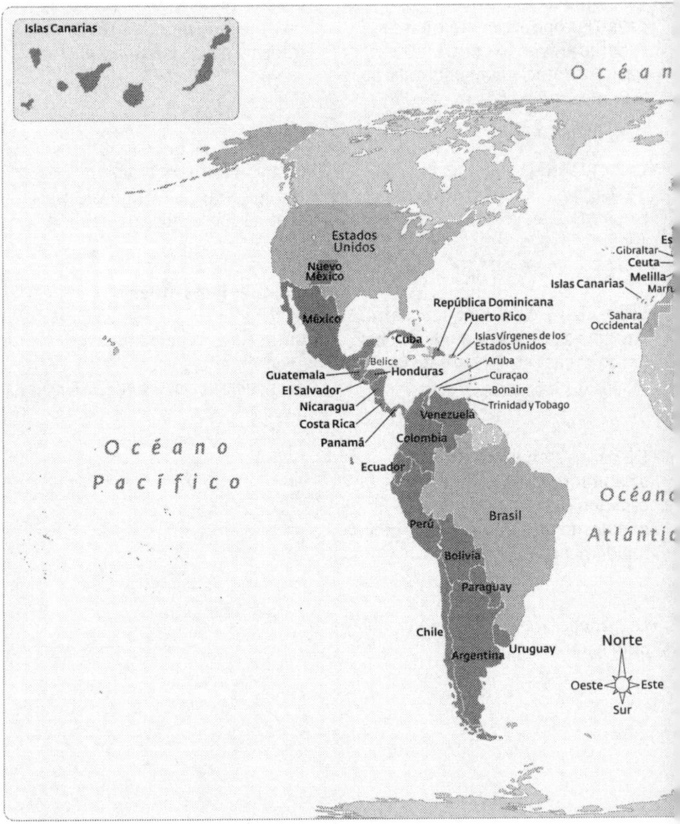

PAYS OU RÉGIONS OÙ L'ESPAGNOL EST LA LANGUE PRINCIPALE OU LA LANGUE OFFICIELLE

PAYS OU RÉGIONS OÙ UNE GRANDE PARTIE DE LA POPULATION PARLE L'ESPAGNOL

Ártico
dorra
Océano
Pacífico
Filipinas
Guinea
Ecuatorial
Océano
Índico
©Collins Bartholomew Ltd 2006

Les autres langues de l'Espagne

Langue	Description brève	Zones d'implantation
basque (*euskera*)	N'est affilié à aucune autre langue connue	Pays Basque (frontière entre l'Espagne et la France)
catalan (*catalán*)	Très proche du français et de l'espagnol	Catalogne (nord-est de l'Espagne), Valence et les Baléares
galicien (*gallego*)	Proche du portugais	Galice (nord-ouest de l'Espagne)

Lien utile :
www.la-moncloa.es
Informations sur le Premier ministre et le gouvernement

L'espagnol d'Amérique latine

On dénombre 417 millions d'hispanophones à travers le monde ; seul le chinois compte davantage de locuteurs. L'espagnol d'Amérique latine diffère de celui qu'on parle en Europe (l'espagnol péninsulaire). Il existe aussi des différences importantes au sein de l'espagnol américain. Par exemple, une ampoule électrique se dit *un foco* au Mexique, mais *una bujía* en Amérique centrale. Les accents et la prononciation varient eux aussi énormément dans toute cette région.

Certains mots sont communs à la plupart des pays d'Amérique latine. Par exemple :

Espagnol d'Amérique latine	Français	Espagnol péninsulaire
carro	voiture	*coche*
computadora	ordinateur	*ordenador*
papa	pomme de terre	*patata*

Deux exemples de langues amérindiennes
Le *náhuatl*, la langue des Aztèques, est toujours parlé par un million de Mexicains. Nous lui devons des mots comme « tomate », « avocat », « chocolat » et « chili ». Le *quechua* reste en usage chez 13 millions de descendants des Incas vivant dans la région des Andes. Les mots « lama », « condor » et « puma » sont tous issus du *quechua*.

Portrait de l'Amérique hispanophone

- Avec 2 780,000 km² de superficie, l'Argentine est le plus grand pays hispanophone d'Amérique latine avant le Mexique (1 958,000 km²) et le Pérou (1,285,000 km²).

- Le Mexique est, de loin, le pays le plus peuplé (101 millions d'habitants), mais il est devancé par le minuscule Salvador pour la densité de la population (310 habitants/km² contre 110 en France).

- Le Cerro Aconcagua (6,959 m), la montagne la plus haute du monde si l'on exclut la chaîne de l'Himalaya, se trouve en Argentine, à la frontière avec le Chili. Le point le plus bas d'Amérique du Sud, Península Valdés (40 m sous le niveau de la mer), est également en Argentine.

- À 3,630 mètres d'altitude, la ville bolivienne de La Paz est la capitale la plus haute des Amériques.

- Le désert d'Atacama (dont la plus grande partie se trouve dans le nord du Chili) est l'endroit le plus aride de la planète.

- Le deuxième fleuve le plus long du monde, l'Amazone, prend sa source dans les Andes péruviennes et traverse le Brésil d'ouest en est, en direction de l'Atlantique. Les chutes de l'Ange (*Salto del Angel*) au Venezuela sont les chutes d'eau les plus hautes du monde.

- Deux pays latino-américains seulement n'ont pas d'accès à la mer : la Bolivie et le Paraguay.

- Le Chili fait plus de 4,000 kilomètres de long, mais seulement 177 kilomètres de large en moyenne.

- L'économie mexicaine occupe le neuvième rang mondial (la France occupe le cinquième).

Lien utile :
http://www.mal217.org/
Maison de l'Amérique latine : informations et manifestations autour de l'Amérique latine.

Améliorer votre prononciation

Il existe différentes méthodes pour améliorer votre accent et prendre confiance en vous à l'oral :

- lire à voix haute pour se mettre en confiance
- écouter la radio en espagnol
- regarder des films en espagnol
- parler avec des hispanophones

Lien utile :
http://www.geocities.com/spanishradio/
Sélection de radios espagnoles et latino-américaines.

Quelques sons spécifiques à l'espagnol

- ***Z*** et ***c***. La plupart des espagnols prononcent le *z* et le *c* dans *ce* et *ci* en plaçant le bout de la langue sous les incisives supérieures (comme pour le *th* du mot *thing* en anglais) contrairement à la majorité des latino-américains pour qui la prononciation est la même que celle du *s* de *sauver* par exemple.
- ***Ll***. La prononciation de *ll* (*llamar*, *ella*) varie beaucoup à travers le monde hispanophone ; chez certains, il s'apparente au *y* de *yak*, et chez d'autres au *lli* de *million*.
- ***J*** et ***g***. *J* et *g* lorsqu'ils sont suivis d'un *e* ou d'un *i* s'apparentent à un *r* « dur », semblable à celui que l'on trouve en allemand ou en néerlandais et dont la prononciation se fait au niveau de la gorge (*jefe*, *ajo*, *gente*). En Amérique latine, ce son est plus doux et se rapproche d'un *h* aspiré très prononcé.
- **B** et ***v***. Au début d'un mot et après *m* et *n* (*vaso*, *ambulancia*), ces deux lettres ont exactement la même prononciation : elles s'apparentent au *b* de *boulanger*. Dans les autres cas, essayez de prononcer un *b* sans que vos lèvres se touchent (*obra*, *uva*).
- **D**. Entre deux voyelles et après les consonnes autres que *l* ou *n* (*modo*, *ardiente*), la prononciation de *d* est très atténuée, la langue venant à peine effleurer les incisives.
- **H**. En espagnol, le *h* est toujours muet (*hablar* se prononce « ablar »).
- **R** et ***rr***. *Rr* (comme dans *perro*) est plus fortement roulé que *r* (*pero*), mais au début d'un mot et après *l*, *n* ou *s* (par exemple dans *rápido*), un *r* simple se prononce comme *rr*.
- **Ñ**. Le *tilde* change la prononciation de *n* pour produire un son similaire à *oi**gn**on* (par exemple dans *baño*).

Exprimez-vous avec plus de naturel

Les mots et expressions de la conversation

En français, nous émaillons nos conversations de mots et de formules comme *donc, alors, au fait* pour structurer notre réflexion et souvent aussi pour exprimer un état d'esprit. Les mots espagnols, ci-dessous, jouent le même rôle. Le fait de les employer vous fera gagner en aisance et en naturel.

- ***además***
  ***Además**, no tienes nada que perder.*
  (= de plus)

- ***está bien***
  *¡**Está bien**! Lo haré.* (= d'accord !)

- ***bueno***
  *¡**Bueno!** Haremos lo que tú quieras.*
  (= bon !, d'accord !)

- ***por cierto***
  ***Por cierto**, ¿has sacado las entradas?*
  (= au fait, à propos)

- ***claro***
  *¿Te gusta el fútbol? – ¡**Claro que sí/no**!*
  (= bien sûr/bien sûr que non)

- ***desde luego***
  ***Desde luego** que me gusta!* (= bien sûr)

- ***entonces***
  *Si no es tu padre, ¿**entonces** quién es?*
  (= alors)
  *¿**Entonces**, vienes o te quedas?*
  (= alors, donc)

- ***pues***
  ***Pues**, como te iba contando...*
  (= donc, eh bien)

- ***por supuesto***
  ***Por supuesto** que sí/no.* (= bien sûr)

- ***de todas formas/maneras***
  ***De todas formas/maneras** iremos.*
  (= de toute façon)

- ***vale***
  *¿Vamos a tomar algo? – ¡**Vale**!*
  (= d'accord)

- ***venga***
  *¡**Venga**, vámonos!*
  (= allez ; employé en Espagne)

Exprimez-vous avec plus de naturel

En variant les mots que vous employez pour faire passer une idée, vous contribuerez également à donner le sentiment que vous êtes à l'aise en espagnol. À titre d'exemple, vous connaissez déjà *Me gusta el mar*, mais pour changer vous pourriez dire *Me encanta el mar*. Voici d'autres suggestions :

Pour dire ce que vous aimez ou n'aimez pas

Me ha gustado mucho *tu regalo.*	J'ai beaucoup aimé...
Estaba encantado/encantada con *el regalo.*	J'ai adoré...
No me gusta *comer fuera de casa.*	Je n'aime pas...
Mi vecina ***me cae muy mal****.*	Je n'aime pas du tout...
Detesto *cualquier tipo de violencia.*	Je déteste...

Pour exprimer votre opinion

Creo que *es demasiado caro.*	Je crois/trouve...
Pienso que *es normal.*	Je pense que...
Me parece que *le va a encantar tu visita.*	Il me semble que...
Estoy seguro/segura de que *no es culpa tuya.*	Je suis sûr/sûre que...
En mi opinión*, fue un error.*	À mon avis...

Pour exprimer votre accord/votre désaccord

Tienes razón.	Tu as raison.
Estoy (No estoy) de acuerdo *contigo.*	Je suis (je ne suis pas) d'accord...
¡Claro que sí!	Bien sûr !
¡Naturalmente!	Bien sûr !
En eso te equivocas.	Sur ce point tu as tort.

La correspondance

La section suivante sur la correspondance a été conçue pour vous aider à communiquer en toute confiance en espagnol, à l'écrit comme à l'oral. Grâce à des exemples de lettres, de courriels, et aux parties consacrées aux SMS et aux conversations téléphoniques, vous pouvez être sûr que vous disposez de tout le vocabulaire nécessaire à une correspondance réussie.

Les SMS

Abbreviation	Espagnol	Français
+ trd	*más tarde*	plus tard
2	*tú*	tu, toi
a2	*adiós*	au revoir
bboo	*besos*	bisous, grosses bises
find	*fin de semana*	week-end
gnl	*genial*	génial
h lgo *HL*	*hasta luego*	à plus tard
LAP	*lo antes possible*	le plus vite possible
msj	*mensaje*	message
NLS	*no lo sé*	je ne sais pas
q acc? *q hcs?*	*¿qué haces?*	qu'est-ce que tu fais ?/qu'est-ce que tu deviens ?
QT1BD	*¡que tengas un buen día!*	passe une bonne journée !
q tl?	*¿qué tal?*	comment ça va ?
salu2	*saludos*	amitiés
tq	*te quiero*	je t'aime
x	*por*	pour, par, etc.
xdon	*perdón*	pardon
xq	*porque*	parce que
xq?	*¿por qué?*	pourquoi ?

Courrier électronique

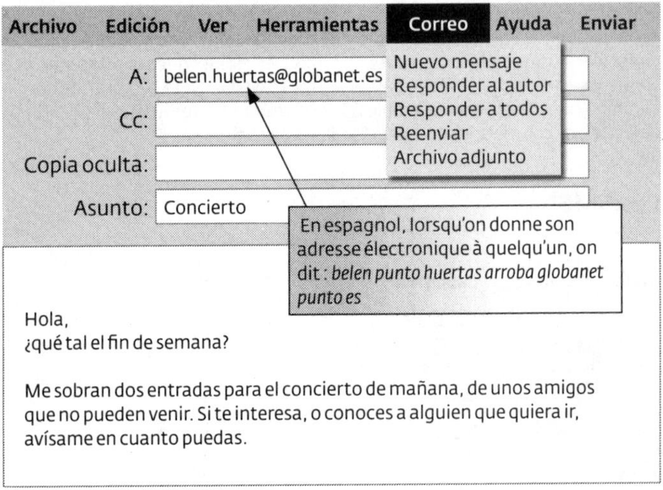

Archivo Edición Ver Herramientas Correo Ayuda Enviar
Nuevo mensaje
Responder al autor
Responder a todos
Reenviar
Archivo adjunto
A: belen.huertas@globanet.es
Cc:
Copia oculta:
Asunto: Concierto
En espagnol, lorsqu'on donne son adresse électronique à quelqu'un, on dit : *belen punto huertas arroba globanet punto es*
Hola,
¿qué tal el fin de semana?
Me sobran dos entradas para el concierto de mañana, de unos amigos que no pueden venir. Si te interesa, o conoces a alguien que quiera ir, avísame en cuanto puedas.

archivo	fichier
edición (f)	édition
ver	affichage
herramientas (fpl)	outils
correo	écrire
ayuda	aide
enviar	envoyer
nuevo mensaje (m)	nouveau message
responder al autor	répondre

responder a todos	répondre à tous
reenviar	transférer
archivo adjunto	pièce jointe
A	à
CC	cc (copie carbone)
copia oculta	cci (copie carbone invisible)
asunto	objet, sujet
de	de
fecha	date

Courrier électronique

D'autres termes peuvent vous être utiles sur Internet :

adelante	page suivante
atrás	page précédente
acceder al sistema	se connecter, ouvrir une session
banda ancha	haut-débit
bajarse algo de Internet	télécharger qch sur Internet
borrar	effacer, supprimer
buscador (m)	moteur de recherche
buscar	rechercher
clicar en ou hacer clic en	cliquer sur
copia de seguridad	sauvegarde
copiar	copier
correo basura	pourriel, spam
cortar y pegar	copier-coller
descargarse algo de Internet	télécharger qch sur Internet
e-mail ou email (m)	courriel, e-mail
enlaces (mpl)	liens
historial (m)	historique
icono	icone
Internet (m ou f)	Internet
mandar un e-mail ou un email a alguien	envoyer un courriel/e-mail à quelqu'un
navegar por Internet	surfer sur la Toile
página de inicio	page d'accueil
página web	page web
preguntas frecuentes	FAQ
sitio web	site web
el ou la Web	la Toile, le Web

Écrire une lettre personnelle

La ville d'où vous écrivez et la date ; on ne donne pas son adresse complète →

Barcelona,
5 de junio de 2007

Queridos amigos: ← Mettez deux-points ici

Muchas gracias por la preciosa pulsera que me mandasteis por mi cumpleaños, me ha gustado muchísimo. Voy a disfrutar de verdad poniéndomela para mi fiesta del sábado, y estoy segura de que a Cristina le va a dar una envidia tremenda.

En realidad no hay demasiadas cosas nuevas que contaros, ya que últimamente parece que no hago otra cosa que estudiar para los exámenes, que ya están a la vuelta de la esquina. No sabéis las ganas que tengo de terminarlos todos y poder empezar a pensar en las vacaciones.

Paloma me encarga que os dé recuerdos de su parte.

Muchos besos de

Ana

Écrire une lettre personnelle

Autres manières de commencer une lettre personnelle	**Autres manières de terminer une lettre personnelle**
Querido Juan *Mi querida Marta* *Queridísimo Antonio*	*Con mucho cariño* *Un fuerte abrazo de...* *Un beso muy fuerte* *Afectuosamente*

Quelques formules utiles

Muchas gracias por la carta.	Merci beaucoup pour ta lettre.
Me alegró mucho recibir noticias tuyas.	Ça m'a fait très plaisir d'avoir de tes nouvelles.
Perdona que no te haya escrito antes.	Excuse-moi de ne pas t'avoir écrit plus tôt.
Dale un beso a Eduardo de mi parte.	Embrasse Eduardo de ma part.
Mamá te manda recuerdos.	Maman te dit bonjour.
Escríbeme pronto.	Écris-moi vite.

Écrire une lettre officielle

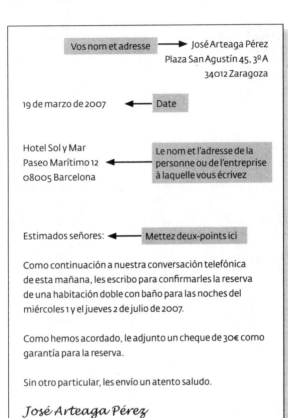

Vos nom et adresse → José Arteaga Pérez
Plaza San Agustín 45, 3º A
34012 Zaragoza

19 de marzo de 2007 ← Date

Hotel Sol y Mar
Paseo Marítimo 12 ← Le nom et l'adresse de la personne ou de l'entreprise à laquelle vous écrivez
08005 Barcelona

Estimados señores: ← Mettez deux-points ici

Como continuación a nuestra conversación telefónica de esta mañana, les escribo para confirmarles la reserva de una habitación doble con baño para las noches del miércoles 1 y el jueves 2 de julio de 2007.

Como hemos acordado, le adjunto un cheque de 30€ como garantía para la reserva.

Sin otro particular, les envío un atento saludo.

José Arteaga Pérez

Dans de nombreux pays hispanophones, la plupart des gens ont deux *appellidos* ou noms de famille. Le premier est le nom de famille de leur père, et le second le premier nom de famille de leur mère. Par exemple, les enfants de Juan Arteaga López, mari de Carmen Pérez Rodríguez s'appelleraient Arteaga Pérez. Une femme mariée garde généralement son nom de famille au lieu de prendre celui de son mari.

Écrire une lettre officielle

Autres manières de commencer une lettre officielle	Autres manières de terminer une lettre officielle
Estimado señor (García) *Estimados señores* *Muy señor mío/Muy señores míos* (surtout utilisé en Espagne) *De nuestra consideración* (surtout utilisé en Amérique latine)	*Reciba un atento saludo de ....* *Un cordial saludo* *Le/les saluda atentamente*

Quelques formules utiles

Agradecemos su carta de...	*Nous vous remercions pour votre lettre du...*
En relación con...	*Suite à...*
Les ruego que me envíen...	*Je vous prie de m'envoyer...*
Sin otro particular, quedo a la espera de su respuesta.	*Dans l'attente de votre réponse, ...*
Muchas gracias de antemano por...	*Je vous remercie d'avance pour...*

Sr. D. est l'abréviation de Señor Don

Sr. D. José María Álvarez Martín
c/ Colón 59, 3º dcha.
08720 Vilafranca del Penedés
Barcelona
SPAIN

3º *dcha.* signifie que la personne vit au troisième étage et que sa porte est à droite (pour « gauche » on aurait *izqda*).

Le code postal vient avant le nom de la ville.

Téléphoner

Pour demander des renseignements

¿Cuál es el prefijo de Léon?	Quel est l'indicatif de Léon ?
¿Qué hay que hacer para llamar al exterior?	Qu'est-ce qu'il faut faire pour passer un appel vers l'extérieur ?
¿Podría decirme cuál es la extensión del Sr. Ruiz?	Est-ce que vous pouvez me donner le numéro de poste de M. Ruiz ?

Quand on répond à votre appel

Hola, ¿está Susana?	Bonjour, est-ce que Susana est là ?
Por favor, ¿podría hablar con Carlos García?	Est-ce que je pourrais parler à Carlos García, s'il vous plaît ?
¿Es usted la Sra. Reyes?	Madame Reyes?
¿Puede decirle que me llame?	Est-ce que vous pouvez lui demander de me rappeler ?
Le vuelvo a llamar dentro de media hora.	Je rappellerai dans une demi-heure.
¿Podría dejar un recado?	Est-ce que je pourrais laisser un message ?

Quand vous répondez au téléphone

¿Diga?/¿Dígame?/¿Sí?	(en Espagne)
¿Aló?¿Diga?/¿Dígame?/¿Sí?/Oigo	(en Amérique latine)
¿Hola?	(dans le cône Sud)
¿Bueno?	(au Mexique)
	Allô ?
¿Con quién hablo?	Qui est à l'appareil ?
Soy Marcos.	C'est Marcos.
Sí, soy yo.	Oui, c'est moi.
¿Quiere dejar un mensaje?	Est-ce que vous voulez laisser un message ?

Téléphoner

Ce que vous entendrez peut-être

¿De parte de quién?	C'est de la part de qui ?
Le paso.	Je vous le/la passe.
No cuelgue.	Ne quittez pas.
No contesta.	Ça ne répond pas.
La línea está ocupada.	La ligne est occupée.
¿Quiere dejar un mensaje?	Est-ce que vous voulez laisser un message ?

En cas de problème

Perdone, me he equivocado de número.	Pardon, je me suis trompé de numéro.
No se oye bien.	On n'entend pas bien.
Se corta.	Il y a des coupures.
Me estoy quedando sin batería.	Je n'ai presque plus de batterie.
Se oye muy mal.	On entend très mal.

Pour donner son numéro de téléphone
Pour donner son numéro de téléphone à quelqu'un en espagnol, on regroupe généralement les chiffres par deux. Par exemple :

88 73 14

ochenta y ocho / setenta y tres / catorce

Si le nombre de chiffres est impair, on regroupe trois chiffres que l'on donne séparément. Par exemple :

959 48 32 94

nueve-cinco-nueve/ cuarenta y ocho/ treinta y dos/ noventa y cuatro

Locutions espagnoles

En espagnol comme dans bien d'autres langues, les gens ont recours à des expressions vivantes qui viennent d'images basées sur leur perception de la vie réelle. Les expressions courantes ci-dessous ont été regroupées en fonction du type d'images qu'elles évoquent. Pour rendre le tout plus amusant, nous vous donnons la traduction mot à mot ainsi que l'équivalent en français.

La table

En todas partes cuecen habas. → C'est partout pareil.
mot à mot : *On cuit des fèves partout.*

llamar al pan pan y al vino vino → appeler un chat un chat
mot à mot : *appeler le pain pain et le vin vin*

Eso es pedir peras al olmo. → C'est demander la lune/l'impossible.
mot à mot : *C'est demander des poires à l'orme.*

llegar para los postres → arriver après la bataille
mot à mot : *arriver à temps pour le dessert*

Entre col y col, lechuga. → Il faut varier les plaisirs.
mot à mot : *Entre le chou et le chou, la laitue.*

Les animaux

aburrirse como una ostra → s'ennuyer comme un rat mort
mot à mot : *s'ennuyer comme une huître*

si los burros volaran → quand les poules auront des dents
mot à mot : *si les ânes pouvaient voler*

estar más loco que una cabra → être fou à lier
mot à mot : *être plus fou qu'une chèvre*

No es tan fiero el león como lo pintan. → Beaucoup de bruit pour rien.
mot à mot : *Le lion n'est pas aussi féroce qu'on le dit.*

Locutions espagnoles

Les objets

consultar algo con la almohada → La nuit porte conseil.
mot à mot : *discuter de quelque chose avec son oreiller*

empezar la casa por el tejado → mettre la charrue avant les bœufs
mot à mot : *commencer la maison par le toit*

Quien parte y reparte, se lleva la mejor parte. → C'est celui qui partage qui prend la meilleure part.
mot à mot : *C'est celui qui partage qui prend la meilleure part.*

Le climat

Ha llovido mucho desde entonces. → Beaucoup d'eau a coulé sous les ponts depuis.
mot à mot : *Il a beaucoup plu depuis.*

Nunca llueve a gusto de todos. → On ne peut pas contenter tout le monde.
mot à mot : *La pluie ne satisfait jamais tout le monde.*

Abril, aguas mil. → En avril, ne te découvre pas d'un fil.
mot à mot : *Avril, mille eaux.*

Al mal tiempo, buena cara. → faire contre mauvaise fortune bon cœur
mot à mot : *Par mauvais temps, bonne figure.*

Locutions espagnoles

Les parties du corps

romperse la cabeza → se creuser la tête
mot à mot : *se casser la tête*

Cuatro ojos ven más que dos. → Deux avis valent mieux qu'un.
mot à mot : *Quatre yeux voient mieux que deux.*

Quien tiene boca se equivoca. → L'erreur est humaine.
mot à mot : *Quiconque a une bouche se trompe.*

Me costó un riñón. → Ça m'a coûté une fortune.
mot à mot : *Ça m'a coûté un rein.*

Les vêtements

cambiar de chaqueta → retourner sa veste
mot à mot : *changer de veste*

estar hasta el gorro → en avoir par-dessus la tête
mot à mot : *en avoir ras le chapeau*

querer nadar y guardar la ropa → vouloir le beurre et l'argent du beurre
mot à mot : *vouloir nager tout habillé*

Les couleurs

no distinguir lo blanco de lo negro → être bête comme ses pieds
mot à mot : *ne pas distinguer le blanc du noir*

ponerse de mil colores → piquer un fard
mot à mot : *passer par mille couleurs*

estar más rojo que un cangrejo → être rouge comme une écrevisse
mot à mot : *être plus rouge qu'un crabe*

Quelques problèmes de traduction courants

Dans les pages suivantes, nous abordons quelques-unes des difficultés de traduction que vous risquez de rencontrer. Nous espérons que les astuces que nous vous donnons vous permettront d'éviter les pièges classiques de l'espagnol écrit et parlé.

Je, tu, il/elle...

En français, le pronom personnel sujet (« je », « tu », « il/elle », etc.) est obligatoire alors qu'en espagnol ***yo***, ***tú***, ***él***, ***ella***, etc. ne sont généralement pas utilisés si le verbe permet de savoir clairement qui accomplit l'action :

Je parle espagnol. → **Hablo** español.
Nous avons deux voitures. → **Tenemos** dos coches.

Utilisez ***yo***, ***tú***, ***él*** et les autres pronoms sujets pour créer un effet d'insistance, d'opposition ou bien quand ils peuvent servir à éviter une ambiguïté quant à la personne dont il est question :

Toi, **tu** n'es pas obligé de venir. → **Tú** no tienes por qué venir.
Lui, **il** conduit mais pas elle. → **Él** conduce pero ella no.

« Tu » et « vous » en espagnol

En espagnol, on peut, en fonction de son interlocuteur, employer une forme polie ou une forme plus familière comme on le fait en français avec le vouvoiement et le tutoiement. Cependant, à la différence du français, l'espagnol permet de faire cette distinction de façon explicite au singulier comme au pluriel.

- Lorsqu'on s'adresse à une personne que l'on connaît, on emploie le pronom ***tú***. Souvenez-vous, cependant, que le pronom personnel est souvent omis en espagnol :

Est-ce que **tu** vas venir au cours de mathématiques ? → *¿**Tú** vienes a la clase de matemáticas?*
*¿**Vienes** a la clase de matemáticas?*
Tu me prêtes ce CD ? → *¿Me **prestas** este CD?*

Quelques problèmes de traduction courants

- Pour s'adresser à plusieurs personnes que l'on connaît, on utilise ***vosotros*** et ***vosotras*** (féminin) en Espagne. En Amérique latine, on emploie ***ustedes*** suivi du verbe à la troisième personne du pluriel.

Vous comprenez, les enfants ?	→ *¿**Entendéis**, niños?*
Vous avez voyagé au Chili récemment ?	→ *¿**Vosotros** habéis viajado a Chile recientemente?* (en Espagne) *¿**Ustedes** han viajado a Chile recientemente?*
Vous avez regardé le match, les gars ?	→ *¿**Vosotros** habéis mirado el partido ?* (En Espagne) *¿**Ustedes** han mirado el partido?*

- Le vouvoiement se fait avec ***usted*** suivi de la troisième personne du singulier, ou, si l'on s'adresse à plus d'une personne, ***ustedes*** suivi du verbe à la troisième personne du pluriel :

Excusez-moi Madame, pouvez-**vous** me dire où se trouve la gare ?	→ *Perdone, Señora, ¿**Usted** puede decirme dónde se encuentra la estación de tren?*
Vous connaissez ma femme ? (à une personne)	→ *¿**Usted conoce** a mi mujer?*
Vous êtes allé**s** au Chili récemment ?	→ *¿**Ustedes** han ido a Chile recientemente?*

Vos et tú
En Argentine et dans certaines parties de l'Amérique centrale, on emploie ***vos*** à la place de ***tú***.

Quelques problèmes de traduction courants

La conjonction « et »

« Et » se traduit par ***y*** sauf devant les mots qui commencent par ***i-*** ou ***hi-***, où il devient ***e*** pour faciliter la prononciation :

Toi **et** moi sommes des amis.	→ *Tú **y** yo somos amigos.*
Il mange des tomates **et** des figues.	→ *El come tomates **e** higos.*

La conjonction « ou »

« Ou » se traduit par ***o***, mais devant un mot qui commence par ***o-***, on emploie ***u*** :

Aujourd'hui **ou** demain.	→ *Hoy **o** mañana.*
Pour une raison **ou** une autre.	→ *Por una razón **u** otra.*

Attention aux prépositions !

- Un verbe qui a pour objet direct une personne ou un animal domestique doit être suivi de la préposition ***a***.

Je m'occupe **de ma petite sœur**.	→ *Cuido **a mi hermana pequeña**.*
Ils adorent **leur chien**.	→ *Quieren mucho **a su perro**.*
Il appelle **sa mère**.	→ *El llama **a su mamá**.*
J'aime **Pierre**.	→ *Amo **a Pierre**.*

- La préposition ***a*** doit également être employée devant ***alguien***, ***nadie***, ***cualquier/cualquiera***, ***ninguno/ninguna***, ***quien/quienes***, etc. :

Il a vu **quelqu'un** qui s'approchait.	→ *Vió **a alguien** que se acercaba.*
Qui regardes-tu ?	→ *¿**A quién** miras?*

- Il existe un certain nombre de verbes qui, quelle que soit la nature de leur COD, sont suivis de la préposition ***a*** en espagnol ; c'est le cas de ***acompañar***, ***igualar***, ***preceder***, ***seguir***, ***superar***, entre autres.

Le cycliste **suit** le guide.	→ *El ciclista **sigue al** guía.*
Ce produit **surpasse** tous les autres.	→ *Este producto **supera a** todos los otros.*
l'année qui **précéda** la guerre	→ *el año que **precedió a** la guerra*

Quelques problèmes de traduction courants

• Il ne faut pas oublier que des structures qui n'ont pas de préposition en français peuvent en comporter une en espagnol, et inversement. En outre, pour une tournure ou un verbe donné, la préposition n'est pas forcément la même dans les deux langues, comme les exemples ci-dessous l'illustrent. Votre dictionnaire montre clairement comment utiliser les prépositions, n'hésitez pas à vous y référer !

Il pense **à** toi.	→ *El piensa* ***en*** *ti.*
J'ai rêvé **de** vous.	→ *Yo soñé* ***con*** *vosotros.*
Elle compte **sur** lui.	→ *Ella cuenta* ***con*** *él.*
Il est fou **d'**elle.	→ *El está loco* ***por*** *ella.*
Nous sommes fâchés **contre** vous.	→ *Estamos enfadados* ***con*** *ustedes.*
Je suis **en** vacances.	→ *Estoy* ***de*** *vacaciones.*

• Attention aussi à la traduction de « de » suivi d'un verbe à l'infinitif :

Le travail me **permet d'être** occupé.	→ *El trabajo me* ***permite estar*** *ocupado.*
Nous **avons besoin d'appeler** le médecin.	→ ***Necesitamos llamar*** *al médico.*
Ils **m'ont demandé d'aller** au supermarché.	→ *Ellos* ***me pidieron que*** *fuera al supermercado.*

Quelques problèmes de traduction courants

Traduction d'« être »

Il existe deux verbes « être » en espagnol, ***ser*** et ***estar***. Le choix de l'un ou l'autre est déterminé par le point de vue qu'on adopte sur la chose ou la personne dont on parle.

• On utilise ***ser*** devant un nom, un pronom, un nombre, un infinitif pour définir quelque chose, décrire des propriétés intrinsèques, immuables et naturelles :

C'**est** une maison → *Eso **es** una casa.*
C'**est** à moi. → *Eso **es** mío.*
L'eau **est** transparente → *El agua **es** transparente.*
Le mieux **est** de se réveiller tôt. → *Lo mejor **será** levantarse temprano.*

→ On emploie ***ser*** pour donner l'heure également :

Il **est** midi. → **Son** las doce.

• ***Estar*** est employé :

→ Pour situer quelque chose dans l'espace (personne, objet, lieu, concept) :

Je **suis** à Madrid. → ***Estoy** en Madrid.*
L'ordinateur **est** sur la table. → *El ordenador **está** sobre la mesa.*
Madrid **est** près de Tolède. → *Madrid **está** cerca de Toledo.*
Où **est** la vérité? → ¿Dónde **está** la verdad?

→ Pour montrer le caractère temporaire, variable, apparent de quelque chose :

Elle **est** triste. → *Ella **está** triste.*
Tu **es** très jolie aujourd'hui. → ***Estás** muy guapa hoy.*

Notez qu'il serait parfaitement correct d'avoir ***ser*** dans ces phrases, mais le sens serait alors différent :

Elle **est** triste. → *Ella **es** triste.*
(= Elle est d'un naturel triste)
Tu **es** jolie. → *Tú **eres** guapa.*
(à une personne qui est naturellement jolie)

Quelques problèmes de traduction courants

• On peut utiliser ***ser*** ou ***estar*** :

→ Pour indiquer le jour, la date ou la saison :

Aujourd'hui c'**est** mardi. → *Hoy **es** martes.*
__Estamos__ hoy a martes.

Nous **sommes** le 20 août. → ***Es** el 20 de agosto.*
__Estamos__ a 20 de agosto.

C'est l'été. → ***Es** el verano.*
__Estamos__ en verano.

→ Pour situer un événement dans le temps :

Ton anniversaire **est** en septembre → *Tu cumpleaños **es** en septiembre.*
(Ici, ***ser*** est employé pour évoquer objectivement un événement qui est immuablement associé à une date.)

Demain nous serons en hiver. → *Mañana **estaremos** en invierno.*
(Ici en revanche, ***estar*** est employé car c'est celui ou celle qui parle qui se situe dans le temps.)

→ Dans les structures impersonnelles :

Il **est** tôt. → ***Es** temprano.*
(objectivité du point de vue)

Il **fait** gris dans le Nord. → ***Está** nublado por el norte.*
(conditions passagères)

→ Avec la voix passive :

L'autoroute a **été construite par** son entreprise. → *La carretera ha **sido construida** por su empresa.*
(insistance sur l'action elle-même avec ***ser***)

L'autoroute **sera** complètement **construite** en 2010. → *La carretera **estará** completamente **construida** en **2010**.*
(insistance sur le résultat d'une action avec ***estar***)

Quelques problèmes de traduction courants

Traduction d'« être en train de »

En français, pour parler de quelque chose qui est en cours ou qui était en cours à un moment du passé, on emploie la tournure « être en train de » suivie du verbe à l'infinitif. En espagnol, on utilise la structure ***estar*** + verbe au gérondif (forme se terminant par ***-ando*** pour les infinitifs en ***-ar***, ou ***-iendo*** pour les infinitifs en ***-er*** et ***-ir***).

Il **est en train de travailler** chez lui. → *El **está trabajando** en su casa.*
Ils **sont en train de lire**. → *Ellos **están leyendo**.*

Traduction d'« avoir »

« Avoir » se traduit de différentes manières en espagnol :

- ***Tener*** traduit « avoir » dans les expressions qui décrivent des sentiments ou des sensations :

J'**ai** chaud/froid. → ***Tengo** calor/frío.*
Nous **avons** faim/soif. → ***Tenemos** hambre/sed.*
N'**aie** pas peur. → *No **tengas** miedo.*
Tu **as** raison. → ***Tienes** razón.*

- On utilise aussi ***tener*** pour donner son âge :

Quel âge **as**-tu ? → *¿Cuántos años **tienes**?*
J'**ai** quinze ans. → ***Tengo** quince (años).*

- « Il y a » se traduit par ***hay*** (forme impersonnelle de ***haber***) lorsque l'on parle de l'existence de quelque chose qui est indéfini :

Dans la chambre, **il y a** des lampes. → *En el cuarto **hay** lámparas.*
Il y a une pharmacie près de chez moi. → ***Hay** una farmacia cerca de mi casa.*

- Dans les expressions de temps, « il y a » se traduit par ***hace*** (forme impersonnelle de ***hacer*** « faire », à mettre en rapport avec la tournure « cela fait ») :

Il y a deux ans qu'il est parti. → ***Hace** dos años que él se fue.*
Il y a longtemps que c'est fini. → ***Hace** mucho tiempo que se terminó.*

Quelques problèmes de traduction courants

Faux amis

Un certain nombre de termes espagnols et français se ressemblent mais certains n'ont pas du tout le même sens : ce sont des faux amis. Le mot espagnol ***equipaje***, par exemple, n'a pas le même sens que le mot « équipage » en français, puisqu'il se traduit par « bagages » (« équipage » se dit ***tripulación*** en espagnol). Voici quelques autres exemples de faux amis :

*Ellos iban a **batirse** cuando la policía llegó.*	→	Ils allaient **se battre** quand la police est arrivée.
Ils voulaient **bâtir** le pont le plus haut du monde.	→	*Ellos querían **construir** el puente más alto del mundo.*
*El quiere **demandar** al periodista que ha escrito el artículo.*	→	Il veut **poursuivre** le journaliste qui a écrit l'article.
Il est venu lui **demander** son numéro de téléphone.	→	*El vino para **preguntarle** su número de teléfono.*
*La niña **exprime** una naranja.*	→	La petite fille **presse** une orange.
Il **exprime** facilement ses sentiments.	→	*El **expresa** fácilmente sus sentimientos.*
*Cuando yo la conocí, ella tenía el pelo **largo**.*	→	Quand je l'ai connue, elle avait les cheveux **longs**.
Il porte toujours des pantalons **larges**.	→	*El lleva siempre pantalones **anchos**.*
*Nosotros buscamos un lugar a la **sombra** para comer.*	→	Nous avons cherché un endroit à l'**ombre** pour déjeuner.
L'appartement est grand mais un peu **sombre**.	→	*El apartamento es grande, pero un poco **oscuro**.*

ESPAÑOL – FRANCÉS

ESPAGNOL – FRANÇAIS

a

PALABRA CLAVE

a [a] (*a + el* = **al**) *prep* 1 (*dirección*) à; **fueron a Madrid/Grecia** ils sont allés à Madrid/en Grèce; **caerse al río** tomber dans la rivière; **subirse a la mesa** monter sur la table; **bajarse a la calle** descendre dans la rue; **llegó a la oficina** il est arrivé au bureau; **me voy a casa** je rentre à la maison *o* chez moi; **mira a la izquierda** regarde à gauche
2 (*distancia*): **está a 15 km de aquí** c'est à 15 km d'ici
3 (*posición*): **estar a la mesa** être à table; **escríbelo al margen** écris-le dans la marge; **al lado de** à côté de
4 (*tiempo*): **a las 10/a medianoche** à 10 heures/à minuit; **a la mañana siguiente** le lendemain matin; **a los pocos días** peu de jours après; **estamos a 9 de julio** nous sommes le 9 juillet; **a los 24 años** à (l'âge de) 24 ans; **una vez a la semana** une fois par semaine
5 (*manera*): **a la francesa** à la française; **a caballo** à cheval; **a cuadros** à carreaux; **a oscuras** à tâtons; **a la plancha** (*Culin*) grillé; **a toda prisa** en toute hâte
6 (*medio, instrumento*): **a lápiz** au crayon; **a mano** à la main; **escrito a máquina** tapé à la machine; **le echaron a patadas** ils l'ont flanqué dehors à coups de pied aux fesses
7 (*razón*): **a 30 euros el kilo** à 30 euros le kilo; **a más de 50 km/h** à plus de 50 km/h; **se vende lana a peso** laine vendue au poids
8 (*complemento directo: no se traduce*): **vi a Juan/a tu padre** j'ai vu Jean/ton père
9 (*dativo*): **se lo di a Pedro** je l'ai donné à Pierre
10 (*verbo + a + infin*): **empezó a trabajar** il a commencé à travailler; (*no se traduce*): **voy a verle** je vais le voir; **vengo a decírtelo** je viens te le dire
11 (*percepción, sentimientos*): **huele a rosas** ça sent la rose; **miedo a la verdad** peur *f* de la vérité
12 (*simultaneidad*): **al verle, le reconocí inmediatamente** quand je l'ai vu, je l'ai tout de suite reconnu
13 (*n + a + infin*): **el camino a recorrer** le chemin à parcourir; **asuntos a tratar** ordre *m* du jour
14 (*imperativo*): **¡a callar!** taisez-vous!; **¡a comer!** on mange!
15 (*frases adverbiales*): **a no ser que** sauf si; **a lo mejor** peut-être
16 (*desafío*): **¡a que no!** je parie que non!

abad, esa [a'βað, 'ðesa] *nm/f* abbé (abbesse)
abadía [aβa'ðia] *nf* abbaye *f*

PALABRA CLAVE

abajo [a'βaxo] *adv* 1 (*posición*) en bas; **allí abajo** là-bas; **el piso de abajo** l'appartement du dessous; **la parte de abajo** le bas; **más abajo** plus bas; (*en texto*) ci-dessous; **desde abajo** d'en bas; **abajo del todo** tout en bas; **Pedro está abajo** Pedro est en bas; **el abajo firmante** le soussigné; **de mil euros para abajo** au-dessous de mille euros
2 (*dirección*): **ir calle abajo** descendre la rue; **río abajo** en descendant le courant, en aval
■ *prep*: **abajo de** (*AM*) sous; **abajo de la mesa** sous la table
■ *excl*: **¡abajo!** descends!; **¡abajo el gobierno!** à bas le gouvernement!

abalanzarse [aβalan'θarse] *vpr*: ~ **sobre/contra** se jeter sur/contre
abandonado, -a [aβando'naðo, a] *adj* abandonné(e)

abandonar [aβando'nar] *vt* abandonner; (*salir de, tb Inform*) quitter; **abandonarse** *vpr* (*descuidarse*) se laisser aller; **~se a** (*desesperación, dolor*) s'abandonner à; **~se a la bebida** s'adonner à la boisson
abandono [aβan'dono] *nm* abandon *m*; **por ~** (*Deporte*) par abandon
abanicar [aβani'kar] *vt* éventer
abanico [aβa'niko] *nm* éventail *m*
abaratarse *vpr* (*artículo*) coûter moins cher; (*precio*) baisser
abarcar [aβar'kar] *vt* (*temas, período*) comprendre; (*rodear con los brazos*) embrasser; (*AM: acaparar*) accaparer; **quien mucho abarca poco aprieta** qui trop embrasse mal étreint
abarrotado, -a [aβarro'taðo, a] *adj*: **~ (de)** plein(e) à craquer (de)
abarrotar [aβarro'tar] *vt* bourrer
abarrotero, -a [aβarro'tero, a] (*AM*) *nm/f* (*tendero*) épicier(-ière)
abarrotes [aβa'rrotes] (*AM*) *nmpl* (*ultramarinos*) épicerie *fsg*
abastecer [aβaste'θer] *vt*: **~ (de)** fournir, approvisionner (en); **abastecerse** *vpr*: **~se (de)** s'approvisionner (en)
abastecimiento [aβasteθi'mjento] *nm* approvisionnement *m*
abasto [a'βasto] *nm*: **no dar ~** être débordé(e); **abastos** *nmpl* provisions *fpl*; **no dar ~ a algo** ne pas arriver à qch; **no dar ~ a** *o* **para hacer** ne pas arriver à faire
abatible [aβa'tiβle] *adj*: **asiento ~** siège *m* rabattable
abatido, -a [aβa'tiðo, a] *adj* (*deprimido*) abattu(e)
abatir [aβa'tir] *vt* abattre; (*asiento*) rabattre; **abatirse** *vpr* se laisser abattre; **~se sobre** (*águila, avión*) s'abattre sur
abdicar [aβði'kar] *vi*: **~ (en algn)** abdiquer (en faveur de qn)
abdomen [aβ'ðomen] *nm* abdomen *m*
abdominal [aβðomi'nal] *adj* abdominal(e); **abdominales** *nmpl* (*tb*: **ejercicios abdominales**) abdominaux *mpl*
abecedario [aβeθe'ðarjo] *nm* abécédaire *m*
abedul [aβe'ðul] *nm* bouleau *m*
abeja [a'βexa] *nf* abeille *f*
abejorro [aβe'xorro] *nm* bourdon *m*
abertura [aβer'tura] *nf* ouverture *f*; (*en falda, camisa*) échancrure *f*
abeto [a'βeto] *nm* sapin *m*
abierto, -a [a'βjerto, a] *pp de* **abrir** ▪ *adj* ouvert(e); **a campo ~** en rase campagne; **emitir en ~** (*TV*) diffuser en clair
abigarrado, -a [aβiɣa'rraðo, a] *adj* bigarré(e)
abismal [aβis'mal] *adj* (*diferencia*) colossal(e)
abismar [aβis'mar] *vt* (*en dolor, desesperación*) plonger; **abismarse** *vpr*: **~se en** plonger dans; (*lectura*) se plonger dans; (*AM: asombrarse*) s'étonner de
abismo [a'βismo] *nm* abîme *m*; **de sus ideas a las mías hay un ~** entre ses idées et les miennes, il y a un abîme
abjurar [aβxu'rar] *vt* abjurer ▪ *vi*: **~ de** abjurer
ablandar [aβlan'dar] *vt* ramollir; (*persona*) adoucir; (*carne*) attendrir; **ablandarse** *vpr* se ramollir; s'adoucir
abnegación [aβneɣa'θjon] *nf* abnégation *f*
abnegado, -a [aβne'ɣaðo, a] *adj* (*persona*) qui fait preuve d'abnégation
abochornar [aβotʃor'nar] *vt* faire rougir (de honte); **abochornarse** *vpr* rougir (de honte)
abofetear [aβofete'ar] *vt* gifler
abogado, -a [aβo'ɣaðo, a] *nm/f* avocat(e); **~ defensor** avocat de la défense; **~ del diablo** avocat du diable; **~ del Estado** ≈ procureur *m* général; **~ de oficio** avocat commis d'office
abogar [aβo'ɣar] *vi*: **~ por** plaider pour
abolengo [aβo'lengo] *nm* lignage *m*; **de ~** (*familia, persona*) de vieille souche
abolición [aβoli'θjon] *nf* abolition *f*
abolir [aβo'lir] *vt* abolir
abolladura [aβoʎa'ðura] *nf* bosse *f*
abollar [aβo'ʎar] *vt* (*metal*) bosseler; (*coche*) cabosser; **abollarse** *vpr* se bosseler; se cabosser
abominable [aβomi'naβle] *adj* abominable
abonado, -a [aβo'naðo, a] *adj* (*deuda etc*) acquitté(e) ▪ *nm/f* abonné(e)
abonar [aβo'nar] *vt* (*deuda etc*) acquitter; (*terreno*) fumer; **abonarse** *vpr*: **~se a** s'abonner à; **~ a algn a** abonner qn à; **~ dinero en una cuenta** verser de l'argent sur un compte
abono [a'βono] *nm* (*fertilizante*) engrais *msg*; (*suscripción*) abonnement *m*
abordar [aβor'ðar] *vt* aborder
aborigen [aβo'rixen] *nm/f* aborigène *m/f*
aborrecer [aβorre'θer] *vt* abhorrer
abortar [aβor'tar] *vi* (*espontáneamente*) faire une fausse couche; (*de manera provocada*) avorter ▪ *vt* (*huelga, golpe de estado*) faire avorter; (*Inform*) abandonner

aborto [a'βorto] *nm* (*espontáneo*) fausse couche *f*; (*provocado*) avortement *m*
abotonar [aβoto'nar] *vt* boutonner; **abotonarse** *vpr* se boutonner
abrasar [aβra'sar] *vt* brûler ■ *vi* être très chaud; **abrasarse** *vpr*: **~se de calor** étouffer (de chaleur); **~se vivo** griller vif
abrazar [aβra'θar] *vt* (*tb fig*) embrasser; **abrazarse** *vpr* s'embrasser
abrazo [a'βraθo] *nm* accolade *f*; **dar un ~ a algn** serrer qn dans ses bras; **"un ~"** (*en carta*) "amitiés"
abrebotellas [aβreβo'teʎas] *nm inv* ouvre-bouteille *m*
abrecartas [aβre'kartas] *nm inv* coupe-papier *m inv*
abrelatas [aβre'latas] *nm inv* ouvre-boîte *m*
abreviar [aβre'βjar] *vt* abréger ■ *vi* (*apresurarse*) s'empresser; **bueno, para ~** bon, pour abréger
abreviatura [aβreβja'tura] *nf* abréviation *f*
abridor [aβri'ðor] *nm* (*de botellas*) ouvre-bouteille *m*; (*de latas*) ouvre-boîte *m*
abrigar [aβri'ɣar] *vt* abriter; (*suj*: *ropa*) couvrir; (*fig*: *sospechas, dudas*) nourrir ■ *vi* (*ropa*) tenir chaud; **abrigarse** *vpr* se couvrir
abrigo [a'βriɣo] *nm* (*prenda*) manteau *m*; (*lugar*) abri *m*; **al ~ de** à l'abri de; **~ de pieles** manteau de fourrure
abril [a'βril] *nm* avril *m*; *ver tb* **julio**
abrillantar [aβriʎan'tar] *vt* faire reluire
abrir [a'βrir] *vt, vi* ouvrir; **abrirse** *vpr* s'ouvrir; **en un ~ y cerrar de ojos** en un clin d'œil; **~ la mano** (*en examen, oposición*) être indulgent(e); **~se a** (*puerta, ventana*) donner sur; **~se paso** se frayer un chemin
abrochar [aβro'tʃar] *vt* (*con botones*) boutonner; (*con hebilla*) boucler; **abrocharse** *vpr* (*zapatos*) se lacer; (*abrigo*) se boutonner; **~se el cinturón** attacher sa ceinture
abrumar [aβru'mar] *vt* (*agobiar*) accabler; (*apabullar*) écraser
abrupto, -a [a'βrupto, a] *adj* abrupt(e)
absceso [aβs'θeso] *nm* abcès *msg*
absolución [aβsolu'θjon] *nf* (*Rel*) absolution *f*; (*Jur*) non-lieu *m*
absoluto, -a [aβso'luto, a] *adj* absolu(e); **en ~** (*para nada*) en aucun cas; (*en respuesta*) pas du tout
absolver [aβsol'βer] *vt* (*Rel, Jur*) absoudre
absorbente [aβsor'βente] *adj* absorbant(e); (*película, libro*) prenant(e)
absorber [aβsor'βer] *vt* absorber; **absorberse** *vpr*: **~se en algo** s'absorber dans qch
absorto, -a [aβ'sorto, a] *pp de* **absorber** ■ *adj*: **~ en** absorbé(e) par *o* dans
abstemio, -a [aβs'temjo, a] *adj* abstinent(e)
abstención [aβsten'θjon] *nf* abstention *f*
abstenerse [aβste'nerse] *vpr* s'abstenir; **~ de algo** se priver de qch; **~ de hacer** s'abstenir de faire
abstinencia [aβsti'nenθja] *nf* abstinence *f*
abstracción [aβstrak'θjon] *nf* abstraction *f*; **~ hecha de** abstraction faite de
abstracto, -a [aβ'strakto, a] *adj* abstrait(e); **en ~** dans l'abstrait
abstraer [aβstra'er] *vt* (*problemas, cuestión*) isoler; **abstraerse** *vpr*: **~se (de)** s'abstraire (de)
abstraído, -a [aβstra'iðo, a] *adj* abstrait(e)
absuelto [aβ'swelto] *pp de* **absolver**
absurdo, -a [aβ'surðo] *adj* absurde ■ *nm* absurdité *f*; **lo ~ es que ...** l'absurde, c'est que ...
abuchear [aβutʃe'ar] *vt* huer
abuela [a'βwela] *nf* grand-mère *f*; (*pey*) mémère *f*; **¡cuéntaselo a tu ~!** (*fam*) avec moi ça ne prend pas!; **no tener** *o* **necesitar ~** (*fam*) s'envoyer des fleurs
abuelo [a'βwelo] *nm* grand-père *m*; (*pey*) pépère *m*; **abuelos** *nmpl* grands-parents *mpl*; (*antepasados*) ancêtres *mpl*
abultado, -a [aβul'taðo, a] *adj* (*mejillas*) bouffi(e); (*facciones*) saillant(e); (*paquete*) volumineux(-euse)
abultar [aβul'tar] *vt* (*importancia, consecuencias*) exagérer ■ *vi* prendre de la place
abundancia [aβun'danθja] *nf* abondance *f*; **en ~** en abondance
abundante [aβun'dante] *adj* abondant(e)
abundar [aβun'dar] *vi* abonder; **~ en** abonder en; **~ en una opinión** abonder dans un sens
aburrido, -a [aβu'rriðo, a] *adj* (*hastiado*) saturé(e); (*que aburre*) ennuyeux(-euse)
aburrimiento [aβurri'mjento] *nm* ennui *m*
aburrir [aβu'rrir] *vt* ennuyer; **aburrirse** *vpr* s'ennuyer; **~se como una almeja** *u* **ostra** s'ennuyer comme un rat mort
abusar [aβu'sar] *vi*: **~ de** abuser de
abusivo, -a [aβu'siβo, a] *adj* abusif(-ive)

abuso [a'βuso] *nm* abus *msg*; **~ de autoridad** abus d'autorité; **~ de confianza** abus de confiance
a/c *abr* (= *al cuidado de*) abs (= *aux bons soins de*); (= *a cuenta*) a/o (= *un acompte de*)
acá [a'ka] *adv* (*esp AM*: *lugar*) ici; **pasearse de ~ para allá** faire les cent pas; **¡vente para ~!** approche un peu!; **de junio ~** depuis juin; **más ~** en deçà
acabado, -a [aka'βaðo, a] *adj* (*mueble, obra*) achevé(e), fini(e); (*persona*) usé(e) ■ *nm* finition *f*
acabar [aka'βar] *vt* achever, finir; (*comida, bebida*) terminer, finir; (*retocar*) parachever ■ *vi* finir; **acabarse** *vpr* finir, se terminer; (*gasolina, pan, agua*) être épuisé(e); **~ con** en finir avec; (*destruir*) liquider; **~ en** se terminer en; **~ mal** finir mal; **¡acabáramos!** c'est pas trop tôt!; **esto acabará conmigo** cela va mal finir; **~ de hacer** venir de faire; **~ haciendo** *o* **por hacer** finir par faire; **no acaba de gustarme** cela ne me plaît pas vraiment; **¡se acabó!** terminé!; (*¡basta!*) ça suffit!; **se me acabó el tabaco** je n'ai plus de cigarettes
acabóse [aka'βose] *nm*: **esto es el ~** c'est le bouquet
academia [aka'ðemja] *nf* académie *f*; (*de enseñanza*) école *f* privée; **la Real A~** l'Académie royale d'Espagne; **~ militar** école militaire
académico, -a [aka'ðemiko, a] *adj* académique ■ *nm/f* académicien(ne)
acallar [aka'ʎar] *vt* faire taire
acalorado, -a [akalo'raðo, a] *adj* échauffé(e)
acalorarse [akalo'rarse] *vpr* (*fig*) s'échauffer
acampada [akam'paða] *nf*: **ir de ~** partir camper
acampar [akam'par] *vi* camper
acantilado [akanti'laðo] *nm* falaise *f*
acaparar [akapa'rar] *vt* (*alimentos, gasolina*) accumuler; (*atención*) accaparer
acariciar [akari'θjar] *vt* caresser; (*esperanza*) nourrir
acarrear [akarre'ar] *vt* transporter; (*fig*) entraîner
acaso [a'kaso] *adv* peut-être; **por si ~** au cas où; **si ~** à la rigueur; **¿~?** (*AM*: *fam*) alors ...?; **¿~ es mi culpa?** alors, c'est ma faute?
acatamiento [akata'mjento] *nm* respect *m*
acatar [aka'tar] *vt* respecter
acatarrarse [akata'rrarse] *vpr* s'enrhumer
acaudalado, -a [akauða'laðo, a] *adj* nanti(e)
acaudillar [akauði'ʎar] *vt* (*motín, revolución*) diriger; (*tropas*) commander
acceder [akθe'ðer] *vi*: **~ a** accéder à; (*Inform*) avoir accès à
accesible [akθe'siβle] *adj* accessible; **~ a algn** (*comprensible*) accessible à qn
acceso [ak'θeso] *nm* (*tb Med, Inform*) accès *msg*; **tener ~ a** avoir accès à; **de ~ múltiple** à accès multiples; **~ aleatorio/directo/secuencial** (*Inform*) accès aléatoire/direct/séquentiel
accesorio, -a [akθe'sorjo, a] *adj* accessoire ■ *nm* accessoire *m*; **accesorios** *nmpl* (*prendas de vestir, Auto*) accessoires *mpl*; (*de cocina*) ustensiles *mpl*
accidentado, -a [akθiðen'taðo, a] *adj* (*terreno*) accidenté(e); (*viaje, día*) agité(e) ■ *nm/f* accidenté(e)
accidental [akθiðen'tal] *adj* accidentel(le)
accidentarse [akθiðen'tarse] *vpr* avoir un accident
accidente [akθi'ðente] *nm* accident *m*; **accidentes** *nmpl* (*tb*: **accidentes geográficos**) accidents *mpl* de terrain; **por ~** accidentellement; **tener** *o* **sufrir un ~** avoir un accident; **~ laboral** *o* **de trabajo/de tráfico** accident du travail/de la circulation
acción [ak'θjon] *nf* action *f*; **~ liberada** action entièrement libérée; **~ ordinaria/preferente** action ordinaire/de priorité
accionar [akθjo'nar] *vt* actionner; (*Inform*) commander
accionista [akθjo'nista] *nm/f* actionnaire *m/f*
acebo [a'θeβo] *nm* houx *msg*
acechar [aθe'tʃar] *vt* guetter
acecho [a'θetʃo] *nm*: **estar al ~ (de)** être à l'affût (de)
aceitar [aθei'tar] *vt* huiler
aceite [a'θeite] *nm* huile *f*; **~ de colza/de girasol/de hígado de bacalao/de oliva/de ricino/de soja** huile de colza/de tournesol/de foie de morue/d'olive/de ricin/de soja
aceitera [aθei'tera] *nf* huilier *m*
aceitoso, -a [aθei'toso, a] *adj* (*comida*) gras(se); (*consistencia, líquido*) huileux(-euse)
aceituna [aθei'tuna] *nf* olive *f*; **~ rellena** olive fourrée
acelerador [aθelera'ðor] *nm* accélérateur *m*
acelerar [aθele'rar] *vt, vi* accélérer; **~ el paso/la marcha** presser le pas/l'allure

acelga [a'θelɣa] *nf* blette *f*
acento [a'θento] *nm* accent *m*; **~ cerrado** fort accent
acentuar [aθen'twar] *vt* accentuer; **acentuarse** *vpr* s'accentuer
acepción [aθep'θjon] *nf* acception *f*
aceptable [aθep'taβle] *adj* acceptable
aceptación [aθepta'θjon] *nf* acceptation *f*; **tener gran ~** être très populaire
aceptar [aθep'tar] *vt* accepter; **~ hacer algo** accepter de faire qch
acequia [a'θekja] *nf* canal *m* d'irrigation
acera [a'θera] *nf* trottoir *m*
acerca [a'θerka]: **~ de** *prep* de, sur, à propos de
acercar [aθer'kar] *vt* approcher; **acercarse** *vpr* approcher; **~se a** s'approcher de
acerico [aθe'riko] *nm* pelote *f* à épingles
acero [a'θero] *nm* acier *m*; **~ inoxidable** acier inoxydable
acérrimo, -a [a'θerrimo, a] *adj* acharné(e)
acertado, -a [aθer'taðo, a] *adj* (*respuesta, medida*) pertinent(e); (*color, decoración*) heureux(-euse)
acertar [aθer'tar] *vt* (*blanco*) atteindre; (*solución, adivinanza*) trouver ▪ *vi* réussir; **~ a hacer algo** réussir à faire qch; **~ con** (*camino, calle*) trouver
acertijo [aθer'tixo] *nm* devinette *f*
achacar [atʃa'kar] *vt*: **~ algo a** imputer qch à
achacoso, -a [atʃa'koso, a] *adj* souffreteux(-euse)
achantar [atʃan'tar] (*fam*) *vt* (*acobardar*) démonter; **achantarse** *vpr* se dégonfler
achaque [a'tʃake] *vb ver* **achacar** ▪ *nm* ennui *m* de santé
achicar [atʃi'kar] *vt* rétrécir; (*humillar*) abaisser; (*Náut*) écoper; **achicarse** *vpr* se rétrécir; (*fig*) s'humilier
achicharrar [atʃitʃa'rrar] *vt* (*comida*) brûler; **achicharrarse** *vpr* (*comida*) attacher; (*planta*) griller; (*persona*) se consumer
achicoria [atʃi'korja] *nf* chicorée *f*
aciago, -a [a'θjaɣo, a] *adj* funeste
acicalarse *vpr* se faire beau (belle)
acicate [aθi'kate] *nm* stimulant *m*
acidez [aθi'ðeθ] *nf* acidité *f*
ácido, -a ['aθiðo, a] *adj* acide ▪ *nm* (*tb fam: droga*) acide *m*
acierto [a'θjerto] *vb ver* **acertar** ▪ *nm* (*al adivinar*) découverte *f*; (*éxito, logro*) réussite *f*, idée *f* judicieuse; (*habilidad*) adresse *f*; **fue un ~ suyo** ce fut judicieux de sa part
aclamación [aklama'θjon] *nf* acclamation *f*; **por ~** par acclamation
aclamar [akla'mar] *vt* (*aplaudir*) acclamer; (*proclamar*) proclamer
aclaración [aklara'θjon] *nf* éclaircissement *m*
aclarar [akla'rar] *vt* éclaircir; (*ropa*) rincer ▪ *vi* (*tiempo*) s'éclaircir; **aclararse** *vpr* (*persona*) s'expliquer; (*asunto*) s'éclaircir; **~se la garganta** s'éclaircir la gorge
aclaratorio, -a [aklara'torjo, a] *adj* explicatif(-ive)
aclimatación [aklimata'θjon] *nf* acclimatation *f*
aclimatar [aklima'tar] *vt* acclimater; **aclimatarse** *vpr* s'acclimater; **~se a algo** s'acclimater à qch, se faire à qch
acné [ak'ne] *nm o nf* acné *f*
acobardar [akoβar'ðar] *vt* intimider; **acobardarse** *vpr* se laisser intimider; **~se (ante)** reculer (devant)
acogedor, a [akoxe'ðor, a] *adj* accueillant(e)
acoger [ako'xer] *vt* accueillir; **acogerse** *vpr*: **~se a** (*ley, norma etc*) se référer à
acogida [ako'xiða] *nf* accueil *m*
acometer [akome'ter] *vt* (*empresa, tarea*) entreprendre ▪ *vi*: **~ (contra)** s'attaquer (à)
acometida [akome'tiða] *nf* attaque *f*; (*de gas, agua*) branchement *m*
acomodado, -a [akomo'ðaðo, a] *adj* huppé(e)
acomodador, a [akomoða'ðor, a] *nm/f* placeur (ouvreuse)
acomodar [akomo'ðar] *vt* (*paquetes, maletas*) disposer; (*personas*) placer; **acomodarse** *vpr* s'installer; **~se a** s'accommoder à; **¡acomódese a su gusto!** mettez-vous à l'aise!
acompañar [akompa'ɲar] *vt* accompagner; **¿quieres que te acompañe?** veux-tu que je t'accompagne?; **~ a algn a la puerta** raccompagner qn à la porte; **le acompaño en el sentimiento** veuillez accepter mes condoléances
acondicionar [akondiθjo'nar] *vt*: **~ (para)** aménager (pour)
acongojar [akongo'xar] *vt* angoisser
aconsejar [akonse'xar] *vt* conseiller; **aconsejarse** *vpr*: **~se con** *o* **de** prendre conseil auprès de; **~ a algn hacer** *o* **que haga/que no haga algo** conseiller à qn de faire/de ne pas faire qch

acontecer [akonte'θer] *vi* arriver
acontecimiento [akonteθi'mjento] *nm* événement *m*
acopio ['akopjo] *nm*: **hacer ~** faire provision de
acoplar [ako'plar] *vt*: **~ (a)** accoupler (à)
acordar [akor'ðar] *vt* décider; (*precio, condiciones*) convenir de; **acordarse** *vpr*: **~se de (hacer)** se souvenir de (faire); **~ hacer algo** (*resolver*) décider de faire qch
acorde [a'korðe] *adj* (*Mús*) accordé(e); (*conforme*) du même avis ■ *nm* (*Mús*) accord *m*; **~ (con)** conforme (à)
acordeón [akorðe'on] *nm* accordéon *m*
acorralar [akorra'lar] *vt* acculer; (*fig*) intimider
acortar [akor'tar] *vt* raccourcir; (*cantidad*) réduire; **acortarse** *vpr* raccourcir
acosar [ako'sar] *vt* traquer; (*fig*) harceler; **~ a algn a preguntas** harceler qn de questions
acoso *nm* harcèlement *m*; **~ sexual** harcèlement *m* sexuel
acostar [akos'tar] *vt* (*en cama*) coucher; (*en suelo*) allonger; (*barco*) accoster; **acostarse** *vpr* (*para descansar*) s'allonger; (*para dormir*) se coucher; **~se con algn** coucher avec qn
acostumbrar [akostum'brar] *vt*: **~ a algn a hacer algo** habituer qn à faire qch; **acostumbrarse** *vpr*: **~se a** prendre l'habitude de; (*ciudad*) se faire à; **~ (a) hacer algo** prendre l'habitude de faire qch
ácrata ['akrata] *adj, nm/f* anarchiste *m/f*
acre ['akre] *adj* âcre; (*crítica, humor, tono*) mordant(e) ■ *nm* acre *m*
acrecentar [akreθen'tar] *vt* accroître; **acrecentarse** *vpr* s'accroître
acreditar [akreði'tar] *vt* accréditer; (*Com*) créditer; **acreditarse** *vpr*: **~se como** (*propietario*) établir sa qualité de; (*buen médico*) se faire une réputation de; **~ como** reconnaître comme; **~ para** accréditer pour
acreedor, a [akree'ðor, a] *adj*: **~ a** (*respeto*) digne de ■ *nm/f* créancier(-ière); **~ común** (*Com*) créancier; **~ diferido** (*Com*) créancier à terme; **~ con garantía** (*Com*) créancier-gagiste
acribillar [akriβi'ʎar] *vt*: **~ a balazos** cribler de balles; **~ a preguntas** harceler de questions
acróbata [a'kroβata] *nm/f* acrobate *m/f*
acta ['akta] *nf* (*de reunión*) procès-verbal *m*; (*certificado*) certificat *m*; **levantar ~** (*Jur*) dresser procès-verbal; **~ notarial** acte *m* notarié
actitud [akti'tuð] *nf* attitude *f*; **adoptar una ~ firme** adopter une attitude ferme
activar [akti'βar] *vt* (*mecanismo*) actionner; (*acelerar*) activer; (*economía, comercio*) relancer
actividad [aktiβi'ðað] *nf* activité *f*
activo, -a [ak'tiβo, a] *adj* actif(-ive) ■ *nm* (*Com*) actif *m*; **el ~ y el pasivo** l'actif et le passif; **estar en ~** (*Mil*) être en activité; **~ circulante/fijo/inmaterial/invisible/realizable** actif circulant/immobilisé/incorporel/invisible/réalisable; **~s bloqueados/congelados** actifs *mpl* gelés
acto ['akto] *nm* (*tb Teatro*) acte *m*; (*ceremonia*) cérémonie *f*; **en el ~** sur-le-champ; **~ seguido** immédiatement; **hacer ~ de presencia** faire acte de présence
actor [ak'tor] *nm* acteur *m*; (*Jur*) plaignant(e)
actriz [ak'triθ] *nf* actrice *f*
actuación [aktwa'θjon] *nf* (*acción*) action *f*; (*comportamiento*) comportement *m*; (*Jur*) procédure *f*; (*Teatro*) jeu *m*
actual [ak'twal] *adj* actuel(le); **el 6 del ~** le 6 courant
actualidad [aktwali'ðað] *nf* actualité *f*; **la ~** l'actualité; **en la ~** actuellement; **ser de gran ~** être d'actualité
actualizar [aktwali'θar] *vt* actualiser, mettre à jour
actualmente [ak'twalmente] *adv* à l'heure actuelle, actuellement
actuar [ak'twar] *vi* (*comportarse*) agir; (*actor*) jouer; (*Jur*) entamer une procédure; **~ de** tenir le rôle de
acuarela [akwa'rela] *nf* aquarelle *f*
acuario [a'kwarjo] *nm* aquarium *m*; **A~** (*Astrol*) Verseau *m*; **ser A~** être (du) Verseau
acuartelar [akwarte'lar] *vt* (*retener en cuartel*) consigner; (*alojar*) caserner
acuático, -a [a'kwatiko, a] *adj* aquatique
acuchillar [akutʃi'ʎar] *vt* poignarder; (*Tec*) raboter
acuciante [aku'θjante] *adj* pressant(e)
acuciar [aku'θjar] *vt* presser
acudir [aku'ðir] *vi* aller; **~ a** (*amistades etc*) avoir recours à; **~ en ayuda de** venir en aide à; **~ a una cita** aller à un rendez-vous; **~ a una llamada** répondre à un appel; **no tener a quién ~** n'avoir personne à qui faire appel

acuerdo [a'kwerðo] *vb ver* **acordar** ■ *nm* accord *m*; (*decisión*) décision *f*; **¡de ~!** d'accord!; **de ~ con** en accord avec; (*acción, documento*) conformément à; **de común ~** d'un commun accord; **estar de ~** être d'accord; **llegar a un ~** parvenir à un accord; **tomar un ~** adopter une résolution; **~ de pago respectivo** (*Com*) *convention entre compagnies d'assurances par laquelle chacune s'engage à dédommager son propre client*; **~ general sobre aranceles aduaneros y comercio** (*Com*) accord général sur les tarifs douaniers et le commerce

acumular [akumu'lar] *vt* accumuler

acuñar [aku'ɲar] *vt* (*moneda*) frapper; (*palabra, frase*) consacrer

acupuntura [akupun'tura] *nf* acupuncture *f*

acurrucarse [akurru'karse] *vpr* se blottir

acusación [akusa'θjon] *nf* accusation *f*

acusado, -a [aku'saðo, a] *adj* (*Jur*) accusé(e); (*acento*) prononcé(e) ■ *nm/f* (*Jur*) accusé(e)

acusar [aku'sar] *vt* accuser; (*revelar*) manifester; (*suj: aparato*) indiquer; **acusarse** *vpr*: **~se de algo** s'accuser de qch; (*Rel*) confesser qch; **~ recibo de** accuser réception de

acuse [a'kuse] *nm*: **~ de recibo** accusé *m* de réception

acústico, -a [a'kustiko, a] *adj* acoustique ■ *nf* acoustique *f*

adaptación [aðapta'θjon] *nf* adaptation *f*

adaptador [aðapta'ðor] *nm* adaptateur *m*

adaptar [aðap'tar] *vt*: **~ (a)** adapter (à); **adaptarse** *vpr*: **~se (a)** s'adapter (à)

adecuado, -a [aðe'kwaðo, a] *adj* adéquat(e); **el hombre ~ para el puesto** l'homme tout désigné pour le poste

adecuar [aðe'kwar] *vt*: **~ a** adapter à

a. de J.C. *abr* (= *antes de Jesucristo*) av. J.-C. (= *avant Jésus-Christ*)

adelantado, -a [aðelan'taðo, a] *adj* avancé(e); (*reloj*) en avance; **pagar por ~** payer d'avance

adelantamiento [aðelanta'mjento] *nm* (*Auto*) dépassement *m*

adelantar [aðelan'tar] *vt, vi* avancer; (*Auto*) doubler, dépasser; **adelantarse** *vpr* (*tomar la delantera*) prendre les devants; (*anticiparse*) être en avance; **~se a algn** devancer qn; **~ a algn en algo** devancer qn en qch; **así no adelantas nada** cela ne t'avance à rien

adelante [aðe'lante] *adv* devant ■ *excl* (*incitando a seguir*) en avant!; (*autorizando a entrar*) entrez!; **en ~** désormais; **de hoy en ~** à l'avenir; **más ~** (*después*) plus tard; (*más allá*) plus loin

adelanto [aðe'lanto] *nm* progrès *msg*; (*de dinero, hora*) avance *f*; **los ~s de la ciencia** les progrès de la science

adelgazar [aðelɣa'θar] *vt* (*persona*) faire maigrir ■ *vi* maigrir

ademán [aðe'man] *nm* geste *m*; **ademanes** *nmpl* gestes *mpl*; **en ~ de hacer** en faisant mine de faire; **hacer ~ de hacer** faire mine de faire

además [aðe'mas] *adv* de plus; **~ de** en plus de

adentrarse [aðen'trarse] *vpr*: **~ en** pénétrer dans

adentro [a'ðentro] *adv* dedans; **mar ~** au large; **tierra ~** à l'intérieur des terres; **para sus ~s** dans son for intérieur; **~ de** (*AM: dentro de*) dans

adepto, -a [a'ðepto, a] *nm/f* adepte *m/f*

aderezar [aðere'θar] *vt* assaisonner

adeudar [aðeu'ðar] *vt* (*dinero*) devoir; **adeudarse** *vpr* (*persona*) s'endetter; **~ una suma en una cuenta** débiter une somme sur un compte

adherir [aðe'rir] *vt*: **~ algo a algo** faire adhérer une chose à une autre; **adherirse** *vpr* (*a propuesta*) adhérer

adhesión [aðe'sjon] *nf* adhésion *f*

adhesivo, -a [aðe'siβo, a] *adj* adhésif(-ive) ■ *nm* adhésif *m*

adicción [aðik'θion] *nf* (*a drogas etc*) dépendance *f*

adición [aði'θjon] *nf* addition *f*; (*cosa añadida*) ajout *m*

adicto, -a [a'ðikto, a] *adj* (*Med*) drogué(e); (*a ideología*) acquis(e); (*persona*) dépendant(e) ■ *nm/f* (*Med*) drogué(e); (*partidario*) fanatique *m/f*

adiestrar [aðjes'trar] *vt* entraîner; **adiestrarse** *vpr*: **~se (en)** s'entraîner (à)

adinerado, -a [aðine'raðo, a] *adj* fortuné(e)

adiós [a'ðjos] *excl* (*despedida*) au revoir!; (*al pasar*) salut!; (*¡ay!*) aïe!

aditivo [aði'tiβo] *nm* additif *m*

adivinanza [aðiβi'nanθa] *nf* devinette *f*

adivinar [aðiβi'nar] *vt* (*pensamientos*) deviner; (*el futuro*) lire

adivino, -a [aði'βino, a] *nm/f* devin(eresse)

adj *abr* = **adjunto**

adjetivo [aðxe'tiβo] *nm* adjectif *m*

adjudicar [aðxuði'kar] *vt* adjuger; **adjudicarse** *vpr*: **~se algo** s'adjuger qch

adjuntar [aðxun'tar] *vt* joindre; **~ un archivo a un correo** (*Inform*) joindre un fichier à un mail
adjunto, -a [að'xunto, a] *adj* (*documento*) joint(e); (*médico, director etc*) adjoint(e) ■ *nm/f* (*profesor*) assistant(e) ■ *adv* ci-joint
administración [aðministra'θjon] *nf* administration *f*; **A~ pública** fonction *f* publique; **A~ de Correos** Postes et Télécommunications *fpl*; **A~ de Justicia** justice *f*
administrador, a [aðministra'ðor, a] *nm/f* administrateur(-trice), gérant(e)
administrar [aðminis'trar] *vt* administrer, gérer; (*medicamento, sacramento*) administrer
administrativo, -a [aðministra'tiβo, a] *adj* administratif(-ive) ■ *nm/f* (*de oficina*) préposé(e)
admirable [aðmi'raβle] *adj* admirable
admiración [aðmira'θjon] *nf* (*estimación*) admiration *f*; (*asombro*) étonnement *m*; (*Ling*) exclamation *f*; **no salgo de mi ~** je n'en reviens pas
admirar [aðmi'rar] *vt* (*estimar*) admirer; (*asombrar*) étonner; **admirarse** *vpr*: **~se de** s'étonner de; **se admiró de que ...** il s'est étonné que ...; **no es de ~ que ...** rien d'étonnant à ce que ...
admisible [aðmi'siβle] *adj* acceptable
admisión [aðmi'sjon] *nf* admission *f*; (*de razones etc*) acceptation *f*
admitir [aðmi'tir] *vt* (*razonamiento etc*) admettre; (*local*) contenir; (*regalos*) accepter; **esto no admite demora** cela ne peut attendre; **la cuestión no admite dudas** cela ne fait aucun doute
adobar [aðo'βar] *vt* (*Culin*) préparer
adobe [a'ðoβe] *nm* torchis *msg*
adoctrinar [aðoktri'nar] *vt* endoctriner
adolecer [aðole'θer] *vi*: **~ de** souffrir de
adolescente [aðoles'θente] *adj, nm/f* adolescent(e)
adonde [a'ðonðe] (*esp AM*) *conj* où
adónde [a'ðonde] *adv* où
adopción [aðop'θjon] *nf* adoption *f*
adoptar [aðop'tar] *vt* adopter
adoptivo, -a [aðop'tiβo, a] *adj* adoptif(-ive); (*lengua, país*) d'adoption
adoquín [aðo'kin] *nm* pavé *m*
adorar [aðo'rar] *vt* adorer
adormecer [aðorme'θer] *vt* endormir; **adormecerse** *vpr* somnoler; (*miembro*) s'endormir
adornar [aðor'nar] *vt* orner; (*habitación, mesa*) décorer
adorno [a'ðorno] *nm* ornement *m*; **de ~** d'ornement
adosado, -a [aðo'saðo, a] *adj*: **chalet ~** maison *f* jumelle
adquiera *etc* [að'kjera] *vb ver* **adquirir**
adquirir [aðki'rir] *vt* acquérir
adquisición [aðkisi'θjon] *nf* acquisition *f*
adrede [a'ðreðe] *adv* exprès, à dessein
adscribir [aðskri'βir] *vt*: **~ a** (*trabajo, puesto*) assigner à; **le adscribieron al cuerpo diplomático** il a été attaché au corps diplomatique
adscrito [að'skrito] *pp de* **adscribir**
ADSL *sigla m* ADSL *m*
aduana [a'ðwana] *nf* douane *f*
aduanero, -a [aðwa'nero, a] *adj, nm/f* douanier(-ière)
aducir [aðu'θir] *vt* alléguer
adueñarse [aðwe'ɲarse] *vpr*: **~ de** s'approprier
adular [aðu'lar] *vt* aduler
adulterar [aðulte'rar] *vt* (*alimentos, vino*) frelater
adulterio [aðul'terjo] *nm* adultère *m*
adúltero, -a [a'ðultero, a] *adj, nm/f* adultère *m/f*
adulto, -a [a'ðulto, a] *adj, nm/f* adulte *m/f*
adusto, -a [a'ðusto, a] *adj* (*expresión, carácter*) sévère; (*paisaje, región*) austère
advenedizo, -a [aðβene'ðiθo, a] *nm/f* intrus(e)
advenimiento [aðβeni'mjento] *nm* avènement *m*; **~ al trono** avènement au trône
adverbio [að'βerβjo] *nm* adverbe *m*
adversario, -a [aðβer'sarjo, a] *nm/f* adversaire *m/f*
adversidad [aðβersi'ðað] *nf* adversité *f*
adverso, -a [að'βerso, a] *adj* adverse
advertencia [aðβer'tenθja] *nf* avertissement *m*
advertir [aðβer'tir] *vt* (*observar*) observer; **~ a algn de algo** avertir qn de qch; **~ a algn que ...** avertir qn que ...
advierta *etc* [að'βjerta] *vb ver* **advertir**
adyacente [aðja'θente] *adj* adjacent(e)
aéreo, -a [a'ereo, a] *adj* aérien(ne); **por vía aérea** par avion
aerobic [ae'roβik] *nm inv* aérobic *f*
aerodeslizador [aeroðesli'θeante], **aerodeslizante** [aeroðesliθa'ðor] *nm* aéroglisseur *m*
aerodinámico, -a [aerodi'namiko, a] *adj* aérodynamique
aeromozo, -a [aero'moθo, a] (*AM*) *nm/f* (*Aviat*) steward (hôtesse de l'air)
aeronave [aero'naβe] *nf* aéronef *m*

aeroplano [aero'plano] *nm* aéroplane *m*
aeropuerto [aero'pwerto] *nm* aéroport *m*
aerosol [aero'sol] *nm* aérosol *m*
a/f *abr* (= *a favor*) à l'attention de
afabilidad [afaβili'ðað] *nf* affabilité *f*
afable [a'faβle] *adj* affable
afán [a'fan] *nm* (*ahínco*) ardeur *f*; (*deseo*) soif *f*; **con ~** avec ardeur
afanar [afa'nar] (*fam*) *vt* (*robar*) rafler; **afanarse** *vpr* (*atarearse*) s'affairer; **~se por hacer** s'évertuer à faire
afear [afe'ar] *vt* enlaidir
afección [afek'θjon] *nf* infection *f*
afectación [afekta'θjon] *nf* affectation *f*
afectado, -a [afek'taðo, a] *adj* affecté(e); **afectados** *nmpl* (*epidemias*) victimes *fpl*; (*catástrofes*) sinistrés *mpl*
afectar [afek'tar] *vt* affecter; **por lo que afecta a esto** quant à cela
afectísimo, -a [afek'tisimo, a] *adj*: **suyo ~** respectueusement vôtre
afectivo, -a [afek'tiβo, a] *adj* (*problema*) affectif(-ive); (*persona*) affectueux(-euse)
afecto, -a [a'fekto, a] *adj*: **~ a** (*ideología*) acquis(e) à; (*Jur*) soumis(e) à ■ *nm* (*cariño*) affection *f*; **tenerle ~ a algn** avoir de l'affection pour qn
afectuoso, -a [afek'twoso, a] *adj* affectueux(-euse); **"un saludo ~"** (*en carta*) "affectueusement"
afeitar [afei'tar] *vt* raser; **afeitarse** *vpr* se raser; **~se la barba/el bigote** se raser la barbe/la moustache
afeminado, -a [afemi'naðo, a] *adj* efféminé(e)
Afganistán [afɣanis'tan] *nm* Afghanistan *m*
afianzamiento [afjanθa'mjento] *nm* consolidation *f*; (*salud*) amélioration *f*
afianzar [afjan'θar] *vt* (*objeto, conocimientos*) consolider; (*salud*) assurer; **afianzarse** *vpr* se cramponner; (*establecerse*) s'établir; **~se en** (*idea, opinión*) se cramponner à
afiche [a'fitʃe] (*AM*) *nm* (*cartel*) affiche *f*
afición [afi'θjon] *nf* goût *m*, penchant *m*; **la ~** les supporters *mpl*; **~ a** goût pour *o* de; **por ~** par goût; **músico de ~** musicien(ne) amateur
aficionado, -a [afiθjo'naðo, a] *adj, nm/f* amateur *m*; **ser ~ a algo** être amateur de qch
aficionar [afiθjo'nar] *vt*: **~ a algn a algo** donner à qn le goût de qch; **aficionarse** *vpr*: **~se a algo** prendre goût à qch
afilado, -a [afi'laðo, a] *adj* (*cuchillo*) aiguisé(e); (*lápiz*) bien taillé(e)
afilar [afi'lar] *vt* (*cuchillo*) aiguiser; (*lápiz*) tailler; **afilarse** *vpr* (*cara*) s'affiner
afiliarse [afi'ljarse] *vpr*: **~ (a)** s'affilier (à)
afín [a'fin] *adj* (*carácter*) semblable; (*ideas, opiniones*) voisin(e)
afinar [afi'nar] *vt* (*Mús*) accorder; (*puntería, Tec*) ajuster; (*motor*) régler ■ *vi* (*Mús*) être accordé(e)
afincarse [afin'karse] *vpr*: **~ en** s'établir à
afinidad [afini'ðað] *nf* affinité *f*; **por ~** par affinité
afirmación [afirma'θjon] *nf* affirmation *f*
afirmar [afir'mar] *vt* affirmer; (*objeto*) consolider ■ *vi* acquiescer; **afirmarse** *vpr* (*recuperar el equilibrio*) se rétablir; **~ haber hecho/que** affirmer avoir fait/que; **~se en lo dicho** confirmer ce qui à été dit
afirmativo, -a [afirma'tiβo, a] *adj* affirmatif(-ive)
aflicción [aflik'θjon] *nf* affliction *f*
afligir [afli'xir] *vt* affliger; **afligirse** *vpr* s'affliger; **~se (por** *o* **con** *o* **de)** s'affliger (de); **no te aflijas tanto** ne te laisse pas abattre
aflojar [aflo'xar] *vt* desserrer; (*cuerda*) détendre ■ *vi* (*tormenta, viento*) se calmer; **aflojarse** *vpr* (*pieza*) prendre du jeu
aflorar [aflo'rar] *vi* affleurer
afluente [aflu'ente] *adj, nm* affluent *m*
afluir [aflu'ir] *vi*: **~ a** (*gente, sangre*) affluer à; (*río*) se jeter dans
afmo., -a. *abr* = **afectísimo, a**
afónico, -a [a'foniko, a] *adj*: **estar ~** être aphone
aforo [a'foro] *nm* (*Tec*) jaugeage *m*; (*de teatro*) capacité *f*; **el teatro tiene un ~ de 2.000** ce théâtre a 2 000 places
afortunado, -a [afortu'naðo, a] *adj* (*persona*) chanceux(-euse); (*coincidencia, hallazgo*) heureux(-euse)
afrancesado, -a [afranθe'saðo, a] (*pey*) *adj partisan des Français (lors de la guerre d'Indépendance, et aux XVIII et XIX siècles)*
afrenta [a'frenta] *nf* affront *m*
África ['afrika] *nf* Afrique *f*; **~ del Sur** Afrique du Sud
africano, -a [afri'kano, a] *adj* africain(e) ■ *nm/f* Africain(e)
afrontar [afron'tar] *vt* affronter; (*dos personas*) confronter
afuera [a'fwera] *adv* (*esp AM*) dehors; **afueras** *nfpl* banlieue *fsg*
agachar [aɣa'tʃar] *vt* incliner; **agacharse** *vpr* s'incliner
agalla [a'ɣaʎa] *nf* (*Zool*) ouïe *f*; **tener ~s** (*fam*) ne pas avoir froid aux yeux

agarradera [aɣarra'ðera] (*AM*) *nf* (*asa*) anse *f*; **agarraderas** *nfpl* (*fam*): **tener (buenas) ~s** être pistonné(e)

agarrado, -a [aɣa'rraðo, a] *adj* radin(e)

agarrar [aɣa'rrar] *vt* saisir; (*esp AM*: *recoger*) prendre; (*fam*: *enfermedad*) attraper ■ *vi* (*planta*) prendre; **agarrarse** *vpr* (*comida*) coller; (*dos personas*) s'accrocher; **agarró y se fue** (*AM*) sans faire ni une ni deux il a fichu le camp; **~se (a)** s'accrocher (à); **agarrársela con algn** (*AM*: *tenerla tomada con algn*) avoir qn dans le nez

agarrotar [aɣarro'tar] *vt* (*reo*) faire subir le supplice du garrot à; (*fardo*) ficeler; (*persona*) garrotter; **agarrotarse** *vpr* (*Med*) avoir des crampes; (*motor*) se gripper

agasajar [aɣasa'xar] *vt* accueillir chaleureusement

agazapar [aɣaθa'par] *vt* saisir; **agazaparse** *vpr* (*persona, animal*) se tapir

agencia [a'xenθja] *nf* agence *f*; **~ de créditos/inmobiliaria** établissement *m* de crédit/agence immobilière; **~ matrimonial/de publicidad/de viajes** agence matrimoniale/de publicité/de voyages

agenciarse [axen'θjarse] *vpr* se procurer; **agenciárselas para hacer algo** se débrouiller pour faire qch

agenda [a'xenda] *nf* agenda *m*; (*orden del día*) ordre *m* du jour

agente [a'xente] *nm* agent *m*; **~ acreditado/de bolsa/de negocios/de seguros** agent accrédité/de change/d'affaires/d'assurances; **~ femenino** auxiliaire *f* de police; **~ (de policía)** agent (de police)

ágil ['axil] *adj* agile

agilidad [axili'ðað] *nf* agilité *f*

agilizar [axili'θar] *vt* activer

agitación [axita'θjon] *nf* agitation *f*

agitado, -a [axi'taðo, a] *adj* (*día, viaje, vida*) agité(e)

agitar [axi'tar] *vt* agiter; (*fig*) troubler, inquiéter; **agitarse** *vpr* s'agiter; (*inquietarse*) se troubler, s'inquiéter

aglomeración [aɣlomera'θjon] *nf*: **~ de gente** rassemblement *m*; **~ de tráfico** embouteillage *m*

agnóstico, -a [aɣ'nostiko, a] *adj, nm/f* agnostique *m/f*

agobiar [aɣo'βjar] *vt* (*suj*: *trabajo*) accabler; (: *calor*) accabler, étouffer; **agobiarse** *vpr*: **~se por** *o* **con** crouler sous; **sentirse agobiado por** être accablé(e) de *o* par

agolparse [aɣol'parse] *vpr* (*acontecimientos*) se précipiter; (*problemas*) affluer; (*personas*) se presser, se bousculer

agonía [aɣo'nia] *nf* agonie *f*

agonizante [aɣoni'θante] *adj* agonisant(e)

agonizar [aɣoni'θar] *vi* agoniser, être à l'agonie

agosto [a'ɣosto] *nm* août *m*; **hacer el** *o* **su ~** faire son beurre; *ver tb* **julio**

agotado, -a [aɣo'taðo, a] *adj* épuisé(e); (*pila*) à plat

agotador, a [aɣota'ðor, a] *adj* épuisant(e)

agotamiento [aɣota'mjento] *nm* épuisement *m*

agotar [aɣo'tar] *vt* épuiser; **agotarse** *vpr* s'épuiser; (*libro*) être épuisé(e)

agraciado, -a [aɣra'θjaðo, a] *adj* qui a du charme ■ *nm/f* (*en sorteo, lotería*) gagnant(e); **el número ~** (*en sorteo*) le numéro gagnant

agradable [aɣra'ðaβle] *adj* agréable

agradar [aɣra'ðar] *vi* plaire; **esto no me agrada** cela ne me plaît pas; **le agrada estar en su compañía** votre compagnie lui est agréable

agradecer [aɣraðe'θer] *vt* remercier; **¡se agradece!** mille fois merci!; **le agradecería me enviara ...** je vous serais reconnaissant de m'envoyer ...; **te agradezco que hayas venido** je te remercie d'être venu

agradecido, -a [aɣraðe'θiðo, a] *adj*: **~ (por/a)** reconnaissant(e) (de/envers); **¡muy ~!** merci beaucoup!, merci bien!

agradecimiento [aɣraðeθi'mjento] *nm* remerciement *m*

agradezca *etc* [aɣra'ðeθka] *vb ver* **agradecer**

agrado [a'ɣraðo] *nm* agrément *m*, plaisir *m*; (*amabilidad*) amabilité *f*; **ser de tu** *etc* **~** être à ton *etc* goût

agrandar [aɣran'dar] *vt* agrandir; (*exagerar*) amplifier, grossir; **agrandarse** *vpr* s'agrandir

agrario, -a [a'ɣrarjo, a] *adj* agraire

agravante [aɣra'βante] *adj* (*circunstancia*) aggravant(e) ■ *nm o nf*: **con el** *o* **la ~ de que ...** le problème étant que ...

agravar [aɣra'βar] *vt* aggraver; **agravarse** *vpr* s'aggraver

agraviar [aɣra'βjar] *vt* offenser; (*perjudicar*) faire du tort à; **agraviarse** *vpr* s'offenser

agravio [a'ɣraβjo] *nm* offense *f*; (*Jur*) appel *m*

agredir [aɣre'ðir] *vt* agresser; (*verbalmente*) injurier
agregado [aɣre'ɣaðo] *nm* agrégat *m*; (*profesor*) maître *m* de conférences (*à l'université*), professeur certifié(e) (*dans l'enseignement secondaire*); **~ comercial/cultural/diplomático/militar** attaché commercial/culturel/diplomatique/militaire
agregar [aɣre'ɣar] *vt*: **~ (a)** ajouter (à); (*unir*) associer (à); **agregarse** *vpr*: **~se a** se joindre à
agresión [aɣre'sjon] *nf* agression *f*
agresivo, -a [aɣre'siβo, a] *adj* agressif(-ive)
agriar [a'ɣrjar] *vt* aigrir; (*leche*) faire tourner; **agriarse** *vpr* s'aigrir; (*leche*) tourner
agrícola [a'ɣrikola] *adj* agricole
agricultor, a [aɣrikul'tor, a] *nm/f* agriculteur(-trice)
agricultura [aɣrikul'tura] *nf* agriculture *f*
agridulce [aɣri'ðulθe] *adj* aigre-doux (-douce)
agrietarse [aɣrje'tarse] *vpr* se crevasser; (*piel*) se gercer
agrimensor, a [aɣrimen'sor, a] *nm/f* arpenteur *m*
agrio, -a ['aɣrjo, a] *adj* aigre; (*carácter*) aigri(e), revêche; **agrios** *nmpl* agrumes *mpl*
agroturismo [aɣrotu'rismo] *nm* agritourisme *m*
agrupación [aɣrupa'θjon] *nf* groupement *m*, regroupement *m*
agrupar [aɣru'par] *vt* (*personas*) grouper; (*libros, datos*) regrouper; (*Inform*) grouper, regrouper; **agruparse** *vpr* se regrouper
agua ['aɣwa] *nf* eau *f*; (*lluvia*) pluie *f*, eau de pluie; **aguas** *nfpl* (*de joya*) eau *fsg*; (*mar*) eau *fsg*, eaux *fpl*; **a dos ~s** (*tejado*) à deux pentes; **hacer ~** (*embarcación*) faire eau; **se me hace la boca ~** ça me met l'eau à la bouche; **~s abajo** en aval; **~s arriba** en amont; **nunca digas, "de esta ~ no beberé"** il ne faut pas dire, "Fontaine, je ne boirai pas de ton eau"; **estar con el ~ al cuello** avoir la corde au cou; **estar como pez en el ~** être comme un poisson dans l'eau; **quedar algo en ~ de borrajas** s'en aller en eau de boudin; **romper ~s** (*Med*) perdre les eaux; **tomar las ~s** prendre les eaux; **venir como ~ de mayo** tomber à pic, arriver comme mars en carême; **~ bendita/caliente/corriente/destilada/dulce/oxigenada/potable/salada** eau bénite/chaude/courante/distillée/douce/oxygénée/potable/salée; **~ de colonia** eau de Cologne; **~ mineral (con/sin gas)** eau minérale (gazeuse/non gazeuse); **~s jurisdiccionales/residuales/termales** eaux territoriales/résiduaires/thermales; **~s mayores/menores** (*Med*) selles *fpl*/urine *fsg*
aguacate [aɣwa'kate] *nm* avocat *m*; (*árbol*) avocatier *m*
aguacero [aɣwa'θero] *nm* averse *f*
aguado, -a [a'ɣwaðo, a] *adj* (*leche, vino*) baptisé(e)
aguafiestas [aɣwa'fjestas] *nm/f inv* trouble-fête *m/f inv*, rabat-joie *m/f inv*
aguanieve [aɣwa'njeβe] *nf* neige *f* fondue
aguantar [aɣwan'tar] *vt* supporter, endurer; (*risa, ganas*) réprimer ■ *vi* (*ropa*) résister; **aguantarse** *vpr* (*persona*) se dominer; **no sé cómo aguanta** je ne sais pas comment il tient le coup
aguante [a'ɣwante] *nm* (*paciencia*) patience *f*; (*resistencia*) résistance *f*
aguar [a'ɣwar] *vt* (*leche, vino*) baptiser, couper; **~ la fiesta a algn** gâcher son plaisir à qn
aguardar [aɣwar'ðar] *vt* attendre ■ *vi*: **~ (a que)** attendre (que)
aguardiente [aɣwar'ðjente] *nm* eau-de-vie *f*
aguarrás [aɣwa'rras] *nm* essence *f* de térébenthine
agudeza [aɣu'ðeθa] *nf* (*oído, olfato*) finesse *f*; (*vista*) acuité *f*; (*de sonido*) aigu *m*; (*fig: ingenio*) vivacité *f*, finesse; (*ocurrencia*) mot *m* d'esprit
agudizar [aɣuði'θar] *vt* aiguiser; (*crisis*) intensifier; **agudizarse** *vpr* s'aiguiser; (*crisis*) s'intensifier
agudo, -a [a'ɣuðo, a] *adj* (*afilado*) tranchant(e), coupant(e); (*vista*) perçant(e); (*oído, olfato*) fin(e); (*sonido, dolor*) aigu(ë); (*ingenioso*) subtil(e)
agüero [a'ɣwero] *nm*: **ser de buen/mal ~** être de bon/mauvais augure; **pájaro de mal ~** oiseau *m* de mauvais augure
aguijón [aɣi'xon] *nm* (*de insecto*) dard *m*; (*fig: estímulo*) aiguillon *m*
águila ['aɣila] *nf* aigle *m*; **ser un ~** (*fig*) être un as
aguileño, -a [aɣi'leɲo, a] *adj* (*nariz*) aquilin(e); (*rostro*) allongé(e), long (longue)
aguinaldo [aɣi'naldo] *nm* étrennes *fpl*
aguja [a'ɣuxa] *nf* aiguille *f*; (*para hacer punto*) aiguille à tricoter; (*para hacer ganchillo*) crochet *m*; (*Arq*) aiguille, flèche *f*; (*Tec*) percuteur *m*; (*Inform*) tête *f*;

agujas *nfpl* (*Ferro*) aiguillage *m*; **carne de ~** côtes *fpl*; **buscar una ~ en un pajar** chercher une aiguille dans une botte de foin; **~ de tejer** (*AM*) aiguille à tricoter
agujerear [aɣuxere'ar] *vt* (*perforar*: *ropa, cristal, madera*) trouer
agujero [aɣu'xero] *nm* trou *m*
agujetas [aɣu'xetas] *nfpl* courbatures *fpl*
aguzar [aɣu'θar] *vt* (*herramientas*) aiguiser, affiler; (*ingenio, entendimiento*) aiguillonner, stimuler; **~ el oído/la vista** aiguiser l'ouïe/la vue
ahí [a'i] *adv* (*lugar*) là; **de ~ que** donc, d'où il s'ensuit que; **~ está el problema** tout le problème est là; **~ llega** le voilà; **por ~** par là; (*lugar indeterminado*) là-bas; **¡hasta ~ hemos llegado!** dire qu'on en est arrivé là!; **¡~ va!** le voilà!; **~ donde le ve** tel que vous le voyez; **¡~ es nada!** incroyable!; **200 o por ~** environ 200
ahijado, -a [ai'xaðo, a] *nm/f* filleul(e)
ahogar [ao'ɣar] *vt* étouffer; (*en el agua*) noyer; (*grito, sollozo*) contenir, étouffer; (*fig*: *angustiar*) angoisser; **ahogarse** *vpr* (*en el agua*) se noyer; (*por asfixia*) s'asphyxier
ahondar [aon'dar] *vt* creuser ■ *vi*: **~ en** (*problema*) approfondir, creuser
ahora [a'ora] *adv* maintenant; (*hace poco*) tout à l'heure; **~ bien** *o* **que** cependant, remarquez (que); **~ mismo** à l'instant (même); **~ voy** j'arrive; **¡hasta ~!** à tout de suite!, à bientôt!; **por ~** pour le moment; **de ~ en adelante** désormais, dorénavant
ahorcar [aor'kar] *vt* pendre; **ahorcarse** *vpr* se pendre
ahorita [ao'rita] (*esp AM*: *fam*) *adv* tout de suite
ahorrar [ao'rrar] *vt* économiser, épargner; **ahorrarse** *vpr*: **~se molestias** s'éviter des ennuis; **~ a algn algo** épargner qch à qn; **no ~ esfuerzos/sacrificios** ne pas ménager ses efforts/être avare de sacrifices
ahorro [a'orro] *nm* économie *f*, épargne *f*; **ahorros** *nmpl* économies *fpl*
ahuecar [awe'kar] *vt* (*madera, tronco*) évider; (*voz*) enfler ■ *vi*: **¡ahueca!** (*fam*) fous le camp!; **ahuecarse** *vpr* (*fig*) être bouffi(e) d'orgueil
ahumar [au'mar] *vt* fumer; (*llenar de humo*) enfumer; **ahumarse** *vpr* (*habitación*) se remplir de fumée; (*comida*) prendre un goût de fumé
ahuyentar [aujen'tar] *vt* (*ladrón, fiera*) mettre en fuite; (*fig*) chasser
airado, -a [ai'raðo, a] *adj* furieux(-euse)
airar [ai'rar] *vt* (*persona*) irriter, fâcher; **airarse** *vpr* (*irritarse*) s'irriter, se fâcher
aire ['aire] *nm* (*tb Mús*) air *m*; **aires** *nmpl*: **darse ~s** se donner des airs; **al ~ libre** en plein air; **cambiar de ~s** changer d'air; **dejar en el ~** laisser sans réponse; **tener ~ de** avoir l'air de; **estar en el ~** (*Radio*) être sur les ondes; (*fig*) être en suspens; **tener un ~ con** *o* **darse un ~ a** ressembler à; **tomar el ~** prendre l'air; **~ acondicionado** air conditionné; **~ popular** (*Mús*) air populaire
airearse [aire'arse] *vpr* prendre l'air
airoso, -a [ai'roso, a] *adj*: **salir ~ de algo** bien s'en tirer
aislado, -a [ais'laðo, a] *adj* isolé(e)
aislar [ais'lar] *vt* isoler; **aislarse** *vpr*: **~se (de)** s'isoler (de)
ajardinado, -a [axarði'naðo, a] *adj* aménagé(e)
ajedrez [axe'ðreθ] *nm* échecs *mpl*
ajeno, -a [a'xeno, a] *adj* d'autrui; **ser ~ a** (*impropio de*) contraire à; **estar ~ a algo** être étranger à qch; **por razones ajenas a nuestra voluntad** pour des raisons indépendantes de notre volonté
ajetreado, -a [axetre'aðo, a] *adj* (*día*) mouvementé(e)
ajetreo [axe'treo] *nm* agitation *f*
ají [a'xi] (*AM*) *nm* piment *m* rouge; (*salsa*) sauce *f* au piment
ajo ['axo] *nm* ail *m*; **estar en el ~** (*fam*) être dans le coup; **~ blanco** sauce *f* à l'ail
ajuar [a'xwar] *nm* (*de casa*) mobilier *m*; (*de novia*) trousseau *m*
ajustado, -a [axus'taðo, a] *adj* (*ropa*) ajusté(e); (*precio*) raisonnable; (*resultado*) serré(e); (*cálculo*) exact(e)
ajustar [axus'tar] *vt* ajuster; (*reloj, cuenta*) régler; (*concertar*) convenir de; (*Tec*) ajuster, régler; (*Imprenta*) mettre en pages; (*diferencias*) aplanir ■ *vi* (*ventana, puerta*) cadrer; **ajustarse** *vpr*: **~se a** se conformer à; **~ algo a algo** ajuster qch à qch; (*fig*) adapter qch à qch; **~ cuentas con algn** régler ses comptes avec qn
ajuste [a'xuste] *nm* (*de reloj*) réglage *m*; (*Fin*) fixation *f* (des prix); (*acuerdo*) accord *m*; (*Inform*) correction *f*; **~ de cuentas** (*fig*) règlement *m* de comptes
al [al] (= *a* + *el*) *ver* **a**
ala ['ala] *nf* aile *f*; (*de sombrero*) bord *m* ■ *nm/f* (*baloncestista*) ailier *m*; **cortar las ~s a algn** mettre des bâtons dans les roues à qn; **dar ~s a algn** donner à qn l'occasion d'être insolent; **~ delta** deltaplane *m*

alabanza [ala'βanθa] *nf* éloge *m*, louange *f*
alabar [ala'βar] *vt* (*persona*) louer, faire l'éloge de; (*obra etc*) louer, vanter
alacena [ala'θena] *nf* garde-manger *m inv*
alacrán [ala'kran] *nm* scorpion *m*
alambrada [alam'braða] *nf*, **alambrado** [alam'braðo] *nm* grillage *m*
alambre [a'lambre] *nm* fil *m* de fer; **~ de púas** fil de fer barbelé
alameda [ala'meða] *nf* peupleraie *f*; (*lugar de paseo*) promenade *f* (*bordée d'arbres*)
álamo ['alamo] *nm* peuplier *m*; **~ temblón** tremble *m*
alarde [a'larðe] *nm*: **hacer ~ de** se vanter de, faire étalage de
alargador [alarɣa'ðor] *nm* (*Elec*) rallonge *f*
alargar [alar'ɣar] *vt* rallonger; (*estancia, vacaciones*) prolonger; (*brazo*) allonger, tendre; (*paso*) presser; **alargarse** *vpr* (*días*) rallonger; (*discurso, reunión*) se prolonger; **~ algo a algn** tendre qch à qn; **~se a** *o* **hasta** (*persona*) aller jusqu'à; **~se en** (*explicación*) se perdre en
alarido [ala'riðo] *nm* hurlement *m*
alarma [a'larma] *nf* (*señal de peligro*) alarme *f*, alerte *f*; **voz de ~** ton *m* alarmé; **dar/sonar la ~** donner/sonner l'alarme; **~ de incendios** avertisseur *m* d'incendie
alarmante [alar'mante] *adj* alarmant(e)
alarmar [alar'mar] *vt* alarmer; **alarmarse** *vpr* s'alarmer
alba ['alβa] *nf* aube *f*
albacea [alβa'θea] *nm/f* exécuteur *m* testamentaire
albahaca [al'βaka] *nf* basilic *m*
Albania [al'βanja] *nf* Albanie *f*
albañil [alβa'ɲil] *nm* maçon *m*
albarán [alβa'ran] *nm* bordereau *m*
albaricoque [alβari'koke] *nm* abricot *m*
albedrío [alβe'ðrio] *nm*: **libre ~** libre arbitre *m*
alberca [al'βerka] *nf* réservoir *m* d'eau; (*AM*) piscine *f*
albergar [alβer'ɣar] *vt* héberger; (*esperanza*) nourrir; **albergarse** *vpr* s'abriter; (*alojarse*) se faire héberger
albergue [al'βerɣe] *vb ver* **albergar** ▪ *nm* abri *m*; **~ juvenil** *o* **de juventud** auberge *f* de jeunesse
albóndigas [al'βondiɣas] *nfpl* boulettes *fpl* de viande
albornoz [alβor'noθ] *nm* (*para el baño*) sortie *f* de bain; (*de los árabes*) burnous *msg*
alborotar [alβoro'tar] *vt* agiter; (*amotinar*) ameuter ▪ *vi* faire du tapage; **alborotarse** *vpr* s'agiter
alboroto [alβo'roto] *nm* tapage *m*
alborozar [alβoro'θar] *vt* réjouir; **alborozarse** *vpr* se réjouir
alborozo [alβo'roθo] *nm* réjouissance *f*
álbum ['alβum] (*pl* **~s** *o* **~es**) *nm* album *m*; **~ de recortes** recueil *m* de coupures de journaux
alcachofa [alka'tʃofa] *nf* artichaut *m*; **~ de ducha/de regadera** pomme *f* de douche/d'arrosoir
alcalde, -esa [al'kalde, alkal'desa] *nm/f* maire *m*
alcaldía [alkal'dia] *nf* mairie *f*
alcance [al'kanθe] *vb ver* **alcanzar** ▪ *nm* portée *f*; (*Com*) solde *m* débiteur; **al ~ de la mano** à portée de main; **estar a mi** *etc*/**fuera de mi** *etc* **~** être/ne pas être à ma *etc* portée; **de gran ~** (*Mil*) longue portée; (*fig*) de grande importance
alcantarilla [alkanta'riʎa] *nf* (*subterránea*) égout *m*; (*en la calle*) caniveau *m*
alcanzar [alkan'θar] *vt* atteindre; (*persona*) rattraper; (*autobús*) attraper; (*AM*: *entregar*) passer ▪ *vi* être suffisant(e); (*para todos*) suffire; **~ a hacer** arriver à faire
alcaparra [alka'parra] *nf* câpre *f*
alcayata [alka'jata] *nf* (*clavo*) piton *m*
alcázar [al'kaθar] *nm* citadelle *f*; (*Náut*) dunette *f*
alcoba [al'koβa] *nf* alcôve *f*
alcohol [al'kol] *nm* alcool *m*; (*tb*: **alcohol metílico**) alcool à brûler; **no bebe ~** il ne prend pas d'alcool
alcohólico, -a [al'koliko, a] *adj, nm/f* alcoolique *m/f*; **~s anónimos** ligue *fsg* des alcooliques anonymes
alcoholímetro [alko'limetro] *nm* alcoomètre *m*
alcoholismo [alko'lismo] *nm* alcoolisme *m*
alcornoque [alkor'noke] *nm* chêne-liège *m*; (*fam*) andouille *f*
alcurnia [al'kurnja] *nf* noble lignée *f*
aldaba [al'daβa] *nf* heurtoir *m*
aldea [al'dea] *nf* hameau *m*
aldeano, -a [alde'ano, a] *adj, nm/f* villageois(e)
aleación [alea'θjon] *nf* alliage *m*
aleatorio, -a [alea'torjo, a] *adj* aléatoire; **acceso ~** (*Inform*) accès *msg* aléatoire
aleccionar [alekθjo'nar] *vt* instruire; (*regañar*) faire la leçon à

alegación [aleɣa'θjon] *nf* allégation *f*
alegar [ale'ɣar] *vt* alléguer ▪ *vi* (*AM*) discuter; **~ que ...** alléguer que ...
alegato [ale'ɣato] *nm* plaidoyer *m*; (*AM*) discussion *f*
alegoría [aleɣo'ria] *nf* allégorie *f*
alegrar [ale'ɣrar] *vt* réjouir; (*casa*) égayer; (*fiesta*) animer; (*fuego*) attiser; **alegrarse** *vpr* (*fam*) se griser; **~se de** être heureux(-euse) de
alegre [a'leɣre] *adj* gai(e), joyeux(-euse); (*fam: con vino*) éméché(e)
alegría [ale'ɣria] *nf* joie *f*, gaîté *f*; **~ vital** joie de vivre
alejamiento [alexa'mjento] *nm* éloignement *m*
alejar [ale'xar] *vt* éloigner; (*ideas*) repousser; **alejarse** *vpr* s'éloigner
alemán, -ana [ale'man, ana] *adj* allemand(e) ▪ *nm/f* Allemand(e) ▪ *nm* (*Ling*) allemand *m*
Alemania [ale'manja] *nf* Allemagne *f*; **~ Occidental/Oriental** (*Hist*) Allemagne de l'Ouest/de l'Est
alentador, a [alenta'ðor, a] *adj* encourageant(e)
alentar [alen'tar] *vt* encourager
alergia [a'lerxja] *nf* allergie *f*
alero [a'lero] *nm* auvent *m*; (*Deporte*) ailier *m*; (*Auto*) garde-boue *m inv*
alerta [a'lerta] *adj inv* vigilant(e) ▪ *nf* alerte *f* ▪ *adv*: **estar** *o* **mantenerse ~** être sur ses gardes
aleta [a'leta] *nf* (*pez*) nageoire *f*; (*foca*) aileron *m*; (*nariz*) aile *f*; (*Deporte*) palme *f*; (*Auto*) garde-boue *m inv*
aletargar [aletar'ɣar] *vt* endormir; **aletargarse** *vpr* s'assoupir
aletear [alete'ar] *vi* (*ave*) battre des ailes; (*pez*) battre des nageoires; (*individuo*) agiter les bras
alevín [ale'βin] *nm* alevin *m*
alfabeto [alfa'βeto] *nm* alphabet *m*
alfalfa [al'falfa] *nf* luzerne *f*
alfarería [alfare'ria] *nf* poterie *f*; (*tienda*) magasin *m* de poterie
alfarero, -a [alfa'rero, a] *nm/f* potier *m*
alféizar [al'feiθar] *nm* embrasure *f*
alférez [al'fereθ] *nm* (*Mil*) sergent *m*
alfil [al'fil] *nm* (*Ajedrez*) fou *m*
alfiler [alfi'ler] *nm* épingle *f*; (*broche*) broche *f*; **prendido con ~es** précaire; **~ de corbata** épingle de cravate; **~ de gancho** (*AM: imperdible grande*) (grande) épingle de nourrice
alfiletero [alfile'tero] *nm* porte-aiguilles *m inv*
alfombra [al'fombra] *nf* tapis *msg*
alfombrar [alfom'brar] *vt* recouvrir d'un tapis
alfombrilla [alfom'briʎa] *nf* carpette *f*; (*Inform*) tapis *m* de souris
alforja [al'forxa] *nf* sacoche *f*
algarabía [alɣara'βia] (*fam*) *nf* brouhaha *m*
algas ['alɣas] *nfpl* algues *fpl*
álgebra ['alxeβra] *nf* algèbre *f*
álgido, -a ['alxiðo, a] *adj* crucial(e)
algo ['alɣo] *pron* quelque chose; (*una cantidad pequeña*) un peu ▪ *adv* un peu, assez; **~ así (como)** quelque chose comme; **~ es ~** c'est toujours quelque chose; **¿~ más?** c'est tout?; (*en tienda*) et avec ceci?; **por ~ será** il y a bien une raison; **es ~ difícil** c'est un peu difficile
algodón [alɣo'ðon] *nm* coton *m*; **~ de azúcar** barbe *f* à papa; **~ hidrófilo** coton hydrophile
algodonero, -a [alɣoðo'nero, a] *adj* cotonnier(-ière) ▪ *nm* (*Bot*) cotonnier *m*
alguacil [alɣwa'θil] *nm* (*de juzgado*) huissier *m*; (*de ayuntamiento*) employé *m* municipal; (*Taur*) officiel *m* à cheval
alguien ['alɣjen] *pron* quelqu'un
alguno, -a [al'ɣuno, a] *adj* (*delante de nm: algún*) quelque, un (une); (*después de n*): **no tiene talento ~** il n'a aucun talent ▪ *pron* quelqu'un; **~ de ellos** l'un d'eux; **algún que otro libro** quelques livres; **algún día iré** j'irai un jour; **sin interés ~** sans aucun intérêt; **~ que otro** quelque; **~s piensan** certains pensent
alhaja [a'laxa] *nf* joyau *m*; (*persona*) perle *f*; (*niño*) bijou *m*
alhelí [ale'li] *nm* giroflée *f*
aliado, -a [a'ljaðo, a] *adj, nm/f* allié(e) ▪ *nm* (*Chi: Culin*) sandwich *m* mixte; (*bebida*) mélange *m*
alianza [a'ljanθa] *nf* alliance *f*
aliarse [alj'arse] *vpr*: **~ (con/a)** s'allier (à)
alias ['aljas] *adv* alias
alicates [ali'kates] *nmpl* pince *fsg*; **~ de uñas** coupe-ongles *m inv*
aliciente [ali'θjente] *nm* stimulant *m*; (*atractivo*) attrait *m*, charme *m*
alienación [aljena'θjon] *nf* aliénation *f*
aliento [a'ljento] *vb ver* **alentar** ▪ *nm* haleine *f*; (*fig*) courage *m*; **sin ~** hors d'haleine
aligerar [alixe'rar] *vt* alléger; (*dolor*) soulager; **aligerarse** *vpr*: **~se de** (*ropa*) enlever; (*prejuicios*) se débarrasser de; **~ el paso** presser le pas
alijo [a'lixo] *nm* saisie *f*
alimaña [ali'maɲa] *nf* animal *m* nuisible
alimentación [alimenta'θjon] *nf*

alimentation *f*; **tienda de ~** magasin *m* d'alimentation; **~ continua** alimentation en continu
alimentar [alimen'tar] *vt* nourrir, alimenter; (*suj*: *alimento*) nourrir; **alimentarse** *vpr*: **~se de** *o* **con** s'alimenter de
alimenticio, -a [alimen'tiθjo, a] *adj* (*sustancia*) alimentaire; (*nutritivo*) nourrissant(e)
alimento [ali'mento] *nm* aliment *m*; **alimentos** *nmpl* (*Jur*) aliments *mpl*
alineación [alinea'θjon] *nf* alignement *m*; (*Deporte*) formation *f*
alinear [aline'ar] *vt* aligner; (*Deporte*) faire jouer; **alinearse** *vpr* s'aligner; (*Deporte*) rentrer
aliñar [ali'ɲar] *vt* assaisonner
aliño [a'liɲo] *nm* assaisonnement *m*
alisar [ali'sar] *vt* lisser; (*madera*) polir
alistarse [alis'tarse] *vpr* s'inscrire; (*Mil*) s'enrôler; (*AM*: *prepararse*) se préparer
aliviar [ali'βjar] *vt* (*carga*) alléger; (*persona*) soulager
alivio [a'liβjo] *nm* soulagement *m*
aljibe [al'xiβe] *nm* citerne *f*
allá [a'ʎa] *adv* là-bas; (*por ahí*) par là; **~ abajo/arriba** tout en bas/en haut; **hacia ~** par là-bas; **más ~** plus loin; **más ~ de** au-delà de; **~ por** vers; **¡~ tú!** tant pis pour toi!; **el más ~** l'au-delà *m*
allanamiento [aʎana'mjento] *nm*: **~ de morada** violation *f* de domicile
allanar [aʎa'nar] *vt* aplanir; (*muro*) raser; (*obstáculos*) surmonter; (*entrar a la fuerza en*) forcer; (*Jur*) rentrer par effraction; **allanarse** *vpr*: **~se a** se soumettre à
allegado, -a [aʎe'ɣaðo, a] *adj* partisan(e) ■ *nm/f* proche parent(e)
allí [a'ʎi] *adv* (*lugar*) là; **~ mismo** là précisément; **por ~** par là
alma ['alma] *nf* (*tb Tec*) âme *f*; (*de negocio*) nœud *m*; (*de fiesta*) clou *m*; (*de reunión*) objet *m* principal; **se le cayó el ~ a los pies** les bras lui en sont tombés; **entregar el ~** rendre l'âme; **estar con el ~ en la boca** être à l'agonie; **tener el ~ en un hilo** être mort(e) d'inquiétude; **estar como ~ en pena** être comme une âme en peine; **ir como ~ que lleva el diablo** courir comme un(e) dératé(e); **lo agradezco/lo siento en el ~** je vous remercie/je le regrette infiniment; **no puedo con mi ~** je n'en peux plus (de fatigue); **con toda el ~** du fond du cœur
almacén [alma'θen] *nm* (*tb Mil*) magasin *m*; (*al por mayor*) magasin de gros; (*AM*) épicerie *f*; **(grandes) almacenes** grands magasins *mpl*; **~ depositario** (*Com*) dépôt *m*
almacenaje [almaθe'naxe] *nm* emmagasinage *m*, stockage *m*; **~ secundario** (*Inform*) mémoire *f* auxiliaire
almacenar [almaθe'nar] *vt* emmagasiner, stocker; (*Inform*) mémoriser
almacenero, -a [almaθe'nero, a] (*AM*) *nm/f* épicier(-ière)
almanaque [alma'nake] *nm* almanach *m*
almeja [al'mexa] *nf* (*Zool*) clovisse *f*; (*Culin*) palourde *f*
almendra [al'mendra] *nf* amande *f*; **~s garrapiñadas** pralines *fpl*
almendro [al'mendro] *nm* amandier *m*
almíbar [al'miβar] *nm* sirop *m*; **en ~** au sirop
almidón [almi'ðon] *nm* amidon *m*
almirante [almi'rante] *nm* amiral *m*
almirez [almi'reθ] *nm* mortier *m*
almizcle [al'miθkle] *nm* musc *m*
almohada [almo'aða] *nf* oreiller *m*; (*funda*) taie *f* d'oreiller; **lo consultaré** *etc* **con la ~** la nuit porte conseil
almohadilla [almoa'ðiʎa] *nf* (*para sentarse*) coussinet *m*; (*para planchar*) pattemouille *f*; (*para sellar*) tampon *m* encreur; (*en los arreos*) tapis *msg* de selle; (*AM*) pelote *f* à épingles; (*tecla*) touche *f* dièse
almohadón [almoa'ðon] *nm* coussin *m*; (*funda de almohada*) taie *f* d'oreiller
almorranas [almo'rranas] *nfpl* hémorroïdes *fpl*
almorzar [almor'θar] *vt*: **~ una tortilla** déjeuner d'une omelette ■ *vi* déjeuner
almuerzo [al'mwerθo] *vb ver* **almorzar** ■ *nm* déjeuner *m*
alocado, -a [alo'kaðo, a] *adj* écervelé(e); (*acción*) irréfléchi(e)
alojamiento [aloxa'mjento] *nm* logement *m*; (*de visitante*) hébergement *m*
alojar [alo'xar] *vt* loger; **alojarse** *vpr*: **~se en** (*persona*) loger à; (*bala, proyectil*) se loger dans
alondra [a'londra] *nf* alouette *f*
alpargata [alpar'ɣata] *nf* espadrille *f*
Alpes ['alpes] *nmpl*: **los ~** les Alpes *fpl*
alpinismo [alpi'nismo] *nm* alpinisme *m*
alpinista [alpi'nista] *nm/f* alpiniste *m/f*
alpiste [al'piste] *nm* alpiste *m*; (*AM*: *fam*: *dinero*) fric *m*
alquilar [alki'lar] *vt* louer; **"se alquila casa"** "maison à louer"
alquiler [alki'ler] *nm* location *f*; (*precio*) loyer *m*; **de ~** à louer; **~ de coches/ automóviles** location de voitures

alquimia [al'kimja] *nf* alchimie *f*
alquitrán [alki'tran] *nm* goudron *m*
alrededor [alreðe'ðor] *adv* autour; **alrededores** *nmpl* environs *mpl*; **~ de** autour de; (*aproximadamente*) environ; **a su ~** autour de lui; **mirar a su ~** regarder autour de soi
alta ['alta] *nf*: **dar a algn de ~** (*Med*) déclarer qn guéri; (*en empleo*) autoriser qn à reprendre son travail (*après un congé de maladie*); **darse de ~** (*Med*) se déclarer guéri(e); (*en club, asociación*) devenir membre
altanería [altane'ria] *nf* arrogance *f*; (*de aves*) haut vol *m*
altanero, -a [altanero, a] *adj* hautain(e)
altar [al'tar] *nm* autel *m*; **~ mayor** maître-autel *m*
altavoz [alta'βoθ] *nm* haut-parleur *m*
alteración [altera'θjon] *nf* altération *f*; (*alboroto*) altercation *f*; (*agitación*) agitation *f*; **~ del orden público** trouble *m* de l'ordre public
alterar [alte'rar] *vt* modifier; (*persona*) perturber; (*alimentos, medicinas*) altérer; **alterarse** *vpr* (*persona*) se troubler; (*enfadarse*) se fâcher; **~ el orden público** troubler l'ordre public
altercado [alter'kaðo] *nm* altercation *f*
alternar [alter'nar] *vt*: **~ algo con** *o* **y algo** alterner une chose et une autre ■ *vi* fréquenter des gens; **alternarse** *vpr* se relayer; **~ con** fréquenter
alternativa [alterna'tiβa] *nf* alternative *f*; **no tener otra ~** ne pas avoir le choix; **tomar la ~** (*Taur*) recevoir l'alternative
alternativo, -a [alterna'tiβo, a] *adj* alternatif(-ive); (*hojas, ángulo*) alterne
alterno, -a [al'terno, a] *adj* (*días*) tous les deux; (*Elec*) alternatif(-ive); (*Bot, Mat*) alterne
alteza [al'teθa] *nf* altesse *f*; **su A~ Real** Son Altesse Royale
altibajos [alti'βaxos] *nmpl* (*del terreno*) inégalités *fpl*; (*fig*) des hauts et des bas *mpl*
altiplanicie [altipla'niθje] *nf* haut plateau *m*
altiplano [alti'plano] *nm* = **altiplanicie**
altisonante [altiso'nante] *adj* ronflant(e)
altitud [alti'tuð] *nf* altitude *f*; **a una ~ de** à une altitude de
altivez [alti'βeθ] *nf* hauteur *f*, morgue *f*
altivo, -a [al'tiβo, a] *adj* hautain(e), altier(-ière)
alto, -a ['alto, a] *adj* haut(e); (*persona*) grand(e); (*sonido*) aigu(ë); (*precio, ideal, clase*) élevé(e) ■ *nm* haut *m*; (*AM*) tas *msg*; (*Mús*) alto *m* ■ *adv* haut; (*río*) en crue ■ *excl* halte!; **la pared tiene 2 metros de ~** le mur fait 2 mètres de haut; **alta costura** haute couture; **alta fidelidad/frecuencia** haute fidélité/fréquence; **en alta mar** en haute mer; **alta tensión** haute tension; **en voz alta** à voix haute; **a altas horas de la noche** à une heure avancée de la nuit; **en lo ~ de** en haut de, tout en haut de; **hacer un ~** faire une halte; **pasar por ~** passer outre; **por todo lo ~** sur un grand pied; **poner la radio más ~** mettre la radio plus fort; **¡más ~, por favor!** plus fort, s'il vous plaît!; **declarar/respetar el ~ el fuego** déclarer/observer le cessez-le-feu; **dar el ~** crier "Halte-là!"
altoparlante [altopar'lante] (*AM*) *nm* haut-parleur *m*
altruismo [al'truismo] *nm* altruisme *m*
altura [al'tura] *nf* hauteur *f*; (*de persona*) taille *f*; (*altitud*) altitude *f*; **alturas** *nfpl* hauteurs *fpl*; **la pared tiene 1.80 de ~** le mur fait 1 mètre 80 de hauteur *o* de haut; **a estas ~s del año** à cette époque de l'année; **estar a la ~ de las circunstancias** être à la hauteur des circonstances; **ha sido un partido de gran ~** cela a été un grand match; **a estas ~s** à l'heure qu'il est
alubias [a'luβjas] *nfpl* haricots *mpl*
alucinación [aluθina'θjon] *nf* hallucination *f*
alucinar [aluθi'nar] *vi* avoir des hallucinations ■ *vt* halluciner
alud [a'luð] *nm* avalanche *f*
aludir [alu'ðir] *vi*: **~ a** faire allusion à; **darse por aludido** se sentir visé
alumbrado [alum'braðo] *nm* éclairage *m*
alumbramiento [alumbra'mjento] *nm* accouchement *m*
alumbrar [alum'brar] *vt* éclairer; (*Med*) accoucher de ■ *vi* éclairer
aluminio [alu'minjo] *nm* aluminium *m*
alumno, -a [a'lumno, a] *nm/f* élève *m/f*
alunizar [aluni'θar] *vi* alunir
alusión [alu'sjon] *nf* allusion *f*; **hacer ~ a** faire allusion à
aluvión [alu'βjon] *nm* (*de agua*) inondation *f*; (*de gente, noticias*) déluge *m*; **~ de improperios** torrent *m* d'injures
alverja [al'verxa] (*AM*) *nf* pois *msg* de senteur
alza ['alθa] *nf* hausse *f*; **estar en ~** (*precio*) être en hausse; (*estimación*) être bien coté(e); **jugar al ~** jouer à la hausse; **cotizarse en ~** être coté(e) à la hausse;

~ telescópica hausse télescopique; **~s fijas/graduables** hausses fixes/ graduées
alzada [al'θaða] *nf* (*de caballos*) hauteur *f* au garrot; **recurso de ~** (*Jur*) recours *msg* hiérarchique
alzamiento [alθa'mjento] *nm* (*rebelión*) soulèvement *m*; (*de precios*) relèvement *m*; (*de muro*) élévation *f*; (*en subasta*) surenchère *f*
alzar [al'θar] *vt* (*tb castigo*) lever; (*precio, muro, monumento*) élever; (*cuello de abrigo*) relever; (*poner derecho*) redresser; (*Agr*) rentrer; (*Tip*) assembler; **alzarse** *vpr* s'élever; (*rebelarse*) se soulever; (*Com*) faire banqueroute; (*Jur*) interjeter appel; **~ la voz** élever la voix; **~se con el premio** remporter le gros lot; **~se en armas** prendre les armes
ama ['ama] *nf* maîtresse *f* (de maison), propriétaire *f*; (*criada*) gouvernante *f*; (*madre adoptiva*) mère *f* adoptive; **~ de casa** ménagère *f*; **~ de cría** *o* **leche** nourrice *f*; **~ de llaves** gouvernante
amabilidad [amaβili'ðað] *nf* amabilité *f*
amable [a'maβle] *adj* aimable; **es Ud muy ~** c'est très aimable à vous
amaestrado, -a [amaes'traðo, a] *adj* dressé(e)
amaestrar [amaes'trar] *vt* dresser
amago [a'maɣo] *nm* menace *f*; (*gesto*) ébauche *f*, commencement *m*; (*Med*) symptôme *m*; **hizo un ~ de levantarse** il commença à se lever
amainar [amai'nar] *vt* (*Náut*) amener ■ *vi* tomber
amalgama [amal'ɣama] *nf* amalgame *m*
amalgamar [amalɣa'mar] *vt* amalgamer
amamantar [amaman'tar] *vt* allaiter, donner le sein à
amanecer [amane'θer] *vi*: **amanece** le jour se lève ■ *nm* lever *m* du jour; **el niño amaneció con fiebre** l'enfant s'est réveillé avec de la fièvre; **amanecimos en Lugo** à l'aube nous sommes arrivés à Lugo
amanerado, -a [amane'raðo, a] *adj* maniéré(e); (*lenguaje*) affecté(e)
amansar [aman'sar] *vt* apprivoiser; (*persona*) amadouer; **amansarse** *vpr* (*persona*) s'amadouer; (*aguas, olas*) s'apaiser
amante [a'mante] *adj*: **~ de** amoureux(-euse) de ■ *nm/f* amant (maîtresse)
amapola [ama'pola] *nf* coquelicot *m*
amar [a'mar] *vt* aimer
amargado, -a [amar'ɣaðo, a] *adj* amer(-ère), aigri(e)
amargar [amar'ɣar] *vt* (*comida*) rendre amer(-ère); (*fig: estropear*) gâcher ■ *vi* (*naranja*) se gâter; **amargarse** *vpr* s'aigrir; **~ la vida a algn** empoisonner la vie de qn
amargo, -a [a'marɣo, a] *adj* amer(-ère)
amargura [amar'ɣura] *nf* (*tristeza*) chagrin *m*; (*amargor*) amertume *f*
amarillento, -a [amari'ʎento, a] *adj* jaunâtre; (*tez*) jaune
amarillo, -a [ama'riʎo, a] *adj* (*color*) jaune ■ *nm* jaune *m*; **la prensa amarilla** la presse à sensation
amarra [a'marra] *nf* amarre *f*; **amarras** *nfpl* piston *msg*; **tener buenas ~s** être pistonné(e); **soltar ~s** larguer les amarres
amarrar [ama'rrar] *vt* (*Náut*) amarrer; (*atar*) ficeler, ligoter
amasar [ama'sar] *vt* (*masa*) pétrir; (*yeso, mortero*) gâcher; (*fig*) tramer; **~ una fortuna** amasser une fortune
amasijo [ama'sixo] *nm* (*fig*) ramassis *msg*; (*Culin*) pétrissage *m*
amateur ['amatur] *nm/f* amateur *m*
amazona [ama'θona] *nf* amazone *f*, cavalière *f*
Amazonas [ama'θonas] *nm*: **el (Río) ~** l'Amazone *f*
ambages [am'baxes] *nmpl*: **sin ~** sans ambages
ámbar ['ambar] *nm* ambre *m* (jaune)
ambición [ambi'θjon] *nf* ambition *f*
ambicionar [ambiθjo'nar] *vt* ambitionner; **~ hacer** ambitionner de faire
ambicioso, -a [ambi'θjoso, a] *adj* ambitieux(-ieuse)
ambidextro, -a [ambi'ðekstro, a] *adj* ambidextre
ambientación [ambjenta'θjon] *nf* (*Cine, Teatro, TV*) cadre *m*
ambiente [am'bjente] *nm* (*atmósfera, tb fig*) atmosphère *f*; (*entorno*) air *m* ambiant, milieu *m*
ambigüedad [ambiɣwe'ðað] *nf* ambiguïté *f*
ambiguo, -a [am'biɣwo, a] *adj* ambigu(ë)
ámbito ['ambito] *nm* domaine *m*; (*fig*) cercle *m*
ambos, -as ['ambos, as] *adj pl* les deux ■ *pron pl* tous (toutes) les deux
ambulancia [ambu'lanθja] *nf* ambulance *f*

ambulante [ambu'lante] *adj* ambulant(e)
ambulatorio [ambula'torio] *nm* dispensaire *m*
amedrentar [ameðren'tar] *vt* effrayer; **amedrentarse** *vpr* s'effrayer
amén [a'men] *excl* amen!; **~ de** outre; **en un decir ~** en un clin d'œil; **decir ~ a todo** dire amen à tout
amenaza [ame'naθa] *nf* menace *f*
amenazar [amena'θar] *vt* menacer; **~ con (hacer)** menacer de (faire); **~ de muerte** menacer de mort
amenidad [ameni'ðað] *nf* aménité *f*
ameno, -a [a'meno, a] *adj* amène
América [a'merika] *nf* Amérique *f*; **~ Central/Latina** Amérique centrale/latine; **~ del Norte/del Sur** Amérique du Nord/du Sud
americana [ameri'kana] *nf* veste *f*
americano, -a [ameri'kano, a] *adj* américain(e) ■ *nm/f* Américain(e)
ametralladora [ametraʎa'ðora] *nf* mitrailleuse *f*
amianto [a'mjanto] *nm* amiante *m*
amigable [ami'ɣaβle] *adj* amical(e)
amígdala [a'miɣðala] *nf* amygdale *f*
amigdalitis [amiɣða'litis] *nf* amygdalite *f*
amigo, -a [a'miɣo, a] *adj* ami(e) ■ *nm/f* (*gen*) ami(e); (*amante*) petit(e) ami(e); **hacerse ~s** devenir amis; **ser ~ de algo** être un ami de qch; **ser muy ~s** être très amis; **~ corresponsal** correspondant *m*; **~ íntimo** *o* **de confianza** ami intime
amilanar [amila'nar] *vt* effrayer; **amilanarse** *vpr* s'effrayer
aminorar [amino'rar] *vt* (*velocidad etc*) ralentir ■ *vi* (*calor, odio*) diminuer
amistad [amis'tað] *nf* amitié *f*; **amistades** *nfpl* (*amigos*) amis *mpl*; **romper las ~es** se brouiller; **trabar ~ con** se lier d'amitié avec
amistoso, -a [ami'stoso, a] *adj* amical(e)
amnesia [am'nesja] *nf* amnésie *f*
amnistía [amnis'tia] *nf* amnistie *f*
amo ['amo] *nm* (*dueño*) maître *m* (de maison), propriétaire *m*; (*jefe*) patron *m*; **hacerse el ~ (de algo)** prendre la direction (de qch)
amodorrarse [amoðo'rrarse] *vpr* s'assoupir
amoldar [amol'dar] *vt*: **~ a** adapter à; **amoldarse** *vpr*: **~se (a)** (*prenda, zapatos*) prendre la forme (de); **~se a** s'adapter à
amonestación [amonesta'θjon] *nf* admonestation *f*; **amonestaciones** *nfpl* (*Rel*) bans *mpl*
amonestar [amone'star] *vt* admonester; (*Rel*) publier les bans de
amontonar [amonto'nar] *vt* entasser, amonceler; (*riquezas etc*) accumuler, amasser; **amontonarse** *vpr* (*gente*) se masser; (*hojas, nieve etc*) s'entasser; (*trabajo*) s'accumuler
amor [a'mor] *nm* amour *m*; **de mil ~es** très volontiers; **hacer el ~** faire l'amour; (*cortejar*) faire la cour; **tener ~es con algn** avoir une liaison avec qn; **hacer algo por ~ al arte** faire qch pour l'amour de l'art; **¡por (el) ~ de Dios!** pour l'amour de Dieu!; **estar al ~ de la lumbre** être au coin du feu; **~ interesado/libre/platónico** amour intéressé/libre/platonique; **~ a primera vista** coup *m* de foudre; **~ propio** amour-propre *m*
amoratado, -a [amora'taðo, a] *adj* (*por frío*) violacé(e); (*por golpes*) couvert(e) de bleus; **ojo ~** œil *m* au beurre noir
amordazar [amorða'θar] *vt* bâillonner; (*fig*) faire taire
amorfo, -a [a'morfo, a] *adj* amorphe
amoroso, -a [amo'roso, a] *adj* amoureux(-euse); (*carta*) d'amour
amortiguador [amortiɣwa'ðor] *nm* (*dispositivo*) amortisseur *m*; (*parachoques*) pare-chocs *m inv*; (*silenciador*) silencieux *msg*; **amortiguadores** *nmpl* (*Auto*) suspension *fsg*
amortiguar [amorti'ɣwar] *vt* amortir; (*dolor*) atténuer; (*color*) neutraliser; (*luz*) baisser
amortización [amortiθa'θjon] *nf* amortissement *m*
amotinar [amoti'nar] *vt* ameuter; **amotinarse** *vpr* se mutiner
amparar [ampa'rar] *vt* secourir; (*suj*: *ley*) protéger; **ampararse** *vpr* se mettre à l'abri; **~se en** (*ley, costumbre*) se prévaloir de
amparo [am'paro] *nm* protection *f*; **al ~ de** grâce à
amperio [am'perjo] *nm* ampère *m*
ampliación [amplja'θjon] *nf* agrandissement *m*; (*de capital*) augmentation *f*; (*de estudios*) approfondissement *m*; (*cosa añadida*) extension *f*
ampliar [am'pljar] *vt* agrandir; (*estudios*) approfondir; (*sonido*) amplifier
amplificación [amplifika'θjon] *nf* amplification *f*
amplificador [amplifika'ðor] *nm* amplificateur *m*
amplificar [amplifi'kar] *vt* amplifier
amplio, -a ['ampljo, a] *adj* (*habitación*)

vaste; (*ropa, consecuencias*) ample; (*calle*) large
amplitud [ampli'tuð] *nf* étendue *f*; (*Fís*) amplitude *f*; **de gran ~** de grande envergure; **~ de miras** largeur *f* d'esprit
ampolla [am'poʎa] *nf* ampoule *f*
ampuloso, -a [ampu'loso, a] *adj* ampoulé(e)
amputar [ampu'tar] *vt* amputer
amueblar [amwe'βlar] *vt* meubler
amuleto [amu'leto] *nm* amulette *f*
anacronismo [anakro'nismo] *nm* anachronisme *m*
anales [a'nales] *nmpl* annales *fpl*
analfabetismo [analfaβe'tismo] *nm* analphabétisme *m*
analfabeto, -a [analfa'βeto, a] *adj, nm/f* analphabète *m/f*
analgésico [anal'xesiko] *nm* analgésique *m*
análisis [a'nalisis] *nm inv* analyse *f*; **~ clínico** analyse médicale; **~ de costos-beneficios** analyse coûts-avantages; **~ de mercados** étude *f* de marché; **~ de sangre** analyse de sang
analista [ana'lista] *nm/f* analyste *m/f*; **~ de sistemas** (*Inform*) analyste-programmeur *m*
analizar [anali'θar] *vt* analyser
analogía [analo'xia] *nf* analogie *f*; **por ~ con** par analogie avec
analógico, -a [ana'loxico, a] *adj* analogique
análogo, -a [a'naloɣo, a] *adj* analogue; **~ a** analogue à
anaquel [ana'kel] *nm* rayon *m*
anaranjado, -a [anaran'xaðo, a] *adj* orangé(e)
anarquía [anar'kia] *nf* anarchie *f*
anarquismo [anar'kismo] *nm* anarchisme *m*
anarquista [anar'kista] *nm/f* anarchiste *m/f*
anatomía [anato'mia] *nf* anatomie *f*
anca ['anka] *nf* (*de animal*) croupe *f*; **ancas** *nfpl* (*fam*) cuisses *fpl*; **~s de rana** (*Culin*) cuisses de grenouille
ancho, -a ['antʃo, a] *adj* large ■ *nm* largeur *f*; (*Ferro*) écartement *m*; **~ de miras** large d'esprit; **a lo ~** sur toute la largeur; **me está/queda ~ el vestido** je nage dans cette robe; **estar a sus anchas** être à l'aise; **ir muy ~s** prendre de grands airs; **ponerse ~** prendre un air de supériorité; **quedarse tan ~** ne pas se décontenancer; **le viene muy ~ el cargo** il n'est pas à la hauteur pour ce poste
anchoa [an'tʃoa] *nf* anchois *msg*
anchura [an'tʃura] *nf* largeur *f*
anciano, -a [an'θjano, a] *adj* vieux (vieille) ■ *nm/f* personne *f* âgée
ancla ['ankla] *nf* ancre *f*; **echar/levar ~s** jeter/lever l'ancre
anclar [an'klar] *vi* mouiller l'ancre
Andalucía [andalu'θia] *nf* Andalousie *f*
andaluz, a [anda'luθ, a] *adj* andalou(se) ■ *nm/f* Andalou(se)
andamiaje [anda'mjaxw] *nm* échafaudage *m*
andamio [an'damjo] *nm* échafaudage *m*

PALABRA CLAVE

andar [an'dar] *vt* parcourir
■ *vi* 1 (*persona, animal*) marcher; (*coche*) rouler; **andar a caballo/en bicicleta** aller à cheval/à vélo
2 (*funcionar*: *máquina, reloj*) marcher
3 (*estar*) être; **¿qué tal andas?** comment vas-tu?; **andar mal de dinero/de tiempo** être à court d'argent/de temps; **andar haciendo algo** être en train de faire qch; **anda (metido) en asuntos sucios** il est impliqué dans des affaires louches; **siempre andan a gritos** ils sont tout le temps en train de crier; **anda por los cuarenta** il a environ quarante ans; **no sé por dónde anda** je ne sais pas où il est; **anda tras un empleo** il cherche du travail
4 (*revolver*): **no andes ahí/en mi cajón** ne touche pas à ça/à mon tiroir
5 (*obrar*): **andar con cuidado** *o* **con pies de plomo** faire bien attention, regarder où l'on met les pieds
andarse *vpr*: **no te andes en la herida** ne retourne pas le couteau dans la plaie; **andarse con rodeos** *o* **por las ramas** tourner autour du pot; **andarse con historias** raconter des histoires; **todo se andará** chaque chose en son temps
■ *excl*: **¡anda!** (*sorpresa*) eh bien!; (*para animar*) allez!; **¡anda (ya)!** (*incredulidad*) allons donc!
■ *nm*: **~es** démarche *f*

andén [an'den] *nm* quai *m*; (*AM*) trottoir *m*
Andes ['andes] *nmpl*: **los ~** les Andes *fpl*
Andorra [an'dorra] *nf* Andorre *f*
andrajo [an'draxo] *nm* loque *f*, haillon *m*; (*prenda*) guenilles *fpl*; (*persona*) loque *f*
andrajoso, -a [andra'xoso, a] *adj* déguenillé(e), loqueteux(-euse)

anduve *etc* [an'duβe] *vb ver* **andar**
anduviera *etc* [andu'βjera] *vb ver* **andar**
anécdota [a'nekðota] *nf* anecdote *f*
anegar [ane'ɣar] *vt* (*lugar*) inonder; (*ahogar*) noyer; (*fig*): **~ de** écraser de; **anegarse** *vpr* être inondé(e); **~se en llanto** fondre en larmes
anejo, -a [a'nexo, a] *adj, nm* = **anexo**
anemia [a'nemja] *nf* anémie *f*
anestesia [anes'tesja] *nf* anesthésie *f*; **~ general/local** anesthésie générale/ locale
anexar [anek'sar] *vt* annexer; **~ algo a algo** (*Pol*) annexer qch à qch
anexión [anek'sjon] *nf* annexion *f*
anexionamiento [aneksjona'mjento] *nm* = **anexión**
anexo, -a [a'nekso, a] *adj* annexe ■ *nm* annexe *f*; **llevar ~** comprendre
anfibio, -a [an'fiβjo, a] *adj* amphibie ■ *nm* amphibien *m*
anfiteatro [anfite'atro] *nm* amphithéâtre *m*
anfitrión, -ona [anfi'trjon, ona] *nm/f* amphitryon *m*, hôte(sse); **el equipo ~** (*Deporte*) l'équipe qui reçoit
ángel ['anxel] *nm* ange *m*; **tener ~** avoir du charme; **~ de la guarda** ange gardien
angelical [anxeli'kal] *adj* angélique
angélico, -a [an'xeliko, a] *adj* = **angelical**
angina [an'xina] *nf*: **tener ~s** avoir une angine; **~ de pecho** angine *f* de poitrine
anglicano, -a [angli'kano, a] *adj, nm/f* anglican(e)
anglosajón, -ona [anglosa'xon, ona] *adj* anglo-saxon(ne) ■ *nm/f* Anglo-Saxon(ne)
angosto, -a [an'gosto, a] *adj* étroit(e), resserré(e)
anguila [an'gila] *nf* anguille *f*; **anguilas** *nfpl* (*Náut*) savates *fpl*
angulas [an'gulas] *nfpl* civelles *fpl*
ángulo ['angulo] *nm* (*tb fig*) angle *m*; (*rincón*) coin *m*; **~ agudo/obtuso/recto** angle aigu/obtus/droit
angustia [an'gustja] *nf* angoisse *f*; (*agobio*) anxiété *f*
angustiar [angus'tjar] *vt* angoisser; **angustiarse** *vpr* s'angoisser
anhelar [ane'lar] *vt* être avide de; **~ hacer** mourir d'envie de faire
anhelo [a'nelo] *nm* désir *m* ardent
anhídrido [an'iðriðo] *nm*: **~ carbónico** dioxyde *m* de carbone
anidar [ani'ðar] *vt* (*fig*) loger ■ *vi* nicher
anillo [a'niʎo] *nm* bague *f*; **venir como ~ al dedo** venir à point nommé; **~ de boda** alliance *f*; **~ de compromiso** bague de fiançailles
animación [anima'θjon] *nf* animation *f*
animado, -a [ani'maðo, a] *adj* (*vivaz*) plein(e) de vie *o* d'entrain; (*fiesta, conversación*) animé(e); (*alegre*) joyeux(-euse); **dibujos ~s** dessins *mpl* animés
animador, a [anima'ðor, a] *nm/f* (*TV, Deporte*) animateur(-trice); (*persona alegre*) boute-en-train *m inv*; **~ cultural** animateur culturel
animadversión [animaðβer'sjon] *nf* animadversion *f*
animal [ani'mal] *adj* animal(e) ■ *nm* animal *m*; **ser un ~** (*fig*) être un animal
animar [ani'mar] *vt* animer; (*dar ánimo a*) encourager; (*habitación, vestido*) égayer; (*fuego*) ranimer; **animarse** *vpr* s'égayer; **~ a algn a hacer/para que haga** encourager qn à faire; **~se a hacer** se décider à faire
ánimo ['animo] *nm* courage *m*; (*mente*) esprit *m* ■ *excl* courage!; **cobrar ~** reprendre courage; **apaciguar los ~s** calmer les esprits; **dar ~(s) a algn** encourager qn; **tener ~(s) (para)** être d'humeur (à); **con/sin ~ de hacer** avec l'intention/sans intention de faire
animoso, -a [ani'moso, a] *adj* courageux(-euse)
aniquilar [aniki'lar] *vt* anéantir; (*salud*) ruiner
anís [a'nis] *nm* anis *msg*
aniversario [aniβer'sarjo] *nm* anniversaire *m*
anoche [a'notʃe] *adv* hier soir, la nuit dernière; **antes de ~** avant-hier soir
anochecer [anotʃe'θer] *vi* commencer à faire nuit ■ *nm* crépuscule *m*; **al ~** à la tombée de la nuit
anodino, -a [ano'ðino, a] *adj* (*película, novela*) insipide; (*persona*) insignifiant(e)
anomalía [anoma'lia] *nf* anomalie *f*
anonadado, -a [ano'naðaðo, a] *adj* abattu(e)
anonimato [anoni'mato] *nm* anonymat *m*
anónimo, -a [a'nonimo, a] *adj* anonyme ■ *nm* lettre *f* anonyme
anorexia [ano'reksja] *nf* anorexie *f*
anormal [anor'mal] *adj* anormal(e) ■ *nm/f* débile *m/f* mental(e)
anotar [ano'tar] *vt* annoter
anquilosarse [ankilo'sarse] *vpr* s'ankyloser; (*fig*) vieillir
ansia ['ansja] *nf* (*deseo*) avidité *f*; (*ansiedad*) angoisse *f*

ansiar [an'sjar] *vt* être avide de; **~ hacer** brûler de faire
ansiedad [ansje'ðað] *nf* angoisse *f*
ansioso, -a [an'sjoso, a] *adj* (*codicioso*) avide; (*preocupado*) anxieux(-euse); **~ de** *o* **por (hacer)** avide de (faire)
antagónico, -a [anta'ɣoniko, a] *adj* antagonique
antagonista [antaɣo'nista] *nm/f* adversaire *m/f*
antaño [an'taɲo] *adv* jadis, autrefois
Antártico [an'tartiko] *nm*: **el ~** l'Antarctique *m*
ante ['ante] *prep* devant; (*enemigo, peligro, en comparación con*) face à; (*datos, cifras*) en présence de ■ *nm* daim *m*; **~ todo** avant tout
anteanoche [antea'notʃe] *adv* avant-hier soir
anteayer [antea'jer] *adv* avant-hier
antebrazo [ante'βraθo] *nm* avant-bras *m inv*
antecedente [anteθe'ðente] *adj* antérieur(e) ■ *nm* antécédent *m*; **antecedentes** *nmpl* antécédents *mpl*; **no tener ~s** avoir un casier judiciaire vierge; **estar en ~s** être au courant; **poner a algn en ~s** mettre *o* tenir qn au courant; **~s penales** casier *msg* judiciaire
anteceder [anteθe'ðer] *vt*: **~ a** précéder
antecesor, a [anteθe'sor, a] *nm/f* prédécesseur *m*
antedicho, -a [ante'ðitʃo, a] *adj* susdit(e)
antelación [antela'θjon] *nf*: **con ~** à l'avance
antemano [ante'mano]: **de ~** *adv* d'avance
antena [an'tena] *nf* antenne *f*; **~ parabólica** antenne parabolique
anteojo [ante'oxo] *nm* lunette *f*; **anteojos** *nmpl* (*esp AM*) lunettes *fpl*
antepasados [antepa'saðos] *nmpl* ancêtres *mpl*
anteponer [antepo'ner] *vt*: **~ algo a algo** faire passer une chose avant une autre
anteproyecto [antepro'jekto] *nm* avant-projet *m*; (*anteproyecto de ley*) avant-projet de loi
anterior [ante'rjor] *adj*: **~ (a)** (*en orden*) qui précède; (*en el tiempo*) antérieur(e) (à)
anterioridad [anterjori'ðað] *nf*: **con ~ a** préalablement à, avant
antes ['antes] *adv* avant; (*primero*) d'abord; (*con prioridad*) avant tout; (*hace tiempo*) autrefois ■ *prep*: **~ de** (*antiguamente*) avant ■ *conj*: **~ de ir/de que te vayas** avant d'aller/que tu ne partes; **~ bien** plutôt; **~ de nada** avant tout; **dos días ~** deux jours plus tôt; **la tarde de ~** la veille au soir; **no quiso venir ~** il n'a pas voulu venir plus tôt; **mucho ~** longtemps auparavant; **poco ~** peu avant; **~ muerto que esclavo** plutôt la mort que l'esclavage; **tomo el avión ~ que el barco** je préfère l'avion au bateau; **~ que yo** avant moi; **lo ~ posible** au plus tôt; **cuanto ~ mejor** le plus tôt sera le mieux
antiaéreo, -a [antia'ereo, a] *adj* antiaérien(ne)
antibalas [anti'βalas] *adj inv*: **chaleco ~** gilet *m* pare-balles
antibiótico [anti'βjotiko] *nm* antibiotique *m*
anticiclón [antiθi'klon] *nm* anticyclone *m*
anticipación [antiθipa'θjon] *nf*: **con 10 minutos de ~** avec 10 minutes d'avance; **hacer algo con ~** faire qch à l'avance
anticipado, -a [antiθi'paðo, a] *adj* anticipé(e); **por ~** d'avance, par anticipation
anticipar [antiθi'par] *vt* anticiper; **anticiparse** *vpr* (*estación*) être en avance; **~se (a)** (*adelantarse*) devancer; (*prever*) prévenir; **~se a su época** être en avance sur son temps
anticipo [anti'θipo] *nm* avance *f*; **ser un ~ de** être un avant-goût de
anticonceptivo, -a [antikonθep'tiβo, a] *adj* contraceptif(-ive) ■ *nm* contraceptif *m*; **métodos ~s** méthodes *fpl* contraceptives
anticongelante [antikonxe'lante] *nm* (*Auto*) antigel *m*
anticuado, -a [anti'kwaðo, a] *adj* (*ropa, estilo*) démodé(e); (*modelo, máquina, término*) vieillot(te), vieux (vieille)
anticuario [anti'kwarjo] *nm* antiquaire *m/f*
anticuerpo [anti'kwerpo] *nm* anticorps *msg*
antidepresivo [antiðpre'siβo] *nm* antidépresseur *m*
antídoto [an'tiðoto] *nm* antidote *m*; (*fig*): **ser el ~ de** *o* **contra** être l'antidote contre
antiestético, -a [anties'tetiko, a] *adj* inesthétique
antifaz [anti'faθ] *nm* masque *m*
antiglobalización [antigloβa'pθa'θjon] *nf* antimondialisation *f*
antiglobalizador, a [antigloβaliða'ðor] *adj, nm/f* altermondialiste *m/f*

antigualla [anti'ɣwaʎa] *nf* (*pey: objeto*) antiquité *f*; **antiguallas** *nfpl* vieilleries *fpl*
antiguamente [an'tiɣwamente] *adv* autrefois, jadis
antigüedad [antiɣwe'ðað] *nf* antiquité *f*; (*en empleo*) ancienneté *f*; **antigüedades** *nfpl* antiquités *fpl*
antiguo, -a [an'tiɣwo, a] *adj* ancien(ne), vieux (vieille) ■ *nm*: **los ~s** les Anciens *mpl*; **a la antigua** à l'ancienne
Antillas [an'tiʎas] *nfpl*: **las ~** les Antilles *fpl*; **el mar de las ~** la mer des Antilles
antílope [an'tilope] *nm* antilope *f*
antinatural [antinatu'ral] *adj* anormal(e); (*perverso*) contre nature; (*afectado*) forcé(e)
antipatía [antipa'tia] *nf* antipathie *f*; (*a cosa*) répugnance *f*
antipático, -a [anti'patiko, a] *adj* antipathique; (*gesto etc*) déplaisant(e)
antirrobo [anti'rroβo] *adj inv* antivol
antisemita [antise'mita] *adj, nm/f* antisémite *m/f*
antiséptico, -a [anti'septiko, a] *adj* antiseptique ■ *nm* antiseptique *m*
antítesis [an'titesis] *nf inv*: **ser la ~ de** être l'antithèse de
antivirus [anti'birus] *nm inv* (*Inform*) antivirus program, antivirus *m*
antojadizo, -a [antoxa'ðiθo, a] *adj* capricieux(-ieuse)
antojarse [anto'xarse] *vpr*: **se me antoja comprarlo** j'ai envie de me l'acheter; **se me antoja que** j'imagine que
antojo [an'toxo] *nm* caprice *m*, lubie *f*; (*Anat, de embarazada, lunar*) envie *f*; **hacer algo a su ~** faire qch à sa guise
antología [antolo'xia] *nf* anthologie *f*
antorcha [an'tortʃa] *nf* torche *f*
antro ['antro] *nm* (*fig*) antre *m*; **~ de perdición** (*fig*) lieu *m* de perdition
antropófago, -a [antro'pofaɣo, a] *adj, nm/f* anthropophage *m/f*
antropología [antropolo'xia] *nf* anthropologie *f*
anual [a'nwal] *adj* annuel(le)
anuario [a'nwarjo] *nm* annuaire *m*
anudar [anu'ðar] *vt* nouer; **anudarse** *vpr* s'emmêler; **se me anudó la voz/la garganta** j'eus la gorge serrée
anulación [anula'θjon] *nf* annulation *f*; (*ley*) abrogation *f*; (*persona*) annihilation *f*
anular [anu'lar] *vt* annuler; (*ley*) abroger; (*persona*) annihiler ■ *nm* (*tb*: **dedo anular**) annulaire *m*; **anularse** *vpr* (*Mat*) s'annuler
anunciación [anunθja'θjon] *nf* (*Rel*): **la A~** l'Annonciation *f*
anunciante [anun'θjante] *nm/f* (*Com*) annonceur *m* (publicitaire) ■ *adj*: **empresa ~** annonceur
anunciar [anun'θjar] *vt* annoncer; (*Com*) faire de la publicité pour
anuncio [a'nunθjo] *nm* annonce *f*; (*pronóstico*) signe *m*; (*Com*) publicité *f*; (*cartel*) panneau *m* publicitaire; (*Teatro, Cine*) affiche *f*; (*señal*) pancarte *f*; **~s por palabras** petites annonces *fpl*
anzuelo [an'θwelo] *nm* hameçon *m*; (*fig*) appât *m*; **caer en el ~** tomber dans le piège; **tragarse el ~** mordre à l'hameçon
añadidura [aɲaði'ðura] *nf* ajout *m*; (*vestido*) rallonge *f*; **por ~** par surcroît
añadir [aɲa'ðir] *vt* ajouter; (*prenda*) rallonger
añejo, -a [a'ɲexo, a] *adj* (*vino*) vieux (vieille); (*pey: tocino, jamón*) rance
añicos [a'ɲikos] *nmpl* morceaux *mpl*; **hacer ~** (*cosa*) mettre en morceaux; **hacerse ~** briser en mille morceaux; (*cristal*) voler en éclats
añil [a'ɲil] *nm* indigo *m*
año ['aɲo] *nm* an *m*; (*duración*) année *f*; **el ~ que viene** l'année prochaine, l'an prochain; **los ~s 80** les années 80; **¡Feliz A~ Nuevo!** Bonne et heureuse année!; **en el ~ de la nana** il y a des siècles; **entrado en ~s** d'un certain âge; **estar de buen ~** être en pleine forme; **hace ~s** il y a des années; **tener 15 ~s** avoir 15 ans; **~ académico** *o* **escolar/bisiesto/sabático** année scolaire *o* universitaire/bissextile/sabbatique; **~ económico** *o* **fiscal** exercice *m* financier; **~ entrante** année qui commence
año-luz [aɲo'luθ] (*pl* **años-luz**) année-lumière *f*
añoranza [aɲo'ranθa] *nf* nostalgie *f*
apabullar [apaβu'ʎar] *vt* sidérer
apacentar [apaθen'tar] *vt* faire paître
apacible [apa'θiβle] *adj* paisible; (*clima*) doux (douce); (*lluvia*) fin(e)
apaciguar [apaθi'ɣwar] *vt* apaiser, calmer; **apaciguarse** *vpr* s'apaiser, se calmer
apadrinar [apaðri'nar] *vt* (*Rel*) être le parrain de; (*fig*) parrainer
apagado, -a [apa'ɣaðo, a] *adj* éteint(e); (*color*) terne; (*sonido*) étouffé(e); (*tímido*) effacé(e); **estar ~** être éteint
apagar [apa'ɣar] *vt* éteindre; (*sonido*) étouffer; (*sed*) étancher; (*Inform*) débrancher; **apagarse** *vpr* s'éteindre; (*sonido*) se perdre; **~ el sistema** (*Inform*) sortir du système

apagón [apa'ɣon] *nm* panne *f*
apalabrar [apala'βrar] *vt* (*persona*) engager; (*piso*) convenir (verbalement) de
apalear [apale'ar] *vt* rosser; (*fruta*) gauler; (*grano*) éventer
apañar [apa'ɲar] (*fam*) *vt* (*arreglar*) rafistoler; (*vestido*) raccommoder; (*robar*) piquer; **apañarse** *vpr*: **~se (con)** se débrouiller (avec); **~se** *o* **apañárselas (para hacer)** se débrouiller (pour faire); **apañárselas por su cuenta** se débrouiller tout(e) seul(e)
aparador [apara'ðor] *nm* buffet *m*; (*escaparate*) vitrine *f*
aparato [apa'rato] *nm* appareil *m*; (*Radio, TV*) poste *m*; (*boato*) apparat *m*; **aparatos** *nmpl* (*gimnasia*) agrès *mpl*; **~ circulatorio/digestivo/respiratorio** appareil circulatoire/digestif/ respiratoire; **~ de facsímil** télécopieur *m*; **~s de mando** (*Aviat etc*) commandes *fpl*
aparatoso, -a [apara'toso, a] *adj* spectaculaire
aparcamiento [aparka'mjento] *nm* (*lugar*) parking *m*; (*maniobra*) stationnement *m*
aparcar [apar'kar] *vt* garer ▪ *vi* se garer
aparearse [apare'arse] *vpr* s'apparier
aparecer [apare'θer] *vi* apparaître; (*publicarse*) paraître; (*ser encontrado*) être trouvé(e); **aparecerse** *vpr* apparaître; **apareció borracho** il est revenu soûl
aparejado, -a [apare'xaðo, a] *adj*: **llevar** *o* **traer ~** entraîner; **ir ~ con** aller de pair avec
aparejador, a [aparexa'ðor, a] *nm/f* (*Arq*) *aide-architecte*
aparejo [apa'rexo] *nm* (*de pesca*) matériel *m* (de pêche); (*de caballería*) harnachement *m*; (*Náut*) gréement *m*; (*de poleas*) moufle *f*; **aparejos** *nmpl* matériel *msg*
aparentar [aparen'tar] *vt* (*edad*) faire ▪ *vi* se faire remarquer; **~ hacer** faire semblant de faire; **~ tristeza** faire semblant d'être triste
aparente [apa'rente] *adj* apparent(e); (*fam: atractivo*) attrayant(e)
aparezca *etc* [apa'reθka] *vb ver* **aparecer**
aparición [apari'θjon] *nf* apparition *f*; (*de libro*) parution *f*
apariencia [apa'rjenθja] *nf* apparence *f*; **apariencias** *nfpl* (*aspecto*) apparences *fpl*; **en ~** en apparence; **tener (la) ~ de** avoir l'apparence de; **guardar las ~s** sauver les apparences
apartado, -a [apar'taðo, a] *adj* (*lugar*) éloigné(e); (*aislado: persona*) à l'écart ▪ *nm* paragraphe *m*, alinéa *m*; **~ (de correos)** boîte *f* postale
apartamento [aparta'mento] *nm* studio *m*
apartar [apar'tar] *vt* écarter; (*quitar*) retirer; (*comida, dinero*) mettre de côté; **apartarse** *vpr* s'écarter; **~ a algn de** écarter qn de; (*de estudios, vicio*) détourner qn de; **~se de** s'éloigner de, se retirer de; (*de creencia, partido*) prendre ses distances vis-à-vis de; **¡aparta!** ôte-toi de là!
aparte [a'parte] *adv* (*en otro sitio*) de côté; (*en sitio retirado*) à l'écart; (*además*) en outre ▪ *prep*: **~ de** à part ▪ *nm* aparté *m*; (*tipográfico*) paragraphe *m* ▪ *adj* à part; **~ de que** sans compter que, en plus du fait que; **"punto y ~"** "point à la ligne"; **dejar ~** laisser de côté
aparthotel [aparto'tel] *nm* résidence *f* hôtelière
apasionado, -a [apasjo'naðo, a] *adj* passionné(e); (*pey: persona*) partial(e); **~ de/por** passionné(e) de/par
apasionar [apasjo'nar] *vt*: **le apasiona el fútbol** c'est un passionné de football; **apasionarse** *vpr* se passionner; **~se por** se passionner pour; (*persona*) être passionnément amoureux(-euse) de; (*deporte, política*) être mordu(e) de
apatía [apa'tia] *nf* indolence *f*
apático, -a [a'patiko, a] *adj* apathique
Apdo. *abr* (= *Apartado (de Correos)*) B.P. (= *boîte postale*)
apeadero [apea'ðero] *nm* (*Ferro*) halte *f*; (*alojamiento*) pied-à-terre *m inv*
apearse [ape'arse] *vpr*: **~ (de)** descendre (de)
apechugar [apetʃu'ɣar] *vi*: **~ con algo** se coltiner qch
apedrear [apeðre'ar] *vt* lapider
apegarse [ape'ɣarse] *vpr*: **~ a** (*a persona*) s'attacher à; (*a cargo*) prendre à cœur
apego [a'peɣo] *nm*: **~ a/por** (*persona*) attachement *m* à/pour; (*cargo*) intérêt *m* pour; (*objeto*) attachement à
apelación [apela'θjon] *nf* appel *m*; **interponer/presentar ~** faire/interjeter appel
apelar [ape'lar] *vi*: **~ (contra)** (*Jur*) faire appel (de); **~ a** faire appel à; (*justicia*) avoir recours à
apellidarse [apeʎi'ðarse] *vpr*: **se apellida Pérez** il s'appelle Pérez
apellido [ape'ʎiðo] *nm* nom *m* de famille

APELLIDO

Dans les pays de langue espagnole, on porte le plus souvent deux *apellidos* : le premier correspond au premier nom de famille du père, et le second au premier nom de famille de la mère. Ainsi, les enfants de Juan García López et Carmen Pérez Rodríguez s'appelleraient García Pérez. Les femmes mariées conservent leur(s) propre(s) nom(s) de famille et ajoutent parfois au leur le premier nom de leur mari. Dans notre exemple, la mère pourrait s'appeler Carmen Pérez de García, ou encore (la) Señora de García. En Amérique latine, la coutume veut que, dans la correspondance, le second nom de famille soit réduit à une initiale (p.ex. Juan García L.).

apelmazarse [apelma'θarse] *vpr* (*masa*) se tasser; (*arroz*) se coller; (*prenda*) rétrécir
apenar [ape'nar] *vt* peiner, faire de la peine à; (*AM*: *avergonzar*) faire honte à; **apenarse** *vpr* avoir de la peine; (*AM*) avoir honte
apenas [a'penas] *adv* à peine, presque pas ▪ *conj* dès que; **~ si podía levantarse** c'est à peine s'il pouvait se lever
apéndice [a'pendiθe] *nm* appendice *m*
apendicitis [apendi'θitis] *nf* appendicite *f*
aperitivo [aperi'tiβo] *nm* apéritif *m*
aperos [a'peros] *nmpl* (*utensilios*) matériel *msg*; (*Agr*) matériel agricole
apertura [aper'tura] *nf* ouverture *f*; (*de curso*) rentrée *f* (des classes); (*de parlamento*) rentrée parlementaire; **~ de un juicio hipotecario** (*Com*) ouverture d'un jugement hypothécaire; **~ centralizada** (*Auto*) verrouillage *m* centralisé (des portières)
apesadumbrar [apesaðum'brar] *vt* attrister; **apesadumbrarse** *vpr*: **~se (con** *o* **por)** s'affliger (de)
apestar [apes'tar] *vt* empester ▪ *vi*: **~ (a)** empester; **estar apestado de** être infesté de
apetecer [apete'θer] *vt*: **¿te apetece una tortilla?** as-tu envie d'une omelette?
apetecible [apete'θiβle] *adj* appétissant(e); (*olor*) agréable; (*objeto*) séduisant(e)
apetito [ape'tito] *nm* (*tb fig*) appétit *m*; **despertar** *o* **abrir el ~** réveiller *o* ouvrir l'appétit, mettre en appétit
apetitoso, -a [apeti'toso, a] *adj* alléchant(e)
apiadarse [apja'ðarse] *vpr*: **~ de** s'apitoyer sur
ápice ['apiθe] *nm* (*fig*) summum *m*; **ni un ~** pas le moins du monde; **no ceder un ~** ne pas céder d'un pouce
apilar [api'lar] *vt* empiler; **apilarse** *vpr* s'empiler
apiñarse [api'ɲarse] *vpr* se presser
apio ['apjo] *nm* céleri *m*
apisonadora [apisona'ðora] *nf* rouleau *m* compresseur
aplacar [apla'kar] *vt* apaiser; (*sed*) étancher; (*entusiasmo*) refroidir; **aplacarse** *vpr* s'apaiser; (*entusiasmo*) se refroidir
aplanar [apla'nar] *vt* aplanir; **aplanarse** *vpr* s'effondrer
aplastante [aplas'tante] *adj* écrasant(e)
aplastar [aplas'tar] *vt* écraser
aplatanarse [aplata'narse] (*fam*) *vpr* se ramollir
aplaudir [aplau'ðir] *vt, vi* applaudir
aplauso [a'plauso] *nm* applaudissement *m*; (*fig*) éloge *m*
aplazamiento [aplaθa'mjento] *nm* ajournement *m*
aplazar [apla'θar] *vt* (*reunión*) ajourner
aplicación [aplika'θjon] *nf* application *f*; **aplicaciones** *nfpl* applications *fpl*; **aplicaciones de gestión** gestion *f*
aplicado, -a [apli'kaðo, a] *adj* appliqué(e), studieux(-euse)
aplicar [apli'kar] *vt* mettre en pratique; (*ley, norma*) appliquer; **aplicarse** *vpr* s'appliquer; **~ (a)** appliquer (à); **~ el oído a una puerta** écouter à une porte
aplique [a'plike] *vb ver* **aplicar** ▪ *nm* applique *f*
aplomo [a'plomo] *nm* aplomb *m*
apocado, -a [apo'kaðo, a] *adj* timoré(e)
apoderado [apoðe'raðo] *nm* (*Jur, Com*) mandataire *m*, fondé *m* de pouvoir
apoderarse [apoðe'rarse] *vpr*: **~ de** s'emparer de, s'approprier
apodo [a'poðo] *nm* surnom *m*
apogeo [apo'xeo] *nm* apogée *m*
apolillarse [apoli'ʎarse] *vpr* (*ropa*) être mangé(e) par les mites; (*madera*) être vermoulu(e); (*fig*) se rouiller
apoltronarse [apoltro'narse] *vpr* se prélasser
apoplejía [apople'xia] *nf* apoplexie *f*
aporrear [aporre'ar] *vt* cogner sur

aportar [apor'tar] *vt* (*datos*) fournir; (*dinero*) apporter ■ *vi* (*Náut*) aborder; **aportarse** *vpr* (*AM*) arriver
aposento [apo'sento] *nm* appartement *m*
aposta [a'posta] *adv* à dessein, exprès
apostar [apos'tar] *vt* (*dinero*) parier; (*tropas*) poster ■ *vi* parier; **apostarse** *vpr* se poster; **¿qué te apuestas a que ...?** on parie combien que ...?
apóstol [a'postol] *nm* apôtre *m*
apóstrofo [a'postrofo] *nm* apostrophe *f*
apoyar [apo'jar] *vt* (*tb fig*) appuyer; **apoyarse** *vpr*: **~se en** (*tb fig*) s'appuyer *o* reposer sur; **~ algo en/contra** appuyer qch sur/contre
apoyo [a'pojo] *nm* appui *m*; (*fundamento*) fondement *m*
apreciable [apre'θjaβle] *adj* appréciable
apreciar [apre'θjar] *vt* apprécier
aprecio [a'preθjo] *nm* estime *f*; (*Com*) estimation *f*; **tener ~ a/sentir ~ por** avoir/ressentir de l'estime pour
aprehender [apreen'der] *vt* (*armas, drogas*) saisir; (*persona*) appréhender
apremiante [apre'mjante] *adj* pressant(e)
apremiar [apre'mjar] *vt, vi* presser; **apremiaba conseguirlo** il était urgent d'y parvenir; **~ a algn a hacer/para que haga** presser qn de faire
aprender [apren'der] *vt, vi* apprendre; **aprenderse** *vpr*: **~se algo** apprendre qch; **~ a conducir** apprendre à conduire; **~ de memoria/de carretilla** apprendre par cœur; **para que aprendas** ça t'apprendra
aprendiz, a [apren'diθ, a] *nm/f* apprenti(e); (*recadero*) galopin *m*
aprendizaje [aprendi'θaxe] *nm* apprentissage *m*
aprensión [apren'sjon] *nm* appréhension *f*; **aprensiones** *nfpl* appréhensions *fpl*; **dar ~ (hacer)** avoir des scrupules (à faire)
aprensivo, -a [apren'siβo, a] *adj* appréhensif(-ive), méfiant(e)
apresar [apre'sar] *vt* (*delincuente*) incarcérer; (*contrabando*) saisir; (*soldado*) mettre aux arrêts
apresurado, -a [apresu'raðo, a] *adj* (*decisión*) hâtif(-ive); (*persona*) pressé(e)
apresurar [apresu'rar] *vt* hâter, presser; **apresurarse** *vpr* se presser; **~se (a hacer)** se hâter (de faire); **me apresuré a sugerir que ...** je me suis empressé de suggérer que ...
apretado, -a [apre'taðo, a] *adj* serré(e); (*estrecho de espacio*) à l'étroit; (*programa*) chargé(e); **íbamos muy ~s en el autobús** nous étions à l'étroit dans l'autobus; **vivir ~** vivre à l'étroit
apretar [apre'tar] *vt* serrer; (*labios*) pincer; (*gatillo, botón*) appuyer sur ■ *vi* (*calor etc*) redoubler; (*zapatos, ropa*) serrer, être trop juste; **apretarse** *vpr* se serrer; **~ la mano a algn** serrer la main à qn; **~ el paso** presser le pas; **la apretó contra su pecho** il la serra contre lui; **~se el cinturón** (*fig*) se serrer la ceinture
apretón [apre'ton] *nm*: **~ de manos** poignée *f* de main; **apretones** *nmpl* cohue *fsg*
aprieto [a'prjeto] *vb ver* **apretar** ■ *nm* gêne *f*, embarras *msg*; **estar en un ~** être dans l'embarras; **estar en ~s** traverser des moments difficiles; **ayudar a algn a salir de un ~** aider qn à se tirer d'embarras
aprisa [a'prisa] *adv* vite
aprisionar [aprisjo'nar] *vt* (*poner en prisión*) emprisonner; (*sujetar*) serrer
aprobación [aproβa'θjon] *nf* approbation *f*; **dar su ~** donner son approbation
aprobar [apro'βar] *vt* (*decisión*) approuver; (*examen, materia*) être reçu(e) à ■ *vi* (*en examen*) réussir; **~ por mayoría/por unanimidad** approuver à la majorité/à l'unanimité; **~ por los pelos** réussir de justesse
apropiación [apropja'θjon] *nf* appropriation *f*
apropiado, -a [apro'pjaðo, a] *adj* approprié(e)
apropiarse [apro'pjarse] *vpr*: **~ de** s'approprier, s'emparer de
aprovechado, -a [aproβe'tʃaðo, a] *adj* (*estudiante*) appliqué(e); (*económico*) économe; (*día, viaje*) bien employé(e) ■ *nm/f* (*pey: persona*) profiteur(-euse)
aprovechamiento [aproβetʃa'mjento] *nm* exploitation *f*, utilisation *f*; (*académico*) progrès *mpl*
aprovechar [aproβe'tʃar] *vt* profiter de; (*tela, comida, ventaja*) tirer profit de ■ *vi* progresser; **aprovecharse** *vpr*: **~se de** (*pey*) profiter de; **¡que aproveche!** bon appétit!; **~ la ocasión para hacer** profiter de l'occasion pour faire
aproximación [aproksima'θjon] *nf* rapprochement *m*; (*de lotería*) lot *m* de consolation; **con ~** par approximation
aproximado, -a [aproksi'maðo, a] *adj* approximatif(-ive)
aproximarse [aproksi'marse] *vpr* (s')approcher

apruebe *etc* [a'prweβe] *vb ver* **aprobar**
aptitud [apti'tuð] *nf*: **~ (para)** aptitude *f* (pour), dispositions *fpl* (pour); **~ para los negocios** dispositions pour les affaires
apto, -a ['apto, a] *adj*: **~ (para)** apte (à), capable (de); (*apropiado*) qui convient (à) ■ *nm* (*Escol*) mention *f* "passable"; **~/no ~ para menores** (*Cine*) convient/interdit aux moins de 18 ans
apuesta [a'pwesta] *nf* pari *m*
apuntador [apunta'ðor] *nm* (*Teatro*) souffleur *m*
apuntalar [apunta'lar] *vt* étayer
apuntar [apun'tar] *vt* (*con arma*) viser; (*con dedo*) montrer *o* désigner du doigt; (*datos*) noter; (*Teatro*) souffler; (*posibilidad*) émettre; (*persona*: *en examen*) noter; **apuntarse** *vpr* (*tanto, victoria*) remporter; (*en lista, registro*) s'inscrire; **~ una cantidad en la cuenta de algn** mettre *o* verser une somme sur le compte de qn; **~se en un curso** s'inscrire à un cours; **¡yo me apunto!** je marche!
apunte [a'punte] *nm* croquis *msg*; (*Teatro*: *voz*) voix *fsg* du souffleur; (: *texto*) texte *m* du souffleur; **apuntes** *nmpl* (*Escol*) notes *fpl*; **tomar ~s** prendre des notes
apuñalar [apuɲa'lar] *vt* poignarder
apurado, -a [apu'raðo, a] *adj* (*necesitado*) dans la gêne; (*situación*) difficile, délicat(e); (*AM*: *con prisa*) pressé(e); **estar en una situación apurada** traverser un moment difficile, être dans une situation critique; **estar ~** (*avergonzado*) être embarrassé(e); (*en peligro*) être en mauvaise posture
apurar [apu'rar] *vt* (*bebida, cigarrillo*) finir; (*recursos*) épuiser; (*persona*: *agobiar*) mettre à bout; (: *causar vergüenza a*) mettre dans l'embarras; (: *apresurar*) presser; **apurarse** *vpr* s'inquiéter; (*esp AM*: *darse prisa*) se dépêcher; **no se apure Ud** ne vous inquiétez pas
apuro [a'puro] *nm* (*aprieto, vergüenza*) gêne *f*, embarras *msg*; (*penalidad*) affliction *f*; (*AM*: *prisa*) hâte *f*; **estar en ~s** (*dificultades*) avoir des ennuis; (*falta de dinero*) être dans la gêne; **poner a algn en un ~** mettre qn dans l'embarras
aquejado, -a [ake'xaðo, a] *adj*: **~ de** (*Med*) atteint(e) de
aquel, aquella [a'kel, a'keʎa] (*mpl* **~los**, *fpl* **~las**) [a'keʎos, as] *adj* ce (cette); (*pl*) ces
aquél, aquélla [a'kel, a'keʎa] (*mpl* **~los**, *fpl* **~las**) [a'keʎos, as] *pron* celui-là (celle-là); (*pl*) ceux-là (celles-là)
aquello [a'keʎo] *pron* cela; **~ que hay allí** ce qu'il y a là-bas
aquí [a'ki] *adv* ici; (*entonces*) alors; **~ abajo/arriba** en bas/là-haut; **~ mismo** ici même; **~ yace** ci-gît; **de ~ en adelante** désormais; **de ~ a poco** d'ici peu; **de ~ a siete días** d'ici sept jours; **de ~ que ...** de là que ...; **hasta ~** jusqu'ici; **por ~** par ici
aquietar [akje'tar] *vt* apaiser
ara ['ara] *nf* autel *m*; **aras** *nfpl* (*beneficio*): **en ~s de** au nom de
árabe ['araβe] *adj* arabe ■ *nm/f* Arabe *m/f* ■ *nm* (*Ling*) arabe *m*
Arabia [a'raβja] *nf* Arabie *f*; **~ Saudí** *o* **Saudita** Arabie saoudite
arado [a'raðo] *nm* charrue *f*
Aragón [ara'ɣon] *nm* Aragon *m*
aragonés, -esa [araɣo'nes, esa] *adj* aragonais(e) ■ *nm/f* Aragonais(e) ■ *nm* (*Ling*) aragonais *msg*
arancel [aran'θel] *nm* (*tb*: **arancel de aduanas**) tarif *m* douanier
arandela [aran'dela] *nf* rondelle *f*; (*de vela*) bobèche *f*; (*adorno de vestido*) ruche *f*; (*AM*: *volante*) volant *m*
araña [a'raɲa] *nf* araignée *f*; (*lámpara*) lustre *m*
arañar [ara'ɲar] *vt* (*herir*) griffer; (*raspar*) érafler; **arañarse** *vpr* s'égratigner
arañazo [ara'ɲaθo] *nm* égratignure *f*
arar [a'rar] *vt* labourer
arbitraje [arβi'traxe] *nm* arbitrage *m*
arbitrar [arβi'trar] *vt* arbitrer; (*recursos*) concevoir ■ *vi* arbitrer
arbitrariedad [arβitrarje'ðað] *nf* arbitraire *m*
arbitrario, -a [arβi'trarjo, a] *adj* arbitraire
arbitrio [ar'βitrjo] *nm* volonté *f*; (*Jur*) arbitrage *m*; **quedar al ~ de algn** dépendre de la volonté de qn
árbitro, -a ['arβitro, a] *nm/f* arbitre *m*
árbol ['arβol] *nm* (*Bot, Tec*) arbre *m*; (*Náut*) mât *m*; **~ de Navidad** arbre de Noël; **~ frutal** arbre fruitier; **~ genealógico** arbre généalogique
arbolado, -a [arβo'laðo, a] *adj* boisé(e); (*camino*) bordé(e) d'arbres ■ *nm* bois *msg*
arboleda [arβo'leða] *nf* bois *msg*, bosquet *m*
arbusto [ar'βusto] *nm* arbuste *m*
arca ['arka] *nf* coffre *m*; **arcas** *nfpl* (*públicas*) caisses *fpl* de l'État, trésor *msg* public; **A~ de la Alianza** arche *f* d'alliance; **A~ de Noé** Arche de Noé
arcada [ar'kaða] *nf* arcade *f*; (*de puente*) arche *f*; **arcadas** *nfpl* (*Med*) nausées *fpl*; **me dieron ~s, me dio una ~** j'ai été pris(e) de nausées

arcaico, -a [ar'kaiko, a] *adj* archaïque
arce ['arθe] *nm* érable *m*
arcén [ar'θen] *nm* (*de autopista*) accotement *m*; (*de carretera*) bas-côté *m*
archipiélago [artʃi'pjelaɣo] *nm* archipel *m*
archivador [artʃiβa'ðor] *nm* classeur *m*
archivar [artʃi'βar] *vt* (*tb Inform*) archiver
archivo [ar'tʃiβo] *nm* archives *fpl*; (*Inform*) fichier *m*; **A~ Nacional** Archives nationales; **nombre de ~** (*Inform*) nom *m* de fichier; **~ adjunto** (*Inform*) pièce *f* jointe; **~ de transacciones** (*Inform*) fichier mouvements; **~ maestro** (*Inform*) fichier maître; **~s policíacos** archives de la police
arcilla [ar'θiʎa] *nf* argile *f*
arco ['arko] *nm* arc *m*; (*Mús*) archet *m*; (*AM: Deporte*) but *m*; **~ iris** arc-en-ciel *m*
arder [ar'ðer] *vi* brûler; **~ en deseos de hacer** mourir d'envie de faire; **~ sin llama** se consumer; **estar que arde** (*fam*) bouillir de rage; **esto está que arde** (*fig*) ça sent le brûlé
ardid [ar'ðið] *nm* ruse *f*
ardiente [ar'ðjente] *adj* ardent(e); **ser un ~ defensor/partidario de** être un ardent défenseur/partisan de
ardilla [ar'ðiʎa] *nf* écureuil *m*
ardor [ar'ðor] *nm* ardeur *f*; **con ~** (*fig*) avec ardeur; **~ de estómago** brûlures *fpl* d'estomac
arduo, -a ['arðwo, a] *adj* ardu(e)
área ['area] *nf* (*zona*) surface *f*; (*medida*) are *m*; (*Deporte*) zone *f*; **~ de excedentes** (*Inform*) zone de débordement; **~ de servicios** (*Auto*) aire *f* de service
ARENA [a'rena] (*Els*) *sigla f* (= *Alianza Republicana Nacionalista*) *parti politique*
arena [a'rena] *nf* sable *m*; (*de una lucha*) arène *f*; (*Taur*) arènes *fpl*; **~s movedizas** sables mouvants
arenal [are'nal] *nm* étendue *f* de sable; (*arena movediza*) sables *mpl* mouvants
arengar [aren'gar] *vt* haranguer
arenisca [are'niska] *nf* grès *msg*
arenoso, -a [are'noso, a] *adj* sablonneux(-euse)
arenque [a'renke] *nm* hareng *m*
argamasa [arɣa'masa] *nf* mortier *m*
Argel [ar'xel] *n* Alger *m*
Argelia [ar'xelja] *nf* Algérie *f*
argelino, -a [arxe'lino, a] *adj* algérien(ne) ▪ *nm/f* Algérien(ne)
Argentina [arxen'tina] *nf* Argentine *f*
argentino, -a [arxen'tino, a] *adj* argentin(e) ▪ *nm/f* Argentin(e)
argolla [ar'ɣoʎa] *nf* anneau *m*; (*AM: anillo de matrimonio*) alliance *f*
argot [ar'ɣo] (*pl* **~s**) *nm* argot *m*
argucia [ar'ɣuθja] *nf* argutie *f*
argüir [ar'ɣwir] *vt* arguer; (*argumentar*) arguer (de); (*indicar*) sous-entendre ▪ *vi* argumenter; **~ a favor/en contra de** argumenter en faveur de/contre; **~ que** (*alegar*) arguer que; (*deducir*) déduire que
argumentación [arɣumenta'θjon] *nf* argumentation *f*
argumentar [arɣumen'tar] *vt* argumenter; (*deducir*) déduire ▪ *vi* discuter; **~ que** (*alegar*) avancer que; **~ a favor/en contra de** avancer des arguments en faveur de/contre
argumento [arɣu'mento] *nm* argument *m*; (*Cine, TV*) scénario *m*
aria ['arja] *nf* aria *f*
aridez [ari'ðeθ] *nf* aridité *f*
árido, -a ['ariðo, a] *adj* aride
áridos ['ariðos] *nmpl* (*Agr*) grains *mpl*
Aries ['arjes] *nm* (*Astrol*) Bélier *m*; **ser ~** être (du) Bélier
arisco, -a [a'risko, a] *adj* (*persona*) bourru(e); (*animal*) farouche
aristocracia [aristo'kraθja] *nf* aristocratie *f*
aristócrata [aris'tokrata] *nm/f* aristocrate *m/f*
aritmética [arit'metika] *nf* arithmétique *f*
arma ['arma] *nf* arme *f*; **armas** *nfpl* (*Mil*) armes *fpl*; **rendir las ~s** rendre les armes; **ser de ~s tomar** ne pas être commode; **~ blanca** (*cuchillo*) arme blanche; (*espada*) épée *f*; **~ de doble filo** (*fig*) arme à double tranchant; **~ de fuego** arme à feu; **~s cortas** armes légères; **~s de destrucción masiva** armes de destruction massive
armada [ar'maða] *nf* marine *f* de guerre; (*flota*) flotte *f*
armadillo [arma'ðiʎo] *nm* tatou *m*
armado, -a [ar'maðo, a] *adj* armé(e)
armador [arma'ðor] *nm* (*Náut: dueño*) armateur *m*; (*Tec*) monteur *m*
armadura [arma'ðura] *nf* (*Mil*) armure *f*; (*Tec, Fís*) armature *f*; (*tejado*) charpente *f*; (*de gafas*) monture *f*; (*Zool*) ossature *f*
armamento [arma'mento] *nm* armement *m*
armar [ar'mar] *vt* armer; (*Mec, Tec*) monter; (*ruido, escándalo*) faire, provoquer; **armarse** *vpr*: **~se (con/de)** s'armer (de); **~ la gorda** (*fam*) faire du barouf; **~la** faire un esclandre; **~se un lío**

s'arracher les cheveux; **~se de valor/ paciencia** s'armer de courage/patience
armario [ar'marjo] *nm* armoire *f*; **~ de cocina** garde-manger *m inv*; **~ de luna** armoire à glace; **~ empotrado** placard *m*
armatoste [arma'toste] *nm* (*fam*) monument *m*
armazón [arma'θon] *nf, nm* armature *f*; (*Arq*) échafaudage *m*; (*Auto*) châssis *msg*
armería [arme'ria] *nf* musée *m* de l'armée; (*tienda*) armurerie *f*
armiño [ar'miɲo] *nm* hermine *f*; **de ~** d'hermine
armisticio [armis'tiθjo] *nm* armistice *m*
armonía [armo'nia] *nf* harmonie *f*
armónica [ar'monika] *nf* harmonica *m*
armonioso, -a [armo'njoso, a] *adj* harmonieux(-euse)
armonizar [armoni'θar] *vt* harmoniser ■ *vi*: **~ con** (*fig*) être en harmonie avec
arneses [ar'neses] *nmpl* (*para caballerías*) harnais *mpl*
aro ['aro] *nm* cercle *m*, anneau *m*; (*juguete*) cerceau *m*; (*AM*: *pendiente*) anneau; **entrar** *o* **pasar por el ~** mettre les pouces
aroma [a'roma] *nm* arôme *m*, parfum *m*
aromaterapia [aromatera'pia] *nf* aromathérapie *f*
aromático, -a [aro'matiko, a] *adj* aromatique
arpa ['arpa] *nf* harpe *f*
arpía [ar'pia] *nf* (*fig*) harpie *f*, mégère *f*
arpillera [arpi'ʎera] *nf* serpillière *f*
arpón [ar'pon] *nm* harpon *m*
arquear [arke'ar] *vt*, **arquearse** *vpr* fléchir
arqueología [arkeolo'xia] *nf* archéologie *f*
arqueólogo, -a [arke'oloɣo, a] *nm/f* archéologue *m/f*
arquetipo [arke'tipo] *nm* archétype *m*
arquitecto, -a [arki'tekto, a] *nm/f* architecte *m/f*; **~ paisajista** *o* **de jardines** paysagiste *m/f*
arquitectura [arkitek'tura] *nf* architecture *f*
arrabal [arra'βal] *nm* faubourg *m*; (*barrio bajo*) bas quartiers *mpl*; **arrabales** *nmpl* (*afueras*) faubourgs *mpl*
arraigado, -a [arrai'ɣaðo, a] *adj* (*tb fig*) enraciné(e)
arraigar [arrai'ɣar] *vi* prendre racine; (*ideas, costumbres*) s'enraciner, prendre racine; (*persona*) s'installer, s'établir; **arraigarse** *vpr* (*costumbre*) s'enraciner, prendre racine; (*persona*) s'installer, s'établir
arrancar [arran'kar] *vt* arracher; (*árbol*) déraciner; (*carteles, colgaduras*) retirer; (*esparadrapo*) enlever; (*suspiro*) pousser; (*Auto, máquina*) mettre en marche; (*Inform*) démarrer ■ *vi* (*Auto, máquina*) démarrer; (*persona*) s'en aller; **~ información a algn** soutirer un renseignement à qn; **~ de** (*fig*) provenir de; **~ de raíz** déraciner
arranque [a'rranke] *vb ver* **arrancar** ■ *nm* (*Auto*) démarrage *m*; (*de enfermedad*) début *m*; (*de tradición*) origine *f*; (*fig*: *arrebato*) élan *m*
arrasar [arra'sar] *vt* aplanir; (*derribar*) raser ■ *vi* (*fig*) faire un triomphe *o* tabac (*fam*)
arrastrado, -a [arras'traðo, a] *adj* misérable; (*AM*: *servil*) servile ■ *nm/f* (*fam*: *bribón*) coquin(-ine)
arrastrar [arras'trar] *vt* traîner; (*suj*: *agua, viento, tb fig*) entraîner ■ *vi* traîner; **arrastrarse** *vpr* se traîner; (*fig*) s'abaisser; **llevar algo arrastrando** traîner qch depuis longtemps
arrastre [a'rrastre] *nm* remorquage *m*; (*Pesca*) chalutage *m*; **estar para el ~** (*fam*) être foutu(e); **~ de papel por fricción/ por tracción** (*en impresora*) entraînement *m* par friction/par ergots
arre ['arre] *excl* hue!
arrear [arre'ar] *vt* exciter; (*fam*) flanquer ■ *vi* (*fam*) se grouiller
arrebatado, -a [arreβa'taðo, a] *adj* emporté(e), impétueux(-euse); (*cara*) congestionné(e); (*color*) vif (vive)
arrebatar [arreβa'tar] *vt* arracher; (*fig*) transporter; **arrebatarse** *vpr* s'emporter
arrebato [arre'βato] *nm* emportement *m*; (*éxtasis*) transport *m*; **~ de cólera/ entusiasmo** élan *m* *o* mouvement *m* de colère/d'enthousiasme
arrecife [arre'θife] *nm* récif *m*; (*tb*: **arrecife de coral**) récif de corail
arredrarse [arre'drarse] *vpr*: **~ (por** *o* **ante algo)** s'effrayer (de qch)
arreglado, -a [arre'ɣlaðo, a] *adj* (*persona*) soigné(e); (*vestido*) impeccable; (*habitación*) ordonné(e), en ordre; (*conducta*) réglé(e); **¡estamos ~s!** nous voilà bien avancés!
arreglar [arre'ɣlar] *vt* ranger, mettre en ordre; (*persona*) préparer; (*algo roto*) réparer, arranger; (*problema*) régler; (*entrevista*) fixer; **arreglarse** *vpr* s'arranger, se régler; (*acicalarse*) se pomponner; **~se (para hacer)** se préparer (à faire); **arreglárselas** (*fam*)

se débrouiller, s'en sortir; **~se el pelo/las uñas** s'arranger les cheveux/se faire les ongles
arreglo [a'rreɣlo] *nm* rangement *m*, ordre *m*; (*acuerdo*) arrangement *m*, accord *m*; (*Mús*) arrangement; (*Inform*) tableau *m*; (*de algo roto*) réparation *f*; (*de persona*) toilette *f*, soin *m*; **con ~ a** conformément à; **llegar a un ~** parvenir à un accord; **~ de cuentas** (*fig*) règlement *m* de comptes
arrellanarse [arreʎa'narse] *vpr*: **~ en** (*sillón*) se carrer *o* se prélasser dans
arremangar [arreman'gar] *vt* relever, retrousser; **arremangarse** *vpr* retrousser ses manches
arremeter [arreme'ter] *vi*: **~ contra** se jeter à l'assaut de, fondre sur; (*fig*) s'en prendre à, s'attaquer à
arrendamiento [arrenda'mjento] *nm* location *f*; (*contrato*) bail *m*; (*precio*) loyer *m*
arrendar [arren'dar] *vt* louer
arrendatario, -a [arrenda'tarjo, a] *nm/f* locataire *m/f*
arreos [a'rreos] *nmpl* harnais *msg*; (*fig*) attirail *m*
arrepentimiento [arrepenti'mjento] *nm* repentir *m*; **sentir/tener ~** éprouver du repentir
arrepentirse [arrepen'tirse] *vpr*: **~ (de)** se repentir (de); **~ de haber hecho algo** se repentir d'avoir fait qch; **mostrarse arrepentido** regretter, être navré(e)
arrestar [arres'tar] *vt* arrêter; (*Mil*) mettre aux arrêts
arresto [a'rresto] *nm* arrestation *f*; (*Mil*) arrêts *mpl*; **arrestos** *nmpl* (*audacia*) audace *fsg*; **~ domiciliario** assignation *f* à domicile; **~ menor** *détention d'une durée d'un à trente jours*; **~ mayor** *détention d'une durée d'un à six mois*
arriar [a'rrjar] *vt* amener; (*un cable*) mollir

PALABRA CLAVE

arriba [a'rriβa] *adv* **1** (*posición*) en haut; **allí arriba** là-haut; **el piso de arriba** l'appartement du dessus; **la parte de arriba** le haut; **la orden vino de arriba** (*fig*) l'ordre est venu d'en haut; **más arriba** plus haut; **desde arriba** d'en haut; **arriba del todo** tout en haut; **Juan está arriba** Juan est en haut; **lo arriba mencionado** ce qui est mentionné ci-dessus; **de cien euros para arriba** au-dessus de cent euros; **euro arriba, euro abajo** à quelques euros près
2 (*dirección*): **ir calle arriba** remonter la rue; **río arriba** en amont
3: **mirar a algn de arriba abajo** regarder qn de haut en bas
▪ *prep*: **arriba de** (*AM*) sur, au-dessus de; **arriba de 200 euros** plus de 200 euros
▪ *excl*: **¡arriba!** (*¡levanta!*) debout!; (*ánimo*) courage!; **¡manos arriba!** haut les mains!; **¡arriba España!** vive l'Espagne!

arribar [arri'βar] *vi* arriver
arribista [arri'βista] *nm/f* arriviste *m/f*
arriendo [a'rrjendo] *vb ver* **arrendar**
▪ *nm* = **arrendamiento**
arriero [a'rrjero] *nm* muletier *m*
arriesgado, -a [arrjes'ɣaðo, a] *adj* (*peligroso*) risqué(e), hasardeux(-euse); (*audaz: persona*) audacieux(-euse)
arriesgar [arrjes'ɣar] *vt*, **arriesgarse** *vpr* risquer; **~ el pellejo** risquer sa peau; **~se a hacer algo** se risquer à faire qch
arrimar [arri'mar] *vt* (*acercar*): **~ a** approcher de; (*dejar de lado*) abandonner, laisser tomber; **arrimarse** *vpr*: **~se a** (*acercarse*) s'approcher de; (*apoyarse*) s'appuyer sur; (*fig*) se rapprocher de, se placer sous la protection de; **~ el hombro** (*ayudar*) donner un coup de main; (*trabajar*) travailler dur; **~se al sol que más calienta** se ranger du côté du plus fort; **arrímate a mí** approche-toi de moi
arrinconar [arrinko'nar] *vt* (*algo viejo*) mettre dans un coin, mettre au rebut; (*enemigo*) acculer; (*fig: persona*) laisser tomber, délaisser
arroba [a'rroβa] *nf* (*Inform*) arobase *f*
arrodillarse [arroði'ʎarse] *vpr* s'agenouiller
arrogancia [arro'ɣanθja] *nf* arrogance *f*
arrogante [arro'ɣante] *adj* arrogant(e)
arrojar [arro'xar] *vt* (*piedras*) jeter; (*pelota*) lancer; (*basura*) jeter, déverser; (*humo*) cracher; (*persona*) chasser, mettre dehors; (*Com*) totaliser; **arrojarse** *vpr* se jeter
arrojo [a'rroxo] *nm* hardiesse *f*
arrollador, a [arroʎa'ðor, a] *adj* (*éxito*) retentissant(e); (*fuerza*) irrésistible; (*mayoría*) écrasant(e)
arrollar [arro'ʎar] *vt* (*suj: vehículo*) renverser; (*: agua*) emporter, rouler; (*Deporte*) écraser ▪ *vi* (*tener éxito electoral*) avoir une majorité écrasante
arropar [arro'par] *vt* couvrir; **arroparse** *vpr* se couvrir
arroyo [a'rrojo] *nm* ruisseau *m*; (*de la calle*) caniveau *m*; **recoger a algn del ~** tirer qn du ruisseau

arroz [a'rroθ] *nm* riz *m*; **~ blanco** (*Culin*) riz blanc; **~ con leche** riz au lait
arruga [a'rruɣa] *nf* ride *f*; (*en ropa*) pli *m*
arrugar [arru'ɣar] *vt* (*piel*) rider; (*ropa, papel*) froisser; (*ceño, frente*) froncer; **arrugarse** *vpr* se rider; (*ropa*) se froisser; (*persona*) se froisser
arruinar [arrwi'nar] *vt* ruiner; **arruinarse** *vpr* se ruiner
arrullar [arru'ʎar] *vt* bercer ■ *vi* roucouler
arsenal [arse'nal] *nm* (*Mil*) arsenal *m*; (*Náut*) chantier *m* naval
arsénico [ar'seniko] *nm* arsenic *m*
arte ['arte] *nm* (*gen m en sg y siempre f en pl*) art *m*; (*maña*) don *m*; **artes** *nfpl* arts *mpl*; **~s y oficios** arts et métiers; **por amor al ~** pour l'amour de l'art; **por ~ de magia** comme par enchantement; **Bellas A~s** Beaux-Arts *mpl*; **con malas ~s** par des moyens peu orthodoxes; **no tener ~ ni parte en algo** n'être pour rien dans qch, n'avoir rien à voir avec qch; **~ abstracto** art abstrait; **~s plásticas** arts plastiques
artefacto [arte'fakto] *nm* engin *m*, machine *f*; (*Arqueología*) objet *m* (fabriqué); (*explosivo*) engin explosif
arteria [ar'terja] *nf* artère *f*
artesanía [artesa'nia] *nf* artisanat *m*; **de ~** artisanal(e)
artesano, -a [arte'sano, a] *nm/f* artisan(e)
ártico, -a ['artiko, a] *adj* arctique ■ *nm*: **el Ártico** l'Arctique *m*
articulación [artikula'θjon] *nf* articulation *f*
articulado, -a [artiku'laðo, a] *adj* articulé(e)
articular [artiku'lar] *vt* articuler
artículo [ar'tikulo] *nm* article *m*; **artículos** *nmpl* (*Com*) articles *mpl*; **~ de fondo** article de fond; **~s de escritorio/tocador** articles de bureau/toilette; **~s de lujo/marca/primera necesidad** articles de luxe/marque/première nécessité
artífice [ar'tifiθe] *nm/f* artisan(e); (*fig*) auteur *m*
artificial [artifi'θjal] *adj* artificiel(le); (*fig*) artificiel(le), forcé(e)
artificio [arti'fiθjo] *nm* appareil *m*, engin *m*; (*artesanía*) art *m*; (*truco*) artifice *m*
artillería [artiʎe'ria] *nf* artillerie *f*
artilugio [arti'luxjo] *nm* engin *m*; (*ardid*) subterfuge *m*
artimaña [arti'maɲa] *nf* (*ardid*) stratagème *m*; (*astucia*) astuce *f*, ruse *f*
artista [ar'tista] *nm/f* artiste *m/f*; **~ de cine** artiste de cinéma; **~ de teatro** comédien(ne)
artístico, -a [ar'tistiko, a] *adj* artistique
artritis [ar'tritis] *nf* arthrite *f*
arveja [ar'βexa] (*AM*: *guisante*) *nf* pois *msg*
arzobispo [arθo'βispo] *nm* archevêque *m*
as [as] *nm* as *m*; **ser un as (de)** (*fig*) être un as (de); **as del fútbol** as du football
asa ['asa] *nf* anse *f*
asado [a'saðo] *nm* (*carne*) rôti *m*; (*Csur*: *barbacoa*) barbecue *m*
asaduras [asa'ðuras] *nfpl* (*Culin*) abats *mpl*
asalariado, -a [asala'rjaðo, a] *adj, nm/f* salarié(e)
asaltador, a [asalta'ðor, a], **asaltante** [asal'tante] *nm/f* assaillant(e)
asaltar [asal'tar] *vt* (*banco etc*) attaquer; (*persona, fig*) assaillir; (*Mil*) prendre d'assaut
asalto [a'salto] *nm* (*a banco*) hold-up *m inv*; (*a persona*) agression *f*; (*Mil*) assaut *m*; (*Boxeo*) round *m*; **tomar por ~** prendre d'assaut
asamblea [asam'blea] *nf* (*corporación*) assemblée *f*, rassemblement *m*; (*reunión*) assemblée
asar [a'sar] *vt* rôtir (*au four*), griller (*au feu de bois, au grill*); **asarse** *vpr* (*fig*) cuire; **~ a preguntas** harceler de questions; **me aso de calor** (*fig*) j'étouffe de chaleur; **~ al horno/a la parrilla** rôtir au four/sur le gril; **aquí se asa uno vivo** on cuit ici!
asbesto [as'βesto] *nm* asbeste *m*
ascendencia [asθen'denθja] *nf* ascendance *f*; **de ~ francesa** d'origine française; **tener ~ sobre algn** avoir de l'ascendant sur qn
ascender [asθen'der] *vi* monter; (*Deporte*) monter, passer; (*en puesto de trabajo*) monter en grade ■ *vt* faire monter; **~ a** s'élever à; **ascendió a general** il a accédé au grade de général, il est passé général
ascendiente [asθen'djente] *nm* ascendant *m*; **ascendientes** *nmpl* ascendants *mpl*
ascensión [asθen'sjon] *nf* ascension *f*; **la A~** (*Rel*) l'Ascension
ascenso [as'θenso] *nm* promotion *f*
ascensor [asθen'sor] *nm* ascenseur *m*
ascético, -a [as'θetiko, a] *adj* ascétique
asco ['asko] *nm*: **¡qué ~!** (que) c'est dégoûtant!; **el ajo me da ~** j'ai horreur de l'ail; **hacer ~s a algo** faire la fine bouche devant qch; **estar hecho un ~** être dégoûtant(e); **poner a algn de ~** (*AM*)

abreuver qn d'injures; **ser un ~** (*clase, libro*) être nul(le); (*película*) être un navet; **morirse de ~** s'ennuyer à mourir
ascua ['askwa] *nf* braise *f*; **arrimar el ~ a su sardina** tirer la couverture à soi; **estar en** *o* **sobre ~s** être sur des charbons ardents
aseado, -a [ase'aðo, a] *adj* (*persona*) impeccable, bien mis(e); (*casa*) impeccable
asear [ase'ar] *vt* (*casa*) arranger; (*persona*) arranger, faire la toilette de; **asearse** *vpr* (*persona*) s'arranger, faire sa toilette
asediar [ase'ðjar] *vt* assiéger; (*fig*) assaillir
asedio [a'seðjo] *nm* siège *m*; (*Com*) forte demande *f*
asegurado, -a [aseɣu'raðo, a] *adj, nm/f* assuré(e)
asegurar [aseɣu'rar] *vt* assurer; (*cuerda, clavo*) fixer; (*maleta*) bien fermer; (*afirmar*) assurer, certifier; (*garantizar*) garantir; **asegurarse** *vpr*: **~se (de)** s'assurer (de); **~se (contra)** (*Com*) s'assurer (contre), prendre une assurance (contre); **se lo aseguro** je vous assure
asemejarse [aseme'xarse] *vpr*: **~ a** ressembler à
asentado, -a [asen'taðo, a] *adj* sensé(e); **estar ~ en** être situé(e) dans *o* sur; (*persona*) être établi(e) à
asentar [asen'tar] *vt* (*sentar*) asseoir; (*poner*) placer; (*alisar*) aplatir; (*golpe*) assener; (*instalar*) installer; (*asegurar*) assurer; (*Com*) inscrire; **asentarse** *vpr* (*persona*) s'établir; (*líquido, polvo*) se déposer
asentir [asen'tir] *vi* acquiescer; **~ con la cabeza** acquiescer d'un signe de tête
aseo [a'seo] *nm* hygiène *f*, toilette *f*; (*orden*) soin *m*; **aseos** *nmpl* (*servicios*) toilettes *fpl*; **cuarto de ~** cabinet *m* de toilette; **~ personal** hygiène personnelle
aséptico, -a [a'septiko, a] *adj* aseptique
asequible [ase'kiβle] *adj* (*precio*) abordable; (*meta*) accessible; (*persona*) accessible, abordable; **~ a** (*comprensible*) accessible à, à la portée de
aserrar [ase'rrar] *vt* scier
asesinar [asesi'nar] *vt* assassiner
asesinato [asesi'nato] *nm* assassinat *m*
asesino [ase'sino] *nm* assassin *m*
asesor, a [ase'sor, a] *nm/f* conseiller(-ère), consultant(e); (*Com*) consultant(e); **~ administrativo** conseiller en gestion; **~ de imagen** conseiller en relations publiques
asesorar [aseso'rar] *vt* (*Jur, Com*) conseiller; **asesorarse** *vpr*: **~se con** *o* **de** prendre conseil de
asesoría [aseso'ria] *nf* (*cargo*) conseil *m*; (*oficina*) cabinet *m* d'expert-conseil
asestar [ases'tar] *vt* (*golpe*) assener; (*tiro*) envoyer
asfalto [as'falto] *nm* bitume *m*
asfixia [as'fiksja] *nf* asphyxie *f*
asfixiar [asfik'sjar] *vt* (*suj: persona*) asphyxier; (*: calor*) étouffer; **asfixiarse** *vpr* être asphyxié(e), être étouffé(e); **~se de calor** étouffer de chaleur
asgo *etc* ['asgo] *vb ver* **asir**
así [a'si] *adv* (*de esta manera*) ainsi; (*aunque*) même si; (*tan pronto como*) dès que ▪ *conj (+ subj)* même si; **~, ~** comme ci comme ça, couci-couça; **~ de grande** grand(e) comme ça; **~ llamado** soi-disant, prétendu; **~ es la vida** c'est la vie; **¡~ sea!** ainsi soit-il!; **y ~ sucesivamente** et ainsi de suite; **~ y todo** malgré tout; **¿no es ~?** n'est-ce pas (vrai)?; **mil euros o ~** à peu près mille euros; **~ como** (*también*) ainsi que, de même que; (*en cuanto*) dès que; **~ pues** ainsi donc; **~ que** (*en cuanto*) dès que; (*por consiguiente*) donc
Asia ['asja] *nf* Asie *f*
asiático, -a [a'sjatiko, a] *adj* asiatique ▪ *nm/f* Asiatique *m/f*
asidero [asi'ðero] *nm* anse *f*
asiduidad [asiðwi'ðað] *nf* assiduité *f*
asiduo, -a [a'siðwo, a] *adj* assidu(e) ▪ *nm/f* habitué(e)
asiento [a'sjento] *vb ver* **asentar**; **asentir** ▪ *nm* siège *m*; (*de silla etc*) assise *f*; (*de cine, tren*) place *f*; (*Com*) inscription *f*; **tomar ~** prendre place; **~ delantero/trasero** siège avant/arrière
asignación [asiɣna'θjon] *nf* attribution *f*; (*reparto*) assignation *f*; (*paga*) traitement *m*; (*Com*) allocation *f*; **~ de presupuesto** crédit *m* budgétaire; **~ (semanal)** salaire *m* (hebdomadaire); (*a un hijo*) argent *m* de poche
asignar [asiɣ'nar] *vt* assigner; (*cantidad*) allouer, attribuer
asignatura [asiɣna'tura] *nf* matière *f*, discipline *f*; **~ pendiente** épreuve *f* à repasser; (*fig*) partie *f* remise
asilado, -a [asi'laðo, a] *nm/f* (*Pol*) réfugié(e) politique; (*en asilo de ancianos*) pensionnaire *m/f*
asilo [a'silo] *nm* asile *m*; **derecho de ~** droit *m* d'asile; **pedir/dar ~ a algn** demander/donner asile à qn; **~ de ancianos** asile de vieillards, hospice *m*;

~ **de pobres** hospice des pauvres; ~ **político** asile politique
asimilación [asimila'θjon] *nf* assimilation *f*
asimilar [asimi'lar] *vt* assimiler; **asimilarse** *vpr*: **~se a** s'assimiler à
asimismo [asi'mismo] *adv* tout autant, pareillement
asir [a'sir] *vt* saisir; **asirse** *vpr*: **~se a** *o* **de** se saisir de, s'accrocher à
asistencia [asis'tenθja] *nf* assistance *f*; (*tb*: **asistencia médica**) soins *mpl* médicaux; **~ social/técnica** assistance sociale/technique
asistenta [asis'tenta] *nf* femme *f* de ménage
asistente [asis'tente] *nm/f* assistant(e) ■ *nm* (*Mil*) ordonnance *f*; **los ~s** les assistants; **~ social** employé(e) des services sociaux; (*mujer*) assistante sociale
asistido, -a [asis'tiðo, a] *adj* (*Auto: dirección*) assisté(e); **~ por ordenador** assisté par ordinateur
asistir [asis'tir] *vt* (*Med*) assister, soigner; (*ayudar*) assister, secourir; (*acompañar*) assister ■ *vi*: **~ (a)** assister (à)
asma ['asma] *nf* asthme *m*
asno ['asno] *nm* (*tb fig*) âne *m*
asociación [asoθja'θjon] *nf* association *f*; **~ de ideas** association d'idées
asociado, -a [aso'θjaðo, a] *adj, nm/f* associé(e)
asociar [aso'θjar] *vt* associer; **asociarse** *vpr*: **~se (a)** s'associer (à)
asolar [aso'lar] *vt* dévaster, ravager
asomar [aso'mar] *vt* sortir, mettre dehors ■ *vi* (*sol*) poindre, se montrer; (*barco*) apparaître; **asomarse** *vpr*: **~se a** *o* **por** se montrer à, se mettre à; **~ la cabeza por la ventana** se mettre à la fenêtre, mettre la tête à la fenêtre
asombrar [asom'brar] *vt* (*causar asombro*) étonner; (*causar admiración*) stupéfier; **asombrarse** *vpr*: **~se (de)** (*sorprenderse*) s'étonner (de); (*asustarse*) s'effrayer (de)
asombro [a'sombro] *nm* (*sorpresa*) étonnement *m*, stupéfaction *f*; (*susto*) frayeur *f*; **no salir de su ~** ne pas en revenir
asombroso, -a [asom'broso, a] *adj* étonnant(e), stupéfiant(e)
asomo [a'somo] *nm* signe *m*, ombre *f*; **ni por ~** pas le moins du monde, en aucune manière
aspa ['aspa] *nf* croix *fsg* de Saint André; (*de molino*) aile *f*; **en ~** en forme de X
aspaviento [aspa'βjento] *nm* gestes *mpl* outranciers; **hacer ~s** faire des simagrées
aspecto [as'pekto] *nm* aspect *m*, air *m*; (*de salud*) mine *f*; (*fig*) aspect; **bajo este ~** vu(e) sous cet angle; **tener buen/mal ~** (*persona*) avoir bonne/mauvaise mine; **en todos los ~s** sous tous les rapports
aspereza [aspe'reθa] *nf* rugosité *f*; (*de sabor*) âpreté *f*; (*de terreno, carácter*) aspérité *f*
áspero, -a ['aspero, a] *adj* rugueux(-euse); (*sabor*) âpre
aspersión [asper'sjon] *nf* aspersion *f*; **riego por ~** arrosage *m* par aspersion
aspiración [aspira'θjon] *nf* aspiration *f*; **aspiraciones** *nfpl* (*ambiciones*) aspirations *fpl*
aspirador [aspira'ðor] *nm*, **aspiradora** [aspira'ðora] *nf* aspirateur *m*
aspirante [aspi'rante] *nm/f* candidat(e)
aspirar [aspi'rar] *vt* aspirer ■ *vi*: **~ a (hacer)** aspirer à (faire)
aspirina [aspi'rina] *nf* aspirine *f*
asquear [aske'ar] *vt* écœurer; **asquearse** *vpr*: **~se (de)** être dégoûté(e) (de)
asqueroso, -a [aske'roso, a] *adj, nm/f* dégoûtant(e)
asta ['asta] *nf* hampe *f*; **astas** *nfpl* (*Zool*) bois *mpl*; **a media ~** en berne
asterisco [aste'risko] *nm* astérisque *m*
astigmatismo [astiɣma'tismo] *nm* astigmatisme *m*
astilla [as'tiʎa] *nf* éclat *m*; (*de leña*) écharde *f*; (*de hueso*) esquille *f*; **astillas** *nfpl* (*para fuego*) petit bois *m*; **hacer ~s** briser; **de tal palo tal ~** tel père, tel fils
astilleros [asti'ʎeros] *nmpl* chantier *m* naval; (*de la Armada*) arsenal *m*
astringente [astrin'xente] *adj* astringent(e) ■ *nm* astringent *m*
astro ['astro] *nm* astre *m*
astrología [astrolo'xia] *nf* astrologie *f*
astronauta [astro'nauta] *nm/f* astronaute *m/f*
astronave [astro'naβe] *nf* astronef *m*
astronomía [astrono'mia] *nf* astronomie *f*
astrónomo, -a [as'tronomo, a] *nm/f* astronome *m/f*
astucia [as'tuθja] *nf* astuce *f*
astuto, -a [as'tuto, a] *adj* astucieux(-euse); (*taimado*) rusé(e)
asumir [asu'mir] *vt* assumer
asunción [asun'θjon] *nf* prise *f* de possession; **la A~** l'Assomption *f*
asunto [a'sunto] *nm* (*tema*) sujet *m*; (*negocio*) affaire *f*; (*argumento*) thème *m*;

¡eso es ~ mío! cela me regarde!; **~s a tratar** affaires à régler; **ir al ~** en venir aux choses sérieuses; **A~s Exteriores** Affaires étrangères

asustar [asus'tar] *vt* faire peur à; (*ahuyentar*) mettre en fuite; **asustarse** *vpr*: **~se (de** *o* **por)** avoir peur (de)

atacar [ata'kar] *vt* attaquer; (*teoría*) s'attaquer à

atadura [ata'ðura] *nf* attache *f*, lien *m*; (*impedimento*) entrave *f*, lien

atajar [ata'xar] *vt* (*interrumpir*) couper court à, interrompre; (*cortar el paso a*) barrer la route à; (*enfermedad*) enrayer; (*riada, sublevación*) endiguer; (*incendio*) maîtriser; (*discurso*) interrompre; (*Deporte*) plaquer ■ *vi* prendre un raccourci

atajo [a'taxo] *nm* raccourci *m*; (*Deporte*) plaquage *m*; **son un ~ de cobardes/ ladrones** c'est une bande de lâches/ voleurs; **soltar un ~ de mentiras** débiter un tissu de mensonges

atañer [ata'ɲer] *vi*: **~ a** (*persona*) concerner; (*gobierno*) incomber à; **en lo que atañe a eso** en ce qui concerne cela

ataque [a'take] *vb ver* **atacar** ■ *nm* (*Mil*) attaque *f*, raid *m*; (*Med*) attaque; (*de ira, nervios, risa*) crise *f*; **¡al ~!** à l'attaque!; **~ cardíaco** crise cardiaque

atar [a'tar] *vt* attacher, ligoter; **atarse** *vpr* (*zapatos*) attacher; (*corbata*) nouer; **~ la lengua a algn** (*fig*) réduire qn au silence; **~ cabos** déduire par recoupements; **~ corto a algn** tenir la bride haute à qn

atardecer [atarðe'θer] *vi*: **atardece a las 8** la nuit tombe à 8 h ■ *nm* tombée *f* du jour; **al ~** à la tombée du jour

atareado, -a [atare'aðo, a] *adj* affairé(e)

atascar [atas'kar] *vt* boucher; **atascarse** *vpr* se boucher; (*coche*) s'embourber; (*motor*) se gripper; (*fig: al hablar*) bafouiller; (*en problema*) s'enliser

atasco [a'tasko] *nm* obstruction *f*; (*Auto*) bouchon *m*

ataúd [ata'uð] *nm* cercueil *m*, bière *f*

ataviar [ata'βjar] *vt* parer; **ataviarse** *vpr* se parer

atavío [ata'βio] *nm* toilette *f*; **atavíos** *nmpl* (*adornos*) toilette, atours *mpl*

atemorizar [atemori'θar] *vt* faire peur à; **atemorizarse** *vpr*: **~se (de** *o* **por)** s'effrayer (de)

Atenas [a'tenas] *n* Athènes

atención [aten'θjon] *nf* attention *f* ■ *excl* attention!; **atenciones** *nfpl* (*amabilidad*) attentions *fpl*, égards *mpl*; **en ~ a esto** eu égard à cela; **llamar la ~ a algn** (*despertar curiosidad*) attirer l'attention de qn; (*reprender*) rappeler qn à l'ordre; **prestar ~** prêter attention; **"a la ~ de ..."** (*en carta*) "à l'attention de ..."

atender [aten'der] *vt* (*consejos*) tenir compte de; (*Tec*) entretenir; (*enfermo, niño*) s'occuper de, soigner; (*petición*) accéder à ■ *vi*: **~ a** se soucier de; (*detalles*) s'arrêter sur; **~ al teléfono** répondre au téléphone; **~ a la puerta** aller ouvrir la porte

atenerse [ate'nerse] *vpr*: **~ a** s'en tenir à; **~ a las consecuencias** penser aux conséquences

atentado [aten'taðo] *nm* attentat *m*; (*delito*) atteinte *f*, attentat; **~ contra la vida de algn** attentat à la vie de qn; **~ contra el pudor** attentat à la pudeur; **~ contra la salud pública** atteinte à la santé publique; **~ golpista** coup *m* d'État; **~ suicida** attentat suicide

atentamente [a'tentamente] *adv* attentivement; **le saluda ~** (*en carta*) recevez mes salutations distinguées

atentar [aten'tar] *vi*: **~ a** *o* **contra** (*seguridad*) attenter à; (*moral, derechos*) porter atteinte à; **~ contra** (*Pol*) attenter à la vie de, commettre un attentat contre

atento, -a [a'tento, a] *adj* attentif(-ive); (*cortés*) attentionné(e); **~ a** attentif(-ive) à; **su atenta (carta)** (*Com*) votre courrier

atenuar [ate'nwar] *vt* atténuer; **atenuarse** *vpr* s'atténuer

ateo, -a [a'teo, a] *adj, nm/f* athée *m/f*

aterido, -a [ate'riðo, a] *adj*: **~ de frío** transi(e)

aterrador, a [aterra'ðor, a] *adj* épouvantable, effroyable

aterrar [ate'rrar] *vt* effrayer; (*aterrorizar*) terrifier; **aterrarse** *vpr*: **~se de** *o* **por** être terrifié(e) par

aterrizaje [aterri'θaxe] *nm* (*Aviat*) atterrissage *m*; **~ forzoso** atterrissage forcé

aterrizar [aterri'θar] *vi* atterrir

aterrorizar [aterrori'θar] *vt* terroriser; **aterrorizarse** *vpr*: **~se (de** *o* **por)** être terrorisé(e) (par)

atesorar [ateso'rar] *vt* amasser; (*fig*) accumuler

atestado, -a [ates'taðo, a] *adj* (*testarudo*) entêté(e) ■ *nm* (*Jur*) procès-verbal *m*; **~ de** plein(e) à craquer de

atestar [ates'tar] *vt* envahir; (*Jur*) attester

atestiguar [atesti'ɣwar] *vt* (*Jur*) témoigner; (*fig: dar prueba de*) témoigner de

atiborrar [atiβo'rrar] *vt* envahir; **atiborrarse** *vpr*: **~se (de)** se gaver (de)

ático ['atiko] *nm* attique *m*; **~ de lujo** *appartement de grand standing construit sur le toit d'un immeuble*

atinado, -a [ati'naðo, a] *adj* approprié(e); (*sensato*) sensé(e)

atinar [ati'nar] *vi* viser juste; (*fig*) deviner juste; **~ con** *o* **en** (*solución*) trouver; **~ a hacer** réussir à faire

atisbar [atis'βar] *vt* épier; (*vislumbrar*) percevoir

atizar [ati'θar] *vt* (*fuego, fig*) attiser; (*horno etc*) alimenter; (*Deporte*) battre à plate couture; (*fam*: *golpe*) flanquer

atlántico, -a [at'lantiko, a] *adj* atlantique ■ *nm*: **el (Océano) A~** l'(océan *m*) Atlantique *m*

atlas ['atlas] *nm* atlas *m*

atleta [at'leta] *nm/f* athlète *m/f*

atlético, -a [at'letiko, a] *adj* (*competición*) d'athlétisme; (*persona*) athlétique

atletismo [atle'tismo] *nm* athlétisme *m*

atmósfera [at'mosfera] *nf* atmosphère *f*

atolladero [atoʎa'ðero] *nm* (*fig*) impasse *f*; **estar en un ~** être dans une impasse; **sacar a algn de un ~** tirer qn d'embarras

atómico, -a [a'tomiko, a] *adj* atomique

atomizador [atomiθa'ðor] *nm* atomiseur *m*

átomo ['atomo] *nm* atome *m*

atónito, -a [a'tonito, a] *adj* pantois(e)

atontado, -a [aton'taðo, a] *adj* étourdi(e); (*bobo*) stupide ■ *nm/f* abruti(e)

atontar [aton'tar] *vt* abrutir; **atontarse** *vpr* s'abêtir

atormentar [atormen'tar] *vt* tourmenter, torturer; **atormentarse** *vpr* se tourmenter

atornillar [atorni'ʎar] *vt* visser

atosigar [atosi'ɣar] *vt* empoisonner; **atosigarse** *vpr* être obsédé(e)

atracador, a [atraka'ðor, a] *nm/f* malfaiteur *m*

atracar [atra'kar] *vt* (*Náut*) amarrer; (*atacar*) attaquer à main armée ■ *vi* amarrer; **atracarse** *vpr*: **~se (de)** se bourrer (de)

atracción [atrak'θjon] *nf* attirance *f*; **atracciones** *nfpl* (*diversiones*) attractions *fpl*; **sentir ~ por** éprouver de l'attirance pour; **centro/punto de ~** centre *m*/point *m* d'attraction

atraco [a'trako] *nm* agression *f*; (*en banco*) hold-up *m inv*; **~ a mano armada** attaque *f* à main armée

atracón [atra'kon] *nm*: **darse** *o* **pegarse un ~ (de)** (*fam*) s'empiffrer (de), se bourrer (de)

atractivo, -a [atrak'tiβo, a] *adj* attirant(e) ■ *nm* attrait *m*

atraer [atra'er] *vt* attirer; **atraerse** *vpr* s'attirer; **dejarse ~ por** se laisser attirer par; **~se a algn** conquérir qn

atragantarse [atraɣan'tarse] *vpr*: **~ (con)** s'étrangler (avec); **se me ha atragantado el chico ése** je ne peux pas le voir, celui-là; **se me ha atragantado el inglés** l'anglais et moi, ça fait deux

atrancar [atran'kar] *vt* (*puerta*) barricader; (*desagüe*) boucher; **atrancarse** *vpr* (*desagüe*) se boucher; (*mecanismo*) se gripper; (*fig*: *al hablar*) bafouiller

atrapar [atra'par] *vt* attraper

atrás [a'tras] *adv* (*posición*) derrière, en arrière; (*dirección*) derrière; **~ de** *prep* (*AM*: *detrás de*) derrière; **años/meses ~** des années/mois auparavant; **días ~** cela fait des jours et des jours; **asiento/parte de ~** siège *m*/partie *f* arrière; **cuenta ~** compte *m* à rebours; **marcha ~** marche *f* arrière; **echarse para ~** se rejeter en arrière; **ir hacia ~** (*movimiento*) aller en arrière; (*dirección*) aller derrière; **estar ~** être *o* se trouver derrière *o* en arrière; **está más ~** c'est plus loin derrière; **volverse ~** revenir en arrière, reculer; (*desdecirse*) se dédire

atrasado, -a [atra'saðo, a] *adj* (*pago*) arriéré(e); (*país*) sous-développé(e); (*trabajo*) en retard; (*costumbre*) passé(e); (*moda*) dépassé(e); **el reloj está** *o* **va ~** la pendule retarde; **ir ~** (*Escol*) être en retard; **poner fecha atrasada a** antidater

atrasar [atra'sar] *vi, vt* retarder; **atrasarse** *vpr* (*persona*) s'attarder; (*tren*) avoir du retard; (*reloj*) retarder

atraso [a'traso] *nm* retard *m*; **atrasos** *nmpl* (*Com*) arriérés *mpl*

atravesar [atraβe'sar] *vt* traverser; (*poner al través*) barrer; **atravesarse** *vpr* se mettre en travers de; **ese tipo se me ha atravesado** je ne peux pas souffrir ce type

atraviese *etc* [atra'βjese] *vb ver* **atravesar**

atrayente [atra'jente] *adj* alléchant(e)

atreverse [atre'βerse] *vpr*: **~ a (hacer)** oser (faire)

atrevido, -a [atre'βiðo, a] *adj* (*audaz*) audacieux(-euse); (*descarado*) insolent(e); (*moda, escote*) osé(e) ■ *nm/f* audacieux(-euse), insolent(e)

atrevimiento [atreβi'mjento] *nm* (*audacia*) audace *f*; (*descaro*) insolence *f*
atribuciones [atribu'θjones] *nfpl* (*Pol, Admin*) attributions *fpl*
atribuirse [atribu'irse] *vpr* s'attribuer
atribular [atriβu'lar] *vt* affliger; **atribularse** *vpr* être affligé(e)
atributo [atri'βuto] *nm* attribut *m*, apanage *m*; (*emblema*) attributs *mpl*
atril [a'tril] *nm* pupitre *m*; (*Mús*) lutrin *m*
atrocidad [atroθi'ðað] *nf* atrocité *f*; **atrocidades** *nfpl* (*disparates*) énormités *fpl*
atropellar [atrope'ʎar] *vt* écraser; (*derribar*) renverser; (*empujar*) bousculer; (*agraviar*) malmener; **atropellarse** *vpr* s'embrouiller
atropello [atro'peʎo] *nm* (*Auto*) collision *f*; (*contra propiedad, derechos*) violation *f*; (*empujón*) bousculade *f*; (*agravio*) insulte *f*; (*atrocidad*) atrocité *f*
atroz [a'troθ] *adj* atroce; (*frío*) terrible; (*hambre*) de loup; (*sueño*) irrésistible; (*película, comida*) épouvantable
A.T.S. *sigla m/f* (= *Ayudante Técnico Sanitario*) infirmier(-ère)
atto., -a. *abr* (= *atento, a*) dévoué(e)
atuendo [a'twendo] *nm* tenue *f*
atún [a'tun] *nm* thon *m*
aturdir [atur'ðir] *vt* assommer; (*suj: ruido*) assourdir; (*: vino*) étourdir; (*: droga*) abrutir; (*: noticia*) laisser sans voix; **aturdirse** *vpr* être assourdi(e); (*por órdenes contradictorias*) être décontenancé(e)
atusarse [atu'sarse] *vpr* se pomponner
audacia [au'ðaθja] *nf* audace *f*
audaz [au'ðaθ] *adj* audacieux(-euse)
audible [au'ðiβle] *adj* audible
audición [auði'θjon] *nf* audition *f*; **~ radiofónica** audition radiophonique
audiencia [au'ðjenθja] *nf* audience *f*; **~ pública** (*Pol*) audience publique
audífono [au'ðifono] *nm* audiophone *m*
audiolibro [auðjo'liβro] *nm* livre-cassette *m*
audiovisual [auðjoβi'swal] *adj* audio-visuel(le)
auditor [auði'tor] *nm* (*Jur*) assesseur *m*; (*Com*) commissaire *m* aux comptes
auditorio [auði'torjo] *nm* auditoire *m*; (*sala*) auditorium *m*
auge ['auxe] *nm* apogée *m*; (*Com, Econ*) essor *m*; **estar en ~** être en plein essor
augurar [auɣu'rar] *vt* (*suj: hecho*) laisser présager; (*: persona*) prédire
augurio [au'ɣurjo] *nm* présage *m*
aula ['aula] *nf* (*en colegio*) salle *f* de classe, classe *f*; (*en universidad*) salle de cours; **~ magna** amphithéâtre *m*
aullar [au'ʎar] *vi* grogner; (*fig: viento*) hurler
aullido [au'ʎiðo] *nm* hurlement *m*
aumentar [aumen'tar] *vt* augmenter; (*vigilancia*) redoubler de; (*Foto*) agrandir; (*con microscopio*) grossir ■ *vi* augmenter; (*vigilancia*) redoubler de
aumento [au'mento] *nm* augmentation *f*; (*vigilancia*) redoublement *m*; **en ~** (*precios*) en hausse
aun [a'un] *adv* même; **~ así** même ainsi; **~ cuando** même si
aún [a'un] *adv* (*todavía*) encore, toujours; **~ no** pas encore, toujours pas; **~ más** encore plus; **¿no ha venido ~?** il n'est pas encore arrivé?, il n'est toujours pas arrivé?
aunque [a'unke] *conj* bien que, même si
aúpa [a'upa] *adj*: **de ~** (*fam: catarro*) carabiné(e); (*: chica*) bien roulé(e); (*: espectáculo*) sensass
auricular [auriku'lar] *nm* (*Telec*) écouteur *m*; **auriculares** *nmpl* écouteurs *mpl*
aurora [au'rora] *nf* aurore *f*; **~ boreal(is)** aurore boréale
auscultar [auskul'tar] *vt* ausculter
ausencia [au'senθja] *nf* absence *f*; **brillar por su ~** briller par son absence
ausentarse [ausen'tarse] *vpr*: **~ (de)** s'absenter (de)
ausente [au'sente] *adj* absent(e) ■ *nm/f* (*Escol*) absent(e); (*Jur*) personne *f* portée disparue
auspicio [aus'piθjo] *nm*: **buen/mal ~** bons/mauvais auspices *mpl*; **auspicios** *nmpl*: **bajo los ~s de** sous les auspices de
austeridad [austeri'ðað] *nf* (*de vida*) austérité *f*; (*de mirada*) sévérité *f*
austero, -a [aus'tero, a] *adj* austère; (*lenguaje*) dépouillé(e)
austral [aus'tral] *adj* austral(e) ■ *nm* (*AM: 1985-1991*) austral *m*
Australia [aus'tralja] *nf* Australie *f*
australiano, -a [austra'ljano, a] *adj* australien(ne) ■ *nm/f* Australien(ne)
Austria ['austrja] *nf* Autriche *f*
austriaco, -a [aus'trjako, a], **austríaco, -a** [aus'triako, a] *adj* autrichien(ne) ■ *nm/f* Autrichien(ne)
auténtico, -a [au'tentiko, a] *adj* authentique; (*cuero*) véritable; **es un ~ campeón** c'est un vrai champion
auto ['auto] *nm* (*coche*) auto *f*; (*Jur*) arrêté *m*; **autos** *nmpl* (*Jur*) pièces *fpl* d'un dossier; (*: acta*) procédure *f* judiciaire;

~ **de comparecencia** assignation *f*; ~ **de ejecución** titre *m* exécutoire; ~ **sacramental** *drame religieux espagnol des XVI et XVII siècles, comparable aux mystères français du Moyen Âge*

autoadhesivo, -a [autoaðe'siβo, a] *adj* autocollant(e)

autobiografía [autoβjoɣra'fia] *nf* autobiographie *f*

autobronceador [autoβronθea'ðor] *nm* autobronzant *m*

autobús [auto'βus] *nm* autobus *m*; ~ **de línea** car *m*

autocar [auto'kar] *nm* autocar *m*; ~ **de línea** car *m*

autóctono, -a [au'toktono, a] *adj* autochtone

autodefensa [autoðe'fensa] *nf* autodéfense *f*

autodeterminación [autoðetermina'θjon] *nf* autodétermination *f*

autodidacta [autoði'ðakta] *adj, nm/f* autodidacte *m/f*

autoescuela [autoes'kwela] *nf* auto-école *f*

autógrafo [au'toɣrafo] *nm* autographe *m*

autómata [au'tomata] *nm* (*persona*) automate *m*

automático, -a [auto'matiko, a] *adj* automatique; (*reacción*) machinal(e) ▪ *nm* bouton-pression *m*

automotor, -triz [automo'tor, 'triz] *adj* automoteur(-trice) ▪ *nm* automotrice *f*

automóvil [auto'moβil] *nm* automobile *f*

automovilismo [automoβi'lismo] *nm* automobilisme *m*

automovilista [automoβi'lista] *nm/f* (*conductor*) automobiliste *m/f*

automovilístico, -a [automoβi'listiko, a] *adj* (*industria*) automobile

autonomía [autono'mia] *nf* autonomie *f*; (*territorio*) région *f* autonome; **Estatuto de A~** (*Esp*) statut *m* d'autonomie

autonómico, -a [auto'nomiko, a] (*Esp*) *adj* (*elecciones*) des communautés autonomes; (*política*) d'autonomie des régions; **gobierno ~** gouvernement *m* régional autonome

autónomo, -a [au'tonomo, a] *adj* (*Pol, Inform*) autonome; (*trabajador*) indépendant(e)

autopista [auto'pista] *nf* autoroute *f*; ~ **de peaje** autoroute à péage

autopsia [au'topsja] *nf* autopsie *f*

autor, a [au'tor, a] *nm/f* auteur *m*; **los ~es del atentado** les auteurs de l'attentat

autoridad [autori'ðað] *nf* autorité *f*; **autoridades** *nfpl* (*Pol*) autorités *fpl*; **la ~ política/judicial** les autorités politiques/judiciaires; **ser una ~ en física/matemáticas** faire autorité en matière de physique/de mathématiques; **tener ~ sobre algn** avoir autorité sur qn; ~ **local** autorité locale

autoritario, -a [autori'tarjo, a] *adj* autoritaire

autorización [autoriθa'θjon] *nf* autorisation *f*

autorizado, -a [autori'θaðo, a] *adj* autorisé(e)

autorizar [autori'θar] *vt* autoriser; ~ **a hacer** autoriser à faire

autoservicio [autoser'βiθjo] *nm* (*tienda*) libre-service *m*; (*restaurante*) self-service *m*

autostop [auto'stop] *nm* auto-stop *m*; **hacer ~** faire de l'auto-stop

autostopista [autosto'pista] *nm/f* auto-stoppeur(-euse)

autovía [auto'βia] *nf* route *f* à quatre voies

auxiliar [auksi'ljar] *vt* secourir, venir en aide à ▪ *adj* auxiliaire; (*profesor*) suppléant(e) ▪ *nm/f* auxiliaire *m/f*

auxilio [auk'siljo] *nm* aide *f*, secours *msg* ▪ *excl* au secours!; **primeros ~s** premiers secours *mpl*; **prestar ~ a algn** venir en aide à qn, porter secours à qn; ~ **en carretera** secours *mpl* d'urgence

Av. *abr* (= *Avenida*) av. (= *avenue*)

a/v *abr* (= *a la vista*) *ver* **vista**

aval [a'βal] *nm* aval *m*; (*garantía*) garantie *f*; ~ **bancario** garantie bancaire

avalancha [aβa'lantʃa] *nf* avalanche *f*

avance [a'βanθe] *vb ver* **avanzar** ▪ *nm* (*de tropas*) avance *f*, progression *f*; (*de la ciencia*) progrès *msg*; (*pago*) avance; (*TV: de noticias*) flash *m* (d'information); (*del tiempo*) prévisions *fpl* météorologiques; (*Cine*) bande-annonce *f*

avanzar [aβan'θar] *vt* avancer ▪ *vi* avancer, progresser; (*proyecto*) avancer; (*alumno*) avancer, faire des progrès

avaricia [aβa'riθja] *nf* avarice *f*

avaricioso, -a [aβari'θjoso, a] *adj* avaricieux(-euse)

avaro, -a [a'βaro, a] *adj, nm/f* avare *m/f*

Avda. *abr* (= *Avenida*) av. (= *avenue*)

AVE ['aβe] *sigla m* (= *Alta Velocidad Española*) ≈ TGV *m* (= *train à grande vitesse*)

ave ['aβe] *nf* oiseau *m*; ~ **de rapiña** oiseau de proie; **~s de corral** oiseaux *mpl* de basse-cour, volaille *f*

avecinarse [aβeθi'narse] *vpr* approcher
avellana [aβe'ʎana] *nf* noisette *f*
avellano [aβe'ʎano] *nm* noisetier *m*, coudrier *m*
avemaría [aβema'ria] *nm* Ave (Maria) *m*
avena [a'βena] *nf* avoine *f*
avenida [aβe'niðа] *nf* avenue *f*; (*de río*) crue *f*
avenir [aβe'nir] *vt* mettre d'accord; **avenirse** *vpr* (*personas*) s'entendre; **~se a hacer** consentir à faire; **~se a razones** se rendre à la raison
aventajado, -a [aβenta'xaðo, a] *adj* remarquable
aventajar [aβenta'xar] *vt*: **~ a algn (en algo)** surpasser qn (en qch)
aventura [aβen'tura] *nf* aventure *f*
aventurado, -a [aβentu'raðo, a] *adj* aventureux(-euse)
aventurero, -a [aβentu'rero, a] *adj, nm/f* aventurier(-ère)
avergonzar [aβerɣon'θar] *vt* faire honte à; **avergonzarse** *vpr*: **~se de (hacer)** avoir honte de (faire)
avería [aβe'ria] *nf* (*Tec*) panne *f*, avarie *f*; (*Auto*) panne
averiguación [aβeriɣwa'θjon] *nf* enquête *f*; (*descubrimiento*) découverte *f*
averiguar [aβeri'ɣwar] *vt* enquêter sur; (*descubrir*) découvrir
aversión [aβer'sjon] *nf* aversion *f*; **cobrar ~ a** prendre en aversion
avestruz [aβes'truθ] *nm* autruche *f*
aviación [aβja'θjon] *nf* aviation *f*
aviador, a [aβja'ðor, a] *nm/f* aviateur(-trice)
avidez [aβi'ðeθ] *nf*: **~ de** *o* **por** empressement *m* à; (*pey*) avidité *f* de; **con ~** avec avidité
ávido, -a ['aβiðo, a] *adj*: **~ de** *o* **por** avide de
avinagrado, -a [aβina'ɣraðo, a] *adj* aigri(e), revêche; (*voz*) aigre
avión [a'βjon] *nm* avion *m*; (*ave*) martinet *m*; **por ~** (*Correos*) par avion; **~ de caza** avion de chasse, chasseur *m*; **~ de combate/de hélice/de reacción** avion de combat/à hélice/à réaction
avioneta [aβjo'neta] *nf* avion *m* léger
avisar [aβi'sar] *vt* (*ambulancia, fontanero*) appeler; (*médico*) prévenir; **~ (de)** (*advertir*) avertir (de); (*informar*) avertir (de), faire part (de); **~ a algn con antelación** prévenir qn
aviso [a'βiso] *nm* avis *msg*; (*Com*) commande *f*; (*Inform*) message *m* d'incitation; **estar/poner sobre ~** être sur ses gardes/mettre en garde; **hasta nuevo ~** jusqu'à nouvel ordre; **sin previo ~** sans préavis; **~ escrito** notification *f* par écrit
avispa [a'βispa] *nf* guêpe *f*
avispado, -a [aβis'paðo, a] *adj* éveillé(e)
avispero [aβis'pero] *nm* guêpier *m*; **meterse en un ~** se fourrer dans un guêpier
avituallar [aβitwa'ʎar] *vt* ravitailler
avivar [aβi'βar] *vt* aviver; (*paso*) presser; **avivarse** *vpr* se raviver; (*discusión*) s'animer
axila [ak'sila] *nf* aisselle *f*
axioma [ak'sjoma] *nm* axiome *m*
ay [ai] *excl* aïe!; (*aflicción*) hélas!; **¡ay de mí!** pauvre de moi!
aya ['aja] *nf* (*institutriz*) gouvernante *f*; (*niñera*) nurse *f*
ayer [a'jer] *adv, nm* hier *m*; **antes de ~** avant-hier; **~ por la tarde** hier après-midi
ayote [a'jote] (*Méx: calabaza*) *nm* courge *f*
ayuda [a'juða] *nf* aide *f*; (*Med*) lavement *m* ■ *nm*: **~ de cámara** valet *m* de chambre
ayudante, -a [aju'ðante, a] *nm/f* adjoint(e); (*Escol*) assistant(e); (*Mil*) adjudant *m*
ayudar [aju'ðar] *vt* aider; **~ a algn a hacer algo** aider qn à faire qch
ayunar [aju'nar] *vi* jeûner
ayunas [a'junas] *nfpl*: **estar en ~** être à jeun; (*fig*) ne rien savoir
ayuno [a'juno] *nm* jeûne *m*
ayuntamiento [ajunta'mjento] *nm* (*concejo*) municipalité *f*; (*edificio*) mairie *f*, hôtel *m* de ville; (*cópula*) copulation *f*
azabache [aθa'βatʃe] *nm* jais *msg*
azada [a'θaða] *nf* houe *f*
azafata [aθa'fata] *nf* hôtesse *f* de l'air; (*de congreso*) hôtesse d'accueil
azafrán [aθa'fran] *nm* safran *m*
azahar [aθa'ar] *nm* fleur *f* d'oranger
azar [a'θar] *nm* (*casualidad*) hasard *m*; (*desgracia*) malheur *m*; **al/por ~** au/par hasard; **juegos de ~** jeux *mpl* de hasard
azoramiento [aθora'mjento] *nm* trouble *m*
azorar [aθo'rar] *vt* faire honte; **azorarse** *vpr* se troubler
Azores [a'θores] *nfpl*: **las (Islas) ~** les Açores *fpl*
azotar [aθo'tar] *vt* fouetter; (*suj: lluvia*) fouetter, cingler; (*fig*) sévir
azote [a'θote] *nm* coup *m* de fouet; (*a niño*) fessée *f*; (*fig*) fléau *m*; (*látigo*) fouet *m*
azotea [aθo'tea] *nf* terrasse *f*; **andar** *o* **estar mal de la ~** travailler du chapeau

azteca [aθ'teka] *adj* aztèque ■ *nm/f* Aztèque *m/f*
azúcar [a'θukar] *nm o nf* sucre *m*; **~ glaseado** sucre glace
azucarado, -a [aθuka'raðo, a] *adj* sucré(e)
azucarero, -a [aθuka'rero, a] *adj* (*industria*) sucrier(-ère); (*comercio*) du sucre ■ *nm* sucrier *m*
azucena [aθu'θena] *nf* lis *m*, lys *m*
azufre [a'θufre] *nm* soufre *m*
azul [a'θul] *adj* bleu(e) ■ *nm* bleu *m*; **~ celeste/marino** bleu ciel/marine
azulejo [aθu'lexo] *nm* carreau *m* (*au mur*)
azuzar [aθu'θar] *vt* exciter

b

B.A. *abr* = **Buenos Aires**
baba ['baβa] *nf* bave *f*; **caérsele la ~ a algn** (*fig*) baver d'admiration
babero [ba'βero] *nm* bavoir *m*
babor [ba'βor] *nm*: **a** *o* **por ~** à bâbord
baboso, -a [ba'βoso, a] (*AM: fam*) *adj, nm/f* idiot(e), imbécile *m/f*
baca ['baka] *nf* (*Auto*) galerie *f*
bacalao [baka'lao] *nm* morue *f*; **cortar el ~** (*fig*) être le grand manitou
bache ['batʃe] *nm* nid *m* de poule; (*fig*) crise *f* passagère; **~ de aire** trou *m* d'air
bachillerato [batʃiʎe'rato] *nm* baccalauréat *m*; **B~ Unificado Polivalente** *classes de troisième, seconde, première*
bacteria [bak'terja] *nf* bactérie *f*
báculo ['bakulo] *nm* (*bastón*) canne *f*; (*fig*) soutien *m*
bádminton ['baðminton] *nm* badminton *m*
bagaje [ba'ɣaxe] *nm* (*de ejército*) barda *m*; (*fig*) bagage *m*; **~ cultural** bagage *m* culturel
Bahama [ba'ama] *nfpl*: **las (Islas) ~s** les (îles) Bahamas *fpl*
bahía [ba'ia] *nf* baie *f*
bailar [bai'lar] *vt* danser; (*peonza, trompo*) faire tourner ■ *vi* danser;

(*peonza, trompo*) tourner; **te bailan los pies en esos zapatos** tu nages dans ces souliers

bailarín, -ina [baila'rin, ina] *nm/f* danseur(-euse)

baile ['baile] *nm* danse *f*; (*fiesta*) bal *m*; **~ de disfraces** bal masqué; **~ de salón** danse de salon; **~ flamenco** flamenco *m*; **~ regional** danse folklorique

baja ['baxa] *nf* baisse *f*; (*Mil*) perte *f*; **dar de ~ a algn** (*soldado*) réformer qn; (*empleado*) congédier qn; (*miembro de club*) exclure qn; **darse de ~** (*de trabajo*) démissionner; (*por enfermedad*) se faire porter malade; (*de club*) se retirer; **estar de ~** (*enfermo*) être en congé de maladie; **jugar a la ~** (*Bolsa*) jouer à la baisse

bajada [ba'xaða] *nf* baisse *f*; (*declive, camino*) pente *f*; **~ de aguas** gouttière *f*; **~ de bandera** (*en taxi*) prise *f* en charge

bajar [ba'xar] *vi* descendre; (*temperatura, precios, calidad*) baisser ■ *vt* baisser; (*escalera, maletas*) descendre; (*persiana*) abaisser; (*Internet*) télécharger; **bajarse** *vpr*: **~se de** descendre de; **~ de** (*de coche, autobús*) descendre de; **los coches han bajado de precio** le prix des voitures a baissé; **~le los humos a algn** rabattre son caquet à qn; **~se algo de Internet** télécharger qch sur Internet

bajeza [ba'xeθa] *nf* bassesse *f*

bajío [ba'xio] (*AM*) *nm* banc *m* de sable

bajo, -a ['baxo, a] *adj* (*piso*) inférieur(e); (*empleo*) médiocre; (*persona, animal*) petit(e); (*ojos*) baissé(e); (*sonido*) faible; **~ en** (*metal*) à faible teneur en ■ *adv* bas ■ *prep* sous ■ *nm* (*Mús*) basse *f*; (*en edificio*) rez-de-chaussée *m inv*; **bajos** *nmpl* (*de falda, de pantalón*) bas *msg*; **hablar en voz baja** parler à voix basse; **caer ~** (*fig*) tomber bas; **de clase baja** (*pey*) de bas étage; **~ la lluvia** sous la pluie; **~ su punto de vista** de son point de vue

bajón [ba'xon] *nm* chute *f*; (*de salud*) aggravation *f*; **dar** *o* **pegar un ~** (*fam*) chuter

bakalao [baka'lao] *nm* (*fam*) techno *f*

bala ['bala] *nf* (*proyectil*) balle *f*; **como una ~** comme l'éclair

balance [ba'lanθe] *nm* (*Com*) bilan *m*; (: *libro*) livre *m* de comptes; **hacer ~ de** faire le point de; **~ consolidado** bilan consolidé; **~ de comprobación** balance *f* de vérification

balancear [balanθe'ar] *vt* (*suj: viento, olas*) balancer; **balancearse** *vpr* se balancer

balanceo [balan'θeo] *nm* balancement *m*

balanza [ba'lanθa] *nf* balance *f*; (*Astrol*): **B~** Balance; **~ comercial** balance commerciale; **~ de pagos** balance des paiements; **~ de poder(es)** équilibre *m* des pouvoirs

balar [ba'lar] *vi* bêler

balaustrada [balaus'traða] *nf* balustrade *f*; (*en escalera*) rampe *f*

balazo [ba'laθo] *nm* (*disparo*) coup *m* de feu; (*herida*) blessure *f* par balle

balbucear [balβuθe'ar] *vi, vt* balbutier

balbuceo [balβu'θeo] *nm* balbutiement *m*

balbucir [balβu'θir] = **balbucear**

balcón [bal'kon] *nm* balcon *m*

balde ['balde] *nm* (*esp AM*) seau *m*; **de ~** gratis; **en ~** en vain

baldío, -a [bal'dio, a] *adj* en friche; (*esfuerzo, ruego*) vain(e)

baldosa [bal'dosa] *nf* (*para suelos*) carreau *m*; (*azulejo*) petit carreau en faïence

baldosín [baldo'sin] *nm* (*de pared*) petit carreau *m* en faïence

Baleares [bale'ares] *nfpl*: **las (Islas) ~** les (îles) Baléares *fpl*

balido [ba'liðo] *nm* bêlement *m*

baliza [ba'liθa] *nf* (*Aviat, Náut*) balise *f*

ballena [ba'ʎena] *nf* baleine *f*

ballet [ba'le] (*pl* **~s**) *nm* ballet *m*

balneario, -a [balne'arjo, a] *adj* thermal(e); (*AM*) balnéaire ■ *nm* station *f* thermale/balnéaire

balón [ba'lon] *nm* ballon *m*

baloncesto [balon'θesto] *nm* basket-ball *m*

balonmano [balon'mano] *nm* hand-ball *m*

balonvolea [balombo'lea] *nm* volley-ball *m*

balsa ['balsa] *nf* (*Náut*) radeau *m*; (*charca*) mare *f*; **estar como ~ de aceite** (*mar*) être d'huile; **ser una ~ de aceite** (*fig*) être de tout repos

bálsamo ['balsamo] *nm* baume *m*

baluarte [ba'lwarte] *nm* (*de muralla*) rempart *m*; (*fig*) bastion *m*

bambolearse [bambole'arse] *vpr* osciller; (*silla*) branler; (*persona*) tituber

bambú [bam'bu] *nm* bambou *m*

banana [ba'nana] (*AM*) *nf* banane *f*

banano [ba'nano] (*AM*) *nm* bananier *m*

banca ['banka] *nf* (*AM: asiento*) banc *m*; (*Com*) banque *f*; **la gran ~** la grande banque

bancario, -a [ban'karjo, a] *adj* bancaire; **giro ~** virement *m* bancaire

bancarrota [banka'rrota] *nf* faillite *f*; (*fraudulenta*) banqueroute *f*; **hacer** *o* **declararse en ~** faire faillite
banco ['banko] *nm* banc *m*; (*de carpintero*) établi *m*; (*Com*) banque *f*; **~ comercial** banque *f* commerciale; **~ de arena** banc de sable; **~ de crédito** établissement *m* de crédit; **~ de datos** (*Inform*) banque de données; **~ de hielo** banquise *f*; **~ de sangre** banque du sang; **~ mercantil** banque d'affaires; **B~ Mundial** Banque mondiale; **~ por acciones** banque de dépôt
banda ['banda] *nf* bande *f*; (*honorífica*) écharpe *f*; (*Mús*) fanfare *f*; (*para el pelo*) ruban *m*; (*bandada*) volée *f*, bande; **la B~ Oriental** l'Uruguay *m*; **cerrarse en ~** ne rien vouloir entendre; **fuera de ~** (*Deporte*) en touche; **~ ancha** (*Inform*) haut débit *m*; **~ sonora** (*Cine*) bande son; **~ de sonido** bande sonore; **~ sonora** (*Cine*) bande son; **~ transportadora** tapis *m* roulant
bandada [ban'daða] *nf* (*de pájaros*) volée *f*; (*de peces*) banc *m*
bandazo [ban'daθo] *nm*: **dar ~s** (*coche*) faire des embardées
bandeja [ban'dexa] *nf* plateau *m*; **servir algo en ~** (*fig*) servir qch sur un plateau d'argent; **~ de entrada/salida** corbeille *f* arrivée/départ
bandera [ban'dera] *nf* (*tb Inform*) drapeau *m*; **izar (la) ~** hisser les couleurs; **arriar la ~** amener les couleurs; **jurar ~** prêter serment au drapeau; **~ blanca** drapeau blanc
banderilla [bande'riʎa] *nf* (*Taur*) banderille *f*; (*tapa*) apéritif *m*
banderín [bande'rin] *nm* (*para la pared*) fanion *m*
bandido [ban'diðo] *nm* bandit *m*
bando ['bando] *nm* arrêt *m*; (*facción*) faction *f*; **los bandos** *nmpl* (*Rel*) les bans *mpl*; **pasar al otro ~** passer à l'ennemi
bandolera [bando'lera] *nf* (*bolso*) cartouchière *f*; **llevar en ~** porter en bandoulière
bandolero [bando'lero] *nm* brigand *m*
banner ['baner] (*pl* **~s**) *nm* (*Inform*) bandeau *m*
banquero [ban'kero] *nm* banquier *m*
banqueta [ban'keta] *nf* banquette *f*; (*AM*) trottoir *m*
banquete [ban'kete] *nm* banquet *m*; **~ de bodas** repas *msg* de noces
banquillo [ban'kiʎo] *nm* (*Jur*) banc *m* des accusés; (*Deporte*) gradin *m*, banquette *f*
bañador [baɲa'ðor] *nm* maillot *m* de bain
bañar [ba'ɲar] *vt* baigner; (*objeto*) tremper; **bañarse** *vpr* se baigner; (*en la bañera*) prendre un bain; **bañado en** baigné(e) de; **~ en** *o* **de** (*de pintura*) enduire de; (*chocolate*) enrober de
bañera [ba'ɲera] *nf* baignoire *f*
bañero [ba'ɲero] *nm* maître-nageur *m*
bañista [ba'ɲista] *nm/f* baigneur(-euse)
baño ['baɲo] *nm* bain *m*; (*en río, mar, piscina*) baignade *f*; (*cuarto*) salle *f* de bains; (*bañera*) baignoire *f*; (*capa*) couche *f*; **tomar ~s de sol** prendre des bains de soleil; **~ (de) María** bain-marie *m*; **~ de vapor** bain de vapeur; **~ turco** bain turc
bar [bar] *nm* bar *m*; **ir de ~es** faire la tournée des bars
barahúnda [bara'unda] *nf* tapage *m*
baraja [ba'raxa] *nf* jeu *m* de cartes

BARAJA ESPAÑOLA

La *baraja española*, ou jeu de cartes traditionnel espagnol, est différente du jeu de cartes français. Les quatre "palos" (couleurs) sont "oros" (pièces d'or), "copas" (coupes), "espadas" (épées) et "bastos" (gourdins). Chaque couleur se compose de neuf cartes numérotées de 1 à 9 (bien que, dans certains jeux, on n'en utilise que sept), et de trois figures: la "sota" (valet), le "caballo" (équivalent à la reine) et le "rey" (roi").

barajar [bara'xar] *vt* battre; (*fig*) envisager; (*datos*) brasser
baranda [ba'randa], **barandilla** [baran'ðiʎa] *nf* (*en escalera*) rampe *f*; (*en balcón*) balustrade *f*
baratija [bara'tixa] *nf* babiole *f*; **baratijas** *nfpl* (*Com*) camelote *f*
baratillo [bara'tiʎo] *nm* friperie *f*
barato, -a [ba'rato, a] *adj* bon marché *inv* ■ *adv* bon marché; **lo ~ sale caro** ce qui est bon marché revient cher
baraúnda [bara'unda] *nf* = **barahúnda**
barba ['barβa] *nf* barbe *f*; (*mentón*) menton *m*; **tener ~** avoir de la barbe; **reírse en las ~s de algn** rire au nez de qn; **salir algo a 9 euros por ~** (*fam*) revenir à 9 euros par tête de pipe; **con ~ de tres días** avec une barbe de trois jours; **subirse a las ~s de algn** prendre des libertés avec qn; **se rió en mis propias ~s** il m'a ri au nez
barbacoa [barβa'koa] *nf* barbecue *m*
barbaridad [barβari'ðað] *nf* atrocité *f*; (*imprudencia, temeridad*) témérité *f*;

(*disparate*) énormité *f*; **come una ~** (*fam*) il mange énormément; **¡qué ~!** (*fam*) quelle horreur!; **cuesta una ~** (*fam*) cela coûte les yeux de la tête; **decir ~es** dire des énormités

barbarie [bar'βarje] *nf* barbarie *f*

bárbaro, -a ['barβaro, a] *adj* barbare; (*osado*) audacieux(-euse); (*fam: estupendo*) sensass; (*éxito*) monstre ■ *nm/f* (*pey: salvaje*) barbare *m/f* ■ *adv*: **lo pasamos ~** (*fam*) ça a été génial; **¡qué ~!** c'est formidable!; **es un tipo ~** (*fam*) c'est un type sensass

barbero [bar'βero] *nm* barbier *m*, coiffeur *m*

barbilla [bar'βiʎa] *nf* collier *m* (de barbe)

barbo ['barβo] *nm* barbeau *m*; **~ de mar** rouget *m*

barbotar [barβo'tar], **barbotear** [barβote'ar] *vt, vi* bredouiller

barbudo, -a [bar'βuðo, a] *adj* barbu(e)

barca ['barka] *nf* barque *f*; **~ de pasaje** bac *m*; **~ pesquera** barque de pêche

barcaza [bar'kaθa] *nf* péniche *f*; **~ de desembarco** péniche de débarquement

Barcelona [barθe'lona] *n* Barcelone

barcelonés, -esa [barθelo'nes, esa] *adj* barcelonais(e) ■ *nm/f* Barcelonais(e), natif(-ive) *o* habitant(e) de Barcelone

barco ['barko] *nm* bateau *m*; (*buque*) bâtiment *m*; **ir en ~** aller en bateau; **~ de carga** cargo *m*; **~ de guerra** bateau de guerre; **~ de vela** bateau à voiles; **~ mercante** navire *m* marchand

baremo [ba'remo] *nm* barème *m*

barítono [ba'ritono] *nm* baryton *m*

barman ['barman] *nm inv* barman *m*

barniz [bar'niθ] *nm* (*tb fig*) vernis *msg*; **~ de uñas** vernis à ongles

barnizar [barni'θar] *vt* vernir

barómetro [ba'rometro] *nm* baromètre *m*

barquero [bar'kero] *nm* barreur *m*

barquillo [bar'kiʎo] *nm* (*dulce*) cornet *m*

barra ['barra] *nf* (*tb Jur*) barre *f*; (*de un bar, café*) comptoir *m*; (*de pan*) pain *m* long; (*palanca*) levier *m*; **no pararse en ~s** ne reculer devant rien; **~ americana** bar *m* américain; **~ de espaciado** (*Inform*) barre d'espacement; **~ de labios** bâton *m* de rouge à lèvres; **~ libre** (*en bar*) boissons *fpl* à volonté; **~s paralelas** barres *fpl* parallèles

barraca [ba'rraka] *nf* baraque *f*; (*en feria*) stand *m*; (*en Valencia*) *sorte de chaumière des rizières de la région de Valence*

barranco [ba'rranko] *nm* précipice *m*; (*rambla*) fossé *m*

barrenar [barre'nar] *vt* forer

barreno [ba'rreno] *nm* mine *f*

barrer [ba'rrer] *vt* balayer; (*niebla, nubes*) dissiper; (*fig*) balayer ■ *vi* balayer; (*fig*) tout rafler; **~ para dentro** tirer la couverture à soi

barrera [ba'rrera] *nf* barrière *f*; (*Mil*) barrage *m*; (*obstáculo*) obstacle *m*; **poner ~s a** faire obstacle à; **~ arancelaria** (*Com*) barrière douanière; **~ del sonido** mur *m* du son; **~ generacional** conflit *m* des générations

barriada [ba'rrjaða] *nf* quartier *m*

barricada [barri'kaða] *nf* barricade *f*

barrida [ba'rriða] *nf*, **barrido** [ba'rriðo] *nm* balayage *m*; **dar un barrido rápido** passer un coup de balai

barriga [ba'rriɣa] *nf* panse *f*, ventre *m*; **rascarse** *o* **tocarse la ~** (*fam*) se tourner les pouces; **echar ~** prendre du ventre

barrigón, -ona [barri'ɣon, ona], **barrigudo, -a** [barri'ɣuðo, a] *adj* bedonnant(e)

barril [ba'rril] *nm* baril *m*; **cerveza de ~** bière *f* pression

barrio ['barrjo] *nm* quartier *m*; (*en las afueras*) faubourg *m*; (*Ven: de chabolas*) bidonville *m*; **irse al otro ~** (*fam*) passer l'arme à gauche (*fam*); **de ~** (*cine, tienda*) de quartier; **~ chino** quartier des prostituées; **~s bajos** bas quartiers *mpl*

barro ['barro] *nm* boue *f*; (*arcilla*) terre *f* (glaise)

barroco, -a [ba'rroko, a] *adj* (*tb fig*) baroque ■ *nm* baroque *m*

barrote [ba'rrote] *nm* (*de ventana etc*) barreau *m*

barruntar [barrun'tar] *vt* (*conjeturar*) deviner; (*presentir*) pressentir

bartola [bar'tola]: **a la ~** *adv*: **tirarse** *o* **tumbarse a la ~** prendre ses aises

bártulos ['bartulos] *nmpl* attirail *m*

barullo [ba'ruʎo] *nm* tohu-bohu *m inv*; (*desorden*) pagaille *f*; **¡qué ~!** quelle pagaille!; **a ~** (*fam*) en pagaille

basar [ba'sar] *vt*: **~ algo en** (*fig*) fonder qch sur; **basarse** *vpr*: **~se en** se fonder sur

báscula ['baskula] *nf* bascule *f*; **~ biestable** (*Inform*) bascule

base ['base] *nf* base *f* ■ *adj* (*color, salario*) de base; **bases** *nfpl* (*de concurso, juego*) règlement *msg*; **a ~ de** (*mediante*) grâce à; **a ~ de bien** on ne peut mieux; **de ~** (*militante, asamblea*) de base; **carecer de ~** être dénué(e) de fondement; **partir de la ~ de que ...** partir du principe que ...; **~ aérea/espacial/militar/naval** base aérienne/spatiale/militaire/navale; **~ de datos** (*Inform*) base de données; **~ de operaciones** base d'opérations; **~ imponible** (*Fin*) assiette *f* de l'impôt

básico, -a ['basiko, a] *adj* (*elemento, norma, condición*) de base

basílica [ba'silika] *nf* basilique *f*

PALABRA CLAVE

bastante [bas'tante] *adj* **1** (*suficiente*) assez de; **bastante dinero** assez d'argent; **bastantes libros** assez de livres **2** (*valor intensivo*): **bastante gente** pas mal de gens; **hace bastante tiempo que ocurrió** cela fait assez longtemps que c'est arrivé

■ *adv* **1** (*suficiente*) assez; **¿hay bastante?** il y en a assez?; **(lo) bastante inteligente (como) para hacer algo** assez intelligent pour faire qch

2 (*valor intensivo*) assez; **bastante rico** assez riche; **voy a tardar bastante** je serai assez long

bastar [bas'tar] *vi* suffire; **bastarse** *vpr*: **~se (por sí mismo)** se suffire (à soi-même); **~ para hacer** suffire pour faire; **¡basta!** ça suffit!; **me basta con 5** 5 me suffisent; **me basta con ir** il me suffit d'aller; **basta (ya) de ...** arrêtez de ...

bastardilla [bastar'ðiʎa] *nf* (*Tip*) italique *m*

bastardo, -a [bas'tarðo, a] *adj, nm/f* bâtard(e)

bastidor [basti'ðor] *nm* (*de costura*) métier *m* à broder; (*de coche, Arte*) châssis *msg*; **entre ~es** en coulisse

basto, -a ['basto, a] *adj* rustre; (*tela*) grossier(-ière); **bastos** *nmpl* (*Naipes*) *l'une des quatre couleurs du jeu de cartes espagnol*

bastón [bas'ton] *nm* (*cayado*) canne *f*; (*vara*) bâton *m*; (*tb*: **bastón de esquí**) bâton de ski; **~ de mando** bâton de commandement

bastoncillo [baston'θiʎo] *nm* (*de algodón*) bâtonnet *m*

basura [ba'sura] *nf* ordures *fpl*; (*tb*: **cubo de la basura**) boîte *f* à ordures

basurero [basu'rero] *nm* (*persona*) éboueur *m*; (*lugar*) décharge *f*; (*cubo*) poubelle *f*

bata ['bata] *nf* robe *f* de chambre; (*Med, Tec, Escol*) blouse *f*

batalla [ba'taʎa] *nf* bataille *f*; **de ~** de tous les jours; **~ campal** bataille rangée

batallar [bata'ʎar] *vi* batailler; **~ por algo/algn** se battre pour qch/qn

batallón [bata'ʎon] *nm* bataillon *m*; **un ~ de gente** une multitude de gens

batata [ba'tata] *nf* (*AM*: *Bot, Culin*) patate *f* douce

batería [bate'ria] *nf* batterie *f* ■ *nm/f* (*persona*) batteur *m*; **aparcar/estacionar en ~** se garer/stationner en épi; **~ de cocina** batterie de cuisine

batido, -a [ba'tiðo, a] *adj* (*camino*) battu(e); (*mar*) agité(e) ■ *nm* (*de chocolate, frutas*) milk-shake *m*

batidora [bati'ðora] *nf* mixeur *m*; **~ eléctrica** batteur *m* électrique

batir [ba'tir] *vt* battre ■ *vi*: **~ (contra)** battre (contre); **batirse** *vpr*: **~se en duelo** se battre en duel; **~se en retirada** battre en retraite; **~ palmas** battre des mains

batuta [ba'tuta] *nf* (*Mús*) baguette *f*; **llevar la ~** mener la danse

baúl [ba'ul] *nm* malle *f*; (*AM*: *Auto*) coffre *m*

bautismo [bau'tismo] *nm* (*Rel*) baptême *m*; **~ de fuego** baptême du feu

bautizar [bauti'θar] *vt* baptiser

bautizo [bau'tiθo] *nm* baptême *m*

bayeta [ba'jeta] *nf* (*para limpiar*) chiffon *m* à poussière; (*AM*: *pañal*) lange *m*

bayoneta [bajo'neta] *nf* baïonnette *f*

baza ['baθa] *nf* (*Naipes*) pli *m*; (*fig*) atout *m*; **meter ~** mettre son grain de sel

bazar [ba'θar] *nm* (*comercio*) bazar *m*

bazofia [ba'θofja] *nf*: **es una ~** c'est infect; **esa novela es una ~** ce roman est nul

beato, -a [be'ato, a] *adj, nm/f* (*pey*) bigot(e); (*Rel*) bienheureux(-euse)

bebé [be'βe] (*pl* **~s**) *nm* bébé *m*

bebedor, a [beβe'ðor, a] *adj, nm/f* buveur(-euse)

beber [be'βer] *vt, vi* boire; **~ por** (*brindar*) boire à; **~ a sorbos** boire à petites gorgées; **se lo bebió todo** il a tout bu; **~ como un cosaco** boire comme un trou; *ver* **agua**

bebida [be'βiða] *nf* boisson *f*

bebido, -a [be'βiðo, a] *adj* ivre

beca ['beka] *nf* bourse *f*

becario, -a [be'karjo, a] *nm/f* boursier(-ière)

bedel [be'ðel] *nm* (*Escol, Univ*) appariteur *m*

béisbol ['beisβol] *nm* base-ball *m*

Belén [be'len] *n* Bethléem

belén [be'len] *nm* crèche *f*

belga ['belɣa] *adj* belge ■ *nm/f* Belge *m/f*

Bélgica ['belxika] *nf* Belgique *f*

bélico, -a ['beliko, a] *adj* (*armamento, preparativos*) de guerre; (*conflicto*) armé(e); (*actitud*) belliqueux(-euse)
beligerante [belixe'rante] *adj* belligérant(e)
belleza [be'ʎeθa] *nf* beauté *f*
bello, -a ['beʎo, a] *adj* beau (belle); **Bellas Artes** beaux-arts *mpl*
bellota [be'ʎota] *nf* gland *m*
bemol [be'mol] *nm* bémol *m*; **esto tiene ~es** (*fam*) c'est pas de la tarte
bencina [ben'θina] (*Chi*) *nf* (*gasolina*) essence *f*
bendecir [bende'θir] *vt*: **~ la mesa** bénir la table
bendición [bendi'θjon] *nf* bénédiction *f*; **ser una ~** être une bénédiction; **dar** *o* **echar la ~** donner sa bénédiction
bendito, -a [ben'dito, a] *pp de* **bendecir** ■ *adj* bénit(e); (*feliz*) bienheureux(-euse) ■ *nm/f* brave homme/femme; (*ingenuo*) benêt *m*; **¡~ sea Dios!** Dieu soit loué!; **dormir como un ~** dormir à poings fermés
beneficencia [benefi'θenθja] *nf* (*tb*: **beneficencia pública**) assistance *f* publique
beneficiar [benefi'θjar] *vt* profiter à; **beneficiarse** *vpr*: **~se (de** *o* **con)** bénéficier (de)
beneficiario, -a [benefi'θjarjo, a] *nm/f* bénéficiaire *m/f*
beneficio [bene'fiθjo] *nm* (*bien*) bienfait *m*; (*ganancia*) bénéfice *m*; **a/en ~ de** au bénéfice de; **sacar ~ de** tirer profit de; **en ~ propio** dans son propre intérêt; **~ bruto/neto/por acción** bénéfice brut/ net/(net) par action
beneficioso, -a [benefi'θjoso, a] *adj* salutaire; (*Econ*) rentable
benéfico, -a [be'nefiko, a] *adj* (*organización, festival*) de bienfaisance; **sociedad benéfica** œuvre *f* de bienfaisance
benevolencia [beneβo'lenθja] *nf* bienveillance *f*
benévolo, -a [be'neβolo, a] *adj* bienveillant(e)
benigno, -a [be'niɣno, a] *adj* bienveillant(e); (*clima*) clément(e); (*resfriado, Med*) bénin (bénigne)
berberecho [berβe'retʃo] *nm* coque *f*
berenjena [beren'xena] *nf* aubergine *f*
Berlín [ber'lin] *n* Berlin
Bermudas [ber'mudas] *nfpl*: **las (Islas) ~** les (îles) Bermudes *fpl*
bermudas [ber'muðas] *nfpl o nmpl* bermuda *msg*
berrear [berre'ar] *vi* mugir; (*niño*) brailler
berrido [be'rriðo] *nm* mugissement *m*; (*niño*) braillement *m*
berrinche [be'rrintʃe] (*fam*) *nm* petite colère *f*; (*disgusto*) rogne *f*; **llevarse un ~** se mettre en rogne
berro ['berro] *nm* cresson *m*
berza ['berθa] *nf* chou *m*; **~ lombarda** chou rouge
besamel [besa'mel] *nf* béchamel *f*
besar [be'sar] *vt* embrasser; (*fig: tocar*) effleurer; **besarse** *vpr* s'embrasser
beso ['beso] *nm* baiser *m*
bestia ['bestja] *nf* bête *f*; (*fig*) brute *f*; **¡no seas ~!** ne sois pas si vache!; (*idiota*) ne sois pas si bête!; **a lo ~** comme une brute; **mala ~** peau de vache; **~ de carga** bête de somme
bestial [bes'tjal] *adj* (*inhumano*) bestial(e); (*fam: calor*) accablant(e); (*error*) aberrant(e)
bestialidad [bestjali'ðað] *nf* bestialité *f*; (*fam*) énormité *f*
besugo [be'suɣo] *nm* daurade *f*; (*fam*) bourrique *f*
betún [be'tun] *nm* cirage *m*; (*Quím*) bitume *m*; **quedar a la altura del ~** (*fam*) passer pour un(e) minable
biberón [biβe'ron] *nm* biberon *m*
Biblia ['biβlja] *nf* Bible *f*
bibliografía [biβljoɣra'fia] *nf* bibliographie *f*
biblioteca [biβljo'teka] *nf* bibliothèque *f*; **~ de consulta** bibliothèque de consultation
bibliotecario, -a [biβljote'karjo, a] *nm/f* bibliothécaire *m/f*
bicarbonato [bikarβo'nato] *nm* bicarbonate *m*
bicho ['bitʃo] *nm* bestiole *f*; (*fam*) bête *f*; (*Taur*) taureau *m*; **~ raro** (*fam*) drôle d'oiseau *m*; **mal ~** (*fam*) chameau *m*
bici ['biθi] (*fam*) *nf* vélo *m*
bicicleta [biθi'kleta] *nf* bicyclette *f*
bidé [bi'ðe] *nm* bidet *m*
bidón [bi'ðon] *nm* bidon *m*

PALABRA CLAVE

bien [bjen] *nm* bien *m*; **te lo digo por tu bien** je te le dis pour ton bien; **el bien y el mal** (*moral*) le bien et le mal; **hacer el bien** faire le bien
bienes (*posesiones*)
■ *nmpl* biens *mpl*; **bienes de consumo** biens de consommation; **bienes de equipo** biens d'équipement; **bienes gananciales** biens communs; **bienes**

inmuebles/muebles biens immeubles/ meubles; **bienes raíces** biens-fonds *mpl* ■ *adv* 1 (*de manera satisfactoria, correcta*) bien; **trabaja/come bien** il travaille/ mange bien; **huele bien** cela sent bon; **sabe bien** cela a bon goût; **contestó bien** il a bien répondu; **lo pasamos muy bien** nous nous sommes bien amusés; **hiciste bien en llamarme** tu as bien fait de m'appeler; **el paseo te sentará bien** la promenade te fera du bien; **no me siento bien** je ne me sens pas bien; **viven bien** (*económicamente*) ils vivent bien 2 (*valor intensivo*) bien; **un café bien caliente** un café bien chaud; **¡es bien caro!** c'est bien cher!; **¡tienes bien de regalos!** tu en as des cadeaux!
3: **estar bien**; **estoy muy bien aquí** je suis très bien ici; **¿estás bien?** ça va (bien)?; **ese chico está muy bien** il est très beau, ce garçon; **ese libro está muy bien** ce livre est très bien, c'est un très bon livre; **está bien que vengan** c'est bien qu'ils viennent; **¡eso no está bien!** ce n'est pas bien!; **se está bien aquí** on est bien ici; **el traje me está bien** le costume me va bien; **¡ya está bien!** là, ça va!; **¡pues sí que estamos bien!** qu'est-ce qu'on est bien!; **¡está bien! lo haré** c'est bon! je le ferai
4 (*de buena gana*): **yo bien que iría pero ...** moi, j'irais bien, mais ...
5 (*ya*): **bien se ve que ...** on voit bien que ...; **¡bien podías habérmelo dicho!** tu aurais pu me le dire!
6: **no quiso o bien no pudo venir** il n'a pas voulu venir, ou plutôt il n'a pas pu
■ *excl*: **¡bien!** (*aprobación*) bien!; **¡muy bien!** très bien!; **¡qué bien!** comme c'est bien!
■ *adj inv* (*matiz despectivo*): **niño bien** fils *msg* de bonne famille; **gente bien** gens *mpl* bien
■ *conj* 1: **bien ... bien**; **bien en coche bien en tren** soit en voiture soit en train
2: **ahora bien** mais, cependant
3: **no bien** (*esp AM*): **no bien llegue te llamaré** dès que j'arrive, je t'appelle
4: **si bien** si; *ver tb* **más**

bienal [bje'nal] *adj* biennal(e)
bienestar [bjenes'tar] *nm* bien-être *m*; (*económico*) confort *m*; **el Estado del B~** l'État-providence *m*
bienhechor, a [bjene'tʃor, a] *adj, nm/f* bienfaiteur(-trice)
bienvenida [bjembe'niða] *nf* bienvenue *f*; **dar la ~ a** souhaiter la bienvenue à
bienvenido, -a [bjembe'niðo, a] *adj*: **~ (a)** bienvenu(e) (à) ■ *excl* bienvenue!
bife ['bife] (*AM*) *nm* bifteck *m*
bifocal [bifo'kal] *adj* (*gafas, lentes*) à double foyer
bifurcación [bifurka'θjon] *nf* bifurcation *f*
bifurcarse [bifur'karse] *vpr* bifurquer
bigamia [bi'ɣamja] *nf* bigamie *f*
bigote [bi'ɣote] *nm* (*tb*: **bigotes**) moustache *f*
bigotudo, -a [biɣo'tuðo, a] *adj* moustachu(e)
bikini [bi'kini] *nm* bikini *m*; (*Culin*) *sandwich au jambon et au fromage passé au four*
bilateral [bilate'ral] *adj* bilatéral(e)
bilbaíno, -a [bilβa'ino, a] *adj* de Bilbao ■ *nm/f* natif(-ive) *o* habitant(e) de Bilbao
bilingüe [bi'lingwe] *adj* bilingue
billar [bi'ʎar] *nm* billard *m*; **~ americano** billard américain
billete [bi'ʎete] *nm* billet *m*; (*en autobús, metro*) ticket *m*; **sacar (un) ~** prendre un billet; **un ~ de 5 euros** un billet de 5 euros; **medio ~** billet demi-tarif; **~ de ida** aller *m* simple; **~ de ida y vuelta** aller-retour *m*; **~ electrónico** billet électronique *m*
billetera [biʎe'tera] *nf*, **billetero** [biʎe'tero] *nm* portefeuille *m*
billón [bi'ʎon] *nm* billion *m*
bimensual [bimen'swal] *adj* bimensuel(le)
bimotor [bimo'tor] *adj, nm* bimoteur *m*
bingo ['bingo] *nm* bingo *m*
biodegradable [bioðeɣra'ðaβle] *adj* biodégradable
biodiversidad [bioðiβersi'ðað] *nf* biodiversité *f*
biografía [bjoɣra'fia] *nf* biographie *f*
biología [biolo'xia] *nf* biologie *f*
biológico, -a [bio'loxiko, a] *adj* biologique; (*cultivo, producto*) bio(logique); **guerra biológica** guerre *f* biologique
biólogo, -a [bi'oloɣo, a] *nm/f* biologiste *m/f*
biombo ['bjombo] *nm* paravent *m*
biopsia [bi'opsja] *nf* biopsie *f*
bioterrorismo [bioterro'rismo] *nm* bioterrorisme *m*
biquini [bi'kini] *nm* = **bikini**
Birmania [bir'manja] *nf* Birmanie *f*
birria ['birrja] *nf*: **ser una ~** être un(e) rien du tout; (*película*) être un navet; (*libro*) être un torchon
bis [bis] *adv* bis; **viven en el 27 ~** ils habitent au 27 bis; **artículo 47 ~** article 47 bis

bisabuelo, -a [bisa'βwelo, a] *nm/f* arrière-grand-père (arrière-grand-mère); **bisabuelos** *nmpl* arrière-grands-parents *mpl*
bisagra [bi'saɣra] *nf* charnière *f*
bisiesto, -a [bi'sjesto, a] *adj ver* **año**
bisnieto, -a [bis'njeto, a] *nm/f* arrière-petit-fils (arrière-petite-fille); **bisnietos** *nmpl* arrière-petits-enfants *mpl*
bisonte [bi'sonte] *nm* (*Zool*) bison *m*
bisté [bis'te], **bistec** [bis'tek] (*pl* **~s**) *nm* bifteck *m*
bisturí [bistu'ri] (*pl* **~es**) *nm* bistouri *m*
bisutería [bisute'ria] *nf* bijoux *mpl* en toc; **pendientes/collar de ~** boucles *fpl* d'oreille/collier *m* en toc
bit [bit] *nm* (*Inform*) bit *m*; **~ de parada/ de paridad** bit d'arrêt/de parité
bizco, -a ['biθko, a] *adj* qui louche ■ *nm/f* personne *f* qui louche; **dejar a algn ~** (*fam*) en boucher un coin à qn
bizcocho [biθ'kotʃo] *nm* biscuit *m*
bizquear [biθke'ar] *vi* loucher
blanca [blan'ka] *nf* (*Mús*) blanche *f*; **estar sin ~** être fauché(e)
blanco, -a ['blanko, a] *adj* blanc (blanche) ■ *nm/f* (*individuo*) Blanc (Blanche) ■ *nm* blanc *m*; (*Mil*) cible *f*; **cheque en ~** chèque *m* en blanc; **noche en ~** nuit *f* blanche; **dejar algo en ~** laisser qch en blanc; **dar en el ~** faire mouche; **hacer ~ (en)** frapper (sur); **poner los ojos en ~** rouler les yeux; **quedarse en ~** (*mentalmente*) avoir un trou; **ser el ~ de las burlas** être l'objet des railleries; **votar en ~** voter blanc; **~ del ojo** blanc *m* de l'œil
blancura [blan'kura] *nf* blancheur *f*
blandir [blan'dir] *vt* brandir
blando, -a ['blando, a] *adj* mou (molle); (*padre, profesor*) indulgent(e); (*carne, fruta*) tendre ■ *nm/f* poule *f* mouillée; **~ de corazón** au cœur tendre
blandura [blan'dura] *nf* mollesse *f*; (*de padre, profesor*) indulgence *f*
blanquear [blanke'ar] *vt* blanchir ■ *vi* pâlir
blanquecino, -a [blanke'θino, a] *adj* blanchâtre; (*luz*) blafard(e)
blasfemar [blasfe'mar] *vi*: **~ (contra)** blasphémer (contre)
blasfemia [blas'femja] *nf* blasphème *m*
blasón [bla'son] *nm* blason *m*; (*fig*) gloire *f*
bledo ['bleðo] *nm*: **(no) me importa un ~** ça ne me fait ni chaud ni froid
blindado, -a [blin'daðo, a] *adj* blindé(e) ■ *nm* (*Mil*) blindé *m*; **coche** (*Esp*) *o* **carro** (*AM*) **~** véhicule *m* blindé
blindaje [blin'daxe] *nm* blindage *m*
bloc [blok] (*pl* **~s**) *nm* bloc-notes *msg*; (*cuaderno*) bloc *m*; **~ de dibujo** bloc à dessin
blog [bloɣ] (*pl* **~s**) *nm* blog *m*
bloque ['bloke] *nm* (*tb Inform*) bloc *m*; (*de noticias*) rubrique *f*; (*de expedición*) gros *m*; **en ~** en bloc; **~ de cilindros** bloc-cylindres *msg*
bloquear [bloke'ar] *vt* bloquer; (*Mil*) faire le blocus de; **fondos bloqueados** fonds *mpl* bloqués
bloqueo [blo'keo] *nm* blocage *m*; (*Mil*) blocus *msg*; **~ informativo** black-out *m inv*; **~ mental** blocage
blusa ['blusa] *nf* blouse *f*; (*de mujer*) chemisier *m*
boa ['boa] *nf* boa *m*
boato [bo'ato] *nm* faste *m*
bobada [bo'βaða] *nf* sottise *f*; **decir ~s** dire des bêtises
bobina [bo'βina] *nf* bobine *f*
bobo, -a ['boβo, a] *adj* (*tonto*) sot (sotte); (*cándido*) naïf (naïve) ■ *nm/f* sot (sotte) ■ *nm* (*Teatro*) bouffon *m*; **hacer el ~** faire le pitre
boca ['boka] *nf* bouche *f*; (*de animal carnívoro, horno*) gueule *f*; (*de crustáceo*) pince *f*; (*de vasija*) bec *m*; (*Inform*) fente *f*; (*de puerto, túnel, cueva*) entrée *f*; **~ abajo** sur le ventre; **~ arriba** sur le dos; **hacerle a algn el ~ a ~** faire du bouche à bouche à qn; **se me hace la ~ agua** j'en ai l'eau à la bouche; **todo salió a pedir de ~** tout s'est parfaitement déroulé; **en ~ de todos** sur toutes les lèvres; **andar de ~ en ~** circuler de bouche en bouche; **¡cállate la ~!** (*fam*) la ferme!; **meterse en la ~ del lobo** se jeter dans la gueule du loup; **partirle la ~ a algn** (*fam*) casser la gueule à qn; **quedarse con la ~ abierta** en rester bouche bée; **no abrir la ~** ne pas piper mot; **~ de dragón** (*Bot*) gueule-de-loup *f*; **~ de incendios** bouche d'incendie; **~ de metro** bouche de métro; **~ de riego** prise *f* d'eau; **~ del estómago** creux *msg* de l'estomac
bocacalle [boka'kaʎe] *nf*: **una ~ de la avenida** une rue qui donne dans l'avenue; **la primera ~ a la derecha** la première à droite
bocadillo [boka'ðiʎo] *nm* sandwich *m*
bocado [bo'kaðo] *nm* bouchée *f*; (*para caballo*) mors *msg*; (*mordisco*) coup *m* de dent; **no probar ~** ne rien manger; **~ de Adán** pomme *f* d'Adam
bocajarro [boka'xarro]: **a ~** *adv* à brûle-pourpoint; **decir algo a ~** dire qch sans mâcher ses mots

bocanada [boka'naða] *nf* bouffée *f*; (*de líquido*) gorgée *f*; **a ~s** (*salir, llegar, entrar*) par à-coups
bocata [bo'kata] (*fam*) *nm* casse-croûte *m inv*
bocatería [bokate'ria] *nf* sandwicherie *f*
boceto [bo'θeto] *nm* esquisse *f*; (*plano*) ébauche *f*
bochorno [bo'tʃorno] *nm* (*vergüenza*) honte *f*; (*calor*): **hace ~** il fait lourd
bochornoso, -a [botʃor'noso, a] *adj* (*día*) lourd(e); (*situación*) orageux(-euse)
bocina [bo'θina] *nf* (*Mús*) corne *f*; (*Auto*) klaxon *m*; (*megáfono*) porte-voix *m inv*; **tocar la ~** klaxonner
boda ['boða] *nf* (*tb*: **bodas**) noce *f*, mariage *m*; (*fiesta*) noce; **~s de oro** noces *fpl* d'or; **~s de plata** noces d'argent
bodega [bo'ðeɣa] *nf* (*de vino*) cave *f*; (*esp AM*) bistrot *m*; (*granero*) grenier *m*; (*establecimiento*) marchand *m* de vin; (*de barco*) cale *f*
bodegón [boðe'ɣon] *nm* taverne *f*; (*Arte*) nature morte *f*
bofe ['bofe] *nm* (*tb*: **bofes**: *de res*) mou *m*; **echar los ~s** (*fam*) trimer
bofetada [bofe'taða] *nf* gifle *f*; **dar de ~s a algn** bourrer qn de coups
bofetón [bofe'ton] *nm* = **bofetada**
boga ['boɣa] *nf*: **en ~** en vogue
bogar [bo'ɣar] *vi* ramer
Bogotá [boɣo'ta] *n* Bogota
bohemio, -a [bo'emjo, a] *adj, nm/f* bohémien(ne)
boicot [boi'ko(t)] (*pl* **~s**) *nm* boycott *m*; **hacer el ~ a** boycotter
boicotear [boikote'ar] *vt* boycotter
boicoteo [boiko'teo] *nm* boycottage *m*
boina ['boina] *nf* béret *m*
bola ['bola] *nf* boule *f*; (*canica*) bille *f*; (*pelota*) balle *f*, ballon *m*; (*Naipes*) chelem *m*; (*betún*) cirage *m*; (*fam*) bobard *m*; (*AM*: *rumor*) rumeur *f*; **bolas** *nfpl* (*AM*: *Caza*) bolas *fpl*; **no dar pie con ~** faire tout de travers; **~ de billar** boule de billard; **~ de naftalina** boule de naphtaline; **~ de nieve** boule de neige; **~ del mundo** globe *m* terrestre
bolchevique [boltʃe'βike] *adj* bolchevique ■ *nm/f* bolchevik *m/f*
boleadoras [bolea'ðoras] (*AM*) *nfpl* bolas *fpl*
bolera [bo'lera] *nf* bowling *m*
boleta [bo'leta] (*AM*) *nf* (*billete*) laissez-passer *m inv*; (*permiso*) bon *m*; (*cédula para votar*) bulletin *m* de vote
boletería [bolete'ria] (*AM*) *nf* (*taquilla*) guichet *m*
boletín [bole'tin] *nm* bulletin *m*; **~ informativo** *o* **de noticias** informations *fpl*; **~ de pedido** bulletin de commande; **~ de precios** tarifs *mpl*; **~ de prensa** communiqué *m* de presse; **~ escolar** (*Esp*) bulletin scolaire

BOLETÍN OFICIAL DEL ESTADO

Le *Boletín Oficial del Estado*, ou *BOE*, est le journal officiel où sont consignées toutes les lois et résolutions adoptées par "las Cortes" (le parlement espagnol). C'est un ouvrage très consulté, notamment parce que l'on y trouve les avis d'"oposiciones" (concours publics).

boleto [bo'leto] *nm* billet *m*; **~ de apuestas** coupon *m* de pari; **~ electrónico** billet électronique
boli ['boli] (*fam*) *nm* stylo *m*
bolígrafo [bo'liɣrafo] *nm* stylo bille *m*, stylo *m* à bille
bolívar [bo'liβar] *nm* bolivar *m*
Bolivia [bo'liβja] *nf* Bolivie *f*
boliviano, -a [boli'βjano, a] *adj* bolivien(ne) ■ *nm/f* Bolivien(ne)
bollería [boʎe'ria] *nf* viennoiserie *f*
bollo ['boʎo] *nm* petit pain *m*; (*de bizcocho*) brioche *f*; (*abolladura*) bosse *f*; **bollos** *nmpl* (*AM*: *apuros*) ennuis *mpl*; (*fam*) gnon *m*; **no está el horno para ~s** ce n'est vraiment pas le moment
bolo ['bolo] *nm* quille *f* ■ *adj* (*Cam, Cu, Méx*) ivre, soûl(e); **(juego de) ~s** (jeu *m* de) quilles *fpl*
bolsa ['bolsa] *nf* sac *m*, poche *f*; (*tela*) sacoche *f*; (*AM*: *bolsillo*) poche; (*Escol*) bourse *f*; (*Anat, Minería*) poche; **La B~** la Bourse; **hacer ~s** faire de faux plis; **jugar a la B~** jouer à la Bourse; **~ de agua caliente** bouillotte *f*; **~ de aire** poche d'air; **~ de deportes** sac de sport; **~ de dormir** (*AM*) sac de couchage; **~ de estudios** bourse d'études; **~ de la compra** panier *m* de la ménagère; **"B~ de la propiedad"** "Marché *m* immobilier"; **~ de papel/plástico** sac en papier/plastique; **B~ de trabajo** Bourse du travail; **~ de viaje** sac de voyage
bolsillo [bol'siʎo] *nm* poche *f*; (*cartera*) porte-monnaie *m inv*; **de ~** de poche; **meterse a algn en el ~** mettre qn dans sa poche; **lo pagó de su ~** il l'a payé de sa poche
bolsista [bol'sista] *nm/f* (*Fin*) agent *m* de change

bolso ['bolso] *nm* sac *m*; (*de mujer*) sac à main

bomba ['bomba] *nf* (*Mil*) bombe *f*; (*Tec*) pompe *f* ■ *adj* (*fam*): **noticia ~** nouvelle *f* sensationnelle ■ *adv* (*fam*): **pasarlo ~** s'amuser comme un fou *o* des petits fous; **a prueba de ~** à l'épreuve des bombes; **caer algo como una ~** faire l'effet d'une bombe; **~ atómica** bombe atomique; **~ de agua/de gasolina/de incendios** pompe à eau/à essence/à incendie; **~ de efecto retardado/de neutrones** bombe à retardement/à neutrons; **~ de humo** fumigène *m*; **~ lacrimógena** bombe lacrymogène

bombardear [bombarðe'ar] *vt* bombarder; **~ a preguntas** bombarder de questions

bombardeo [bombar'ðeo] *nm* bombardement *m*

bombardero [bombar'ðero] *nm* bombardier *m*

bombear [bombe'ar] *vt* (*agua*) pomper; (*Mil*) bombarder; (*Deporte*) lober; **bombearse** *vpr* (se) gondoler

bombero [bom'bero] *nm* pompier *m*; **(cuerpo de) ~s** (corps *msg* des sapeurs-) pompiers *mpl*

bombilla [bom'biʎa] *nf* (*Esp: Elec*) ampoule *f*; (*Arg*) *tube en métal qui sert à boire le maté*

bombín [bom'bin] *nm* pompe *f* à vélo

bombo ['bombo] *nm* (*Mús*) grosse caisse *f*; (*Tec*) tambour *m*; **hacer algo a ~ y platillo** faire qch en grande pompe; **tengo la cabeza hecha un ~** j'en ai la tête grosse comme ça; **dar ~ a** (*a persona*) ne pas tarir d'éloges sur; (*asunto*) faire du tam-tam autour de

bombón [bom'bon] *nm* (*Culin*) crotte *f* de chocolat, chocolat *m*; **ser un ~** (*fam*) être un canon

bombona [bom'bona] *nf* bouteille *f*

bonachón, -ona [bona'tʃon, ona] *adj* bon enfant *inv* ■ *nm/f* bonne pâte *f*

bonanza [bo'nanθa] *nf* (*Náut*) bonace *f*; (*fig*) prospérité *f*; (*Minería*) riche filon *m*

bondad [bon'dað] *nf* bonté *f*; **tenga la ~ de** veuillez avoir l'amabilité de

bondadoso, -a [bonda'ðoso, a] *adj* bon (bonne)

bonificación [bonifika'θjon] *nf* bonification *f*

bonito, -a [bo'nito, a] *adj* joli(e) ■ *adv* (*AM: fam*) gentiment ■ *nm* (*atún*) thon *m*; **un ~ sueldo/una bonita cantidad** un beau salaire/une coquette somme

bono ['bono] *nm* bon *m*; **~s del Estado** obligations *fpl* de l'État; **~ del Tesoro** bon du Trésor

bonobús [bono'βus] *nm* (*Esp*) *carte de transport (en autobus urbain)*

boquerón [boke'ron] *nm* anchois *msg*; (*agujero*) large brèche *f*

boquete [bo'kete] *nm* brèche *f*

boquiabierto, -a [bokia'βjerto, a] *adj*: **quedarse ~** en rester bouche bée; **nos dejó ~s** nous sommes restés bouche bée

boquilla [bo'kiʎa] *nf* (*de manguera*) prise *f* d'eau; (*mechero*) bec *m*; (*calentador*) brûleur *m*; (*para cigarro*) fume-cigarette *m*; (*Mús*) bec; **de ~** en l'air

borbotón [borβo'ton] *nm*: **salir a borbotones** jaillir à gros bouillons

borda ['borða] *nf* (*Náut*) bord *m*; **echar** *o* **tirar algo por la ~** jeter *o* lancer qch par-dessus bord

bordado [bor'ðaðo] *nm* broderie *f* ■ *adj*: **el cuadro le quedó** *o* **salió ~** il a réussi ce tableau à la perfection

bordar [bor'ðar] *vt* broder

borde ['borðe] *nm* bord *m*; **al ~ de** (*fig*) au bord de; **ser ~** (*Esp: fam*) ne pas se prendre pour n'importe qui

bordear [borðe'ar] *vt* longer

bordillo [bor'ðiʎo] *nm* (*en acera*) bord *m*; (*en carretera*) accotement *m*

borla ['borla] *nf* gland *m*; (*para polvos*) houppette *f*

borracho, -a [bo'rratʃo, a] *adj* (*persona*) soûl(e), saoul(e); (*: por costumbre*) ivrogne ■ *nm/f* (*temporalmente*) soûlard(e); (*habitualmente*) ivrogne *m/f*; **bizcocho ~** baba *m* au rhum

borrador [borra'ðor] *nm* (*de escrito, carta*) brouillon *m*; (*cuaderno*) cahier *m* de brouillon; (*goma*) gomme *f*; (*Com*) main *f* courante; (*para pizarra*) chiffon *m* à effacer

borrar [bo'rrar] *vt* gommer; (*de lista*) barrer; (*tachar*) raturer; (*cinta, Inform*) effacer; (*Pol etc*) éliminer; **borrarse** *vpr* (*de club, asociación*) quitter; (*recuerdo, imagen*) s'effacer

borrasca [bo'rraska] *nf* tempête *f*

borrico, -a [bo'rriko, a] *nm/f* âne (ânesse); (*fig*) bourrique *f*

borrón [bo'rron] *nm* tache *f* d'encre; **hacer ~ y cuenta nueva** tourner la page

borroso, -a [bo'rroso, a] *adj* flou(e); (*escritura*) indécis(e)

bosque ['boske] *nm* bois *msg*, forêt *f*

bosquejo [bos'kexo] *nm* ébauche *f*, esquisse *f*

bostezar [boste'θar] *vi* bâiller

bostezo [bos'teθo] *nm* bâillement *m*

bota ['bota] *nf* botte *f*; (*de vino*) gourde *f*; **ponerse las ~s** (*fam*) s'en mettre plein les poches; (*comer mucho y bien*) s'en mettre plein la panse; **~s de esquí** chaussures *fpl* de ski; **~s de agua** *o* **goma** bottes *fpl* en caoutchouc; **~s de montar** bottes d'équitation
botánica [bo'tanika] *nf* botanique *f*
botánico, -a [bo'taniko, a] *adj* botanique ▪ *nm/f* botaniste *m/f*
botar [bo'tar] *vt* (*balón*) faire rebondir; (*Náut*) lancer, mettre à la mer; (*fam*) mettre à la porte; (*esp AM*: *fam*) jeter, balancer ▪ *vi* (*persona*) bondir; (*balón*) rebondir
bote ['bote] *nm* bond *m*; (*tarro*) pot *m*; (*lata*) boîte *f* de conserve; (*en bar*) pourboire *m*; (*embarcación*) canot *m*; (*en juego*) cagnotte *f*; **de ~ en ~** plein à craquer; **dar un ~** laisser un pourboire; **dar ~s** (*Auto etc*) cahoter; **tener a algn en el ~** avoir qn dans sa poche; **un ~ de tomate** des tomates en conserve; **~ de la basura** (*AM*) poubelle *f*; **~ salvavidas** canot de sauvetage
botella [bo'teʎa] *nf* bouteille *f*; **~ de oxígeno** bouteille d'oxygène; **~ de vino** bouteille de vin
botellín [bote'ʎin] *nm* petite bouteille *f*
botica [bo'tika] *nf* pharmacie *f*
boticario, -a [boti'karjo, a] *nm/f* pharmacien(ne)
botijo [bo'tixo] *nm* cruche *f*
botín [bo'tin] *nm* (*calzado*) bottine *f*; (*polaina*) guêtre *f*; (*Mil, de atraco, robo*) butin *m*
botiquín [boti'kin] *nm* armoire *f* à pharmacie; (*portátil*) trousse *f* à pharmacie; (*enfermería*) infirmerie *f*
botón [bo'ton] *nm* bouton *m*; **pulsar el ~** appuyer sur le bouton; **~ de arranque** (*Auto*) démarreur *m*; **~ de oro** bouton *m* d'or
botones [bo'tones] *nm inv* groom *m*
bóveda ['boβeða] *nf* (*Arq*) voûte *f*; **~ celeste** voûte céleste
boxeador, a [boksea'ðor, a] *nm/f* boxeur *m*
boxear [bokse'ar] *vi* boxer
boxeo [bok'seo] *nm* boxe *f*
boya ['boja] *nf* (*Náut*) bouée *f*; (*en red*) flotteur *m*
boyante [bo'jante] *adj* (*Náut*) lège; (*feliz*) débordant(e) de joie; (*negocio*) prospère
bozal [bo'θal] *nm* (*de perro*) muselière *f*; (*de caballo*) licou *m*
bracear [braθe'ar] *vi* agiter les bras; (*nadar*) nager la brasse
bracero, -a [bra'θero, a] *nm/f* journalier(-ière)
bragas ['bragas] *nfpl* culotte *f*
bragueta [bra'ɣeta] *nf* braguette *f*
braille [breil] *nm* braille *m*
bramar [bra'mar] *vi* (*toro, viento, mar*) mugir; (*venado*) bramer; (*elefante*) barrir
bramido [bra'miðo] *nm* (*de toro, viento, lluvia*) mugissement *m*; (*del venado*) bramement *m*; (*del elefante*) barrissement *m*; (*de persona*) hurlement *m*
brasa ['brasa] *nf* braise *f*; **a la ~** (*carne, pescado*) braisé(e)
brasero [bra'sero] *nm* (*para los pies*) brasero *m*; (*AM*: *chimenea*) cheminée *f*
Brasil [bra'sil] *nm* Brésil *m*
brasileño, -a [brasi'leɲo, a] *adj* brésilien(ne) ▪ *nm/f* Brésilien(ne)
braveza [bra'βeθa] *nf* férocité *f*; (*valor*) bravoure *f*; (*de viento, mar, lluvia*) violence *f*
bravío, -a [bra'βio, a] *adj* féroce
bravo, -a ['braβo, a] *adj* (*soldado*) vaillant(e); (*animal*: *feroz*) féroce; (: *salvaje*) sauvage; (*toro*) de combat; (*mar*) déchaîné(e); (*terreno*) accidenté(e); (*AM*: *fam*) en colère ▪ *excl* bravo!; **patatas bravas** (*Culin*) *pommes de terre frites accommodées avec une sauce relevée*
bravura [bra'βura] *nf* (*de persona*) bravoure *f*; (*de animal*) férocité *f*
braza ['braθa] *nf*: **nadar a (la) ~** nager la brasse
brazada [bra'θaða] *nf* brasse *f*; (*de hierba, leña*) brassée *f*
brazalete [braθa'lete] *nm* bracelet *m*; (*banda*) brassard *m*
brazo ['braθo] *nm* bras *msg*; (*Zool*) patte *f* de devant, antérieur *m*; (*Bot, Pol*) branche *f*; **brazos** *nmpl* journaliers *mpl*; **cogidos del ~** bras dessus, bras dessous; **cruzarse de ~s** rester les bras croisés; **no dar su ~ a torcer** ne pas en démordre; **ir del ~** se donner le bras; **luchar a ~ partido** combattre corps à corps; **ser el ~ derecho de algn** (*fig*) être le bras droit de qn; **tener/llevar en ~s a algn** tenir/prendre qn dans ses bras; **huelga de ~s caídos** grève *f* sur le tas; **~ de gitano** roulé *m*
brea ['brea] *nf* brai *m*
brebaje [bre'βaxe] *nm* breuvage *m*
brecha ['bretʃa] *nf* brèche *f*; (*en la cabeza*) blessure *f*; (*Mil*) percée *f*; **hacer** *o* **abrir ~ en** faire impression sur
breva ['breβa] *nf* figue *f* fraîche; (*puro*) cigare *m* aplati; **¡no caerá esa ~!** ce serait trop beau!

breve ['breβe] *adj* (*pausa, encuentro, discurso*) bref (brève) ■ *nf* (*Mús*) brève *f*; **en ~** d'ici peu; (*en pocas palabras*) en bref
brevedad [breβe'ðað] *nf* brièveté *f*; **a la mayor ~ posible** dans les meilleurs délais; **con la mayor ~** au plus tôt
brezal [bre'θal], **brezo** ['breθo] *nm* bruyère *f*
bribón, -ona [bri'βon, ona] *nm/f* fripouille *f*; (*pillo*) coquin(e)
bricolaje [briko'laxe] *nm* bricolage *m*
brida ['briða] *nf* (*tb Tec*) bride *f*; **a toda ~** à bride abattue
bridge [britʃ] *nm* (*Naipes*) bridge *m*
brigada [bri'ɣaða] *nf* brigade *f* ■ *nm* (*Mil*) brigadier *m*; **B~ de Estupefacientes** brigade des stupéfiants; **B~ de Investigación Criminal** police *f* judiciaire
brillante [bri'ʎante] *adj* brillant(e) ■ *nm* (*joya*) brillant *m*
brillar [bri'ʎar] *vi* briller; **~ por su ausencia** briller par son absence
brillo ['briʎo] *nm* éclat *m*; **dar** *o* **sacar ~ a** faire reluire
brincar [brin'kar] *vi* (*persona, animal*) bondir; **~ de** (*de alegría etc*) bondir de; **está que brinca** il(elle) est fou(folle) de rage
brinco ['brinko] *nm* (*salto*) bond *m*; **de un ~** en moins de deux; **dar** *o* **pegar un ~** faire un bond; **dar** *o* **pegar ~s de alegría** bondir de joie
brindar [brin'dar] *vi*: **~ a** *o* **por** porter un toast à ■ *vt* (*oportunidad, amistad*) offrir; **brindarse** *vpr*: **~se a hacer algo** s'offrir pour faire qch; **lo cual brinda la ocasión de ...** ceci me permet de ...
brindis ['brindis] *nm inv* (*al beber, frase*) toast *m*; (*Taur*) hommage *m*
brío ['brio] *nm* (*tb*: **bríos**) énergie *f*, brio *m*; **con ~** avec brio
brisa ['brisa] *nf* brise *f*
británico, -a [bri'taniko, a] *adj* britannique ■ *nm/f* Britannique *m/f*
brizna ['briθna] *nf* brin *m*; (*paja*) fétu *m*; **no tener ni ~ de sentido común** ne pas avoir un grain de bon sens
broca ['broka] *nf* (*Costura*) broche *f*; (*Tec*) foret *m*; (*clavo*) broquette *f*
brocal [bro'kal] *nm* margelle *f*
brocha ['brotʃa] *nf* (*de pintar*) brosse *f*; (*de afeitar*) blaireau *m*; **pintor de ~ gorda** (*de paredes*) peintre *m* en bâtiment; (*fig*) barbouilleur *m*
broche ['brotʃe] *nm* (*en vestido*) agrafe *f*; (*joya*) broche *f*
broma ['broma] *nf* plaisanterie *f*; **de** *o* **en ~** pour rire; **gastar una ~ a algn** faire une blague à qn; **ni en ~** en aucun cas; **tomar algo a ~** ne pas prendre qch au sérieux; **~ pesada** plaisanterie *f* de mauvais goût
bromear [brome'ar] *vi* plaisanter
bromista [bro'mista] *adj, nm/f* farceur(-euse)
bronca ['bronka] *nf* dispute *f*; (*regañina*) réprimande *f*; **armar una ~** faire une scène; **buscar ~** chercher querelle; **echar una ~ a algn** passer un savon à qn
bronce ['bronθe] *nm* bronze *m*
bronceado, -a [bronθe'aðo, a] *adj* bronzé(e) ■ *nm* (*de piel*) basané(e); (*Tec*) bronzage *m*
bronceador, a [bronθea'ðor] *adj* solaire ■ *nm* produit *m* solaire
broncearse [bronθe'arse] *vpr* se faire bronzer
bronco, -a ['bronko, a] *adj* (*modales*) bourru(e); (*voz*) rauque
bronquio ['bronkjo] *nm* bronche *f*
bronquitis [bron'kitis] *nf inv* bronchite *f*
brotar [bro'tar] *vi* (*Bot*) pousser; (*aguas, lágrimas*) jaillir; (*Med*) se déclarer
brote ['brote] *nm* (*Bot*) pousse *f*; (*Med*) accès *msg*; (*de insurrección, huelga*) vague *f*; **~s de soja** germes *mpl* de soja
bruces ['bruθes]: **de ~** *adv* sur le ventre, à plat ventre; **acostarse de ~** se coucher sur le ventre; **estar de ~** être sur le ventre, être à plat ventre; **caer de ~** s'étaler de tout son long; **darse de ~ con algn** tomber nez à nez avec qn
brujería [bruxe'ria] *nf* sorcellerie *f*
brujo, -a ['bruxo, a] *nm/f* sorcier(ière) ■ *nf* (*pey*) sorcière *f*
brújula ['bruxula] *nf* boussole *f*
bruma ['bruma] *nf* brume *f*
brumoso, -a [bru'moso, a] *adj* brumeux(-euse)
bruñir [bru'ɲir] *vt* polir
brusco, -a ['brusko, a] *adj* brusque
Bruselas [bru'selas] *n* Bruxelles
brutal [bru'tal] *adj* brutal(e); (*fam: tremendo*) énorme
brutalidad [brutali'ðað] *nf* brutalité *f*
bruto, -a ['bruto, a] *adj* (*persona*) brutal(e); (*estúpido*) imbécile; (*metal, piedra, peso*) brut(e) ■ *nm* brute *f*; **a la bruta, a lo ~** à la va-vite; **en ~** brut(e)
Bs.As. *abr* = **Buenos Aires**
bucal [bu'kal] *adj* buccal(e); **por vía ~** par voie orale
bucear [buθe'ar] *vi* plonger; **~ en** (*documentos, pasado*) fouiller dans
buceo [bu'θeo] *nm* plongée *f*, plongeon *m*; **~ de altura** plongée en haute mer
bucle ['bukle] *nm* boucle *f*; (*de carretera*) tournant *m*; (*Inform*) boucle *f*, cycle *m*

buen [bwen] *adj ver* **bueno**
buenamente ['bwenamente] *adv* tout bonnement; (*de buena gana*) volontiers
buenaventura [bwenaβen'tura] *nf* chance *f*; (*adivinación*) bonne aventure *f*; **decir** *o* **echar la ~ a algn** dire la bonne aventure à qn

PALABRA CLAVE

bueno, -a ['bweno, a] *adj* (*antes de nmsg*: **buen**) 1 (*excelente etc*) bon(ne); **es un libro bueno** *o* **es un buen libro** c'est un bon livre; **tiene buena voz** il a une belle voix; **hace bueno/buen tiempo** il fait beau/beau temps; **ya está bueno** (*de salud*) il va bien maintenant; **lo bueno fue que** le meilleur c'est que
2 (*bondadoso*): **es buena persona** c'est quelqu'un de bien; **el bueno de Paco** ce bon Paco; **fue muy bueno conmigo** il a été très gentil avec moi
3 (*apropiado*): **ser bueno para** être bien pour; **es un buen momento (para)** c'est le moment (de); **creo que vamos por buen camino** je crois que nous sommes sur la bonne voie
4 (*grande*): **un buen trozo** un bon bout; **un buen número de** bon nombre de; **le di un buen rapapolvo** je lui ai passé un savon
5 (*irónico*): **¡buen conductor estás hecho!** comme tu conduis bien!; **¡estaría bueno que ...!** il ne manquerait plus que...!; **una pelea de las buenas** une sacrée bagarre
6 (*sabroso*): **está bueno este bizcocho** ce gâteau est très bon
7 (*atractivo*: *fam*): **Carmen está muy buena** Carmen est vachement mignonne
8 (*saludos*): **¡buenos días!** bonjour!; **¡buenas tardes!** bonjour!; (*más tarde*) bonsoir!; **¡buenas noches!** bonne nuit!; **¡buenas!** salut!
9 (*otras locuciones*): **un buen día** un beau jour; **estar de buenas** être de bonne humeur; **por las buenas o por las malas** de gré ou de force; **de buenas a primeras** tout d'un coup; **¡la ha liado buena ...!** il (elle) a mis une belle pagaille!
■ *excl*: **¡bueno!** bon!; **bueno, ¿y qué?** bon, et alors?

Buenos Aires [bweno'saires] *n* Buenos Aires
buey [bwei] *nm* bœuf *m*
búfalo ['bufalo] *nm* buffle *m*
bufanda [bu'fanda] *nf* cache-nez *m inv*
bufar [bu'far] *vi* (*caballo*) souffler; (*gato*) cracher; **~ de rabia** pester
bufete [bu'fete] *nm* étude *f*, cabinet *m*
buffer ['bufer] *nm* (*Inform*) mémoire *f* tampon
buhardilla [buar'ðiʎa] *nf* mansarde *f*; (*ventana*) lucarne *f*
búho ['buo] *nm* hibou *m inv*; (*fig*: *persona*) ours *msg*
buhonero [buo'nero] *nm* colporteur *m*
buitre ['bwitre] *nm* vautour *m*
bujía [bu'xia] *nf* (*vela, Elec, Auto*) bougie *f*
bula ['bula] *nf* bulle *f*
bulbo ['bulβo] *nm* (*Bot*) bulbe *m*; **~ raquídeo** bulbe rachidien
bulevar [bule'βar] *nm* boulevard *m*
Bulgaria [bul'ɣarja] *nf* Bulgarie *f*
búlgaro, -a ['bulɣaro, a] *adj* bulgare ■ *nm/f* Bulgare *m/f*
bulla ['buʎa] *nf* raffut *m*; (*follón*) pagaille *f*; **armar** *o* **meter ~** faire du raffut
bullicio [bu'ʎiθjo] *nm* brouhaha *m*; (*movimiento*) bousculade *f*
bullir [bu'ʎir] *vi* (*líquido*) bouillonner; **~ (de)** (*muchedumbre, público*) bouillir (de); (*insectos*) grouiller (de)
bulto ['bulto] *nm* paquet *m*; (*en superficie, Med*) grosseur *f*; (*silueta*) masse *f*; **hacer ~** prendre de la place; **escurrir el ~** se dérober; **a ~** au jugé; **de ~** (*error*) de taille; (*argumento*) de poids
buñuelo [bu'ɲwelo] *nm* beignet *m*; (*fig*) travail *m* d'amateur
BUP [bup] (*Esp*) *sigla m* (*Escol*: = *Bachillerato Unificado y Polivalente*) *troisième, seconde, première*
buque ['buke] *nm* navire *m*; **~ cisterna/escuela/insignia/mercante** bateau-citerne *m*/navire-école *m*/vaisseau *m* amiral/bateau *m* de commerce; **~ de guerra** navire de guerre
burbuja [bur'βuxa] *nf* bulle *f*; **hacer ~s** pétiller
burbujear [burβuxe'ar] *vi* pétiller
burdel [bur'ðel] *nm* bordel *m*
burdo, -a ['burðo, a] *adj* grossier(-ière)
burgués, -esa [bur'ɣes, esa] *adj* (*tb pey*) bourgeois(e) ■ *nm/f* bourgeois(e); **pequeño ~** petit(e)-bourgeois(e); (*Pol, pey*) bourgeois(e)
burguesía [burɣe'sia] *nf* bourgeoisie *f*
burla ['burla] *nf* moquerie *f*; (*broma*) blague *f*; **hacer ~ a algn/de algo** se moquer de qn/de qch; **hacer ~ a algn** faire la nique à qn
burladero [burla'ðero] *nm* (*Taur*) palissade *f*

burlar [bur'lar] *vt* (*persona*) tromper; (*vigilancia*) déjouer; (*seducir*) séduire; **burlarse** *vpr*: **~se (de)** se moquer (de)
burlón, -ona [bur'lon, ona] *adj* moqueur(-euse)
burocracia [buro'kraθja] *nf* (*tb pey*) bureaucratie *f*
burócrata [bu'rokrata] *nm/f* (*tb pey*) bureaucrate *m*
burrada [bu'rraða] (*fam*) *nf*: **decir/hacer/soltar ~s** dire/faire/lâcher des âneries; **una ~** (*mucho*) une flopée
burro, -a ['burro, a] *nm/f* âne (ânesse); (*fig: ignorante*) âne *m*; (*: bruto*) abruti *m* ■ *adj* crétin(e); **caerse del ~** reconnaître ses erreurs; **hacer el ~** faire l'âne; **no ver tres en un ~** être myope comme une taupe; **~ de carga** (*fig*) bourreau *m* de travail
bursátil [bur'satil] *adj* boursier(-ière)
bus [bus] *nm* bus *msg*
busca ['buska] *nf*: **en ~ de** à la recherche de ■ *nm* (*Telec*) bip-(bip) *m*
buscador, a [buska'ðor, a] *nm/f*: **~ (de)** chercheur(-euse) (de) ■ *nm* (*Inform*) moteur *m* de recherche
buscar [bus'kar] *vt* (*tb Inform*) chercher; (*beneficio*) rechercher ■ *vi* chercher; **ven a ~me a la oficina** viens me chercher au bureau; **~ una aguja en un pajar** chercher une aiguille dans une botte de foin; **~le 3 pies al gato** chercher midi à quatorze heures; **"~ y reemplazar"** (*Inform*) "recherche-remplacement"; **se busca secretaria** on demande une secrétaire; **se la buscó** c'est bien fait pour lui; **~ camorra** chercher noise
busque *etc* ['buske] *vb ver* **buscar**
búsqueda ['buskeða] *nf* recherche *f*
busto ['busto] *nm* (*Anat, Arte*) buste *m*
butaca [bu'taka] *nf* fauteuil *m*; **~ de patio** fauteuil d'orchestre
butano [bu'tano] *nm* butane *m*; **bombona de ~** bouteille *f* de butane; **color ~** orangé(e)
buzo ['buθo] *nm* (*mono*) bleu *m* (de travail); (*AM: chándal*) survêtement *m* ■ *nm/f* (*persona*) plongeur(-euse), homme *m* grenouille
buzón [bu'θon] *nm* boîte *f* aux lettres; **echar al ~** mettre dans la boîte aux lettres; **~ de voz** messagerie *f* vocale

C

C. *abr* (= *centígrado*) C (= *Celsius*)
c. *abr* (= *capítulo*) chap. (= *chapitre*)
C/ *abr* = **calle**
c/ *abr* (*Com*) = **cuenta**
ca [ka] *excl* pas question!
c.a. *abr* = *corriente alterna*
cabal [ka'βal] *adj* (*peso, precio*) juste; (*definición*) exact(e); (*honrado*) bien
cábala ['kaβala] *nf* cabale *f*; **cábalas** *nfpl* (*suposiciones*): **hacer ~s** faire des suppositions
cabalgar [kaβal'ɣar] *vt* monter ■ *vi* chevaucher
cabalgata [kaβal'ɣata] *nf* défilé *m*; **la ~ de los Reyes Magos** le défilé des Rois mages
caballa [ka'βaʎa] *nf* maquereau *m*
caballeresco, -a [kaβaʎe'resko, a] *adj* chevaleresque
caballería [kaβaʎe'ria] *nf* monture *f*; (*Mil*) cavalerie *f*; **~ andante** chevalerie *f* errante
caballeriza [kaβaʎe'riθa] *nf* écurie *f*
caballero [kaβa'ʎero] *nm* gentleman *m*; (*de la orden de caballería*) chevalier *m*; (*en trato directo*) monsieur *m*; **de ~** d'homme, pour homme; **"C~s"** "Messieurs"; **~ andante** chevalier errant

caballerosidad [kaβaʎerosi'ðað] *nf* courtoisie *f*
caballete [kaβa'ʎete] *nm* (*de pintor*) chevalet *m*; (*de pizarra*) support *m*; (*de mesa*) tréteau *m*; (*de tejado*) faîte *m*
caballito [kaβa'ʎito] *nm* cheval *m* à bascule; **caballitos** *nmpl* chevaux *mpl* de bois; **montar a los ~s** faire un tour de manège; **~ del diablo** demoiselle *f*; **~ de mar** hippocampe *m*
caballo [ka'βaʎo] *nm* cheval *m*; (*Ajedrez, Naipes*) cavalier *m*; **a ~** à cheval; **a ~ entre** à cheval sur; **es su ~ de batalla** c'est son cheval de bataille; **~ blanco** bailleur *m* de fonds; **~ de carreras** cheval de course; **~ de vapor** cheval-vapeur *m*
cabaña [ka'βaɲa] *nf* cabane *f*
cabaré, cabaret (*pl* **~s**) [kaβa're] *nm* cabaret *m*
cabecear [kaβeθe'ar] *vt*: **~ el balón** faire une tête ■ *vi* (*caballo*) encenser; (*dormitar*) piquer du nez
cabecera [kaβe'θera] *nf* (*de mesa, tribunal*) bout *m*; (*de cama*) tête *f*; (*en libro*) frontispice *m*; (*periódico*) manchette *f*, gros titre *m*; (*de río*) source *f*; **médico de ~** médecin *m* traitant
cabecilla [kaβe'θiʎa] *nm* chef *m* de file, meneur(-euse)
cabellera [kaβe'ʎera] *nf* chevelure *f*; (*de cometa*) queue *f*
cabello [ka'βeʎo] *nm* cheveu *m*; **~ de ángel** cheveux *mpl* d'ange
caber [ka'βer] *vi* tenir, rentrer; (*Mat*) faire; **caben 3 más** on peut encore en mettre 3; **no cabe duda** cela ne fait pas de doute; **dentro de lo que cabe** autant que possible; **cabe la posibilidad de que** il est possible que; **me cupo el honor de** il m'est revenu l'honneur de; **no cabe en sí de alegría** il ne se tient plus de joie
cabestrillo [kaβes'triʎo] *nm*: **en ~** en écharpe
cabeza [ka'βeθa] *nf* tête *f*; (*Pol*) chef *m*; **caer de ~** tomber la tête la première; **~ abajo/arriba** tête en bas/en haut; **a la ~ de** (*de pelotón*) en tête de; (*de empresa*) à la tête de; **tirarse de ~** plonger; **tocamos a 3 por ~** ça fait 3 par tête; **romperse la ~** se creuser la tête; **sentar la ~** se ranger; **se me va la ~** je perds la tête; **~ atómica/nuclear** tête atomique/ogive *f* nucléaire; **~ cuadrada** tête de mule; **~ de ajo** tête d'ail; **~ de escritura** tête d'écriture; **~ de familia** chef de famille; **~ de ganado** tête de bétail; **~ de impresión/de lectura** tête d'impression/de lecture; **~ de partido** chef-lieu *m* d'arrondissement; **~ de turco** tête de turc; **~ impresora** tête imprimante; **~ loca** *o* **de chorlito** tête de linotte
cabezada [kaβe'θaða] *nf* coup *m* de tête; **dar ~s** piquer du nez; **echar una ~** faire un somme
cabezón, -ona [kaβe'θon, ona] *adj* qui a une grosse tête; (*vino*) capiteux(-euse); (*terco*) entêté(e)
cabida [ka'βiða] *nf* capacité *f*; (*depósito*) contenance *f*; **dar ~ a** admettre; **tener ~ para** avoir une capacité de
cabildo [ka'βildo] *nm* (*de iglesia*) chapitre *m*; (*Pol*) conseil *m* municipal
cabina [ka'βina] *nf* cabine *f*; **~ de mandos** cabine de pilotage; **~ telefónica** cabine téléphonique
cabizbajo, -a [kaβiθ'βaxo, a] *adj* tête basse *inv*
cable ['kaβle] *nm* câble *m*; (*de electrodoméstico*) fil *m*; **conectar con ~** connecter par câble
cabo ['kaβo] *nm* bout *m*; (*Mil*) caporal *m*; (*de policía*) brigadier *m*; (*Náut*) cordage *m*; (*Geo*) cap *m*; **al ~ de 3 días** au bout de 3 jours; **al fin y al ~** en fin de compte; **de ~ a rabo** (*contar, saber*) de bout en bout; (*leer*) d'un bout à l'autre; **llevar a ~** mener à bien; **atar ~s** faire des rapprochements; **no dejar ~s sueltos** ne rien laisser en suspens; **las Islas de C~ Verde** les îles *fpl* du Cap-Vert; **C~ de Buena Esperanza** cap de Bonne Espérance; **C~ de Hornos** cap Horn
cabra ['kaβra] *nf* chèvre *f*; **estar como una ~** être timbré(e); **~ montés** chèvre sauvage
cabré *etc* [ka'βre] *vb ver* **caber**
cabrear [kaβre'ar] (*fam*) *vt* énerver; **cabrearse** (*fam*) ■ *vpr* s'emporter; **estar cabreado** être en colère
cabrío, -a [ka'βrio, a] *adj*: **macho ~** bouc *m*; *ver* **ganado**
cabriola [ka'βrjola] *nf* cabriole *f*; **hacer ~s** faire des cabrioles
cabritilla [kaβri'tiʎa] *nf*: **de ~** en chevreau
cabrito [ka'βrito] *nm* chevreau *m*; (*fam!*) vache *f* (*fam!*)
cabrón [ka'βron] (*fam!*) *nm* salaud *m* (*fam!*)
caca ['kaka] (*fam*) *nf* caca *m* ■ *excl*: **no toques, ¡~!** ne touche pas à ça, c'est caca!
cacahuete [kaka'wete] (*Esp*) *nm* cacahuète *f*
cacao [ka'kao] *nm* cacao *m*, chocolat *m*; (*Bot*) cacaoyer *m*; (*tb*: **crema de cacao**) beurre *m* de cacao; (*follón*) boucan *m*

cacarear [kakare'ar] *vt* s'enorgueillir de ■ *vi* caqueter
cacería [kaθe'ria] *nf* partie *f* de chasse
cacerola [kaθe'rola] *nf* casserole *f*, marmite *f*
cachalote [katʃa'lote] *nm* cachalot *m*
cacharro [ka'tʃarro] *nm* ustensile *m*; (*trasto*) machin *m*, truc *m*; (*de cerámica*) poterie *f*; (*AM*: *fam*) taule *f*
cachear [katʃe'ar] *vt* fouiller
cachemir [katʃe'mir] *nm*, **cachemira** [katʃe'mira] *nf* cachemire *m*; **de ~** en cachemire
cachete [ka'tʃete] *nm* claque *f*
cachiporra [katʃi'porra] *nf* massue *f*
cachivache [katʃi'βatʃe] *nm* truc *m*, machin *m*
cacho, -a ['katʃo, a] *nm* morceau *m*; (*AM*) corne *f*
cachondeo [katʃon'deo] (*fam*) *nm* rigolade *f*; **estar de ~** plaisanter, blaguer; **tomarse algo a ~** prendre qch à la rigolade
cachondo, -a [ka'tʃondo, a] (*fam*) *adj* marrant(e), rigolo(te); **estar ~** être excité(e)
cachorro, -a [ka'tʃorro, a] *nm/f* chiot *m*; (*de león*) lionceau *m*; (*de lobo*) louveteau *m*
cacique [ka'θike] *nm* (*AM*) cacique *m*; (*Pol*) personnage *m* influent; (*fig*) petit chef *m*
caciquismo [kaθi'kismo] *nm* caciquisme *m*
caco ['kako] *nm* filou *m*
cacto ['kakto] *nm*, **cactus** ['kaktus] *nm inv* cactus *m inv*
cada ['kaða] *adj inv* chaque; (*antes de número*) tous les; **~ día** tous les jours; **~ dos días** tous les deux jours; **~ cual/uno** chacun; **~ vez más/menos** de plus en plus/de moins en moins; **~ vez que** chaque fois que; **uno de ~ diez** un sur dix; **¿~ cuánto?** tous les combien?; **¡tienes ~ idea!** tu as de ces idées!
cadalso [ka'ðalso] *nm* échafaud *m*
cadáver [ka'ðaβer] *nm* cadavre *m*
cadena [ka'ðena] *nf* chaîne *f*; **cadenas** *nfpl* (*Auto*) chaînes *fpl*; **reacción en ~** réaction *f* en chaîne; **trabajo en ~** travail *m* à la chaîne; **tirar de la ~ del wáter** tirer la chasse d'eau; **~ de caracteres** chaîne de caractères; **~ de montaje** chaîne de montage; **~ montañosa** chaîne de montagnes; **~ perpetua** (*Jur*) emprisonnement *m* à perpétuité
cadera [ka'ðera] *nf* hanche *f*
cadete [ka'ðete] *nm* cadet *m*
caducar [kaðu'kar] *vi* expirer
caduco, -a [ka'ðuko, a] *adj* dépassé(e); **de hoja caduca** à feuilles caduques
caer [ka'er] *vi* tomber; (*precios*) baisser; (*sol*) se coucher; **caerse** *vpr* tomber; **dejar ~** laisser tomber; **dejarse ~** s'écrouler, se laisser tomber; **dejarse ~ por** passer; **estar al ~** être sur le point d'arriver; **¡no caigo!** je ne vois pas; **¡ya caigo!** j'y suis!; **me cae bien/mal** (*persona*) je le trouve sympathique/antipathique; (*vestido*) ça me va bien/ça ne me va pas; (*alimento*) ça me réussit/ça ne me réussit pas; **~ en desgracia** tomber en disgrâce; **~ en la cuenta** saisir, se rendre compte; **~ en la trampa** tomber dans le panneau; **~ enfermo** tomber malade; **su cumpleaños cae en viernes** son anniversaire tombe un vendredi; **mi casa cae por aquí/a la derecha** ma maison se trouve par ici/à droite; **se me cayó el libro** j'ai fait tomber le livre
café [ka'fe] (*pl* **~s**) *nm* café *m*; **~ con leche** café crème, café au lait; **~ solo** *o* **negro** café (noir)
cafeína [kafe'ina] *nf* caféine *f*
cafetera [kafe'tera] *nf* cafetière *f*
cafetería [kafete'ria] *nf* cafétéria *f*
cagar [ka'ɣar] (*fam!*) *vi* chier (*fam!*); **cagarse** *vpr* se dégonfler; **¡la hemos cagado!** on a fait une gaffe!; **~se de miedo** avoir la trouille; **¡me cago en diez/la mar!** Bon Dieu!
caída ['kaiða] *nf* chute *f*; (*declive*) pente *f*; (*de tela*) tombée *f*; (*de precios, moneda*) baisse *f*; **a la ~ del sol/de la tarde** à la tombée du jour/de la nuit; **sufrir una ~** faire une chute; **~ libre** chute libre
caído, -a [ka'iðo, a] *adj* tombant(e) ■ *nm/f*: **los ~s** les morts *mpl*; **~ del cielo** tombé(e) du ciel
caiga *etc* ['kaiɣa] *vb ver* **caer**
caimán [kai'man] *nm* caïman *m*
caja ['kaxa] *nf* boîte *f*, caisse *f*; (*para reloj*) boîtier *m*; (*Tip*) casse *f*; **ingresar en ~** encaisser; **~ de ahorros** caisse d'épargne; **~ de cambios** boîte de vitesses; **~ de caudales** coffre *m* fort; **~ de fusibles** boîte à fusibles; **~ de música** boîte à musique; **~ de resonancia** caisse de résonance; **~ fuerte** coffre fort; **~ negra** (*Aviat*) boîte noire
cajero, -a [ka'xero, a] *nm/f* caissier(-ière); **~ automático** distributeur *m* automatique
cajetilla [kaxe'tiʎa] *nf* paquet *m*
cajón [ka'xon] *nm* caisse *f*; (*de mueble*) tiroir *m*; **¡es de ~!** ça va de soi!; **~ de embalaje** caisse d'emballage

cal [kal] *nf* chaux *fsg*; **cerrar algo a ~ y canto** fermer qch à double tour; **~ viva** chaux vive

cal. *abr* (= *caloría(s)*) cal. (= *calorie(s)*)

cala ['kala] *nf* crique *f*; (*de barco*) cale *f*

calabacín [kalaβa'θin] *nm*, **calabacita** [kalaβa'θita] *nf* (*AM*) courgette *f*

calabaza [kala'βaθa] *nf* courge *f*, citrouille *f*; **dar ~s a** (*en examen*) recaler; (*novio*) envoyer promener

calabozo [kala'βoθo] *nm* taule *f*; (*celda*) cachot *m*

calada [ka'laða] *nf* bouffée *f*

calado, -a [ka'laðo, a] *adj* ajouré(e) ▪ *nm* broderie *f* ajourée; (*de barco*) tirant *m* d'eau; (*de las aguas*) profondeur *f*; **estoy ~ (hasta los huesos)** je suis trempé(e) (jusqu'aux os)

calamar [kala'mar] *nm* calmar *m*; **~es a la romana** calmars *mpl* à la Romaine

calambre [ka'lambre] *nm* crampe *f*; **dar ~** envoyer une décharge

calamidad [kalami'ðað] *nf* calamité *f*; **es una ~** (*persona*) c'est un(e) bon(ne) à rien

calar [ka'lar] *vt* transpercer; (*Auto*) caler; (*melón, sandía*) couper pour goûter; (*ideas, palabras*) saisir, comprendre; **calarse** *vpr* (*motor*) caler; (*mojarse*) se tremper; (*gafas*) chausser; (*sombrero*) enfoncer; **¡le tengo calado!** (*fam*) je le connais sur le bout des doigts

calavera [kala'βera] *nf* tête *f* de mort ▪ *nm* (*pey*) noceur *m*

calcar [kal'kar] *vt* décalquer; (*imitar*) calquer; **es calcado a su abuelo** c'est tout le portrait de son grand-père

calcetín [kalθe'tin] *nm* chaussette *f*

calcinar [kalθi'nar] *vt* calciner

calcio ['kalθjo] *nm* calcium *m*

calcomanía [kalkoma'nia] *nf* décalcomanie *f*

calculador, a [kalkula'ðor, a] *adj* calculateur(-trice)

calculadora [kalkula'ðora] *nf* calculatrice *f*

calcular [kalku'lar] *vt* calculer; (*gastos, pérdidas*) évaluer, calculer; **calculo que ...** je pense que ...

cálculo ['kalkulo] *nm* (*tb Med*) calcul *m*; **según mis ~s** d'après mes calculs; **obrar con mucho ~** agir avec beaucoup de prudence; **~ de costo** calcul du prix; **~ diferencial** calcul différentiel

caldear [kalde'ar] *vt* chauffer; (*ánimos*) réchauffer

caldera [kal'dera] *nf* chaudière *f*

calderilla [kalde'riʎa] *nf* ferraille *f*

caldero [kal'dero] *nm* chaudron *m*

caldo ['kaldo] *nm* bouillon *m*; (*vino*) cru *m*; **poner a ~ a algn** passer un savon à qn; **~ de cultivo** bouillon de culture

calefacción [kalefak'θjon] *nf* chauffage *m*; **~ central** chauffage central

calendario [kalen'darjo] *nm* calendrier *m*

calentador [kalenta'ðor] *nm* calorifère *m*; **~ de agua** chauffe-eau *m inv*

calentamiento [kalenta'mjento] *nm* échauffement *m*

calentar [kalen'tar] *vt* faire chauffer; (*habitación*) réchauffer; (*motor*) faire tourner; (*ánimos*) échauffer; (*sexualmente*) exciter; (*pegar*) flanquer une calotte à; (*AM*: *enfurecer*) échauffer ▪ *vi* chauffer; **calentarse** *vpr* se chauffer, se réchauffer; (*motor*) chauffer; (*discusión, ánimos*) s'échauffer

calentura [kalen'tura] *nf* fièvre *f*; (*de boca*) bouton *m* de fièvre

calibrar [kali'βrar] *vt* (*Tec*) calibrer; (*consecuencias*) évaluer; (*importancia*) jauger

calibre [ka'liβre] *nm* calibre *m*; (*fig*) calibre, envergure *f*

calidad [kali'ðað] *nf* qualité *f*; **de ~** de qualité; **en ~ de** en qualité de; **ser de primera ~** être de premier choix; **~ de carta** *o* **de correspondencia** qualité courrier; **~ texto** (*Inform*) qualité de texte

cálido, -a ['kaliðo, a] *adj* chaud(e); (*palabras, aplausos*) chaleureux(-euse)

caliente [ka'ljente] *vb ver* **calentar** ▪ *adj* chaud(e); **estar/ponerse ~** (*fam*) être excité(e)/s'exciter; **en ~** à chaud

calificación [kalifika'θjon] *nf* qualification *f*; (*en examen*) note *f*; **~ de sobresaliente** mention *f* très bien

calificar [kalifi'kar] *vt* noter; **~ como/de** traiter de

calima [ka'lima], **calina** [ka'lina] *nf* (*neblina*) brume *f* de chaleur; (*calor*) chaleur *f* caniculaire

cáliz ['kaliθ] *nm* calice *m*

caliza [ka'liθa] *nf* pierre *f* à chaux

callado, -a [ka'ʎaðo, a] *adj*: **estar ~** être silencieux(-euse); **ser ~** être peu bavard(e)

callar [ka'ʎar] *vt* taire; (*persona, oposición*) faire taire ▪ *vi* se taire; **callarse** *vpr* se taire; **¡calla!** silence!; **¡cállate!** tais-toi!; **¡cállate la boca!** la ferme!

calle ['kaʎe] *nf* rue *f*; (*Deporte*) couloir *m*; **la ~** (*en conjunto*) la rue; **salir** *o* **irse a la ~** sortir; **poner a algn (de patitas) en la ~** mettre qn à la porte, flanquer qn dehors;

ir ~ abajo/arriba descendre/remonter la rue; **~ de sentido único** rue à sens unique; **~ mayor** grand-rue *f*; **~ peatonal** rue piétonne
calleja [ka'ʎexa] *nf* = **callejuela**
callejear [kaʎexe'ar] *vi* flâner
callejero, -a [kaʎe'xero, a] *adj* ambulant(e); (*verbena*) en plein air; (*riña*) de rue; (*persona*) flâneur(-euse); (*perro*) errant(e) ■ *nm* plan *m*
callejón [kaʎe'xon] *nm* passage *m*, couloir *m*; **~ sin salida** impasse *f*, voie *f* sans issue; (*fig*) impasse
callejuela [kaʎe'xwela] *nf* ruelle *f*, venelle *f*
callista [ka'ʎista] *nm/f* pédicure *m/f*
callo ['kaʎo] *nm* (*en pies*) cor *m*; (*en manos*) durillon *m*; **callos** *nmpl* (*Culin*) tripes *fpl*
calma ['kalma] *nf* calme *m*; **hacer algo con ~** faire qch calmement; **~ chicha** calme plat; **perder la ~** perdre son calme; **¡~!, ¡con ~!** du calme!
calmante [kal'mante] *adj* calmant(e) ■ *nm* calmant *m*, tranquillisant *m*
calmar [kal'mar] *vt* calmer ■ *vi* (*tempestad, viento*) se calmer; **calmarse** *vpr* se calmer
calor [ka'lor] *nm* chaleur *f*; **entrar en ~** se réchauffer; (*Deporte*) s'échauffer; **hace ~** il fait chaud; **tener ~** avoir chaud
caloría [kalo'ria] *nf* calorie *f*
calumnia [ka'lumnja] *nf* calomnie *f*
caluroso, -a [kalu'roso, a] *adj* chaud(e); (*acogida, aplausos*) chaleureux(euse)
calvario [kal'βarjo] *nm* calvaire *m*
calvicie [kal'βiθje] *nf* calvitie *f*
calvo, -a ['kalβo, a] *adj, nm/f* chauve *m/f*
calzada [kal'θaða] *nf* chaussée *f*
calzado, -a [kal'θaðo, a] *adj* chaussé(e) ■ *nm* chaussure *f*
calzador [kalθa'ðor] *nm* chausse-pied *m*
calzar [kal'θar] *vt* chausser; (*Tec*) caler; **calzarse** *vpr*: **~se los zapatos** se chausser; **¿qué (número) calza?** quelle est votre pointure?
calzón [kal'θon] *nm* (*tb*: **calzones**) caleçon *m*; (*AM*: *de hombre*) slip *m*; (: *de mujer*) culotte *f*
calzoncillos [kalθon'θiʎos] *nmpl* slip *msg*
cama ['kama] *nf* lit; **estar en ~** être alité(e); **guardar ~** garder le lit; **hacer la ~** faire le lit; **hacer la ~ a algn** jouer un tour de cochon à qn; **~ en petaca** lit en portefeuille; **~ individual/de matrimonio** lit simple/double; **~ nido** lit gigogne
camafeo [kama'feo] *nm* camée *m*
camaleón [kamale'on] *nm* caméléon *m*
cámara ['kamara] *nf* chambre *f*; (*Cine, TV*) caméra *f*; (*fotográfica*) appareil-photo *m*; (*de vídeo*) caméscope *m* ■ *nm/f* (*Cine, TV*) caméraman *m*; **a ~ lenta** au ralenti; **música de ~** musique *f* de chambre; **~ alta/baja** Chambre haute/basse; **~ de aire** chambre à air; **~ de comercio** chambre de commerce; **~ de gas** chambre à gaz; **~ de vídeo** caméscope *m*; **~ frigorífica** chambre froide; **~ nupcial/oscura** chambre nuptiale/noire
camarada [kama'raða] *nm/f* camarade *m/f*; (*de trabajo*) collègue *m/f*
camarera [kama'rera] *nf* (*en hotel*) femme *f* de chambre; (*AM*) hôtesse *f* de l'air; *ver tb* **camarero**
camarero, -a [kama'rero, a] *nm/f* (*en restaurante*) serveur(-euse); (*en bar*) garçon *m* de café (serveuse); **¡camarera, por favor!** mademoiselle, s'il vous plaît!
camarilla [kama'riʎa] *nf* clique *f*; (*Pol*) groupe *m* de pression, lobby *m*
camarón [kama'ron] *nm* crevette *f* grise
camarote [kama'rote] *nm* cabine *f*
cambiante [kam'bjante] *adj* variable; (*humor*) changeant(e)
cambiar [kam'bjar] *vt, vi* changer; (*fig*) échanger; **cambiarse** *vpr* (*de casa*) changer; (*de ropa*) se changer; **~ algo por algo** changer qch pour *o* contre qch; **~ de coche/de idea/de trabajo** changer de voiture/d'idée/de travail; **~ de marcha** changer de vitesse; **~(se) de sitio** changer de place
cambio ['kambjo] *nm* changement *m*; (*de dinero, impresiones*) échange *m*; (*Com*: *tipo de cambio*) change *m*; (*dinero menudo*) monnaie *f*; **a ~ de** en échange de; **en ~** (*por otro lado*) en revanche, par contre; (*en lugar de eso*) à la place; **~ a término** change à terme; **~ de divisas** change de devises; **~ de domicilio** changement de domicile; **~ de la guardia** relève *f* de la garde; **~ de línea/de página** (*Inform*) changement de ligne/de page; **~ de marchas** *o* **de velocidades** changement de vitesses; **~ de vía** aiguillage *m*
camelar [kame'lar] (*fam*) *vt* baratiner; **camelarse** *vpr* entortiller, embobeliner
camello [ka'meʎo] *nm* chameau *m*; (*fam*) dealer *m*
camerino [kame'rino] *nm* loge *f*
camilla [ka'miʎa] *nf* civière *f*, brancard *m*; (*mesa*) guéridon *m*
caminante [kami'nante] *nm/f* marcheur(-euse)
caminar [kami'nar] *vi* marcher, cheminer ■ *vt* faire à pied

caminata [kami'nata] *nf* trotte *f* (*fam*)
camino [ka'mino] *nm* (*tb Inform*) chemin *m*; **a medio ~** à mi-chemin; **en el ~** en chemin, chemin faisant; **~ de** vers; **estar/ponerse en ~** être/se mettre en route; **C~s, Canales y Puertos** (*Univ*) Ponts *mpl* et Chaussées; **ir por buen/mal ~** (*fig*) être sur la bonne/mauvaise voie; **~ de cabras** sentier *m* de chèvres; **C~ de Santiago** chemin de Saint-Jacques; **~ particular** voie *f* privée; **~ vecinal** chemin vicinal

Camino de Santiago

Le *Camino de Santiago* est un pèlerinage célèbre depuis le Moyen-Âge. Il a pour point de départ les Pyrénées et se termine à Saint-Jacques-de-Compostelle, au nord-ouest de l'Espagne, où serait enterré l'apôtre saint Jacques. De nos jours, ce pèlerinage attire toujours un grand nombre de croyants et de touristes.

camión [ka'mjon] *nm* camion *m*, poids *msg* lourd; **estar como un ~** (*fam*: *mujer*) être bien roulée; **~ cisterna** camion citerne; **~ de la basura** camion des éboueurs; **~ de mudanzas** camion de déménagement
camionero [kamjo'nero] *nm* camionneur *m*, routier *m*
camioneta [kamjo'neta] *nf* camionnette *f*
camisa [ka'misa] *nf* (*tb Tec*) chemise *f*; **~ de fuerza** camisole *f* de force
camiseta [kami'seta] *nf* tee-shirt *m*; (*ropa interior*) maillot *m* de corps; (*de deportista*) maillot
camisón [kami'son] *nm* chemise *f* de nuit
camorra [ka'morra] *nf*: **armar ~** faire un scandale; **buscar ~** chercher querelle
campamento [kampa'mento] *nm* colonie *f* de vacances; (*Mil*) camp *m*
campana [kam'pana] *nf* cloche *f*; (*Csur*) campagne *f*; **~ de cristal** cloche de verre
campanario [kampa'narjo] *nm* clocher *m*
campanilla [kampa'niʎa] *nf* clochette *f*; (*Bot*) campanule *f*
campaña [kam'paɲa] *nf* campagne *f*; **hacer ~ (en pro de/contra)** faire campagne (en faveur de *o* pour/contre); **~ de venta** campagne commerciale; **~ electoral/publicitaria** campagne électorale/publicitaire
campechano, -a [kampe'tʃano, a] *adj* sans façon; **es muy ~** il est très nature
campeón, -ona [kampe'on, ona] *nm/f* champion(ne)
campeonato [kampeo'nato] *nm* championnat *m*; **de ~** (*fam*) du tonnerre, formidable
campesino, -a [kampe'sino, a] *adj* champêtre; (*gente*) de la campagne ■ *nm/f* paysan(ne)
campestre [kam'pestre] *adj* champêtre
camping ['kampin] (*pl* **~s**) *nm* camping *m*; **ir de** *o* **hacer ~** aller en camping, faire du camping
campo ['kampo] *nm* campagne *f*; (*Agr, Elec, Fís*) champ *m*; (*Inform*) champ, zone *f*; (*Mil, de fútbol, rugby*) terrain *m*; (*ámbito*) domaine *m*; **a ~ traviesa** *o* **través** à travers champs; **dormir a ~ raso** dormir à la belle étoile; **trabajo de ~** travaux *mpl* pratiques (sur le terrain); **~ de batalla** champ de bataille; **~ de concentración** camp *m* de concentration; **~ de deportes/de golf** terrain de sports/de golf; **~ de minas** champ de mines; **~ de trabajo** champ de travail; **~ magnético** champ magnétique; **~ petrolífero** champ pétrolifère, gisement *m* de pétrole; **~ raso** rase campagne *f*; **~ visual** champ visuel
camposanto [kampo'santo] *nm* cimetière *m*
camuflaje [kamu'flaxe] *nm* camouflage *m*
cana ['kana] *nf* cheveu *m* blanc; **tener ~s** avoir des cheveux blancs; **echar una ~ al aire** se payer une partie de plaisir; *ver tb* **cano**
Canadá [kana'ða] *nm* Canada *m*
canadiense [kana'ðjense] *adj* canadien(ne) ■ *nm/f* Canadien(ne)
canal [ka'nal] *nm* canal *m*; (*de televisión*) chaîne *f*; (*de tejado*) chéneau *m*, gouttière *f*; **abrir algo en ~** ouvrir qch de haut en bas; **~ de distribución** réseau *m* de distribution; **C~ de la Mancha** la Manche; **C~ de Panamá** canal de Panama
canalizar [kanali'θar] *vt* canaliser
canalla [ka'naʎa] *nm* canaille *f*
canalón [kana'lon] *nm* tuyau *m* de descente; (*del tejado*) chéneau *m*; **canalones** *nmpl* (*Culin*) cannelloni *mpl*
canapé [kana'pe] (*pl* **~s**) *nm* (*tb Culin*) canapé *m*
Canarias [ka'narjas] *nfpl*: **las (Islas) ~** les (îles) Canaries *fpl*

canario, -a [ka'narjo, a] *adj* des (îles) Canaries ■ *nm/f* natif(-ive) *o* habitant(e) des (îles) Canaries ■ *nm* (*Zool*) canari *m*, serin *m*; **amarillo ~** jaune canari *inv*, jaune serin *inv*
canasta [ka'nasta] *nf* corbeille *f*; (*en baloncesto*) panier *m*; (*Naipes*) canasta *f*; **hacer ~** réussir un panier
canastilla [kanas'tiʎa] *nf* trousse *f* à couture; (*de niño*) layette *f*
canasto [ka'nasto] *nm* corbeille *f*
cancela [kan'θela] *nf* portillon *m*
cancelación [kanθela'θjon] *nf* (*ver vt*) annulation *f*; résiliation *f*; suppression *f*; acquittement *m*
cancelar [kanθe'lar] *vt* (*visita, vuelo*) annuler; (*contrato*) résilier; (*permiso*) supprimer; (*deuda*) s'acquitter de; (*cuenta corriente*) fermer
cáncer ['kanθer] *nm* cancer *m*; **C~** (*Astrol*) Cancer; **ser C~** être (du) Cancer
cancha ['kantʃa] *nf* terrain *m*; (*de tenis*) court *m* ■ *excl* (*Csur*) dégagez!, faites place!
canciller [kanθi'ʎer] *nm* chancelier *m*; (*AM*) ministre *m* des Affaires étrangères
canción [kan'θjon] *nf* chanson *f*; **~ de cuna** berceuse *f*; **~ infantil** comptine *f*; **~ popular** chanson populaire
candado [kan'daðo] *nm* cadenas *msg*
candente [kan'dente] *adj* chauffé(e) au rouge; (*tema, problema*) brûlant(e)
candidato, -a [kandi'ðato, a] *nm/f* candidat(e); (*para puesto*) candidat(e), postulant(e)
candidez [kandi'ðeθ] *nf* candeur *f*; (*falta de malicia*) innocence *f*
cándido, -a ['kandiðo, a] *adj* candide, innocent(e)
candil [kan'dil] *nm* lampe *f* à huile
candor [kan'dor] *nm* candeur *f*
canela [ka'nela] *nf* cannelle *f*; **~ en rama** cannelle en branche
cangrejo [kan'grexo] *nm* crabe *m*; (*de río*) écrevisse *f*
canguro [kan'guro] *nm* kangourou *m*; (*de niños*) baby-sitter *m/f*; **hacer de ~** garder des enfants
caníbal [ka'niβal] *adj, nm/f* cannibale *m/f*
canica [ka'nika] *nf* bille *f*
canijo, -a [ka'nixo, a] *adj* chétif(-ive)
canino, -a [ka'nino, a] *adj* canin(e) ■ *nm* canine *f*; **tener un hambre canina** avoir une faim de loup
canjear [kanxe'ar] *vt*: **~ (por)** échanger (pour); (*Com*) changer (pour)
cano, -a ['kano, a] *adj* (*pelo, cabeza*) blanc (blanche)
canoa [ka'noa] *nf* canoë *m*
canon ['kanon] *nm* canon *m*; (*Com*) taxe *f*, impôt *m*
canónigo [ka'noniɣo] *nm* chanoine *m*
canonizar [kanoni'θar] *vt* canoniser
canoso, -a [ka'noso, a] *adj* grisonnant(e), aux cheveux blancs; (*pelo*) grisonnant(e)
cansado, -a [kan'saðo, a] *adj* fatigué(e); (*viaje, trabajo*) fatigant(e); **estoy ~ de hacerlo** j'en ai assez de faire ça
cansancio [kan'sanθjo] *nm* fatigue *f*; **hasta el ~** à satiété
cansar [kan'sar] *vt* fatiguer; (*aburrir*) ennuyer; (*hartar*) lasser; **cansarse** *vpr*: **~se (de hacer)** se lasser (de faire)
cantábrico, -a [kan'taβriko, a] *adj* cantabrique; **Mar C~** golfe *m* de Gascogne
cántabro, -a ['kantaβro, a] *adj* de la province de Santander ■ *nm/f* natif(-ive) *o* habitant(e) de la province de Santander
cantante [kan'tante] *nm/f* chanteur(-euse)
cantar [kan'tar] *vt* chanter ■ *vi* chanter; (*fam: criminal*) se mettre à table; (*: oler mal*) puer, cocoter ■ *nm* chanson *f*; **estaba cantado** c'était à prévoir; **~ de plano** passer aux aveux; **en menos que canta un gallo** en un rien de temps; **~le a algn las cuarenta** dire à qn ses quatre vérités; **~ a dos voces** chanter en duo
cántara ['kantara] *nf* bidon *m*
cántaro ['kantaro] *nm* cruche *f*
cante ['kante] *nm*: **~ jondo** chant *m* flamenco
cantera [kan'tera] *nf* (*lugar*) carrière *f*; (*fig: de profesionales, futbolistas*) mine *f*
cantidad [kanti'ðað] *nf* quantité *f* ■ *adv* (*fam*) plein; **el café me gusta ~** j'adore le café, je raffole du café; **~ alzada** forfait *m*; **gran ~ de** une grande quantité de, bon nombre de; **en ~** en quantité
cantimplora [kantim'plora] *nf* gourde *f*
cantina [kan'tina] *nf* cantine *f*; (*de estación*) buffet *m*; (*esp AM: taberna*) café *m*
canto ['kanto] *nm* chant *m*; (*de mesa, moneda*) bord *m*; (*de libro*) tranche *f*; (*de cuchillo*) dos *msg*; **faltó el ~ de un duro** il s'en est fallu d'un cheveu; **de ~** de côté, sur le côté; **~ rodado** galet *m*
canturrear [kanturre'ar] *vi* chantonner
canuto [ka'nuto] *nm* petit tube *m*; (*fam: droga*) joint *m*
caña ['kaɲa] *nf* (*Bot*) tige *f*; (*: especie*) roseau *m*; (*de hueso*) os *msg* long; (*vaso*) verre *m*; (*de cerveza*) demi *m*; (*AM*) alcool *m* de canne à sucre; **dar** *o* **meter ~** (*fam: a*

un coche) appuyer sur le champignon; (: *a algn*) secouer; **~ de azúcar/de pescar** canne *f* à sucre/à pêche
cañada [ka'ɲaða] *nf* vallon *m*; (*de ganado*) chemin *m* de transhumance
cáñamo ['kaɲamo] *nm* chanvre *m*
cañería [kaɲe'ria] *nf* tuyauterie *f*
caño ['kaɲo] *nm* (*tubo*) tuyau *m*; (*de fuente*) jet *m*
cañón [ka'ɲon] *nm* canon *m*; (*Geo*) canyon *m*
caoba [ka'oβa] *nf* acajou *m*
caos ['kaos] *nm* chaos *msg*
C.A.P. *sigla m* (= *Certificado de Aptitud Pedagógica*) *certificat d'aptitude à l'enseignement*
cap. *abr* (= *capítulo*) chap. (= *chapitre*)
capa ['kapa] *nf* (*prenda*) cape *f*; (*Culin, Geo*) couche *f*; (*de polvo*) pellicule *f*; **defender a ~ y espada** défendre avec acharnement; **~ de ozono** couche d'ozone; **~s sociales** couches *fpl* sociales
capacidad [kapaθi'ðað] *nf* contenance *f*, capacité *f*; **este teatro tiene una ~ de mil espectadores** ce théâtre peut contenir mille spectateurs; **tener ~ para los idiomas/las matemáticas** être doué(e) pour les langues/les mathématiques; **tener ~ de adaptación/de trabajo** avoir une capacité d'adaptation/de travail; **~ adquisitiva** pouvoir *m* d'achat
capacitar [kapaθi'tar] *vt*: **~ a algn para** préparer qn à
capar [ka'par] *vt* castrer
caparazón [kapara'θon] *nm* (*de ave*) carcasse *f*; (*de tortuga*) carapace *f*
capataz [kapa'taθ] *nm* contremaître *m*
capaz [ka'paθ] *adj* capable; **ser ~ de (hacer)** être capable de (faire); **es ~ que venga mañana** (*AM*) il viendra probablement demain
capcioso, -a [kap'θjoso, a] *adj*: **pregunta capciosa** question *f* captieuse
capellán [kape'ʎan] *nm* aumônier *m*; (*sacerdote*) chapelain *m*
caperuza [kape'ruθa] *nf* capuche *f*; (*de bolígrafo*) capuchon *m*
capicúa [kapi'kua] *adj inv* palindrome ▪ *nf* nombre *m* palindrome
capilla [ka'piʎa] *nf* chapelle *f*; **~ ardiente** chapelle ardente
capital [kapi'tal] *adj* (*tb Jur*) capital(e) ▪ *nm* capital *m* ▪ *nf* capitale *f*; **inversión de ~es** investissement *m* de capitaux; **~ activo** capital circulant *o* d'exploitation; **~ arriesgado** *o* **riesgo** capital-risques *msg*; **~ autorizado** *o* **social** capital social; **~ emitido** capital émis; **~ en acciones** capital en actions; **~ improductivo/pagado** capital improductif/versé; **~ invertido** *o* **utilizado** capital investi, mise *f* de fonds
capitalismo [kapita'lismo] *nm* capitalisme *m*
capitalista [kapita'lista] *adj, nm/f* capitaliste *m/f*
capitán [kapi'tan] *nm* capitaine *m*; **~ general** ≈ général *m* de corps d'armée
capitanear [kapitane'ar] *vt* commander; (*equipo*) être le capitaine de; (*pandilla, expedición*) être à la tête de
capitulación [kapitula'θjon] *nf* capitulation *f*; **capitulaciones matrimoniales** contrat *msg* de mariage
capitular [kapitu'lar] *vi* capituler
capítulo [ka'pitulo] *nm* chapitre *m*
capó [ka'po] *nm* capot *m*
capón [ka'pon] *nm* (*pollo*) chapon *m*; (*golpe*) tape *f* sur la tête
capota [ka'pota] *nf* (*de coche*) capote *f*
capote [ka'pote] *nm* (*de militar*) capote *f*; (*de torero*) cape *f*; **echar un ~ a algn** prêter main forte à qn
capricho [ka'pritʃo] *nm* caprice *m*; **darse un ~** s'offrir un caprice
caprichoso, -a [kapri'tʃoso, a] *adj* capricieux(-euse)
Capricornio [kapri'kornjo] *nm* (*Astrol*) Capricorne *m*; **ser ~** être (du) Capricorne
cápsula ['kapsula] *nf* capsule *f*; **~ espacial** capsule spatiale
captar [kap'tar] *vt* (*indirecta, sentido*) saisir; (*Radio*) capter; (*atención, apoyo*) attirer
captura [kap'tura] *nf* capture *f*
capturar [kaptu'rar] *vt* capturer
capucha [ka'putʃa] *nf*, **capuchón** [kapu'tʃon] *nm* capuche *f*; (*de bolígrafo*) capuchon *m*
capullo [ka'puʎo] *nm* (*Zool*) cocon *m*; (*Bot*) bouton *m*; (*fam!*) corniaud *m*; **~ de rosa** bouton de rose
caqui ['kaki] *adj inv* kaki *inv* ▪ *nm* (*fruta*) kaki *m*
cara ['kara] *nf* visage *m*, face *f*; (*expresión*) mine *f*; (*de disco, papel*) face; (*fam*: *descaro*) culot *m*, toupet *m* ▪ *adv*: **(de) ~ a** vis à vis de, face à; **de ~** de face; **decir algo ~ a ~** dire qch en face; **mirar ~ a ~** regarder bien en face; **dar la ~** ne pas se dérober; **echar algo en ~ a algn** reprocher qch à qn; **¿~ o cruz?** pile ou face?; **poner/tener ~ de** prendre/avoir un air de; **¡qué ~ más dura!** quel culot!, en voilà du toupet!; **tener buena/mala ~** avoir bonne/mauvaise mine; (*herida, asunto, guiso*)

avoir bon/mauvais aspect; **tener mucha ~** avoir un culot monstre; **de una ~** (*disquete*) d'une seule face
carabina [kara'βina] *nf* carabine *f*; (*persona*) chaperon *m*
Caracas [ka'rakas] *n* Caracas
caracol [kara'kol] *nm* escargot *m*; (*concha*) coquille *f* d'escargot; (*rizo*) boucle *f*; (*esp AM*) coquillage *m*; **escalera de ~** escalier *m* en colimaçon
carácter [ka'rakter] (*pl* **caracteres**) *nm* caractère *m*; **tener buen/mal ~** avoir bon/mauvais caractère; **~ alfanumérico** caractère alphanumérique; **~ de cambio de página** (*Inform*) caractère de changement de page; **caracteres de imprenta** caractères *mpl* d'imprimerie
característica [karakte'ristika] *nf* caractéristique *f*
característico, -a [karakte'ristiko, a] *adj* caractéristique
caracterizar [karakteri'θar] *vt* caractériser; (*Teatro*) bien interpréter; **caracterizarse** *vpr* (*Teatro*) se mettre en costume; **~se por** se caractériser par
caradura [kara'ðura] *nm/f*: **es un ~** c'est un malotru
carajillo [kara'xiʎo] *nm* café *m* mêlé de cognac
carajo [ka'raxo] (*fam!*) *nm*: **¡~!** merde! (*fam!*); **¡qué ~!** et quoi encore!, mon œil!; **me importa un ~** je m'en fous pas mal!; **¡vete al ~!** va te faire voir!
caramba [ka'ramba] *excl* dis donc!, mince alors!
carámbano [ka'rambano] *nm* glaçon *m*
caramelo [kara'melo] *nm* bonbon *m*; (*azúcar fundido*) caramel *m*
carátula [ka'ratula] *nf* masque *m*; (*de libro*) titre *m*; **la ~** le théâtre
caravana [kara'βana] *nf* caravane *f*; (*de vehículos, gente*) file *f*; (*Auto*) bouchon *m*
carbón [kar'βon] *nm* charbon *m*; **papel ~** carbone *m*; **al ~** au charbon; **~ de leña** *o* **vegetal** charbon de bois
carboncillo [karβon'θiʎo] *nm* fusain *m*
carbonilla [karβo'niʎa] *nf* poussière *f* de charbon
carbonizar [karβoni'θar] *vt* carboniser; **quedar carbonizado** être réduit en cendres
carbono [kar'βono] *nm* carbone *m*
carburador [karβura'ðor] *nm* carburateur *m*
carburante [karβu'rante] *nm* carburant *m*
carcajada [karka'xaða] *nf* éclat *m* de rire; **reír(se) a ~s** éclater de rire
cárcel ['karθel] *nf* prison *f*, maison *f* d'arrêt
carcelero, -a [karθe'lero, a] *nm/f* gardien(ne) de prison
carcoma [kar'koma] *nf* termite *m*
carcomer [karko'mer] *vt* manger, ronger; (*salud, confianza*) miner; **carcomerse** *vpr*: **~se de** être rongé(e) par
cardar [kar'ðar] *vt* carder
cardenal [karðe'nal] *nm* cardinal *m*; (*Med*) bleu *m*
cardiaco, -a [kar'ðjako, a], **cardíaco, -a** [kar'ðiako, a] *adj* cardiaque; **estar ~** (*fam*) être énervé(e)
cardinal [karði'nal] *adj* (*Gramática*) cardinal(e); **puntos ~es** points *mpl* cardinaux
cardo ['karðo] *nm* (*comestible*) cardon *m*; (*espinoso*) chardon *m*; **ser un ~** (*fam*) être laid(e) comme un pou; (*arisco*) être grincheux(-euse)
carecer [kare'θer] *vi*: **~ de** manquer de
carencia [ka'renθja] *nf* manque *m*; (*escasez*) carence *f*
carente [ka'rente] *adj*: **~ de** dépourvu(e) de
carestía [kares'tia] *nf* (*Com*) cherté *f*; (*escasez*) pénurie *f*; **época de ~** période *f* de pénurie
careta [ka'reta] *nf* masque *m*; **quitarle a algn la ~** démasquer qn; **~ antigás** masque à gaz
carga ['karɣa] *nf* charge *f*; (*de barco, camión*) chargement *m*, cargaison *f*; (*de bolígrafo, pluma*) cartouche *f*, recharge *f*; (*Inform*) chargement; **de ~** (*animal*) de charge; **buque de ~** cargo *m*; **la ~ fiscal** la charge fiscale; **zona de ~ y descarga** zone *f* de livraisons; **~ aérea** fret *m* aérien; **~ afectiva** charge affective; **~ explosiva** charge explosive; **~ útil** charge utile
cargado, -a [kar'ɣaðo, a] *adj* chargé(e); (*café, té*) serré(e), fort(e); (*ambiente*) raréfié(e), vicié(e); **~ de hombros/espalda** les épaules voûtées/le dos voûté
cargamento [karɣa'mento] *nm* chargement *m*, cargaison *f*
cargar [kar'ɣar] *vt* charger; (*impuesto*) imposer, taxer; (*Com*) débiter ■ *vi* charger; **cargarse** *vpr* (*fam: estropear*) bousiller; (*: matar*) liquider; (*: ley, proyecto*) supprimer; (*: suspender*) recaler, coller; (*Elec*) se charger; (*cielo, nubes*) se couvrir; **te la vas a ~** (*fam*) cela va te coûter cher; **~ las tintas** forcer la note; **~ (contra)** charger (contre); **~ con** porter; (*responsabilidad*) assumer; **los indecisos me cargan** les gens indécis me portent sur les nerfs; **~ a** *o* **en la espalda** prendre

sur son dos; **~se de** (*de dinero*) se munir de; (*de paquetes*) se charger de; (*de obligaciones*) assumer

cargo ['karɣo] *nm* (*Com etc*) débit *m*; (*puesto*) charge *f*; **cargos** *nmpl* (*Jur*) accusations *fpl*; **altos ~s** (*Com*) cadres *mpl* supérieurs; (*Pol*) autorités *fpl*; **una cantidad en ~ a algn** une somme portée au compte de qn; **estar a(l) ~ de** être à (la) charge de; **hacerse ~ de** (*de deudas, poder*) assumer; (*darse cuenta de*) se rendre compte de; **me da ~ de conciencia** cela me donne de remords

carguero [kar'ɣero] *nm* cargo *m*; (*avión*) avion-cargo *m*

Caribe [ka'riβe] *nm*: **el ~** les Caraïbes *fpl*

caribeño, -a [kari'βeɲo, a] *adj* des Caraïbes

caricatura [karika'tura] *nf* caricature *f*

caricia [ka'riθja] *nf* caresse *f*

caridad [kari'ðað] *nf* charité *f*; **obras de ~** œuvres *fpl* de charité; **vivir de la ~** vivre de la charité

caries ['karjes] *nf inv* carie *f*

cariño [ka'riɲo] *nm* affection *f*; **sí, ~** oui, chéri; **sentir ~ por/tener ~ a** ressentir/avoir de l'affection pour; **tomar ~ a algn** s'attacher à qn; **hacer algo con ~** prendre plaisir à faire qch

cariñoso, -a [kari'ɲoso, a] *adj* affectueux(-euse); **"saludos ~s"** "affectueusement"

carisma [ka'risma] *nm* charisme *m*

caritativo, -a [karita'tiβo, a] *adj* charitable

cariz [ka'riθ] *nm* (*de los acontecimientos*) tournure *f*

carmesí [karme'si] *adj* cramoisi(e) ■ *nm* cramoisi *m*

carmín [kar'min] *nm* carmin *m*; **~ (de labios)** rouge *m* (à lèvres)

carnal [kar'nal] *adj* charnel(le); **primo ~** cousin *m* germain

carnaval [karna'βal] *nm* carnaval *m*

CARNAVAL

Les réjouissances du *Carnaval* se déroulent pendant les trois jours qui précèdent le début du carême ("Cuaresma"). En déclin sous le régime franquiste, le carnaval connaît aujourd'hui un regain de popularité dans toute l'Espagne. Le carnaval de Cadix et celui de Tenerife sont particulièrement renommés pour leur animation : défilés, feux d'artifice et déguisements souvent somptueux.

carne ['karne] *nf* chair *f*; (*Culin*) viande *f*; **carnes** *nfpl* (*fam*) graisse *fsg*; **en ~ viva** à vif; **en ~ y hueso** en chair et en os; **~ de cañón** chair à canon; **~ de cerdo/de cordero** viande de porc/d'agneau; **~ de gallina** chair de poule; **~ de membrillo** gelée *f* de coing; **~ de ternera/de vaca** viande de veau/de bœuf; **~ picada** viande hachée

carné [kar'ne] *nm* = **carnet**

carnero [kar'nero] *nm* veau *m*

carnet [kar'ne] (*pl* **~s**) *nm*: **~ de conducir** permis *msg* de conduire; **~ de identidad** carte *f* d'identité; **~ de socio** carte de membre

carnicería [karniθe'ria] *nf* boucherie *f*

carnicero, -a [karni'θero, a] *adj* carnassier(-ière); (*pájaro, ave*) de proie ■ *nm/f* boucher(-ère)

carnívoro, -a [kar'niβoro, a] *adj* carnivore ■ *nm* carnivore *m*

carnoso, -a [kar'noso, a] *adj* charnu(e)

caro, -a ['karo, a] *adj* cher (chère) ■ *adv* cher; **te costará/lo pagarás ~** (*fig*) cela te coûtera/tu le paieras cher

carpa ['karpa] *nf* carpe *f*; (*de circo*) chapiteau *m*; (*AM*) tente *f*

carpeta [kar'peta] *nf* dossier *m*, chemise *f*; **~ (de anillas)** classeur *m*

carpintería [karpinte'ria] *nf* menuiserie *f*

carpintero [karpin'tero] *nm* menuisier *m*; **pájaro ~** pic *m*

carraspear [karraspe'ar] *vi* (*toser*) se racler la gorge, s'éclaircir la gorge

carrera [ka'rrera] *nf* course *f*; (*Univ*) études *fpl*; (*profesión*) carrière *f*; **tienes una ~ en las medias** tes bas sont filés; **aquí se recogen ~s a las medias** ici on reprise les bas; **a la ~** à toute vitesse; **darse** *o* **echar** *o* **pegar una ~** filer à toute allure *o* à toutes jambes; **de ~s** de course; **en una ~** d'une traite; **~ de armamentos/de obstáculos** course aux armements/d'obstacles

carreta [ka'rreta] *nf* charrette *f*

carrete [ka'rrete] *nm* pellicule *f*; (*Tec*) bobine *f*

carretera [karre'tera] *nf* route *f*; **~ de circunvalación** boulevard *m* périphérique; **~ nacional/secundaria** route nationale/secondaire

carretilla [karre'tiʎa] *nf* brouette *f*

carril [ka'rril] *nm* chemin *m*; (*de autopista*) file *f*, voie *f*; (*Ferro*) voie

carril-bici [karril'βiθi] (*pl* **carriles-bici**) *nm* piste *f* cyclable

carrillo [ka'rriʎo] *nm* joue *f*

carrito [ka'rrito] *nm* chariot *m*, caddie *m*
carro ['karro] *nm* chariot *m*; (*con dos ruedas*) charrette *f*; (*AM*) voiture *f*; **¡para el ~!** arrête là!, c'est bon, ça suffit!; **~ blindado/de combate** char *m* d'assaut/de combat
carrocería [karroθe'ria] *nf* carrosserie *f*
carroña [ka'rroɲa] *nf* charogne *f*
carroza [ka'rroθa] *nf* carrosse *m*; (*en desfile*) char *m* ■ *nm/f* croulant(e), vieux schnock (vieille taupe)
carta ['karta] *nf* lettre *f*; (*Naipes*) carte *f*; (*Jur*) charte *f*; **a la ~** à la carte; **dar ~ blanca a algn** donner carte blanche à qn; **echar una ~ (al correo)** mettre une lettre (à la poste); **echar las ~s a algn** tirer les cartes à qn; **tomar ~s en el asunto** intervenir dans l'affaire; **~ certificada** lettre recommandée; **~ de ajuste** (*TV*) mire *f*; **~ de crédito documentaria** lettre de crédit; **~ de crédito irrevocable** (*Com*) lettre de crédit irrévocable; **~ de pedido** bon *m* de commande; **~ de vinos** carte des vins; **~ marítima** carte marine; **~ urgente** lettre urgente; **~ verde** carte verte
cartabón [karta'βon] *nm* équerre *f*
cartel [kar'tel] *nm* affiche *f*; (*Com*) cartel *m*, trust *m*; **en ~** à l'affiche
cartelera [karte'lera] *nf* rubrique *f*; (*en la calle*) panneau *m* d'affichage; (*en París*) colonne *f* Morris; **lleva mucho/poco tiempo en ~** il est à l'affiche depuis longtemps/peu
cartera [kar'tera] *nf* (*tb*: **cartera de bolsillo**) portefeuille *m*; (*de cobrador*) serviette *f*; (*de colegial*) cartable *m*; (*AM*) sac à main *m*; **ministro sin ~** (*Pol*) ministre *m* sans portefeuille; **ocupa la ~ de Agricultura** il occupe le portefeuille de l'Agriculture; **tener algo en ~** avoir qch de prévu; **efectos en ~** (*Econ*) avoirs *mpl* fonciers; **~ de mano** serviette, porte-documents *m inv*; **~ de pedidos** carnet *m* de commandes; *ver tb* **cartero**
carterista [karte'rista] *nm/f* pickpocket *m*, voleur(-euse) à la tire
cartero, -a [kar'tero] *nm/f* facteur(-trice)
cartilla [kar'tiʎa] *nf* livret *m* scolaire; **~ de ahorros** livret de caisse d'épargne; **~ de racionamiento** carte *f* de rationnement
cartón [kar'ton] *nm* carton *m*; (*de tabaco*) cartouche *f*; **de ~** en carton; **~ piedra** papier *m* mâché
cartucho [kar'tutʃo] *nm* cartouche *f*; (*cucurucho*) cornet *m*; **~ de datos** (*Inform*) chargeur *m*
cartulina [kartu'lina] *nf* bristol *m*
CASA ['kasa] (*Esp*) *sigla f* (*Aviat*) = *Construcciones Aeronáuticas S.A.*
casa ['kasa] *nf* maison *f*; **sentirse como en su ~** se sentir comme chez soi; **ir a ~** rentrer chez soi; **salir de ~** sortir de chez soi; **irse de ~** faire sa malle; **él es como de la ~** c'est comme s'il était de la famille; **llevar la ~** tenir sa maison; **echar la ~ por la ventana** (*gastar*) jeter l'argent par les fenêtres; (*recibir a lo grande*) mettre les petits plats dans les grands; **~ consistorial** hôtel *m* de ville, mairie *f*; **~ de campo** maison de campagne; **~ de citas/de discos** maison de rendez-vous/de disques; **~ de fieras** ménagerie *f*; **~ de huéspedes** pension *f* de famille; **~ de la moneda** hôtel des monnaies; **~ de socorro** dispensaire *m*
casado, -a [ka'saðo, a] *adj, nm/f* marié(e)
casamiento [kasa'mjento] *nm* mariage *m*
casar [ka'sar] *vt* marier ■ *vi*: **~ (con)** aller bien (avec); **casarse** *vpr*: **~se (con)** se marier (avec); **~se por lo civil/por la Iglesia** se marier civilement/religieusement
cascabel [kaska'βel] *nm* grelot *m*; (*Zool*) serpent *m* à sonnettes
cascada [kas'kaða] *nf* cascade *f*; **en ~** en cascade
cascanueces [kaska'nweθes] *nm inv* casse-noisettes *msg*
cascar [kas'kar] *vt* casser; (*fam*: *golpear*) tabasser ■ *vi* (*fam*) papoter; (: *morir*) clamser; **cascarse** *vpr* se casser; (*voz*) s'érailler
cáscara ['kaskara] *nf* coquille *f*; (*de fruta*) pelure *f*; (*de patata*) épluchure *f*; (*de limón, naranja*) écorce *f*
casco ['kasko] *nm* casque *m*; (*Náut*) coque *f*; (*Zool*) sabot *m*; (*pedazo roto*) tesson *m*; **cascos** *nmpl* (*fam*: *cabeza*) cervelle *fsg*; (: *auriculares*) écouteurs *mpl*; **el ~ antiguo** la vieille ville; **el ~ urbano** le centre ville
caserío [kase'rio] *nm* hameau *m*; (*casa*) manoir *m*
casero, -a [ka'sero, a] *adj* (*cocina*) maison; (*remedio*) de bonne femme; (*trabajos*) domestique ■ *nm/f* propriétaire *m/f*; (*Com*) syndic *m*; **"comida casera"** "cuisine maison"; **pan ~** pain *m* de ménage; **ser muy ~** être très casanier(-ière)
caseta [ka'seta] *nf* baraque *f*; (*de perro*) niche *f*; (*para bañista*) cabine *f*; (*de feria*) stand *m*
casete [ka'sete] *nm* magnétophone *m* ■ *nf* cassette *f*

casi ['kasi] *adv* presque; **~ nunca/nada** presque jamais/rien; **~ te caes** tu as manqué (de) *o* failli tomber
casilla [ka'siʎa] *nf* casier *m*; (*Ajedrez, en crucigrama*) case *f*; **sacar a algn de sus ~s** faire sortir qn de ses gonds; **C~ de Correo(s)** (*AM*) boîte *f* postale
casillero [kasi'ʎero] *nm* casier *m*; (*marcador*) tableau *m*, marqueur *m*
casino [ka'sino] *nm* casino *m*; (*asociación*) cercle *m*, club *m*
caso ['kaso] *nm* cas *msg*; **en ~ de ...** en cas de ...; **en ~ (de) que venga** au cas où il viendrait; **el ~ es que** le fait est que; **en el mejor/peor de los ~s** dans le meilleur/ pire des cas; **en ese ~** dans ce cas; **en todo ~** en tout cas; **en último ~** en dernier recours; **¡eres un ~!** tu es un cas!; **(no) hacer ~ a** *o* **de algo/algn** (ne pas) faire cas de qch/qn; **hacer ~ omiso de** faire fi de; **hacer** *o* **venir al ~** venir à propos; **yo en tu ~ ...** moi, à ta place ..., moi, si j'étais à ta place ...
caspa ['kaspa] *nf* (*en pelo*) pellicule *f*
cassette [ka'set] *nm, nf* = **casete**
casta ['kasta] *nf* race *f*; (*clase social*) caste *f*; (*de persona*) lignée *f*
castaña [kas'taɲa] *nf* châtaigne *f*, marron *m*; (*fam*: *tb*: **castañazo**) gnon *m*, marron; (*: Auto*) gnon; (*: puñetazo*) châtaigne, coup *m* de poing; **~ pilonga** châtaigne sèche
castañetear [kastaɲete'ar] *vi*: **le castañetean los dientes** il claque des dents
castaño, -a [kas'taɲo, a] *adj* marron; (*pelo*) brun(e) ■ *nm* châtaignier *m*, marronnier *m*; **~ de Indias** marronnier des Indes
castañuelas [kasta'ɲwelas] *nfpl* castagnettes *fpl*
castellano, -a [kaste'ʎano, a] *adj* castillan(e) ■ *nm/f* (*persona*) Castillan(e) ■ *nm* (*Ling*) castillan *m*

CASTELLANO

Le terme *castellano* est aujourd'hui le mot plus couramment utilisé en Espagne et en Amérique hispanophone pour désigner la langue espagnole. Le mot "espagnol" est en effet trop étroitement lié en concept d'Espagne en tant que nation. Certains continuent toutefois à penser que *castellano* devrait être réservé à la variété d'espagnol parlée en Castille.

castidad [kasti'ðað] *nf* chasteté *f*
castigar [kasti'ɣar] *vt* punir, châtier; (*cuerpo, campos*) affecter; (*Deporte*) pénaliser
castigo [kas'tiɣo] *nm* punition *f*; (*Deporte*) pénalisation *f*; (*fig*) enfer *m*
Castilla [kas'tiʎa] *nf* Castille *f*
castillo [kas'tiʎo] *nm* château *m*; **hacer ~s en el aire** bâtir des châteaux en Espagne; **~ de popa** dunette *f*
castizo, -a [kas'tiθo, a] *adj* (*Ling*) pur(e); (*auténtico*) de pure souche
casto, -a ['kasto, a] *adj* chaste
castor [kas'tor] *nm* castor *m*
castrar [kas'trar] *vt* châtrer
castrense [kas'trense] *adj* militaire
casual [ka'swal] *adj* fortuit(e)
casualidad [kaswali'ðað] *nf* hasard *m*; **dar la ~ (de) que** se trouver que; **se da la ~ que ...** il se trouve que ...; **por ~** par hasard; **¡qué ~!** quel hasard!
cataclismo [kata'klismo] *nm* cataclysme *m*
catalán, -ana [kata'lan, ana] *adj* catalan(e) ■ *nm/f* Catalan(e) ■ *nm* (*Ling*) catalan *m*
catalizador [kataliθa'ðor] *nm* catalyseur *m*
catalogar [katalo'ɣar] *vt* cataloguer; **~ a algn de** cataloguer qn comme
catálogo [ka'taloɣo] *nm* catalogue *m*
Cataluña [kata'luɲa] *nf* Catalogne *f*
catar [ka'tar] *vt* goûter
catarata [kata'rata] *nf* cataracte *f*
catarro [ka'tarro] *nm* rhume *m*
catástrofe [ka'tastrofe] *nf* catastrophe *f*
catastrófico, -a [katas'trofiko, a] *adj* catastrophique
catear [kate'ar] (*fam*) *vt* recaler, coller
cátedra ['kateðra] *nf* chaire *f*; **sentar ~ sobre un argumento** argumenter comme un expert; (*pey*) étaler sa science
catedral [kate'ðral] *nf* cathédrale *f*
catedrático, -a [kate'ðratiko, a] *nm/f* professeur *m*
categoría [kateɣo'ria] *nf* catégorie *f*; **de ~** de classe; **de segunda ~** de seconde catégorie; **un empleo de baja ~** un emploi subalterne; **no tiene ~** il n'a aucune classe
categórico, -a [kate'ɣoriko, a] *adj* catégorique
cateto, -a [ka'teto, a] *nm/f* (*pey*) rustre *m*, péquenaud(e) (*fam*) ■ *nm* (*Geom*) côté *m*
catolicismo [katoli'θismo] *nm* catholicisme *m*

católico, -a [ka'toliko, a] *adj, nm/f* catholique *m/f*
catorce [ka'torθe] *adj inv, nm inv* quatorze *m inv; ver tb* **seis**
cauce ['kauθe] *nm* (*de río*) lit *m*; (*fig*) voie *f*
caucho ['kautʃo] *nm* caoutchouc *m*; (*AM*) pneu *m*; **de ~** en caoutchouc
caución [kau'θjon] *nf* caution *f*
caudal [kau'ðal] *nm* débit *m*; (*fortuna*) fortune *f*, capital *m*; (*abundancia*) abondance *f*
caudaloso, -a [kauða'loso, a] *adj* à fort débit
caudillo [kau'ðiʎo] *nm* chef *m*; **el C~** le Caudillo, *le général Franco*
causa ['kausa] *nf* cause *f*; **a/por ~ de** à/pour cause de
causar [kau'sar] *vt* causer
cautela [kau'tela] *nf* précaution *f*, prudence *f*
cauteloso, -a [kaute'loso, a] *adj* prudent(e)
cautivar [kauti'βar] *vt* captiver
cautiverio [kauti'βerjo] *nm*, **cautividad** [kautiβi'θaθ] *nf* captivité *f*
cautivo, -a [kau'tiβo, a] *adj, nm/f* captif(-ive)
cauto, -a ['kauto, a] *adj* prudent(e), avisé(e)
cava ['kaβa] *nm* cava *m*, *équivalent du "champagne" français* ■ *nf* cave *f*
cavar [ka'βar] *vt, vi* creuser
caverna [ka'βerna] *nf* caverne *f*
cavidad [kaβi'ðað] *nf* cavité *f*
cavilar [kaβi'lar] *vi*: **~ (sobre)** méditer (sur)
cayado [ka'jaðo] *nm* (*de pastor*) houlette *f*; (*de obispo*) houlette, crosse *f*
cayendo *etc* [ka'jendo] *vb ver* **caer**
caza ['kaθa] *nf* chasse *f* ■ *nm* (*Aviat*) chasseur *m*; **dar ~ a** faire la chasse à; **ir de ~** aller à la chasse; **andar a la ~ de algo/algn** être à l'affût de qch/qn; **~ furtiva** braconnage *m*; **~ mayor/menor** gros/menu gibier *m*
cazador, a [kaθa'ðor, a] *adj, nm/f* chasseur(-euse); **~ furtivo** braconnier *m*
cazadora [kaθa'ðora] *nf* blouson *m*
cazar [ka'θar] *vt* (*buscar*) chasser; (*perseguir*) pourchasser; (*coger*) attraper; (*indirecta, intención*) saisir; (*marido*) dénicher; **~las al vuelo** ne rien laisser passer
cazo ['kaθo] *nm* (*cacerola*) poêlon *m*; (*cucharón*) louche *f*
cazuela [ka'θwela] *nf* (*vasija*) marmite *f*; (*guisado*) ragoût *m*
c/c. *abr* (*Com*: *= cuenta corriente*) CC (*= compte courant*)
CD *sigla m* (*= compact disc*) CD *m* (*= compact disc*); (*Pol*: *= Cuerpo Diplomático*) CD *m* (*= corps diplomatique*)
c/d *abr* (*= en casa de*) chez, aux bons soins de; (*= con descuento*) avec remise
CD-Rom *sigla m* CD-Rom *m*
CE *sigla m* (*= Consejo de Europa*) CE *m* (*= Conseil de l'Europe*) ■ *sigla f* (*= Comunidad Europea*) CE *f* (*= Communauté européenne*)
cebada [θe'βaða] *nf* orge *f*
cebar [θe'βar] *vt* (*animal*) gaver, engraisser; (*persona*) gaver; (*anzuelo*) amorcer; (*Mil, Tec*) charger; **cebarse** *vpr* se gaver; **~se en/con** s'acharner sur/à; **estar cebado** être gros comme une barrique
cebo ['θeβo] *nm* appât *m*, amorce *f*; (*fig*) appât, leurre *m*
cebolla [θe'βoʎa] *nf* oignon *m*
cebolleta [θeβo'ʎeta] *nf* oignon *m* nouveau; (*en vinagre*) petit oignon blanc
cebra ['θeβra] *nf* zèbre *m*; **paso de ~** passage *m* pour piétons
cecear [θeθe'ar] *vi* zézayer
ceceo [θe'θeo] *nm* zézaiement *m*
ceder [θe'ðer] *vt* céder ■ *vi* céder; (*disminuir*) diminuer; (*fiebre*) tomber; (*dolor*) s'apaiser; **"ceda el paso"** "cédez le passage"
cedro ['θeðro] *nm* cèdre *m*
cédula ['θeðula] *nf* cédule *f*; **~ de identidad** (*AM*) carte *f* d'identité; **~ en blanco** billet *m* en blanc; **~ hipotecaria** cédule hypothécaire
cegar [θe'ɣar] *vt* aveugler; (*tubería, ventana*) boucher; **cegarse** *vpr* (*fig*) s'aveugler; **~se de ira** se fâcher tout rouge
ceguera [θe'ɣera] *nf* cécité *f*
ceja ['θexa] *nf* sourcil *m*; **~s pobladas** sourcils *mpl* fournis; **arquear las ~s** écarquiller les yeux; **fruncir las ~s** froncer les sourcils
cejar [θe'xar] *vi*: **(no) ~ en su empeño/propósito** (ne pas) renoncer à son engagement/dessein
celador, a [θela'ðor, a] *nm/f* (*de hospital*) gardien(ne); (*de cárcel*) gardien(ne) de prison
celda ['θelda] *nf* cellule *f*; (*de abejas*) cellule, alvéole *m o f*
celebración [θeleβra'θjon] *nf* célébration *f*
celebrar [θele'βrar] *vt* célébrer ■ *vi* (*Rel*) officier; **celebrarse** *vpr* se célébrer;

celebro que sigas bien je suis ravi(e) que tu ailles bien
célebre ['θeleβre] *adj* célèbre
celebridad [θeleβri'ðað] *nf* célébrité *f*
celeste [θe'leste] *adj* (*tb*: **azul celeste**) bleu ciel *inv*; (*cuerpo, bóveda*) céleste ■ *nm* bleu *m* ciel
celestial [θeles'tjal] *adj* céleste
celibato [θeli'βato] *nm* célibat *m*
célibe ['θeliβe] *adj, nm/f* célibataire *m/f*
celo ['θelo] *nm* zèle *m*; (®: *tb*: **papel celo**) papier *m* collant, scotch® *m*; **celos** *nmpl* (*de niño, amante*) jalousie *fsg*; **dar ~s a algn** rendre qn jaloux(-ouse); **tener ~s de algn** être jaloux(-ouse) de qn; **estar en ~** être en chaleur
celofán [θelo'fan] *nm* cellophane *f*
celoso, -a [θe'loso, a] *adj* jaloux(-ouse); **~ en** (*el trabajo, cumplimiento*) zélé(e) dans
célula ['θelula] *nf* cellule *f*; **~ fotoeléctrica** cellule photoélectrique
celulitis [θelu'litis] *nf* cellulite *f*
celulosa [θelu'losa] *nf* cellulose *f*
cementerio [θemen'terjo] *nm* cimetière *m*; **~ de coches** cimetière de voitures, casse *f*
cemento [θe'mento] *nm* (*argamasa*) mortier *m*; (*para construcción*) ciment *m*; (*AM*: *cola*) colle *f*; **~ armado** ciment armé
cena ['θena] *nf* dîner *m*, souper *m*
cenagal [θena'ɣal] *nm* bourbier *m*
cenar [θe'nar] *vt*: **~ algo** manger qch pour le dîner ■ *vi* souper, dîner
cenicero [θeni'θero] *nm* cendrier *m*
cenit [θe'nit] *nm* zénith *m*; (*de carrera*) sommet *m*, faîte *m*
ceniza [θe'niθa] *nf* cendre *f*; **cenizas** *nfpl* (*de persona*) cendres *fpl*
censo ['θenso] *nm* recensement *m*; **~ electoral** recensement électoral
censura [θen'sura] *nf* censure *f*
censurar [θensu'rar] *vt* censurer
centella [θen'teʎa] *nf* étincelle *f*; (*rayo*) foudre *f*; **como una ~** comme la foudre
centellear [θenteʎe'ar] *vi* étinceler; (*estrella*) scintiller
centenar [θente'nar] *nm* centaine *f*
centenario, -a [θente'narjo, a] *adj, nm* centenaire *m*
centeno [θen'teno] *nm* seigle *m*
centésimo, -a [θen'tesimo, a] *adj, nm/f* centième *m*
centígrado [θen'tiɣraðo] *adj* centigrade
centímetro [θen'timetro] *nm* centimètre *m*; **~ cuadrado/cúbico** centimètre carré/cube
céntimo ['θentimo] *nm* centime *m*
centinela [θenti'nela] *nm* sentinelle *f*; **estar de ~** être de garde; **hacer de ~** monter la garde
centollo [θen'toʎo] *nm* araignée *f* de mer
central [θen'tral] *adj* central(e) ■ *nf* centrale *f*; **~ eléctrica/nuclear** centrale électrique/nucléaire; **~ sindical** centrale syndicale; **~ térmica** centrale thermique
centralita [θentra'lita] *nf* standard *m*
centralizar [θentrali'θar] *vt* centraliser
centrar [θen'trar] *vt* centrer; (*interés, atención*) attirer; (*esfuerzo, trabajo*) concentrer ■ *vi* (*Deporte*) centrer; **centrarse** *vpr* s'adapter
céntrico, -a ['θentriko, a] *adj* central(e); **zona céntrica** zone *f* centrale, quartier *m* central
centrifugar [θentrifu'ɣar] *vt* essorer
centrista [θen'trista] *adj* centriste
centro ['θentro] *nm* centre *m*; **ser del ~** (*Pol*) être au centre; **ser el ~ de las miradas** être le point de mire; **~ comercial** centre commercial; **~ de beneficios** (*Com*) centre de profit; **~ de computación** centre de calcul; **~ (de determinación) de costes** centre (de détermination) des coûts; **~ de gravedad** centre de gravité; **~ de mesa** surtout *m* de table; **~ de salud** centre de santé; **~ docente** centre d'enseignement; **~ social** foyer *m* socio-éducatif; **~ turístico** centre touristique
centroamericano, -a [θentroameri'kano, a] *adj* d'Amérique centrale ■ *nm/f* natif(-ive) *o* habitant(e) d'Amérique centrale
ceñido, -a [θe'ɲiðo, a] *adj* cintré(e)
ceñir [θe'ɲir] *vt* serrer; **ceñirse** *vpr* (*vestido*) coller; **~se a algo/a hacer algo** s'en tenir à qch/à faire qch
ceño ['θeɲo] *nm* froncement *m*; **fruncir el ~** froncer les sourcils
CEOE *sigla f* (= *Confederación Española de Organizaciones Empresariales*) ≈ CNPF *m* (= *Conseil national du patronat français*)
cepillar [θepi'ʎar] *vt* brosser; (*madera*) raboter; **cepillarse** *vpr* (*fam*) liquider; (: *acostarse con algn*) se faire
cepillo [θe'piʎo] *nm* brosse *f*; (*para madera*) rabot *m*; (*Rel*) tronc *m*; **~ de dientes** brosse à dents
cera ['θera] *nf* cire *f*; (*del oído*) cérumen *m*; **~ de abejas** cire d'abeilles
cerámica [θe'ramika] *nf* céramique *f*; **de ~** en céramique
cerca ['θerka] *nf* haie *f* ■ *adv* (*en el espacio*) près; (*en el tiempo*) bientôt ■ *prep*: **~ de** (*cantidad*) près de, environ;

(*distancia*) près de; **de ~** de près; **por aquí ~** tout près d'ici

cercanía [θerka'nia] *nf* proximité *f*; **cercanías** *nfpl* (*de ciudad*) alentours *mpl*; **tren de ~s** train *m* de banlieue

cercano, -a [θer'kano, a] *adj* proche; (*pueblo etc*) voisin(e); **~ a** proche de; **C~ Oriente** Proche-Orient *m*

cercar [θer'kar] *vt* clôturer; (*manifestantes*) encercler; (*Mil*) assiéger

cerciorar [θerθjo'rar] *vt* (*asegurar*) assurer; **cerciorarse** *vpr*: **~se (de)** s'assurer (de)

cerco ['θerko] *nm* cercle *m*; (*de ventana, puerta*) cadre *m*; (*AM*) clôture *f*; (*Mil*) siège *m*

Cerdeña [θer'ðeɲa] *nf* Sardaigne *f*

cerdo, -a ['θerðo, a] *nm/f* cochon (truie); (*fam*: *persona sucia*) cochon(ne); (: *sin escrúpulos*) salaud *m*, salope *f*; **(carne de) ~** (viande *f* de) porc *m*

cereal [θere'al] *nm* céréale *f*; **cereales** *nmpl* (*Culin*) céréales *fpl*

cerebral [θere'βral] *adj* cérébral(e)

cerebro [θe'reβro] *nm* cerveau *m*; **ser un ~** être un cerveau; **es el ~ de la banda** c'est le cerveau de la bande

ceremonia [θere'monja] *nf* cérémonie *f*; **hablar sin ~s** parler sans cérémonies

ceremonial [θeremo'njal] *adj* (*traje*) de cérémonie; (*danza*) cérémoniel(le) ▪ *nm* cérémonial *m*

ceremonioso, -a [θeremo'njoso, a] *adj* cérémonieux(-euse)

cereza [θe'reθa] *nf* cerise *f*

cerilla [θe'riʎa] *nf*, **cerillo** [θe'riʎo] (*AM*) ▪ *nm* allumette *f*

cernerse [θer'nerse] *vpr*: **~ sobre** (*tempestad*) menacer; (*desgracia*) planer sur

cero ['θero] *nm* zéro *m*; **8 grados bajo ~** 8 degrés au dessous de zéro; **15 a ~** 15 à zéro; **a partir de ~** à zéro; **ser un ~ a la izquierda** être un zéro

cerrado, -a [θe'rraðo, a] *adj* fermé(e); (*cielo*) couvert(e); (*curva*) en épingle à cheveux; (*poco sociable*) renfermé(e); (*bruto*) borné(e); (*acento*) marqué(e), prononcé(e); (*noche*) obscur(e); (*barba*) dru(e), fourni(e); **a puerta cerrada** à huis-clos

cerradura [θerra'ðura] *nf* serrure *f*

cerrajero, -a [θerra'xero, a] *nm/f* serrurier *m*

cerrar [θe'rrar] *vt* fermer; (*paso, entrada*) barrer; (*sobre*) cacheter, fermer; (*debate, plazo*) clore, clôturer; (*cuenta*) clore, fermer ▪ *vi* fermer; **cerrarse** *vpr* se fermer; (*herida*) se refermer; **~ con llave** fermer à clef; **~ la marcha** fermer la marche; **~ el sistema** (*Inform*) fermer *o* boucler le système; **~ un trato** conclure un marché; **¡cierra la boca!** la ferme!; **~se a algo** se refuser à qch, s'opposer à qch

cerro ['θerro] *nm* tertre *m*; **irse por los ~s de Ubeda** divaguer, s'éloigner du sujet

cerrojo [θe'rroxo] *nm* verrou *m*; **echar** *o* **correr el ~** verrouiller

certamen [θer'tamen] *nm* concours *msg*

certero, -a [θer'tero, a] *adj* adroit(e)

certeza [θer'teθa], **certidumbre** [θerti'ðumbre] *nf* certitude *f*; **tener la ~ de que** avoir la certitude que

certificado, -a [θertifi'kaðo, a] *adj* recommandé(e) ▪ *nm* certificat *m*; **~ médico** certificat médical

certificar [θertifi'kar] *vt* certifier; (*Correos*) envoyer en recommandé

cervatillo [θerβa'tiʎo] *nm* faon *m*

cervecería [θerβeθe'ria] *nf* brasserie *f*

cerveza [θer'βeθa] *nf* bière *f*

cesante [θe'sante] *adj* en disponibilité; (*AM*) au chômage

cesar [θe'sar] *vi* cesser; (*empleado*) se démettre de ses fonctions ▪ *vt* (*funcionario, ministro*) démettre de ses fonctions; **~ de hacer** arrêter de faire; **sin ~** sans cesse

cesárea [θe'sarea] *nf* césarienne *f*

cese ['θese] *nm* fin *f*; (*despido*) révocation *f*

césped ['θespeð] *nm* gazon *m*, pelouse *f*; (*Deporte*) gazon

cesta ['θesta] *nf* panier *m*; **~ de la compra** panier à provisions

cesto ['θesto] *nm* panier *m*, corbeille *f*

cetro ['θetro] *nm* sceptre *m*

chabacano, -a [tʃaβa'kano, a] *adj* vulgaire ▪ *nm* (*Méx*) abricot *m*

chabola [tʃa'βola] *nf* cabane *f*; **chabolas** *nfpl* (*zona*) bidonville *m*

chacal [tʃa'kal] *nm* chacal *m*

chacha ['tʃatʃa] (*fam*) *nf* bonne *f*

cháchara ['tʃatʃara] *nf*: **estar de ~** parler à bâtons rompus

chacra ['tʃakra] (*And, Csur*) *nf* ferme *f*

chafar [tʃa'far] *vt* (*pelo*) aplatir; (*hierba*) coucher; (*ropa*) chiffonner; (*fig*: *planes*) bouleverser

chal [tʃal] *nm* châle *m*

chalado, -a [tʃa'laðo, a] (*fam*) *adj* taré(e); **estar ~ por algn** en pincer pour qn

chalé [tʃa'le] (*pl* **~s**) *nm* villa *f*; (*en la montaña*) chalet *m*

chaleco [tʃa'leko] *nm* gilet *m*; **~ antibala** gilet pare-balles; **~ salvavidas** gilet de sauvetage

chalet [tʃa'le] (*pl* **~s**) *nm* = **chalé**
champán [tʃam'pan], **champaña** [tʃam'paɲa] *nm* champagne *m*
champú [tʃam'pu] (*pl* **~es, ~s**) *nm* shampooing *m*
chamuscar [tʃamus'kar] *vt* roussir
chance ['tʃanθe] (*AM*) *nm o nf* occasion *f*
chancho, -a ['tʃantʃo, a] (*AM*) *nm/f* porc *m*
chanchullo [tʃan'tʃuʎo] (*fam*) *nm* magouille *f*
chandal [tʃan'dal] *nm* survêtement *m*
chantaje [tʃan'taxe] *nm* chantage *m*; **hacer ~ a algn** faire chanter qn
chapa ['tʃapa] *nf* (*de metal, insignia*) plaque *f*; (*de madera*) planche *f*; (*de botella*) capsule *f*; (*AM*) serrure *f*; **de 3 ~s** (*madera*) en 3 épaisseurs; **~ (de matrícula)** (*Csur*) plaque d'immatriculation
chaparrón [tʃapa'rron] *nm* averse *f*
chapotear [tʃapote'ar] *vi* patauger
chapucero, -a [tʃapu'θero, a] (*pey*) *adj* (*trabajo*) bâclé(e) ■ *nm/f*: **ser (un) ~** bâcler son travail
chapurr(e)ar [tʃapurr(e)'ar] *vt* (*idioma*) baragouiner
chapuza [tʃa'puθa] *nf* bricole *f*; (*pey*) travail *m* bâclé; (*trabajo extra*) travail supplémentaire
chapuzón [tʃapu'θon] *nm*: **darse un ~** faire trempette
chaqueta [tʃa'keta] *nf* (*de lana*) gilet *m*; (*de traje*) veste *f*; **cambiar de ~** (*fig*) retourner sa veste
chaquetón [tʃake'ton] *nm* veste *f*
charca ['tʃarka] *nf* mare *f*
charco ['tʃarko] *nm* flaque *f*
charcutería [tʃarkute'ria] *nf* charcuterie *f*
charla ['tʃarla] *nf* bavardage *m*; (*conferencia*) petit discours *msg*
charlar [tʃar'lar] *vi* bavarder
charlatán, -ana [tʃarla'tan, ana] *adj* bavard(e) ■ *nm/f* bavard(e); (*estafador*) charlatan *m*
charol [tʃa'rol] *nm* cuir *m* verni; (*AM*) plateau *m*; **de ~** verni(e)
chárter ['tʃarter] *adj inv*: **vuelo ~** vol *m* charter
chascarrillo [tʃaska'rriʎo] *nm* histoire *f* drôle
chasco ['tʃasko] *nm* (*desengaño*) déception *f*; (*broma*) tour *m*; **me llevé un ~** ça m'a fait l'effet d'une douche froide
chasis ['tʃasis] *nm inv* châssis *msg*
chasquear [tʃaske'ar] *vt* faire claquer
chasquido [tʃas'kiðo] *nm* claquement *m*; (*de madera*) craquement *m*
chat ['tʃat] (*pl* **~s**) *nm* (*Inform*) chat *m*
chatarra [tʃa'tarra] *nf* ferraille *f*; **estar hecho** *o* **ser una ~** ne plus être qu'un vieux tas de ferraille
chatear [tʃate'ar] *vi* (*Inform*) chatter
chato, -a ['tʃato, a] *adj* (*persona*) au nez épaté; (*nariz*) épaté(e); (*Pe, Chi: bajito*) petit(e) ■ *nm* petit verre *m* (de vin); **hola, ~** salut, vieux; **beber unos ~s** boire un pot
chaval, a [tʃa'βal, a] *nm/f* gars *msg*, fille *f*; **estás hecho un ~** tu ne fais pas ton âge
checo(e)slovaco, -a [tʃeko(e)slo'βako, a] *adj* tchécoslovaque ■ *nm/f* Tchécoslovaque *m/f*
Checo(e)slovaquia [tʃeko(e)slo'βakja] *nf* Tchécoslovaquie *f*
chepa ['tʃepa] *nf* bosse *f*
cheque ['tʃeke] *nm* chèque *m*; **~ abierto/cruzado/en blanco** chèque non barré/à ordre/en blanc; **~ al portador** chèque au porteur; **~ de viaje** chèque de voyage; **~ sin fondos** chèque sans provision
chequeo [tʃe'keo] *nm* (*Med*) bilan *m* de santé; (*Auto*) vérification *f*
chequera [tʃe'kera] (*AM*) *nf* chéquier *m*
chica ['tʃika] *nf* fille *f*; **¿qué tal, ~?** alors, comment tu vas?; *ver tb* **chico**
chicano, -a [tʃi'kano, a] *adj, nm/f* Chicano *m*
chícharo ['tʃitʃaro] (*Méx*) *nm* (*guisante*) petit pois *msg*
chichón [tʃi'tʃon] *nm* bosse *f* (à la tête)
chicle ['tʃikle] *nm* chewing-gum *m*
chico, -a ['tʃiko, a] *adj* (*esp AM*) petit(e) ■ *nm* (*niño*) petit garçon *m*; (*muchacho*) garçon
chiflado, -a [tʃi'flaðo, a] (*fam*) *adj* givré(e) ■ *nm/f* taré(e); **estar ~ por algn** être fou (folle) de qn
chiflar [tʃi'flar] *vi* siffler; **le chiflan los helados** il raffole des glaces; **nos chifla montar en moto** on adore faire de la moto
Chile ['tʃile] *nm* Chili *m*
chile ['tʃile] *nm* piment *m* fort
chileno, -a [tʃi'leno, a] *adj* chilien(ne) ■ *nm/f* Chilien(ne)
chillar [tʃi'ʎar] *vi* (*persona*) pousser des cris aigus; (*animal*) glapir
chillido [tʃi'ʎiðo] *nm* (*de persona*) cri *m* aigu; (*de animal*) glapissement *m*
chillón, -ona [tʃi'ʎon, ona] *adj* (*niño*) brailleur(-euse); (*voz, color*) criard(e)
chimenea [tʃime'nea] *nf* cheminée *f*; **~ de ventilación** bouche *f* d'aération
chimpancé [tʃimpan'θe] (*pl* **~s**) *nm* chimpanzé *m*
China ['tʃina] *nf*: **la ~** la Chine

china ['tʃina] *nf* caillou *m*; (*porcelana*) porcelaine *f*; (*Csur: india*) indienne *f*; (*: criada*) domestique *f*; **te tocó la ~** tu as gagné le gros lot (*iron*); *ver tb* **chino**
chinche ['tʃintʃe] *nm/f* punaise *f*; **morirse como ~s** tomber comme des mouches
chincheta [tʃin'tʃeta] *nf* punaise *f*
chino, -a ['tʃino, a] *adj* chinois(e) ■ *nm/f* Chinois(e) ■ *nm* (*Ling*) chinois *msg*; (*And, Csur: indio*) indien *m*; (*: criado*) domestique *m*; (*Méx*) boucle *f*; **trabajar como un ~** trimer
chipirón [tʃipi'ron] *nm* petit calmar *m*
Chipre ['tʃipre] *nf* Chypre *f*
chipriota [tʃi'prjota] *adj* chypriote ■ *nm/f* Chypriote *m/f*
chiquillo, -a [tʃi'kiʎo, a] (*fam*) *nm/f* môme *m/f*
chirimoya [tʃiri'moja] *nf* (*Bot*) anone *f*
chiringuito [tʃirin'gito] *nm* kiosque *m*
chiripa [tʃi'ripa] *nf*: **por** *o* **de ~** sur un coup de pot
chirriar [tʃi'rrjar] *vi* (*goznes*) grincer; (*pájaros*) piailler
chirrido [tʃi'rriðo] *nm* grincement *m*
chis [tʃis] *excl* chut
chisme ['tʃisme] *nm* ragot *m*; (*fam*) truc *m*
chismoso, -a [tʃis'moso, a] *adj* cancanier(-ère) ■ *nm/f* commère *f*
chispa ['tʃispa] *nf* étincelle *f*; (*de lluvia*) petite goutte *f*; **una ~** (*fam*) un tout petit peu; **estar que echa ~s** être énervé(e); **no tiene ni ~ de gracia** il n'a pas le moindre sens de l'humour
chispear [tʃispe'ar] *vi* étinceler; (*lloviznar*) pleuvoter
chisporrotear [tʃisporrote'ar] *vi* crépiter; (*aceite*) grésiller
chiste ['tʃiste] *nm* histoire *f* drôle; **~ verde** histoire cochonne
chistoso, -a [tʃis'toso, a] *adj* (*situación*) comique; (*persona*) spirituel(le)
chivo, -a ['tʃiβo, a] *nm/f* chevreau(-vrette); **~ expiatorio** tête *f* de turc
chocante [tʃo'kante] *adj* (*sorprendente*) choquant(e); (*gracioso*) drôle; **es ~ que sea así** c'est choquant que ce soit comme ça
chocar [tʃo'kar] *vi* (*coches etc*) cogner; (*Mil, fig*) s'affronter ■ *vt* (*copas*) s'entrechoquer; (*sorprender*) choquer; **~ con** rentrer dans; (*fig*) s'accrocher avec; **¡chócala!** (*fam*) tope là!
chochear [tʃotʃe'ar] *vi* devenir gâteux(-euse)
chocho, -a ['tʃotʃo, a] *adj* gâteux(-euse); **estar ~ por algn/algo** raffoler de qn/qch
chocolate [tʃoko'late] *adj* (*AM*) chocolat *inv* ■ *nm* chocolat *m*; (*fam: hachís*) hasch *m*
chocolatina [tʃokola'tina] *nf* chocolat *m*
chofer ['tʃofer], **chófer** [tʃo'fer] *nm* chauffeur *m*
chollo ['tʃoʎo] (*fam*) *nm* bon plan *m*
choque ['tʃoke] *vb ver* **chocar** ■ *nm* choc *m*; (*impacto*) impact *m*; (*fig: disputa*) heurt *m*
chorizo [tʃo'riθo] *nm* chorizo *m*; (*fam*) voyou *m*
chorrear [tʃorre'ar] *vt* dégouliner ■ *vi* dégouliner; (*gotear*) goutter; **estar chorreando** être trempé(e)
chorro ['tʃorro] *nm* (*de líquido*) jet *m*; (*de luz*) filet *m*; (*fig*) flot *m*; **a ~s** à flots; **llover a ~s** pleuvoir des cordes; **salir a ~s** couler à flots; **propulsión a ~** propulsion *f* par réaction
choza ['tʃoθa] *nf* hutte *f*
chubasco [tʃu'βasko] *nm* bourrasque *f*
chubasquero [tʃuβas'kero] *nm* ciré *m*
chuchería [tʃutʃe'ria] *nf* babiole *f*; (*para comer*) amuse-gueule *m inv*
chuleta [tʃu'leta] *nf* côte *f*; (*Escol etc: fam*) pompe *f*
chulo, -a ['tʃulo, a] *adj* (*fam: bonito*) classe; (*Méx*) beau (belle); (*pey*) effronté(e) ■ *nm* effronté *m*; (*matón*) frimeur *m*; (*madrileño*) *type des bas-fonds de Madrid*; (*tb*: **chulo de putas**) maquereau *m*; (*And*) vautour *m*; **ponerse ~ (con algn)** faire l'insolent(e) (avec qn)
chupar [tʃu'par] *vt* (*líquido*) aspirer; (*caramelo*) sucer; (*absorber*) absorber; **chuparse** *vpr* (*dedo*) sucer; (*mano*) se lécher; (*Med*) s'émacier; **para ~se los dedos** à s'en lécher les babines
chupete [tʃu'pete] *nm* sucette *f*
chupito [tʃu'pito] *nm* (*fam*) petit verre *m*; **un ~ de whisky por favor** un baby s'il vous plaît
churro ['tʃurro] *nm* ≈ beignet *m*; (*fam*) bricolage *m*; (*And, Csur: fam*) beau mec (belle fille)

CHURRO

Les *churros*, ces longs beignets à base de farine et d'eau, sont très appréciés dans toute l'Espagne. On les déguste généralement au petit-déjeuner ou au goûter, en buvant du chocolat chaud épais. À Madrid, il en existe une variété plus grosse appelée "porra".

chusma ['tʃusma] *(pey) nf* foule *f*
chutar [tʃu'tar] *vi (Deporte)* shooter; **esto va que chuta** *(fam)* ça marche comme sur des roulettes; **con 30 vas que chutas** *(fam)* tu auras assez avec 30 euros
Cía *abr (= compañía)* Cie *(= compagnie)*
cianuro [θja'nuro] *nm (Quím)* cyanure *m*
cibercafé [θiβerka'fe] *nm* cybercafé *m*
cibernauta [θiβer'nauta] *nm/f* cybernaute *m/f*
cicatriz [θika'triθ] *nf* cicatrice *f*
cicatrizar [θikatri'θar] *vt, vi* cicatriser; **cicatrizarse** *vpr* se cicatriser
ciclismo [θi'klismo] *nm* cyclisme *m*
ciclista [θi'klista] *adj, nm/f* cycliste *m/f*; **vuelta ~** course *f* cycliste
ciclo ['θiklo] *nm* cycle *m*
ciclomotor [θiklomo'tor] *nm* cyclomoteur *m*
ciclón [θi'klon] *nm* cyclone *m*
cicloturismo [θiklotu'rismo] *nm* cyclotourisme *m*
ciego, -a ['θjeɣo, a] *vb ver* **cegar** ■ *adj* aveugle; *(Constr)* bouché(e) ■ *nm/f* aveugle *m/f*; **a ciegas** à l'aveuglette; **quedarse ~** devenir aveugle; **~ de ira** aveuglé(e) par la colère
cielo ['θjelo] *nm* ciel *m*; *(Arq: tb:* **cielo raso***)* faux-plafond *m*; **sí, ~** oui, mon ange; **¡~s!** Mon Dieu!, juste ciel!; **vimos el ~ abierto** la solution nous est apparue; **~ de la boca** voûte *f* palatine
ciempiés [θjem'pjes] *nm inv* mille-pattes *m inv*
cien [θjen] *adj inv, nm inv* cent *m*; **al ~ por ~** à cent pour cent
ciénaga ['θjenaɣa] *nf* marécage *m*
ciencia ['θjenθja] *nf* science *f*; **saber algo a ~ cierta** être sûr(e) et certain(e) de qch; **~s empresariales** études *fpl* de commerce; **~s exactas** sciences *fpl* exactes, mathématiques *fpl*; **~s ocultas** sciences occultes
ciencia-ficción ['θjenθjafik'θjon] *nf* science-fiction *f*
cieno ['θjeno] *nm* vase *f*
científico, -a [θjen'tifiko, a] *adj, nm/f* scientifique *m/f*
ciento ['θjento] *adj, nm* cent *m*; **~ cuarenta** cent quarante; **el 10 por ~** dix pour cent
cierre ['θjerre] *vb ver* **cerrar** ■ *nm* fermeture *f*; *(pulsera)* fermoir *m*; *(de emisión)* fin *f*; **precio de ~** cours *msg* de clôture; **~ del sistema** *(Inform)* clôture *f* du système; **~ de cremallera** fermeture éclair; **~ relámpago** *(And, Csur)* fermeture éclair
cierto, -a ['θjerto, a] *adj* certain(e); **~ hombre/día** un certain homme/jour; **ciertas personas** certaines personnes; **sí, es ~** oui, c'est certain; **por ~** à propos; **lo ~ es que ...** ce qui est sûr c'est que ...; **estar en lo ~** avoir raison
ciervo ['θjerβo] *nm* cerf *m*
cifra ['θifra] *nf* chiffre *m*; **en ~** codé(e); **~ de negocios/de venta** chiffre d'affaires/de ventes; **~ de referencia** prix *msg* de base; **~ global** chiffre global
cifrar [θi'frar] *vt* coder; *(esperanzas, felicidad)* placer; **cifrarse** *vpr*: **~se en** s'élever à
cigala [θi'ɣala] *nf* langoustine *f*
cigarra [θi'ɣarra] *nf* cigale *f*
cigarrillo [θiɣa'rriʎo] *nm* cigarette *f*
cigarro [θi'ɣarro] *nm* cigarette *f*; *(puro)* cigare *m*
cigüeña [θi'ɣweɲa] *nf* cigogne *f*
cilíndrico, -a [θi'lindriko, a] *adj* cylindrique
cilindro [θi'lindro] *nm* cylindre *m*
cima ['θima] *nf* sommet *m*, cime *f*; *(de árbol)* cime; *(apogeo)* sommet
cimbrearse [θimbre'arse] *vpr* se déhancher; *(ramas, tallos)* ployer
cimentar [θimen'tar] *vt (edificio)* jeter les fondations de; *(consolidar)* cimenter; **cimentarse** *vpr*: **~se en** se fonder sur
cimientos [θi'mjentos] *nmpl* fondations *fpl*; *(fig)* fondements *mpl*
cinc [θink] *nm* zinc *m*
cincel [θin'θel] *nm* ciseau *m*
cincelar [θinθe'lar] *vt* ciseler
cinco ['θinko] *adj inv, nm inv* cinq *m inv*; *ver tb* **seis**
cincuenta [θin'kwenta] *adj inv, nm inv* cinquante *m inv*; *ver tb* **sesenta**
cine ['θine] *nm* cinéma *m*; **hacer ~** faire du cinéma; **~ de estreno** cinéma d'exclusivité; **el ~ mudo** le cinéma muet
cineasta [θine'asta] *nm/f* cinéaste *m/f*
cinematográfico, -a [θinemato'ɣrafiko, a] *adj* cinématographique
cínico, -a ['θiniko, a] *adj, nm/f* cynique *m/f*; *(desvergonzado)* effronté(e)
cinismo [θi'nismo] *nm (ver adj)* cynisme *m*; effronterie *f*
cinta ['θinta] *nf* ruban *m*, bande *f*; **~ adhesiva/aislante** ruban adhésif/ isolant; **~ de carbón** ruban carbone; **~ de múltiples impactos** bande d'impacts multiple; **~ de vídeo** cassette *f* vidéo; **~ magnética** *(Inform)* bande magnétique; **~ métrica** mètre *m* à ruban; **~ transportadora** convoyeur *m*, stéréoduc *m*; **~ virgen** cassette vierge

cintura [θin'tura] *nf* taille *f*; **meter a algn en ~** faire entendre raison à qn
cinturón [θintu'ron] *nm* ceinture *f*; **~ de miseria** (*Méx*) bidonville *m*; **~ de seguridad** ceinture de sécurité; **~ industrial** zone *f* industrielle; **~ salvavidas** ceinture de sauvetage
ciprés [θi'pres] *nm* cyprès *m*
circo ['θirko] *nm* cirque *m*
circuito [θir'kwito] *nm* circuit *m*; **TV por ~ cerrado** télévision *f* en circuit fermé; **~ impreso** circuit imprimé; **~ lógico** (*Inform*) porte *f*, circuit logique
circulación [θirkula'θjon] *nf* circulation *f*; **"cerrado a la ~ rodada"** "fermé au trafic routier"; **poner algo en ~** mettre qch en circulation
circular [θirku'lar] *adj*, *nf* circulaire *f* ■ *vt* (*orden*) faire circuler ■ *vi* circuler; **¡circulen!** circulez!
círculo ['θirkulo] *nm* cercle *m*; **en ~** en cercle, en rond; **en ~s políticos** dans les cercles politiques; **~ vicioso** cercle vicieux
circundar [θirkun'dar] *vt* entourer
circunferencia [θirkunfe'renθja] *nf* circonférence *f*
circunscribir [θirkunskri'βir] *vt* (*actuación, discurso*) circonscrire; **circunscribirse** *vpr* se circonscrire; **~se a (hacer)** se limiter *o* s'en tenir à (faire)
circunscripción [θirkunskrip'θjon] *nf* circonscription *f*
circunspecto, -a [θirkuns'pekto, a] *adj* circonspect(e)
circunstancia [θirkuns'tanθja] *nf* circonstance *f*; **~s agravantes/atenuantes** circonstances *fpl* aggravantes/atténuantes; **estar a la altura de las ~s** être à la hauteur des circonstances; **poner cara de ~s** faire une figure de circonstance
circunvalación [θirkumbala'θjon] *nf* *ver* **carretera**
cirio ['θirjo] *nm* cierge *m*
ciruela [θi'rwela] *nf* prune *f*; **~ claudia** reine *f* claude; **~ pasa** pruneau *m*
cirugía [θiru'xia] *nf* chirurgie *f*; **~ estética/plástica** chirurgie esthétique/plastique
cirujano, -a [θiru'xano, a] *nm/f* chirurgien(ne)
cisne ['θisne] *nm* cygne *m*; **canto de ~** chant *m* du cygne
cisterna [θis'terna] *nf* chasse *f* d'eau; (*depósito*) citerne *f*
cita ['θita] *nf* rendez-vous *m inv*; (*referencia*) citation *f*; **acudir/faltar a una ~** se rendre à/manquer un rendez-vous
citación [θita'θjon] *nf* citation *f*
citar [θi'tar] *vt* donner rendez-vous à; (*Jur*) citer; **citarse** *vpr*: **~se (con)** prendre rendez-vous (avec)
cítrico, -a ['θitriko, a] *adj* citrique ■ *nm*: **~s** agrumes *mpl*
ciudad [θju'ðað] *nf* ville *f*; **~ universitaria** cité *f* universitaire; **la C~ Condal** Barcelone; **C~ del Cabo** le Cap; **~ dormitorio** cité-dortoir *f*; **~ perdida** (*Méx*) bidonville *m*; **~ satélite** ville satellite
ciudadanía [θjuðaða'nia] *nf* citoyenneté *f*
ciudadano, -a [θjuða'ðano, a] *adj*, *nm/f* citadin(e)
cívico, -a ['θiβiko, a] *adj* civique; (*persona*) civil(e)
civil [θi'βil] *adj* civil(e) ■ *nm* civil *m*; **casarse por lo ~** se marier civilement
civilización [θiβiliθa'θjon] *nf* civilisation *f*
civilizar [θiβili'θar] *vt* civiliser
civismo [θi'βismo] *nm* civisme *m*
cizaña [θi'θaɲa] *nf*: **meter/sembrar ~** mettre/semer la zizanie
cl. *abr* (= *centilitro(s)*) cl (= *centilitre(s)*)
clamar [kla'mar] *vt* clamer ■ *vi* crier; **~ venganza** crier vengeance
clamor [kla'mor] *nm* clameur *f*
clandestino, -a [klandes'tino, a] *adj* clandestin(e)
clara ['klara] *nf* (*de huevo*) blanc *m*
claraboya [klara'βoja] *nf* lucarne *f*
clarear [klare'ar] *vi* (*el día*) se lever; (*el cielo*) s'éclaircir
clarete [kla'rete] *nm* rosé *m*
claridad [klari'ðað] *nf* clarté *f*
clarificar [klarifi'kar] *vt* éclaircir
clarinete [klari'nete] *nm* clarinette *f*
clarividencia [klariβi'ðenθja] *nf* clairvoyance *f*
claro, -a ['klaro, a] *adj* clair(e) ■ *nm* éclaircie *f*; (*entre asientos*) place *f* libre ■ *adv* clairement ■ *excl* bien sûr!; **estar ~** être clair(e); **lo tengo muy ~** pour moi c'est clair; **no lo tengo muy ~** je ne sais pas vraiment; **hablar ~** parler haut et clair, parler franchement; **a las claras** clairement; **no sacamos nada en ~** nous n'avons rien tiré au clair; **~ que sí/no** bien sûr que oui/non
clase ['klase] *nf* genre *m*, classe *f*; (*lección*) cours *msg*; **la ~ dirigente** la classe dirigeante; **dar ~(s)** (*profesor*) faire cours, donner des cours; (*alumno*) avoir cours; **tener ~** avoir de la classe; **de toda(s) ~(s)** de toute(s) sorte(s);

~ alta/media/obrera/social classe dominante/moyenne/ouvrière/ sociale; **~s particulares** cours particuliers
clásico, -a ['klasiko, a] *adj* classique
clasificación [klasifika'θjon] *nf* classement *m*; (*de cartas, líneas*) tri *m*
clasificar [klasifi'kar] *vt* classer; (*cartas*) trier; (*Inform*) classifier, trier; **clasificarse** *vpr* se qualifier
claudicar [klauði'kar] *vi* céder
claustro ['klaustro] *nm* cloître *m*; (*Univ, Escol*) conseil *m*; (*: junta*) assemblée *f*, réunion *f*
cláusula ['klausula] *nf* clause *f*; **~ de exclusión** clause d'exclusion
clausura [klau'sura] *nf* clôture *f*; **de ~** (*Rel*) claustral; (*: monja*) cloîtré(e)
clausurar [klausu'rar] *vt* clore; (*local*) fermer
clavar [kla'βar] *vt* enfoncer; (*clavo*) clouer; (*alfiler*) épingler; (*mirada*) fixer; (*fam: cobrar caro*) arnaquer; **clavarse** *vpr* s'enfoncer
clave ['klaβe] *nf* clef *f* ■ *adj inv* clé; **en ~** (*mensaje*) codé(e); **~ de búsqueda/ de clarificación** clef de recherche/de classement
clavel [kla'βel] *nm* œillet *m*
clavícula [kla'βikula] *nf* clavicule *f*
clavija [kla'βixa] *nf* cheville *f*; (*Elec*) fiche *f*
clavo ['klaβo] *nm* clou *m*; (*Bot, Culin*) clou de girofle; **dar en el ~** mettre dans le mille, faire mouche
claxon ['klakson] (*pl* **~s**) *nm* klaxon *m*; **tocar el ~** klaxonner
clemencia [kle'menθja] *nf* clémence *f*
cleptómano, -a [klep'tomano, a] *nm/f* cleptomane *m/f*
clérigo ['kleriɣo] *nm* ecclésiastique *m*
clero ['klero] *nm* clergé *m*
clic [klik] *nm* (*Inform*) clic *m*; **hacer ~ en** cliquer sur
clicar [kli'kar] *vi* (*Inform*) cliquer; **~ dos veces** cliquer deux fois
cliché [kli'tʃe] *nm* cliché *m*
cliente, -a ['kljente, a] *nm/f* client(e)
clientela [kljen'tela] *nf* clientèle *f*
clima ['klima] *nm* climat *m*
climatizado, -a [klimati'θaðo, a] *adj* climatisé(e)
clímax ['klimaks] *nm inv* apogée *m*, point *m* culminant; (*sexual*) orgasme *m*
clínica ['klinika] *nf* clinique *f*
clínico, -a ['kliniko, a] *adj* clinique
clip [klip] (*pl* **~s**) *nm* trombone *m*; (*de pelo*) barrette *f*
clítoris ['klitoris] *nm inv* clitoris *m inv*
cloaca [klo'aka] *nf* égout *m*
cloro ['kloro] *nm* chlore *m*
club [klub] (*pl* **~s** *o* **~es**) *nm* club *m*
cm. *abr* (*= centímetro(s)*) cm *m* (*= centimètre(s)*)
C.N.T. *sigla f* (*Esp: = Confederación Nacional de Trabajo*) *syndicat*; (*AM: = Confederación Nacional de Trabajadores*) *syndicat*
coacción [koak'θjon] *nf* contrainte *f*
coaccionar [koakθjo'nar] *vt* contraindre
coagular [koaɣu'lar] *vt* coaguler; **coagularse** *vpr* se coaguler
coágulo [ko'aɣulo] *nm* caillot *m*
coalición [koali'θjon] *nf* coalition *f*
coartada [koar'taða] *nf* alibi *m*
coba ['koβa] *nf*: **dar ~ a algn** passer de la pommade à qn
cobarde [ko'βarðe] *adj* lâche ■ *nm/f* lâche *m/f*, peureux(-euse)
cobardía [koβar'ðia] *nf* lâcheté *f*
cobaya [ko'βaja] *nm o nf* cobaye *m*
cobertizo [koβer'tiθo] *nm* hangar *m*, remise *f*; (*de animal*) abri *m*
cobertura [koβer'tura] *nf* couverture *f*; **~ de dividendo** rapport *m* dividendes-résultat; **no tengo ~** (*Telec*) je n'ai pas de réception
cobija [ko'βixa] (*AM*) *nf* couverture *f*
cobijar [koβi'xar] *vt* héberger, loger; **cobijarse** *vpr*: **~se (de)** se protéger (de); **~ (de)** protéger (de)
cobijo [ko'βixo] *nm* abri *m*; **dar ~ a algn** héberger qn
cobra ['koβra] *nf* cobra *m*
cobrador, a [koβra'ðor, a] *nm/f* receveur(-euse)
cobrar [ko'βrar] *vt* (*cheque*) toucher, encaisser; (*sueldo*) toucher; (*precio*) faire payer; (*deuda, alquiler, gas*) encaisser; (*caza*) rapporter; (*fama, importancia*) acquérir; (*cariño*) prendre en; (*fuerza, valor*) reprendre ■ *vi* toucher son salaire; **cóbrese** payez-vous; **cóbrese al entregar** paiement *m* à la livraison; **¡vas a ~!** qu'est-ce que tu vas prendre!; **a ~** à encaisser; **cantidades por ~** sommes *fpl* dues
cobre ['koβre] *nm* cuivre *m*; **cobres** *nmpl* (*Mús*) cuivres *mpl*; **sin un ~** (*AM: fam*) sans un sou
cobro ['koβro] *nm* (*de cheque*) encaissement *m*; (*pago*) paiement *m*; **presentar al ~** encaisser; *ver tb* **llamada**
cocaína [koka'ina] *nf* cocaïne *f*
cocción [kok'θjon] *nf* cuisson *f*
cocear [koθe'ar] *vi* ruer

cocer [ko'θer] *vt* (faire) cuire ▪ *vi* cuire; (*agua*) bouillir; **cocerse** *vpr* cuire; (*tramarse*) mijoter

coche ['kotʃe] *nm* voiture *f*; (*para niños*) poussette *f*; **~ blindado** voiture blindée; **~ celular** fourgon *m* cellulaire; **~ comedor** wagon-restaurant *m*; **~ de bomberos** voiture des pompiers; **~ de carreras** voiture de course; **~s de choque** autos *fpl* tamponneuses; **~ de línea** autocar *m*; **~ fúnebre** corbillard *m*

coche-cama ['kotʃe'kama] (*pl* **coches-cama**) *nm* wagon *m* lit

cochera [ko'tʃera] *nf* garage *m*; (*de autobuses*) dépôt *m*

cochino, -a [ko'tʃino, a] *adj* dégoûtant(e) ▪ *nm/f* cochon (truie); (*persona*) cochon(ne)

cocido, -a [ko'θiðo, a] *adj* (*patatas*) bouilli(e); (*huevos*) dur(e) ▪ *nm* pot-au-feu *m inv*

cocina [ko'θina] *nf* cuisine *f*; (*aparato*) cuisinière *f*; **~ casera** cuisine maison; **~ eléctrica/de gas** cuisinière électrique/ à gaz; **~ francesa** cuisine française

cocinar [koθi'nar] *vt, vi* cuisiner

cocinero, -a [koθi'nero, a] *nm/f* cuisinier(-ière)

coco ['koko] *nm* noix *fsg* de coco; (*fam*) citrouille *f*; **el ~** le grand méchant loup

cocodrilo [koko'ðrilo] *nm* crocodile *m*

cocotero [koko'tero] *nm* cocotier *m*

cóctel ['koktel] *nm* cocktail *m*; **~ molotov** cocktail Molotov

codazo [ko'ðaθo] *nm*: **dar un ~ a algn** donner un coup de coude à qn; **abrirse paso a ~s** jouer des coudes

codicia [ko'ðiθja] *nf* convoitise *f*

codiciar [koði'θjar] *vt* convoiter

codicioso, -a [koði'θjoso, a] *adj* avide; (*expresión*) de convoitise

código ['koðiɣo] *nm* (*tb Jur*) code *m*; **~ binario** code binaire; **~ civil/postal** code civil/postal; **~ de barras** code (à) barres; **~ de caracteres/de control** code à caractères/de contrôle; **~ de (la) circulación** code de la route; **~ máquina/ de operación** code machine *inv*/ d'opération; **~ militar/penal** code militaire/pénal

codillo [ko'ðiʎo] *nm* (*Zool*) coude *m*, épaule *f*; (*Culin*) épaule; (*Tec*) coude

codo ['koðo] *nm* coude *m*; **hablar por los ~s** bavarder comme une pie; **~ a ~** coude à coude

codorniz [koðor'niθ] *nf* caille *f*

coerción [koer'θjon] *nf* coercition *f*

coetáneo, -a [koe'taneo, a] *nm/f* contemporain(e)

coexistir [koeksis'tir] *vi*: **~ (con)** coexister (avec)

cofradía [kofra'ðia] *nf* confrérie *f*

cofre ['kofre] *nm* coffre *m*; (*de joyas*) coffret *m*; (*Méx*) voiture *f*

coger [ko'xer] *vt* prendre; (*objeto caído*) ramasser; (*pelota*) attraper; (*frutas*) cueillir; (*sentido, indirecta*) comprendre, saisir; (*tomar prestado*) emprunter; (*AM: fam!*) baiser (*fam!*); **cogerse** *vpr* se prendre; **~ a algn desprevenido** prendre qn au dépourvu; **~ cariño a algn** prendre qn en affection; **~ celos de algn** être jaloux(-ouse) de qn; **~ manía a algn** prendre qn en grippe; **~se a** s'accrocher à, s'agripper à; **iban cogidos de la mano** ils se tenaient par la main

cogollo [ko'ɣoʎo] *nm* cœur *m*

cogote [ko'ɣote] *nm* nuque *f*

cohecho [ko'etʃo] *nm* subornation *f*

coherente [koe'rente] *adj* cohérent(e); **ser ~ con** être en accord avec

cohesión [koe'sjon] *nf* cohésion *f*

cohete [ko'ete] *nm* fusée *f*, pétard *m*; (*tb*: **cohete espacial**) fusée

cohibido, -a [koi'βiðo, a] *adj*: **estar/ sentirse ~** être/se sentir gêné(e); (*tímido*) être/se sentir intimidé(e)

cohibir [koi'βir] *vt* intimider; (*reprimir*) réprimer; **cohibirse** *vpr* se retenir

coincidencia [koinθi'ðenθja] *nf* coïncidence *f*

coincidir [koinθi'ðir] *vi* (*en lugar*) se rencontrer; **coincidimos en ideas** nous partageons les mêmes idées; **~ con** coïncider avec

coito ['koito] *nm* coït *m*

cojear [koxe'ar] *vi* boiter; (*mueble*) être bancal(e)

cojera [ko'xera] *nf* claudication *f*

cojín [ko'xin] *nm* coussin *m*

cojinete [koxi'nete] *nm* palier *m*

cojo, -a ['koxo, a] *vb ver* **coger** ▪ *adj* boiteux(-euse); (*mueble*) bancal(e) ▪ *nm/f* (*persona*) boiteux(-euse); **ir a la pata coja** aller à cloche-pied

cojón [ko'xon] (*fam!*) *nm* couille *f* (*fam!*); **¡cojones!** putain! (*fam!*); **lo hizo por cojones** il a fallu qu'il le fasse

cojonudo, -a [koxo'nuðo, a] (*Esp: fam!*) *adj* super

col [kol] *nf* chou *m*; **~es de Bruselas** choux *mpl* de Bruxelles

col. *abr* (= *columna*) col (= *colonne*)

col.ª *abr* (= *columna*) col (= *colonne*)

cola ['kola] *nf* queue *f*; (*para pegar*) colle *f*; (*de vestido*) traine *f*; **estar/ponerse a la ~**

être/se mettre à la queue; **hacer ~** faire la queue; **traer ~** avoir des suites
colaborador, a [kolaβora'ðor, a] *nm/f* collaborateur(-trice)
colaborar [kolaβo'rar] *vi*: **~ con** collaborer avec
colada [ko'laða] *nf*: **hacer la ~** faire la lessive
colador [kola'ðor] *nm* (*de té*) passoire *f*; (*para verduras*) écumoire *f*
colapso [ko'lapso] *nm* collapsus *msg*; (*de circulación*) embouteillage *m*; (*en producción*) effondrement *m*; **~ cardíaco** collapsus cardiovasculaire
colar [ko'lar] *vt* filtrer ■ *vi* (*mentira*) prendre, passer; **colarse** *vpr* (*en cola*) se glisser, se faufiler; (*viento, lluvia*) s'engouffrer; (*fam*: *equivocarse*) se gourer; **~se en** (*concierto, cine*) se faufiler dans
colcha ['koltʃa] *nf* couvre-lit *m*
colchón [kol'tʃon] *nm* matelas *m*; **~ inflable/neumático** matelas gonflable/pneumatique
colchoneta [koltʃo'neta] *nf* tapis *msg*
colección [kolek'θjon] *nf* collection *f*
coleccionar [kolekθjo'nar] *vt* collectionner
coleccionista [kolekθjo'nista] *nm/f* collectionneur(-euse)
colecta [ko'lekta] *nf* collecte *f*
colectivo, -a [kolek'tiβo, a] *adj* collectif(-ive) ■ *nm* collectif *m*; (*AM*) autobus *msg*; (: *taxi*) taxi *m*
colega [ko'leɣa] *nm/f* collègue *m/f*; (*Pol*) homologue *m*; (*amigo*) copain (copine)
colegial, a [kole'xjal, a] *adj, nm/f* collégien(ne)
colegio [ko'lexjo] *nm* collège *m*; (*de abogados, médicos*) ordre *m*; **ir al ~** aller à l'école *o* au collège; **~ electoral** collège électoral; **~ mayor** résidence *f* universitaire

COLEGIO

Le mot *colegio* désigne le plus souvent une école privée, qu'elle soit primaire ou secondaire. Il peut également s'appliquer à une école primaire publique, bien qu'il existe aussi, dans ce cas, le terme "escuela". Les établissements publics du secondaire s'appellent "institutos". Enfin, certains écoles privées sont appelées "academias"; on y propose des activités extrascolaires telles que l'informatique ou les langues étrangères.

colegir [kole'xir] *vt* déduire
cólera ['kolera] *nf* colère *f* ■ *nm* choléra *m*; **montar en ~** se mettre en colère, s'emporter
colérico, -a [ko'leriko, a] *adj* colérique; (*persona*) coléreux(-euse)
colesterol [koleste'rol] *nm* cholestérol *m*
coleta [ko'leta] *nf* queue *f*, couette *f*; **cortarse la ~** abandonner l'arène
colgante [kol'ɣante] *adj* pendant(e), suspendu(e) ■ *nm* pendentif *m*; *ver tb* **puente**
colgar [kol'ɣar] *vt* accrocher; (*teléfono*) raccrocher; (*ropa*) étendre; (*ahorcar*) pendre ■ *vi* raccrocher; **~ de** pendre à, être suspendu(e) à; **no cuelgue** ne raccrochez pas
cólico ['koliko] *nm* colique *f*
coliflor [koli'flor] *nf* chou *m* fleur
colilla [ko'liʎa] *nf* mégot *m*
colina [ko'lina] *nf* colline *f*
colirio [ko'lirjo] *nm* collyre *m*
colisión [koli'sjon] *nf* collision *f*; (*de intereses, ideas*) conflit *m*
collar [ko'ʎar] *nm* collier *m*
colmar [kol'mar] *vt* remplir à ras bord; (*ansias, exigencias*) satisfaire; **~ a algn de regalos/de atenciones** combler qn de cadeaux/d'attentions
colmena [kol'mena] *nf* ruche *f*
colmillo [kol'miʎo] *nm* canine *f*; (*de elefante*) défense *f*; (*de perro*) croc *m*
colmo ['kolmo] *nm*: **ser el ~ de la locura/frescura/insolencia** être le comble de la folie/du toupet/de l'insolence; **para ~ (de desgracias)** pour comble (de malheurs); **¡eso es ya el ~!** ça c'est le comble!
colocación [koloka'θjon] *nf* (*de piedra*) pose *f*; (*de persona*) placement *m*; (*empleo*) emploi *m*, travail *m*; (*disposición*) emplacement *m*
colocar [kolo'kar] *vt* (*piedra*) poser; (*cuadro*) accrocher; (*poner en empleo*) placer; **colocarse** *vpr* se placer; (*Deporte*) se classer; (*fam*: *drogarse*) se défoncer; (*conseguir trabajo*): **~se (de)** trouver du travail (comme)
Colombia [ko'lombja] *nf* Colombie *f*
colombiano, -a [kolom'bjano, a] *adj* colombien(ne) ■ *nm/f* Colombien(ne)
Colonia [ko'lonja] *nf* Cologne *f*
colonia [ko'lonja] *nf* colonie *f*; (*tb*: **agua de colonia**) eau *f* de cologne; (*Méx*) quartier *m*; **~ de verano** colonie de vacances; **~ proletaria** (*Méx*) bidonville *m*
colonización [koloniθa'θjon] *nf* colonisation *f*

colonizador, a [koloniθa'ðor, a] *adj, nm/f* colonisateur(-trice)
colonizar [koloni'θar] *vt* coloniser
coloquial [kolo'kjal] *adj* familier(-ière), parlé(e)
coloquio [ko'lokjo] *nm* colloque *m*
color [ko'lor] *nm* couleur *f*; **de ~** de couleur; **de ~ amarillo/azul/naranja** de couleur jaune/bleue/orange; **de ~es** (*lápices*) de couleurs; **en ~** en couleur; **a todo ~** tout en couleur; **le salieron los ~es** il s'est mis à rougir; **dar ~ a** donner du relief à
colorado, -a [kolo'raðo, a] *adj* rouge; (*AM*: *chiste*) grivois(e); **ponerse ~** rougir
colorante [kolo'rante] *nm* colorant *m*
colorar [kolo'rar], **colorear** [kolore'ar] *vt* colorer
colorete [kolo'rete] *nm* fard *m*
columna [ko'lumna] *nf* colonne *f*; **~ blindada** colonne blindée; **~ vertebral** colonne vertébrale
columpiar [kolum'pjar] *vt* balancer; **columpiarse** *vpr* se balancer
columpio [ko'lumpjo] *nm* balançoire *f*
coma ['koma] *nf* virgule *f* ■ *nm* (*Med*) coma *m*
comadrona [koma'ðrona] *nf* sage-femme *f*
comandancia [koman'danθja] *nf* (*mando*) commandement *m*; (*edificio*) commandement, commanderie *f*
comandante [koman'dante] *nm* commandant *m*
comarca [ko'marka] *nf* contrée *f*
comba ['komba] *nf* courbure *f*, corde *f*; **saltar a la ~** sauter à la corde; **no pierde ~** il n'en perd pas une
combar [kom'bar] *vt* courber; **combarse** *vpr* se courber
combate [kom'bate] *nm* combat *m*; **fuera de ~** hors de combat; (*Boxeo*) knock-out; (*fam*) groggy
combatiente [komba'tjente] *nm* combattant *m*
combatir [komba'tir] *vt, vi* combattre; **~ por** combattre pour
combinación [kombina'θjon] *nf* combinaison *f*
combinar [kombi'nar] *vt* combiner; (*esfuerzos*) unir
combustible [kombus'tiβle] *adj, nm* combustible *m*
combustión [kombus'tjon] *nf* combustion *f*
comedia [ko'meðja] *nf* comédie *f*; **hacer ~** faire la comédie
comediante [kome'ðjante] *nm/f* comédien(ne)
comedido, -a [kome'ðiðo, a] *adj* modéré(e)
comedor [kome'ðor] *nm* salle *f* à manger; (*de colegio, hotel*) réfectoire *m*
comensal [komen'sal] *nm/f* invité(e), convive *m/f*
comentar [komen'tar] *vt* commenter; **comentó que ...** il a observé *o* remarqué que ...
comentario [komen'tarjo] *nm* commentaire *m*; **comentarios** *nmpl* (*chismes*) commentaires *mpl*; **dar lugar a ~s** donner lieu à des commentaires, prêter à commentaires; **~ de texto** commentaire de texte
comentarista [komenta'rista] *nm/f* commentateur(-trice)
comenzar [komen'θar] *vt, vi* commencer; **~ a/por hacer** commencer à/par faire
comer [ko'mer] *vt* manger; (*Damas, Ajedrez*) souffler; (*metal, madera*) manger, ronger ■ *vi* manger; (*almorzar*) manger, déjeuner; **comerse** *vpr* manger; **le come la envidia** l'envie le ronge; **dar de ~ a algn** donner à manger à qn; **está para comérsela** elle est belle à croquer; **~ el coco a algn** (*fam*) bourrer le crâne à qn; **~se el coco** (*fam*) se faire du mouron
comercial [komer'θjal] *adj* commercial(e)
comercializar [komerθjali'θar] *vt* commercialiser
comerciar [komer'θjar] *vi*: **~ en** faire le commerce de; **~ con** avoir des relations commerciales avec; (*pey*) faire commerce de
comercio [ko'merθjo] *nm* commerce *m*; **~ autorizado** commerce autorisé; **~ electrónico** commerce électronique; **~ justo** commerce équitable; **~ exterior/interior** commerce extérieur/intérieur
comestible [komes'tiβle] *adj* comestible ■ *nm*: **~s** aliments *mpl*; **tienda de ~s** épicerie *f*, alimentation *f*
cometa [ko'meta] *nm* comète *f* ■ *nf* cerf-volant *m*
cometer [kome'ter] *vt* commettre
cometido [kome'tiðo] *nm* rôle *m*; (*deber*) devoir *m*
comezón [kome'θon] *nf* démangeaison *f*
cómic ['komik] *nm* bande *f* dessinée
comicios [ko'miθjos] *nmpl* comices *mpl*
cómico, -a ['komiko, a] *adj* comique ■ *nm/f* (*de TV, cabaret*) comique *m/f*; (*de teatro*) comédien(ne)

comida [ko'miða] *vb, nf* nourriture *f*; (*almuerzo*) repas *msg*; (*esp AM*) dîner *m*; **~ basura** malbouffe *f*

comidilla [komi'ðiʎa] *nf*: **ser la ~ del barrio** être sur toutes les lèvres

comienzo [ko'mjenθo] *vb ver* **comenzar** ■ *nm* commencement *m*; **dar ~ a un acto** commencer une cérémonie; **~ del archivo** (*Inform*) tête *f* du fichier

comillas [ko'miʎas] *nfpl* guillemets *mpl*; **entre ~** entre guillemets

comilona [komi'lona] (*fam*) *nf* gueuleton *m*

comino [ko'mino] *nm* cumin *m*; **(no) me importa un ~** je m'en balance

comisaría [komisa'ria] *nf* (*tb*: **comisaría de Policía**) commissariat *m*

comisario [komi'sarjo] *nm* commissaire *m*

comisión [komi'sjon] *nf* commission *f*; **~ mixta/permanente** commission paritaire/permanente; **comisiones bancarias** commissions bancaires; **Comisiones Obreras** (*Esp*) *syndicat ouvrier*

comité [komi'te] (*pl* **~s**) *nm* comité *m*; **~ de empresa** comité d'entreprise

comitiva [komi'tiβa] *nf* suite *f*, cortège *m*

como ['komo] *adv* comme; (*en calidad de*) en ■ *conj* (*condición*) si; (*causa*) comme; **lo hace ~ yo** il le fait comme moi; **tan grande ~** aussi grand que; **¡tanto ~ eso ...!** pas tant que ça!; **eran ~ diez** ils devaient être 10; **llegó ~ a las cuatro** il est arrivé vers les 4 heures; **sabe ~ a cebolla** ça a comme un goût d'oignon; **~ testigo** en tant que témoin; **~ ser** (*AM*) (*tal como*) comme; **a ~ dé/diera lugar** (*Cam, Méx*) à tout prix; **~ quieras** comme tu voudras; **~ llueva no salimos** s'il pleut on reste à la maison; **~ ella no llegaba me fui** comme elle n'arrivait pas, je suis parti; **¡~ no quieras cien euros ...!** à moins que tu ne veuilles cent euros!; **así fue ~ ocurrió** c'est ainsi que ça s'est passé; **es ~ para echarse a llorar** ça donne envie de pleurer; **¡~ que lo voy a permitir!** et vous croyez que je vais permettre cela?; **~ si estuviese ciego** comme s'il était aveugle; **~ si lo viera** comme si je le voyais; **~ si nada** *o* **tal cosa** comme si de rien n'était

cómo ['komo] *adv* comment ■ *excl* comment! ■ *nm*: **el ~ y el porqué** le pourquoi et le comment; **¿~ (ha dicho)?** comment?, vous avez dit?; **¿~ está Ud?** comment allez-vous?; **¿~ son?** comment sont-ils?; **¿a ~ están?** combien coûtent-ils?; **¡~ no!** bien sûr!; (*esp AM*: *¡claro!*) pardi!; **¡~ corre!** comme il cavale!

cómoda ['komoða] *nf* commode *f*

comodidad [komoði'ðað] *nf* confort *m*; (*conveniencia*) avantage *m*; **comodidades** *nfpl* aises *fpl*

comodín [komo'ðin] *nm* (*Naipes*) joker *m*; (*Inform*) caractère *m* de remplacement

cómodo, -a ['komoðo, a] *adj* confortable; (*máquina, herramienta*) pratique; **estar/ponerse/sentirse ~** être/se mettre/se sentir à l'aise

compact disc [kompakt'disk] *nm* C.D. *m*

compacto, -a [kom'pakto, a] *adj* compact(e)

compadecer [kompaðe'θer] *vt* plaindre; **compadecerse** *vpr*: **~se de** se plaindre de

compadre [kom'paðre] *nm* parrain *m*; (*en oración directa*) (mon) vieux; (*esp AM*: *fam*) copain *m*

compañero, -a [kompa'ɲero, a] *nm/f* collègue *m/f*; (*en juego*) partenaire *m/f*; (*en estudios*) camarade *m/f*; (*novio*) compagnon (compagne); **~ de clase** camarade de classe; **~ de equipo** coéquipier(-ère); **~ de trabajo** collègue de travail

compañía [kompa'ɲia] *nf* compagnie *f*; **en ~ de** en compagnie de; **malas ~s** mauvaises fréquentations *fpl*; **hacer ~ a algn** tenir compagnie à qn; **~ afiliada** filiale *f*; **~ concesionaria/inversionista** compagnie concessionnaire/actionnaire; **~ (no) cotizable** compagnie (non) cotée en Bourse; **~ de seguros** compagnie d'assurance

comparación [kompara'θjon] *nf* comparaison *f*; **en ~ con** par comparaison à

comparar [kompa'rar] *vt*: **~ a/con** comparer à/avec

comparecer [kompare'θer] *vi* (*tb Jur*) comparaître

comparsa [kom'parsa] *nm/f* (*Teatro, Cine*) figurant(e) ■ *nf* (*de carnaval etc*) mascarade *f*

compartimento [komparti'mento], **compartimiento** [komparti'mjento] *nm* compartiment *m*; **~ estanco** compartiment étanche

compartir [kompar'tir] *vt* partager

compás [kom'pas] *nm* (*Mús*) rythme *m*; (*para dibujo*) compas *msg*; **al ~** au même rythme; **llevar el ~** battre la mesure; **~ de espera** (*fig*) attente *f*

compasión [kompa'sjon] *nf* compassion *f*; **sin ~** sans pitié
compasivo, -a [kompa'siβo, a] *adj* compatissant(e)
compatibilidad [kompatiβili'ðað] *nf* compatibilité *f*
compatible [kompa'tiβle] *adj*: **~ (con)** compatible (avec)
compatriota [kompa'trjota] *nm/f* compatriote *m/f*
compendiar [kompen'djar] *vt* résumer
compendio [kom'pendjo] *nm* abrégé *m*
compenetrarse [kompene'trarse] *vpr* (*personas*) s'entendre sur tout; **estamos muy compenetrados** nous nous entendons à merveille
compensación [kompensa'θjon] *nf* compensation *f*, dédommagement *m*; (*Jur, Com*) compensation; **en ~** en compensation, à titre de dédommagement
compensar [kompen'sar] *vt* (*persona*) compenser; (*contrarrestar: pérdidas*) compenser, contrebalancer; (*: peso, balanza*) compenser, équilibrer; (*indemnizar*) dédommager ■ *vi* (*esfuerzos, trabajo*) récompenser
competencia [kompe'tenθja] *nf* compétition *f*, concurrence *f*; (*Jur, habilidad*) compétence *f*; **competencias** *nfpl* (*Pol*) compétences *fpl*; **la ~** (*Com*) la compétition *o* concurrence; **hacer la ~ a** faire concurrence à; **ser de la ~ de algn** être de la compétence de qn
competente [kompe'tente] *adj* compétent(e)
competición [kompeti'θjon] *nf* compétition *f*
competir [kompe'tir] *vi* concourir; **~ en** (*fig*) rivaliser en; **~ por** rivaliser pour; (*Deporte*) être en compétition pour, concourir pour
compilar [kompi'lar] *vt* compiler
complacencia [kompla'θenθja] *nf* complaisance *f*
complacer [kompla'θer] *vt* faire plaisir à; **complacerse** *vpr*: **~se en (hacer)** se complaire à (faire)
complaciente [kompla'θjente] *adj* complaisant(e); **ser ~ con** *o* **para con** montrer de la complaisance envers
complejo, -a [kom'plexo, a] *adj* complexe ■ *nm* (*Psico*) complexe *m*; **~ deportivo** cité *f* des sports; **~ industrial** complexe industriel
complemento [komple'mento] *nm* complément *m*
completar [komple'tar] *vt* compléter
completo, -a [kom'pleto, a] *adj* complet(-ète); (*persona*) accompli(e), parfait(e); (*éxito, fracaso*) total(e) ■ *nm* salle *f* comble; **al ~** au complet; **por ~** complètement; (*Chi: Culin*) hot-dog *m*
complicado, -a [kompli'kaðo, a] *adj* compliqué(e); **estar ~ en** être impliqué(e) dans
complicar [kompli'kar] *vt* compliquer; **complicarse** *vpr* se compliquer; **~ a algn en** impliquer qn dans; **~se la vida (con)** se compliquer la vie *o* l'existence (avec)
cómplice ['kompliθe] *nm/f* complice *m/f*
complot [kom'plo(t)] (*pl* **~s**) *nm* complot *m*
componer [kompo'ner] *vt* (*tb Mús, Lit*) composer; (*algo roto*) réparer; **componerse** *vpr* (*Méx*) se remettre; **~se de** se composer de; **componérselas para hacer algo** s'arranger pour faire qch
comportamiento [komporta'mjento] *nm* comportement *m*
comportar [kompor'tar] *vt* comporter; **comportarse** *vpr* se comporter
composición [komposi'θjon] *nf* composition *f*
compositor, a [komposi'tor, a] *nm/f* (*Mús*) compositeur(-trice)
compostura [kompos'tura] *nf* tenue *f*, maintien *m*; **perder la ~** perdre contenance
compra ['kompra] *nf* achat *m*; **hacer/ir a la ~** faire/aller faire les courses; **ir de ~s** faire les magasins; **~ a granel** (*Com*) achat en vrac; **~ proteccionista** (*Com*) achat de soutien; **~ a plazos** achat à crédit
comprador, a [kompra'ðor, a] *nm/f* acheteur(-euse)
comprar [kom'prar] *vt* acheter; **comprarse** *vpr* s'acheter
compraventa [kompra'βenta] *nf* (*negocio*) commerce *m*; **(contrato de) ~** contrat *m* d'achat et de vente
comprender [kompren'der] *vt* comprendre; **hacerse ~** se faire comprendre
comprensión [kompren'sjon] *nf* compréhension *f*
comprensivo, -a [kompren'siβo, a] *adj* compréhensif(-ive)
compresa [kom'presa] *nf* (*tb*: **compresa higiénica**) serviette *f* hygiénique; (*Med*) compresse *f*

comprimido, -a [kompri'miðo, a] *adj* comprimé(e) ■ *nm* (*Med*) comprimé *m*, cachet *m*
comprimir [kompri'mir] *vt* comprimer; (*Inform*) compresser, comprimer
comprobante [kompro'βante] *nm* (*Com*) reçu *m*, récépissé *m*; (*Jur*) pièce *f* justificative *o* à l'appui
comprobar [kompro'βar] *vt* vérifier; (*Inform*) vérifier, contrôler
comprometer [komprome'ter] *vt* compromettre; **comprometerse** *vpr* se compromettre; **~ a algn a hacer** mettre qn dans l'obligation de faire; **~se a hacer** s'engager à faire
compromiso [kompro'miso] *nm* (*acuerdo*) compromis *msg*; (*obligación*) engagement *m*; (*situación difícil*) embarras *msg*; **libre de ~** (*Com*) sans engagement; **poner a algn en un ~** mettre qn dans l'embarras
compuesto, -a [kom'pwesto, a] *pp de* **componer** ■ *adj* composé(e) ■ *nm* composé *m*; **~ de** composé(e) de
computador [komputa'ðor] *nm*, **computadora** [komputa'ðora] *nf* ordinateur *m*; **~ central** ordinateur central; **~ especializado** ordinateur spécialisé
cómputo ['komputo] *nm* calcul *m*
comulgar [komul'ɣar] *vi* (*Rel*) communier; **~ con** (*con ideas, valores*) partager
común [ko'mun] *adj* commun(e) ■ *nm*: **el ~ de las gentes** le commun des mortels; **por lo ~** généralement; **en ~** en commun; **hacer/poner algo en ~** faire/mettre qch en commun
comunicación [komunika'θjon] *nf* communication *f*; **comunicaciones** *nfpl* (*transportes, Telec*) communications *fpl*; **vía de ~** voie *f* de communication
comunicado [komuni'kaðo] *nm* communiqué *m*; **~ de prensa** communiqué de presse
comunicar [komuni'kar] *vt* communiquer ■ *vi* (*teléfono*) être occupé; **comunicarse** *vpr* communiquer; **~ con** communiquer avec; **está comunicando** (*Telec*) c'est occupé
comunidad [komuni'ðað] *nf* communauté *f*; **en ~** en communauté; **~ autónoma** (*Pol*) communauté autonome; **~ de vecinos** copropriétaires *mpl*, association *f* de copropriétaires; **C~ (Económica) Europea** Communauté (économique) européenne

COMUNIDAD AUTÓNOMA

La Constitution espagnole de 1978 prévoit l'établissement de 19 régions dotées d'une certaine liberté de gestion. Il s'agit des *comunidades autónomas* ou *autonomías*. Dans certaines d'elles, telles que la Catalogne ou le Pays basque, qui ont une langue, une histoire et une culture propres, le sentiment d'appartenance à l'Espagne est affaibli depuis longtemps. C'est pourquoi, dans tous les domaines à l'exception des affaires étrangères et de la défense nationale, certains *autonomías* ont des pouvoirs plus étendus que d'autres. Les 19 régions sont les suivantes: Andalucía, Aragón, Asturias, Islas Baleares, Canarias, Cantabria, Castilla y León, Castilla-La Mancha, Cataluña, Extremadura, Galicia, Madrid, Murcia, Navarra, País Vasco, La Rioja, Comunidad Valenciana, Ceuta, Melilla.

comunión [komu'njon] *nf* communion *f*; **primera ~** première communion
comunismo [komu'nismo] *nm* communisme *m*
comunista [komu'nista] *adj, nm/f* communiste *m/f*

PALABRA CLAVE

con [kon] *prep* **1** (*medio, compañía, modo*) avec; **comer con cuchara** manger avec une cuillère; **café con leche** café au lait; **con habilidad** avec habileté; **pasear con algn** se promener avec qn
2 (*actitud, situación*): **piensa con los ojos cerrados** il pense les yeux fermés; **estoy con un catarro** j'ai un rhume
3 (*contenido*): **una libreta con direcciones** un carnet d'adresses; **una maleta con ropa** une valise contenant des vêtements
4 (*a pesar de*): **con todo, merece nuestros respetos** malgré tout, il mérite notre respect
5 (*relación, trato*): **es muy bueno (para) con los niños** il sait s'y prendre avec les enfants
6 (*+ infin*): **con llegar tan tarde se quedó sin comer** comme il est arrivé très tard, il n'a pas pu manger; **con estudiar un poco apruebas** en étudiant un peu tu y arriveras

7 (*queja*): **¡con las ganas que tenía de hacerlo!** moi qui avais tellement envie de le faire!
■ *conj* 1: **con que**; **será suficiente con que le escribas** il suffit que tu lui écrives 2: **con tal (de) que** du moment que

conato [ko'nato] *nm* tentative *f*; (*de incendio*) début *m*
concebir [konθe'βir] *vt, vi* concevoir; **¡no lo concibo!** je n'arrive pas à le comprendre!
conceder [konθe'ðer] *vt* accorder; (*premio*) décerner
concejal, -a [konθe'xal, a] *nm/f* conseiller(-ère) *m/f* municipal
concentración [konθentra'θjon] *nf* concentration *f*
concentrar [konθen'trar] *vt* concentrer; (*personas*) rassembler; **concentrarse** *vpr* se concentrer; **~se (en)** se concentrer (sur)
concepción [konθep'θjon] *nf* conception *f*
concepto [kon'θepto] *nm* (*idea*) concept *m*; **en ~ de** (*Com*) à *o* au titre de; **tener buen/mal ~ de algn** avoir bonne/mauvaise opinion de qn; **bajo ningún ~** en aucun cas
concernir [konθer'nir] *vi* concerner; **en lo que concierne a** en ce qui concerne
concertar [konθer'tar] *vt* (*precio*) se mettre d'accord sur; (*entrevista*) fixer; (*tratado, paz*) conclure; (*esfuerzos*) associer; (*Mús*) accorder ■ *vi* (*Mús*) être en harmonie; (*concordar*): **~ con** concorder avec
concesión [konθe'sjon] *nf* (*Com: adjudicación*) concession *f*; **hacer concesiones** faire des concessions; **sin concesiones** sans concessions
concesionario, -a [konθesjo'narjo, a] *nm/f* (*Com*) concessionnaire *m/f*
concha ['kontʃa] *nf* (*de molusco*) coquille *f*; (*de tortuga*) carapace *f*; (*AM: fam!: coño*) moule *f* (*fam!*)
conciencia [kon'θjenθja] *nf* conscience *f*; **libertad de ~** liberté *f* de conscience; **hacer algo a ~** faire qch consciencieusement; **tener/tomar ~ de** avoir/prendre conscience de; **tener la ~ limpia** *o* **tranquila** avoir la conscience tranquille; **tener plena ~ de** avoir pleine conscience de
concienciar [konθjen'θjar] *vt* faire prendre conscience à; **concienciarse** *vpr* prendre conscience
concienzudo, -a [konθjen'θuðo, a] *adj* consciencieux(-euse)
concierto [kon'θjerto] *nm* (*Mús: acto*) concert *m*; (*: obra*) concerto *m*; (*convenio*) accord *m*
conciliar [konθi'ljar] *vt* concilier ■ *adj* (*Rel*) conciliaire; **~ el sueño** trouver le sommeil
concilio [kon'θiljo] *nm* concile *m*
conciso, -a [kon'θiso, a] *adj* concis(e)
concluir [konklu'ir] *vt* conclure ■ *vi* (se) terminer; **concluirse** *vpr* prendre fin, se terminer; **todo ha concluido** c'est terminé
conclusión [konklu'sjon] *nf* conclusion *f*; **llegar a la ~ de que ...** en arriver à la conclusion que ...
concluyente [konklu'jente] *adj* concluant(e)
concordia [kon'korðja] *nf* concorde *f*
concretar [konkre'tar] *vt* concrétiser; (*fecha, día*) fixer; **concretarse** *vpr*: **~se a (hacer)** s'en tenir à (faire)
concreto, -a [kon'kreto, a] *adj* concret(-ète); (*determinado*) précis(e) ■ *nm* (*AM: hormigón*) béton *m*; **en ~** en somme; (*específicamente*) en particulier; **un día ~** un jour précis; **no hay nada en ~** il n'y a rien de concret
concurrencia [konku'rrenθja] *nf* assistance *f*; (*de sucesos, factores*) concours *m*
concurrido, -a [konku'rriðo, a] *adj* fréquenté(e)
concurrir [konku'rrir] *vi* (*sucesos*) coïncider; (*factores*) concourir; (*ríos*) confluer; (*avenidas*) converger; (*público*) assister
concursante [konkur'sante] *nm/f* concurrent(e); (*para proyecto, trabajo*) candidat(e)
concurso [kon'kurso] *nm* concours *m*
conde ['konde] *nm* comte *m*
condecoración [kondekora'θjon] *nf* décoration *f*
condecorar [kondeko'rar] *vt* décorer
condena [kon'dena] *nf* condamnation *f*; **cumplir una ~** purger une peine
condenar [konde'nar] *vt* condamner; **condenarse** *vpr* (*Jur*) se reconnaître coupable; (*Rel*) se damner; **~ (a)** condamner (à); **~ a algn a hacer** condamner qn à faire qch
condensar [konden'sar] *vt* condenser; **condensarse** *vpr* se condenser
condesa [kon'desa] *nf* comtesse *f*
condición [kondi'θjon] *nf* condition *f*; (*modo de ser*) caractère *m*; (*estado*) état *m*; **condiciones** *nfpl* capacités *fpl*, aptitudes *fpl*; **a ~ de que ...** à condition que ...; **no**

estar en condiciones de/hacer ne pas être en état de/faire; **las condiciones del contrato** les conditions du contrat; **condiciones de trabajo/venta/vida** conditions de travail/vente/vie
condicional [kondiθjo'nal] *adj* conditionnel(le); *ver* **libertad**
condicionar [kondiθjo'nar] *vt* conditionner; **estar condicionado a** dépendre de
condimento [kondi'mento] *nm* condiment *m*
condolerse [kondo'lerse] *vpr* compatir
condón [kon'don] *nm* préservatif *m*
conducir [kondu'θir] *vt* conduire; (*suj: camino, escalera, negocio*) conduire, mener ■ *vi* conduire; **conducirse** *vpr* se conduire; **esto no conduce a nada/ninguna parte** cela ne mène à rien/nulle part
conducta [kon'dukta] *nf* conduite *f*
conducto [kon'dukto] *nm* conduit *m*; **por ~ oficial** par voie officielle
conductor, a [konduk'tor, a] *adj* (*Fís, Elec*) conducteur(-trice) ■ *nm* conducteur *m* ■ *nm/f* conducteur(-trice)
conduje *etc* [kon'duxe] *vb ver* **conducir**
conduzca *etc* [kon'duθka] *vb ver* **conducir**
conectar [konek'tar] *vt* relier; (*tubos*) raccorder; (*Telec*) brancher; (*enchufar*) connecter, brancher; (*Inform*) connecter ■ *vi*: **~ (con)** (*TV, Radio*) donner l'antenne (à); (*fam: personas*) être sur la même longueur d'ondes que
conejillo [kone'xiʎo] *nm*: **~ de Indias** cochon *m* d'Inde; (*fig*) cobaye *m*
conejo [ko'nexo] *nm* lapin *m*
conexión [konek'sjon] *nf* connexion *f*; **conexiones** *nfpl* (*amistades*) contacts *mpl*
confección [konfek'θjon] *nf* confection *f*; **ropa de ~** prêt-à-porter *m*; **~ de caballero/señora** prêt-à-porter pour hommes/femmes
confeccionar [konfe(k)θjo'nar] *vt* confectionner
confederación [konfeðera'θjon] *nf* confédération *f*
conferencia [konfe'renθja] *nf* conférence *f*; (*Telec*) communication *f* interurbaine; **~ a cobro revertido** (*Telec*) appel *m* en PCV; **~ de prensa** conférence de presse
conferir [konfe'rir] *vt* conférer; (*fig*) conférer
confesar [konfe'sar] *vt* confesser, avouer ■ *vi* (*Rel*) confesser; (*Jur*) avouer; **confesarse** *vpr* se confesser; **he de ~ que** je dois avouer que
confesión [konfe'sjon] *nf* confession *f*, aveu *m*; (*Rel*) confession
confesionario [konfesjo'narjo] *nm* (*Rel*) confessionnal *m*
confeti [kon'feti] *nm* confetti *m*
confiado, -a [kon'fiaðo, a] *adj* confiant(e); **está ~ en que aprobará** il est confiant de son succès
confianza [kon'fjanθa] *nf* confiance *f*; (*familiaridad*) familiarité *f*; **de ~** (*persona*) de confiance; (*alimento*) de qualité; **en ~** en (toute) confiance; **margen de ~** marge *f* de confiance; **tener ~ con algn** être intime avec qn; **tomarse ~s con algn** (*pey*) se permettre des familiarités avec qn; **hablar con ~** parler en toute confiance
confiar [kon'fjar] *vt* confier ■ *vi* avoir confiance; **confiarse** *vpr* être confiant(e); **~ en** avoir confiance en; **~ en hacer/que** compter faire/que
confidencia [konfi'ðenθja] *nf* confidence *f*
confidencial [konfiðen'θjal] *adj* confidentiel(le); **"~"** (*en sobre*) "confidentiel"
confidente [konfi'ðente] *nm/f* (*amigo*) confident(e); (*policial*) informateur(-trice), indicateur(-trice)
configurar [konfiɣu'rar] *vt* façonner
confín [kon'fin] *nm*: **el ~ del mundo** le bout du monde; **confines** *nmpl* (*límites*): **en los confines de** aux confins de
confinar [konfi'nar] *vt* (*desterrar*) confiner
confirmar [konfir'mar] *vt* confirmer; **confirmarse** *vpr* se confirmer; (*Rel*) faire sa confirmation; **la excepción confirma la regla** l'exception confirme la règle
confiscar [konfis'kar] *vt* confisquer
confitería [konfite'ria] *nf* (*tienda*) confiserie *f*; (*Csur: café*) café *m*
confitura [konfi'tura] *nf* confiture *f*
conflictivo, -a [konflik'tiβo, a] *adj* conflictuel(le); (*época*) de conflit
conflicto [kon'flikto] *nm* conflit *m*; (*fig: problema*) problème *m*; **estar en un ~** être dans l'embarras; **~ laboral** conflit social *o* du travail
confluir [konflu'ir] *vi* (*ríos, personas*) confluer; (*carreteras*) se rejoindre
conformar [konfor'mar] *vt* (*carácter, paisaje*) façonner; (*persona*) contenter, satisfaire ■ *vi*: **~ con** être conforme à; **conformarse** *vpr*: **~se con** se contenter de; (*resignarse*) se résigner à; **~ algo a** *o*

con adapter qch à; **~se con hacer** se contenter de faire
conforme [kon'forme] *adj* conforme; (*de acuerdo*) d'accord; (*satisfecho*) content(e), satisfait(e) ■ *conj* (*tal como*) tel que, comme; (*a medida que*) à mesure que ■ *excl* d'accord ■ *prep*: **~ a** conformément à; **~ con** content(e) *o* satisfait(e) de
conformidad [konformi'ðað] *nf* conformité *f*; (*aprobación*) accord *m*, approbation *f*; (*resignación*) résignation *f*; **en ~ con** conformément à; **dar su ~** donner son accord
conformista [konfor'mista] *adj, nm/f* conformiste *m/f*
confortable [konfor'taβle] *adj* confortable
confortar [konfor'tar] *vt* réconforter
confrontar [konfron'tar] *vt* confronter; (*situación, peligro*) affronter; **confrontarse** *vpr* s'affronter; **~se con** affronter
confundir [konfun'dir] *vt* confondre; (*persona*: *embrollar*) embrouiller; (: *desconcertar*) confondre; **confundirse** *vpr* (*equivocarse*) se tromper; (*hacerse borroso*) se confondre; (*turbarse*) être confondu(e); (*mezclarse*) se confondre; **~ algo/algn con** confondre qch/qn avec; **~se de** se tromper de
confusión [konfu'sjon] *nf* confusion *f*
confuso, -a [kon'fuso, a] *adj* confus(e)
congelado, -a [konxe'laðo, a] *adj* (*carne, pescado*) congelé(e) ■ *nm*: **~s** (*Culin*) surgelés *mpl*
congelador [konxela'ðor] *nm* congélateur *m*
congelar [konxe'lar] *vt* congeler; (*Com, Fin*) geler; **congelarse** *vpr* se congeler; (*fam*: *persona*) se geler; (*sangre, grasa*) se figer
congeniar [konxe'njar] *vi*: **~ (con)** s'entendre (avec)
congestión [konxes'tjon] *nf* (*de tráfico*) encombrement *m*; (*Med*) congestion *f*
congestionar [konxestjo'nar] *vt* congestionner; **congestionarse** *vpr* se congestionner
conglomerado [konglome'raðo] *nm* (*Constr, Tec*) aggloméré *m*; (*de factores, intereses*) conglomérat *m*
congoja [kon'goxa] *nf* chagrin *m*
congraciarse [kongra'θjarse] *vpr*: **~ con** s'attirer les bonnes grâces de
congratular [kongratu'lar] *vt* féliciter; **congratularse** *vpr*: **~se de** *o* **por** se féliciter de
congregación [kongreɣa'θjon] *nf* congrégation *f*
congregar [kongre'ɣar] *vt* réunir, rassembler; **congregarse** *vpr* se réunir, se rassembler
congreso [kon'greso] *nm* congrès *m*; **C~ de los Diputados** (*Esp*: *Pol*) ≈ Assemblée nationale
conjetura [konxe'tura] *nf* conjecture *f*; **sólo podemos hacer ~s** nous sommes réduits aux conjectures
conjugar [konxu'ɣar] *vt* conjuguer
conjunción [konxun'θjon] *nf* (*Ling*) conjonction *f*; (*de esfuerzos, cualidades*) conjugaison *f*
conjunto, -a [kon'xunto, a] *adj* commun(e) ■ *nm* ensemble *m*; (*de circunstancias*) concours *msg*; (*de música pop*) groupe *m*; **de ~** (*visión, estudio*) d'ensemble; **en ~** dans l'ensemble
conjurar [konxu'rar] *vt, vi* conjurer; **conjurarse** *vpr* se conjurer
conmemoración [konmemora'θjon] *nf* commémoration *f*
conmemorar [konmemo'rar] *vt* commémorer
conmigo [kon'miɣo] *pron* avec moi
conmoción [konmo'θjon] *nf* commotion *f*; (*en sociedad, costumbres*) bouleversement *m*; **~ cerebral** (*Med*) commotion cérébrale
conmovedor, a [konmoβe'ðor, a] *adj* émouvant(e)
conmover [konmo'βer] *vt* émouvoir; (*suj*: *terremoto, estrépito*) ébranler; **conmoverse** *vpr* s'émouvoir
conmutador [konmuta'ðor] *nm* (*AM*: *Telec*) central *m* téléphonique
cono ['kono] *nm* (*Geom*) cône *m*; **C~ Sur** (*Geo*) *Chili, Argentine, Uruguay*
conocedor, -a [konoθe'ðor, a] *adj, nm/f* connaisseur(-euse)
conocer [kono'θer] *vt* connaître; (*reconocer*) reconnaître; **conocerse** *vpr* se connaître; **dar a ~** faire connaître *o* savoir; **darse a ~** se faire connaître; **se conoce que ...** il semble *o* paraît que ...
conocido, -a [kono'θiðo, a] *adj* connu(e) ■ *nm/f* (*persona*) connaissance *f*
conocimiento [konoθi'mjento] *nm* connaissance *f*; (*de la madurez*) jugeote *f*; (*Náut*: *tb*: **conocimiento de embarque**) connaissement *m*; **conocimientos** *nmpl* (*saber*) connaissances *fpl*; **hablar con ~ de causa** parler en connaissance de cause; **perder/recobrar el ~** perdre/reprendre connaissance; **poner en ~ de**

algn faire savoir à qn; **tener ~ de** avoir connaissance de; **~ (de embarque) aéreo** (*Com*) lettre *f* de transport aérien
conozca *etc* [ko'noθka] *vb ver* **conocer**
conque ['konke] *conj* ainsi donc, alors
conquista [kon'kista] *nf* conquête *f*
conquistador, a [konkista'ðor, a] *adj, nm/f* conquérant(e) ■ *nm* (*de América*) conquistador *m*; (*seductor*) séducteur *m*
conquistar [konkis'tar] *vt* conquérir; (*puesto*) obtenir; (*simpatía, fama*) conquérir; (*enamorar*) conquérir, faire la conquête de
consagrar [konsa'ɣrar] *vt* consacrer; **consagrarse** *vpr*: **~se a** se consacrer à; **~ como** (*acreditar*) sacrer; **~se como** se confirmer comme
consciente [kons'θjente] *adj* conscient(e); **estar ~** être conscient(e); **ser ~ de** être conscient(e) de
consecuencia [konse'kwenθja] *nf* conséquence *f*; **a ~ de** par suite de; **en ~** en conséquence
consecuente [konse'kwente] *adj*: **~ (con)** conséquent(e) (avec)
consecutivo, -a [konseku'tiβo, a] *adj* consécutif(-ive)
conseguir [konse'ɣir] *vt* obtenir; (*sus fines*) parvenir à; **~ hacer** arriver à faire
consejero, -a [konse'xero, a] *nm/f* (*persona*) conseiller(-ère); (*Pol*) *ministre dans une communauté autonome*
consejo [kon'sexo] *nm* conseil *m*; **dar un ~** donner un conseil; **~ de administración** (*Com*) conseil d'administration; **C~ de Europa** Conseil de l'Europe; **~ de guerra/de ministros** conseil de guerre/des ministres
consenso [kon'senso] *nm* consensus *m*
consentimiento [konsenti'mjento] *nm* consentement *m*; **dar su ~** donner son consentement
consentir [konsen'tir] *vt* consentir; (*mimar*) gâter ■ *vi*: **~ en hacer** consentir à faire; **~ a algn hacer algo/que algn haga algo** permettre à qn de faire qch/que qn fasse qch
conserje [kon'serxe] *nm* concierge *m*
conserva [kon'serβa] *nf* conserve *f*; **conservas** *nfpl* conserves *fpl*; **en ~** en conserve
conservación [konserβa'θjon] *nf* (*de paisaje, naturaleza*) conservation *f*; (*de especie*) protection *f*
conservador, a [konserβa'ðor, a] *adj, nm/f* conservateur(-trice)
conservante [konser'βante] *nm* conservateur *m*
conservar [konser'βar] *vt* (*gen*) conserver; (*costumbre, figura*) garder; **conservarse** *vpr*: **~se bien** (*comida etc*) bien se conserver; **~se joven** être bien conservé
conservatorio [konserβa'torjo] *nm* (*Mús*) conservatoire *m*; (*AM*) serre *f*
considerable [konsiðe'raβle] *adj* (*importante*) important(e); (*grande*) considérable
consideración [konsiðera'θjon] *nf* considération *f*; **de ~** (*herida, daño*) grave; **tomar en ~** prendre en considération; **¡qué falta de ~!** quel manque de considération!; **de mi/nuestra (mayor) ~ ...** (*AM: Admin*) Madame, Monsieur, ...
considerado, -a [konsiðe'raðo, a] *adj* (*atento*) attentionné(e); (*respetado*) respecté(e); **estar bien/mal ~** être bien/mal vu(e)
considerar [konsiðe'rar] *vt* considérer
consigna [kon'siɣna] *nf* consigne *f*
consigo [kon'siɣo] *vb ver* **conseguir** ■ *pron* (*m*) avec lui; (*f*) avec elle; (*usted(es)*) avec vous; **~ mismo** avec soi-même
consiguiendo *etc* [konsi'ɣjendo] *vb ver* **conseguir**
consiguiente [konsi'ɣjente] *adj*: **el ~ susto/nerviosismo** la peur/nervosité qui en résulte; **por ~** par conséquent
consistente [konsis'tente] *adj* consistant(e); (*material, pared, teoría*) solide; **~ en** qui consiste en
consistir [konsis'tir] *vi*: **~ en** consister en
consola [kon'sola] *nf* (*de videojuegos*) console *f*
consolación [konsola'θjon] *nf ver* **premio**
consolar [konso'lar] *vt* consoler; **consolarse** *vpr*: **~se (con)** se consoler (avec); **~se haciendo** se consoler en faisant
consolidar [konsoli'ðar] *vt* consolider
consomé [konso'me] (*pl* **~s**) *nm* (*Culin*) consommé *m*
consonante [konso'nante] *nf* consonne *f* ■ *adj* consonantique
consorcio [kon'sorθjo] *nm* (*Com*) consortium *m*
conspiración [konspira'θjon] *nf* conspiration *f*
conspirador, a [konspira'ðor, a] *nm/f* conspirateur(-trice)
conspirar [konspi'rar] *vi* conspirer
constancia [kons'tanθja] *nf* constance *f*; (*testimonio*) témoignage *m*; **dejar ~ de algo** faire état de qch

constante [kons'tante] *adj* constant(e) ▪ *nf* (*Mat, fig*) constante *f*
constar [kons'tar] *vi*: **~ (en)** figurer (dans); **~ de** se composer de; **hacer ~** manifester; **me consta que ...** je suis conscient que ...; **(que) conste que lo hice por ti** n'oublie pas que c'est pour toi que je l'ai fait
constatar [konsta'tar] *vt* constater
consternación [konsterna'θjon] *nf* consternation *f*
constipado, -a [konsti'paðo, a] *adj*: **estar ~** être enrhumé(e) ▪ *nm* rhume *m*
constitución [konstitu'θjon] *nf* constitution *f*; (*de tribunal, equipo etc*) composition *f*
constitucional [konstituθjo'nal] *adj* constitutionnel(le)
constituir [konstitu'ir] *vt* constituer; **constituirse** *vpr* se constituer
constituyente [konstitu'jente] *adj* constituant(e); **cortes ~s** assemblée *f* constituante
constreñir [konstre'ɲir] *vt* (*limitar*) restreindre; (*obligar*) contraindre
construcción [konstruk'θjon] *nf* construction *f*
constructor, a [konstruk'tor, a] *nm/f* constructeur(-trice) ▪ *nf* entrepreneur *m*
construir [konstru'ir] *vt* construire
construyendo *etc* [konstru'jendo] *vb ver* **construir**
consuelo [kon'swelo] *vb ver* **consolar** ▪ *nm* consolation *f*; **sin ~** inconsolable
cónsul ['konsul] *nm* consul *m*
consulado [konsu'laðo] *nm* consulat *m*
consulta [kon'sulta] *nf* consultation *f*; (*Med: consultorio*) cabinet *m*; **horas de ~** heures *fpl* de consultation; **obra de ~** ouvrage *m* de référence
consultar [konsul'tar] *vt* consulter; **~ algo con algn** consulter qn au sujet de qch; **~ un archivo** (*Inform*) consulter un fichier
consultorio [konsul'torjo] *nm* (*Med*) cabinet *m*; (*en periódico etc*) courrier *m* du cœur
consumar [konsu'mar] *vt* consommer; (*sentencia*) exécuter
consumición [konsumi'θjon] *nf* consommation *f*; **~ mínima** prix *m* minimum de la consommation
consumidor, a [konsumi'ðor, a] *nm/f* consommateur(-trice)
consumir [konsu'mir] *vt* consommer; **consumirse** *vpr* se consumer; (*caldo*) réduire; (*persona*) dépérir; **~se (de celos/de envidia/de rabia)** se consumer (de jalousie/d'envie/de rage)
consumismo [konsu'mismo] *nm* (*Com*) surconsommation *f*
consumo [kon'sumo] *nm* consommation *f*; **bienes/sociedad de ~** biens *mpl*/société *f* de consommation
contabilidad [kontaβili'ðað] *nf* comptabilité *f*; **~ de costes** *o* **analítica** comptabilité analytique; **~ de doble partida/por partida simple** comptabilité en partie double/en partie simple; **~ de gestión** comptabilité de gestion
contable [kon'taβle] *nm/f* comptable *m/f*; **~ de costos** analyste *m/f* des coûts
contacto [kon'takto] *nm* contact *m*; **estar/ponerse en ~ con algn** être/se mettre en contact avec qn; **perder ~** (*amigos*) se perdre de vue
contado, -a [kon'taðo, a] *adj*: **en casos ~s** dans de rares cas ▪ *nm*: **al ~** au comptant; **pagar al ~** payer comptant
contador, a [konta'ðor, a] *nm/f* (*AM: contable*) comptable *m/f* ▪ *nm* (*aparato*) compteur *m*
contagiar [konta'xjar] *vt* (*enfermedad*) passer; (*persona*) contaminer; (*fig: entusiasmo*) transmettre; **contagiarse** *vpr* (*sentimiento*) se transmettre; **~se de la gripe** attraper la grippe
contagio [kon'taxjo] *nm* contagion *f*
contagioso, -a [konta'xjoso, a] *adj* (*tb fig*) contagieux(-euse)
contaminación [kontamina'θjon] *nf* (*de alimentos*) contamination *f*; (*del agua, ambiente*) pollution *f*
contaminar [kontami'nar] *vt* (*aire, agua*) polluer; (*fig*) contaminer
contante [kon'tante] *adj*: **dinero ~** argent *m* comptant; **dinero ~ y sonante** espèces *fpl* sonnantes et trébuchantes
contar [kon'tar] *vt* (*dinero etc*) compter; (*historia etc*) conter ▪ *vi* compter; **contarse** *vpr* (*calcularse*) se compter; (*incluirse*) compter; **~ con** (*persona*) compter avec; (*disponer de: plazo etc*) disposer de; (*: habitantes*) compter; **sin ~** sans compter; **le cuento entre mis amigos** il est de mes amis; **¿qué (te) cuentas?** comment tu vas?
contemplación [kontempla'θjon] *nf* contemplation *f*; **contemplaciones** *nfpl* (*miramientos*) égards *mpl*; **no andarse con contemplaciones** ne pas faire de façons
contemplar [kontem'plar] *vt* contempler; (*considerar*) envisager; (*mimar*) être aux petits soins pour

contemporáneo, -a [kontempo'raneo, a] *adj, nm/f* contemporain(e)
contendiente [konten'djente] *adj, nm/f* (*persona, país*) rival(e); (*Deporte*) adversaire *m/f*
contenedor [kontene'ðor] *nm* conteneur *m*
contener [konte'ner] *vt* contenir; (*risa, caballo etc*) retenir; **contenerse** *vpr* se retenir
contenido, -a [konte'niðo, a] *adj* contenu(e) ▪ *nm* contenu *m*
contentar [konten'tar] *vt* faire plaisir à; **contentarse** *vpr*: **~se (con)** se contenter (de); **~se con hacer** se contenter de faire
contento, -a [kon'tento, a] *adj*: **~ (con/de)** content(e) (de)
contestación [kontesta'θjon] *nf* réponse *f*; **~ a la demanda** (*Jur*) plaidoyer *m*
contestador [kontesta'ðor] *nm*: **~ automático** répondeur *m*
contestar [kontes'tar] *vt* répondre; (*Jur*) plaider ▪ *vi* répondre; **~ a una pregunta/a un saludo** répondre à une question/à un salut
contexto [kon'teksto] *nm* contexte *m*
contienda [kon'tjenda] *nf* dispute *f*
contigo [kon'tiɣo] *pron* avec toi
contiguo, -a [kon'tiɣwo, a] *adj*: **~ (a)** contigu(ë) (à)
continente [konti'nente] *nm* continent *m*
contingencia [kontin'xenθja] *nf* (*posibilidad*) éventualité *f*; (*riesgo*) risque *m*
contingente [kontin'xente] *adj* contingent(e); (*posible*) possible ▪ *nm* (*Mil, Com*) contingent *m*
continuación [kontinwa'θjon] *nf* (*de trabajo, estancia, obras*) poursuite *f*; (*de novela, película, calle*) suite *f*; **a ~** juste après
continuar [konti'nwar] *vt* continuer, poursuivre; (*reanudar*) reprendre ▪ *vi* (*permanecer*) rester; (*mantenerse, prolongarse*) continuer; (*telenovela etc*) reprendre; **~ haciendo** continuer de *o* à faire; **~ siendo** être toujours
continuo, -a [kon'tinwo, a] *adj* continu(e); (*llamadas, quejas*) continuel(le)
contorno [kon'torno] *nm* (*silueta*) contours *mpl*; (*en dibujo*) contour *m*; **contornos** *nmpl* (*alrededores*) environs *mpl*
contorsión [kontor'sjon] *nf* contorsion *f*
contra ['kontra] *prep* contre ▪ *adj* (*Nic*) contra ▪ *adv*: **en ~ (de)** contre ▪ *nm/f* contra *m/f* ▪ *nf*: **la C~ (nicaragüense)** les Contras *mpl* ▪ *nm ver* **pro**
contraataque [kontraa'take] *nm* contre-attaque *f*
contrabajo [kontra'βaxo] *nm* contrebasse *f*
contrabandista [kontraβan'dista] *nm/f* contrebandier(-ière)
contrabando [kontra'βando] *nm* contrebande *f*; **de ~** de contrebande; **llevar/pasar algo de ~** passer qch en contrebande; **~ de armas** contrebande d'armes
contracción [kontrak'θjon] *nf* contraction *f*
contracorriente [kontrako'rrjente]: **a ~** *adv* à contre-courant
contradecir [kontraðe'θir] *vt* contredire; **contradecirse** *vpr* se contredire; **esto se contradice con ...** ceci est en contradiction avec ...
contradicción [kontraðik'θjon] *nf* contradiction *f*; **el espíritu de la ~** l'esprit de contradiction; **en ~ con** en contradiction avec
contradictorio, -a [kontraðik'torjo, a] *adj* contradictoire
contraer [kontra'er] *vt* contracter; **contraerse** *vpr* se contracter; **~ matrimonio con** épouser
contraluz [kontra'luθ] *nm* (*Foto*) contre-jour *m*; **a ~** à contre-jour
contrapelo [kontra'pelo]: **a ~** *adv* (*tb fig*) à rebrousse-poil
contrapesar [kontrape'sar] *vt* contrebalancer
contrapeso [kontra'peso] *nm* (*tb fig*) contrepoids *msg*; (*Com*) contrepartie *f*
contraportada [kontrapor'taða] *nf* page *f* de garde
contraproducente [kontraproðu'θente] *adj* qui n'a pas l'effet escompté
contrariar [kontra'rjar] *vt* contrarier
contrariedad [kontrarje'ðað] *nf* contretemps *msg*; (*disgusto*) contrariété *f*
contrario, -a [kon'trarjo, a] *adj*: **~ (a)** opposé(e) (à); (*equipo etc*) adverse ▪ *nm/f* adversaire *m/f*; **al ~** au contraire; **por el ~** tout au contraire; **ser ~ a** être opposé(e) à; (*a intereses, opinión*) être contraire à; **llevar la contraria** contredire; **de lo ~** sinon; **salvo indicación contraria** sauf indication contraire; **todo lo ~** tout le contraire
contrarrestar [kontrarres'tar] *vt* compenser

contraseña [kontra'seɲa] *nf* mot *m* de passe
contrastar [kontrastar] *vi*: **~ (con)** trancher (avec) ▪ *vt* (*comprobar*) vérifier
contraste [kon'traste] *nm* contraste *m*
contratar [kontra'tar] *vt* engager, recruter; (*servicios*) faire appel à
contratiempo [kontra'tjempo] *nm* contretemps *msg*; **a ~** (*fig*) à contretemps
contratista [kontra'tista] *nm/f* entrepreneur(-euse)
contrato [kon'trato] *nm* contrat *m*; **~ a precio fijo** forfait *m*; **~ a término/de compraventa/de trabajo** contrat à terme/de vente/de travail
contravenir [kontraβe'nir] *vt* contrevenir
contraventana [kontraβen'tana] *nf* volet *m*
contribución [kontriβu'θjon] *nf* contribution *f*; **exento de contribuciones** exonéré d'impôts; **~ territorial** impôt *m* foncier; **~ urbana** impôts *mpl* locaux
contribuir [kontriβu'ir] *vi*: **~ (a)** contribuer (à); **~ con** participer à raison de
contribuyente [kontriβu'jente] *nm/f* contribuable *m/f*
contrincante [kontrin'kante] *nm* concurrent(e)
control [kon'trol] *nm* contrôle *m*; (*dominio*: *de nervios, impulsos*) maîtrise *f*; (*tb*: **control de policía**) contrôle; **llevar el ~** (*de situación*) maîtriser; (*en asunto*) diriger; **perder el ~** perdre le contrôle; **~ de calidad/de cambios/de costos/de existencia/de precios** (*Com*) contrôle de qualité/des changes/des coûts/du stock/des prix; **~ de créditos** encadrement *m* du crédit; **~ de (la) natalidad** contrôle des naissances; **~ de pasaportes** contrôle des passeports
controlador, a [kontrola'ðor, a] *nm/f*: **~ aéreo** contrôleur *m* aérien
controlar [kontro'lar] *vt* contrôler; (*nervios, impulsos*) maîtriser; **controlarse** *vpr* se maîtriser
controversia [kontro'βersja] *nf* controverse *f*
contundente [kontun'dente] *adj* (*prueba*) indiscutable; (*fig*: *argumento etc*) radical(e); (*arma*) contendant(e)
contusión [kontu'sjon] *nf* contusion *f*
convalecencia [kombale'θenθja] *nf* convalescence *f*
convaleciente [kombale'θjente] *adj, nm/f* convalescent(e)
convalidar [kombali'ðar] *vt* valider
convencer [komben'θer] *vt* convaincre; **convencerse** *vpr*: **~se (de)** se persuader (de); **~ a algn de (que haga) algo** convaincre qn de (faire) qch; **~ a algn para que haga** convaincre qn de faire; **esto no me convence (nada)** cela ne me convainc pas (du tout)
convencimiento [kombenθi'mjento] *nm* certitude *f*; **llegar al/tener el ~ de que ...** arriver à/avoir la certitude que ...
convención [komben'θjon] *nf* convention *f*
conveniencia [kombe'njenθja] *nf* (*oportunidad*) opportunité *f*; (*provecho*) intérêt *m*; (*utilidad*) avantage *m*; **conveniencias** *nfpl* (*tb*: **conveniencias sociales**) convenances *fpl*; **ser de la ~ de algn** être à la convenance de qn
conveniente [kombe'njente] *adj* opportun(e); (*útil*) pratique; **(no) es ~ (hacer)** il (n')est (pas) bon (de faire)
convenio [kom'benjo] *nm* accord *m*; **~ colectivo/salarial** accord collectif/salarial
convenir [kombe'nir] *vt* convenir de ▪ *vi* convenir; **~ (en) hacer** convenir de faire; **"sueldo a ~"** "salaire négociable"; **conviene recordar que ...** il convient de rappeler que ...; **no te conviene salir** tu ne devrais pas sortir
convento [kom'bento] *nm* couvent *m*
convenza *etc* [kom'benθa] *vb ver* **convencer**
converger [komber'xer], **convergir** [komber'xir] *vi* converger
conversación [kombersa'θjon] *nf* conversation *f*; **conversaciones** *nfpl* (*Pol*) pourparlers *mpl*
conversar [komber'sar] *vi* discuter
conversión [komber'sjon] *nf* transformation *f*; (*Rel*) conversion *f*
convertir [komber'tir] *vt* transformer; (*Rel*): **~ a** convertir à; (*Com*): **~ (en)** changer (en); **convertirse** *vpr* (*Rel*): **~se (a)** se convertir (à)
convicción [kombik'θjon] *nf* conviction *f*; **convicciones** *nfpl* (*ideas*) convictions *fpl*
convicto, -a [kom'bikto, a] *adj* condamné(e)
convidado, -a [kombi'ðaðo, a] *nm/f* convive *m/f*
convidar [kombi'ðar] *vt*: **~ (a)** convier (à); **~ a algn a hacer** inviter qn à faire
convincente [kombin'θente] *adj* convaincant(e)
convite [kom'bite] *nm* (*banquete*) banquet *m*; (*invitación*) invitation *f*

convivencia [kombi'βenθja] *nf* cohabitation *f*
convivir [kombi'βir] *vi* cohabiter
convocar [kombo'kar] *vt* convoquer; **~ (a)** (*personas*) convoquer (à); (*huelga*) appeler à
convocatoria [komboka'torja] *nf* convocation *f*; (*huelga*) appel *m*
convulsión [kombul'sjon] *nf* (*Med*) convulsion *f*; (*política*) bouleversement *m*
conyugal [konju'ɣal] *adj* conjugal(e); **vida ~** vie *f* conjugale
cónyuge ['konyuxe] *nm/f* conjoint(e)
coñac [ko'ɲak] (*pl* **~s**) *nm* cognac *m*
coño ['koɲo] (*fam!*) *nm* con *m* (*fam!*) ▪ *excl* merde! (*fam!*); **¡qué ~!** merde! (*fam!*)
cooperación [koopera'θjon] *nf* coopération *f*
cooperar [koope'rar] *vi* coopérer
cooperativa [koopera'tiβa] *nf* coopérative *f*; **~ agrícola** coopérative agricole
coordinador, a [koorðina'ðor, a] *nm/f* coordinateur(-trice) ▪ *nf* bureau *m* de coordination
coordinar [koorði'nar] *vt* coordonner
copa ['kopa] *nf* (*recipiente*) verre *m* à pied; (*de champán: Deporte*) coupe *f*; (*de árbol*) cime *f*; (*de sombrero*) calotte *f*; **copas** *nfpl* (*Naipes*) *l'une des quatre couleurs du jeu de cartes espagnol*; **tomar una ~** prendre un verre *o* un pot; **ir de ~s** aller prendre un pot; **sombrero de ~** haut-de-forme *m*; **huevo a la ~** (*Chi*) œuf *m* à la coque
copia ['kopja] *nf* copie *f*; (*llave*) double *m*; **hacer ~ de seguridad** (*Inform*) faire une sauvegarde; **~ de respaldo** *o* **de seguridad** (*Inform*) sauvegarde *f*; **~ de trabajo** (*Inform*) fichier *m* de travail; **~ impresa** (*Inform*) tirage *m* papier; **~ vaciada** (*Inform*) vidage *m*
copiar [ko'pjar] *vt* copier; (*Inform*) faire une copie de; **~ al pie de la letra** copier mot pour mot; **~ y pegar** copier coller
copioso, -a [ko'pjoso, a] *adj* abondant(e); (*comida*) copieux(-euse)
copla ['kopla] *nf* (*canción*) couplet *m*; (*Lit*) strophe *f*
copo ['kopo] *nm*: **~ de nieve** flocon *m* de neige; **~s de avena** flocons *mpl* d'avoine
coqueta [ko'keta] *nf* (*mujer*) coquette *f*; (*mueble*) coiffeuse *f*
coquetear [kokete'ar] *vi* flirter
coraje [ko'raxe] *nm* courage *m*; (*esp AM*) colère *f*; **le da ~ hacer ...** ça l'énerve de faire ...
coral [ko'ral] *adj* (*Mús*) de chœur ▪ *nf* (*Mús*) chorale *f* ▪ *nm* (*Zool*) corail *m*; **de ~** en corail
coraza [ko'raθa] *nf* cuirasse *f*; (*Zool*) carapace *f*
corazón [kora'θon] *nm* cœur *m*; (*Bot*) noyau *m*; **corazones** *nmpl* (*Naipes*) cœur *msg*; **ser de buen ~** avoir bon cœur; **de (todo) ~** de tout cœur; **estar mal del ~** être malade du cœur
corazonada [koraθo'naða] *nf* pressentiment *m*
corbata [kor'βata] *nf* cravate *f*
Córcega ['korθeɣa] *nf* Corse *f*
corchete [kor'tʃete] *nm* agrafe *f*; **corchetes** *nmpl* (*Tip*) crochets *mpl*
corcho ['kortʃo] *nm* liège *m*; (*Pesca, tapón*) bouchon *m*; **de ~** en liège
cordel [kor'ðel] *nm* corde *f*
cordero [kor'ðero] *nm* agneau *m*; **~ lechal** agneau de lait
cordial [kor'ðjal] *adj* cordial(e) ▪ *nm* cordial *m*
cordialidad [korðjali'ðað] *nf* cordialité *f*
cordillera [korði'ʎera] *nf* cordillère *f*
Córdoba ['korðoβa] *n* Cordoue
córdoba ['korðoβa] *nm* (*Nic*) *monnaie du Nicaragua*
cordón [kor'ðon] *nm* (*cuerda*) ficelle *f*; (*de zapatos*) lacet *m*; (*Elec, policial*) cordon *m*; (*Csur*) bord *m* du trottoir; **~ umbilical** cordon ombilical
cordura [kor'ðura] *nf* sagesse *f*; (*Med*) santé *f* mentale; **con ~** avec sagesse
córner ['korner] (*pl* **~s**) *nm* (*Deporte*) corner *m*
corneta [kor'neta] *nf* (*Mús*) cornet *m*; (*Mil*) clairon *m*
cornisa [kor'nisa] *nf* corniche *f*
coro ['koro] *nm* chœur *m*; **a ~** (*responder etc*) en chœur
corona [ko'rona] *nf* couronne *f*; (*de santo*) auréole *f*; **la ~** (*Pol*) la Couronne; **~ de laurel** couronne de laurier
coronación [korona'θjon] *nf* (*tb fig*) couronnement *m*
coronar [koro'nar] *vt* couronner
coronel [koro'nel] *nm* colonel *m*
coronilla [koro'niʎa] *nf* sommet *m* du crâne; **estar hasta la ~ (de)** en avoir jusque-là (de)
corporación [korpora'θjon] *nf* corporation *f*
corporal [korpo'ral] *adj* (*ejercicio*) physique; (*castigo, higiene*) corporel(le)
corpulento, -a [korpu'lento a] *adj* (*persona*) corpulent(e); (*árbol, tronco*) énorme
corral [ko'rral] *nm* (*patio*) cour *f*; (*de animales*) basse-cour *f*; (*de niño*) parc *m*

correa [ko'rrea] *nf* courroie *f*; (*cinturón*) ceinture *f*; (*de perro*) laisse *f*; **~ del ventilador** (*Auto*) courroie du ventilateur
corrección [korrek'θjon] *nf* correction *f*; **~ (de pruebas)** (*Tip*) correction (d'épreuves); **~ en pantalla** correction sur écran
correccional [korrekθjo'nal] *nm* pénitencier *m*; **~ de menores** maison *f* de correction
correcto, -a [ko'rrekto, a] *adj* correct(e)
corredor, a [korre'ðor, a] *nm/f* coureur(-euse) ■ *nm* (*pasillo*) corridor *m*; (*balcón corrido*) galerie *f*; (*Com*) courtier *m*; **~ de apuestas** bookmaker *m*; **~ de bolsa/de fincas** agent *m* de change/immobilier
corregir [korre'xir] *vt* corriger; **corregirse** *vpr* se corriger; **se le ha corregido la miopía** on lui a corrigé sa myopie
correo [ko'rreo] *nm* courrier *m*; (*servicio*) poste *f*; **Correos** *nmpl* (*servicio*) la Poste, les PTT *fpl*; (*edificio*) la Poste; **a vuelta de ~** par retour de courrier; **echar al ~** mettre à la poste; **~ aéreo** courrier par avion; **~ basura** (*Inform*) spam *m*; **~ electrónico/urgente/certificado** courrier électronique/"urgent"/recommandé
correr [ko'rrer] *vt* (*mueble etc*) déplacer; (*riesgo*) courir; (*suerte*) risquer; (*aventura*) vivre; (*cortinas: cerrar*) fermer; (*: abrir*) ouvrir; (*cerrojo*) tourner ■ *vi* (*persona, rumor*) courir; (*coche, agua, viento*) aller vite; (*tiempo*) passer; (*apresurarse*) se presser; **correrse** *vpr* (*persona, terreno*) se déplacer; (*colores*) couler; (*fam: tener orgasmo*) jouir; **echar a ~** se mettre à courir; **~ con los gastos** payer; **~ mundo** parcourir le monde; **eso corre de mi cuenta** je m'en occupe; **nos corrimos una juerga** (*fam*) on s'est bien éclaté; **a todo ~** à toute vitesse
correspondencia [korrespon'denθja] *nf* correspondance *f*; **~ directa** (*Com*) correspondance directe
corresponder [korrespon'der] *vi* (*dinero, tarea*) revenir; (*en amor*) aimer en retour; **corresponderse** *vpr* (*amarse*) bien s'entendre; **~ a** (*invitación*) répondre à; (*a favor, cariño*) rendre; (*convenir, ajustarse, pertenecer*) correspondre à; **al gobierno le corresponde ...** le gouvernement a pour tâche de ...; **~se con** correspondre à; **"a quien corresponda"** "à qui de droit"
correspondiente [korrespon'djente] *adj* (*respectivo*) correspondant(e); **~ (a)** (*adecuado*) qui correspond (à)
corresponsal [korrespon'sal] *nm/f* correspondant(e); (*Com*) agent *m*
corrida [ko'rriða] *nf* corrida *f*; (*carrera corta*) sprint *m*; (*Chi*) file *f*
corrido, -a [ko'rriðo, a] *adj* (*avergonzado*) contrit(e); (*balcón etc*) extérieur(e) ■ *nm* (*Méx*) ballade *f*; **de ~** couramment; **un kilo ~** un bon kilo
corriente [ko'rrjente] *adj* courant(e); (*suceso, costumbre*) habituel(le); (*común*) commun(e) ■ *nf* courant *m*; (*tb*: **corriente de aire**) courant d'air ■ *nm*: **el 16 del ~** le 16 courant; **las ~s artísticas** les courants artistiques; **estar al ~ de** être au courant de; **seguir la ~ a algn** ne pas contrarier qn; **poner/tener al ~** mettre/tenir au courant; **~ alterna/continua** courant alternatif/continu; **~ sanguínea** flux *msg* sanguin
corrija *etc* [ko'rrixa] *vb ver* **corregir**
corrillo [ko'rriʎo] *nm* petit groupe *m*
corro ['korro] *nm* cercle *m*; **hacer ~ aparte** faire bande à part; **jugar al ~** faire la ronde
corroborar [korroβo'rar] *vt* corroborer
corroer [korro'er] *vt* corroder; (*suj: envidia*) ronger; **corroerse** *vpr* se désagréger
corromper [korrom'per] *vt* pourrir; (*aguas*) polluer; (*fig: costumbres, moral*) corrompre; (*: juez etc*) corrompre, soudoyer; **corromperse** *vpr* pourrir; (*costumbres*) se corrompre; (*persona, justicia*) se laisser soudoyer
corrosivo, -a [korro'siβo, a] *adj* corrosif(-ive)
corrupción [korrup'θjon] *nf* putréfaction *f*; (*fig*) corruption *f*
corsé [kor'se] *nm* corset *m*
cortacésped [korta'θespeð] *nm* tondeuse *f* (à gazon)
cortado, -a [kor'taðo, a] *adj* (*leche*) tourné(e); (*con cuchillo*) coupé(e); (*piel, labios*) craquelé(e); (*tímido*) coincé(e) ■ *nm* café *m* avec un nuage de lait; **estar ~** être coincé(e); **quedarse ~** rester sans voix
cortafuegos [korta'fweɣos] *nm inv* (*en el bosque*) pare-feu *m*, coupe-feu *m*; (*Internet*) firewall, pare-feu *m*
cortar [kor'tar] *vt* couper; (*discusión*) interrompre; (*piel, labios*) fendre ■ *vi* couper; (*viento*) être glacial(e); (*AM: Telec*) raccrocher; **cortarse** *vpr* se couper; (*turbarse*) se troubler; (*Telec*)

s'interrompre; (*leche*) tourner; **~ el paso (a algn)** barrer le passage (à qn); **~ por lo sano** trancher dans le vif; **~ de raíz** tuer dans l'œuf; **~se el pelo** se (faire) couper les cheveux; **~se el dedo** se couper le doigt; **se le cortan los labios** ses lèvres se gercent

cortaúñas [korta'uɲas] *nm inv* coupe-ongles *m inv*

corte ['korte] *nm* coupure *f*; (*de pelo, vestido*) coupe *f*; (*de tela*) pièce *f*; (*de helado*) tranche *f* napolitaine ■ *nf* (*real*) cour *f*; **me da ~ pedírselo** cela m'embête de le lui demander; **¡qué ~ le di!** je lui ai rabattu son caquet!; **las C~s** *le parlement espagnol*; **hacer la ~ a algn** faire la cour à qn; **~ de corriente/de luz** coupure de courant/d'électricité; **~ de mangas** bras *m* d'honneur; **C~ Internacional de Justicia** Cour internationale de justice; **~ y confección** confection *f*

Las Cortes

Le Parlement espagnol, ou *Cortes (Españolas)*, se compose d'une chambre basse ("Congreso de los Diputados") et d'une chambre haute ("Senado"). Les membres du Parlement, ou "diputados", sont élus au suffrage universel et à la proportionnelle. Quant aux membres du "Senado", ou "senadores", certains d'entre eux sont élus au suffrage universel et d'autres sont nommés par les Parlements régionaux.

cortejar [korte'xar] *vt* courtiser

cortejo [kor'texo] *nm* cortège *m*; **~ fúnebre** cortège funèbre

cortés [kor'tes] *adj* courtois(e), poli(e)

cortesía [korte'sia] *nf* courtoisie *f*, politesse *f*; **de ~** (*visita, carta*) de courtoisie

corteza [kor'teθa] *nf* (*de árbol*) écorce *f*; (*de pan, queso*) croûte *f*; (*de fruta*) peau *f*; **~ terrestre** écorce *o* croûte terrestre

cortina [kor'tina] *nf* rideau *m*; **~ de humo** rideau de fumée

corto, -a ['korto, a] *adj* court(e); (*tímido*) timide, timoré(e); (*tonto*) bouché(e) ■ *nm* (*Cine*) court-métrage *m*; **~ de luces** bête; **~ de oído** dur(e) d'oreille; **~ de vista** myope; **quedarse ~** ne pas être à la hauteur

cortocircuito [kortoθir'kwito] *nm* court-circuit *m*

cortometraje [kortome'traxe] *nm* court-métrage *m*

cosa ['kosa] *nf* chose *f*; (*asunto*) affaire *f*; **es ~ de una hora** c'est l'affaire d'une heure; **como si tal ~** comme si de rien n'était; **eso es ~ mía** c'est mon affaire; **llévate tus ~s** prends tes affaires; **es poca ~** ce n'est pas grand-chose; **¡qué ~ más rara!** comme c'est drôle!; **eso son ~s de la edad** c'est de son *o* leur âge; **tal como están las ~s** vu l'état actuel des choses; **lo que son las ~s** c'est drôle, la vie; **las ~s como son** les choses étant ce qu'elles sont

coscorrón [kosko'rron] *nm* coup *m* sur la tête; **darse un ~** se cogner la tête

cosecha [ko'setʃa] *nf* récolte *f*; (*de vino*) cru *m*

cosechar [kose'tʃar] *vt* récolter ■ *vi* faire la récolte

coser [ko'ser] *vt* coudre; **~ algo a algo** coudre qch à qch

cosmético, -a [kos'metiko, a] *adj, nm* cosmétique *m*

cosquillas [kos'kiʎas] *nfpl*: **hacer ~** chatouiller; **tener ~** être chatouilleux(-euse)

costa ['kosta] *nf* (*Geo*) côte *f*; **costas** *nfpl* (*Jur*) dépens *mpl*; **a ~** (*Com*) au coût; **a ~ de** aux dépens de; (*trabajo*) à force de; (*grandes esfuerzos*) au prix de; (*su vida*) au péril de; **a toda ~** coûte que coûte, à tout prix; **C~ Brava/del Sol** Costa Brava/del Sol; **C~ Azul/Cantábrica/de Marfil** Côte d'Azur/cantabrique/d'Ivoire

costado [kos'taðo] *nm* côté *m*; **de ~** (*dormir etc*) sur le côté; **español por los 4 ~s** espagnol jusqu'au bout des ongles; **rodeado por los 4 ~s** encerclé de tous côtés

costar [kos'tar] *vt, vi* coûter; **me cuesta hablarle** j'ai du mal à lui parler; **¿cuánto cuesta?** combien ça coûte?; **te costará caro** (*fig*) cela va ta coûter cher

costarricense [kostarri'θense], **costarriqueño, -a** [kostarri'keɲo, a] *adj* costaricien(ne), de Costa Rica ■ *nm/f* Costaricien(ne)

costear [koste'ar] *vt* payer; (*Com*) financer; (*Náut*) longer la côte de; **costearse** *vpr* rentrer dans ses frais, couvrir ses frais

costero, -a [kos'tero, a] *adj* côtier(-ière)

costilla [kos'tiʎa] *nf* (*Anat*) côte *f*; (*Culin*) côtelette *f*

costo ['kosto] *nm* coût *m*, prix *msg*; (*esp AM*) *ver* **coste**; **~ directo/de expedición/de sustitución** coût direct/d'expédition/de remplacement; **~ unitario** prix unitaire

costoso, -a [kos'toso, a] *adj* coûteux(-euse); (*difícil*) difficile
costra ['kostra] *nf* (*de sociedad*) couche *f*; (*Med, de cal etc*) croûte *f*
costumbre [kos'tumbre] *nf* coutume *f*, habitude *f*; (*tradición*) coutume; **como de ~** comme d'habitude
costura [kos'tura] *nf* couture *f*
costurera [kostu'rera] *nf* couturière *f*
costurero [kostu'rero] *nm* boîte *f* à couture
cotejar [kote'xar] *vt*: **~ (con)** comparer (à *o* avec)
cotidiano, -a [koti'ðjano, a] *adj* quotidien(ne)
cotilla [ko'tiʎa] *nm/f* commère *f*
cotillear [kotiʎe'ar] *vi* faire des commérages
cotización [kotiθa'θjon] *nf* (*Com*) cours *m*; (*de club, del trabajador*) cotisation *f*
cotizar [koti'θar] *vt* (*Com*) coter; (*pagar*) cotiser ■ *vi* (*trabajador*) cotiser; **cotizarse** *vpr* (*fig*) être bien coté(e); **~se a** (*Com*) être coté(e) à
coto ['koto] *nm* (*tb*: **coto de caza**) réserve *f*; (*Chi*) goitre *m*; **poner ~ a** mettre fin à
cotorra [ko'torra] *nf* (*loro*) perruche *f*; (*fam*: *persona*) pie *f*
COU [kou] (*Esp*) *sigla m* (= *Curso de Orientación Universitario*) *Terminale*
coyote [ko'jote] *nm* coyote *m*; (*Méx*: *fam*) guide *m*
coyuntura [kojun'tura] *nf* articulation *f*, jointure *f*; (*fig*) conjoncture *f*, occasion *f*; **esperar una ~ favorable** attendre une conjoncture favorable, attendre l'occasion favorable
coz [koθ] *nf* ruade *f*
cráneo ['kraneo] *nm* crâne *m*; **ir de ~** aller droit au désastre
cráter ['krater] *nm* cratère *m*
creación [krea'θjon] *nf* création *f*
creador, a [krea'ðor, a] *adj, nm/f* créateur(-trice)
crear [kre'ar] *vt* créer; **crearse** *vpr* se créer
creativo, -a [krea'tiβo, a] *adj* créatif(-ive)
crecer [kre'θer] *vi* grandir; (*pelo*) pousser; (*ciudad*) s'agrandir; (*río*) grossir; (*riqueza, odio*) augmenter; (*cólera*) monter; **crecerse** *vpr* s'enorgueillir
creces ['kreθes]: **con ~** *adv* (*pagar*) au centuple
crecido, -a [kre'θiðo, a] *adj*: **estar ~** avoir grandi; (*planta*) avoir poussé
creciente [kre'θjente] *adj* croissant(e); **cuarto ~** premier quartier *m*
crecimiento [kreθi'mjento] *nm* croissance *f*; (*de planta*) pousse *f*; (*de ciudad*) agrandissement *m*
credenciales [kreðen'θjales] *nfpl* lettres *fpl* de créance
crédito ['kreðito] *nm* crédit *m*; **a ~** à crédit; **dar ~ a** accorder crédit à, croire; **~ al consumido** crédit à la consommation; **ser digno de ~** être digne de confiance; **~ rotativo** *o* **renovable** crédit à renouvellement automatique
credo ['kreðo] *nm* credo *m*
crédulo, -a ['kreðulo, a] *adj* crédule
creencia [kre'enθja] *nf* croyance *f*
creer [kre'er] *vt, vi* croire; **creerse** *vpr* (*considerarse*) se croire; (*aceptar*) croire; **~ en** croire en; **¡ya lo creo!** je crois *o* pense bien; **creo que no/sí** je crois que non/oui; **no se lo cree** il n'y croit pas; **se cree alguien** il a une bonne opinion de lui
creíble [kre'iβle] *adj* croyable
creído, -a [kre'iðo, a] *adj* présomptueux(-euse)
crema ['krema] *adj inv* (*color*) crème *inv* ■ *nf* crème *f*; (*para zapatos*) cirage *m*; **la ~ de la sociedad** la crème de la société; **~ de afeitar** crème à raser; **~ de cacao** beurre *m* de cacao; **~ de champiñones/de espárragos** velouté *m* de champignons/d'asperges; **~ hidratante** crème hydratante; **~ pastelera** crème pâtissière
cremallera [krema'ʎera] *nf* fermeture *f* éclair®
crematorio [krema'torjo] *nm* (*tb*: **horno crematorio**) four *m* crématoire
crepitar [krepi'tar] *vi* crépiter
crepúsculo [kre'puskulo] *nm* crépuscule *m*
cresta ['kresta] *nf* crête *f*
creyendo *etc* [kre'jendo] *vb ver* **creer**
creyente [kre'jente] *nm/f* croyant(e)
creyó *etc* [kre'jo] *vb ver* **creer**
crezca *etc* ['kreθka] *vb ver* **crecer**
cría ['kria] *vb ver* **criar** ■ *nf* (*de animales*) élevage *m*; (*cachorro*) petit *m*; *ver tb* **crío**
criada [kri'aða] *nf* bonne *f*; *ver tb* **criado**
criadero [kria'ðero] *nm* élevage *m*
criado, -a [kri'aðo, a] *nm/f* domestique *m/f*
crianza [kri'anθa] *nf* allaitement *m*; (*formación*) éducation *f*; (*de animales*) élevage *m*; **vino de ~** grand cru *m*
criar [kri'ar] *vt* allaiter, nourrir; (*educar*) éduquer, élever; (*parásitos*) produire; (*animales*) élever ■ *vi* avoir des petits;

criarse *vpr* être élevé; (*formarse*) se former
criatura [kria'tura] *nf* créature *f*; (*niño*) gosse *m*
criba ['kriβa] *nf* crible *m*; (*fig*) crible, tamis *m*
cribar [kri'βar] *vt* cribler, tamiser
crimen ['krimen] *nm* crime *m*; **~ pasional** crime passionnel
criminal [krimi'nal] *adj* criminel(le); (*tiempo, viaje etc*) horrible ■ *nm/f* criminel(le)
crin [krin] *nf* (*tb*: **crines**) crinière *f*
crío, -a ['krio, a] (*fam*) *nm/f* bébé *m*; (*más mayor*) marmot *m*
crisis ['krisis] *nf inv* crise *f*; **~ nerviosa** dépression *f* nerveuse
crispar [kris'par] *vt* crisper; **crisparse** *vpr* se crisper; **ese ruido me crispa los nervios** ce bruit me porte sur les nerfs
cristal [kris'tal] *nm* verre *m*; (*Quím*) cristal *m*; (*de ventana*) vitre *f*; **cristales** *nmpl* (*trozos rotos*) bouts *mpl* de verre; **de ~** en verre; **~ ahumado** verre fumé; **~ de roca** cristal de roche
cristalino, -a [krista'lino, a] *adj* cristallin(e) ■ *nm* cristallin *m*
cristalizar [kristali'θar] *vi* cristalliser; (*fig*) se cristalliser; **cristalizarse** *vpr* se cristalliser
cristiandad [kristjan'dað] *nf* chrétienté *f*
cristianismo [kristja'nismo] *nm* christianisme *m*
cristiano, -a [kris'tjano, a] *adj, nm/f* chrétien(ne); **hablar en ~** parler espagnol; (*fig*) parler clairement
Cristo ['kristo] *nm* le Christ; (*crucifijo*) crucifix *m*; **armar un ~** faire du chahut
criterio [kri'terjo] *nm* critère *m*; (*opinión*) avis *m*; (*discernimiento*) discernement *m*, jugement *m*; (*enfoque*) attitude *f*, démarche *f*; **lo dejo a su ~** la décision vous appartient
crítica ['kritika] *nf* critique *f*; **la ~** (*Teatro etc*) la critique; *ver tb* **crítico**
criticar [kriti'kar] *vt* (*censurar*) critiquer; (*novela, película*) faire la critique de ■ *vi* critiquer
crítico, -a ['kritiko, a] *adj, nm/f* critique *m/f*
Croacia [kro'aθja] *n* Croatie *f*
croar [kro'ar] *vi* coasser
cromo ['kromo] *nm* chrome *m*; (*para niños*) vignette *f*
crónica ['kronika] *nf* chronique *f*; **~ deportiva/de sociedad** rubrique sportive/mondaine
crónico, -a ['kroniko, a] *adj* (*tb fig*) chronique
cronómetro [kro'nometro] *nm* chronomètre *m*
croqueta [kro'keta] *nf* croquette *f*
cruce ['kruθe] *vb ver* **cruzar** ■ *nm* croisement *m*; (*miradas*) rencontre *f*; (*de carreteras*) carrefour *m*; (*Telec etc*) interférence *f*; **luces de ~** feux *mpl* de croisement; **~ de peatones** passage *m* clouté
crucificar [kruθifi'kar] *vt* (*tb fig*) crucifier
crucifijo [kruθi'fixo] *nm* crucifix *msg*
crucigrama [kruθi'ɣrama] *nm* mots *mpl* croisés
crudo, -a ['kruðo, a] *adj* cru(e); (*invierno etc*) rigoureux(-euse) ■ *nm* pétrole *m* brut; (*Pe*) serpillière *f*
cruel [krwel] *adj* cruel(le)
crueldad [krwel'ðað] *nf* cruauté *f*
crujido [kru'xiðo] *nm* craquement *m*
crujiente [kru'xjente] *adj* (*galleta*) croquant(e); (*pan*) croustillant(e)
crujir [kru'xir] *vi* craquer; (*dientes*) grincer; (*nieve, arena*) crisser
cruz [kruθ] *nf* croix *fsg*; (*de moneda*) pile *f*; **con los brazos en ~** les bras en croix; **~ gamada** croix gammée; **C~ Roja** Croix-Rouge *f*
cruzado, -a [kru'θaðo, a] *adj* croisé(e); (*en calle, carretera*) de travers ■ *nm* croisé *m*
cruzar [kru'θar] *vt* croiser; (*calle, desierto*) traverser; (*palabras*) échanger; **cruzarse** *vpr* se croiser; **~le la cara a algn** donner une gifle à qn; **~se con algn** croiser qn; **~se de brazos** (*tb fig*) se croiser les bras
cta., c.ta *abr* = **cuenta**
c/u *abr* (= *cada uno*) *ver* **cada**
cuaderno [kwa'ðerno] *nm* bloc *m* notes; (*de escuela*) cahier *m*; **~ de bitácora** (*Náut*) livre *m* de bord
cuadra ['kwaðra] *nf* écurie *f*; (*AM: Arq*) pâté *m* de maisons
cuadrado, -a [kwa'ðraðo, a] *adj* (*tb fam*) carré(e) ■ *nm* (*Mat*) carré *m*; **metro/kilómetro ~** mètre *m*/kilomètre *m* carré
cuadrar [kwa'ðrar] *vt* (*Mat*) élever au carré; (*Pe*) garer ■ *vi* (*Tip*) justifier; **cuadrarse** *vpr* (*soldado*) se mettre au garde-à-vous; **~ (con)** (*informaciones*) correspondre (à); (*cuentas*) s'accorder (avec); **~ por la derecha/izquierda** (*Tip*) justifier à droite/gauche
cuadrilátero [kwaðri'latero] *nm* (*Deporte*) ring *m*; (*Geom*) quadrilatère *m*

cuadrilla [kwa'ðriʎa] *nf* (*de obreros etc*) équipe *f*; (*de ladrones, amigos*) bande *f*
cuadro ['kwaðro] *nm* tableau *m*; (*cuadrado*) carré *m*; (*Deporte, Med*) équipe *f*; (*Pol, Mil, tb de bicicleta*) cadre *m*; **a/de ~s** à carreaux; **~ de mandos** tableau de bord
cuádruple ['kwaðruple] *adj* quadruple
cuajar [kwa'xar] *vt* (*leche*) cailler; (*sangre*) coaguler; (*huevo*) faire durcir ■ *vi* (*Culin, nieve*) prendre; (*fig: planes*) aboutir; (*: acuerdo*) marcher; (*: idea*) se réaliser; **cuajarse** *vpr* (*leche*) se cailler; **~ algo de** remplir qch de
cuajo ['kwaxo] *nm*: **de ~** (*arrancar etc*) à la racine
cual [kwal] *adv* comme, tel que, tel un ■ *pron*: **el/la ~** lequel (laquelle), qui; **los/las ~es** lesquels (lesquelles), qui; **lo ~** ce qui, ce que; **allá cada ~** chacun ses goûts; **son a ~ más gandul** ils sont tous plus fainéants les uns que les autres; **cada ~** chacun; **con** *o* **por lo ~** c'est pourquoi; **del ~** duquel, dont; **tal ~** tel quel
cuál [kwal] *pron* (*interrogativo*) lequel, laquelle, lesquels, lesquelles ■ *adj* (*esp AM: fam*): **¿~es primos?** quels cousins?
cualesquier(a) [kwales'kjer(a)] *pl de* **cualquier(a)**
cualidad [kwali'ðað] *nf* qualité *f*
cualquier(a) [kwal'kjer(a)] (*pl* **cualesquiera**) *adj* (*indefinido*) n'importe quel(le); (*tras sustantivo*) quelconque ■ *pron*: **~** quiconque, n'importe qui; (*a la hora de escoger*) n'importe lequel (laquelle); **cualquier día de estos** un de ces jours; **no es un hombre ~** ce n'est pas n'importe qui; **en cualquier momento** à n'importe quel moment; **en cualquier parte** n'importe où; **eso ~ lo sabe hacer** ça, n'importe qui peut le faire; **es un ~** c'est un pas-grand-chose; **~ que sea** (*objeto*) quel(le) que ce soit; (*persona*) qui que ce soit
cuando ['kwando] *adv* quand ■ *conj* quand, lorsque; (*puesto que*) puisque, du moment que; (*si*) si ■ *prep*: **yo, ~ niño ...** moi, quand j'étais petit ...; **aun ~** même si, même quand; **aun ~ no sea así** même si ce n'est pas le cas; **~ más/menos** tout au plus/au moins; **de ~ en ~** de temps en temps, de temps à autre; **ven ~ quieras** viens quand tu voudras
cuándo ['kwando] *adv* quand, lorsque; **¿desde ~?, ¿de ~ acá?** depuis quand?
cuantioso, -a [kwan'tjoso, a] *adj* considérable

PALABRA CLAVE

cuanto, -a ['kwanto, a] *adj* **1** (*todo*): **tiene todo cuanto desea** il a tout ce qu'il veut; **le daremos cuantos ejemplares necesite** nous vous donnerons autant d'exemplaires qu'il vous en faudra; **cuantos hombres la ven la admiran** tous les hommes qui la voient l'admirent
2: **unos cuantos**; **había unos cuantos periodistas** il y avait quelques journalistes
3 (*+ más*): **cuanto más vino bebas peor te sentirás** plus tu boiras de vin plus tu te sentiras mal; **cuanto más tiempo estemos mejor** plus on reste mieux c'est
■ *pron* **1**: **tome cuanto/cuantos quiera** prends-en autant que tu voudras
2: **unos cuantos** quelques-uns
■ *adv*: **en cuanto**; **en cuanto profesor es excelente** comme professeur, il est excellent; **en cuanto a mí** quant à moi; *ver tb* **antes**
■ *conj* **1**: **cuanto más lo pienso menos me gusta** plus j'y pense moins ça ne me plaît
2: **en cuanto**; **en cuanto llegue/llegué** dès qu'il arrive/arriva

cuánto, -a ['kwanto, a] *adj* (*exclamativo*) que de, quel(le); (*interrogativo*) combien de ■ *pron, adv* combien; **¡cuánta gente!** que de gens!; **¿~ tiempo?** combien de temps?; **¿~ cuesta?** combien ça coûte?; **¿a ~s estamos?** le combien sommes-nous?; **¿~ hay de aquí a Bilbao?** combien y a-t-il d'ici à Bilbao?; **¡~ me alegro!** comme je suis content!; **Señor no sé ~s** Monsieur Untel
cuarenta [kwa'renta] *adj inv, nm inv* quarante *m inv*; *ver tb* **sesenta**
cuarentena [kwaren'tena] *nf* quarantaine *f*
cuaresma [kwa'resma] *nf* carême *m*
cuarta ['kwarta] *nf* empan *m*; (*Mús*) quarte *f*; *ver tb* **cuarto**
cuartel [kwar'tel] *nm* caserne *f*; **no dar ~** ne pas faire de quartier; **~ general** quartier *m* général
cuarteto [kwar'teto] *nm* quatuor *m*
cuarto, -a ['kwarto, a] *adj* quatrième ■ *nm* (*Mat*) quart *m*; (*habitación*) chambre *f*, pièce *f*; (*Zool*) quartier *m*; **no tener un ~** ne pas avoir un sou; **~ creciente/menguante** premier/dernier quartier; **~ de baño/de estar** salle *f* de bains/de séjour; **~s de final** (*Deporte*) quarts *mpl* de finale; **~ de hora** quart

d'heure; **~ de huéspedes** chambre d'amis; **~ de kilo** une demi-livre; **~ delantero/trasero** avant-/arrière-train *m*; *ver tb* **sexto**

cuarzo ['kwarθo] *nm* quartz *m*

cuatro ['kwatro] *adj inv, nm inv* quatre *m inv*; *ver tb* **seis**

cuatrocientos, -as [kwatro'θjentos, as] *adj* quatre cents; *ver tb* **seiscientos**

Cuba ['kuβa] *nf* Cuba *m*

cuba ['kuβa] *nf* cuve *f*, tonneau *m*; (*tina*) cuve; **estar como una ~** (*fam*) être rond(e)

cubano, -a [ku'βano, a] *adj* cubain(e) ▪ *nm/f* Cubain(e)

cúbico, -a ['kuβiko, a] *adj* cubique

cubierta [ku'βjerta] *nf* couverture *f*; (*neumático*) pneu *m*; (*Náut*) pont *m*

cubierto, -a [ku'βjerto, a] *pp de* **cubrir** ▪ *adj* couvert(e); (*vacante*) pourvu(e) ▪ *nm* couvert *m*; **~ de** couvert(e) de, recouvert(e) de; **a** *o* **bajo ~** à l'abri; **precio del ~** prix *msg* par personne

cubilete [kuβi'lete] *nm* gobelet *m*, cornet *m*

cubito [ku'βito] *nm*: **~ de hielo** glaçon *m*

cubo ['kuβo] *nm* (*Mat, Geom*) cube *m*; (*recipiente*) seau *m*; (*Tec*) tambour *m*; **~ de la basura** poubelle *f*

cubrecama [kuβre'kama] *nm* couvre-lit *m*, dessus *msg* de lit

cubrir [ku'βrir] *vt* couvrir; (*esconder*) cacher; (*polvo, nieve*) recouvrir, couvrir; (*vacante*) pourvoir à; **cubrirse** *vpr* se couvrir; **lo cubrieron las aguas** les eaux l'ont englouti; **el agua casi me cubría** je n'avais presque pas pied; **~ de** couvrir de; **~se de** se couvrir de, se recouvrir de; **~se de gloria** se couvrir de gloire

cucaracha [kuka'ratʃa] *nf* cafard *m*

cuchara [ku'tʃara] *nf* cuiller *f o* cuillère *f*; (*Tec*) benne *f* preneuse

cucharada [kutʃa'raða] *nf* cuillerée *f*; **~ colmada/rasa** cuiller *f o* cuillère *f* pleine à ras bord/rase

cucharadita [kutʃara'ðita] *nf* cuillerée *f* à café

cucharilla [kutʃa'riʎa] *nf* petite cuiller *f o* cuillère *f*

cucharón [kutʃa'ron] *nm* louche *f*

cuchichear [kutʃitʃe'ar] *vi* chuchoter

cuchilla [ku'tʃiʎa] *nf* lame *f*

cuchillo [ku'tʃiʎo] *nm* couteau *m*

cuchitril [kutʃi'tril] (*pey*) *nm* taudis *msg*, bouge *m*

cuclillas [ku'kliʎas] *nfpl*: **en ~** accroupi(e)

cuco, -a ['kuko, a] *adj* (*mono*) joli(e); (*astuto*) malin(-igne) ▪ *nm* coucou *m*

cucurucho [kuku'rutʃo] *nm* cornet *m*; **helado de ~** cornet de glace

cuello ['kweʎo] *nm* cou *m*; (*de ropa*) col *m*; (*de botella*) goulot *m*; **~ a la caja/alto/de pico** col rond/roulé/en V; **~ uterino** col de l'utérus

cuenca ['kwenka] *nf* (*tb*: **cuenca del ojo**) orbite *f*; (*Geo*: *valle*) vallée *f*; (*: fluvial*) bassin *m*

cuenco ['kwenko] *nm* bol *m*

cuenta ['kwenta] *vb ver* **contar** ▪ *nf* compte *m*; (*en restaurante*) addition *f*; (*de collar*) grain *m*; **a fin de ~s** au bout du compte; **en resumidas ~s** en bref; **ajustar las ~s a algn** régler son compte à qn; **caer en la ~** y être; **llevar la ~ de algo** faire le compte de qch; **eso corre de mi ~** c'est moi qui m'en charge *o* occupe; (*yo pago*) c'est moi qui paie; **dar ~ de** rendre compte de; **darse ~ de algo** se rendre compte de qch; **echar ~s** faire le point; **perder la ~ de** ne pas se rappeler; **tener en ~** tenir compte de; **por la ~ que me** *etc* **trae** j'ai *etc* intérêt; **trabajar por su ~** travailler à son compte; **abonar una cantidad en ~ a algn** créditer le compte de qn d'une somme; **liquidar una ~** régler un compte; **más de la ~** (*fam*) plus que de raison; **~ a plazo (fijo)** compte de dépôt; **~ atrás** compte à rebours; **~ común** compte joint; **~ corriente** compte courant; **~ de ahorros** compte épargne; **~ de asignación** compte d'affectation; **~ de caja/de capital** compte caisse/capital; **~ de correo** compte de courrier électronique; **~ de crédito** (*Inform*) compte client; **~ de gastos e ingresos** compte de dépenses et de recettes; **~ por cobrar/por pagar** somme *f* à percevoir/à payer

cuentakilómetros [kwentaki'lometros] *nm inv* compteur *m* kilométrique; (*velocímetro*) compteur de vitesse

cuento ['kwento] *vb ver* **contar** ▪ *nm* conte *m*; (*patraña*) histoire *f*; **es el ~ de nunca acabar** c'est une histoire à n'en plus finir; **eso no viene a ~** ceci n'a rien à voir; **tener mucho ~** être très comédien; **vivir del ~** vivre de l'air du temps; **~ chino** histoire à dormir debout; (*fam*) bobard *m*; **~ de hadas** conte de fées

cuerda ['kwerða] *nf* corde *f*; (*de reloj*) ressort *m*; **dar ~ a un reloj** remonter une montre; **~ floja** corde raide; **~s vocales** cordes vocales; *ver tb* **cuerdo**

cuerdo, -a ['kwerðo, a] *adj* sensé(e); (*prudente*) sage, prudent(e)

cuerno ['kwerno] *nm* corne *f*; (*Mús*) cor *m*; **mandar a algn al ~** envoyer qn paître; **¡y un ~!** mon œil!; **poner los ~s a** (*fam*) faire porter des cornes à; **~ de caza** corne de chasse

cuero ['kwero] *nm* cuir *m*; (*Carib: fam!*) pute *f* (*fam!*); **en ~s** tout(e) nu(e); **~ cabelludo** cuir chevelu

cuerpo ['kwerpo] *nm* corps *msg*; (*Geom*) solide *m*; (*fig*) partie *f* principale; **a ~** sans manteau; **luchar ~ a ~** lutter corps à corps; **tomar ~** (*plan etc*) prendre corps; **~ de bomberos** régiment *m* de sapeurs-pompiers; **~ diplomático** corps diplomatique

cuervo ['kwerβo] *nm* corbeau *m*; (*Csur*) vautour *m*

cuesta ['kwesta] *vb ver* **costar** ■ *nf* pente *f*; (*en camino etc*) côte *f*; **ir ~ arriba/abajo** monter/descendre; **este trabajo se me hace muy ~ arriba** (*fig*) j'ai du mal à faire ce travail; **a ~s** sur le dos

cuestión [kwes'tjon] *nf* question *f*; (*riña*) dispute *f*, querelle *f*; **en ~ de** en matière de; **eso es otra ~** ça c'est une autre histoire; **es ~ de** c'est une question de

cueva ['kweβa] *nf* grotte *f*, caverne *f*; **~ de ladrones** caverne de voleurs

cuidado, -a [kwi'ðaðo] *adj* soigné(e) ■ *nm* précaution *f*; (*preocupación*) souci *m*; (*de los niños etc*) soin *m* ■ *excl* attention!; **eso me trae sin ~** ça je m'en fiche; **estar al ~ de** s'occuper de; **tener ~** faire attention; **~ con el perro** attention au chien; **~s intensivos** soins *mpl* intensifs

cuidadoso, -a [kwiða'ðoso, a] *adj* soigneux(-euse); (*prudente*) prudent(e)

cuidar [kwi'ðar] *vt* soigner; (*niños, casa*) s'occuper de ■ *vi*: **~ de** prendre soin de; **cuidarse** *vpr* prendre soin de soi; **~se de hacer** prendre soin de faire; **¡cuídate!** prends soin de toi!, fais attention à toi!

culata [ku'lata] *nf* crosse *f*; **le salió el tiro por la ~** ça a été l'arroseur arrosé

culebra [ku'leβra] *nf* couleuvre *f*

culebrón [kule'βron] *nm* (*fam*) série *f* télévisée

culinario, -a [kuli'narjo, a] *adj* culinaire

culminación [kulmina'θjon] *nf* point *m* culminant

culo ['kulo] *nm* (*fam!*) cul *m* (*fam!*); (*en botella: final*) fond *m*; **¡vamos de ~!** (*fam*) nous voilà bien!; **¡vete a tomar por ~!** (*fam!*) va te faire enculer! (*fam!*)

culpa ['kulpa] *nf* faute *f*; (*Jur*) culpabilité *f*; **culpas** *nfpl* (*Rel*) fautes *fpl*; **echar la ~ a algn** accuser qn; **por ~ de** à cause de; **tengo la ~** c'est de ma faute

culpabilidad [kulpaβili'ðað] *nf* culpabilité *f*

culpable [kul'paβle] *adj, nm/f* coupable *m/f*; **ser ~ (de)** être coupable (de); **confesarse ~** plaider coupable; **declarar ~ a algn** déclarer qn coupable

culpar [kul'par] *vt* accuser

cultivar [kulti'βar] *vt* cultiver; (*amistad*) entretenir

cultivo [kul'tiβo] *nm* culture *f*; (*cosecha*) récolte *f*

culto, -a ['kulto, a] *adj* cultivé(e); (*lenguaje*) choisi(e); (*palabra*) savant(e) ■ *nm* culte *m*; **rendir ~ a** (*Rel, fig*) rendre un culte à

cultura [kul'tura] *nf* culture *f*; **la ~** la culture

culturismo [kultu'rismo] *nm* culturisme *m*

cumbre ['kumbre] *nf* (*tb fig*) sommet *m*

cumpleaños [kumple'aɲos] *nm inv* anniversaire *m*; **¡feliz ~!** joyeux anniversaire!

cumplido, -a [kum'pliðo, a] *adj* (*cortés*) poli(e); (*plazo*) échu(e); (*información*) complet(-ète); (*tamaño*) grand(e) ■ *nm* compliment *m*; **cumplidos** *nmpl* (*amabilidades*) politesses *fpl*; **con el servicio militar ~** dégagé des obligations militaires; **visita de ~** visite *f* de politesse

cumplimentar [kumplimen'tar] *vt* complimenter, adresser ses compliments à; (*orden*) exécuter

cumplimiento [kumpli'mjento] *nm* accomplissement *m*; (*de norma*) respect *m*

cumplir [kum'plir] *vt* accomplir; (*ley*) respecter; (*promesa*) tenir; (*años*) avoir ■ *vi* (*pago*) arriver à échéance; (*plazo*) expirer; **cumplirse** *vpr* (*plazo*) expirer; (*plan, pronósticos*) se réaliser, s'accomplir; **~ con** (*deber*) faire, remplir; (*persona*) ne pas manquer à; **hoy cumple dieciocho años** aujourd'hui il a dix-huit ans; **hacer algo por ~** faire qch pour la forme, faire qch par politesse; **hoy se cumplen dos años/tres meses de** ça fait aujourd'hui deux ans/trois mois que

cúmulo ['kumulo] *nm* tas *msg*; (*nube*) cumulus *msg*

cuna ['kuna] *nf* berceau *m*; **canción de ~** berceuse *f*

cundir [kun'dir] *vi* (*rumor, pánico*) se répandre, se propager; (*trabajo*) avancer, progresser; (*aceite, hilo*) durer

cuneta [ku'neta] *nf* fossé *m*

cuña ['kuɲa] *nf* (*Tec*) coin *m*; (*Med*) bassin *m*; **tener ~s** (*AM*) avoir du piston; **~ publicitaria** message *m* publicitaire
cuñado, -a [ku'ɲaðo, a] *nm/f* beau-frère (belle-sœur)
cuota ['kwota] *nf* quota *m*; (*parte proporcional*) quote-part *f*; (*de club etc*) cotisation *f*; **de ~** (*AM*: *carretera*) à péage
cupo ['kupo] *vb ver* **caber** ■ *nm* quote-part *f*; (*Mil*) contingent *m*; **~ de importación** (*Com*) contingent d'importation; **~ de ventas** quota *m* de ventes; *ver* **excedente**
cupón [ku'pon] *nm* billet *m*; (*de resguardo*) bon *m*; (*Com*) coupon *m*
cúpula ['kupula] *nf* coupole *f*
cura ['kura] *nf* guérison *f*; (*tratamiento*) soin *m* ■ *nm* curé *m*; **~ de desintoxicación** cure *f* de désintoxication; **~ de urgencia** soins *mpl* d'urgence
curación [kura'θjon] *nf* guérison *f*; (*tratamiento*) traitement *m*
curandero, -a [kuran'dero, a] *nm/f* guérisseur(-euse)
curar [ku'rar] *vt* (*enfermo, enfermedad*: *herida*) guérir; (: *con apósitos*) panser; (*Culin*) faire sécher; (*cuero*) tanner; **curarse** *vpr* (*persona*) se rétablir; (*herida*) se guérir
curiosear [kurjose'ar] *vt* fouiner dans ■ *vi* fouiner
curiosidad [kurjosi'ðað] *nf* curiosité *f*; **sentir** *o* **tener ~ por** *o* **de (hacer)** être curieux(-euse) de (faire)
curioso, -a [ku'rjoso, a] *adj* curieux(-euse); (*aseado*) propre, soigné(e) ■ *nm/f* (*pey*) curieux(-euse); **¡qué ~!** comme c'est étrange!
currante [ku'rrante] *nm/f* (*fam*) bosseur(-euse)
currar [ku'rrar], **currelar** [kurre'lar] *vi* (*fam*) bosser, trimer
currículo [ku'rrikulo], **currículum** [ku'rrikulum] *nm* (*tb*: **currículo vitae**) curriculum *m* (vitae)
curro ['kurro] *nm* (*fam*) job *m*
cursi ['kursi] *adj* de mauvais goût; (*afectado*) maniéré(e)
cursillo [kur'siʎo] *nm* cours *msg*; (*de reciclaje etc*) stage *m*; (*de conferencias*) cycle *m*
cursiva [kur'siβa] *nf* italiques *mpl*
curso ['kurso] *nm* cours *msg*; (*Escol, Univ*) année *f*; **en ~** (*año, proceso*) en cours; **dar ~ a** donner suite à; **moneda de ~ legal** monnaie *f* à cours légal; **en el ~ de** au cours de; **~ acelerado/por correspondencia** cours accéléré/par correspondance
cursor [kur'sor] *nm* (*Inform*) curseur *m*; (*Tec*) curseur, coulisseau *m*
curtido, -a [kur'tiðo, a] *adj* (*cara, cuero*) tanné(e); (*fig*: *persona*) expérimenté(e), chevronné(e)
curtir [kur'tir] *vt* (*pieles*) tanner, corroyer; (*suj*: *sol, viento*) tanner; (*fig*) endurcir, aguerrir; **curtirse** *vpr* (*fig*) s'endurcir, s'aguerrir
curva ['kurβa] *nf* virage *m*, tournant *m*; (*Mat*) courbe *f*; **~ de rentabilidad** (*Com*) courbe de rentabilité
cúspide ['kuspiðe] *nf* sommet *m*; (*fig*) faîte *m*, comble *m*
custodia [kus'toðja] *nf* surveillance *f*; (*de hijos*) garde *f*; (*Jur*) détention *f*; **estar bajo la ~ policial** être en garde à vue
custodiar [kusto'ðjar] *vt* surveiller
cutis ['kutis] *nm inv* peau *f*
cutre ['kutre] (*fam*) *adj* minable
cuyo, -a ['kujo, a] *pron* (*complemento de sujeto*) dont le, dont la; (: *plural*) dont les; (*complemento de objeto*) dont; (*tras preposición*) de qui, duquel, de laquelle; (: *plural*) desquels, desquelles; **la señora en cuya casa me hospedé** la dame chez qui j'étais logé; **el asunto ~s detalles conoces** l'affaire dont tu connais les détails; **por ~ motivo** c'est pourquoi; **en ~ caso** auquel cas
C.V. *abr* (= *caballos de vapor*) CV (= *cheval vapeur*); (= *curriculum vitae*) CV *m* (= *curriculum vitae*)

d

D. *abr = Don* (*con apellido*) Monsieur *m*; (*sólo con nombre*) Don *m*

Da. *abr = Doña* (*con apellido*) Madame *f*; (*sólo con nombre*) Doña *f*, ≈ Madame

dádiva ['daðiβa] *nf* (*donación*) don *m*; (*regalo*) présent *m*

dado, -a ['daðo, a] *pp de* **dar** ■ *adj*: **en un momento ~** à un moment donné ■ *nm* (*para juego*) dé *m*; **dados** *nmpl* (*juego*) dés *mpl*; **ser ~ a hacer algo** être enclin(e) à faire qch; **~ que** étant donné que

daltónico, -a [dal'toniko, a] *adj, nm/f* daltonien(ne)

dama ['dama] *nf* dame *f*; **damas** *nfpl* (*juego*) dames *fpl*; **primera ~** (*Teatro*) premier rôle *m* féminin; (*Pol*) première dame; **~ de honor** (*de novia*) demoiselle *f* d'honneur; (*de reina*) dame d'honneur; (*en concurso*) dauphine *f*

danés, -esa [da'nes, esa] *adj* danois(e) ■ *nm/f* Danois(e) ■ *nm* (*Ling*) danois *m*

danza ['danθa] *nf* danse *f*

danzar [dan'θar] *vt* danser ■ *vi* danser; (*fig*: *moverse*) s'agiter

dañar [da'ɲar] *vt* (*mueble, cuadro, motor*) abîmer; (*cosecha*) endommager; (*salud, reputación*) nuire à; **dañarse** *vpr* (*cosecha*) se gâter

dañino, -a [da'ɲino, a] *adj* (*sustancia*) nocif(-ive); (*animal*) nuisible

daño ['daɲo] *nm* (*a mueble, máquina*) dommage *m*; (*a cosecha, región*) dégât *m*; (*a persona, animal*) mal *m*; **~s y perjuicios** (*Jur*) dommages *mpl* et intérêts *mpl*; **hacer ~** (*alimento*) ne pas réussir; **hacer ~ a algn** (*producir dolor*) faire mal à qn; (*fig*: *ofender*) blesser qn; **eso me hace ~** ça ne me réussit pas; **hacerse ~** se faire mal

PALABRA CLAVE

dar [dar] *vt* **1** donner; **dar algo a algn** donner qch à qn; **dar un golpe/una patada** donner un coup/un coup de pied; **dar clase** faire la classe; **dar la luz** allumer (la lumière); **dar las gracias** remercier; **dar olor** répandre une odeur; **dar de beber a algn** donner à boire à qn; *ver tb* **paseo** *y otros sustantivos*

2 (*causar*: *alegría*) donner; (: *problemas*) causer; (: *susto*) faire

3 (*+ n = perífrasis de verbo*): **me da pena/asco** cela me désole/dégoûte; **da gusto escucharle** c'est bien agréable de l'écouter; **me da no sé qué** (*reparo*) cela m'embête un peu

4 (*considerar*): **dar algo por descontado** considérer qch comme chose faite; **lo doy por hecho/terminado** je considère que c'est fait/terminé

5 (*hora*): **el reloj dio las 6** la pendule sonna 6 heures; *ver tb* **más**

6 (*dar a + infin*): **dar a conocer** faire connaître

■ *vi* **1**: **dar a** (*ventana, habitación*) donner sur; (*botón etc*) appuyer sur

2: **dar con**; **dimos con él dos horas más tarde** nous l'avons rencontré deux heures plus tard; **al final di con la solución** finalement j'ai trouvé la solution

3: **dar en** (*blanco*) atteindre; **dar en el suelo** tomber par terre; **el sol me da en la cara** j'ai le soleil dans la figure

4: **dar de sí** (*zapatos, ropa*) s'élargir

5: **dar para**; **el sueldo no da para más** ce salaire est très juste

6: **le dio por comprarse ...** il s'est mis en tête de s'acheter ...

7: **dar que** (*+ infin*): **dar que pensar** donner à penser; **el niño da mucho que hacer** cet enfant donne beaucoup de travail

8: **me da igual** *o* **lo mismo** ça m'est égal; **¿qué más te da?** qu'est-ce que ça peut te faire?

darse *vpr* 1 se donner; **darse un baño** prendre un bain; **darse un golpe** se cogner
2 (*ocurrir*): **se han dado muchos casos** il y a eu de nombreux cas
3: **darse a**: **darse a la bebida** s'adonner à la boisson
4: **darse por**: **darse por vencido** se déclarer vaincu; **darse por satisfecho** s'estimer satisfait
5: **se me dan bien/mal las ciencias** je suis bon/mauvais en sciences
6: **dárselas de**: **se las da de experto** il joue les experts

dardo ['darðo] *nm* dard *m*
datar [da'tar] *vi*: **~ de** dater de
dátil ['datil] *nm* datte *f*
dato ['dato] *nm* (*detalle*) fait *m*; (*Mat*) donnée *f*; **datos** *nmpl* (*información, Inform*) données *fpl*; **~s de entrada/de salida** données en entrée/en sortie; **~s personales** identité *fsg*
dcha. *abr* (= *derecha*) dr. (= *droite*)

PALABRA CLAVE

de [de] (*de* + *el* = **del**) *prep* 1 (*gen*: *complemento de n*) de, d'; **la casa de Isabel/de mis padres/de los Alvarez** la maison d'Isabelle/de mes parents/des Alvarez; **una copa de vino** un verre de vin; **clases de inglés** cours *mpl* d'anglais
2 (*posesión*: *con ser*): **es de ellos** c'est à eux
3 (*origen, distancia*) de; **soy de Gijón** je suis de Gijón; **salir del cine/de la casa** sortir du cinéma/de la maison; **de lado** de côté; **de atrás/delante** de derrière/devant
4 (*materia*) en; **un abrigo de lana** un manteau en laine; **de madera** en bois
5 (*uso*) à; **una máquina de coser/escribir** une machine à coudre/écrire
6 (*traje, aspecto*): **ir vestido de gris** être habillé en gris, être vêtu de gris; **la niña del vestido azul** la fille en robe bleue; **la del pelo negro** celle qui a les cheveux noirs
7 (*profesión*): **trabaja de profesora** elle travaille comme professeur
8 (*hora, tiempo*): **a las 8 de la mañana** à 8 heures du matin; **de día/de noche** le jour/la nuit; **de hoy en ocho días** aujourd'hui en huit; **de niño era gordo** quand il était petit, il était gros
9 (*medida, distribución*): **5 metros de largo/ancho** 5 mètres de long/large; **de 2 en 2** de 2 en 2; **uno de cada tres** un sur trois
10 (*comparaciones*): **más/menos de cien personas** plus/moins de 100 personnes; **el más caro de la tienda** le plus cher du magasin; **menos/más de lo pensado** moins/plus qu'on ne pensait
11 (*adj* + *de* + *inf*): **es difícil de creer** c'est difficile à croire; **eso es difícil de hacer** il est difficile de faire cela
12 (*causa, modo*): **no puedo dormir del calor que hace** je ne peux pas dormir à cause de la chaleur; **de puro tonto se le olvidó coger dinero** il est si bête qu'il a oublié de prendre de l'argent; **temblar de miedo/de frío** trembler de peur/de froid; **de un trago** d'un coup; **de un solo golpe** d'un seul coup
13 (*condicional* + *infin*): **de no ser así** si ce n'était pas comme ça; **de ser posible** si c'est possible; **de no terminarlo hoy** si ce n'est pas fini aujourd'hui
14: **el pobre de Juan** le pauvre Juan; **el tonto de Carlos** cet idiot de Carlos
15: **de no** (*AM*: *si no*) sinon; **hazlo, de no ...!** fais-le sinon ...!

dé [de] *vb ver* **dar**
deambular [deambu'lar] *vi* (*persona*) déambuler; (*animal*) vagabonder
debajo [de'βaxo] *adv* dessous; **~ de** sous; **por ~ de** en dessous de
debate [de'βate] *nm* débat *m*
debatir [deβa'tir] *vt* débattre (de) ■ *vi* débattre; **debatirse** *vpr* (*forcejear*) se débattre
deber [de'βer] *nm* (*obligación*) devoir *m*; **deberes** *nmpl* (*Escol*) devoirs *mpl* ■ *vt* devoir; **deberse** *vpr*: **~se a** être dû (due) à; **debo hacerlo** je dois le faire; **debería dejar de fumar** il devrait arrêter de fumer; **debe (de) ser canadiense** il doit être canadien; **¿qué/cuánto le debo?** qu'est ce que/combien est-ce que je vous dois?; **queda a ~ 500 euros** il reste à payer 500 euros; **como debe ser** comme il se doit
debido, -a [de'βiðo, a] *adj* (*cuidado, respeto*) dû (due); **~ a** en raison de; **a su ~ tiempo** en temps voulu; **como es ~** comme il convient
débil ['deβil] *adj* faible
debilidad [deβili'ðað] *nf* faiblesse *f*; **tener ~ por algn/algo** avoir un faible pour qn/qch
debilitar [deβili'tar] *vt* (*persona, resistencia*) affaiblir; (*cimientos*) ébranler; **debilitarse** *vpr* s'affaiblir
debutar [deβu'tar] *vi* (*en actuación*) débuter
década ['dekaða] *nf* décennie *f*

decadencia [deka'ðenθja] *nf* (*de edificio*) délabrement *m*; (*de persona*) déchéance *f*; (*de sociedad*) décadence *f*
decaer [deka'er] *vi* (*espectáculo*) perdre de son attrait; (*negocio*) dépérir; (*civilización, imperio*) devenir décadent(e); (*costumbres*) tomber en désuétude; (*éxito, afición, interés*) retomber; (*salud*) décliner
decaído, -a [deka'iðo, a] *adj*: **estar ~** (*desanimado*) être abattu(e)
decano, -a [de'kano, a] *nm/f* (*tb Univ*) doyen(ne)
decapitar [dekapi'tar] *vt* décapiter
decena [de'θena] *nf*: **una ~** une dizaine
decencia [de'θenθja] *nf* décence *f*
decente [de'θente] *adj* décent(e); (*honesto*) convenable
decepción [deθep'θjon] *nf* déception *f*
decepcionar [deθepθjo'nar] *vt* décevoir
decidir [deθi'ðir] *vt* décider (de) ▪ *vi* décider; **decidirse** *vpr*: **~se (a hacer algo)** se décider (à faire qch); **¡decídete!** décide-toi!; **~se por** se décider pour
décima ['deθima] *nf* (*Mat*) dixième *m*; **décimas** *nfpl* (*Med*) dixièmes *mpl* (de degré)
decimal [deθi'mal] *adj* décimal(e)
decímetro [de'θimetro] *nm* décimètre *m*
décimo, -a ['deθimo, a] *adj, nm* dixième *m*; *ver tb* **sexto**
decir [de'θir] *vt* dire; (*fam: llamar*) appeler ▪ *nm*: **es un ~** disons; **decirse** *vpr*: **se dice que ...** on dit que ...; **¡no me digas!** (*sorpresa*) non!; **~ para sí** se dire; **~ (de)** (*revelar*) en dire long (sur); **~ por ~** dire comme ça; **querer ~** vouloir dire; **es ~** c'est-à-dire; **ni que ~ tiene que ...** il va sans dire que ...; **como quien dice, como si dijéramos** comme qui dirait; **que digamos, que se diga** vraiment; **¡quién lo diría!** qui l'eût cru!; **por así ~lo** pour ainsi dire; **el qué dirán** le qu'en dira-t-on; **¡diga!, ¡dígame!** (*Telec*) allô!; **le dije que fuera más tarde** je lui ai dit d'y aller plus tard; **dicho sea de paso** soit dit en passant; **que ya es ~** ce n'est pas peu dire; **por no ~** pour ne pas dire; **¿cómo se dice "cursi" en francés?** comment dit-on "cursi" en français?
decisión [deθi'sjon] *nf* décision *f*; **tomar una ~** prendre une décision
decisivo, -a [deθi'siβo, a] *adj* décisif(-ive)
declaración [deklara'θjon] *nf* déclaration *f*; (*Jur*) déposition *f*; **falsa ~** (*Jur*) faux témoignage *m*; **prestar ~** (*Jur*) faire une déposition; **tomar ~ a algn** (*Jur*) prendre la déposition de qn; **~ de derechos** (*Pol*) déclaration des droits; **~ de la renta** declaration de revenus; **~ fiscal** déclaration d'impôts; **~ jurada** déposition
declarar [dekla'rar] *vt* déclarer ▪ *vi* (*para la prensa, en público*) faire une déclaration; (*Jur*) faire une déposition; **declararse** *vpr* (*a una chica*) déclarer son amour; (*guerra, incendio*) se déclarer; **~ culpable/inocente a algn** déclarer qn coupable/innocent; **~se culpable/ inocente** se déclarer coupable/innocent
declinar [dekli'nar] *vt* décliner ▪ *vi* (*poder*) décliner; (*fiebre*) baisser
declive [de'kliβe] *nm* pente *f*; (*fig*) déclin *m*; **en ~** en pente; (*fig: imperio, economía*) en déclin
decoración [dekora'θjon] *nf* décoration *f*; (*Teatro*) décor *m*; **~ de escaparates/de interiores** décoration de vitrines/ d'intérieur
decorado [deko'raðo] *nm* décor *m*
decorar [deko'rar] *vt* décorer
decorativo, -a [dekora'tiβo, a] *adj* décoratif(-ive)
decoro [de'koro] *nm* (*en comportamiento etc*) correction *f*
decoroso, -a [deko'roso, a] *adj* correct(e); (*digno*) respectable
decrecer [dekre'θer] *vi* diminuer; (*nivel de agua*) baisser; (*días*) raccourcir
decrépito, -a [de'krepito, a] *adj* décrépit(e); (*sociedad*) en décrépitude
decretar [dekre'tar] *vt* décréter
decreto [de'kreto] *nm* décret *m*
dedal [de'ðal] *nm* (*para costura*) dé *m*; (*fig: medida*) doigt *m*
dedicación [deðika'θjon] *nf* (*a trabajo etc*) engagement *m*; (*de persona*) dévouement *m*; **con ~ exclusiva** *o* **plena** à plein temps
dedicar [deði'kar] *vt* dédicacer; (*tiempo, dinero, esfuerzo*) consacrer; **dedicarse** *vpr*: **~se a** se consacrer à; **¿a qué se dedica usted?** qu'est-ce que vous faites dans la vie?
dedicatoria [deðika'torja] *nf* dédicace *f*
dedo ['deðo] *nm* doigt *m*; **~ (del pie)** orteil *m*; **contar con los ~s** compter sur les doigts; **chuparse los ~s** se régaler; **a ~** (*entrar, nombrar*) avec du piston; **hacer ~** (*fam*) faire du stop; **poner el ~ en la llaga** toucher le point sensible; **no tiene dos ~s de frente** il n'est pas très futé; **estar a dos ~s de** être à deux doigts de; **~ anular** annulaire *m*; **~ corazón** majeur *m*; **~ gordo** pouce *m*; (*en pie*) gros orteil; **~ índice** index *msg*; **~ meñique** auriculaire *m*

deducción [deðuk'θjon] *nf* déduction *f*
deducir [deðu'θir] *vt* déduire
defecto [de'fekto] *nm* défaut *m*; **por ~** (*Inform*) par défaut
defectuoso, -a [defek'twoso, a] *adj* défectueux(-euse)
defender [defen'der] *vt* défendre; **defenderse** *vpr*: **~se de algo** se défendre de qch; **~se contra algo/algn** se défendre contre qch/qn; **~se bien** (*en profesión etc*) bien se défendre; **me defiendo en inglés** (*fig*) je ne me défends pas mal en anglais
defensa [de'fensa] *nf* (*tb Jur*) défense *f*; (*de tesis, ideas*) soutien *m* ■ *nm* (*Deporte*) défense *f*; **defensas** *nfpl* (*Med*) défenses *fpl*; **en ~ propia** en légitime défense
defensivo, -a [defen'siβo, a] *adj* (*movimiento, actitud*) de défense
defensor, a [defen'sor, a] *adj* (*persona*) qui défend ■ *nm/f* (*tb*: **abogado defensor**) avocat(e) de la défense; (*protector*) défenseur *m*; **~ del pueblo** (*Esp*) défenseur du peuple
deficiente [defi'θjente] *adj* (*trabajo*) insuffisant(e); (*salud*) déficient(e) ■ *nm/f*: **ser un ~ mental/físico** être handicapé mental/physique ■ *nm* (*Escol*) mauvaise note *f*; **~ en** insuffisant(e) en
déficit ['defiθit] (*pl* **~s**) *nm* déficit *m*; **~ presupuestario** déficit budgétaire
definición [defini'θjon] *nf* définition *f*
definir [defi'nir] *vt* définir
definitivo, -a [defini'tiβo, a] *adj* définitif(-ive); **en definitiva** définitivement; (*en conclusión, resumen*) en définitive
deformación [deforma'θjon] *nf* déformation *f*; **~ profesional** déformation professionnelle
deformar [defor'mar] *vt* déformer; **deformarse** *vpr* se déformer
deforme [de'forme] *adj* difforme
defraudar [defrau'ðar] *vt* (*a personas*) tromper; (*a Hacienda*) frauder
defunción [defun'θjon] *nf* décès *m*; **"cerrado por ~"** "fermé pour cause de décès"
degeneración [dexenera'θjon] *nf* dégradation *f*
degenerar [dexene'rar] *vi* dégénérer; **~ en** dégénérer en
degollar [deɣo'ʎar] *vt* égorger
degradar [deɣra'ðar] *vt* (*tb Mil*) dégrader; (*Inform*: *datos*) altérer; **degradarse** *vpr* se dégrader
degustación [deɣusta'θjon] *nf* dégustation *f*
dejadez [dexa'ðeθ] *nf* laisser-aller *m*
dejar [de'xar] *vt* laisser; (*persona, empleo, pueblo*) quitter ■ *vi*: **~ de** arrêter de; **dejarse** *vpr* se laisser aller; **~ a algn (hacer algo)** laisser qn (faire qch); **~ de fumar** arrêter de fumer; **no dejes de visitarles** continue à leur rendre visite; **le dejó su novia** sa fiancée l'a quitté; **no dejes de comprar un billete** n'oublie pas d'acheter un billet; **¡déjame en paz!** laisse-moi tranquille!; **~ a un lado** laisser de côté; **~ caer** (*objeto*) laisser tomber; (*fig*: *insinuar*) glisser; **~ atrás a algn** dépasser qn; **~ entrar/salir** laisser entrer/sortir; **~ pasar** laisser passer; **¡déjalo!** laisse tomber!; **te dejo en tu casa** je te laisse chez toi; (*a un pasajero*) je te dépose chez toi; **~ a algn sin algo** laisser qn sans qch; **deja mucho que desear** cela laisse beaucoup à désirer; **~se persuadir** se laisser convaincre; **~se llevar por algn/algo** se laisser entraîner par qn/qch; **¡déjate de tonterías!** arrête de dire des bêtises!
deje ['dexe], **dejo** ['dexo] *nm* accent *m*; (*sabor*) arrière-goût *m*
del [del] = **de + el**
del. *abr* (*Admin*) = **delegación**
delantal [delan'tal] *nm* tablier *m*
delante [de'lante] *adv* devant ■ *prep*: **~ de** devant; **la parte de ~** la partie avant; **estando otros ~** devant d'autres personnes; **por ~ (de)** par devant; **~ mío/nuestro** (*esp Csur*: *fam*) devant moi/nous
delantera [delan'tera] *nf* (*de vestido*) devant *m*; (*coche*) avant *m*; (*Teatro*) fauteuil *m* d'orchestre; (*Deporte*) avance *f*; **llevar la ~ (a algn)** mener (devant qn); **coger** *o* **tomar la ~ (a algn)** devancer (qn)
delantero, -a [delan'tero, a] *adj* (*asiento, balcón*) avant; (*vagón*) de tête; (*patas de animal*) de devant ■ *nm* (*Deporte*) avant *m*; **~ centro** avant-centre *m*
delatar [dela'tar] *vt* dénoncer; (*sonrisa, gesto, ropas*) trahir; **los delató a la policía** il les a dénoncés à la police
delator, a [dela'tor, a] *adj* (*gesto, sonrisa*) révélateur(-trice) ■ *nm/f* dénonciateur(-trice)
delegación [deleɣa'θjon] *nf* délégation *f*; (*Méx*: *comisaría*) commissariat *m*; (: *ayuntamiento*) mairie *f*; **~ de poderes** (*Pol*) délégation de pouvoirs; **D~ de Educación/de Hacienda/de Trabajo** ≈ ministère *m* de l'Éducation/des Finances/du Travail
delegado, -a [dele'ɣaðo, a] *nm/f* délégué(e)
delegar [dele'ɣar] *vt*: **~ algo en algn** déléguer qch à qn

deletrear [deletre'ar] *vt* épeler ■ *vi* articuler
delfín [del'fin] *nm* dauphin *m*
delgadez [delɣa'ðeθ] *nf* maigreur *f*; (*fineza*) minceur *f*
delgado, -a [del'ɣaðo, a] *adj* maigre; (*fino*) mince
deliberación [delißera'θjon] *nf* délibération *f*
deliberar [deliße'rar] *vi*: **~ (sobre)** délibérer (sur)
delicadeza [delika'ðeθa] *nf* délicatesse *f*; **tener la ~ de hacer** avoir la délicatesse de faire
delicado, -a [deli'kaðo, a] *adj* délicat(e)
delicia [de'liθja] *nf* délice *m*
delicioso, -a [deli'θjoso, a] *adj* délicieux(-euse)
delimitar [delimi'tar] *vt* délimiter
delincuencia [delin'kwenθja] *nf* délinquance *f*; **~ juvenil** délinquance juvénile
delincuente [delin'kwente] *nm/f* délinquant(e); **~ habitual** délinquant(e) récidiviste; **~ juvenil** jeune délinquant(e)
delineante [deline'ante] *nm/f* dessinateur(-trice)
delirar [deli'rar] *vi* délirer
delirio [de'lirjo] *nm* délire *m*; **con ~** (*fam*) à la folie; **sentir/tener ~ por algo/algn** aimer qch/qn à la folie; **~s de grandeza** folie *f* des grandeurs
delito [de'lito] *nm* délit *m*; **en flagrante ~** en flagrant délit
delta ['delta] *nm* delta *m*
demacrado, -a [dema'kraðo, a] *adj* émacié(e)
demanda [de'manda] *nf* (*tb Com, Jur*) demande *f*; (*reivindicación*) requête *f*; **hay poca/mucha ~ de este producto** la demande pour ce produit est faible/forte; **en ~ de** pour demander; **entablar ~** (*Jur*) intenter une action en justice; **presentar ~ de divorcio** demander le divorce; **~ de mercado** (*Com*) demande du marché; **~ de pago** avertissement *m*; **~ final** (*Com*) dernier rappel *m*; **~ indirecta** (*Com*) demande induite
demandante [deman'dante] *nm/f* (*Jur*) demandeur(-deresse)
demandar [deman'dar] *vt* demander; (*Jur*) poursuivre; **~ a algn por calumnia/por daños y perjuicios** poursuivre qn en diffamation/en dommages-intérêts
demarcación [demarka'θjon] *nf* démarcation *f*; (*zona*) zone *f*; (*jurisdicción*) circonscription *f*

demás [de'mas] *adj*: **los ~ niños** les autres enfants *mpl* ■ *pron*: **los/las ~** les autres; **lo ~** le reste; **por lo ~** à part cela; **por ~** en vain; **y ~** et cetera
demasiado, -a [dema'sjaðo, a] *adj*: **~ vino** trop de vin ■ *adv* trop; **~s libros** trop de livres; **¡es ~!** c'est trop!; **es ~ pesado para levantarlo** c'est trop lourd pour être soulevé; **~ lo sé** je ne le sais que trop bien; **hace ~ calor** il fait trop chaud
demencia [de'menθja] *nf* démence *f*; **~ senil** démence sénile
demente [de'mente] *adj, nm/f* dément(e)
democracia [demo'kraθja] *nf* démocratie *f*
demócrata [de'mokrata] *adj, nm/f* démocrate *m/f*
democrático, -a [demo'kratiko, a] *adj* démocratique
demolición [demoli'θjon] *nf* démolition *f*
demonio [de'monjo] *nm* (*tb fig*) démon *m*; **¡~s!** mince!; **¿cómo ~s?** comment diable?; **¿qué ~s será?** (*fam*) qu'est-ce que ça peut bien être?; **¿dónde ~ lo habré dejado?** où diable l'ai-je laissé?
demora [de'mora] *nf* retard *m*
demorar [demo'rar] *vt* retarder ■ *vi*: **~ en** (*AM*) mettre du temps à; **demorarse** *vpr* s'attarder; **~se al** *o* **en hacer algo** prendre du retard en faisant qch
demos ['demos] *vb ver* **dar**
demostración [demostra'θjon] *nf* démonstration *f*; (*de sinceridad*) preuve *f*
demostrar [demos'trar] *vt* (*sinceridad*) prouver; (*afecto, fuerza*) montrer; (*funcionamiento, aplicación*) démontrer
demostrativo, -a [demostra'tißo, a] *adj* démonstratif(-ive)
demudado, -a [demu'ðaðo, a] *adj*: **tener el rostro ~** avoir le visage pâle
den [den] *vb ver* **dar**
denegar [dene'ɣar] *vt* refuser; (*demanda, recurso*) rejeter
denigrar [deni'ɣrar] *vt* dénigrer; (*humillar*) humilier

DENOMINACIÓN DE ORIGEN

La *denominación de origen* ou "D.O." est l'équivalent espagnol de l'appellation d'origine contrôlée. Ce label est attribué à des produits agricoles (vins, fromages, charcuterie) dont il garantit la qualité et la conformité aux caractéristiques d'une région donnée.

denotar [deno'tar] *vt* dénoter
densidad [densi'ðað] *nf* densité *f*; **~ de caracteres** (*Inform*) espacement *m* des caractères; **~ de población** densité de population
denso, -a ['denso, a] *adj* dense; (*humo, niebla*) épais(se); (*novela, discurso*) complexe
dentadura [denta'ðura] *nf* denture *f*; **~ postiza** dentier *m*
dentera [den'tera] *nf* frisson *m*; **me da ~** ça me fait frémir
dentífrico, -a [den'tifriko, a] *adj*: **crema** *o* **pasta dentífrica** pâte *f* dentifrice ■ *nm* dentifrice *m*
dentista [den'tista] *nm/f* dentiste *m/f*
dentro ['dentro] *adv* dedans ■ *prep*: **~ de** dans; **allí ~** à l'intérieur; **mirar por ~** regarder à l'intérieur; **~ de lo posible** dans la mesure du possible; **~ de lo que cabe** relativement; **~ de tres meses** dans trois mois; **~ de poco** sous peu
denuncia [de'nunθja] *nf* plainte *f*; **hacer** *o* **poner una ~** déposer une plainte
denunciar [denun'θjar] *vt* (*en comisaría*) déposer une plainte contre; (*en prensa etc*) dénoncer
departamento [departa'mento] *nm* département *m*; (*AM*) appartement *m*; (*en mueble*) compartiment *m*; **~ de envíos** (*Com*) service *m* des expéditions
dependencia [depen'denθja] *nf* dépendance *f*; (*Pol*) bureau *m*; (*Com*) succursale *f*; **dependencias** *nfpl* dépendances *fpl*
depender [depen'der] *vi*: **~ de** dépendre de; **todo depende** tout dépend; **no depende de mí** cela ne dépend pas de moi; **depende de lo que haga él** cela dépend de ce qu'il fait
dependienta [depen'djenta] *nf* vendeuse *f*
dependiente [depen'djente] *adj*: **~ (de)** dépendant(e) (de) ■ *nm* vendeur *m*
depilar [depi'lar] *vt* épiler; **depilarse** *vpr* s'épiler
depilatorio, -a [depila'torjo, a] *adj, nm* dépilatoire *m*
deplorable [deplo'raβle] *adj* déplorable
deplorar [deplo'rar] *vt* déplorer
deponer [depo'ner] *vt* (*rey, gobernante*) déposer; (*actitud*) laisser libre cours à; **~ las armas** déposer les armes
deportar [depor'tar] *vt* déporter
deporte [de'porte] *nm* sport *m*; **hacer ~** faire du sport
deportista [depor'tista] *adj, nm/f* sportif(-ive); **ser muy ~** être très sportif(-ive); **ser poco ~** ne pas être très sportif(-ive)
deportivo, -a [depor'tiβo, a] *adj* sportif(-ive) ■ *nm* voiture *f* de sport
depositar [deposi'tar] *vt* déposer; **depositarse** *vpr* se déposer; **~ la confianza en algn** accorder sa confiance à qn
depositario, -a [deposi'tarjo, a] *nm/f*: **~ de** dépositaire *m/f* de; **~ judicial** administrateur(-trice) judiciaire
depósito [de'posito] *nm* dépôt *m*; (*de agua, gasolina etc*) réserve *f*; **dejar dinero en ~** laisser de l'argent en dépôt; **~ de cadáveres** morgue *f*
depreciar [depre'θjar] *vt* déprécier; **depreciarse** *vpr* se déprécier
depredador, a [depreða'ðor, a] *adj* prédateur(-trice) ■ *nm* prédateur *m*
depresión [depre'sjon] *nf* dépression *f*; **~ nerviosa** dépression nerveuse
deprimido, -a [depri'miðo, a] *adj* déprimé(e)
deprimir [depri'mir] *vt*, **deprimirse** *vpr* déprimer
deprisa [de'prisa] *adv* vite; **¡~!** vite!; **~ y corriendo** vite fait bien fait
depuración [depura'θjon] *nf* (*tb Pol*) épuration *f*; (*Inform*) décontamination *f*
depurar [depu'rar] *vt* épurer; (*Inform*) décontaminer
derecha [de'retʃa] *nf* main *f* droite; (*Pol*) droite *f*; **a la ~** à droite; **a ~s** (*hacer*) bien; **de ~s** (*Pol*) de droite
derecho, -a [de'retʃo, a] *adj* droit(e) ■ *nm* droit *m*; (*lado*) côté *m* droit ■ *adv* droit; **derechos** *nmpl* droits *mpl*; **a mano derecha** à droite; **Facultad de D~** Faculté *f* de Droit; **estudiante de D~** étudiant(e) en Droit; **"reservados todos los ~s"** "tous droits réservés"; **¡no hay ~!** il n'y a pas de justice!; **tener ~ a algo** avoir droit à qch; **tener ~ a hacer algo** avoir le droit de faire qch; **estar en su ~** être dans son droit; **~ a voto** droit de vote; **~s civiles** droits civiques; **~s de patente** propriété *f* industrielle; **~ de propiedad literaria** copyright *m*; **~ de timbre** (*Com*) droit de timbre; **~s humanos/de autor** droits de l'homme/d'auteur; **~ mercantil/penal/de retención** droit commercial/pénal/de rétention; **~s portuarios/de muelle** (*Com*) droit de mouillage/de bassin
deriva [de'riβa] *nf*: **ir/estar a la ~** (*tb fig*) aller/être à la dérive
derivado, -a [deri'βaðo, a] *adj* dérivé(e) ■ *nm* dérivé *m*

derivar [deri'βar] *vt* (*conclusión*) arriver à; (*conversación*) dévier ■ *vi* dévier; **derivarse** *vpr*: **~se de** dériver de
derramamiento [derrama'mjento] *nm*: **~ de sangre** épanchement *m* de sang
derramar [derra'mar] *vt* (*verter*) verser; (*esparcir*) renverser; **derramarse** *vpr* se répandre; **~ lágrimas** verser *o* répandre des larmes
derrame [de'rrame] *nm* écoulement *m*; (*Med*) épanchement *m*; **~ cerebral** hémorragie *f* cérébrale
derretido, -a [derre'tiðo, a] *adj* fondu(e); **estar ~ por algn** se mourir d'amour pour qn
derretir [derre'tir] *vt* fondre; **derretirse** *vpr* fondre; (*fig*) se mourir d'amour; **~se de calor** être en nage
derribar [derri'βar] *vt* faire tomber; (*construcción*) abattre; (*gobierno, político*) renverser
derrocar [derro'kar] *vt* (*gobierno*) renverser; (*ministro*) destituer
derrochar [derro'tʃar] *vt* dilapider; (*energía, salud*) déborder de
derroche [de'rrotʃe] *nm* gaspillage *m*; (*de salud, alegría*) débordement *m*
derrota [de'rrota] *nf* déroute *f*; (*Deporte, Pol*) défaite *f*; **sufrir una grave ~** subir un échec grave
derrotar [derro'tar] *vt* vaincre; (*enemigo*) mettre en déroute; (*Deporte, Pol*) battre
derrotero [derro'tero] *nm* cap *m*; **tomar otros ~s** prendre une autre voie
derruir [derru'ir] *vt* démolir
derrumbar [derrum'bar] *vt* démolir; **derrumbarse** *vpr* s'écrouler; (*esperanzas*) s'effondrer; (*persona*) se laisser aller
derruyendo *etc* [derru'jendo] *vb ver* **derruir**
des [des] *vb ver* **dar**
desabotonar [desaβoto'nar] *vt* déboutonner; **desabotonarse** *vpr* se déboutonner
desabrido, -a [desa'βriðo, a] *adj* (*comida*) insipide; (*persona*) désagréable; (*tiempo*) mauvais(e)
desabrochar [desaβro'tʃar] *vt* défaire; **desabrocharse** *vpr* (*cinturón*) défaire
desacato [desa'kato] *nm* manque *m* de respect; (*Jur*) outrage *m*; **~ a la autoridad** outrage à agent de la force publique
desacertado, -a [desaθer'taðo, a] *adj* erroné(e); (*inoportuno*) mal à propos
desacierto [desa'θjerto] *nm* erreur *f*
desaconsejado, -a [desakonse'xaðo, a] *adj*: **estar ~** être déconseillé(e)
desaconsejar [desakonse'xar] *vt*: **~ algo a algn** déconseiller qch à qn
desacreditar [desakreði'tar] *vt* discréditer
desacuerdo [desa'kwerðo] *nm* désaccord *m*; (*disconformidad*) contradiction *f*; **en ~** en désaccord
desafiar [desa'fjar] *vt* affronter; **~ a algn a hacer** mettre qn au défi de faire
desafilado, -a [desafi'laðo, a] *adj* émoussé(e)
desafinado, -a [desafi'naðo, a] *adj*: **estar ~** être désaccordé(e)
desafinar [desafi'nar] *vi* détonner; **desafinarse** *vpr* se désaccorder
desafío [desa'fio] *nm* défi *m*
desaforado, -a [desafo'raðo, a] *adj* (*grito*) terrible; (*ambición*) démesuré(e)
desafortunadamente [desafortu'naðamente] *adv* malheureusement
desafortunado, -a [desafortu'naðo, a] *adj* malheureux(-euse); (*inoportuno*) inopportun(e)
desagradable [desaɣra'ðaβle] *adj* désagréable; **ser ~ con algn** être désagréable avec qn; **es ~ tener que hacerlo** il est désagréable d'avoir à le faire
desagradecido, -a [desaɣraðe'θiðo, a] *adj* ingrat(e)
desagrado [desa'ɣraðo] *nm* mécontentement *m*; **con ~** de mauvaise grâce
desagraviar [desaɣra'βjar] *vt* se racheter
desagüe [de'saɣwe] *nm* écoulement *m*; (*de lavadora*) vidange *f*; **tubo de ~** tuyau *m* d'écoulement
desaguisado [desaɣi'saðo] *nm* dommage *m*
desahogado, -a [desao'ɣaðo, a] *adj* aisé(e); (*espacioso*) spacieux(-euse)
desahogar [desao'ɣar] *vt* laisser libre cours à; **desahogarse** *vpr* se soulager; **se desahogó conmigo** il s'est défoulé sur moi
desahogo [desa'oɣo] *nm* soulagement *m*; (*comodidad*) commodité *f*; **vivir con ~** vivre dans l'aisance
desahuciar [desau'θjar] *vt* (*enfermo*) condamner; (*inquilino*) expulser
desahucio [de'sauθjo] *nm* expulsion *f*
desaire [des'aire] *nm* mépris *m*; **hacer un ~ a algn** faire un affront à qn; **¿me va usted a hacer ese ~?** vous n'allez pas me faire cet affront?
desajustar [desaxus'tar] *vt* desserrer; (*planes*) déranger; **desajustarse** *vpr* se desserrer

desajuste [desa'xuste] *nm* (*de situación*) dérèglement *m*; (*de piezas*) desserrage *m*; (*desacuerdo*) désaccord *m*; **~ económico/ de horarios** décalage *m* économique/ horaire

desalentador, a [desalenta'ðor, a] *adj* décourageant(e)

desalentar [desalen'tar] *vt* décourager; **desalentarse** *vpr* se décourager

desaliento [desa'ljento] *vb ver* **desalentar** ■ *nm* découragement *m*

desaliño [desa'liɲo] *nm* négligence *f*

desalmado, -a [desal'maðo, a] *adj* méchant(e), cruel(le)

desalojar [desalo'xar] *vt* (*salir de*) quitter; (*expulsar*) déloger; (*líquido, aire*) déplacer; **la policía desalojó el local** la police a évacué les locaux

desamparado, -a [desampa'raðo, a] *adj* (*persona*) désemparé(e); (*lugar*: *expuesto*) exposé(e); (: *desierto*) déserté(e)

desamparar [desampa'rar] *vt* abandonner

desandar [desan'dar] *vt*: **~ lo andado** *o* **el camino** revenir sur ses pas

desangrar [desan'grar] *vt* saigner; **desangrarse** *vpr* se vider de son sang; (*morir*) rendre l'âme

desanimado, -a [desani'maðo, a] *adj* déprimé(e); (*espectáculo, fiesta*) boudé(e)

desanimar [desani'mar] *vt* décourager; (*deprimir*) déprimer; **desanimarse** *vpr* se décourager

desapacible [desapa'θiβle] *adj* orageux(-euse); (*carácter*) désagréable

desaparecer [desapare'θer] *vi* disparaître ■ *vt* (*AM*: *Pol*) faire disparaître; **~ de vista** (*fig*) disparaître de la circulation

desaparecido, -a [desapare'θiðo, a] *adj* disparu(e) ■ *nm/f* (*AM*: *Pol*) disparu(e); **desaparecidos** *nmpl* disparus *mpl*

desaparición [desapari'θjon] *nf* disparition *f*

desapasionado, -a [desapasjo'naðo, a] *adj* impartial(e)

desapego [desa'peɣo] *nm* indifférence *f*; (*a dinero*) désintéressement *m*

desapercibido, -a [desaperθi'βiðo, a] *adj*: **pasar ~** passer inaperçu(e); **me cogió ~** il m'a pris au dépourvu

desaprensivo, -a [desapren'siβo, a] *adj* sans scrupules ■ *nm/f* personne *f* sans scrupules

desaprobar [desapro'βar] *vt* désapprouver

desaprovechar [desaproβe'tʃar] *vt* (*oportunidad, tiempo*) perdre; (*comida, tela*) ne pas apprécier; (*talento*) gâcher

desarmar [desar'mar] *vt* désarmer; (*mueble, máquina*) démonter; **desarmarse** *vpr* (*romperse*) se casser; (*ser desarmable*) se démonter

desarme [de'sarme] *nm* désarmement *m*; **~ nuclear** désarmement nucléaire

desarraigo [desa'rraiɣo] *nm* déracinement *m*

desarreglo [desa'rreɣlo] *nm* désordre *m*; (*en horarios*) irrégularité *f*; **desarreglos** *nmpl* (*Med*) troubles *mpl*

desarrollar [desarro'ʎar] *vt* développer; (*planta, semilla*) faire pousser; (*plan etc*) mettre au point; **desarrollarse** *vpr* se développer; (*hechos, reunión*) se dérouler; **la acción se desarrolla en Roma** l'action *f* se déroule à Rome

desarrollo [desa'rroʎo] *nm* développement *m*; (*de acontecimientos*) déroulement *m*; **país en vías de ~** pays *msg* en voie de développement; **la industria está en pleno ~** l'industrie *f* est en plein essor

desarticular [desartiku'lar] *vt* (*huesos*) disloquer; (*mecanismo, bomba*) désamorcer; (*grupo terrorista*) démanteler

desasir [desa'sir] *vt* (*soltar*) lâcher; **desasirse** *vpr*: **~se (de)** se défaire (de)

desasosegar [desasose'ɣar] *vt* inquiéter; **desasosegarse** *vpr* s'inquiéter

desasosiego [desaso'sjeɣo] *vb ver* **desasosegar** ■ *nm* inquiétude *f*; (*Pol*) agitation *f*

desastrado, -a [desas'traðo, a] *adj* (*desaliñado*) négligé(e); (*descuidado*) négligent(e)

desastre [de'sastre] *nm* désastre *m*; (*fam*: *persona*) catastrophe *f*; **¡qué ~!** quel désastre!; **la función fue un ~** le spectacle a été un désastre; **ir hecho un ~** être négligé

desastroso, -a [desas'troso, a] *adj* désastreux(-euse); **ser ~ para (hacer)** être nul quand il s'agit de (faire)

desatado, -a [desa'taðo, a] *adj* furieux(-euse)

desatar [desa'tar] *vt* (*nudo*) défaire; (*cordones, cuerda*) dénouer; (*perro, prisionero*) détacher; (*protesta, odio*) déchaîner; **desatarse** *vpr* se défaire; (*perro, prisionero*) se détacher; (*tormenta*) se déchaîner; **~se en injurias** se répandre en injures; **se le desató la lengua** ça lui a délié la langue

desatascar [desatas'kar] *vt* (*cañería*) déboucher; (*carro, ruedas*) libérer;

desatascarse *vpr* (*cañería*) se déboucher; (*tráfico*) se fluidifier
desatender [desaten'der] *vt* (*consejos, súplicas*) ignorer; (*trabajo, hijo*) négliger
desatento, -a [desa'tento, a] *adj* impoli(e); **estar ~** être distrait(e)
desatinado, -a [desati'naðo, a] *adj* immodéré(e)
desatino [desa'tino] *nm* folie *f*; (*falta de juicio*) manque *m* de jugement; **decir ~s** raconter des bêtises
desatornillar [desatorni'ʎar] *vt* (*tornillo*) dévisser; (*estructura*) démonter; **desatornillarse** *vpr* (*ver vt*) se dévisser; se démonter
desatrancar [desatran'kar] *vt* (*puerta*) débarrer; (*cañería*) déboucher
desautorizar [desautori'θar] *vt* (*oficial*) désavouer; (*informe, declaraciones*) désapprouver; (*huelga, manifestación*) interdire
desavenencia [desaβe'nenθja] *nf* désaccord *m*; (*discordia*) conflit *m*
desayunar [desaju'nar] *vt*: **~ algo** prendre qch au petit déjeuner ▪ *vi* prendre le petit déjeuner; **desayunarse** *vpr* prendre le petit déjeuner; **~ con café** prendre du café au petit déjeuner
desayuno [desa'juno] *nm* petit déjeuner *m*
desazón [desa'θon] *nf* malaise *m*; (*fig*) contrariété *f*
desazonarse [desaθo'narse] *vpr* se faire du souci
desbandarse [desβan'darse] *vpr* se débander
desbarajuste [desβara'xuste] *nm* pagaille *f*; **¡qué ~!** quelle pagaille!
desbaratar [desβara'tar] *vt* déranger; (*plan*) bouleverser; **desbaratarse** *vpr* (*máquina*) se dérégler; (*peinado*) se défaire
desbloquear [desβloke'ar] *vt* (*Com, negociaciones*) débloquer; (*tráfico*) rétablir
desbocado, -a [desβo'kaðo, a] *adj* (*caballo*) emballé(e); (*cuello*) détendu(e); (*herramienta*) émoussé(e); (*fig*) galopant(e)
desbordar [desβor'ðar] *vt* déborder; (*fig: paciencia, tolerancia*) pousser à bout; (*: previsiones, expectativas*) dépasser ▪ *vi* déborder; **desbordarse** *vpr*: **~se (de)** déborder (de); **estar desbordado de trabajo** être débordé de travail; **~se de alegría** déborder de joie
descabalgar [deskaβal'ɣar] *vi*: **~ (de)** descendre (de)
descabellado, -a [deskaβe'ʎaðo, a] *adj* fantaisiste
descafeinado, -a [deskafei'naðo, a] *adj* décaféiné(e); (*fam: obra, proyecto*) qui manque de corps ▪ *nm* décaféiné *m*
descalabro [deska'laβro] *nm* revers *msg*; (*daño*) coup *m*
descalificar [deskalifi'kar] *vt* (*Deporte*) disqualifier; (*desacreditar*) discréditer
descalzar [deskal'θar] *vt* déchausser; (*zapato*) ôter; **descalzarse** *vpr* se déchausser
descalzo, -a [des'kalθo, a] *adj* (*persona*) pieds nus; (*fig*) sans un sou; **estar/ir (con los pies) ~(s)** être/aller pieds nus
descambiar [deskam'bjar] *vt* (*Com*) échanger
descaminado, -a [deskami'naðo, a] *adj*: **estar** *o* **ir ~** se leurrer; **en eso no anda usted muy ~** sur ce point vous ne vous trompez pas tout à fait
descampado [deskam'paðo] *nm* terrain *m* vague; **comer al ~** pique-niquer
descansado, -a [deskan'saðo, a] *adj* reposant(e); (*oficio, actividad*) facile; **estar/sentirse ~** être/se sentir reposé(e)
descansar [deskan'sar] *vt* reposer ▪ *vi* (*reposar*) se reposer; (*no trabajar*) faire une pause; (*dormir*) se coucher; (*cadáver, restos*) reposer; **~ (sobre** *o* **en)** (*mueble, muro*) reposer (contre *o* sur); **¡que descanse!** reposez-vous bien!; **¡descansen!** (*Mil*) repos!; **descanse en paz** qu'il repose en paix
descansillo [deskan'siʎo] *nm* palier *m*
descanso [des'kanso] *nm* repos *msg*; (*en el trabajo*) pause *f*; (*alivio*) soulagement *m*; (*Teatro, Cine*) entracte *m*; (*Deporte*) mi-temps *fsg*; **día de ~** jour *m* de congé; **~ por enfermedad/maternidad** congé *m* maladie/de maternité; **tomarse unos días de ~** prendre quelques jours de congé
descapotable [deskapo'taβle] *nm* (*tb*: **coche descapotable**) décapotable *f*
descarado, -a [deska'raðo, a] *adj* éhonté(e); (*insolente*) effronté(e)
descarga [des'karɣa] *nf* déchargement *m*; (*Mil*) décharge *f*
descargable [deskar'ɣaβle] *adj* téléchargeable
descargar [deskar'ɣar] *vt* décharger; (*golpe*) envoyer; (*nube, tormenta*) déverser; (*cólera*) faire passer; (*de una obligación*) libérer de; (*de culpa*) déclarer innocent ▪ *vi* décharger; (*tormenta*) éclater; (*nube*) crever; **~ en** (*río*) se jeter dans; **descargarse** *vpr* se décharger; **~se de** (*penas*) se soulager de; (*responsabilidades*) se décharger de

descargo [des'karɣo] *nm* (*de obligación*) libération *f*; (*Com*) crédit *m*; (*de conciencia*) soulagement *m*; (*Jur*) décharge *f*; **~ de una acusación** réfutation *f* d'une accusation
descaro [des'karo] *nm* effronterie *f*; (*insolencia*) impudence *f*; **¡qué ~!** quel toupet!
descarriar [deska'rrjar] *vt* (*fig*) dévergonder; **descarriarse** *vpr* se dévergonder
descarrilamiento [deskarrila'mjento] *nm* déraillement *m*
descarrilar [deskarri'lar] *vi* dérailler
descartar [deskar'tar] *vt* rejeter; **descartarse** *vpr* (*Naipes*) se défausser
descascarillado, -a [deskaskari'ʎaðo, a] *adj* écaillé(e)
descendencia [desθen'denθja] *nf* (*estirpe*) lignée *f*; (*hijos*) descendance *f*; **morir sin dejar ~** mourir sans laisser d'enfants
descender [desθen'der] *vt* descendre ■ *vi* descendre; (*temperatura, nivel*) baisser; (*agua, lava*) couler; **~ de** descendre de; **~ de categoría** se déclasser
descendiente [desθen'djente] *nm/f* descendant(e)
descenso [des'θenso] *nm* descente *f*; (*de temperatura, fiebre*) baisse *f*; (*Deporte*) déclassement *m*; (*en un trabajo*) rétrogradation *f*
descifrar [desθi'frar] *vt* déchiffrer; (*motivo, actitud*) comprendre; (*problema*) cerner; (*misterio*) élucider
descolgar [deskol'ɣar] *vt* décrocher; (*con cuerdas*) descendre à l'aide de cordes; **descolgarse** *vpr* se laisser glisser; (*lámpara, cortina*) se décrocher; **~se por** descendre de; **~se de** (*esp Deporte*) se détacher de; **dejó el teléfono descolgado** il a décroché le téléphone
descolorido, -a [deskolo'riðo, a] *adj* (*tela, cuadro*) passé(e); (*persona*) pâlot(te)
descomponer [deskompo'ner] *vt* décomposer; (*desordenar*) déranger; (*estropear*) casser; (*facciones*) altérer; (*estómago*) détraquer; (*persona: molestar*) énerver; (*: irritar*) exaspérer; **descomponerse** *vpr* se décomposer; (*estómago*) se détraquer; (*encolerizarse*) se mettre en colère; (*Méx*) se casser
descomposición [deskomposi'θjon] *nf* décomposition *f*; **~ de vientre** diarrhée *f*
descomprimir [deskompri'mir] (*Inform*) décompresser, dézipper
descompuesto, -a [deskom'pwesto, a] *pp de* **descomponer** ■ *adj* (*alimento*) pourri(e); (*vino*) frelaté(e); (*Méx: máquina*) en panne; (*persona, rostro*) décomposé(e); (*con diarrea*) dérangé(e)
descomunal [deskomu'nal] *adj* énorme
desconcertado, -a [deskonθer'taðo, a] *adj* déconcerté(e)
desconcertar [deskonθer'tar] *vt* déconcerter; **desconcertarse** *vpr* se déconcerter
desconcierto [deskon'θjerto] *vb ver* **desconcertar** ■ *nm* désorientation *f*; (*confusión*) discorde *f*; **sembrar el ~** semer la discorde
desconectar [deskonek'tar] *vt* déconnecter; (*desenchufar*) débrancher; (*apagar*) éteindre; (*Inform*) désélectionner ■ *vi* (*perder atención*) déconnecter
desconfianza [deskon'fjanθa] *nf* méfiance *f*
desconfiar [deskon'fjar] *vi*: **~ de algn/algo** se méfier de qn/qch; **~ de que algn/algo haga algo** (*dudar*) craindre que qn/qch (ne) fasse qch; **"desconfíe de las imitaciones"** (*Com*) "méfiez-vous des imitations"
descongelar [deskonxe'lar] *vt* décongeler; (*Pol, Com*) dégeler; **descongelarse** *vpr* se décongeler; se dégeler
descongestionar [desconxestjo'nar] *vt* décongestionner
desconocer [deskono'θer] *vt* (*dato*) ignorer; (*persona*) ne pas connaître
desconocido, -a [deskono'θiðo, a] *adj, nm/f* inconnu(e); **está ~** (*persona*) il est transformé; (*lugar*) c'est transformé; **el soldado ~** le soldat inconnu
desconsiderado, -a [deskonsiðe'raðo, a] *adj* irrespectueux(-euse); (*insensible*) ingrat(e)
desconsolar [deskonso'lar] *vt* affliger; **desconsolarse** *vpr* s'affliger
desconsuelo [deskon'swelo] *vb ver* **desconsolar** ■ *nm* affliction *f*, chagrin *m*
descontado, -a [deskon'taðo, a] *adj*: **por ~** c'est certain; **dar por ~ (que)** escompter (que)
descontar [deskon'tar] *vt* (*deducir*) déduire; (*rebajar*) faire une remise de
descontento, -a [deskon'tento, a] *adj* mécontent(e) ■ *nm* mécontentement *m*
descorazonar [deskoraθo'nar] *vt* décourager; **descorazonarse** *vpr* perdre courage
descorchar [deskor'tʃar] *vt* déboucher

descorrer [desko'rrer] *vt* (*cortina, cerrojo*) tirer
descortés [deskor'tes] *adj* discourtois(e); (*grosero*) grossier(-ière)
descoser [desko'ser] *vt* découdre; **descoserse** *vpr* se découdre
descosido, -a [desko'siðo, a] *adj* décousu(e) ■ *nm* (*en prenda*) trou *m*; **como un ~** (*beber*) comme un trou; (*comer*) comme quatre; (*trabajar*) comme un forcené
descrédito [des'kreðito] *nm* discrédit *m*; **caer en ~** se discréditer; **ir en ~ de** discréditer
descremado, -a [deskre'maðo, a] *adj* écrémé(e)
describir [deskri'βir] *vt* décrire
descripción [deskrip'θjon] *nf* description *f*
descuartizar [deskwarti'θar] *vt* (*Culin: cerdo*) équarrir; (*: pollo*) dépecer; (*cuerpo, persona*) écorcher
descubierto, -a [desku'βjerto, a] *pp de* **descubrir** ■ *adj* découvert(e); (*coche*) décapoté(e); (*campo*) nu(e) ■ *nm* (*Com: en el presupuesto*) déficit *m*; (*: bancario*) découvert *m*; **al ~** en plein air; **poner al ~** révéler; **quedar al ~** rester à découvert; **estar en ~** (*Com*) être à découvert
descubrimiento [deskuβri'mjento] *nm* découverte *f*; (*de secreto*) divulgation *f*; (*de estatua*) inauguration *f*
descubrir [desku'βrir] *vt* découvrir; (*placa, estatua*) inaugurer; (*poner al descubierto*) révéler; (*delatar*) dénoncer; **descubrirse** *vpr* se découvrir; (*fig*) éclater; **~se ante** tirer son chapeau à
descuento [des'kwento] *vb ver* **descontar** ■ *nm* remise *f*; **hacer un ~ del 3%** faire une remise de 3%; **con ~** avec remise; **~ por pago al contado/par volumen de compras** (*Com*) remise pour paiement comptant/sur la quantité
descuidado, -a [deskwi'ðaðo, a] *adj* négligé(e); (*desordenado*) négligent(e); (*jardín, casa*) à l'abandon; **estar ~** être pris(e) au dépourvu; **coger** *o* **pillar a algn ~** prendre qn au dépourvu
descuidar [deskwi'ðar] *vt* négliger ■ *vi* ne plus y penser; **descuidarse** *vpr* (*despistarse*) ne pas faire attention; (*abandonarse*) s'oublier; **¡descuida!** n'y pense plus!
descuido [des'kwiðo] *nm* négligence *f*; **al menor ~** à la moindre négligence; **con ~** sans faire attention; **en un ~** dans un moment d'inattention; **por ~** par inadvertance

PALABRA CLAVE

desde ['desðe] *prep* **1** (*lugar, posición*) depuis; **desde Burgos hasta mi casa hay 30 km** de Burgos à chez moi il y a 30 km; **hablaba desde el balcón** il parlait du balcon
2 (*tiempo*) depuis; **desde ahora** à partir de maintenant; **desde entonces** depuis ce temps-là; **desde niño** depuis qu'il est tout petit; **desde 3 años atrás** depuis 3 ans; **nos conocemos desde 1987/desde hace 20 años** nous nous connaissons depuis 1987/depuis 20 ans; **no le veo desde 1992/desde hace 5 años** je ne le vois plus depuis 1992/depuis 5 ans; **¿desde cuándo vives aquí?** depuis quand est-ce que tu habites ici?
3 (*gama*): **desde los más lujosos hasta los más económicos** des plus luxueux aux plus avantageux
4: **desde luego (que no/sí)** bien sûr (que non/si); **desde luego, no hay quien te entienda!** qu'est-ce que tu peux être compliqué!
■ *conj*: **desde que**; **desde que recuerdo** aussi loin que je m'en souvienne; **desde que llegó no ha salido** depuis qu'il est rentré il n'est pas sorti

desdecirse [desde'θirse] *vpr*: **~ de** se dédire de
desdén [des'ðen] *nm* dédain *m*
desdeñar [desðe'ɲar] *vt* dédaigner
desdicha [des'ðitʃa] *nf* malheur *m*
desdichado, -a [desði'tʃaðo, a] *adj* (*sin suerte*) infortuné(e); (*infeliz*) malheureux(-euse) ■ *nm/f* miséreux(-euse)
desdoblar [desðo'βlar] *vt* (*extender*) déplier; (*convertir en dos*) dédoubler
desear [dese'ar] *vt* désirer; **¿qué desea?** (*en tienda*) que désirez-vous?; **te deseo mucha suerte** je te souhaite bonne chance; **dejar mucho que ~** laisser beaucoup à désirer; **estoy deseando que esto termine** je souhaite que ça se termine
desecar [dese'kar] *vt* assécher; **desecarse** *vpr* se dessécher
desechar [dese'tʃar] *vt* jeter; (*oferta*) rejeter
desecho [de'setʃo] *nm* déchet *m*; **desechos** *nmpl* ordures *fpl*; **de ~** (*materiales*) de rebut; (*ropa*) à jeter
desembalar [desemba'lar] *vt* déballer
desembarazar [desembara'θar] *vt* débarrasser; **desembarazarse** *vpr*: **~se de** se débarrasser de

desembarcar [desembar'kar] *vt* débarquer
desembocadura [desemboka'ðura] *nf* (*de río*) embouchure *f*; (*de calle*) bout *m*
desembocar [desembo'kar] *vi*: **~ en** (*río*) se jeter dans; (*fig*) déboucher sur
desembragar [desembra'ɣar] *vt, vi* débrayer
desembrollar [desembro'ʎar] *vt* débrouiller
desemejanza [deseme'xanθa] *nf* dissemblance *f*
desempaquetar [desempake'tar] *vt* déballer
desempatar [desempa'tar] *vi*: **volvieron a jugar para ~** ils ont joué à nouveau pour se départager
desempate [desem'pate] *nm* (*Fútbol*) belle *f*; (*Tenis*) tie-break *m*; **partido de ~** belle; **gol de ~** but *m* de la victoire
desempeñar [desempe'ɲar] *vt* (*cargo, función*) occuper; (*papel*) jouer; (*deber*) accomplir; (*lo empeñado*) dégager; **desempeñarse** *vpr* (*de deudas*) s'acquitter; **~ un papel** (*fig*) jouer un rôle
desempeño [desem'peɲo] *nm* (*de cargo*) accomplissement *m*; (*de lo empeñado*) dégagement *m*
desempleado, -a [desemple'aðo, a] *adj* au chômage ■ *nm/f* chômeur(-euse)
desempleo [desem'pleo] *nm* chômage *m*
desempolvar [desempol'βar] *vt* dépoussiérer; (*recuerdos*) rassembler; (*volver a usar*) ressortir
desencadenar [desenkaðe'nar] *vt* (*preso, perro*) désenchaîner; (*ira, conflicto*) déchaîner; (*guerra*) déclencher; **desencadenarse** *vpr* (*conflicto, tormenta*) se déchaîner; (*guerra*) se déclencher
desencajar [desenka'xar] *vt* (*mandíbula*) décrocher; (*hueso, pieza*) déboîter; **desencajarse** *vpr* se déboîter
desencanto [desen'kanto] *nm* désenchantement *m*
desenchufar [desentʃu'far] *vt* débrancher
desenfadado, -a [desenfa'ðaðo, a] *adj* décontracté(e)
desenfado [desen'faðo] *nm* décontraction *f*
desenfocado, -a [desenfo'kaðo, a] *adj* (*Foto*) flou(e)
desenfrenado, -a [desenfre'naðo, a] *adj* (*pasión*) sans bornes; (*lenguaje, conducta*) débridé(e); (*multitud*) déchaîné(e)
desenfreno [desen'freno] *nm* (*libertinaje*) libertinage *m*; (*falta de control*) déchaînement *m*
desenganchar [desengan'tʃar] *vt* décrocher; (*caballerías*) dételer; (*Tec*) déclencher; **desengancharse** *vpr* (*fam: de drogas*) décrocher
desengañar [desenga'ɲar] *vt* désillusionner; (*abrir los ojos a*) détromper; **desengañarse** *vpr*: **~se (de)** perdre ses illusions (sur); **¡desengáñate!** détrompe-toi!
desengaño [desen'gaɲo] *nm* désillusion *f*; **llevarse un ~ (con algn)** être déçu(e) (par qn); **sufrir un ~ amoroso** avoir une déception amoureuse
desenlace [desen'laθe] *nm* dénouement *m*
desenmarañar [desenmara'ɲar] *vt* (*fig*) débrouiller
desenmascarar [desenmaska'rar] *vt* (*fig*) démasquer
desenredar [desenre'ðar] *vt* débrouiller
desenroscar [desenros'kar] *vt* dévisser; **desenroscarse** *vpr* se dévisser
desenterrar [desente'rrar] *vt* déterrer
desentonar [desento'nar] *vi* détonner
desentrañar [desentra'ɲar] *vt* (*misterio*) percer; (*sentido*) éclaircir
desentumecer [desentume'θer] *vt* (*pierna*) dégourdir; (*Deporte*) échauffer; **desentumecerse** *vpr* se dégourdir
desenvoltura [desembol'tura] *nf* désinvolture *f*
desenvolver [desembol'βer] *vt* défaire; **desenvolverse** *vpr* se dérouler; **~se bien/mal** bien/mal se débrouiller; **~se en la vida** se débrouiller dans la vie
deseo [de'seo] *nm* désir *m*; **~ de (hacer)** désir de (faire); **arder en ~s de hacer algo** désirer ardemment faire qch
deseoso, -a [dese'oso, a] *adj*: **estar ~ de (hacer)** être désireux(-euse) de (faire)
desequilibrado, -a [desekili'βraðo, a] *adj, nm/f* déséquilibré(e)
desertar [deser'tar] *vi* (*soldado*) déserter; **~ de** (*sus deberes*) manquer à; (*una organización*) déserter
desértico, -a [de'sertiko, a] *adj* désertique
desesperación [desespera'θjon] *nf* désespoir *m*; (*irritación*) exaspération *f*; **es una ~ tener que ...** c'est malheureux de devoir ...
desesperar [desespe'rar] *vt* désespérer; (*exasperar*) exaspérer ■ *vi*: **~ (de)** désespérer (de); **desesperarse** *vpr* perdre espoir; (*impacientarse*) s'impatienter; **~ de hacer** désespérer de faire

desestabilizar [desestaβili'θar] *vt* déstabiliser
desestimar [desesti'mar] *vt* (*menospreciar*) mésestimer; (*rechazar*) rejeter
desfachatez [desfatʃa'teθ] *nf* aplomb *m*; **¡qué ~!** quel culot!; **tener la ~ de hacer** avoir l'aplomb de faire
desfalco [des'falko] *nm* détournement *m* de fonds
desfallecer [desfaʎe'θer] *vi* défaillir; **~ de agotamiento** défaillir de fatigue; **~ de hambre/sed** mourir de faim/soif
desfasado, -a [desfa'saðo, a] *adj* déphasé(e); (*costumbres*) vieux jeu *inv*
desfase [des'fase] *nm* (*en mecanismo*) déphasage *m*; (*entre ideas, circunstancias*) décalage *m*; **~ horario** décalage horaire
desfavorable [desfaβo'raβle] *adj* défavorable
desfigurar [desfiɣu'rar] *vt* défigurer
desfiladero [desfila'ðero] *nm* défilé *m*
desfilar [desfi'lar] *vi* défiler; **desfilaron ante el general** ils ont défilé devant le général
desfile [des'file] *nm* défilé *m*; **~ de modelos** défilé de mode
desfogarse [desfo'ɣarse] *vpr* (*fig*) se défouler
desgajar [desɣa'xar] *vt* arracher; (*naranja*) cueillir; **desgajarse** *vpr* (*rama*) s'arracher
desgana [des'ɣana] *nf* (*falta de apetito*) manque *m* d'appétit; (*falta de entusiasmo*) manque d'entrain; **hacer algo a** *o* **con ~** faire qch à contrecœur
desganado, -a [desɣa'naðo, a] *adj*: **estar ~** (*sin apetito*) ne pas avoir d'appétit; (*sin entusiasmo*) manquer d'entrain
desgarrador, a [desɣarra'ðor, a] *adj* déchirant(e)
desgarrar [desɣa'rrar] *vt* (*tb fig*) déchirer; (*carne*) déchiqueter; **desgarrarse** *vpr* (*prenda*) se déchirer; (*carne*) partir en lambeaux
desgastar [desɣas'tar] *vt* user; **desgastarse** *vpr* s'user
desgaste [des'ɣaste] *nm* usure *f*; **~ físico** déchéance *f* physique
desglosar [desɣlo'sar] *vt* disjoindre; (*tema, escrito*) décomposer
desgracia [des'ɣraθja] *nf* malheur *m*; **por ~** malheureusement; **no hubo que lamentar ~s personales** il n'y a pas eu de victimes à déplorer; **caer en ~** tomber en disgrâce; **tener la ~ de** avoir le malheur de
desgraciado, -a [desɣra'θjaðo, a] *adj* malheureux(-euse); (*miserable*) infortuné(e); (*AM*: *fam*) infâme ■ *nm/f* (*miserable*) infortuné(e); (*infeliz*) malheureux(-euse); **¡~!** (*insulto*) malheureux(-euse)!; **es un pobre ~** c'est un pauvre malheureux
desgravación [desɣraβa'θjon] *nf* (*Com*): **~ fiscal** dégrèvement *m* fiscal
desgravar [desɣra'βar] *vt* dégrever ■ *vi* (*Fin*) détaxer; **acciones/operaciones que desgravan** actions *fpl*/opérations *fpl* qui donnent droit à un dégrèvement
deshabitado, -a [desaβi'taðo, a] *adj* (*edificio*) inhabité(e); (*zona*) déserté(e)
deshacer [desa'θer] *vt* défaire; (*proyectos*) ruiner; (*Tec*) démonter; (*familia, grupo*) désunir; (*enemigo*) détruire; (*disolver*) dissoudre; (*derretir*) fondre; (*contrato*) annuler; (*intriga*) dénouer; **deshacerse** *vpr* se défaire; (*planes*) s'écrouler; (*familia, grupo*) se désunir; (*disolverse*) se dissoudre; (*derretirse*) fondre; **~se de** se défaire de; (*Com*: *existencias*) liquider; **~se en cumplidos/atenciones/lágrimas** se répandre en compliments/être plein d'attentions/fondre en larmes; **~se por algo** se démener pour qch
desharrapado, -a [desharra'paðo, a] *adj* en haillons
deshecho, -a [de'setʃo, a] *pp de* **deshacer** ■ *adj* défait(e); (*roto*) cassé(e); (*helado, pastel*) fondu(e); **estoy ~** (*cansado*) je suis mort(e) de fatigue; (*deprimido*) je suis abattu(e)
desheredar [desere'ðar] *vt* déshériter
deshidratar [desiðra'tar] *vt* déshydrater; **deshidratarse** *vpr* se déshydrater
deshielo [des'jelo] *nm* dégel *m*
deshonesto, -a [deso'nesto, a] *adj* malhonnête
deshonor [deso'nor] *nm*, **deshonra** [de'sonra] *nf* déshonneur *m*
deshora [de'sora]: **a ~(s)** *adv* (*llegar*) au mauvais moment; (*hablar*) quand il ne faut pas; (*acostarse, comer*) à des heures impossibles
deshuesar [deswe'sar] *vt* (*carne*) désosser; (*fruta*) dénoyauter
desierto, -a [de'sjerto, a] *adj* déserté(e) ■ *nm* désert *m*; **declarar ~ un premio** ne pas décerner un prix (*à cause du niveau insuffisant des candidats*)
designar [desiɣ'nar] *vt* désigner; **~ (para)** (*nombrar*) désigner (pour)
designio [de'siɣnjo] *nm* dessein *m*; **~s divinos** volonté *f* divine

desigual [desi'ɣwal] *adj* inégal(e); (*tamaño, escritura*) irrégulier(-ière)
desilusión [desilu'sjon] *nf* désillusion *f*
desilusionar [desilusjo'nar] *vt* désillusionner; (*decepcionar*) décevoir; **desilusionarse** *vpr* perdre ses illusions
desinfectar [desinfek'tar] *vt* désinfecter
desinflar [desin'flar] *vt* dégonfler; **desinflarse** *vpr* se dégonfler
desintegración [desinteɣra'θjon] *nf* désintégration *f*
desinterés [desinte'res] *nm* (*altruismo*) désintéressement *m*; **~ por** (*familia, actividad*) désintérêt *m* pour
desintoxicarse [desintoksi'karse] *vpr* se désintoxiquer
desistir [desis'tir] *vi* renoncer; **~ de (hacer)** renoncer à (faire)
desleal [desle'al] *adj* déloyal(e)
deslealtad [desleal'tað] *nf* déloyauté *f*
desleír [desle'ir] *vt* diluer
deslenguado, -a [deslen'gwaðo, a] *adj* (*grosero*) fort(e) en gueule
desligar [desli'ɣar] *vt* (*separar*) séparer; (*desatar*) délier; **desligarse** *vpr* se détacher
desliz [des'liθ] *nm* (*fig*) impair *m*; **cometer un ~** commettre un impair
deslizar [desli'θar] *vt* glisser; **deslizarse** *vpr* glisser; (*aguas mansas, lágrimas*) couler; (*horas*) passer; (*con disimulo: entrar, salir*) se glisser
deslucido, -a [deslu'θiðo, a] *adj* terne; **quedar ~** être fâché(e)
deslumbrar [deslum'brar] *vt* éblouir
desmadrarse [desma'ðrarse] (*fam*) *vpr* se défouler
desmán [des'man] *nm* abus *msg*
desmandarse [desman'darse] *vpr* (*descontrolarse*) se rebeller
desmantelar [desmante'lar] *vt* démanteler; (*casa, fábrica*) vider; (*Náut*) démâter
desmayarse [desma'jarse] *vpr* perdre connaissance
desmayo [des'majo] *nm* (*Med*) évanouissement *m*; (*desaliento*) découragement *m*; **sufrir un ~** perdre connaissance; **sin ~** sans relâche
desmedido, -a [desme'ðiðo, a] *adj* démesuré(e)
desmejorar [desmexo'rar] *vi* (*Med*) s'affaiblir
desmembrar [desmem'brar] *vt* démembrer; **desmembrarse** *vpr* (*imperio*) se morceler
desmemoriado, -a [desmemo'rjaðo, a] *adj* distrait(e)
desmentir [desmen'tir] *vt* démentir; **desmentirse** *vpr* se dédire
desmenuzar [desmenu'θar] *vt* (*pan*) émietter; (*roca*) effriter; (*carne*) couper en morceaux; (*asunto, teoría*) examiner en détail; **desmenuzarse** *vpr* (*pan*) s'émietter; (*roca*) s'effriter
desmerecer [desmere'θer] *vi* (*marca*) baisser; (*belleza*) se flétrir; **~ de** (*cosa*) ne pas être à la hauteur de; (*persona*) ne pas être digne de
desmesurado, -a [desmesu'raðo, a] *adj* (*ambición, egoísmo*) démesuré(e); (*habitación, gafas*) énorme
desmontable [desmon'taβle] *adj* (*que se quita*) démontable; (*que se puede plegar*) pliable
desmontar [desmon'tar] *vt* démonter; (*escopeta*) désarmer; (*tierra*) aplatir; (*quitar los árboles a*) déboiser; (*jinete*) descendre de cheval ■ *vi* (*de caballería*) mettre pied à terre
desmoralizar [desmorali'θar] *vt* démoraliser; **desmoralizarse** *vpr* se démoraliser; **estar desmoralizado** être démoralisé
desmoronar [desmoro'nar] *vt* saper; **desmoronarse** *vpr* s'écrouler; (*convicción, ilusión*) s'ébranler
desnatado, -a [desna'taðo, a] *adj* écrémé(e)
desnivel [desni'βel] *nm* (*de terreno*) dénivellation *f*; (*económico, cultural*) différence *f*; (*de fuerzas*) déséquilibre *m*
desnudar [desnu'ðar] *vt* dénuder; **desnudarse** *vpr* se dénuder; **~ (de)** (*despojarse*) se dépouiller (de)
desnudo, -a [des'nuðo, a] *adj* nu(e); (*árbol*) dépouillé(e); (*paisaje*) dénudé(e) ■ *nm* (*Arte*) nu *m*; **~ de** dénué(e) de; **poner al ~** mettre à nu; **ir medio ~** se balader à moitié nu(e)
desnutrición [desnutri'θjon] *nf* malnutrition *f*
desnutrido, -a [desnu'triðo, a] *adj* mal nourri(e)
desobedecer [desoβeðe'θer] *vt, vi* désobéir
desobediente [desoβe'ðjente] *adj* désobéissant(e)
desocupado, -a [desoku'paðo, a] *adj* (*persona: ocioso*) désœuvré(e); (*: desempleado*) sans emploi; (*casa*) inoccupé(e); (*asiento, servicios*) libre
desocupar [desoku'par] *vt* (*vivienda*) libérer; (*local*) vider; **desocuparse** *vpr* se libérer

desodorante [desoðo'rante] *nm* déodorant *m*
desolación [desola'θjon] *nf* désolation *f*
desorbitado, -a [desorβi'taðo, a] *adj* (*deseos*) démesuré(e); (*precio*) exorbitant(e); **con los ojos ~s** les yeux exorbités
desorden [de'sorðen] *nm* désordre *m*; (*en escrito*) confusion *f*; (*en horarios*) irrégularité *f*; **desórdenes** *nmpl* (*Pol*) troubles *mpl*; (*excesos*) excès *mpl*; **ir en ~** (*gente*) marcher dans le plus grand désordre; **estar en ~** (*cabellos, habitación*) être en désordre
desordenado, -a [desorðe'naðo, a] *adj* (*habitación, objetos*) en désordre; (*persona*) désordonné(e)
desorganización [desorɣaniθa'θjon] *nf* désorganisation *f*
desorganizar [desorɣani'θar] *vt* bouleverser
desorientado, -a [desorjen'taðo, a] *adj* (*extraviado*) égaré(e); (*confundido*) confus(e)
desorientar [desorjen'tar] *vt* (*extraviar*) égarer; (*desconcertar*) désorienter; (*al electorado*) confondre; **desorientarse** *vpr* s'égarer
despabilado, -a [despaβi'laðo, a] *adj* (*despierto*) réveillé(e); (*fig*) éveillé(e)
despabilar [despaβi'lar] *vt* réveiller; (*fig*) secouer ■ *vi* se réveiller; (*fig*) s'éveiller; **despabilarse** *vpr* se réveiller; **¡despabílate!** (*date prisa*) réveille-toi!
despachar [despa'tʃar] *vt* (*negocio*) expédier; (*trabajo*) terminer; (*correspondencia*) s'occuper de; (*fam*: *comida*) se taper; (: *bebida*) descendre; (*mensaje, carta*) envoyer; (*en tienda*: *cliente*) servir; (*entradas*) distribuer; (*empleado*) se débarrasser de; (*visitas*) décliner; (*matar*) descendre; (*Arg*: *maletas*) enregistrer ■ *vi* (*en tienda*) servir; **despacharse** *vpr* se dépêcher; **está despachando con el jefe** il discute avec le chef; **~se de algo** se débarrasser de qch; **~se a su gusto con algn** soulager sa conscience auprès de qn
despacho [des'patʃo] *nm* bureau *m*; (*envío*) dépêche *f*; (*Com*: *venta*) envoi *m*; (*comunicación oficial*) dépêche; (: *a distancia*) ordre *m*; **~ de billetes** *o* **boletos** (*AM*) bureau de tabac; **~ de localidades** guichet *m*; **mesa de ~** bureau; **muebles de ~** mobilier *m* de bureau
despacio [des'paθjo] *adv* lentement; (*cuidadosamente*: *AM*: *en voz baja*) doucement; **¡~!** doucement!; **ya hablaremos más ~** on parlera plus longuement
desparpajo [despar'paxo] *nm* (*desenvoltura*) aisance *f*; (*pey*) insolence *f*
desparramar [desparra'mar] *vt* répandre
despavorido, -a [despaβo'riðo, a] *adj* terrorisé(e)
despecho [des'petʃo] *nm* dépit *m*; **a ~ de** en dépit de; **por ~** par dépit
despectivo, -a [despek'tiβo, a] *adj* (*tono, modo*) condescendant(e); (*Ling*) péjoratif(-ive)
despedazar [despeða'θar] *vt* réduire en miettes; **despedazarse** *vpr* tomber en miettes
despedida [despe'ðiða] *nf* (*adiós*) congé *m*; (*antes de viaje*) adieux *mpl*; (*en carta*) formule *f* de politesse; **regalo/cena de ~** cadeau *m*/dîner *m* d'adieu; **hacer una ~ a algn** fêter le départ de qn; **hacer su ~ de soltero/soltera** enterrer sa vie de garçon/jeune fille
despedir [despe'ðir] *vt* (*decir adiós a*) dire au revoir à; (*empleado*) renvoyer; (*arrojar*) lancer, jeter; (*olor, calor*) dégager; **despedirse** *vpr* quitter son emploi; **~se de algn** dire au revoir à qn; **se despidieron** ils se sont dit au revoir; **salir despedido** être lancé(e); **ir a ~ a algn** aller prendre congé de qn
despegar [despe'ɣar] *vt, vi* décoller; **despegarse** *vpr* se décoller; **sin ~ los labios** sans piper mot
despego [des'peɣo] *nm* = **desapego**
despegue [des'peɣe] *vb ver* **despegar** ■ *nm* décollage *m*
despejado, -a [despe'xado, a] *adj* dégagé(e); (*persona*) réveillé(e)
despejar [despe'xar] *vt* dégager; (*desalojar*) vider; (*misterio*) éclaircir; (*Mat*: *incógnita*) isoler; (*mente*) rafraîchir ■ *vi* s'éclaircir; **despejarse** *vpr* s'éclaircir; (*persona*) émerger; **¡despejen!** évacuez les lieux!; **salir a ~se** sortir pour se changer les idées
despellejar [despeʎe'xar] *vt* (*animal*) écorcher; (*fig*) ne pas ménager
despensa [des'pensa] *nf* armoire *f* à provisions
despeñadero [despeɲa'ðero] *nm* précipice *m*
despeñarse [despe'ɲarse] *vpr* basculer
desperdiciar [desperði'θjar] *vt* gaspiller; (*oportunidad*) manquer
desperdicio [desper'ðiθjo] *nm* gaspillage *m*; (*residuo*) déchet *m*; **desperdicios** *nmpl* (*basura*) ordures *fpl*;

(*residuos*) déchets *mpl*; (*de comida*) restes *mpl*; **el libro no tiene ~** le livre est excellent du début à la fin
desperdigarse [desperði'ɣarse] *vpr* se disperser; (*semillas etc*) s'éparpiller
desperezarse [despere'θarse] *vpr* s'étirer
desperfecto [desper'fekto] *nm* (*deterioro*) dommage *m*; (*defecto*) imperfection *f*
despertador [desperta'ðor] *nm* réveil *m*
despertar [desper'tar] *vt* réveiller; (*sospechas, admiración*) éveiller; (*apetito*) aiguiser ■ *vi* se réveiller ■ *nm* (*de persona*) réveil *m*; (*día, era*) aube *f*; **despertarse** *vpr* se réveiller
despiadado, -a [despja'ðaðo, a] *adj* impitoyable
despido [des'piðo] *vb ver* **despedir** ■ *nm* (*de trabajador*) licenciement *m*; **~ improcedente** licenciement abusif; **~ injustificado** renvoi *m* injustifié; **~ libre** faculté *f* de licencier arbitrairement; **~ voluntario** chômage *m* volontaire
despierto, -a [des'pjerto, a] *vb ver* **despertar** ■ *adj* réveillé(e); (*fig*) éveillé(e)
despilfarro [despil'farro] *nm* gaspillage *m*
despistado, -a [despis'taðo, a] *adj* (*distraído*) distrait(e); (*desorientado*) dérouté(e) ■ *nm/f* distrait(e)
despistar [despis'tar] *vt* (*perseguidor*) semer; (*desorientar*) dérouter; **despistarse** *vpr* (*distraerse*) être distrait(e)
despiste [des'piste] *nm* distraction *f*; (*confusión*) confusion *f*; **tiene un terrible ~** il est terriblement distrait
desplazamiento [desplaθa'mjento] *nm* déplacement *m*; (*Inform*) défilement *m*; **~ hacia arriba/abajo** (*Inform*) déplacement vers le haut/bas; **gastos de ~** frais *mpl* de déplacement
desplazar [despla'θar] *vt* déplacer; (*tropas*) transférer; (*fig*) supplanter; (*Inform*) faire défiler; **desplazarse** *vpr* se déplacer
desplegar [desple'ɣar] *vt* déployer; (*tela, papel*) déplier; **desplegarse** *vpr* (*Mil*) se déployer
despliegue [des'pljeɣe] *vb ver* **desplegar** ■ *nm* déploiement *m*
desplomarse [desplo'marse] *vpr* s'écrouler; **se ha desplomado el techo** le toit s'est effondré
desplumar [desplu'mar] *vt* (*ave*) déplumer; (*fam*) plumer
despoblado, -a [despo'βlaðo, a] *adj* (*sin habitantes*) vide; (*con pocos habitantes*) dépeuplé(e) ■ *nm* terrain *m* vague
despojar [despo'xar] *vt* (*casa*) dépouiller; **~ de** (*persona: de sus bienes*) dépouiller de; (*: de título, derechos*) retirer; (*: de su cargo*) relever; **despojarse** *vpr*: **~se de** (*ropa*) enlever; (*posesiones*) se dépouiller de
despojo [des'poxo] *nm* (*usurpación*) spoliation *f*; (*botín*) butin *m*; **despojos** *nmpl* (Culin) abats *mpl*; (*de banquete*) reliefs *mpl*; (*cadáver*) dépouille *fsg*
desposado, -a [despo'saðo, a] *adj* tout juste marié(e) ■ *nm/f* jeune marié(e)
desposar [despo'sar] *vt* (*suj: sacerdote*) marier; **desposarse** *vpr* se marier
desposeer [despose'er] *vt*: **~ (de)** déposséder (de); **~ a algn de su autoridad** priver qn de son autorité
déspota ['despota] *nm/f* despote *m*
despreciar [despre'θjar] *vt* mépriser; (*oferta, regalo*) dédaigner
desprecio [des'preθjo] *nm* dédain *m*; **un ~** un affront; **le hicieron el ~ de no acudir** ils lui ont fait l'affront de ne pas venir
desprender [despren'der] *vt* ôter; (*olor, calor*) dégager; (*chispas*) jeter; **desprenderse** *vpr* se détacher; (*olor, perfume*) se dégager; **~ (de)** (*separar*) ôter (de); **~se de algo** se défaire de qch; **de ahí se desprende que** il en découle que
desprendimiento [desprendi'mjento] *nm* générosité *f*; **~ de retina** décollement *m* de la rétine; **~ de tierras** éboulement *m* de terrain
despreocupado, -a [despreoku'paðo, a] *adj*: **estar ~** (*sin preocupación*) ne pas s'inquiéter; **ser ~** être insouciant(e)
despreocuparse [despreoku'parse] *vpr*: **~ (de)** (*dejar de inquietarse*) ne plus s'occuper (de); (*desentenderse*) se désintéresser (de)
desprestigiar [despresti'xjar] *vt* discréditer; **desprestigiarse** *vpr* se discréditer
desprevenido, -a [despreβe'niðo, a] *adj* dépourvu(e); **coger** (*Esp*) *o* **agarrar** (*AM*) **a algn ~** prendre qn au dépourvu
desproporcionado, -a [desproporθjo'naðo, a] *adj* disproportionné(e)
desprovisto, -a [despro'βisto, a] *adj*: **~ de** dépourvu(e) de; **estar ~ de** être dépourvu(e) de
después [des'pwes] *adv* après; (*desde entonces*) dès lors; (*entonces*) alors ■ *prep*: **~ de** après ■ *conj*: **~ (de) que** après que; **poco ~** peu après; **un año ~** un an après;

~ se debatió el tema puis on a discuté de l'affaire; **~ de comer** après manger; **~ de corregir el texto** après avoir corrigé le texte; **~ de esa fecha** (*pasado*) après cette date; (*futuro*) passée cette date; **~ de todo** après tout; **~ de verlo** après l'avoir vu; **mi nombre está ~ del tuyo** mon nom vient après le tien; **~ (de) que lo escribí** après que je l'eus écrit

desquiciar [deski'θjar] *vt* (*puerta*) sortir de ses gonds; (*planes*) bouleverser; (*persona*) rendre fou (folle); **el pobre está desquiciado** le pauvre est ébranlé

desquite [des'kite] *nm*: **tomarse el ~ (de)** prendre sa revanche (sur)

destacar [desta'kar] *vt* (*Arte*) mettre en relief; (*fig*) souligner; (*Mil*) détacher ■ *vi* (*sobresalir: montaña, figura*) ressortir; (*: obra, persona*) se démarquer; **destacarse** *vpr* se démarquer; **quiero ~ que ...** je veux souligner que ...; **~ en/por algo** briller en/par qch; **~(se) de** *o* **entre los demás** se démarquer des autres

destajo [des'taxo] *nm*: **trabajar a ~** (*por pieza*) travailler à la pièce; (*mucho*) travailler d'arrache-pied

destapar [desta'par] *vt* découvrir; (*botella*) déboucher; (*cacerola*) ôter le couvercle de; **destaparse** *vpr* (*botella*) se déboucher; (*en la cama*) se découvrir

destartalado, -a [destarta'laðo, a] *adj* (*casa*) délabré(e); (*coche*) démantibulé(e)

destello [des'teʎo] *nm* (*de diamante, metal*) scintillement *m*; (*de estrella*) scintillation *f*; (*de faro*) lueur *f*; **un ~ de lucidez/genio** un éclair de lucidité/génie

destemplado, -a [destem'plaðo, a] *adj* (*Mús*) désaccordé(e); (*voz*) discordant(e); (*Meteorología*) mauvais(e); **estar/sentirse ~** (*Med*) être/se sentir indisposé(e)

desteñir [deste'ɲir] *vt* (*sol, lejía*) passer ■ *vi* (*tejido*) déteindre; **desteñirse** *vpr* déteindre; **esta tela no destiñe** cette toile ne déteint pas

desternillarse [desterni'ʎarse] *vpr*: **~ de risa** se tordre de rire

desterrar [deste'rrar] *vt* exiler; (*pensamiento, tristeza*) chasser; (*sospechas*) bannir

destiempo [des'tjempo]: **a ~** *adv* mal à propos

destierro [des'tjerro] *vb ver* **desterrar** ■ *nm* (*expulsión*) interdiction *f* de séjour; (*exilio*) exil *m*; **vivir en el ~** vivre en exil

destilar [desti'lar] *vt, vi* distiller

destilería [destile'ria] *nf* distillerie *f*

destinar [desti'nar] *vt* (*funcionario, militar*) affecter; (*habitación, tarea*) assigner; **~ a** *o* **para** (*fondos*) destiner à; **es un libro destinado a los niños** c'est un livre pour enfants; **una carta que viene destinada a usted** une lettre qui vous est adressée

destinatario, -a [destina'tarjo, a] *nm/f* destinataire *m/f*

destino [des'tino] *nm* (*suerte*) destin *m*; (*de viajero*) destination *f*; (*función*) fonction *f*; (*de funcionario, militar*) poste *m*; **con ~ a** à destination de; **salir con ~ a** partir pour

destituir [destitu'ir] *vt*: **~ (de)** destituer (de)

destornillador [destorniʎa'ðor] *nm* tournevis *msg*

destornillar [destorni'ʎar] *vt* = **desatornillar**

destreza [des'treθa] *nf* dextérité *m*; (*maña*) adresse *f*

destrozar [destro'θar] *vt* (*romper*) casser; (*planes, campaña, persona*) anéantir; (*nervios*) mettre à vif; **está destrozado por la noticia** il est anéanti par la nouvelle

destrozo [des'troθo] *nm* destruction *f*; **destrozos** *nmpl* (*daños*) dégâts *mpl*

destrucción [destruk'θjon] *nf* destruction *f*

destructivo, -a [destruk'tiβo, a] *adj* destructeur(-trice)

destruir [destru'ir] *vt* détruire; (*persona: moralmente*) briser; (*negocio, comarca*) ruiner; (*político, competidor, ilusiones*) anéantir; (*argumento*) démolir

desuso [de'suso] *nm* non utilisation *f*; **caer en ~** tomber en désuétude; **estar en ~** être inusité(e); **una expresión (caída) en ~** une expression tombée en désuétude

desvalido, -a [desβa'liðo, a] *adj* déshérité(e); **niños ~s** enfants *mpl* déshérités

desvalijar [desβali'xar] *vt* dévaliser; (*coche*) cambrioler

desván [des'βan] *nm* grenier *m*

desvanecerse [desβane'θerse] *vpr* (*Med*) s'évanouir; (*fig*) se dissiper; (*borrarse*) s'effacer

desvanecimiento [desβaneθi'mjento] *nm* (*de contornos, colores*) effacement *m*; (*de dudas*) dissipation *f*; (*Med*) évanouissement *m*

desvariar [desβa'rjar] *vi* délirer

desvarío [desβa'rio] *nm* délire *m*; **desvaríos** *nmpl* (*disparates*) absurdités *fpl*

desvelar [desβe'lar] *vt* (*suj: café, preocupación*) tenir éveillé(e); **desvelarse** *vpr* rester éveillé(e); **~se por algo** se démener pour qch; **~se por los demás** se donner du mal pour autrui
desvelos [des'βelos] *nmpl* (*preocupación*) soucis *mpl*
desvencijado, -a [desβenθi'xaðo, a] *adj* (*silla*) branlant(e); (*máquina*) détraqué(e)
desventaja [desβen'taxa] *nf* inconvénient *m*; **estar en** *o* **llevar ~** être désavantagé(e)
desventura [desβen'tura] *nf* malheur *m*
desvergonzado, -a [desβerɣon'θaðo, a] *adj, nm/f* dévergondé(e); (*descarado*) effronté(e)
desvergüenza [desβer'ɣwenθa] *nf* dévergondage *m*; (*descaro*) toupet *m*; **¡qué ~!** quel toupet!; **tener la ~ de hacer** avoir le toupet de faire
desvestir [desβes'tir] *vt* déshabiller; **desvestirse** *vpr* se déshabiller
desviación [desβja'θjon] *nf* (*de río*) détournement *m*; (*Auto*) déviation *f*; (*de la conducta*) écart *m*; **~ de la columna** (*Med*) scoliose *f*
desviar [des'βjar] *vt* dévier; (*de objetivo*) écarter; (*río, mirada*) détourner; **desviarse** *vpr* (*apartarse del camino*) s'égarer; (*rumbo*) faire un détour; (*Auto*) faire une embardée; **~se de un tema** s'éloigner du sujet
desvío [des'βio] *vb ver* **desviar** ■ *nm* (*Auto*) détour *m*
desvirtuar [desβir'twar] *vt* (*actuación, labor*) nuire à; (*argumento*) démolir; (*sentido*) affaiblir; **desvirtuarse** *vpr* perdre sa signification première
desvivirse [desβi'βirse] *vpr*: **~ por algo/algn** se mettre en quatre pour qch/qn; **~ por hacer** se tuer à faire
detalle [de'taʎe] *nm* détail *m*; (*delicadeza*) attention *f*; **narrar con (todo) ~** raconter en détail; **no pierde ~** il n'en perd pas une miette; **tener un ~ con algn** avoir une attention pour qn; **¡qué ~!** comme c'est gentil!; **al ~** (*Com*) au détail; **comercio al ~** commerce *m* de détail; **vender al ~** vendre au détail; **~ de cuenta** détail d'un compte
detallista [deta'ʎista] *adj* méticuleux(-euse) ■ *nm/f* (*Com*) détaillant(e)
detective [detek'tiβe] *nm/f* détective *m*; **~ privado** détective privé
detener [dete'ner] *vt* arrêter; (*retrasar*) ralentir; **detenerse** *vpr* s'arrêter; (*demorarse*) s'attarder; **¡deténgase!** arrêtez-vous!; **~se a hacer algo** s'attarder à faire qch
detenido, -a [dete'niðo, a] *adj* arrêté(e); (*minucioso*) minutieux(-euse); (*preso*) détenu(e) ■ *nm/f* détenu(e)
detenimiento [deteni'mjento] *nm*: **con ~** avec soin
detergente [deter'xente] *nm* détergent *m*
deteriorar [deterjo'rar] *vt* détériorer; **deteriorarse** *vpr* se détériorer
determinación [determina'θjon] *nf* détermination *f*; (*decisión*) décision *f*
determinado, -a [determi'naðo, a] *adj* déterminé(e); **a una hora determinada** à une heure précise; **no hay ningún tema ~** aucun sujet n'a été déterminé
determinar [determi'nar] *vt* déterminer; **determinarse** *vpr*: **~se a hacer** se déterminer à faire; **el reglamento determina que ...** le règlement prévoit que ...; **aquello determinó la caída del gobierno** cela a déterminé la chute du gouvernement
detestar [detes'tar] *vt* détester
detrás [de'tras] *adv* derrière; (*en sucesión*) après ■ *prep*: **~ de** derrière; **hacer algo por ~ de algn** faire qch dans le dos de qn; **ir ~ de algn/algo** être derrière qn/qch; **por ~** par derrière; **~ mío/nuestro** (*esp Csur*) derrière moi/nous
detrimento [detri'mento] *nm*: **en ~ de** au détriment de
deuda [de'uða] *nf* dette *f*; **estar en ~ con algn** (*fig*) avoir une dette envers qn; **contraer ~s** contracter des dettes; **~ a largo plazo** dette à long terme; **~ exterior/pública** dette extérieure/publique
devaluación [deβalwa'θjon] *nf* dévaluation *f*
devaluar [deβalu'ar] *vt* dévaluer
devastar [deβas'tar] *vt* dévaster
devoción [deβo'θjon] *nf* dévotion *f*; **sentir ~ por algn/algo** avoir de la dévotion pour qn/qch
devolución [deβolu'θjon] *nf* restitution *f*; (*de carta*) retour *m*; (*de dinero*) remboursement *m*; **no se admiten devoluciones** (*Com*) ni repris ni échangé
devolver [deβol'βer] *vt* rendre; (*a su sitio*) remettre; (*producto, carta, favor*) retourner; (*regalo, factura*) renvoyer; (*fam: vomitar*) rendre ■ *vi* (*fam*) rendre; **devolverse** *vpr* (*AM*) revenir; **~ la pelota a algn** (*fig*) renvoyer la balle à qn
devorar [deβo'rar] *vt* dévorer; (*fig: fortuna*) manger; **~ a algn con los ojos**

dévorer qn des yeux; **todo lo devoró el fuego** il fut dévoré par les flammes; **le devoran los celos** il est dévoré de jalousie
devoto, -a [de'βoto, a] *adj* (*Rel*) dévot(e); (*amigo*) dévoué(e) ■ *nm/f* dévot(e); (*adepto*) adepte *m/f*; **~ de** (*Rel*) dévot(e) à; (*muy aficionado a*) adepte de; **su ~ servidor** votre dévoué serviteur
devuelto [de'βwelto] *pp de* **devolver**
devuelva *etc* [de'βwelβa] *vb ver* **devolver**
di [di] *vb ver* **dar**; **decir**
día ['dia] *nm* (*24 horas*) journée *f*; (*lo que no es noche*) jour *m*; **¿qué ~ es?** quel jour est-on?; **estar/poner al ~** (*cuentas*) être/mettre à jour; (*persona*) être/mettre au courant; **el ~ de mañana** demain; **el ~ menos pensado te haremos una visita** quand tu t'y attendras le moins, nous te rendrons visite; **hoy (en) ~** aujourd'hui; **al ~ siguiente** le jour suivant; **tener un mal ~** passer une mauvaise journée; **~ a ~** jour après jour; **¡cualquier ~ se mata!** il va finir par se tuer!; **todos los ~s** tous les jours; **un ~ de estos** un de ces jours; **un ~ sí y otro no** tous les deux jours; **vivir al ~** vivre au jour le jour; **es de ~** il fait jour; **del ~** (*estilos*) au goût du jour; (*pan*) frais (fraîche); (*menú*) du jour; **de un ~ para otro** d'un jour à l'autre; **en pleno ~** en plein jour; **en su ~** en son temps; **¡hasta otro ~!** à un autre jour!; **¡buenos ~s!** bonjour!; **~ domingo/lunes** *etc* (*AM*) dimanche/lundi *etc*; **~ de los (santos) inocentes** (*28 diciembre*) jour des Saints Innocents, ≈ le premier avril; **~ de precepto** jour du Seigneur; **D~ de Reyes** Epiphanie *f*; **~ festivo** *o* **feriado** (*AM*) *o* **de fiesta** jour férié; **~ hábil/inhábil** jour ouvrable/chômé; **~ laborable** jour de travail; **~ lectivo/libre** jour de classe/de congé
diabetes [dja'βetes] *nf* diabète *m*
diabético, -a [dja'βetiko, a] *nm/f* diabétique *m/f*
diablo ['djaβlo] *nm* diable *m*; **¿cómo/qué ~s ...?** comment/que diable ...?; **pobre ~** pauvre diable; **hace un frío de mil ~s** *o* **de todos los ~s** il fait un froid de tous les diables; **mandar algo/a algn al ~** envoyer qch/qn au diable; **¡al ~ con ...!** au diable ...!
diablura [dja'βlura] *nf* diablerie *f*
diadema [dja'ðema] *nf* diadème *m*
diafragma [dja'fraɣma] *nm* diaphragme *m*
diagnosis [djaɣ'nosis] *nf inv* diagnostic *m*
diagnóstico [djaɣ'nostiko] *nm* diagnostic *m*
diagonal [djaɣo'nal] *adj* oblique ■ *nf* diagonale *f*; **en ~** en diagonale
diagrama [dja'ɣrama] *nm* diagramme *m*; **~ de barras** diagramme en bâtons; **~ de flujo** (*Inform*) organigramme *m*
dial [di'al] *nm* (*de radio*) bande *f* de fréquence
dialecto [dja'lekto] *nm* dialecte *m*
dialogar [djalo'ɣar] *vi* dialoguer; **~ con** (*Pol*) s'entretenir avec
diálogo ['djaloɣo] *nm* dialogue *m*
diamante [dja'mante] *nm* diamant *m*; **diamantes** *nmpl* (*Naipes*) carreau *msg*; **~ (en) bruto** diamant brut; (*fig*) perle *f* rare
diámetro [di'ametro] *nm* diamètre *m*; **3 m de ~** 3 m de diamètre
diana ['djana] *nf* (*Mil*) réveil *m*; (*de blanco*) mouche *f*; **hacer ~** faire mouche
diapositiva [djaposi'tiβa] *nf* (*Foto*) diapositive *f*
diario, -a ['djarjo, a] *adj* quotidien(ne) ■ *nm* quotidien *m*; (*para memorias*) journal *m*; (*Com*) livre *m* journal; **a ~** tous les jours; **de** *o* **para ~** de tous les jours; **~ de navegación** (*Náut*) journal de bord; **~ de sesiones** *compte rendu d'une session du Parlement*; **~ hablado** (*Radio*) journal
diarrea [dja'rrea] *nf* diarrhée *f*
dibujar [diβu'xar] *vt, vi* dessiner; **dibujarse** *vpr* (*emoción*) se peindre; **~se en el horizonte/a lo lejos** se dessiner à l'horizon/au loin
dibujo [di'βuxo] *nm* dessin *m*; **~s animados** dessins *mpl* animés; **~ artístico** dessin d'art; **~ lineal/técnico** dessin industriel
diccionario [dikθjo'narjo] *nm* dictionnaire *m*; **~ enciclopédico** dictionnaire encyclopédique
dicho, -a ['ditʃo, a] *pp de* **decir** ■ *adj*: **en ~s países** dans ces pays ■ *nm* proverbe *m*; **mejor ~** plutôt; **propiamente ~** proprement dit; **~ y hecho** aussitôt dit, aussitôt fait; **~ sea de paso** soit dit en passant
dichoso, -a [di'tʃoso, a] *adj* heureux(-euse); **¡aquel ~ coche!** (*fam*) cette sacrée voiture!
diciembre [di'θjembre] *nm* décembre *m*; *ver tb* **julio**
dictado [dik'taðo] *nm* dictée *f*; **escribir al ~** écrire sous la dictée; **los ~s de la conciencia** ce que dicte la conscience
dictador [dikta'ðor] *nm* dictateur *m*
dictadura [dikta'ðura] *nf* dictature *f*

dictamen [dik'tamen] *nm* expertise *f*; **~ contable** rapport *m* comptable; **~ facultativo** (*Med*) diagnostic *m*
dictar [dik'tar] *vt* dicter; (*decreto*) prendre; (*ley*) édicter; (*AM*: *clase*) faire; (: *conferencia*) donner
didáctico, -a [di'ðaktiko, a] *adj* didactique; (*educativo*) éducatif(-ive)
diecinueve [djeθinu'eβe] *adj inv, nm inv* dix-neuf *m inv*; **el siglo ~** le dix-neuvième siècle; *ver tb* **seis**
dieciocho [djeθi'otʃo] *adj inv, nm inv* dix-huit *m inv*; *ver tb* **seis**
dieciséis [djeθi'seis] *adj inv, nm inv* seize *m inv*; *ver tb* **seis**
diecisiete [djeθi'sjete] *adj inv, nm inv* dix-sept *m inv*; *ver tb* **seis**
diente ['djente] *nm* dent *f*; **enseñar los ~s** (*fig*) grincer des dents; **hablar entre ~s** parler entre ses dents; **hincarle el ~ a** (*comida*) mordre à belles dents dans; (*fig*: *asunto*) s'attaquer à; **~ de ajo** gousse *f* d'ail; **~ de leche** dent de lait; **~ de león** pissenlit *m*; **~s postizos** fausses dents
diera *etc* ['djera] *vb ver* **dar**
diesel ['disel] *adj*: **motor ~** (moteur *m*) diesel *m*
diestro, -a ['djestro, a] *adj* droit(e); (*hábil*) adroit(e) ■ *nm* (*Taur*) matador *m*; **a ~ y siniestro** au hasard
dieta ['djeta] *nf* régime *m*; **dietas** *nfpl* (*de viaje, hotel*) frais *mpl*; **la ~ mediterránea** la cuisine méditerranéenne; **estar a ~** être au régime
dietética [dje'tetika] *nf* diététique *f*
dietético, -a [dje'tetiko, a] *adj* diététique ■ *nm/f* diététicien(ne)
diez [djeθ] *adj inv, nm inv* dix *m inv*; *ver tb* **seis**
diezmar [djeθ'mar] *vt* décimer
difamar [difa'mar] *vt* diffamer
diferencia [dife'renθja] *nf* différence *f*; **diferencias** *nfpl* (*desacuerdos*) différend *msg*; **a ~ de** à la différence de; **hacer ~ entre** faire la différence entre; **~ salarial** inégalité *f* de salaire
diferenciar [diferen'θjar] *vt*: **~ (de)** distinguer (de); (*hacer diferente*) différencier ■ *vi*: **~ enter A y B** distinguer A de B; **diferenciarse** *vpr*: **~se (de)** se distinguer (de); **¿en qué se diferencian?** en quoi sont-ils différents?
diferente [dife'rente] *adj* différent(e) ■ *adv* différemment
diferido [dife'riðo] *nm*: **en ~** (*TV*) en différé
difícil [di'fiθil] *adj* difficile; **es un hombre ~ (de tratar)** c'est quelqu'un de difficile; **ser ~ de hacer/entender/explicar** être difficile à faire/comprendre/expliquer
dificultad [difikul'tað] *nf* difficulté *f*; **dificultades** *nfpl* (*problemas*) difficultés *fpl*; **poner ~es (a algn)** faire des difficultés (à qn)
dificultar [difikul'tar] *vt* (*explicación, labor*) rendre difficile; (*visibilidad*) brouiller
difteria [dif'terja] *nf* diphtérie *f*
difundir [difun'dir] *vt* (*calor, noticia*) diffuser; (*doctrina, rumores*) répandre; **difundirse** *vpr* se diffuser; (*doctrina*) se répandre
difunto, -a [di'funto, a] *adj, nm/f* défunt(e)
difusión [difu'sjon] *nf* diffusion *f*; (*de teoría*) généralisation *f*; **un programa de gran ~** une émission à grande diffusion
diga *etc* ['diɣa] *vb ver* **decir**
digerir [dixe'rir] *vt* digérer
digestión [dixes'tjon] *nf* digestion *f*; **corte de ~** crampe *f* d'estomac
digestivo, -a [dixes'tiβo, a] *adj* digestif(-ive) ■ *nm* digestif *m*
digital [dixi'tal] *adj* digital(e)
dignarse [diɣ'narse] *vpr*: **~ (a) hacer** daigner faire
dignatario, -a [diɣna'tarjo, a] *nm/f* dignitaire *m/f*
dignidad [diɣni'ðað] *nf* dignité *f*; **hacer algo con ~** faire qch avec dignité
digno, -a ['diɣno, a] *adj* (*sueldo, nivel de vida*) décent(e); (*comportamiento, actitud*) digne; **~ de** digne de; **es ~ de mención** ça mérite d'être mentionné; **es ~ de verse** ça mérite d'être vu; **poco ~** peu digne
dije ['dixe] *vb ver* **decir** ■ *adj* (*Chi*: *fam*) sympa
dilapidar [dilapi'ðar] *vt* dilapider
dilatar [dila'tar] *vt* dilater; (*prolongar, aplazar*) prolonger; **dilatarse** *vpr* se dilater
dilema [di'lema] *nm* dilemme *m*
diligencia [dili'xenθja] *nf* diligence *f*; (*trámite*) acte *m* de procédure; **diligencias** *nfpl* (*Jur*) formalités *fpl*; **~s judiciales/previas** enquête *fsg* judiciaire/préliminaire
diligente [dili'xente] *adj* diligent(e); **poco ~** pas très sérieux(-euse)
diluir [dilu'ir] *vt* diluer
diluvio [di'luβjo] *nm* déluge *m*; **un ~ de cartas** (*fig*) un déluge de lettres
dimensión [dimen'sjon] *nf* dimension *f*; (*de catástrofe*) proportions *fpl*; **dimensiones** *nfpl* (*tamaño*) dimensions

fpl; **tomar las dimensiones de** prendre les dimensions de
diminuto, -a [dimi'nuto, a] *adj* tout(e) petit(e)
dimitir [dimi'tir] *vi*: **~ (de)** démissionner (de)
dimos ['dimos] *vb ver* **dar**
Dinamarca [dina'marka] *nf* Danemark *m*
dinámico, -a [di'namiko, a] *adj* dynamique
dinamita [dina'mita] *nf* dynamite *f*
dinamo [di'namo], **dínamo** ['dinamo] *nf, nm en AM* dynamo *f*
dineral [dine'ral] *nm* fortune *f*
dinero [di'nero] *nm* argent *m*; **es hombre de ~** c'est un homme riche; **andar mal de ~** être sans le sou; **~ caro** (*Com*) argent cher; **~ contante (y sonante)** espèces *fpl*; **~ efectivo** *o* **en metálico** liquide *m*; **~ suelto** menue monnaie *f*
dinosaurio [dino'saurjo] *nm* dinosaure *m*
dio [djo] *vb ver* **dar**
diócesis ['djoθesis] *nf inv* diocèse *m*
Dios [djos] *nm* Dieu *m*; **~ mediante** si Dieu le veut; **¡gracias a ~!** grâce à Dieu!; **a la buena de ~** au petit bonheur la chance; **armar** *o* **armarse la de ~ (es Cristo)** (*fam*) foutre la pagaille; **como ~ manda** comme il faut; **¡dios mío!** mon Dieu!; **¡por ~!** grand Dieu!; **estar dejado de la mano de ~** être abandonné de Dieu; **¡sabe ~!** Dieu seul le sait!; **¡que sea lo que ~ quiera!** advienne que pourra!; **si ~ quiere** si Dieu le veut; **~ te lo pague** Dieu te le rendra; **ni ~** (*fam*) pas un chat; **¡válgame ~!** que Dieu me protège!; **¡vaya por ~!** grand Dieu!
dios [djos] *nm* dieu *m*
diosa ['djosa] *nf* déesse *f*
diploma [di'ploma] *nm* diplôme *m*
diplomacia [diplo'maθja] *nf* diplomatie *f*
diplomado, -a [diplo'maðo, a] *adj, nm/f* diplômé(e)
diplomático, -a [diplo'matiko, a] *adj* diplomatique ■ *nm/f* diplomate *m/f*
diptongo [dip'tongo] *nm* diphtongue *f*
diputación [diputa'θjon] *nf* ≈ conseil *m* général
diputado, -a [dipu'taðo, a] *nm/f* député *m*
dique ['dike] *nm* digue *f*; **~ de contención** barrage *m*
diré *etc* [di're] *vb ver* **decir**
dirección [direk'θjon] *nf* direction *f*; (*fig*: *tendencia*) tendance *f*; (*señas*) adresse *f*; (*Cine, Teatro*) mise *f* en scène; **ir/salir con ~ a** aller/sortir en direction de; **cambio de ~** déviation *f*; **~ absoluta/relativa** (*Inform*) adresse absolue/relative; **~ administrativa** administration *f*; **~ asistida** (*Auto*) direction assistée; **D~ General de Seguridad/de Turismo** ≈ ministère *m* de la Sécurité et des Transports/du Tourisme; **~ prohibida/única** sens *m* interdit/unique
directa [di'rekta] *nf* (*Auto*) quatrième *f*, cinquième *f*
directiva [direk'tiβa] *nf* comité *m* directeur
directo, -a [di'rekto, a] *adj* direct(e); (*traducción*) exact(e); **transmitir en ~** (*TV*) diffuser en direct
director, a [direk'tor, a] *adj* directeur(-trice) ■ *nm/f* directeur(-trice); (*Cine, TV*) metteur *m* en scène; (*de orquesta*) chef *m*; **~ adjunto** directeur adjoint; **~ comercial** directeur commercial; **~ de sucursal** directeur de succursale; **~ ejecutivo** directeur exécutif; **~ general** *o* **gerente** directeur général
directorio [direk'torjo] *nm* (*Inform*) répertoire *m*; (*Com*) programme *m*
dirigente [diri'xente] *adj, nm/f* dirigeant(e)
dirigir [diri'xir] *vt* diriger; (*carta, pregunta*) adresser; (*obra de teatro, film*) mettre en scène; (*sublevación*) prendre la tête de; (*esfuerzos*) concentrer; **dirigirse** *vpr*: **~se a** s'adresser à; **~ a** *o* **hacia** diriger vers; **no ~ la palabra a algn** ne pas adresser la parole à qn; **~se a algn solicitando algo** s'adresser à qn pour solliciter qch; **"diríjase a ..."** "s'adresser à ..."
dirija *etc* [di'rixa] *vb ver* **dirigir**
discapacitado, -a [diskapaθi'taðo, a] *adj, nm/f* handicapé(e); **~ psíquico** handicapé mental
discernir [disθer'nir] *vt* discerner ■ *vi*: **~ entre ... y ...** discerner ... de ...
disciplina [disθi'plina] *nf* discipline *f*
discípulo, -a [dis'θipulo, a] *nm/f* disciple *m*
disco ['disko] *nm* disque *m*; (*Auto*) feu *m*; **~ compacto** disque compact; **~ de arranque** disquette *f* d'initialisation; **~ de densidad doble/sencilla** disquette double densité/densité simple; **~ de una cara/dos caras** disquette simple face/double face; **~ de freno** disque (de frein); **~ de larga duración** 33 tours *m inv*; **~ de reserva** disquette de sauvegarde; **~ de**

sistema disque système; **~ duro** *o* **rígido/flexible** *o* **floppy** disque dur/ disquette; **~ maestro** disque d'exploitation; **~ sencillo** 45 tours *m inv*; **~ virtual** zone *f* disque en mémoire

disconforme [diskon'forme] *adj* non conforme; **estar ~ (con)** ne pas être conforme (à)

discordia [dis'korðja] *nf* désaccord *m*

discoteca [disko'teka] *nf* discothèque *f*

discreción [diskre'θjon] *nf* discrétion *f*; (*prudencia*) prudence *f*; **añadir azúcar a ~** (*Culin*) rajouter du sucre à volonté; **comer/beber a ~** manger/boire à volonté

discrecional [diskreθjo'nal] *adj* (*uso, poder*) discrétionnaire; (*servicio*) optionnel(le)

discrepancia [diskre'panθja] *nf* différence *f*; (*desacuerdo*) différend *m*

discreto, -a [dis'kreto, a] *adj* discret(-ète); (*sensato*) judicieux(-euse); (*mediano*) décent(e)

discriminación [diskrimina'θjon] *nf* discrimination *f*

disculpa [dis'kulpa] *nf* excuse *f*; **pedir ~s a/por** demander pardon à/pour

disculpar [diskul'par] *vt* pardonner; **disculparse** *vpr*: **~se (de/por)** s'excuser (de/pour)

discurrir [disku'rrir] *vt* échafauder ■ *vi* réfléchir; (*el tiempo*) s'écouler; **~ (por)** (*gente, río*) passer (par)

discurso [dis'kurso] *nm* discours *msg*; **pronunciar un ~** prononcer un discours; **~ de clausura** discours de clôture

discusión [disku'sjon] *nf* discussion *f*; **tener una ~** avoir une discussion

discutir [disku'tir] *vt* discuter ■ *vi* discuter; (*disputar*): **~ (con)** se disputer (avec); **~ de política** discuter politique; **¡no discutas!** ne discute pas!

disecar [dise'kar] *vt* (*animal*) empailler; (*planta*) sécher

diseminar [disemi'nar] *vt* éparpiller; (*fig*) répandre

diseñar [dise'ɲar] *vt* créer

diseño [di'seɲo] *nm* (*Tec*) conception *f*; (*boceto*) ébauche *f*; (*Costura*) dessin *m*; **de ~ italiano** de création italienne; **traje/ objetos de ~** costume *m*/objets *mpl* de créateur; **~ asistido por ordenador** conception assistée par ordinateur; **~ de modas** dessin de mode; **~ gráfico/ industrial** conception graphique/ industrielle

disfraz [dis'fraθ] *nm* déguisement *m*; (*fig*) prétexte *m*; **bajo el ~ de** sous le prétexte de

disfrazar [disfra'θar] *vt* déguiser; **disfrazarse** *vpr* se déguiser; **~se de** se déguiser en

disfrutar [disfru'tar] *vt* jouir de ■ *vi* prendre beaucoup de plaisir; **¡que disfrutes!** profites-en!; **~ de buena salud** jouir d'une bonne santé; **~ de la vida** profiter de la vie

disgregar [disɣre'ɣar] *vt* (*manifestantes*) disperser; (*familia, imperio*) diviser; **disgregarse** *vpr* (*muchedumbre*) se disperser; (*imperio, país*) se diviser

disgustar [disɣus'tar] *vt* déplaire à; **disgustarse** *vpr* être contrarié(e); (*dos personas*) s'accrocher; **estaba muy disgustado con ella/con el asunto** elle/ l'affaire l'avait beaucoup contrarié

disgusto [dis'ɣusto] *nm* désagrément *m*; (*pesadumbre*) contrariété *f*; (*desgracia*) malheur *m*; (*riña*) accrochage *m*; **dar un ~ a algn** donner un choc à qn; **hacer algo a ~** faire qch à contre-cœur; **sentirse/ estar a ~** se sentir/être mal à l'aise; **matar a algn a ~s** faire mourir qn de chagrin; **llevarse un ~** avoir un choc

disidente [disi'ðente] *adj, nm/f* dissident(e)

disimular [disimu'lar] *vt* dissimuler ■ *vi* faire comme si de rien n'était

disipar [disi'par] *vt* dissiper; (*fortuna*) dilapider; **disiparse** *vpr* se dissiper

dislocar [dislo'kar] *vt* (*articulación*) déboîter; (*hechos*) déformer; **dislocarse** *vpr* se déboîter

disminución [disminu'θjon] *nf* diminution *f*; **ir en ~** aller en diminuant

disminuido, -a [disminu'iðo, a] *nm/f*: **~ mental/físico** handicapé(e) mental(e)/ physique

disminuir [disminu'ir] *vt* (*gastos, cantidad, dolor*) diminuer; (*temperatura, velocidad, población*) réduire ■ *vi* (*días, población, número*) diminuer; (*precios, temperatura, memoria*) baisser; (*velocidad*) décroître

disociarse [diso'θjarse] *vpr*: **~ (de)** se dissocier (de)

disolver [disol'βer] *vt* dissoudre; (*manifestación*) disperser; (*contrato*) dénoncer; **disolverse** *vpr* se dissoudre; (*manifestantes*) se disperser

dispar [dis'par] *adj* (*distinto*) distinct(e); (*irregular*) inégal(e)

disparar [dispa'rar] *vt, vi* tirer; **dispararse** *vpr* (*precios*) monter en flèche; (*persona: al hablar o actuar*) s'emporter; **se disparó el arma** le coup de feu est parti tout seul

disparate [dispa'rate] *nm* bêtise *f*; (*error*) absurdité *f*; **decir ~s** dire des bêtises; **¡qué ~!** quelle imprudence!
disparo [dis'paro] *nm* tir *m*; **disparos** *nmpl* (*tiroteo*) coups *mpl* de feu
dispensar [dispen'sar] *vt* dispenser; (*bienvenida*) souhaiter; **¡usted dispense!** je vous prie de m'excuser!; **~ a algn de hacer algo** dispenser qn de faire qch
dispersar [disper'sar] *vt* éparpiller; (*manifestación, fig*) disperser; (*Mil: enemigo*) mettre en déroute; **dispersarse** *vpr* se disperser; (*luz*) se répandre
disponer [dispo'ner] *vt* disposer; (*mandar*) ordonner ■ *vi*: **~ de** disposer de; **disponerse** *vpr*: **~se a** *o* **para hacer** se disposer à faire; **la ley dispone que ...** la loi stipule que ...; **no puede ~ de esos bienes** il ne peut disposer librement de ces biens; **puede ~ de mí** vous pouvez disposer de moi
disponible [dispo'niβle] *adj* disponible; **no estar ~** ne pas être disponible
disposición [disposi'θjon] *nf* disposition *f*; **última ~** dernières volontés *fpl*; **~ para** (*aptitud*) dispositions *fpl* pour; **a (la) ~ de** à (la) disposition de; **a su ~** à votre disposition; **no estar en ~ de hacer** ne pas être en état de faire; **~ de ánimo** disposition d'esprit
dispositivo [disposi'tiβo] *nm* dispositif *m*; **~ de alimentación** silo *m*; **~ de almacenaje** (*Inform*) unité *f* de stockage; **~ de seguridad** dispositif de sécurité; **~ intrauterino** dispositif intra-utérin; **~ periférico** (*Inform*) périphérique *m*; **~ policial** dispositif policier
dispuesto, -a [dis'pwesto, a] *pp de* **disponer** ■ *adj* (*preparado*) préparé(e); (*capaz*) capable; **estar ~/poco ~ a hacer** être disposé(e)/peu disposé(e) à faire
disputar [dispu'tar] *vt* (*Deporte, premio, derecho*) disputer ■ *vi* discuter; **disputarse** *vpr* se disputer; **~ por** disputer
disquetera [diske'tera] *nf* (*Inform*) lecteur *m* de disquette
distancia [dis'tanθja] *nf* distance *f*; (*en el tiempo*) écart *m*; (*entre opiniones*) différence *f*; **a ~** à distance; **a gran** *o* **a larga ~** à grande distance; **¿a qué ~ está?** c'est à quelle distance?; **a 20 m de ~** à 20 m de distance; **guardar las ~s** garder ses distances; **~ de seguridad** (*Auto*) distance de sécurité; **~ focal** distance focale
distanciar [distan'θjar] *vt* distancer; (*amigos, hermanos*) éloigner; **distanciarse** *vpr* (*enemistarse*) se distancier; **~se (de)** (*alejarse*) s'éloigner (de)
distante [dis'tante] *adj* distant(e)
distar [dis'tar] *vi*: **dista 5 kms de aquí** c'est à 5 km d'ici; **no dista mucho de aquí** ce n'est pas très loin d'ici; **dista mucho de la verdad** c'est loin d'être vrai
diste ['diste], **disteis** ['disteis] *vb ver* **dar**
distensión [disten'sjon] *nf* détente *f*
distinción [distin'θjon] *nf* distinction *f*; **a ~ de** à la différence de; **sin ~ de** sans distinction de; **no hacer distinciones** ne pas faire de distinction
distinguido, -a [distin'giðo, a] *adj* distingué(e)
distinguir [distin'gir] *vt* distinguer ■ *vi*: **~ (entre)** distinguer (entre); **distinguirse** *vpr* se distinguer; **~ X de Y** distinguer X de Y; **a lo lejos no se distingue** de loin cela ne se voit pas
distintivo, -a [distin'tiβo, a] *adj* distinctif(-ive) ■ *nm* (*insignia*) insigne *m*; (*fig*) point *m* fort
distinto, -a [dis'tinto, a] *adj*: **~ (a** *o* **de)** distinct(e) (de); **distintos** (*varios*) plusieurs *mpl*
distracción [distrak'θjon] *nf* distraction *f*
distraer [distra'er] *vt* distraire; (*fondos*) détourner ■ *vi* distraire; **distraerse** *vpr* (*entretenerse*) se distraire; (*perder la concentración*) être distrait(e); **~ a algn de su pensamiento** tirer qn de ses pensées
distraído, -a [distra'iðo, a] *adj* distrait(e); (*entretenido*) amusé(e); (*que entretiene*) amusant(e) ■ *nm*: **hacerse el ~** faire la sourde oreille; **con aire ~** d'un air distrait; **me miró distraída** elle m'a regardé distraitement
distribuidor, a [distriβui'ðor, a] *nm/f* (*persona*) distributeur(-trice) ■ *nf* (*Com*) concessionnaire *m*; (*Cine*) distributeur *m*; **su ~ habitual** votre concessionnaire habituel
distribuir [distriβu'ir] *vt* (*riqueza, beneficio*) répartir; (*cartas, trabajo*) distribuer; (*Arq*) concevoir
distrito [dis'trito] *nm* district *m*; **~ electoral** circonscription *f* électorale; **~ judicial** district; **~ postal** secteur *m* postal; **~ universitario** ≈ académie *f*
disturbio [dis'turβjo] *nm* troubles *mpl*; **~s callejeros** agitations *fpl* de rue; **~ de orden público** trouble *m* de l'ordre public

disuadir [diswa'ðir] *vt*: **~ (de)** dissuader (de); **~ a algn de hacer** dissuader qn de faire
disuelto [di'swelto] *pp de* **disolver**
disyuntiva [disjun'tiβa] *nf* alternative *f*
DIU ['diu] *sigla m (= dispositivo intrauterino)* stérilet *m*
diurno, -a ['djurno, a] *adj* de jour; *(Zool)* diurne
divagar [diβa'ɣar] *vi* divaguer
diván [di'βan] *nm* divan *m*
divergencia [diβer'xenθja] *nf* divergence *f*
diversidad [diβersi'ðað] *nf* diversité *f*
diversificar [diβersifi'kar] *vt* diversifier; **diversificarse** *vpr* se diversifier
diversión [diβer'sjon] *nf* distraction *f*
diverso, -a [di'βerso, a] *adj (variado)* varié(e); *(diferente)* distinct(e) ■ *nm*: **~s** *(Com)* articles *mpl* divers; **~s libros** plusieurs livres; **~s colores** couleurs *fpl* variées
divertido, -a [diβer'tiðo, a] *adj* amusant(e); *(fiesta)* réussi(e); *(película, libro)* divertissant(e)
divertir [diβer'tir] *vt* amuser; **divertirse** *vpr* s'amuser
dividendo [diβi'ðendo] *nm (Com)*: **~s** dividendes *mpl*; **~ definitivo** superdividende *m*; **~s por acción** taux *mpl* de rendement d'une action
dividir [diβi'ðir] *vt* partager; *(separar)* séparer; *(partido, opinión pública)* diviser; *(Mat)*: **~ (por** *o* **entre)** diviser (par) ■ *vi (Mat)* diviser; **dividirse** *vpr* se diviser
divierta *etc* [di'βjerta] *vb ver* **divertir**
divino, -a [di'βino, a] *adj (Rel, fam)* divin(e)
divirtiendo *etc* [diβir'tjendo] *vb ver* **divertir**
divisa [di'βisa] *nf* devise *f*; **divisas** *nfpl (Com)* devises *fpl*; **control/mercado de ~s** contrôle *m*/marché *m* des changes
divisar [diβi'sar] *vt* deviner
división [diβi'sjon] *nf* division *f*; *(de herencia)* partage *m*
divorciar [diβor'θjar] *vt* prononcer le divorce de; **divorciarse** *vpr*: **~se (de)** divorcer (de)
divorcio [di'βorθjo] *nm* divorce *m*
divulgar [diβul'ɣar] *vt* divulguer; *(popularizar)* vulgariser
DNI *(Esp) sigla m (= Documento Nacional de Identidad) ver* **documento**
Dña. *abr (= Doña)* Mme *(= Madame)*
do [do] *nm (Mús)* do *m*
dobladillo [doβla'ðiʎo] *nm* ourlet *m*
doblar [do'βlar] *vt* plier; *(cantidad, Cine)* doubler ■ *vi (campana)* sonner le glas; **doblarse** *vpr* se plier; **~ la esquina** tourner au coin de la rue; **~ a la derecha/izquierda** tourner à droite/gauche; **~le en edad a algn** avoir le double de l'âge de qn
doble ['doβle] *adj* double ■ *nm*: **el ~** le double ■ *nm/f (Teatro, Cine)* double *m*; **dobles** *nmpl (Deporte)*: **partido de ~s** double *msg*; **~ o nada** quitte ou double; **a ~ página** à double page; **con ~ sentido** à double sens; **es tu ~** c'est ton sosie; **su sueldo es el ~ del mío** il gagne deux fois plus que moi; **trabaja el ~ que tú** il travaille deux fois plus que toi; **~ cara/densidad** *(Inform)* double face *f*/densité *f*; **~ espacio** espace *m* double
doblegar [doβle'ɣar] *vt* obliger; **doblegarse** *vpr (ceder)* se plier
doblez [do'βleθ] *nm (pliegue)* pli *m* ■ *nf (falsedad)* fausseté *f*
doce ['doθe] *adj inv, nm inv* douze *m inv*; **las ~** midi, minuit; *ver tb* **seis**
docena [do'θena] *nf* douzaine *f*; **por ~s** *(fig)* par douzaines
docente [do'θente] *adj*: **centro/personal ~** centre *m*/personnel *m* d'enseignement; **cuerpo ~** corps *msg* enseignant
dócil ['doθil] *adj* docile
doctor, a [dok'tor, a] *nm/f (médico)* médecin *m*; *(Univ)* docteur *m*; **~ en filosofía** docteur en philosophie
doctorado [dokto'raðo] *nm* doctorat *m*
doctrina [dok'trina] *nf* doctrine *f*
documentación [dokumenta'θjon] *nf* documentation *f*
documental [dokumen'tal] *adj, nm* documentaire *m*
documento [doku'mento] *nm (certificado)* justificatif *m*; *(histórico)* document *m*; *(fig: testimonio)* témoignage *m*; **documentos** *nmpl (de identidad)* papiers *mpl*; **~ justificativo** justificatif; **D~ Nacional de Identidad** carte *f* d'identité

DOCUMENTO NACIONAL DE IDENTIDAD

Le *Documento Nacional de Identidad*, appelé également *DNI* ou "carnet de identidad" est la carte d'identité nationale espagnole, comportant la photographie, l'état civil et les empreintes digitales du titulaire. Comme en France, il faut toujours en être muni et le présenter à la police en cas de contrôle.

dólar ['dolar] *nm* dollar *m*
doler [do'ler] *vi* faire mal; (*fig*) peiner; **dolerse** *vpr* se plaindre; (*de las desgracias ajenas*) compatir; **me duele el brazo** mon bras me fait mal; **esta inyección no duele** cette piqûre ne fait pas mal; **no me duele el dinero** ce n'est pas l'argent qui compte; **¡ahí le duele!** (*fig*) c'est donc ça!
dolor [do'lor] *nm* douleur *f*; **~ agudo/sordo** douleur aiguë/sourde; **~ de cabeza** mal *m* de tête; **~ de estómago** maux *mpl* d'estomac; **~ de muelas** mal de dents; **~ de oídos** maux d'oreilles
domar [do'mar] *vt* dompter
domesticar [domesti'kar] *vt* domestiquer
doméstico, -a [do'mestiko, a] *adj, nm/f* domestique *m/f*; **economía doméstica** économie *f* domestique
domiciliación [domiθilja'θjon] *nf*: **~ de pagos** virement *m* automatique
domicilio [domi'θiljo] *nm* domicile *m*; **servicio a ~** service *m* à domicile; **sin ~ fijo** sans domicile fixe; **~ particular** domicile particulier; **~ social** (*Com*) siège *m* social
dominante [domi'nante] *adj* dominant(e); (*persona*) dominateur(-trice)
dominar [domi'nar] *vt* dominer; (*adversario, caballo, idioma*) maîtriser; (*epidemia*) enrayer ■ *vi* dominer; **dominarse** *vpr* se dominer; **tener dominado a algn** tenir qn à sa merci
domingo [do'mingo] *nm* dimanche *m*; **D~ de Ramos/de Resurrección** dimanche des Rameaux/de Pâques; *ver tb* **sábado**
dominicano, -a [domini'kano, a] *adj* dominicain(e) ■ *nm/f* Dominicain(e)
dominio [do'minjo] *nm* domination *f*; (*territorio*) dominion *m*; (*de las pasiones, de idioma*) maîtrise *f*; **dominios** *nmpl* (*tierras*) domaine *msg*; **ser del ~ público** relever du domaine public
dominó [domi'no] *nm* domino *m*; (*juego*) dominos *mpl*
don [don] *nm* don *m*; (*tratamiento: con apellido*) Monsieur *m*; (*: sólo con nombre*) Don *m*, ≈ Monsieur; **D~ Juan Gómez** Monsieur Juan Gómez; **tener ~ de gentes** savoir s'y prendre avec les gens; **un ~ de la naturaleza** un don de la nature; **tener ~ de mando** être organisateur(-trice) dans l'âme; **tener un ~ para el dibujo/la música** être doué(e) pour le dessin/la musique

DON

Le titre *don/doña*, souvent abrégé en *D./Dña.* s'utilise en signe de respect lorsque l'on s'adresse à une personne plus âgée que soi ou à un supérieur hiérarchique. Il se place devant le prénom, par exemple Don Diego, Doña Inés. Cet usage, de plus en plus rare en Espagne, est maintenant surtout réservé à la correspondance et aux documents officiels. Dans ce cas, le titre précède les prénoms et noms de famille: Sr. D. Pedro Rodríguez Hernández, Sra. Dña. Inés Rodríguez Hernández.

donar [do'nar] *vt* faire un don de; (*sangre*) donner
donativo [dona'tiβo] *nm* don *m*
doncella [don'θeʎa] *nf* (*criada*) bonne *f*
donde ['donde] *adv* où ■ *prep*: **el coche está allí ~ el farol** la voiture est là-bas, près du réverbère; (*fam*): **se fue ~ sus tíos** il est allé chez ses vieux; **por ~** par où; **a/en ~** où; **~ sea** où que ce soit; **está ~ el médico** il est chez le médecin
dónde ['donde] *adv* où; **¿a ~ vas?** où vas-tu?; **¿de ~ vienes?** d'où viens-tu?; **¿en ~?** où?; **¿por ~?** par où?; **¿hasta ~?** jusqu'où?
dondequiera [donde'kjera] *adv* n'importe où ■ *conj*: **~ que** où que
doña ['doɲa] *nf* (*tratamiento: con apellido*) Madame *f*; (*: sólo con nombre*) Doña *f*, ≈ Madame
dorado, -a [do'raðo, a] *adj* doré(e) ■ *nm* dorure *f*
dormir [dor'mir] *vt* endormir ■ *vi* dormir; **dormirse** *vpr* s'endormir; **~ la siesta** faire la sieste; **se me ha dormido el brazo/la pierna** j'ai eu des fourmis dans le bras/la jambe; **~la** *o* **~ la mona** (*fam*) cuver son vin; **~ como un lirón/tronco** dormir comme un loir/une souche; **~ a pierna suelta** avoir un sommeil de plomb; **~ con algn** (*eufemismo*) coucher avec qn; **~se en los laureles** s'endormir sur ses lauriers; **quedarse dormido** être endormi(e); **estar medio dormido** être à moitié endormi(e)
dormitar [dormi'tar] *vi* somnoler
dormitorio [dormi'torjo] *nm* chambre *f*; (*en una residencia*) dortoir *m*
dorsal [dor'sal] *adj* dorsal(e) ■ *nm* (*Deporte*) dossard *m*
dorso ['dorso] *nm* dos *m*; **escribir algo al ~** écrire qch au dos; **"véase al ~"** "voir au dos"

DOS [dos] *sigla m* (= *sistema operativo de disco*) DOS *msg* (= *Disc-Operating System*)
dos [dos] *adj inv, nm inv* deux *inv*; **los ~** les deux; **cada ~ por tres** toutes les trente secondes; **de ~ en ~** deux par deux; **~ piezas** deux-pièces *m inv*; **estar a ~** (*Tenis*) faire un double; *ver tb* **seis**
doscientos, -as [dos'θjentos, as] *adj* deux cents; *ver tb* **seiscientos**
dosis ['dosis] *nf inv* dose *f*
dotado, -a [do'taðo, a] *adj* doué(e); **~ de** doté(e) de
dotar [do'tar] *vt* équiper; **~ de** *o* **con** (*proveer: de inteligencia, simpatía*) douer de; (*: de dinero*) allouer; (*: de personal, maquinaria*) doter de
dote ['dote] *nf* dot *f*; **dotes** *nfpl* (*aptitudes*) dons *mpl*
doy [doj] *vb ver* **dar**
dragar [dra'ɣar] *vt* draguer
drama ['drama] *nm* drame *m*
dramático, -a [dra'matiko, a] *adj* dramatique; **obra dramática** œuvre *f* dramatique
dramaturgo, -a [drama'turɣo, a] *nm/f* dramaturge *m/f*
drástico, -a ['drastiko, a] *adj* drastique
drenaje [dre'naxe] *nm* drainage *m*
droga ['droɣa] *nf* drogue *f*; **~ dura/blanda** drogue dure/douce; **el problema de la ~** le problème de la drogue
drogadicto, -a [droɣa'ðikto, a] *nm/f* drogué(e)
droguería [droɣe'ria] *nf* droguerie *f*
ducha ['dutʃa] *nf* douche *f*; **darse una ~** prendre une douche
ducharse [du'tʃarse] *vpr* se doucher
duda ['duða] *nf* doute *m*; **sin ~** sans aucun doute; **¡sin ~!** sûrement!; **no cabe ~** il n'y a pas de doute; **no le quepa ~** cela va de soi; **poner algo en ~** mettre qch en doute; **para salir de ~s** pour en avoir le cœur net; **¿alguna ~?** des questions?; **tengo mis ~s** je n'en suis pas si sûr(e)
dudar [du'ðar] *vt, vi* douter; **~ (de)** douter (de); **dudó entre ...** il a hésité entre ...; **dudó si comprarlo o no** il a hésité à l'acheter; **dudo que sea cierto** je crains que ce ne soit pas vrai
dudoso, -a [du'ðoso, a] *adj* douteux(-euse)
duelo ['dwelo] *vb ver* **doler** ▪ *nm* duel *m*; (*ceremonia*) deuil *m*; **batirse en ~** se battre en duel
duende ['dwende] *nm* lutin *m*; **tiene ~** (*en flamenco*) elle a de la classe
dueño, -a ['dweɲo, a] *nm/f* (*propietario*) propriétaire *m/f*; (*empresario*) patron(ne); **ser ~ de sí mismo** être maître de soi; **eres (muy) ~ de hacer como te parezca** tu es libre de faire comme bon te semblera; **hacerse ~ de una situación** se rendre maître de la situation
duerma *etc* ['dwerma] *vb ver* **dormir**
dulce ['dulθe] *adj* doux (douce) ▪ *nm* gourmandise *f*; (*pastel*) douceur *f*; **~ de almíbar** fruit *m* confit
dulzura [dul'θura] *nf* douceur *f*; **con ~** avec douceur
duna ['duna] *nf* dune *f*
duplicar [dupli'kar] *vt* (*llave, documento*) faire un double de; (*cantidad*) doubler; **duplicarse** *vpr* se multiplier par deux
duque ['duke] *nm* duc *m*
duquesa [du'kesa] *nf* duchesse *f*
duración [dura'θjon] *nf* durée *f*; (*de máquina*) durée de vie; **de larga ~** (*enfermedad*) de longue durée; (*pila, disco*) longue durée; **de corta ~** de courte durée
duradero, -a [dura'ðero, a] *adj* (*material*) résistant(e); (*fe, paz*) durable
durante [du'rante] *adv* pendant; **~ toda la noche** pendant toute la nuit; **habló ~ una hora** il a parlé pendant une heure
durar [du'rar] *vi* durer; (*persona: en cargo*) rester
durazno [du'raθno] (*AM*) *nm* pêche *f*; (*árbol*) pêcher *m*
durex® ['dureks] (*AM*) *nm* scotch® *m*
dureza [du'reθa] *nf* dureté *f*; (*de clima*) rigueur *f*; (*callosidad*) callosité *f*
duro, -a ['duro, a] *adj* dur(e) ▪ *adv* dur ▪ *nm pièce de cinq pesetas*; **a duras penas** à grand-peine; **estar ~** être dur(e); **un tipo ~** un dur; **el sector ~ del partido** la faction dure du parti; **ser ~ con algn** être dur(e) avec qn; **~ de mollera** (*torpe*) dur(e) à la détente; **~ de oído** dur(e) d'oreille; **es ~ de pelar** il faut se le farcir; **trabajar ~** travailler dur; **estar sin un ~** être sans le sou
DVD [deβ'de] *sigla m* (= *disco de vídeo digital*) DVD *m* (= *digital versatile disc*)

e

E *abr* (= *este*) E (= *est*)
e [e] *conj* (*delante de i- e hi-, pero no hie-*) et; *ver tb* **y**
e/ *abr* (*Com*) = **envío**
ebanista [eβa'nista] *nm/f* ébéniste *m/f*
ébano ['eβano] *nm* ébène *m*
ebrio, -a ['eβrjo, a] *adj* ivre
ebullición [eβuʎi'θjon] *nf* ébullition *f*; **punto de ~** point *m* d'ébullition
eccema [ek'θema] *nm* eczéma *m*
echar [e'tʃar] *vt* (*lanzar*) jeter; (*verter*) verser; (*gasolina, carta, freno*) mettre; (*sal, especias*) ajouter; (*comida*) servir; (*dientes*) pousser; (*expulsar*) mettre dehors; (*empleado*) renvoyer; (*hojas*) pousser; (*despedir: humo*) rejeter; (*: agua*) cracher; (*reprimenda*) faire; (*cerrojo*) fermer; (*película*) passer ■ *vi*: **~ a andar/volar/correr** se mettre à marcher/voler/courir; **echarse** *vpr* s'allonger; **~ a cara o cruz algo** jouer qch à pile ou face; **~ abajo** (*gobierno*) renverser; (*edificio*) abattre; **~ una carrera/una siesta** faire une course/une sieste; **~ un trago** avaler une gorgée; **~ la buenaventura a algn** dire la bonne aventure à qn; (*echar las cartas a algn*) tirer les cartes à qn; **~ cuentas** faire ses comptes; **~ la culpa a** accuser; **~ chispas** jeter des éclairs; **~ por tierra** s'écrouler; **~ de menos** regretter; **la echo de menos** elle me manque; **~ mano a** mettre la main sur; **~ a suertes** décider à pile ou face; **~se atrás** se pencher en arrière; (*fig*) se dédire; **~se a llorar/reír/temblar** se mettre à pleurer/rire/trembler; **~se novia/novio** se fiancer; **~se a perder** (*alimento*) se gâter; (*persona*) dégénérer
eclesiástico, -a [ekle'sjastiko, a] *adj* ecclésiastique ■ *nm* ecclésiastique *m*
eclipse [e'klipse] *nm* éclipse *f*
eco ['eko] *nm* écho *m*; **encontrar un ~ en** trouver un écho dans; **hacerse ~ de una opinión** se faire l'écho d'une opinion; **tener ~** faire écho
ecología [ekolo'xia] *nf* écologie *f*
ecológico, -a [eko'loxiko, a] *adj* écologique
ecologista [ekolo'xista] *adj, nm/f* écologiste *m/f*
economato [ekono'mato] *nm* économat *m*
economía [ekono'mia] *nf* économie *f*; (*de empresa*) situation *f* économique; **hacer ~s** faire des économies; **~s de escala** économies d'échelle; **~ de mercado** économie de marché; **~ dirigida/doméstica/mixta/sumergida** économie dirigée/nationale/mixte/souterraine
económico, -a [eko'nomiko, a] *adj* économique; (*persona*) économe
economista [ekono'mista] *nm/f* économiste *m/f*
ecotasa [eko'tasa] *nf* éco-taxe *f*
ecu ['eku] *nm* écu *m*
ecuación [ekwa'θjon] *nf* équation *f*
ecuador [ekwa'ðor] *nm* équateur *m*; **(el) E~** (l')Équateur
ecuánime [e'kwanime] *adj* (*carácter*) juste; (*juicio*) impartial(e)
ecuatoriano, -a [ekwato'rjano, a] *adj* équatorien(ne) ■ *nm/f* Équatorien(ne)
ecuestre [e'kwestre] *adj* équestre
eczema [ek'θema] *nm* = **eccema**
edad [e'ðað] *nf* âge *m*; **¿qué ~ tienes?** quel âge as-tu?; **tiene ocho años de ~** il a huit ans; **de corta ~** en culottes courtes; **ser de mediana ~** être d'âge mûr; **ser de ~ avanzada** être âgé(e); **ser mayor/menor de ~** être majeur/mineur; **(no) estar en ~ de algo** (ne pas) être en âge de faire qch; **la E~ Media** le Moyen Âge; **tercera ~** troisième âge; **la ~ del pavo** l'âge ingrat; **E~ de Hierro/Piedra** âge de fer/de pierre

edición [eði'θjon] *nf* édition *f*; **"al cerrar la ~"** (*Tip*) "nouvelles de dernière heure"; **última ~** dernière édition
edificar [edifi'kar] *vt* édifier
edificio [eði'fiθjo] *nm* édifice *m*, bâtiment *m*; **~ público** bâtiment public
editar [eði'tar] *vt* éditer; (*preparar textos*) mettre en page
editor, a [eði'tor, a] *nm/f* éditeur(-trice); (*redactor*) rédacteur(-trice) ■ *adj*: **casa ~a** maison d'édition
editorial [eðito'rjal] *adj* éditorial(e) ■ *nm* éditorial *m* ■ *nf* (*tb*: **casa editorial**) maison *f* d'édition
edredón [eðre'ðon] *nm* couette *f*
educación [eðuka'θjon] *nf* éducation *f*; **ser de buena/mala ~** être bien/mal élevé(e); **sin ~** sans aucune éducation; **¡qué falta de ~!** quel manque d'éducation!
educar [eðu'kar] *vt* éduquer
EE.UU. *sigla mpl* (= *Estados Unidos*) EU *mpl* (= *États-Unis*), US(A) *mpl* (= *United States* (*of America*))
efectista [efek'tista] *adj* spectaculaire
efectivamente [efek'tiβamente] *adv* effectivement
efectivo, -a [efek'tiβo, a] *adj* effectif(-ive) ■ *nm*: **en ~** (*Com*) en espèces; **efectivos** *nmpl* (*de policía, ejército*) effectifs *mpl*; **hacer ~ un cheque** encaisser un chèque
efecto [e'fekto] *nm* (*tb Deporte*) effet *m*; **efectos** *nmpl* (*tb*: **efectos personales**) effets *mpl*; (*Com*) actif *m*; (*Econ*) valeurs *fpl*; **hacer** *o* **surtir ~** (*medida*) avoir de l'effet; (*medicamento*) faire de l'effet; **hacer** *o* **causar ~** faire de l'effet; **al** *o* **a tal ~** à cet effet; **a ~s de** à des fins de; **en ~** en effet; **tener ~** avoir lieu; **~s a cobrar** effets à recevoir; **~s especiales** effets spéciaux; **~s secundarios** (*Med*) effets secondaires; (*Com*) retombées *fpl*; **~s sonoros** effets de son
efectuar [efek'twar] *vt* effectuer; **efectuarse** *vpr* avoir lieu
eficacia [efi'kaθja] *nf* efficacité *f*
eficaz [efi'kaθ] *adj* efficace
eficiente [efi'θjente] *adj* efficace
efusivo, -a [efu'siβo, a] *adj* expansif(-ive); **mis más efusivas gracias** mes plus vifs remerciements
EGB *sigla f* (*Esp*: = *Educación General Básica*) *enseignement primaire et premier cycle de l'enseignement secondaire*
egipcio, -a [e'xipθjo, a] *adj* égyptien(ne) ■ *nm/f* Égyptien(ne)
Egipto [e'xipto] *nm* Egypte *f*
egoísmo [eɣo'ismo] *nm* égoïsme *m*
egoísta [eɣo'ista] *adj, nm/f* égoïste *m/f*
Eire ['eire] *nm* Eire *f*
ej. *abr* (= *ejemplo*) ex. (= *exemple*)
eje ['exe] *nm* axe *m*
ejecución [exeku'θjon] *nf* exécution *f*; (*Jur*) saisie *f*; **poner en ~** (*plan*) mettre à exécution
ejecutar [exeku'tar] *vt* exécuter; (*Jur*) saisir
ejecutivo, -a [exeku'tiβo, a] *adj* exécutif(-ive) ■ *nm/f* exécutif *m*; **el ~** l'exécutif; **el poder ~** le pouvoir exécutif
ejemplar [exem'plar] *adj* exemplaire ■ *nm* (*Zool etc*) spécimen *m*; (*de libro, periódico*) exemplaire *m*; **~ de regalo** exemplaire offert à titre gracieux
ejemplo [e'xemplo] *nm* exemple *m*; **por ~** par exemple; **dar ~** donner l'exemple
ejercer [exer'θer] *vt* exercer ■ *vi*: **~ de** exercer le métier de
ejercicio [exer'θiθjo] *nm* exercice *m*; **hacer ~** prendre de l'exercice; **~ acrobático** (*Aviat*) exercice acrobatique; **~ comercial** exercice; **~s espirituales** retraite *fsg*
ejército [e'xerθito] *nm* armée *f*; **entrar en el ~** entrer dans l'armée; **~ de ocupación** troupes *fpl* d'occupation; **E~ de Tierra/del Aire** armée de terre/de l'air
ejote [e'xote] (*AM*) *nm* haricot *m* vert

PALABRA CLAVE

el [el] (*f* **la**, *pl* **los** *o* **las**) *art def* 1 le, la, les; **el libro/la mesa/los estudiantes/las flores** le livre/la table/les étudiants/les fleurs; **el amor/la juventud** l'amour/la jeunesse; **me gusta el fútbol** j'aime le football; **está en la cama** il est au lit
2: **romperse el brazo** se casser le bras; **levantó la mano** il leva la main; **se puso el sombrero** il mit son chapeau
3 (*en descripción*): **tener la boca grande/los ojos azules** avoir une grande bouche/les yeux bleus
4 (*con días*): **me iré el viernes** je m'en irai vendredi; **los domingos suelo ir a nadar** le dimanche je vais nager
5 (*en exclamación*): **¡el susto que me diste!** tu m'as fait une de ces peurs!
■ *pron demos*: **mi libro y el de usted** mon livre et le vôtre; **las de Pepe son mejores** celles de Pepe sont mieux; **no la(s) blanca(s) sino la(s) gris(es)** pas la(les) blanche(s), la(les) grise(s)
■ *pron rel* 1: **el/la/los/las que** (*sujeto*) celui/celle/ceux/celles qui; (: *objeto*)

celui/celle/ceux/celles que; **el/la que quiera que se vaya** que celui/celle qui le veut s'en aille; **el que sea** n'importe qui; **llévese el que más le guste** emportez celui que vous préférez; **el que compré ayer** celui que j'ai acheté hier; **la que está debajo** celle qui est dessous
2: **el/la/los/las que** (*con preposición*) lequel/laquelle/lesquels/lesquelles; **la persona con la que hablé** la personne avec laquelle j'ai parlé
▪ *conj*: **el que sea tan vago me molesta** ça m'ennuie qu'il soit si paresseux

él [el] *pron pers* (*sujeto*) il; (*con preposición*) lui; **para él** pour lui; **es él** c'est lui
elaborar [elaβo'rar] *vt* élaborer; (*madera etc*) travailler
elasticidad [elastiθi'ðað] *nf* élasticité *f*
elástico, -a [e'lastiko, a] *adj, nm* élastique *m*
elección [elek'θjon] *nf* élection *f*; (*selección*) choix *m*; (*alternativa*) alternative *f*; **elecciones** *nfpl* élections *fpl*; **elecciones generales** élections
electorado [elekto'raðo] *nm* électorat *m*
electricidad [elektriθi'ðað] *nf* électricité *f*
electricista [elektri'θista] *nm/f* électricien(ne)
eléctrico, -a [e'lektriko, a] *adj* électrique
electro... [elektro] *pref* électro...
electrocardiograma [elektrocarðjo'ɣrama] *nm* électrocardiogramme *m*
electrocutar [elektroku'tar] *vt* électrocuter; **electrocutarse** *vpr* s'électrocuter
electrodo [elek'troðo] *nm* électrode *f*
electrodoméstico [elektroðo'mestiko] *nm* électroménager *m*
electromagnético, -a [elektromaɣ'netiko, a] *adj* électromagnétique
electrónica [elek'tronika] *nf* électronique *f*
electrónico, -a [elek'troniko, a] *adj* électronique; **proceso ~ de datos** (*Inform*) traitement *m* électronique des données
elefante [ele'fante] *nm* éléphant *m*
elegancia [ele'ɣanθja] *nf* élégance *f*
elegante [ele'ɣante] *adj* (*de buen gusto*) élégant(e); (*fino*) raffiné(e); **estar** *o* **ir ~** être élégant(e)
elegir [ele'xir] *vt* choisir; (*por votación*) élire
elemental [elemen'tal] *adj* élémentaire
elemento [ele'mento] *nm* élément *m*; (*AM*: *fam*) type *m*; **elementos** *nmpl* (*de una ciencia*) rudiments *mpl*; (*de la naturaleza*) éléments *mpl*; **estar en su ~** être dans son élément; **~s de juicio** éléments de jugement; **¡menudo ~!** bon à rien!
elepé [ele'pe] (*pl* **~s**) *nm* 33 tours *m inv*
elevación [eleβa'θjon] *nf* élévation *f*
elevar [ele'βar] *vt* élever; (*producción*) augmenter; **elevarse** *vpr* s'élever; **~se a** s'élever à
eligiendo *etc* [eli'xjenðo] *vb ver* **elegir**
elija *etc* [e'lixa] *vb ver* **elegir**
eliminar [elimi'nar] *vt* éliminer; (*Med*) enlever; (*Inform*) supprimer
eliminatoria [elimina'torja] *nf* épreuve *f* éliminatoire; (*Deporte*) éliminatoires *mpl*
élite ['elite] *nf* élite *f*
ella ['eʎa] *pron* elle; **de ~** à elle
ellas ['eʎas] *pron ver* **ellos**
ello ['eʎo] *pron* cela; **es por ~ que ...** c'est pour cela que ...
ellos, -as ['eʎos, as] *pron* ils (elles); (*después de prep*) eux (elles); **de ~** à eux (elles)
elocuencia [elo'kwenθja] *nf* éloquence *f*
elogiar [elo'xjar] *vt* louer
elogio [e'loxjo] *nm* éloge *m*; **hacer ~s a** *o* **de** faire l'éloge de; **deshacerse en ~s** ne pas tarir d'éloges
elote [e'lote] (*AM*) *nm* épi *m* de maïs
eludir [elu'ðir] *vt* (*deber*) faillir à; (*responsabilidad*) rejeter; (*justicia*) se soustraire à; (*respuesta*) éluder
email ['imeil] (*pl* **~s**) *nm* mail *m*, e-mail *m*; **mandar un ~ a algn** envoyer un mail à qn
emanar [ema'nar] *vi*: **~ de** émaner de; (*situación*) découler de
emancipar [emanθi'par] *vt* affranchir; **emanciparse** *vpr* s'émanciper; (*siervo*) s'affranchir
embadurnar [embaður'nar] *vt*: **~ (de)** badigeonner (de); **embadurnarse** *vpr*: **~se (de)** se badigeonner (de)
embajada [emba'xaða] *nf* ambassade *f*; (*mensaje*) dépêche *f*
embajador, a [embaxa'ðor, a] *nm/f* ambassadeur(-drice)
embaladura [embala'ðura] (*AM*) *nf*, **embalaje** [emba'laxe] *nm* emballage *m*
embalar [emba'lar] *vt* emballer; **embalarse** *vpr* s'emballer
embalsamar [embalsa'mar] *vt* embaumer

embalse [em'balse] *nm* réservoir *m*
embarazada [embara'θaða] *adj f* enceinte ■ *nf* femme *f* enceinte
embarazo [emba'raθo] *nm* (*de mujer*) grossesse *f*; (*estorbo, vergüenza*) embarras *m*
embarazoso, -a [embara'θoso, a] *adj* embarrassant(e)
embarcación [embarka'θjon] *nf* embarcation *f*; **~ de arrastre** chalutier *m*
embarcadero [embarka'ðero] *nm* embarcadère *m*
embarcar [embar'kar] *vt* embarquer; **embarcarse** *vpr* s'embarquer; **~ a algn en una empresa** (*fig*) embarquer qn dans une affaire; **~(se) en** (*AM*: *tren, avión*) monter dans
embargar [embar'ɣar] *vt* (*Jur*) saisir; **me embargaba la emoción** l'émotion m'envahissait
embargo [em'barɣo] *nm* (*Jur*) saisie *f*; (*Com, Pol*) embargo *m*; **sin ~** cependant
embargue *etc* [em'barɣe] *vb ver* **embargar**
embarque [em'barke] *vb ver* **embarcar** ■ *nm* embarquement *m*; **tarjeta/sala de ~** carte *f*/salle *f* d'embarquement
embaucar [embau'kar] *vt* enjôler
embeber [embe'βer] *vt* boire ■ *vi* (*tela*) rétrécir; **embeberse** *vpr*: **~se en** (*en libro, etc*) se plonger dans
embellecer [embeʎe'θer] *vt* embellir; **embellecerse** *vpr* embellir
embestida [embes'tiða] *nf* charge *f*
embestir [embes'tir] *vt* charger ■ *vi* charger; (*olas*) rugir
emblema [em'blema] *nm* emblème *m*
embobado, -a [embo'βaðo, a] *adj* bouche bée
embolia [em'bolja] *nf* embolie *f*; **~ cerebral** embolie cérébrale
émbolo ['embolo] *nm* piston *m*
embolsarse [embol'sarse] *vpr* empocher
emborrachar [emborra'tʃar] *vt* soûler; **emborracharse** *vpr* se soûler
emboscada [embos'kaða] *nf* embuscade *f*
embotar [embo'tar] *vt* (*sentidos*) émousser; (*facultades*) diminuer
embotellamiento [emboteʎa'mjento] *nm* embouteillage *m*
embotellar [embote'ʎar] *vt* mettre en bouteille; (*tráfico*) embouteiller; **embotellarse** *vpr* être embouteillé(e)
embrague [em'braɣe] *nm* embrayage *m*
embriagar [embrja'ɣar] *vt* soûler; (*fig*) griser; **embriagarse** *vpr* se soûler
embrión [em'brjon] *nm* embryon *m*; **en ~** (*proyecto*) à l'état embryonnaire
embrollar [embro'ʎar] *vt* embrouiller; **embrollarse** *vpr* s'embrouiller
embrollo [em'broʎo] *nm* enchevêtrement *m*; (*fig*: *lío*) beaux draps *mpl*
embrujado, -a [embru'xaðo, a] *adj* ensorcelé(e)
embrutecer [embrute'θer] *vt* abrutir; **embrutecerse** *vpr* s'abrutir
embudo [em'buðo] *nm* entonnoir *m*
embuste [em'buste] *nm* mensonge *m*
embustero, -a [embus'tero, a] *adj, nm/f* menteur(-euse)
embutido [embu'tiðo] *nm* (*Culin*) charcuterie *f*; (*Tec*) emboutissage *m*
emergencia [emer'xenθja] *nf* urgence *f*; (*surgimiento*) émergence *f*
emerger [emer'xer] *vi* émerger
emigración [emiɣra'θjon] *nf* (*de personas*) émigration *f*; (*de pájaros*) migration *f*; **la ~** (*emigrantes*) l'émigration
emigrante [emi'ɣrante] *adj* qui émigre ■ *nm/f* émigrant(e)
emigrar [emi'ɣrar] *vi* (*personas*) émigrer; (*pájaros*) migrer
eminencia [emi'nenθja] *nf*: **ser una ~ (en algo)** être un génie (en qch); (*en títulos*): **Su/Vuestra E~** (*Rel*) Son/Votre Eminence
eminente [emi'nente] *adj* éminent(e)
emisario [emi'sarjo] *nm* émissaire *m*
emisión [emi'sjon] *nf* émission *f*; **~ de acciones/de valores** (*Com*) émission d'actions/de titres; **~ gratuita de acciones** (*Com*) émission prioritaire
emisor, a [emi'sor, a] *nm* émetteur *m* ■ *nf* station *f* d'émission
emitir [emi'tir] *vt* émettre; (*voto*) exprimer; **~ una señal sonora** émettre un signal sonore
emoción [emo'θjon] *nf* (*excitación*) excitation *f*; (*sentimiento*) émotion *f*; **¡qué ~!** quelle émotion!
emocionante [emoθjo'nante] *adj* excitant(e); (*conmovedor*) émouvant(e)
emocionar [emoθjo'nar] *vt* exciter; (*conmover, impresionar*) émouvoir; **emocionarse** *vpr* s'émouvoir
emotivo, -a [emo'tiβo, a] *adj* (*escena*) émouvant(e); (*persona*) émotif(-ive)
empadronarse [empaðro'narse] *vpr* se faire recenser
empalagoso, -a [empala'ɣoso, a] *adj* (*alimento*) écœurant(e); (*fig*: *persona*) mielleux(-euse); (: *estilo*) à l'eau de rose

empalmar [empal'mar] *vt* (*cable*) rallonger; (*carretera*) rejoindre; (*sesión*) prolonger ■ *vi* (*dos caminos*) se rejoindre; **~ con** (*tren*) assurer la correspondance avec
empalme [em'palme] *nm* (*Tec*) jointure *f*; (*de carreteras*) croisement *m*; (*de trenes*) correspondance *f*
empanada [empa'naða] *nf sorte de chausson salé fourré de tomates, viande etc*
empantanarse [empanta'narse] *vpr* être inondé(e); (*fig*) être dans une impasse
empañar [empa'ɲar] *vt* embuer; **empañarse** *vpr* s'embuer
empapar [empa'par] *vt* mouiller; (*suj: toalla, esponja etc*) absorber; **empaparse** *vpr*: **~se (de)** (*persona*) être trempé(e) (par); (*esponja, comida*) absorber
empapelar [empape'lar] *vt* tapisser
empaquetar [empake'tar] *vt* empaqueter
empastar [empas'tar] *vt* plomber
empaste [em'paste] *nm* plombage *m*
empatar [empa'tar] *vi* faire match nul ■ *vt* (*Ven*) assembler; **empataron a 1** il y a eu 1 partout; **estar empatados** (*dos equipos*) être à égalité
empate [em'pate] *nm* match *m* nul; **un ~ a cero** zéro partout
empecé *etc* [empe'θe], **empecemos** *etc* [empe'θemos] *vb ver* **empezar**
empedernido, -a [empeðer'niðo, a] *adj* invétéré(e)
empedrado, -a [empe'ðraðo, a] *adj* pavé(e) ■ *nm* (*pavimento*) pavement *m*
empeine [em'peine] *nm* (*de pie*) cou-de-pied *m*; (*de zapato*) empeigne *m*
empellón [empe'ʎon] *nm* coup *m*; **dar empellones a algn** rouer qn de coups; **abrirse paso a empellones** se frayer un chemin à coups de coude
empeñado, -a [empe'ɲaðo, a] *adj* (*persona*) endetté(e); (*objeto*) mis(e) en gage; **~ en** (*obstinado*) déterminé(e) à
empeñar [empe'ɲar] *vt* mettre en gage; **empeñarse** *vpr* s'endetter; **~se en hacer** s'acharner à faire
empeño [em'peɲo] *nm* acharnement *m*; (*cosa prendada*) gage *m*; **casa de ~s** établissement *m* de prêts sur gages, mont-de-piété *m*; **con ~** avec acharnement; **poner ~ en hacer algo** mettre de l'acharnement à faire qch; **tener ~ en hacer algo** être determiné(e) à faire qch
empeorar [empeo'rar] *vt, vi* empirer
empequeñecer [empekeɲe'θer] *vt* rapetisser; (*fig*) banaliser
emperador [empera'ðor] *nm* empereur *m*
emperatriz [empera'triθ] *nf* impératrice *f*
empezar [empe'θar] *vt* commencer ■ *vi* commencer; **empezó a llover** il a commencé à pleuvoir; **bueno, para ~** voyons, pour commencer; **~ a hacer** commencer à faire; **~ por (hacer)** commencer par (faire)
empiece *etc* [em'pjeθe] *vb ver* **empezar**
empiezo *etc* [em'pjeθo] *vb ver* **empezar**
empinar [empi'nar] *vt* redresser; **empinarse** *vpr* (*persona*) se mettre sur la pointe des pieds; (*animal*) se mettre sur ses pattes de derrière; (*camino*) grimper; **~ el codo** (*fam*) lever le coude
empírico, -a [em'piriko, a] *adj* empirique
emplazamiento [emplaθa'mjento] *nm* emplacement *m*; (*Jur*) citation *f*
emplazar [empla'θar] *vt* construire; (*Jur*) citer à comparaître; (*citar*) citer
empleado, -a [emple'aðo, a] *adj, nm/f* employé(e); **le está bien ~** c'est bien fait pour lui; **empleada del hogar** employée de maison; **~ público** fonctionnaire *m*
emplear [emple'ar] *vt* employer; **emplearse** *vpr*: **~se de** *o* **como** trouver un emploi de, se faire embaucher comme; **~ mal el tiempo** mal gérer son temps
empleo [em'pleo] *nm* emploi *m*; **"modo de ~"** "mode d'emploi"
empobrecer [empoβre'θer] *vt* appauvrir; **empobrecerse** *vpr* s'appauvrir
empollar [empo'ʎar] *vt, vi* (*Zool*) couver; (*Escol: fam*) bûcher
empollón, -ona [empo'ʎon, ona] (*fam*) *nm/f* (*Escol*) bûcheur(-euse)
emporio [em'porjo] *nm* centre *m* commercial; (*AM*) grand magasin *m*
empotrado, -a [empo'traðo, a] *adj ver* **armario**
emprender [empren'der] *vt* entreprendre; **~la con algn** (*fam*) s'en prendre à qn; **~la a bofetadas/golpes (con algn)** commencer à gifler/taper (qn)
empresa [em'presa] *nf* entreprise *f*; (*esp Teatro*) direction *f*; **la libre ~** la libre entreprise; **~ filial/matriz** filiale *f*/société *f* mère
empresario, -a [empre'sarjo, a] *nm/f* (*Com*) chef *m* d'entreprise; (*Teatro, Mús*) impresario *m*; **~ de pompas fúnebres** entrepreneur *m* de pompes funèbres

empréstito [em'prestito] *nm* emprunt *m*; (*Com*) capital *m* d'emprunt
empujar [empu'xar] *vt* pousser; **~ a algn a hacer** pousser qn à faire
empuje [em'puxe] *nm* poussée *f*; (*fig*) brio *m*
empujón [empu'xon] *nm* coup *m*; **abrirse paso a empujones** se frayer un chemin à coups de coude
empuñar [empu'ɲar] *vt* empoigner; **~ las armas** (*fig*) prendre les armes
emular [emu'lar] *vt* imiter

PALABRA CLAVE

en [en] *prep* **1** (*posición*) dans; (: *sobre*): **en la mesa** sur la table; (: *dentro*): **está en el cajón** c'est dans le tiroir; **en el periódico** dans le journal; **en el suelo** par terre; **en Argentina/Francia/España** en Argentine/France/Espagne; **en La Paz/París/Londres** à La Paz/Paris/Londres; **en casa** à la maison; **en la oficina/el colegio** au bureau/à l'école; **en el quinto piso** au cinquième étage
2 (*dirección*) dans; **entró en el aula** il est entré dans la salle de classe; **la pelota cayó en el tejado** le ballon est tombé sur le toit
3 (*tiempo*) en; **en 1605/invierno** en 1605/hiver; **en el mes de enero** au mois de janvier; **caer en martes** tomber un mardi; **en aquella ocasión/época** à cette occasion/époque; **en ese momento** à ce moment; **en tres semanas** dans trois semaines; **en la mañana** (*AM*) le matin
4 (*manera*): **en avión/autobús** en avion/autobus; **viajar en tren** voyager en train; **escrito en inglés** écrit en anglais; **en broma** pour rire; **en un susurro** dans un murmure
5 (*forma*): **en espiral** en spirale; **en punta** pointu
6 (*tema, ocupación*): **experto en la materia** expert en la matière; **trabaja en la construcción** il travaille dans la construction
7 (*precio*) pour; **lo vendió en 20 dólares** il l'a vendu pour 20 dollars
8 (*diferencia*) de; **reducir/aumentar en una tercera parte/en un 20 por ciento** diminuer/augmenter d'un tiers/de 20 pour cent
9 (*después de vb que indica gastar etc*) en; **se le va la mitad del sueldo en comida** il dépense la moitié de son salaire en nourriture
10 (*adj + en + infin*): **lento en reaccionar** lent à réagir
11: **¡en marcha!** en route!

enaguas [e'naɣwas] (*AM*) *nfpl* combinaison *f*
enajenación [enaxena'θjon] *nf* aliénation *f*; (*tb*: **enajenación mental**) aliénation (mentale)
enajenar [enaxe'nar] *vt* aliéner; (*fig*) déranger
enamorado, -a [enamo'raðo, a] *adj, nm/f* amoureux(-euse); **estar ~ (de)** être amoureux(-euse) (de); **ser un ~ de** (*fig*) être un amoureux de
enamorar [enamo'rar] *vt* rendre amoureux(-euse); **enamorarse** *vpr*: **~se (de)** tomber amoureux(-euse) (de)
enano, -a [e'nano, a] *adj* nain(e); (*fam*: *muy pequeño*) de poupée ■ *nm/f* nain(e)
enardecer [enarðe'θer] *vt* (*incitar*) inciter; (*entusiasmar*) enflammer; **enardecerse** *vpr* (*excitarse*) s'enhardir; (*exaltarse*) s'enflammer
encabezamiento [enkaβeθa'mjento] *nm* en-tête *m*; (*de periódico*) titre *m*; **~ normal** (*Tip etc*) titre courant
encabezar [enkaβe'θar] *vt* (*movimiento*) prendre la tête de; (*lista*) être en tête de; (*carta, libro*) commencer
encadenar [enkaðe'nar] *vt* enchaîner; (*bicicleta*) attacher; **encadenarse** *vpr* s'enchaîner; (*fig*) s'assujettir
encajar [enka'xar] *vt* encastrer, emboîter; (*fam*: *golpe*) envoyer; (: *broma, mala noticia*) encaisser ■ *vi* s'encastrer, s'emboîter; **encajarse** *vpr* (*mecanismo*) se coincer; (*un sombrero*) mettre; **~ con** (*fig*) cadrer avec
encaje [en'kaxe] *nm* encastrement *m*
encalar [enka'lar] *vt* blanchir à la chaux
encallar [enka'ʎar] *vi* (*Náut*) échouer
encaminar [enkami'nar] *vt*: **~ (a)** diriger (vers); **encaminarse** *vpr*: **~se a** *o* **hacia** se diriger vers
encantado, -a [enkan'taðo, a] *adj* enchanté(e); **¡~!** enchanté(e)!; **estar ~ con algn/algo** être charmé(e) par qn/qch
encantador, a [enkanta'ðor, a] *adj, nm/f* charmeur(-euse); **~ de serpientes** charmeur de serpents
encantar [enkan'tar] *vt* enchanter; **me encantan los animales** j'adore les animaux; **le encanta esquiar** il adore skier
encanto [en'kanto] *nm* (*atractivo*) charme *m*; (*magia*) enchantement *m*;

(*expresión de ternura*) ravissement *m*; **como por ~** comme par enchantement
encarcelar [enkarθe'lar] *vt* emprisonner
encarecer [enkare'θer] *vt* augmenter le prix de; (*importancia*) souligner ▪ *vi* augmenter; **encarecerse** *vpr* augmenter; **le encareció que hiciera** il a insisté pour qu'il fasse
encarecimiento [enkareθi'mjento] *nm* renchérissement *m*
encargado, -a [enkar'ɣaðo, a] *adj* chargé(e) ▪ *nm/f* (*gerente*) gérant(e); (*responsable*) responsable *m/f*; **~ de negocios** responsable commercial(e)
encargar [enkar'ɣar] *vt* charger; (*Com*) commander; **encargarse** *vpr*: **~se de** se charger de; **~ a algn que haga algo** charger qn de faire qch
encargo [en'karɣo] *nm* requête *f*; (*Com*) commande *f*; **hecho de ~** fait sur mesure
encariñarse [enkari'ɲarse] *vpr*: **~ con** se prendre d'affection pour
encarnizado, -a [enkarni'θaðo, a] *adj* (*lucha*) sanglant(e)
encasillar [enkasi'ʎar] *vt* (*Teatro*) attribuer une place à; (*pey*) caser
encauzar [enkau'θar] *vt* diriger; (*fig*) orienter
encendedor [enθende'ðor] (*esp AM*) *nm* briquet *m*
encender [enθen'der] *vt* allumer; (*entusiasmo, cólera*) déclencher; **encenderse** *vpr* s'allumer; (*de cólera*) s'enflammer
encendido, -a [enθen'diðo, a] *adj* allumé(e); (*mejillas*) en feu; (*mirada*) enflammé(e) ▪ *nm* allumage *m*
encerado, -a [enθe'raðo, a] *adj* (*suelo*) ciré(e) ▪ *nm* (*Escol*) tableau *m*
encerar [enθe'rar] *vt* (*suelo*) cirer
encerrar [enθe'rrar] *vt* (*persona, animal*) enfermer; (*libros, documentos*) serrer; (*fig*) renfermer; **encerrarse** *vpr* s'enfermer; (*fig*) se réfugier; **~ en** (*Pol*) occuper
encharcar [entʃar'kar] *vt* détremper; **encharcarse** *vpr* être inondé(e)
enchufado, -a [entʃu'faðo, a] (*fam*) *nm/f* pistonné(e)
enchufar [entʃu'far] *vt* (*Elec*) brancher; (*Tec*) assembler; (*fam: persona*) pistonner
enchufe [en'tʃufe] *nm* (*Elec: clavija*) prise *f* mâle; (*: toma*) prise femelle; (*Tec*) jointure *f*; (*fam: recomendación*) piston *m*; (*: puesto*) *poste obtenu par piston*; **tiene un ~ en el ministerio** il est pistonné par quelqu'un au ministère
encía [en'θia] *nf* gencive *f*
enciclopedia [enθiklo'peðja] *nf* encyclopédie *f*
encienda *etc* [en'θjenda] *vb ver* **encender**
encierro [en'θjerro] *vb ver* **encerrar** ▪ *nm* retraite *f*; (*Taur*) *lâchage des taureaux dans les rues avant une corrida*; **el ~ en la fábrica** (*Pol*) l'occupation de l'usine
encima [en'θima] *adv* (*en la parte de arriba*) en-haut; (*además*) en plus; **~ de** (*sobre*) sur; (*además de*) en plus de; **por ~ de** plus haut que; (*fig*) plus haut placé(e) que; **por ~ de todo** par-dessus tout; **leer/mirar algo por ~** lire/regarder qch distraitement; **¿llevas dinero ~?** as-tu de l'argent sur toi?; **se me vino ~** il est venu me voir à l'improviste; **~ mío/nuestro** *etc* (*esp CSur: fam*) au-dessus de moi/nous *etc*
encina [en'θina] *nf* chêne *m* vert
encinta [en'θinta] *adj f* enceinte
enclenque [en'klenke] *adj* malingre
encoger [enko'xer] *vt* (*ropa*) rétrécir; (*piernas*) étendre; (*músculos*) bander; (*fig*) intimider ▪ *vi* rétrécir; **encogerse** *vpr* rétrécir; (*fig*) être intimidé(e); **~se de hombros** hausser les épaules
encolar [enko'lar] *vt* recoller
encolerizar [enkoleri'θar] *vt* mettre en colère; **encolerizarse** *vpr* se mettre en colère
encomendar [enkomen'dar] *vt* remettre; **encomendarse** *vpr*: **~se a** s'en remettre à
encomiar [enko'mjar] *vt* faire l'éloge de
encomienda [enko'mjenda] *vb ver* **encomendar** ▪ *nf* (*AM*) colis *m*; **~ postal** colis postal
encontrado, -a [enkon'traðo, a] *adj* opposé(e)
encontrar [enkon'trar] *vt* trouver; **encontrarse** *vpr* (*reunirse*) se retrouver; (*estar*) se trouver; (*sentirse*) se sentir; (*entrar en conflicto*) s'opposer; **~ a algn bien/cambiado** trouver qn bien/changé; **~se con algn/algo** tomber sur qn/qch; **~se bien (de salud)** aller bien
encrespar [enkres'par] *vt* faire moutonner; **encresparse** *vpr* moutonner
encrucijada [enkruθi'xaða] *nf* croisement *m*; **encontrarse** *o* **estar en una ~** (*fig*) ne plus savoir sur quel pied danser
encuadernación [enkwaðerna'θjon] *nf* reliure *f*; (*taller*) atelier *m* de relieur
encuadrar [enkwa'ðrar] *vt* encadrer; (*Foto*) cadrer
encubrir [enku'βrir] *vt* cacher; (*Jur*) couvrir

encuentro [en'kwentro] *vb ver* **encontrar** ■ *nm* rencontre *f*; (*Mil*) choc *m*; (*discusión*) discussion *f*; **ir/salir al ~ de algn** aller/sortir à la rencontre de qn
encuesta [en'kwesta] *nf* sondage *m*; (*investigación*) enquête *f*; **~ de opinión** sondage d'opinion; **~ judicial** enquête judiciaire
endeble [en'deβle] *adj* (*argumento*) mauvais(e); (*persona*) faible
endémico, -a [en'demiko, a] *adj* endémique
endemoniado, -a [endemo'njaðo, a] *adj* démoniaque; (*fig*: *travieso*) vicieux(-euse); (: *tiempo*) de chien; (*sabor*) infect(e)
enderezar [endere'θar] *vt* (*tb fig*) redresser; (*enmendar*) corriger; **enderezarse** *vpr* se redresser
endeudarse [endeu'ðarse] *vpr* s'endetter
endiablado, -a [endja'βlaðo, a] *adj* (*hum*: *genio, carácter*) espiègle; (: *problema*) diabolique; (: *tiempo*) de chien
endiñar [endi'ɲar] (*fam*) *vt* refiler
endosar [endo'sar] *vt* endosser; **~ algo a algn** (*fam*) refiler qch à qn
endulzar [endul'θar] *vt* (*café*) sucrer; (*salsa, fig*) adoucir; **endulzarse** *vpr* (*ver vt*) sucrer; adoucir, s'adoucir
endurecer [endure'θer] *vt* durcir; (*fig*: *persona*) endurcir; **endurecerse** *vpr* (*ver vt*) se durcir; s'endurcir
enema [e'nema] *nm* lavement *m*
enemigo, -a [ene'miɣo, a] *adj, nm/f* ennemi(e); **ser ~ de** être l'ennemi(e) de
enemistad [enemis'tað] *nf* aversion *f*
enemistar [enemis'tar] *vt* séparer; **enemistarse** *vpr*: **~se (con)** se fâcher (avec)
energía [ener'xia] *nf* énergie *f*; **~ atómica/nuclear/solar** énergie atomique/nucléaire/solaire
enérgico, -a [e'nerxiko, a] *adj* énergique
energúmeno, -a [ener'ɣumeno, a] *nm/f* énergumène *m/f*; **ponerse como un ~ con algo** se mettre dans une colère noire pour qch
enero [e'nero] *nm* janvier *m*; *ver tb* **julio**
enfadado, -a [enfa'ðaðo, a] *adj* en colère
enfadar [enfa'ðar] *vt* fâcher; **enfadarse** *vpr* se fâcher
enfado [en'faðo] *nm* colère *f*
énfasis ['enfasis] *nm* emphase *f*; **con ~** avec emphase; **poner ~ en** mettre l'accent sur
enfático, -a [en'fatiko, a] *adj* emphatique
enfermar [enfer'mar] *vt* rendre malade ■ *vi* tomber malade; **enfermarse** *vpr* (*esp AM*) tomber malade; **su actitud me enferma** (*fam*) son attitude me rend malade; **~ del corazón** souffrir d'une maladie de cœur
enfermedad [enferme'ðað] *nf* maladie *f*
enfermería [enferme'ria] *nf* infirmerie *f*
enfermero, -a [enfer'mero, a] *nm/f* infirmier(-ère); **enfermera jefa** infirmière en chef
enfermizo, -a [enfer'miθo, a] *adj* maladif(-ive)
enfermo, -a [en'fermo, a] *adj* malade ■ *nm/f* malade *m/f*; (*en hospital*) patient(e); **~ del corazón/hígado** malade du cœur/foie; **caer** *o* **ponerse ~** tomber malade; **¡me pone ~!** (*fam*) il me rend malade!
enflaquecer [enflake'θer] *vt* faire maigrir ■ *vi* maigrir; (*fuerzas, ánimo*) faiblir
enfocar [enfo'kar] *vt* (*luz, foco*) diriger; (*persona, objeto*) diriger le projecteur sur; (*Foto*) faire la mise au point sur; (*fig*: *problema*) envisager
enfoque [en'foke] *vb ver* **enfocar** ■ *nm* (*Foto*) objectif *m*; (*fig*) point *m* de vue
enfrentar [enfren'tar] *vt* (*peligro*) affronter; (*contendientes*) confronter; **enfrentarse** *vpr* s'affronter; (*dos equipos*) se rencontrer; **~se a** *o* **con** (*problema*) se trouver face à; (*enemigo*) faire face à
enfrente [en'frente] *adv* en face; **~ de** devant; **la casa de ~** la maison d'en face; **~ mío/nuestro** *etc* (*esp Csur*: *fam*) devant moi/nous *etc*
enfriamiento [enfria'mjento] *nm* rafraîchissement *m*; (*Med*) refroidissement *m*
enfriar [enfri'ar] *vt* (*algo caliente, amistad*) refroidir; (*habitación*) rafraîchir; **enfriarse** *vpr* se refroidir; (*habitación*) se rafraîchir; (*Med*) prendre froid
enfurecer [enfure'θer] *vt* rendre furieux(-euse); **enfurecerse** *vpr* devenir furieux(-euse); (*mar*) se déchaîner
engalanar [engala'nar] *vt* (*persona*) habiller; (*ciudad, calle*) décorer; **engalanarse** *vpr* bien s'habiller
enganchar [engan'tʃar] *vt* (*persona, dos vagones*) accrocher; (*caballos*) atteler; (*teléfono, electricidad*) mettre; (*fam*: *persona*) mettre le grappin sur; (*pez*) ferrer; (*Taur*) encorner; **engancharse** *vpr* (*Mil*) s'engager; **~se (en)** (*ropa*)

s'accrocher (à); **~se (a)** (*fam: drogas*) devenir accro (à); **se le enganchó la falda en el clavo** elle a accroché sa jupe au clou

enganche [en'gantʃe] *nm* (*Tec*) crochet *m*; (*Ferro*) accrochage *m*; (*Mil*) recrutement *m*; (*Méx: Com*) dépôt *m*

engañar [enga'ɲar] *vt* tromper; (*estafar*) escroquer ■ *vi* tromper; **engañarse** *vpr* se tromper; **~ el hambre** tromper la faim; **las apariencias engañan** les apparences sont trompeuses

engaño [en'gaɲo] *nm* (*mentira*) mensonge *m*; (*trampa*) piège *m*; (*estafa*) escroquerie *f*; **estar en** *o* **padecer un ~** être trompé(e); **inducir** *o* **llevar a ~** prêter à confusion

engañoso, -a [enga'ɲoso, a] *adj* trompeur(-euse)

engarzar [engar'θar] *vt* (*joya*) sertir; (*cuentas*) enfiler; (*fig*) associer

engatusar [engatu'sar] (*fam*) *vt* enjôler

engendrar [enxen'drar] *vt* procréer; (*fig*) engendrer

engendro [en'xendro] (*pey*) *nm* monstre *m*; (*novela, cuadro etc*) monstruosité *f*

englobar [englo'βar] *vt* englober

engordar [engor'ðar] *vt* faire grossir ■ *vi* grossir; **~ un kilo** prendre un kilo; **los dulces engordan** les sucreries, ça fait grossir

engorroso, -a [engo'rroso, a] *adj* empoisonnant(e)

engranaje [engra'naxe] *nm* engrenage *m*

engrandecer [engrande'θer] *vt* (*hacer más grande*) agrandir; (*ennoblecer*) ennoblir

engrasar [engra'sar] *vt* graisser

engreído, -a [engre'iðo, a] *adj* suffisant(e)

engrosar [engro'sar] *vt* (*manuscrito*) grossir; (*muro*) épaissir; (*capital, filas*) augmenter ■ *vi* grossir

enhebrar [ene'βrar] *vt* enfiler

enhorabuena [enora'βwena] *nf*: **dar la ~ a algn** féliciter qn; **¡~!** félicitations!

enigma [e'niɣma] *nm* énigme *f*

enjabonar [enxaβo'nar] *vt* savonner; **enjabonarse** *vpr* se savonner; **~se la barba/las manos** se savonner la barbe/ les mains

enjambre [en'xamβre] *nm* essaim *m*; (*fig*) meute *f*

enjaular [enxau'lar] *vt* mettre en taule; (*fam: persona*) mettre en tôle

enjuagar [enxwa'ɣar] *vt* rincer; **enjuagarse** *vpr* se rincer

enjuague [en'xwaɣe] *vb ver* **enjuagar** ■ *nm* rinçage *m*; (*fig*) magouille *f*

enjugar [enxu'ɣar] *vt* éponger; (*lágrimas*) essuyer; **enjugarse** *vpr*: **~se el sudor** s'éponger; **~se las lágrimas** essuyer ses larmes

enjuiciar [enxwi'θjar] *vt* (*Jur*) instruire; (*opinar sobre*) juger

enjuto, -a [en'xuto, a] *adj* décharné(e)

enlace [en'laθe] *vb ver* **enlazar** ■ *nm* (*relación*) lien *m*; (*tb*: **enlace matrimonial**) union *f*; (*de trenes*) liaison *f*; **~ de datos** enchaînement *m* des faits; **~ policial** contact *m*; **~ sindical** délégué(e) syndical(e); **~ telefónico** liaison téléphonique

enlatado, -a [enla'taðo, a] *adj* (*comida*) en conserve; (*fam, pey: música*) en conserve

enlazar [enla'θar] *vt* attacher; (*conceptos, organizaciones*) faire le lien entre; (*AM*) prendre au lasso ■ *vi*: **~ con** faire le lien avec

enlodar [enlo'ðar] *vt* tacher de boue; (*fama*) entacher

enloquecer [enloke'θer] *vt* rendre fou (folle) ■ *vi* devenir fou (folle); **me enloquece el chocolate** (*fig*) je raffole du chocolat; **~ de** (*fig*) devenir fou (folle) de

enlutado, -a [enlu'taðo, a] *adj* en deuil

enmarañar [enmara'ɲar] *vt* emmêler; (*fig*) embrouiller; **enmarañarse** *vpr* s'embrouiller

enmarcar [enmar'kar] *vt* encadrer; (*fig*) constituer le cadre de

enmascarar [enmaska'rar] *vt* masquer; **enmascararse** *vpr* se mettre un masque

enmendar [enmen'dar] *vt* (*escrito*) modifier; (*constitución, ley*) amender; (*comportamiento*) améliorer; **enmendarse** *vpr* (*persona*) s'améliorer

enmienda [en'mjenda] *vb ver* **enmendar** ■ *nf* amendement *m*; (*de carácter*) amélioration *f*; **no tener ~** être incorrigible

enmohecerse [enmoe'θerse] *vpr* (*metal*) s'oxyder; (*muro, plantas, alimentos*) moisir

enmudecer [enmuðe'θer] *vi* rester muet(te); (*perder el habla*) devenir muet(te)

ennegrecer [enneɣre'θer] *vt* noircir; **ennegrecerse** *vpr* (se) noircir

ennoblecer [ennoβle'θer] *vt* faire honneur à

en.° *abr* = **enero**

enojar [eno'xar] *vt* mettre en colère; (*disgustar*) contrarier; **enojarse** *vpr* (*ver vt*) se mettre en colère; être contrarié(e)

enojoso, -a [eno'xoso, a] *adj* ennuyeux(-euse)
enorgullecer [enorɣuʎe'θer] *vt* enorgueillir; **enorgullecerse** *vpr* s'enorgueillir
enorme [e'norme] *adj* énorme
enormidad [enormi'ðað] *nf* énormité *f*
enrarecido, -a [enrare'θiðo, a] *adj* raréfié(e)
enredadera [enreða'ðera] *nf* plante *f* grimpante
enredar [enre'ðar] *vt* emmêler; (*fig*: *asunto*) embrouiller ■ *vi* (*molestar*) faire des bêtises; (*trastear*) tripoter; **enredarse** *vpr* s'emmêler; (*fig*) s'embrouiller; **~ a algn en** (*fig*: *implicar*) mêler qn à; **~se en** se prendre dans; (*fig*) se mêler à; **~se con algn** (*fam*) s'amouracher de qn
enredo [en'reðo] *nm* nœud *m*; (*fig*: *lío*) pétrin *m*; (: *amorío*) amourette *f*
enrejado [enre'xaðo] *nm* grille *f*; (*en jardín*) treillis *m*
enrevesado, -a [enreβe'saðo, a] *adj* épineux(-euse)
enriquecer [enrike'θer] *vt* enrichir ■ *vi* s'enrichir; **enriquecerse** *vpr* s'enrichir
enrojecer [enroxe'θer] *vt*, *vi* rougir; **enrojecerse** *vpr* rougir
enrolar [enro'lar] *vt* enrôler; **enrolarse** *vpr* s'enrôler
enrollar [enro'ʎar] *vt* enrouler; **enrollarse** *vpr* (*fam*: *al hablar*) s'éterniser; **~se con algn** (*fam*) sortir avec qn; **~se bien/mal** (*fam*) être très/peu causant(e)
enroscar [enros'kar] *vt* (*tornillo, tuerca*) visser; (*cable, cuerda*) lover; **enroscarse** *vpr* (*serpiente*) se lover; (*planta*) se vriller
ensaimada [ensai'maða] *nf grande brioche ronde, spécialité des îles Baléares*
ensalada [ensa'laða] *nf* salade *f*; **~ mixta/rusa** salade mixte/russe
ensaladilla [ensala'ðiʎa] *nf* (*tb*: **ensaladilla rusa**) salade *f* russe
ensalzar [ensal'θar] *vt* encenser
ensambladura [ensambla'ðura] *nf* (*Tec*: *acoplamiento*) assemblage *m*; (: *pieza*) joint *m*
ensamblaje [ensam'blaxe] *nm*
ensanchar [ensan'tʃar] *vt* élargir; **ensancharse** *vpr* s'élargir; (*fig*: *persona*) se rengorger
ensanche [en'santʃe] *nm* élargissement *m*; (*zona*) terrain *m* à lotir
ensangrentar [ensangren'tar] *vt* ensanglanter
ensañarse [ensa'ɲarse] *vpr*: **~ con** tourmenter
ensartar [ensar'tar] *vt* enfiler; **~ (con)** (*atravesar*) transpercer (de)
ensayar [ensa'jar] *vt* essayer; (*Teatro*) répéter ■ *vi* répéter
ensayo [en'sajo] *nm* essai *m*; (*Teatro, Mús*) répétition *f*; (*Escol*) dissertation *f*; **pedido de ~** (*Com*) commande *f* d'essai; **~ general** répétition générale
enseguida [ense'ɣuiða] *adv* = **en seguida**; *ver* **seguida**
ensenada [ense'naða] *nf* crique *f*
enseñanza [ense'ɲanθa] *nf* enseignement *m*; **~ primaria/media/superior** enseignement primaire/secondaire/supérieur
enseñar [ense'ɲar] *vt* enseigner; (*mostrar*) montrer; (*señalar*) signaler; **~ a algn a hacer** montrer à qn comment faire
enseres [en'seres] *nmpl* effets *mpl*; (*útiles*) matériel *msg*
ensillar [ensi'ʎar] *vt* seller
ensimismarse [ensimis'marse] *vpr* s'absorber; (*AM*) se vanter; **~ en** s'absorber dans
ensombrecer [ensombre'θer] *vt* assombrir; **ensombrecerse** *vpr* (*fig*: *rostro*) s'assombrir
ensortijado, -a [ensorti'xaðo, a] *adj* (*pelo*) frisé(e)
ensuciar [ensu'θjar] *vt* salir; **ensuciarse** *vpr* se salir
ensueño [en'sweɲo] *nm* rêve *m*; (*fantasía*) illusion *f*; **de ~** de rêve
entablar [enta'βlar] *vt* (*suelo, hueco*) planchéier; (*Ajedrez, Damas*) disposer; (*conversación, lucha*) engager; (*pleito, negociaciones*) entamer
entablillar [entaβli'ʎar] *vt* mettre une attelle à
entallar [enta'ʎar] *vt* (*traje*) ajuster
ente ['ente] *nm* entité *f*; (*ser*) être *m*; (*fam*) phénomène *m*; **~ público** (*Esp*) télévision *f* espagnole
entender [enten'der] *vt*, *vi* comprendre ■ *nm*: **a mi ~** d'après moi; **entenderse** *vpr* (*a sí mismo*) se comprendre; (*2 personas*) s'entendre; **~ de** s'y entendre en; **~ algo de** avoir quelques notions de; **~ por** entendre par; **dar a ~ que ...** donner à entendre que ...; **~se bien/mal (con algn)** s'entendre bien/mal (avec qn); **¿entiendes?** tu comprends?; **yo me entiendo** (*fam*) je me comprends
entendido, -a [enten'diðo, a] *adj* (*experto*) compétent(e); (*informado*) informé(e) ■ *nm/f* connaisseur(-euse) ■ *excl* entendu!

entendimiento [entendi'mjento] *nm* entente *f*; (*inteligencia*) entendement *m*
enterado, -a [ente'raðo, a] *adj* informé(e); **estar ~ de** être au courant de; **no darse por ~** jouer les ignorants
enteramente [en'teramente] *adv* entièrement
enterarse [ente'rarse] *vpr*: **~ (de)** apprendre; **no se entera de nada** (*fam*) il ne se rend compte de rien; **para que te enteres ...** (*fam*) je te ferais remarquer ...
entereza [ente'reθa] *nf* droiture *f*; (*fortaleza*) courage *m*; (*integridad*) intégrité *f*; (*firmeza*) fermeté *f*
enternecer [enterne'θer] *vt* attendrir; **enternecerse** *vpr* s'attendrir
entero, -a [en'tero, a] *adj* (*íntegro*) au complet; (*no roto, fig*) entier(-ère) ▪ *nm* (*Mat*) entier *m*; (*Com*) point *m*; (*AM*) versement *m*; (*Arg*) bleu *m* de travail; **las acciones han subido dos ~s** les actions ont augmenté de deux points; **por ~** entièrement
enterrador [enterra'ðor] *nm* fossoyeur *m*
enterrar [ente'rrar] *vt* enterrer
entibiar [enti'βjar] *vt* tiédir; **entibiarse** *vpr* tiédir
entidad [enti'ðað] *nf* (*empresa*) entreprise *f*; (*organismo, Filos*) entité *f*; (*sociedad*) société *f*; **de menor/poca ~** de moindre importance/de peu d'importance
entienda *etc* [en'tjenda] *vb ver* **entender**
entierro [en'tjerro] *vb ver* **enterrar** ▪ *nm* enterrement *m*
entonación [entona'θjon] *nf* intonation *f*
entonar [ento'nar] *vt* entonner; (*colores*) harmoniser; (*Med*) fortifier ▪ *vi* (*al cantar*) donner le ton; **entonarse** *vpr* (*Med*) se fortifier; **~ con** (*colores*) se marier bien avec
entonces [en'tonθes] *adv* alors; **desde ~** depuis; **en aquel ~** en ce temps-là; **(pues) ~** (et) alors; **¡(pues) ~!** et alors!
entornar [entor'nar] *vt* (*puerta, ventana*) entrebâiller; (*los ojos*) garder mi-clos
entorno [en'torno] *nm* environnement *m*; **~ de redes** (*Inform*) environnement de réseaux
entorpecer [entorpe'θer] *vt* (*tb fig*) gêner; (*mente, persona*) abrutir
entrada [en'traða] *nf* entrée *f*; (*de año, libro*) début *m*; (*ingreso, Com*) recette *f*; **entradas** *nfpl* (*Com*) recettes *fpl*; **~s brutas** recettes brutes; **~s y salidas** (*Com*) recettes et dépenses; **~ de aire** (*Tec*) entrée d'air; **de ~** d'entrée; **"~ gratis"** "entrée gratuite"; **dar ~ a algn** admettre qn; **tener ~s** avoir le front dégarni
entrado, -a [en'traðo, a] *adj*: **~ en años** d'un âge avancé; **(una vez) ~ el verano** l'été venu
entramparse [entram'parse] *vpr* s'endetter
entrante [en'trante] *adj* prochain(e) ▪ *nm* encaissement *m*; (*Culin*) entrée *f*
entrañable [entra'ɲaβle] *adj* (*amigo*) cher(-ère); (*trato*) cordial(e)
entrañas [en'traɲas] *nfpl* entrailles *fpl*; **sin ~** (*fig*) sans merci
entrar [en'trar] *vt* mettre; (*Inform*) entrer ▪ *vi* entrer; (*caber: anillo, zapato*) aller; (*: tornillo, personas*) rentrer; (*año, temporada*) commencer; (*en profesión etc*) entrer; (*en categoría, planes*) rentrer; **le entraron ganas de reír** il eut envie de rire; **me entró sueño/frío** j'ai eu sommeil/froid; **~ en acción** entrer en action; (*entrar en funcionamiento*) commencer à fonctionner; **no me entra** je ne saisis pas; **~ a** (*AM*) entrer dans
entre ['entre] *prep* (*dos cosas*) entre; (*más de dos cosas*) parmi; **se abrieron paso ~ la multitud** ils se frayèrent un passage à travers la foule; **~ otras cosas** entre autres; **lo haremos ~ todos** nous le ferons tous ensemble; **~ más estudia, más aprende** (*esp AM: fam*) plus il étudie, plus il apprend
entreabrir [entrea'βrir] *vt* entrouvrir
entrecejo [entre'θexo] *nm*: **fruncir el ~** froncer les sourcils
entrecortado, -a [entrekor'taðo, a] *adj* entrecoupé(e)
entrega [en'treɣa] *nf* (*de mercancías*) livraison *f*; (*de premios*) remise *f*; (*de novela, serial*) épisode *m*; (*dedicación*) ardeur *f*; **"~ a domicilio"** "livraison à domicile"; **novela por ~s** roman-feuilleton *m*
entregar [entre'ɣar] *vt* livrer; (*dar*) remettre; **entregarse** *vpr* se livrer; **a ~** (*Com*) à livrer; **~se a** (*al trabajo*) se consacrer à; (*al vicio*) se livrer à
entrelazar [entrela'θar] *vt* entrelacer
entremeses [entre'meses] *nmpl* entrées *fpl*
entremeterse [entreme'terse] *vpr* = **entrometerse**
entremetido, -a [entreme'tiðo, a] *adj* = **entrometido**
entremezclar [entremeθ'klar] *vt* mélanger; **entremezclarse** *vpr* se mélanger

entrenador, a [entrena'ðor, a] *nm/f* entraîneur(-euse)
entrenar [entre'nar] *vt* entraîner ■ *vi* (*Deporte*) s'entraîner; **entrenarse** *vpr* s'entraîner
entrepierna [entre'pjerna] *nf* entrejambes *msg*
entresacar [entresa'kar] *vt* (*árboles*) déboiser; (*pelo*) désépaissir; (*frases, páginas*) sélectionner
entresuelo [entre'swelo] *nm* entresol *m*
entretanto [entre'tanto] *adv* entre-temps
entretener [entrete'ner] *vt* amuser; (*retrasar*) retenir; (*distraer*) distraire; (*fig*) entretenir; **entretenerse** *vpr* s'amuser; (*retrasarse*) s'attarder; (*distraerse*) se distraire; **no le entretengo más** je ne vous retiendrai pas plus longtemps
entretenido, -a [entrete'niðo, a] *adj* amusant(e); (*tarea*) prenant(e)
entretenimiento [entreteni'mjento] *nm* distraction *f*
entrever [entre'βer] *vt* entrevoir
entrevista [entre'βista] *nf* entrevue *f*; (*para periódico: TV*) interview *f*
entrevistar [entreβis'tar] *vt* interviewer; **entrevistarse** *vpr*: **~se (con)** avoir une entrevue (avec)
entristecer [entriste'θer] *vt* attrister; **entristecerse** *vpr* s'attrister
entrometerse [entrome'terse] *vpr*: **~ (en)** se mêler de
entrometido, -a [entrome'tiðo, a] *adj, nm/f* indiscret(-ète)
entumecer [entume'θer] *vt* engourdir; **entumecerse** *vpr* s'engourdir
entumecido, -a [entume'θiðo, a] *adj* engourdi(e)
enturbiar [entur'βjar] *vt* (*agua*) troubler; (*alegría*) gâter; **enturbiarse** *vpr* (*ver vt*) se troubler; retomber
entusiasmar [entusjas'mar] *vt* enthousiasmer; **entusiasmarse** *vpr*: **~se (con** *o* **por)** s'enthousiasmer (pour)
entusiasmo [entu'sjasmo] *nm*: **~ (por)** enthousiasme *m* (pour); **con ~** avec enthousiasme
entusiasta [entu'sjasta] *adj, nm/f* enthousiaste *m/f*; **~ de** enthousiaste de
enumerar [enume'rar] *vt* énumérer
enunciación [enunθja'θjon] *nf* énonciation *f*
enunciado [enun'θja'ðo] *nm* énoncé *m*
envainar [embai'nar] *vt* rengainer
envalentonar [embalento'nar] (*pey*) *vt* stimuler; **envalentonarse** *vpr* se vanter
envanecer [embane'θer] *vt* monter à la tête; **envanecerse** *vpr*: **~se de hacer/de haber hecho** se vanter de faire/d'avoir fait
envasar [emba'sar] *vt* conditionner; **envasado al vacío** conditionné sous vide
envase [em'base] *nm* (*recipiente*) récipient *m*; (*botella*) bouteille *f*; (*lata*) boîte *f* de conserve; (*bolsa*) poche *f*; (*acción*) conditionnement *m*
envejecer [embexe'θer] *vt, vi* vieillir
envenenar [embene'nar] *vt* empoisonner; (*fig: relaciones*) envenimer
envergadura [emberɣa'ðura] *nf* envergure *f*; **de gran ~** de grande envergure
envés [em'bes] *nm* envers *m*
enviar [em'bjar] *vt* envoyer; **~ a algn a hacer** envoyer qn faire
enviciarse [embi'θjarse] *vpr*: **~ (con)** s'intoxiquer (avec)
envidia [em'biðja] *nf* envie *f*; (*celos*) jalousie *f*; **tiene ~ de nuestro coche** notre voiture lui fait envie
envidiar [embi'ðjar] *vt* envier; (*tener celos de*) jalouser
envío [em'bio] *nm* envoi *m*; (*en barco*) expédition *f*; **gastos de ~** frais *mpl* d'envoi; **~ contra reembolso** envoi contre remboursement
enviudar [embju'ðar] *vi* devenir veuf (veuve)
envoltorio [embol'torjo] *nm* paquet *m*
envolver [embol'βer] *vt* envelopper; (*enemigo*) encercler; **envolverse** *vpr*: **~se en** s'envelopper dans; **~ a algn en** (*implicar*) impliquer qn dans
envuelto *etc* [em'bwelto], **envuelva** *etc* [em'bwelβa] *vb ver* **envolver**
enyesar [enje'sar] *vt* plâtrer
enzarzarse [enθar'θarse] *vpr*: **~ en** se mêler à
épica ['epika] *nf* poésie *f* épique
épico, -a ['epiko, a] *adj* épique
epidemia [epi'ðemja] *nf* épidémie *f*
epilepsia [epi'lepsja] *nf* épilepsie *f*
epílogo [e'piloɣo] *nm* épilogue *m*
episodio [epi'so'ðjo] *nm* épisode *m*
epístola [e'pistola] *nf* lettre *f*
época ['epoka] *nf* époque *f*; **de ~** d'époque; **hacer ~** faire époque
equilibrar [ekili'βrar] *vt* équilibrer
equilibrio [eki'liβrjo] *nm* équilibre *m*; **mantener/perder el ~** garder/perdre l'équilibre; **~ político** équilibre politique
equilibrista [ekili'βrista] *nm/f* équilibriste *m/f*
equipaje [eki'paxe] *nm* bagages *mpl*; **hacer el ~** faire ses bagages; **~ de mano** bagages à main

equipar [eki'par] *vt*: ~ **(con** *o* **de)** équiper (de)
equiparar [ekipa'rar] *vt*: ~ **algo/a algn a** *o* **con** (*igualar*) mettre qch/qn sur un pied d'égalité avec; (*comparar*) comparer qch/qn à; **equipararse** *vpr*: **~se con** se comparer à
equipo [e'kipo] *nm* (*grupo, Deporte*) équipe *f*; (*instrumentos*) matériel *m*, équipement *m*; **trabajo en ~** travail *m* d'équipe; **~ de alta fidelidad** matériel haut fidélité; **~ de música** chaîne *f* stéréo; **~ de rescate** équipe de sauvetage
equis ['ekis] *nf* (*letra*) X, x *m inv*; (*fam*: *cantidad indeterminada*) x *m*
equitación [ekita'θjon] *nf* équitation *f*
equitativo, -a [ekita'tiβo, a] *adj* équitable
equivalente [ekiβa'lente] *adj* équivalent(e) ■ *nm* équivalent *m*
equivaler [ekiβa'ler] *vi*: ~ **a (hacer)** équivaloir à (faire)
equivocación [ekiβoka'θjon] *nf* erreur *f*
equivocado, -a [ekiβo'kaðo, a] *adj* (*decisión, camino*) mauvais(e); **estás (muy) ~** tu te trompes (sur toute la ligne)
equivocarse [ekiβo'karse] *vpr* se tromper; **~ de camino/número** se tromper de chemin/numéro
equívoco, -a [e'kiβoko, a] *adj* équivoque ■ *nm* (*ambigüedad*) ambiguïté *f*; (*malentendido*) quiproquo *m*
era ['era] *vb ver* **ser** ■ *nf* ère *f*; (*Agr*) aire *f*
erais ['erais] *vb ver* **ser**
éramos ['eramos] *vb ver* **ser**
eran ['eran] *vb ver* **ser**
erario [e'rarjo] *nm* biens *mpl*
eras ['eres] *vb ver* **ser**
erección [erek'θjon] *nf* érection *f*
eres ['eras] *vb ver* **ser**
erguir [er'ɣir] *vt* (*alzar*) lever; (*poner derecho*) redresser; **erguirse** *vpr* se redresser
erigir [eri'xir] *vt* ériger; **erigirse** *vpr*: **~se en** s'ériger en
erizarse [eri'θarse] *vpr* se hérisser
erizo [e'riθo] *nm* hérisson *m*; (*tb*: **erizo de mar**) oursin *m*
ermita [er'mita] *nf* ermitage *m*
ermitaño, -a [ermi'taɲo, a] *nm/f* ermite *m/f*
erosión [ero'sjon] *nf* érosion *f*
erosionar [erosjo'nar] *vt* éroder
erótico, -a [e'rotiko, a] *adj* érotique
erotismo [ero'tismo] *nm* érotisme *m*
erradicar [erraði'kar] *vt* éradiquer
errar [e'rrar] *vi* errer; (*equivocarse*) se tromper ■ *vt*: **~ el camino** s'égarer; **~ el tiro** manquer son coup
errata [e'rrata] *nf* errata *m inv*
erróneo, -a [e'rroneo, a] *adj* erroné(e)
error [e'rror] *nm* erreur *f*; **estar en un ~** être dans l'erreur; **~ de escritura/de lectura** (*Inform*) erreur d'écriture/de lecture; **~ de imprenta** erreur d'impression; **~ judicial** erreur judiciaire
eructar [eruk'tar] *vi* roter
erudito, -a [eru'ðito, a] *adj, nm/f* érudit(e); **los ~s en esta materia** les experts en la matière
erupción [erup'θjon] *nf* éruption *f*; (*de violencia*) explosion *f*
es [es] *vb ver* **ser**
E/S *abr* (*Inform*: = *entrada/salida*) E/S (= *entrée/sortie*)
ESA *sigla f* (= *Administración o Agencia Espacial Europea*) ASE *f* (= *Agence spatiale européenne*)
esa ['esa] *adj demos ver* **ese**
ésa ['esa] *pron ver* **ése**
esbelto, -a [es'βelto, a] *adj* svelte
esbozo [es'βoθo] *nm* ébauche *f*
escabeche [eska'βetʃe] *nm* escabèche *f*; **en ~** à l'escabèche
escabroso, -a [eska'βroso, a] *adj* (*accidentado*) accidenté(e); (*fig*: *complicado*) épineux(-euse); (: *atrevido*) scabreux(-euse)
escabullirse [eskaβu'ʎirse] *vpr* s'esquiver; (*de entre los dedos*) filer
escafandra [eska'fandra] *nf* (*tb*: **escafandra autónoma**) scaphandre *m* (autonome); **~ espacial** scaphandre spatial
escala [es'kala] *nf* échelle *f*; (*tb*: **escala de cuerda**) échelle de corde; (*Aviat, Náut*) escale *f*; **en gran/pequeña ~** à grande/petite échelle; **una investigación a ~ nacional** une enquête à l'échelon national; **reproducir a ~** reproduire à l'échelle; **hacer ~ en** faire escale à; **~ móvil** échelle mobile; **~ salarial** échelle des salaires
escalafón [eskala'fon] *nm* (*en empresa*) échelle *f* des salaires; (*en organismo público*) échelons *mpl* de solde; **subir en el ~** monter en grade
escalar [eska'lar] *vt* escalader; (*fig*) monter ■ *vi* faire de l'escalade; (*fig*) monter en grade
escalera [eska'lera] *nf* escalier *m*; (*tb*: **escalera de mano**) marchepied *m*; (*Naipes*) suite *f*; **~ de caracol/de incendios** escalier en colimaçon/de

secours; **~ de tijera** escabeau *m*; **~ mecánica** escalier roulant
escalfar [eskal'far] *vt* pocher
escalinata [eskali'nata] *nf* perron *m*
escalofriante [eskalo'frjante] *adj* d'horreur
escalofrío [eskalo'frio] *nm* frisson *m*; **escalofríos** *nmpl* (*fig*): **dar** *o* **producir ~s a algn** donner des frissons à qn
escalón [eska'lon] *nm* marche *f*; (*de escalera de mano, fig*) échelon *m*
escalope [eska'lope] *nm* escalope *f*
escama [es'kama] *nf* écaille *f*; (*de jabón*) paillette *f*
escamar [eska'mar] *vt* (*pez*) écailler; (*producir recelo*) rendre soupçonneux(-euse)
escamotear [eskamote'ar] *vt* (*sueldo*) subtiliser; (*verdad*) cacher
escampar [eskam'par] *vi* se dégager
escandalizar [eskandali'θar] *vt* scandaliser; **escandalizarse** *vpr* se scandaliser
escándalo [es'kandalo] *nm* scandale *m*; **armar un ~** faire un scandale; **¡es un ~!** c'est un scandale!
escandaloso, -a [eskanda'loso, a] *adj* scandaleux(-euse); (*niño*) turbulent(e)
escanear [eskane'ar] *vt* scanner
escáner [es'kaner] *nm* (*aparato*) scanner *m*; (*imagen*) examen *m* au scanner
escandinavo, -a [eskandi'naβo, a] *adj* scandinave ■ *nm/f* Scandinave *m/f*
escaño [es'kaɲo] *nm* siège *m*
escapar [eska'par] *vi*: **~ (de)** (*de encierro*) s'échapper (de); (*de peligro*) échapper à; (*Deporte*) faire une échappée; **escaparse** *vpr*: **~se (de)** s'échapper (de); (*agua, gas*) fuir; **dejar ~ una oportunidad** laisser échapper une occasion; **se le escapó el secreto** il a vendu la mèche; **se le escapó la risa** un rire lui a échappé; **no se le escapa un detalle** pas un détail ne lui échappe
escaparate [eskapa'rate] *nm* vitrine *f*
escape [es'kape] *nm* (*de agua, gas*) fuite *f*; (*tb*: **tubo de escape**) pot *m* d'échappement; **salir a ~** sortir à toute vitesse; **tecla de ~** touche *f* d'échappement
escarabajo [eskara'βaxo] *nm* scarabée *m*
escaramuza [eskara'muθa] *nf* escarmouche *f*
escarbar [eskar'βar] *vt* ratisser ■ *vi* fouiller; **escarbarse** *vpr*: **~se los dientes** se curer les dents; **~ en** (*en asunto*) démêler
escarceos [eskar'θeos] *nmpl* (*fig*) écarts *mpl*; **~ amorosos** ébats *mpl* amoureux
escarcha [es'kartʃa] *nf* rosée *f*
escarchado, -a [eskar'tʃaðo, a] *adj* glacé(e)
escarlata [eskar'lata] *adj* écarlate
escarlatina [eskarla'tina] *nf* scarlatine *f*
escarmentar [eskarmen'tar] *vt* punir ■ *vi* comprendre la leçon; **¡para que escarmientes!** ça t'apprendra!
escarmiento [eskar'mjento] *vb ver* **escarmentar** ■ *nm* punition *f*; (*aviso*) leçon *f*
escarnio [es'karnjo] *nm* raillerie *f*; (*insulto*) quolibet *m*
escarola [eska'rola] *nf* scarole *f*
escarpado, -a [eskar'paðo, a] *adj* escarpé(e)
escasear [eskase'ar] *vi* être rare
escasez [eska'seθ] *nf* (*falta*) manque *m*; (*pobreza*) misère *f*; **vivir con ~** vivre pauvrement
escaso, -a [es'kaso, a] *adj* faible; (*posibilidades*) compté(e); (*recursos*) insuffisant(e); (*público*) peu nombreux(-euse); **estar ~ de algo** être à court de qch; **duró una hora escasa** cela a duré une heure à peine
escatimar [eskati'mar] *vt* (*sueldo, tela*) lésiner sur; (*elogios, esfuerzos*) ménager; **no ~ esfuerzos (para)** ne pas ménager ses efforts (pour)
escayola [eska'jola] *nf* plâtre *m*
escena [es'θena] *nf* scène *f*; **poner en ~** mettre en scène; **hacer una ~** (*fam*) faire une scène
escenario [esθe'narjo] *nm* scène *f*; **el ~ del crimen** les lieux du crime
escenografía [esθenoɣra'fia] *nf* scénographie *f*
escepticismo [esθepti'θismo] *nm* scepticisme *m*
escéptico, -a [es'θeptiko, a] *adj, nm/f* sceptique *m/f*
escisión [esθi'sjon] *nf* (*Bio*) excision *f*; (*de partido*) scission *f*; **~ nuclear** fission nucléaire
esclarecer [esklare'θer] *vt* éclaircir
esclavitud [esklaβi'tuð] *nf* esclavage *m*
esclavizar [esklaβi'θar] *vt* asservir
esclavo, -a [es'klaβo, a] *adj, nm/f* esclave *m/f*
esclusa [es'klusa] *nf* écluse *f*
escoba [es'koβa] *nf* balai *m*; **pasar la ~** passer le balai
escobilla [esko'βiʎa] *nf* (*del wáter*) balayette *f*; (*esp AM*) brosse *f*

escocer [esko'θer] *vi* brûler; **escocerse** *vpr* s'irriter; **me escuece mucho la herida** ma blessure me brûle
escocés, -esa [esko'θes, esa] *adj* écossais(e) ■ *nm/f* Écossais(e); **falda escocesa** kilt *m*; **tela escocesa** tissu *m* écossais
Escocia [es'koθja] *nf* Écosse *f*
escoger [esko'xer] *vt* choisir
escogido, -a [esko'xiðo, a] *adj* choisi(e)
escolar [esko'lar] *adj, nm/f* scolaire *m/f*
escollo [es'koʎo] *nm* (*tb fig*) écueil *m*
escolta [es'kolta] *nf* escorte *f*
escoltar [eskol'tar] *vt* escorter
escombros [es'kombros] *nmpl* décombres *mpl*
esconder [eskon'der] *vt* cacher; **esconderse** *vpr* se cacher
escondidas [eskon'diðas] *nfpl* (*AM*) cache-cache *m inv*; **a ~** en cachette; **hacer algo a ~ de algn** faire qch en cachette de qn
escondite [eskon'dite] *nm* cachette *f*; (*juego*) cache-cache *m inv*
escondrijo [eskon'drixo] *nm* cachette *f*
escopeta [esko'peta] *nf* fusil *m*; **~ de aire comprimido** fusil à air comprimé
escoria [es'korja] *nf* (*mineral*) scorie *f*; (*fig*) lie *f*
Escorpio [es'korpjo] *nm* (*Astrol*) Scorpion *m*; **ser ~** être (du) Scorpion
escorpión [eskor'pjon] *nm* scorpion *m*
escotado, -a [esko'taðo, a] *adj* décolleté(e); **ir muy ~** porter des vêtements très décolletés
escote [es'kote] *nm* décolleté *m*; **pagar a ~** payer son écot
escotilla [esko'tiʎa] *nf* (*Náut*) écoutille *f*
escozor [esko'θor] *nm* cuisson *f*
escribible [eskri'βiβle] *adj* (*CD/DVD*) gravable
escribir [eskri'βir] *vt, vi* écrire; **escribirse** *vpr* s'écrire; **~ a máquina** taper à la machine; **¿cómo se escribe?** comment ça s'écrit?
escrito, -a [es'krito, a] *pp de* **escribir** ■ *adj* écrit(e) ■ *nm* (*documento*) écrit *m*; (*manifiesto*) manifeste *m*; **por ~** par écrit
escritor, a [eskri'tor, a] *nm/f* écrivain *m/f*
escritorio [eskri'torjo] *nm* (*mueble*) secrétaire *m*; (*oficina*) bureau *m*
escritura [eskri'tura] *nf* écriture *f*; (*Jur*) écrit *m*; **~ de propiedad** titre *m* de propriété; **Sagrada E~** l'Écriture
escrúpulo [es'krupulo] *nm*: **me da ~ (hacer)** j'ai des scrupules (à faire); **escrúpulos** *nmpl* (*dudas*) scrupules *mpl*
escrupuloso, -a [eskrupu'loso, a] *adj* scrupuleux(-euse); (*aprensivo*) maniaque
escrutar [eskru'tar] *vt* scruter; (*votos*) dépouiller le scrutin
escrutinio [eskru'tinjo] *nm* examen *m* attentif; (*de votos*) scrutin *m*
escuadra [es'kwaðra] *nf* équerre *f*; (*Mil*) escouade *f*; (*Náut*) escadre *f*
escuadrilla [eskwa'ðriʎa] *nf* escadrille *f*
escuadrón [eskwa'ðron] *nm* escadron *m*
escuálido, -a [es'kwaliðo, a] *adj* efflanqué(e)
escuchar [esku'tʃar] *vt* écouter; (*esp AM: oír*) entendre ■ *vi* écouter; **escucharse** *vpr* (*AM: Telec*): **~se muy mal** entendre très mal
escudo [es'kuðo] *nm* bouclier *m*; (*insignia*) écusson *m*; (*moneda*) écu *m*; **~ de armas** armes *fpl*
escudriñar [eskuðri'ɲar] *vt* scruter
escuela [es'kwela] *nf* école *f*; **~ de arquitectura/Bellas Artes/idiomas** école d'architecture/des Beaux Arts/de langues; **~ normal** école normale
escueto, -a [es'kweto, a] *adj* (*estilo*) dépouillé(e); (*explicación*) concis(e)
escuincle [es'kwinkle] (*Méx: fam*) *nm* gosse *m*
esculpir [eskul'pir] *vt* sculpter
escultor, a [eskul'tor, a] *nm/f* sculpteur *m*
escultura [eskul'tura] *nf* sculpture *f*
escupidera [eskupi'ðera] *nf* crachoir *m*; (*orinal*) pot *m* de chambre
escupir [esku'pir] *vt, vi* cracher; **~ (a la cara) a algn** (*fig*) abreuver qn d'injures
escurreplatos [eskurre'platos] *nm inv* égouttoir *m*
escurridizo, -a [eskurri'ðiθo, a] *adj* glissant(e); (*fig: persona*) fuyant(e)
escurridor [eskurri'ðor] *nm* essoreuse *f*
escurrir [esku'rrir] *vt* (*ropa*) essorer; (*verduras*) égoutter; (*platos*) laisser s'égoutter; (*líquidos*) verser la dernière goutte de ■ *vi* (*ropa, botella*) goutter; (*líquidos*) couler; **escurrirse** *vpr* (*líquido*) s'écouler; (*ropa, platos*) s'égoutter; (*resbalarse*) glisser; (*escaparse*) s'esquiver; **~ el bulto** (*fig*) se dérober
ese[1] ['ese] *nf* (*letra*) S, s *m*; **hacer ~s** (*en carretera*) faire des zigzags; (*borracho*) avancer en zigzags
ese[2] ['ese], **esa** ['esa], **esos** ['esos], **esas** ['esas] *adj* (*demostrativo: sg*) ce (cette); (*: pl*) ces
ése ['ese], **ésa** ['esa], **ésos** ['esos], **ésas** ['esas] *pron* (*sg*) celui-là (celle-là); (*pl*) ceux-là (celles-là); **~ ... éste ...** celui-ci ...

celui-là ...; **¡no me vengas con ésas!** tu ne vas pas revenir là-dessus
esencia [e'senθja] *nf* essence *f*; (*de doctrina*) essentiel *m*; **en ~** par essence
esencial [esen'θjal] *adj* essentiel(le); **lo ~** l'essentiel *m*
esfera [es'fera] *nf* sphère *f*; (*de reloj*) cadran *m*; **~ impresora** boule *f* d'impression; **~ profesional/social** sphère professionnelle/sociale; **~ terrestre** globe *m* terrestre
esférico, -a [es'feriko, a] *adj* sphérique
esforzarse [esfor'θarse] *vpr* s'efforcer; **~ por hacer** s'efforcer de faire
esfuerzo [es'fwerθo] *vb ver* **esforzarse** ■ *nm* effort *m*; **hacer un ~ (para hacer)** faire un effort (pour faire); **con/sin ~** avec/sans effort
esfumarse [esfu'marse] *vpr* (*persona*) s'évanouir dans la nature; (*esperanzas*) partir en fumée
esgrima [es'ɣrima] *nf* escrime *f*
esgrimir [esɣri'mir] *vt* (*arma*) manier; (*argumento*) déployer
esguince [es'ɣinθe] *nm* entorse *f*
eslabón [esla'βon] *nm* maillon *m*; **el ~ perdido** (*Bio, fig*) le chaînon manquant
eslavo, -a [es'laβo, a] *adj* slave ■ *nm/f* Slave *m/f* ■ *nm* (*Ling*) langue *f* slave
eslip [es'lip] *nm* slip *m*
eslovaco, -a [eslo'βako, a] *adj* slovaque ■ *nm/f* Slovaque *m/f* ■ *nm* (*Ling*) slovaque *m*
Eslovaquia [eslo'βakja] *nf* Slovaquie *f*
esmaltar [esmal'tar] *vt* émailler
esmalte [es'malte] *nm* émail *m*; **~ de uñas** vernis *m* à ongles
esmerado, -a [esme'raðo, a] *adj* soigné(e)
esmeralda [esme'ralda] *nf* émeraude *f* ■ *adj* émeraude
esmerarse [esme'rarse] *vpr*: **~ (en)** se donner du mal (pour)
esmero [es'mero] *nm* soin *m*; **con ~** avec soin
esnob [es'nob] *adj inv, nm/f* snob *m/f*
esnobismo [esno'βismo] *nm* snobisme *m*
eso ['eso] *pron* ce, cela; **~ de su coche** cette histoire avec sa voiture; **~ de ir al cine** cette histoire d'aller au cinéma; **a ~ de las cinco** vers cinq heures; **en ~** sur ce; **por ~** c'est pour ça; **~ es** c'est cela; **~ mismo** cela-même; **nada de ~** rien de tout ça; **no es ~** ce n'est pas cela; **¡~ sí que es vida!** ça, c'est la vie!; **por ~ te lo dije** c'est pour cela que je te l'ai dit; **y ~ que llovía** pourtant il pleuvait!
esos ['esos] *adj demos ver* **ese**
ésos ['esos] *pron ver* **ése**
espabilar [espaβi'lar] *vt* = **despabilar**
espacial [espa'θjal] *adj* spatial(e)
espaciar [espa'θjar] *vt* espacer
espacio [es'paθjo] *nm* espace *m*; (*Mús*) interligne *m*; **el ~** l'espace; **ocupar mucho ~** prendre beaucoup de place; **a dos ~s, a doble ~** (*Tip*) à double interligne; **en el ~ de una hora/de 3 días** en l'espace d'une heure/de 3 jours; **por ~ de** durant; **~ aéreo/exterior** espace aérien/extérieur
espacioso, -a [espa'θjoso, a] *adj* spacieux(-euse)
espada [es'paða] *nf* épée *f* ■ *nm* (*Taur*) épée; **espadas** *nfpl* (*Naipes*) *l'une des quatre couleurs du jeu de cartes espagnol*; **estar entre la ~ y la pared** être entre le marteau et l'enclume
espaguetis [espa'ɣetis] *nmpl* spaghettis *mpl*
espalda [es'palda] *nf* dos *msg*; (*Natación*) dos crawlé; **a ~s de algn** dans le dos de qn; **a (las) ~s de** (*de edificio*) derrière; **dar la ~ a algn** tourner le dos à qn; **estar de ~s** être de dos; **por la ~** (*atacar*) par derrière; (*disparar*) dans le dos; **ser cargado de ~s** être voûté; **tenderse de ~s** s'allonger sur le dos; **volver la ~ a algn** tourner le dos à qn
espantajo [espan'taxo] *nm*, **espantapájaros** [espanta'paxaros] *nm inv* épouvantail *m*
espantar [espan'tar] *vt* (*persona*) effrayer; (*animal*) faire fuir; (*fig*) chasser; **espantarse** *vpr* s'effrayer; (*ahuyentar*) déguerpir; (*fig*) se dissiper
espanto [es'panto] *nm* frayeur *f*; (*terror*) panique *f*; **de ~** (*frío*) de canard; (*ruido*) assourdissant(e); **¡qué ~!** quelle horreur!
espantoso, -a [espan'toso, a] *adj* effrayant(e); (*fam: desmesurado*) terrible; (*: feísimo*) repoussant(e)
España [es'paɲa] *nf* Espagne *f*
español, a [espa'ɲol, a] *adj* espagnol(e) ■ *nm/f* Espagnol(e) ■ *nm* (*Ling*) espagnol *m*
esparadrapo [espara'ðrapo] *nm* sparadrap *m*
esparcimiento [esparθi'mjento] *nm* éparpillement *m*; (*fig*) divertissement *m*
esparcir [espar'θir] *vt* (*objetos*) éparpiller; (*semillas*) semer; (*líquido, noticia*) répandre; **esparcirse** *vpr* s'éparpiller; (*noticia*) se répandre; (*divertirse*) se divertir
espárrago [es'parraɣo] *nm* asperge *f*; **¡vete a freír ~s!** (*fam*) va te faire cuire un œuf!; **~ triguero** asperge sauvage

esparto [es'parto] *nm* alfa *m*
espasmo [es'pasmo] *nm* spasme *m*
espátula [es'patula] *nf* spatule *f*
especia [es'peθja] *nf* condiment *m*
especial [espe'θjal] *adj* spécial(e); **en ~** spécialement
especialidad [espeθjali'ðað] *nf* spécialité *f*; (*Escol*) spécialisation *f*
especialista [espeθja'lista] *nm/f* spécialiste *m/f*; (*Cine*) cascadeur(-euse)
especialmente [espe'θjalmente] *adv* spécialement
especie [es'peθje] *nf* espèce *f*; **una ~ de** une espèce de; **pagar en ~** payer en espèces
especificar [espeθifi'kar] *vt* spécifier
específico, -a [espe'θifiko, a] *adj* spécifique
espécimen [es'peθimen] (*pl* **especímenes**) *nm* spécimen *m*; (*muestra*) échantillon *m*
espectáculo [espek'takulo] *nm* spectacle *m*; **dar un ~** se donner en spectacle
espectador, a [espekta'ðor, a] *nm/f* spectateur(-trice); (*de incidente*) badaud *m*; **los ~es** (*Teatro*) les spectateurs
espectro [es'pektro] *nm* spectre *m*; (*fig*: *gama*) gamme *f*
especular [espeku'lar] *vi* (*meditar*): **~ sobre** spéculer sur; **~ (en)** (*Com*) spéculer (en)
espejismo [espe'xismo] *nm* mirage *m*
espejo [es'pexo] *nm* miroir *m*; **mirarse al ~** se regarder dans la glace; **~ retrovisor** rétroviseur *m*
espeluznante [espeluθ'nante] *adj* à faire dresser les cheveux sur la tête
espera [es'pera] *nf* attente *f*; (*Jur*) délai *m* de grâce; **a la** *o* **en ~ de** dans l'attente de; **en ~ de su contestación/carta** dans l'attente de votre réponse/lettre
esperanza [espe'ranθa] *nf* espoir *m*; **hay pocas ~s de que venga** il y a peu de chances pour qu'il vienne; **dar ~s a algn** donner de l'espoir à qn; **~ de vida** espérance *f* de vie
esperar [espe'rar] *vt* attendre; (*desear, confiar*) espérer ■ *vi* attendre; **esperarse** *vpr*: **como podía ~se** comme on pouvait s'y attendre; **hacer ~ a algn** faire attendre qn; **ir a ~ a algn** aller attendre qn; **espero que venga** j'espère qu'il va venir; **~ un bebé** attendre un enfant; **es de ~ que** il faut espérer que
esperma [es'perma] *nm* sperme *m* ■ *nf* (*Carib, Col*) bougie *f*
espesar [espe'sar] *vt* épaissir; **espesarse** *vpr* s'épaissir
espeso, -a [es'peso, a] *adj* épais(se)
espesor [espe'sor] *nm* épaisseur *f*; (*densidad*) densité *f*
espía [es'pia] *nm/f* espion(ne)
espiar [espi'ar] *vt* espionner ■ *vi*: **~ para** être un espion à la solde de
espiga [es'piɣa] *nf* épi *m*
espigón [espi'ɣon] *nm* (*Bot*) piquant *m*; (*Náut*) digue *f*
espina [es'pina] *nf* (*Bot*) épine *f*; (*de pez*) arête *f*; **me da mala ~** ça ne me dit rien qui vaille; **~ dorsal** épine dorsale
espinaca [espi'naka] *nf* (*Bot*) épinard *m*; **~s** (*Culin*) épinards *mpl*
espinazo [espi'naθo] *nm* épine *f* dorsale
espinilla [espi'niʎa] *nf* (*Anat*) tibia *m*; (*Med*) point *m* noir
espinoso, -a [espi'noso, a] *adj* épineux(euse)
espionaje [espjo'naxe] *nm* espionnage *m*
espiral [espi'ral] *adj* en spirale ■ *nf* spirale *f*; (*anticonceptivo*) stérilet *m*; **la ~ inflacionista** la spirale inflationniste; **en ~** en spirale
espirar [espi'rar] *vt, vi* expirer
espíritu [es'piritu] *nm* esprit *m*; **~ de cuerpo/de equipo** esprit de corps/ d'équipe; **~ de lucha** naturel *m* bagarreur; **E~ Santo** Saint-Esprit *m*
espiritual [espiri'twal] *adj* spirituel(le)
espita [es'pita] *nf* robinet *m*
espléndido, -a [es'plendiðo, a] *adj* (*magnífico*) splendide; (*generoso*) généreux(-euse)
esplendor [esplen'dor] *nm* splendeur *f*; (*apogeo*) apogée *m*
espolear [espole'ar] *vt* éperonner; (*fig*: *persona*) tanner
espoleta [espo'leta] *nf* goupille *f*
espolón [espo'lon] *nm* (*de ave*) ergot *m*; (*malecón*) jetée *f*
espolvorear [espolβore'ar] *vt* saupoudrer
esponja [es'ponxa] *nf* éponge *f*; **beber como** *o* **ser una ~** boire comme un trou; **~ de baño** éponge de toilette
esponjoso, -a [espon'xoso, a] *adj* spongieux(-euse); (*bizcocho*) imbibé(e)
espontaneidad [espontanei'ðað] *nf* spontanéité *f*
espontáneo, -a [espon'taneo, a] *adj* spontané(e) ■ *nm/f* (*esp Taur*) *spectateur qui s'élance dans l'arène pour participer à la corrida*
esposar [espo'sar] *vt* passer les menottes à

esposo, -a [es'poso, a] *nm/f* époux(-ouse); **esposas** *nfpl* (*para detenidos*) menottes *fpl*
espray [es'prai] *nm* aérosol *m*
espuela [es'pwela] *nf* éperon *m*
espuma [es'puma] *nf* mousse *f*; (*sobre olas*) écume *f*; **echar ~ por la boca** (*perro*) baver; (*fig: persona*) écumer de rage; **~ de afeitar** mousse à raser
espumadera [espuma'ðera] *nf* écumoire *f*
espumoso, -a [espu'moso, a] *adj* moussant(e)
esqueleto [eske'leto] *nm* squelette *m*
esquema [es'kema] *nm* schéma *m*; (*guión*) plan *m*; **en ~** schématiquement
esquí [es'ki] (*pl* **~s**) *nm* ski *m*; **~ acuático** ski nautique
esquiar [es'kjar] *vi* skier
esquilar [eski'lar] *vt* tondre
esquimal [eski'mal] *adj* esquimau(de) ■ *nm/f* Esquimau(de)
esquina [es'kina] *nf* coin *m*; **doblar la ~** tourner au coin de la rue; **hacer ~ con** faire le coin avec
esquinazo [eski'naθo] *nm*: **dar ~ a algn** planter là qn
esquirol [eski'rol] *nm* briseur *m* de grève
esquivar [eski'βar] *vt* esquiver
esquivo, -a [es'kiβo, a] *adj* (*huraño*) asocial(e); (*desdeñoso*) dédaigneux(-euse)
esta ['esta] *adj ver* **este**[2]
está [es'ta] *vb ver* **estar**
ésta ['esta] *pron ver* **éste**
estabilidad [estaβili'ðað] *nf* stabilité *f*
estable [es'taβle] *adj* stable
establecer [estaβle'θer] *vt* établir; **establecerse** *vpr* s'établir; **~se de** *o* **como médico** s'établir comme médecin
establecimiento [estaβleθi'mjento] *nm* établissement *m*
establo [es'taβlo] *nm* étable *f*; (*granero*) grange *f*
estaca [es'taka] *nf* (*palo*) piquet *m*; (*con punta*) pieu *m*
estación [esta'θjon] *nf* gare *f*; (*del año*) saison *f*; (*Rel*) station *f*; **~ de autobuses/de ferrocarril** gare routière/de chemin de fer; **~ de esquí** station de sports d'hiver; **~ de metro** station de métro; **~ de radio** station d'émission; **~ de servicio** station-service *f*; **~ de trabajo** station de travail; **~ de visualización** visuel *m*; **~ meteorológica** station météorologique
estacionamiento [estaθjona'mjento] *nm* stationnement *m*
estacionar [estaθjo'nar] *vt* (*Auto*) garer; **estacionarse** *vpr* (*Auto*) se garer; (*Med*) se stabiliser
estacionario, -a [estaθjo'narjo, a] *adj* (*estado*) stationnaire; (*mercado*) calme
estadio [es'taðjo] *nm* stade *m*
estadista [esta'ðista] *nm* (*Pol*) homme *m* d'Etat; (*Estadística*) statisticien(ne)
estadística [esta'ðistika] *nf* statistique *f*
estado [es'taðo] *nm* état *m*; **el E~** l'Etat; **estar en ~ (de buena esperanza)** attendre un heureux événement; **~ civil** état civil; **~ de ánimo** état d'âme; **~ de cuenta(s)** relevé *m* de compte; **~ de emergencia** *o* **excepción** état d'urgence; **~ de pérdidas y ganancias** compte *m* de profits et pertes; **~ de sitio** état de siège; **~ financiero** bilan *m* financier; **~ mayor** (*Mil*) état-major *m*; **E~s Unidos** Etats-Unis
estadounidense [estaðouni'ðense] *adj* américain(e) ■ *nm/f* Américain(e)
estafa [es'tafa] *nf* escroquerie *f*
estafar [esta'far] *vt* escroquer; **les estafaron 8 millones** ils les ont escroqués de 8 millions
estafeta [esta'feta] *nf* bureau *m* de poste
estáis [es'tais] *vb ver* **estar**
estallar [esta'ʎar] *vi* (*bomba*) exploser; (*volcán*) entrer en éruption; (*vidrio*) voler en éclats; (*bolsa, fig*) éclater; **~ (de)** (*de ira*) exploser de; (*de curiosidad*) être pris(e) de; **~ en llanto** fondre en larmes
estallido [esta'ʎiðo] *nm* explosion *f*; (*fig: de guerra*) déclenchement *m*
estampa [es'tampa] *nf* estampe *f*; (*porte*) allure *f*; **ser la viva ~ de** être l'image même de
estampado, -a [estam'paðo, a] *adj* imprimé(e) ■ *nm* (*dibujo*) imprimé *m*
estampar [estam'par] *vt* imprimer; (*metal*) estamper; (*fam: beso*) plaquer; (*: bofetada*) envoyer; **~ algo contra la pared** (*fam*) écraser qch contre le mur
estampida [estam'piða] (*esp AM*) *nf* débandade *f*
estampido [estam'piðo] *nm* détonation *f*
están [es'tan] *vb ver* **estar**
estancado, -a [estan'kaðo, a] *adj* stagnant(e)
estancar [estan'kar] *vt* stagner; (*asunto, negociación*) paralyser; **estancarse** *vpr* stagner; (*fig: progreso*) piétiner; (*persona*): **~se en** s'enliser dans
estancia [es'tanθja] *nf* séjour *m*; (*sala*) salle *f*; (*AM*) ferme *f* d'élevage
estanciero [estan'θjero] (*AM*) *nm* (*Agr*) éleveur *m*

estanco, -a [es'tanko, a] *adj*: **compartimento ~** compartiment *m* étanche ■ *nm* bureau *m* de tabac
estándar [es'tandar] *adj* normal(e); (*medio*) standard ■ *nm* standard *m*
estandarizar [estandari'θar] *vt* standardiser; **estandarizarse** *vpr* se standardiser
estandarte [estan'darte] *nm* étendard *m*
estanque [es'tanke] *vb ver* **estancar** ■ *nm* bassin *m*; (*Chi*) réservoir *m*
estanquero, -a [estan'kero, a] *nm/f* buraliste *m/f*
estante [es'tante] *nm* (*de mueble*) rayonnage *m*; (*adosado*) étagère *f*; (*AM*: *soporte*) étai *m*
estantería [estante'ria] *nf* rayonnage *m*
estaño [es'taɲo] *nm* étain *m*

PALABRA CLAVE

estar [es'tar] *vi* **1** (*posición*) être; **está en la Plaza Mayor** il est sur la Plaza Mayor; **¿está Juan?** (est-ce que) Juan est là?; **estamos a 30 km de Junín** nous sommes à 30 km de Junín
2 (+ *adj o adv*: *estado*) être; **estar enfermo** être malade; **estar lejos** être loin; **está roto** c'est cassé; **está muy elegante** il est très élégant; **¿cómo estás?** comment vas-tu?; *ver tb* **bien**
3 (+ *gerundio*) être en train de; **estoy leyendo** je suis en train de lire
4 (*uso pasivo*): **está condenado a muerte** il est condamné à mort; **está envasado en ...** c'est enveloppé dans ...
5 (*tiempo*): **estamos en octubre/2008** nous sommes en octobre/2008
6 (*estar listo*): **¿está la comida?** le repas est prêt?; **¿estará para mañana?** ce sera prêt pour demain?; **ya está** ça y est; **en seguida está** tout de suite
7 (*sentar*) aller; **el traje le está bien** le costume lui va bien
8: **estar a** (*con fechas*): **¿a cuántos estamos?** nous sommes le combien?; **estamos a 5 de mayo** nous sommes le 5 mai; (*con precios*): **las manzanas están a dos** les pommes sont à deux euros; (*con grados*): **estamos a 25°** il fait 25°; **está a régimen** il est au régime
9: **estar con**; **está con gripe** il a la grippe; (*apoyar*): **estoy con él** je suis (d'accord) avec lui
10: **estar de** (*ocupación*): **estar de vacaciones/viaje** être en vacances/voyage; (*trabajo*): **está de camarero** il travaille comme garçon de café; (*actitud*): **está de mal humor** il est de mauvaise humeur
11: **estar en** (*consistir*) résider dans
12: **estar para** (*a punto de*): **está para salir** il est prêt à sortir; (*disponible*): **no estoy para nadie** je n'y suis pour personne; (*con humor de*): **no estoy para bromas** je ne suis pas d'humeur à plaisanter
13: **estar por** (*a favor de*) être pour; **estoy por dejarlo** je suis pour le laisser tomber; (*sin hacer*): **está por limpiar** ça reste à nettoyer
14: **estar que**; **¡está que trina!** il en est fumasse!; **estoy que me caigo de sueño** c'est que je tombe de sommeil
15: **estar sin**; **estar sin dinero** ne pas avoir d'argent; **la casa está sin terminar** la maison n'est pas finie
16 (*locuciones*): **¡ya estuvo!** (*AM*: *fam*) ça suffit!; **¿estamos?** (*¿de acuerdo?*) d'accord?; **¡ya está bien!** bon, ça va!
estarse *vpr*: **se estuvo en la cama toda la tarde** il est resté au lit tout l'après-midi; **¡estáte quieto!** reste tranquille!

estas ['estas] *adj demos ver* **este**[2]
éstas ['estas] *pron ver* **éste**
estatal [esta'tal] *adj* (*política*) gouvernemental(e); (*enseñanza*) public(-ique)
estático, -a [es'tatiko, a] *adj* statique
estatua [es'tatwa] *nf* statue *f*
estatura [esta'tura] *nf* stature *f*
estatuto [esta'tuto] *nm* statut *m*; **~s sociales** (*Com*) statuts
este[1] ['este] *adj* est; (*viento*) d'est ■ *nm* est *m*; **los paises del E~** les pays *mpl* de l'Est
este[2] ['este], **esta** ['esta], **estos** ['estos], **estas** ['estas] *adj* (*demostrativo*: *sg*) ce (cette); (: *pl*) ces ■ *excl* (*AM*: *fam*: *esto*) euh!
esté [es'te] *vb ver* **estar**
éste ['este], **ésta** ['esta], **éstos** ['estos], **éstas** ['estas] *pron* (*sg*) celui-ci (celle-ci); (*pl*) ceux-ci (celles-ci); **ése ... ~ ...** celui-ci ... celui-là ...
estelar [este'lar] *adj* (*Astron*) stellaire; (*actuación*) de star; (*reparto*) prestigieux(-euse)
estén [es'ten] *vb ver* **estar**
estepa [es'tepa] *nf* steppe *f*
estera [es'tera] *nf* sparterie *f*
estéreo [es'tereo] *adj inv, nm* stéréo *f*; **en ~** en stéréo
estereotipo [estereo'tipo] (*pey*) *nm* stéréotype *m*

estéril [es'teril] *adj* stérile
esterilizar [esterili'θar] *vt* stériliser
esterlina [ester'lina] *adj*: **libra ~** livre *f* sterling
estés [es'tes] *vb ver* **estar**
estética [es'tetika] *nf* esthétique *f*
estético, -a [es'tetiko, a] *adj* esthétique
estibador [estiβa'ðor] *nm* docker *m*
estiércol [es'tjerkol] *nm* fumier *m*
estilarse [esti'larse] *vpr* être en vogue
estilo [es'tilo] *nm* style *m*; (*Natación*) nage *f*; **~ de vida** style de vie; **al ~ de** à la mode de; **por el ~** de ce genre; **tener ~** avoir du style
estima [es'tima] *nf* estime *f*; **le tiene en mucha ~** il a beaucoup d'estime pour lui
estimación [estima'θjon] *nf* (*valoración*) estimation *f*; (*estima*) estime *f*
estimar [esti'mar] *vt* estimer; **~ algo en** (*valorar*) estimer qch à
estimulante [estimu'lante] *adj* stimulant(e) ■ *nm* stimulant *m*
estimular [estimu'lar] *vt* stimuler
estímulo [es'timulo] *nm* stimulation *f*
estipulación [estipula'θjon] *nf* stipulation *f*
estipular [estipu'lar] *vt* stipuler
estirado, -a [esti'raðo, a] *adj* tendu(e); (*engreído*) infatué(e)
estirar [esti'rar] *vt* étirer; (*brazo, pierna*) tendre; (*fig: dinero*) faire durer ■ *vi* tirer; **estirarse** *vpr* s'étirer; **~ la pata** (*fam*) partir les pieds devant; **~ las piernas** (*fig*) se dégourdir les jambes
estirón [esti'ron] *nm* étirement *m*; **dar** *o* **pegar un ~** pousser comme une asperge
estirpe [es'tirpe] *nf* souche *f*
estival [esti'βal] *adj* estival(e)
esto ['esto] *pron* cela, ça, c' ■ *excl* (*fam*) euh!; **~ de la boda** cette affaire de la noce; **~ es, ...** c'est-à-dire, ...; **en ~** sur ce; **por ~** c'est pour ça
Estocolmo [esto'kolmo] *n* Stockolm
estofado, -a [esto'faðo, a] *adj* cuit(e) à l'étouffée ■ *nm* estouffade *f*
estofar [esto'far] *vt* cuire à l'étouffée
estómago [es'tomaɣo] *nm* estomac *m*; **tener ~** (*fig*) avoir de l'estomac; **revolverle el ~ a algn** (*fam*) retourner les sangs à qn
estorbar [estor'βar] *vt* gêner; (*planes*) paralyser ■ *vi* gêner
estorbo [es'torβo] *nm* gêne *f*
estornudar [estornu'ðar] *vi* éternuer
estos ['estos] *adj ver* **este**[2]
éstos ['estos] *pron ver* **éste**
estoy [es'toi] *vb ver* **estar**
estrado [es'traðo] *nm* estrade *f*; **estrados** *nmpl* (*Jur*) salles *fpl* d'audience
estrafalario, -a [estrafa'larjo, a] *adj* extravagant(e)
estrago [es'traɣo] *nm*: **hacer** *o* **causar ~s en** faire des ravages parmi
estragón [estra'ɣon] *nm* estragon *m*
estrambótico, -a [estram'botiko, a] *adj* extravagant(e)
estrangular [estrangu'lar] *vt* étrangler; (*Med*) obstruer
Estrasburgo [estras'βurɣo] *n* Strasbourg
estratagema [estrata'xema] *nf* stratagème *m*
estrategia [estra'texja] *nf* stratégie *f*
estratégico, -a [estra'texiko, a] *adj* stratégique
estrato [es'trato] *nm* strate *f*; **~ social** couche *f* sociale
estrechamente [estretʃa'mente] *adv* (*íntimamente*) étroitement; (*pobremente*) à l'étroit
estrechar [estre'tʃar] *vt* rétrécir; (*persona*) serrer; (*lazos de amistad*) resserrer; **estrecharse** *vpr* se rétrécir; (*dos personas*) se rapprocher; (*fam: en asiento*) se serrer; **~ la mano** serrer la main
estrechez [estre'tʃeθ] *nf* étroitesse *f*; **estrecheces** *nfpl* (*apuros*) difficultés *fpl* financières
estrecho, -a [es'tretʃo, a] *adj* étroit(e); (*amistad*) intime ■ *nm* détroit *m*; **~ de miras** borné(e); **estar/ir muy ~s** être très serrés; **E~ de Gibraltar** détroit de Gibraltar
estrella [es'treʎa] *nf* étoile *f*; (*Cine etc*) star *f*; **tener (buena)/mala ~** être né(e) sous une (bonne)/mauvaise étoile; **ver las ~s** (*fam*) voir trente-six chandelles; **~ de mar** étoile de mer; **~ fugaz** étoile filante; **E~ Polar** étoile polaire
estrellado, -a [estre'ʎaðo, a] *adj* en forme d'étoile; (*cielo*) étoilé(e); (*huevos*) sur le plat
estrellar [estre'ʎar] *vt* briser en mille morceaux; (*huevos*) faire cuire sur le plat; **estrellarse** *vpr* se briser en mille morceaux; (*coche*) s'écraser; (*fracasar*) échouer; **se estrellaron en la carretera** ils sont morts dans un accident de voiture
estremecer [estreme'θer] *vt* bouleverser; (*suj: miedo, frío*) faire frissonner; **estremecerse** *vpr* frissonner; (*edificio*) trembler; **~se de** frissonner de
estremecimiento [estremeθi'mjento] *nm* frisson *m*

estrenar [estre'nar] *vt* (*vestido*) étrenner; (*casa*) pendre la crémaillère; (*película, obra de teatro*) donner la première de; **estrenarse** *vpr*: **~se como** (*persona*) faire ses débuts de
estreno [es'treno] *nm* inauguration *f*; (*Cine, Teatro*) première *f*
estreñido, -a [estre'ɲiðo, a] *adj* constipé(e)
estreñimiento [estreɲi'mjento] *nm* constipation *f*
estrépito [es'trepito] *nm* fracas *msg*
estrepitoso, -a [estrepi'toso, a] *adj* (*caída*) spectaculaire; (*gritos*) perçant(e); (*fracaso, victoria*) fracassant(e); **aplausos ~s** un tonnerre d'applaudissements
estrés [es'tres] *nm* stress *m*
estría [es'tria] *nf* (*en tronco*) strie *f*; (*columna*) striure *f*; **~s** (*en la piel*) vergetures *fpl*
estribación [estriβa'θjon] *nf* (*Geo, frec pl*) contrefort *m*
estribar [estri'βar] *vi*: **~ en** reposer sur; **la dificultad estriba en el texto** la difficulté se situe dans le texte
estribillo [estri'βiʎo] *nm* refrain *m*
estribo [es'triβo] *nm* (*de jinete*) étrier *m*; (*de tren*) marchepied *m*; (*de oído*) osselet *m*; (*de puente, cordillera*) contrefort *m*; **perder los ~s** (*fig*) monter sur ses grands chevaux
estribor [estri'βor] *nm* (*Náut*) tribord *m*
estricto, -a [es'trikto, a] *adj* strict(e)
estridente [estri'ðente] *adj* (*color*) criard(e); (*voz*) strident(e)
estropajo [estro'paxo] *nm* lavette *f*
estropear [estrope'ar] *vt* (*material*) abîmer; (*máquina, coche*) casser; (*planes*) détruire; (*cosecha*) gâter; (*persona*) ravager; **estropearse** *vpr* tomber en panne; (*envejecer*) vieillir
estructura [estruk'tura] *nf* structure *f*
estruendo [es'trwendo] *nm* vacarme *m*
estrujar [estru'xar] *vt* (*limón*) presser; (*bayeta, papel*) tordre; (*persona*) serrer; **estrujarse** *vpr* (*personas*) se serrer; **~se la cabeza** *o* **los sesos** se ronger les sangs
estuario [es'twarjo] *nm* estuaire *m*
estuche [es'tutʃe] *nm* trousse *f*
estudiante [estu'ðjante] *nm/f* étudiant(e)
estudiantil [estuðjan'til] *adj* estudiantin(e)
estudiar [estu'ðjar] *vt* étudier; (*carrera*) faire des études de ▪ *vi* étudier; **~ para abogado** faire des études pour devenir avocat
estudio [es'tuðjo] *nm* étude *f*; (*proyecto*) projet *m*; (*piso*) atelier *m*; (*Radio, TV etc: local*) studio *m*; **estudios** *nmpl* études *fpl*; **cursar** *o* **hacer ~s** faire des études; **~ de desplazamientos y tiempos/de motivación** étude des cadences/ enquête *f* sur la motivation; **~ del trabajo/de viabilidad** étude du travail/ de faisabilité
estudioso, -a [estu'ðjoso, a] *adj* studieux(-euse) ▪ *nm/f*: **~ de** spécialiste *m/f* de
estufa [es'tufa] *nf* radiateur *m*
estupefaciente [estupefa'θjente] *adj* stupéfiant(e) ▪ *nm* stupéfiant *m*
estupefacto, -a [estupe'fakto, a] *adj*: **quedarse ~** être stupéfait(e); **me dejó ~** il m'a laissé stupéfait; **me miró ~** il m'a regardé avec stupéfaction
estupendo, -a [estu'pendo, a] *adj* formidable; **¡~!** super!
estupidez [estupi'ðeθ] *nf* stupidité *f*
estúpido, -a [es'tupiðo, a] *adj* stupide
estupor [estu'por] *nm* stupeur *f*
estuve *etc* [es'tuβe] *vb ver* **estar**
esvástica [es'βastika] *nf* croix *f* gammée
ETA ['eta] *sigla f* (*Pol: = Euskadi Ta Askatasuna*) ETA *m*
etapa [e'tapa] *nf* étape *f*; **por ~s** par étapes; **quemar ~s** brûler les étapes
etarra [e'tarra] *adj, nm/f* membre *m/f* de l'ETA
etc. *abr* (= *etcétera*) etc. (= *et cetera*)
etcétera [et'θetera] *adv* et cetera
eternidad [eterni'ðað] *nf* éternité *f*; **una ~** (*fam*) une éternité
eterno, -a [e'terno, a] *adj* éternel(le); (*fam: larguísimo*) à n'en plus finir
ética ['etika] *nf* éthique *f*; **~ profesional** éthique professionnelle
ético, -a ['etiko, a] *adj* éthique
Etiopía [etio'pia] *nf* Ethiopie *f*
etiqueta [eti'keta] *nf* (*tb Inform*) étiquette *f*; **traje de ~** tenue *f* de soirée
étnico, -a ['etniko, a] *adj* ethnique
ETT [ete'te] *sigla f* (= *Empresa de Trabajo Temporal*) agence *f* d'intérim
Eucaristía [eukaris'tia] *nf* Eucharistie *f*
eufemismo [eufe'mismo] *nm* euphémisme *m*
euforia [eu'forja] *nf* euphorie *f*
euro ['euro] *nm* euro *m*
Eurocheque [euro'tʃeke] *nm* Eurochèque *m*
eurodiputado, -a [euroðipu'taðo, a] *nm/f* député(e) européen(ne)
Europa [eu'ropa] *nf* Europe *f*

europeo, -a [euro'peo, a] *adj* européen(ne) ▪ *nm/f* Européen(ne)
Euskadi [eus'kaði] *nm* pays *m* basque
euskera [eus'kera], **eusquera** [eus'kera] *nm* basque *m*
eutanasia [euta'nasja] *nf* euthanasie *f*
evacuación [eβakwa'θjon] *nf* évacuation *f*
evadir [eβa'ðir] *vt* éviter; (*impuesto*) frauder; **evadirse** *vpr* s'évader
evaluar [eβa'lwar] *vt* (*valorar*) évaluer; (*calificar*) noter
evangelio [eβan'xeljo] *nm* Évangile *m*
evaporar [eβapo'rar] *vt* faire évaporer; **evaporarse** *vpr* s'évaporer; (*fam*: *persona*) se volatiliser
evasión [eβa'sjon] *nf* évasion *f*; **de ~** (*novela, película*) d'évasion; **~ de capitales** évasion des capitaux; **~ fiscal** *o* **de impuestos** évasion fiscale
evasiva [eβa'siβa] *nf* réponse *f* évasive; **contestar con ~s** faire des réponses évasives
evasivo, -a [eβa'siβo, a] *adj* évasif(-ive)
evento [e'βento] *nm* événement *m*
eventual [eβen'twal] *adj* (*circunstancias*) éventuel(le); (*trabajo*) temporaire
evidencia [eβi'ðenθja] *nf* évidence *f*; **poner en ~** (*a algn*) tourner en ridicule; (*algo*) mettre en évidence; **ponerse en ~** se montrer sous son vrai jour
evidenciar [eβiðen'θjar] *vt* rendre évident(e); **evidenciarse** *vpr* être manifeste
evidente [eβi'ðente] *adj* évident(e)
evitar [eβi'tar] *vt* éviter; (*molestia*) épargner; (*tentación*) résister à; **~ hacer** éviter de faire; **si puedo ~lo** si je peux faire autrement
evocar [eβo'kar] *vt* évoquer
evolución [eβolu'θjon] *nf* évolution *f*; **evoluciones** *nfpl* (*giros*) évolutions *fpl*
evolucionar [eβoluθjo'nar] *vi* évoluer
ex [eks] *prep* ex; **el ex ministro** l'ex-ministre
exacerbar [eksaθer'βar] *vt* exacerber; (*persona*) exaspérer
exactamente [ek'saktamente] *adv* exactement
exactitud [eksakti'tuð] *nf* exactitude *f*; (*fidelidad*) fidélité *f*
exacto, -a [ek'sakto, a] *adj* exact(e); **¡~!** exactement!; **eso no es del todo ~** ce n'est pas tout à fait exact; **para ser ~** pour être exact
exageración [eksaxera'θjon] *nf* exagération *f*
exagerar [eksaxe'rar] *vt, vi* exagérer
exaltado, -a [eksal'taðo, a] *adj, nm/f* exalté(e)
exaltar [eksal'tar] *vt* exalter; **exaltarse** *vpr* s'exalter
examen [ek'samen] *nm* examen *m*; **~ de conciencia** examen de conscience; **~ de conducir** épreuve *f* de conduite; **~ de ingreso** examen d'entrée; **~ eliminatorio** épreuve éliminatoire; **~ final** examen final
examinar [eksami'nar] *vt* examiner; (*Escol*) faire passer un examen à; **examinarse** *vpr*: **~se (de)** passer un examen (de)
exasperar [eksaspe'rar] *vt* exaspérer; **exasperarse** *vpr* s'irriter
Exc.[a] *abr* = **Excelencia**
excavador, a [ekskaβa'ðor, a] *nm/f* (*persona*) mineur *m* ▪ *nf* (*Tec*) excavateur *m*, excavatrice *f*
excavar [ekska'βar] *vt, vi* excaver
excedencia [eksθe'ðenθja] *nf*: **estar en ~** être en congé sabbatique; **pedir** *o* **solicitar la ~** demander *o* solliciter un congé sabbatique
excedente [eksθe'ðente] *adj* (*producto, dinero*) excédentaire; (*funcionario*) en disponibilité ▪ *nm* excédent *m*; **~ de cupo** exempté *m* de service militaire
exceder [eksθe'ðer] *vt* surpasser; **excederse** *vpr* dépasser; **~se en gastos** faire trop de dépenses; **~se en sus funciones** outrepasser ses pouvoirs
excelencia [eksθe'lenθja] *nf* excellence *f*; **E~** (*tratamiento*) Excellence; **por ~** par excellence
excelente [eksθe'lente] *adj* excellent(e)
excentricidad [eksθentriθi'ðað] *nf* excentricité *f*
excéntrico, -a [eks'θentriko, a] *adj, nm/f* excentrique *m/f*
excepción [eksθep'θjon] *nf*: **ser/hacer una ~** être/faire une exception; **a** *o* **con ~ de** à l'exception de; **sin ~** sans exception; **de ~** d'exception
excepcional [eksθepθjo'nal] *adj* exceptionnel(le)
excepto [eks'θepto] *adv* excepté
exceptuar [eksθep'twar] *vt* excepter
excesivo, -a [eksθe'siβo, a] *adj* excessif(-ive)
exceso [eks'θeso] *nm* excès *msg*; (*Com*) excédent *m*; **excesos** *nmpl* (*desórdenes*) excès *mpl*; **con** *o* **en ~** à l'excès; **~ de equipaje/peso** excédent de bagages/poids; **~ de velocidad** excès de vitesse
excitación [eksθita'θjon] *nf* excitation *f*

excitar [eksθi'tar] *vt* exciter; **excitarse** *vpr* s'exciter; **me excita los nervios** il me porte sur les nerfs
exclamación [eksklama'θjon] *nf* exclamation *f*
exclamar [ekskla'mar] *vt, vi* s'exclamer
excluir [eksklu'ir] *vt* (*descartar*) exclure; (*no incluir*): **~ (de)** exclure (de)
exclusión [eksklu'sjon] *nf* exclusion *f*; **con ~ de** à l'exclusion de
exclusiva [eksklu'siβa] *nf* exclusivité *f*; **modelo en ~** modèle *m* exclusif
exclusivo, -a [eksklu'siβo, a] *adj* exclusif(-ive); **trabajar con dedicación exclusiva por** travailler exclusivement pour; **derecho ~** droit *m* exclusif
Excmo. *abr (= Excelentísimo) titre de courtoisie*
excomulgar [ekskomul'ɣar] *vt* excommunier
excomunión [ekskomu'njon] *nf* excommunion *f*
excursión [ekskur'sjon] *nf* (*por el campo*) randonnée *f*; (*viaje*) excursion *f*; **ir de ~** faire une excursion
excursionista [ekskursjo'nista] *nm/f* (*por campo*) randonneur(-euse); (*en excursión de un día*) excursionniste *m/f*
excusa [eks'kusa] *nf* excuse *f*; **presentar sus ~s** présenter ses excuses
excusar [eksku'sar] *vt* excuser; **excusarse** *vpr* s'excuser; **~ (de hacer)** (*eximir*) excuser (de faire)
exhalar [eksa'lar] *vt* exhaler
exhaustivo, -a [eksaus'tiβo, a] *adj* exhaustif(-ive)
exhausto, -a [ek'sausto, a] *adj* épuisé(e)
exhibición [eksiβi'θjon] *nf* exhibition *f*; (*de película*) projection *f*
exhibir [eksi'βir] *vt* exhiber; (*película*) projeter; **exhibirse** *vpr* s'exhiber
exhortar [eksor'tar] *vt*: **~ a** exhorter à
exigencia [eksi'xenθja] *nf* exigence *f*; **~s del trabajo/de la situación** exigences du travail/de la situation
exigente [eksi'xente] *adj* exigeant(e); **ser ~ con algn** être exigeant(e) avec qn
exigir [eksi'xir] *vt* (*reclamar*) exiger; (*necesitar*) demander ■ *vi* être exigeant(e)
exiliado, -a [eksi'ljaðo, a] *adj, nm/f* exilé(e)
exilio [ek'siljo] *nm* exil *m*
eximir [eksi'mir] *vt*: **~ a algn (de)** exempter qn (de)
existencia [eksis'tenθja] *nf* existence *f*; **existencias** *nfpl* (*artículos*) stock *m*; **~ de mercancías** (*Com*) stock de marchandises; **en ~** (*Com*) en stock; **amargar la ~ a algn** (*fam*) empoisonner la vie de qn
existir [eksis'tir] *vi* exister; (*vivir*) vivre
éxito ['eksito] *nm* succès *m*; **tener ~** avoir du succès; **~ editorial** best-seller *m*
exonerar [eksone'rar] *vt*: **~ de** (*de cargo*) destituer de; (*de obligación*) dispenser de
exorbitante [eksorβi'tante] *adj* exorbitant(e)
exorcizar [eksorθi'θar] *vt* exorciser
exótico, -a [ek'sotiko, a] *adj* exotique
expandirse [ekspan'dirse] *vpr* se dilater; se répandre
expansión [ekspan'sjon] *nf* expansion *f*; (*diversión*) distraction *f*; **economía en ~** économie *f* en expansion; **~ económica** expansion économique
expansivo, -a [ekspan'siβo, a] *adj* (*onda*) de propagation; (*carácter*) expansif(-ive)
expatriarse [ekspa'trjarse] *vpr* s'expatrier
expectativa [ekspekta'tiβa] *nf* expectative *f*; (*perspectiva*) perspective *f*; **estar a la ~** être dans l'expectative
expedición [ekspeði'θjon] *nf* expédition *f*; **gastos de ~** frais *mpl* d'expédition
expediente [ekspe'ðjente] *nm* (*Jur: procedimiento*) procédure *f*; (*: papeles*) démarches *fpl*; (*Escol*: *tb*: **expediente académico**) dossier *m* scolaire; **abrir/formar ~ a algn** ouvrir un dossier au nom de qn/instruire le dossier de qn; **cubrir el ~** (*fam*) pratiquer la politique du moindre effort
expedir [ekspe'ðir] *vt* (*carta, mercancías*) expédier; (*documento*) délivrer; (*cheque*) établir
expendedor, a [ekspende'ðor, a] *nm/f* vendeur(-euse); (*Teatro*) ouvreur(-euse) ■ *nm* (*tb*: **expendedor automático**) guichet *m* automatique; **~ de cigarrillos** distributeur *m* de cigarettes
expensas [eks'pensas] *nfpl* (*Jur*) frais *mpl*; **a ~ de** aux frais de
experiencia [ekspe'rjenθja] *nf* expérience *f*
experimentado, -a [eksperimen'taðo, a] *adj* expérimenté(e)
experimentar [eksperimen'tar] *vt* (*en laboratorio*) expérimenter; (*probar*) tester; (*deterioro, aumento*) connaître; (*sensación*) ressentir
experimento [eksperi'mento] *nm* expérience *f*
experto, -a [eks'perto, a] *adj, nm/f* expert(e)

expiar [ekspi'ar] *vt* expier
expirar [ekspi'rar] *vi* expirer
explanada [ekspla'naða] *nf* esplanade *f*
explayarse [ekspla'jarse] *vpr* s'étendre; (*fam: divertirse*) se changer les idées; (*desahogarse*) se soulager; **~ con algn** se confier à qn
explicación [eksplika'θjon] *nf* explication *f*
explicar [ekspli'kar] *vt* expliquer; **explicarse** *vpr* s'expliquer; **~se algo** s'expliquer qch; **no me lo explico** je ne me l'explique pas
explícito, -a [eks'pliθito, a] *adj* explicite
explique *etc* [eks'plike] *vb ver* **explicar**
explorador, a [eksplora'ðor, a] *nm/f* explorateur(-trice); (*Mil*) éclaireur(-euse) ■ *nm* (*Med*) explorateur *m*; (*radar*) détecteur *m* de radar
explorar [eksplo'rar] *vt* explorer; **~ el terreno** (*fig*) tâter le terrain
explosión [eksplo'sjon] *nf* explosion *f*; **~ atómica/nuclear** explosion atomique/nucléaire
explosivo, -a [eksplo'siβo, a] *adj* explosif(-ive) ■ *nm* explosif *m*
explotación [eksplota'θjon] *nf* exploitation *f*; **~ agrícola/minera/petrolífera** exploitation agricole/minière/pétrolifère
explotar [eksplo'tar] *vt* exploiter ■ *vi* exploser
exponer [ekspo'ner] *vt* exposer; **exponerse** *vpr*: **~se a (hacer) algo** s'exposer à (faire) qch
exportación [eksporta'θjon] *nf* exportation *f*
exportar [ekspor'tar] *vt* exporter
exposición [eksposi'θjon] *nf* exposition *f*; **E~ Universal** exposition universelle
exprés [eks'pres] *adj inv* (*café*) express ■ *nm* express *msg*
expresamente [eks'presamente] *adv* (*decir*) expressément; (*ir*) exprès
expresar [ekspre'sar] *vt* exprimer; **expresarse** *vpr* s'exprimer
expresión [expre'sjon] *nf* expression *f*; **~ corporal** expression corporelle
expresivo, -a [ekspre'siβo, a] *adj* (*vivo*) expressif(-ive); (*cariñoso*) expansif(-ive)
expreso, -a [eks'preso, a] *adj* (*explícito*) exprès(-esse); (*claro*) explicite; (*tren*) express ■ *nm* (*Ferro*) express *msg*
exprimidor [eksprimi'ðor] *nm* presse-citrons *msg*
exprimir [ekspri'mir] *vt* presser; (*fig: explotar*) sucer jusqu'à la moëlle; **exprimirse** *vpr*: **~se el cerebro** *o* **los sesos** se ronger les sangs
expropiar [ekspro'pjar] *vt* exproprier
expuesto, -a [eks'pwesto, a] *pp de* **exponer** ■ *adj* exposé(e); **estar ~ a** être exposé(e) à; **según lo ~ arriba** d'après ce qui a été dit plus haut
expulsar [ekspul'sar] *vt* expulser; (*humo*) cracher
expulsión [ekspul'sjon] *nf* expulsion *f*; (*de humo*) émission *f*
exquisito, -a [ekski'sito, a] *adj* exquis(e)
éxtasis ['ekstasis] *nm* extase *f*
extender [eksten'der] *vt* étendre; (*mantequilla, pintura*) étaler; (*certificado, documento*) délivrer; (*cheque, recibo*) établir; **extenderse** *vpr* s'étendre; (*en el tiempo*) se prolonger; (*costumbre, rumor*) se répandre
extendido, -a [eksten'diðo, a] *adj* étendu(e); (*costumbre, creencia*) répandu(e)
extensión [eksten'sjon] *nf* étendue *f*; (*Telec*) poste *m*; (*Com: de plazo*) prolongation *f*; **en toda la ~ de la palabra** dans tous les sens du terme; **por ~** par extension
extenso, -a [eks'tenso, a] *adj* étendu(e)
extenuar [ekste'nwar] *vt* exténuer
exterior [ekste'rjor] *adj* extérieur(e) ■ *nm* extérieur *m*; (*aspecto*) aspect *m*; (*países extranjeros*) étranger *m*; **exteriores** *nmpl* (*Cine*) extérieurs *mpl*; **Asuntos E~es** Affaires *fpl* étrangères; **al ~** à l'extérieur; **en el ~** en extérieur
exterminar [ekstermi'nar] *vt* exterminer
exterminio [ekster'minjo] *nm* extermination *f*
externo, -a [eks'terno, a] *adj* externe; (*culto*) extérieur(e) ■ *nm/f* externe *m/f*; **de uso ~** (*Med*) à usage externe
extinguir [ekstin'gir] *vt* (*fuego*) éteindre; (*raza*) provoquer l'extinction de; **extinguirse** *vpr* s'éteindre
extinto, -a [eks'tinto, a] *adj* disparu(e)
extintor [ekstin'tor] *nm* (*tb*: **extintor de incendios**) extincteur *m*
extirpar [ekstir'par] *vt* (*mal*) déraciner; (*Med*) extirper
extorsión [ekstor'sjon] *nf* extorsion *f*; (*molestia*) gêne *f*
extra ['ekstra] *adj inv* (*tiempo, paga*) supplémentaire; (*chocolate*) extra; (*calidad*) super ■ *nm/f* (*Cine*) figurant(e) ■ *nm* (*bono*) bonus *m inv*; (*de menú, cuenta*) supplément *m*; (*periódico*) édition *f* spéciale

extra... ['ekstra] *pref* extra...
extracción [ekstrak'θjon] *nf* extraction *f*; (*en lotería*) tirage *m*
extracto [eks'trakto] *nm* résumé *m*; (*de café, hierbas*) extrait *m*
extradición [ekstraði'θjon] *nf* extradition *f*
extraer [ekstra'er] *vt* extraire
extraescolar [ekstraesko'lar] *adj*: **actividad ~** activité *f* extrascolaire
extralimitarse [ekstralimi'tarse] *vpr*: **~ (en)** dépasser les limites (de)
extranjero, -a [ekstran'xero, a] *adj, nm/f* étranger(-ère) ▪ *nm* étranger *m*; **en el ~** à l'étranger
extrañar [ekstra'ɲar] *vt* étonner; (*AM*: *echar de menos*) regretter; (*algo nuevo*) ne pas reconnaître; **extrañarse** *vpr*: **~se (de)** s'étonner (de); **me extraña** ça m'étonne; **te extraño mucho** tu me manques beaucoup
extrañeza [ekstra'ɲeθa] *nf* (*rareza*) singularité *f*; (*asombro*) étonnement *m*
extraño, -a [eks'traɲo, a] *adj* étranger(-ère); (*raro*) bizarre ▪ *nm/f* étranger(-ère); ... **lo que por ~ que parezca** ... ce qui, aussi bizarre que cela puisse paraître
extraordinario, -a [ekstraorði'narjo, a] *adj* extraordinaire; (*edición*) spécial(e) ▪ *nm* (*de periódico*) numéro *m* spécial; **horas extraordinarias** heures *fpl* supplémentaires
extrarradio [ekstra'rraðjo] *nm* banlieue *f*
extravagancia [ekstraβa'ɣanθja] *nf* extravagance *f*
extravagante [ekstraβa'ɣante] *adj* extravagant(e)
extraviar [ekstra'βjar] *vt* (*objeto*) égarer; **extraviarse** *vpr* s'égarer
extravío [ekstra'βio] *nm* objet *m* perdu; (*fig*) égarement *m*
extremar [ekstre'mar] *vt* pousser à l'extrême; **extremarse** *vpr*: **~se en** se surpasser dans
extremaunción [ekstremaun'θjon] *nf* extrême-onction *f*
extremeño, -a [ekstre'meɲo, a] *adj* d'Estrémadure ▪ *nm/f* natif(-ive) *o* habitant(e) d'Estrémadure
extremidad [ekstremi'ðað] *nf* extrémité *f*; **extremidades** *nfpl* (*Anat*) extrémités *fpl*
extremo, -a [eks'tremo, a] *adj* extrême ▪ *nm* (*punta*) extrémité *f*; (*fig*) extrême *m*; **en último ~** en dernière extrémité; **pasar de un ~ a otro** (*fig*) passer d'un extrême à l'autre; **con** *o* **por ~** extrêmement; **la extrema derecha/izquierda** (*Pol*) l'extrême droite/gauche; **~ derecho/izquierdo** (*Deporte*) aile *f* droite/gauche; **E~ Oriente** Extrême-Orient *m*
extrovertido, -a [ekstroβer'tiðo, a] *adj, nm/f* extraverti(e)
exuberancia [eksuβe'ranθja] *nf* exubérance *f*
exuberante [eksuβe'rante] *adj* exubérant(e)
eyacular [ejaku'lar] *vi* éjaculer

f

fa [fa] *nm* fa *m*
fábrica ['faβrika] *nf* usine *f*; (*fabricación*) fabrique *f*; **de ~** (*Arq*) en brique; **marca/precio de ~** marque *f*/prix *m* de fabrique; **~ de cerveza** brasserie *f*; **~ de textil** manufacture *f* textile; **F~ de Moneda y Timbre** ≈ Hôtel *m* de la Monnaie
fabricación [faβrika'θjon] *nf* fabrication *f*; **de ~ casera** fait(e) maison; **de ~ nacional** de fabrication nationale; **~ en serie** fabrication en série
fabricante [faβri'kante] *nm/f* fabricant(e)
fabricar [faβri'kar] *vt* fabriquer; (*fig: cuento*) monter; **~ en serie** fabriquer en série
fábula ['faβula] *nf* (*tb chisme, mentira*) fable *f*
fabuloso, -a [faβu'loso, a] *adj* fabuleux(-euse)
facción [fak'θjon] *nf* (*Pol*) faction *f*; **facciones** *nfpl* (*del rostro*) traits *mpl*
faceta [fa'θeta] *nf* facette *f*
facha ['fatʃa] (*fam*) *adj, nm/f* (*pey*) facho *m/f* ■ *nf* (*aspecto*) aspect *m*; **estar hecho una ~** ressembler à un épouvantail; **¡qué ~ tienes!** tu es grotesque!
fachada [fa'tʃaða] *nf* façade *f*
fácil ['faθil] *adj* facile; **es ~ que venga** il est probable qu'il vienne; **~ de hacer** facile à faire; **~ de usar** (*Inform*) convivial(e)
facilidad [faθili'ðað] *nf* facilité *f*; **facilidades** *nfpl* (*condiciones favorables*) facilités *fpl*; **tener ~ para las matemáticas** avoir des facilités en mathématiques; **"~es de pago"** (*Com*) "facilités de paiement"; **~ de palabra** facilité d'élocution
facilitar [faθili'tar] *vt* faciliter; (*proporcionar*) fournir; **le agradecería me facilitara ...** je vous serais reconnaissant de bien vouloir me fournir ...
fácilmente [faθil'mente] *adv* facilement
facsímil [fak'simil] *nm* fac-similé *m*
factible [fak'tiβle] *adj* faisable
factor [fak'tor] *nm* (*tb Mat*) facteur *m*; (*Com*) agent *m*; (*Ferro*) préposé *m* au fret; **~ sorpresa** facteur surprise
factoría [fakto'ria] *nf* (*fábrica*) fabrique *f*; (*agencia*) succursale *f*
factura [fak'tura] *nf* facture *f*; **presentar ~ a** présenter sa facture à
facturación [faktura'θjon] *nf* (*Com*) facturation *f*; (*: ventas*) chiffre *m* d'affaires; **~ de equipajes** enregistrement *m* des bagages
facturar [faktu'rar] *vt* (*Com*) facturer; (*equipaje*) enregistrer
facultad [fakul'tað] *nf* faculté *f*; **tener/no tener ~ para hacer algo** avoir/ne pas avoir la faculté de faire qch; **~es mentales** facultés *fpl* mentales
faena [fa'ena] *nf* tâche *f*; (*Chi*) équipe *f* d'ouvriers; **~s domésticas** tâches *fpl* domestiques; **hacerle una ~ a algn** (*fam*) ficher la frousse à qn
faisán [fai'san] *nm* faisan *m*
faja ['faxa] *nf* (*para la cintura*) ceinture *f*; (*de mujer*) gaine *f*; (*de tierra, libro etc*) bande *f*
fajo ['faxo] *nm* liasse *f*
falacia [fa'laθja] *nf* fausseté *f*
falda ['falda] *nf* jupe *f*; (*Geo*) versant *m*; (*de mesa, camilla*) couverture *f*; (*regazo*) genoux *mpl*; **faldas** *nfpl* (*fam: mujeres*) bonnes femmes *fpl*; **~ escocesa** kilt *m*; **~ pantalón** jupe-culotte *f*
falla ['faʎa] *nf* (*Geo*) faille *f*; (*defecto*) défaillance *f*
fallar [fa'ʎar] *vt* (*Jur*) prononcer; (*blanco*) manquer ■ *vi* échouer; (*cuerda, rama*) céder; (*motor*) tomber en panne; (*frenos*) lâcher; **~ a algn** décevoir qn; **le falló la memoria** il a eu un trou de mémoire; **le fallaron las piernas** les jambes lui ont

manqué; **sin ~** sans faute; **~ en favor/ en contra** (*Jur*) se prononcer en faveur/ contre

FALLAS

Les *Fallas* ou fêtes de la Saint-Joseph, en l'honneur du saint patron de la ville, ont lieu chaque année à Valence, la semaine du 19 mars. Le terme *fallas* désigne les grandes figures en papier mâché et en bois, à l'effigie d'hommes politiques et de personnalités connues, qui sont réalisées pendant l'année par les différentes équipes en compétition. Ces figures sont ensuite examinées par un jury et brûlées dans des feux de joie. Seules les meilleures échappent aux flammes.

fallecer [faʎe'θer] *vi* décéder

fallecimiento [faʎeθi'mjento] *nm* décès *m*

fallido, -a [fa'ʎiðo, a] *adj* avorté(e)

fallo ['faʎo] *nm* (*Jur*) jugement *m*; (*defecto, Inform*) défaut *m*; (*error*) erreur *f*; (*de motor*) défaillance *f*; (*Deporte*) faute *f*; **~ cardíaco** crise *f* cardiaque

falsedad [false'ðað] *nf* fausseté *f*; (*mentira*) mensonge *m*

falsificar [falsifi'kar] *vt* falsifier

falso, -a ['falso, a] *adj* faux (fausse); (*puerta*) dérobé(e); **declarar en ~** faire une fausse déclaration; **dar un paso en ~** (*tb fig*) faire un faux pas

falta ['falta] *nf* (*carencia*) manque *m*; (*defecto, en comportamiento*) défaut *m*; (*ausencia*) absence *f*; (*en examen, ejercicio, Deporte*) faute *f*; (*Jur*) erreur *f*; **echar en ~** (*persona, clima*) regretter; **echo en ~ mis gafas** j'aurais bien besoin de mes lunettes; **hace ~ hacerlo** il faut le faire; **no hace ~ que vengas** il n'est pas nécessaire que tu viennes; **me hace ~ un lápiz** j'ai besoin d'un crayon; **sin ~** sans faute; **a/por ~ de** faute de; **~ de asistencia** non-assistance *f*; **~ de educación** manque d'éducation; **~ de ortografía** faute d'orthographe; **~ de respeto** manque de respect

faltar [fal'tar] *vi* manquer; (*escasear*) se faire rare; **le falta algo** il lui manque qch; **¿falta algo?** il manque qch?; **falta mucho todavía** il reste encore beaucoup de temps; **¿falta mucho?** c'est encore loin?; **faltan 2 horas para llegar** il reste encore 2 heures avant que l'on arrive; **falta poco para que termine** c'est presque fini; **~ al respeto a algn** manquer de respect à qn; **~ a una cita/a clase** manquer un rendez-vous/la classe; **~ al trabajo** ne pas aller à son travail; **faltó a su palabra/promesa** il a manqué à sa parole/promesse; **~ por hacer** rester à faire; **~ a la verdad** faire une entorse à la vérité; **¡no faltaba** *o* **faltaría más!** (*naturalmente*) mais comment donc!; (*¡ni hablar!*) pas question!; **¡lo que faltaba!** c'est le bouquet!

falto, -a ['falto, a] *adj*: **está ~ de** il (elle) manque de

fama ['fama] *nf* (*celebridad*) célébrité *f*; (*reputación*) réputation *f*; **tener ~ de** avoir la réputation de; **tener mala ~** avoir mauvaise réputation

famélico, -a [fa'meliko, a] *adj* famélique

familia [fa'milja] *nf* famille *f*; **de buena ~** de bonne famille; **estamos (como) en ~** on est en famille; **~ numerosa** famille nombreuse; **~ política** famille politique

familiar [fami'ljar] *adj* familial(e); (*conocido, informal*) familier(-ère) ▪ *nm/f* parent(e)

familiaridad [familjari'ðað] *nf* familiarité *f*; **familiaridades** *nfpl* (*pey*) familiarités *fpl*

familiarizarse [familjari'θarse] *vpr*: **~ con** se familiariser avec

famoso, -a [fa'moso, a] *adj* célèbre

fanático, -a [fa'natiko, a] *adj, nm/f* fanatique *m/f*; **ser un ~ de** être un fanatique de

fanatismo [fana'tismo] *nm* fanatisme *m*

fanfarrón, -ona [fanfa'rron, ona] *adj, nm/f* fanfaron(ne)

fango ['fango] *nm* fange *f*

fangoso, -a [fan'goso, a] *adj* fangeux(-euse); (*consistencia*) visqueux(-euse)

fantasía [fanta'sia] *nf* fantaisie *f*; **fantasías** *nfpl* (*ilusiones*) illusions *fpl*; **joyas de ~** bijoux *mpl* fantaisie

fantasma [fan'tasma] *nm* fantôme *m*; (*pey: presuntuoso*) frimeur *m*; **compañía ~** société *f* fantôme

fantástico, -a [fan'tastiko, a] *adj* fantastique

farmacéutico, -a [farma'θeutiko, a] *adj* pharmaceutique ▪ *nm/f* pharmacien(ne)

farmacia [far'maθja] *nf* pharmacie *f*; **~ de guardia** pharmacie de garde

fármaco ['farmako] *nm* médicament *m*

faro ['faro] *nm* (*Náut, Auto*) phare *m*; (*señal*) feu *m*; **~s antiniebla/delanteros/ traseros** feux *mpl* antibrouillard/avant/ arrière

farol [fa'rol] *nm* lanterne *f*; (*Ferro*) feu *m*; (*poste*) réverbère *m*; **echarse** *o* **tirarse un ~** (*fam*) frimer
farola [fa'rola] *nf* réverbère *m*
farsa ['farsa] *nf* farce *f*; **¡es una ~!** (*fig*) quelle farce!
farsante [far'sante] *nm/f* farceur(-euse)
fascículo [fas'θikulo] *nm* fascicule *m*
fascinar [fasθi'nar] *vt* fasciner
fascismo [fas'θismo] *nm* fascisme *m*
fascista [fas'θista] *adj, nm/f* fasciste *m/f*
fase ['fase] *nf* phase *f*
fashion ['fæʃən] (*fam*) *adj* à la mode
fastidiar [fasti'ðjar] *vt* (*molestar*) ennuyer; (*estropear*) gâcher; **fastidiarse** *vpr* prendre sur soi; **¡no fastidies!** tu n'y penses pas!; **¡no te fastidia!** tu imagines!; **ando fastidiado del estómago** mon estomac me fait souffrir
fastidio [fas'tiðjo] *nm* ennui *m*; **¡qué ~!** c'est trop bête!
fastidioso, -a [fasti'ðjoso, a] *adj* fastidieux(-euse)
fastuoso, -a [fas'twoso, a] *adj* fastueux(-euse)
fatal [fa'tal] *adj* fatal(e); (*fam*: *malo*) dur(e) ■ *adv* très mal; **lo pasó ~** il l'a très mal vécu
fatalidad [fatali'ðað] *nf* fatalité *f*
fatiga [fa'tiɣa] *nf* fatigue *f*; **fatigas** *nfpl* (*penalidades*) tracas *mpl*
fatigar [fati'ɣar] *vt* fatiguer; (*molestar*) ennuyer; **fatigarse** *vpr* se fatiguer
fatigoso, -a [fati'ɣoso, a] *adj* (*tarea*) pénible; (*respiración*) difficile
favor [fa'βor] *nm* faveur *f*; **haga el ~ de ...** faites-moi le plaisir de ...; **por ~** s'il vous plaît; **a ~** pour; **a ~ de** en faveur de; (*Com*) à l'ordre de; **en ~ de** en faveur de; **gozar del ~ de algn** jouir de l'estime de qn
favorable [faβo'raβle] *adj* favorable; **ser ~ a algo** être favorable à qch
favorecer [faβore'θer] *vt* favoriser; (*suj*: *vestido, peinado*) avantager
favorito, -a [faβo'rito, a] *adj, nm/f* favori(te)
fax [faks] *nm* fax *m*
fe [fe] *nf* foi *f*; **de buena/mala fe** de bonne/mauvaise foi; **dar fe de** faire foi de; **tener fe en algo/algn** avoir foi en qch/qn; **fe de bautismo/de vida** certificat *m* de baptême/de vie; **fe de erratas** errata *m*
fealdad [feal'dað] *nf* laideur *f*
febrero [fe'βrero] *nm* février *m*; *ver tb* **julio**
febril [fe'βril] *adj* fiévreux(-euse); (*fig*) fébrile
fecha ['fetʃa] *nf* date *f*; **en ~ próxima** prochainement; **hasta la ~** jusqu'à aujourd'hui; **por estas ~s** aux alentours de cette date; **~ de caducidad** (*de alimentos*) date limite de consommation; (*de contrato*) terme *m*; **~ de vencimiento** (*Com*) date d'échéance; **~ límite** *o* **tope** date limite
fechar [fe'tʃar] *vt* dater
fecundar [fekun'dar] *vt* féconder
fecundo, -a [fe'kundo, a] *adj* (*mujer, fig*) fécond(e); (*tierra*) fertile
federación [feðera'θjon] *nf* fédération *f*
federal [feðe'ral] *adj* fédéral(e)
felicidad [feliθi'ðað] *nf* bonheur *m*; (*dicha*) félicité *f*; **~es** tous mes *etc* vœux
felicitación [feliθita'θjon] *nf* (*enhorabuena*) vœux *mpl*; (*tarjeta*) carte *f* de vœux; **~ navideña** *o* **de Navidad** carte de Noël
felicitar [feliθi'tar] *vt*: **~ (por)** féliciter (pour); **me felicitó por mi cumpleaños** il me souhaita un bon anniversaire; **~ las Pascuas** souhaiter un joyeux Noël; **¡te felicito!** je te félicite!, tous mes vœux!
feligrés, -esa [feli'ɣres, esa] *nm/f* fidèle *m/f*
feliz [fe'liθ] *adj* heureux(-euse); **¡~ cumpleaños!** bon anniversaire!; **¡felices Pascuas!/Navidades!** joyeux Noël!
felpudo [fel'puðo] *nm* paillasson *m*
femenino, -a [feme'nino, a] *adj* féminin(e); (*Zool, Bio*) femelle ■ *nm* (*Ling*) féminin *m*
feminista [femi'nista] *adj, nm/f* féministe *m/f*
fenomenal [fenome'nal] *adj* (*fam*: *enorme*) phénoménal(e); (: *estupendo*) sensationnel(le) ■ *adv* vachement bien
fenómeno [fe'nomeno] *nm* phénomène *m* ■ *adv*: **lo pasamos ~** on s'est vachement bien amusé ■ *excl* super!
feo, -a ['feo, a] *adj* laid(e) ■ *nm*: **hacer un ~ a algn** faire un sale coup à qn; **esto se está poniendo ~** ça va mal tourner; **más ~ que Picio** laid comme un pou
féretro ['feretro] *nm* cercueil *m*
feria ['ferja] *nf* foire *f*; (*AM*: *mercado de pueblo*) marché *m*; (*Méx*: *cambio*) monnaie *f*; **ferias** *nfpl* (*fiestas*) fêtes *fpl*; **~ comercial/de muestras** marché *m*/salon *m*
fermentar [fermen'tar] *vi* fermenter
ferocidad [feroθi'ðað] *nf* férocité *f*
feroz [fe'roθ] *adj* féroce; (*fam*: *hambre*) de loup; (*ganas*) dingue
férreo, -a ['ferreo, a] *adj* ferreux(-euse); (*fig*) de fer; **vía férrea** voie *f* ferrée

ferretería [ferrete'ria] *nf* ferronnerie *f*
ferrocarril [ferroka'rril] *nm* chemin *m* de fer; **~ de vía estrecha/única** chemin de fer à voie étroite/unique
ferroviario, -a [ferrovja'rjo, a] *adj* ferroviaire ■ *nm/f* employé(e) des chemins de fer
fértil ['fertil] *adj* (*tierra, fig*) fertile; (*persona*) fécond(e)
ferviente [fer'βjente] *adj* fervent(e)
fervor [fer'βor] *nm* ferveur *f*
fervoroso, -a [ferβo'roso, a] *adj* = **ferviente**
festejar [feste'xar] *vt* fêter
festejo [fes'texo] *nm* fête *f*; **festejos** *nmpl* (*fiestas*) festivités *fpl*
festín [fes'tin] *nm* festin *m*
festival [festi'βal] *nm* festival *m*
festividad [festiβi'ðað] *nf* festivité *f*
festivo, -a [fes'tiβo, a] *adj* festif(-ive); (*alegre*) joyeux(-euse); **día ~** jour *m* de fête
fétido, -a ['fetiðo, a] *adj* fétide
feto ['feto] *nm* fœtus *msg*
fiable [fi'aβle] *adj* (*persona*) digne de confiance; (*máquina*) fiable; (*criterio, versión*) valable
fiador, a [fja'ðor, a] *nm/f* garant(e); **salir ~ por algn** se porter garant de qn
fiambre ['fjambre] *adj* (*Culin*) froid(e) ■ *nm* (*Culin*) charcuterie *f*; (*fam*) macchabée *m*
fianza ['fjanθa] *nf* caution *f*; **libertad bajo ~** (*Jur*) liberté *f* sous caution
fiar [fi'ar] *vt* vendre à crédit; (*salir garante de*) se porter garant de ■ *vi* vendre à crédit; **fiarse** *vpr*: **~se de algn/algo** avoir confiance en qn/qch; **es de ~** on peut se fier à lui
fibra ['fiβra] *nf* fibre *f*; (*fig*) punch *m*; **~ de vidrio** fibre de verre; **~ óptica** (*Inform*) fibre optique
ficción [fik'θjon] *nf* fiction *f*; **literatura/obra de ~** littérature *f*/œuvre *f* de fiction
ficha ['fitʃa] *nf* fiche *f*; (*en juegos, casino*) jeton *m*; **~ policial** fiche de police; **~ técnica** (*Cine*) fiche technique
fichar [fi'tʃar] *vt* ficher; (*Deporte*) recruter; (*fig*) classer ■ *vi* (*deportista*) se faire recruter; (*trabajador*) pointer; **estar fichado** être fiché
fichero [fi'tʃero] *nm* fichier *m*; **nombre de ~** (*Inform*) nom *m* de fichier; **~ activo/archivado/indexado** (*Inform*) fichier actif/archivé/indexé; **~ de reserva** (*Inform*) fichier de sauvegarde
ficticio, -a [fik'tiθjo, a] *adj* (*imaginario*) fictif(-ive); (*falso*) simulé(e)
fidelidad [fiðeli'ðað] *nf* fidélité *f*; **alta ~** haute fidélité
fideos [fi'ðeos] *nmpl* vermicelles *mpl*
fiebre ['fjeβre] *nf* fièvre *f*; **tener ~** avoir de la fièvre; **~ amarilla** fièvre jaune; **~ del heno** rhume *m* des foins; **~ palúdica** paludisme *m*
fiel [fjel] *adj* fidèle ■ *nm* aiguille *f*; **los ~es** (*Rel*) les fidèles *mpl*
fieltro ['fjeltro] *nm* feutre *m*
fiera [fjera] *nf* bête *f* féroce; **ponerse hecho una ~** devenir féroce; **ser un(a) ~ en** *o* **para algo** être un crack de qch
fiero, -a ['fjero, a] *adj* féroce
fiesta ['fjesta] *nf* fête *f*; (*vacaciones*: *tb*: **fiestas**) fêtes *fpl*; **hoy/mañana es ~** aujourd'hui/demain c'est fête; **estar de ~** faire la fête; **~ de guardar** (*Rel*) Fête d'obligation; **~ nacional** fête nationale

FIESTA

Les *Fiestas* correspondent à des fêtes légales ou à des jours fériés institués par chaque région autonome. Elles coïncident souvent avec des fêtes religieuses. De nombreuses *fiestas* sont également organisées dans toute l'Espagne en l'honneur de la Sainte Vierge ou du saint patron de la ville ou du village. Les festivités, qui durent généralement plusieurs jours, peuvent comporter des processions, des défilés de carnaval, des courses de taureaux et des bals.

figura [fi'ɣura] *nf* figure *f*; (*forma, imagen*) silhouette *f*; (*de porcelana, cristal*) figurine *f*; **~ retórica** figure de rhétorique
figurar [fiɣu'rar] *vt, vi* figurer; **figurarse** *vpr* se figurer; **¡figúrate!** figure-toi!; **ya me lo figuraba** je l'avais bien dit
fijador [fixa'ðor] *nm* fixateur *m*
fijar [fi'xar] *vt* fixer; (*sellos*) coller; (*cartel*) afficher; (*residencia*) établir; **fijarse** *vpr*: **~se (en)** observer; **~ algo a** attacher qch à; **¡fíjate!** figure-toi!
fijo, -a ['fixo, a] *adj* fixe; (*sujeto*): **~ (a)** fixé(e) (à) ■ *adv*: **mirar ~** regarder fixement; **de ~** assurément
fila ['fila] *nf* file *f*; (*Deporte, Teatro*) rang *m*; (*fig*: *facción*) faction *f*; **filas** *nfpl* (*Mil*) service *m* militaire; **ponerse en ~** se mettre en file; **en primera ~** au premier rang; **alistarse** *o* **incorporarse a ~s** être incorporé dans l'armée; **~ india** file indienne

filántropo, -a [fi'lantropo, a] *nm/f* philanthrope *m/f*
filatelia [fila'telja] *nf* philatélie *f*
filete [fi'lete] *nm* filet *m*
filial [fi'ljal] *adj* filial(e) ▪ *nf* filiale *f*
Filipinas [fili'pinas] *nfpl*: **las (Islas) ~** les (îles) Philippines *fpl*
filipino, -a [fili'pino, a] *adj* philippin(e) ▪ *nm/f* Philippin(e)
filmar [fil'mar] *vt* filmer
filo ['filo] *nm* fil *m*; **sacar ~ a** aiguiser; **al ~ de la medianoche** à minuit sonnante; **arma de doble ~** (*fig*) arme *f* à double tranchant
filón [fi'lon] *nm* filon *m*
filosofía [filoso'fia] *nf* philosophie *f*; **tomarse algo con mucha ~** prendre qch avec philosophie
filósofo, -a [fi'losofo, a] *nm/f* philosophe *m/f*
filtrar [fil'trar] *vt* filtrer ▪ *vi* s'infiltrer; **filtrarse** *vpr* (*líquido*) s'infiltrer; (*luz, noticia*) filtrer; (*fig: dinero*) s'envoler
filtro ['filtro] *nm* filtre *m*; (*papel*) buvard *m*; **~ de aceite** (*Auto*) filtre à huile
fin [fin] *nm* fin *f*; **a ~ de cuentas** en fin de compte; **al ~** à la fin; **al ~ y al cabo** finalement; **a ~ de (que)** afin que; **a ~es de** à la fin de; **por/en ~** enfin; **dar** *o* **poner ~ a algo** mettre fin à qch; **con el ~ de** dans le but de; **sin ~** tant qu'on en veut; **llegar a ~ de mes** (*fig*) boucler ses fins de mois; **~ de año** fin d'année; **~ de archivo** (*Inform*) fin de fichier; **~ de registro** (*Inform*) fin de sauvegarde; **~ de semana** fin de semaine
final [fi'nal] *adj* final(e) ▪ *nm* (*de partido, tarde*) fin *f*; (*de calle, novela*) bout *m* ▪ *nf* (*Deporte*) finale *f*; **al ~** à la fin; **a ~es de mayo** fin mai
finalidad [finali'ðað] *nf* finalité *f*
finalista [fina'lista] *nm/f* finaliste *m/f*
finalizar [finali'θar] *vt* terminer ▪ *vi* toucher à sa fin; **~ la sesión** (*Inform*) clore la session
financiar [finan'θjar] *vt* financer
financiero, -a [finan'θjero, a] *adj* financier(-ère) ▪ *nm/f* financier *m*
finca ['finka] *nf* (*rústica*) ferme *f*; (*urbana*) propriété *f*
finde ['finde] (*fam*) *nm* week-end *m*
fingir [fin'xir] *vt* feindre ▪ *vi* mentir; **fingirse** *vpr*: **~se dormido** faire semblant de dormir; **~se un sabio** se donner des airs de savant
finlandés, -esa [finlan'des, esa] *adj* finlandais(e) ▪ *nm/f* Finlandais(e) ▪ *nm* (*Ling*) finnois *m*
Finlandia [fin'landja] *nf* Finlande *f*
fino, -a ['fino, a] *adj* fin(e); (*tipo*) mince; (*de buenas maneras*) délicat(e) ▪ *nm* (*jerez*) xérès *m*
firma ['firma] *nf* signature *f*; (*Com*) firme *f*
firmamento [firma'mento] *nm* firmament *m*
firmar [fir'mar] *vt, vi* signer; **~ un contrato** signer un contrat; **firmado y sellado** signé et scellé
firme ['firme] *adj* solide; (*fig*) ferme ▪ *nm* chaussée *f*; **mantenerse ~** (*fig*) tenir ferme; **de ~** avec acharnement; **¡~s!** (*Mil*) garde-à-vous!; **oferta en ~** (*Com*) offre *f* ferme
firmemente ['firmemente] *adv* fermement
firmeza [fir'meθa] *nf* fermeté *f*; (*solidez*) solidité *f*; (*perseverancia*) persévérance *f*
fiscal [fis'kal] *adj* fiscal(e) ▪ *nm* (*Jur*) avocat *m* général
fisco ['fisko] *nm* fisc *m*; **declarar algo al ~** déclarer qch au fisc
fisgar [fis'ɣar] *vt* fouiner dans ▪ *vi* fouiner
fisgonear [fisɣone'ar] *vt* fureter dans ▪ *vi* fureter
física ['fisika] *nf* physique *f*; *ver tb* **físico**
físico, -a ['fisiko, a] *adj* physique ▪ *nm* physique *m* ▪ *nm/f* physicien(ne)
fisura [fi'sura] *nf* fissure *f*; (*Med*) fracture *f*
flác(c)ido, -a ['fla(k)θiðo, a] *adj* flasque
flaco, -a ['flako, a] *adj* (*delgado*) maigre; (*débil*) faible; **punto ~** point *m* faible
flagrante [fla'ɣrante] *adj* flagrant(e); **en ~ delito** en flagrant délit
flamante [fla'mante] (*fam*) *adj* (*vistoso*) voyant(e); (*nuevo*) flambant neuf (neuve)
flamenco, -a [fla'menko, a] *adj* (*de Flandes*) flamand(e); (*baile, música*) flamenco ▪ *nm/f* Flamand(e) ▪ *nm* flamenco *m*; (*Ling*) flamand *m*; (*Zool*) flamant *m*; **los ~s** les Flamands; **ponerse ~** frimer
flan [flan] *nm* flan *m* au caramel; **~ de arroz/verduras** boule *f* de riz/légumes
flaqueza [fla'keθa] *nf* faiblesse *f*
flash [flas] (*pl* **~es**) *nm* (*Foto*) flash *m*
flauta ['flauta] *nf* flûte *f* ▪ *nm/f* flûtiste *m/f*; **¡la gran ~!** (*AM: fam*) flûte!; **de la gran ~** (*: bárbaro*) du tonnerre; **hijo de la gran ~** (*AM: fam!*) fils *m* de pute (*fam!*); **~ dulce** flûte à bec; **~ travesera** flûte traversière
flecha ['fletʃa] *nf* flèche *f*
flechazo [fle'tʃaθo] *nm* (*enamoramiento*) coup *m* de foudre; (*disparo*) tir *m* de flèche

fleco ['fleko] *nm* frange *f*
flema ['flema] *nm* flegme *m*
flequillo [fle'kiʎo] *nm* frange *f*
flexible [flek'siβle] *adj* (*material*) souple; (*fig*) flexible
flexión [flek'sjon] *nf* flexion *f*
flexo ['flekso] *nm* lampe *f* de bureau
flojera [flo'xera] *nf* défaillance *f*; (*AM*) paresse *f*; **me da ~ (hacer)** j'ai la flemme de (faire)
flojo, -a ['floxo, a] *adj* (*cuerda, nudo*) lâche; (*persona, Com: sin fuerzas*) faible; (*perezoso: esp AM*) paresseux(-euse); (*viento, vino, trabajo*) léger(-ère); (*estudiante*) faible; (*conferencia*) ennuyeux(-euse); **está ~ en matemáticas** il est faible en mathématiques
flor [flor] *nf* fleur *f*; **en ~** en fleur; **la ~ y nata de la sociedad** (*fig*) la crème de la société; **en la ~ de la vida** dans la fleur de l'âge; **a ~ de piel** (*fig*) à fleur de peau; **es ~ de amigo** (*And, Csur*) c'est un super ami
florecer [flore'θer] *vi* fleurir
floreciente [flore'θjente] *adj* fleurissant(e)
florero [flo'rero] *nm* pot *m* de fleurs
floristería [floriste'ria] *nf* fleuriste *m*
flota ['flota] *nf* flotte *f*
flotador [flota'ðor] *nm* flotteur *m*; (*para nadar*) bouée *f*
flotar [flo'tar] *vi* flotter
flote ['flote] *nm*: **a ~** à flot; **salir a ~** (*fig*) être remis(e) à flot
fluctuar [fluk'twar] *vi* fluctuer
fluidez [flui'ðeθ] *nf* fluidité *f*; **con ~** avec fluidité
fluido, -a [flu'iðo, a] *adj, nm* fluide *m*
fluir [flu'ir] *vi* couler; (*fig: ideas*) venir
flujo ['fluxo] *nm* flux *m*; (*Med*) écoulement *m*; **~ y reflujo** flux et reflux; **~ de efectivo** (*Com*) marge *f* brute d'autofinancement
fluvial [fluβi'al] *adj* fluvial(e); **vía ~** voie *f* fluviale
foca ['foka] *nf* phoque *m*; (*fam: persona gorda*) gros tas *m*
foco ['foko] *nm* foyer *m*; (*AM: bombilla*) ampoule *f*; (*: farola*) réverbère *m*; **~ de infección** (*Med*) foyer d'infection
fofo, -a ['fofo, a] *adj* (*esponjoso*) mou (molle); (*carnes*) flasque
fogata [fo'ɣata] *nf* feu *m* de bois
fogón [fo'ɣon] *nm* (*de cocina*) plaque *f*
fogoso, -a [fo'ɣoso, a] *adj* fougueux(-euse)
folio ['foljo] *nm* feuille *f* de papier; (*Imprenta*) folio *m*; **de tamaño ~** en feuillet
folklore [fol'klore] *nm* folklore *m*
follaje [fo'ʎaxe] *nm* feuillage *m*
folletín [foʎe'tin] *nm* feuilleton *m*; (*fig*) mélodrame *m*
folleto [fo'ʎeto] *nm* (*de propaganda*) prospectus *msg*; (*informativo*) dépliant *m*; (*con instrucciones*) livret *m*
follón [fo'ʎon] (*fam*) *nm* bordel *m*; **armar un ~** faire du bordel; **se armó un ~** ça a été la panique
fomentar [fomen'tar] *vt* promouvoir; (*odio, envidia*) fomenter
fomento [fo'mento] *nm* promotion *f*
fonda ['fonda] *nf* auberge *f*
fondo ['fondo] *nm* fond *m*; (*profundidad*) profondeur *f*; (*AM: prenda*) combinaison *f*; **fondos** *nmpl* (*Com, de museo, biblioteca*) fonds *msg*; **a/de ~** à/de fond; **a ~ perdido** à fonds perdu; **al ~ de la calle/del pasillo** au bout de la rue/au fond du couloir; **en el ~** au fond; **tener buen ~** avoir un bon fond; **los bajos ~s** les bas-fonds *mpl*; **~ común** fonds *msg* commun; **~ de amortización** (*Com*) fonds *mpl* d'amortissement; **~ del mar** fond de la mer; **F~ Monetario Internacional** Fonds *msg* monétaire international
fontanería [fontane'ria] *nf* plomberie *f*
fontanero [fonta'nero] *nm* plombier *m*
footing ['futin] *nm* footing *m*; **hacer ~** faire du footing
forastero, -a [foras'tero, a] *nm/f* étranger(-ère)
forcejear [forθexe'ar] *vi* lutter
forense [fo'rense] *nm/f* (*tb*: **médico forense**) médecin *m* légiste
forjar [for'xar] *vt* forger; (*imperio, fortuna*) bâtir; **forjarse** *vpr* (*porvenir*) s'assurer; (*ilusiones*) se faire; **hierro forjado** fer *m* forgé
forma ['forma] *nf* forme *f*; (*manera*) façon *f*, manière *f*; **formas** *nfpl* (*del cuerpo*) formes *fpl*; **en (plena) ~** en (pleine) forme; **en baja ~ (física)** pas en bonne formé; **en ~ de** en forme de; **~ de pago** (*Com*) mode de paiement; **guardar las ~s** se tenir convenablement; **de ~ que ...** de sorte que ...; **de todas ~s** de toute façon
formación [forma'θjon] *nf* formation *f*; **~ a cargo de la empresa** formation continue; **~ profesional** formation professionnelle
formal [for'mal] *adj* (*defecto*) de forme; (*requisito, promesa*) formel(le); (*persona: de fiar*) sérieux(-euse)
formalidad [formali'ðað] *nf* sérieux *m*; (*trámite*) formalité *f*

formalizar [formali'θar] *vt* officialiser; **formalizarse** *vpr* se ranger
formar [for'mar] *vt* former; (*hacer*) faire ■ *vi* (*Mil*) se mettre en formation; (*Deporte*) se placer; **formarse** *vpr* se former; (*jaleo, lío*) se produire; **~ parte de** faire partie de
formatear [formate'ar] *vt* (*Inform*) formater
formativo, -a [forma'tiβo, a] *adj* formateur(-trice)
formato [for'mato] *nm* format *m*; **sin ~** (*disco, texto*) non formaté(e); **~ de registro** format d'enregistrement
formidable [formi'ðaβle] *adj* formidable
fórmula ['formula] *nf* formule *f*; (*fig: método*) solution *f*; **hacer algo por (pura) ~** faire qch pour la forme; **~ de cortesía** formule de courtoisie; **~ uno** (*Auto*) formule un
formular [formu'lar] *vt* formuler; (*idea*) émettre
formulario [formu'larjo] *nm* formulaire *m*; **rellenar un ~** remplir un formulaire; **~ de pedido** (*Com*) bon *m* de commande; **~ de solicitud** (*Com*) formulaire de demande
fornido, -a [for'niðo, a] *adj* corpulent(e)
forrar [fo'rrar] *vt* (*abrigo*) doubler; (*libro, sofá*) recouvrir; (*puerta*) blinder; **forrarse** *vpr* (*fam*) amasser une petite fortune
forro ['forro] *nm* (*de abrigo*) doublure *f*; (*de libro*) couverture *f*; (*de sofá*) tissu *m*
fortalecer [fortale'θer] *vt* fortifier; (*músculos*) endurcir; **fortalecerse** *vpr* se fortifier; (*músculos*) s'endurcir
fortaleza [forta'leθa] *nf* (*Mil*) forteresse *f*; (*fuerza*) force *f*
fortuito, -a [for'twito, a] *adj* fortuit(e)
fortuna [for'tuna] *nf* fortune *f*; **por ~** par hasard; **probar ~** tenter sa chance
forzar [for'θar] *vt* forcer; (*proceso*) accélérer; (*violar*) violer; (*vista*) aiguiser; **~ a algn a hacer algo** forcer qn à faire qch
forzoso, -a [for'θoso, a] *adj* forcé(e)
fosa ['fosa] *nf* fosse *f*; **~s nasales** fosses *fpl* nasales
fósforo ['fosforo] *nm* phosphore *m*; (*AM: cerilla*) allumette *f*
fósil ['fosil] *adj, nm* fossile *m*
foso ['foso] *nm* (*hoyo, Auto*) fosse *f*; (*Teatro*) fosse d'orchestre; (*de castillo*) douves *fpl*
foto ['foto] *nf* photo *f*; **sacar** *o* **hacer una ~** faire une photo
fotocopia [foto'kopja] *nf* photocopie *f*
fotocopiadora [fotokopja'ðora] *nf* photocopieuse *f*
fotocopiar [fotoko'pjar] *vt* photocopier
fotografía [fotoɣra'fia] *nf* photographie *f*
fotógrafo, -a [fo'toɣrafo, a] *nm/f* photographe *m/f*
fracasar [fraka'sar] *vi* échouer
fracaso [fra'kaso] *nm* échec *m*; (*desastre*) catastrophe *f*; (*revés*) revers *msg*
fracción [frak'θjon] *nf* fraction *f*; (*Pol*) scission *f*
fraccionamiento [frakθjona'mjento] (*AM*) *nm* lotissement *m*
fractura [frak'tura] *nf* fracture *f*; (*grieta*) cassure *f*
fragancia [fra'ɣanθja] *nf* parfum *m*
frágil ['fraxil] *adj* fragile; **"fragil"** (*Com*) "fragile"
fragmento [fraɣ'mento] *nm* fragment *m*; (*Mús*) morceau *m* choisi
fragua ['fraɣwa] *nf* forge *f*
fraguar [fra'ɣwar] *vt* forger ■ *vi* prendre
fraile ['fraile] *nm* moine *m*
frambuesa [fram'bwesa] *nf* framboise *f*
francamente [franka'mente] *adv* franchement
francés, -esa [fran'θes, esa] *adj* français(e) ■ *nm/f* Français(e) ■ *nm* (*Ling*) français *m*
Francia ['franθja] *nf* France *f*
franco, -a ['franko, a] *adj* franc(he); (*Com: exento: entrada, puerto*) franco ■ *nm* franc *m*; **~ de derechos** (*Com*) hors taxe; **~ al costado del buque** (*Com*) franco long du bord; **~ puesto sobre vagón** (*Com*) franco wagon; **~ a bordo** (*Com*) franco à bord; **~ en fábrica** (*Com*) départ usine; **de ~** (*Csur*) en permission
francotirador, a [frankotira'ðor, a] *nm/f* franc-tireur *m*
franela [fra'nela] *nf* flanelle *f*
franja ['franxa] *nf* (*en vestido, bandera*) frange *f*; (*de tierra, luz*) bande *f*
franquear [franke'ar] *vt* (*paso, entrada*) débarrasser; (*carta etc*) affranchir; (*obstáculo*) franchir; **franquearse** *vpr*: **~se con algn** parler à coeur ouvert avec qn
franqueo [fran'keo] *nm* affranchissement *m*
franqueza [fran'keθa] *nf* franchise *f*; **con ~** avec franchise

FRANQUISMO

Le régime politique qui fut celui de Francisco Franco de la fin de la guerre civile espagnole, en 1939, jusqu'à sa mort en 1975, est connu sous le nom de *franquismo*. Franco était un dictateur autoritaire aux idées de droite pour qui l'Espagne devait être un pays traditionnel, catholique et autosuffisant. Dans les années 60, l'Espagne commença à s'ouvrir au reste du monde et connut une augmentation de la croissance économique et de l'opposition politique intérieure. À la mort de Franco, elle devint une monarchie démocratique et constitutionnelle.

frasco ['frasko] *nm* flacon *m*
frase ['frase] *nf* phrase *f*; (*locución*) expression *f*; **~ hecha** expression *f* figée; (*despectivo*) cliché *m*
fraterno, -a [fra'terno, a] *adj* fraternel(le)
fraude ['frauðe] *nm* fraude *f*
fraudulento, -a [frauðu'lento, a] *adj* frauduleux(-euse)
frazada [fra'θaða] (*AM*) *nf* couvre-lit *m*
frecuencia [fre'kwenθja] *nf* fréquence *f*; **con ~** fréquemment; **~ de red/del reloj** (*Inform*) fréquence d'alimentation/ d'horloge
frecuentar [frekwen'tar] *vt* fréquenter
frecuente [fre'kwente] *adj* fréquent(e); (*habitual*) habituel(le)
fregadero [freɣa'ðero] *nm* lave-vaisselle *m*
fregado, -a [fre'ɣaðo, a] (*fam*) *adj* (*AM*: *molesto*) embêtant(e) ■ *nm* dispute *f*
fregar [fre'ɣar] *vt* laver; (*AM*: *fam*) énerver
fregona [fre'ɣona] *nf* serpillière *f*; (*pey*: *sirvienta*) boniche *f*
freír [fre'ir] *vt* frire; **freírse** *vpr* frire; **~ a preguntas a algn** assommer qn de questions
frenar [fre'nar] *vt, vi* freiner; **~ en seco** freiner brusquement
frenazo [fre'naθo] *nm* coup *m* de frein
frenético, -a [fre'netiko, a] *adj* frénétique; (*persona*) hors de soi; **ponerse ~** se mettre en colère
freno ['freno] *nm* frein *m*; (*de cabalgadura*) mors *m*; **poner ~ a algo** (*fig*) réfréner qch; **~ de mano** frein à main
frente ['frente] *nm* front *m*; (*Arq, de objeto*) devant *m* ■ *nf* front ■ *adv* (*esp Csur*: *fam*): **~ mío/nuestro** *etc* en face de moi/nous *etc*; **hacer ~ común con algn** faire cause commune avec qn; **~ a** en face de; (*en comparación con*) par rapport à; **~ a ~** face à face; **chocar de ~** se heurter de front; **hacer ~ a** faire face à; **ir/ponerse al ~ de** être/se mettre à la tête de; **~ de batalla** front de bataille; **~ único** front commun
fresa ['fresa] *nf* (*Esp*) fraise *f*; (*de dentista*) roulette *f*
fresco, -a ['fresko, a] *adj* frais (fraîche); (*ropa*) léger(-ère); (*descarado*) insolent(e); (*descansado*) frais (fraîche) et dispos(e) ■ *nm* (*aire*) frais *m*; (*Arte*) fresque *f*; (*AM*) boisson *f* fraîche ■ *nm/f* (*fam*: *descarado*) insolent(e); (: *desvergonzado*) effronté(e); **al ~** au frais; **hace ~** il fait frais; **estar/ quedarse tan ~** demeurer imperturbable; **tomar el ~** prendre le frais; **¡qué ~!** quelle insolence!
frescura [fres'kura] *nf* fraîcheur *f*; (*descaro*) insolence *f*
frialdad [frjal'dað] *nf* froideur *f*; (*indiferencia*) froideur glaciale
fricción [frik'θjon] *nf* friction *f*
frigidez [frixi'ðeθ] *nf* frigidité *f*
frigorífico, -a [friɣo'rifiko, a] *adj* frigorifique ■ *nm* réfrigérateur *m*; **camión ~** camion *m* frigorifique
frijol [fri'xol] (*AM*) *nm* haricot *m* sec; (*verde*) haricot vert
frío, -a ['frio, a] *adj* froid(e); (*fig*: *poco entusiasta*) pas très chaud(e); (*relaciones*) tendu(e) ■ *nm* froid *m*; **coger ~** prendre froid; **tener ~** avoir froid; **hace ~** il fait froid; **¡qué ~!** il fait un de ces froids!; **quedarse ~** commencer à avoir froid
frito, -a ['frito, a] *pp de* **freír** ■ *adj* (*Culin*) frit(e) ■ *nm*: **~s** (*Culin*) friture *f*; **me tiene** *o* **trae ~ ese hombre** (*fam*) ce type est barbant; **quedarse ~** (*fam*) s'endormir
frívolo, -a ['friβolo, a] *adj* frivole
frontal [fron'tal] *adj* frontal(e); (*choque*) de front
frontera [fron'tera] *nf* frontière *f*; **sin ~s** sans limite
fronterizo, -a [fronte'riθo, a] *adj* (*pueblo, paso*) frontalier(-ère); (*países*) limitrophe
frontón [fron'ton] *nm* (*cancha*) fronton *m*; (*juego*) pelote *f* basque
frotar [fro'tar] *vt, vi* frotter; **frotarse** *vpr*: **~se las manos** se frotter les mains
fructífero, -a [fruk'tifero, a] *adj* fructueux(-euse)
fruncir [frun'θir] *vt* froncer; (*labios*) plisser
frustrar [frus'trar] *vt* frustrer; **frustrarse** *vpr* (*plan etc*) échouer
fruta ['fruta] *nf* fruit *m*; **~ del tiempo** fruit de saison; **~ escarchada** fruit confit
frutería [frute'ria] *nf* boutique *f* de fruits et légumes

frutero, -a [fru'tero, a] *adj* fruitier(-ère) ■ *nm/f* marchand(e) de fruits et légumes ■ *nm* compotier *m*
frutilla [fru'tiʎa] (*And, Csur*) *nf* fraise *f*
fruto ['fruto] *nm* fruit *m*; **dar** *o* **producir ~** porter ses fruits; **~s secos** fruits *mpl* secs
fue [fwe] *vb ver* **ser**; **ir**
fuego ['fweɣo] *nm* feu *m*; **prender ~ a** mettre le feu à; **a ~ lento** à petit feu; **¡alto el ~!** cessez le feu!; **estar entre dos ~s** être pris(e) entre deux feux; **¿tienes ~?** t'as du feu?; **~s artificiales** *o* **de artificio** feux *mpl* d'artifice
fuente ['fwente] *nf* fontaine *f*; (*bandeja*) plateau *m*; (*fig*) source *f*; **de buena ~** de source sûre; **de ~s fidedignas** de sources bien informées; **~ de alimentación** (*Inform*) source d'alimentation; **~ de soda** (*AM*) buvette *f*
fuera ['fwera] *vb ver* **ser**; **ir** ■ *adv* dehors; (*de viaje*) en voyage ■ *prep*: **~ de** hors de; (*fig*) sauf; **¡~!** dehors!; **~ de alcance** hors de portée; **~ de combate** hors de combat; (*Boxeo*) K.O.; (*Fútbol*) hors jeu; **~ de la ley** hors-la-loi; **estar ~ de lugar** ne pas être à sa place; **~ de serie/servicio/temporada** hors série/service/saison; **~ de sí** hors de soi; **~ de (toda) duda/sospecha** au-dessus de tout soupçon; **por ~** au dehors; **los de ~** les étrangers *mpl*
fuera-borda [fwera'βorða] *nm inv* hors-bord *m*
fuerte ['fwerte] *adj* fort(e); (*resistente*) solide; (*chocante*) choquant(e) ■ *adv* (*sujetar*) solidement; (*golpear*) violemment; (*llover*) à verse; (*gritar*) fort ■ *nm* (*Mil*) fort *m*; (*fig*): **el canto no es mi ~** le chant, ce n'est pas mon fort
fuerza ['fwerθa] *vb ver* **forzar** ■ *nf* force *f*; (*Mil*: *tb*: **fuerzas**) forces *fpl*; **a ~ de** à force de; **cobrar ~s** prendre des forces; **empujar/tirar con ~/con todas sus ~s** pousser/tirer avec force/de toutes ses forces; **tener ~** avoir de la force; **tener ~s para hacer** avoir la force de faire; **a** *o* **por la ~** de force; **con ~ legal** (*Com*) à force de loi; **por ~** forcément; **~s aéreas/armadas** forces aériennes/armées; **~ bruta** force brute; **~ de arrastre** (*Tec*) effort *m* de traction; **~s de Orden Público** forces de l'ordre; **~ de voluntad** volonté *f*; **~ mayor** force majeure; **~ vital** énergie *f* vitale
fuga ['fuɣa] *nf* fugue *f*; (*de gas, agua*) fuite *f*; **~ de capitales** (*Econ*) fuite des capitaux; **~ de cerebros** (*fig*) fuite des cerveaux
fugarse [fu'ɣarse] *vpr* s'enfuir; (*amantes*) faire une fugue
fugaz [fu'ɣaθ] *adj* fugitif(-ive)
fugitivo, -a [fuxi'tiβo, a] *adj* en fuite ■ *nm/f* fugitif(-ive)
fui *etc* [fwi] *vb ver* **ser**; **ir**
fulano, -a [fu'lano, a] *nm/f* un(e) tel(le)
fulminante [fulmi'nante] *adj* explosif(-ive); (*Med, fig*) foudroyant(e); (*fam*: *éxito*) fulgurant(e)
fumador, a [fuma'ðor, a] *nm/f* fumeur(-euse); **no ~** non fumeur(-euse)
fumar [fu'mar] *vt, vi* fumer; **fumarse** *vpr* fumer; (*fam*: *herencia*) manger; (: *clases, trabajo*) manquer; **~ en pipa** fumer la pipe
función [fun'θjon] *nf* fonction *f*; (*Teatro etc*) représentation *f*; **entrar en funciones** entrer en fonction; **~ de tarde/de noche** matinée *f*/soirée *f*; **en ~ de** en fonction de; **presidente/director en funciones** président/directeur par intérim
funcional [funθjo'nal] *adj* fonctionnel(le)
funcionar [funθjo'nar] *vi* fonctionner; **"no funciona"** "en panne"
funcionario, -a [funθjo'narjo, a] *nm/f* fonctionnaire *m/f*
funda ['funda] *nf* étui *m*; (*de almohada*) taie *f*; (*de disco*) pochette *f*
fundación [funda'θjon] *nf* fondation *f*
fundamental [fundamen'tal] *adj* fondamental(e)
fundamentar [fundamen'tar] *vt* (*fig*): **~ (en)** fonder (sur)
fundamento [funda'mento] *nm* fondement *m*; **fundamentos** *nmpl* (*de ciencia, arte*) fondements *mpl*; **eso carece de ~** ça ne tient pas debout
fundar [fun'dar] *vt* fonder; (*fig*: *basar*): **~ en** fonder sur; **fundarse** *vpr*: **~se en** se fonder sur
fundición [fundi'θjon] *nf* (*fábrica*) fonderie *f*; (*de metal, Tip*) fonte *f*
fundir [fun'dir] *vt* fondre; (*Com, fig*) fusionner; **fundirse** *vpr* (*colores etc*) se fondre; (*Elec, nieve, mantequilla*) fondre; (*fig*) fusionner
fúnebre ['funeβre] *adj* funèbre; (*fig*) sombre
funeral [fune'ral] *nm* funérailles *fpl*
funeraria [fune'rarja] *nf* pompes *fpl* funèbres
funesto, -a [fu'nesto, a] *adj* funeste
furgón [fur'ɣon] *nm* (*camión*) camion *m*; (*Ferro*) wagon *m*
furgoneta [furɣo'neta] *nf* fourgonnette *f*

furia ['furja] *nf* furie *f*; **hecho una ~** comme une furie
furibundo, -a [furi'βundo, a] *adj* furibond(e)
furioso, -a [fu'rjoso, a] *adj* furieux(-euse); (*violento*) violent(e)
furor [fu'ror] *nm* fureur *f*; **hacer ~** faire fureur
furtivo, -a [fur'tiβo, a] *adj* furtif(-ive); (*cazador*) braconnier *m*
fusible [fu'siβle] *nm* fusible *m*
fusil [fu'sil] *nm* fusil *m*
fusilar [fusi'lar] *vt* fusiller
fusión [fu'sjon] *nf* fusion *f*
fútbol ['futβol] *nm* football *m*
futbolín [futβo'lin] *nm* baby-foot *m*
futbolista [futβo'lista] *nm/f* footballeur(-euse)
futuro, -a [fu'turo, a] *adj* futur(e) ■ *nm* avenir *m*; (*Ling*) futur *m*; **futuros** *nmpl* (*Com*) opérations *fpl* à terme; **futura madre** future maman *f*

g

gabardina [gaβar'ðina] *nf* imperméable *m*; (*tela*) gabardine *f*
gabinete [gaβi'nete] *nm* cabinet *m*; (*de abogados*) étude *f*; **~ de consulta/de lectura** salle *f* de consultation/de lecture
gaceta [ga'θeta] *nf* gazette *f*
gachas ['gatʃas] *nfpl* polenta *f*
gafas ['gafas] *nfpl* lunettes *fpl*; **~ de sol** lunettes de soleil
gafe ['gafe] *adj*: **ser ~** porter la poisse
gaita ['gaita] *nf* cornemuse *f*; (*cosa engorrosa*) fardeau *m*
gajes ['gaxes] *nmpl*: **~ del oficio** aléas *mpl* du métier
gajo ['gaxo] *nm* (*de naranja*) quartier *m*; (*racimo*) grappe *f*
gala ['gala] *nf* gala *m*; **galas** *nfpl* (*atuendo*) atours *mpl*; **de ~** de gala; **vestir de ~** mettre sa tenue de gala; (*Mil*) être en grand uniforme; **hacer ~ de** se targuer de; **tener algo a ~** mettre un point d'honneur à faire qch; **con sus mejores ~s** de ses plus beaux atours
galante [ga'lante] *adj* galant(e)
galantería [galante'ria] *nf* galanterie *f*; (*cumplido*) courtoisie *f*
galápago [ga'lapaɣo] *nm* tortue *f* marine
galaxia [ga'laksja] *nf* galaxie *f*

galera [ga'lera] *nf* (*nave*) galère *f*; (*Tip*) galée *f*; **galeras** *nfpl* (*castigo*) galères *fpl*
galería [gale'ria] *nf* galerie *f*; (*para cortina*) tringle *f*; **hacer algo para la ~** faire qch pour sauver les apparences; **~ comercial** galerie commerciale; **~ secreta** passage *m* secret
Gales ['gales] *nm*: **(el País de) ~** le pays de Galles
galés, -esa [ga'les, esa] *adj* gallois(e) ■ *nm/f* Gallois(e) ■ *nm* gallois *msg*
galgo, -a ['galɣo, a] *nm/f* lévrier (levrette)
Galicia [ga'liθja] *nf* Galice *f*, Galicie *f*
galimatías [galima'tias] *nm inv* galimatias *msg*
gallardía [gaʎar'ðia] *nf* (*en aspecto*) grâce *f*; (*al actuar*) vaillance *f*
gallego, -a [ga'ʎeɣo, a] *adj* galicien(ne); (*AM*: *pey*) espagnol(e) ■ *nm/f* Galicien(ne); (*AM*: *pey*) Espingouin *m* ■ *nm* (*Ling*) galicien *m*
galleta [ga'ʎeta] *nf* galette *f*; (*fam*: *bofetada*) baffe *f*
gallina [ga'ʎina] *nf* poule *f* ■ *nm* (*fam*) poule mouillée; **carne de ~** chair *f* de poule; **~ ciega** colin-maillard *m*; **~ clueca** poule pondeuse
gallinero [gaʎi'nero] *nm* poulailler *m*; (*donde se vocea*) volière *f*
gallo ['gaʎo] *nm* coq *m*; (*pescado*) raie *f*; (*Mús*) couac *m*; **en menos que canta un ~** en un clin d'œil; **otro ~ nos cantara** ça serait tout autre chose
galón [ga'lon] *nm* galon *m*
galopar [galo'par] *vi* galoper
gama ['gama] *nf* gamme *f*; (*Zool*) femelle *f* du daim
gamba ['gamba] *nf* crevette *f*
gamberro, -a [gam'berro, a] *nm/f* vandale *m/f*, voyou *m*
gamuza [ga'muθa] *nf* chamois *msg*; (*bayeta*) peau *f* de chamois
gana ['gana] *nf* (*deseo*) envie *f*; (*apetito*) faim *f*; **de buena/mala ~** volontiers/à contrecœur; **me dan ~s de hacer** ça me donne envie de faire; **tener ~s de (hacer)** avoir envie de (faire); **me quedé con las ~s de ir** j'y serais bien allé; **no me da la (real) ~** je n'en ai pas (vraiment) envie; **son ~s de molestar** c'est vraiment pour le plaisir d'embêter le monde; **hacer algo con/sin ~s** faire qch volontiers/à contrecœur
ganadería [ganaðe'ria] *nf* bétail *m*; (*cría*) élevage *m*; (*comercio*) commerce *m* du bétail
ganado [ga'naðo] *nm* bétail *m*; **~ bovino o vacuno** bovins *mpl*; **~ caballar/cabrío** cheveaux *mpl*/chèvres *fpl*; **~ lanar/porcino** moutons *mpl*/porcs *mpl*
ganador, a [gana'ðor, a] *adj*, *nm/f* gagnant(e)
ganancia [ga'nanθja] *nf* gain *m*; **ganancias** *nfpl* (*ingresos*) revenus *mpl*; (*beneficios*) gains *mpl*; **pérdidas y ~s** profits et pertes; **sacar ~ de** tirer profit de; **~ bruta/líquida** bénéfice *m* brut/net; **~s de capital** plus-values *fpl* (de capital)
ganar [ga'nar] *vt* gagner; (*fama, experiencia*) acquérir; (*premio*) remporter; (*peso*) prendre; (*apoyo*) s'assurer ■ *vi* (*Deporte*) gagner; (*mejorar*) améliorer; **ganarse** *vpr*: **~se la vida** gagner sa vie; **le gana en simpatía** il est plus sympathique; **~ a algn para una causa** rallier qn à une cause; **se lo ha ganado** il l'a bien gagné; **~ tiempo** gagner du temps; **salir ganando** sortir gagnant
ganchillo [gan'tʃiʎo] *nm* crochet *m*; **hacer ~** faire du crochet; **aguja de ~** crochet
gancho ['gantʃo] *nm* crochet *m*; (*fam*: *atractivo*) charme *m*; **usar algo/a algn como ~** utiliser qch/qn comme appât
gandul, a [gan'dul, a] *adj*, *nm/f* feignant(e)
ganga ['ganga] *nf* (*Com*) affaire *f*
gangrena [gan'grena] *nf* gangrène *f*
gángster ['ganster] (*pl* **~s**) *nm* gangster *m*
ganso, -a ['ganso, a] *nm/f* jars (oie); (*fam*) tarte *f*; **hacer el ~** faire l'imbécile
ganzúa [gan'θua] *nf* crochet *m*
garabatear [garaβate'ar] *vt* griffonner ■ *vi* avoir une écriture de chat
garabato [gara'βato] *nm* gribouillage *m*; **garabatos** *nmpl* (*escritura*) pattes *fpl* de mouche
garaje [ga'raxe] *nm* garage *m*; **plaza de ~** place *f* de parking
garante [ga'rante] *adj*, *nm/f* garant(e)
garantía [garan'tia] *nf* garantie *f*; **de máxima ~** garanti(e) à cent pour cent
garantizar [garanti'zar] *vt* garantir; **te garantizo que no vendrá** je te garantis qu'il ne viendra pas
garbanzo [gar'βanθo] *nm* pois *msg* chiche; **~ negro** (*fig*) brebis *fsg* galeuse
garbo ['garβo] *nm* allure *f*; (*gracia*) grâce *f*; **andar con ~** avoir une démarche élégante
garfio ['garfjo] *nm* (*Tec*) crochet *m*; (*Alpinismo*) piton *m*
garganta [gar'ɣanta] *nf* gorge *f*; **se me hizo un nudo en la ~** j'ai eu la gorge nouée

gargantilla [garɣan'tiʎa] *nf* collier *m*
gárgara ['garɣara] *nf* gargarisme *m*; **hacer ~s** faire des gargarismes; **¡vete a hacer ~s!** (*fam*) va te faire voir!
garita [ga'rita] *nf* guérite *f*
garra ['garra] *nf* griffe *f*; (*de ave*) serre *f*; **caer en las ~s de algn** tomber entre les griffes de qn
garrafa [ga'rrafa] *nf* carafe *f*
garrapata [garra'pata] *nf* puce *f*
garrote [ga'rrote] *nm* (*palo*) gourdin *m*; (*porra*) massue *f*; (*ejecución*) garrot *m*
garza ['garθa] *nf* héron *m*
gas [gas] *nm* gaz *m*; **gases** *nmpl* (*Med*) gaz *mpl*; **a todo ~** plein gaz; **~es lacrimógenos** gaz *mpl* lacrymogènes; **~ natural** gaz *m* naturel
gasa ['gasa] *nf* gaze *f*; (*de pañal*) couche *f*
gaseosa [gase'osa] *nf* limonade *f*
gaseoso, -a [gase'oso, a] *adj* gazeux(-euse)
gasoil [ga'soil], **gasóleo** [ga'soleo] *nm* gas oil *m*
gasolina [gaso'lina] *nf* essence *f*
gasolinera [gasoli'nera] *nf* station-service *f*
gastado, -a [gas'taðo, a] *adj* (*ropa*) usé(e); (*mechero*) fini(e); (*bolígrafo*) qui n'a plus d'encre; (*fig: político*) dépassé(e)
gastar [gas'tar] *vt* dépenser; (*malgastar*) perdre; (*desgastar*) user; (*usar*) porter; (*fig: persona*) user; **gastarse** *vpr* s'user; **~ bromas** faire des blagues; **¿qué número gastas?** quelle est ta pointure?
gasto ['gasto] *nm* dépense *f*; **gastos** *nmpl* (*desembolsos*) dépenses *fpl*; (*costes*) frais *mpl*; **cubrir ~s** couvrir les frais; **meterse en ~s** faire des frais inutiles; **~ corriente/fijo** (*Com*) dépenses courantes/frais fixes; **~s de desplazamiento** frais de déplacement; **~s de distribución/representación** (*Com*) frais de distribution/représentation; **~s de mantenimiento** frais de maintenance; **~s de tramitación** (*Com*) frais de dossier; **~s generales** frais généraux; **~s vencidos** (*Com*) frais à payer
gastritis [gas'tritis] *nf* gastrite *f*
gastronomía [gastrono'mia] *nf* gastronomie *f*
gata ['gata] *nf ver* **gato**
gatear [gate'ar] *vi* marcher à quatre pattes
gatillo [ga'tiʎo] *nm* gâchette *f*
gato, -a ['gato, a] *nm/f* chat(te) ■ *nm* (*Tec*) cric *m*; **andar a gatas** marcher à quatre pattes; **dar a algn ~ por liebre** rouler qn; **aquí hay ~ encerrado** il y a anguille sous roche; **~ de Angora** chat Angora; **~ montés/siamés** chat sauvage/siamois
gaviota [ga'βjota] *nf* mouette *f*
gay [ge] *adj, nm* homo *m*
gazpacho [gaθ'patʃo] *nm* gaspacho *m* (*soupe froide espagnole*)
gel [xel] *nm* (*de ducha*) gel *m*; (*de baño*) bain *m* moussant
gelatina [xela'tina] *nf* gélatine *f*
gema ['xema] *nf* gemme *m*
gemelo, -a [xe'melo, a] *adj, nm/f* jumeau(-elle); **gemelos** *nmpl* (*de camisa*) boutons *mpl* de manchette; (*anteojos*) jumelles *fpl*; **~s de campo/de teatro** jumelles de campagne/de spectacle
gemido [xe'miðo] *nm* gémissement *m*
Géminis ['xeminis] *nm* (*Astrol*) Gémeaux *mpl*; **ser ~** être (des) Gémeaux
gemir [xe'mir] *vi* gémir; (*animal*) geindre
gen [xen] *nm* gène *m*
gen. *abr* (*Ling*) = **género**
generación [xenera'θjon] *nf* génération *f*; **primera/segunda** *etc* **~** (*Inform*) première/deuxième *etc* génération
general [xene'ral] *adj* général(e) ■ *nm* général *m*; **en** *o* **por lo ~** en général; **~ de brigada/de división** général de brigade/de division
Generalitat [xenerali'tat] *nf* *gouvernement catalan*
generalizar [xenerali'θar] *vt, vi* généraliser; **generalizarse** *vpr* se généraliser
generalmente [xene'ralmente] *adv* généralement
generar [xene'rar] *vt* (*energía*) générer; (*interés*) provoquer
género ['xenero] *nm* genre *m*; (*Com*) article *m*; **géneros** *nmpl* (*productos*) articles *mpl*; **~ chico** (*zarzuela*) *comédie musicale espagnole*; **~s de punto** tricots *mpl*; **~ humano** genre humain; **~ literario** genre littéraire
generosidad [xenerosi'ðað] *nf* générosité *f*
generoso, -a [xene'roso, a] *adj* généreux(-euse)
genética [xe'netika] *nf* génétique *f*
genial [xe'njal] *adj* (*artista, obra*) de génie; (*fam: idea*) génial(e); (*: persona*) spirituel(le)
genio ['xenjo] *nm* tempérament *m*; (*mal carácter*) mauvais caractère *m*; (*persona, en cuentos*) génie; **tener mal ~** être soupe au lait *inv*, être emporté(e); **tener un ~ vivo** être un peu vif (vive), être soupe au lait *inv*

genital [xeni'tal] *adj* génital(e) ▪ *nm*: **~es** organes *mpl* génitaux
genoma [xe'noma] *nm* génome *m*
gente ['xente] *nf* gens *mpl*; (*fam: familia*) petite famille *f*; (*AM: fam*): **una ~ como usted** quelqu'un comme vous; **es buena ~** (*fam*) c'est un bon gars; **~ baja/bien** petits gens/gens bien; **~ de la calle** gens comme vous et moi; **~ gorda** (*fig*) les grosses légumes *fpl*; **~ menuda** les tout petits
gentileza [xenti'leθa] *nf*: **tener la ~ de hacer** avoir la gentillesse de faire; **por ~ de** avec l'aimable autorisation de
gentío [xen'tio] *nm* foule *f*; **¡qué ~!** quel peuple!
genuino, -a [xe'nwino, a] *adj* authentique
geografía [xeoɣra'fia] *nf* géographie *f*
geología [xeolo'xia] *nf* géologie *f*
geometría [xeome'tria] *nf* géométrie *f*
geranio [xe'ranjo] *nm* géranium *m*
gerencia [xe'renθja] *nf* direction *f*; (*cargo*) gérance *f*
gerente [xe'rente] *nm/f* (*supervisor*) gérant(e); (*jefe*) directeur(-trice)
geriatría [xerja'tria] *nf* gériatrie *f*
germen ['xermen] *nm* germe *m*
germinar [xermi'nar] *vi* germer
gesticular [xestiku'lar] *vi* gesticuler; (*hacer muecas*) faire des grimaces
gestión [xes'tjon] *nf* gestion *f*; (*trámite*) démarche *f*; **hacer las gestiones preliminares** faire les démarches préliminaires; **~ de cartera/de riesgos** (*Com*) gestion de portefeuille/des risques; **~ de personal** gestion du personnel; **~ financiera** (*Com*) gestion financière; **~ interna** (*Inform*) gestion des disques
gestionar [xestjo'nar] *vt* s'occuper de
gesto ['xesto] *nm* geste *m*; (*mueca*) grimace *f*; **hacer ~s** faire des gestes; **hacer ~s a algn** faire de grands gestes à qn
Gibraltar [xiβral'tar] *nm* Gibraltar *m*
gibraltareño, -a [xiβralta'reɲo, a] *adj* de Gibraltar ▪ *nm/f* natif(-ive) *o* habitant(e) de Gibraltar
gigante [xi'ɣante] *adj* géant(e) ▪ *nm/f* géant(e); (*fig*) génie *m*
gigantesco, -a [xiɣan'tesko, a] *adj* gigantesque
gilipollas [xili'poʎas] (*fam!*) *adj inv, nm/f inv* con(ne) (*fam!*)
gimnasia [xim'nasja] *nf* gymnastique *f*; **hacer ~** faire de la gymnastique
gimnasio [xim'nasjo] *nm* gymnase *m*
gimnasta [xim'nasta] *nm/f* gymnaste *m/f*
gimotear [ximote'ar] *vi* pleurnicher
Ginebra [xi'neβra] *n* Genève
ginebra [xi'neβra] *nf* genièvre *m*
ginecólogo, -a [xine'koloɣo, a] *nm/f* gynécologue *m/f*
gira ['xira] *nf* excursion *f*; (*de grupo*) tournée *f*
girar [xi'rar] *vt* (*hacer girar*) faire tourner; (*dar la vuelta*) tourner; (*giro postal, letra de cambio*) virer ▪ *vi* tourner; **~ (a/hacia)** (*torcer*) virer (à); **~ en torno a** (*conversación*) s'orienter vers; **~ alrededor de algo** tourner autour de qch; **~ en descubierto** être à découvert
girasol [xira'sol] *nm* tournesol *m*
giratorio, -a [xira'torjo, a] *adj* tournant(e)
giro ['xiro] *nm* tour *m*; (*Com*) virement *m*; (*tb*: **giro postal**) mandat *m* (postal); **dar un ~** tourner; **dar un ~ de 180 grados** (*fig*) faire un demi-tour; **~ a la vista** (*Com*) virement à vue; **~ bancario** virement bancaire
gis [xis] (*Méx*) *nm* craie *f*
gitano, -a [xi'tano, a] *adj* gitan(e) ▪ *nm/f* Gitan(e)
glacial [gla'θjal] *adj* (*zona*) glaciaire; (*frío, fig*) glacial(e)
glaciar [gla'θjar] *nm* glacier *m*
glándula ['glandula] *nf* glande *f*
global [glo'βal] *adj* global(e)
globalización [gloβaliθa'θjon] *nf* mondialisation *f*
globo ['gloβo] *nm* globe *m*; (*para volar, juguete*) ballon *m*; **~ ocular** globe oculaire; **~ terráqueo** *o* **terrestre** globe terrestre
glóbulo ['gloβulo] *nm*: **~ blanco/rojo** globule *m* blanc/rouge
gloria ['glorja] *nf* gloire *f*; (*Rel*) paradis *m*; **estar en la ~** être aux anges; **es una ~** (*fam*) quel délice; **saber a ~** être délicieux(-euse)
glorieta [glo'rjeta] *nf* (*de jardín*) tonnelle *f*; (*Auto, plaza*) rond-point *m*
glorificar [glorifi'kar] *vt* glorifier
glorioso, -a [glo'rjoso, a] *adj* glorieux(-euse)
glosario [glo'sarjo] *nm* glossaire *m*
glotón, -ona [glo'ton, ona] *adj, nm/f* glouton(ne)
glucosa [glu'kosa] *nf* glucose *m*
gobernador, a [goβerna'ðor, a] *nm/f* gouverneur *m*; **G~ civil** *représentant du gouvernement au niveau local*; **G~ militar** gouverneur militaire

gobernante [goβer'nante] *adj* gouvernant(e) ■ *nm* gouvernant *m*
gobernar [goβer'nar] *vt* gouverner; (*nave*) piloter; (*fam*) dominer ■ *vi* gouverner; (*Náut*) piloter; **~ mal** mal gouverner
gobierno [go'βjerno] *vb ver* **gobernar** ■ *nm* gouvernement *m*; (*Náut*) pilotage *m*; **G~ Vasco/de Aragón** gouvernement basque/d'Aragon; **G~ Civil** *institution représentant le gouvernement au niveau local*
goce ['goθe] *vb ver* **gozar** ■ *nm* jouissance *f*
gol [gol] *nm* but *m*; **meter un ~** marquer un but
golf [golf] *nm* golf *m*
golfa ['golfa] (*fam*) *nf* pute *f*
golfo¹ ['golfo] *nm* voyou *m*; (*gamberro*) casse-pieds *m inv*; (*hum*: *pillo*) radin
golfo² ['golfo] *nm* golfe *m*
golondrina [golon'drina] *nf* hirondelle *f*
golosina [golo'sina] *nf* gourmandise *f*
goloso, -a [go'loso, a] *adj* gourmand(e); (*empleo*) de rêve
golpe ['golpe] *nm* coup *m*; **no dar ~** ne pas en ficher une rame; **dar el ~** faire sensation; **darse un ~** se cogner; **de un ~** en un clin d'œil; **de ~ y porrazo** tout d'un coup; **cerrar una puerta de ~** claquer la porte; **~ bajo** coup bas; **~ de fortuna/de maestro** coup du destin/de maître; **~ de gracia** coup de grâce; **~ de tos** quinte *f* de toux
golpear [golpe'ar] *vt* frapper, heurter ■ *vi* cogner; (*lluvia*) tomber dru; (*puerta*) battre; **golpearse** *vpr* se cogner
goma ['goma] *nf* gomme *f*; (*gomita, Costura*) élastique *m*; **~ de mascar** chewing-gum *m*; **~ de pegar** colle *f*; **~ dos** (*explosivo*) plastic *m*
gordo, -a ['gorðo, a] *adj* gros(se); (*libro, árbol, tela*) épais(se); (*fam*: *problema*) de taille; (*accidente*) catastrophique ■ *nm/f* gros homme (grosse femme) ■ *nm* (*tb*: **premio gordo**) gros lot *m*; (*de la carne*) gras *msg*; **¡~!** (*Chi*: *fam*) chéri(e)!; **ese tipo me cae ~** ce type ne me revient pas

El Gordo

El Gordo désigne le gros lot attribué au tirage de la loterie nationale espagnole "Lotería Nacional", en particulier à Noël. Le tirage au sort exceptionnel "Sorteo Extraordinario de Navidad" du 22 décembre atteint une valeur de plusieurs millions d'euros. Étant donné le coût élevé des billets, les Espagnols jouent souvent en groupe et se partagent ensuite les gains.

gordura [gor'ðura] *nf* obésité *f*; (*grasa*) graisse *f*
gorila [go'rila] *nm* gorille *m*; (*Csur*: *fam*: *jefe militar*) chef *m*
gorjear [gorxe'ar] *vi* triller
gorra ['gorra] *nf* casquette *f*, béret *m*; (*de niño*) bonnet *m*; **de ~** (*sin pagar*) à l'œil; **~ de montar** bombe *f*; **~ de paño** béret de laine; **~ de visera** casquette à visière
gorrión [go'rrjon] *nm* moineau *m*
gorro ['gorro] *nm* bonnet *m*; **estoy hasta el ~** j'en ai par-dessus la tête; **~ de baño** bonnet de bain; **~ de punto** bonnet tricoté
gorrón, -ona [go'rron, ona] *nm/f* parasite *m/f*
gota ['gota] *nf* goutte *f*; **gotas** *nfpl* (*de medicamento*) gouttes *fpl*; **una ~, unas ~s** (*un poco*) une goutte; **~ a ~** *adv* (*caer*) goutte à goutte ■ *nm inv* (*Med*) goutte-à-goutte *m inv*; **ni ~** pas une miette; **la ~ que colma el vaso** la goutte d'eau qui fait déborder le vase; **como dos ~s de agua** comme deux gouttes d'eau; **caer unas** *o* **cuatro ~s** tomber deux ou trois gouttes
gotear [gote'ar] *vi* goutter; (*lloviznar*) pleuvoter
gotera [go'tera] *nf* gouttière *f*; (*mancha*) tache *f* d'humidité
gozar [go'θar] *vi* jouir; **~ de** jouir de; **~ con algo** jouir de qch; **~ haciendo algo** éprouver un immense plaisir à faire qch
gozne ['goθne] *nm* gond *m*
gozo ['goθo] *nm* (*alegría*) plaisir *m*; (*placer*) jouissance *f*; **¡mi ~ en un pozo!** adieu veau, vache, cochon, couvée!
gr. *abr* (= *gramo(s)*) g (= *gramme(s)*)
grabación [graβa'θjon] *nf* enregistrement *m*
grabado, -a [gra'βaðo, a] *adj* (*Mús*) enregistré(e) ■ *nm* gravure *f*; **~ al agua fuerte** gravure à l'eau-forte; **~ en cobre/madera** gravure sur cuivre/bois
grabadora [graβa'ðora] *nf* magnétophone *m*; **~ de CD/DVD** graveur *m* de CD/DVD
grabar [gra'βar] *vt* (*en piedra, Arte*) graver; (*discos, en video, Inform*) enregistrer; **lo tengo grabado en la memoria** ça reste gravé dans ma mémoire

gracia ['graθja] *nf* grâce *f*; (*chiste*) plaisanterie *f*; (*: irónico*) plaisanterie lourde; (*humor*) humour *m*; **¡muchas ~s!** merci beaucoup!; **~s a** grâce à; **¡~s a Dios!** grâce à Dieu!; **caerle en ~ a algn** être dans les bonnes grâces de qn; **tener ~** (*chiste etc*) être amusant(e); (*irónico*) être très amusant(e); **¡qué ~!** (*gracioso*) comme c'est drôle!; (*irónico*) très drôle!; **no me hace ~ (hacer)** ça ne m'amuse pas (de faire); **dar las ~s a algn por algo** remercier qn de *o* pour qch

gracioso, -a [gra'θjoso, a] *adj* amusant(e) ■ *nm/f* (*Teatro*) bouffon(ne); **su graciosa Majestad** sa gracieuse Majesté; **¡qué ~!** (*irónico*) très amusant!; **es ~ que ...** c'est curieux que ...

grada ['graða] *nf* marche *f*; **gradas** *nfpl* (*de estadio*) gradins *mpl*

gradería [graðe'ria] *nf* gradins *mpl*; **~ cubierta** stade *m* couvert

grado ['graðo] *nm* degré *m*; (*Escol*) classe *f*; (*Univ*) titre *m*; (*Mil*) grade *m*; **de buen ~** de bon gré; **quemaduras de primer/segundo ~** brûlures *fpl* au premier/second degré; **en sumo ~** au plus haut degré; **~ centí~/Fahrenheit** degré centigrade/Fahrenheit

graduación [graðwa'θjon] *nf* (*medición en grados*) gradation *f*; (*escala*) échelle *f*; (*del alcohol*) degré *m*; (*Univ*) remise *f* du diplôme; (*Mil*) grade *m*; **de alta ~** de haut rang

graduado, -a [gra'ðwaðo, a] *adj* gradué(e) ■ *nm/f* (*Univ*) diplômé(e) ■ *nm*: **~ escolar** ≈ brevet *m* des collèges; **~ social** ≈ B.T.S. *m* d'assistance sociale

gradual [gra'ðwal] *adj* progressif(-ive)

graduar [gra'ðwar] *vt* graduer; (*volumen*) mesurer; (*Mil*): **~ a algn de** conférer à qn le grade de; **graduarse** *vpr* (*Univ*) être diplômé(e); (*Mil*): **~se (de)** obtenir son grade (de); **~se la vista** se faire vérifier la vue

gráfica ['grafika] *nf* courbe *f*; **~ de temperatura** (*Med*) courbe de température

gráfico, -a ['grafiko, a] *adj* graphique; (*revista*) d'art; (*expresivo*) vivant(e) ■ *nm* graphique *m*; **gráficos** *nmpl* (*tb Inform*) graphiques *mpl*; **~ de barras** (*Com*) graphique à barres; **~ de sectores** *o* **de tarta** (*Com*) camembert *m*; **~s empresariales** (*Com*) graphiques de l'entreprise

gragea [gra'xea] *nf* (*Med*) pilule *f*; (*caramelo*) dragée *f*

grajo ['graxo] *nm* corbeau *m*

Gral. *abr* (*Mil*: = *General*) g^al^ (= *Général*)

gramática [gra'matika] *nf* grammaire *f*; *ver tb* **gramático**

gramatical [gramati'kal] *adj* grammatical(e)

gramático, -a [gra'matiko, a] *nm/f* grammairien(ne)

gramo ['gramo] *nm* gramme *m*

gran [gran] *adj ver* **grande**

granada [gra'naða] *nf* grenade *f*; **~ de mano** grenade à main

granate [gra'nate] *adj* grenat *adj inv* ■ *nm* grenat *m*

Gran Bretaña [grambre'taɲa] *nf* Grande-Bretagne *f*

grande ['grande] *adj* grand(e); (*Arg: fam: gracioso*) rigolo(-ote) ■ *nm* grand *m*; **gran miedo** grand peur; **¿cómo es de ~?** c'est grand comment?; **a lo ~** dans le faste; **pasarlo en ~** faire une fête grandiose; **los zapatos le están** *o* **quedan ~s** ces chaussures sont trop grandes pour lui

grandeza [gran'deθa] *nf* grandeur *f*

grandioso, -a [gran'djoso, a] *adj* grandiose

granel [gra'nel] *nm*: **a ~** (*Com*) en vrac

granero [gra'nero] *nm* grenier *m*

granito [gra'nito] *nm* granit *m*; **poner/aportar su ~ de arena** apporter sa modeste contribution

granizado [grani'θaðo] *nm* jus *m* de fruit glacé; **~ de café** café *m* frappé

granizar [grani'θar] *vi* grêler

granizo [gra'niθo] *nm* grêlon *m*

granja ['granxa] *nf* ferme *f*; **~ avícola** ferme avicole

granjear [granxe'ar] *vt* (*amistad, simpatía*) gagner; **granjearse** *vpr* gagner

granjero, -a [gran'xero, a] *nm/f* fermier(-ère)

grano ['grano] *nm* grain *m*; (*Med*) bouton *m*; **ir al ~** aller droit au but

granuja [gra'nuxa] *nm* (*bribón*) fripouille *f*; (*golfillo*) filou *m*

grapa ['grapa] *nf* agrafe *f*; (*Csur: aguardiente barato*) tord-boyaux *m inv*

grapadora [grapa'ðora] *nf* agrafeuse *f*

grasa ['grasa] *nf* graisse *f*; (*sebo*) gras *m*; **grasas** *nfpl* (*de persona*) graisse; **~ de ballena/de pescado** graisse de baleine/de poisson

grasiento, -a [gra'sjento, a] *adj* gras(se); (*sucio*) graisseux(-euse)

graso, -a ['graso, a] *adj* gras(se)

gratificación [gratifika'θjon] *nf* gratification *f*

gratificar [gratifi'kar] *vt* (*recompensar*) gratifier; **"se gratificará"** "récompense"
gratis ['gratis] *adj inv, adv* gratis *inv*
gratitud [grati'tuð] *nf* gratitude *f*
grato, -a ['grato, a] *adj* agréable; **ser ~ de hacer** être heureux(-euse) de faire; **nos es ~ informarle que ...** nous sommes heureux de vous informer que ...; **persona non-grata** persona *f* non grata
gratuito, -a [gra'twito, a] *adj* gratuit(e)
gravamen [gra'βamen] *nm* (*carga*) poids *msg*; (*impuesto*) servitude *f*, hypothèque *f*; **libre de ~** (*Econ*) non grevé(e) d'hypothèque
gravar [gra'βar] *vt* (*Jur: propiedad*) grever; **~ (con impuesto)** (*producto*) imposer
grave ['graβe] *adj* grave; **estar ~** être grave; **herida ~** blessure *f* grave
gravedad [graβe'ðað] *nf* gravité *f*
gravilla [gra'βiʎa] *nf* gravillon *m*
gravitar [graβi'tar] *vi* graviter; **~ sobre algn** peser sur qn
graznar [graθ'nar] *vi* (*cuervo*) croasser; (*pato*) cancaner
Grecia ['greθja] *nf* Grèce *f*
gremio ['gremjo] *nm* corporation *f*
greña ['greɲa] *nf* (*tb*: **greñas**) tignasse *f*; **andar a la ~** se disputer
gresca ['greska] *nf* altercation *f*
griego, -a ['grjeɣo, a] *adj* grec(que) ■ *nm/f* Grec(que) ■ *nm* (*Ling*) grec *m*
grieta ['grjeta] *nf* (*en pared, madera*) fente *f*; (*en terreno, Med*) crevasse *f*
grifo ['grifo] *nm* robinet *m*; (*And*) station-service *f*
grilletes [gri'ʎetes] *nmpl* fers *mpl*
grillo ['griʎo] *nm* grillon *m*; **grillos** *nmpl* (*de preso*) fers *mpl*
gripe ['gripe] *nf* grippe *f*; **~ aviar** grippe *f* aviaire
gris [gris] *adj* gris(e); (*vida*) triste; (*personaje*) terne; (*estudiante*) médiocre ■ *nm* gris *msg*; **~ marengo/perla** gris anthracite/perle
gritar [gri'tar] *vt, vi* crier; **¡no (me) grites!** ne crie pas (après moi)!
grito ['grito] *nm* cri *m*; **a ~ pelado** en hurlant; **a ~s** en criant; **dar ~s** pousser des cris; **poner el ~ en el cielo** pousser des hauts cris; **es el último ~** (*de moda*) c'est le dernier cri
grosella [gro'seʎa] *nf* groseille *f*; **~ negra** cassis *msg*
grosería [grose'ria] *nf* grossièreté *f*
grosero, -a [gro'sero, a] *adj* grossier(-ère)
grosor [gro'sor] *nm* grosseur *f*
grotesco, -a [gro'tesko, a] *adj* grotesque
grúa ['grua] *nf* grue *f*; **~ corrediza** *o* **móvil** pont *m* roulant; **~ de pescante** grue à flèche; **~ de torre** grue de chantier; **~ puente** grue à chevalet
grueso, -a ['grweso, a] *adj* épais(se); (*persona*) corpulent(e); (*mar*) fort(e) ■ *nm* grosseur *f*; **el ~ de** le gros de
grulla ['gruʎa] *nf* grue *f*
grumo ['grumo] *nm* grumeau *m*
gruñido [gru'ɲiðo] *nm* grognement *m*
grupa ['grupa] *nf* (*Zool*) croupe *f*
grupo ['grupo] *nm* groupe *m*; **~ de presión** groupe de pression; **~ sanguíneo** groupe sanguin
gruta ['gruta] *nf* grotte *f*
guadaña [gwa'ðaɲa] *nf* serpe *f*
guagua ['gwaɣwa] *nf* (*Ant, Canarias*) autobus *msg*; (*And, Csur*) bébé *m*
guante ['gwante] *nm* gant *m*; **se ajusta como un ~** il te/lui *etc* va comme un gant; **más suave que un ~** doux (douce) comme un agneau; **arrojar el ~ a algn** jeter le gant à qn; **echar el ~ a algn** prendre qn au collet; **con ~ blanco** (*fig*) en prenant des gants; **~s de goma** gants de caoutchouc
guantera [gwan'tera] *nf* (*Auto*) boîte *f* à gants
guapo, -a ['gwapo, a] *adj* beau (belle) ■ *nm* (*And: fam*) beau gosse *m*; **estar ~** être beau; **¡ven, ~!** (*a niños*) viens, mon mignon!; **¿quién será el ~ que se atreva?** alors, qui est chiche d'y aller?
guarda ['gwarða] *nm/f* gardien(ne) ■ *nf* garde *f*; **~ forestal** garde *m* forestier; **~ jurado** vigile *m*
guardabosques [gwarda'βoskes] *nm/f inv* garde *m* forestier
guardacostas [gwarda'kostas] *nm inv* garde *m* côte
guardaespaldas [gwardaes'paldas] *nm/f inv* garde *m/f* du corps
guardameta [gwarða'meta] *nm* gardien *m* de but
guardar [gwar'ðar] *vt* garder; (*poner: en su sitio*) mettre; (*: en sitio seguro*) ranger; (*ley*) observer; **guardarse** *vpr* garder; (*ocultar*) garder (pour soi); **~ de** garder de; **~ cama/silencio** garder le lit/le silence; **~ el sitio** (*en cola*) garder la place; **~ las apariencias** sauver les apparences; **~se de** (*evitar*) se garder de; **~se de hacer** (*abstenerse*) se garder de faire; **se la tengo guardada** il me le paiera
guardarropa [gwarða'rropa] *nm* (*armario*) armoire *f*; (*en establecimiento público*) vestiaire *m*; (*ropas*) garde-robe *f*
guardería [gwarðe'ria] *nf* garderie *f*

guardia ['gwarðja] *nf* garde *f* ■ *nm/f* (*de tráfico, municipal etc*) agent *m*; (*policía*) policier (femme policier); **estar de ~** être de garde; **estar/ponerse en ~** être sur ses gardes/se mettre en garde; **montar ~** monter la garde; **la G~ Civil** *la Garde Civile espagnole*; **un ~ civil** ≈ un gendarme; **~ de tráfico** agent de la circulation; **~ municipal** *o* **urbana** agent de police; **G~ Nacional** (*Nic, Pan*) ≈ gendarmerie *f* nationale

GUARDIA CIVIL

La *Guardia Civil* est une division de l'"Ejército de Tierra" (armée de terre) responsable du maintien de l'ordre en dehors des grandes agglomérations. Elle opère dans une esprit militaire, sous la responsabilité conjointe du ministère espagnol de la Défense et du ministère de l'Intérieur. Elle est également connue sous le nom de "La Benemérita".

guardián, -ana [gwar'ðjan, ana] *nm/f* gardien(ne)

guarecer [gware'θer] *vt* héberger; **guarecerse** *vpr*: **~se (de)** s'abriter (de)

guarida [gwa'riða] *nf* abri *m*; (*fig*: *de delincuentes*) repaire *m*

guarnecer [gwarne'θer] *vt* garnir; (*Tec*) revêtir; (*Mil*) doter d'une garnison

guarnición [gwarni'θjon] *nf* (*de vestimenta*) ornement *m*; (*de piedra preciosa*) chaton *m*; (*Culin*) garniture *f*; (*arneses*) harnachement *m*; (*Mil*) garnison *f*

guarro, -a ['gwarro, a] *adj* (*fam*) sale ■ *nm/f* cochon (truie); (*fam*: *persona*) cochon(ne)

guasa ['gwasa] *nf* blague *f*; **con** *o* **de ~** pour rire

guasón, -ona [gwa'son, ona] *adj, nm/f* blagueur(-euse)

Guatemala [gwate'mala] *nf* Guatemala *m*

gubernativo, -a [guβerna'tiβo, a] *adj* du gouvernement

guerra ['gerra] *nf* guerre *f*; **~ a muerte** guerre à mort; **Primera/Segunda G~ Mundial** Première/Deuxième Guerre mondiale; **estar en ~** être en guerre; **dar ~** donner du fil à retordre; **~ atómica/bacteriológica/nuclear/psicológica** guerre atomique/bactériologique/nucléaire/psychologique; **~ civil/fría** guerre civile/froide; **~ de guerrillas** guérilla *f*, guerre de partisans; **~ de precios** (*Com*) guerre des prix

guerrear [gerre'ar] *vi* guerroyer

guerrero, -a [ge'rrero, a] *adj* de guerre; (*carácter*) guerrier(-ère) ■ *nm/f* guerrier(-ère)

guerrilla [ge'rriʎa] *nf* guérilla *f*

guerrillero, -a [gerri'ʎero, a] *nm/f* guérillero *m*

guía ['gia] *vb ver* **guiar** ■ *nm/f* (*persona*) guide *m/f* ■ *nf* (*libro*) guide *m*; (*Bot*) élagage *m*; (*Inform*) message *m*; **~ de ferrocarriles** horaire *m* des trains; **~ telefónica** annuaire *m*; **~ turística** (*libro*) guide *m* touristique; **~ turístico** (*persona*) guide *m/f*

guiar [gi'ar] *vt* guider; (*Auto*) diriger; **guiarse** *vpr*: **~se por** suivre

guijarro [gi'xarro] *nm* caillou *m*

guillotina [giʎo'tina] *nf* guillotine *f*; (*para papel*) coupe-papier *m inv*

guinda ['ginda] *nf* griotte *f*

guindilla [gin'diʎa] *nf* piment *m*

guiñapo [gi'ɲapo] *nm* (*harapo*) haillon *m*; (*persona*) chiffe *f* molle; **estar hecho un ~** être lessivé

guiñar [gi'ɲar] *vt* cligner de

guión [gi'on] *nm* (*Ling*) tiret *m*; (*esquema*) plan *m*; (*Cine*) scénario *m*

guionista [gjo'nista] *nm/f* scénariste *m/f*

guiri ['giri] (*fam*) *nm/f* étranger(-ère)

guirnalda [gir'nalda] *nf* guirlande *f*

guisado [gi'saðo] *nm* ragoût *m*

guisante [gi'sante] *nm* petit pois *msg*

guisar [gi'sar] *vt, vi* faire cuire; (*fig*) tramer

guiso ['giso] *nm* plat *m*

guitarra [gi'tarra] *nf* guitare *f*

gula ['gula] *nf* gloutonnerie *f*

gusano [gu'sano] *nm* ver *m*; (*de mariposa, pey*) larve *f*; (*Cu*: *pey*) *réfugié cubain*; **~ de seda** ver à soie

gustar [gus'tar] *vt* goûter ■ *vi* plaire; **~ de hacer** prendre plaisir à faire; **me gustan las uvas** j'aime le raisin; **le gusta nadar** il aime nager; **me gusta ese chico/esa chica** j'aime bien ce garçon/cette fille; **¿usted gusta?** vous en prendrez bien?; **como usted guste** comme il vous plaira

gusto ['gusto] *nm* goût *m*; (*agrado, placer*) plaisir *m*; (*afición*) intérêt *m*; **a su** *etc* **~** à votre *etc* aise; **hacer algo con ~** faire qch avec plaisir; **dar ~ a algn** faire plaisir à qn; **que da ~** bien agréable; **tiene un ~ amargo** ça a un goût amer; **tener buen/mal ~** avoir bon/mauvais goût; **sobre ~s no hay nada escrito** chacun ses goûts;

de buen/mal ~ de bon/mauvais goût; **darse el ~ de hacer algo** se faire le plaisir de faire qch; **estar/sentirse a ~** être/se sentir à l'aise; **¡mucho** *o* **tanto ~ (en conocerle)!** enchanté(e) *o* ravi(e) de faire votre connaissance; **el ~ es mío** tout le plaisir est pour moi; **coger** *o* **tomar ~ a algo** prendre goût à qch

gustoso, -a [gus'toso, a] *adj* savoureux(-euse); **aceptar ~** accepter avec joie

h

ha [a] *vb ver* **haber**

Ha. *abr* (= *Hectárea(s)*) ha (= *hectare(s)*)

haba ['aβa] *nf* fève *f*; **en todas partes cuecen ~s** ça peut arriver à tout le monde

Habana [a'βana] *nf*: **la ~** la Havane

habano [a'βano] *nm* havane *m*

habéis [a'beis] *vb ver* **haber**

PALABRA CLAVE

haber [a'βer] *vb aux* **1** (*tiempos compuestos*) avoir; (*con verbos pronominales y de movimiento*) être; **he/había comido** j'ai/j'avais mangé; **antes/después de haberlo visto** avant/après l'avoir vu; **si lo hubiera sabido, habría ido** si j'avais su, j'y serais allé; **se ha sentado** il s'est assis; **ella había salido** elle était sortie; **¡haberlo dicho antes!** il fallait le dire plus tôt!

2: **haber de** (*+ infin*): **he de hacerlo** je dois le faire; **ha de llegar mañana** il doit arriver demain; **no ha de tardar** (*AM*) il arrivera bientôt; **has de estar loco** (*AM*) tu dois être tombé sur la tête

■ *vb impers* **1** (*existencia*) avoir; **hay un hermano/dos hermanos** il y a un frère/deux frères; **¿cuánto hay de aquí a Sucre?** il y a combien d'ici à Sucre?; **habrá**

unos 4° (de temperatura) il doit faire 4°; **no hay cintas blancas, pero sí las hay rojas** il n'y a pas de rubans blancs, mais il y en a des rouges; **¡no hay quien le entienda!** personne n'arrive à le comprendre!; **no hay nada como un buen filete** il n'y a rien de tel qu'un bon filet
2 (*tener lugar*): **hubo mucha sequía/una guerra** il y a eu une grande sécheresse/ une guerre; **¿hay partido mañana?** il y a un match demain?
3: **¡no hay de** *o* **por** (*AM*) **qué!** il n'y a pas de quoi!
4: **¿qué hay?** (*¿qué pasa?*) qu'est-ce qu'il y a?; (*¿qué tal?*) ça va?; **¡qué hubo!**; **¡qué húbole!** (*esp Méx, Chi: fam*) salut!
5 (*haber que + infin*): **hay que apuntarlo para acordarse** il faut le marquer pour s'en souvenir; **¡habrá que decírselo!** il faudra le lui dire!
6: **¡hay que ver!** il faut voir!
7: **he aquí las pruebas** voici les preuves
8: **¡habráse visto!** (*fam*) eh bien dis *o* dites donc!; **¡hubiera visto ...!** (*Méx: si hubiera visto*) si vous aviez vu ...!
haberse *vpr*: **voy a habérmelas con él** je vais m'expliquer avec lui
▪ *nm* 1 (*Com*) crédit *m*; **¿cuánto tengo en el haber?** j'ai combien sur mon compte?; **tiene varias novelas en su haber** il a plusieurs romans à son actif
2 **haberes** *nmpl* avoirs *mpl*

habichuela [aβi'tʃwela] *nf* haricot *m*
hábil ['aβil] *adj* habile; **día ~** jour *m* ouvrable
habilidad [aβili'ðað] *nf* habileté *f*; **habilidades** *nfpl* (*aptitudes*) aptitudes *fpl*; **tener ~ manual** être habile de ses mains
habilitar [aβili'tar] *vt* (*autorizar, Jur*) habiliter; (*financiar*) financer; **~ (para)** (*casa, local*) aménager (pour); **~ a algn para hacer** habiliter qn à faire
hábilmente ['aβilmente] *adv* habilement
habitación [aβita'θjon] *nf* pièce *f*; (*dormitorio*) chambre *f*; **~ doble** *o* **de matrimonio** chambre double; **~ sencilla** *o* **individual** chambre simple
habitante [aβi'tante] *nm/f* habitant(e)
habitar [aβi'tar] *vt, vi* habiter
hábito ['aβito] *nm* (*costumbre*) habitude *f*; (*traje*) habit *m*; **tener el ~ de hacer algo** avoir l'habitude de faire qch
habitual [aβi'twal] *adj* habituel(le)
habituar [aβi'twar] *vt*: **~ a algn a (hacer)** habituer qn à (faire); **habituarse** *vpr*: **~se a (hacer)** s'habituer à (faire)
habla ['aβla] *nf* (*capacidad de hablar*) parole *f*; (*forma de hablar*) langage *m*; (*dialecto*) parler *m*; **perder el ~** perdre l'usage de la parole; **de ~ francesa/ española** de langue française/ espagnole; **estar/ponerse al ~** être en train de parler/se mettre à parler; **estar al ~** (*Telec*) être à l'appareil; **¡González al ~!** (*Telec*) González à l'appareil!
hablador, a [aβla'ðor, a] *adj, nm/f* bavard(e)
habladuría [aβlaðu'ria] *nf* commérage *m*; **habladurías** *nfpl* (*chismes*) commérages *mpl*
hablante [a'βlante] *nm/f* (*Ling*) locuteur(-trice); **los ~s de catalán** les personnes parlant catalan
hablar [a'βlar] *vt, vi* parler; **hablarse** *vpr* se parler; **~lo (con algn)** en parler (avec qn); **~ con** parler avec; **¡ya puede ~!** (*Telec*) à vous!; **¡ni ~!** pas question!; **~ alto/claro** parler fort/ clairement; **dar que ~** faire jaser; **~ por los codos** bavarder comme une pie; **~ entre dientes** marmonner; **~ de** parler de; **~ mal/bien de algn** dire du mal/du bien de qn; **~ de tú/de usted** tutoyer/vouvoyer; **"se habla francés"** "on parle français"; **no se hablan** ils ne se parlent plus; **no me hablo con mi hermana** je ne parle plus à ma sœur
habré *etc* [a'βre] *vb ver* **haber**
hacendoso, -a [aθen'doso, a] *adj* travailleur(-euse)

PALABRA CLAVE

hacer [a'θer] *vt* 1 (*producir, ejecutar*) faire; **hacer una película/un ruido** faire un film/un bruit; **hacer la compra** faire les courses; **hacer la comida** faire à manger; **hacer la cama** faire le lit
2 (*obrar*) faire; **¿qué haces?** qu'est-ce que tu fais?; **eso no se hace** ça ne se fait pas; **¡así se hace!** c'est comme ça que l'on fait!; **¡bien hecho!** bravo!; **¿cómo has hecho para llegar tan rápido?** comment as-tu fait pour arriver si vite?; **no hace más que criticar** il ne fait que critiquer; **¡eso está hecho!** tout de suite!; **hacer el papel del malo** (*Teatro*) avoir le rôle du méchant; **hacer el tonto/el ridículo** faire l'idiot/le pitre

3 (*dedicarse a*) faire de; **hacer teatro** faire du théâtre; **hacer español/económicas** faire de l'espagnol/de l'économie; **hacer yoga/gimnasia/deporte** faire du yoga/ de la gym/du sport
4 (*causar*): **hacer ilusión** faire plaisir; **hacer gracia** faire rire
5 (*conseguir*): **hacer amigos** se faire des amis; **hacer una fortuna** faire une fortune
6 (*dar aspecto de*): **ese peinado te hace más joven** cette coiffure te rajeunit
7 (*cálculo*): **esto hace 100** et voilà 100
8 (*como sustituto de vb*) faire; **él bebió y yo hice lo mismo** il a bu et j'ai fait la même chose
9 (+ *inf*, + *que*): **les hice venir** je les ai fait venir; **hacer trabajar a los demás** faire travailler les autres; **aquello me hizo comprender** cela m'a fait comprendre; **hacer reparar algo** faire réparer qch; **esto nos hará ganar tiempo** ça nous fera gagner du temps; **harás que no quiera venir** tu vas lui ôter l'envie de venir
10 (+ *adj*) rendre; **hacer feliz a algn** rendre qn heureux
■ *vi* 1: **hiciste bien en decírmelo** tu as bien fait de me le dire
2 (*convenir*): **si os hace** si ça vous dit; **¿hace?** ça vous dit?
3: **no le hace** (*AM*: *no importa*) ça ne fait rien
4: **haz como que no lo sabes** fais comme si tu ne savais rien
5: **hacer de** (*objeto*) servir de; **la tabla hace de mesa** la planche sert de table; **hacer de madre** jouer le rôle de mère; (*pey*) jouer les mères poules; (*Teatro*): **hacer de Otelo** jouer Othello
■ *vb impers* 1: **hace calor/frío** il fait chaud/froid; *ver tb* **bueno**; **sol**; **tiempo**
2 (*tiempo*): **hace 3 años** il y a 3 ans; **hace un mes que voy/no voy** cela fait un mois que j'y vais/je n'y vais plus; **desde hace mucho** depuis longtemps; **no lo veo desde hace mucho** cela fait longtemps que je ne l'ai pas vu
hacerse *vpr* 1 (*volverse*) se faire; **hacerse viejo** se faire vieux; **se hicieron amigos** ils sont devenus amis
2 (*resultar*): **se me hizo muy duro el viaje** j'ai trouvé le voyage très pénible
3 (*acostumbrarse*): **hacerse a** se faire à; **hacerse a una idea** se faire à une idée
4 (*obtener*): **hacerse de** *o* **con algo** obtenir qch
5 (*fingir*): **hacerse el sordo** *o* **el sueco** faire la sourde oreille
6: **hacerse idea de algo** se faire une idée de qch; **hacerse ilusiones** se faire des illusions
7: **se me hace que** (*AM*: *me parece que*) il me semble que

hacha ['atʃa] *nf* hache *f*; (*antorcha*) mèche *f*; **ser un ~** (*fig*) être un as
hachís [a'tʃis] *nm* haschich *m*
hacia ['aθja] *prep* vers; (*actitud*) envers; **~ adelante/atrás/dentro/fuera** devant/derrière/dedans/dehors; **~ abajo/arriba** en bas/haut; **mira ~ acá** regarde par ici; **~ mediodía/finales de mayo** vers midi/la fin mai
hacienda [a'θjenda] *nf* (*propiedad*) propriété *f*; (*finca*) ferme *f*; (*AM*) hacienda *f*; **(Ministerio de) H~** (ministère *m* des) Finances *fpl*; **~ pública** trésor *m* public
hada ['aða] *nf* fée *f*; **~ madrina** fée marraine
haga *etc* ['aɣa] *vb ver* **hacer**
Haití [ai'ti] *nm* Haïti *f*
halagar [ala'ɣar] *vt* flatter; (*agradar*) réjouir
halago [a'laɣo] *nm* flatterie *f*
halagüeño, -a [ala'ɣweɲo, a] *adj* réjouissant(e); (*lisonjero*) flatteur(-euse)
halcón [al'kon] *nm* faucon *m*
hallar [a'ʎar] *vt* trouver; **hallarse** *vpr* se trouver; **se halla fuera** il est dehors
hallazgo [a'ʎaθɣo] *nm* trouvaille *f*
halterofilia [altero'filja] *nf* haltérophilie *f*
hamaca [a'maka] *nf* hamac *m*; (*asiento*) chaise *f* longue
hambre ['ambre] *nf* faim *f*; **~ de** (*fig*) faim de; **tener ~** avoir faim; **pasar ~** souffrir de la faim
hambriento, -a [am'brjento, a] *adj*, *nm/f* affamé(e); **los ~s** les affamés; **~ de** (*fig*) affamé(e) de
hamburguesa [ambur'ɣesa] *nf* hamburger *m*
hamburguesería [amburɣese'ria] *nf* sandwicherie *f*
han [an] *vb ver* **haber**
harapiento, -a [ara'pjento, a] *adj* en haillons
harapos [a'rapos] *nmpl* haillons *mpl*
haré *etc* [a're] *vb ver* **hacer**
harina [a'rina] *nf* farine *f*; **eso es ~ de otro costal** c'est une autre paire de manches; **~ de maíz/de trigo** farine de maïs/de blé
hartar [ar'tar] *vt* (*de comida*) gaver; (*saturar*) saturer; (*fastidiar*) fatiguer; **hartarse** *vpr* (*cansarse*) se lasser; (*de*

comida): **~se (de)** se gaver (de); **~se de leer/reír** se lasser de lire/rire; **¡me estás hartando!** tu m'ennuies!

hartazgo [ar'taθɣo] *nm*: **darse un ~ (de)** avoir son content (de)

harto, -a ['arto, a] *adj*: **~ (de)** rassasié(e) (de); (*cansado*) fatigué(e) (de) ■ *adv* (*bastante*) assez; (*muy*) bien assez; **estar ~ de hacer/algn** en avoir marre de faire/qn; **¡estoy ~ de decírtelo!** je te l'ai assez dit!; **¡me tienes ~!** tu me fatigues!

has [as] *vb ver* **haber**

Has. *abr* (= *Hectáreas*) ha (= *hectares*)

hasta ['asta] *adv* même, voire ■ *prep* jusqu'à ■ *conj*: **~ que** jusqu'à ce que; (*Cam, Col, Méx*: *no … hasta*): **viene ~ las cuatro** il ne vient pas avant quatre heures; **~ luego** *o* **ahora** (*fam*), **~ siempre** (*Arg*) salut!; **~ mañana/el sábado** à demain/samedi; **~ la fecha/ahora** jusqu'à aujourd'hui/maintenant; **~ nueva orden** jusqu'à nouvel ordre; **¿~ qué punto?** à quel point?; **~ tal punto que …** à tel point que …; **¿~ cuándo/dónde?** on se voit quand/où?; **~ ayer empezó** (*AM*) cela n'a commencé qu'hier

hastiar [as'tjar] *vt* fatiguer; **hastiarse** *vpr*: **~se de (hacer)** se lasser de (faire)

hastío [as'tio] *nm* ennui *m*

hatillo [a'tiʎo] *nm* affaires *fpl*

hay [ai] *vb ver* **haber**

Haya ['aja] *nf*: **la ~** La Haye

haya ['aja] *vb ver* **haber** ■ *nf* hêtre *m*

haz [aθ] *vb ver* **hacer** ■ *nm* botte *f*; (*de luz*) faisceau *m* ■ *nf* (*de tela*) endroit *m*

hazaña [a'θaɲa] *nf* exploit *m*

hazmerreír [aθmerre'ir] *nm inv*: **ser/convertirse en el ~ de** être/devenir la risée de

he [e] *vb ver* **haber** ■ *adv*: **he aquí** voici; **he aquí por qué …** voici pourquoi …

hebilla [e'βiʎa] *nf* boucle *f*

hebra ['eβra] *nf* fil *m*; (*de carne*) nerf *m*; (*de tabaco*) fibre *f*; **pegar la ~** tailler une bavette

hebreo, -a [e'βreo, a] *adj* hébreu (*sólo m*), hébraïque ■ *nm/f* Hébreu *m* ■ *nm* (*Ling*) hébreu *m*

hechizar [etʃi'θar] *vt* ensorceler

hechizo [e'tʃiθo] *nm* sorcellerie *f*; (*encantamiento*) enchantement *m*; (*fig*) fascination *f*

hecho, -a ['etʃo, a] *pp de* **hacer** ■ *adj* fait(e); (*hombre, mujer*) mûr(e); (*vino*) arrivé(e) à maturation; (*ropa*) de prêt-à-porter ■ *nm* fait *m*; (*factor*) facteur *m* ■ *excl* c'est fait!; **¡bien ~!** bravo!, bien joué!; **muy/poco ~** (*Culin*) très/peu cuit(e); **estaba ~ una fiera/un mar de lágrimas** il était dans une colère noire/en larmes; **bien/mal ~** bien/mal fait(e); **estar ~ a algo** s'être fait(e) à qch; **~ a la medida** fait(e) sur mesure; **de ~** de fait; **el ~ es que …** le fait est que …; **el ~ de que …** le fait que …

hechura [e'tʃura] *nf* (*confección*) confection *f*; (*corte, forma*) coupe *f*; (*Tec*) fabrication *f*

hectárea [ek'tarea] *nf* hectare *m*

heder [e'ðer] *vi* puer

hediondo, -a [e'ðjondo, a] *adj* puant(e); (*fig*) dégoûtant(e)

hedor [e'ðor] *nm* puanteur *f*

helada [e'laða] *nf* gelée *f*; **caer una ~** geler

heladera [ela'ðera] (*Csur*) *nf* réfrigérateur *m*

helado, -a [e'laðo, a] *adj* congelé(e); (*muy frío*) gelé(e); (*fig*) de glace ■ *nm* glace *f*; **¡estoy ~ (de frío)!** je gèle!; **dejar ~ a algn** épater qn; **quedarse ~** être abasourdi(e)

helar [e'lar] *vt* congeler; (*Bot*) geler; (*dejar atónito*) abasourdir ■ *vi* geler; **helarse** *vpr* geler; **~se de frío** mourir de froid; **ha helado esta noche** il a gelé cette nuit

helecho [e'letʃo] *nm* fougère *f*

hélice ['eliθe] *nf* hélice *f*

helicóptero [eli'koptero] *nm* hélicoptère *m*

hembra ['embra] *nf* femelle *f*; (*mujer*) femme *f*; **un elefante ~** un éléphant femelle

hemorragia [emo'rraxja] *nf* hémorragie *f*; **~ nasal** saignement *m* de nez

hemorroides [emo'rroiðes] *nfpl* hémorroïdes *fpl*

hemos ['emos] *vb ver* **haber**

hendidura [endi'ðura] *nf* fente *f*; (*Geo*) faille *f*

heno ['eno] *nm* foin *m*

herbicida [erβi'θiða] *nm* herbicide *m*

heredad [ere'ðað] *nf* domaine *m*

heredar [ere'ðar] *vt* hériter

heredero, -a [ere'ðero, a] *nm/f* héritier(-ère); **príncipe ~** prince *m* héritier; **~ del trono** héritier du trône

hereje [e'rexe] *nm/f* hérésiarque *m/f*

herencia [e'renθja] *nf* héritage *m*; (*Bio*) hérédité *f*

herida [e'riða] *nf* blessure *f*; *ver tb* **herido**

herido, -a [e'riðo, a] *adj, nm/f* blessé(e); **resultar ~** être blessé(e); **sentirse ~** (*fig*) se sentir blessé(e)

herir [e'rir] *vt* blesser; (*vista, oídos*) irriter; **herirse** *vpr* se blesser
hermana [er'mana] *nf* sœur *f*; **~ gemela** sœur jumelle; **~ política** belle-sœur
hermanastro, -a [erma'nastro, a] *nm/f* demi-frère (demi-sœur)
hermandad [erman'dað] *nf* congrégation *f*; (*fraternidad*) fraternité *f*
hermano, -a [er'mano, a] *adj* (*ciudad*) jumeau (jumelle) ■ *nm* frère *m*; **él y ella son ~s** ils sont frère et sœur; **~ gemelo** frère jumeau; **~ político** beau-frère
hermético, -a [er'metiko, a] *adj* hermétique
hermoso, -a [er'moso, a] *adj* beau (belle); (*espacioso*) spacieux(-euse)
hermosura [ermo'sura] *nf* beauté *f*; **ese niño es una ~** c'est un beau bébé
hernia ['ernja] *nf* hernie *f*; **~ discal** hernie discale
héroe ['eroe] *nm* héros *msg*
heroína [ero'ina] *nf* (*mujer, droga*) héroïne *f*
heroísmo [ero'ismo] *nm* héroïsme *m*
herradura [erra'ðura] *nf* fer *m* à cheval
herramienta [erra'mjenta] *nf* outil *m*
herrero [e'rrero] *nm* forgeron *m*
herrumbre [e'rrumbre] *nf* rouille *f*
hervidero [erβi'ðero] *nm* (*fig: de personas*) foule *f*; (*: de animales*) troupeau *m*; (*: de pasiones*) déchaînement *m*
hervir [er'βir] *vt* (faire) bouillir ■ *vi* bouillir; (*fig*): **~ de** bouillir de; **~ en deseos de** brûler du désir de
hervor [er'βor] *nm*: **dar un ~ a** faire bouillir
hice *etc* ['iθe] *vb ver* **hacer**
hidratante [iðra'tante] *adj*: **crema ~** crème *f* hydratante
hidratar [iðra'tar] *vt* hydrater
hidrato [i'ðrato] *nm*: **~s de carbono** hydrates *mpl* de carbone
hidráulica [i'ðraulika] *nf* hydraulique *f*
hidráulico, -a [i'ðrauliko, a] *adj* hydraulique
hidroeléctrico, -a [iðroe'lektriko, a] *adj* hydroélectrique
hidrofobia [iðro'foβja] *nf* hydrophobie *f*
hidrógeno [i'ðroxeno] *nm* hydrogène *m*
hiedra ['jeðra] *nf* lierre *m*
hiel [jel] *nf* bile *f*; (*fig*) fiel *m*
hielo ['jelo] *vb ver* **helar** ■ *nm* glace *f*; (*fig*) froideur *f*; **hielos** *nmpl* (*escarcha*) gelées *fpl*; **romper el ~** (*fig*) rompre la glace
hiena ['jena] *nf* hyène *f*
hierba ['jerβa] *nf* herbe *f*; **mala ~** mauvaise herbe; (*fig*) mauvaise graine *f*
hierbabuena [jerβa'βwena] *nf* menthe *f*
hierro ['jerro] *nm* fer *m*; (*trozo, pieza*) bout *m* de fer; **de ~** en fer; (*fig: persona*) fort(e) comme un bœuf; (*: voluntad, salud*) de fer; **~ colado/forjado/fundido** fer coulé/ forgé/fondu
hígado ['iɣaðo] *nm* foie *m*; **echar los ~s** se décarcasser
higiene [i'xjene] *nf* hygiène *f*
higiénico, -a [i'xjeniko, a] *adj* hygiénique
higo ['iɣo] *nm* figue *f*; **de ~s a brevas** tous les 36 du mois; **estar hecho un ~** (*fam*) être tout chiffonné; **~ chumbo** figue de Barbarie; **~ seco** figue sèche
higuera [i'gera] *nf* figuier *m*
hija ['ixa] *nf* fille *f*; (*uso vocativo*) ma fille; **~ política** belle-fille
hijastro, -a [i'xastro, a] *nm/f* beau-fils (belle-fille); **~s** beaux-enfants *mpl*
hijo ['ixo] *nm* (*retoño*) fils *msg*; (*uso vocativo*) fiston *m*, mon garçon; **hijos** *nmpl* (*hijos e hijas*) enfants *mpl*; (*descendientes*) enfants et petits-enfants *mpl*; **sin ~s** sans enfants; **cada ~ de vecino** tout un chacun; **~ adoptivo** fils adoptif; **~ de mamá/papá** fils à maman/ papa; **~ de puta** (*fam!*) fils de pute (*fam!*); **~ ilegítimo** fils illégitime; **~ político** gendre *m*; **~ pródigo** fils prodigue
hilar [i'lar] *vt* filer; **~ delgado** *o* **fino** (*fig*) jouer finement
hilera [i'lera] *nf* rangée *f*
hilo ['ilo] *nm* fil *m*; (*de metal*) filon *m*; (*de agua, luz, voz*) filet *m*; **colgar de un ~** (*fig*) ne tenir qu'à un fil; **perder/seguir el ~** (*de relato, pensamientos*) perdre/suivre le fil; **traje de ~** costume *m* de toile
hilvanar [ilβa'nar] *vt* (*Costura*) ourler; (*bosquejar*) esquisser; (*precipitadamente*) ébaucher
himno ['imno] *nm* hymne *m*; **~ nacional** hymne national
hincapié [inka'pje] *nm*: **hacer ~ en** mettre l'accent sur
hincar [in'kar] *vt* planter; **hincarse** *vpr* s'enfoncer; **~le el diente a** (*comida*) mordre à belles dents dans; (*fig: asunto*) s'attaquer à; **~se de rodillas** s'agenouiller
hincha ['intʃa] *nm/f* (*fam: Deporte*) fan *m/f* ■ *nf*: **tenerle ~ a algn** avoir une dent contre qn
hinchado, -a [in'tʃaðo, a] *adj* (*Med*) enflammé(e); (*inflado*) enflé(e); (*estilo*) ronflant(e)
hinchar [in'tʃar] *vt* gonfler; (*fig*) exagérer; **hincharse** *vpr* (*Med*) s'enflammer; (*fig: engreírse*) se rengorger; **~se de (hacer)** en avoir marre de (faire)

hinchazón [intʃa'θon] *nf* inflammation *f*
hinojo [i'noxo] *nm* fenouil *m*; **de ~s** sur les genoux
hipermercado [ipermer'kaðo] *nm* hypermarché *m*
hipertexto [iper'teksto] *nm* hypertexte *m*
hipervínculo [iper'binkulo] *nm* hyperlien *m*
hípica ['ipika] *nf* équitation *f*; (*local*) hippodrome *m*
hípico, -a ['ipiko, a] *adj* (*concurso*) hippique; (*carrera*) de chevaux; **club ~** club *m* d'équitation
hipnotismo [ipno'tismo] *nm* hypnotisme *m*
hipnotizar [ipnoti'θar] *vt* hypnotiser
hipo [ipo] *nm* hoquet *m*; **me ha entrado ~** j'ai le hoquet; **tener ~** avoir le hoquet; **quitar el ~ a algn** (*fig*) couper le sifflet à qn
hipo... ['ipo] *pref* hypo...
hipocresía [ipokre'sia] *nf* hypocrisie *f*
hipócrita [i'pokrita] *adj, nm/f* hypocrite *m/f*
hipódromo [i'poðromo] *nm* hippodrome *m*
hipopótamo [ipo'potamo] *nm* hippopotame *m*
hipoteca [ipo'teka] *nf* hypothèque *f*; **pagar la ~** rembourser l'hypothèque
hipotenusa [ipote'nusa] *nf* hypoténuse *f*
hipótesis [i'potesis] *nf inv* hypothèse *f*
hiriente [i'rjente] *adj* blessant(e)
hispánico, -a [is'paniko, a] *adj* hispanique
hispano, -a [is'pano, a] *adj* espagnol(e); (*en EEUU*) hispano-américain(e) ■ *nm/f* Espagnol(e); (*en EEUU*) Hispano-Américain(e)
Hispanoamérica [ispanoa'merika] *nf* Amérique *f* latine
hispanoamericano, -a [ispanoameri'kano, a] *adj* hispano-américain(e) ■ *nm/f* Hispano-Américain(e)
histeria [is'terja] *nf* hystérie *f*; **~ colectiva** hystérie collective
historia [is'torja] *nf* histoire *f*; **historias** *nfpl* (*chismes*) histoires *fpl* drôles; **¡la ~ de siempre!, ¡la misma ~!** c'est toujours la même histoire!; **déjate de ~s** ne me raconte pas d'histoires; **pasar a la ~** passer à la postérité; **~ antigua/contemporánea** histoire ancienne/contemporaine; **~ natural** histoire naturelle
historiador, a [istorja'ðor, a] *nm/f* historien(ne)
historial [isto'rjal] *nm* (*profesional*) curriculum vitae *m inv*; (*Med*) antécédents *mpl*
histórico, -a [is'toriko, a] *adj* historique; (*estudios*) d'histoire
historieta [isto'rjeta] *nf* bande *f* dessinée
hito ['ito] *nm* (*fig*) fait *m* historique; **mirar a algn de ~ en ~** regarder fixement qn
hizo ['iθo] *vb ver* **hacer**
Hno(s). *abr* (= *Hermano(s)*) Fre(s) (= *frère(s)*)
hocico [o'θiko] *nm* museau *m*; **estar de ~s** faire la tête; **torcer el ~** faire la moue; **meter el ~ en algo** mettre son nez dans qch
hockey ['xoki] *nm* hockey *m*; **~ sobre hielo/patines** hockey sur glace/patins
hogar [o'ɣar] *nm* foyer *m*; **labores del ~** tâches *fpl* domestiques; **crear/formar un ~** créer/fonder une famille
hogareño, -a [oɣa'reɲo, a] *adj* (*ambiente*) familial(e); (*escena*) de famille; (*persona*) casanier(-ère)
hoguera [o'ɣera] *nf* feu *m* de bois; (*para herejes*) bûcher *m*
hoja ['oxa] *nf* feuille *f*; (*de flor*) pétale *m*; (*de cuchillo*) lame *f*; (*de puerta, ventana*) battant *m*; **de ~ caduca/perenne** à feuille caduque/persistante; **~ de afeitar** lame de rasoir; **~ electrónica** *o* **de cálculo** feuille de calcul (électronique); **~ de pedido** bon *m* de commande; **~ de servicios** états *mpl* de service; **~ de trabajo** (*Inform*) feuille de programmation; **~ informativa** circulaire *f*
hojalata [oxa'lata] *nf* fer *m* blanc
hojaldre [o'xaldre] *nm* pâte *f* feuilletée
hojear [oxe'ar] *vt* feuilleter
hola ['ola] *excl* salut!
Holanda [o'landa] *nf* Hollande *f*
holandés, -esa [olan'des, esa] *adj* hollandais(e) ■ *nm/f* Hollandais(e) ■ *nm* (*Ling*) hollandais *msg*
holgado, -a [ol'ɣaðo, a] *adj* (*prenda*) ample; (*situación*) aisé(e); **iban muy ~s en el coche** ils étaient au large dans la voiture
holgar [ol'ɣar] *vi*: **huelga decir que** inutile de dire que
holgazán, -ana [olɣa'θan, ana] *adj, nm/f* paresseux(-euse)
holgura [ol'ɣura] *nf* ampleur *f*; (*Tec*) jeu *m*; **vivir con ~** vivre dans l'aisance; **cabemos con ~** on a largement la place
hollín [o'ʎin] *nm* suie *f*
hombre ['ombre] *nm* homme *m*; (*raza humana*): **el ~** l'homme ■ *excl* dis donc!;

hacerse ~ devenir un homme; **buen ~** bon gars *msg*; **pobre ~** pauvre homme; **¡sí, ~!** mais si!; **de ~ a ~** d'homme à homme; **ser muy ~** être un homme, un vrai; **~ de bien** homme de bien; **~ de confianza** homme de confiance; **~ de estado** homme d'Etat; **~ de la calle** homme de la rue; **~ de letras** homme de lettres; **~ de mundo** homme du monde; **~ de negocios** homme d'affaires; **~ de palabra** homme de parole

hombrera [om'brera] *nf* épaulette *f*

hombre-rana [ombre'rana] *nm* (*pl* **hombres-rana**) homme-grenouille *m*

hombro ['ombro] *nm* épaule *f*; **al ~** sur l'épaule; **arrimar el ~** se mettre au travail; **encogerse de ~s** hausser les épaules; **llevar/traer a ~s** porter sur les épaules; **mirar a algn por encima del ~** regarder qn de haut

hombruno, -a [om'bruno, a] *adj* hommasse

homenaje [ome'naxe] *nm* hommage *m*; **un partido (de) ~** un match d'adieu

homicida [omi'θiða] *adj* (*arma*) du crime; (*carácter*) meurtrier(-ère) ■ *nm/f* meurtrier(-ère)

homicidio [omi'θiðjo] *nm* homicide *m*

homologar [omolo'ɣar] *vt* homologuer

homólogo, -a [o'moloɣo, a] *nm/f*: **su** *etc* **~** son *etc* homologue

homosexual [omosek'swal] *adj, nm/f* homosexuel(le)

hondo, -a ['ondo, a] *adj* profond(e); **en lo ~ de** au fin fond de

hondonada [ondo'naða] *nf* creux *msg*

Honduras [on'duras] *nf* Honduras *m*

hondureño, -a [ondu'reɲo, a] *adj* du Honduras ■ *nm/f* natif(-ive) *o* habitant(e) du Honduras

honestidad [onesti'ðað] *nf* honnêteté *f*

honesto, -a [o'nesto, a] *adj* honnête; (*decente*) vertueux(-euse)

hongo ['ongo] *nm* champignon *m*; (*sombrero*) couvre-chef *m*; **hongos** *nmpl* (*Med*) champignons *mpl*, mycose *f*; **~s del pie** mycose au pied

honor [o'nor] *nm* honneur *m*; **en ~ a la verdad ...** la vérité est que ...; **hacer ~ a algo/algn** faire honneur à qch/qn; **en ~ de algn** en l'honneur de qn; **es un ~ para mí ...** c'est un honneur pour moi ...; **rendir los ~es a algn** rendre les honneurs à qn; **hacer los ~es** (*suj: anfitrión*) faire les honneurs de la maison; **~ profesional** honneur professionnel

honorable [ono'raβle] *adj* honorable

honorario, -a [ono'rarjo, a] *adj* honoraire ■ *nm*: **~s** honoraires *mpl*

honra ['onra] *nf* honneur *m*; (*renombre*) prestige *m*; **tener algo a mucha ~** s'enorgueillir de qch; **~s fúnebres** honneurs funèbres

honradez [onra'ðeθ] *nf* honnêteté *f*; (*de mujer*) vertu *f*

honrado, -a [on'raðo, a] *adj* honnête; (*mujer*) vertueux(-euse)

honrar [on'rar] *vt* honorer;
honrarse *vpr*: **~se con algo/de hacer algo** s'enorgueillir de qch/de faire qch; **nos honró con su presencia/amistad** il nous a honorés de sa présence/son amitié

honroso, -a [on'roso, a] *adj* (*que da honra*) tout à l'honneur de qn; (*decoroso*) pour sauver l'honneur

hora ['ora] *nf* heure *f*; **¿qué ~ es?** quelle heure est-il?; **¿tienes ~?** tu as l'heure?; **¿a qué ~?** à quelle heure?; **media ~** une demi-heure; **a la ~ de comer/del recreo** à l'heure du repas/de la récréation; **a primera/última ~** à la première/dernière heure; **a última ~** à la fin; **~ tras ~** heure après heure; **"última ~"** "dernière heure"; **¡es la ~!** c'est l'heure!; **noticias de última ~** nouvelles *fpl* de dernière heure; **a altas ~s (de la noche)** à des heures tardives; **a estas ~s** à l'heure qu'il est; **a la ~ en punto** à l'heure pile; **entre ~s** (*comer*) entre les repas; **por ~s** à l'heure; **¡a buena(s) ~(s) me lo dices!** c'est maintenant que tu me le dis!; **a todas ~s** à toute heure; **en mala ~** par malchance; **me han dado ~ para mañana** ils m'ont fixé rendez-vous pour demain; **dar la ~** donner l'heure; **pasarse las ~s muertas haciendo algo** passer son temps à faire qch; **pedir ~** demander un rendez-vous; **poner el reloj en ~** mettre sa montre à l'heure; **no ver la ~ de** avoir hâte de; **¡ya era ~!** il était temps!; **~s de oficina/de trabajo/de visita** heures de bureau/de travail/de visite; **~s extra** heures sup; **~s extraordinarias** heures supplémentaires; **~ punta** *o* **pico** (*Méx*) heure de pointe

horadar [ora'ðar] *vt* forer

horario, -a [o'rarjo, a] *adj, nm* horaire *m*; **~ comercial** heures *fpl* ouvrables

horca ['orka] *nf* potence *f*; (*Agr*) fourche *f*

horcajadas [orka'xaðas]: **a ~** *adv* à califourchon

horchata [or'tʃata] *nf* ≈ sirop *m* d'orgeat

horizontal [oriθon'tal] *adj* horizontal(e)

horizonte [ori'θonte] *nm* horizon *m*

horma ['orma] *nf* forme *f*; **de ~ estrecha/ancha** (*zapatos*) large/ étroit(e)
hormiga [or'miɣa] *nf* fourmi *f*
hormigón [ormi'ɣon] *nm* béton *m*; **~ armado** béton armé
hormigueo [ormi'ɣeo] *nm* fourmis *fpl*; (*fig*) agitation *f*
hormona [or'mona] *nf* hormone *f*
hornada [or'naða] *nf* fournée *f*
hornillo [or'niʎo] *nm* réchaud *m*; **~ de gas** réchaud à gaz
horno ['orno] *nm* four *m*; (*Culin*) four, fourneau *m*; **alto(s) ~(s)** haut(s) fourneau(x); **al ~** (*Culin*) au four; **no estar el ~ para bollos** ne pas être d'humeur à plaisanter; **¡este lugar es un ~!** c'est pire que dans un four!; **~ crematorio** four crématoire; **~ microondas** four à micro-ondes
horóscopo [o'roskopo] *nm* horoscope *m*
horquilla [or'kiʎa] *nf* peigne *m*; (*Agr*) fourche *f*
horrendo, -a [o'rrendo, a] *adj* affreux(-euse)
horrible [o'rriβle] *adj* horrible
horripilante [orripi'lante] *adj* horripilant(e)
horror [o'rror] *nm* horreur *f*; **horrores** *nmpl* (*atrocidades*) horreurs *fpl*; **¡qué ~!** (*fam*) quelle horreur!; **me da ~** cela me fait horreur; **tener ~ a (hacer)** avoir horreur de (faire); **me gusta ~es** j'en raffole
horrorizar [orrori'θar] *vt* horrifier; **horrorizarse** *vpr*: **se horrorizó de pensarlo** il a été horrifié à cette idée; **estar horrorizado** être horrifié
horroroso, -a [orro'roso, a] *adj* affreux(-euse); (*hambre, sueño*) terrible
hortaliza [orta'liθa] *nf* légume *m*
hortelano, -a [orte'lano, a] *nm/f* maraîcher(-ère)
hortera [or'tera] (*fam*) *adj, nm/f* plouc *m/f*
hosco, -a ['osko, a] *adj* (*persona*) antipathique; (*lugar*) exécrable
hospedar [ospe'ðar] *vt* loger; **hospedarse** *vpr* se loger
hospital [ospi'tal] *nm* hôpital *m*; **~ clínico** clinique *f*
hospitalario, -a [ospita'larjo, a] *adj* hospitalier(-ère)
hospitalidad [ospitali'ðað] *nf* hospitalité *f*
hostal [os'tal] *nm* pension *f*
hostelería [ostele'ria] *nf* hôtellerie *f*
hostia ['ostja] *nf* (*Rel*) ostie *f*; (*fam!*) beigne *f* (*fam!*) ▪ *excl*: **¡~(s)!** (*fam!*) putain! (*fam!*); **¡es la ~!** (*fam!*: *como crítica*) c'est nul!; (: *apreciativo*) c'est d'enfer!; **está (de) la ~** (*fam!*) il est vachement mignon; **está de mala ~** (*fam!*: *mal humor*) il fait la gueule (*fam!*); **tiene mala ~** (*fam!*: *mala intención*) c'est un salaud (*fam!*); **a toda ~** (*fam!*) à toute berzingue (*fam!*)
hostigar [osti'ɣar] *vt* (*Mil, fig*) harceler; (*caballería*) cravacher
hostil [os'til] *adj* hostile
hostilidad [ostili'ðað] *nf* hostilité *f*; **hostilidades** *nfpl*: **iniciar/romper las ~es** engager/cesser les hostilités
hotel [o'tel] *nm* hôtel *m*

HOTEL

Il existe en Espagne différents types d'hébergement dont le prix est fonction des services offerts aux voyageurs. Ce sont, par ordre décroissant de prix : l'*hôtel* (du 5 étoiles au 1 étoile), l'*hostal*, la *pensión*, la *casa de huéspedes* et la *fonda*. L'État gère également un réseau d'hôtels de luxe, appelés "paradores", généralement situés dans des lieux à caractère historique ou installés dans des monuments historiques.

hotelero, -a [ote'lero, a] *adj, nm/f* hôtelier(-ère)
hoy [oi] *adv* aujourd'hui; **~ mismo** aujourd'hui même; **~ (en) día, el día de ~** (*AM*) aujourd'hui; **~ por ~** aujourd'hui; **por ~** pour aujourd'hui; **de ~ en ocho días** aujourd'hui en huit; **de ~ en adelante** dorénavant
hoyo ['ojo] *nm* fosse *f*; (*Golf*) trou *m*
hoyuelo [oj'welo] *nm* fossette *f*
hoz [oθ] *nf* faux *fsg*; (*Geo*) gorge *f*
hube *etc* ['uβe] *vb ver* **haber**
hucha ['utʃa] *nf* tirelire *f*
hueco, -a ['weko, a] *adj* creux(-euse); (*persona, estilo*) vain(e) ▪ *nm* creux *msg*; (*espacio*) place *f*; **hacerle (un) ~ a algn** faire une place à qn; **tener un ~** avoir un trou; **~ de la escalera/del ascensor** cage *f* d'escalier/d'ascenseur; **~ de la mano** creux de la main
huela *etc* ['wela] *vb ver* **oler**
huelga ['welɣa] *vb ver* **holgar** ▪ *nf* grève *f*; **declararse/estar en ~** se mettre/être en grève; **~ de brazos caídos** grève sur le tas; **~ de celo** grève du zèle; **~ de hambre** grève de la faim; **~ general** grève générale

huelguista [wel'ɣista] *nm/f* gréviste *m/f*
huella ['weʎa] *nf* trace *f*; **sin dejar ~** sans laisser de traces; **perder las ~s** perdre la trace; **seguir las ~s de algn** (*fig*) marcher sur les traces de qn; **~ dactilar** trace de doigt; **~ digital** empreinte *f* digitale
huérfano, -a ['werfano, a] *adj*: **~ (de)** orphelin(e) (de) ▪ *nm/f* orphelin(e); **quedar(se) ~** devenir orphelin(e)
huerta ['werta] *nf* verger *m*; (*en Murcia, Valencia*) huerta *f*
huerto ['werto] *nm* (*de verduras*) jardin *m* potager; (*de árboles frutales*) verger *m*
hueso ['weso] *nm* os *msg*; (*de fruta*) noyau *m*; (*Méx*: *fam*) sinécure *f*; **estar en los ~s** être sur les genoux; **estar calado** *o* **mojado hasta los ~s** être trempé jusqu'aux os; **ser un ~** (*profesor*) être un tyran; **un ~ duro de roer** (*persona*) un(e) dur(e) à cuire; **de color ~** blanc cassé
huésped, a ['wespeð, a] *nm/f* hôte *m/f*; (*en hotel*) client(e)
huesudo, -a [we'suðo, a] *adj* osseux(-euse)
huevas ['weβas] *nfpl* œufs *mpl* de poisson; (*Chi*: *fam!*) couilles *fpl* (*fam!*)
huevera [we'βera] *nf* (*para servir*) coquetier *m*; (*para transportar*) boîte *f* à œufs
huevo ['weβo] *nm* œuf *m*; (*fam!*) couille *f* (*fam!*); **me costó un ~** (*fam!*: *caro*) ça m'a coûté la peau des fesses (*fam!*); (: *difícil*) ça a été coton; **tener ~s** (*fam!*) avoir des couilles (*fam!*); **~ duro/escalfado/frito** œuf dur/poché/au plat; **~ estrellado** œuf sur le plat; **~s revueltos** œufs *mpl* brouillés; **~ pasado por agua** *o* (*AM*) **tibio** *o* (*And, Csur*) **a la copa** œuf à la coque
huida [u'iða] *nf* fuite *f*; **~ de capitales** (*Com*) fuite des capitaux
huidizo, -a [ui'ðiθo, a] *adj* (*tímido*) farouche; (*mirada, frente*) fuyant(e); (*tiempo*) passager(-ère)
huir [u'ir] *vt, vi* fuir; **~ de** fuir
hule ['ule] *nm* toile *f* cirée
humanidad [umani'ðað] *nf* humanité *f*; **humanidades** *nfpl* (*Univ, Escol*) lettres *fpl*
humanitario, -a [umani'tarjo, a] *adj* humanitaire
humano, -a [u'mano, a] *adj* humain(e) ▪ *nm* humain *m*; **ser ~** être humain
humareda [uma'reða] *nf* nuage *m* de fumée
humedad [ume'ðað] *nf* humidité *f*; **a prueba de ~** résiste à l'humidité
humedecer [umeðe'θer] *vt* humidifier; **humedecerse** *vpr* s'humidifier
húmedo, -a ['umeðo, a] *adj* humide
humildad [umil'dað] *nf* humilité *f*
humilde [u'milde] *adj* humble
humillación [umiʎa'θjon] *nf* humiliation *f*
humillar [umi'ʎar] *vt* humilier; **humillarse** *vpr*: **~se (ante)** s'humilier (devant); **sentirse humillado** se sentir humilié
humo ['umo] *nm* fumée *f*; **humos** *nmpl* (*fig*: *altivez*) air *m* hautain; **echar ~** fumer; **bajar los ~s a algn** rabattre son caquet à qn; **hacerse ~** (*And, Csur*: *fam*) s'évanouir dans la nature
humor [u'mor] *nm* humeur *f*; **de buen/mal ~** de bonne/mauvaise humeur; **(no) estar de ~ para (hacer) algo** (ne pas) être d'humeur à (faire) qch
humorista [umo'rista] *nm/f* humoriste *m/f*
humorístico, -a [umo'ristiko, a] *adj* humoristique
hundimiento [undi'mjento] *nm* (*de barco*) naufrage *m*; (*de edificio*) écroulement *m*; (*de tierra*) éboulement *m*; (*del terreno*) creux *msg*
hundir [un'dir] *vt* (*barco, negocio*) couler; (*edificio*) raser; (*pavimento*) enfoncer; (*fig*: *persona*) abattre; **hundirse** *vpr* (*barco, negocio*) couler; (*edificio*) s'écrouler; (*terreno, cama*) s'affaisser; (*economía, precios*) s'effondrer; **~se en la miseria** sombrer dans la misère
húngaro, -a ['ungaro, a] *adj* hongrois(e) ▪ *nm/f* Hongrois(e) ▪ *nm* (*Ling*) hongrois *m*
Hungría [un'gria] *nf* Hongrie *f*
huracán [ura'kan] *nm* ouragan *m*; **pasar/entrar como un ~** passer/entrer en trombe
huraño, -a [u'raɲo, a] *adj* désagréable; (*poco sociable*) peu sociable
hurgar [ur'ɣar] *vt* remuer ▪ *vi*: **~ (en)** fouiner (dans); **hurgarse** *vpr*: **~se (las narices)** se curer (le nez); **~ en la herida** (*fig*) remuer le couteau dans la plaie
hurón [u'ron] *nm* furet *m*
hurtadillas [urta'ðiʎas]: **a ~** *adv* à la dérobée
hurtar [ur'tar] *vt* dérober; **hurtarse** *vpr*: **~se a** se dérober
hurto ['urto] *nm* vol *m*
husmear [usme'ar] *vt* humer ▪ *vi* fouiner; **~ en** (*fam*) se mêler de
huyendo *etc* [u'jendo] *vb ver* **huir**

I

iba *etc* ['iβa] *vb ver* **ir**
ibérico, -a [i'βeriko, a] *adj* ibérique; **la Península ibérica** la Péninsule Ibérique
iberoamericano, -a [iβeroameri'kano, a] *adj* latino-américain(e) ■ *nm/f* Latino-américain(e)
Ibiza [i'βiθa] *nf* Ibiza *f*
iceberg [iθe'βer] (*pl* **~s**) *nm* iceberg *m*
icono [i'kono] *nm* (*tb Inform*) icône *f*
iconoclasta [ikono'klasta] *adj, nm/f* (*tb fig*) iconoclaste *m/f*
ictericia [ikte'riθja] *nf* jaunisse *f*
I + D *abr* (= *Investigación y Desarrollo*) R&D *f* (= *recherche-développement*)
ida ['iða] *nf* aller *m*; **~ y vuelta** aller et retour; **~s y venidas** allées *fpl* et venues
idea [i'ðea] *nf* idée *f*; (*propósito*) intention *f*; **ideas** *nfpl* (*manera de pensar*) idées *fpl*; **a mala ~** dans l'intention de nuire; **no tengo la menor ~** je n'en ai pas la moindre idée; **hacerse a la ~ (de que)** se faire à l'idée (que); **cambiar de ~** changer d'idée; **¡ni ~!** aucune idée!; **tener ~ de (hacer) algo** avoir l'intention de (faire) qch; **tener mala ~** être malintentionné(e); **~ genial** idée géniale
ideal [iðe'al] *adj* idéal(e) ■ *nm* idéal *m*
idealista [iðea'lista] *adj, nm/f* idéaliste *m/f*
idealizar [iðeali'θar] *vt* idéaliser
idear [iðe'ar] *vt* concevoir
ídem ['iðem] *pron* idem
idéntico, -a [i'ðentiko, a] *adj*: **~ (a)** identique (à)
identidad [iðenti'ðað] *nf* identité *f*; **~ corporativa** image *f* de l'entreprise
identificación [iðentifika'θjon] *nf* identification *f*
identificar [iðentifi'kar] *vt* identifier; **identificarse** *vpr*: **~se (con)** s'identifier (à)
ideología [iðeolo'xia] *nf* idéologie *f*
idilio [i'ðiljo] *nm* idylle *f*
idioma [i'ðjoma] *nm* langue *f*
idiota [i'ðjota] *adj, nm/f* idiot(e)
idiotez [iðjo'teθ] *nf* idiotie *f*
ídolo ['iðolo] *nm* (*tb fig*) idole *f*
idóneo, -a [i'ðoneo, a] *adj* idéal(e); **~ para (hacer)** idéal(e) pour (faire)
iglesia [i'ɣlesja] *nf* église *f*; **la I~ católica** l'église catholique; **~ parroquial** église paroissiale
ignorancia [iɣno'ranθja] *nf* ignorance *f*
ignorante [iɣno'rante] *adj, nm/f* ignorant(e)
ignorar [iɣno'rar] *vt* ignorer; **ignoramos su paradero** nous ignorons où il se trouve

PALABRA CLAVE

igual [i'ɣwal] *adj* **1** (*idéntico*) pareil(le); **Pedro es igual que tú** Pedro est comme toi; **X es igual a Y** (*Mat*) X est égal à Y; **son iguales** ils sont pareils; **van iguales** (*en carrera, competición*) ils sont à égalité; **él, igual que tú, está convencido de que ...** comme toi, il est convaincu que ...; **¡es igual!** (*no importa*) ça ne fait rien!; **me da igual** ça m'est égal
2 (*liso: terreno, superficie*) égal(e)
3 (*constante: velocidad, ritmo*) égal(e)
4: **al igual que** comme
■ *nm/f* (*persona*) égal(e); **no tener igual** ne pas avoir d'égal; **sin igual** sans égal; **de igual a igual** d'égal à égal
■ *adv* **1** (*de la misma manera*) de la même façon, pareil (*fam*); **visten igual** ils s'habillent de la même façon
2 (*fam: a lo mejor*) peut-être que; **igual no lo saben todavía** peut-être qu'ils ne le savent pas encore
3 (*esp Csur: fam: a pesar de todo*) quand même; **era inocente pero me expulsaron igual** j'étais innocent mais ils m'ont renvoyé quand même

igualar [iɣwa'lar] *vt* égaliser; **igualarse** *vpr* (*diferencias*) s'aplanir; **~se (con)** (*compararse*) se comparer (avec)
igualdad [iɣwal'dað] *nf* (*tb Mat*) égalité *f*; **en ~ de condiciones** dans les mêmes conditions
igualmente [i'ɣwalmente] *adv* également; (*en comparación*) aussi; **¡felices vacaciones! - ~** bonnes vacances! - à toi aussi
ilegal [ile'ɣal] *adj* illégal(e)
ilegible [ile'xiβle] *adj* illisible
ilegítimo, -a [ile'xitimo, a] *adj* illégitime
ileso, -a [i'leso, a] *adj*: **resultar** *o* **salir ~ (de)** sortir indemne (de), sortir sain(e) et sauf (sauve) (de)
ilícito, -a [i'liθito, a] *adj* illicite
ilimitado, -a [ilimi'taðo, a] *adj* illimité(e)
ilógico, -a [i'loxiko, a] *adj* illogique
iluminación [ilumina'θjon] *nf* illumination *f*, éclairage *m*; (*de local, habitación*) éclairage
iluminar [ilumi'nar] *vt* illuminer, éclairer; (*adornar con luces*) illuminer; (*colorear: ilustración*) enluminer; (*fig: inspirar*) éclairer; **iluminarse** *vpr*: **se le iluminó la cara** son visage s'est illuminé
ilusión [ilu'sjon] *nf* illusion *f*; (*alegría*) joie *f*; (*esperanza*) espoir *m*; (*emoción*) émotion *f*; **hacerle ~ a algn** faire plaisir à qn; **hacerse ilusiones** se faire des illusions; **no te hagas ilusiones** ne te fais pas d'illusions; **tener ~ por (hacer)** se réjouir de (faire)
ilusionado, -a [ilusjo'naðo, a] *adj*: **estar ~ (con)** se réjouir (de)
ilusionar [ilusjo'nar] *vt* réjouir; **ilusionarse** *vpr*: **~se (con)** se réjouir (de)
ilusionista [ilusjo'nista] *nm/f* illusionniste *m/f*
iluso, -a [i'luso, a] *adj* naïf(-ïve) ■ *nm/f* rêveur(-euse)
ilusorio, -a [ilu'sorjo, a] *adj* illusoire
ilustración [ilustra'θjon] *nf* illustration *f*; (*cultura*) instruction *f*, culture *f*; **servir como** *o* **de ~** servir d'exemple; **la I~** le Siècle des lumières
ilustrado, -a [ilus'traðo, a] *adj* illustré(e); (*persona*) cultivé(e), instruit(e)
ilustrar [ilus'trar] *vt* illustrer; (*instruir*) instruire, cultiver; **ilustrarse** *vpr* s'instruire, se cultiver
ilustre [i'lustre] *adj* illustre, célèbre
imagen [i'maxen] *nf* image *f*; **ser la viva ~ de** être le portrait tout craché de; **a su ~** à son image
imaginación [imaxina'θjon] *nf* imagination *f*; **imaginaciones** *nfpl* (*suposiciones*) idées *fpl*; **no se me pasó por la ~ que ...** je n'aurais jamais imaginé que ...
imaginar [imaxi'nar] *vt* imaginer; (*idear*) imaginer, concevoir; **imaginarse** *vpr* s'imaginer; **~ que ...** (*suponer*) imaginer que ...; **¡imagínate!** tu te rends compte!; **imagínese que ...** figurez-vous que ...; **me imagino que sí** j'imagine que oui
imaginario, -a [imaxi'narjo, a] *adj* imaginaire
imaginativo, -a [imaxina'tiβo, a] *adj* imaginatif(-ive)
imán [i'man] *nm* aimant *m*
imbécil [im'beθil] *adj, nm/f* imbécile *m/f*
imitación [imita'θjon] *nf* imitation *f*; (*parodia*) imitation, pastiche *m*; (*Com*) contrefaçon *f*; **a ~ de** sur le modèle de; **de ~** en imitation; **desconfíe de las imitaciones** (*Com*) méfiez-vous des contrefaçons
imitar [imi'tar] *vt* imiter; (*parodiar*) imiter, pasticher
impaciencia [impa'θjenθja] *nf* impatience *f*
impaciente [impa'θjente] *adj* impatient(e); **estar ~** se tracasser; (*deseoso*) être impatient; **estar ~ (por hacer)** être impatient (de faire), avoir hâte (de faire)
impacto [im'pakto] *nm* impact *m*; (*esp AM: fig*) impression *f*; **~ ecológico** empreinte *f* écologique
impar [im'par] *adj* impair(e) ■ *nm* impair *m*
imparcial [impar'θjal] *adj* impartial(e)
impartir [impar'tir] *vt* (*clases*) donner; (*orden*) intimer
impasible [impa'siβle] *adj* impassible
impecable [impe'kaβle] *adj* impeccable
impedimento [impeði'mento] *nm* empêchement *m*, obstacle *m*
impedir [impe'ðir] *vt* (*imposibilitar*) empêcher; (*estorbar*) gêner; **~ a algn hacer** *o* **que haga algo** empêcher qn de faire qch; **~ el tráfico** bloquer la circulation
impenetrable [impene'traβle] *adj* impénétrable
imperar [impe'rar] *vi* régner; (*fig*) dominer, prévaloir
imperativo, -a [impera'tiβo, a] *adj* impératif(-ive) ■ *nm* (*Ling*) impératif *m*; **imperativos** *nmpl* (*exigencias*) impératifs *mpl*

imperceptible [imperθep'tiβle] *adj* imperceptible
imperdible [imper'ðiβle] *nm* épingle *f* à nourrice
imperdonable [imperðo'naβle] *adj* impardonnable
imperfección [imperfek'θjon] *nf* (*en prenda, joya, vasija*) défaut *m*; (*de persona*) imperfection *f*
imperfecto, -a [imper'fekto, a] *adj* défectueux(-euse); (*tarea, Ling*) imparfait(e) ▪ *nm* (*Ling*) imparfait *m*
imperial [impe'rjal] *adj* impérial(e)
imperialismo [imperja'lismo] *nm* impérialisme *m*
imperio [im'perjo] *nm* empire *m*; **el ~ de la ley/justicia** le règne de la loi/justice; **vale un ~** (*fig*) cela vaut son pesant d'or
imperioso, -a [impe'rjoso, a] *adj* impérieux(-euse)
impermeable [imperme'aβle] *adj, nm* imperméable *m*
impersonal [imperso'nal] *adj* impersonnel(le)
impertinencia [imperti'nenθja] *nf* impertinence *f*
impertinente [imperti'nente] *adj* impertinent(e)
imperturbable [impertur'βaβle] *adj* imperturbable
ímpetu ['impetu] *nm* (*violencia*) violence *f*; (*energía*) énergie *f*; (*impetuosidad*) fougue *f*
impetuoso, -a [impe'twoso, a] *adj* impétueux(-euse); (*paso, ritmo*) soutenu(e)
impío, -a [im'pio, a] *adj* (*sin fe*) impie; (*irreverente*) irrévérencieux(-euse); (*cruel*) impitoyable
implacable [impla'kaβle] *adj* implacable
implantar [implan'tar] *vt* implanter; **implantarse** *vpr* s'implanter
implicar [impli'kar] *vt* impliquer; **~ a algn en algo** impliquer qn dans qch; **eso no implica que ...** cela n'implique pas que ...
implícito, -a [im'pliθito, a] *adj* (*tácito*) tacite; (*sobreentendido*) implicite; **llevar ~** comporter implicitement
implorar [implo'rar] *vt* implorer
imponente [impo'nente] *adj* imposant(e); (*fam*) sensationnel(le) ▪ *nm/f* (*Com*) déposant(e)
imponer [impo'ner] *vt* imposer; (*respeto*) inspirer; (*Com*) placer, déposer ▪ *vi* en imposer; **imponerse** *vpr* (*moda, costumbre*) s'imposer; (*razón, equipo*) l'emporter; **~se (a)** s'imposer (à); **~se (hacer)** s'imposer (de faire); **~se un deber** s'imposer un devoir
imponible [impo'niβle] *adj* (*Com*) imposable; (*importación*) soumis(e) aux droits de douane; **no ~** non imposable
impopular [impopu'lar] *adj* impopulaire
importación [importa'θjon] *nf* importation *f*
importancia [impor'tanθja] *nf* importance *f*; **no dar ~ a** ne pas attacher d'importance à; **darse ~** faire l'important; **sin ~** sans importance; **no tiene ~** ce n'est pas important
importante [impor'tante] *adj* important(e); **lo ~ es hacer .../que haga ...** l'important c'est de faire .../qu'il fasse ...
importar [impor'tar] *vt* importer; (*ascender a: cantidad*) se monter à, coûter ▪ *vi* importer; **me importa un bledo** *o* **rábano** je m'en fiche pas mal; **¿le importa que fume?** ça vous ennuie si je fume?; **¿te importa prestármelo?** ça ne te dérange pas de me le prêter?; **¿y a ti qué te importa?** qu'est-ce que ça peut (bien) te faire?; **¿qué importa?** qu'est-ce que ça peut faire?; **no importa** ce n'est pas grave, ça ne fait rien; **no le importa** ça ne le regarde pas; **"no importa precio"** "prix indifférent"
importe [im'porte] *nm* (*coste*) coût *m*; (*total*) montant *m*
importunar [importu'nar] *vt* importuner
imposibilidad [imposiβili'ðað] *nf* impossibilité *f*
imposibilitar [imposiβili'tar] *vt* rendre impossible; (*impedir*) empêcher
imposible [impo'siβle] *adj, nm* impossible *m*; **es ~** c'est impossible; **es ~ de predecir** c'est impossible à prévoir; **hacer lo ~ por** faire l'impossible pour
imposición [imposi'θjon] *nf* (*de moda*) introduction *f*; (*sanción, condena*) application *f*; (*mandato*) ordre *m*; (*Com: impuesto*) imposition *f*; (*: depósito*) dépôt *m*; **efectuar una ~** faire un dépôt
impostor, a [impos'tor, a] *nm/f* imposteur *m*
impotencia [impo'tenθja] *nf* impuissance *f*
impotente [impo'tente] *adj* impuissant(e) ▪ *nm* impuissant *m*
impracticable [imprakti'kaβle] *adj* (*camino*) impraticable

impreciso, -a [impre'θiso, a] *adj* imprécis(e)
impregnar [impreɣ'nar] *vt* imprégner; **impregnarse** *vpr* s'imprégner
imprenta [im'prenta] *nf* imprimerie *f*; (*aparato*) presse *f*; **letra de ~** caractère *m* d'imprimerie
imprescindible [impresθin'diβle] *adj* indispensable; **es ~ hacer/que haga ...** il est indispensable de faire/qu'il fasse ...
impresión [impre'sjon] *nf* impression *f*; (*marca*) empreinte *f*; **tengo** *o* **me da la ~ de que no va a venir** j'ai (bien) l'impression qu'il ne viendra pas; **cambio de impresiones** échange *m* de vues; **~ digital** empreinte digitale
impresionable [impresjo'naβle] *adj* impressionnable
impresionante [impresjo'nante] *adj* impressionnant(e); (*conmovedor*) bouleversant(e)
impresionar [impresjo'nar] *vt* impressionner; (*conmover*) bouleverser, toucher; **impresionarse** *vpr* être impressionné(e); **se impresiona con facilidad** il ne faut pas grand-chose pour l'impressionner
impreso, -a [im'preso, a] *pp de* **imprimir** ■ *adj* imprimé(e) ■ *nm* (*solicitud*) imprimé *m*, formulaire *m*; **impresos** *nmpl* (*material impreso*) imprimés *mpl*; **~ de solicitud** formulaire de demande
impresora [impre'sora] *nf* (*Inform*) imprimante *f*; **~ de chorro de tinta** imprimante à jet d'encre; **~ de línea** imprimante ligne par ligne; **~ de margarita** imprimante à marguerite; **~ de matriz (de agujas)** imprimante matricielle; **~ de rueda** imprimante à marguerite; **~ (por) láser** imprimante laser
imprevisto, -a [impre'βisto, a] *adj* imprévu(e) ■ *nm* imprévu *m*
imprimir [impri'mir] *vt* imprimer
improbable [impro'βaβle] *adj* improbable
improcedente [improθe'ðente] *adj* inopportun(e); (*Jur*) irrégulier(-ère)
improductivo, -a [improðuk'tiβo, a] *adj* improductif(-ive)
improperio [impro'perjo] *nm* insulte *f*, injure *f*
impropio, -a [im'propjo, a] *adj* impropre; **~ de** *o* **para** peu approprié(e) à
improvisado, -a [improβi'saðo, a] *adj* improvisé(e)
improvisar [improβi'sar] *vt, vi* improviser
improviso [impro'βiso] *adv*: **de ~** à l'improviste
imprudencia [impru'ðenθja] *nf* imprudence *f*; (*indiscreción*) indiscrétion *f*; **~ temeraria** (*Jur*) imprudence
imprudente [impru'ðente] *adj* imprudent(e); (*indiscreto*) indiscret(-ète)
impúdico, -a [im'puðiko, a] *adj* impudique, indécent(e)
impuesto, -a [im'pwesto, a] *pp de* **imponer** ■ *adj*: **estar ~ en** s'y connaître en ■ *nm* impôt *m*; (*derecho*) droit *m*, taxe *f*; **anterior al ~** avant impôt; **libre de ~s** exonéré(e) d'impôt; **sujeto a ~** soumis(e) à l'impôt; **~ de lujo** taxe de luxe; **~ de plusvalía** impôt sur les plus-values; **~ de transferencia de capital** droit de mutation; **~ de venta** taxe à l'achat; **~ directo/indirecto** impôt direct/indirect; **~ sobre el valor añadido** *o* (*AM*) **agregado** taxe à la valeur ajoutée; **~ sobre la propiedad** impôt foncier; **~ sobre la renta/sobre la renta de las personas físicas** impôt sur le revenu/sur le revenu des personnes physiques; **~ sobre la riqueza** impôt sur la fortune
impugnar [impuɣ'nar] *vt* contester; (*refutar*) réfuter
impulsar [impul'sar] *vt* propulser; (*economía*) stimuler; **él me impulsó a hacerlo** *o* **a que lo hiciera** il m'a poussé à le faire
impulsivo, -a [impul'siβo, a] *adj* impulsif(-ive)
impulso [im'pulso] *nm* impulsion *f*; (*fuerza*) élan *m*; **a ~s del miedo** poussé(e) par la peur; **dar ~ a** donner une impulsion à
impune [im'pune] *adj* impuni(e)
impureza [impu'reθa] *nf* impureté *f*; **impurezas** *nfpl* (*de agua, aire*) impuretés *fpl*
impuro, -a [im'puro, a] *adj* impur(e)
imputar [impu'tar] *vt* imputer
inacabable [inaka'βaβle] *adj* interminable
inaccesible [inakθe'siβle] *adj* inaccessible; (*fig: precio*) inabordable
inacción [inak'θjon] *nf* inaction *f*
inaceptable [inaθep'taβle] *adj* inacceptable
inactividad [inaktiβi'ðað] *nf* inactivité *f*; (*Com*) inutilisation *f*
inactivo, -a [inak'tiβo, a] *adj* inactif(-ive); (*período*) d'inaction; (*Com*) inutilisé(e); **la población inactiva** les inactifs
inadecuado, -a [inaðe'kwaðo, a] *adj* inadéquat(e)

inadmisible [inaðmi'siβle] *adj* inadmissible
inadvertido, -a [inaðβer'tiðo, a] *adj*: **pasar ~** passer inaperçu(e)
inagotable [inaɣo'taβle] *adj* inépuisable, intarissable
inaguantable [inaɣwan'taβle] *adj* insupportable
inalterable [inalte'raβle] *adj* inaltérable; (*persona*) entier(-ère)
inanición [inani'θjon] *nf* inanition *f*
inanimado, -a [inani'maðo, a] *adj* inanimé(e)
inapreciable [inapre'θjaβle] *adj* (*poco importante*) insignifiant(e); (*de gran valor*) inestimable; (*invisible: objeto*) invisible
inaudito, -a [inau'ðito, a] *adj* inouï(e)
inauguración [inauɣura'θjon] *nf* inauguration *f*
inaugurar [inauɣu'rar] *vt* inaugurer
inca ['inka] *adj* inca *inv* ■ *nm/f* Inca *m/f*
incalculable [inkalku'laβle] *adj* incalculable
incandescente [inkandes'θente] *adj* incandescent(e)
incansable [inkan'saβle] *adj* infatigable
incapacidad [inkapaθi'ðað] *nf* incapacité *f*; **~ para hacer** incapacité à faire; **~ física** incapacité physique; **~ laboral** incapacité de travail; **~ mental** incapacité mentale
incapacitar [inkapaθi'tar] *vt*: **~ (para)** (*inhabilitar*) rendre inapte (à); (*descalificar*) déclarer inapte (à)
incapaz [inka'paθ] *adj* incapable; **~ de hacer algo** incapable de faire qch
incautación [inkauta'θjon] *nf* saisie *f*
incautarse [inkau'tarse] *vpr*: **~ de** s'emparer de
incauto, -a [in'kauto, a] *adj* (*imprudente*) imprudent(e); (*crédulo*) crédule
incendiar [inθen'djar] *vt* incendier; **incendiarse** *vpr* prendre feu, brûler
incendiario, -a [inθen'djarjo, a] *adj, nm/f* incendiaire *m/f*
incendio [in'θendjo] *nm* incendie *m*
incentivo [inθen'tiβo] *nm* stimulation *f*, aiguillon *m*
incertidumbre [inθerti'ðumbre] *nf* incertitude *f*
incesante [inθe'sante] *adj* incessant(e)
incesto [in'θesto] *nm* inceste *m*
incidencia [inθi'ðenθja] *nf* (*repercusión*) incidence *f*; (*suceso*) incident *m*
incidente [inθi'ðente] *nm* incident *m*
incidir [inθi'ðir] *vi*: **~ en** affecter; **~ en un error** tomber dans l'erreur
incienso [in'θjenso] *nm* encens *msg*
incineración [inθinera'θjon] *nf* incinération *f*
incinerar [inθine'rar] *vt* incinérer
incipiente [inθi'pjente] *adj* naissant(e)
incisión [inθi'sjon] *nf* incision *f*
incisivo, -a [inθi'siβo, a] *adj* (*instrumento*) tranchant(e); (*fig*) incisif(-ive) ■ *nm* incisive *f*
incitar [inθi'tar] *vt* inciter; **~ a algn a hacer** inciter qn à faire, pousser qn à faire
inclemencia [inkle'menθja] *nf* sévérité *f*; **inclemencias** *nfpl* (*del tiempo*) rigueurs *fpl*
inclinación [inklina'θjon] *nf* inclinaison *f*; (*fig*) inclination *f*, penchant *m*; **tener ~ por algn/algo** avoir un penchant pour qn/qch
inclinar [inkli'nar] *vt* incliner; (*cabeza, cuerpo*) incliner, pencher; **inclinarse** *vpr* pencher; (*persona*) se pencher; **~se ante** s'incliner devant; **me inclino a pensar que ...** j'incline à penser que ...
incluir [inklu'ir] *vt* (*abarcar*) comprendre; (*meter*) inclure; **todo incluido** (*Com*) tout compris
inclusive [inklu'siβe] *adv* (*incluido*) inclus, y compris; (*incluso*) même
incluso, -a [in'kluso, a] *adv, prep* même
incógnito [in'koɣnito]: **de ~** *adv* incognito
incoherente [inkoe'rente] *adj* incohérent(e)
incomodar [inkomo'ðar] *vt* incommoder; **incomodarse** *vpr* se fâcher
incomodidad [inkomoði'ðað] *nf* ennui *m*; (*de vivienda, asiento*) manque *m* de confort
incómodo, -a [in'komoðo, a] *adj* (*vivienda*) inconfortable; (*asiento*) peu confortable; (*molesto*) incommodant(e); **sentirse ~** se sentir mal à l'aise
incomparable [inkompa'raβle] *adj* incomparable
incompatible [inkompa'tiβle] *adj*: **~ (con)** incompatible (avec)
incompetencia [inkompe'tenθja] *nf* incompétence *f*
incompetente [inkompe'tente] *adj* incompétent(e)
incompleto, -a [inkom'pleto, a] *adj* incomplet(-ète)
incomprensible [inkompren'siβle] *adj* incompréhensible
incomunicado, -a [inkomuni'kaðo, a] *adj* (*aislado: persona*) isolé(e); (*: pueblo*) coupé(e) de tout; (*preso*) mis(e) au régime cellulaire

inconcebible [inkonθe'βiβle] *adj* inconcevable
incondicional [inkondiθjo'nal] *adj* inconditionnel(le)
inconexo, -a [inko'nekso, a] *adj* décousu(e)
inconfundible [inkonfun'diβle] *adj* caractéristique
incongruente [inkon'grwente] *adj* incongru(e); **~ (con)** (*actitud*) en désaccord (avec)
inconsciencia [inkons'θjenθja] *nf* inconscience *f*
inconsciente [inkons'θjente] *adj* inconscient(e); **~ de** inconscient(e) de
inconsecuente [inkonse'kwente] *adj*: **~ (con)** inconséquent(e) (avec)
inconsiderado, -a [inkonsiðe'raðo, a] *adj* inconsidéré(e)
inconsistente [inkonsis'tente] *adj* inconsistant(e)
inconstancia [inkons'tanθja] *nf* inconstance *f*
inconstante [inkons'tante] *adj* inconstant(e)
incontable [inkon'taβle] *adj* innombrable, incalculable
incontestable [inkontes'taβle] *adj* incontestable
incontinencia [inkonti'nenθja] *nf* incontinence *f*
inconveniencia [inkombe'njenθja] *nf* inconvenance *f*
inconveniente [inkombe'njente] *adj* déplacé(e) ■ *nm* inconvénient *m*; **el ~ es que ...** l'inconvénient, c'est que ...; **no hay ~ en** *o* **para hacer eso** il n'y a pas d'inconvénient à faire cela; **no tengo ~** je n'y vois pas d'inconvénients
incordiar [inkor'ðjar] (*fam*) *vt* emmerder (*fam!*)
incorporación [inkorpora'θjon] *nf* incorporation *f*
incorporar [inkorpo'rar] *vt* incorporer; (*enderezar*) lever; **incorporarse** *vpr* se lever; **~se a** (*puesto*) se présenter à; (*grupo, manifestación*) s'incorporer à
incorrección [inkorrek'θjon] *nf* incorrection *f*
incorrecto, -a [inko'rrekto, a] *adj* incorrect(e)
incorregible [inkorre'xiβle] *adj* incorrigible
incredulidad [inkreðuli'ðað] *nf* incrédulité *f*
incrédulo, -a [in'kreðulo, a] *adj* incrédule
increíble [inkre'iβle] *adj* incroyable
incremento [inkre'mento] *nm* augmentation *f*
increpar [inkre'par] *vt* admonester
incubar [inku'βar] *vt* couver
inculcar [inkul'kar] *vt* inculquer
inculpar [inkul'par] *vt* inculper
inculto, -a [in'kulto, a] *adj* inculte ■ *nm/f* ignorant(e)
incumplimiento [inkumpli'mjento] *nm* (*de promesa*) manquement *m*; (*Com*) rupture *f*; **por ~** par défaut; **~ de contrato** rupture de contrat
incurrir [inku'rrir] *vi*: **~ en** (*error*) tomber dans; (*crimen*) en arriver à; (*enfado*) risquer de
indagación [indaɣa'θjon] *nf* recherche *f*
indagar [inda'ɣar] *vt* rechercher; (*policía*) enquêter sur
indecente [inde'θente] *adj* indécent(e); (*indigno*) peu convenable; (*ruin: comportamiento*) incorrect(e)
indecible [inde'θiβle] *adj* indicible; **sufrir lo ~** souffrir atrocement
indeciso, -a [inde'θiso, a] *adj* indécis(e)
indefenso, -a [inde'fenso, a] *adj* (*animal, persona*) sans défense; (*ciudad*) indéfendable
indefinido, -a [indefi'niðo, a] *adj* (*indeterminado*) indéfini(e); (*ilimitado*) indéterminé(e)
indeleble [inde'leβle] *adj* indélébile
indemne [in'demne] *adj*: **salir ~ de** sortir indemne de
indemnizar [indemni'θar] *vt*: **~ (de)** indemniser (de)
independencia [indepen'denθja] *nf* indépendance *f*; **con ~ de** indépendamment de
independiente [indepen'djente] *adj* indépendant(e); (*Inform*) autonome
indeterminado, -a [indetermi'naðo, a] *adj* indéterminé(e)
India ['indja] *nf*: **la ~** l'Inde *f*
indicación [indika'θjon] *nf* indication *f*; (*señal: de persona*) signe *m*; **indicaciones** *nfpl* (*instrucciones*) indications *fpl*
indicador [indika'ðor] *nm* indicateur *m*; (*Auto*) panneau *m* de signalisation; **~ de encendido** (*Inform*) voyant *m* "sous tension"
indicar [indi'kar] *vt* indiquer
índice ['indiθe] *nm* index *m*; **~ de materias** table *f* des matières; **~ de natalidad** taux *msg* de natalité; **~ de precios al por menor** (*Com*) indice *m* des prix de détail; **~ del coste de (la) vida** indice du coût de la vie

indicio [in'diθjo] *nm* indice *m*; (*Inform*) repère *m*
indiferencia [indife'renθja] *nf* indifférence *f*
indiferente [indife'rente] *adj*: **~ (a)** indifférent(e) (à); **es ~ que viva en Madrid o Valencia** peu importe qu'il habite à Madrid ou à Valence; **me es ~ hacerlo hoy o mañana** cela m'est égal de le faire aujourd'hui ou demain; **a Alfonso le era ~ Carmen** Carmen laissait Alfonso indifférent
indígena [in'dixena] *adj, nm/f* indigène *m/f*
indigencia [indi'xenθja] *nf* indigence *f*
indigestión [indixes'tjon] *nf* indigestion *f*
indigesto, -a [indi'xesto, a] *adj* indigeste; (*persona*) insupportable
indignación [indiɣna'θjon] *nf* indignation *f*
indignar [indiɣ'nar] *vt* indigner; **indignarse** *vpr*: **~se (por)** s'indigner (de)
indigno, -a [in'diɣno, a] *adj*: **~ (de)** indigne (de)
indio, -a ['indjo, a] *adj* indien(ne) ■ *nm/f* Indien(ne); **hacer el ~** faire l'imbécile; **subírsele** *o* **asomarle el ~** (*Csur: fam*) s'exciter
indirecta [indi'rekta] *nf* allusion *f*; **soltar una ~** faire une allusion
indirecto, -a [indi'rekto, a] *adj* indirect(e)
indiscreción [indiskre'θjon] *nf* indiscrétion *f*; **..., si no es ~** ..., si ce n'est pas indiscret
indiscreto, -a [indis'kreto, a] *adj* indiscret(-ète)
indiscriminado, -a [indiskrimi'naðo, a] *adj* (*golpes*) distribué(e) au hasard; **de un modo ~** sans discriminisation
indiscutible [indisku'tiβle] *adj* indiscutable
indispensable [indispen'saβle] *adj* indispensable
indisponer [indispo'ner] *vt* indisposer; **indisponerse** *vpr* (*Med*) se sentir indisposé(e); **~se con** *o* **contra algn** se brouiller avec qn
indisposición [indisposi'θjon] *nf* indisposition *f*
indistinto, -a [indis'tinto, a] *adj* indistinct(e); **es ~ que hables tú o ella** peu importe que ce soit toi ou elle qui parle
individual [indiβi'ðwal] *adj* individuel(le); (*habitación, cama*) simple ■ *nm* (*Deporte*) simple *m*
individuo [indi'βiðwo, a] *nm* individu *m*
índole ['indole] *nf* (*naturaleza*) nature *f*; (*clase*) caractère *m*
indómito, -a [in'domito, a] *adj* indomptable
inducir [indu'θir] *vt* induire; **~ a algn a hacer** inciter qn à faire; **~ a algn a error** induire qn en erreur
indudable [indu'ðaβle] *adj* indubitable; **es ~ que ...** il n'y a aucun doute que ...
indulgencia [indul'xenθja] *nf* indulgence *f*; **proceder sin ~ contra** se montrer implacable envers
indultar [indul'tar] *vt* gracier; **~ (de)** (*Jur*) dispenser (de)
indulto [in'dulto] *nm* grâce *f*
industria [in'dustrja] *nf* industrie *f*; (*habilidad*) adresse *f*; **~ agropecuaria** industrie agricole et de la pêche; **~ pesada** industrie lourde; **~ petrolífera** industrie du pétrole
industrial [indus'trjal] *adj* industriel(le) ■ *nm* industriel *m*
inédito, -a [i'neðito, a] *adj* inédit(e)
inefable [ine'faβle] *adj* ineffable
ineficaz [inefi'kaθ] *adj* (*medida, medicamento*) inefficace; (*persona*) peu efficace
inepto, -a [i'nepto, a] *adj* inepte ■ *nm/f* incapable *m/f*
inequívoco, -a [ine'kiβoko, a] *adj* clair(e)
inercia [i'nerθja] *nf* inertie *f*; **por ~** (*fig*) par habitude
inerme [i'nerme] *adj* (*sin armas*) désarmé(e); (*indefenso*) sans défense
inerte [i'nerte] *adj* inerte
inesperado, -a [inespe'raðo, a] *adj* inattendu(e)
inestable [ines'taβle] *adj* instable
inevitable [ineβi'taβle] *adj* inévitable
inexactitud [ineksakti'tuð] *nf* inexactitude *f*
inexacto, -a [inek'sakto, a] *adj* inexact(e)
inexperto, -a [ineks'perto, a] *adj* inexpérimenté(e)
infalible [infa'liβle] *adj* infaillible
infame [in'fame] *adj* infâme
infancia [in'fanθja] *nf* enfance *f*; **jardín de ~** jardin *m* d'enfants
infantería [infante'ria] *nf* infanterie *f*; **~ de marina** infanterie de marine
infantil [infan'til] *adj* (*programa, juego*) pour les enfants; (*población*) enfantin(e); (*pey*) puéril(e)
infarto [in'farto] *nm* (*tb*: **infarto de miocardio**) infarctus *msg*

infatigable [infati'ɣaβle] *adj* infatigable
infección [infek'θjon] *nf* infection *f*
infeccioso, -a [infek'θjoso, a] *adj* (*Med*) infectieux(-euse); (*fig*) contagieux(-euse)
infectar [infek'tar] *vt* infecter; **infectarse** *vpr* s'infecter
infeliz [infe'liθ] *adj, nm/f* malheureux(-euse)
inferior [infe'rjor] *adj, nm/f* inférieur(e); **~ (a)** inférieur(e) (à); **un número ~ a 9** un chiffre inférieur à 9; **una cantidad ~** une quantité moindre
inferir [infe'rir] *vt* inférer; (*herida*) infliger
infestar [infes'tar] *vt* infester
infidelidad [infiðeli'ðað] *nf* infidélité *f*; **infidelidades** *nfpl* (*adulterios*) infidélités *fpl*; **~ conyugal** infidélité conjugale
infiel [in'fjel] *adj, nm/f* infidèle *m/f*
infierno [in'fjerno] *nm* (*Rel*) enfer *m*; **ser un ~** (*fig*) être un enfer; **¡vete al ~!** va-t'en au diable!; **está en el quinto ~** il est à l'autre bout du monde
infiltrarse [infil'trarse] *vpr* s'infiltrer
ínfimo, -a ['infimo, a] *adj* infime
infinidad [infini'ðað] *nf*: **una ~ de** une infinité de; **una ~ de veces** un nombre incalculable de fois
infinito, -a [infi'nito, a] *adj* infini(e) ▪ *adv* infiniment ▪ *nm* (*tb Mat*) infini *m*; **hasta lo ~** jusqu'à l'infini
inflación [infla'θjon] *nf* (*Econ*) inflation *f*
inflacionario, -a [inflaθjo'narjo, a] *adj* inflationniste
inflamar [infla'mar] *vt* enflammer; **inflamarse** *vpr* s'enflammer; (*hincharse*) s'enfler
inflar [in'flar] *vt* gonfler; (*fig*) exagérer; **inflarse** *vpr* s'enfler; **~se de** (*chocolate etc*) se bourrer de
inflexible [inflek'siβle] *adj* (*material*) indéformable; (*persona*) inflexible
infligir [infli'xir] *vt* infliger
influencia [in'flwenθja] *nf* influence *f*
influenciar [inflwen'θjar] *vt* influencer
influir [influ'ir] *vt* influencer ▪ *vi* agir; **~ en** *o* **sobre** influer sur, influencer
influjo [in'fluxo] *nm* influence *f*; **~ de capitales** afflux *msg* de capitaux
influyendo *etc* [influ'jendo] *vb ver* **influir**
influyente [influ'jente] *adj* influent(e)
información [informa'θjon] *nf* (*sobre un asunto, Inform*) information *f*; (*noticias, informe*) informations *fpl*; (*Jur*) enquête *f*; **I~** (*oficina, Telec*) Renseignements *mpl*; (*mostrador*) Information; **abrir una ~** (*Jur*) ouvrir une enquête; **~ deportiva** nouvelles *fpl* sportives
informal [infor'mal] *adj* (*persona*) peu sérieux(-euse); (*estilo, lenguaje*) informel(le)
informar [infor'mar] *vt* informer; (*dar forma a*) donner forme à ▪ *vi* (*dar cuenta de*): **~ de/sobre** informer de/sur; **informarse** *vpr*: **~se (de)** s'informer (de); **~ (contra)** (*Jur*) plaider (contre); **(les) informó que ...** il (les) a informé(s) que ...
informática [infor'matika] *nf* informatique *f*; **~ de gestión** informatique de gestion
informe [in'forme] *adj* informe ▪ *nm* rapport *m*; (*Jur*) plaidoyer *m*; **informes** *nmpl* (*referencias*) références *fpl*; **~ anual** rapport annuel
infortunio [infor'tunjo] *nm* infortune *f*
infracción [infrak'θjon] *nf* infraction *f*
infranqueable [infranke'aβle] *adj* infranchissable
infravalorar [infrabalo'rar] *vt* sous-estimer
infringir [infrin'xir] *vt* transgresser
infructuoso, -a [infruk'twoso, a] *adj* infructueux(-euse)
infundado, -a [infun'daðo, a] *adj* peu fondé(e)
infundir [infun'dir] *vt*: **~ ánimo** *o* **valor** insuffler du courage; **~ respeto** inspirer le respect; **~ miedo** inspirer de la crainte
infusión [infu'sjon] *nf* infusion *f*; **~ de manzanilla** infusion de camomille
ingeniar [inxe'njar] *vt* inventer; **ingeniarse** *vpr*: **~se** *o* **ingeniárselas`** **para hacer** se débrouiller pour faire
ingeniería [inxenje'ria] *nf* ingénierie *f*; **~ de sistemas** (*Inform*) développement *m* de systèmes
ingeniero, -a [inxe'njero, a] *nm/f* ingénieur *m*; (*esp Méx*: *título de cortesía*: *tb*: **Ingeniero**) Monsieur (Madame); **~ agrónomo** ingénieur agronome; **~ de caminos** ingénieur des travaux publics; **~ de montes** ingénieur des Eaux et Forêts; **~ de sonido** ingénieur du son; **~ naval** ingénieur des constructions navales
ingenio [in'xenjo] *nm* génie *m*; (*Tec*) engin *m*; **aguzar el ~** faire travailler sa matière grise; **~ azucarero** raffinerie *f* de sucre
ingenioso, -a [inxe'njoso, a] *adj* (*hábil*) ingénieux(-euse); (*divertido*) spirituel(le)
ingenuidad [inxenwi'ðað] *nf* ingénuité *f*
ingenuo, -a [in'xenwo, a] *adj* ingénu(e)
ingerir [inxe'rir] *vt* ingérer
Inglaterra [ingla'terra] *nf* Angleterre *f*

ingle ['ingle] *nf* aine *f*
inglés, -esa [in'gles, esa] *adj* anglais(e) ■ *nm/f* Anglais(e) ■ *nm* (*Ling*) anglais *msg*
ingratitud [ingrati'tuð] *nf* ingratitude *f*
ingrato, -a [in'grato, a] *adj* ingrat(e)
ingrediente [ingre'ðjente] *nm* ingrédient *m*; **ingredientes** *nmpl* (*AM*) tapas *fpl*
ingresar [ingre'sar] *vt* (*dinero*) déposer; (*enfermo*) faire entrer ■ *vi*: **~ (en)** (*en facultad, escuela*) être admis(e) (à); (*en club etc*) s'inscrire (à); (*en ejército*) entrer (dans); (*en hospital*) entrer à; **~ a** (*esp AM*) rentrer dans
ingreso [in'greso] *nm* admission *f*; (*en ejército*) entrée *f*; **ingresos** *nmpl* (*dinero*) revenus *mpl*; (: *Com*) recettes *fpl*; **~ gravable** revenu imposable; **~s accesorios** avantages *mpl* en nature; **~s brutos** revenus bruts; **~s devengados** revenus salariaux; **~s exentos de impuestos** revenus non imposables; **~s personales disponibles** revenus disponibles
inhabitable [inaβi'taβle] *adj* inhabitable
inhalar [ina'lar] *vt* inhaler
inherente [ine'rente] *adj*: **~ a** inhérent(e) à
inhibir [ini'βir] *vt* (*Med*) inhiber; **inhibirse** *vpr*: **~se (de hacer)** s'abstenir (de faire)
inhóspito, -a [i'nospito, a] *adj* inhospitalier(-ère)
inhumano, -a [inu'mano, a] *adj* inhumain(e)
inicial [ini'θjal] *adj* initial(e); (*letra*) premier(-ère) ■ *nf* initiale *f*
iniciar [ini'θjar] *vt* commencer; **~ (en)** (*persona*) initier (à); **~ a algn en un secreto** mettre qn dans le secret; **~ la sesión** (*Inform*) ouvrir la session
iniciativa [iniθja'tiβa] *nf* initiative *f*; **la ~ privada** l'initiative privée; **por ~ propia** de sa *etc* propre initiative; **tomar la ~** prendre l'initiative
inicio [i'niθjo] *nm* début *m*
ininterrumpido, -a [ininterrum'piðo, a] *adj* ininterrompu(e)
injerencia [inxe'renθja] *nf* ingérence *f*
injertar [inxer'tar] *vt* greffer
injuria [in'xurja] *nf* injure *f*
injuriar [inxu'rjar] *vt* injurier
injurioso, -a [inxu'rjoso, a] *adj* injurieux(-euse)
injusticia [inxus'tiθja] *nf* injustice *f*; **con ~** injustement
injusto, -a [in'xusto, a] *adj* injuste
inmadurez [inmaðu'reθ] *nf* immaturité *f*
inmediaciones [inmeðja'θjones] *nfpl* environs *mpl*
inmediato, -a [inme'ðjato, a] *adj* immédiat(e); (*contiguo*) contigu(ë); **~ a** contigu(ë) à; **de ~** (*esp AM*) tout de suite
inmejorable [inmexo'raβle] *adj* excellent(e)
inmenso, -a [in'menso, a] *adj* immense
inmerecido, -a [inmere'θiðo, a] *adj* (*críticas*) injustifié(e); (*premio*) immérité(e)
inmigración [inmiɣra'θjon] *nf* immigration *f*
inmigrante [inmi'ɣrante] *adj, nm/f* immigrant(e)
inmiscuirse [inmisku'irse] *vpr*: **~ (en)** s'immiscer (dans)
inmobiliaria [inmoβi'ljarja] *nf* (*tb*: **agencia inmobiliaria**) agence *f* immobilière
inmobiliario, -a [inmoβi'ljarjo, a] *adj* immobilier(-ère)
inmoral [inmo'ral] *adj* immoral(e)
inmortal [inmor'tal] *adj* immortel(le)
inmortalizar [inmortali'θar] *vt* immortaliser
inmóvil [in'moβil] *adj* immobile
inmueble [in'mweβle] *adj*: **bienes ~s** biens *mpl* immeubles ■ *nm* immeuble *m*
inmundicia [inmun'diθja] *nf* saleté *f*
inmundo, -a [in'mundo, a] *adj* (*lugar*) immonde; (*lenguaje*) vulgaire
inmune [in'mune] *adj*: **~ (a)** immunisé(e) (contre)
inmunidad [inmuni'ðað] *nf* immunité *f*; **~ diplomática/parlamentaria** immunité diplomatique/parlementaire
inmutarse [inmu'tarse] *vpr* se troubler; **siguió sin ~** il poursuivit sans se troubler le moins du monde
innato, -a [in'nato, a] *adj* inné(e)
innecesario, -a [inneθe'sarjo, a] *adj* pas nécessaire
innoble [in'noβle] *adj* ignoble
innovación [innoβa'θjon] *nf* innovation *f*
inocencia [ino'θenθja] *nf* innocence *f*
inocentada [inoθen'taða] *nf* (*broma*) ≈ poisson *m* d'avril; **gastar una ~ a algn** ≈ faire un poisson d'avril à qn
inocente [ino'θente] *adj, nm/f* innocent(e); **día de los (Santos) I~s** jour *m* des (saints) Innocents

Día de los Santos Inocentes

Le 28 décembre, jour des saints Innocents, l'Église commémore le massacre des enfants de Judée ordonné par Hérode. Cette journée est l'occasion pour les Espagnols de se faire des plaisanteries et de se jouer des tours appelés *inocentadas*, un peu comme lors du premier avril en France.

inocuo, -a [i'nokwo, a] *adj* inoffensif(-ive)
inodoro, -a [ino'ðoro, a] *adj* inodore ▪ *nm* cabinet *m*
inofensivo, -a [inofen'siβo, a] *adj* inoffensif(-ive)
inolvidable [inolβi'ðaβle] *adj* inoubliable
inopinado, -a [inopi'naðo, a] *adj* inopiné(e)
inoportuno, -a [inopor'tuno, a] *adj* inopportun(e)
inoxidable [inoksi'ðaβle] *adj* inoxydable; **acero ~** acier *m* inoxydable
inquebrantable [inkeβran'taβle] *adj* (*fe*) inébranlable; (*promesa*) solennel(le)
inquietar [inkje'tar] *vt* inquiéter; **inquietarse** *vpr* s'inquiéter
inquieto, -a [in'kjeto, a] *adj* inquiet(-ète); (*niño*) turbulent(e); **estar ~ por** être inquiet(-ète) de
inquietud [inkje'tuð] *nf* inquiétude *f*; (*agitación*) dissipation *f*
inquilino, -a [inki'lino, a] *nm/f* locataire *m/f*; (*Com*) preneur(-euse) à bail
inquirir [inki'rir] *vt* s'enquérir de
insalubre [insa'luβre] *adj* insalubre
inscribir [inskri'βir] *vt* inscrire; **inscribirse** *vpr* (*Escol etc*) s'inscrire
inscripción [inskrip'θjon] *nf* inscription *f*
insecticida [insekti'θiða] *nm* insecticide *m*
insecto [in'sekto] *nm* insecte *m*
inseguridad [inseɣuri'ðað] *nf* insécurité *f*; (*inestabilidad*) instabilité *f*; (*de carácter*) manque *m* de confiance; (*indecisión*) indécision *f*; **~ ciudadana** insécurité urbaine
inseguro, -a [inse'ɣuro, a] *adj* incertain(e); (*persona*) pas sûr(e) de soi; (*lugar*) peu sûr(e); (*terreno*) instable; (*escalera*) branlant(e); **sentirse ~** ne pas se sentir en sécurité
insensato, -a [insen'sato, a] *adj* insensé(e)
insensibilidad [insensiβili'ðað] *nf* insensibilité *f*
insensible [insen'siβle] *adj* insensible
insertar [inser'tar] *vt* insérer; **insertarse** *vpr*: **~se en** s'insérer dans
inservible [inser'βiβle] *adj* inutilisable
insidioso, -a [insi'ðjoso, a] *adj* insidieux(-euse); (*persona*) fourbe
insignia [in'siɣnja] *nf* (*emblema*) insigne *m*; (*estandarte*) enseigne *f*; **buque ~** vaisseau *m* amiral
insignificante [insiɣnifi'kante] *adj* insignifiant(e)
insinuar [insi'nwar] *vt* insinuer; **insinuarse** *vpr*: **él se me insinuó** il me fit des avances
insípido, -a [in'sipiðo, a] *adj* insipide
insistencia [insis'tenθja] *nf* insistance *f*; **con ~** avec insistance
insistir [insis'tir] *vi*: **~ (en)** insister (sur)
insolación [insola'θjon] *nf* insolation *f*
insolencia [inso'lenθja] *nf* insolence *f*
insolente [inso'lente] *adj* insolent(e)
insólito, -a [in'solito, a] *adj* insolite
insoluble [inso'luβle] *adj* (*problema*) insoluble; **~ (en)** (*sustancia*) insoluble (dans)
insolvencia [insol'βenθja] *nf* (*Com*) insolvabilité *f*
insomnio [in'somnjo] *nm* insomnie *f*
insondable [inson'daβle] *adj* insondable
insonorizar [insonori'θar] *vt* insonoriser
insoportable [insopor'taβle] *adj* insupportable
insospechado, -a [insospe'tʃaðo, a] *adj* insoupçonné(e)
inspección [inspek'θjon] *nf* inspection *f*; **I~** inspection
inspeccionar [inspekθjo'nar] *vt* inspecter; (*Inform*) contrôler
inspector, a [inspek'tor, a] *nm/f* inspecteur(-trice)
inspiración [inspira'θjon] *nf* inspiration *f*; **de ~ clásica/romántica** d'inspiration classique/romantique
inspirar [inspi'rar] *vt* inspirer; **inspirarse** *vpr*: **~se en** s'inspirer de
instalación [instala'θjon] *nf* installation *f*; **instalaciones** *nfpl* (*de centro deportivo, hotel*) installations *fpl*; **~ eléctrica** installation électrique
instalar [insta'lar] *vt* installer; **instalarse** *vpr* s'installer
instancia [ins'tanθja] *nf* instance *f*; **a ~s de** à la requête de; **en última ~** en dernier ressort

instantánea [instan'tanea] *nf* instantané *m*

instantáneo, -a [instan'taneo, a] *adj* instantané(e); **café ~** café *m* instantané

instante [ins'tante] *nm* instant *m*; **a cada ~** à tout instant; **al ~** à l'instant; **en un ~** en un instant

instar [ins'tar] *vt*: **~ a algn a hacer** *o* **para que haga** prier instamment qn de faire

instaurar [instau'rar] *vt* instaurer

instigar [insti'ɣar] *vt*: **~ a algn a (hacer)** inciter qn à (faire)

instinto [ins'tinto] *nm* instinct *m*; **por ~** d'instinct; **~ de conservación** instinct de conservation; **~ maternal/sexual** instinct maternel/sexuel

institución [institu'θjon] *nf* institution *f*; **instituciones** *nfpl* (*de un país*) institutions *fpl*; **~ benéfica** société *f* de bienfaisance

instituir [institu'ir] *vt* instituer

instituto [insti'tuto] *nm* (*Escol*) lycée *m*; (*de investigación, cultural etc*) institut *m*; **I~ de Bachillerato** (*Esp*) lycée

institutriz [institu'triθ] *nf* préceptrice *f*

instrucción [instruk'θjon] *nf* instruction *f*; (*Deporte*) entraînement *m*; (*Inform*) instruction; **instrucciones** *nfpl* (*normas de uso, órdenes*) instructions *fpl*; **instrucciones de funcionamiento** (*Inform*) guide *m* de l'utilisateur; **~ del sumario** (*Jur*) instruction

instructivo, -a [instruk'tiβo, a] *adj* instructif(-ive)

instruir [instru'ir] *vt* (*tb Jur*) instruire

instrumento [instru'mento] *nm* instrument *m*; (*Com*) effet *m*; **~ de cuerda/de percusión/de viento** instrument à cordes/à percussion/à vent

insubordinarse [insuβorði'narse] *vpr*: **~ (contra)** se rebeller (contre)

insuficiencia [insufi'θjenθja] *nf* insuffisance *f*; **~ cardíaca/renal** insuffisance cardiaque/rénale

insuficiente [insufi'θjente] *adj* insuffisant(e) ▪ *nm* (*Escol*) note *f* inférieure à la moyenne

insufrible [insu'friβle] *adj* = **insoportable**

insular [insu'lar] *adj* insulaire

insultar [insul'tar] *vt* insulter

insulto [in'sulto] *nm* insulte *f*

insumiso [insu'miso] (*Esp*) *nm* (*Mil*) *réfractaire au service militaire et au service civil*

insuperable [insupe'raβle] *adj* (*excelente*) incomparable; (*invencible*) insurmontable

insurgente [insur'xente] *adj, nm/f* insurgé(e)

insurrección [insurrek'θjon] *nf* insurrection *f*

intachable [inta'tʃaβle] *adj* irréprochable

intacto, -a [in'takto, a] *adj* intact(e)

integral [inte'ɣral] *adj* intégral(e); (*idiota*) parfait(e); **pan ~** pain *m* complet

integrar [inte'ɣrar] *vt* composer; (*Mat*) intégrer; **integrarse** *vpr* s'intégrer

integridad [inteɣri'ðað] *nf* intégrité *f*; **en su ~** dans son intégralité

íntegro, -a ['inteɣro, a] *adj* intègre; (*texto*) intégral(e)

intelectual [intelek'twal] *adj, nm/f* intellectuel(le)

inteligencia [inteli'xenθja] *nf* intelligence *f*; **~ artificial** intelligence artificielle

inteligente [inteli'xente] *adj* intelligent(e)

inteligible [inteli'xiβle] *adj* intelligible

intemperie [intem'perje] *nf* intempérie *f*; **a la ~** sans abri

intempestivo, -a [intempes'tiβo, a] *adj* intempestif(-ive)

intención [inten'θjon] *nf* intention *f*; **con segundas intenciones** avec des intentions cachées; **con ~** à dessein, intentionnellement; **buena/mala ~** bonne/mauvaise intention; **de buena/mala ~** bien/mal intentionné(e)

intencionado, -a [intenθjo'naðo, a] *adj* intentionnel(le); **bien/mal ~** bien/mal intentionné(e)

intensidad [intensi'ðað] *nf* intensité *f*; **llover con ~** pleuvoir dru

intenso, -a [in'tenso, a] *adj* intense

intentar [inten'tar] *vt*: **~ (hacer)** essayer *o* tenter de (faire)

intento [in'tento] *nm* essai *m*, tentative *f*; (*propósito*) intention *f*; **al primer/segundo ~** à la première/seconde tentative

intercalar [interka'lar] *vt* intercaler

intercambio [inter'kambjo] *nm* échange *m*

interceder [interθe'ðer] *vi*: **~ (por)** intercéder (en faveur de)

interceptar [interθep'tar] *vt* intercepter; (*tráfico*) entraver

intercesión [interθe'sjon] *nf* intercession *f*

interés [inte'res] *nm* intérêt *m*; **intereses** *nmpl* (*dividendos, aspiraciones*) intérêts *mpl*; (*patrimonio*) biens *mpl*; **con un ~ de 9 por ciento** à 9 pour cent d'intérêt; **dar a ~** prêter à *o* avec intérêt; **devengar ~** rapporter un intérêt; **sentir/tener ~ en** éprouver/avoir de l'intérêt pour; **tipo de ~** (*Com*) taux *msg* d'intérêt; **intereses acumulados** intérêts cumulés; **~ compuesto/simple** intérêt composé/simple; **intereses creados** coalition *f* d'intérêts; **intereses por cobrar/por pagar** intérêts à percevoir/à verser; **~ propio** intérêt personnel

interesado, -a [intere'saðo, a] *adj, nm/f* intéressé(e); **~ en/por** intéressé(e) par

interesante [intere'sante] *adj* intéressant(e); **hacerse el/la ~** faire l'intéressant(e)

interesar [intere'sar] *vt* intéresser; (*Med*) affecter ▪ *vi* être intéressant(e); **interesarse** *vpr*: **~se en** *o* **por** s'intéresser à; **no me interesan los toros** les courses de taureaux ne m'intéressent pas

interferencia [interfe'renθja] *nf* (*Radio, TV, Telec*) interférence *f*; **~ (en)** (*injerencia*) ingérence *f* (dans)

interferir [interfe'rir] *vt* (*Telec*) brouiller ▪ *vi* (*persona*): **~ (en)** s'immiscer (dans)

interfono [inter'fono] *nm* interphone *m*

interino, -a [inte'rino, a] *adj* intérimaire ▪ *nm/f* intérimaire *m/f*; (*Med*) remplaçant(e)

interior [inte'rjor] *adj* intérieur(e) ▪ *nm* intérieur *m*; (*Deporte*) inter *m*; (*Col, Ven*: *tb*: **interiores**) caleçon *m*; **Ministerio del I~** ministère *m* de l'Intérieur; **dije para mi ~** je me suis dit en mon for intérieur; **habitación ~** chambre *f* de derrière; **ropa ~** linge *m* de corps; **vida ~** vie *f* intérieure

interjección [interxek'θjon] *nf* interjection *f*

interlocutor, a [interloku'tor, a] *nm/f* interlocùteur(-trice); **mi ~** mon interlocuteur

intermediario, -a [interme'ðjarjo, a] *adj, nm/f* intermédiaire *m/f*

intermedio, -a [inter'meðjo, a] *adj* intermédiaire ▪ *nm* (*Teatro, Cine*) intervalle *m*

interminable [intermi'naβle] *adj* interminable

intermitente [intermi'tente] *adj* intermittent(e) ▪ *nm* (*Auto*) clignotant *m*

internacional [internaθjo'nal] *adj* international(e)

internado [inter'naðo] *nm* internat *m*

internar [inter'nar] *vt* interner; **internarse** *vpr* (*penetrar*): **~se en** pénétrer dans

internauta [inter'nauta] *nm/f* internaute *m/f*

Internet [inter'net] *nm* Internet *m*; **navegar por ~** naviguer sur l'Internet

interno, -a [in'terno, a] *adj* interne; (*Pol etc*) intérieur(e) ▪ *nm/f* (*alumno*) interne *m/f*; (*médico*) généraliste *m/f*; **medicina interna** médecine *f* générale

interponer [interpo'ner] *vt* interposer; (*Jur*: *apelación*) interjeter; **interponerse** *vpr* s'interposer; **~ (entre)** interposer (entre); **~ recurso (contra)** interjeter appel (contre)

interpretación [interpreta'θjon] *nf* interprétation *f*; **mala ~** mauvaise *o* fausse interprétation

interpretar [interpre'tar] *vt* interpréter; **~ mal** mal interpréter

intérprete [in'terprete] *nm/f* interprète *m/f*

interrogación [interroɣa'θjon] *nf* interrogation *f*; (*tb*: **signo de interrogación**) point *m* d'interrogation

interrogar [interro'ɣar] *vt* interroger

interrumpir [interrum'pir] *vt* interrompre

interrupción [interrup'θjon] *nf* interruption *f*

interruptor [interrup'tor] *nm* (*Elec*) interrupteur *m*

intersección [intersek'θjon] *nf* intersection *f*

interurbano, -a [interur'βano, a] *adj* interurbain(e); **llamada/conferencia interurbana** appel *m* interurbain/communication *f* interurbaine

intervalo [inter'βalo] *nm* intervalle *m*; **a ~s** à intervalles

intervención [interβen'θjon] *nf* intervention *f*; (*Telec*) écoute *f* téléphonique; **la política de no ~** la politique de non-intervention; **~ quirúrgica** intervention chirurgicale

intervenir [interβe'nir] *vt* (*Med*) pratiquer une intervention sur; (*suj*: *policía*) saisir; (*teléfono*) placer sous écoute téléphonique; (*cuenta bancaria*) bloquer ▪ *vi* intervenir

interventor, a [interβen'tor, a] *nm/f* (*en elecciones*) inspecteur(-trice); (*Com*) audit *m/f*

interviú [inter'βju] *nf* interview *f*

intestino [intes'tino] *nm* intestin *m*; **~ delgado/grueso** intestin grêle/gros intestin

intimar [inti'mar] *vt*: **~ a algn a que ...** intimer à qn de ... ▪ *vi* se lier d'amitié

intimidad [intimi'ðað] *nf* intimité *f*; (*amistad*) amitié *f*; **en la ~** dans l'intimité

íntimo, -a ['intimo, a] *adj* intime

intolerable [intole'raβle] *adj* intolérable
intoxicación [intoksika'θjon] *nf* intoxication *f*; **~ alimenticia** intoxication alimentaire
Intranet [intra'net] *nm* Intranet *m*
intranquilizarse *vpr* s'inquiéter
intranquilo, -a [intran'kilo, a] *adj* inquiet(-ète)
intransigente [intransi'xente] *adj* intransigeant(e)
intransitable [intransi'taβle] *adj* impraticable
intrépido, -a [in'trepiðo, a] *adj* intrépide
intriga [in'triɣa] *nf* intrigue *f*
intrigar [intri'ɣar] *vt, vi* intriguer
intrincado, -a [intrin'kaðo, a] *adj* (*camino*) embrouillé(e); (*bosque*) impénétrable; (*problema, asunto*) inextricable
intrínseco, -a [in'trinseko, a] *adj* intrinsèque
introducción [introðuk'θjon] *nf* introduction *f*
introducir [introðu'θir] *vt* introduire; **introducirse** *vpr* s'introduire
intromisión [intromi'sjon] *nf* intromission *f*
introvertido, -a [introβer'tiðo, a] *adj, nm/f* introverti(e)
intruso, -a [in'truso, a] *nm/f* intrus(e)
intuición [intwi'θjon] *nf* intuition *f*; **por ~** par intuition; **tener una gran ~** avoir beaucoup d'intuition
inundación [inunda'θjon] *nf* inondation *f*
inundar [inun'dar] *vt* inonder; **inundarse** *vpr* s'inonder
inusitado, -a [inusi'taðo, a] *adj* (*espectáculo*) insolite; (*hora, calor*) inhabituel(le)
inútil [i'nutil] *adj* (*herramienta*) inutilisable; (*esfuerzo*) inutile; (*persona*: *minusválido*) handicapé(e); (: *pey*) bon(ne) à rien, inepte; **declarar ~ a algn** (*Mil*) réformer qn
inutilidad [inutili'ðað] *nf* inutilité *f*; (*ineptitud*) ineptie *f*
inutilizar [inutili'θar] *vt* rendre inutilisable
invadir [imba'ðir] *vt* envahir
inválido, -a [im'baliðo, a] *adj* invalide ▪ *nm/f* handicapé(e)
invariable [imba'rjable] *adj* invariable
invasión [imba'sjon] *nf* invasion *f*
invasor, a [imba'sor, a] *adj* envahissant(e) ▪ *nm/f* envahisseur *m*
invención [imben'θjon] *nf* invention *f*
inventar [imben'tar] *vt* inventer
inventario [imben'tarjo] *nm* inventaire *m*; **hacer ~ de** faire l'inventaire de
inventiva [imben'tiβa] *nf* inventivité *f*
invento [im'bento] *nm* invention *f*
inventor, a [imben'tor, a] *nm/f* inventeur(-trice)
invernadero [imberna'ðero] *nm* serre *f*
inverosímil [imbero'simil] *adj* invraisemblable
inversión [imber'sjon] *nf* (*Com*) investissement *m*; **~ de capitales** investissement de capitaux; **inversiones extranjeras** investissements étrangers
inverso, -a [im'berso, a] *adj* inverse; **en orden ~** dans l'ordre inverse; **a la inversa** à l'inverse; **traducción inversa** thème *m*
inversor, a [imber'sor, a] *nm/f* (*Com*) investisseur *m*
invertir [imber'tir] *vt* (*Com*) investir; (*poner del revés*) intervertir; (*tiempo*) consacrer
investigación [imbestiɣa'θjon] *nf* recherche *f*; **~ de los medios de publicidad** recherche sur les supports publicitaires; **~ del mercado** étude *f* de marché; **~ y desarrollo** (*Com*) recherche et développement
investigar [imbesti'ɣar] *vt* (*indagar*) chercher; (*estudiar*) faire des recherches en
invierno [im'bjerno] *nm* hiver *m*
invisible [imbi'siβle] *adj* invisible; **exportaciones/importaciones ~s** exportations *fpl*/importations *fpl* invisibles
invitación [imbita'θjon] *nf* invitation *f*
invitado, -a [imbi'taðo, a] *nm/f* invité(e)
invitar [imbi'tar] *vt* inviter; **~ a algn a hacer algo** inviter qn à faire qch; **~ a algo** inviter à qch; **te invito a un café** je te paie un café; **invito yo** c'est moi qui invite *o* paie
invocar [imbo'kar] *vt* (*tb Inform*) invoquer
involucrar [imbolu'krar] *vt*: **~ a algn en** impliquer qn dans; **involucrarse** *vpr*: **~se en** s'impliquer dans
involuntario, -a [imbolun'tarjo, a] *adj* involontaire
inyección [injek'θjon] *nf* piqûre *f*, injection *f*; **poner una ~ a algn** faire une piqûre à qn; **ponerse una ~** se faire une piqûre; **~ intramuscular** injection intramusculaire; **~ intravenosa** injection intraveineuse, intraveineuse *f*
inyectar [injek'tar] *vt* (*Med*) injecter; **~ (en)** (*introducir*) injecter (dans)

PALABRA CLAVE

ir [ir] *vi* 1 aller; **ir andando** marcher; **fui en tren** j'y suis allé en train; **voy a la calle** je sors; **¡(ahora) voy!** j'y vais!; **ir desde X a Y** (*extenderse*) aller de X à Y; **ir de pesca/de vacaciones** aller à la pêche/en vacances
2: **ir (a) por**; **ir (a) por el médico** aller chercher le docteur
3 (*progresar*) aller; **el trabajo va muy bien** le travail marche très bien; **¿cómo te va?** tu t'y fais?; **¿cómo te va en el trabajo?** comment ça va au travail?; **me va muy bien** ça va très bien; **le fue fatal** ça n'a pas du tout été
4 (*funcionar*): **el coche no va muy bien** la voiture ne marche pas très bien
5 (*sentar*): **me va estupendamente** (*ropa, color*) cela me va à merveille; (*medicamento*) c'est exactement ce qu'il me fallait
6 (*aspecto*): **ir con zapatos negros** porter des chaussures noires; **iba muy bien vestido** il était très bien habillé
7 (*combinar*): **ir con algo** aller avec qch
8 (*excl*): **¡que va!** (*no*) mais non!; **¿qué tal? - ¡vaya!** ça va? - à peu près!; **vamos, no llores** allons, ne pleure pas; **vamos a ver** voyons voir; **¡vaya coche!** (*admiración*) quelle super voiture!; (*desprecio*) quelle voiture minable!; **que le vaya bien** (*esp AM*: *despedida*) salut!; **¡vete a saber!** allez savoir!
9: **ir a mejor/peor** aller mieux/mal; **ir de mal en peor** aller de mal en pis; **va para largo** ça va prendre du temps; **en esta casa cada uno va a lo suyo** dans cette maison c'est chacun pour soi; **¡a eso voy!** j'y viens!; **eso no va por ti** ça ne s'applique pas à toi; **ni me va ni me viene** ça ne me regarde pas
10: **no vaya a ser**; **tienes que correr, no vaya a ser que pierdas el tren** il faut que tu te dépêches, sinon tu vas rater ton train
▪ *vb aux* 1: **ir a**; **voy/iba a hacerlo hoy** je vais/j'allais le faire aujourd'hui
2 (+ *gerundio*): **iba anocheciendo** il commençait à faire nuit; **todo se me iba aclarando** tout devenait clair pour moi
3 (+ *pp = pasivo*): **van vendidos 300 ejemplares** 300 exemplaires ont déjà été vendus
irse *vpr* 1: **¿por dónde se va al parque?** comment va-t-on au parc?
2: **irse (de)** (*marcharse*) s'en aller (de); **ya se habrán ido** ils doivent être déjà partis; **¡vete!** vas-y!; (*con enfado*) va-t-en!; **¡vámonos!** allons-y!, on y va!; **¡nos fuimos!** (*AM*: *vámonos*) on y va!

IRA *sigla m* (= *Ejército Republicano Irlandés*) IRA *f* (= *Armée Républicaine Irlandaise*)
ira ['ira] *nf* colère *f*
Irak [i'rak] *nm* = **Iraq**
Irán [i'ran] *nm* Iran *m*
iraní [ira'ni] *adj* iranien(ne) ▪ *nm/f* Iranien(ne)
Iraq [i'rak] *nm* Irak *m*
iraquí [ira'ki] *adj* irakien(ne), iraquien(ne) ▪ *nm/f* Irakien(ne), Iraquien(ne)
iris ['iris] *nm inv* (*arco iris*) arc-en-ciel *m*; (*Anat*) iris *msg*
Irlanda [ir'landa] *nf* Irlande *f*; **~ del Norte** Irlande du Nord
irlandés, -esa [irlan'des, esa] *adj* irlandais(e) ▪ *nm/f* Irlandais(e) ▪ *nm* (*Ling*) irlandais *msg*
ironía [iro'nia] *nf* ironie *f*
irónico, -a [i'roniko, a] *adj* ironique
IRPF (*Esp*) *sigla m* (= *Impuesto sobre la Renta de las Personas Físicas*) ≈ IRPP *m* (= *impôt sur le revenu des personnes physiques*)
irracional [irraθjo'nal] *adj* irrationnel(le)
irreal [irre'al] *adj* irréel(le)
irrecuperable [irrekupe'raβle] *adj* irrécupérable
irreflexión [irreflek'sjon] *nf* irréflexion *f*
irregular [irreɣu'lar] *adj* irrégulier(-ère)
irremediable [irreme'ðjaβle] *adj* irrémédiable
irreparable [irrepa'raβle] *adj* irréparable
irresoluto, -a [irreso'luto, a] *adj* irrésolu(e)
irrespetuoso, -a [irrespe'twoso, a] *adj* irrespectueux(-euse)
irresponsable [irrespon'saβle] *adj* irresponsable
irreversible [irreβer'siβle] *adj* irréversible
irrigar [irri'ɣar] *vt* irriguer
irrisorio, -a [irri'sorjo, a] *adj* dérisoire
irritación [irrita'θjon] *nf* irritation *f*
irritar [irri'tar] *vt* irriter; **irritarse** *vpr* s'irriter
irrupción [irrup'θjon] *nf* irruption *f*
isla ['isla] *nf* île *f*; **las I~s Filipinas/Malvinas/Canarias** les îles Philippines/Malouines/Canaries

Islam [is'lam] *nm* Islam *m*
islandés, -esa [islan'des, esa] *adj* islandais(e) ▪ *nm/f* Islandais(e) ▪ *nm* (*Ling*) islandais *msg*
Islandia [is'landja] *nf* Islande *f*
isleño, -a [is'leɲo, a] *adj, nm/f* insulaire *m/f*
Israel [isra'el] *nm* Israël *m*
israelí [israe'li] *adj* israélien(ne) ▪ *nm/f* Israélite *m/f*
istmo ['istmo] *nm* isthme *m*; **el I~ de Panamá** l'Isthme de Panama
Italia [i'talja] *nf* Italie *f*
italiano, -a [ita'ljano, a] *adj* italien(ne) ▪ *nm/f* Italien(ne) ▪ *nm* (*Ling*) italien *m*
itinerario [itine'rarjo] *nm* itinéraire *m*
IVA ['iβa] (*Esp*) *sigla m* (*Com*: = *Impuesto sobre el Valor Añadido*) TVA *f* (= *taxe à la valeur ajoutée*)
izar [i'θar] *vt* hisser
izdo. *abr* (= *izquierdo*) g (= *gauche*)
izquierda [iθ'kjerða] *nf* gauche *f*; (*lado izquierdo*) côté *m* gauche; **a la ~** à gauche; **a la ~ del edificio** à gauche de l'immeuble; **el camino de la ~** le chemin de gauche; **es un cero a la ~** (*fam*) c'est un nullard; **conducción por la ~** conduite *f* à gauche; **ser de ~s** être de gauche
izquierdista [iθkjer'ðista] *adj* (*Pol*) de gauche ▪ *nm/f* gauchiste *m/f*
izquierdo, -a [iθ'kjerðo, a] *adj* gauche

J

jabalí [xaβa'li] *nm* sanglier *m*
jabalina [xaβa'lina] *nf* javelot *m*
jabón [xa'βon] *nm* savon *m*; **dar ~ a algn** passer de la pommade à qn; **~ de afeitar** savon à barbe; **~ de baño** savon liquide; **~ de tocador** savon de toilette; **~ en polvo** savon en poudre
jabonar [xaβo'nar] *vt* savonner; **jabonarse** *vpr* se savonner
jaca ['xaka] *nf* bidet *m*; (*yegua*) petite jument *f*
jacinto [xa'θinto] *nm* jacinthe *f*
jactarse [xak'tarse] *vpr*: **~ (de)** se vanter (de)
jadear [xaðe'ar] *vi* haleter
jadeo [xa'ðeo] *nm* halètement *m*
jaguar [xa'ɣwar] *nm* jaguar *m*
jalea [xa'lea] *nf* gelée *f*
jaleo [xa'leo] *nm* (*barullo*) tapage *m*; (*riña*) grabuge *m*; **armar un ~** faire (toute) une histoire; **me armé un ~ con las fechas** je me suis embrouillé dans ces dates; **¡qué ~!** quelle pagaille!
jalón [xa'lon] *nm* (*AM*: *estirón*) coup *m*; (*estaca, fig*) jalon *m*
jamás [xa'mas] *adv* jamais; **¿se vio ~ tal cosa?** a-t-on jamais vu cela?
jamón [xa'mon] *nm* jambon *m*; **¡y un ~!** (*fam*) mon œil!; **~ de York/serrano** jambon cuit/cru

Japón [xa'pon] *nm* Japon *m*
japonés, -esa [xapo'nes, esa] *adj* japonais(e) ■ *nm/f* Japonais(e) ■ *nm* (*Ling*) japonais *msg*
jaque ['xake] *nm* (*Ajedrez*) échec *m*; **dar ~** mettre en échec; **tener en ~ a algn** tracasser qn; **~ mate** échec et mat
jaqueca [xa'keka] *nf* migraine *f*
jarabe [xa'raβe] *nm* sirop *m*; **~ para la tos** sirop contre la toux
jarcia ['xarθja] *nf* (*Náut*) cordage *m*
jardín [xar'ðin] *nm* jardin *m*; **~ botánico** jardin botanique; **~ de (la) infancia** *o* **de infantes** (*AM*) jardin d'enfants
jardinería [xarðine'ria] *nf* jardinage *m*
jardinero, -a [xarði'nero, a] *nm/f* jardinier(-ère)
jarra ['xarra] *nf* jarre *f*; (*de leche*) cruchon *m*; (*de cerveza*) chope *f*; **de** *o* **en ~s** les poings sur les hanches
jarro ['xarro] *nm* broc *m*; **ser un ~ de agua fría** faire l'effet d'une douche froide
jaula ['xaula] *nf* cage *f*; (*embalaje*) cageot *m*
jauría [xau'ria] *nf* meute *f*
jazmín [xaθ'min] *nm* jasmin *m*
jefa ['xefa] *nf ver* **jefe**
jefatura [xefa'tura] *nf* (*liderato*) commandement *m*; (*sede*) direction *f*; **J~ de la aviación civil** Direction de l'aviation civile; **~ de policía** préfecture *f* de police
jefe, -a ['xefe, a] *nm/f* chef *m*; **ser el ~** (*fig*) être le chef; **comandante en ~** commandant *m* en chef; **~ ejecutivo** (*Com*) directeur *m* des ventes; **~ de estación** chef de gare; **~ de estado** chef d'état; **~ de estado mayor** chef d'état major; **~ de estudios** surveillant *m* général; **~ de gobierno** chef de gouvernement; **~ de negociado** chef de service; **~ de oficina/de producción** (*Com*) chef de bureau/de production; **~ de redacción** rédacteur *m* en chef
jeque ['xeke] *nm* cheik *m*
jerarquía [xerar'kia] *nf* hiérarchie *f*; (*persona*) supérieur *m*
jerárquico, -a [xe'rarkiko, a] *adj* hiérarchique
jerez [xe'reθ] *nm* xérès *msg*, jerez *msg*; **J~ de la Frontera** Jerez
jerga ['xerɣa] *nf* jargon *m*; **~ informática** jargon informatique
jeringa [xe'ringa] *nf* seringue *f*; (*esp AM*: *fam*) ennui *m*; **~ de engrase** graisseur *m*
jeringuilla [xerin'guiʎa] *nf* seringue *f*
jeroglífico [xero'ɣlifiko] *nm* hiéroglyphe *m*; (*pasatiempo*) rébus *m*
jersey [xer'sei] (*pl* **~s** *o* **jerséis**) *nm* pull-over *m*
Jerusalén [xerusa'len] *n* Jérusalem
Jesucristo [xesu'kristo] *nm* Jésus-Christ *m*
jesuita [xe'swita] *adj, nm* jésuite *m*
Jesús [xe'sus] *nm* Jésus *m*; **¡Jesús!** mon Dieu!; (*al estornudar*) à tes *o* vos souhaits!
jinete [xi'nete] *nm* cavalier *m*; **ser buen/mal ~** être un bon/mauvais cavalier
jipijapa [xipi'xapa] (*AM*) *nm* panama *m*
jirafa [xi'rafa] *nf* girafe *f*
jirón [xi'ron] *nm* lambeau *m*; (*Pe*: *calle*) rue *f*
jocoso, -a [xo'koso, a] *adj* cocasse
jofaina [xo'faina] *nf* cuvette *f*
jornada [xor'naða] *nf* journée *f*; (*Deporte*) étape *f*; **~ de 8 horas** journée de 8 heures; **(trabajar a) ~ intensiva/partida** (faire la) journée continue/discontinue
jornal [xor'nal] *nm* journée *f*
jornalero [xorna'lero] *nm* journalier *m*
joroba [xo'roβa] *nf* bosse *f*
jorobado, -a [xoro'βaðo, a] *adj, nm/f* bossu(e)
jota ['xota] *nf* (*letra*) j *m inv*; (*danza*) jota *f*; **no entiendo ni ~** je n'y pige rien; **no sabe ni ~** il n'en sait rien; **no veo ni ~** je n'y vois rien
joven ['xoβen] *adj* jeune ■ *nm* jeune homme *m*; (*Méx*: *señor*) monsieur *m* ■ *nf* jeune fille *f*; **¡oiga, ~!** eh, jeune homme!
jovial [xo'βjal] *adj* jovial(e)
joya ['xoja] *nf* bijou *m*; (*persona*) perle *f*; **~s de fantasía** bijoux *mpl* fantaisie
joyería [xoje'ria] *nf* bijouterie *f*
joyero [xo'jero] *nm* bijoutier *m*; (*caja*) coffret *m* à bijoux
juanete [xwa'nete] *nm* (*del pie*) oignon *m*
jubilación [xuβila'θjon] *nf* retraite *f*
jubilado, -a [xuβi'lado, a] *adj, nm/f* retraité(e)
jubilar [xuβi'lar] *vt* mettre à la retraite; (*fam*: *algo viejo*) mettre au rancart; **jubilarse** *vpr* prendre sa retraite
júbilo ['xuβilo] *nm* joie *f*
judía [xu'ðia] *nf* haricot *m*; **~ verde** haricot vert; **~ blanca** flageolet *m*; *ver tb* **judío**
judicial [xuði'θjal] *adj* judiciaire
judío, -a [xu'ðio, a] *adj, nm/f* juif(-ive)
judo ['juðo] *nm* judo *m*
juego ['xweɣo] *vb ver* **jugar** ■ *nm* jeu *m*; (*vajilla*) service *m*; (*herramientas*) assortiment *m*; **estar en ~** être en jeu; **fuera de ~** hors-jeu; **hacer ~ con** aller avec, faire pendant à; **hacerle el ~ a algn** faire le jeu de qn; **por ~** par jeu, pour

jouer; **~ de azar** jeu de hasard; **~ de café** service à café; **~ de caracteres** (*Inform*) jeu de caractères; **~ de cartas** *o* **de naipes** jeu de cartes; **~ de palabras** jeu de mots; **~ de programas** (*Inform*) jeu de programmes; **~ limpio** jeu franc, fair-play *m*; **~s malabares** jongleries *fpl*; **J~s Olímpicos** Jeux olympiques; **~ sucio** jeu déloyal

juerga ['xweɾɣa] *nf* fête *f*; **ir de ~** faire la fête; **tomar a ~ algo** ne pas prendre qch au sérieux

jueves ['xweβes] *nm inv* jeudi *m*; **la fiesta no fue nada del otro ~** la fête n'était pas géniale; *ver tb* **sábado**

juez [xweθ] *nm/f* (*f tb*: *jueza*) juge *m*; **~ de instrucción** juge d'instruction; **~ de línea** juge de touche; **~ de paz** juge de paix; **~ de salida** starter *m*

jugada [xu'ɣaða] *nf* (*en juego*) coup *m*; (*fig*) mauvais tour *m*; **buena/mala ~** bon/mauvais tour

jugador, a [xuɣa'ðor, a] *nm/f* joueur(-euse)

jugar [xu'ɣar] *vt, vi* jouer; **jugarse** *vpr* (*partido*) se jouer; (*lotería*) être tiré(e); (*vida, puesto, futuro*) jouer; **~ a** jouer à; **~(se) algo a cara o cruz** jouer qch à pile ou face; **~ sucio** ne pas jouer franc jeu; **¿quién juega?** à qui le tour?; **¡me la han jugado!** (*fam*) on m'a eu!, on m'a refait!; **~se el todo por el todo** jouer le tout pour le tout

jugo ['xuɣo] *nm* jus *msg*; (*fig*: *de artículo etc*) suc *m*; **sacarle ~ a algo** (*fig*) profiter au maximum de qch; **~ de naranja/de piña** jus d'orange/d'ananas

jugoso, -a [xu'ɣoso, a] *adj* juteux(-euse); (*fig*) savoureux(-euse)

juguete [xu'ɣete] *nm* jouet *m*

juguetear [xuɣete'ar] *vi* jouer

juguetería [xuɣete'ria] *nf* magasin *m* de jouets

juguetón, -ona [xuɣe'ton, ona] *adj* joueur(-euse)

juicio ['xwiθjo] *nm* jugement *m*; (*sensatez*) esprit *m*; (*opinión*) avis *msg*; (*Jur*) procès *msg*; **a mi** *etc* **~** à mon *etc* avis; **estar fuera de ~** avoir perdu l'esprit; **estar algn en su (sano) ~** avoir tous ses esprits; **perder el ~** perdre la tête; **poner algo en tela de ~** remettre qch en question; **J~ Final** jugement dernier

juicioso, -a [xwi'θjoso, a] *adj* sage

julio ['xuljo] *nm* juillet *m*; **el uno de ~** le premier juillet; **el dos/once de ~** le deux/onze juillet; **a primeros/finales de ~** début/fin juillet

junco ['xunko] *nm* jonc *m*; (*Náut*) jonque *f*

jungla ['xungla] *nf* jungle *f*

junio ['xunjo] *nm* juin *m*; *ver tb* **julio**

junta ['xunta] *nf* comité *m*; (*organismo*) assemblée *f*, conseil *m*; (*Tec*: *punto de unión*) joint *m*; (: *arandela*) joint, rondelle *f*; **~ constitutiva** (*Com*) comité constitutif; **~ de culata** (*Auto*) joint de culasse; **~ directiva** équipe *f* de direction; **~ general extraordinaria** assemblée générale extraordinaire; **~ militar** junte *f* militaire

juntar [xun'tar] *vt* (*grupo, dinero*) rassembler; (*rodillas, pies*) joindre; **juntarse** *vpr* (*ríos, carreteras*) se rejoindre; (*personas*) se rassembler; (: *citarse*) se voir; (: *acercarse*) se rapprocher; (: *vivir juntos*) vivre à la colle; **~se a** *o* **con algn** rejoindre qn

junto, -a ['xunto, a] *adj* ensemble ▪ *adv*: **todo ~** tout ensemble; **~ a** (*cerca de*) à côté de; (*además de*) avec; **~ con** ci-joint; **~s** ensemble; (*próximos*) rapprochés; (*en contacto*) joints

jurado [xu'raðo] *nm* jury *m*; (*individuo*: *Jur*) juré *m*; (: *de concurso*) membre *m* du jury

juramento [xura'mento] *nm* serment *m*; (*maldición*) juron *m*; **bajo ~** sous la foi du serment; **prestar ~** prêter serment; **tomar ~ a** faire prêter serment de

jurar [xu'rar] *vt, vi* jurer; **~ en falso** se parjurer; **jurársela(s) a algn** garder un chien de sa chienne à qn

jurídico, -a [xu'riðiko, a] *adj* juridique

jurisdicción [xurisðik'θjon] *nf* juridiction *f*

jurisprudencia [xurispru'ðenθja] *nf* jurisprudence *f*

jurista [xu'rista] *nm/f* juriste *m/f*

justamente ['xustamente] *adv* justement

justicia [xus'tiθja] *nf* justice *f*; **en ~** en toute justice; **hacer ~** rendre la justice; **ser de ~** être juste; **su físico hacía ~ a su imagen** son physique correspondait à l'image qu'on se faisait de lui

justiciero, -a [xusti'θjero, a] *adj* justicier(-ère)

justificación [xustifika'θjon] *nf* justification *f*; **~ automática** (*Inform*) justification automatique

justificar [xustifi'kar] *vt* justifier; **justificarse** *vpr* se justifier

justo, -a ['xusto, a] *adj* juste; (*exacto*) exact(e); (*preciso*) précis(e) ▪ *adv* précisément; **¡~!** juste!; **llegaste muy ~** tu es arrivé juste à temps; **venir muy ~** (*dinero, comida*) être (tout) juste suffisant;

me viene *o* **está muy justa esta falda** cette jupe est un peu juste pour moi; **vivir muy ~** parvenir tout juste à joindre les deux bouts

juvenil [xuβe'nil] *adj* juvénile; (*equipo*) junior; (*moda, club*) de jeunes; (*aspecto*) jeune

juventud [xuβen'tuð] *nf* jeunesse *f*; (*jóvenes*) jeunes *mpl*

juzgado [xuθ'ɣaðo] *nm* tribunal *m*; **~ de instrucción/de primera instancia** tribunal *m* de police/de première instance

juzgar [xuθ'ɣar] *vt* juger; (*opinar*) penser; **a ~ por ...** à en juger par ...; **~ mal** se méprendre (sur); **júzguelo usted mismo** jugez-en vous-même; **la juzgo muy capaz de hacerlo** j'estime qu'elle est très capable de le faire; **lo juzgo mi deber** j'estime que c'est mon devoir

K

karate [ka'rate], **kárate** ['karate] *nm* karaté *m*

Kg., kg. *abr* (= *kilogramo(s)*) kg, K (= *kilogramme(s)*)

kilo ['kilo] *nm* kilo *m*; (*fam*) million *m* de pesetas

kilocaloría [kilokalo'ria] *nf* kilocalorie *f*

kilogramo [kilo'ɣramo] *nm* kilogramme *m*

kilometraje [kilome'traxe] *nm* kilométrage *m*

kilómetro [ki'lometro] *nm* kilomètre *m*; **~ cuadrado** kilomètre carré

kilovatio [kilo'βatjo] *nm* kilowatt *m*; **~ hora** kilowatt-heure *m*

kiosco ['kjosko] *nm* = **quiosco**

km *abr* (= *kilómetro(s)*) km (= *kilomètre(s)*)

km/h *abr* (= *kilómetros por hora*) km/h (= *kilomètres/heure*)

kosovar [koso'bar] *adj* kosovar ■ *nm/f* Kosovar *m/f*

kv *abr* (= *kilovatio(s)*) kW (= *kilowatt*)

kv/h *abr* (= *kilovatios-hora*) kWh (= *kilowattheure*)

l

l. *abr* (= *litro(s)*) l (= *litre(s)*); (*Jur*) = **ley**
L/ *abr* (*Com*) = **letra**
la [la] *art def* la ■ *pron* (*a ella*) la, l'; (*usted*) vous; (*cosa*) la ■ *nm* (*Mús*) la *m inv*; **está en la cárcel** il est en prison; **la del sombrero rojo** celle qui porte un chapeau rouge
laberinto [laβe'rinto] *nm* labyrinthe *m*
labia ['laβja] *nf* (*locuacidad*) volubilité *f*; (*pey*) bagout *m*; **tener mucha ~** avoir du bagout
labio ['laβjo] *nm* lèvre *f*; (*de vasija etc*) bord *m*; **~ inferior/superior** lèvre inférieure/supérieure
labor [la'βor] *nf* travail *m*, labeur *m*; (*Agr*) labour *m*; (*obra*) travail; (*Costura, de punto*) ouvrage *m*; **~ de equipo** travail d'équipe; **~ de ganchillo** ouvrage au crochet; **~es domésticas** *o* **del hogar** tâches *fpl* domestiques
laborable [laβo'raβle] *adj* (*Agr*) labourable; **día ~** jour *m* ouvrable
laboral [laβo'ral] *adj* du travail
laboratorio [laβora'torjo] *nm* laboratoire *m*
laborioso, -a [laβo'rjoso, a] *adj* (*persona*) travailleur(-euse); (*negociaciones, trabajo*) laborieux(-euse)
labrado, -a [la'βraðo, a] *adj* (*campo*) labouré(e); (*madera*) travaillé(e); (*metal, cristal*) ciselé(e) ■ *nm* (*de madera etc*) travail *m*
Labrador [laβra'ðor] *nm* Labrador *m*
labrador, a [laβra'ðor, a] *nm/f* cultivateur(-trice)
labrar [la'βrar] *vt* (*tierra*) labourer; (*madera, cuero*) travailler; (*metal, cristal*) ciseler; (*porvenir, ruina*) courir à
labriego, -a [la'βrjeɣo, a] *nm/f* paysan(ne)
laca ['laka] *nf* laque *f*; **~ de uñas** vernis *msg* à ongles
lacayo [la'kajo] *nm* laquais *msg*
lacio, -a ['laθjo, a] *adj* raide
lacónico, -a [la'koniko, a] *adj* laconique
lacra ['lakra] *nf* cicatrice *f*; (*fig*) fléau *m*; **~ social** fléau de la société
lacrar [la'krar] *vt* cacheter
lacre ['lakre] *nm* cire *f* (à cacheter)
lactancia [lak'tanθja] *nf* allaitement *m*
lácteo, -a ['lakteo, a] *adj*: **productos ~s** produits *mpl* laitiers
ladear [laðe'ar] *vt* pencher; **ladearse** *vpr* se pencher; (*Aviat*) virer sur l'aile
ladera [la'ðera] *nf* versant *m*
lado ['laðo] *nm* côté *m*; (*de cuerpo, Mil*) flanc *m*; **~ izquierdo/derecho** côté gauche/droit; **al ~ (de)** à côté (de); **estar/ponerse del ~ de algn** être/se mettre du côté de qn; **hacerse a un ~** se mettre sur le côté; **poner de ~** mettre *o* placer de côté; **poner a un ~** mettre à côté; **me da de ~** je m'en fiche; **por un ~ ..., por otro ~ ...** d'un côté ..., d'un autre côté ...; **por todos ~s** de tous les côtés
ladrar [la'ðrar] *vi* aboyer
ladrido [la'ðriðo] *nm* aboiement *m*
ladrillo [la'ðriʎo] *nm* brique *f*; **este libro es un ~** (*fig*) ce livre est un pavé
ladrón, -ona [la'ðron, ona] *nm/f* voleur(-euse) ■ *nm* (*Elec*) prise *f* multiple
lagartija [laɣar'tixa] *nf* lézard *m*
lagarto [la'ɣarto] *nm* lézard *m*; (*AM*: *caimán*) caïman *m*
lago ['laɣo] *nm* lac *m*
lágrima ['laɣrima] *nf* larme *f*; **~s de cocodrilo** larmes de crocodile
laguna [la'ɣuna] *nf* lagune *f*; (*en escrito, conocimientos*) lacune *f*
laico, -a ['laiko, a] *adj, nm/f* laïque *m/f*
lamentable [lamen'taβle] *adj* (*desastroso*) déplorable; (*lastimoso*) lamentable
lamentar [lamen'tar] *vt* (*desgracia, pérdida*) pleurer; **lamentarse** *vpr*: **~se (de)** se lamenter (sur); **lamento tener que decirle ...** je regrette d'avoir à vous

dire ...; **lamento que no haya venido** je regrette qu'il ne soit pas venu; **lo lamento mucho** je regrette beaucoup
lamento [la'mento] *nm* plainte *f*
lamer [la'mer] *vt* lécher
lámina ['lamina] *nf* (*de metal, papel*) feuille *f*; (*ilustración, de madera*) planche *f*
lámpara ['lampara] *nf* lampe *f*; (*mancha*) tache *f*; **~ de alcohol/de gas** lampe à alcool/à gaz; **~ de pie** lampe de chevet
lana ['lana] *nf* laine *f*; (*AM*: *fam*: *dinero*) fric *m*; **de ~** en laine
lancha ['lantʃa] *nf* canot *m*, vedette *f*; **~ de socorro** canot de sauvetage; **~ motora** canot à moteur; **~ neumática** canot pneumatique; **~ torpedera** vedette lance-torpilles
langosta [lan'gosta] *nf* (*insecto*) sauterelle *f*; (*crustáceo*) langouste *f*
langostino [langos'tino] *nm* langoustine *f*
languidecer [langiðe'θer] *vi* languir
languidez [langi'ðeθ] *nf* langueur *f*
lánguido, -a ['langiðo, a] *adj* languissant(e)
lanza ['lanθa] *nf* lance *f*
lanzamiento [lanθa'mjento] *nm* lancer *m*; (*de cohete, Com*) lancement *m*; **~ de pesos** lancer du poids
lanzar [lan'θar] *vt* lancer; **lanzarse** *vpr*: **~se a** se jeter à; (*al vacío*) se jeter dans; (*fig*) se lancer à; **~se contra algn/algo** se lancer contre qn/qch
lapa ['lapa] *nf* bernicle *f*, bernique *f*; **pegarse como** *o* **ser una ~** (*fam*) être pot de colle
lapicero [lapi'θero] *nm* crayon *m*; (*AM*: *bolígrafo*) stylo *m*
lápida ['lapiða] *nf* pierre *f* tombale; **~ conmemorativa** plaque *f* commémorative
lapidario, -a [lapi'ðarjo, a] *adj, nm* lapidaire *m*
lápiz ['lapiθ] *nm* crayon *m* (à papier); **a ~** au crayon; **~ de color** crayon de couleur; **~ de labios/de ojos** rouge *m* à lèvres/crayon pour les yeux; **~ óptico** *o* **luminoso** crayon optique
lapón, -ona [la'pon, ona] *adj* lapon(e) ■ *nm/f* Lapon(e) ■ *nm* (*Ling*) lapon *m*
lapso ['lapso] *nm* (*tb*: **lapso de tiempo**) laps *msg* de temps; (*error*) lapsus *msg*
lapsus ['lapsus] *nm inv* lapsus *msg*
largar [lar'ɣar] *vt* (*Náut*: *cable*) larguer; (*fam*: *dinero, bofetada*) allonger; (: *discurso*) infliger; (*AM*) lancer ■ *vi* (*fam*: *hablar*) causer; **largarse** *vpr* (*fam*) se casser; **~se a** (*AM*) se mettre à
largo, -a ['larɣo, a] *adj* long (longue); (*persona*: *alta*) grand(e); (: *generosa*) large ■ *nm* longueur *f*; (*Mús*) largo *m*; **dos horas largas** deux bonnes heures; **a ~ plazo** à long terme; **tiene 9 metros de ~** il fait 9 mètres de long; **¡~ (de aquí)!** (*fam*) fous le camp!; **~ y tendido** (*hablar*) en long et en large; **a lo ~** (*posición*) en long; **a lo ~ de** (*espacio*) le long de; (*tiempo*) pendant; **hacerse muy ~** traîner en longueur; **a la larga** à la fin; **me dio largas con la promesa de que ...** il s'est débarrassé de moi en promettant que ...
largometraje [larɣome'traxe] *nm* long métrage *m*
laringe [la'rinxe] *nf* larynx *msg*
laringitis [larin'xitis] *nf* laryngite *f*
larva ['larβa] *nf* larve *f*
las [las] *art def, pron* les; **~ que cantan** celles qui chantent
lascivo, -a [las'θiβo, a] *adj* lascif(-ive)
láser ['laser] *nm* laser *m*; **rayo ~** rayon *m* laser
lástima ['lastima] *nf* pitié *f*; **dar ~** faire pitié; **es una ~ que** quel dommage que; **¡qué ~!** quel dommage!; **estar hecho una ~** faire pitié à voir
lastimar [lasti'mar] *vt* (*herir*) blesser; (*ofender*) peiner; **lastimarse** *vpr* se blesser
lastimero, -a [lasti'mero, a] *adj* navrant(e)
lastre ['lastre] *nm* (*Tec, Náut*) leste *m*; (*fig*) poids *msg* mort
lata ['lata] *nf* (*metal*) fer *m* blanc; (*envase*) boîte *f* de conserve; (*fam*) plaie *f*; **en ~** en conserve; **dar la ~** enquiquiner; **¡qué ~!** quelle plaie!
latente [la'tente] *adj* latent(e)
lateral [late'ral] *adj* latéral(e) ■ *nm* (*de iglesia, camino*) côté *m*; (*Deporte*) aile *f*
latido [la'tiðo] *nm* (*del corazón*) battement *m*
latifundio [lati'fundjo] *nm* latifundio *m*, latifundium *m*
latifundista [latifun'dista] *nm/f* propriétaire *m/f* d'un latifundio
latigazo [lati'ɣaθo] *nm* coup *m* de fouet; (*fig*: *dolor*) douleur *f* vive
látigo ['latiɣo] *nm* fouet *m*
latín [la'tin] *nm* (*Ling*) latin *m*; **saber (mucho) ~** (*fam*) ne pas être né(e) de la dernière pluie
latino, -a [la'tino, a] *adj* latin(e)
Latinoamérica [latinoa'merika] *nf* Amérique *f* latine
latinoamericano, -a [latinoameri'kano, a] *adj* latino-américain(e) ■ *nm/f* Latino-américain(e)

latir [la'tir] *vi* battre
latitud [lati'tuð] *nf* latitude *f*; **latitudes** *nfpl* (*región*) latitudes *fpl*
latón [la'ton] *nm* laiton *m*
latoso, -a [la'toso, a] *adj* enquiquinant(e)
laúd [la'uð] *nm* (*Mús*) luth *m*
laurel [lau'rel] *nm* laurier *m*; **dormirse en los ~es** s'endormir sur ses lauriers
lava ['laβa] *nf* lave *f*
lavabo [la'βaβo] *nm* lavabo *m*; (*servicio*) toilettes *fpl*
lavado [la'βaðo] *nm* nettoyage *m*; (*de cuerpo*) toilette *f*; **~ de cerebro** lavage *m* de cerveau; **~ de estómago** lavage d'estomac
lavadora [laβa'ðora] *nf* machine *f* à laver
lavanda [la'βanda] *nf* lavande *f*
lavandería [laβande'ria] *nf* blanchisserie *f*; **~ automática** laverie *f* automatique
lavaplatos [laβa'platos] *nm inv* lave-vaisselle *m inv*
lavar [la'βar] *vt* laver; **lavarse** *vpr* se laver; **~ y marcar** (*pelo*) faire un shampooing et une mise en plis; **~ en seco** nettoyer *m* à sec; **~se las manos** se laver les mains; (*fig*) s'en laver les mains
lavavajillas [laβaβa'xiʎas] *nm inv* = **lavaplatos**
laxante [lak'sante] *nm* laxatif *m*
lazada [la'θaða] *nf* nœud *m*
lazarillo [laθa'riʎo] *nm* guide *m/f* d'aveugle; **perro ~** chien *m* d'aveugle
lazo ['laθo] *nm* nœud *m*; (*para animales*) lasso *m*; (*trampa*) piège *m*; (*vínculo*) lien *m*; **~ corredizo** nœud coulant; **~s de amistad/de parentesco** liens *mpl* d'amitié/de parenté
L/C *abr* (= *Letra de Crédito*) L/C (= *lettre de crédit*)
le [le] *pron* (*directo*) le; (: *usted*) vous; (*indirecto*) lui; (: *usted*) vous
leal [le'al] *adj* loyal(e)
lealtad [leal'tað] *nf* loyauté *f*
lección [lek'θjon] *nf* leçon *f*; **dar lecciones de** donner des leçons de; **dar una ~ a algn** (*fig*) donner une bonne leçon à qn; **~ práctica** leçon de choses
leche ['letʃe] *nf* lait *m*; **dar una ~ a algn** (*fam*) filer un gnon à qn; **darse una ~** (*fam*) se filer un gnon; **¡~!** (*fam*) putain! (*fam!*); **tener** *o* **estar de mala ~** (*fam*) être de mauvais poil; **~ condensada/descremada** *o* **desnatada** lait condensé/écrémé; **~ en polvo** lait en poudre
lechera [le'tʃera] *nf* (*recipiente*) pot *m* à lait; *ver tb* **lechero**
lechero, -a [le'tʃero, a] *adj, nm/f* laitier(-ère)
lecho ['letʃo] *nm* lit *m*, couche *f*; **~ de muerte** lit de mort; **~ de río** lit de la rivière
lechón [le'tʃon] *nm* cochon *m* de lait
lechoso, -a [le'tʃoso, a] *adj* laiteux(-euse)
lechuga [le'tʃuɣa] *nf* laitue *f*
lechuza [le'tʃuθa] *nf* chouette *f*
lector, a [lek'tor, a] *nm/f* lecteur(-trice) ▪ *nm* (*Inform*) lecteur *m* ▪ *nf*: **~a de fichas** (*Inform*) lecteur de cartes; **~ de discos compactos** lecteur *m* de CD; **~ óptico de caracteres** (*Inform*) lecteur optique de caractères
lectura [lek'tura] *nf* lecture *f*
leer [le'er] *vt* lire; **~ algo en los ojos/la cara de algn** lire qch dans les yeux/sur le visage de qn; **~ entre líneas** lire entre les lignes
legado [le'ɣaðo] *nm* (*Jur, fig*) legs *msg*; (*enviado*) légat *m*
legajo [le'ɣaxo] *nm* dossier *m*
legal [le'ɣal] *adj* légal(e); (*fam: persona*) réglo *adj inv*
legalidad [leɣali'ðað] *nf* légalité *f*; (*normas*) législation *f*
legalizar [leɣali'θar] *vt* légaliser
legaña [le'ɣaɲa] *nf* chassie *f*
legar [le'ɣar] *vt* (*Jur, fig*) léguer
legendario, -a [lexen'darjo, a] *adj* légendaire
legión [le'xjon] *nf* (*Mil, fig*) légion *f*; **L~ Extranjera** Légion étrangère
legionario [lexjo'narjo, a] *nm* légionnaire *m*
legislación [lexisla'θjon] *nf* législation *f*; **~ antimonopolio** lois *fpl* anti-trust
legislar [lexis'lar] *vi* légiférer
legislatura [lexisla'tura] *nf* législature *f*
legitimar [lexiti'mar] *vt* légitimer
legítimo, -a [le'xitimo, a] *adj* (*genuino*) véritable; (*legal*) légitime; **en legítima defensa** en légitime défense
lego, -a ['leɣo, a] *adj* (*Rel*) séculaire; (*ignorante*) profane ▪ *nm/f* profane *m/f*
legua ['leɣwa] *nf* lieue *f*; **se ve** *o* **se nota a la ~** ça se voit comme le nez au milieu de la figure
legumbres [le'ɣumbres] *nfpl* légumes *mpl*
leído, -a [le'iðo, a] *adj* instruit(e)
lejanía [lexa'nia] *nf* éloignement *m*
lejano, -a [le'xano, a] *adj* éloigné(e); **L~ Oriente** Extrême-Orient *m*
lejía [le'xia] *nf* lessive *f*

lejos ['lexos] *adv* loin; **a lo ~** au loin; **de** *o* **desde ~** de loin; **está muy ~** c'est très loin; **¿está ~?** c'est loin?; **ir demasiado ~** (*fig*) aller trop loin; **sin ir más ~** sans aller plus loin; **llegar ~** (*fig*) aller loin; **~ de** loin de
lelo, -a ['lelo, a] *adj* bébête ■ *nm/f* sot(te)
lema ['lema] *nm* devise *f*; (*Pol*) slogan *m*
lencería [lenθe'ria] *nf* linge *m*; (*ropa interior*) lingerie *f*
lengua ['lengwa] *nf* langue *f*; **dar a la ~** causer; **irse de la ~** avoir la langue bien pendue; **morderse la ~** (*fig*) se mordre les doigts; **~s clásicas** langues mortes; **~ de tierra** (*Geo*) langue de terre; **~ materna** langue maternelle

LENGUAS COOFICIALES

En vertu de la Constitution espagnole, les "lenguas cooficiales" ou "oficiales" jouissent du même statut que le "castellano" dans les régions où subsiste une langue indigène. C'est le cas du "gallego" en Galice, de l'"euskera" au Pays basque et du "catalan" en Catalogne et aux Baléares. Les gouvernements régionaux encouragent l'utilisation de ces langues par le biais des médias et du système scolaire. Des trois régions qui possèdent leur propre langue, c'est en Catalogne que la "lengua cooficial" est la plus parlée.

lenguado [len'gwaðo] *nm* sole *f*
lenguaje [len'gwaxe] *nm* langage *m*; **en ~ llano** simplement; **~ comercial** langage commercial; **~ de programación** (*Inform*) langage de programmation; **~ ensamblador** *o* **de bajo nivel** (*Inform*) assembleur *m*; **~ máquina** (*Inform*) langage machine; **~ periodístico** langage journalistique
lengüeta [len'gweta] *nf* (*de zapatos, Mús*) languette *f*
lente ['lente] *nf* lentille *f*; (*lupa*) loupe *f*; **lentes** *nmpl* (*gafas*) lorgnon *m*; **~s de contacto** lentilles de contact
lenteja [len'texa] *nf* lentille *f*
lentejuela [lente'xwela] *nf* paillette *f*
lentilla [len'tiʎa] *nf* lentille *f*
lentitud [lenti'tuð] *nf* lenteur *f*; **con ~** avec lenteur
lento, -a ['lento, a] *adj* lent(e)
leña ['leɲa] *nf* (*para el fuego*) bois *msg*; **dar** *o* **repartir ~ a** distribuer des coups à; **echar ~ al fuego** (*fig*) mettre de l'huile sur le feu
leñador, a [leɲa'ðor, a] *nm/f* bûcheron(ne)
leño ['leɲo] *nm* tronc *m*; (*fig*) crétin *m*
Leo ['leo] *nm* (*Astrol*) Lion *m*; **ser ~** être (du) Lion
león [le'on] *nm* lion *m*; **~ marino** otarie *f*
leopardo [leo'parðo] *nm* léopard *m*
leotardos [leo'tarðos] *nmpl* collants *mpl*
lepra ['lepra] *nf* lèpre *f*
leproso, -a [le'proso, a] *nm/f* lépreux(-euse)
lerdo, -a ['lerðo, a] *adj* lent(e)
les [les] *pron* (*directo*) les; (*: ustedes*) vous; (*indirecto*) leur; (*: ustedes*) vous
lesbiana [les'βjana] *nf* lesbienne *f*
lesión [le'sjon] *nf* lésion *f*
lesionado, -a [lesjo'naðo, a] *adj* blessé(e)
letal [le'tal] *adj* létal(e)
letanía [leta'nia] *nf* (*Rel*) litanie *f*; (*retahíla*) chapelet *m*
letargo [le'taɣo] *nm* léthargie *f*
letra ['letra] *nf* lettre *f*; (*escritura*) écriture *f*; (*Com*) traite *f*; (*Mús: de canción*) paroles *fpl*; **Letras** *nfpl* (*Univ, Escol*) Lettres *fpl*; **escribir 4 ~s a algn** écrire un petit mot à qn; **~ bancaria** traite bancaire; **~ bastardilla/negrita** (*Tip*) italique *m*/caractères *mpl* gras; **~ de cambio** (*Com*) lettre de change; **~ de imprenta** *o* **de molde** caractère *m* d'imprimerie; **~ de patente** (*Com*) brevet *m* d'invention; **~ inicial** initiale *f*; **~ mayúscula/minúscula** lettre majuscule/minuscule
letrado, -a [le'traðo, a] *adj* instruit(e) ■ *nm/f* avocat(e)
letrero [le'trero] *nm* panneau *m*; (*anuncio*) écriteau *m*
letrina [le'trina] *nf* latrines *fpl*
leucemia [leu'θemja] *nf* leucémie *f*
levadizo, -a [leβa'ðiθo, a] *adj*: **puente ~** pont *m* basculant; (*Hist*) pont-levis *m*
levadura [leβa'ðura] *nf* levure *f*; **~ de cerveza** levure de bière; **~ en polvo** (*Culin*) levure en poudre
levantamiento [leβanta'mjento] *nm* soulèvement *m*; (*de castigo, orden*) levée *f*; **~ de pesos** haltérophilie *f*
levantar [leβan'tar] *vt* lever; (*velo, telón*) relever; (*paquete, niño*) soulever; (*voz*) élever; (*mesa*) débarrasser; (*polvo*) soulever; (*construir*) élever; **levantarse** *vpr* se lever; (*desprenderse*) s'enlever; (*sesión*) être levé(e); **~ el ánimo** ranimer les esprits; **no levanto cabeza** tout va de travers

levante [le'βante] *nm* (*Geo*) levant *m*; (*viento*) vent *m* d'Est; **el L~** le Levant
levar [le'βar] *vt*: **~ anclas** lever l'ancre
leve ['leβe] *adj* léger(-ère)
levedad [leβe'ðað] *nf* légèreté *f*; (*de herida*) caractère *m* bénin
levita [le'βita] *nf* redingote *f*
léxico, -a ['leksiko, a] *adj* lexical(e) ■ *nm* lexique *m*
ley [lei] *nf* loi *f*; (*de sociedad*) règlement *m*; **de ~** (*oro, plata*) au titre; **vivir fuera de la ~** vivre en dehors des lois; **según la ~** d'après la loi; **aplicar la ~ del embudo** faire deux poids, deux mesures; **~ de la gravedad** loi de la pesanteur
leyenda [le'jenda] *nf* légende *f*
leyendo *etc* [le'jendo] *vb ver* **leer**
liar [li'ar] *vt* (*atar*) lier; (*enredar*) embrouiller; (*cigarrillo*) rouler; (*envolver*) enrouler; **liarse** *vpr* (*fam*) s'embrouiller; **~ a algn en algo** (*fam*) embarquer qn dans qch; **~se a palos** se taper dessus; **~se a hacer algo** se mettre à faire qch; **~se haciendo algo** se plonger dans qch; **~se con algn** (*fam*) avoir une liaison avec qn; **¡la que has liado!** tu te rends compte de ce que tu as fait?
Líbano ['liβano] *nm*: **el ~** le Liban
libelo [li'βelo] *nm* libelle *m*
libélula [li'βelula] *nf* libellule *f*
liberación [liβera'θjon] *nf* libération *f*
liberal [liβe'ral] *adj, nm/f* (*Pol, Econ*) libéral(e); **profesiones ~es** professions *fpl* libérales
liberalidad [liβerali'ðað] *nf* libéralité *f*
liberar [liβe'rar] *vt* libérer; **liberarse** *vpr* se libérer
libertad [liβer'tað] *nf* liberté *f*; **libertades** *nfpl* (*pey*) libertés *fpl*; **estar en ~** être en liberté; **poner a algn en ~** remettre qn en liberté; **~ bajo fianza/bajo palabra** liberté sous caution/sur parole; **~ condicional** liberté conditionnelle; **~ de comercio** libre-échange *m*; **~ de culto/de expresión/de prensa** liberté du culte/d'expression/de presse; **~ provisional** liberté provisoire
libertar [liβer'tar] *vt* (*preso*) délivrer
libertino, -a [liβer'tino, a] *adj, nm/f* libertin(e)
libra ['liβra] *nf* livre *f*; **L~** (*Astrol*) Balance *f*; **ser L~** être (de la) Balance; **~ esterlina** livre sterling
librar [li'βrar] *vt* (*de castigo, obligación*) soustraire; (*de peligro*) sauver; (*batalla*) livrer; (*cheque*) virer; (*Jur*) exempter ■ *vi* avoir un jour de congé; **librarse** *vpr*: **~se de algn/algo** échapper à qn/qch; **libro los domingos** je ne travaille pas le dimanche; **de buena nos hemos librado** nous l'avons échappé belle
libre ['liβre] *adj* libre; **~ a bordo** (*Com*) franco à bord; **~ de impuestos** exonéré(e) d'impôts; **~ de preocupaciones** libre de toute préoccupation; **tiro ~** coup *m* franc; **los 100 metros ~s** le 100 mètres nage libre; **al aire ~** à l'air libre; **entrada ~** entrée *f* libre; **día ~** jour *m* de congé; **¿estás ~?** tu es libre?
librería [liβre'ria] *nf* librairie *f*; (*estante*) bibliothèque *f*; **~ de ocasión** librairie de livres d'occasion
librero, -a [li'βrero, a] *nm/f* libraire *m/f* ■ *nm* (*Méx*) librairie *f*
libreta [li'βreta] *nf* cahier *m*; **~ de ahorros** livret *m* de caisse d'épargne
libro ['liβro] *nm* livre *m*; **~ azul/blanco** (*Pol*) livre bleu/blanc; **~ de actas** minutes *fpl*; **~ de bolsillo** livre de poche; **~ de caja/de caja auxiliar** (*Com*) livre de caisse/de petite caisse; **~ de cocina** livre de cuisine; **~ de consulta** ouvrage *m* de référence; **~ de cuentas** livre de comptes; **~ de cuentos** livre de contes; **~ de entradas y salidas** (*Com*) main *f* courante; **~ de familia** (*Jur*) livret *m* de famille; **~ de honor** livre d'or; **~ de reclamaciones** registre des réclamations; **~ de texto** manuel *m*; **~ mayor** (*Com*) grand livre
licencia [li'θenθja] *nf* (*Admin, Jur*) licence *f*, autorisation *f*; **~ de apertura** licence; **~ de armas/de caza** permis *msg* de port d'arme/de chasse; **~ de exportación** (*Com*) licence d'exportation; **~ de obras** permis de construire; **~ fiscal** patente *f*; **~ poética** licence poétique
licenciado, -a [liθen'θjaðo, a] *adj* (*soldado*) libéré(e); (*Univ*) titulaire d'une maîtrise ■ *nm/f* titulaire *m/f* d'une maîtrise; **L~** (*abogado*) Maître; **L~ en Filosofía y Letras** titulaire d'une maîtrise de Lettres

LICENCIADO

Au terme de cinq ans d'études universitaires en moyenne, les é tudiants espagnols se voient décerner le titre *licenciado*. Si, comme c'est le cas pour les infirmières, les études ne durent que trois ans, ou bien si l'on choisit de ne pas effectuer les deux années de spé cialisation, on reçoit le titre de *diplomado*. Les "cursos de posgrado", ou diplômes de troisième cycle, sont de plus en plus répandus en Espagne ; c'est notamment le cas des "masters", qui s'effectuent en un an.

licenciar [liθen'θjar] *vt* (*soldado*) libérer; **licenciarse** *vpr* terminer son service militaire; (*Univ*) passer sa maîtrise; **~se en letras** obtenir une maîtrise de lettres
licencioso, -a [liθen'θjoso, a] *adj* licencieux(-euse)
licitar [liθi'tar] *vt* faire une enchère sur ▪ *vi* faire monter les enchères
lícito, -a ['liθito, a] *adj* (*legal*) licite; (*justo*) juste; (*permisible*) permis(e)
licor [li'kor] *nm* liqueur *f*
licuadora [likwa'ðora] *nf* mixeur *m*
licuar [li'kwar] *vt* passer au mixeur
lid [lið] *nf* lutte *f*; **lides** *nfpl* matière *f*
líder ['liðer] *nm/f* leader *m*
liderazgo [liðe'raθɣo] *nm* leadership *m*
lidia ['liðja] *nf* (*Taur*) combat *m*; (: *una lidia*) corrida *f*; **toros de ~** taureaux *mpl* de combat
lidiar [li'ðjar] *vt* combattre ▪ *vi*: **~ con** (*dificultades, enemigos*) batailler avec
liebre ['ljeβre] *nf* lièvre *m*; (*Chi*: *microbús*) minibus *msg*; **dar gato por ~** rouler
lienzo ['ljenθo] *nm* toile *f*; (*Arq*) mur *m*
liga ['liɣa] *nf* (*de medias*) porte-jarretelles *m inv*; (*Deporte*) compétition *f*; (*Pol*) ligue *f*
ligadura [liɣa'ðura] *nf* ligature *f*; **~ de trompas** (*Med*) ligature des trompes
ligamento [liɣa'mento] *nm* ligament *m*
ligar [li'ɣar] *vt* lier; (*Med*) ligaturer ▪ *vi* (*fam*: *persona*) draguer; (: *2 personas*) se faire du gringue; **ligarse** *vpr* (*fig*) se lier; **~ con** (*fam*) draguer; **estar muy ligado a algn/algo** être très attaché à qn/qch; **~se a algn** (*fam*) draguer qn
ligereza [lixe'reθa] *nf* légèreté *f*
ligero, -a [li'xero, a] *adj* léger(-ère) ▪ *adv* (*andar*) d'un pas léger; (*moverse*) avec légèreté; **a la ligera** à la légère
light ['lait] *adj inv* (*cigarrillo*) léger(-ère); (*comida*) allégé(e)
liguero [li'ɣero] *nm* porte-jarretelles *m inv*
lija ['lixa] *nf* (*pez*) roussette *f*; (*tb*: **papel de lija**) papier *m* de verre
lila ['lila] *adj inv* lilas *adj inv* ▪ *nf* (*Bot*) lilas *msg* ▪ *nm* (*color*) lilas *msg*; (*fam*: *tonto*) crétin
lima ['lima] *nf* (*herramienta, Bot*) lime *f*; **comer como una ~** manger comme quatre; **~ de uñas** lime à ongles
limar [li'mar] *vt* limer; **~ asperezas** (*fig*) passer l'éponge
limitación [limita'θjon] *nf* limitation *f*; **limitaciones** *nfpl* (*carencias*) limites *fpl*; **~ de velocidad** limitation de vitesse
limitar [limi'tar] *vt* limiter; (*terreno, tiempo*) délimiter ▪ *vi*: **~ con** (*Geo*) faire frontière avec; **limitarse** *vpr*: **~se a (hacer)** se limiter à (faire)
límite ['limite] *nm* limite *f*; **límites** *nmpl* (*de finca, país*) limites *fpl*; **fecha ~** date *f* limite; **situación ~** situation *f* limite; **no tener ~s** être sans limite; **~ de crédito** découvert *m* autorisé; **~ de página** fin *f* de page; **~ de velocidad** limitation *f* de vitesse
limítrofe [li'mitrofe] *adj* limitrophe
limón [li'mon] *nm* citron *m* ▪ *adj*: **amarillo ~** jaune citron *inv*
limonada [limo'naða] *nf* limonade *f*
limosna [li'mosna] *nf* aumône *f*; **pedir ~** demander l'aumône, mendier; **vivir de la ~** vivre de mendicité
limpiaparabrisas [limpjapara'βrisas] *nm inv* essuie-glace *m*
limpiar [lim'pjar] *vt* nettoyer; (*fam*: *robar*) soulager (de); **limpiarse** *vpr*: **~se la cara/los pies** se laver la figure/les pieds; **~ en seco** nettoyer à sec
limpieza [lim'pjeθa] *nf* propreté *f*; (*acto, Policía*) nettoyage *m*; (*habilidad*) adresse *f*; **operación de ~** (*Mil*) opération *f* de nettoyage; **~ en seco** nettoyage à sec; **~ étnica** purification *f* ethnique
limpio, -a ['limpjo, a] *adj* propre; (*conducta, negocio*) net(te); (*cielo, pared*) dégagé(e); (*aire*) pur(e); (*agua*) clair(e); (*conciencia*) tranquille ▪ *adv*: **jugar ~** (*fig*) jouer franc jeu; **pasar a ~** mettre au propre; **gana 2.000 euros limpias** il gagne 2 000 euros net; **sacar algo en ~** tirer qch au clair; **~ de** libre de; **a grito/puñetazo ~** avec force cris/coups de poing
linaje [li'naxe] *nm* lignée *f*
lince ['linθe] *nm* lynx *msg*; **ser un ~** (*observador*) ne pas avoir les yeux dans sa poche; (*astuto*) être rusé(e) comme un renard
linchar [lin'tʃar] *vt* lyncher
lindar [lin'dar] *vi*: **~ con** border; (*fig*) friser
linde ['linde] *nm o nf* (*de bosque, terreno*) limite *f*
lindero [lin'dero] *nm* = **linde**
lindo, -a ['lindo, a] *adj* joli(e) ▪ *adv* (*AM*) bien; **canta muy ~** (*AM*) il chante très bien; **de lo ~** (*fam*: *muy bien*) vachement;

disfrutar/divertirse de lo ~ vachement bien s'amuser

línea ['linea] *nf* ligne *f*; **en ~** (*Inform*) en ligne; **de primera ~** en première ligne; **en ~s generales** globalement; **guardar la ~** garder la ligne; **fuera de ~** (*Inform*) déconnecté(e); **~ aérea** ligne aérienne; **~ de fuego** (*Mil*) ligne de tir; **~ de meta** (*Deporte*) ligne de touche; (: *de carrera*) ligne d'arrivée; **~ discontinua** (*Auto*) ligne discontinue; **~ dura** (*Pol*) noyau *m* dur; **~s enemigas** (*Mil*) lignes ennemies; **~ recta** ligne droite

lingote [lin'gote] *nm* lingot *m*

lingüística [lin'gwistika] *nf* linguistique *f*

lino ['lino] *nm* lin *m*

linóleo [li'noleo] *nm* linoléum *m*

linterna [lin'terna] *nf* lampe *f* de poche

lío ['lio] *nm* paquet *m*; (*desorden*) fatras *msg*; (*fam*: *follón*) bordel *m*; (: *relación amorosa*) liaison *f*; **armar un ~** foutre le bordel; **hacerse un ~** s'emmêler les pédales; **meterse en un ~** se fourrer dans un drôle de pétrin; **tener un ~ con algn** avoir une liaison avec qn

liquen ['liken] *nm* lichen *m*

liquidación [likiða'θjon] *nf* (*de empresa*) dépôt *m* de bilan; (*de salario*) prime *f*; (*de existencias, cuenta, deuda*) liquidation *f*

liquidar [liki'ðar] *vt* liquider

líquido, -a ['likiðo, a] *adj* liquide; (*ganancia*) net(te) ■ *nm* liquide *m*; (*Com*: *ganancia*) bénéfice *m* net; **~ de frenos** liquide de frein

lira ['lira] *nf* (*Mús*) lyre *f*; (*moneda*) lire *f*

lírico, -a ['liriko, a] *adj* lyrique

lirio ['lirjo] *nm* iris *msg*

lirón [li'ron] *nm* loir *m*; **dormir como un ~** dormir comme un loir

Lisboa [lis'βoa] *n* Lisbonne

lisiado, -a [li'sjaðo, a] *adj, nm/f* estropié(e)

lisiar [li'sjar] *vt* estropier; **lisiarse** *vpr* se blesser

liso, -a ['liso, a] *adj* (*superficie, cabello*) lisse; (*tela, color*) uni(e); (*And, Csur*: *grosero*) grossier(-ère); **lisa y llanamente** purement et simplement

lisonja [li'sonxa] *nf* flatterie *f*

lista ['lista] *nf* liste *f*; (*franja*) rayure *f*; **pasar ~** faire la liste; **tela a ~s** tissu *m* rayé; **~ de correos** poste *f* restante; **~ de direcciones** fichier *m* d'adresses; **~ de espera** liste d'attente; **~ de platos** carte *f*; **~ de precios** tarif *m*; **~ electoral** liste électorale

listo, -a ['listo, a] *adj* intelligent(e); (*preparado*) prêt(e); **~ para empezar** prêt(e) à commencer; **¿estás ~?** tu es prêt(e)?; **pasarse de ~** se tromper lourdement

listón [lis'ton] *nm* planche *f*

litera [li'tera] *nf* (*en barco, tren*) couchette *f*; (*en dormitorio*) lit *m* superposé

literal [lite'ral] *adj* littéral(e)

literario, -a [lite'rarjo, a] *adj* littéraire

literatura [litera'tura] *nf* littérature *f*

litigar [liti'ɣar] *vi* (*Jur*) plaider; (*fig*) être en conflit

litigio [li'tixjo] *nm* (*Jur, fig*) litige *m*; **en ~ con** en litige avec

litografía [litoɣra'fia] *nf* lithographie *f*

litoral [lito'ral] *adj* littoral(e) ■ *nm* littoral *m*

litro ['litro] *nm* litre *m*

lívido, -a ['liβiðo, a] *adj* livide

llaga ['ʎaɣa] *nf* plaie *f*

llama ['ʎama] *nf* flamme *f*; (*Zool*) lama *m*; **en ~s** en flammes

llamada [ʎa'maða] *nf* (*telefónica*) appel *m*; (*a la puerta*) coup *m*; (: *timbre*) coup de sonnette; (*en un escrito*) renvoi *m*; **~ a cobro revertido** appel en PCV; **~ al orden** *o* **de atención** rappel *m* à l'ordre; **~ interurbana** appel interurbain

llamado [ʎa'maðo] (*AM*), **llamamiento** [ʎama'mjento] *nm* appel *m*

llamar [ʎa'mar] *vt* appeler; (*convocar*) convoquer ■ *vi* (*a la puerta*) frapper; (*al timbre*) sonner; **llamarse** *vpr* s'appeler; **¿cómo te llamas?** comment t'appelles-tu?; **~ la atención** attirer l'attention; **~ por teléfono** appeler, téléphoner; **me han llamado payaso/cobarde** ils m'ont traité de clown/lâche; **¿quién llama?** (*Telec*) qui est à l'appareil?; **~ al orden** rappeler à l'ordre

llamarada [ʎama'raða] *nf* flambée *f*; (*rubor*) rougeur *f* passagère

llamativo, -a [ʎama'tiβo, a] *adj* voyant(e); (*color*) criard(e)

llano, -a ['ʎano, a] *adj* (*superficie*) plat(e); (*persona, estilo*) simple ■ *nm* plaine *f*; **Los L~s** (*Ven*) les Plaines

llanta ['ʎanta] *nf* jante *f*; (*AM*: *cámara*) chambre *f* à air

llanto ['ʎanto] *nm* pleurs *mpl*, larmes *fpl*

llanura [ʎa'nura] *nf* plaine *f*

llave ['ʎaβe] *nf* clé *f*, clef *f*; (*de gas, agua*) robinet *m*; (*Tec*) clé; (*de la luz*) interrupteur *m*; (*Tip*) crochet *m*; **cerrar con ~** *o* **echar la ~** fermer à clé; **~ de contacto** (*Auto*) clé de contact; **~ de judo** prise *f* de judo; **~ de paso** robinet d'arrêt; **~ inglesa** clé anglaise; **~ maestra** passe-partout *m inv*

llavero [ʎa'βero] *nm* porte-clefs *msg*
llegada [ʎe'ɣaða] *nf* arrivée *f*
llegar [ʎe'ɣar] *vi* arriver; (*ruido*) parvenir; (*bastar*) suffire; **llegarse** *vpr*: **~se a** aller à; **~ a** arriver à; **llegó a pegarme** il est allé jusqu'à me frapper; **~ a saber** finir par savoir; **~ a (ser) famoso/jefe** devenir célèbre/le patron; **~ a las manos** en venir aux mains; **~ a las manos de algn** tomber entre les mains de qn; **no llegues tarde** ne rentre pas trop tard; **esta cuerda no llega** cette corde n'est pas assez longue
llenar [ʎe'nar] *vt* remplir; (*superficie*) couvrir; (*tiempo*) faire passer; (*satisfacer*) combler ▪ *vi* rassasier; **llenarse** *vpr*: **~se (de)** se remplir (de); (*al comer*) se rassasier (de)
lleno, -a ['ʎeno, a] *adj* plein(e), rempli(e); (*persona: de comida*) rassasié(e) ▪ *nm* (*Teatro*) salle *f* comble; **~ de polvo/de gente/de errores** rempli(e) de poussière/de gens/d'erreurs; **dar de ~ contra algo** heurter qch de plein fouet
llevar [ʎe'βar] *vt* porter; (*en coche*) emmener; (*transportar*) transporter; (*ruta*) suivre; (*dinero*) avoir sur soi; (*coche, moto*) conduire; (*soportar*) supporter; (*negocio*) diriger; (*ritmo, compás*) mener; (*Mat*) retenir; **llevarse** *vpr* (*estar de moda*) se porter beaucoup; **me llevó una hora hacerlo** j'ai mis une heure à le faire; **llevamos dos días aquí** nous sommes ici depuis deux jours; **llevo un año estudiando** cela fait un an que j'étudie; **~ hecho/vendido/estudiado** avoir fait/vendu/étudié; **él me lleva 2 años** il a 2 ans de plus que moi; **~ a** (*suj: camino*) mener à; **~ adelante** (*fig*) faire avancer; **~ la contraria/la corriente a algn** contredire/suivre qn; **~ ventaja** avoir l'avantage; **~ los libros** (*Com*) tenir les registres; **~ una vida tranquila** mener une vie paisible; **nos llevó a cenar fuera** il nous a emmenés dîner; **~ de paseo** emmener faire un tour; **~se el dinero/coche** prendre l'argent/la voiture; **~se algo/a algn por delante** (*atropellar*) percuter qch/qn; **~se un susto/disgusto/sorpresa** être effrayé(e)/mécontent(e)/surpris(e); **~se bien/mal (con algn)** bien/ne pas s'entendre (avec qn); **dejarse ~ por algo/algn** se laisser emporter par qch/se laisser faire par qn
llorar [ʎo'rar] *vt, vi* pleurer; **~ a moco tendido** (*fam*) pleurer toutes les larmes de son corps; **~ de risa** pleurer de rire
lloriquear [ʎorike'ar] *vi* pleurnicher
lloro ['ʎoro] *nm* pleur *m*
llorón, -ona [ʎo'ron, ona] *adj, nm/f* pleurnichard(e)
lloroso, -a [ʎo'roso, a] *adj* (*ojos*) gonflé(e) par les larmes; (*persona*) qui a pleuré
llover [ʎo'βer] *vi* pleuvoir; **~ a cántaros** *o* **a cubos** *o* **a mares** pleuvoir à seaux *o* des cordes; **como llovido del cielo** tombé(e) du ciel; **llueve sobre mojado** les catastrophes se succèdent
llovizna [ʎo'βiθna] *nf* bruine *f*
lloviznar [ʎoβiθ'nar] *vi* pleuvoter
llueve *etc* ['ʎweβe] *vb ver* **llover**
lluvia ['ʎuβja] *nf* pluie *f*; **día de ~** jour *m* pluvieux *o* de pluie; **~ radioactiva** pluie radioactive
lluvioso, -a [ʎu'βjoso, a] *adj* pluvieux(-euse)

PALABRA CLAVE

lo [lo] *art def* **1**: **lo bueno/caro** ce qui est bon/cher; **lo mejor/peor** le mieux/pire; **lo gracioso fue que ...** ce qui est drôle, c'est que ...; **lo mío** ce qui est à moi; **olvidaste lo esencial** tu as oublié l'essentiel; **¡no sabes lo aburrido que es!** tu ne peux pas savoir comme c'est ennuyeux!; **con lo poco que gana** avec le peu d'argent qu'il gagne
2: **lo + de** (*pron dem*): **¿sabes lo del presidente?** tu es au courant pour le président?; **olvida lo de ayer** oublie ce qui s'est passé hier; **(a) lo de** (*Csur: a casa de*) chez; (*+ inf*): **¿a quién se le ocurrió lo de esperar aquí?** qui a eu l'idée d'attendre ici?
3: **lo que** (*pron rel*): **lo que yo pienso** ce que je pense; **lo que más me gusta** ce que j'aime le plus; **lo que pasa es que ...** ce qu'il y a, c'est que ...; **más de lo que crees** plus que tu ne crois; **en lo que se refiere a** pour ce qui est de; **lo que quieras** ce que tu veux *o* voudras; **lo que sea** quoi que ce soit; **(a) lo que** (*AM: en cuanto*) dès que
4: **lo cual**; **lo cual es lógico** ce qui est logique
▪ *pron pers* **1** (*a él*) le, l'; **lo han despedido** ils l'ont renvoyé; **no lo conozco** je ne le connais pas
2 (*a usted*) vous; **lo escucho señor** je vous écoute, monsieur
3 (*cosa, animal*) le, l'; **te lo doy** je te le donne; **no lo veo** je ne le vois pas
4 (*concepto*) le, l'; **no lo sabía** je ne le savais pas; **voy a pensarlo** je vais y réfléchir; **es fácil, pero no lo parece** c'est facile, mais ça n'en a pas l'aire

loable [lo'aβle] *adj* louable
loar [lo'ar] *vt* louer
lobo ['loβo] *nm* loup *m*; **~ de mar** (*fig*) loup de mer; **~ marino** phoque *m*
lóbrego, -a ['loβreɣo, a] *adj* sombre
lóbulo ['loβulo] *nm* lobe *m*
local [lo'kal] *adj* local(e) ■ *nm* local *m*; (*bar*) bar *m*
localidad [lokali'ðað] *nf* localité *f*; (*Teatro*) place *f*
localizar [lokali'θar] *vt* localiser; **localizarse** *vpr* (*dolor*) être localisé(e)
loción [lo'θjon] *nf* lotion *f*; **~ capilar** lotion capillaire
loco, -a ['loko, a] *adj, nm/f* (*Med*) fou (folle); **~ de atar** *o* **remate, ~ rematado** fou (folle) à lier; **a lo ~** à la va-vte; **ando ~ con el examen** l'examen me rend malade; **estar ~ de alegría** être fou (folle) de joie; **estar ~ con algo/por algn** être fou (folle) de qch/de qn; **como un ~** comme un fou; **me vuelve ~** (*me gusta mucho*) j'en suis fou (folle); (*me marea*) il me rend fou (folle)
locomotora [lokomo'tora] *nf* locomotive *f*
locuaz [lo'kwaθ] *adj* loquace
locución [loku'θjon] *nf* (*Ling*) locution *f*
locura [lo'kura] *nf* folie *f*; **con ~** follement
locutor, a [loku'tor, a] *nm/f* (*Radio, TV*) speaker(ine)
locutorio [loku'torjo] *nm* cabine *f* téléphonique
lodo ['lodo] *nm* boue *f*
lógica ['loxika] *nf* logique *f*
lógico, -a ['loxiko, a] *adj* logique; **es ~ que ...** il est logique que ...
logística [lo'xistika] *nf* logistique *f*
logotipo [loɣo'tipo] *nm* logo *m*
logrado, -a [lo'ɣraðo, a] *adj* réussi(e)
lograr [lo'ɣrar] *vt* réussir; (*victoria*) remporter; **~ hacer algo** réussir à faire qch; **~ que algn venga** réussir à faire venir qn
logro ['loɣro] *nm* réussite *f*
loma ['loma] *nf* colline *f*
lombriz [lom'briθ] *nf* (*Zool*) ver *m* de terre; (*Med*) ver
lomo ['lomo] *nm* (*de animal*) dos *msg*, échine *f*; (*Culin: de cerdo*) épaule *f*; (*: de vaca*) entrecôte *f*; (*de libro*) dos; **a ~s de** (*caballo*) à dos de; **~ de burro** (*Arg: fam*) ralentisseur *m*
lona ['lona] *nf* toile *f* cirée
loncha ['lontʃa] *nf* tranche *f*
lonche ['lontʃe] (*AM*) *nm* petit-déjeuner *m*
lonchería [lontʃe'ria] (*AM*) *nf* cafétéria *f*
Londres ['londres] *n* Londres
longaniza [longa'niθa] *nf sorte de merguez*
longitud [lonxi'tuð] *nf* longueur *f*; (*Geo*) longitude *f*; **tener 3 metros de ~** faire 3 mètres de long; **salto de ~** (*Deporte*) saut *m* en longueur; **~ de onda** (*Fís*) longueur d'onde
lonja ['lonxa] *nf* (*edificio*) halle *f*; (*de jamón, embutido*) tranche *f*; **~ de pescado** halle *f* au poisson
loro ['loro] *nm* perroquet *m*
los [los] *art def* les ■ *pron* les; (*ustedes*) vous; **mis libros y ~ de usted** mes livres et les vôtres; **~ de Ana son verdes** ceux d'Ana sont verts
losa ['losa] *nf* dalle *f*; **~ sepulcral** pierre *f* tombale
lote ['lote] *nm* (*de libros, Com, Inform*) lot *m*; (*de comida*) portion *f*
lotería [lote'ria] *nf* loterie *f*; **le tocó la ~** il a gagné le gros lot; **~ nacional** loterie nationale; **~ primitiva** (*Esp*) ≈ Loto *m*

LOTERÍA

D'importantes sommes d'argent sont dépensées chaque année en Espagne à ce jeu de hasard. L'État a institué deux loteries, dont il perçoit directement les gains : la *Lotería Primitiva* et la *Lotería Nacional*. Une des loteries les plus célèbres est organisée par l'influente et prospère association d'aide aux aveugles, "la ONCE".

loza ['loθa] *nf* (*material*) faïence *f*; (*vajilla*) vaisselle *f*
lozano, -a [lo'θano, a] *adj* vigoureux(-euse)
lubricante [luβri'kante] *adj* lubrifiant(e) ■ *nm* lubrifiant *m*
lubricar [luβri'kar] *vt* lubrifier
luces ['luθes] *nfpl de* **luz**
lucha ['lutʃa] *nf* lutte *f*; **~ contra/por** lutte contre/pour; **~ de clases** lutte des classes; **~ libre** lutte libre
luchar [lu'tʃar] *vi* lutter; **~ contra/por** (*problema*) lutter contre/pour
lucidez [luθi'ðeθ] *nf* lucidité *f*
lúcido, -a ['luθiðo, a] *adj* lucide; **estar ~** être lucide
luciérnaga [lu'θjernaɣa] *nf* ver *m* luisant
lucir [lu'θir] *vt* (*vestido, coche*) étrenner; (*conocimientos*) étaler; (*habilidades*) exhiber ■ *vi* briller; (*AM: parecer*) sembler; **lucirse** *vpr* (*presumir*) se montrer; **¡te has lucido!** (*irónico*) bien

joué!; **no me luce lo que trabajo** mon travail n'est pas productif; **la casa luce limpia** (*AM*) la maison a l'air très propre

lucro ['lukro] (*pey*) *nm* lucre *m*; **el afán** *o* **ánimo de ~** le goût du lucre; **organización sin ánimo de ~** organisation *f* à but non lucratif

lúdico, -a ['luðiko, a] *adj* ludique

ludópata [lu'ðopata] *adj, nm/f* ludopathe *m/f*

luego ['lweɣo] *adv* (*después*) après; (*más tarde*) puis; (*AM*: *fam*: *en seguida*) tout de suite ▪ *conj* (*consecuencia*) donc; **desde ~** évidemment; **¡hasta ~!** à plus tard!, salut!; **¿y ~?** et maintenant?; **~ lo sabía** donc, il le savait; **~ ~** (*esp Méx*) dare-dare

lugar [lu'ɣar] *nm* lieu *m*, endroit *m*; (*en lista*) place *f*; **en ~ de** au lieu de; **en primer ~** en premier lieu; **dar ~ a** donner lieu à; **hacer ~** faire de la place; **fuera de ~** (*comentario, comportamiento*) déplacé(e); **tener ~** avoir lieu; **yo en su ~** moi, à sa place; **sin ~ a dudas** sans aucun doute; **~ común** lieu commun

lugareño, -a [luɣa'reɲo, a] *nm/f* villageois(e)

lugarteniente [luɣarte'njente] *nm* remplaçant *m*

lúgubre ['luɣuβre] *adj* lugubre

lujo ['luxo] *nm* luxe *m*; **de ~** de luxe; **permitirse el ~ de hacer** se permettre le luxe de faire; **con todo ~ de detalles** avec force détails

lujoso, -a [lu'xoso, a] *adj* luxueux(-euse)

lujuria [lu'xurja] *nf* luxure *f*

lumbre ['lumbre] *nf* feu *m* (de bois); **a la ~** près du feu

lumbrera [lum'brera] *nf* (*genio*) lumière *f*

luminoso, -a [lumi'noso, a] *adj* lumineux(-euse)

luna ['luna] *nf* lune *f*; (*vidrio*) glace *f*; **media ~** demi-lune; **estar en la ~** être dans la lune; **pedir la ~** demander la lune; **~ creciente/menguante** lune croissante/décroissante; **~ de miel** lune de miel; **~ llena/nueva** pleine/nouvelle lune

lunar [lu'nar] *adj* lunaire ▪ *nm* grain *m* de beauté; (*diseño*) pois *msg*; **tela de ~es** tissu *m* à pois

lunes ['lunes] *nm inv* lundi *m*; *ver tb* **sábado**

lupa ['lupa] *nf* loupe *f*

lustrar [lus'trar] *vt* lustrer; (*AM*: *zapatos*) cirer

lustre ['lustre] *nm* lustre *m*; (*fig*) éclat *m*; **dar ~ a algo** faire briller qch

lustroso, -a [lus'troso, a] *adj* brillant(e)

luto ['luto] *nm* deuil *m*; **ir** *o* **vestirse de ~** porter des habits de deuil; **~ oficial** deuil national

Luxemburgo [luksem'burɣo] *nm* Luxembourg *m*

luz [luθ] (*pl* **luces**) *nf* lumière *f*; **dar a ~ un niño** mettre un enfant au monde; **dar la ~** donner de la lumière; **encender** (*Esp*) *o* **prender** (*esp AM*)**/apagar la ~** allumer/éteindre la lumière; **les cortaron la ~** ils leur ont coupé l'électricité; **a la ~ de** (*tb fig*) à la lumière de; **a todas luces** de toute évidence; **a media ~** dans la pénombre; **se hizo la ~ sobre ...** la lumière se fit sur ...; **sacar a la ~** tirer au clair; **el Siglo de las Luces** le Siècle des Lumières; **tener pocas luces** ne pas être une lumière; **~ de cruce** feu *m* de croisement; **~ de la luna** clair *m* de lune; **~ eléctrica** lumière électrique; **~ intermitente** lumière intermittente; (*Auto*) clignotant *m*; **~ roja/verde** (*Auto*) feu rouge/vert; **~ solar** *o* **del sol** lumière du jour; **~ trasera/de freno** feu arrière/de stop

m

M. *abr* (= *mujer*) F (= *féminin*); (= *Metro*) M(o) (= *métro*)

m. *abr* (= *metro(s)*) m (= *mètre(s)*); (= *minuto(s)*) min. (= *minute(s)*); (= *masculino*) m (= *masculin*)

M.ª *abr* = *María*

macarrones [maka'rrones] *nmpl* (*Culin*) macarons *mpl*

macedonia [maθe'ðonja] *nf*: **~ de frutas** macédoine *f* de fruits

macerar [maθe'rar] *vt* macérer

maceta [ma'θeta] *nf* pot *m* de fleurs

machacar [matʃa'kar] *vt* (*ajos*) réduire en purée; (*asignatura*) rabâcher; (*enemigo*) écraser ■ *vi* insister

machete [ma'tʃete] *nm* machette *f*

machismo [ma'tʃismo] *nm* machisme *m*

machista [ma'tʃista] *adj, nm/f* machiste *m/f*

macho ['matʃo] *adj* (*Bot, Zool*) mâle; (*fam*) macho ■ *nm* mâle *m*; (*fig*) macho *m*; (*fam*: *apelativo*) mec *m*; (*Tec*) cheville *f*; (*Elec*) prise *f* mâle; (*Costura*) crochet *m*

macizo, -a [ma'θiθo, a] *adj* massif(-ive) ■ *nm* (*Geo, de flores*) massif *m*; **¡qué chica más maciza!** (*fam*) quelle belle plante!

madeja [ma'ðexa] *nf* (*de lana*) écheveau *m*

madera [ma'ðera] *nf* bois *msg*; **una ~** un morceau de bois; **~ contrachapada** *o* **laminada** contre-plaqué *m*; **de ~** en bois; **tiene buena ~** il a de bonnes dispositions; **tiene ~ de profesor** il a l'étoffe d'un professeur

madero [ma'ðero] *nm* madrier *m*

madrastra [ma'ðrastra] *nf* belle-mère *f*

madre ['maðre] *adj* (*lengua*) maternel(le); (*acequia*) maîtresse ■ *nf* mère *f*; (*de vino etc*) lie *f*; **¡~ mía!** mon Dieu!; **¡tu ~!** (*fam!*) va te faire foutre! (*fam!*); **salirse de ~** (*río*) sortir de son lit; (*persona*) dépasser les bornes; **~ adoptiva/de alquiler/soltera** mère adoptive/porteuse/célibataire; **~ patria** mère patrie; **~ política** belle-mère *f*

Madrid [ma'ðrið] *n* Madrid

madriguera [maðri'ɣera] *nf* terrier *m*

madrileño, -a [maðri'leɲo, a] *adj* madrilène ■ *nm/f* Madrilène *m/f*

madrina [ma'ðrina] *nf* marraine *f*; **~ de boda** demoiselle *f* d'honneur

madrugada [maðru'ɣaða] *nf* aube *f*; **de ~** de bon matin; **a las 4 de la ~** à 4 heures du matin

madrugador, a [maðruɣa'ðor, a] *adj* lève-tôt *inv*

madrugar [maðru'ɣar] *vi* se lever tôt; (*anticiparse*) s'avancer

madurar [maðu'rar] *vt, vi* mûrir

madurez [maðu'reθ] *nf* maturité *f*

maduro, -a [ma'ðuro, a] *adj* mûr(e); (*hombre, mujer*) d'âge mûr; **poco ~** immature

maestra [ma'estra] *nf ver* **maestro**

maestría [maes'tria] *nf* maestria *f*; (*Escol*: *grado*) maîtrise *f*

maestro, -a [ma'estro, a] *adj* maître(sse) ■ *nm/f* (*de escuela*) maître(sse) (d'école), instituteur(-trice); (*en la vida*) maître *m* ■ *nm* maître *m*; (*Mús*) maestro *m*; **~ albañil** maître maçon *m*; **~ de obras** maître d'ouvrage

magdalena [maɣda'lena] *nf* madeleine *f*

magia ['maxja] *nf* magie *f*; **~ negra** magie noire

mágico, -a ['maxiko, a] *adj* magique

magisterio [maxis'terjo] *nm* (*enseñanza*) études *fpl* d'instituteur(-trice); (*profesión*) métier *m* d'instituteur(-trice); (*maestros*) corps *msg* des instituteurs

magistrado [maxis'traðo] *nm* (*Jur*) magistrat *m*; **primer M~** (*AM*) président *m*

magnánimo, -a [maɣ'nanimo, a] *adj* magnanime

magnate [maɣ'nate] *nm* magnat *m*; **~ de la prensa** magnat de la presse

magnético, -a [maɣ'netiko, a] *adj* magnétique
magnetizar [maɣneti'θar] *vt* (*tb fig*) magnétiser
magnetofón [maɣneto'fon] *nm* magnétophone *m*
magnetofónico, -a [maɣneto'fonico, a] *adj*: **cinta magnetofónica** bande *f* magnétique
magnetófono [maɣne'tofono] *nm* = **magnetofón**
magnífico, -a [maɣ'nifiko, a] *adj* magnifique; (*carácter*) exceptionnel(le); (*tratamiento: rector*) *titre honorifique du recteur*; **¡~!** magnifique!
magnitud [maɣni'tuð] *nf* (*física*) grandeur *f*; (*de problema etc*) ampleur *f*
mago, -a ['maɣo, a] *nm/f* mage *m*; **los Reyes M~s** les Rois *mpl* Mages
magrebí [maɣre'βi] *adj* maghrébin(e) ▪ *nm/f* Maghrébin(e)
magro, -a ['maɣro, a] *adj, nm* maigre *m*
maguey [ma'ɣei] *nm* (*Bot*) agave *m*
magullar [maɣu'ʎar] *vt* contusionner; (*lastimar*) abîmer; **magullarse** *vpr* se faire une *o* des contusion(s)
mahometano, -a [maome'tano, a] *adj* mahométan(e) ▪ *nm/f* Mahométan(e)
mahonesa [mao'nesa] *nf* = **mayonesa**
mail [meil] (*pl* **~s**) (*fam*) *nm* mail *m*
maillot [ma'jot] *nm* maillot *m*
maíz [ma'iθ] *nm* maïs *msg*
majadero, -a [maxa'ðero, a] *adj* imbécile
majestad [maxes'tað] *nf* majesté *f*; **Su M~** Sa Majesté; **(Vuestra) M~** (Votre) Majesté
majestuoso, -a [maxes'twoso, a] *adj* majestueux(-euse)
majo, -a ['maxo, a] *adj* beau (belle); (*persona, apelativo*) mignon(ne); (*: elegante*) classe *inv*; (*apelativo cariñoso*) mignon(ne)
mal [mal] *adv* mal; (*oler, saber*) mauvais ▪ *adj* = **malo** ▪ *nm*: **el ~** le mal; (*desgracia*) le malheur ▪ *conj*: **~ que le pese** qu'il le veuille ou non; **me entendió ~** il m'a mal compris; **haces ~ en callarte** tu as tort de te taire; **hablar ~ de algn** dire du mal de qn; **ir de ~ en peor** aller de mal en pis; **si ~ no recuerdo** si mes souvenirs sont exacts; **¡menos ~!** heureusement!; **menos ~ que** heureusement que; **~ que bien** tant bien que mal; **~ de ojo** mauvais œil *m*
malabarismo [malaβa'rismo] *nm* jonglerie *f*; **hacer ~s** (*fig*) louvoyer
malabarista [malaβa'rista] *nm/f* jongleur(-euse)
malaria [ma'larja] *nf* malaria *f*
malcriado, -a [mal'krjaðo, a] *adj* mal élevé(e)
maldad [mal'dað] *nf* méchanceté *f*
maldecir [malde'θir] *vt, vi* maudire; **~ de** maudire
maldición [maldi'θjon] *nf* malédiction *f*; **¡~!** malédiction!
maldito, -a [mal'dito, a] *adj* maudit(e); **¡~ sea!** (*fam*) maudit(e) soit …!; **¡malditas las ganas que tengo de verle!** (*fam*) comme si j'avais envie de le voir!
maleante [male'ante] *nm/f* malfaiteur *m*, criminel(le)
maledicencia [maleði'θenθja] *nf* médisance *f*
maleducado, -a [maleðu'kaðo, a] *adj* mal élevé(e)
malentendido [malenten'diðo] *nm* malentendu *m*
malestar [males'tar] *nm* malaise *m*
maleta [ma'leta] *nf* valise *f*; **hacer la ~** faire sa valise
maletera [male'tera] (*AM*) *nf*, **maletero** [male'tero] *nm* (*Auto*) coffre *m*
maletín [male'tin] *nm* (*de uso profesional*) serviette *f*; (*de viaje*) mallette *f*
maleza [ma'leθa] *nf* (*hierbas malas*) mauvaises herbes *fpl*; (*arbustos*) fourré *m*
malgastar [malɣas'tar] *vt* gaspiller; (*oportunidades*) laisser passer; (*salud*) abîmer
malhechor, a [male'tʃor, a] *nm/f* malfaiteur *m*
malhumorado, -a [malumo'raðo, a] *adj* de mauvaise humeur
malicia [ma'liθja] *nf* méchanceté *f*; (*de niño*) malice *f*
malicioso, -a [mali'θjoso, a] *adj* malicieux(-euse); (*con mala intención*) méchant(e); (*de malpensado*) mauvais(e)
maligno, -a [ma'liɣno, a] *adj* (*Med*) malin (maligne); (*ser*) méchant(e)
malla ['maʎa] *nf* maille *f*; (*esp AM*) maillot *m* de bain; (*tb*: **mallas**) collants *mpl*
Mallorca [ma'ʎorka] *nf* Majorque *f*
malo, -a ['malo, a] *adj* (*antes de nmsg*: **mal**) mauvais(e); (*niño*) méchant(e) ▪ *nm/f* (*en cuentos, cine*) méchant(e); **estar ~** (*persona*) être malade; (*comida*) être mauvais(e); **ser ~ de** (*entender, hacer*) être difficile à; **ser ~ haciendo/en algo** ne pas savoir faire qch/être mauvais(e) en qch; **estar de malas** être fâché(e); **lo ~ es que …** le problème, c'est que …; **por las malas** de force

malograrse [malo'ɣrarse] *vpr* (*plan*) tomber à l'eau; (*cosecha*) être gâché(e); (*carrera profesional*) se briser; (*Pe*: *fam*) s'abîmer; **el malogrado actor** l'acteur mort prématurément
malparado, -a [malpa'raðo, a] *adj*: **salir ~** s'en tirer mal
malpensado, -a [malpen'saðo, a] *adj* malveillant(e)
malsano, -a [mal'sano, a] *adj* malsain(e)
maltratar [maltra'tar] *vt* maltraiter; **niños maltratados** enfants *mpl* maltraités
maltrecho, -a [mal'tretʃo, a] *adj* en mauvais état
malvado, -a [mal'βaðo, a] *adj* méchant(e)
malversar [malβer'sar] *vt* détourner
Malvinas [mal'βinas] *nfpl*: **las (Islas) ~** les (îles) Malouines *fpl*
malvivir [malβi'βir] *vi* vivre à l'étroit
mama ['mama] *nf* mamelle *f*
mamá [ma'ma] *nf* (*fam*) maman *f*; (*Cam, Carib, Méx*: *cortesía*) mère *f*; **~ grande** (*Col*) grand-maman *f*
mamar [ma'mar] *vt* (*pecho*) téter; (*ideas*) se nourrir de ■ *vi* téter; **dar de ~** allaiter
mamarracho [mama'ratʃo] *nm* (*persona despreciable*) rien-du-tout *m/f inv*; (*por su apariencia física*) original(e)
mamífero, -a [ma'mifero, a] *adj, nm* mammifère *m*
mampara [mam'para] *nf* (*entre habitaciones*) cloison *f*; (*biombo*) écran *m*
mampostería [mamposte'ria] *nf* maçonnerie *f*
manada [ma'naða] *nf* (*de leones, lobos*) horde *f*; (*de búfalos, elefantes*) troupeau *m*; **llegaron en ~** (*fam*) ils sont arrivés en bande
manantial [manan'tjal] *nm* source *f*
manar [ma'nar] *vt* laisser couler ■ *vi* jaillir
mancha ['mantʃa] *nf* tache *f*; **la M~** la Manche
manchar [man'tjar] *vt, vi* tacher; **mancharse** *vpr* se tacher
manchego, -a [man'tʃeɣo, a] *adj* de la Manche ■ *nm/f* natif(-ive) *o* habitant(e) de la Manche
manco, -a ['manko, a] *adj* manchot(e); (*incompleto*) incomplet(-ète); **no ser ~** (*fig*) être dégourdi(e)
mancomunar [mankomu'nar] *vt* mettre en commun; (*Jur*) rendre solidaires
mancomunidad [mankomuni'ðað] *nf* (*de bienes*) copropriété *f*; (*de personas, Jur*) association *f*; (*de municipios*) syndicat *m*
mandamiento [manda'mjento] *nm* (*Rel*) commandement *m*; **~ judicial** mandat *m* d'arrêt
mandar [man'dar] *vt* ordonner; (*Mil*) commander; (*enviar*) envoyer ■ *vi* commander; (*en un país*) diriger; **mandarse** *vpr*: **~se mudar** (*AM*: *fam*) se casser; **¿mande?** je vous demande pardon?; **¿manda usted algo más?** désirez-vous autre chose?; **se lo mandaremos por correo** nous vous l'enverrons par courrier; **~ hacer un traje** se faire faire un costume; **~ a algn a hacer algo** ordonner à qn de faire qch; **~ a algn a paseo** *o* **a la porra** envoyer qn au diable
mandarina [manda'rina] *nf* mandarine *f*
mandato [man'dato] *nm* (*orden*) ordre *m*; (*Pol*) mandat *m*; (*Inform*) commande *f*; **~ judicial** mandat d'arrêt
mandíbula [man'diβula] *nf* mandibule *f*
mandil [man'dil] *nm* tablier *m*
mando ['mando] *nm* (*Mil*) commandement *m*; (*de organización, país*) direction *f*; (*Tec*) commande *f*; **los (altos) ~s** les chefs *mpl*; **el alto ~** le haut commandement; **al ~ (de)** sous la responsabilité (de); **tomar el ~** prendre le commandement; **~ a distancia** télécommande *f*
manejable [mane'xaβle] *adj* maniable; (*libro*) peu encombrant(e); (*persona*) facile
manejar [mane'xar] *vt* manier; (*máquina*) manœuvrer; (*caballo*) mener; (*pey*: *a personas*) manœuvrer; (*casa, negocio*) mener; (*dinero, números*) brasser; (*idioma*) maîtriser; (*AM*: *Auto*) conduire ■ *vi* (*AM*: *Auto*) conduire; **manejarse** *vpr* se débrouiller; **"~ con cuidado"** "manipuler avec précaution"
manejo [ma'nexo] *nm* maniement *m*; (*de máquinas*) manœuvre *f*; (*AM*: *de negocio*) conduite *f*; (*soltura*) aisance *f*; **manejos** *nmpl* (*pey*) manœuvres *fpl*
manera [ma'nera] *nf* manière *f*, façon *f*; **maneras** *nfpl* (*modales*) manières *fpl*; **~ de pensar/de ser** façon de penser/d'être; **a mi ~** à ma façon; **de cualquier ~** de toute manière; (*pey*) n'importe comment; **de mala ~** (*fam*) brutalement; **¡de ninguna ~!** en aucun cas!; **de otra ~** autrement; **de todas ~s** de toute manière; **en gran ~** largement; **sobre ~** énormément; **a mi ~ de ver** d'après moi;

no hay ~ de persuadirle il n'y a pas moyen de le persuader; **de ~ que** de sorte que
manga ['manga] *nf* manche *f*; (*Geo*) tuyau *m*; **de ~ corta/larga** à manches courtes/longues; **en ~s de camisa** en bras de chemise; **andar ~ por hombro** être débraillé(e); **tener ~ ancha** être très ouvert(e); **~ de pastelero** douille *f* (de pâtissier); **~ de riego** tuyau d'irrigation; **~ de viento** manche *f* à air
mangar [man'gar] (*fam*) *vt* piquer
mango ['mango] *nm* manche *m*; (*Bot*) mangue *f*; **~ de escoba** manche à balai
mangonear [mangone'ar] (*pey*) *vt* commander ■ *vi* se mêler de tout
manguera [man'gera] *nf* lance *f* d'arrosage; **~ de incendios** lance d'incendie
manía [ma'nia] *nf* manie *f*; **tiene sus ~s** il a ses petites manies; **tener ~ a algn/algo** avoir de l'antipathie pour qn/qch
maníaco, -a [ma'niako, a] *adj, nm/f* maniaque *m/f*
maniatar [manja'tar] *vt* ligoter
maniático, -a [ma'njatiko, a] *adj, nm/f* maniaque *m/f*
manicomio [mani'komjo] *nm* asile *m* (de fous)
manifestación [manifesta'θjon] *nf* manifestation *f*; (*declaración*) déclaration *f*
manifestar [manifes'tar] *vt* manifester; (*declarar*) déclarer; **manifestarse** *vpr* (*Pol*) manifester; (*interés, dolor*) se manifester
manifiesto, -a [mani'fjesto, a] *pp de* **manifestar** ■ *adj* manifeste ■ *nm* (*Arte, Pol*) manifeste *m*; **poner (algo) de ~** mettre (qch) en évidence
manillar [mani'ʎar] *nm* guidon *m*
maniobra [ma'njoβra] *nf* manœuvre *f*; **maniobras** *nfpl* (*Mil, pey*) manœuvres *fpl*
maniobrar [manio'βrar] *vi* manœuvrer; (*Mil*) faire des manœuvres
manipulación [manipula'θjon] *nf* manipulation *f*
manipular [manipu'lar] *vt* manipuler
maniquí [mani'ki] *nm/f* mannequin *m/f* ■ *nm* (*de escaparate*) mannequin *m*
manirroto, -a [mani'rroto, a] *adj, nm/f* dépensier(-ère)
manivela [mani'βela] *nf* manivelle *f*
manjar [man'xar] *nm* mets *msg*
mano ['mano] *nf* main *f*; (*Zool*) patte *f*, griffe *f*; (*Culin*) pied *m*; (*de pintura*) couche *f* ■ *nm* (*Méx: fam*) copain *m*; **a ~** à la main; **estar/tener algo a ~** être/avoir qch à portée de la main; **a ~ derecha/izquierda** à (main) droite/gauche; **hecho a ~** fait à la main; **a ~s llenas** à pleines mains; **de primera ~** de première main; **de segunda ~** d'occasion; **robo a ~ armada** vol *m* à main armée; **Pedro es mi ~ derecha** Pedro est mon bras droit; **darse la(s) ~(s)** se donner la main; **echar una ~** donner un coup de main; **hacer algo ~ a ~** faire qch en tête à tête; **echar ~ a algn** mettre la main sur qn; **echar ~ de algo** (*para usarlo*) recourir à qch; **estrechar la ~ a algn** serrer la main à qn; **dar algo en ~** donner qch en mains propres; **ir de la ~** échapper; **tener buena/mala ~ para algo** être doué(e)/peu doué(e) pour qch; **meter ~** (*fam*) peloter; **traer** *o* **llevar algo entre ~s** avoir qch entre les mains; **estar en ~s de algn** être entre les mains de qn; **estar en buenas ~s** être en de bonnes mains; **se le fue la ~** il n'y est pas allé de main morte; (*con ingredientes*) il a eu la main un peu lourde; **haré lo que esté en mi ~** je ferai mon possible; **¡~s a la obra!** au travail!; **pillar/coger/sorprender a algn con las ~s en la masa** prendre qn la main dans le sac; **~ de obra** main-d'œuvre *f*; **~ dura** sévérité *f*
manojo [ma'noxo] *nm* (*de hierbas*) brassée *f*; (*de llaves*) trousseau *m*; **ser un ~ de nervios** être un paquet de nerfs
manopla [ma'nopla] *nf* moufle *f*; **~ de cocina** poignée *f*
manoseado, -a [manose'aðo, a] *adj* (*tema*) rebattu(e); (*papel*) manipulé(e)
manosear [manose'ar] *vt* (*libro*) manipuler; (*flores*) écraser; (*tema, asunto*) rebattre; (*fam: una persona*) tripoter
manos libres [manos'liβres] *nm inv* (*Telec*) kit *m* mains libres
manotazo [mano'taθo] *nm* gifle *f*
mansalva [man'salβa]: **a ~** *adv* sans risque
mansedumbre [manse'ðumbre] *nf* (*de persona*) douceur *f*; (*de animal*) docilité *f*
mansión [man'sjon] *nf* demeure *f*
manso, -a ['manso, a] *adj* (*persona*) doux (douce); (*animal*) apprivoisé(e); (*aguas*) tranquille; (*Chi: fam*) énorme
manta ['manta] *nf* couvre-lit *m*; (*AM*) poncho *m*; **una ~ de azotes/palos** une volée de coups de fouet/de bâton; **a ~** (*llover*) des cordes; (*reírse*) aux larmes
manteca [man'teka] *nf* (*de cerdo*) saindoux *m*; (*de cacao: AM*) beurre *m*; (*de leche*) crème *f*
mantel [man'tel] *nm* nappe *f*

mantendré *etc* [manten'dre] *vb ver* **mantener**

mantener [mante'ner] *vt* maintenir; (*familia*) subvenir aux besoins de; (*Tec*) assurer la maintenance (de); (*actividad*) conserver; (*edificio*) soutenir; **mantenerse** *vpr* (*edificio*) être soutenu(e); (*no ceder*) se maintenir; **~ la línea** garder la ligne; **~ el equilibrio** garder l'équilibre; **~ algo encendido/caliente** laisser qch allumé(e)/garder qch au chaud; **~ a algn informado** tenir qn au courant; **~ a algn con vida** maintenir qn en vie; **~se a distancia** garder ses distances; **~se (de/con)** vivre (de); **~se en forma** garder la forme; **~se en pie** rester debout; **~se firme** rester ferme

mantenimiento [manteni'mjento] *nm* (*Tec*) maintenance *f*; (*de orden, relaciones*) maintien *m*; (*sustento*) subsistance *f*; **ejercicios de ~** exercices *mpl* de gymnastique

mantequilla [mante'kiʎa] *nf* beurre *m*

manto ['manto] *nm* cape *f*

mantuve *etc* [man'tuβe] *vb ver* **mantener**

manual [ma'nwal] *adj* manuel(le) ■ *nm* manuel *m*

manufactura [manufak'tura] *nf* manufacture *f*

manufacturado, -a [manufaktu'raðo, a] *adj* manufacturé(e)

manuscrito, -a [manus'krito, a] *adj* manuscrit(e) ■ *nm* manuscrit *m*

manutención [manuten'θjon] *nf* (*de persona*) subsistance *f*; (*de alimentos, dinero*) conservation *f*

manzana [man'θana] *nf* pomme *f*; (*de edificios*) pâté *m*; **~ de la discordia** (*fig*) pomme de discorde

manzanilla [manθa'niʎa] *nf* camomille *f*; (*vino*) manzanilla *m*

manzano [man'θano] *nm* pommier *m*

maña ['maɲa] *nf* adresse *f*; **mañas** *nfpl* (*artimañas*) ruses *fpl*; **con ~** avec adresse; **darse (buena) ~ para hacer algo** être doué(e) pour faire qch

mañana [ma'ɲana] *adv* demain ■ *nm*: **(el) ~** (le) lendemain ■ *nf* matin *m*; **de** *o* **por la ~** le matin; **¡hasta ~!** à demain!; **pasado ~** après-demain; **~ por la ~** demain matin; **a las 3 de la ~** à 3 heures du matin; **a media ~** tard dans la matinée

mañoso, -a [ma'ɲoso, a] *adj* adroit(e)

mapa ['mapa] *nm* carte *f*

maqueta [ma'keta] *nf* maquette *f*

maquillaje [maki'ʎaxe] *nm* maquillage *m*

maquillar [maki'ʎar] *vt* maquiller; **maquillarse** *vpr* se maquiller

máquina ['makina] *nf* machine *f*; (*de tren*) locomotive *f*; (*Cam, Cu*) voiture *f*; **a toda ~** à toute allure; **escrito a ~** tapé à la machine; **~ de coser/de escribir/de vapor** machine à coudre/à écrire/à vapeur; **~ fotográfica** appareil *m* photographique; **~ herramienta** machine-outil *f*; **~ tragaperras** machine à sous

maquinación [makina'θjon] *nf* machination *f*

maquinal [maki'nal] *adj* machinal(e)

maquinaria [maki'narja] *nf* machinerie *f*

maquinilla [maki'niʎa] *nf* (*tb*: **maquinilla de afeitar**) rasoir *m*; **~ eléctrica** rasoir électrique

maquinista [maki'nista] *nm* mécanicien *m*

mar [mar] *nm o nf* mer *f*; **~ de fondo** lame *f* de fond; (*fig*) malaise *m*; **~ gruesa** mer forte; **~ adentro** au large; **en alta ~** en haute mer; **por ~** par mer; **hacerse a la ~** partir en mer; **a ~es** (*llover*) à verse; (*llorar*) comme une madeleine; **estar hecho un ~ de lágrimas** pleurer comme une fontaine; **es la ~ de guapa** elle est très jolie; **la ~ de bien** très bien; **el M~ Negro/Báltico** la Mer Noire/Baltique; **el M~ Muerto/Rojo** la Mer Morte/Rouge; **el M~ del Norte** la Mer du Nord

mar. *abr* = **marzo**

maraña [ma'raɲa] *nf* enchevêtrement *m*

maratón [mara'ton] *nm* marathon *m*

maravilla [mara'βiʎa] *nf* merveille *f*; (*Bot*) souci *m*; **¡qué ~!** quelle merveille!; **hacer ~s** faire des merveilles; **a (las mil) ~s** à merveille

maravillar [maraβi'ʎar] *vt* émerveiller; **maravillarse** *vpr*: **~se (de)** s'émerveiller (de)

maravilloso, -a [maraβi'ʎoso, a] *adj* merveilleux(-euse); **¡es ~!** c'est merveilleux!

marca ['marka] *nf* marque *f*; (*acto*) marquage *m*; (*Deporte*) record *m*; **de ~** (*Com*) de marque; **~ de fábrica** marque; **~ propia/registrada** marque propre/déposée

marcador [marka'ðor] *nm* (*Deporte*) tableau *m*

marcapasos [marka'pasos] *nm inv* stimulateur *m* cardiaque

marcar [mar'kar] *vt* marquer; (*número de teléfono*) composer; (*Com*) étiqueter ■ *vi* (*Deporte*) marquer; (*Telec*) composer le numéro; (*en peluquería*) faire une mise en plis; **mi reloj marca las 2** à ma montre il est 2 heures; **~ el compás** (*Mús*) battre la mesure; **~ el paso** marquer le pas; **lavar y ~** faire un shampooing et une mise en plis

marcha ['martʃa] *nf* marche *f*; (*Auto*) vitesse *f*; (*dirección*) tournure *f*; (*fam*: *animación*) fête *f*; **dar ~ atrás** (*Auto, fig*) faire marche arrière; **estar en ~** être en marche; (*negocio*) marcher; **hacer algo sobre la ~** faire qch au fur et à mesure; **poner en ~** faire démarrer; **ponerse en ~** se mettre en marche; **a ~s forzadas** (*fig*) en quatrième vitesse; **¡en ~!** (*Mil*) en avant, marche!; (*fig*) allons-y!; **una persona/una ciudad/un bar con (mucha) ~** une personne (très) dynamique/une ville/un bar (très) animé(e)

marchar [mar'tʃar] *vi* marcher; (*ir*) partir; **marcharse** *vpr* s'en aller; **todo marcha bien** tout va bien

marchitarse [martʃi'tarse] *vpr* se faner

marcial [mar'θjal] *adj* martial(e)

marco ['marko] *nm* cadre *m*; (*moneda*) mark *m*

marea [ma'rea] *nf* marée *f*; **~ alta/baja** marée haute/basse; **una ~ de gente** une marée humaine; **~ negra** marée noire

marear [mare'ar] *vt* (*Med*) donner mal au cœur à; (*fam*) harceler; **marearse** *vpr* avoir le mal de mer; (*desmayarse*) s'évanouir; (*estar aturdido*) être abruti(e); (*emborracharse*) se soûler; *ver tb* **mareo**

maremoto [mare'moto] *nm* raz-de-marée *m inv*

mareo [ma'reo] *nm* mal *m* au cœur; (*en barco*) mal de mer; (*en avión*) mal de l'air; (*en coche*) mal des transports; (*desmayo*) évanouissement *m*; (*aturdimiento*) abrutissement *m*; (*fam*: *lata*) ennui *m*

marfil [mar'fil] *nm* ivoire *m*

margarina [marɣa'rina] *nf* margarine *f*

margarita [marɣa'rita] *nf* marguerite *f*

margen ['marxen] *nm o nf* (*de río, camino*) bord *m*; (*de página*) marge *f* ▪ *nm* marge; **~ de beneficio** *o* **de ganancia** marge bénéficiaire; **~ de confianza** marge de confiance; **dar ~ para** donner l'occasion de; **dejar a algn al ~** laisser qn en plan; **mantenerse al ~** rester en marge; **al ~ de lo que digas** quoi que tu dises

marginar [marxi'nar] *vt* (*socialmente*) marginaliser

marica [ma'rika] *nm* (*fam!*: *homosexual*) pédé *m* (*fam!*); (: *cobarde*) poule *f* mouillée

maricón [mari'kon] *nm* (*fam!*: *homosexual*) pédé *m* (*fam!*); (: *insulto*) connard *m* (*fam!*)

marido [ma'riðo] *nm* mari *m*

marihuana [mari'wana] *nf* marijuana *f*

marina [ma'rina] *nf* (*Mil*) marine *f*; **~ mercante** marine marchande

marinero, -a [mari'nero, a] *adj* marin(e) ▪ *nm* marin *m*

marino, -a [ma'rino, a] *adj* marin(e) ▪ *nm* marin *m*

marioneta [marjo'neta] *nf* marionnette *f*

mariposa [mari'posa] *nf* papillon *m*; (*Tec*) veilleuse *f*; (*en natación*) brasse *f* papillon

mariquita [mari'kita] *nm* (*fam!*) pédé *m* (*fam!*) ▪ *nf* coccinelle *f*

marisco [ma'risko] *nm* fruit *m* de mer

marítimo, -a [ma'ritimo, a] *adj* maritime

mármol ['marmol] *nm* marbre *m*

marqués, -esa [mar'kes, esa] *nm/f* marquis(e)

marrón [ma'rron] *adj* marron

marroquí [marro'ki] *adj* marocain(e) ▪ *nm/f* Marocain(e) ▪ *nm* (*cuero*) maroquin *m*

Marruecos [ma'rrwekos] *nm* Maroc *m*

martes ['martes] *nm inv* mardi *m*; **~ de carnaval** Mardi-Gras *msg*; *ver tb* **sábado**

MARTES Y TRECE

En Espagne, selon une superstition, le mardi, et en particulier le mardi 13, est un jour qui porte malheur.

martillo [mar'tiʎo] *nm* marteau *m*; **~ neumático** marteau piqueur *m*

mártir ['martir] *nm/f* martyr(e)

martirio [mar'tirjo] *nm* martyre *m*

marxismo [mark'sismo] *nm* marxisme *m*

marxista [mark'sista] *adj, nm/f* marxiste *m/f*

marzo ['marθo] *nm* mars *msg*; *ver tb* **julio**

mas [mas] *conj* mais

PALABRA CLAVE

más [mas] *adv* **1** (*compar*) plus; **más grande/inteligente** plus grand/intelligent; **trabaja más (que yo)** il travaille plus (que moi); **más de mil** plus de mille; **más de lo que yo creía** plus que je ne croyais

2 (+ *sustantivo*) plus de; **más libros** plus de livres; **más tiempo** plus longtemps

3 (*tras sustantivo*) en plus, de plus; **3 personas más (que ayer)** 3 personnes de plus (qu'hier)
4 (*superl*): **el más ...** le plus ...; **el más inteligente (de)** le plus intelligent (de); **el coche más grande** la voiture la plus grande; **el que más corre** le plus rapide; **puedo hacerlo como el que más** je peux le faire comme personne
5 (*adicional*): **deme una más** donnez m'en encore une; **un poco más** encore un peu; **¿qué más?** quoi d'autre?, quoi encore?; **¿quién más?** qui d'autre?; **¿quieres más?** en veux-tu plus *o* davantage?
6 (*negativo*): **no tengo más dinero** je n'ai plus d'argent; **no viene más por aquí** il ne vient plus par ici; **no sé más** je n'en sais pas plus *o* davantage; **nunca más** plus jamais; **no hace más que hablar** il ne fait que parler; **no lo sabe nadie más que él** il n'y a que lui qui le sache
7 (*+ adj: valor intensivo*): **¡qué perro más sucio!** comme ce chien est sale!; **¡es más tonto!** qu'est-ce qu'il est bête!
8 (*locuciones*): **más o menos** plus ou moins; **ni más ni menos** ni plus ni moins; **los más** la plupart; **es más, acabamos pegándonos** on a même fini par se battre; **más aún** mieux encore; **más bien** plutôt; **¡más te vale!** ça vaut mieux pour toi!; **más vale tarde que nunca** mieux vaut tard que jamais; **a más tardar** au plus tard; **a más y mejor** à qui mieux mieux; **¡qué más da!** qu'est-ce que cela fait!; *ver tb* **cada**
9: **de más**; **veo que aquí estoy de más** je vois que je suis de trop ici; **tenemos uno de más** nous en avons un de trop
10 (*AM*): **no más** seulement; **así no más** comme ça; **ayer no más** pas plus tard qu'hier
11: **por más**; **por más que lo intento** j'ai beau essayer; **por más que quisiera ...** j'ai beau vouloir ...
12 (*Mat*): **2 más 2 son 4** 2 plus 2 font 4
■ *nm* (*Mat: signo*) signe *m* plus; **este trabajo tiene sus más y sus menos** ce travail a de bons et de mauvais côtés

masa ['masa] *nf* masse *f*; (*Csur*) gâteau *m*; **las masas** *nmpl* (*Pol*) les masses *fpl*; **en ~** en masse
masacre [ma'sakre] *nf* massacre *m*
masaje [ma'saxe] *nm* massage *m*
máscara ['maskara] *nf* (*tb Inform*) masque *m* ■ *nm/f* personne *f* masquée; **~ antigás/de oxígeno** masque à gaz/à oxygène
mascarilla [maska'riʎa] *nf* (*Med, en cosmética*) masque *m*
masculino, -a [masku'lino, a] *adj* masculin(e); (*Bio*) masculin(e), mâle ■ *nm* (*Ling*) masculin *m*
masificación [masifika'θjon] *nf* encombrement *m*
masivo, -a [ma'siβo, a] *adj* massif(-ive)
masón [ma'son] *nm* franc-maçon *m*
masoquista [maso'kista] *adj, nm/f* masochiste *m/f*
máster ['master] *nm* (*Escol*) mastère *m*
masticar [masti'kar] *vt, vi* mastiquer
mástil ['mastil] *nm* mât *m*; (*de guitarra*) manche *m*
mastín [mas'tin] *nm* mâtin *m*
masturbación [masturβa'θjon] *nf* masturbation *f*
masturbarse [mastur'βarse] *vpr* se masturber
mata ['mata] *nf* (*esp AM*) arbuste *m*; (*de espinas*) brassée *f*; (*de perejil*) bouquet *m*; **matas** *nfpl* (*matorral*) fourrés *mpl*; **~ de pelo** touffe *f* de cheveux
matadero [mata'ðero] *nm* abattoir *m*
matador, a [mata'ðor, a] *adj* laid(e) à faire peur ■ *nm* (*Taur*) matador *m*
matamoscas [mata'moskas] *nm inv* tue-mouches *m inv*
matanza [ma'tanθa] *nf* (*de gente*) massacre *m*; (*de cerdo: acción*) abattage *m* du cochon; (*: época*) *saison de l'abattage du cochon*; (*: carne*) *viande du cochon abattu*
matar [ma'tar] *vt* tuer; (*hambre, sed*) apaiser ■ *vi* tuer; **matarse** *vpr* se tuer; **~ a algn a disgustos** faire mourir qn d'inquiétude; **~las callando** agir en douce; **~se trabajando** *o* **a trabajar** se tuer au travail; **~se por hacer algo** se tuer à faire qch
matasellos [mata'seʎos] *nm inv* cachet *m* de la poste
mate ['mate] *adj* mat(e) ■ *nm* (*en ajedrez*) mat *m*; (*And, Csur: hierba, infusión*) maté *m*, thé *m* des Jésuites; (*: vasija*) récipient *m* pour le maté; **~ de coca/de menta** thé à la coca/à la menthe
matemáticas [mate'matikas] *nfpl* mathématiques *fpl*, maths *fpl*; *ver tb* **matemático**
matemático, -a [mate'matiko, a] *adj* mathématique ■ *nm/f* mathématicien(ne); **¡es ~!** c'est mathématique!
materia [ma'terja] *nf* matière *f*; **en ~ de** en matière de; **entrar en ~** entrer en matière; **~ prima** matière première
material [mate'rjal] *adj* matériel(le);

(*autor*) corporel(le) ■ *nm* matière *f*, matériau *m*; (*dotación*) matériel *m*; (*cuero*) peau *f*; **~ de construcción** matériau de construction; **~es de derribo** décombres *mpl*; **no tener tiempo ~ para algo** ne pas avoir le temps matériel de faire qch
materialista [materja'lista] *adj* matérialiste
materialmente [mate'rjalmente] *adv*: **es ~ imposible** c'est matériellement impossible
maternal [mater'nal] *adj* maternel(le)
maternidad [materni'ðað] *nf* maternité *f*
materno, -a [ma'terno, a] *adj* maternel(le)
matinal [mati'nal] *adj* matinal(e)
matiz [ma'tiθ] *nm* nuance *f*; **un (cierto) ~ irónico** une (légère) nuance d'ironie
matizar [mati'θar] *vt*, *vi* préciser
matón [ma'ton] *nm* dur *m*
matorral [mato'rral] *nm* buisson *m*
matraca [ma'traka] *nf* matraque *f*; (*fam*: *lata*) plaie *f*
matrícula [ma'trikula] *nf* (*Escol*) inscription *f*; (*Auto*) immatriculation *f*; (: *placa*) plaque *f* d'immatriculation; **~ de honor** ≈ mention *f* très bien
matricular [matriku'lar] *vt* (*coche*) immatriculer; (*alumno*) inscrire; **matricularse** *vpr* s'inscrire
matrimonial [matrimo'njal] *adj* (*contrato*) de mariage; (*vida*) conjugal(e)
matrimonio [matri'monjo] *nm* (*pareja*) couple *m*; (*boda*) mariage *m*; **~ civil/clandestino** mariage civil/clandestin; **contraer ~ (con)** se marier (avec)
matriz [ma'triθ] *nf* (*Anat*) utérus *msg*; (*Tec*, *Mat*) matrice *f*; **casa ~** (*Com*) maison *f* mère
maullar [mau'ʎar] *vi* miauler
máxime ['maksime] *adv* particulièrement
máximo, -a ['maksimo, a] *adj* maximal(e), maximum; (*longitud*, *altitud*) maximal(e); (*galardón*) supérieur(e) ■ *nm* maximum *m*; **como ~** au plus; **al ~** au maximum; **lo ~** le maximum; **~ líder** *o* **jefe, líder ~** (*esp AM*) président *m*
mayo ['majo] *nm* mai *m*; *ver tb* **julio**
mayonesa [majo'nesa] *nf* mayonnaise *f*
mayor [ma'jor] *adj* (*adulto*) adulte; (*de edad avanzada*) âgé(e); (*Mús*, *fig*) majeur(e); (*compar*: *de tamaño*) plus grand(e); (: *de edad*) plus âgé(e); (*superl*: *ver compar*) très grand(e); très âgé(e); (*calle*, *plaza*) grand(e) ■ *nm* (*AM*: *Mil*) major *m*; **mayores** *nmpl* adultes *mpl*; **al por ~** en gros; **~ de edad** majeur(e)
mayordomo [major'ðomo] *nm* majordome *m*
mayoría [majo'ria] *nf* majorité *f*; **en la ~ de los casos** dans la majorité des cas; **en su ~** en majorité; **~ absoluta/relativa** majorité absolue/relative; **~ de edad** majorité
mayorista [majo'rista] *nm/f* grossiste *m/f*
mayúscula [ma'juskula] *nf* (*tb*: **letra mayúscula**) majuscule *f*
mayúsculo, -a [ma'juskulo, a] *adj* (*susto*) terrible; (*error*) magistral(e)
mazapán [maθa'pan] *nm* pâte *f* d'amande
mazo ['maθo] *nm* maillet *m*; (*de mortero*) pilon *m*; (*naipes*) paquet *m*; (*billetes*) liasse *f*
me [me] *pron* me; (*en imperativo*) moi; **me lo compró** il me l'a acheté; **¡dámelo!** donne-le-moi!
mear [me'ar] (*fam*) *vt*, *vi* pisser; **mearse** *vpr* pisser; **~se de risa** pisser de rire
mecánica [me'kanika] *nf* mécanique *f*
mecánico, -a [me'kaniko, a] *adj* mécanique ■ *nm/f* mécanicien(ne)
mecanismo [meka'nismo] *nm* mécanisme *m*
mecanografía [mekanoɣra'fia] *nf* dactylographie *f*
mecanógrafo, -a [meka'noɣrafo, a] *nm/f* dactylo(graphe) *m/f*
mecate [me'kate] (*AM*) *nm* corde *f*
mecedor [meθe'ðor] (*AM*) *nm*, **mecedora** [meθe'ðora] *nf* fauteuil *m* à bascule
mecer [me'θer] *vt* balancer; **mecerse** *vpr* se balancer
mecha ['metʃa] *nf* mèche *f*; **mechas** *nfpl* (*en el pelo*) mèches *fpl*; **a toda ~** à toute allure
mechero [me'tʃero] *nm* briquet *m*
mechón [me'tʃon] *nm* (*de pelo*) mèche *f*; (*de lana*) brins *mpl*
medalla [me'ðaʎa] *nf* médaille *f*
media ['meðja] *nf* moyenne *f*; (*prenda de vestir*) bas *msg*; (*AM*) chaussette *f*
mediano, -a [me'ðjano, a] *adj* moyen(ne); **de tamaño ~** de taille moyenne; **el ~** celui du milieu
medianoche [meðja'notʃe] *nf* minuit *m*
mediante [me'ðjante] *adv* grâce à
mediar [me'ðjar] *vi* servir d'intermédiaire; (*tiempo*) s'écouler; (*distancia*) séparer; (*problema*: *interponerse*) s'interposer; **media el hecho de que ...** il y a le fait que ...; **~ por**

algn intercéder en faveur de qn; **entre ambos media un abismo** un abîme les sépare

mediático, -a [me'ðjatiko, a] *adj* des médias

medicación [meðika'θjon] *nf* (*acción*) prise *f* de médicaments; (*medicamentos*) médicaments *mpl*

medicamento [meðika'mento] *nm* médicament *m*

medicina [meði'θina] *nf* (*ciencia*) médecine *f*; (*medicamento*) médicament *m*; **estudiante de ~** étudiant(e) en médecine; **~ general** médecine générale

medición [meði'θjon] *nf* mesure *f*

médico, -a ['meðiko, a] *adj* médical(e) ■ *nm/f* médecin *m/f*; **~ de cabecera** médecin de famille; **~ forense** médecin légiste; **~ residente** interne *m/f*

medida [me'ðiða] *nf* mesure *f*; (*de camisa etc*) taille *f*; **medidas** *nfpl* (*de persona*) mesures *fpl*; **en cierta ~** dans une certaine mesure; **en gran ~** en grande partie; **un traje a la ~** un costume sur mesure; **~ de cuello** encolure *f*; **a ~ de mi** *etc* **capacidad/necesidad** dans la mesure de mes *etc* possibilités/besoins; **con ~** avec mesure; **sin ~** sans aucune mesure; **a ~ que ...** à mesure que ...; **en la ~ de lo posible** dans la mesure du possible; **tomar ~s** prendre des mesures

medio, -a ['meðjo, a] *adj* moyen(ne) ■ *adv* à moitié ■ *nm* milieu *m*; (*método*) moyen *m*; **medios** *nmpl* moyens *mpl*; **a medias** à moitié; **pagar a medias** partager les frais; **~ litro** un demi-litre; **media hora/docena/manzana** une demi-heure/douzaine/pomme; **las tres y media** trois heures et demie; **a ~ camino** à mi-chemin; **a media luz** dans la pénombre; **~ dormido/enojado** à moitié endormi/fâché; **a ~ terminar** à moitié fait; **en ~, entre medias** au milieu; **por ~ de** au moyen de; **(de) por ~** au milieu; **en los ~s financieros** dans les milieux financiers; **~ ambiente** environnement *m*; **~s de comunicación/transporte** moyens de communication/transport; **M~ Oriente** Moyen-Orient *m*

medioambiental [meðjoambjen'tal] *adj* (*efectos*) sur l'environnement; (*política*) écologique

mediocre [me'ðjokre] (*pey*) *adj* médiocre

mediodía [meðjo'ðia] *nm* midi *m*; **a ~** à midi

medir [me'ðir] *vt* mesurer; **medirse** *vpr* se mesurer; **~ mal sus fuerzas** trop présumer de ses forces; **~ las palabras/acciones** (*fig*) mesurer ses paroles/actes; **¿cuánto mides? - mido 1.50 m** tu mesures combien? - je mesure 1 m 50; **~se con algn** se mesurer à qn

meditar [meði'tar] *vt* méditer ■ *vi*: **~ (sobre)** méditer (sur)

mediterráneo, -a [meðite'rraneo, a] *adj* méditerranéen(ne) ■ *nm*: **el (mar) M~** la (Mer) Méditerranée

médula ['meðula] *nf* moelle *f*; **hasta la ~** (*fig*) jusqu'à la moelle; **~ espinal** moelle épinière

medusa [me'ðusa] (*Esp*) *nf* méduse *f*

megafonía [meɣafo'nia] *nf* sono *f*; (*técnica*) sonorisation *f*

megáfono [me'ɣafono] *nm* porte-voix *m inv*

megalómano, -a [meɣa'lomano, a] *nm/f* mégalomane *m/f*

mejicano, -a [mexi'kano, a] (*Esp*) *adj* mexicain(e) ■ *nm/f* Mexicain(e)

Méjico ['mexiko] (*Esp*) *nm* Mexique *m*

mejilla [me'xiʎa] *nf* joue *f*

mejillón [mexi'ʎon] *nm* moule *f*

mejor [me'xor] *adj* meilleur(e) ■ *adv* mieux; **lo ~** le mieux; **en lo ~ de la vida** dans la fleur de l'âge; **será ~ que vayas** il vaut mieux que tu t'en ailles; **a lo ~** peut-être; **~ dicho** plutôt; **¡(tanto) ~!** tant mieux!; **es el ~ de todos** c'est le meilleur de tous; **~ vámonos** (*esp AM*: *fam*) allons-y; **tu, ~ te callas** (*esp AM*: *fam*) toi, tu ferais mieux de te taire

mejora [me'xora] *nf* amélioration *f*

mejorar [mexo'rar] *vt* améliorer ■ *vi* s'améliorer; (*enfermo*) se rétablir; **mejorarse** *vpr* s'améliorer; (*paciente*) se rétablir; **mejorando lo presente** à l'exception des personnes ici-présentes; **¡que se mejore!** je vous souhaite un prompt rétablissement!

mejoría [mexo'ria] *nf* (*de enfermo*) rétablissement *m*; (*del tiempo*) amélioration *f*

melancólico, -a [melan'koliko, a] *adj* mélancolique

melena [me'lena] *nf* (*de persona*) chevelure *f*; (*de león*) crinière *f*; **melenas** *nfpl* (*pey*) tignasse *fsg*

mellizo, -a [me'ʎiθo, a] *adj, nm/f* jumeau(-elle); **mellizos** *nmpl* (*AM*) jumelles *fpl*; (*de ropa*) boutons *mpl* de manchette

melocotón [meloko'ton] (*Esp*) *nm* pêche *f*

melodía [melo'ðia] *nf* mélodie *f*

melodrama [melo'ðrama] *nm* mélodrame *m*

melón [me'lon] *nm* melon *m*
membrete [mem'brete] *nm* en-tête *m*
membrillo [mem'briʎo] *nm* (*fruto*) coing *m*; (*árbol*) cognassier *m*; (*tb*: **carne de membrillo**) confiture *f* de coings
memorable [memo'raβle] *adj* mémorable
memoria [me'morja] *nf* mémoire *f*; (*informe*) rapport *m*; **memorias** *nfpl* (*de autor*) mémoires *fpl*; **tener buena/mala ~** avoir une bonne/mauvaise mémoire; **~ anual** rapport annuel; **aprender/saber/recitar algo de ~** apprendre/savoir/réciter qch par cœur; **a la ~ de** à la mémoire de; **en ~ de** en mémoire de; **ahora que me viene a la ~** ça me revient; **~ auxiliar/fija/fija programable** (*Inform*) mémoire auxiliaire/morte/morte programmable; **~ de acceso aleatorio** (*Inform*) mémoire vive; **~ del teclado** (*Inform*) mémoire du clavier
memorizar [memori'θar] *vt* mémoriser
menaje [me'naxe] *nm* (*de cocina*) ustensiles *mpl* de cuisine; (*del hogar*) ustensiles de ménage
mencionar [menθjo'nar] *vt* mentionner; **sin ~ ...** sans parler de ...
mendigar [mendi'ɣar] *vt, vi* mendier
mendigo, -a [men'diɣo, a] *nm/f* mendiant(e)
mendrugo [men'druɣo] *nm* quignon *m*
menear [mene'ar] *vt* remuer; (*cadera*) balancer; **menearse** *vpr* remuer; (*al andar*) se déhancher; (*fam*) se manier
menester [menes'ter] *nm*: **es ~ hacer algo** il faut faire qch; **menesteres** *nmpl* devoirs *mpl*
menestra [me'nestra] *nf*: **~ de verduras** macédoine *f* de légumes (*parfois avec des morceaux de viande*)
menguante [men'gwante] *adj* décroissant(e)
menguar [men'gwar] *vt* diminuer
■ *vi* décroître; (*número*) réduire; (*días*) diminuer; (*marea*) descendre
meningitis [menin'xitis] *nf* méningite *f*
menopausia [meno'pausja] *nf* ménopause *f*
menor [me'nor] *adj* (*más pequeño*: *compar*) plus petit(e); (*número*: *superl*) moindre; (*más joven*) plus jeune; (*Mús*) mineur(e) ■ *nm/f* (*tb*: **menor de edad**) mineur(e); **Juanito es ~ que Pepe** Juanito est plus jeune que Pepe; **ella es la ~ de todas** c'est la plus jeune de toutes; **no tengo la ~ idea** je n'en ai pas la moindre idée; **al por ~** au détail
Menorca [me'norka] *nf* Minorque *f*

PALABRA CLAVE

menos ['menos] *adv* **1** (*compar*) moins; **me gusta menos (que el otro)** je l'aime moins (que l'autre); **menos de 50** moins de 50; **menos de lo que esperaba** moins que je n'en attendais; **hay 7 de menos** il y en a 7 de moins
2 (+ *sustantivo*) moins de; **menos gente** moins de gens; **menos coches** moins de voitures
3 (*tras sustantivo*) de moins; **3 libros menos (que ayer)** 3 livres de moins (qu'hier)
4 (*superl*): **es la menos lista (de su clase)** c'est la moins intelligente (de sa classe); **el libro menos vendido** le livre le moins vendu; **de todas ellas es la que menos me agrada** c'est celle qui me plaît le moins parmi elles; **es el que menos culpa tiene** c'est celui qui est le moins coupable; **lo menos que ...** le moins que ...
5 (*locuciones*): **no quiero verle y menos visitarle** je ne veux pas le voir, encore moins lui rendre visite; **menos aun cuando ...** d'autant moins que ...; **¡menos mal (que ...)!** heureusement (que ...)!; **al** *o* **por lo menos** (tout) au moins; **si al menos ...** si seulement ...; **qué menos que entres y tomes un café** tu peux bien entrer prendre un café; **¡eso es lo de menos!** ça, c'est le moins important!
6 (*Mat*): **5 menos 2** 5 moins 2
■ *prep* (*excepto*) sauf; **todos menos él** tous sauf lui
■ *conj*: **a menos que**; **a menos que venga mañana** à moins qu'il ne vienne demain
■ *nm* (*Mat*: *signo*) signe *m* moins

menospreciar [menospre'θjar] *vt* sous-estimer; (*despreciar*) mépriser
mensaje [men'saxe] *nm* message *m*; (*Telec*) minimessage *m* SMS; **enviar un ~ a algn** (*por móvil*) envoyer un minimessage SMS à qn; **~ de error** (*Inform*) message *m* d'erreur; **~ de texto** (*Telec*) minimessage *m* SMS
mensajero, -a [mensa'xero, a] *nm/f* messager(-ère)
menstruación [menstrwa'θjon] *nf* menstruation *f*
mensual [men'swal] *adj* mensuel(elle); **100 euros ~es** 100 euros par mois
mensualidad [menswali'ðað] *nf* mensualité *f*

menta ['menta] *nf* menthe *f*
mental [men'tal] *adj* mental(e)
mentalidad [mentali'ðað] *nf* mentalité *f*
mentalizar [mentali'θar] *vt* faire prendre conscience à; **mentalizarse** *vpr*: **~se (de/de que)** se faire à l'idée (de/que)
mentar [men'tar] *vt* mentionner; **~le la madre a algn** (*fam*) mettre qn plus bas que terre
mente ['mente] *nf* esprit *m*; **tener en ~ (hacer)** avoir dans l'idée (de faire); **tener la ~ en blanco** avoir la tête vide
mentir [men'tir] *vi* mentir; **¡miento!** que dis-je!
mentira [men'tira] *nf* mensonge *m*; **eso es ~** ce n'est pas vrai; **una ~ como una casa** (*fam*) un mensonge gros comme une maison; **parece ~ que ...** on ne dirait vraiment pas que ...; (*como reproche*) cela paraît incroyable que ...; **de ~** (*pistola*) pour rire; (*historia*) pour blaguer; **~ piadosa** pieux mensonge
mentiroso, -a [menti'roso, a] *adj, nm/f* menteur(-euse)
menú [me'nu] *nm* (*tb Inform*) menu *m*; **guiado por ~** (*Inform*) contrôlé par menu
menudo, -a [me'nuðo, a] *adj* (*muy pequeño*) menu(e); (*sin importancia*) insignifiant(e); **¡~ negocio!** drôle d'affaire!; **¡~ chaparrón/lío!** quelle engueulade/histoire!; **¡~ sitio/actor!** (*pey*) drôle d'endroit/d'acteur!; **a ~** souvent
meñique [me'ɲike] *nm* (*tb*: **dedo meñique**) auriculaire *m*
meollo [me'oʎo] *nm*: **el ~ del asunto** le fond du problème
mercado [mer'kaðo] *nm* marché *m*; **M~ Común** marché commun; **~ de valores** marché des valeurs; **~ exterior/interior** marché extérieur/intérieur; **~ laboral** marché du travail; **~ negro** marché noir
mercancía [merkan'θia] *nf* marchandise *f*; **~s en depósito** marchandises en stock
mercantil [merkan'til] *adj* commercial(e)
mercenario, -a [merθe'narjo, a] *adj, nm* mercenaire *m*
mercería [merθe'ria] *nf* mercerie *f*; **artículos/sección de ~** mercerie
mercurio [mer'kurjo] *nm* mercure *m*
merecer [mere'θer] *vt* mériter; **merece la pena** ça vaut la peine
merecido, -a [mere'θiðo, a] *adj* mérité(e); **recibir su ~** en prendre pour son grade
merendar [meren'dar] *vt* prendre pour son goûter ■ *vi* prendre son goûter; (*en el campo*) pique-niquer
merengue [me'renge] *nm* meringue *f*
meridiano, -a [meri'ðjano, a] *adj*: **la explicación es de una claridad meridiana** l'explication est on ne peut plus claire ■ *nm* méridien *m*
merienda [me'rjenda] *vb ver* **merendar** ■ *nf* goûter *m*; (*en el campo*) pique-nique *m*; **~ de negros** foire *f* d'empoigne
mérito ['merito] *nm* mérite *m*; **hacer ~s** se faire remarquer par son zèle; **restar ~ a** ôter tout mérite à
merluza [mer'luθa] *nf* colin *m*; **coger una ~** (*fam*) prendre une cuite
merma ['merma] *nf* perte *f*
mermar [mer'mar] *vt* diminuer ■ *vi* (*comida*) réduire; (*fortuna*) diminuer
mermelada [merme'laða] *nf* confiture *f*
mero, -a ['mero, a] *adj* simple; (*Cam, Méx*: *fam*: *verdadero*) vrai(e); (: *principal*) principal(e); (: *exacto*) précis(e) ■ *nm* (*Zool*) mérou *m* ■ *adv* (*Cam, Méx*: *fam*) précisément; **allí ~** là-bas précisément; **el ~ ~** (*Méx*: *fam*) le grand manitou
merodear [meroðe'ar] *vi*: **~ por (un lugar)** rôder dans (un endroit)
mes [mes] *nm* mois *msg*; **el ~ corriente** ce mois-ci; **llegar a fin de ~** joindre les deux bouts
mesa ['mesa] *nf* table *f*; **poner/quitar la ~** mettre/débarrasser la table; **~ de billar** table de billard; **~ electoral** bureau *m* de vote; **~ redonda** table ronde
mesero, -a [me'sero] (*esp Méx*) *nm/f* garçon (serveuse)
meseta [me'seta] *nf* plateau *m*
mesilla [me'siʎa] *nf* (*tb*: **mesilla de noche**) table *f* de nuit
mesón [me'son] *nm* restaurant *m*
mestizo, -a [mes'tiθo, a] *adj, nm/f* métis(-isse)
mesura [me'sura] *nf* (*moderación*) mesure *f*; (*en trato con gente*) réserve *f*
meta ['meta] *nf* (*tb Fútbol*) but *m*
metabolismo [metaβo'lismo] *nm* métabolisme *m*
metáfora [me'tafora] *nf* métaphore *f*
metal [me'tal] *nm* métal *m*; (*Mús*) cuivres *mpl*
metálico, -a [me'taliko, a] *adj* métallique ■ *nm*: **en ~** en espèces
metalurgia [meta'lurxja] *nf* métallurgie *f*
meteoro [mete'oro] *nm* météore *m*; **como un ~** comme un éclair

meteorología [meteorolo'xia] *nf* météorologie *f*
meter [me'ter] *vt* mettre; (*involucrar*) mêler; (*Costura*) raccourcir; (*miedo*) faire; (*paliza*) flanquer; (*marchas: Auto*) mettre, passer; **meterse** *vpr*: **~se en** (*un lugar*) entrer dans; (*negocios, política*) se lancer dans; (*entrometerse*) se mêler de; **~ algo en** *o* (*esp AM*) **a** mettre qch dans; **~ ruido** faire du bruit; **~ una mentira** glisser un mensonge; **~ prisa a algn** bousculer qn; **~se a hacer algo** se mettre à faire qch; **~se a escritor** se lancer dans la littérature; **~se con algn** s'en prendre à qn; (*en broma*) taquiner qn; **~se en todo/ donde no le llaman** se mêler de tout/de ce qui ne le regarde pas
meticuloso, -a [metiku'loso, a] *adj* méticuleux(-euse)
metódico, -a [me'toðiko, a] *adj* méthodique
método ['metoðo] *nm* méthode *f*; **con ~** avec méthode
metodología [metoðolo'xia] *nf* méthodologie *f*
metralleta [metra'ʎeta] *nf* mitraillette *f*
metro ['metro] *nm* mètre *m*; (*tren*: *tb*: **metropolitano**) métro *m*; **~ cuadrado/ cúbico** mètre carré/cube
mexicano, -a [mexi'kano, a] (*AM*) *adj* mexicain(e) ■ *nm/f* Mexicain(e)
México ['mexiko] (*AM*) *nm* Mexique *m*; **Ciudad de ~** Mexico
mezcla ['meθkla] *nf* mélange *m*
mezclar [meθ'klar] *vt* mélanger; (*cosas, ideas dispares*) mêler; **mezclarse** *vpr* se mélanger; **~ a algn en** (*pey*) mêler qn à; **~se en algo** (*pey*) se mêler de qch; **~se con algn** (*pey*) fréquenter qn
mezquino, -a [meθ'kino, a] *adj* mesquin(e)
mezquita [meθ'kita] *nf* mosquée *f*
mg. *abr* (= *miligramo(s)*) mg (= *milligramme(s)*)
mi [mi] *adj* mon (ma) ■ *nm* (*Mús*) mi *m*; **mi hijo** mon fils; **mis hijos** mes enfants
mí [mi] *pron* moi; **¿y a mí qué?** qu'est-ce que ça peut bien me faire à moi?; **para mí que ...** à mon avis ...; **por mí no hay problema** pour ma part il n'y a pas de problème; **por mí mismo** de moi-même
michelín [mitʃe'lin] *nm* bourrelet *m*
micro ['mikro] *nm* micro *m*; (*AM*: *microordenador*) micro-ordinateur *m*; (: *microbús*) minibus *msg*; (*Arg*) autocar *m* ■ *nf* (*a veces nm*: *Chi*) minibus
microbio [mi'kroβjo] *nm* microbe *m*
micrófono [mi'krofono] *nm* microphone *m*
microondas [mikro'ondas] *nm inv* (*tb*: **horno microondas**) four *m* à micro-ondes
microscopio [mikros'kopjo] *nm* microscope *m*
miedo ['mjeðo] *nm* peur *f*; **meter ~ a** faire peur à; **tener ~** avoir peur; **tener ~ de que** avoir peur que; **de ~** (*fam*) terrible; **ese chica está de ~** cette fille est sublime; **pasarlo de ~** s'en donner à cœur joie; **me da ~** cela me fait peur; **me da ~ pensarlo/perderlo** je tremble à cette idée/à l'idée de le perdre; **hace un frío de ~** (*fam*) il fait un froid de loup
miedoso, -a [mje'ðoso, a] *adj* peureux(-euse)
miel [mjel] *nf* miel *m*
miembro ['mjembro] *nm* membre *m*; **~ viril** membre viril
mientras ['mjentras] *conj* pendant que ■ *adv* en attendant; **~ viva/pueda** tant que je vivrai/pourrai; **~ que** tandis que; **~ tanto** entre-temps; **~ más tiene, más quiere** (*esp AM*) plus on en a, plus on en veut
miércoles ['mjerkoles] *nm inv* mercredi *m*; **~ de ceniza** mercredi des Cendres; *ver tb* **sábado**
mierda ['mjerða] (*fam!*) *nf* merde *f* (*fam!*); **ser una ~** (*pey*) être de la merde; **¡vete a la ~!** va te faire voir!; **¡~!** merde!; **de ~** de merde, merdique
miga ['miɣa] *nf* mie *f*; (*una miga*) miette *f*; **hacer buenas ~s** (*fam*) faire bon ménage; **estar hecho ~s** (*fam*) être lessivé; **esto tiene ~** ce n'est pas rien
migración [miɣra'θjon] *nf* migration *f*
mil [mil] *adj, nm* mille *m*; **dos ~ libras** deux milles livres; **~es de veces** des milliers de fois
milagro [mi'laɣro] *nm* miracle *m*; **de ~** par miracle; **hacer ~s** faire des miracles
milagroso, -a [mila'ɣroso, a] *adj* miraculeux(-euse)
milésimo, -a [mi'lesimo, a] *adj, nm/f* millième *m*
mili ['mili] *nf*: **la ~** (*fam*) le service (militaire); **hacer la ~** faire son service
milicia [mi'liθja] *nf* milice *f*
milímetro [mi'limetro] *nm* millimètre *m*
militante [mili'tante] *adj, nm/f* militant(e)
militar [mili'tar] *adj, nm/f* militaire *m* ■ *vi*: **~ en** (*Pol*) militer dans; **los ~es** les militaires *mpl*, l'armée *f*
millar [mi'ʎar] *nm* millier *m*; **a ~es** par milliers
millón [mi'ʎon] *nm* million *m*

millonario, -a [miʎo'narjo, a] *adj, nm/f* millionnaire *m/f*
mimar [mi'mar] *vt* gâter
mimbre ['mimbre] *nm o nf* osier *m*; **de ~** en osier
mímica ['mimika] *nf* mimique *f*
mimo ['mimo] *nm* (*gesto cariñoso*) mamours *mpl*; (*en trato con niños*: *pey*) indulgence *f*; (*Teatro*) mime *m*; **un trabajo hecho con ~** un travail fait avec amour
mina ['mina] *nf* mine *f*; **ese negocio es una ~** c'est une affaire en or; **ese actor es una ~** cet acteur vaut de l'or
minar [mi'nar] *vt* miner
mineral [mine'ral] *adj* minéral(e) ▪ *nm* minéral *m*
minero, -a [mi'nero, a] *adj* minier(-ière) ▪ *nm/f* mineur *m*
miniatura [minja'tura] *nf* miniature *f*; **en ~** en miniature
minifalda [mini'falda] *nf* mini-jupe *f*
mínimo, -a ['minimo, a] *adj* (*temperatura, salario*) minimal(e); (*detalle, esfuerzo*) minime ▪ *nm* minimum *m*; **lo ~ que puede hacer** le moins qu'il puisse faire; **como ~** au minimum; **en lo más ~** le moins du monde
ministerio [minis'terjo] *nm* ministère *m*; **M~ de Asuntos Exteriores/de Comercio e Industria** ministère des Affaires étrangères/du Commerce et de l'Industrie; **M~ del Interior/de Hacienda** ministère de l'Intérieur/des Finances
ministro, -a [mi'nistro, a] *nm/f* ministre *m*; **M~ de Hacienda/del Interior** ministre des Finances/de l'Intérieur
minoría [mino'ria] *nf* minorité *f*
minucioso, -a [minu'θjoso, a] *adj* minutieux(-euse)
minúscula [mi'nuskula] *nf* minuscule *f*; **con ~(s)** (*Tip*) en minuscule(s)
minusválido, -a [minus'βaliðo, a] *adj, nm/f* handicapé(e)
minuta [mi'nuta] *nf* (*de comida*) menu *m*; (*de abogado etc*) minute *f*
minutero [minu'tero] *nm* aiguille *f* des minutes
minuto [mi'nuto] *nm* minute *f*
mío, -a ['mio, a] *adj* mien(-enne) ▪ *pron* le mien (la mienne); **un amigo ~** un de mes amis; **lo ~** ce qui m'appartient; **los ~s** les miens
miope ['mjope] *adj* myope
mira ['mira] *nf* (*de arma*) viseur *m*; **con la ~ de (hacer)** dans le but de (faire); **con ~s a (hacer)** en vue de (faire); **de amplias/estrechas ~s** large/étroit(e) d'esprit
mirada [mi'raða] *nf* regard *m*; (*momentánea*) coup *m* d'œil; **echar una ~ a** jeter un coup d'œil à; **levantar/bajar la ~** lever/baisser les yeux; **resistir la ~ de algn** soutenir le regard de qn; **~ de soslayo** regard de travers; **~ fija** regard fixe; **~ perdida** regard dans le vague
mirado, -a [mi'raðo, a] *adj* réservé(e); **estar bien/mal ~** être bien/mal vu(e)
mirador [mira'ðor] *nm* mirador *m*
mirar [mi'rar] *vt* regarder; (*considerar*) penser à ▪ *vi* regarder; (*suj*: *ventana etc*) donner sur; **mirarse** *vpr* se regarder; **~ algo/a algn de reojo** regarder qch/qn du coin de l'œil; **~ algo por encima** survoler qch; **~ algo/a algn por encima del hombro** regarder qch/qn de haut; **~ (hacia/por)** regarder (vers/par); **~ (en/por)** veiller (à); **~ fijamente** regarder fixement; **~ por la ventana** regarder par la fenêtre; **mira a ver si está ahí** regarde s'il y est; **~ bien/mal a algn** apprécier/ne pas apprécier qn; **mirándolo bien, ...** réflexion faite, ...; **~ por algn/algo** veiller sur qn/qch; **~se al espejo** se regarder dans le miroir; **~se a los ojos** se regarder dans les yeux
mirilla [mi'riʎa] *nf* judas *msg*
mirlo ['mirlo] *nm* merle *m*
misa ['misa] *nf* messe *f*; **lo que él dice va a ~** ce qu'il dit est parole d'évangile; **~ de difuntos/del gallo** messe des morts/de minuit
miserable [mise'raβle] *adj, nm/f* misérable *m/f*
miseria [mi'serja] *nf* misère *f*; (*tacañería*) mesquinerie *f*; **una ~** (*muy poco*) une misère; **hundir(se) en la ~** être au trente-sixième dessous
misericordia [miseri'korðja] *nf* miséricorde *f*
misil [mi'sil] *nm* missile *m*
misión [mi'sjon] *nf* mission *f*; **misiones** *nfpl* (*Rel*) missions *fpl*
misionero, -a [misjo'nero, a] *nm/f* missionnaire *m/f*
mismo, -a ['mismo, a] *adj*: **el ~ libro/apellido** le même livre/nom de famille; (*con pron personal*): **mi** *etc* **~** moi *etc* même ▪ *adv*: **aquí/hoy ~** (*dando énfasis*) ici/aujourd'hui même; (*por ejemplo*) par exemple ici/aujourd'hui; **ayer ~** pas plus tard qu'hier ▪ *conj*: **lo ~ que** de même que; **el ~ color** la même couleur; **ahora ~** à l'instant; **por lo ~** du coup; **lo hizo por sí ~** il l'a fait de lui-même; **en ese ~ momento** à ce moment-là; **vino el ~ Ministro** le ministre en personne est

venu; **yo ~ lo vi** je l'ai vu de mes propres yeux; **quiero lo ~** je veux la même chose; **es/da lo ~** peu importe; **lo ~ viene** rien ne dit qu'il ne viendra pas, il peut très bien venir; **quedamos en las mismas** nous en sommes au même point; **volver a las mismas** en revenir où on en était; **~ que** (*Méx: esp en prensa*) qui; **detuvieron al ladrón, ~ que fue trasladado a la cárcel** ils ont arrêté le voleur qui a été conduit en prison

misterio [mis'terjo] *nm* mystère *m*; **hacer algo con (mucho) ~** faire qch en (grand) secret

misterioso, -a [miste'rjoso, a] *adj* mystérieux(-euse)

mitad [mi'tað] *nf* moitié *f*; (*centro*) milieu *m*; **~ y ~** moitié moitié; **a ~ de precio** à moitié prix; **en** *o* **a ~ del camino** à mi-chemin; **cortar por la ~** partager en deux

mitigar [miti'ɣar] *vt* atténuer

mitin ['mitin] *nm* (*esp Pol*) meeting *m*

mito ['mito] *nm* mythe *m*

mixto, -a ['miksto, a] *adj* mixte; (*ensalada*) composé(e)

m/n *abr* (*Econ*) = *moneda nacional*

M.° *abr* = *Ministerio*

m/o *abr* (*Com*: = *mi orden*) notre réf

mobiliario [moβi'ljarjo] *nm* mobilier *m*

mochila [mo'tʃila] *nf* sac *m* à dos

moción [mo'θjon] *nf* motion *f*; **~ de censura** motion de censure

moco ['moko] *nm* morve *f*; **limpiarse los ~s** se moucher; **no es ~ de pavo** ce n'est pas rien

moda ['moða] *nf* mode *f*; **estar de ~** être à la mode; **pasado de ~** démodé(e); **ir a la ~** suivre la mode; **a la última ~** à la dernière mode

modales [mo'ðales] *nmpl* manières *fpl*; **buenos ~** bonnes manières

modalidad [moðali'ðað] *nf* modalité *f*

modelar [moðe'lar] *vt* modeler

modelo [mo'ðelo] *adj inv* modèle ■ *nm/f* modèle *m*; (*en moda, publicitario*) mannequin *m* ■ *nm* (*a imitar*) modèle

moderado, -a [moðe'raðo, a] *adj* modéré(e)

moderar [moðe'rar] *vt* modérer; **moderarse** *vpr*: **~se (en)** se modérer (dans)

modernizar [moðerni'θar] *vt* moderniser; **modernizarse** *vpr* se moderniser

moderno, -a [mo'ðerno, a] *adj* moderne

modestia [mo'ðestja] *nf* modestie *f*

modesto, -a [mo'ðesto, a] *adj* modeste

módico, -a ['moðiko, a] *adj* modique

modificar [moðifi'kar] *vt* modifier

modisto, -a [mo'ðisto, a] *nm/f* couturier(-ère)

modo ['moðo] *nm* (*manera*) manière *f*; (*Inform, Mús, Ling*) mode *f*; **modos** *nmpl* (*modales*): **buenos/malos ~s** bonnes/mauvaises manières; **"~ de empleo"** "mode d'emploi"; **a ~ de** en guise de; **de cualquier ~** de n'importe quelle manière; **de este ~** de cette façon; **de ningún ~** en aucune façon; **de todos ~s** de toute manière; **de un ~ u otro** d'une façon ou de l'autre; **en cierto ~** d'une certaine manière; **de ~ que** de sorte que

modorra [mo'ðorra] *nf* léthargie *f*

mofa ['mofa] *nf*: **hacer ~ de algn** se moquer de qn

mofarse [mo'farse] *vpr*: **~ de** se moquer de

moho ['moo] *nm* (*en pan etc*) moisi *m*; (*en metal*) rouille *f*

mojar [mo'xar] *vt* mouiller; **mojarse** *vpr* se mouiller; **~ el pan en el café/en salsa** tremper son pain dans le café/dans la sauce

mojón [mo'xon] *nm* borne *f*; **~ kilométrico** borne kilométrique

molde ['molde] *nm* moule *m*; (*Tip*) forme *f*; **romper ~s** rompre les schémas traditionnels

mole ['mole] *nf* masse *f* ■ *nm* (*Méx*) (sorte *f* de viande en) daube *f*

moler [mo'ler] *vt* moudre; (*cansar*) crever; **~ a algn a palos** rouer qn de coups

molestar [moles'tar] *vt* (*suj: olor, ruido*) gêner; (*: visitas, niño*) déranger; (*: zapato, herida*) faire mal à; (*: comentario, actitud*) vexer ■ *vi* (*visitas, niño*) déranger; **molestarse** *vpr* se déranger; (*ofenderse*) se vexer; **¿le molesta el humo?** la fumée vous dérange?; **me molesta tener que hacerlo** cela m'ennuie de devoir faire cela; **siento ~le** je regrette de vous déranger; **~se (en)** prendre la peine (de)

molestia [mo'lestja] *nf* gêne *f*; (*Med*) douleur *f*; **tomarse la ~ de** prendre la peine de; **no es ninguna ~** cela ne me dérange pas du tout, je vous en prie; **"perdonen las ~s"** "veuillez nous excuser pour le désagrément"

molesto, -a [mo'lesto, a] *adj* gênant(e), désagréable; **estar ~** (*Med*) se sentir mal; (*enfadado*) être fâché(e); **estar ~ con algn** ne pas être à l'aise avec qn

molido, -a [mo'liðo, a] *adj*: **estar ~** être crevé(e)

molinillo [moli'niʎo] *nm*: **~ de café** moulin *m* à café

molino [mo'lino] *nm* moulin *m*
momentáneo, -a [momen'taneo, a] *adj* momentané(e)
momento [mo'mento] *nm* moment *m*; **es el/no es el ~ de (hacer)** c'est/ce n'est pas le moment de (faire); **en estos ~s** en ce moment; **un buen/mal ~** un bon/mauvais moment; **al ~** sur le champ; **a cada ~** à tout moment; **en un ~** en un instant; **de ~** pour le moment; **del ~ (actual)** du moment; **por el ~** pour le moment; **de un ~ a otro** d'un moment à l'autre; **por ~s** par moments
momia ['momja] *nf* momie *f*
monarca [mo'narka] *nm* monarque *m*; **los ~s** le roi et la reine
monarquía [monar'kia] *nf* monarchie *f*
monárquico, -a [mo'narkiko, a] *adj* monarchique ■ *nm/f* monarchiste *m/f*
monasterio [monas'terjo] *nm* monastère *m*

La Moncloa

Le palais de la Moncloa à Madrid est la résidence officielle du chef du gouvernement espagnol. Par extension, l'expression "la Moncloa" désigne souvent le chef du gouvernement et ses collaborateurs.

mondar [mon'dar] *vt* éplucher; **mondarse** *vpr*: **~se de risa** (*fam*) se tordre de rire
moneda [mo'neða] *nf* (*unidad monetaria*) monnaie *f*; (*pieza*) pièce *f* de monnaie; **una ~ de 2 euros** une pièce de 2 euros; **es ~ corriente** c'est monnaie courante; **~ de curso legal** monnaie au cours légal; **~ extranjera** monnaie étrangère
monedero [mone'ðero] *nm* porte-monnaie *m inv*
monetario, -a [mone'tarjo, a] *adj* monétaire
monitor, a [moni'tor] *nm/f* moniteur(-trice) ■ *nm* (*TV, Inform*) moniteur *m*; **~ en color** écran *m* couleur
monja ['monxa] *nf* religieuse *f*
monje ['monxe] *nm* moine *m*
mono, -a ['mono, a] *adj* beau (belle); (*Col*) blond(e) ■ *nm/f* singe (guenon) ■ *nm* (*prenda*: *entera*) bleu *m* de travail; (: *con peto*) salopette *f*
monólogo [mo'noloɣo] *nm* monologue *m*
monopolio [mono'poljo] *nm* monopole *m*; **~ estatal** monopole d'État
monopolizar [monopoli'θar] *vt* monopoliser
monotonía [monoto'nia] *nf* monotonie *f*
monótono, -a [mo'notono, a] *adj* monotone
monovolumen [monobo'lumen] *nm* monospace *m*
monstruo ['monstrwo] *nm* monstre *m*; **~ de la música** monstre sacré de la musique
monstruoso, -a [mons'trwoso, a] *adj* monstrueux(-euse)
montaje [mon'taxe] *nm* montage *m*; (*pey*: *historia falsa*) mise *f* en scène
montaña [mon'taɲa] *nf* montagne *f*; (*AM*) forêt *f*; (*de ropa, problemas*) tas *msg*; **~ rusa** montagne russe
montar [mon'tar] *vt, vi* monter; **montarse** *vpr* (*en vehículo*) monter; **~ un número** *o* **numerito** faire son numéro; **~ a caballo** monter à cheval; **botas de ~** bottes *fpl* d'équitation; **~ en cólera** se mettre en colère; **ir montado en autobús/bicicleta** être en autobus/bicyclette
monte ['monte] *nm* mont *m*; (*área sin cultivar*) bois *msg*; **~ alto** futaie *f*; **~ bajo** maquis *msg*; **~ de piedad** mont de piété
montón [mon'ton] *nm* tas *msg*; (*de gente, dinero*) flopée *f*; **a montones** en masse; **del ~** de la masse
monumento [monu'mento] *nm* monument *m*
moño ['moɲo] *nm* chignon *m*; **estar hasta el ~** (*fam*) en avoir plein le dos
moqueta [mo'keta] *nf* moquette *f*
mora ['mora] *nf* (*Bot*) mûre *f*; **en ~** (*Com*) en retard
morada [mo'raða] *nf* demeure *f*
morado, -a [mo'raðo, a] *adj* violet(-ette) ■ *nm* violet *m*; **pasarlas moradas** en voir de toutes les couleurs; **ponerse ~ (a algo)** se gaver (de qch)
moral [mo'ral] *adj* moral(e) ■ *nf* morale *f*; (*ánimo*) moral *m* ■ *nm* (*Bot*) mûrier *m*; **tener baja la ~** ne pas avoir le moral
moraleja [mora'lexa] *nf* morale *f*
moralidad [morali'ðað] *nf* moralité *f*
morboso, -a [mor'βoso, a] *adj* morbide
morcilla [mor'θiʎa] *nf* (*Culin*) ≈ boudin *m* noir; **¡que le den ~!** qu'il aille se faire voir!
mordaz [mor'ðaθ] *adj* (*crítica*) sévère
mordaza [mor'ðaθa] *nf* bâillon *m*
morder [mor'ðer] *vt, vi* mordre; **morderse** *vpr* se mordre; **está que muerde** il n'est pas à prendre avec des pincettes; **~se las uñas** se ronger les ongles; **~se la lengua** se mordre la langue

mordisco [mor'ðisko] *nm* petite morsure *f*
moreno, -a [mo'reno, a] *adj* brun(e); (*de pelo*) mat(e); (*negro*) noir(e) ▪ *nm/f* brun(e); (*negro*) noir(e); **estar ~** être bronzé(e); **ponerse ~** se bronzer
morfina [mor'fina] *nf* morphine *f*
moribundo, -a [mori'βundo, a] *adj, nm/f* moribond(e)
morir [mo'rir] *vi* mourir; (*olas, día*) se mourir; (*camino, río*) finir; **morirse** *vpr* mourir; **fue muerto a tiros/en un accidente** il a été tué par balles/dans un accident; **~ de frío/hambre** mourir de froid/faim; **¡me muero de hambre!** je meurs de faim!; **~se de envidia/de ganas/de vergüenza** mourir de jalousie/d'envie/de honte; **se muere por ella** il est fou d'elle; **se muere por comprar una moto** il meurt d'envie d'acheter une moto
moro, -a ['moro, a] *adj* maure (mauresque) ▪ *nm/f* Maure (Mauresque); **¡hay ~s en la costa!** faites gaffe!, vingt-deux!
moroso, -a [mo'roso, a] *adj* retardataire ▪ *nm* (*Com*) mauvais payeur *m*
morral [mo'rral] *nm* musette *f*
morro ['morro] *nm* museau *m*; (*Auto, Aviat*) devant *m*; **beber a ~** boire au goulot; **estar de ~s (con algn)** faire la gueule (à qn); **tener mucho ~** (*fam*) avoir du toupet
mortadela [morta'ðela] *nf* mortadelle *f*
mortaja [mor'taxa] *nf* linceul *m*; (*Tec*) mortaise *f*; (*AM*) papier *m* à cigarettes
mortal [mor'tal] *adj, nm/f* mortel(-elle)
mortalidad [mortali'ðað] *nf* mortalité *f*
mortero [mor'tero] *nm* mortier *m*
mortífero, -a [mor'tifero, a] *adj* meurtrier(-ère)
mortificar [mortifi'kar] *vt* mortifier; **mortificarse** *vpr* se mortifier
mosca ['moska] *nf* mouche *f*; **por si las ~s** au cas où; **estar ~** être sur le qui-vive; **tener la ~ en** *o* **detrás de la oreja** avoir la puce à l'oreille
Moscú [mos'ku] *n* Moscou
mosquear [moske'ar] (*fam*) *vt* (*hacer sospechar*) faire soupçonner; (*fastidiar*) agacer; **mosquearse** *vpr* se vexer
mosquitero [moski'tero] *nm* moustiquaire *f*
mosquito [mos'kito] *nm* moustique *m*
mostaza [mos'taθa] *nf* moutarde *f*
mostrador [mostra'ðor] *nm* comptoir *m*
mostrar [mos'trar] *vt* montrer; (*el camino*) montrer, indiquer; (*explicar*) expliquer; **mostrarse** *vpr*: **~se amable** se montrer aimable; **~ en pantalla** (*Inform*) visualiser
mota ['mota] *nf* poussière *f*; (*en tela: dibujo*) nœud *m*
mote ['mote] *nm* surnom *m*; (*And, Chi*) maïs *msg* cuit
motín [mo'tin] *nm* mutinerie *f*; (*del pueblo*) émeute *f*
motivar [moti'βar] *vt* motiver, encourager, stimuler; **(no) estar/sentirse motivado (para hacer)** (ne pas) avoir le cœur (de faire)
motivo [mo'tiβo] *nm* motif *m*; **con ~ de** en raison de; **sin ~** sans raison; **no tener ~s para (hacer/estar)** ne pas avoir de raison de (faire/être)
moto ['moto], **motocicleta** [motoθi'kleta] *nf* moto *f*
motor, a [mo'tor, a] *adj* moteur(-trice) ▪ *nm* moteur *m*; **~ a** *o* **de reacción/de explosión** moteur à réaction/à explosion
motora [mo'tora] *nf* canot *m*
movedizo, -a [moβe'ðiθo, a] *adj*: **arenas movedizas** sables *mpl* mouvants
mover [mo'βer] *vt* bouger; (*máquina*) mettre en marche; (*asunto*) activer; **moverse** *vpr* se déplacer; (*tierra*) glisser; (*con impaciencia*) gigoter; (*para conseguir algo*) se remuer; **~ a algn a hacer** (*inducir*) pousser qn à faire; **~ a compasión/risa** faire pitié/rire; **¡muévete!** magne-toi!, grouille-toi!; **~ la cabeza** (*para negar*) hocher la tête de droite à gauche; (*para asentir*) hocher la tête de haut en bas
móvil ['moβil] *adj* mobile; (*pieza de máquina*) roulant(e) ▪ *nm* (*de crimen*) mobile *m*; (*teléfono*) (téléphone *m*) mobile *m*, (téléphone *m*) portable *m*
movilidad [moβili'ðað] *nf* mobilité *f*
movilizar [moβili'θar] *vt* mobiliser
movimiento [moβi'mjento] *nm* mouvement *m*; **el M~** (*Pol*) le Mouvement, *soulèvement du Général Franco en 1936 en Espagne*; **poner/estar en ~** mettre/être en mouvement; **~ de bloques** (*Inform*) transfert *m* de blocs; **~ de capital** mouvement de capitaux; **~ de divisas** mouvement de devises; **~ de mercancías** (*Com*) mouvement des marchandises; **~ obrero/político/sindical** mouvement ouvrier/politique/syndical; **~ sísmico** mouvement sismique
moza ['moθa] *nf* jeune fille *f*; **una buena ~** une belle femme, un beau brin de fille
mozo ['moθo] *nm* jeune homme *m*; (*en hotel*) groom *m*; (*camarero*) garçon *m*;

(*Mil*) conscrit *m*; **un buen ~** un beau garçon; **~ de estación** porteur *m*

MP3 *nm* MP3 *m*; **reproductor (de) ~** lecteur *m* MP3

muchacha [mu'tʃatʃa] *nf* fille *f*; (*criada*) domestique *f*

muchacho [mu'tʃatʃo] *nm* garçon *m*

muchedumbre [mutʃe'ðumbre] *nf* foule *f*

PALABRA CLAVE

mucho, -a ['mutʃo, a] *adj* **1** (*cantidad, número*) beaucoup de; **mucha gente** beaucoup de monde; **mucho dinero** beaucoup d'argent; **hace mucho calor** il fait très chaud; **muchas amigas** beaucoup d'amies
2 (*sg*: *fam*: *grande*): **ésta es mucha casa para él** cette maison est bien trop grande pour lui
3 (*sg*: *demasiados*): **hay mucho gamberro aquí** il y a beaucoup de voyous par ici
■ *pron*: **tengo mucho que hacer** j'ai beaucoup (de choses) à faire; **muchos dicen que ...** beaucoup de gens disent que ...; *ver tb* **tener**
■ *adv* **1**: **te quiero mucho** je t'aime beaucoup; **lo siento mucho** je regrette beaucoup, je suis vraiment désolé; **mucho más/menos** beaucoup plus/moins; **mucho antes/mejor** bien avant/meilleur; **come mucho** il mange beaucoup; **viene mucho** il vient souvent; **¿te vas a quedar mucho?** tu vas rester longtemps?
2 (*respuesta*) très; **¿estás cansado? - ¡mucho!** tu es fatigué? - très!
3 (*locuciones*): **leo como mucho un libro al mes** je lis au maximum un livre par mois; **el mejor con mucho** de loin le meilleur; **ese ni con mucho llega a sargento** il ne réussira même pas à être sergent; **¡ni mucho menos!** loin de là!; **él no es ni mucho menos trabajador** il est loin d'être travailleur; **¡mucho la quieres tú!** (*irón*) tu parles que tu l'aimes bien!
4: **por mucho que**; **por mucho que le quieras** tu as beau l'aimer

muda ['muða] *nf* (*de ropa*) linge *m* de rechange; (*Zool, de voz*) mue *f*

mudanza [mu'ðanθa] *nf* déménagement *m*; **estar de ~** déménager; **camión/casa de ~s** camion *m*/entreprise *f* de déménagement

mudar [mu'ðar] *vt* changer; (*Zool*) muer; **mudarse** *vpr*: **~se (de ropa)** se changer; **~ de** (*opinión, color*) changer de; **~se (de casa)** déménager; **la voz le está mudando** il est en train de muer

mudo, -a ['muðo, a] *adj* muet(te); (*callado*) silencieux(-euse); **quedarse ~ de asombro** rester bouche bée

mueble ['mweβle] *nm* meuble *m*

mueca ['mweka] *nf* grimace *f*; **hacer ~s a** faire des grimaces à

muela ['mwela] *vb ver* **moler** ■ *nf* (*diente de atrás*) molaire *f*; (*de molino*) meule *f*; (*de afilar*) meule, affiloir *m*; **~ del juicio** dent *f* de sagesse

muelle ['mweʎe] *adj* (*vida*) doux (douce) ■ *nm* ressort *m*; (*Náut*) quai *m*

muera *etc* ['mwera] *vb ver* **morir**

muerte ['mwerte] *nf* mort *f*; **dar ~ a** donner la mort à; **de mala ~** (*fam*) minable; **es la ~** (*fam*) c'est la galère!

muerto, -a ['mwerto, a] *pp de* **morir** ■ *adj* mort(e); (*color*) terne; (*manos*) ballant(e) ■ *nm/f* mort(e); **cargar con el ~** (*fam*) payer les pots cassés; **echar el ~ a algn** mettre tout sur le dos de qn; **hacer el ~** (*nadando*) faire la planche; **estar ~ de cansancio/frío/hambre/sed** être mort(e) de fatigue/froid/faim/soif

muestra ['mwestra] *vb ver* **mostrar** ■ *nf* (*Com, Costura*) échantillon *m*; (*de sangre*) prélèvement *m*; (*en estadística*) échantillonnage *m*; (*señal*) preuve *f*; (*exposición*) foire *f*; (*demostración explicativa*) démonstration *f*; **dar ~s de** donner signe de; **~ al azar** (*Com*) échantillon *m* prélevé au hasard

muestreo [mwes'treo] *nm* (*estadístico*) échantillonnage *m*

mueva *etc* ['mweβa] *vb ver* **mover**

mugir [mu'xir] *vi* mugir

mugre ['muɣre] *nf* (*suciedad*) crasse *f*; (*: grasienta*) cambouis *msg*

mugriento, -a [mu'ɣrjento, a] *adj* crasseux(-euse)

mujer [mu'xer] *nf* femme *f*

mujeriego [muxe'rjeɣo] *adj, nm* coureur *m*

mula ['mula] *nf* mule *f*

muleta [mu'leta] *nf* (*para andar*) béquille *f*; (*Taur*) muleta *f*

mullido, -a [mu'ʎiðo, a] *adj* moelleux(-euse)

multa ['multa] *nf* amende *f*; (*Auto*) amende, contravention *f*; **me han puesto una ~** ils m'ont mis une amende

multar [mul'tar] *vt* condamner à une amende

multicine [multi'θine] *nm* cinema *m* multisalle

multinacional [multinaθjo'nal] *adj* multinational(e) ▪ *nf* multinationale *f*
múltiple ['multiple] *adj* multiple; **de tarea ~** (*Inform*) multitâche; **de usuario ~** (*Inform*) à utilisateurs multiples
multiplicar [multipli'kar] *vt* multiplier; **multiplicarse** *vpr* se multiplier; (*para hacer algo*) se démener, se mettre en quatre
multitud [multi'tuð] *nf* foule *f*; **~ de** multitude de
mundano, -a [mun'dano, a] *adj* mondain(e)
mundial [mun'djal] *adj* mondial(e) ▪ *nm* (*Fútbol*) coupe *f* du monde
mundo ['mundo] *nm* monde *m*; **el otro ~** l'autre monde; **el ~ del espectáculo** le monde du spectacle; **todo el ~** tout le monde; **tiene ~** il sait comment se comporter en société; **un hombre de ~** un homme du monde; **hacer de algo un ~** faire tout un monde de qch; **el ~ es un pañuelo** le monde est petit; **por nada del ~** pour rien au monde; **no es nada del otro ~** ce n'est pas la mer à boire; **se le cayó el ~ (encima)** il est accablé par ce coup du sort; **el Tercer M~** le Tiers-Monde
munición [muni'θjon] *nf* munition *f*
municipal [muniθi'pal] *adj* municipal(e) ▪ *nm/f* (*tb*: **policía municipal**) agent *m* de police
municipio [muni'θipjo] *nm* municipalité *f*
muñeca [mu'ɲeka] *nf* (*Anat*) poignet *m*; (*juguete, mujer*) poupée *f*; (*And, Csur: fam*) prise *f* de courant
muñeco [mu'ɲeko] *nm* (*juguete*) baigneur *m*; (*dibujo*) dessin *m*; (*marioneta, fig*) pantin *m*; **~ de nieve** bonhomme *m* de neige
mural [mu'ral] *adj* mural(e) ▪ *nm* peinture *f* murale
muralla [mu'raʎa] *nf* muraille *f*
murciélago [mur'θjelaɣo] *nm* chauve-souris *fsg*
murmullo [mur'muʎo] *nm* murmure *m*
murmuración [murmura'θjon] *nf* médisance *f*
murmurar [murmu'rar] *vt, vi* murmurer; **~ (de)** (*criticar*) dire du mal (de)
muro ['muro] *nm* mur *m*; **~ de contención** mur de soutènement
muscular [musku'lar] *adj* musculaire
músculo ['muskulo] *nm* muscle *m*
museo [mu'seo] *nm* musée *m*; **~ de arte** *o* **de pintura** musée d'art; **~ de cera** musée de cire
musgo ['musɣo] *nm* mousse *f*
música ['musika] *nf* musique *f*; **irse con la ~ a otra parte** plier bagage; *ver tb* **músico**
musical [musi'kal] *adj* musical(e) ▪ *nm* comédie *f* musicale
músico, -a ['musiko, a] *nm/f* musicien(ne)
muslo ['muslo] *nm* cuisse *f*
mustio, -a ['mustjo, a] *adj* (*planta*) flétri(e); (*persona*) triste
musulmán, -ana [musul'man, ana] *adj, nm/f* musulman(e)
mutación [muta'θjon] *nf* mutation *f*
mutilar [muti'lar] *vt* mutiler
mutismo [mu'tismo] *nm* mutisme *m*
mutuo, -a ['mutwo, a] *adj* mutuel(-elle)
muy [mwi] *adv* très; (*demasiado*) trop; **M~ Señor mío/Señora mía** cher Monsieur/chère Madame; **~ bien** très bien; **~ de noche** tard dans la nuit; **eso es ~ de él** c'est bien de lui; **eso es ~ español** c'est très espagnol; **por ~ tarde que sea** si tard soit-il

n

N *abr* (= *norte*) N (= *nord*)
N. *sigla f* (= *carretera nacional*) RN *f* (= *route nationale*)
n. *abr* (*Ling*: = *nombre*) n (= *nom*); (= *nacido, a*) né(e)
n/ *abr* = **nuestro, a**
nabo ['naβo] *nm* navet *m*
nácar ['nakar] *nm* nacre *f*
nacer [na'θer] *vi* naître; (*vegetal, barba, vello*) pousser; (*río*) prendre sa source; (*columna, calle*) commencer; **~ de** naître de; **ha nacido para poeta** c'est un poète né; **no ha nacido para trabajar** le travail et lui, ça fait deux
nacido, -a [na'θiðo, a] *adj*: **~ en** né(e) en
naciente [na'θjente] *adj* naissant(e); **el sol ~** le soleil levant
nacimiento [naθi'mjento] *nm* naissance *f*; (*de Navidad*) crèche *f*; (*de río*) source *f*; **ciego de ~** aveugle de naissance
nación [na'θjon] *nf* nation *f*; **Naciones Unidas** Nations unies
nacional [naθjo'nal] *adj* national(e)
nacionalidad [naθjonali'ðað] *nf* nationalité *f*; (*Esp*: *Pol*: *nación*) communauté *f* autonome
nacionalismo [naθjona'lismo] *nm* nationalisme *m*
nacionalista [naθjona'lista] *adj, nm/f* nationaliste *m/f*
nacionalizar [naθjonali'θar] *vt* nationaliser; **nacionalizarse** *vpr* se faire naturaliser
nada ['naða] *pron, adv* rien ▪ *nf*: **la ~** le néant; **no decir ~** ne rien dire; **de ~** de rien; **¡~ de eso!** pas question!; **antes de ~** avant tout; **como si ~** comme si de rien n'était; **no ha sido ~** ce n'est pas bien grave; **~ menos que** ni plus ni moins que; **~ de ~** rien de rien; **para ~** (*inútilmente*) pour rien; (*claro que no*) pas du tout; **por ~** pour rien; **por ~ del mundo** pour rien au monde
nadador, a [naða'ðor, a] *nm/f* nageur(-euse)
nadar [na'ðar] *vi* nager; **~ en la abundancia** nager dans l'opulence; **~ contra corriente** nager à contre-courant
nadie ['naðje] *pron* personne; **~ habló** personne n'a parlé; **no había ~** il n'y avait personne; **no soy ~ para ...** ce n'est pas moi qui peut ...; **es un don ~** c'est un rien-du-tout
nado ['naðo] *adv*: **a ~** à la nage
nafta ['nafta] (*Csur*) *nf* (*gasolina*) essence *f*
naipe ['naipe] *nm* carte *f*
nalgas ['nalɣas] *nfpl* fesses *fpl*
nana ['nana] *nf* berceuse *f*; (*Cam, Méx*: *fam*) nourrice *f*
naranja [na'ranxa] *adj inv* orange ▪ *nm* (*color*) orange *m* ▪ *nf* (*fruta*) orange *f*; **media ~** (*fam*) moitié *f*
naranjada [naran'xaða] *nf* orangeade *f*
naranjo [na'ranxo] *nm* oranger *m*
narciso [nar'θiso] *nm* narcisse *m*
narcótico, -a [nar'kotiko, a] *adj, nm* narcotique *m*
narcotizar [narkoti'θar] *vt* administrer des narcotiques à
nardo ['narðo] *nm* nard *m*
narigón, -ona [nari'ɣon, ona], **narigudo, -a** [nari'ɣuðo, a] *adj*: **un tipo ~** un type au grand nez
nariz [na'riθ] *nf* nez *m*; **narices** *nfpl* narines *fpl*; **¡narices!** (*fam*) flûte alors!; **me dio con la puerta en las narices** il m'a fermé la porte au nez; **darse de narices contra algo/con algn** se trouver nez à nez avec qch/qn; **¡se me están hinchando las narices!** la moutarde me monte au nez!; **delante de las narices de algn** au nez de qn; **estar hasta las narices (de algo/algn)** (*fam*) en avoir ras le bol (de qch/qn); **meter las narices en**

algo (*fam*) mettre son nez dans qch; **hacer algo por narices** (*fam*) faire qch coûte que coûte; **~ chata/respingona** nez épaté/en trompette
narración [narra'θjon] *nf* narration *f*
narrador, a [narra'ðor, a] *nm/f* narrateur(-trice)
narrar [na'rrar] *vt* raconter
narrativa [narra'tiβa] *nf* genre *m* narratif
nata ['nata] *nf* crème *f*; (*en leche cocida*) peau *f*; **~ montada** crème fouettée
natación [nata'θjon] *nf* natation *f*
natal [na'tal] *adj* natal(e)
natalidad [natali'ðað] *nf* natalité *f*; **control de ~** contrôle *m* des naissances; **índice** *o* **tasa de ~** taux *msg* de natalité
natillas [na'tiʎas] *nfpl* crème *f* renversée
nativo, -a [na'tiβo, a] *adj* (*costumbres*) local(e), du pays; (*lengua*) maternel(le); (*país*) natal(e) ▪ *nm/f* natif(-ive)
nato, -a ['nato, a] *adj*: **un actor/pintor/músico ~** un acteur/peintre/musicien né
natural [natu'ral] *adj* naturel(le); (*luz*) du jour; (*flor, fruta*) vrai(e); (*café*) non traité(e) ▪ *nm* naturel *m*; **~ de** natif(-ive) de; **ser ~ en algn** être naturel chez qn; **es ~ que** il est naturel que; **al ~** au naturel
naturaleza [natura'leθa] *nf* nature *f*; **por ~** par nature; **~ humana** nature humaine; **~ muerta** nature morte
naturalidad [naturali'ðað] *nf* naturel *m*; **con ~** avec naturel
naturalmente [natu'ralmente] *adv* naturellement; **¡~!** naturellement!
naufragar [naufra'ɣar] *vi* faire naufrage; (*negocio*) faire faillite; (*proyecto*) tomber à l'eau
naufragio [nau'fraxjo] *nm* naufrage *m*
náufrago, -a ['naufraɣo, a] *nm/f* naufragé(e)
náuseas ['nauseas] *nfpl* nausées *fpl*; **sentir ~** avoir des nausées; **me da ~** ça me donne la nausée
náutico, -a ['nautiko, a] *adj* nautique
navaja [na'βaxa] *nf* couteau *m* (de poche); **~ (de afeitar)** rasoir *m* à main
naval [na'βal] *adj* naval(e)
Navarra [na'βarra] *nf* Navarre *f*
nave ['naβe] *nf* (*barco*) navire *m*; (*Arq*) nef *f*; (*almacén*) entrepôt *m*; **quemar las ~s** couper les ponts; **~ espacial** vaisseau *m* spatial; **~ industrial** atelier *m*
navegación [naβeɣa'θjon] *nf* navigation *f*; (*viaje*) voyage *m* en mer; **~ aérea/costera/fluvial** navigation aérienne/côtière/fluviale
navegador [naβeɣa'ðor] *nm* (*Inform*) navigateur *m*, logiciel *m* de navigation
navegante [naβe'ɣante] *nm/f* navigateur(-trice)
navegar [naβe'ɣar] *vi* naviguer; **navigar por Internet** surfer le net
navidad [naβi'ðað] *nf* (*tb*: **navidades**) fêtes *fpl* de Noël; (*tb*: **día de navidad**) la Noël; (*Rel*) Noël *m*; **por ~es** à Noël; **¡felices ~es!** joyeux Noël!
navideño, -a [naβi'ðeɲo, a] *adj* de Noël
navío [na'βio] *nm* navire *m*
nazca *etc* ['naθka] *vb ver* **nacer**
nazi ['naθi] *adj* nazi(e) ▪ *nm/f* Nazi(e)
n/cta *abr* (*Com*: = *nuestra cuenta*) *notre compte*
NE *abr* (= *nor(d)este*) N.-E. (= *nord-est*)
neblina [ne'βlina] *nf* brume *f*
nebulosa [neβu'losa] *nf* nébuleuse *f*
necesario, -a [neθe'sarjo, a] *adj*: **~ (para)** nécessaire (pour); **(no) es ~ que** il (n')est (pas) nécessaire que; **si es ~ ...** si nécessaire ...
neceser [neθe'ser] *nm* nécessaire *m*
necesidad [neθesi'ðað] *nf* besoin *m*; (*cosa necesaria*) nécessité *f*; (*miseria*) pauvreté *f*; **necesidades** *nfpl* (*penurias*) privations *fpl*; **en caso de ~** en cas de besoin; **de primera ~** de première nécessité; **no hay ~ de/de que** il n'est pas nécessaire de/que; **hacer sus ~es** faire ses besoins
necesitado, -a [neθesi'taðo, a] *adj* nécessiteux(-euse); **estar ~ de** avoir grand besoin de
necesitar [neθesi'tar] *vt*: **~ (hacer)** avoir besoin de (faire) ▪ *vi*: **~ de** avoir besoin de; **¿qué se necesita?** que faut-il?; **"se necesita camarero"** "on demande un garçon de café"
necio, -a ['neθjo, a] *adj, nm/f* idiot(e)
néctar ['nektar] *nm* nectar *m*
nectarina [nekta'rina] *nf* nectarine *f*
nefasto, -a [ne'fasto, a] *adj* néfaste
negación [neɣa'θjon] *nf* négation *f*
negar [ne'ɣar] *vt* (*hechos*) nier; (*permiso, acceso*) refuser; **negarse** *vpr*: **~se a hacer algo** se refuser à faire qch; **~ que** nier que; **~ con la cabeza** faire non de la tête; **~ el saludo a algn** ignorer qn; **¡me niego!** je refuse!
negativa [neɣa'tiβa] *nf* négative *f*; (*rechazo*) refus *msg*
negativo, -a [neɣa'tiβo, a] *adj* négatif(-ive) ▪ *nm* (*Foto*) négatif *m*
negligencia [neɣli'xenθja] *nf* négligence *f*
negligente [neɣli'xente] *adj* négligent(e)
negociado [neɣo'θjaðo] *nm* bureau *m*

negociante [neɣo'θjante] *nm/f* (*Com*) négociant(e); (*pey*) trafiquant(e)
negociar [neɣo'θjar] *vt* négocier ▪ *vi*: **~ en** *o* **con** (*Com*) faire le commerce de *o* du commerce avec
negocio [ne'ɣoθjo] *nm* affaire *f*; (*tienda*) commerce *m*; **los ~s** les affaires *fpl*; **hacer ~** faire des affaires; **hacer (un) buen/mal ~** faire une bonne/mauvaise affaire; **¡eso es un ~!** ça rapporte!; **~ sucio** affaire *f* louche; **¡mal ~!** (*fam*) ça va mal!
negra ['neɣra] *nf* (*Mús*) noire *f*; **tener la ~** avoir la poisse; *ver tb* **negro**
negro, -a ['neɣro, a] *adj* noir(e); (*futuro*) sombre; (*tabaco*) brun(e) ▪ *nm* (*color*) noir *m* ▪ *nf*: **la negra** la poisse ▪ *nm/f* (*persona*) noir(e); (*AM*: *fam*) chéri(e); **¡estoy ~!** je suis furax!; **¡me pone ~!** ça *o* il me porte sur les nerfs!; **verse ~ para hacer algo** avoir beaucoup de mal à faire qch; **trabajar como un ~** travailler comme un forçat
nene, -a ['nene, a] *nm/f* petit(e)
nenúfar [ne'nufar] *nm* nénuphar *m*
neón [ne'on] *nm*: **luz de ~** néon *m*
neoyorquino, -a [neojor'kino, a] *adj* new yorkais(e) ▪ *nm/f* New Yorkais(e)
nervio ['nerβjo] *nm* nerf *m*; (*Bot, Arq*) nervure *f*; **ser puro ~** être un paquet de nerfs; **alterarle** *o* **crisparle los ~s a algn** taper sur les nerfs de qn; **estar de los ~s** (*fam*: *Med*) avoir les nerfs; **tener los ~s destrozados** avoir les nerfs en pelote; **me pone los ~s de punta** ça *o* il me tape sur le système
nerviosismo [nerβjo'sismo] *nm* état *m* d'agitation, nervosité *f*
nervioso, -a [ner'βjoso, a] *adj* nerveux(-euse); **¡me pone ~!** ça m'énerve!
neto, -a ['neto, a] *adj* net (nette)
neumático, -a [neu'matiko, a] *adj* (*cámara*) à air; (*martillo*) pneumatique ▪ *nm* pneu *m*; **~ de recambio** roue *f* de secours
neumonía [neumo'nia] *nf* pneumonie *f*; **~ asiática** SARS *m*, pneumonie atypique
neurona [neu'rona] *nf* neurone *m*
neutral [neu'tral] *adj* neutre
neutralizar [neutrali'θar] *vt* neutraliser
neutro, -a ['neutro, a] *adj* (*tb Ling*) neutre; (*Bio*) asexué(e)
neutrón [neu'tron] *nm* neutron *m*
nevada [ne'βaða] *nf* chute *f* de neige
nevar [ne'βar] *vi* neiger
nevera [ne'βera] (*Esp*) *nf* réfrigérateur *m*
nexo ['nekso] *nm* lien *m*
n/f *abr* (*Com*: = *nuestro favor*) *notre crédit*
ni [ni] *conj* ni; (*tb*: **ni siquiera**) même pas; **ni aunque** même si; **ni blanco ni negro** ni blanc ni noir; **ni (el) uno ni (el) otro** ni l'un ni l'autre; **¡ni que fuese un dios!** comme si c'était un dieu!; **¡ni hablar!** pas question!
Nicaragua [nika'raɣwa] *nf* Nicaragua *m*
nicaragüense [nikara'ɣwense] *adj* nicaraguayen(ne) ▪ *nm/f* Nicaraguayen(ne)
nicho ['nitʃo] *nm* niche *f*
nicotina [niko'tina] *nf* nicotine *f*
nido ['niðo] *nm* nid *m*; **~ de amor** nid d'amour; **~ de ladrones** repaire *m* de voleurs; **~ de víboras** nid de vipères
niebla ['njeβla] *nf* brouillard *m*; **hay ~** il y a du brouillard
niego *etc* ['njeɣo], **niegue** *etc* ['njeɣe] *vb ver* **negar**
nieto, -a ['njeto, a] *nm/f* petit-fils (petite-fille); **los nietos** *nmpl* les petits-enfants
nieve ['njeβe] *vb ver* **nevar** ▪ *nf* neige *f*; (*AM*: *helado*) glace *f*; **copo de ~** flocon *m* de neige
Nilo ['nilo] *nm*: **el (Río) ~** le Nil
nimiedad [nimje'ðað] *nf* bagatelle *f*; (*de problema, detalle*) petitesse *f*
nimio, -a ['nimjo, a] *adj* insignifiant(e), sans importance
ninfa ['ninfa] *nf* nymphe *f*
ningún [nin'gun] *adj ver* **ninguno**
ninguno, -a [nin'guno, a] *adj* aucun(e) ▪ *pron* personne; **no es ninguna belleza** c'est loin d'être une beauté; **de ninguna manera** en aucune manière; **en ningún sitio** nulle part; **no voy a ninguna parte** je ne vais nulle part; **~ de ellos** aucun d'entre eux
niña ['niɲa] *nf* (petite) fille *f*; (*del ojo*) pupille *f*; **ser la ~ de los ojos de algn** (*fig*) tenir à qn comme à la prunelle de ses yeux; *ver tb* **niño**
niñera [ni'ɲera] *nf* nourrice *f*
niñería [niɲe'ria] (*pey*) *nf* enfantillage *m*
niñez [ni'ɲeθ] *nf* enfance *f*
niño, -a ['niɲo, a] *adj* jeune; (*pey*) puéril(e) ▪ *nm* enfant *m*; (*chico*) (petit) garçon *m*; (*bebé*) petit enfant *m*; **los niños** *nmpl* les enfants; **de ~** quand j'étais *etc* petit; **ser el ~ mimado de algn** être le chouchou de qn; **~ bien** *o* **de papá** (*pey*) fils *msg* à papa; **~ de pecho** nourrisson *m*; **~ prodigio** enfant prodige
nipón, -ona [ni'pon, ona] *adj* nippon(e *o* ne) ▪ *nm/f* Nippon(e *o* ne)
níquel ['nikel] *nm* nickel *m*
niquelar [nike'lar] *vt* nickeler

níspero ['nispero] *nm* néflier *m*
nitidez [niti'ðeθ] *nf* (*de imagen*) netteté *f*; (*de atmósfera*) pureté *f*; **ver algo con ~** voir qch très nettement
nítido, -a ['nitiðo, a] *adj* (*imagen*) net(te); (*cielo*) dégagé(e); (*atmósfera*) pur(e); (*gestión, conducta*) clair(e)
nitrato [ni'trato] *nm* nitrate *m*; **~ de Chile** salpêtre *m* du Chili
nitrógeno [ni'troxeno] *nm* azote *m*
nivel [ni'βel] *nm* niveau *m*; **al mismo ~** au même niveau; **de alto ~** de haut niveau; **a 900m sobre el ~ del mar** à 900 m au-dessus du niveau de la mer; **~ de aire** (*Tec*) niveau à bulle (d'air); **~ del aceite** niveau d'huile; **~ de vida** niveau de vie
nivelar [niβe'lar] *vt* niveler; (*ingresos, categorías*) égaliser; (*balanza de pagos*) équilibrer
n/l. *abr* (*Com: = nuestra letra*) *notre lettre*
NN. UU. *abr* (*= Naciones Unidas*) NU (*= Nations unies*)
NO *abr* (*= noroeste*) N.-O. (*= nord-ouest*)

PALABRA CLAVE

no [no] *adv* **1**: **¡no!** (*en respuesta*) non!; **ahora no** pas maintenant; **no mucho** pas tellement, pas beaucoup; **¡cómo no!** bien sûr!; **¡que no!** non!
2 (*con verbo*) ne ... pas; **no viene** il ne vient pas; **no es el mío** ce n'est pas le mien; **creo que no** je crois que non; **decir que no** dire non; **no quiero nada** je ne veux rien; **no es que no quiera** ce n'est pas que je ne veuille pas; **no dormir** ne pas dormir; **"No Fumar"** "Défense de fumer"
3 (*no + sustantivo*): **pacto de no agresión** pacte *m* de non-agression; **los paises no alineados** les pays non-alignés; **la no intervención** la non-intervention; **el no va más** le nec plus ultra
4 (*en comparación*): **mejor ir ahora que no luego** mieux vaut partir maintenant
5: **no sea que haga frío** au cas où il ferait froid
6: **no bien hubo terminado se marchó** à peine eut-il terminé qu'il s'en alla
7: **¡a que no lo sabes!** je parie que tu ne le sais pas!
■ *nm*: **un no rotundo** un non catégorique

N.°, n° *abr* (*= número*) n[o] (*= numéro*)
n/o *abr* (*Com: = nuestra orden*) *notre ordre*
noble ['noβle] *adj, nm/f* noble *m/f*
nobleza [no'βleθa] *nf* noblesse *f*; **la ~** la noblesse
noche ['notʃe] *nf* nuit *f*; (*la tarde*) soir *m*; **de ~, por la ~** le soir; (*de madrugada*) la nuit; **se hace de ~** la nuit tombe; **es de ~** il fait nuit; **ayer por la ~** hier soir; **esta ~** ce soir; (*de madrugada*) cette nuit; **de la ~ a la mañana** du jour au lendemain; **hacer ~ en un sitio** passer la nuit quelque part; **¡buenas ~s!** (*saludo*) bonsoir!; (*despedida*) bonsoir!, bonne nuit!; **~ cerrada** nuit noire; **~ de bodas** nuit de noces

NOCHE DE SAN JUAN

La fête de la *Noche de San Juan* a lieu le 24 juin. Cette fête, qui coïncide avec le solstice d'été, a remplacé d'anciennes fêtes païennes. Durant les festivités, où selon la tradition le feu joue un rôle important, on danse autour de feux de joie dans les villes et les villages.

Nochebuena [notʃe'βwena] *nf* nuit *f* de Noël
Nochevieja [notʃe'βjexa] *nf* nuit *f* de la Saint Sylvestre

NOCHEVIEJA

En Espagne, "las campanadas", les douze coups de l'horloge de la "Puerta del Sol" à Madrid, qui sont retransmis en direct pour marquer le début de chaque nouvelle année, représentent le temps fort du réveillon de la Saint-Sylvestre *Nochevieja*. Lorsque minuit sonne, la tradition connue sous le nom de "las uvas de la suerte" ou "las doce uvas", veut que l'on mange douze grains de raisin, un pour chaque coup.

noción [no'θjon] *nf* notion *f*; **nociones** *nfpl* (*rudimentos*) notions *fpl*
nocivo, -a [no'θiβo, a] *adj* nocif(-ive)
noctámbulo, -a [nok'tambulo, a] *adj, nm/f* noctambule *m/f*
nocturno, -a [nok'turno, a] *adj* nocturne; (*club*) de nuit; (*clases*) du soir ■ *nm* (*Mús*) nocturne *m*
nodriza [no'ðriθa] *nf* nourrice *f*; **buque/nave ~** bateau *m*/navire *m* de ravitaillement
nogal [no'ɣal] *nm* noyer *m*
nómada ['nomaða] *adj, nm/f* nomade *m/f*
nombramiento [nombra'mjento] *nm* nomination *f*

nombrar [nom'brar] *vt* nommer; **~ a algn gobernador** nommer qn gouverneur; **~ a algn heredero** faire de qn son héritier

nombre ['nombre] *nm* nom *m*; (*tb*: **nombre completo**) nom (et prénoms); **abogado de ~** avocat *m* de renom; **~ y apellidos** nom et prénoms; **(estar/ poner algo) a ~ de** (être/mettre qch) au nom de; **en ~ de** au nom de; **sin ~** sans nom; **su conducta no tiene ~** sa conduite dépasse les bornes; **~ común** nom commun; **~ de fichero** (*Inform*) nom de fichier; **~ de pila** prénom *m*; **~ de soltera** nom de jeune fille; **~ de usuario** (*Inform*) identifiant *m*; **~ propio** nom propre

nómina ['nomina] *nf* (*de personal*) liste *f*; (*hoja de sueldo*) feuille *f* de paie; **estar en ~** faire partie du personnel

nominal [nomi'nal] *adj* nominal(e)

nominar [nomi'nar] *vt* nommer

nominativo, -a [nomina'tiβo, a] *adj* (*Ling*) nominatif(-ive); **un cheque ~ a X** un chèque à l'ordre de X

nordeste [nor'ðeste] *adj* nord-est ■ *nm* nord-est *m*; (*viento*) nordet *m*

nórdico, -a ['norðiko, a] *adj* (*zona*) nord; (*escandinavo*) nordique ■ *nm/f* Nordique *m/f*

noreste [no'reste] *adj, nm* = **nordeste**

noria ['norja] *nf* (*Agr*) noria *f*; (*de feria*) grande roue *f*

normal [nor'mal] *adj* normal(e); **¡es ~ que ...!** c'est normal que ...!; **Escuela N~** ≈ École *f* normale; **gasolina ~** essence *f* ordinaire

normalidad [normali'ðað] *nf* normalité *f*; **restablecer la ~** rétablir l'ordre

normalizar [normali'θar] *vt* normaliser; (*gastos*) régulariser; **normalizarse** *vpr* se normaliser

normando, -a [nor'mando, a] *adj* normand(e) ■ *nm/f* Normand(e)

normativa [norma'tiβa] *nf* réglementation *f*

noroeste [noro'este] *adj* nord-ouest ■ *nm* nord-ouest *m*; (*viento*) noroît *m*

norte ['norte] *adj* nord ■ *nm* nord *m*; (*tb*: **viento (del) norte**) vent *m* du nord; (*fig*) objectif *m*; **país/gentes del ~** pays *msg*/peuples *mpl* du Nord; **al ~ de** au nord de

Norteamérica [nortea'merika] *nf* Amérique *f* du Nord

norteamericano, -a [norteameri'kano, a] *adj* américain(e) ■ *nm/f* Américain(e)

Noruega [no'rweɣa] *nf* Norvège *f*

noruego, -a [no'rweɣo, a] *adj* norvégien(ne) ■ *nm/f* Norvégien(ne) ■ *nm* (*Ling*) norvégien *m*

nos [nos] *pron* nous; **~ levantamos a las 7** nous nous levons à 7 heures

nosotros, -as [no'sotros, as] *pron* nous; **~ (mismos)** nous(-mêmes)

nostalgia [nos'talxja] *nf* nostalgie *f*

nota ['nota] *nf* note *f*; **notas** *nfpl* (*apuntes*) notes *fpl*; (*Escol*) résultats *mpl*; **tomar (buena) ~ de algo** prendre (bonne) note de qch; **de mala ~** mal famé(e); **dar la ~** (*fam*) se faire remarquer; **la ~ dominante** la note dominante; **tomar ~s** prendre des notes; **~ a pie de página** note de bas de page; **~s de sociedad** chronique *fsg* mondaine

notar [no'tar] *vt* (*darse cuenta de*) remarquer; (*percibir*) noter; (*frío, calor*) sentir; **notarse** *vpr* (*efectos, cambio*) se faire sentir; (*mancha*) se voir; **se nota que ...** on voit que ...; **te noto cambiado** je te trouve changé; **me noto cansado** je me sens fatigué; **hacerse ~** se faire remarquer

notarial [nota'rjal] *adj* notarial(e); **acta ~** acte *m* notarié

notario [no'tarjo] *nm* notaire *m*

noticia [no'tiθja] *nf* nouvelle *f*; (*TV, Radio*) information *f*; **las ~s** (*TV*) les informations; **según nuestras ~s** d'après nos informations; **tener ~s de algn** avoir des nouvelles de qn; **~(s) de última hora** nouvelle(s) de dernière minute

noticiero [noti'θjero] *nm* journal *m*

notificación [notifika'θjon] *nf* notification *f*

notificar [notifi'kar] *vt* notifier

notoriedad [notorje'ðað] *nf* notoriété *f*

notorio, -a [no'torjo, a] *adj* notoire

novato, -a [no'βato, a] *adj, nm/f* nouveau(-velle)

novecientos, -as [noβe'θjentos, as] *adj* neuf cents; *ver tb* **seiscientos**

novedad [noβe'ðað] *nf* nouveauté *f*; (*noticia*) nouvelle *f*; **novedades** *nfpl* (*noticia*) nouvelles *fpl*; (*Com*) nouveautés *fpl*; **sin ~** rien de neuf

novel [no'βel] *adj* débutant(e)

novela [no'βela] *nf* roman *m*; **~ policíaca** roman policier

noveno, -a [no'βeno, a] *adj, nm/f* neuvième *m/f*; *ver tb* **sexto**

noventa [no'βenta] *adj inv, nm inv* quatre-vingt-dix *m inv*; *ver tb* **sesenta**

novia ['noβja] *nf ver* **novio**
noviazgo [no'βjaθγo] *nm* fiançailles *fpl*
novicio, -a [no'βiθjo, a] *adj* (*Rel*) novice; (*novato*) nouveau(-velle) ■ *nm/f* (*Rel*) novice *m/f*
noviembre [no'βjembre] *nm* novembre *m*; *ver tb* **julio**
novillada [noβi'ʎaða] *nf course de jeunes taureaux*
novillero [noβi'ʎero] *nm torero combattant de jeunes taureaux*
novillo [no'βiʎo] *nm* jeune taureau *m*; **hacer ~s** (*fam*) faire l'école buissonnière
novio, -a ['noβjo, a] *nm/f* (*amigo íntimo*) petit(e) ami(e); (*prometido*) fiancé(e); (*en boda*) marié(e); **los ~s** les fiancés *mpl*; (*en boda*) les mariés *mpl*
nubarrón [nuβa'rron] *nm* gros nuage *m*
nube ['nuβe] *nf* nuage *m*; (*de mosquitos*) nuée *f*; (*Med: ocular*) taie *f*; **una ~ de polvo** un nuage de poussière; **los precios están por las ~s** les prix sont astronomiques; **estar en las ~s** être dans les nuages; **vivir en las ~s** ne pas avoir les pieds sur terre; **poner algo/a algn por las ~s** porter qch/qn aux nues
nublado, -a [nu'βlaðo, a] *adj* nuageux(-euse); (*día*) gris(e) ■ *nm* nuages *mpl* lourds
nubosidad [nuβosi'ðað] *nf* nuages *mpl*; **había mucha ~** il y avait beaucoup de nuages
nuca ['nuka] *nf* nuque *f*
nuclear [nukle'ar] *adj* nucléaire
núcleo ['nukleo] *nm* noyau *m*; **~ de población** agglomération *f*; **~s de resistencia** noyaux *mpl* de résistance; **~ urbano** centre *m* urbain
nudillo [nu'ðiʎo] *nm* jointure *f*
nudista [nu'dista] *adj, nm/f* nudiste *m/f*
nudo ['nuðo] *nm* nœud *m*; **se le hizo un ~ en la garganta** il avait la gorge nouée; **~ corredizo** nœud coulant; **~ de carreteras** nœud routier; **~ de comunicaciones** nœud de communications
nudoso, -a [nu'ðoso, a] *adj* noueux(-euse)
nuera ['nwera] *nf* belle-fille *f*
nuestro, -a ['nwestro, a] *adj* à nous ■ *pron* notre; **~ padre** notre père; **un amigo ~** un de nos amis; **es el ~** c'est le nôtre; **los ~s** les nôtres; (*Deporte*) notre équipe
nueva ['nweβa] *nf* nouvelle *f*; **hacerse de ~s** feindre l'étonnement; *ver tb* **nuevo**
Nueva York [-'jork] *n* New York
Nueva Zelanda [-θe'landa] *nf* Nouvelle-Zélande *f*
Nueva Zelandia [-θe'landja] (*AM*) *nf* = **Nueva Zelanda**
nuevamente ['nweβamente] *adv* à nouveau
nueve ['nweβe] *adj inv, nm inv* neuf *m inv*; *ver tb* **seis**
nuevo, -a ['nweβo, a] *adj* nouveau(-velle); (*no usado*) neuf (neuve) ■ *nm/f* nouveau(-velle); **ese abrigo está ~** ce manteau est neuf; **¿qué hay de ~?** (*fam*) quoi de neuf?; **soy ~ aquí** je suis nouveau ici; **de ~** de nouveau
nuez [nweθ] (*pl* **nueces**) *nf* noix *fsg*; **~ (de Adán)** pomme *f* d'Adam; **~ moscada** noix muscade
nulidad [nuli'ðað] *nf* nullité *f*; **es una ~** (*pey*) il est nul
nulo, -a ['nulo, a] *adj* nul(le); **soy ~ para la música** je suis nul(le) en musique
núm. *abr* (= *número*) n[o] (= *numéro*)
numeración [numera'θjon] *nf* (*de calle, páginas*) numérotation *f*; (*sistema*) chiffres *mpl*; **~ arábiga/romana** chiffres arabes/romains; **~ de línea** (*Inform*) numérotation des lignes
numeral [nume'ral] *adj* (*Ling*) numéral(e) ■ *nm* numéral *m*
numerar [nume'rar] *vt* numéroter; **numerarse** *vpr* se numéroter
número ['numero] *nm* nombre *m*; (*de zapato*) pointure *f*; (*Teatro, de publicación, de lotería*) numéro *m*; **sin ~** sans nombre; **en ~s redondos** en chiffres ronds; **hacer** *o* **montar un ~** (*fam*) faire un numéro; **hacer ~s** faire les comptes; **ser el ~ uno** être le numéro un; **estar en ~s rojos** être à découvert; **~ atrasado** vieux numéro; **~ binario** (*Inform*) nombre binaire; **~ de matrícula/de teléfono** numéro d'immatriculation/de téléphone; **~ de serie** numéro de série; **~ decimal/impar/par** nombre décimal/impair/pair; **~ personal de identificación** (*Inform etc*) numéro personnel d'identification; **~ romano** chiffre romain
numeroso, -a [nume'roso, a] *adj* nombreux(-euse); *ver tb* **familia**
nunca ['nunka] *adv* jamais; **~ me escribes** tu ne m'écris jamais; **no estudia ~** il n'étudie jamais; **¿~ lo has pensado?** tu n'y as jamais pensé?; **~ más** jamais plus
nupcias ['nupθjas] *nfpl*: **en segundas ~** en secondes noces
nutria ['nutrja] *nf* loutre *f*
nutrición [nutri'θjon] *nf* nutrition *f*

nutrido, -a [nu'triðo, a] *adj* nourri(e); (*grupo, representación*) dense; **bien/mal ~** bien/mal nourri(e); **~ de** truffé(e) de
nutrir [nu'trir] *vt* nourrir; **nutrirse** *vpr*: **~se de** se nourrir de
nutritivo, -a [nutri'tiβo, a] *adj* nutritif(-ive)
nylon [ni'lon] *nm* nylon *m*

ñ

ñato, -a ['ɲato, a] (*Csur*) *adj* (*de nariz chata*) camus(e)
ñoñería [ɲoɲe'ria] *nf* (*de persona sosa*) fadeur *f*; (*de persona melindrosa*) pudibonderie *f*; (*una ñoñería*) niaiserie *f*
ñoño, -a ['ɲoɲo, a] *adj* (*soso*) fadasse (*fam*); (*melindroso*) pudibond(e)

O

O *abr* (= *oeste*) O (= *ouest*)
o [o] *conj* ou; **o ... o ...** soit ... soit ...; **o sea** c'est-à-dire
o/ *nm* (= *orden*) commande *f*
oasis [o'asis] *nm inv* oasis *msg o fsg*
obedecer [oβeðe'θer] *vt* obéir à ■ *vi* obéir; **~ a** (*Med, fig*) succomber à; **~ al hecho de** provenir du fait que
obediencia [oβe'ðjenθja] *nf* obéissance *f*
obediente [oβe'ðjente] *adj* obéissant(e)
obertura [oβer'tura] *nf* (*Mús*) ouverture *f*
obesidad [oβesi'ðað] *nf* obésité *f*
obeso, -a [o'βeso, a] *adj* obèse
obispo [o'βispo] *nm* évêque *m*
objeción [oβxe'θjon] *nf* objection *f*; **hacer una ~, poner objeciones** faire une objection, soulever des objections; **~ de conciencia** objection de conscience
objetar [oβxe'tar] *vt*: **~ que** objecter que ■ *vi* être objecteur de conscience; **¿algo que ~?** des objections?
objetivo, -a [oβxe'tiβo, a] *adj* objectif(-ive) ■ *nm* objectif *m*
objeto [oβ'xeto] *nm* objet *m*; (*finalidad*) objet, but *m*; **ser ~ de algo** être l'objet de qch; **con ~ de** dans le but de
objetor [oβxe'tor] *nm* (*tb*: **objetor de conciencia**) objecteur *m* de conscience
oblicuo, -a [o'βlikwo, a] *adj* oblique
obligación [oβliɣa'θjon] *nf* (*tb Com*) obligation *f*; **obligaciones** *nfpl* obligations *fpl*; **cumplir con mi** *etc* **~** remplir mon *etc* devoir
obligar [oβli'ɣar] *vt* obliger; **obligarse** *vpr*: **~se a hacer** s'obliger à faire
obligatorio, -a [oβliɣa'torjo, a] *adj* obligatoire
oboe [o'βoe] *nm* hautbois *msg*; (*músico*) hautboïste *m/f*
obra ['oβra] *nf* œuvre *f*; (*libro*) œuvre, ouvrage *m*; (*tb*: **obra dramática o de teatro**) pièce *f*; **obras** *nfpl* travaux *mpl*; **ser ~ de algn** être l'œuvre de qn; **por ~ de** à cause de; **estar de** *o* **en ~s** être en travaux; **~s benéficas/de caridad** œuvres *fpl* de bienfaisance/de charité; **~s completas** œuvres complètes; **~ de arte** œuvre d'art; **~ de consulta** ouvrage de référence; **~ maestra** chef-d'œuvre *m*; **~s públicas** travaux publics
obrar [o'βrar] *vt*: **~ milagros** (*fig*) faire des miracles ■ *vi* agir; **la carta obra en su poder** la lettre est en votre possession
obrero, -a [o'βrero, a] *adj* ouvrier(-ère) ■ *nm/f* ouvrier(-ère); (*del campo*) ouvrier(-ère) (agricole); **clase obrera** classe *f* ouvrière
obscenidad [oβsθeni'ðað] *nf* obscénité *f*
obsceno, -a [oβs'θeno, a] *adj* obscène
obscu... [oβsku] = **oscu...**
obsequiar [oβse'kjar] *vt*: **~ a algn con algo** faire cadeau de qch à qn; (*con una atención*) offrir qch à qn
obsequio [oβ'sekjo] *nm* (*regalo*) présent *m*; (*cortesía*) attention *f*
observación [oβserβa'θjon] *nf* observation *f*; **capacidad de ~** esprit *m* d'observation
observador, a [oβserβa'ðor, a] *adj* observateur(-trice) ■ *nm/f* observateur *m*
observar [oβser'βar] *vt* observer
obsesión [oβse'sjon] *nf* obsession *f*
obsesivo, -a [oβse'siβo, a] *adj* obsessionnel(le)
obsoleto, -a [oβso'leto, a] *adj* (*máquina*) obsolète; (*ideas*) désuet(ète)
obstáculo [oβs'takulo] *nm* obstacle *m*
obstante [oβs'tante] *adv*: **no ~** cependant
obstinado, -a [oβsti'naðo, a] *adj* obstiné(e)
obstinarse [oβsti'narse] *vpr* s'obstiner; **~ en** s'obstiner à
obstrucción [oβstruk'θjon] *nf* obstruction *f*

obstruir [oβstru'ir] *vt* obstruer; (*plan, labor, proceso*) faire obstacle à
obtener [oβte'ner] *vt* obtenir
obturador [oβtura'ðor] *nm* obturateur *m*
obvio, -a ['oββjo, a] *adj* évident(e)
ocasión [oka'sjon] *nf* occasion *f*; **¡~!** (*Com*) offre spéciale; **de ~** (*libro*) d'occasion; **con ~ de** à l'occasion de; **dar ~ de** donner l'occasion de; **en (algunas) ocasiones** parfois; **aprovechar la ~** profiter de l'occasion
ocasionar [okasjo'nar] *vt* occasionner
ocaso [o'kaso] *nm* (*puesta de sol*) coucher *m* du soleil; (*decadencia*) déclin *m*
occidente [okθi'ðente] *nm* occident *m*; **el O~** l'Occident *m*
O.C.D.E. *sigla f* (= *Organización para la Cooperación y el Desarrollo Económico*) OCDE *f* (= *Organisation de coopération et de développement économique*)
océano [o'θeano] *nm* océan *m*; **el ~ Atlántico** l'océan *m* Atlantique
ochenta [o'tʃenta] *adj inv, nm inv* quatre-vingts *m inv*; *ver tb* **sesenta**
ocho ['otʃo] *adj inv, nm inv* huit *m inv*; **~ días** huit jours *mpl*; *ver tb* **seis**
ochocientos, -as [otʃo'θjentos, as] *adj* huit cents; *ver tb* **seiscientos**
ocio ['oθjo] *nm* (*tiempo*) loisir *m*; (*pey*) oisiveté *f*; **"guía del ~"** "guide *m* art et spectacles"
ocioso, -a [o'θjoso, a] *adj*: **estar ~** être oisif(-ive); **ser ~** être oiseux(-euse)
octavilla [okta'βiʎa] *nm* (*esp Pol*) tract *m*
octavo, -a [ok'taβo, a] *adj, nm/f* huitième *m/f*; *ver tb* **sexto**
octubre [ok'tuβre] *nm* octobre *m*; *ver tb* **julio**
ocular [oku'lar] *adj* (*inspección*) des yeux; **testigo ~** témoin *m* oculaire
oculista [oku'lista] *nm/f* oculiste *m/f*
ocultar [okul'tar] *vt* cacher; **ocultarse** *vpr*: **~se (tras/de)** se cacher (derrière/de)
oculto, -a [o'kulto, a] *adj* (*puerta, persona*) dissimulé(e); (*razón*) caché(e)
ocupación [okupa'θjon] *nf* occupation *f*
ocupado, -a [oku'paðo, a] *adj* occupé(e); **¿está ocupada la silla?** la place est prise?
ocupar [oku'par] *vt* occuper; **ocuparse** *vpr*: **~se de** s'occuper de; **~se de lo suyo** s'occuper de ses affaires
ocurrencia [oku'rrenθja] *nf* (*idea*) idée *f*; (*: graciosa*) trait *m* d'esprit; **¡qué ~!** (*pey*) quelle drôle d'idée!
ocurrir [oku'rrir] *vi* (*suceso*) se produire, se passer; **ocurrirse** *vpr*: **se me ha ocurrido que ...** il m'est venu à l'esprit que ...; **¿qué te ocurre?** qu'est-ce que tu as?; **¿qué ocurre?** qu'est-ce qui se passe?; **lo que ocurre es que ...** ce qui se passe, c'est que ...; **¡ni se te ocurra!** pas question!; **¡qué cosas se te ocurren!** tu as de ces idées!; **¿se te ocurre algo?** tu as une idée?
odiar [o'ðjar] *vt* (*a algn*) haïr; (*comida, trabajo*) détester
odio ['oðjo] *nm* haine *f*; **tener ~ a algn** détester qn, haïr qn
odioso, -a [o'ðjoso, a] *adj* (*persona*) odieux(-euse); (*tiempo*) exécrable; (*trabajo, tema*) insupportable
odontólogo, -a [oðon'toloɣo, a] *nm/f* odontologiste *m/f*
OEA *sigla f* (= *Organización de Estados Americanos*) OEA *f* (= *Organisation des États américains*)
oeste [o'este] *nm* ouest *m*; **película del ~** western *m*; *ver tb* **norte**
ofender [ofen'der] *vt* offenser; **ofenderse** *vpr* s'offenser; **~ a la vista** blesser la vue; **~ a los oídos** écorcher les oreilles; **sentirse ofendido** se froisser
ofensa [o'fensa] *nf* offense *f*; (*Jur*) délit *m*
ofensiva [ofen'siβa] *nf* offensive *f*
ofensivo, -a [ofen'siβo, a] *adj* (*palabra etc*) offensant(e); (*Mil*) offensif(-ive)
oferta [o'ferta] *nf* offre *f*; (*Com: de bajo precio*) promotion *f*; **la ~ y la demanda** l'offre et la demande; **artículos de** *o* **en ~** articles *mpl* en promotion; **~s de trabajo** offres *fpl* d'emploi; **~ monetaria** offre monétaire; **~ pública de compra** (*Com*) offre publique d'achat
oficial [ofi'θjal] *adj* officiel(le) ■ *nm/f* (*Mil*) officier *m*; (*en un trabajo*) ouvrier(-ère) qualifié(e)
oficina [ofi'θina] *nf* bureau *m*; **~ de empleo** agence *f* pour l'emploi; **~ de información** bureau d'information; **~ de objetos perdidos** bureau des objets trouvés; **~ de turismo** office *m* du tourisme
oficinista [ofiθi'nista] *nm/f* employé(e) de bureau
oficio [o'fiθjo] *nm* travail *m*; (*Rel*) office *m*; (*función*) fonction *f*; (*comunicado*) communiqué *m*; **ser del ~** être du métier; **sin ~ ni beneficio** sans profession; **buenos ~s (de algn)** bons offices (de qn); **~ de difuntos** office des morts
oficioso, -a [ofi'θjoso, a] *adj* officieux(-euse)
ofrecer [ofre'θer] *vt* offrir; (*fiesta*) donner; **ofrecerse** *vpr*: **~se a** *o* **para hacer algo** s'offrir pour faire qch; **~ la**

posibilidad de donner la possibilité de; **¿qué se le ofrece?, ¿se le ofrece algo?** puis-je vous aider?; **~se de** s'offrir comme

ofrecimiento [ofreθi'mjento] *nm* offre *f*

oftalmólogo, -a [oftal'moloɣo, a] *nm/f* ophtalmologue *m/f*

ofuscar [ofus'kar] *vt* aveugler; **ofuscarse** *vpr* se troubler; **estar ofuscado por** *o* **con algo** être aveuglé par qch

oída [o'iða] *nf*: **de ~s** par ouï-dire

oído [o'iðo] *nm* (*Anat*) oreille *f*; (*sentido*) ouïe *f*; **al ~** à l'oreille; **de ~** d'oreille; **tener ~** avoir de l'oreille; **tener buen ~** avoir une bonne oreille; **ser todo ~s** être tout ouïe; **ser duro de ~** être dur d'oreille; **no doy crédito a mis ~s** je n'en crois pas mes oreilles; **hacer ~s sordos a** faire la sourde oreille à; **~ interno** oreille interne

oiga *etc* ['oiɣa] *vb ver* **oír**

oír [o'ir] *vt* entendre; (*atender a, esp AM*) écouter ▪ *vi* entendre; **¡oye!, ¡oiga!** écoute!, écoutez!; **¿oiga?** (*Telec*) allo?; **~ misa** entendre la messe; **¡lo que hay que ~!** ce qu'il ne faut pas entendre!; **como quien oye llover** autant parler à un mur; **~ hablar de algn/algo** entendre parler de qn/qch

OIT *sigla f* (= *Organización Internacional del Trabajo*) OIT *f* (= *Organisation internationale du travail*)

ojal [o'xal] *nm* boutonnière *f*

ojalá [oxa'la] *excl* si seulement!, espérons! ▪ *conj* (*tb*: **ojalá que**) si seulement, espérons que; **~ (que) venga hoy** espérons qu'il viendra aujourd'hui; **¡~ pudiera!** si seulement il pouvait!

ojeada [oxe'aða] *nf* coup *m* d'œil; **echar una ~ a** jeter un coup d'œil à

ojera [o'xera] *nf* cerne *m*; **tener ~s** avoir les yeux cernés

ojeriza [oxe'riθa] *nf*: **tener ~ a** prendre en grippe

ojeroso, -a [oxe'roso, a] *adj* (*cara, aspecto*) fatigué(e); (*ojos*) cerné(e)

ojo ['oxo] *nm* œil *m*; (*de puente*) arche *f*; (*de cerradura*) trou *m*; (*de aguja*) chas *msg* ▪ *excl* attention!; **tener ~ para** avoir l'œil pour; **~s saltones** yeux *mpl* globuleux; **ir/andar con ~** faire attention; **no pegar ~** ne pas fermer l'œil; **~ por ~** œil pour œil; **tener ~ clínico** avoir l'œil infaillible; **tener echado el ~ a algo/algn** avoir l'œil sur qch/qn; **en un abrir y cerrar de ~s** en un clin d'œil; **mirar** *o* **ver con buenos/malos ~s** voir d'un bon/mauvais œil; **a ~s vistas** à vue d'œil; **¡dichosos los ~s (que te ven)!** quelle bonne surprise!; **a ~ (de buen cubero)** à vue de nez; **ten mucho ~ con ése** fais bien attention avec ce type-là; **ser el ~ derecho de algn** (*fig*) être le chouchou de qn; **~ de buey** œil-de-bœuf *m*

okupa *nm/f* (*fam*) squatteur(-euse) *m/f*

ola ['ola] *nf* vague *f*; **~ de calor/frío** vague *f* de chaleur/froid; **la nueva ~** la nouvelle vague

olé [o'le] *excl* olé!

oleada [ole'aða] *nf* (*tb fig*) vague *f*

oleaje [ole'axe] *nm* vagues *fpl*

óleo ['oleo] *nm*: **un ~** une peinture à l'huile; **al ~** à l'huile

oleoducto [oleo'ðukto] *nm* oléoduc *m*

oler [o'ler] *vt* (*tb sospechar*) sentir; (*curiosear*) mettre le nez (dans) ▪ *vi* (*despedir olor*) sentir; **huele a tabaco** ça sent le tabac; **huele a corrupción** ça sent la corruption; **huele mal** ça sent mauvais; (*fig*) ça sent le brûlé; **huele que apesta** ça pue

olfatear [olfate'ar] *vt* renifler; (*con el hocico*) flairer; (*sospechar*) flairer; (*curiosear*) mettre le nez (dans)

olfato [ol'fato] *nm* odorat *m*; **tener (buen) ~ para algo** avoir du flair pour qch

oligarquía [oliɣar'kia] *nf* oligarchie *f*

olimpíada [olim'pjaða] *nf* olympiade *f*; **olimpíadas** *nfpl* jeux *mpl* olympiques

oliva [o'liβa] *nf* olive *f*; **aceite de ~** huile *f* d'olive

olivo [o'liβo] *nm* olivier *m*

olla ['oʎa] *nf* marmite *f*; (*comida*) ragoût *m*; **~ a presión** cocotte-minute *f*

olmo ['olmo] *nm* orme *m*

olor [o'lor] *nm* odeur *f*; **mal ~** mauvaise odeur; **~ a** odeur de

oloroso, -a [olo'roso, a] *adj* odorant(e)

olvidar [olβi'ðar] *vt* oublier; **olvidarse** *vpr*: **~se (de)** oublier (de); **~ hacer algo** oublier de faire qch; **se me olvidó (hacerlo)** j'ai oublié (de le faire); **¡se me olvidaba!** j'allais l'oublier!

olvido [ol'βiðo] *nm* oubli *m*; **por ~** par inadvertance; **echar algo en el ~** tirer un trait sur qch; **caer en el ~** tomber dans l'oubli

ombligo [om'bliɣo] *nm* nombril *m*

OMG *nm* (= *organismo modificado genéticamente*) OGM *m* (= *organisme génétiquement modifié*)

omiso, -a [o'miso, a] *adj*: **hacer caso ~ de** passer outre à

omitir [omi'tir] *vt* omettre

omnipotente [omnipo'tente] *adj* omnipotent(e)

omoplato [omo'plato] *nm* omoplate *f*

OMS ['oms] *sigla f* (= *Organización Mundial de la Salud*) OMS *f* (= *Organisation mondiale de la santé*)
ONCE ['onθe] *sigla f* (= *Organización Nacional de Ciegos Españoles*) *entreprise et organisme d'aide aux aveugles*
once ['onθe] *adj inv, nm inv* onze *m inv* ■ *nf* (*AM*: *refrigerio, merienda*): **la ~, las ~s** le goûter, le thé; *ver tb* **seis**
onda ['onda] *nf* (*Fís*) onde *f*; (*del pelo*) ondulation *f*; **~s acústicas/hertzianas** ondes acoustiques/hertziennes; **~ corta/larga/media** onde courte/ grande/moyenne; **la ~ expansiva** l'onde de choc porteuse; **~ sonora** onde sonore
ondear [onde'ar] *vi* onduler
ondular [ondu'lar] *vt, vi* onduler; **ondularse** *vpr* onduler
ONG *sigla f* (= *Organización no gubernamental*) ONG *f* (= *organisation non gouvernementale*)
ONU ['onu] *sigla f* (= *Organización de las Naciones Unidas*) ONU *f* (= *Organisation des Nations unies*)
OPA ['opa] *sigla f* (= *oferta pública de adquisición*) OPA *f* (= *offre publique d'achat*)
opaco, -a [o'pako, a] *adj* opaque
opción [op'θjon] *nf* (*elección*) choix *m*; (*una opción*) option *f*; (*derecho*): **~ a** choix entre; **no hay otra ~** il n'y a pas d'autre solution
opcional [opθjo'nal] *adj* facultatif(-ive)
OPEP [o'pep] *sigla f* (= *Organización de Países Exportadores del Petróleo*) OPEP *f* (= *Organisation des pays exportateurs de pétrole*)
ópera ['opera] *nf* opéra *m*; **~ bufa/ cómica** opéra bouffe/comique
operación [opera'θjon] *nf* opération *f*; **~ a plazo** (*Com*) transaction *f* à terme; **operaciones accesorias** (*Inform*) gestion *f* des disques; **operaciones a término** (*Com*) marché *m* à terme
operar [ope'rar] *vt* opérer ■ *vi* opérer; (*Com*) faire des transactions; (*Mat*) faire une opération; **operarse** *vpr* (*cambio*) s'opérer; **~ a algn de algo** opérer qn de qch; **se han operado grandes cambios** il s'est opéré de grands changements; **~se (de)** être opéré(e) (de)
opereta [ope'reta] *nf* opérette *f*
opinar [opi'nar] *vt* penser ■ *vi*: **~ (de** *o* **sobre)** donner son avis (sur); **~ bien/mal de** penser du bien/mal de
opinión [opi'njon] *nf* opinion *f*, avis *msg*; **cambiar de ~** changer d'avis; **tener mala/buena ~ de algo/algn** avoir mauvaise/bonne opinion de qch/qn; **la ~ pública** l'opinion publique
opio ['opjo] *nm* opium *m*
oponente [opo'nente] *nm/f* adversaire *m/f*
oponer [opo'ner] *vt* opposer; **oponerse** *vpr*: **~se (a)** s'opposer (à); **~ A a B** opposer A à B; **¡me opongo!** je m'y oppose!
oportunidad [oportuni'ðað] *nf* (*ocasión*) occasion *f*; (*posibilidad*) opportunité *f*; **oportunidades** *nfpl* (*Com*) promotions *fpl*; (*en trabajo, educación*) possibilités *fpl*; **dar a algn otra ~** redonner une chance à qn
oportuno, -a [opor'tuno, a] *adj* opportun(e); (*persona*) judicieux(-euse); **en el momento ~** au moment opportun; **¡qué ~!** (*irónico*) c'est bien le moment!
oposición [oposi'θjon] *nf* opposition *f*; **oposiciones** *nfpl* (*Esp*) concours *msg*; **la ~** (*Pol*) l'opposition; **hacer oposiciones (a), presentarse a unas oposiciones (a)** se présenter au concours (de)

OPOSICIÓN

Les *oposiciones* sont les examens qui, chaque année, permettent d'accéder, au niveau national ou régional, aux postes de la fonction publique, de l'enseignement, du système judiciaire, etc. Ces postes étant permanents, le nombre de candidats ("opositores") et le niveau des épreuves sont très élevés. Les candidats doivent étudier un grand nombre de sujets relevant de leur spécialité, mais aussi le fonctionnement de la Constitution. Il n'est pas rare de repasser les épreuves plusieurs années en suivant.

opresivo, -a [opre'siβo, a] *adj* (*régimen*) oppressif(-ive); (*medidas*) de répression
opresor, a [opre'sor, a] *nm/f* oppresseur *m*
oprimir [opri'mir] *vt* (*botón*) presser; (*suj*: *cinturón, ropa*) serrer; (*fig*: *corazón*) oppresser; (*obrero, campesino*) opprimer
optar [op'tar] *vi*: **~ por** opter pour; **~ a** aspirer à
optativo, -a [opta'tiβo, a] *adj* (*asignatura*) facultatif(-ive)
óptica ['optika] *nf* (*tienda*) opticien *m*; (*Fís, Tec*) optique *f*; *ver tb* **óptico**
óptico, -a ['optiko, a] *adj* optique ■ *nm/f* opticien(ne)
optimismo [opti'mismo] *nm* optimisme *m*

optimista [opti'mista] *adj, nm/f* optimiste *m/f*
óptimo, -a ['optimo, a] *adj* optimal(e)
opuesto, -a [o'pwesto, a] *pp de* **oponer** ■ *adj* opposé(e)
opulencia [opu'lenθja] *nf* opulence *f*
opulento, -a [opu'lento, a] *adj* opulent(e)
oración [ora'θjon] *nf* (*Rel*) prière *f*; (*Ling*) énoncé *m*
orador, a [ora'ðor, a] *nm/f* orateur(-trice)
oral [o'ral] *adj* oral(e); **por vía ~** par voie orale
orangután [orangu'tan] *nm* orang-outang *m*
orar [o'rar] *vi* prier
oratoria [ora'torja] *nf* éloquence *f*, bagou *m*
órbita ['orβita] *nf* orbite *f*; (*ámbito*) champ *m*
orden ['orðen] *nm* ordre *m* ■ *nf* (*mandato*: *Rel*) ordre *m*; **por ~** par ordre; **por ~ alfabético/de aparición** par ordre alphabétique/d'apparition; **estar/poner en ~** être/mettre en ordre; **del ~ de** de l'ordre de; **de primer ~** de premier ordre; **estar a la ~ del día** être à l'ordre du jour; **¡a sus órdenes!** à vos ordres!; **dar la ~ de hacer algo** donner l'ordre de faire qch; **~ bancaria** virement *m* bancaire; **~ de comparencia** assignation *f* à comparaître; **~ de compra** (*Com*) ordre d'achat; **~ del día** ordre du jour; **~ público** ordre public
ordenado, -a [orðe'naðo, a] *adj* ordonné(e)
ordenador [orðena'ðor] *nm* (*Inform*) ordinateur *m*; **~ central/de gestión/personal/de sobremesa** ordinateur central/de gestion/personnel/de bureau
ordenanza [orðe'nanθa] *nf* (*militar, municipal*) ordonnance *f* ■ *nm* (*en oficinas*) employé *m* de bureau; (*Mil*) ordonnance *f*
ordenar [orðe'nar] *vt* (*mandar*) ordonner; (*papeles, juguetes*) ranger; (*habitación, ideas*) mettre de l'ordre (dans); (*Rel*) ordonner; **ordenarse** *vpr* (*Rel*) être ordonné(e)
ordeñar [orðe'ɲar] *vt* traire
ordinario, -a [orði'narjo, a] *adj* ordinaire; (*pey*) grossier(-ère); **de ~** d'ordinaire
orégano [o'reɣano] *nm* origan *m*
oreja [o'rexa] *nf* oreille *f*; **sonrisa de ~ a ~** sourire *m* jusqu'aux oreilles; **ver las ~s al lobo** sentir le vent tourner
orfanato [orfa'nato] *nm* orphelinat *m*
orfandad [orfan'dað] *nf fait d'être orphelin*
orfebrería [orfeβre'ria] *nf* orfèvrerie *f*
orgánico, -a [or'ɣaniko, a] *adj* (*tb ley*) organique; (*todo*) organisé(e)
organigrama [orɣani'ɣrama] *nm* organigramme *m*
organismo [orɣa'nismo] *nm* organisme *m*; **~ internacional** organisation *f* internationale
organización [orɣaniθa'θjon] *nf* organisation *f*; **buena/mala ~** bonne/mauvaise organisation; **O~ de las Naciones Unidas** Organisation des Nations unies; **O~ del Tratado del Atlantico Norte** Organisation du traité de l'Atlantique Nord
organizar [orɣani'θar] *vt* organiser; (*crear*) fonder; **organizarse** *vpr* s'organiser; (*escándalo*) se produire
órgano ['orɣano] *nm* organe *m*; (*Mús*) orgue *m*
orgasmo [or'ɣasmo] *nm* orgasme *m*
orgía [or'xia] *nf* orgie *f*
orgullo [or'ɣuʎo] *nm* orgueil *m*
orgulloso, -a [orɣu'ʎoso, a] *adj* orgueilleux(-euse)
orientación [orjenta'θjon] *nf* orientation *f*; **~ profesional/universitaria** orientation professionnelle/des études; **tener sentido de la ~** avoir le sens de l'orientation
orientar [orjen'tar] *vt* orienter; (*esfuerzos*) diriger; **orientarse** *vpr* s'orienter; **~se (en/sobre)** s'orienter (vers/d'après)
oriente [o'rjente] *nm* orient *m*; **el O~** l'Orient *m*; **O~ Medio/Próximo** Moyen-/Proche-Orient; **Lejano O~** Extrême-Orient
origen [o'rixen] *nm* origine *f*; **de ~ español** d'origine espagnole; **de ~ humilde** d'origine modeste; **dar ~ a** donner lieu à; **país/lugar de ~** pays *msg*/lieu *m* d'origine; **idioma de ~** langue *f* maternelle
original [orixi'nal] *adj* original(e); (*relativo al origen*) originel(le) ■ *nm* original *m*; **el pecado ~** le péché originel
originalidad [orixinali'ðað] *nf* originalité *f*
originar [orixi'nar] *vt* causer, provoquer; **originarse** *vpr*: **~se (en)** trouver son origine (dans)
originario, -a [orixi'narjo, a] *adj* originaire; (*motivo, razón*) premier(-ère);

~ de originaire de; **país ~** pays *msg* d'origine
orilla [o'riʎa] *nf* bord *m*; **a ~s del mar/río** au bord de la mer/rivière
orina [o'rina] *nf* urine *f*
orinal [ori'nal] *nm* pot *m* de chambre
orinar [ori'nar] *vi* uriner; **orinarse** *vpr* faire pipi
orines [o'rines] *nmpl* urines *fpl*
oriundo, -a [o'rjundo, a] *adj*: **~ de** originaire de
ornitología [ornitolo'xia] *nf* ornithologie *f*
oro ['oro] *nm* or *m*; **~ de ley** or au titre; **de ~** en or; **ofrecer/prometer el ~ y el moro** promettre monts et merveilles; **no es ~ todo lo que reluce** tout ce qui brille n'est pas or; **hacerse de ~** rouler sur l'or; *ver tb* **oros**
oropel [oro'pel] *nm* oripeau *m*
oros ['oros] *nmpl* (*Naipes*) *l'une des quatre couleurs d'un jeu de cartes espagnol*
orquesta [or'kesta] *nf* orchestre *m*; **~ de cámara/de jazz** orchestre de chambre/de jazz
orquídea [or'kiðea] *nf* orchidée *f*
ortiga [or'tiɣa] *nf* ortie *f*
ortodoxo, -a [orto'ðokso, a] *adj* orthodoxe
ortografía [ortoɣra'fia] *nf* orthographe *f*
ortopedia [orto'peðja] *nf* orthopédie *f*
ortopédico, -a [orto'peðiko, a] *adj* orthopédique
oruga [o'ruɣa] *nf* chenille *f*
orzuelo [or'θwelo] *nm* orgelet *m*
os [os] *pron* vous; **vosotros os laváis** vous vous lavez; **¡callaros!** (*fam*) taisez-vous!
osa ['osa] *nf* ourse *f*; **O~ Mayor/Menor** Grande/Petite Ourse
osadía [osa'ðia] *nf* audace *f*
osar [o'sar] *vi* oser
oscilación [osθila'θjon] *nf* oscillation *f*; (*de precios, temperaturas*) fluctuation *f*
oscilar [osθi'lar] *vi* osciller; (*precio, temperatura*) fluctuer; (*titubear*) vaciller
oscurecer [oskure'θer] *vt* obscurcir ▪ *vi* commencer à faire nuit; **oscurecerse** *vpr* s'obscurcir
oscuridad [oskuri'ðað] *nf* obscurité *f*; (*cualidad: de color*) foncé *m*
oscuro, -a [os'kuro, a] *adj* obscur(e); (*color etc*) foncé(e); (*día, cielo*) sombre; (*futuro*) sombre; **a oscuras** dans l'obscurité
óseo, -a ['oseo, a] *adj* osseux(-euse)
oso ['oso] *nm* ours *msg*; **~ blanco/pardo** ours blanc/brun; **hacer el ~** faire le clown; **~ de peluche** ours en peluche; **~ hormiguero** tamanoir *m*
ostentación [ostenta'θjon] *nf* ostentation *f*; **hacer ~ de algo** (*pey*) faire étalage de qch
ostentar [osten'tar] *vt* arborer; (*cargo, título, récord*) posséder
ostra ['ostra] *nf* huître *f* ▪ *excl*: **¡~s!** (*fam*) mince!
OTAN ['otan] *sigla f* (= *Organización del Tratado del Atlántico Norte*) OTAN *f* (= *Organisation du traité de l'Atlantique Nord*)
otear [ote'ar] *vt* scruter
otitis [o'titis] *nf* otite *f*
otoñal [oto'ɲal] *adj* automnal(e); (*amor*) mûr(e)
otoño [o'toɲo] *nm* automne *m*
otorgar [otor'ɣar] *vt* octroyer, concéder; (*perdón*) accorder; (*poderes*) attribuer; (*premio*) décerner
otorrinolaringólogo, -a [otorrinolarin'goloɣo, a] *nm/f* (*tb*: **otorrino**) oto-rhino(-laryngologiste) *m/f*

PALABRA CLAVE

otro, -a ['otro, a] *adj* **1** (*distinto*: *sg*) un(e) autre; (: *pl*) d'autres; **otra persona** une autre personne; **con otros amigos** avec d'autres amis
2 (*adicional*): **tráigame otro café (más), por favor** apportez-moi un autre café, s'il vous plaît; **otros 10 días más** encore 10 jours; **otros 3** 3 autres; **otra vez** encore une fois
3 (*un nuevo*): **es otro Mozart** c'est un nouveau Mozart; **¡otra!** (*en concierto*) encore!; **¡a otra cosa!** passons à autre chose!
4: **otro tanto**: **comer otro tanto** manger autant; **recibió una decena de telegramas y otras tantas llamadas** il a reçu une dizaine de télégrammes et autant de coups de téléphone
▪ *pron* **1**: **el otro/la otra** l'autre; **otros/otras** d'autres; **los otros/las otras** les autres; **no cojas esa gabardina, que es de otro** ne prends pas cet imperméable, il est à quelqu'un d'autre; **que lo haga otro** que quelqu'un d'autre le fasse
2 (*recíproco*): **se odian (la) una a (la) otra** elles se détestent l'une l'autre; **unos y otros** les uns et les autres

ovación [oβa'θjon] *nf* ovation *f*
ovalado, -a [oβa'laðo, a] *adj* oval(e)
óvalo ['oβalo] *nm* ovale *m*

ovario [o'βarjo] *nm* ovaire *m*
oveja [o'βexa] *nf* brebis *fsg*; **~ negra** (*de familia*) brebis galeuse
overol [oβe'rol] (*AM*) *nm* salopette *f*
ovillo [o'βiʎo] *nm* pelote *f*; **hacerse un ~** se pelotonner
OVNI ['oβni] *sigla m* (= *objeto volante (o volador) no identificado*) OVNI *m* (= *objet volant non identifié*)
ovulación [oβula'θjon] *nf* ovulation *f*
óvulo ['oβulo] *nm* ovule *m*
oxidar [oksi'ðar] *vt* oxyder, rouiller; **oxidarse** *vpr* s'oxyder, se rouiller; (*Tec*) s'oxyder
óxido ['oksiðo] *nm* oxyde *m*; (*sobre metal*) rouille *f*
oxigenado, -a [oksixe'naðo, a] *adj* (*agua*) oxygéné(e); (*pelo*) blond(e) oxygéné(e)
oxígeno [ok'sixeno] *nm* oxygène *m*
oyendo *etc* [o'jendo] *vb ver* **oír**
oyente [o'jente] *nm/f* auditeur(-trice)

P

P *abr* (*Rel*: = *Padre*) P (= *Père*); = *Papa*; (= *pregunta*) Q. (= *question*)
p. *abr* (*Tip*: = *página*) p (= *page*); (*Costura*) = **punto**
pabellón [paβe'ʎon] *nm* pavillon *m*; **~ de conveniencia** (*Com*) pavillon de complaisance; **~ de la oreja** pavillon de l'oreille
pacer [pa'θer] *vi* paître
paciencia [pa'θjenθja] *nf* patience *f*; **¡~!** patience!; **armarse de ~** s'armer de patience; **perder la ~** perdre patience
paciente [pa'θjente] *adj*, *nm/f* patient(e)
pacificar [paθifi'kar] *vt* pacifier
pacífico, -a [pa'θifiko, a] *adj* pacifique; **el (Océano) P~** le (*o* l'océan) Pacifique
pacifismo [paθi'fismo] *nm* pacifisme *m*
pacifista [paθi'fista] *nm/f* pacifiste *m/f*
pacotilla [pako'tiʎa] *nf*: **de ~** de pacotille
pactar [pak'tar] *vt*, *vi* pactiser
pacto ['pakto] *nm* pacte *m*
padecer [paðe'θer] *vt* (*dolor*, *enfermedad*) souffrir de; (*injusticia*) pâtir de; (*consecuencias*, *sequía*) subir ▪ *vi*: **~ de** souffrir de
padecimiento [paðeθi'mjento] *nm* souffrance *f*
padrastro [pa'ðrastro] *nm* beau-père *m*; (*en las uñas*) envie *f*

padre ['paðre] *nm* père *m*; **padres** *nmpl* (*padre y madre*) parents *mpl* ▪ *adj* (*fam*): **una juerga ~** une bringue à tout casser; **un susto ~** une peur bleue; **García ~** Garcia père; **¡tu ~!** (*fam!*) mon œil!; **~ adoptivo** père adoptif; **~ de familia** père de famille; **~ espiritual** père spirituel; **P~ Nuestro** Notre Père; **~ político** beau-père *m*
padrino [pa'ðrino] *nm* parrain *m*; **padrinos** *nmpl* le parrain et la marraine; **~ de boda** témoin *m* de mariage
padrón [pa'ðron] *nm* recensement *m*
paella [pa'eʎa] *nf* paella *f*
paga ['paɣa] *nf* paie *f*, paye *f*; **~ extra(ordinaria)** treizième mois *m*
pagano, -a [pa'ɣano, a] *adj, nm/f* païen(ne)
pagar [pa'ɣar] *vt, vi* payer; **¡me las pagarás!** tu me le payeras!; **~ al contado** payer au comptant; **~ algo caro** (*fig*) payer cher qch
pagaré [paɣa're] *nm* billet *m* à ordre
página ['paxina] *nf* page *f*; **~ web** page *f* Web
pago ['paɣo] *nm* paiement *m*; **~(s)** (*esp And, Csur*) région *fsg*; **en ~ de** en paiement de; **~ a cuenta** acompte *m*; **~ a la entrega/anticipado/en especie** paiement à la livraison/anticipé/en espèces; **~ inicial** versement *m* initial
pág(s). *abr* (= *página(s)*) pp (= *page(s)*)
pague *etc* ['paɣe] *vb ver* **pagar**
país [pa'is] *nm* pays *msg*; **los P~es Bajos** les Pays Bas; **el P~ Vasco** le Pays Basque
paisaje [pai'saxe] *nm* paysage *m*
paisano, -a [pai'sano, a] *nm/f* compatriote *m/f*; (*esp Csur*) paysan(ne) ▪ *adj* (*esp Csur*) paysan(ne); **vestir de ~** être en civil
paja ['paxa] *nf* paille *f*; (*fig*) remplissage *m*
pajarita [paxa'rita] *nf* nœud *m* papillon
pájaro ['paxaro] *nm* oiseau *m*; (*fam*) oiseau, loustic *m*; **tener la cabeza llena de ~s** avoir la tête ailleurs *o* en l'air; **~ carpintero** pic *m*
pajita [pa'xita] *nf* paille *f*
pala ['pala] *nf* pelle *f*; (*de pingpong, frontón*) raquette *f*; (*de hélice, remo*) pale *f*; **~ mecánica** pelle mécanique
palabra [pa'laβra] *nf* mot *m*; (*promesa, facultad, en asamblea*) parole *f*; **faltar a su ~** manquer à sa parole; **dejar a algn con la ~ en la boca** ne pas laisser qn terminer sa phrase; **pedir/tener/tomar la ~** demander/avoir/prendre la parole; **no encuentro ~s para expresar ...** je ne trouve pas les mots pour exprimer ...; **~ de honor** parole d'honneur
palabrota [pala'βrota] *nf* gros mot *m*
palacio [pa'laθjo] *nm* palais *msg*; **~ de justicia** palais de justice
paladar [pala'ðar] *nm* (*tb fig*) palais *msg*
paladear [palaðe'ar] *vt* savourer
palanca [pa'lanka] *nf* levier *m*; (*fig*) piston *m*; **~ de cambio/mando** levier de changement de vitesse/de commande
palangana [palan'gana] *nf* cuvette *f*
palco ['palko] *nm* (*Teatro*) loge *f*; **~ de autoridades/de honor** tribune *f* officielle/d'honneur
Palestina [pales'tina] *nf* Palestine *f*
palestino, -a [pales'tino, a] *adj* palestinien(ne) ▪ *nm/f* Palestinien(ne)
paleta [pa'leta] *nf* (*de albañil*) truelle *f*; (*Arte*) palette *f*; (*de hélice*) pale *f*; (*AM*) esquimau *m*; *ver tb* **paleto**
paleto, -a [pa'leto, a] *adj, nm/f* péquenaud(e)
paliar [pa'ljar] *vt* pallier
paliativo [palja'tiβo] *nm* palliatif *m*
palidecer [paliðe'θer] *vi* pâlir
palidez [pali'ðeθ] *nf* pâleur *f*
pálido, -a ['paliðo, a] *adj* pâle
palillo [pa'liʎo] *nm* cure-dents *msg*; (*Mús*) baguette *f*; **palillos** *nmpl* (*para comer*: *tb*: **palillos chinos**) baguettes *fpl*; **estar hecho un ~** être maigre comme un clou
paliza [pa'liθa] *nf* raclée *f*; **dar la ~ a algn** (*fam*) assommer qn; **dar una ~ a algn** flanquer une raclée à qn; **darse una ~ haciendo algo** s'esquinter à faire qch
palma ['palma] *nf* (*de mano*) paume *f*; (*árbol*) palmier *m*; **batir** *o* **dar ~s** battre des mains; **llevarse la ~** remporter la palme, l'emporter
palmada [pal'maða] *nf* tape *f*; **palmadas** *nfpl* (*aplauso*) applaudissements *mpl*; (*en música*) battements *mpl* de mains
palmar [pal'mar] (*fam*) *vi* (*tb*: **palmarla**) clamser
palmear [palme'ar] *vi* applaudir; (*en flamenco*) battre des mains
palmera [pal'mera] *nf* palmier *m*
palmo ['palmo] *nm* empan *m*; (*fig*) pied *m*; **~ a ~** (*recorrer*) d'un bout à l'autre; (*registrar*) de fond en comble; **dejar a algn con un ~ de narices** couper le souffle à qn
palo ['palo] *nm* (*de madera*) bâton *m*; (*poste*) piquet *m*; (*mango*) manche *m*; (*golpe*) coup *m*; (*de golf*) club *m*; (*Náut*) mât *m*; (*Naipes*) couleur *f*; **vermut a ~ seco** vermouth *m* sec; **dar (de) ~s a algn**

rouer qn de coups; **¡qué ~!** (*fam*) quelle tuile!
paloma [pa'loma] *nf* pigeon *m*; **la ~ de la paz** la colombe de la paix; **~ mensajera** pigeon voyageur
palomitas [palo'mitas] *nfpl* (*tb*: **palomitas de maíz**) pop-corn *msg*
palpar [pal'par] *vt* palper; (*al andar a ciegas*) tâter; **se palpaba la tensión** la tension était palpable
palpitación [palpita'θjon] *nf* palpitation *f*
palpitante [palpi'tante] *adj* palpitant(e); (*fig*) brûlant(e)
palpitar [palpi'tar] *vi* palpiter
palta ['palta] (*And, Csur*) *nf* avocat *m*
paludismo [palu'ðismo] *nm* paludisme *m*
pamela [pa'mela] *nf* capeline *f*
pampa ['pampa] (*AM*) *nf* pampa *f*
pan [pan] *nm* pain *m*; **un ~** un pain; **barra de ~** baguette *f*, flûte *f*; **eso es ~ comido** c'est du gâteau, c'est du tout cuit; **llamar al ~ ~ y al vino vino** appeler un chat un chat; **ganarse el ~** gagner son pain; **~ de molde** pain de mie; **~ integral** pain complet; **~ rallado** chapelure *f*
pana ['pana] *nf* velours *msg* côtelé; (*Chi*: *avería*) panne *f*
panadería [panaðe'ria] *nf* boulangerie *f*
Panamá [pana'ma] *nm* Panama *m*
panameño, -a [pana'meɲo, a] *adj* panaméen(ne) ■ *nm/f* Panaméen(ne)
pancarta [pan'karta] *nf* pancarte *f*
panda ['panda] *nm* panda *m* ■ *nf* (*fam*) bande *f*
pandereta [pande'reta] *nf* tambourin *m*
pandilla [pan'diʎa] *nf* bande *f*
panel [pa'nel] *nm* panneau *m*; **~ acústico** isolant *m* acoustique; **~ de control/de mandos** tableau *m* de contrôle/de commande; **~ de invitados** (*Radio, TV*) plateau *m* d'invités; **~ solar** panneau solaire
panfleto [pan'fleto] *nm* pamphlet *m*
pánico ['paniko] *nm* panique *f*
panorama [pano'rama] *nm* panorama *m*
pantalla [pan'taʎa] *nf* écran *m*; (*de lámpara*) abat-jour *m*; **servir de ~ a** servir de couverture à; **~ de ayuda** aide *f* (en ligne); **~ de cristal líquido** écran à cristaux liquides; **~ plana** écran plat; **~ táctil** écran tactile
pantalón [panta'lon] *nm*, **pantalones** [panta'lones] *nmpl* pantalon *msg*; **pantalones vaqueros** blue-jean *msg*
pantano [pan'tano] *nm* (*ciénaga*) marécage *m*; (*embalse*) barrage *m*; (*fig*: *atolladero*) bourbier *m*
panteón [pante'on] *nm*: **~ familiar** caveau *m* de famille
pantera [pan'tera] *nf* panthère *f*
pantis ['pantis] *nmpl* collant *msg*
pantomima [panto'mima] *nf* pantomime *f*
pantorrilla [panto'rriʎa] *nf* mollet *m*
panty(s) ['panti(s)] *nm(pl)* collant *msg*
panza ['panθa] *nf* panse *f*
pañal [pa'ɲal] *nm* lange *m*; **estar todavía en ~es** (*proyecto*) en être à ses débuts; (*persona*) être novice
paño ['paɲo] *nm* (*tela*) étoffe *f*; (*trapo*) torchon *m*; **en ~s menores** en petite tenue; **~s calientes** (*fig*) palliatifs *mpl*, baume *msg*; **~ de cocina** torchon; **~ de lágrimas** (*fig*) réconfort *m*
pañuelo [pa'ɲwelo] *nm* (*para la nariz*) mouchoir *m*; (*para la cabeza*) foulard *m*; **~ de papel** mouchoir en papier
Papa ['papa] *nm* Pape *m*
papa ['papa] (*AM*) *nf* pomme de terre *f*
papá [pa'pa] (*fam*) *nm* papa *m*; **papás** *nmpl* (*padre y madre*) parents *mpl*; **hijo de ~** fils *msg* à papa; **P~ Noel** père Noël *m*
papada [pa'paða] *nf* double menton *m*
papagayo [papa'ɣajo] *nm* perroquet *m*
paparrucha [papa'rrutʃa] *nf* (*tontería*) bourde *f*; (*rumor falso*) bobard *m*
papaya [pa'paja] *nf* papaye *f*
papel [pa'pel] *nm* papier *m*; (*Teatro, fig*) rôle *m*; **papeles** *nmpl* (*documentos*) papiers *mpl*; **~ carbón** papier carbone; **~ continuo** papier en continu; **~ de aluminio** papier aluminium; **~ de calco/de lija** papier calque/de verre; **~ de carta(s)/de fumar** papier à lettres/à cigarettes; **~ de envolver** papier d'emballage; **~ timbrado** *o* **del Estado** papier timbré; **~ de estaño** *o* **plata** papier aluminium; **~ higiénico** *o* (*Méx*) **sanitario/secante** papier hygiénique/buvard; **~ madera** (*Csur*) carton *m*; **~ moneda** papier-monnaie *m*; **~ térmico** papier thermique
papeleo [pape'leo] *nm* paperasserie *f*
papelera [pape'lera] *nf* corbeille *f* à papiers; (*en la calle*) poubelle *f*; (*industria*) papeterie *f*; **~ de reciclaje** (*Inform*) corbeille *f*
papelería [papele'ria] *nf* papeterie *f*
papeleta [pape'leta] *nf* (*de rifa*) billet *m*; (*Pol*) bulletin *m*; (*Escol*: *calificación*) relevé *m* de notes; **¡vaya ~!** quelle histoire!, quelle affaire!
paperas [pa'peras] *nfpl* oreillons *mpl*
papilla [pa'piʎa] *nf* bouillie *f*; **dejar hecho** *o* **hacer ~** réduire *o* mettre en bouillie

paquete [pa'kete] *nm* paquet *m*; (*esp AM*: *fam*) ennui *m*; (*Inform*) progiciel *m*; **~ de aplicaciones** lot *m* de logiciels; **~ de gestión integrado** progiciel de gestion; **~ integrado** progiciel; **~s postales** colis *mpl* postaux; **~-bomba** colis *msg* piégé

par [par] *adj* pair(e) ■ *nm* (*de guantes, calcetines*) paire *f*; (*de veces, días*) deux; (*pocos*) deux ou trois; (*título*) pair *m*; (*Golf*) par *m* ■ *nf* (*Com*) pair; **~es o nones** pairs ou impairs; **a ~es** par paires; **abrir de ~ en ~** ouvrir tout grand; **a la ~** à la fois; **sobre/bajo la ~** (*Econ*) au dessus/au dessous du pair; **sin ~** unique

para ['para] *prep* pour; **decir ~ sí** se dire; **~ ti** pour toi; **¿~ qué?** pourquoi faire?; **¿~ qué lo quieres?** que veux-tu en faire?; **~ que te sientes** pour que tu t'assoies; **~ entonces** à ce moment-là; **estará listo ~ mañana** ça sera prêt demain; **ir ~ casa** aller chez soi; **~ ser tan mayor, está ágil** il est agile pour son âge; **¿quién es usted ~ gritar así?** vous vous prenez pour qui pour crier comme ça?; **tengo bastante ~ vivir** j'ai de quoi vivre; **~ el caso que me haces** vu l'intérêt que tu me portes; **~ eso no vengas** si c'est pour ça, ne viens pas; **~ colmo** pour comble

parábola [pa'raβola] *nf* parabole *f*

parabólica [para'βolika] *nf* (*tb*: **antena parabólica**) antenne *f* parabolique

parabrisas [para'βrisas] *nm inv* pare-brise *m inv*

paracaídas [paraka'iðas] *nm inv* parachute *m*

paracaidista [parakai'ðista] *nm/f* parachutiste *m/f*; (*Méx*: *fam*) squatter *m*

parachoques [para'tʃokes] *nm inv* pare-chocs *m inv*

parada [pa'raða] *nf* arrêt *m*; **~ de autobús/de taxis** arrêt d'autobus/station *f* de taxis; **~ discrecional** arrêt facultatif; **~ en seco** arrêt net; **~ militar** parade *f*; *ver tb* **parado**

paradero [para'ðero] *nm* endroit *m*; (*And, Csur*) halte *f*; **en ~ desconocido** parti sans laisser d'adresse

parado, -a [pa'raðo, a] *adj* arrêté(e); (*tímido*) timide; (*sin empleo*) au chômage; (*confuso*) confondu(e); (*AM*) debout ■ *nm/f* chômeur(-euse); **salir bien ~** bien s'en tirer

paradoja [para'ðoxa] *nf* paradoxe *m*

parador [para'ðor] *nm* (*tb*: **parador de turismo**) parador *m* (*hôtel de première catégorie géré par l'état*)

PARADOR NACIONAL

Le réseau des *paradores* a été mis en place par le gouvernement dans les années 50, au début de l'essor du tourisme en Espagne. Ils'agit d'hôtels de première catégorie, dans des sites uniques ou des lieux à caractère historique, souvent établis dans d'anciens châteaux et monastères. Il existe actuellement plus de 80 paradores, tous classés trois-étoiles ou plus, offrant des prestations de qualité ainsi qu'un large éventail de spécialités locales.

paráfrasis [pa'rafrasis] *nf inv* paraphrase *f*

paraguas [pa'raɣwas] *nm inv* parapluie *m*

Paraguay [para'ɣwai] *nm* Paraguay *m*

paraguayo, -a [para'ɣwajo, a] *adj* paraguayen(ne) ■ *nm/f* Paraguayen(ne)

paraíso [para'iso] *nm* paradis *msg*; **~ fiscal** paradis fiscal

paraje [pa'raxe] *nm* parage *m*

paralelo, -a [para'lelo, a] *adj, nm* parallèle *m*; **en ~** en parallèle

parálisis [pa'ralisis] *nf inv* paralysie *f*; **~ cerebral/infantil/progresiva** paralysie cérébrale/infantile/progressive

paralítico, -a [para'litiko, a] *adj, nm/f* paralytique *m/f*

paralizar [parali'θar] *vt* paralyser; **paralizarse** *vpr* être paralysé(e); **estar/quedarse paralizado de miedo** être paralysé par la peur

paramilitar [paramili'tar] *adj* paramilitaire

páramo ['paramo] *nm* plateau *m* nu

parangón [paran'gon] *nm*: **sin ~** sans égal(e)

paranoico, -a [para'noiko, a] *adj* paranoïaque ■ *nm/f* paranoïaque *m/f*; (*fig*) maniaque, obsédé(e)

parapente [para'pente] *nm* (*deporte, aparato*) parapente *m*

parar [pa'rar] *vt* arrêter ■ *vi* s'arrêter; **pararse** *vpr* s'arrêter; (*AM*) se lever; **sin ~** sans arrêt; **no ~** ne pas arrêter; **no ~ de hacer algo** ne pas arrêter de faire qch; **ha parado de llover** il ne pleut plus; **fue a ~ a la comisaría** il a atterri au commissariat; **no sé en qué va a ~ todo esto** je ne sais pas comment tout cela va finir; **¡dónde va a ~!** ce n'est pas comparable!; **~se a hacer algo** s'arrêter pour faire qch

pararrayos [para'rrajos] *nm inv* paratonnerre *m*
parásito, -a [pa'rasito, a] *adj, nm* parasite *m*; **un ~ de la sociedad** un parasite de la société
parcela [par'θela] *nf* parcelle *f*
parche ['partʃe] *nm* (*de rueda*) rustine *f*; (*de ropa*) pièce *f*; (*fig: de problema*) pis-aller *m inv*; **sólo estamos poniendo ~s** (*fig*) nous ne faisons que du rafistolage
parcial [par'θjal] *adj* (*pago, eclipse*) partiel(le); (*juicio*) partial(e)
parcialidad [parθjali'ðað] *nf* partialité *f*
pardillo, -a [par'ðiʎo, a] *adj, nm/f* péquenaud(e) (*fam*); (*inocente*) naïf (naïve) ▪ *nm* (*Zool*) bouvreuil *m*
parecer [pare'θer] *nm* opinion *f*; (*aspecto*) allure *f* ▪ *vi* sembler; (*asemejarse a*) ressembler à; **parecerse** *vpr* se ressembler; **~se a** ressembler à; **parece mentira** cela semble incroyable; **al ~** à ce qu'il paraît; **parece que va a llover** on dirait qu'il va pleuvoir; **me parece bien/importante que ...** je trouve que c'est bien/qu'il est important que ...; **¿que te pareció la película?** comment as-tu trouvé le film?; **me parece bien** ça me va; **me parece que** il me semble que
parecido, -a [pare'θiðo, a] *adj* semblable ▪ *nm* ressemblance *f*; **~ a algo** semblable à qch; **un hombre bien ~** un bel homme
pared [pa'reð] *nf* mur *m*; (*de montaña*) paroi *f*; **subirse por las ~es** (*fam*) monter sur ses grands chevaux; **~ medianera/divisoria** mur mitoyen/de refend
pareja [pa'rexa] *nf* paire *f*; (*hombre y mujer*) couple *m*; (*persona*) partenaire *m/f*; **una ~ de guardias** deux gendarmes; **la ~** (*de un par*) l'autre
parentela [paren'tela] *nf* parenté *f*
parentesco [paren'tesko] *nm* parenté *f*
paréntesis [pa'rentesis] *nm inv* parenthèse *f*; **entre ~** entre parenthèses
parezca *etc* [pa'reθka] *vb ver* **parecer**
pariente, -a [pa'rjente, a] *nm/f* parent(e)
parir [pa'rir] *vt* (*hijo*) accoucher de; (*animal*) mettre bas ▪ *vi* (*mujer*) accoucher; (*animal*) mettre bas; (*yegua*) mettre bas, pouliner; (*vaca*) mettre bas, vêler
París [pa'ris] *n* Paris
parisiense [pari'sjense], **parisino, -a** [pari'sino, a] *adj* parisien(ne) ▪ *nm/f* Parisien(ne)
parking ['parkin] *nm* parking *m*
parlamentario, -a [parlamen'tarjo, a] *adj, nm/f* parlementaire *m/f*
parlamento [parla'mento] *nm* parlement *m*; (*discurso*) discours *msg*; **P~ Europeo** Parlement européen
parlanchín, -ina [parlan'tʃin, ina] *adj, nm/f* bavard(e)
paro ['paro] *nm* (*huelga*) arrêt *m*; (*desempleo, subsidio*) chômage *m*; **estar en ~** être au chômage; **~ del sistema** (*Inform*) arrêt du système; **~ cardíaco** arrêt cardiaque
parodia [pa'roðja] *nf* parodie *f*
parodiar [paro'ðjar] *vt* parodier
parpadear [parpaðe'ar] *vi* clignoter
párpado ['parpaðo] *nm* paupière *f*
parque ['parke] *nm* parc *m*; **~ de atracciones** parc d'attractions; **~ de bomberos** caserne *f* de pompiers; **~ móvil** parc automobile; **~ nacional/zoológico** parc national/zoologique
parquímetro [par'kimetro] *nm* parcmètre *m*, parcomètre *m*
parra ['parra] *nf* treille *f*
párrafo ['parrafo] *nm* paragraphe *m*
parrilla [pa'rriʎa] *nf* grill *m*; (*AM*) porte-bagages *m inv*; **carne a la ~** viande *f* grillée
parrillada [parri'ʎaða] *nf* grillade *f*
párroco ['parroko] *nm* curé *m*
parroquia [pa'rrokja] *nf* paroisse *f*; (*Com*) clientèle *f*
parsimonia [parsi'monja] *nf* parcimonie *f*; **con ~** avec parcimonie
parte ['parte] *nm* rapport *m* ▪ *nf* partie *f*; (*lado*) côté *m*; (*lugar, de reparto*) part *f*; **en alguna ~ de Europa** quelque part en Europe; **por todas ~s** partout; **en cualquier ~** partout, n'importe où; **en (gran) ~** en (grande) partie; **la mayor ~ de los españoles** la plupart des Espagnols; **de algún tiempo a esta ~** depuis quelque temps; **de ~ de algn** de la part de qn; **¿de ~ de quién?** (*Telec*) de la part de qui?; **por ~ de** de la part de; **yo por mi ~** en ce qui me concerne, quant à moi; **por una ~ ... por otra ~** d'une part ... d'autre part; **dar ~ a algn** communiquer à qn; **formar ~ de** faire partie de; **ponerse de ~ de algn** prendre fait et cause pour qn; **tomar ~ (en)** prendre part (à); **~ de guerra** communiqué *m* de guerre; **~ meteorológico** bulletin *m* météorologique
partición [parti'θjon] *nf* partage *m*
participación [partiθipa'θjon] *nf* participation *f*; (*de lotería*) tranche *f*; **~ en los beneficios** participation aux

bénéfices; **~ minoritaria** participation minoritaire

participante [partiθi'pante] *nm/f* participant(e)

participar [partiθ'par] *vt* communiquer ▪ *vi*: **~ (en)** participer (à); **~ de algo** partager qch; **~ en una empresa** (*Com*) investir dans une entreprise; **le participo que ...** je vous informe que ...

partícipe [par'tiθipe] *nm/f*: **hacer ~ a algn de algo** faire part à qn de qch

particular [partiku'lar] *adj* particulier(-ière) ▪ *nm* (*punto, asunto*) sujet *m*, chapitre *m*; (*individuo*) particulier *m*; **clases ~es** cours *mpl* particuliers; **en ~** en particulier; **no dijo mucho sobre el ~** il n'en a pas dit long sur ce sujet

partida [par'tiða] *nf* départ *m*; (*Com*: *de mercancía*) lot *m*; (: *de cuenta, factura*) entrée *f*; (: *de presupuesto*) chapitre *m*; (*juego*) partie *f*; (*grupo, bando*) bande *f*; **mala ~** mauvais tour *m*; **echar una ~** faire une partie; **~ de caza** partie de chasse; **~ de defunción/de matrimonio** extrait *m* d'acte de décès/de mariage; **~ de nacimiento** extrait de naissance

partidario, -a [parti'ðarjo, a] *adj*: **ser ~ de** être partisan(e) de ▪ *nm/f* (*seguidor*) partisan(e)

partido [par'tiðo] *nm* parti *m*; (*Deporte*) match *m*; **sacar ~ de** tirer parti de; **tomar ~** prendre parti; **~ amistoso** match amical; **~ de baloncesto** match de basket; **~ de fútbol** match de football; **~ de tenis** match de tennis; **~ judicial** arrondissement *m*

partir [par'tir] *vt* (*dividir*) partager; (*romper*) casser; (*rebanada, trozo*) couper ▪ *vi* partir; **partirse** *vpr* se casser; **a ~ de** à partir de, à compter de; **~ de** partir de; **~se de risa** se tordre de rire

partitura [parti'tura] *nf* partition *f*

parto ['parto] *nm* (*de una mujer*) accouchement *m*; (*de un animal*) mise bas *f*; (*fig*) enfantement *m*; **estar de ~** être en couches

pasa ['pasa] *nf* raisin *m* sec; **~ de corinto** raisin de Corinthe

pasada [pa'saða] *nf* passage *m*; (*con trapo, escoba*) coup *m*; **de ~** (*leer, decir*) au passage; **mala ~** mauvais tour *m*

pasadizo [pasa'ðiθo] *nm* passage *m*

pasado, -a [pa'saðo, a] *adj* passé(e); (*muy hecho*) trop cuit(e); (*anticuado*) dépassé(e), démodé(e) ▪ *nm* passé *m*; **~ mañana** après-demain; **el mes ~** le mois dernier; **~s dos días** deux jours plus tard; **lo ~, ~** tout ça, c'est du passé; **~ de moda** démodé(e); **~ por agua** (*huevo*) à la coque

pasador [pasa'ðor] *nm* verrou *m*; (*de pelo*) barrette *f*; (*de corbata*) épingle *f*; (*AM*) lacet *m*

pasaje [pa'saxe] *nm* passage *m*; (*de barco, avión*) billet *m*; (*los pasajeros*) passagers *mpl*; **~ electrónico** billet *m* électronique

pasajero, -a [pasa'xero, a] *adj, nm/f* passager(-ère)

pasamontañas [pasamon'taɲas] *nm inv* passe-montagne *m*

pasaporte [pasa'porte] *nm* passeport *m*

pasar [pa'sar] *vt* passer; (*barrera, meta*) franchir; (*frío, calor, hambre*) avoir; (: *con énfasis*) souffrir de; (*rebasar*) dépasser ▪ *vi* passer; (*ocurrir*) se passer; (*entrar*) entrer; **pasarse** *vpr* se passer; (*flores*) se faner; (*comida*) se gâter; (*excederse*) exagérer; **hacer ~ a algn** faire entrer qn; **~ a (hacer)** en venir à (faire); **~ de** dépasser de; **~ de largo** ne pas s'en faire; **~ de (hacer) algo** (*fam*) se ficher de (faire) qch; **~ de todo** (*fam*) se ficher de tout; **¡pase!** entrez!; **~ por un sitio/una calle** passer par un endroit/une rue; **~ por alto** faire fi de, passer sous silence; **~ por una crisis** traverser une crise; **~ sin algo** se passer de qch; **~lo bien** s'amuser; **¿qué pasa?** que se passe-t-il?; **¿qué te pasa?** que t'arrive-t-il?; **¡cómo pasa el tiempo!** comme le temps passe vite!; **pase lo que pase** quoi qu'il en soit, advienne que pourra; **se hace ~ por médico** il se fait passer pour médecin; **pásate por casa/la oficina** passe chez moi/par mon bureau; **~se al enemigo** passer à l'ennemi; **~se de moda** passer de mode; **~se de la raya** dépasser les bornes; **¡no te pases!** n'exagère pas!; **me lo pasé bien/mal** cela s'est bien/mal passé; **se me pasó** j'ai complètement oublié; **se me pasó el turno** j'ai laissé passer mon tour; **no se le pasa nada** rien ne lui échappe; **ya se te pasará** ça te passera

pasarela [pasa'rela] *nf* passerelle *f*; (*de modas*) podium *m*

pasatiempo [pasa'tjempo] *nm* passe-temps *msg*; **pasatiempos** *nmpl* (*en revista*) jeux *mpl*

Pascua ['paskwa], **pascua** ['paskwa] *nf* (*tb*: **Pascua de Resurrección**) Pâques *fpl*; **Pascuas** *nfpl* Noël *msg*; **¡felices ~s!** joyeux Noël!; **de ~s a Ramos** tous les trente-six du mois; **hacer la ~ a algn** (*fam*) mettre qn dans le pétrin

pase ['pase] *nm* passe *m*; (*Com*) passavant *m*; (*Cine*) projection *f*; **~ de modelos** défilé *m* de mannequins

pasear [pase'ar] *vt, vi* promener; **pasearse** *vpr* se promener

paseo [pa'seo] *nm* promenade *f*; (*distancia corta*) pas *msg*; **dar un ~** faire une promenade; **mandar a algn a ~** envoyer qn promener; **¡vete a ~!** va te faire voir!; **~ marítimo** front *m* de mer

pasillo [pa'siʎo] *nm* couloir *m*; **~ aéreo** couloir aérien

pasión [pa'sjon] *nf* passion *f*

pasivo, -a [pa'siβo, a] *adj* passif(-ive) ▪ *nm* (*Com*) passif *m*; **~ circulante** passif exigible

pasmar [pas'mar] *vt* ébahir; **pasmarse** *vpr* être ébahi(e), ne pas en revenir

pasmo ['pasmo] *nm* stupéfaction *f*

paso, -a ['paso, a] *adj* (*ciruela*) sec (sèche) ▪ *nm* passage *m*; (*pisada, de baile*) pas *msg*; (*modo de andar*) pas, allure *f*; (*de montaña*) col *m*; (*Telec*) unité *f*; **pasos** *nmpl* (*gestiones*) démarches *fpl*; (*huellas*) pas *mpl*; **~ a ~** pas à pas; **a cada ~** à tout bout de champ; **a un ~** *o* **dos ~s** à deux pas; **a ese ~** à cette allure; **a ~ lento** à pas comptés; **a ~ ligero** d'un pas léger; **abrirse ~** se frayer un chemin; **salir al ~ de** répliquer à; **salir al ~** passer à la contre-offensive; **salir del ~** se tirer d'affaire; **dar un ~ en falso** faire un faux pas, trébucher; (*fig*) faire un faux pas, commettre une faute; **de ~, ...** au passage, ...; **estar de ~** être de passage; **un ~ atrás** un pas en arrière; **un mal ~** (*fig*) une mauvaise passe; **prohibido el ~** passage interdit; **ceda el ~** céder le passage, priorité; **~ a nivel** passage à niveau; **~ de peatones/de cebra** passage pour piétons/clouté; **~ elevado** saut-de-mouton *m*; **~ subterráneo** passage souterrain

pasota [pa'sota] (*fam*) *adj, nm/f* je-m'en-foutiste *m/f*

pasta ['pasta] *nf* pâte *f*; (*tb*: **pasta de té**) petit four *m*; (*fam: dinero*) fric *m*; (*encuadernación*) reliure *f*; **~ dentífrica** *o* **de dientes** dentifrice *m*; **~ de papel** pâte à papier

pastar [pas'tar] *vi* paître

pastel [pas'tel] *nm* gâteau *m*; (*de carne*) friand *m*; (*Arte*) pastel *m*; **se descubrió el ~** on a découvert le pot aux roses

pastelería [pastele'ria] *nf* pâtisserie *f*

pasteurizado, -a [pasteuri'θaðo, a] *adj* pasteurisé(e)

pastilla [pas'tiʎa] *nf* (*de jabón*) savonnette *f*; (*de chocolate*) tablette *f*; (*Med*) comprimé *m*, cachet *m*

pastillero, a [pasti'ʎero, a] *nm/f* (*fam*) accro *m/f* aux petites pilules

pasto ['pasto] *nm* pâture *f*; (*lugar*) pâturage *m*; **fue ~ de las llamas** il a été la proie des flammes

pastor, a [pas'tor, a] *nm/f* berger(-ère) ▪ *nm* (*Rel*) pasteur *m*; **perro ~** chien *m* (de) berger; **~ alemán** berger allemand

pata ['pata] *nf* patte *f*; (*pie*) pied *m*; **~s arriba** (*caer*) les quatre fers en l'air; (*revuelto*) sens dessus dessous; **a cuatro ~s** à quatre pattes; **a la ~ coja** à cloche-pied; **meter la ~** mettre les pieds dans le plat; **tener mala ~** ne pas avoir de chance; **~ de cabra** (*Tec*) pince *f* à levier; **~ de gallo** pied-de-poule

patada [pa'taða] *nf* coup *m* de pied; **dar una ~ a algn/a algo** donner un coup de pied à qn/à qch; **a ~s** (*fam: en abundancia*) à foison; **echar a algn a ~s** éjecter qn à coup de pieds; **tratar a algn a ~s** recevoir qn comme un chien dans un jeu de quilles

patalear [patale'ar] *vi* trépigner

patata [pa'tata] *nf* pomme *f* de terre; **~s fritas** frites *fpl*; (*en rebanadas*) chips *fpl*; **no entender/no saber ni ~** (*fam*) ne comprendre/ne savoir que dalle

paté [pa'te] *nm* pâté *m*

patear [pate'ar] *vt* piétiner; (*fig: humillar*) houspiller; (*fam: ciudad, museo*) parcourir de long en large *o* en tous sens ▪ *vi* trépigner

patentar [paten'tar] *vt* breveter

patente [pa'tente] *adj* manifeste ▪ *nf* patente *f*, brevet *m*; (*Csur*) immatriculation *f*; **hacer ~** manifester

patera [pa'tera] (*Esp*) *nf* bateau *m* (*utilisé notamment par les immigrés clandestins venus d'Afrique du nord*)

paternal [pater'nal] *adj* paternel(le)

paterno, -a [pa'terno, a] *adj* paternel(le)

patético, -a [pa'tetiko, a] *adj* pathétique

patilla [pa'tiʎa] *nf* (*de gafas*) branche *f*; **patillas** *nfpl* (*de la barba*) favoris *mpl*

patín [pa'tin] *nm* patin *m*; (*de mar*) pédalo *m*; **~ de hielo/de ruedas** patin à glace/à roulettes

patinaje [pati'naxe] *nm* patinage *m*; **~ artístico** patinage artistique; **~ sobre hielo/sobre ruedas** patinage (sur glace)/ à roulettes

patinar [pati'nar] *vi* patiner; (*fam: equivocarse*) se gourer

patio ['patjo] *nm* cour *f*; **~ de butacas** (*Cine, Teatro*) orchestre *m*; **~ de recreo** cour de récréation
pato ['pato] *nm* canard *m*; **pagar el ~** (*fam*) payer les pots cassés
patológico, -a [pato'loxiko, a] *adj* pathologique
patoso, -a [pa'toso, a] *adj* lourdaud(e)
patraña [pa'traɲa] *nf* mensonge *m*
patria ['patrja] *nf* patrie *f*; **~ chica** terroir *m*
patrimonio [patri'monjo] *nm* patrimoine *m*
patriota [pa'trjota] *nm/f* patriote *m/f*
patriotismo [patrjo'tismo] *nm* patriotisme *m*
patrocinar [patroθi'nar] *vt* (*sufragar*) sponsoriser, parrainer; (*apoyar*) appuyer, parrainer
patrocinio [patro'θinjo] *nm* parrainage *m*
patrón, -ona [pa'tron, ona] *nm/f* patron(ne); (*de pensión*) hôte (hôtesse); (*de barco*) patron *m* ▪ *nm* patron *m*; **~ oro** étalon-or *m*
patronal [patro'nal] *adj*: **la clase ~** la classe patronale ▪ *nf* patronat *m*; **cierre ~** lock-out *m*
patrulla [pa'truʎa] *nf* patrouille *f*
pausa ['pausa] *nf* pause *f*; **con ~** posément, tranquillement
pausado, -a [pau'saðo, a] *adj* posé(e)
pauta ['pauta] *nf* modèle *m*
pavimento [paβi'mento] *nm* pavement *m*
pavo ['paβo] *nm* dindon *m*; **¡no seas ~!** ne fais pas le mariolle!; **estar en la edad del ~** être en plein âge bête; **~ real** paon *m*
pavor [pa'βor] *nm* frayeur *f*
payaso, -a [pa'jaso, a] *nm/f* clown *m*
payo, -a ['pajo, a] *nm/f* gadjo *m/f*
paz [paθ] *nf* (*pl* **paces**) paix *f*; (*tranquilidad*) calme *m*; **dejar algo/a algn en ~** laisser qch/qn en paix; **hacer las paces** faire la paix; **que en ~ descanse** qu'il repose en paix
PC (*pl* **PCs**) *sigla m* (*ordenador personal*) PC *m*
P.D. *abr* (= *posdata*) P.S. (= *post-scriptum*)
PDA (*pl* **~s**) *sigle m* (= *personal digital assistant*) PDA *m*
peaje [pe'axe] *nm* péage *m*; **autopista de ~** autoroute *f* à péage
peatón [pea'ton] *nm* piéton *m*
peca ['peka] *nf* tache *f* de rousseur
pecado [pe'kaðo] *nm* péché *m*; **~ mortal/venial** péché mortel/véniel
pecador, a [peka'ðor, a] *adj, nm/f* pécheur(-eresse)
pecar [pe'kar] *vi* pécher; **~ de generoso** pécher par excès de générosité
pecho ['petʃo] *nm* poitrine *f*; (*fig*) cœur *m*; **dar el ~ a** donner le sein à; **tomar algo a ~** prendre qch à cœur; **la alegría no le cabía en el ~** il ne se sentait plus de joie
pechuga [pe'tʃuɣa] *nf* (*de ave*) blanc *m*
peculiar [peku'ljar] *adj* caractéristique; (*particular*) particulier(-ère)
peculiaridad [pekuljari'ðað] *nf* particularité *f*
pedal [pe'ðal] *nm* pédale *f*; **~ de embrague/de freno** pédale d'embrayage/de frein
pedalear [peðale'ar] *vi* pédaler
pedante [pe'ðante] *adj, nm/f* pédant(e)
pedantería [peðante'ria] *nf* pédanterie *f*
pedazo [pe'ðaθo] *nm* morceau *m*; **hacer algo ~s** réduire qch en mille morceaux; **hacer ~s a algn** mettre qn en bouillie; **caerse algo a ~s** tomber en ruine; **ser un ~ de pan** (*fig*) avoir un cœur d'or
pediatra [pe'ðjatra] *nm/f* pédiatre *m/f*
pedido [pe'ðiðo] *nm* commande *f*; **~s en cartera** commandes *fpl* en souffrance
pedir [pe'ðir] *vt* demander; (*Com*) commander ▪ *vi* mendier; **~ limosna** demander l'aumône; **~ la mano de** demander la main de; **~ disculpas** demander des excuses; **~ prestado** emprunter; **me pidió que cerrara la puerta** il m'a demandé de fermer la porte; **¿cuánto piden por el coche?** combien demande-t-on pour cette voiture?
pedo ['peðo] (*fam!*) *adj inv*: **estar ~** être rond(e) ▪ *nm* (*ventosidad*) pet *m*; (*borrachera*) cuite *f*
pega ['peɣa] *nf* (*obstáculo*) problème *m*; (*fam: pregunta*) colle *f*; **de ~** à la gomme, de pacotille; **nadie me** *etc* **puso ~s** personne n'a trouvé à redire
pegadizo, -a [peɣa'ðiθo, a] *adj* (*canción*) entraînant(e)
pegajoso, -a [peɣa'xoso, a] *adj* collant(e)
pegamento [peɣa'mento] *nm* colle *f*
pegar [pe'ɣar] *vt* coller; (*enfermedad, costumbre*) passer; (*golpear*) frapper; (*Costura*) coudre ▪ *vi* (*adherirse*) se coller; (*armonizar*) aller bien; (*el sol*) taper; **pegarse** *vpr* se coller; (*costumbre, enfermedad*) s'attraper; (*dos personas*) se frapper; **~ un grito** pousser un cri; **~ un salto** faire un saut; **~ un susto a algn** faire peur à qn; **~ fuego** mettre le feu; **~ la mesa a la pared** mettre la table contre le mur; **~ en** toucher; **ese**

sombrero no pega con el abrigo ce chapeau ne va pas avec ce manteau; **~se un tiro** se tirer une balle dans la tête; **~se un golpe** se donner un coup; **me pega que ...** j'ai comme l'impression que ...; **~se a algn** se coller à qn; **pegársela a algn** (*fam*) tromper qn; **se me ha pegado la costumbre/el acento** j'ai pris l'habitude/l'accent

pegatina [peɣa'tina] *nf* adhésif *m*

pegote [pe'ɣote] (*fam*) *nm* emplâtre *m*; **tirarse un ~** (*fam*) s'envoyer des fleurs

peinado [pei'naðo] *nm* coupe *f*

peinar [pei'nar] *vt* peigner; (*rastrear*) passer au peigne fin; **peinarse** *vpr* se peigner

peine ['peine] *nm* peigne *m*

peineta [pei'neta] *nf* grand peigne *m*

p.ej. *abr* (= *por ejemplo*) p. ex. (= *par exemple*)

Pekín [pe'kin] *n* Pékin

pelado, -a [pe'laðo, a] *adj* pelé(e); (*cabeza*) tondu(e); (*sueldo*) simple, seul(e); (*fam*) fauché(e)

pelaje [pe'laxe] *nm* pelage *m*; (*fig*) dégaine *f*

pelar [pe'lar] *vt* (*fruta, animal*) peler; (*patatas, marisco*) éplucher; (*habas*) écosser; (*nueces*) écaler; (*cortar el pelo*) couper; (*ave*) plumer; **pelarse** *vpr* (*la piel*) peler; (*cortarse el pelo*) se faire couper les cheveux; **hace un frío que pela** il fait un froid de canard; **corre que se las pela** (*fam*) il court à toutes jambes

peldaño [pel'daɲo] *nm* marche *f*; (*de escalera de mano*) échelon *m*

pelea [pe'lea] *nf* (*lucha*) lutte *f*; (*discusión*) discussion *f*

peleado, -a [pele'aðo, a] *adj*: **estar ~ (con algn)** être brouillé(e) (avec qn)

pelear [pele'ar] *vi* se battre; (*discutir*) se disputer; **pelearse** *vpr* se battre; se disputer; (*enemistarse*) se brouiller

peletería [pelete'ria] *nf* pelleterie *f*

pelícano [pe'likano] *nm* pélican *m*

película [pe'likula] *nf* film *m*; (*capa fina, Foto*) pellicule *f*; **de ~** (*fam*) sensass; **~ de dibujos (animados)** dessin *m* animé; **~ del oeste** western *m*; **~ muda** film muet

peligro [pe'liɣro] *nm* danger *m*; **"~ de muerte"** "danger de mort"; **correr ~ de** courir le risque de; **fuera de ~** hors de danger; **poner algo/a algn en ~** exposer qch/qn à un danger

peligroso, -a [peli'ɣroso, a] *adj* dangereux(-euse)

pelirrojo, -a [peli'rroxo, a] *adj* roux (rousse), rouquin(e) ■ *nm/f* rouquin(e)

pellejo [pe'ʎexo] *nm* peau *f*; **salvar el ~** sauver sa peau

pellizcar [peʎiθ'kar] *vt* pincer; (*comida*) grignoter; **pellizcarse** *vpr* se pincer

pellizco [pe'ʎiθko] *nm* pincement *m*; (*pizca*) pincée *f*

pelma ['pelma], **pelmazo, -a** [pel'maθo, a] (*fam*) *nm/f* casse-pieds *m/fsg*

pelo ['pelo] *nm* cheveux *mpl*; (*un pelo*) cheveu *m*; (*: en el cuerpo*) poil *m*; (*de sierra*) lame *f*; **a ~** (*sin abrigo*) peu couvert(e); (*sin ayuda*) tout(e) seul(e); **venir al ~** tomber à pic; **por los ~s** de justesse; **faltó un ~ para que ...** il s'en est fallu d'un poil que ...; **se me pusieron los ~s de punta** mes cheveux se sont dressés sur ma tête; **con ~s y señales** en long et en large; **no tener ~s en la lengua** ne pas mâcher ses mots; **tomar el ~ a algn** se payer la tête de qn; **¡y yo con estos ~s!** (*fam*) et moi qui ne suis même pas prêt(e)!

pelota [pe'lota] *nf* pelote *f*; (*tb*: **pelota vasca**) pelote; (*fam*: *cabeza*) bouille *f* ■ *nm/f* (*fam*) lèche-bottes *m inv* (*fam*); **en ~(s)** (*fam*) à poil; **devolver la ~ a algn** (*fig*) renvoyer la balle à qn; **hacer la ~ (a algn)** lécher les bottes (à qn)

pelotón [pelo'ton] *nm* peloton *m*; **~ de ejecución** peloton d'exécution

peluca [pe'luka] *nf* perruque *f*

peluche [pe'lutʃe] *nm*: **muñeco de ~** peluche *f*

peludo, -a [pe'luðo, a] *adj* (*cabeza*) chevelu(e); (*persona, perro*) poilu(e)

peluquería [peluke'ria] *nf* salon *m* de coiffure

peluquero, -a [pelu'kero, a] *nm/f* coiffeur(-euse)

pelusa [pe'lusa] *nf* (*Bot*) duvet *m*; (*de tela*) peluche *f*; (*de polvo*) mouton *m*; (*celos*) jalousie *f*

pelvis ['pelβis] *nf* bassin *m*

pena ['pena] *nf* peine *f*; (*AM*) honte *f*; **penas** *nfpl* pénalités *fpl*; **merecer/valer la ~** valoir la peine; **a duras ~s** à grand-peine; **sin ~ ni gloria** sans se faire remarquer, en passant inaperçu; **bajo** *o* **so ~ de** sous peine de; **me da ~** cela me fait de la peine; **es una ~** c'est vraiment dommage; **¡qué ~!** quel dommage!; **~ capital** peine capitale; **~ de muerte** peine de mort

penal [pe'nal] *adj* pénal; **antecedentes ~es** casier *msg* judiciaire

penalidades [penali'ðaðes] *nfpl* souffrances *fpl*

penalti [pe'nalti], **penalty** [pe'nalti] *nm* penalty *m*
pendiente [pen'djente] *adj* (*asunto*) en suspens; (*asignatura*) à repasser; (*terreno*) en pente ■ *nm* boucle *f* d'oreille ■ *nf* pente *f*; **~ de confirmación** en instance de confirmation; **estar ~ de algo/algn** (*vigilar*) garder un œil sur qch/qn; **estar ~ de los labios/de las palabras de algn** être pendu(e) aux lèvres de qn/boire les paroles de qn
pene ['pene] *nm* pénis *msg*
penetración [penetra'θjon] *nf* pénétration *f*
penetrante [pene'trante] *adj* pénétrant(e)
penetrar [pene'trar] *vt, vi* pénétrer
penicilina [peniθi'lina] *nf* pénicilline *f*
península [pe'ninsula] *nf* péninsule *f*; **P~ Ibérica** péninsule ibérique
peninsular [peninsu'lar] *adj* péninsulaire
penique [pe'nike] *nm* penny *m*
penitencia [peni'tenθja] *nf* pénitence *f*; **en ~** en pénitence
penoso, -a [pe'noso, a] *adj* pénible
pensador, -a [pensa'ðor, a] *nm/f* penseur(-euse)
pensamiento [pensa'mjento] *nm* pensée *f*; **no le pasó por el ~** cela ne lui a pas traversé l'esprit
pensar [pen'sar] *vt, vi* penser; **~ (hacer)** penser (faire); **~ en** penser à; **he pensado que** j'ai pensé que; **¡ni ~lo!** (il n'en est) pas question!; **pensándolo bien** tout bien réfléchi; **~ mal de algn** avoir une mauvaise opinion de qn; **tras pensárselo mucho** après y avoir bien réfléchi
pensativo, -a [pensa'tiβo, a] *adj* pensif(-ive)
pensión [pen'sjon] *nf* pension *f*; **media ~** (*en hotel*) demi-pension *f*; **~ completa** pension complète; **~ de jubilación** pension de retraite
pensionista [pensjo'nista] *nm/f* (*jubilado*) pensionné(e); (*Escol*) pensionnaire *m/f*
penúltimo, -a [pe'nultimo, a] *adj, nm/f* avant-dernier(-ière)
penumbra [pe'numbra] *nf* pénombre *f*
penuria [pe'nurja] *nf* pénurie *f*
peña ['peɲa] *nf* rocher *m*; (*grupo*) amicale *f*; (*Deporte*) club *m*
peñasco [pe'ɲasko] *nm* rocher *m*
peñón [pe'ɲon] *nm* piton *m*; **el P~** Gibraltar
peón [pe'on] *nm* manœuvre *m*, ouvrier *m*; (*esp AM*) ouvrier agricole; (*Ajedrez*) pion *m*; **~ de albañil** aide-maçon *m*
peor [pe'or] *adj* (*compar*) moins bon, pire; (*superl*) pire ■ *adv* (*compar*) moins bien, pire; (*superl*) moins bien; **de mal en ~** de mal en pis; **A es ~ que B** A est pire que B, A est moins bien que B; **Z es el ~ de todos** Z est le pire de tous; **y lo que es ~** et le pire c'est que; **¡~ para ti!** tant pis pour toi!
pepinillo [pepi'niʎo] *nm* cornichon *m*
pepino [pe'pino] *nm* concombre *m*; **(no) me importa un ~** je m'en fiche complètement
pepita [pe'pita] *nf* pépin *m*; (*de mineral*) pépite *f*
pequeñez [peke'ɲeθ] *nf* petitesse *f*
pequeño, -a [pe'keɲo, a] *adj, nm/f* petit(e); **~ burgués** petit bourgeois
pera ['pera] *adj inv* (*fam*) ≈ BCBG *inv* ■ *nf* poire *f*; **niño ~** petit snob; **eso es pedir ~s al olmo** c'est demander l'impossible
percance [per'kanθe] *nm* contretemps *msg*
percatarse [perka'tarse] *vpr*: **~ de** se rendre compte de
percepción [perθep'θjon] *nf* perception *f*
percha ['pertʃa] *nf* cintre *m*; (*en la pared*) portemanteau *m*; (*de ave*) perchoir *m*
percibir [perθi'βir] *vt* percevoir
percusión [perku'sjon] *nf* percussion *f*
perdedor, a [perðe'ðor, a] *adj, nm/f* perdant(e)
perder [per'ðer] *vt* perdre; (*tren*) rater ■ *vi* perdre; **perderse** *vpr* se perdre; **echar a ~** (*comida*) gâcher, gâter; (*oportunidad*) laisser passer; **~ el conocimiento** perdre connaissance; **~ el juicio/la calma** perdre la tête/son calme; **tener algo/no tener nada que ~** avoir qch/ne rien avoir à perdre; **he perdido la costumbre** j'ai perdu l'habitude; **~se en detalles** se perdre dans des détails; **¡no te lo pierdas!** ne rate pas ça!
perdición [perði'θjon] *nf* perdition *f*
pérdida ['perðiða] *nf* perte *f*; (*Com*) perte, manque *m* à gagner; **pérdidas** *nfpl* (*Com*) pertes *fpl*; **una ~ de tiempo** une perte de temps; **¡no tiene ~!** vous ne pouvez pas vous tromper!; **~ contable** (*Com*) perte comptable
perdido, -a [per'ðiðo, a] *adj* perdu(e); **estar ~ por** être épris(e) de; **es un caso ~** c'est un cas désespéré; **tonto ~** (*fam*) bête à manger du foin, bête comme ses pieds
perdiz [per'ðiθ] *nf* perdrix *f*
perdón [per'ðon] *nm* pardon *m*; **¡~!** pardon!; **con ~** avec votre permission

perdonar [perðo'nar] *vt* pardonner; (*la vida*) gracier; (*eximir*) dispenser, exempter ▪ *vi* pardonner; **¡perdone (usted)!** pardon!; **perdone, pero me parece que ...** excusez-moi, mais il me semble que ...
perdurar [perðu'rar] *vi* perdurer; (*continuar*) durer
perecedero, -a [pereθe'ðero, a] *adj* périssable
perecer [pere'θer] *vi* périr
peregrino, -a [pere'ɣrino, a] *adj* (*idea*) curieux(-euse), bizarre ▪ *nm/f* pèlerin(e)
perejil [pere'xil] *nm* persil *m*
perenne [pe'renne] *adj* permanent(e); **hoja ~** feuille persistante
pereza [pe'reθa] *nf* paresse *f*; **me da ~ hacerlo** cela ne me dit rien de le faire
perezoso, -a [pere'θoso, a] *adj* paresseux(-euse)
perfección [perfek'θjon] *nf* perfection *f*; **a la ~** à la perfection
perfeccionar [perfekθjo'nar] *vt* perfectionner
perfectamente [per'fektamente] *adv* parfaitement; **¡~!** parfaitement!, certainement!
perfecto, -a [per'fekto, a] *adj* parfait(e)
perfil [per'fil] *nm* profil *m*; **perfiles** *nmpl* (*de figura*) contours *mpl*; **de ~** de profil; **~ del cliente** profil du client
perfilar [perfi'lar] *vt* profiler; **perfilarse** *vpr* se profiler; **el proyecto se va perfilando** peu à peu ce projet prend corps
perforación [perfora'θjon] *nf* perforation *f*
perforar [perfo'rar] *vt* perforer
perfume [per'fume] *nm* parfum *m*
pericia [pe'riθja] *nf* adresse *f*
periferia [peri'ferja] *nf* périphérie *f*
periférico, -a [peri'feriko, a] *adj* périphérique ▪ *nm* (*Inform*) périphérique *m*; (*AM*: *Auto*) (boulevard *m*) périphérique *m*
perímetro [pe'rimetro] *nm* périmètre *m*
periódico, -a [pe'rjoðiko, a] *adj* périodique ▪ *nm* journal *m*; **~ dominical** journal du dimanche
periodismo [perjo'ðismo] *nm* journalisme *m*
periodista [perjo'ðista] *nm/f* journaliste *m/f*
periodo [pe'rjoðo], **período** [pe'rioðo] *nm* période *f*; (*menstruación*) règles *fpl*; **~ contable** (*Com*) période comptable
perito, -a [pe'rito, a] *nm/f* expert(e); (*técnico*) technicien(ne); **~ agrónomo** agronome *m/f*; **~ industrial** technicien
perjudicar [perxuði'kar] *vt* nuire à, porter préjudice à
perjudicial [perxuði'θjal] *adj* néfaste, préjudiciable
perjuicio [per'xwiθjo] *nm* préjudice *m*; **en/sin ~ de** au/sans préjudice de
perla ['perla] *nf* perle *f*; **me viene de ~s** ça tombe à pic
permanecer [permane'θer] *vi* séjourner, rester; (*seguir*) rester
permanencia [perma'nenθja] *nf* durée *f*; (*estancia*) séjour *m*
permanente [perma'nente] *adj* permanent(e) ▪ *nf* permanente *f*; **hacerse una ~** se faire faire une permanente
permiso [per'miso] *nm* permission *f*; (*licencia*) licence *f*, permis *msg*; **con ~** avec votre permission; **estar de ~** être en permission; **~ de conducir** permis de conduire; **~ de exportación/de importación** licence d'exportation/ d'importation; **~ de residencia** permis de séjour
permitir [permi'tir] *vt* permettre; **permitirse** *vpr*: **~se algo** se permettre qch; **no me puedo ~ ese lujo** je ne puis m'offrir ce luxe; **¿me permite?** vous permettez?
pernicioso, -a [perni'θjoso, a] *adj* pernicieux(-euse)
pero ['pero] *conj* mais ▪ *nm* objection *m*; **~ ¿qué haces?** mais qu'est-ce que tu fais?; **¡~ si yo no he sido!** ce n'est pas moi!; **¡~ bueno!** mais (enfin) bon!
perpendicular [perpendiku'lar] *adj* perpendiculaire
perpetrar [perpe'trar] *vt* perpétrer
perpetuar [perpe'twar] *vt* perpétuer
perpetuo, -a [per'petwo, a] *adj* perpétuel(le); **cadena perpetua** réclusion *f* à perpétuité; **nieves perpetuas** neiges *fpl* éternelles
perplejo, -a [per'plexo, a] *adj* perplexe
perra ['perra] *nf* chienne *f*; (*fam*: *dinero*) tune *f*; (: *manía*) manie *f*; (: *rabieta*) colère *f*; **estoy sin una ~** je n'ai plus un rond
perrera [pe'rrera] *nf* chenil *m*
perrito [pe'rrito] *nm*: **~ caliente** hot-dog *m*
perro, -a ['perro, a] *adj*: **qué vida más perra** chienne de vie! ▪ *nm* chien *m*; **ser ~ viejo** être un vieux renard; **de ~s** (*tiempo*) de chien; (*noche*) épouvantable; **~ callejero/guardián/guía** chien errant/ de garde/d'aveugle
persa ['persa] *adj* persan(e) ▪ *nm/f* Persan(e) ▪ *nm* (*Ling*) persan *m*

persecución [perseku'θjon] *nf* poursuite *f*; (*Rel, Pol*) persécution *f*
perseguir [perse'ɣir] *vt* poursuivre; (*atosigar, Rel, Pol*) persécuter
perseverante [perseβe'rante] *adj* persévérant(e)
perseverar [perseve'rar] *vi* persévérer; **~ en** persévérer dans
persiana [per'sjana] *nf* persienne *f*
persignarse [persiɣ'narse] *vpr* se signer
persistente [persis'tente] *adj* persistant(e)
persistir [persis'tir] *vi*: **~ (en)** persister (dans)
persona [per'sona] *nf* personne *f*; **por ~** par personne; **es buena ~** c'est quelqu'un de bien; **~ jurídica** personne morale; **~ mayor** adulte *m/f*
personaje [perso'naxe] *nm* personnage *m*
personal [perso'nal] *adj* personnel(le); (*aseo*) intime ▪ *nm* personnel *m*; (*fam*) gens *mpl*
personalidad [personali'ðað] *nf* personnalité *f*
personarse [perso'narse] *vpr*: **~ (en)** se présenter (à)
personificar [personifi'kar] *vt* personnifier
perspectiva [perspek'tiβa] *nf* perspective *f*; **perspectivas** *nfpl* (*de futuro*) perspectives *fpl*; **tener algo en ~** avoir qch en perspective
perspicacia [perspi'kaθja] *nf* perspicacité *f*
perspicaz [perspi'kaθ] *adj* perspicace
persuadir [perswa'ðir] *vt* persuader; **persuadirse** *vpr* se persuader
persuasión [perswa'sjon] *nf* persuasion *f*
persuasivo, -a [perwa'siβo, a] *adj* persuasif(-ive)
pertenecer [pertene'θer] *vi*: **~ a** appartenir à
perteneciente [pertene'θjente] *adj*: **ser ~ a** appartenir à
pertenencia [perte'nenθja] *nf* possession *f*; (*a organización, club*) affiliation *f*; **pertenencias** *nfpl* (*posesiones*) biens *mpl*
pertenezca *etc* [perte'neθka] *vb ver* **pertenecer**
pértiga ['pertiɣa] *nf* perche *f*; **salto de ~** saut *m* à la perche
pertinente [perti'nente] *adj* pertinent(e); (*momento etc*) approprié(e); **~ a** relatif(-ive) à
perturbado, -a [pertur'βaðo, a] *adj* troublé(e) ▪ *nm/f* (*tb*: **perturbado mental**) malade *m/f* mental(e)
perturbar [pertur'βar] *vt* perturber, troubler; (*Med*) troubler
Perú [pe'ru] *nm* Pérou *m*
peruano, -a [pe'rwano, a] *adj* péruvien(ne) ▪ *nm/f* Péruvien(ne)
perversión [perβer'sjon] *nf* perversion *f*
perverso, -a [perβerso, a] *adj* pervers(e)
pervertido, -a [perβer'tiðo, a] *adj, nm/f* pervers(e)
pervertir [perβer'tir] *vt* pervertir; **pervertirse** *vpr* se pervertir
pesa ['pesa] *nf* poids *msg*; (*Deporte*) haltère *m*; **hacer ~s** faire des haltères
pesadez [pesa'ðeθ] *nf* lourdeur *f*; (*lentitud*) lenteur *f*; (*fastidio*) ennui *m*; **es una ~ tener que ...** quel ennui que d'avoir à ...; **~ de estómago** lourdeurs *fpl* d'estomac; **tener ~ en los párpados** avoir les paupières lourdes
pesadilla [pesa'ðiʎa] *nf* cauchemar *m*
pesado, -a [pe'saðo, a] *adj* lourd(e); (*lento*) lent(e); (*difícil, duro*) pénible; (*aburrido*) ennuyeux(-euse) ▪ *nm/f* enquiquineur(-euse); **tener el estómago ~** avoir l'estomac lourd; **¡no seas ~!** ne commence pas!
pésame ['pesame] *nm* condoléances *fpl*; **dar el ~** présenter ses condoléances
pesar [pe'sar] *vt* peser ▪ *vi* peser; (*fig: opinión*) compter; (*arrepentirse de*) regretter ▪ *nm* (*remordimiento*) remords *msg*; (*pena*) chagrin *m*; **peso 50 kg** je pèse 50 kg; **a ~ de** en dépit de; **a ~ de que** bien que; **pese a que** en dépit du fait que; **(no) me pesa haberlo hecho** je (ne) regrette (pas) de l'avoir fait; **lo haré mal que me pese** je le ferai coûte que coûte
pesca ['peska] *nf* pêche *f*; **ir de ~** aller à la pêche; **~ de altura/de bajura** pêche hauturière/côtière
pescadería [peskaðe'ria] *nf* poissonnerie *f*
pescadilla [peska'ðiʎa] *nf* merlan *m*
pescado [pes'kaðo] *nm* poisson *m*
pescador, a [peska'ðor, a] *nm/f* pêcheur(-euse)
pescar [pes'kar] *vt* pêcher; (*fam*) choper; (*novio*) se dénicher; (*delincuente*) cueillir ▪ *vi* pêcher; **¡te pesqué!** (*fam*) je t'ai vu!
pescuezo [pes'kweθo] *nm* cou *m*
peseta [pe'seta] *nf* peseta *f*
pesimista [pesi'mista] *adj, nm/f* pessimiste *m/f*
pésimo, -a ['pesimo, a] *adj* lamentable
peso ['peso] *nm* poids *msg*; (*balanza*) balance *f*; (*AM: moneda*) peso *m*; **de poco ~** léger(-ère); **levantamiento de ~s** haltérophilie *f*; **vender a ~** vendre au

poids; **argumento de ~** argument *m* de poids; **eso cae por su propio ~** cela tombe sous le sens; **~ bruto** poids brut; **~ específico** masse *f* spécifique; **~ neto** poids net; **~ pesado/pluma** (*Boxeo*) poids lourd/plume

pesquero, -a [pes'kero, a] *adj* (*industria*) de la pêche; (*barco*) de pêche

pesquisa [pes'kisa] *nf* recherche *f*

pestaña [pes'taɲa] *nf* cil *m*; (*borde*) bord *m*

pestañear [pestaɲe'ar] *vi* cligner des yeux; **sin ~** sans sourciller

peste ['peste] *nf* peste *f*; (*fig*) plaie *f*; (*mal olor*) puanteur *f*; **echar ~s** pester; **~ negra** peste noire

pesticida [pesti'θiða] *nm* pesticide *m*

pestillo [pes'tiʎo] *nm* verrou *m*; (*picaporte*) poignée *f*

petaca [pe'taka] *nf* (*para cigarros*) porte-cigarettes *m inv*; (*para tabaco*) tabatière *f*; (*para beber*) flasque *f*; (*AM*) valise *f*

pétalo ['petalo] *nm* pétale *m*

petardo [pe'tarðo] *nm* pétard *m*; **¡que ~ de película!** (*fam*) quelle barbe ce film!

petición [peti'θjon] *nf* demande *f*; (*Jur*) requête *f*; **a ~ de** à la demande de; **firmar una ~** signer une pétition

petrificar [petrifi'kar] *vt* pétrifier

petróleo [pe'troleo] *nm* pétrole *m*

petrolero, -a [petro'lero, a] *adj* pétrolier(-ère) ■ *nm* pétrolier *m*

peyorativo, -a [pejora'tiβo, a] *adj* péjoratif(-ive)

pez [peθ] *nm* poisson *m* ■ *nf* poix *fsg*; **estar como el ~ en el agua** être comme un poisson dans l'eau; **estar ~ en algo** être nul(le) en qch; **~ de colores** poisson rouge; **~ espada** poisson-épée *m*; **~ gordo** (*fig*) grosse légume *f*

pezón [pe'θon] *nm* mamelon *m*

pezuña [pe'θuɲa] *nf* (*de animal*) sabot *m*

piadoso, -a [pja'ðoso, a] *adj* pieux(-euse)

pianista [pja'nista] *nm/f* pianiste *m/f*

piano ['pjano] *nm* piano *m*; **~ de cola** piano à queue

piar [pjar] *vi* piailler

pibe, -a ['piβe, a] (*AM*) *nm/f* gosse *m/f*

picadillo [pika'ðiʎo] *nm* hachis *msg*

picado, -a [pi'kaðo, a] *adj* haché(e); (*hielo*) pilé(e); (*vino*) piqué(e); (*tela, ropa*) mangé(e); (*mar*) agité(e); (*diente*) gâté(e); (*tabaco*) découpé(e); (*enfadado*) piqué(e) ■ *nm*: **en ~** en piqué; **~ de viruelas** ravagé(e) par la petite vérole

picador [pika'ðor] *nm* (*Taur*) picador *m*; (*minero*) piqueur *m*

picadura [pika'ðura] *nf* piqûre *f*; (*tabaco picado*) tabac *m* gris

picante [pi'kante] *adj* épicé(e); (*comentario, chiste*) piquant(e)

picaporte [pika'porte] *nm* poignée *f*

picar [pi'kar] *vt* piquer; (*ave*) picoter; (*anzuelo*) mordre (à); (*Culin*) hacher; (*billete, papel*) poinçonner; (*comer*) grignoter ■ *vi* piquer; (*el sol*) brûler; (*pez*) mordre; **picarse** *vpr* (*vino*) se piquer; (*mar*) s'agiter; (*muela*) se gâter; (*ofenderse*) prendre la mouche; (*fam: con droga*) se shooter; **me pica el brazo** mon bras me démange; **me pica la curiosidad** ça pique ma curiosité; **¡picaste!** je t'ai eu!; **~se con algn** se fâcher avec qn

picardía [pikar'ðia] *nf* sournoiserie *f*; (*astucia*) astuce *f*; (*travesura*) espièglerie *f*

pícaro, -a ['pikaro, a] *adj* astucieux(-euse); (*travieso*) espiègle ■ *nm* canaille *f*; (*Lit*) picaro *m*

pichón, -ona [pi'tʃon, ona] *nm/f* pigeon *m*; (*apelativo*) mon (ma) chéri(e)

pico ['piko] *nm* bec *m*; (*de mesa, ventana*) coin *m*; (*Geo, herramienta*) pic *m*; (*fam: labia*) tchatche *f*; (*: de drogas*) shoot *m*; **no abrir el ~** ne pas ouvrir le bec; **son las 3 y ~** il est 3 heures et quelque; **peso 50 kilos y ~** je pèse 50 kg et quelque; **me costó un ~** ça m'a coûté une jolie somme

picotear [pikote'ar] *vt, vi* (*fam*) grignoter ■ *vi* (*ave*) picorer

picudo, -a [pi'kuðo, a] *adj* au bec pointu; (*zapato, tejado*) pointu(e)

pidiendo *etc* [pi'ðjendo] *vb ver* **pedir**

pie [pje] *nm* pied *m*; (*de página*) bas *msg*; **ir a ~** aller à pied; **a ~s juntillas** sur parole; **al ~ de** au pied de; **estar de ~** être debout; **de a ~** moyen(ne); **ponerse de ~** se mettre debout; **al ~ de la letra** au pied de la lettre; **con ~s de plomo** avec précaution; **con buen/mal ~** avec/sans succès; **de ~s a cabeza** des pieds à la tête; **en ~ de guerra** sur le pied de guerre; **en ~ de igualdad** sur un pied d'égalité; **sin ~s ni cabeza** sans queue ni tête; **dar ~ a** donner prise à; **no dar ~ con bola** ne pas savoir où on en est; **hacer ~** (*en el agua*) avoir pied; **saber de qué ~ cojea algn** connaître les faiblesses de qn; **seguir en ~** (*propuesta, pregunta*) demeurer ouvert(e)

piedad [pje'ðað] *nf* pitié *f*; **tener ~ de algn** avoir pitié de qn

piedra ['pjeðra] *nf* pierre *f*; (*Med*) calcul *m*; (*Meteorología*) grêlon *m*; **quedarse/dejar de ~** rester/laisser de glace;

~ **angular** pierre angulaire; ~ **de afilar** pierre à aiguiser; ~ **preciosa** pierre précieuse
piel [pjel] *nf* peau *f*; (*de animal, abrigo*) fourrure *f* ■ *nm/f*: ~ **roja** Peau-Rouge *m/f*; **abrigo de** ~ manteau *m* de fourrure
pienso ['pjenso] *vb ver* **pensar** ■ *nm* (*Agr*) tourteau *m*
piercing ['pirsin] *nm* piercing *m*
pierda *etc* ['pjerða] *vb ver* **perder**
pierna ['pjerna] *nf* jambe *f*; (*de cordero*) gigot *m*
pieza ['pjeθa] *nf* pièce *f*; **quedarse de una** ~ rester sans voix; **un dos/tres ~s** (*traje*) un costume deux-/trois-pièces; ~ **de recambio** *o* **de repuesto** pièce de rechange
pigmeo, -a [piɣ'meo, a] *adj* pygmée ■ *nm/f* Pygmée *m/f*
pijama [pi'xama] *nm* pyjama *m*
pila ['pila] *nf* pile *f*; (*fregadero*) évier *m*; (*lavabo*) lavabo *m*; (*fuente*) fontaine *f*; **nombre de** ~ prénom *m*; **tengo una** ~ **de cosas que hacer** (*fam*) j'ai une montagne de choses à faire; ~ **bautismal** fonts *mpl* baptismaux
píldora ['pildora] *nf* pilule *f*; **la** ~ **(anticonceptiva)** la pilule (contraceptive); **tragarse la** ~ (*creerse*) avaler la pilule
pileta [pi'leta] (*esp Csur*) *nf* évier *m*; (*piscina*) piscine *f*
pillaje [pi'ʎaxe] *nm* pillage *m*
pillar [pi'ʎar] *vt* coincer; (*fam: coger, sorprender*) pincer; (*: conseguir*) se dégotter; (*: atropellar*) faucher; (*: alcanzar*) attraper; (*: entender indirecta*) piger; **le pillé en casa/comiendo** je l'ai trouvé chez lui/en train de manger; **me pilla cerca/lejos** c'est près/loin de chez moi; ~ **una borrachera** (*fam*) prendre une cuite; ~ **un resfriado** (*fam*) choper un rhume
pillo, -a ['piʎo, a] *adj* malin(-igne), coquin(e) ■ *nm/f* fripouille *f*
piloto [pi'loto] *nm/f* pilote *m* ■ *nm* (*Arg*) imperméable *m* ■ *adj inv*: **programa/piso** ~ programme *m*/appartement *m* pilote; ~ **automático** pilote automatique
pimentón [pimen'ton] *nm* piment *m* doux
pimienta [pi'mjenta] *nf* poivre *m*
pimiento [pi'mjento] *nm* poivron *m*
pin [pin] *nm* (*chapa*) pin's *m*
pinacoteca [pinako'teka] *nf* galerie *f* de peintures
pinar [pi'nar] *nm* pinède *f*
pincel [pin'θel] *nm* pinceau *m*
pinchar [pin'tʃar] *vt* piquer; (*neumático*) crever; (*teléfono*) mettre sur (table d')écoute ■ *vi* (*Auto*) crever; **pincharse** *vpr* se piquer; (*neumático*) crever; **ni pincha ni corta en esto** (*fam*) il n'a rien à voir là-dedans; (*no tiene influencia*) il compte pour du beurre là-dedans; **tener un neumático pinchado** avoir un pneu crevé
pinchazo [pin'tʃaθo] *nm* piqûre *f*; (*de dolor*) élancement *m*; (*de llanta*) crevaison *f*; ~ **telefónico** écoute *f* téléphonique
pincho ['pintʃo] *nm* pointe *f*; (*de planta*) épine *f*; (*Culin*) amuse-gueule *m inv*; ~ **de tortilla** fine tranche *f* d'omelette; ~ **moruno** (chiche-)kebab *m*
pingüino [pin'gwino] *nm* pingouin *m*
pino ['pino] *nm* pin *m*; **en el quinto** ~ dans un coin perdu
pinta ['pinta] *nf* (*mota*) tache *f*; (*aspecto*) mine *f*; **tener buena** ~ avoir bonne mine; **por la** ~ d'aspect
pintar [pin'tar] *vt* peindre; (*con lápices de colores*) colorier; (*fig*) dépeindre ■ *vi* peindre; (*fam*) compter; **pintarse** *vpr* se maquiller; (*uñas*) se faire; **pintárselas solo para hacer algo** être passé maître dans l'art de faire qch; **no pinta nada** (*fam*) il compte pour du beurre; **¿qué pinta aquí esto?** qu'est-ce que ça vient faire ici?
pintor, a [pin'tor, a] *nm/f* peintre *m/f*; ~ **de brocha gorda** peintre en bâtiment
pintoresco, -a [pinto'resko, a] *adj* pittoresque
pintura [pin'tura] *nf* peinture *f*; (*lápiz de color*) crayon *m* de couleur; ~ **a la acuarela** aquarelle *f*; ~ **al óleo** peinture à l'huile; ~ **rupestre** peinture rupestre
pinza ['pinθa] *nf* pince *f*; (*para colgar ropa*) pince à linge; **pinzas** *nfpl* pinces *fpl*; (*para depilar*) pince à épiler
piña ['piɲa] *nf* (*fruto del pino*) pomme *f* de pin; (*fruta*) ananas *msg*; (*fig: conjunto*) bande *f*
piñón [pi'ɲon] *nm* pignon *m*
piojo ['pjoxo] *nm* pou *m*
pionero, -a [pjo'nero, a] *adj, nm/f* pionnier(-ère)
pipa ['pipa] *nf* pipe *f*; (*Bot*) pépin *m*; **pipas** *nfpl* (*de girasol*) graines *fpl* (de tournesol); **pasarlo** ~ (*fam*) bien s'amuser
pique ['pike] *vb ver* **picar** ■ *nm* brouille *f*; (*rivalidad*) compétition *f*; **irse a** ~ couler à pic; (*familia, negocio*) aller à la dérive; **tener un** ~ **con algn** avoir une dent contre qn

piquete [pi'kete] *nm* piquet *m*
piragua [pi'raɣwa] *nf* pirogue *f*; (*Deporte*) canoë *m*
piragüismo [pira'ɣwismo] *nm* canoë-kayak *m*
pirámide [pi'ramiðe] *nf* pyramide *f*
pirata [pi'rata] *adj*: **edición/disco ~** édition *f*/disque *m* pirate ■ *nm* pirate *m*; **~ informático** pirate informatique
piratear [pirate'ar] *vi* (*Inform*) pirater
piratería [pirate'ria] *nf* (*Inform*) piratage *m*
Pirineo(s) [piri'neo(s)] *nm(pl)* Pyrénées *fpl*
pirómano, -a [pi'romano, a] *nm/f* pyromane *m/f*
piropo [pi'ropo] *nm* compliment *m*; **echar ~s a algn** faire des compliments à qn
pis [pis] (*fam*) *nm* pipi *m*, pisse *f*; **hacer ~** pisser
pisada [pi'saða] *nf* pas *msg*
pisar [pi'sar] *vt* fouler, marcher sur; (*apretar con el pie, fig*) écraser; (*idea, puesto*) piquer ■ *vi* marcher; **me has pisado** tu m'as marché dessus; **no ~ (por) un sitio** (*fig*) ne pas mettre les pieds quelque part; **~ fuerte** (*fig*) ne pas y aller par quatre chemins
piscina [pis'θina] *nf* piscine *f*
Piscis ['pisθis] *nm* (*Astrol*) Poissons *mpl*; **ser ~** être Poissons
piso ['piso] *nm* (*planta*) étage *m*; (*apartamento*) appartement *m*; (*suelo*) sol *m*; **primer ~** premier étage; (*AM*: *de edificio*) rez-de-chaussée *m inv*
pista ['pista] *nf* piste *f*; **estar sobre la ~ de algn** être sur la piste de qn; **~ de aterrizaje** piste d'atterrissage; **~ de auditoría** (*Com*) piste de vérification; **~ de baile** piste de danse; **~ de carreras** champ *m* de courses; **~ de hielo** patinoire *f*; **~ de tenis** court *m* de tennis
pistola [pis'tola] *nf* pistolet *m*
pistolero, -a [pisto'lero, a] *nm/f* gangster *m*
pistón [pis'ton] *nm* piston *m*
pitar [pi'tar] *vt* siffler; (*Auto*) klaxonner ■ *vi* siffler; (*Auto*) klaxonner; (*fam*) gazer; (*AM*) fumer; **salir pitando** se tirer
pitillo [pi'tiʎo] *nm* (*fam*) sèche *f*; (*Col*: *pajita*) paille *f*
pito ['pito] *nm* sifflement *m*; (*silbato*) sifflet *m*; (*de coche*) klaxon *m*; (*fam*: *cigarrillo*) clope *f*; (*fam!*: *pene*) bite *f* (*fam!*); **me importa un ~** je m'en fous
pitón [pi'ton] *nm* python *m*
pitorreo [pito'rreo] *nm* moquerie *f*; **estar de ~** se payer la tête des gens
pizarra [pi'θarra] *nf* ardoise *f*; (*encerado*) tableau *m* (noir)
pizca ['piθka] *nf* pincée *f*; (*de pan*) miette *f*; (*fig*) petit morceau *m*; **ni ~** pas une miette
pizza ['pitsa] *nf* pizza *f*
placa ['plaka] *nf* plaque *f*; (*Inform*) panneau *m*; **~ conmemorativa** plaque commémorative; **~ de matrícula** plaque d'immatriculation; **~ dental** plaque dentaire; **~ madre** (*Inform*) carte-mère *f*
placentero, -a [plaθen'tero, a] *adj* agréable
placer [pla'θer] *nm* plaisir *m*; **a ~** à loisir
plácido, -a ['plaθiðo, a] *adj* placide; (*día, mar*) calme
plaga ['plaɣa] *nf* fléau *m*; (*fig*) horde *f*
plagar [pla'ɣar] *vt* infester; **plagado de moscas/turistas** infesté de mouches/touristes
plagio ['plaxjo] *nm* plagiat *m*; (*AM*) kidnapping *m*
plan [plan] *nm* plan *m*, projet *m*; (*idea*) idée *f*; **¡menudo ~!** quelle idée géniale!; **tener ~** (*fam*) voir qn; **en ~ de cachondeo** (*fam*) pour rigoler; **en ~ económico** (*fam*) pour pas cher; **vamos en ~ de turismo** on y va en touristes; **si te pones en ese ~ ...** si tu le vois comme ça ...; **~ cotizable de jubilación** ≈ plan d'épargne-retraite; **~ de estudios** programme *m*; **~ de incentivos** (*Com*) système *m* de primes
plana ['plana] *nf* page *f*; **a toda ~** sur toute une page; **la primera ~** la une; **~ mayor** (*Mil*) état-major *m*
plancha ['plantʃa] *nf* (*para planchar*) fer *m* (à repasser); (*ropa*) repassage *m*; (*de metal, madera, Tip*) planche *f*; (*Culin*) grill *m*; **pescado a la ~** poisson *m* grillé
planchado, -a [plan'tʃaðo, a] *adj* repassé(e) ■ *nm* repassage *m*
planchar [plan'tʃar] *vt, vi* repasser
planeador [planea'ðor] *nm* planeur *m*
planear [plane'ar] *vt* planifier ■ *vi* planer
planeta [pla'neta] *nm* planète *f*
planicie [pla'niθje] *nf* plaine *f*
planificación [planifika'θjon] *nf* planification *f*; **diagrama de ~** (*Com*) planning *m*; **~ corporativa** (*Com*) planning de l'entreprise; **~ familiar** planning familial
plano, -a ['plano, a] *adj* plat(e) ■ *nm* plan *m*; **primer ~** (*Cine*) premier plan; **en primer/segundo ~** au premier/second plan; **caer de ~** tomber de tout son long; **rechazar algo de ~** rejeter entièrement qch; **me da el sol de ~** le soleil m'arrive en plein dessus (*fam*)

planta ['planta] *nf* plante *f*; (*Tec*) usine *f*; (*piso*) étage *m*; **tener buena ~** avoir de l'allure; **~ baja** rez-de-chaussée *m inv*
plantación [planta'θjon] *nf* plantation *f*
plantar [plan'tar] *vt* planter; (*novio, trabajo*) laisser tomber; **plantarse** *vpr* se planter; **~ a algn en la calle** mettre qn à la rue; **~se (en)** arriver (à)
plantear [plante'ar] *vt* exposer; (*problema*) poser; (*proponer*) proposer; **plantearse** *vpr* envisager; **se lo ~é** je le lui expliquerai
plantilla [plan'tiʎa] *nf* (*de zapato*) semelle *f*; (*personal*) personnel *m*; **estar en ~** faire partie du personnel
plasmar [plas'mar] *vt* (*dar forma*) modeler; (*representar*) reproduire; **plasmarse** *vpr*: **~se en** se concrétiser
plástico, -a ['plastiko, a] *adj* plastique ■ *nm* plastique *m*; **artes plásticas** arts *mpl* plastiques
plastilina® [plasti'lina] *nf* pâte *f* à modeler
plata ['plata] *nf* (*metal, dinero*) argent *m*; (*cosas de plata*) argenterie *f*; **hablar en ~** aller droit au but
plataforma [plata'forma] *nf* plate-forme *f*; (*tribuna*) estrade *f*; (*de zapatos*) semelle *f* compensée; **~ de lanzamiento** rampe *f* de lancement; **~ digital** plate-forme numérique; **~ petrolera/de perforación** plate-forme pétrolière/de forage; **~ reivindicativa** plate-forme de revendications
plátano ['platano] *nm* banane *f*; (*árbol*) bananier *m*
platea [pla'tea] *nf* orchestre *m*
plateado, -a [plate'aðo, a] *adj* argenté(e); (*Tec*) plaqué(e) argent
platillo [pla'tiʎo] *nm* soucoupe *f*; (*de balanza*) plateau *m*; (*de limosnas*) timbale *f*; **platillos** *nmpl* (*Mús*) cymbales *fpl*; **~ volante** soucoupe volante
platino [pla'tino] *nm* platine *m*; **platinos** *nmpl* (*Auto*) vis *fpl* platinées
plato ['plato] *nm* assiette *f*; (*guiso*) plat *m*; (*de tocadiscos*) platine *f*; **pagar los ~s rotos** (*fam*) payer les pots cassés; **primer/segundo ~** entrée *f*/plat principal; **~ combinado** menu *m* express; **~ hondo/llano** *o* **pando** assiette creuse/plate
playa ['plaja] *nf* plage *f*; **~ de estacionamiento** (*AM*) place *f* de stationnement
playera [pla'jera] *nf* (*AM*) T-shirt *m*; **playeras** *nfpl* chaussures *fpl* en toile
plaza ['plaθa] *nf* place *f*; (*mercado*) place du marché; **~ de abastos** marché *m*; **~ de toros** arène *f*; **~ mayor** grand'place *f*
plazo ['plaθo] *nm* délai *m*; (*pago parcial*) terme *m*; **a corto/largo ~** à court/long terme; **comprar a ~s** acheter à tempérament; **nos dan un ~ de 8 días** ils nous donnent un délai de 8 jours
pleamar [plea'mar] *nf* pleine mer *f*
plebe ['pleβe] (*pey*) *nf* plèbe *f*
plebiscito [pleβis'θito] *nm* plébiscite *m*
plegable [ple'ɣaβle] *adj* pliable
plegar [ple'ɣar] *vt* plier; **plegarse** *vpr* se plier
pleito ['pleito] *nm* procès *msg*; (*fig*) conflit *m*; **entablar ~** entamer un procès; **poner (un) ~ a** poursuivre
pleno, -a ['pleno, a] *adj* plein(e) ■ *nm* plenum *m*; **en ~** (*reunirse*) au complet; (*elegir*) à l'unanimité; **en ~ día/verano** en plein jour/été; **en plena cara** en plein visage
pliego ['pljeɣo] *vb ver* **plegar** ■ *nm* (*hoja*) feuille *f* (de papier); (*carta*) pli *m*; **~ de cargos** charges *fpl* produites contre l'accusé; **~ de condiciones** cahier *m* des charges; **~ de descargo** témoignages *mpl* à la décharge de l'accusé
pliegue ['pljeɣe] *vb ver* **plegar** ■ *nm* pli *m*
plomero [plo'mero] (*AM*) *nm* plombier *m*
plomo ['plomo] *nm* plomb *m*; **plomos** *nmpl* (*Elec*) plombs *mpl*; **caer a ~** tomber de tout son long; **ser un ~** (*fam*) être une peste; (*libro*) être un torchon; **(gasolina) sin ~** (essence) sans plomb
pluma ['pluma] *nf* plume *f*; **de ~s** en plumes; **~ (estilográfica), ~ fuente** (*AM*) stylo-plume *m*
plumón [plu'mon] *nm* (*AM*) stylo-feutre *m*; (*para saco de dormir*) duvet *m*; (*anorak*) doudoune *f*
plural [plu'ral] *adj* pluriel(le) ■ *nm* pluriel *m*
pluralidad [plurali'ðað] *nf* pluralité *f*
pluriempleo [pluriem'pleo] *nm* cumul *m* d'emplois
plusvalía [plusβa'lia] *nf* (*Com*) plus-value *f*
P.° *abr* = **paseo**
población [poβla'θjon] *nf* population *f*; (*pueblo, ciudad*) peuplement *m*; (*Chi*) bidonville *m*; **~ activa/pasiva** population active/non active; **~ callampa** (*Csur*) bidonville
poblado, -a [po'βlaðo, a] *adj* peuplé(e); (*barba, cejas*) fourni(e) ■ *nm* hameau *m*; **~ de** peuplé(e) de; **densamente ~** densément peuplé(e)

poblar [po'βlar] *vt* peupler; **poblarse** *vpr* (*árbol*) reverdir; **~se de** se peupler de
pobre ['poβre] *adj, nm/f* pauvre *m/f*; **~ en recursos/proteínas** pauvre en ressources/protéines; **los ~s** les pauvres *mpl*; **¡~ hombre!** pauvre homme!; **¡el ~!** le pauvre!; **~ diablo** (*fig*) pauvre diable *m*
pobreza [po'βreθa] *nf* pauvreté *f*
pocilga [po'θilɣa] *nf* porcherie *f*

PALABRA CLAVE

poco, -a ['poko, a] *adj* **1** (*sg*) peu de; **poco tiempo** peu de temps; **de poco interés** peu intéressant; **poca cosa** peu de chose
2 (*pl*) peu de; **pocas personas lo saben** peu de gens le savent; **unos pocos libros** quelques livres
■ *adv* **1** (*comer, trabajar*) peu; **poco amable/inteligente** peu aimable/intelligent; **es poco** c'est peu; **cuesta poco** cela ne coûte pas cher; **poco más o menos** à peu près; **a poco que se interese ...** pour peu qu'il montre de l'intérêt ...
■ *pron*: **unos/as pocos/as** quelques-uns/unes
2 (*casi*): **por poco me caigo** j'ai failli tomber
3 (*locuciones de tiempo*): **a poco de haberse casado** peu après s'être marié; **poco después** peu après; **dentro de poco** sous peu, bientôt; **hace poco** il n'y a pas longtemps
4: **poco a poco** peu à peu
■ *nm*: **un poco** un peu; **un poco triste** un peu triste; **un poco de dinero** un peu d'argent

podar [po'ðar] *vt* élaguer
podcast [pod'kast] *nm* podcast *m*
podcastear [podkaste'ar] *vi* podcaster

PALABRA CLAVE

poder [po'ðer] *vb aux* (*capacidad, posibilidad, permiso*) pouvoir; **no puedo hacerlo** je ne peux pas le faire; **puede llegar mañana** il peut arriver demain; **pudiste haberte hecho daño** tu aurais pu te faire mal; **no se puede fumar en este hospital** on n'a pas le droit de fumer dans cet hôpital; **podías habérmelo dicho** tu aurais pu me le dire
■ *vi* **1** pouvoir; **tanto como puedas** autant que tu peux; **¿se puede?** on peut entrer?; **¡no puedo más!** je n'en peux plus!; **¡quién pudiera!** si seulement!; **no pude menos que dejarlo** je n'ai pas pu m'empêcher de le laisser; **a** *o* **hasta más no poder** jusqu'à n'en plus pouvoir; **¡es tonto a más no poder!** il est on ne peut plus idiot!
2: **¿puedes con eso?** tu peux y arriver?; **no puedo con este crío** je n'arrive pas à venir à bout de cet enfant
3: **A le puede a B** (*fam*) A est plus fort que B
■ *vb impers*: **¡puede (ser)!** cela se peut!; **¡no puede ser!** ce n'est pas possible!; **puede que llueva** il pourrait pleuvoir
■ *nm* pouvoir *m*; **ocupar el poder** détenir le pouvoir; **detentar el poder** s'emparer du pouvoir; **estar en el poder** être au pouvoir; **en mi/tu** *etc* **poder** (*posesión*) en ma/ta *etc* possession; **en poder de** entre les mains de; **por poderes** (*Jur*) par procuration; **poder adquisitivo** pouvoir d'achat; **poder ejecutivo/legislativo/judicial** (*Pol*) pouvoir exécutif/législatif/judiciaire

poderoso, -a [poðe'roso, a] *adj* puissant(e)
podio ['poðjo], **podium** ['poðjum] *nm* podium *m*
podrido, -a [po'ðriðo, a] *adj* pourri(e); (*fig*) corrompu(e)
podrir [po'ðrir] *vt* = **pudrir**
poema [po'ema] *nm* poème *m*
poesía [poe'sia] *nf* poésie *f*
poeta [po'eta] *nm/f* poète *m*
póker ['poker] *nm* poker *m*
polaco, -a [po'lako, a] *adj* polonais(e) ■ *nm/f* Polonais(e) ■ *nm* (*Ling*) polonais *msg*
polar [po'lar] *adj* polaire
polaridad [polari'ðað] *nf* polarité *f*
polarizar [polari'θar] *vt* polariser; **polarizarse** *vpr* se polariser
polea [po'lea] *nf* poulie *f*
polémica [po'lemika] *nf* polémique *f*
polémico, -a [po'lemiko, a] *adj* controversé(e)
polen ['polen] *nm* pollen *m*
policía [poli'θia] *nm/f* policier, femme-policier, agent(e) (de police) ■ *nf* police *f*; **~ secreta** services *mpl* secrets

POLICÍA

La police espagnole se divise en deux branches, toutes deux armées : la "policía nacional", chargée de la sécurité nationale et du maintien de l'ordre en général, et la "policía municipal", qui s'occupe de la circulation et du maintien de l'ordre au niveau municipal. La Catalogne et le Pays basque ont leurs propres forces de police : les Mossos d'Esquadra dans la première et l'Ertzaintza dans le second.

policíaco, -a [poli'θiako, a], **policial** [poli'θjal] *adj* policier(-ière)
polideportivo [poliðepor'tiβo] *nm* complexe *m* omnisports
poligamia [poli'ɣamja] *nf* polygamie *f*
polilla [po'liʎa] *nf* mite *f*
polio ['poljo] *nf* polio *f*
política [po'litika] *nf* politique *f*; **~ agraria** politique agricole; **~ de ingresos y precios** politique des revenus et des prix; **~ económica** politique économique; **~ exterior** politique extérieure; *ver tb* **político**
político, -a [po'litiko, a] *adj* politique ■ *nm/f* homme/femme politique; **padre/hermano ~** beau-père/-frère *m*; **madre política** belle-mère *f*
póliza ['poliθa] *nf* police *f*; (*sello*) timbre *m* fiscal; **~ de seguro(s)** police d'assurance
polizón [poli'θon] *nm* passager(-ère) clandestin(e)
pollera [po'ʎera] (*AM*) *nf* jupe *f*
pollería *nf* marchand *m* de volailles
pollo ['poʎo] *nm* poulet *m*; (*joven*) jeune homme *m*; (*Méx*: *fam*) immigré *m* clandestin; **~ asado** poulet rôti
polo ['polo] *nm* pôle *m*; (*helado*) glace *f*; (*Deporte, suéter*) polo *m*; **es el ~ opuesto de su hermano** c'est tout le contraire de son frère; **P~ Norte/Sur** Pôle Nord/Sud
Polonia [po'lonja] *nf* Pologne *f*
poltrona [pol'trona] (*esp AM*) *nf* fauteuil *m*
polvo ['polβo] *nm* poussière *f*; (*fam!*) baise *f* (*fam!*); **polvos** *nmpl* (*en cosmética etc*) poudre *fsg*; **en ~** en poudre; **estar hecho ~** (*fam*) être fichu; (: *persona*) être crevé; (: *deprimido*) ne pas aller fort; **dejar hecho ~ a algn** (*fam*) épuiser qn; (*suj*: *noticia*) abattre qn; **~s de talco** talc *m*
pólvora ['polβora] *nf* poudre *f*; (*fuegos artificiales*) feux *mpl* d'artifice; **propagarse como la ~** se répandre comme une traînée de poudre
polvoriento, -a [polβo'rjento, a] *adj* poussiéreux(-euse)
pomada [po'maða] *nf* pommade *f*
pomelo [po'melo] *nm* pomélo *m*
pomo ['pomo] *nm* poignée *f*
pompa ['pompa] *nf* bulle *f*; (*ostentación*) pompe *f*; **~s fúnebres** pompes *fpl* funèbres
pomposo, -a [pom'poso, a] (*pey*) *adj* prétentieux(-euse); (*lenguaje, estilo*) pompeux(-euse)
pómulo ['pomulo] *nm* pommette *f*
pon [pon] *vb ver* **poner**
ponche ['pontʃe] *nm* punch *m*
poncho ['pontʃo] (*AM*) *nm* poncho *m*
ponderar [ponde'rar] *vt* soupeser; (*elogiar*) porter aux nues
pondré *etc* [pon'dre] *vb ver* **poner**

PALABRA CLAVE

poner [po'ner] *vt* **1** (*colocar*) mettre, poser; (*ropa, mesa*) mettre; **poner algo a hervir/a secar** mettre qch à bouillir/à sécher; (*Telec*): **póngame con el Sr. López** passez-moi M. López; **poner a algn a la cabeza de una empresa** placer qn à la tête d'une entreprise
2 (*fig*: *emoción, énfasis*) mettre; (*condiciones*) poser; **poner interés** porter de l'intérêt; **poner en claro/duda** mettre au clair/en doute; **poner al corriente** mettre au courant
3 (*imponer*: *tarea*) donner; (*multa*) condamner à
4 (*obra de teatro, película*) passer; **¿qué ponen en el Excelsior?** qu'est-ce qui passe à l'Excelsior?
5 (*tienda*) monter; (*casa*) arranger; (*instalar*: *gas etc*) (faire) mettre
6 (*radio, TV*) mettre; **ponlo más alto** mets-le plus fort
7 (*mandar*: *telegrama*) envoyer
8 (*suponer*): **pongamos que ...** mettons que ...
9 (*contribuir*): **el gobierno ha puesto un millón** le gouvernement a mis un million
10 (+ *adj*) rendre; **me estás poniendo nerviosa** tu commences à m'énerver
11 (*dar nombre*): **al hijo le pusieron Diego** ils ont appelé leur fils Diego
12 (*decir por escrito*) dire; **¿qué pone el periódico?** que dit le journal?
13 (*huevos*) pondre
■ *vi* (*gallina*) pondre
ponerse *vpr* **1** (*colocarse*): **se puso a mi lado** il s'est mis à côté de moi; **ponte en esa silla** mets-toi sur cette chaise
2 (*vestido, cosméticos*) mettre; **¿por qué no te pones el vestido nuevo?** pourquoi ne mets-tu pas ta nouvelle robe?
3 (*sol*) se coucher

4 (*+ adj*) devenir; **ponerse bueno** aller mieux; **ponerse malo** tomber malade; **ponerse rojo** devenir tout rouge; **se puso muy serio** il a pris un air très sérieux; **¡no te pongas así!** ne te mets pas dans cet état!
5: **ponerse a**: **se puso a llorar** il s'est mis à pleurer; **tienes que ponerte a estudiar** il faut que tu te mettes à étudier
6: **ponerse a bien con algn** se réconcilier avec qn; **ponerse a mal con algn** se mettre mal avec qn
7 (*AM: parecer*): **se me pone que ...** j'ai l'impression que ...

poniente [po'njente] *nm* couchant *m*
pontífice [pon'tifiθe] *nm* pontife *m*; **el Sumo P~** le souverain pontife
popa ['popa] *nf* poupe *f*; **a ~** en poupe; **de ~ a proa** d'un bout à l'autre
popular [popu'lar] *adj* populaire
popularidad [populari'ðað] *nf* popularité *f*
popularizar [populari'θar] *vt* populariser; **popularizarse** *vpr* se populariser

PALABRA CLAVE

por [por] *prep* **1** (*objetivo, en favor de*) pour; **luchar por la patria** combattre pour la patrie; **hazlo por mí** fais-le pour moi
2 (*+ infin*) pour; **por no llegar tarde** pour ne pas arriver tard; **por citar unos ejemplos** pour citer quelques exemples
3 (*causa, agente*) par; **por escasez de fondos** par manque de fonds; **le castigaron por desobedecer** il a été puni pour avoir désobéi; **por eso** c'est pourquoi; **escrito por él** écrit par lui
4 (*tiempo*): **por la mañana/Navidad** le matin/vers Noël
5 (*duración*): **se queda por una semana** il reste une semaine; **se fue por 3 días** il est parti pour 3 jours
6 (*lugar*): **pasar por Madrid** passer par Madrid; **ir a Guayaquil por Quito** aller à Guayaquil via Quito; **caminar por la calle/por las Ramblas** déambuler dans la rue/sur les Rambles; **por fuera/dentro** par dehors/dedans; **anda por la izquierda** marche à gauche; **vive por aquí** il habite par ici; **pasear por el jardín** se promener dans le jardin; *ver tb* **todo**
7 (*cambio, precio*): **te doy uno nuevo por el que tienes** je t'en donne un neuf contre le tien; **lo vendo por 1.000 euros** je le vends pour 1 000 euros
8 (*valor distributivo*): **6 euros por hora/cabeza** 6 euros de l'heure/par tête; **100km por hora** 100 km à l'heure; **veinte por ciento** vingt pour cent; **tres horas por semana** trois heures par semaine; **por centenares** par centaines
9 (*modo, medio*) par; **por avión/correo** par avion/la poste; **por orden** par ordre; **caso por caso** cas par cas; **por tamaños** par ordre de taille
10: **25 por 4 son 100** 4 fois 25 font 100
11: **ir/venir por algo/algn** aller/venir chercher qch/qn; **estar/quedar por hacer** être/rester à faire
12 (*evidencia*): **por lo que dicen** d'après ce qu'ils disent
13: **por bonito que sea** cela a beau être très joli; **por más que lo intento** j'ai beau essayer
14: **por si (acaso)** au cas où; **lo hice por si acaso** je l'ai fait au cas où; **por si acaso venía/viniera** au cas où il serait venu/viendrait; **por si fuera poco** si ça n'était pas assez
15: **¿por qué?** pourquoi?; **¿por qué no?** pourquoi pas?

porcelana [porθe'lana] *nf* porcelaine *f*
porcentaje [porθen'taxe] *nm* pourcentage *m*; **~ de actividad** (*Inform*) taux *msg* d'activité
porción [por'θjon] *nf* portion *f*
pordiosero, -a [porðjo'sero, a] *nm/f* mendiant(e)
pormenor [porme'nor] *nm* détail *m*
pornografía [pornoɣra'fia] *nf* pornographie *f*
poro ['poro] *nm* pore *m*
poroso, -a [po'roso, a] *adj* poreux(-euse)
porque ['porke] *conj* parce que; **~ sí** parce que
porqué [por'ke] *nm* pourquoi *m*
porquería [porke'ria] *nf* cochonnerie *f*, saleté *f*; (*algo sin valor*) cochonnerie; (*jugarreta*) tour *m* de cochon; **porquerías** *nfpl* (*comida*) cochonneries *fpl*; **hacer ~s** faire des cochonneries; **de ~** (*AM: fam*) à la noix
porra ['porra] *nf* matraque *f*; **¡~s!** flûte!; **¡vete a la ~!** va te faire voir!
porrazo [po'rraθo] *nm* coup *m*; **darse un ~ con** *o* **contra algo** se cogner contre qch
porrón [po'rron] *nm* gourde *f*
portada [por'taða] *nf* couverture *f*
portador, -a [porta'ðor, a] *nm/f* porteur(-euse); (*Com*) porteur *m*; **cheque al ~** chèque *m* au porteur

portaequipajes [portaeki'paxes] *nm inv* (*maletero*) coffre *m*; (*baca*) porte-bagages *m inv*
portal [por'tal] *nm* (*entrada*) vestibule *m*; (*puerta*) porte *f*; (*Inform*) portail *m*; **~ de Belén** crèche *f*
portamaletas [portama'letas] *nm inv* = **portaequipajes**
portarse [por'tarse] *vpr* se comporter; **~ bien/mal** bien/mal se comporter; **se portó muy bien conmigo** il s'est très bien comporté avec moi
portátil [por'tatil] *adj* portatif(-ive); (*ordenador*) portable
portavoz [porta'βoθ] *nm/f* porte-parole *m inv*
portazo [por'taθo] *nm*: **dar un ~** claquer la porte
porte ['porte] *nm* (*Com*) port *m*; (*aspecto*) allure *f*; **~ debido/pagado** (*Com*) port dû/payé
portento [por'tento] *nm* prodige *m*
porteño, -a [por'teɲo, a] *adj* de Buenos Aires ■ *nm/f* natif(-ive) *o* habitant(e) de Buenos Aires
portería [porte'ria] *nf* loge *f* (de concierge); (*Deporte*) but *m*
portero, -a [por'tero, a] *nm/f* concierge *m/f*; (*de club*) portier *m*; (*Deporte*) gardien(ne) de but; **~ automático** interphone *m*
pórtico ['portiko] *nm* portique *m*
portorriqueño, -a [portorri'keɲo, a] *adj* portoricain(e) ■ *nm/f* Portoricain(e)
Portugal [portu'ɣal] *nm* Portugal *m*
portugués, -esa [portu'ɣes, esa] *adj* portugais(e) ■ *nm/f* Portugais(e) ■ *nm* (*Ling*) portugais *msg*
porvenir [porβe'nir] *nm* avenir *m*
pos [pos]: **en ~ de** *prep* après, en quête de
posada [po'saða] *nf* auberge *f*; **dar ~ a** héberger
posar [po'sar] *vt, vi* poser; **posarse** *vpr* se poser; (*polvo*) se déposer
posavasos [posa'basos] *nm inv* sous-verre *m*
posdata [pos'ðata] *nf* post-scriptum *m inv*
pose ['pose] *nf* pose *f*
poseedor, a [posee'ðor, a] *nm/f* possesseur *m*; (*de récord, título*) détenteur(-trice)
poseer [pose'er] *vt* posséder; (*conocimientos, belleza*) avoir; (*récord, título*) détenir
posesión [pose'sjon] *nf* possession *f*; **estar en ~ de** être en possession de, détenir; **tomar ~ (de)** prendre possession (de)
posesivo, -a [pose'siβo, a] *adj* possessif(-ive)
posgrado [pos'ɣraðo] *nm* = **postgrado**
posibilidad [posiβili'ðað] *nf* possibilité *f*
posible [po'siβle] *adj* possible; **de ser ~** si possible; **en** *o* **dentro de lo ~** dans la mesure du possible; **es ~ que** il est possible que; **hacer todo lo ~** faire tout son *etc* possible; **lo antes ~** le plus tôt possible; **lo menos/más ~** le moins/plus possible; **estudiar lo más ~** étudier le plus possible; **lo más pronto ~** le plus vite possible; **ser/no ser ~ (hacer)** être/ne pas être possible (de faire)
posición [posi'θjon] *nf* position *f*
positivo, -a [posi'tiβo, a] *adj* positif(-ive) ■ *nf* (*Foto*) cliché *m*; **el test dio ~** les résultats du test sont positifs
poso ['poso] *nm* (*de café*) marc *m*; (*de vino*) lie *f*
posponer [pospo'ner] *vt* subordonner; (*aplazar*) ajourner
posta ['posta] *nf*: **a ~** exprès
postal [pos'tal] *adj* postal(e) ■ *nf* carte *f* postale
poste ['poste] *nm* poteau *m*; (*Deporte*) pilier *m*
póster ['poster] *nm* poster *m*
postergar [poster'ɣar] *vt* reléguer; (*esp AM*: *aplazar*) retarder
posteridad [posteri'ðað] *nf* postérité *f*
posterior [poste'rjor] *adj* de derrière; (*parte*) postérieur(e); (*en el tiempo*) ultérieur(e); **ser ~ a** être ultérieur(e) à
posterioridad [posterjori'ðað] *nf*: **con ~** par la suite
postgrado [postɣraðo] *nm* troisième cycle *m*
postizo, -a [pos'tiθo, a] *adj* faux (fausse), postiche ■ *nm* postiche *m*
postor, a [pos'tor, a] *nm/f* offrant *m*; **al mejor ~** au plus offrant
postre ['postre] *nm* dessert *m* ■ *nf*: **a la ~** finalement; **para ~** (*fig*) pour finir
postrero, -a [pos'trero, a] *adj* dernier(-ière); (*momentos, obra*) ultime
postulado [postu'laðo] *nm* postulat *m*
póstumo, -a ['postumo, a] *adj* posthume
postura [pos'tura] *nf* position *f*, posture *f*; (*ante hecho, idea*) position
potable [po'taβle] *adj* potable
potaje [po'taxe] *nm* potage *m*
pote ['pote] *nm* pot *m*
potencia [po'tenθja] *nf* puissance *f*; **en ~** en puissance
potencial [poten'θjal] *adj* potentiel(le) ■ *nm* potentiel *m*; **~ eléctrico** potentiel électrique

potenciar [poten'θjar] *vt* promouvoir
potente [po'tente] *adj* puissant(e)
potro ['potro] *nm* poulain *m*; (*Deporte*) cheval *m* d'arçon
pozo ['poθo] *nm* puits *msg*; (*de río*) *endroit le plus profond*; **ser un ~ de sabiduría** être un puits de science
PP *sigla m* (= *Partido Popular*) *parti de droite*
P.P. *abr* = **porte**
pp. *abr* (= *páginas*) pp (= *pages*)
p.p. *abr* (= *por poderes*) p.p. (= *par procuration*)
práctica ['praktika] *nf* pratique *f*; **prácticas** *nfpl* (*Escol*) travaux *mpl* pratiques; (*Mil*) entraînement *m*; **en la ~** dans la pratique; **llevar a la** *o* **poner en ~** mettre en pratique
practicante [prakti'kante] *adj* (*Rel*) pratiquant(e) ■ *nm/f* (*Med*) aide-soignant(e)
practicar [prakti'kar] *vt, vi* pratiquer
práctico, -a ['praktiko, a] *adj* pratique
practique *etc* [prak'tike] *vb ver* **practicar**
pradera [pra'ðera] *nf* prairie *f*
prado ['praðo] *nm* pré *m*; (*AM*) gazon *m*
Praga ['praɣa] *n* Prague
pragmático, -a [praɣ'matiko, a] *adj* pragmatique
preámbulo [pre'ambulo] *nm* préambule *m*; **sin ~s** sans préambule
precario, -a [pre'karjo, a] *adj* précaire
precaución [prekau'θjon] *nf* précaution *f*
precaverse [preka'βerse] *vpr*: **~ de** *o* **contra algo** se prémunir contre qch
precavido, -a [preka'βiðo, a] *adj* prévoyant(e)
precedente [preθe'ðente] *adj* précédent(e) ■ *nm* précédent *m*; **sin ~(s)** sans précédent; **establecer** *o* **sentar un ~** créer un précédent
preceder [preθe'ðer] *vt* précéder
precepto [pre'θepto] *nm* précepte *m*
preciado, -a [pre'θjaðo, a] *adj* précieux(-euse)
preciarse [pre'θjarse] *vpr* se vanter; **~ de** se vanter de
precinto [pre'θinto] *nm* (*Com*: *tb*: **precinto de garantía**) cachet *m*
precio ['preθjo] *nm* prix *msg*; **a cualquier ~** (*fig*) à tout prix; **no tener ~** (*fig*) ne pas avoir de prix; **"no importa ~"** "prix indifférent"; **a ~ de saldo** en réclame; **~ al contado** prix au comptant; **~ al detalle** prix de détail; **~ al detallista** prix de gros; **~ al por menor** prix de détail; **~ de compra/de coste/de entrega inmediata** prix d'achat/de revient/de livraison immédiate; **~ de ocasión** prix avantageux; **~ de oferta** prix promotionnel; **~ de salida** prix initial, mise *f* à prix; **~ de venta al público** prix de vente conseillé; **~ por unidad** prix à l'unité, prix unitaire; **~ tope** prix plafond; **~ unitario** prix à l'unité
preciosidad [preθjosi'ðað] *nf* (*valor*) beauté *f*; (*cosa bonita*) merveille *f*; **es una ~** c'est une merveille
precioso, -a [pre'θjoso, a] *adj* (*hermoso*) beau (belle); (*valioso*) précieux(-euse)
precipicio [preθi'piθjo] *nm* (*tb fig*) précipice *m*
precipitación [preθipita'θjon] *nf* précipitation *f*
precipitado, -a [preθipi'taðo, a] *adj* précipité(e) ■ *nm* (*Quím*) précipité *m*
precipitar [preθipi'tar] *vt* précipiter; **precipitarse** *vpr* se précipiter
precisamente [pre'θisamente] *adv* précisément; **~ por eso** pour cette raison précisément; **~ fue él quien lo dijo** c'est précisément lui qui l'a dit; **no es ~ bueno** il n'est pas vraiment bon
precisar [preθi'sar] *vt* (*necesitar*) avoir besoin de; (*determinar, especificar*) préciser
precisión [preθi'sjon] *nf* précision *f*; **de ~** de précision
preciso, -a [pre'θiso, a] *adj* précis(e); (*necesario*) nécessaire; **en ese ~ momento** à ce moment précis; **es ~ que lo hagas** il faut que tu le fasses
preconcebido, -a [prekonθe'βiðo, a] *adj* préconçu(e)
precoz [pre'koθ] *adj* précoce
precursor, a [prekur'sor, a] *nm/f* précurseur *m*
predecir [preðe'θir] *vt* prédire
predestinado, -a [preðesti'naðo, a] *adj* prédestiné(e)
predicar [preði'kar] *vt, vi* prêcher
predicción [preðik'θjon] *nf* prédiction *f*; **~ del tiempo** prévisions *fpl* météorologiques
predilecto, -a [preði'lekto, a] *adj* préféré(e)
predisponer [preðispo'ner] *vt* prédisposer
predisposición [preðisposi'θjon] *nf* prédisposition *f*
predominante [preðomi'nante] *adj* prédominant(e)
predominar [preðomi'nar] *vi* prédominer
predominio [preðo'minjo] *nm* prédominance *f*

preescolar [preesko'lar] *adj* préscolaire
prefabricado, -a [prefaβri'kaðo, a] *adj* préfabriqué(e)
prefacio [pre'faθjo] *nm* préface *f*
preferencia [prefe'renθja] *nf* (*predilección*) préférence *f*; (*Auto, ventaja*) priorité *f*; **de ~** de préférence; **localidad de ~** place *f* de choix
preferible [prefe'riβle] *adj* préférable
preferir [prefe'rir] *vt* préférer; **~ hacer/que** préférer faire/que
prefiera *etc* [pre'fjera] *vb ver* **preferir**
prefijo [pre'fixo] *nm* (*Telec*) indicatif *m*; (*Ling*) préfixe *m*
pregonar [preɣo'nar] *vt* crier; (*edicto*) annoncer
pregunta [pre'ɣunta] *nf* question *f*; **hacer una ~** poser une question; **~ capciosa** question piège; **~s frecuentes** (*Inform*) foire *f* aux questions
preguntar [preɣun'tar] *vt, vi* demander; **preguntarse** *vpr* se demander; **~ por algn** demander qn; **~ por la salud de algn** s'enquérir de la santé de qn
prehistórico, -a [preis'toriko, a] *adj* préhistorique
prejubilar [prexubi'lar] *vt* mettre en préretraite
prejuicio [pre'xwiθjo] *nm* préjugé *m*; **tener ~s** avoir des préjugés
preliminar [prelimi'nar] *adj, nm* préliminaire *m*
preludio [pre'luðjo] *nm* prélude *m*
premeditación [premeðita'θjon] *nf* préméditation *f*
premiar [pre'mjar] *vt* récompenser; (*en un concurso*) décerner un prix à
premio ['premjo] *nm* récompense *f*; (*de concurso etc*) prix *msg*; (*Com*) prime *f*; **~ gordo** gros lot *m*
premonición [premoni'θjon] *nf* prémonition *f*
prenatal [prena'tal] *adj* prénatal(e)
prenda ['prenda] *nf* (*ropa*) vêtement *m*; (*garantía*) gage *m*; (*fam: apelativo*) mon chou; **prendas** *nfpl* (*juego*) gages *mpl*; **dejar algo en ~** laisser qch en gage; **no soltar ~** (*fig*) ne pas dire un mot
prendedor [prende'ðor] *nm* broche *f*
prender [pren'der] *vt* (*sujetar*) attacher; (*delincuente*) arrêter; (*esp AM: encender*) allumer ■ *vi* (*idea, miedo*) s'enraciner; (*planta, fuego*) prendre; **prenderse** *vpr* prendre feu; (*esp AM: encenderse*) s'allumer; **~ fuego a algo** mettre le feu à qch
prendido, -a [pren'diðo, a] (*AM*) *adj* (*luz etc*) allumé(e)
prensa ['prensa] *nf* presse *f*; **tener mala ~** avoir mauvaise presse; **agencia/conferencia de ~** agence *f*/conférence *f* de presse
prensar [pren'sar] *vt* (*papel, uva*) presser
preñado, -a [pre'ɲaðo, a] *adj* (*mujer*) enceinte; **~ de** chargé(e) de
preocupación [preokupa'θjon] *nf* souci *m*
preocupado, -a [preoku'paðo, a] *adj* soucieux(-euse)
preocupar [preoku'par] *vt* préoccuper; **preocuparse** *vpr* (*inquietarse*) se soucier; **~se de algo** (*hacerse cargo*) s'occuper de qch; **~se por algo** se soucier de qch; **¡no te preocupes!** ne t'en fais pas!
preparación [prepara'θjon] *nf* préparation *f*
preparado, -a [prepa'raðo, a] *adj* (*dispuesto*) prêt(e); (*platos, estudiante etc*) préparé(e) ■ *nm* (*Med*) préparation *f*; **¡~s, listos, ya!** à vos marques ... prêts? ... partez!
preparar [prepa'rar] *vt* préparer; **prepararse** *vpr* se préparer; **~se para hacer algo** se préparer à faire qch
preparativos [prepara'tiβos] *nmpl* préparatifs *mpl*
preparatoria [prepara'torja] (*AM*) *nf* terminale *f*
prerrogativa [prerroɣa'tiβa] *nf* prérogative *f*
presa ['presa] *nf* (*de animal*) proie *f*; (*de agua*) barrage *m*; **hacer ~ en** avoir prise sur; **ser ~ de** (*fig: remordimientos*) être en proie à; (*llamas*) être la proie de
presagio [pre'saxjo] *nm* présage *m*
prescindir [presθin'dir] *vi*: **~ de** (*privarse de*) se passer de; (*descartar*) faire abstraction de; **no podemos ~ de él** nous ne pouvons nous passer de lui
prescribir [preskri'βir] *vt* prescrire
prescripción [preskrip'θjon] *nf* prescription *f*; **~ facultativa** prescription médicale
presencia [pre'senθja] *nf* présence *f*; **en ~ de** en présence de; **tener buena ~** avoir une bonne présentation; **~ de ánimo** présence d'esprit
presencial [presen'θjal] *adj*: **testigo ~** témoin *m* oculaire
presenciar [presen'θjar] *vt* (*accidente, discusión*) être témoin de; (*ceremonia etc*) assister à
presentación [presenta'θjon] *nf* présentation *f*; (*Jur: de pruebas, documentos*) production *f*

presentador, a [presenta'ðor, a] *nm/f* présentateur(-trice)
presentar [presen'tar] *vt* présenter; (*Jur: pruebas, documentos*) produire; **presentarse** *vpr* se présenter; **~ al cobro** (*Com*) présenter au recouvrement; **~se a la policía** se présenter à la police
presente [pre'sente] *adj* présent(e) ■ *nm* présent *m*; **los ~s** les personnes *fpl* présentes; **¡~!** présent!; **hacer ~** faire savoir; **tener ~** se souvenir de; **la ~ (carta)** la présente
presentimiento [presenti'mjento] *nm* pressentiment *m*
presentir [presen'tir] *vt* pressentir; **~ que** pressentir que
preservativo [preserβa'tiβo] *nm* préservatif *m*
presidencia [presi'ðenθja] *nf* présidence *f*; **ocupar la ~** occuper la présidence
presidente [presi'ðente] *nm/f* président(e)
presidiario [presi'ðjarjo] *nm* forçat *m*
presidio [pre'siðjo] *nm* prison *f*
presidir [presi'ðir] *vt* (*reunión*) présider; (*suj: sentimiento*) présider à
presión [pre'sjon] *nf* (*tb fig*) pression *f*; **a ~** à pression; **cerrar a ~** fermer avec des pressions; **grupo de ~** (*Pol*) groupe *m* de pression; **~ arterial** tension *f* artérielle; **~ atmosférica** pression atmosphérique; **~ sanguínea** tension veineuse
presionar [presjo'nar] *vt* (*coaccionar*) faire pression sur; (*botón*) presser ■ *vi*: **~ para** *o* **por** faire pression pour
preso, -a ['preso, a] *adj*: **~ de terror/pánico** pris(e) de terreur/panique ■ *nm/f* (*en la cárcel*) prisonnier(-ière); **tomar** *o* **llevar ~ a algn** faire prisonnier qn
prestación [presta'θjon] *nf* (*Admin*) prestation *f*; **prestaciones** *nfpl* (*Tec, Auto*) performances *fpl*; **~ social sustitutoria** service *m* des objecteurs de conscience
prestado, -a [pres'taðo, a] *adj* emprunté(e); **dar algo ~** prêter qch; **pedir ~** emprunter
préstamo ['prestamo] *nm* prêt *m*; **~ con garantía** prêt sur gages; **~ hipotecario** prêt hypothécaire
prestar [pres'tar] *vt* prêter; (*servicio*) rendre; **prestarse** *vpr*: **~se a hacer** s'offrir à faire; **~se a malentendidos** prêter à confusion
presteza [pres'teθa] *nf* promptitude *f*
prestigio [pres'tixjo] *nm* prestige *m*
presumido, -a [presu'miðo, a] *adj, nm/f* prétentieux(-euse); (*preocupado de su aspecto*) coquet(te)
presumir [presu'mir] *vt* présumer ■ *vi* (*tener aires*) s'afficher; **según cabe ~** selon toute vraisemblance, à ce que l'on suppose; **~ de listo** se croire fin
presunción [presun'θjon] *nf* présomption *f*
presunto, -a [pre'sunto, a] *adj* présumé(e); (*heredero*) présomptif(-ive)
presuntuoso, -a [presun'twoso, a] *adj* présomptueux(-euse)
presuponer [presupo'ner] *vt* présupposer
presupuesto [presu'pwesto] *pp de* **presuponer** ■ *nm* (*Fin*) budget *m*; (*de costo, obra*) devis *msg*; **asignación de ~** (*Com*) dotation *f* budgétaire
pretencioso, -a [preten'θjoso, a] *adj* prétentieux(-euse)
pretender [preten'der] *vt* prétendre; **~ que** prétendre que; **¿qué pretende usted?** que prétendez-vous?
pretendiente, -a [preten'djente] *nm/f* prétendant(e)
pretensión [preten'sjon] *nf* prétention *f*; **pretensiones** *nfpl* (*pey*) prétentions *fpl*; **tener muchas/pocas pretensiones** avoir des prétentions élevées/de faibles prétentions
pretexto [pre'teksto] *nm* (*excusa*) prétexte *m*; **so** *o* **con el ~ de** sous prétexte de
prevalecer [preβale'θer] *vi* prévaloir
prevención [preβen'θjon] *nf* prévention *f*
prevenido, -a [preβe'niðo, a] *adj*: **(estar) ~** (*preparado*) (être) prévenu(e); **(ser) ~** (*cuidadoso*) (être) averti(e); **hombre ~ vale por dos** un homme averti en vaut deux
prevenir [preβe'nir] *vt* prévenir; (*preparar*) préparer; **prevenirse** *vpr* se préparer; **~ (en) contra (de)/a favor de** prévenir contre/en faveur de; **~se contra** se prémunir contre
preventivo, -a [preβen'tiβo, a] *adj* préventif(-ive)
prever [pre'βer] *vt* prévoir
previo, -a ['preβjo, a] *adj* (*anterior*) préalable; **~ pago de los derechos** moyennant l'acquittement préalable des droits
previsión [preβi'sjon] *nf* prévision *f*; **en ~ de** en prévision de; **~ del tiempo** prévision météorologique; **~ de ventas** prévision des ventes

prima ['prima] *nf* prime *f*; *ver tb* **primo**; **~ única** prime unique
primacía [prima'θia] *nf* primauté *f*
primario, -a [pri'marjo, a] *adj* primaire
primavera [prima'βera] *nf* printemps *m*
primera [pri'mera] *nf* première *f*; **a la ~** du premier coup; **de ~** (*fam*) de première
primero, -a [pri'mero, a] *adj* (*delante de nmsg*: **primer**) premier(-ière) ■ *adv* (*en primer lugar*) d'abord; (*más bien*) plutôt ■ *nm*: **ser/llegar el ~** être/arriver le premier; **a ~s (de mes)** en début de mois; **primer ministro** Premier ministre *m*
primicia [pri'miθja] *nf* primeur *f*
primitivo, -a [primi'tiβo, a] *adj* primitif(-ive)
primo, -a ['primo, a] *adj* (*Mat*) premier(-ière) ■ *nm/f* cousin(e); (*fam*) idiot(e); **materias primas** matières *fpl* premières; **hacer el ~** faire l'idiot; **~ hermano** cousin *m* germain
primogénito, -a [primo'xenito, a] *adj* aîné(e)
primordial [primor'ðjal] *adj* primordial(e)
princesa [prin'θesa] *nf* princesse *f*
principal [prinθi'pal] *adj* principal(e); (*piso*) premier(-ière) ■ *nm* principal *m*
príncipe ['prinθipe] *nm* prince *m*; **~ de Gales** (*tela*) prince de Galles; **~ heredero** prince héritier
principiante [prinθi'pjante] *nm/f* débutant(e)
principio [prin'θipjo] *nm* (*comienzo*) début *m*; (*origen*) commencement *m*; (*fundamento, moral*: *tb Quím*) principe *m*; **a ~s de** au début de; **al ~** au début; **en ~** en principe
pringoso, -a [prin'goso, a] *adj* gras(se)
pringue ['pringe] *vb, nm* (*grasa*) graisse *f*; (*suciedad*) saleté *f*
prioridad [priori'ðað] *nf* priorité *f*
prisa ['prisa] *nf* hâte *f*; (*rapidez*) rapidité *f*; **correr ~** être urgent(e); **darse ~** se presser; **tener ~** être pressé(e)
prisión [pri'sjon] *nf* prison *f*
prisionero, -a [prisjo'nero, a] *nm/f* prisonnier(-ière)
prismáticos [pris'matikos] *nmpl* jumelles *fpl*
privación [priβa'θjon] *nf* privation *f*; **privaciones** *nfpl* (*necesidades*) privations *fpl*
privado, -a [pri'βaðo, a] *adj* privé(e); **en ~** en privé; **"~ y confidencial"** "personnel"
privar [pri'βar] *vt* (*despojar*) priver; (*fam*: *gustar*) raffoler de; **privarse** *vpr*: **~se de** (*abstenerse*) se priver de; **~ a algn de hacer** empêcher qn de faire; **me privan las motos** la moto c'est mon dada
privilegiado, -a [priβile'xjaðo, a] *adj, nm/f* privilégié(e)
privilegio [priβi'lexjo] *nm* privilège *m*
pro [pro] *nm* profit *m* ■ *prep*: **asociación ~ ciegos** association *f* au profit des aveugles ■ *pref*: **~ soviético/americano** pro-soviétique/américain; **en ~ de** en faveur de; **los ~s y los contras** le pour et le contre; **ciudadano de ~** honorable citoyen *m*; **hombre de ~** homme *m* de bien
proa ['proa] *nf* (*Náut*) proue *f*
probabilidad [proβaβili'ðað] *nf* probabilité *f*; **probabilidades** *nfpl* (*perspectivas*) chances *fpl*
probable [pro'βaβle] *adj* probable; **es ~ que** + *subjun* il est probable que + *subjun*; **es ~ que no venga** il est probable qu'il ne viendra pas
probador [proβa'ðor] *nm* cabine *f* d'essayage
probar [pro'βar] *vt* essayer; (*demostrar*) prouver; (*comida*) goûter ■ *vi* essayer; **probarse** *vpr*: **~se un traje** essayer un costume
probeta [pro'βeta] *nf* éprouvette *f*; **bebé-~** bébé *m* éprouvette
problema [pro'βlema] *nm* problème *m*; **el ~ del paro** le problème du chômage
proceder [proθe'ðer] *vi* (*actuar*) procéder; (*ser correcto*) convenir ■ *nm* (*comportamiento*) procédé *m*; **~ a** procéder à; **~ de** provenir de; **no procede obrar así** il n'y a pas lieu d'agir ainsi
procedimiento [proθeði'mjento] *nm* (*Jur, Admin*) procédure *f*; (*proceso*) processus *msg*; (*método*) procédé *m*
procesado, -a [proθe'saðo, a] *nm/f* (*Jur*) prévenu(e)
procesador [proθesa'ðor] *nm*: **~ de textos** (*Inform*) machine *f* de traitement de texte
procesar [proθe'sar] *vt* (*Jur*) accuser; (*Inform*) traiter
procesión [proθe'sjon] *nf* procession *f*; **la ~ va por dentro** il *etc* souffre en silence
proceso [pro'θeso] *nm* (*desarrollo, procedimiento*) processus *msg*; (*Jur*) procès *msg*; (*lapso*) cours *msg*; (*Inform*): **~ (automático) de datos** traitement *m* (automatique) de données; **~ de textos** traitement de textes; **~ no prioritario** traitement non prioritaire; **~ por pasadas** traitement séquentiel; **~ en tiempo real** traitement en temps réel
proclamar [prokla'mar] *vt* proclamer

procreación [prokrea'θjon] *nf* procréation *f*
procrear [prokre'ar] *vt, vi* procréer
procurador, a [prokura'ðor, a] *nm/f* (*Jur*) avoué *m*; (*Pol*) député *m*
procurar [proku'rar] *vt* (*intentar*) essayer de; (*proporcionar*) procurer; **procurarse** *vpr* se procurer
prodigio [pro'ðixjo] *nm* prodige *m*; **niño ~** enfant *m* prodige
prodigioso, -a [proði'xjoso, a] *adj* prodigieux(-euse)
producción [proðuk'θjon] *nf* production *f*; **~ en serie** production en série
producir [proðu'θir] *vt* produire; (*impresión, heridas, tristeza*) causer; **producirse** *vpr* se produire
productividad [proðuktiβi'ðað] *nf* productivité *f*
productivo, -a [proðuk'tiβo, a] *adj* productif(-ive)
producto [pro'ðukto] *nm* produit *m*; **~ alimenticio** produit alimentaire; **~ interior bruto** produit intérieur brut; **~s lácteos** produits laitiers; **~ nacional bruto** produit national brut
productor, a [proðuk'tor, a] *adj, nm/f* producteur(-trice)
proeza [pro'eθa] *nf* prouesse *f*
profanar [profa'nar] *vt* profaner
profano, -a [pro'fano, a] *adj, nm/f* profane *m/f*; **soy ~ en la materia** je suis profane en la matière
profecía [profe'θia] *nf* prophétie *f*
proferir [profe'rir] *vt* proférer
profesión [profe'sjon] *nf* profession *f*; **abogado de ~, de ~ abogado** avocat *m* de profession
profesional [profesjo'nal] *adj, nm/f* professionnel(le)
profesor, a [profe'sor, a] *nm/f* professeur *m*; **~ adjunto** professeur assistant
profeta [pro'feta] *nm* prophète *m*
profetizar [profeti'θar] *vt, vi* prophétiser
prófugo, -a ['profuɣo, a] *nm/f* fugitif(-ive) ■ *nm* (*Mil*) insoumis *msg*
profundidad [profundi'ðað] *nf* profondeur *f*; **profundidades** *nfpl* (*de océano etc*) profondeurs *fpl*; **tener una ~ de 30 cm** avoir une profondeur de 30 cm
profundizar [profundi'θar] *vi*: **~ en** (*fig*) approfondir
profundo, -a [pro'fundo, a] *adj* profond(e); **poco ~** peu profond
programa [pro'ɣrama] *nm* programme *m*; **~ de estudios** programme; **~ verificador de ortografía** (*Inform*) vérificateur *m* d'orthographe
programación [proɣrama'θjon] *nf* programmation *f*; **~ estructurada** programmation structurée
programador, a [proɣrama'ðor, a] *nm/f* programmeur(-euse) ■ *nm* programmateur *m*; **~ de aplicaciones** programmateur d'applications
programar [proɣra'mar] *vt* programmer
progresar [proɣre'sar] *vi* progresser
progresista [proɣre'sista] *adj, nm/f* progressiste *m/f*
progresivo, -a [proɣre'siβo, a] *adj* progressif(-ive)
progreso [pro'ɣreso] *nm* (*avance*) progrès *msg*; **el ~** le progrès; **hacer ~s** faire des progrès
prohibición [proiβi'θjon] *nf* interdiction *f*; (*Admin, Jur*) prohibition *f*; **levantar la ~ de** lever l'interdiction de
prohibir [proi'βir] *vt* interdire; (*Admin, Jur*) prohiber; **"prohibido fumar"** "défense de fumer"; **"prohibida la entrada"** "entrée interdite"; **dirección prohibida** (*Auto*) sens *m* interdit
prójimo ['proximo, a] *nm* prochain *m*
proletariado [proleta'rjaðo] *nm* prolétariat *m*
proletario, -a [prole'tarjo, a] *adj, nm/f* prolétaire *m/f*
proliferación [prolifera'θjon] *nf* prolifération *f*; **~ de armas nucleares** prolifération des armes nucléaires
proliferar [prolife'rar] *vi* proliférer
prolífico, -a [pro'lifiko, a] *adj* prolifique
prólogo ['proloɣo] *nm* prologue *m*
prolongación [prolonga'θjon] *nf* prolongation *f*
prolongado, -a [prolon'gaðo, a] *adj* (*largo*) prolongé(e); (*alargado*) allongé(e)
prolongar [prolon'gar] *vt* prolonger; **prolongarse** *vpr* se prolonger
promedio [pro'meðjo] *nm* moyenne *f*
promesa [pro'mesa] *nf* promesse *f* ■ *adj*: **jóvenes ~s** jeunes espoirs *mpl*; **faltar a una ~** ne pas tenir une promesse
prometer [prome'ter] *vt*: **~ hacer algo** promettre de faire qch ■ *vi* promettre; **prometerse** *vpr* (*dos personas*) se fiancer
prometido, -a [prome'tiðo, a] *adj* promis(e) ■ *nm/f* promis(e), fiancé(e)
prominente [promi'nente] *adj* proéminent(e); (*artista*) en vue; (*político*) important(e)
promiscuo, -a [pro'miskwo, a] (*pey*) *adj* (*persona*) de mœurs légères

promoción [promo'θjon] *nf* promotion *f*; **~ por correspondencia directa** (*Com*) publipostage *m*; **~ de ventas** promotion des ventes
promotor, a [promo'tor, a] *nm/f* promoteur(-trice)
promover [promo'βer] *vt* promouvoir; (*escándalo, juicio*) provoquer
promulgar [promul'ɣar] *vt* promulguer
pronombre [pro'nombre] *nm* pronom *m*
pronosticar [pronosti'kar] *vt* pronostiquer
pronóstico [pro'nostiko] *nm* pronostic *m*; **de ~ leve** au pronostic dénué de toute gravité; **de ~ reservado** au pronostic réservé; **~ del tiempo** prévisions *fpl* météorologiques
pronto, -a ['pronto, a] *adj* (*rápido*) rapide; (*preparado*) prêt(e) ▪ *adv* rapidement; (*dentro de poco*) bientôt; (*temprano*) tôt ▪ *nm* (*impulso*) élan *m*; (*: de ira*) accès *msg*; **al ~** au début; **de ~** tout à coup; **¡hasta ~!** à bientôt; **lo más ~ posible** le plus tôt possible; **por lo ~** pour l'instant; **tan ~ como** dès que
pronunciación [pronunθja'θjon] *nf* (*Ling*) prononciation *f*; (*Jur*) prononcé *m*
pronunciar [pronun'θjar] *vt* prononcer; **pronunciarse** *vpr* (*Mil*) se soulever; (*declararse*) se prononcer; **~se sobre** se prononcer sur
propaganda [propa'ɣanda] *nf* propagande *f*; **hacer ~ de** (*Com*) faire de la propagande pour
propagar [propa'ɣar] *vt* propager; **propagarse** *vpr* se propager
propenso, -a [pro'penso, a] *adj*: **~ a** enclin(e) à; **ser ~ a hacer algo** être enclin(e) à faire qch
propicio, -a [pro'piθjo, a] *adj* propice
propiedad [propje'ðað] *nf* propriété *f*; **ceder algo a algn en ~** céder la propriété de qch à qn; **ser ~ de** être propriété de; **con ~** (*hablar*) correctement; **~ intelectual** propriété intellectuelle; **~ particular** propriété privée; **~ pública** (*Com*) propriété publique
propietario, -a [propje'tarjo, a] *nm/f* propriétaire *m*
propina [pro'pina] *nf* pourboire *m*; **dar algo de ~** donner qch en pourboire
propio, -a ['propjo, a] *adj* propre; (*mismo*) en personne; **el ~ ministro** le ministre en personne; **¿tienes casa propia?** as-tu une maison à toi?; **eso es muy ~ de él** c'est bien de lui; **nombre ~** nom *m* propre
proponer [propo'ner] *vt* proposer; **proponerse** *vpr*: **~se hacer** se proposer de faire
proporción [propor'θjon] *nf* proportion *f*; **proporciones** *nfpl* (*dimensiones, tb fig*) proportions *fpl*; **en ~ con** en proportion de
proporcionado, -a [proporθjo'naðo, a] *adj* proportionné(e); **bien ~** bien proportionné(e)
proporcionar [proporθjo'nar] *vt* offrir; (*Com*) fournir; **esto le proporciona una renta anual de ...** cela lui rapporte un revenu annuel de ...
proposición [proposi'θjon] *nf* proposition *f*; **proposiciones deshonestas** propositions malhonnêtes
propósito [pro'posito] *nm* intention *f* ▪ *adv*: **a ~** à propos; **a ~ de** à propos de; **hacer algo a ~** faire qch exprès
propuesta [pro'pwesta] *nf* proposition *f*
propulsar [propul'sar] *vt* (*impulsar*) propulser; (*fig*) développer
propulsión [propul'sjon] *nf* propulsion *f*; **~ a chorro** *o* **por reacción** propulsion par réaction
prórroga ['prorroɣa] *nf* (*de plazo*) prorogation *f*; (*Deporte*) prolongations *fpl*; (*Mil*) sursis *msg*
prorrogar [prorro'ɣar] *vt* (*plazo*) proroger; (*decisión*) différer
prorrumpir [prorrum'pir] *vi*: **~ en lágrimas/carcajadas** éclater en sanglots/de rire; **el público prorrumpió en aplausos** les applaudissements ont fusé dans le public
prosa ['prosa] *nf* (*Lit*) prose *f*
proscrito, -a [pros'krito, a] *pp, adj, nm/f* proscrit(e)
proseguir [prose'ɣir] *vt* poursuivre ▪ *vi* poursuivre; (*discusiones etc*) se poursuivre; **~ con algo** poursuivre qch
prospección [prospek'θjon] *nf* prospection *f*
prospecto [pros'pekto] *nm* (*Med*) notice *f*; (*publicidad*) prospectus *msg*
prosperar [prospe'rar] *vi* prospérer
prosperidad [prosperi'ðað] *nf* prospérité *f*
próspero, -a ['prospero, a] *adj* prospère; **~ año nuevo** bonne année!
prostíbulo [pros'tiβulo] *nm* bordel *m*
prostitución [prostitu'θjon] *nf* prostitution *f*
prostituir [prosti'twir] *vt* prostituer; **prostituirse** *vpr* se prostituer
prostituta [prosti'tuta] *nf* prostituée *f*
protagonista [protaɣo'nista] *nm/f* protagoniste *m/f*

protagonizar [protaɣoni'θar] *vt* (*película, suceso*) être le/la protagoniste de
protección [protek'θjon] *nf* protection *f*
protector, a [protek'tor, a] *adj* (*barrera, gafas, crema*) de protection; (*tono*) protecteur(-trice) ■ *nm/f* protecteur(-trice)
proteger [prote'xer] *vt* protéger; **protegerse** *vpr*: **~se (de)** se protéger (de); **~ contra grabación** *o* **contra escritura** (*Inform*) protéger contre l'écriture
protege-slip [protexes'lip] (*pl* **~s**) *nm* protège-slip *m*
proteína [prote'ina] *nf* protéine *f*
protesta [pro'testa] *nf* protestation *f*
protestante [protes'tante] *adj* protestant(e)
protestar [protes'tar] *vt* (*cheque*) protester ■ *vi* protester; **¡protesto!** je proteste!
protocolo [proto'kolo] *nm* protocole *m*; **sin ~s** sans protocole
prototipo [proto'tipo] *nm* prototype *m*
prov. *abr* = **provincia**
provecho [pro'βetʃo] *nm* profit *m*; **¡buen ~!** bon appétit!; **en ~ de** au profit de; **sacar ~ de** tirer profit de
proveer [proβe'er] *vt* (*suministrar*) fournir; (*preparar*) préparer ■ *vi*: **~ a** pourvoir à; **proveerse** *vpr*: **~se de** se pourvoir de
provenir [proβe'nir] *vi* provenir
proverbio [pro'βerβjo] *nm* proverbe *m*
providencia [proβi'ðenθja] *nf* providence *f*; **providencias** *nfpl* (*disposiciones*) mesures *fpl*
provincia [pro'βinθja] *nf* province *f*; (*Admin*) ≈ département *m*; **un pueblo de ~s** un village de province

PROVINCIA

L'Espagne se compose de 55 divisions administratives, ou *provincias*, qui couvrent la péninsule ainsi que les îles et les territoires de l'Afrique du nord. Chacune possède une capitale ("capital de provincia"), qui porte en général le même nom que la province. Les *provincias* sont regroupées en "comunidades autónomas" selon des critères géographiques, historiques et culturels. Il faut préciser que le terme "comarca", qui normalement n'a qu'une signification géographique en espagnol, désigne en Catalogne une division administrative bien précise.

provinciano, -a [proβin'θjano, a] (*pey*) *adj* provincial(e)
provisión [proβi'sjon] *nf* (*abastecimiento*) provision *f*; (*precaución*) mesure *f*; **provisiones** *nfpl* (*víveres*) provisions *fpl*
provisional [proβisjo'nal] *adj* provisoire
provocación [proβoka'θjon] *nf* provocation *f*
provocar [proβo'kar] *vt* provoquer; (*AM*): **¿te provoca un café?** ça te dit, un café?
provocativo, -a [proβoka'tiβo, a] *adj* provocant(e)
próximamente ['proksimamente] *adv* prochainement
proximidad [proksimi'ðað] *nf* proximité *f*; **proximidades** *nfpl* (*cercanías*) proximité *fsg*
próximo, -a ['proksimo, a] *adj* (*cercano*) proche; (*parada, año*) prochain(e); **en fecha próxima** sous peu
proyectar [projek'tar] *vt* projeter; **proyectarse** *vpr* se projeter
proyectil [projek'til] *nm* projectile *m*; **~ teledirigido** projectile télécommandé
proyecto [pro'jekto] *nm* projet *m*; **tener algo en ~** avoir qch en projet; **~ de ley** projet de loi
proyector [projek'tor] *nm* projecteur *m*
prudencia [pru'ðenθja] *nf* prudence *f*
prudente [pru'ðente] *adj* prudent(e)
prueba ['prweβa] *vb ver* **probar** ■ *nf* (*gen*) épreuve *f*; (*testimonio*) témoignage *m*; (*Jur*) preuve *f*; (*de ropa*) essayage *m*; **a ~** à l'épreuve; (*Com*) à l'essai; **a ~ de** à l'épreuve de; **a ~ de agua/fuego** étanche/à l'épreuve du feu; **en ~ de** en témoignage de; **período/fase de ~** période *f*/phase *f* d'essai; **poner/someter a ~** mettre/soumettre à l'épreuve; **¿tiene usted ~ de ello?** en avez-vous la preuve?; **~ de capacitación** (*Com*) preuve d'aptitudes; **~ de fuego** (*fig*) épreuve du feu
prurito [pru'rito] *nm* (*tb fig*) démangeaison *f*
psico... [siko] *pref* psycho...
psicoanálisis [sikoa'nalisis] *nm* psychanalyse *f*
psicología [sikolo'xia] *nf* psychologie *f*
psicológico, -a [siko'loxiko, a] *adj* psychologique
psicópata [si'kopata] *nm/f* psychopathe *m/f*
psicosis [si'kosis] *nf inv* psychose *f*
psiquiatra [si'kjatra] *nm/f* psychiatre *m/f*

psiquiátrico, -a [si'kjatriko, a] *adj* psychiatrique
psíquico, -a ['sikiko, a] *adj* psychique
PSOE [pe'soe] *sigla m = Partido Socialista Obrero Español*
Pta. *abr* (*Geo*: = *Punta*) pte (= *pointe*)
pta(s). *abr* = **peseta(s)**
pts. *abr* = **pesetas**
púa ['pua] *nf* (*de planta*) piquant *m*; (*de peine*) dent *f*; (*para guitarra*) médiator *m*; **alambre de ~s** fil *m* de fer barbelé
pubertad [puβer'tað] *nf* puberté *f*
publicación [puβlika'θjon] *nf* publication *f*
publicar [puβli'kar] *vt* publier
publicidad [puβliθi'ðað] *nf* publicité *f*; **dar ~ a** rendre public(-ique); **~ en el punto de venta** publicité sur le point de vente
publicitario, -a [puβliθi'tarjo, a] *adj* publicitaire
público, -a ['puβliko, a] *adj* public(-ique) ■ *nm* public *m*; **el gran ~** le grand public; **en ~** en public; **hacer ~** (*difundir*) rendre public; **~ objetivo** (*Com*) public ciblé
puchero [pu'tʃero] *nm* (*Culin*: *olla*) marmite *f*; (: *guiso*) pot-au-feu *m*; **hacer ~s** bouder
púdico, -a ['puðiko, a] *adj* pudique
pudiendo *etc* [pu'ðjendo] *vb ver* **poder**
pudor [pu'ðor] *nm* pudeur *f*
pudrir [pu'ðrir] *vt* pourrir; **pudrirse** *vpr* pourrir
pueblo ['pweβlo] *vb ver* **poblar** ■ *nm* peuple *m*; (*población pequeña*) village *m*; **~ joven** (*Pe*) quartier *m* de bidonvilles
pueda *etc* ['pweða] *vb ver* **poder**
puente ['pwente] *nm* (*gen*) pont *m*; (*de gafas*) arcade *f*; (*de dientes*) bridge *m*; (*Náut*: *tb*: **puente de mando**) passerelle *f*; **curso ~** (*Escol*) cours *msg* d'adaptation; **hacer ~** (*fam*) faire le pont; **~ aéreo/colgante** pont aérien/suspendu; **~ levadizo** pont-levis *m*
puerco, -a ['pwerko, a] *adj* cochon(ne) ■ *nm/f* (*Zool*) porc (truie); (*fam*) porc (cochonne); **~ espín** porc-épic *m*
pueril [pwe'ril] *adj* puéril(e)
puerro ['pwerro] *nm* poireau *m*
puerta ['pwerta] *nf* porte *f*; (*de coche*) portière *f*; (*de jardín*) portail *m*, porte *f*; (*portería*: *Deporte*) but *m*; (*Inform*) port *m*; **a ~ cerrada** à huis clos; **~ batiente/blindada/corredera** porte battante/blindée/coulissante; **~ de servicio** porte de service; **~ (de transmisión) en paralelo/en serie** (*Inform*) port parallèle/série; **~ giratoria** tourniquet *m*, porte à tambour; **~ principal/trasera** porte d'entrée/de derrière
puerto ['pwerto] *nm* (*tb Inform*) port *m*; (*de montaña*) col *m*; **llegar a ~** (*fig*) arriver à bon port; **~ franco** port franc
puertorriqueño, -a [pwertorri'keɲo, a] *adj* portoricain(e) ■ *nm/f* Portoricain(e)
pues [pwes] *conj* (*en tal caso*) donc; (*puesto que*) car ■ *adv* (*así que*) donc; **¡~ claro!** bien sûr!; **~ ... no sé** eh bien ... je ne sais pas; **~ sí** eh bien, oui!
puesta ['pwesta] *nf*: **~ a cero** (*Inform*) reinitialisation *f*; **~ al día/a punto** mise *f* à jour/au point; **~ del sol** coucher *m* du soleil; **~ en escena** mise en scène; **~ en marcha** mise en marche
puesto, -a ['pwesto, a] *pp de* **poner** ■ *adj*: **ir bien/muy ~** être bien habillé/tiré à quatre épingles ■ *nm* (*tb Mil*) poste *m*; (: *en clasificación*) rang *m*; (*tb*: **puesto de trabajo**) poste; (*Com*: *en mercado*) étal *m*, éventaire *m*; (: *de flores, periódicos*) kiosque *m* ■ *conj*: **~ que** puisque; **~ de mando/policía/socorro** poste de commandement/police/secours
pugna ['puɣna] *nf* lutte *f*
pugnar [puɣ'nar] *vi*: **~ por** lutter pour
pujar [pu'xar] *vi* (*en subasta*) surenchérir; (*fig*) faire un effort
pulcro, -a ['pulkro, a] *adj* propre
pulga ['pulɣa] *nf* puce *f*; **tener malas ~s** avoir mauvais caractère
pulgada [pul'ɣaða] *nf* (*medida*) pouce *m*
pulgar [pul'ɣar] *nm* pouce *m*
pulir [pu'lir] *vt* (*tb fig*) polir
pulla ['puʎa] *nf* (*broma*) pique *f*
pulmón [pul'mon] *nm* poumon *m*; **a pleno ~** à pleins poumons; **~ artificial/de acero** poumon artificiel/d'acier
pulmonía [pulmo'nia] *nf* pneumonie *f*
pulpa ['pulpa] *nf* pulpe *f*
pulpería [pulpe'ria] (*AM*) *nf* épicerie *f*
púlpito ['pulpito] *nm* (*Rel*) chaire *f*
pulpo ['pulpo] *nm* poulpe *m*
pulsación [pulsa'θjon] *nf* pulsation *f*; **pulsaciones por minuto** (*del teclado*) caractères *mpl* par minute
pulsar [pul'sar] *vt* (*tecla*) frapper; (*botón*) appuyer sur ■ *vi* (*latir*) battre
pulsera [pul'sera] *nf* bracelet *m*; **reloj de ~** montre-bracelet *f*
pulso ['pulso] *nm* (*Med*) pouls *msg*; (*Col*: *pulsera*) bracelet *m*; (: *reloj de pulsera*) montre-bracelet *f*; **a ~** (*tb fig*) à la force du poignet; **con ~ firme** de propos délibéré; **echar un ~** faire un bras de fer

pulverizador [pulβeriθa'ðor] *nm* pulvérisateur *m*
pulverizar [pulβeri'θar] *vt* pulvériser
puna ['puna] (*And, Csur*) *nf* (*Med*) puna *f*
punitivo, -a [puni'tiβo, a] *adj* punitif(-ive)
punta ['punta] *nf* pointe *f*; (*de lengua, dedo*) bout *m*; (*fig*: *toque*) brin *m*; **horas ~** heures *fpl* de pointe; **tecnología ~** technologie *f* de pointe; **de ~** debout; **de ~ a ~** d'un bout à l'autre; **estar de ~** être à bout; **ir de ~ en blanco** être tiré à quatre épingles; **sacar ~ a** (*lápiz*) tailler; **sacarle ~ a todo** chercher la petite bête; **tener algo en la ~ de la lengua** avoir qch sur le bout de la langue; **se me pusieron los pelos de ~** j'en ai eu les cheveux qui se sont dressés sur la tête; **~ del iceberg** (*fig*) pointe de l'iceberg
puntada [pun'taða] *nf* (*Costura*) point *m*
puntal [pun'tal] *nm* étai *m*
puntapié [punta'pje] (*pl* **~s**) *nm* coup *m* de pied; **echar a algn a ~s** éjecter qn à coups de pied aux fesses
puntear [punte'ar] *vt* (*dibujar*) pointiller; (*Mús*) pincer
puntería [punte'ria] *nf* (*de arma*) visée *f*; (*destreza*) précision *f*
puntero, -a [pun'tero, a] *adj* (*industria, país*) de pointe ▪ *nm* (*vara*) baguette *f*
puntiagudo, -a [puntja'ɣuðo, a] *adj* pointu(e)
puntilla [pun'tiʎa] *nf* (*Costura*) dentelle *f* fine; **(andar) de ~s** (marcher) sur la pointe des pieds
punto ['punto] *nm* point *m*; **a ~** (*listo*) au point; **estar a ~ de** être sur le point de; **llegar a ~** arriver à point; **al ~** immédiatement; **dos ~s** (*Tip*) deux points; **de ~** tricoté(e); **en ~** (*horas*) pile; **estar en su ~** (*Culin*) être à point; **hasta cierto ~** jusqu'à un certain point; **hasta tal ~ que** à tel point que; **hacer ~** tricoter; **poner un motor a ~** mettre un moteur au point; **~s a tratar** points à traiter; **~ acápite** (*AM*) point, à la ligne; **~ culminante** point culminant; **~ de apoyo** point d'appui; **~ débil** point faible; **~ de congelación** point de congélation; **~ de equilibrio** (*Com*) seuil *m* de rentabilité; **~ de fusión** point de fusion; **~ de partida** point de départ; **~ de pedido** (*Com*) seuil de réapprovisionnement; **~ de referencia** (*Com*) point de référence; **~ de salida** (*Inform*) point de départ; **~ de venta** (*Com*) point de vente; **~ de vista** point de vue; **~ final** point final; **~ muerto** point mort; **~ negro** (*Auto*) point noir; **~s suspensivos** points de suspension; **~ y coma** point-virgule *m*
puntuación [puntwa'θjon] *nf* (*signos*) ponctuation *f*; (*puntos*) points *mpl*
puntual [pun'twal] *adj* ponctuel(le)
puntualidad [puntwali'ðað] *nf* ponctualité *f*
puntualizar [puntwali'θar] *vt* préciser
puntuar [pun'twar] *vt* (*Ling, Tip*) ponctuer; (*examen*) noter ▪ *vi* (*Deporte*) compter
punzada [pun'θaða] *nf* (*puntura*) piqûre *f*; (*dolor*) élancement *m*
punzante [pun'θante] *adj* (*dolor*) aigu(ë), lancinant(e); (*herramienta*) pointu(e); (*comentario*) piquant(e)
punzar [pun'θar] *vt* (*pinchar*) piquer ▪ *vi* (*doler*) élancer
puñado [pu'ɲaðo] *nm* poignée *f*; **a ~s** à foison
puñal [pu'ɲal] *nm* poignard *m*
puñalada [puɲa'laða] *nf* coup *m* de poignard; **una ~ trapera** (*fig*) un coup de Jarnac
puñetazo [puɲe'taθo] *nm* coup *m* de poing
puño ['puɲo] *nm* (*Anat*) poing *m*; (*de ropa*) poignet *m*; (*de herramienta*) manche *m*; **como un ~** (*verdad*) flagrant(e); **de su ~ y letra** de sa main; **tener el corazón en un ~** avoir le cœur gros
pupila [pu'pila] *nf* (*Anat*) pupille *f*
pupitre [pu'pitre] *nm* pupitre *m*
puré [pu're] *nm* (*Culin*) purée *f*; **estar hecho ~** (*fig*) être à bout de forces; **~ de patatas/de verduras** purée de pommes de terre/de légumes
pureza [pu'reθa] *nf* pureté *f*
purga ['purɣa] *nf* purge *f*
purgante [pur'ɣante] *adj* purgatif(-ive) ▪ *nm* purgatif *m*
purgar [pur'ɣar] *vt* purger; **purgarse** *vpr* se purger
purgatorio [purɣa'torjo] *nm* purgatoire *m*
purificar [purifi'kar] *vt* purifier
puritano, -a [puri'tano, a] *adj, nm/f* puritain(e)
puro, -a ['puro, a] *adj* pur(e); (*esp Méx*) même ▪ *nm* (*tabaco*) cigare *m* ▪ *adv* (*esp Méx*) uniquement; **de ~ cansado** à force de fatigue; **por pura casualidad/curiosidad** par pur hasard/pure curiosité
púrpura ['purpura] *nf* pourpre *f*
purpúreo, -a [pur'pureo, a] *adj* pourpré(e)
pus [pus] *nm* pus *msg*
puse *etc* ['puse] *vb ver* **poner**

pústula ['pustula] *nf* pustule *f*
puta ['puta] (*fam!*) *nf* putain *f*, pute *f* (*fam!*); **de ~ madre** du tonnerre
putrefacción [putrefak'θjon] *nf* putréfaction *f*
PVC *sigla m* (= *polyvinyl-chloride*) PVC *m*
PVP (*Esp*) *sigla m* = *Precio de Venta al Público*
pyme ['pime] *sigla f* (= *Pequeña y Mediana Empresa*) PME *f* (= *petites et moyennes entreprises*)

q

PALABRA CLAVE

que [ke] *pron rel* **1** (*sujeto*) qui; **el hombre que vino ayer** l'homme qui est venu hier
2 (*objeto*) que; **el sombrero que te compraste** le chapeau que tu t'es acheté; **la chica que invité** la fille que j'ai invitée
3 (*circunstancial*, *con prep*): **el día que yo llegué** le jour où je suis arrivé; **el piano con que toca** le piano sur lequel il joue; **el libro del que te hablé** le livre dont je t'ai parlé; **la cama en que dormí** le lit dans lequel j'ai dormi; *ver tb* **el**
■ *conj* **1** (*con oración subordinada*) que; **dijo que vendría** il a dit qu'il viendrait; **espero que lo encuentres** j'espère que tu le retrouveras; *ver tb* **el**
2 (*con verbo de mandato*): **dile que me llame** dis-lui de m'appeler
3 (*en oración independiente*): **¡que entre!** qu'il (elle) entre!; **¡que se mejore tu padre!** j'espère que ton père ira mieux!; **que lo haga él** qu'il le fasse, lui; **que yo sepa** que je sache
4 (*enfático*): **¿me quieres? - ¡que sí!** tu m'aimes? - oh oui!
5 (*repetición*): **¿cómo has dicho? - ¿que si ...?** qu'est-ce que tu disais? - que si ...?

6 (*consecutivo*) que; **es tan grande que no lo puedo levantar** c'est si gros que je ne peux pas le soulever
7 (*en comparaciones*) que; **es más alto que tú** il est plus grand que toi; **ese libro es igual que el otro** ce livre est pareil que l'autre; *ver tb* **más**; **menos**; **mismo**
8 (*valor disyuntivo*): **que venga o que no venga** qu'il vienne ou qu'il ne vienne pas
9 (*porque*): **no puedo, que tengo que quedarme en casa** je ne peux pas, je dois rester à la maison
10 (*valor condicional*): **que no puedes, no lo haces** si tu ne peux pas, ne le fais pas
11 (*valor final*): **sal a que te vea** sors pour que je te voie
12: **todo el día toca que toca** il joue toute la sainte journée; **y él dale que dale** (*hablando*) et lui qui n'arrêtait pas
13: **yo que tú ...** si j'étais toi ...

qué [ke] *adj* quel(le) ■ *pron* que, quoi; **¿~ edad tienes?** quel âge as-tu?; **¿a ~ velocidad?** à quelle vitesse?; **¡~ divertido/asco!** comme c'est drôle/ dégoûtant!; **¡~ día más espléndido!** quelle journée splendide!; **¿~?** quoi?; **¿~ quieres?** qu'est-ce que tu veux?; **¿de ~ me hablas?** de quoi me parles-tu?; **¿~ tal?** (comment) ça va?; **¿~ hay de nuevo?** quoi de neuf?; **¿~ más?** autre chose?; **no sé ~ quiere hacer** je ne sais pas ce qu'il veut faire; **¡y ~!** et alors!
quebradizo, -a [keβra'ðiθo, a] *adj* cassant(e); (*persona, salud*) fragile
quebrado, -a [ke'βraðo, a] *adj* (*roto*) cassé(e); (*línea*) brisé(e); (*terreno*) accidenté(e) ■ *nm/f* (*Com*) failli(e) ■ *nm* (*Mat*) fraction *f*; **~ rehabilitado** failli réhabilité
quebrantar [keβran'tar] *vt* (*moral*) casser; (*ley, secreto, promesa*) violer; (*salud*) affaiblir; **quebrantarse** *vpr* (*persona, fuerzas*) s'affaiblir
quebranto [ke'βranto] *nm* (*en salud*) affaiblissement *m*; (*en fortuna*) perte *f*; (*fig: pena*) affliction *f*
quebrar [ke'βrar] *vt* casser ■ *vi* faire faillite; **quebrarse** *vpr* se casser; (*línea, cordillera*) se briser; (*Med: herniarse*) se faire une hernie; **se le quebró la voz** sa voix s'est brisée
quedar [ke'ðar] *vi* rester; (*encontrarse*) se donner rendez-vous; **quedarse** *vpr* rester; **~ en** convenir de; **~ en nada** ne pas aboutir; **~ por hacer** rester à faire; **no te queda bien ese vestido** cette robe ne te va pas bien; **quedamos aquí** on se retrouve là; **quedamos a las seis** (*en pasado*) on a dit 6 heures; (*en presente*) on se voit à 6 heures; **eso queda muy lejos** c'est très loin; **nos quedan 12 kms para llegar al pueblo** il nous reste encore 12 km avant d'arriver au village; **quedan dos horas** il reste deux heures; **eso queda por/hacia allí** c'est par là; **ahí quedó la cosa** la chose en est restée là; **no queda otra** il n'y en a plus; **~se ciego/ mudo** devenir aveugle/muet; **~se (con) algo** garder qch; **~se con algn** (*fam*) taquiner qn; **~se sin** ne plus avoir de
quedo, -a ['keðo, a] *adj* (*voz*) bas (basse); (*pasos*) feutré(e) ■ *adv* (*hablar*) doucement; (*andar*) à pas feutrés
quehacer [kea'θer] *nm* tâche *f*; **~es (domésticos)** tâches *fpl* (domestiques)
queja ['kexa] *nf* plainte *f*
quejarse [ke'xarse] *vpr* se plaindre; **~ de que ...** se plaindre que ...
quejido [ke'xiðo] *nm* gémissement *m*, plainte *f*
quemado, -a [ke'maðo, a] *adj* brûlé(e) ■ *nm*: **oler a ~** sentir le brûlé; **estar ~** (*fam: irritado*) être en pétard; (*: político, actor*) être fini
quemadura [kema'ðura] *nf* brûlure *f*; (*de sol*) coup *m* de soleil
quemar [ke'mar] *vt* brûler; (*fig: malgastar*) gâcher; (*: deteriorar: imagen, persona*) détruire; (*fastidiar*) agacer ■ *vi* brûler; **quemarse** *vpr* (*consumirse*) brûler; (*del sol*) attraper un coup *o* des coups de soleil
quemarropa [kema'rropa]: **a ~** *adv* (*disparar*) à bout portant; (*preguntar*) à brûle-pourpoint
quepo *etc* ['kepo] *vb ver* **caber**
querella [ke'reʎa] *nf* (*Jur*) plainte *f*; (*disputa*) querelle *f*
querellarse [kere'ʎarse] *vpr* porter plainte

PALABRA CLAVE

querer [ke'rer] *vt* 1 (*desear*) vouloir; **quiero más dinero** je veux plus d'argent; **quisiera** *o* **querría un té** je voudrais un thé; **sin querer** sans le vouloir; **quiera o no quiera** qu'il le veuille ou non; **¡no quiero!** je ne veux pas!; **como Ud quiera** comme vous voudrez; **como quien no quiere la cosa** mine de rien; **¡qué más quisiera yo!** si seulement je pouvais!
2 (*+ vb dependiente*): **quiero ayudar/que vayas** je veux aider/que tu t'en ailles; **¿qué quieres decir?** que veux-tu dire?

3 (*para pedir algo*): **¿quiere abrir la ventana?** vous voulez bien ouvrir la fenêtre?
4 (*amar*) aimer; (*amigo, perro*) aimer bien; **quiere mucho a sus hijos** elle aime beaucoup ses enfants; **te quiero bien** je ne veux que ton bien; **¡por lo que más quieras!** je t'en prie!
5 (*requerir*): **esta planta quiere más luz** cette plante a besoin de plus de lumière
6 (*impersonal*): **quiere llover** il va pleuvoir
7: **como quiera que ...** (*dado que*) puisque ..., comme ...

querido, -a [ke'riðo, a] *adj* (*mujer, hijo*) chéri(e); (*tierra, amigo, en carta*) cher (chère) ■ *nm/f* amant(e); **nuestra querida patria** notre chère patrie; **¡sí, ~!** oui, chéri!
queso ['keso] *nm* fromage *m*; **dárselas con ~ a algn** (*fam*) mener qn en bateau; **~ cremoso** fromage crémeux; **~ rallado** fromage râpé
quicio ['kiθjo] *nm* gond *m*; **estar fuera de ~** aller de travers; **sacar a algn de ~** mettre qn hors de soi
quiebra ['kjeβra] *nf* effondrement *m*; (*Com*) faillite *f*
quiebro ['kjeβro] *vb ver* **quebrar** ■ *nm* (*del cuerpo*) déhanchement *m*; (*del torero*) écart *m*
quien [kjen] *pron* (*relativo: sujeto*) qui; (*: complemento*) qui, que; **la persona a ~ quiero** la personne que j'aime; **~ dice eso es tonto** (*indefinido*) celui qui dit cela est un idiot; **hay ~ piensa que** il y a des gens qui pensent que; **no hay ~ lo haga** il n'y a personne qui le fasse; **~ más, ~ menos tiene sus problemas** tout le monde a des problèmes
quién [kjen] *pron* (*interrogativo*) qui; **¿~ es?** qui est-ce?; (*Telec*) qui est à l'appareil?; **¡~ pudiera!** si seulement je pouvais!
quienquiera [kjen'kjera] (*pl* **quienesquiera**) *pron* quiconque
quiera *etc* ['kjera] *vb ver* **querer**
quieto, -a ['kjeto, a] *adj* (*manos, cuerpo*) immobile; (*carácter*) tranquille; **¡estate ~!** reste tranquille!
quietud [kje'tuð] *nf* (*inmovilidad*) immobilité *f*; (*tranquilidad*) tranquillité *f*, quiétude *f*
quilate [ki'late] *nm* carat *m*
quilla ['kiʎa] *nf* quille *f*
quimera [ki'mera] *nf* chimère *f*
química ['kimika] *nf* chimie *f*
químico, -a ['kimiko, a] *adj* chimique ■ *nm/f* chimiste *m/f*
quince ['kinθe] *adj inv, nm inv* quinze *m inv*; **~ días** quinze jours; *ver tb* **seis**
quinceañero, -a [kinθea'ɲero, a] *adj* adolescent(e) ■ *nm/f* garçon (fille) de quinze ans, adolescent(e)
quincena [kin'θena] *nf* quinzaine *f*
quincenal [kinθe'nal] *adj* (*pago, reunión*) bimensuel(le)
quiniela [ki'njela] *nf* (*impreso*) grille *f* o feuille *f* de paris; **quinielas** ≈ Loto *msg* sportif; **~ hípica** ≈ tiercé *m*
quinientos, -as [ki'njentos, as] *adj* cinq cents; *ver tb* **seiscientos**
quinina [ki'nina] *nf* quinine *f*
quinto, -a ['kinto, a] *adj* cinquième ■ *nm* (*Mil*) recrue *f*; (*ordinal*) cinquième *m*; *ver tb* **sexto**
quiosco ['kjosko] *nm* kiosque *m*
quirófano [ki'rofano] *nm* salle *f* d'opération
quirúrgico, -a [ki'rurxiko, a] *adj* chirurgical
quise *etc* ['kise] *vb ver* **querer**
quisquilloso, -a [kiski'ʎoso, a] *adj* (*susceptible*) chatouilleux(-euse); (*meticuloso*) pointilleux(-euse)
quiste ['kiste] *nm* kyste *m*
quitaesmalte [kitaes'malte] *nm* dissolvant *m*
quitamanchas [kita'mantʃas] *nm inv* détachant *m*
quitanieves [kita'njeβes] *nm inv* chasse-neige *m inv*
quitar [ki'tar] *vt* enlever; (*ropa*) enlever, ôter; (*dolor*) éliminer; (*vida*) donner la mort à ■ *vi*: **¡quita de ahí!** hors d'ici!; **quitarse** *vpr* (*mancha*) partir; (*ropa*) ôter; (*vida*) se donner la mort; **de quita y pon** amovible; **quítalo di ahí** enlève ça de là; **me quita mucho tiempo** cela me prend beaucoup de temps; **~ la televisión/radio** éteindre la télévision/radio; **~ la mesa** débarrasser la table; **el café me quita el sueño** le café m'empêche de dormir; **~ de en medio a algn** se débarrasser de qn; **eso no quita para que venga** cela ne l'empêche pas de venir; **~se algo de encima** se débarrasser de qch; **~se del tabaco/de fumar** arrêter de fumer; **se quitó el sombrero** il ôta son chapeau; **~se de** renoncer à
quite ['kite] *nm* (*esgrima*) parade *f*; (*Taur*) *action de détourner l'attention du taureau*; **estar al ~** être prêt à aider qn
Quito ['kito] *n* Quito
quizá(s) [ki'θa(s)] *adv* peut-être

r

rábano ['raβano] *nm* radis *msg*; **me importa un ~** je m'en moque comme de l'an quarante
rabia ['raβja] *nf* rage *f*; **¡qué ~!** c'est trop bête!; **me da ~** cela me fait rager; **tener ~ a algn** avoir une dent contre qn; **me da ~ marcharme** je dois partir, c'est trop bête!
rabiar [ra'βjar] *vi* (*Med*) avoir la rage; **~ por hacer algo** mourir d'envie de faire qch
rabieta [ra'βjeta] *nf* crise *f* de colère
rabino [ra'βino] *nm* rabbin *m*
rabioso, a [ra'βjoso, a] *adj* (*perro*) enragé(e); (*dolor, ganas*) fou (folle); **estar ~** (*fig*) être enragé(e)
rabo ['raβo] *nm* queue *f*
racha ['ratʃa] *nf* (*de viento*) rafale *f*; (*serie*) suite *f*; **buena/mala ~** bonne/mauvaise passe *f*; **~ de mala suerte** série *f* de malchances
racial [ra'θjal] *adj* racial(e)
racimo [ra'θimo] *nm* grappe *f*
raciocinio [raθjo'θinjo] *nm* raisonnement *m*
ración [ra'θjon] *nf* ration *f*; (*en bar*) portion *f*
racional [raθjo'nal] *adj* rationnel(le); **animal ~** être *m* doué de raison
racionalizar [raθjonali'θar] *vt* rationaliser
racionar [raθjo'nar] *vt* rationner
racismo [ra'θismo] *nm* racisme *m*
racista [ra'θista] *adj, nm/f* raciste *m/f*
radar [ra'ðar], **rádar** ['raðar] *nm* radar *m*
radiactivo, -a *adj* = **radioactivo**
radiador [raðja'ðor] *nm* radiateur *m*
radiante [ra'ðjante] *adj* radieux(-euse)
radical [raði'kal] *adj* radical(e) ■ *nm* (*Ling, Mat*) radical *m*
radicar [raði'kar] *vi*: **~ en** (*consistir*) résider en; (*estar situado*) être basé à; **radicarse** *vpr* s'établir
radio ['raðjo] *nf* (*AM*: *a veces nm*) radio *f* ■ *nm* rayon *m*; **por ~** à la radio; **~ de acción** rayon d'action
radioactividad [raðjoaktiβi'ðað] *nf* radioactivité *f*
radioactivo, -a [raðjoak'tiβo, a] *adj* radioactif(-ive)
radiocasete [raðjoca'sete] *nm* radio-cassette *m*
radiodifusión [raðjodifu'sjon] *nf* radio-diffusion *f*
radioemisora [raðjoemi'sora] *nf* station *f* (de radio)
radiografía [raðjoɣra'fia] *nf* radiographie *f*
radiotaxi [raðjo'taksi] *nm* radio-taxi *m*
radioterapia [raðjote'rapja] *nf* radiothérapie *f*
radioyente [raðjo'jente] *nm/f* auditeur(-trice)
ráfaga ['rafaɣa] *nf* rafale *f*; (*de luz*) jet *m*
raído, -a [ra'iðo, a] *adj* (*ropa*) râpé(e)
raigambre [rai'ɣambre] *nf* racines *fpl*
raíz [ra'iθ] (*pl* **raíces**) *nf* racine *f*; **~ cuadrada** racine carrée; **a ~ de** (*como consecuencia de*) à la suite de; (*después de*) après; **echar raíces** (*fig*) prendre racine
raja ['raxa] *nf* (*de melón, limón*) tranche *f*; (*en tela, plástico*) coupure *f*; (*en muro, madera*) fissure *f*
rajar [ra'xar] *vt* (*tela*) couper; (*madera*) fendre; (*fam*: *herir*) entailler ■ *vi* (*fam*) jacasser; **rajarse** *vpr* se fendre; (*fam*) se dégonfler
rajatabla [raxa'taβla]: **a ~** *adv* à la lettre
rallador [raʎa'ðor] *nm* râpe *f*
rallar [ra'ʎar] *vt* râper
rama ['rama] *nf* branche *f*; **andarse** *o* **irse por las ~s** (*fig, fam*) tourner autour du pot
ramaje [ra'maje] *nm* ramage *m*
ramal [ra'mal] *nm* (*de cuerda*) brin *m*; (*Ferro*) embranchement *m*; (*Auto*) bretelle *f*
rambla ['rambla] *nf* rambla *f*

ramificación [ramifika'θjon] *nf* ramification *f*
ramificarse [ramifi'karse] *vpr* se ramifier
ramillete [rami'ʎete] *nm* bouquet *m*
ramo ['ramo] *nm* bouquet *m*; (*de industria*) branche *f*
rampa ['rampa] *nf* rampe *f*; **~ de acceso** rampe d'accès; **~ de lanzamiento** rampe de lancement
ramplón, -ona [ram'plon, ona] *adj* vulgaire
rana ['rana] *nf* grenouille *f*; **salir ~** (*fam*) échouer; **cuando las ~s críen pelo** quand les poules auront des dents
ranchero [ran'tʃero] *nm* (*AM*) fermier *m*; (*Méx*) paysan *m*
rancho ['rantʃo] *nm* (*comida*) popote *f*; (*AM*) ranch *m*; (*: pequeño*) petite ferme *f*; (*choza*) cabane *f*; **ranchos** *nmpl* (*Ven: barrio de chabolas*) bidonvilles *mpl*
rancio, -a ['ranθjo, a] *adj* rance; (*vino, fig*) vieux (vieille)
rango ['rango] *nm* rang *m*
ranura [ra'nura] *nf* rainure *f*; (*de teléfono*) fente *f*; **~ de expansión** (*Inform*) emplacement *m*
rapar [ra'par] *vt* raser
rapaz [ra'paθ] *adj* (*ave*) de proie ▪ *nf* (*tb fig*) rapace *m* ▪ *nm* gamin *m*
rape ['rape] *nm* (*pez*) baudroie *f*; **al ~** ras *inv*
rapé [ra'pe] *nm* chique *f*
rapero, -a [ra'pero, a] *adj* rap ▪ *nm/f* rappeur(-euse)
rapidez [rapi'ðeθ] *nf* rapidité *f*
rápido, -a ['rapiðo, a] *adj* rapide ▪ *adv* rapidement ▪ *nm* (*Ferro*) rapide *m*; **rápidos** *nmpl* (*de río*) rapides *mpl*
rapiña [ra'piɲa] *nm* rapine *f*; **ave de ~** oiseau *m* de proie
raptar [rap'tar] *vt* enlever
rapto ['rapto] *nm* rapt *m*, enlèvement *m*; (*impulso*) accès *msg*; (*éxtasis*) transport *m*, ravissement *m*
raqueta [ra'keta] *nf* raquette *f*
raquítico, -a [ra'kitiko, a] *adj* rachitique
raquitismo [raki'tismo] *nm* rachitisme *m*
rareza [ra'reθa] *nf* rareté *f*; (*fig*) manie *f*
raro, -a ['raro, a] *adj* rare; (*extraño*) curieux(-euse); **¡qué ~!** que c'est curieux!; **¡qué cosa más rara!** comme c'est bizarre!
ras [ras] *nm*: **a ~ de tierra/del suelo** à ras de terre/au ras du sol
rascacielos [raska'θjelos] *nm inv* gratte-ciel *m inv*
rascar [ras'kar] *vt* gratter; (*raspar*) racler; **rascarse** *vpr* se gratter
rasgar [ras'ɣar] *vt* déchirer
rasgo ['rasɣo] *nm* trait *m*; **rasgos** *nmpl* (*de rostro*) traits *mpl*; **a grandes ~s** à grands traits
rasguñar [rasɣu'ɲar] *vt* égratigner; **rasguñarse** *vpr* s'égratigner
rasguño [ras'ɣuɲo] *nm* égratignure *f*
raso, -a ['raso, a] *adj* ras(e) ▪ *nm* satin *m*; **cielo ~** ciel *m* dégagé; **al ~** à la belle étoile
raspadura [raspa'ðura] *nf* (*de pintura*) grattage *m*; (*marca*) rayure *f*; **raspaduras** *nfpl* (*restos*) restes *mpl*
raspar [ras'par] *vt* gratter; (*arañar*) rayer; (*limar*) râper ▪ *vi* être rugueux(-euse); (*vino*) être râpeux(-euse)
rastra ['rastra] *nf*: **a ~s** en traînant; (*fig*) à contrecœur
rastreador, a [rastrea'ðor, a] *adj*: **perro ~** chien *m* d'arrêt ▪ *nm* (*de huellas, pistas*) pisteur *m*; **~ de minas** dragueur *m* de mines
rastrear [rastre'ar] *vt* (*pista*) suivre; (*minas*) draguer
rastrero, -a [ras'trero, a] *adj* (*Bot*) grimpant(e); (*Zool, fig*) rampant(e)
rastro ['rastro] *nm* trace *f*; (*Agr*) râteau *m*; (*mercado*) marché *m* aux puces; **el R~** *le marché aux puces de Madrid*; **perder el ~** perdre la trace; **desaparecer sin dejar ~** disparaître sans laisser de traces; **¡ni ~!** pas la moindre trace!
rastrojo [ras'troxo] *nm* chaume *m*
rasurarse [rasu'rarse] (*AM*) *vpr* se raser
rata ['rata] *nf* rat *m*
ratear [rate'ar] *vt* voler
ratero, -a [ra'tero, a] *nm/f* voleur(-euse); (*AM: de casas*) cambrioleur(-euse)
ratificar [ratifi'kar] *vt* ratifier; **ratificarse** *vpr*: **~se en algo** réaffirmer qch
rato ['rato] *nm* moment *m*; **a ~s** par moments; **de a ~s** (*Arg*) de temps en temps; **al poco ~** peu après; **~s libres** *o* **de ocio** moments de loisir; **¡hasta otro ~!** à la prochaine!; **hay para ~** il y en a pour un bon bout de temps; **pasar el ~** passer le temps; **pasar un buen/mal ~** passer un bon/mauvais moment
ratón [ra'ton] *nm* (*tb Inform*) souris *fsg*
ratonera [rato'nera] *nf* souricière *f*
raudal [rau'ðal] *nm* torrent *m*; **a ~es** à flots; **entrar a ~es** entrer à flots
raya ['raja] *nf* raie *f*; (*en tela*) rayure *f*; (*Tip*) tiret *m*; (*de droga*) ligne *f*; **a ~s** à rayures; **pasarse de la ~** dépasser les bornes; **tener a ~** tenir en respect

rayar [ra'jar] *vt* rayer ■ *vi*: **~ en** *o* **con** confiner à *o* avec; (*parecerse a*) friser; **raya en la cincuentena** il frise la cinquantaine; **al ~ el alba** au point du jour

rayo ['rajo] *nm* rayon *m*; (*en una tormenta*) foudre *f*; **ser un ~** (*fig*) être très vif (vive); **como un ~** comme un éclair; **la noticia cayó como un ~** la nouvelle a fait l'effet d'une bombe; **pasar como un ~** passer comme un éclair; **~ de luna** rayon de lune; **~ solar** *o* **de sol** rayon de soleil; **~s infrarrojos** rayons *mpl* infrarouges; **~s X** rayons X

raza ['raθa] *nf* race *f*; **de pura ~** (*animal*) de race; **~ humana** race humaine

razón [ra'θon] *nf* raison *f*; (*Mat*) relation *f*; **a ~ de 10 cada día** à raison de 10 par jour; **"~: aquí"** "s'adresser ici"; **en ~ de** en raison de; **en ~ directa con** en relation directe avec; **perder la ~** perdre la raison; **entrar en ~** entendre raison; **dar la ~ a algn** donner raison à qn; **dar ~ de** renseigner sur; **¡y con ~!** et pour cause!; **tener/no tener ~** avoir/ne pas avoir raison; **~ directa/inversa** relation directe/indirecte; **~ de ser** raison d'être

razonable [raθo'naβle] *adj* raisonnable

razonamiento [raθona'mjento] *nm* raisonnement *m*

razonar [raθo'nar] *vt* raisonner; (*Com: cuenta*) détailler ■ *vi* raisonner

reacción [reak'θjon] *nf* réaction *f*; **avión a ~** avion *m* à réaction; **~ en cadena** réaction en chaîne

reaccionar [reakθjo'nar] *vi* réagir

reaccionario, -a [reakθjo'narjo, a] *adj, nm/f* réactionnaire *m/f*

reacio, -a [re'aθjo, a] *adj* réticent(e); **ser/estar ~ a hacer algo** être/se montrer réticent(e) à faire qch

reactivar [reakti'βar] *vt* (*economía, negociaciones*) relancer; **reactivarse** *vpr* reprendre

reactor [reak'tor] *nm* réacteur *m*; (*avión*) avion *m* à réaction; **~ nuclear** réacteur nucléaire

readaptación [reaðapta'θjon] *nf*: **~ profesional** réadaptation *f* professionnelle

reajuste [rea'xuste] *nm* réajustement *m*; **~ de plantilla** compression *f* de personnel; **~ ministerial** remaniement *m* ministériel; **~ salarial** réajustement des salaires

real [re'al] *adj* (*verdadero*) réel(le); (*del rey, fig*) royal(e)

REAL ACADEMIA ESPAÑOLA

La *Real Academia Española*, ou *RAE*, a été créée en 1713 et approuvée par le roi Philippe V en 1714 sous la devise "limpia, fija y da esplendor" dans le but de protéger la pureté de la langue espagnole. Les 46 membres de cette institution, nommés à vie, comptent parmi les plus grands écrivains et linguistes d'Espagne. Le premier dictionnaire, "Diccionario de Autoridades" en six volumes, a été publié entre 1726 et 1739. Depuis la version condensée en un volume parue en 1780, plus d'une vingtaine de nouvelles éditions ont été publiées.

realce [re'alθe] *vb ver* **realzar** ■ *nm* relief *m*; **poner de ~** mettre en relief; **dar ~ a algo** (*fig*) mettre qch en relief

realidad [reali'ðað] *nf* réalité *f*; **en ~** en réalité

realista [rea'lista] *adj* réaliste; (*Pol*) royaliste ■ *nm/f* réaliste *m/f*; (*Pol*) royaliste *m/f*

realización [realiθa'θjon] *nf* réalisation *f*; **~ de plusvalías** réalisation de plus-values

realizador, -a [realiθa'ðor, a] *nm/f* (*TV, Cine*) réalisateur(-trice)

realizar [reali'θar] *vt* réaliser; **realizarse** *vpr* se réaliser; **~se** (*como persona*) se réaliser

realmente [re'almente] *adv* réellement; (*con adjetivo*) vraiment; **es ~ apasionante** c'est vraiment passion

realquilar [realki'lar] *vt* (*subarrendar*) sous-louer; (*alquilar de nuevo*) relouer

realzar [real'θar] *vt* (*Tec*) surélever; (*belleza*) rehausser, mettre en valeur; (*importancia*) augmenter

reanimar [reani'mar] *vt* ranimer; **reanimarse** *vpr* se ranimer

reanudar [reanu'ðar] *vt* renouer; (*historia, viaje*) reprendre

reaparición [reapari'θjon] *nf* réapparition *f*

rearme [re'arme] *nm* réarmement *m*

rebaja [re'βaxa] *nf* solde *m*; **"grandes ~s"** "soldes"

rebajar [reβa'xar] *vt* rabaisser; (*reducir: artículo*) solder; **rebajarse** *vpr*: **~se a hacer algo** s'abaisser à faire qch

rebanada [reβa'naða] *nf* tranche *f*

rebañar [reβa'ɲar] *vt* racler

rebaño [re'βaɲo] *nm* troupeau *m*

rebasar [reβa'sar] *vt* dépasser; (*Auto*) doubler

rebatir [reβa'tir] *vt* réfuter
rebeca [re'βeka] *nf* cardigan *m*
rebelarse [reβe'larse] *vpr* se rebeller
rebelde [re'βelde] *adj* rebelle ■ *nm/f* (*Pol*) rebelle *m/f*; (*Jur*) accusé(e) défaillant(e)
rebeldía [reβel'dia] *nf* rébellion *f*; (*Jur*) contumace *f*; **en ~** par contumace
rebelión [reβe'ljon] *nf* rébellion *f*
reblandecer [reβlande'θer] *vt* ramollir
rebobinar [reβoβi'nar] *vt* rembobiner
rebosante [reβo'sante] *adj*: **~ de** (*fig*) débordant(e) de
rebosar [reβo'sar] *vt, vi* déborder; **~ de salud** respirer la santé
rebotar [reβo'tar] *vi* rebondir
rebote [re'βote] *nm* rebondissement *m*; **de ~** (*fig*) par ricochet
rebozado, -a [reβo'θaðo, a] *adj* enrobé(e) de pâte à frire
rebozar [reβo'θar] *vt* enrober de pâte à frire
rebuscado, -a [reβus'kaðo, a] *adj* recherché(e)
rebuscar [reβus'kar] *vt* rechercher ■ *vi*: **~ (en** *o* **por)** chercher (dans)
rebuznar [reβuθ'nar] *vi* braire
recado [re'kaðo] *nm* course *f*; (*mensaje*) message *m*; (*AM*: *montura*) selle *f*; **recados** *nmpl* (*compras*) courses *fpl*, commissions *fpl*; **dejar/tomar un ~** (*Telec*) laisser/prendre un message; **fuí a hacer unos ~s** je suis allé faire des courses
recaer [reka'er] *vi* rechuter; **~ en** (*responsabilidad*) retomber sur; (*premio*) échoir à; (*criminal*) retomber dans
recalcar [rekal'kar] *vt* (*fig*) souligner
recalcitrante [rekalθi'trante] *adj* récalcitrant(e)
recámara [re'kamara] *nf* (*habitación*) dressing-room *m*; (*de arma*) magasin *m*; (*AM*) chambre *f*
recambio [re'kambjo] *nm* (*de pieza*) pièce *f* détachée; (*de pluma*) recharge *f*; **piezas de ~** pièces *fpl* détachées
recapacitar [rekapaθi'tar] *vi* réfléchir
recargado, -a [rekar'ɣaðo, a] *adj* surchargé(e)
recargar [rekar'ɣar] *vt* recharger; (*pago*) alourdir
recargo [re'karɣo] *nm* majoration *f* de prix; (*aumento*) augmentation *f*
recatado, -a [reka'taðo, a] *adj* réservé(e)
recato [re'kato] *nm* réserve *f*
recaudación [rekauða'θjon] *nf* recette *f*; (*acción*) perception *f*
recaudador, a [rekauða'ðor, a] *nm/f* (*tb*: **recaudador de impuestos**) percepteur(-trice)
recelar [reθe'lar] *vt*: **~ que** (*sospechar*) soupçonner que; (*temer*) craindre que ■ *vi* se méfier; **recelarse** *vpr* se méfier
recelo [re'θelo] *nm* (*desconfianza*) méfiance *f*; (*temor*) crainte *f*
receloso, -a [reθe'loso, a] *adj* (*suspicaz*) méfiant(e); (*temeroso*) craintif(-ive)
recepción [reθep'θjon] *nf* réception *f*
recepcionista [reθepθjo'nista] *nm/f* réceptionniste *m/f*
receptáculo [reθep'takulo] *nm* réceptacle *m*
receptivo, -a [reθep'tiβo, a] *adj* réceptif(-ive)
receptor, a [reθep'tor, a] *nm/f* réceptionnaire *m/f* ■ *nm* (*Telec, radio*) récepteur *m*; **descolgar el ~** décrocher le récepteur
recesión [reθe'sjon] *nf* récession *f*
receta [re'θeta] *nf* (*Culin*) recette *f*; (*Med*) ordonnance *f*
rechazar [retʃa'θar] *vt* (*ataque, oferta*) repousser; (*idea, acusación*) rejeter
rechazo [re'tʃaθo] *nm* rejet *m*; (*sentimiento*) refoulement *m*; **de ~** par ricochet
rechinar [retʃi'nar] *vi* grincer
rechistar [retʃis'tar] *vi*: **sin ~** sans rechigner
rechoncho, -a [re'tʃontʃo, a] (*fam*) *adj* trapu(e)
rechupete [retʃu'pete]: **de ~** *adj* à s'en lécher les babines *o* doigts
recibidor [reθiβi'ðor] *nm* vestibule *m*
recibimiento [reθiβi'mjento] *nm* accueil *m*
recibir [reθi'βir] *vt, vi* recevoir; **recibirse** *vpr* (*AM*: *Escol*): **~se de** obtenir le diplôme de
recibo [re'θiβo] *nm* reçu *m*; **acusar ~ de** accuser réception de
reciclable [reθi'klaβle] *adj* recyclable
reciclaje [reθi'klaxe] *nm* recyclage *m*; **curso de ~** stage *m* de recyclage
reciclar [reθi'klar] *vt* recycler
recién [re'θjen] *adv* récemment; (*AM*: *sólo*) seulement; **~ casado** jeune marié; **el ~ llegado/nacido** le nouveau venu/-né; **~ a las seis me enteré** (*AM*) je ne l'ai appris qu'à six heures
reciente [re'θjente] *adj* récent(e); (*pan, herida*) frais (fraîche)
recientemente [re'θjentemente] *adv* récemment
recinto [re'θinto] *nm* enceinte *f*; **~ ferial** parc *m* des expositions

recio, -a ['reθjo, a] *adj* résistant(e); (*voz*) fort(e) ▪ *adv* fortement
recipiente [reθi'pjente] *nm* (*objeto*) récipient *m*; (*persona*) récipiendaire *m/f*
reciprocidad [reθiproθi'ðað] *nf* réciprocité *f*
recíproco, -a [re'θiproko, a] *adj* réciproque
recital [reθi'tal] *nm* récital *m*
recitar [reθi'tar] *vt* réciter
reclamación [reklama'θjon] *nf* réclamation *f*; **~ salarial** revendication *f* salariale
reclamar [rekla'mar] *vt, vi* réclamer; **~ a algn en justicia** assigner qn en justice
reclamo [re'klamo] *nm* (*en caza*) appeau *m*; (*incentivo*) appât *m*; (*And, Csur: queja*) plainte *f*; **~ publicitario** réclame *f*
reclinar [rekli'nar] *vt* incliner; **reclinarse** *vpr* s'incliner
recluir [reklu'ir] *vt* enfermer; **recluirse** *vpr* vivre en reclus; **~ en su casa** s'enfermer chez soi
reclusión [reklu'sjon] *nf* réclusion *f*; (*voluntario*) retraite *f*; **~ perpetua** réclusion à perpétuité
recluta [re'kluta] *nm/f* recrue *f* ▪ *nf* recrutement *m*
reclutar [reklu'tar] *vt* recruter
recobrar [reko'βrar] *vt* récupérer; (*ciudad*) reprendre; **recobrarse** *vpr*: **~se (de)** se remettre (de); **~ el sentido** reprendre connaissance
recodo [re'koðo] *nm* coude *m*
recoger [reko'xer] *vt* (*firmas, dinero*) recueillir; (*fruta*) cueillir; (*del suelo*) ramasser; (*ordenar*) ranger; (*juntar*) rassembler; (*pasar a buscar*) prendre; (*dar asilo*) recueillir; (*plegar*) plier; (*faldas, mangas*) retrousser; (*polvo*) prendre; **recogerse** *vpr* se retirer; (*pelo*) se ramasser; **me recogieron en la estación** ils sont venus me chercher à la gare
recogida [reko'xiða] *nf* (*Agr*) cueillette *f*; (*de basura*) ramassage *m*; (*de cartas*) levée *f*; **horas de ~** heures *fpl* de levée; **~ de datos** (*Inform*) saisie *f* de données; **~ de equipajes** livraison *f* des bagages
recogido, -a [reko'xiðo, a] *adj* (*lugar*) retiré(e); (*pequeño*) petit(e)
recolección [rekolek'θjon] *nf* (*Agr*) récolte *f*; (*de datos, dinero*) collecte *f*
recomendación [rekomenda'θjon] *nf* recommandation *f*; **carta de ~** lettre *f* de recommandation
recomendar [rekomen'dar] *vt* recommander
recompensa [rekom'pensa] *nf* récompense *f*; **como** *o* **en ~ por** en récompense de
recompensar [rekompen'sar] *vt* récompenser
recomponer [rekompo'ner] *vt* réparer
reconciliación [rekonθilja'θjon] *nf* réconciliation *f*
reconciliar [rekonθi'ljar] *vt* réconcilier; **reconciliarse** *vpr* se réconcilier
recóndito, -a [re'kondito, a] *adj* (*lugar*) retiré(e); **en lo más ~ de ...** au plus profond de ...
reconfortar [rekonfor'tar] *vt* réconforter
reconocer [rekono'θer] *vt* reconnaître; **reconocerse** *vpr*: **se le reconoce por el habla** on le reconnaît à sa voix; **~ los hechos** reconnaître les faits
reconocido, -a [rekono'θiðo, a] *adj* reconnu(e)
reconocimiento [rekonoθi'mjento] *nm* reconnaissance *f*; **~ de la voz** (*Inform*) reconnaissance de la parole; **~ óptico de caracteres** (*Inform*) reconnaissance optique de caractères
reconquista [rekon'kista] *nf* reconquête *f*
reconstituyente [rekonstitu'jente] *nm* reconstituant *m*
reconstruir [rekonstru'ir] *vt* reconstruire; (*suceso*) reconstituer
reconversión [rekomber'sjon] *nf* reconversion *f*
recopilación [rekopila'θjon] *nf* (*resumen*) résumé *m*; (*colección*) recueil *m*, compilation *f*
recopilar [rekopi'lar] *vt* compiler
récord ['rekorð] (*pl* **records** *o* **~s**) *adj inv* record ▪ *nm* record *m*; **cifras ~** chiffres *mpl* records; **batir el ~** battre le record
recordar [rekor'ðar] *vt* se rappeler; (*traer a la memoria*) rappeler ▪ *vi* (*acordarse de*) se rappeler; **~ algo a algn** rappeler qch à qn; **recuérdale que me debe 5 dólares** rappelle-lui qu'il me doit 5 dollars; **que yo recuerde** pour autant que je me souvienne; **creo ~** je crois me rappeler; **si mal no recuerdo** si je me souviens bien; **me recuerda a su madre** elle me rappelle sa mère
recorrer [reko'rrer] *vt* parcourir; (*registrar*) fouiller
recorrido [reko'rriðo] *nm* parcours *msg*; **tren de largo ~** train *m* de grandes lignes
recortado, -a [rekor'taðo, a] *adj* découpé(e); (*barba*) taillé(e)

recortar [rekor'tar] *vt* découper; (*pelo*) rafraîchir; (*presupuesto, gasto*) réduire; **recortarse** *vpr* (*marcarse*) se détacher

recorte [re'korte] *nm* (*de telas, chapas: acto*) coupe *f*; (: *fragmento*) découpure *f*; (*de prensa*) coupure *f*; (*de presupuestos, gastos*) compression *f*; **~ salarial** réduction *f* de salaire

recostado, -a [rekos'taðo, a] *adj* penché(e); **estar ~** être allongé(e)

recostar [rekos'tar] *vt* appuyer; **recostarse** *vpr* s'appuyer

recoveco [reko'βeko] *nm* (*de camino, río*) coude *m*; (*en casa*) coin *m*

recreación [rekrea'θjon] *nf* récréation *f*

recrear [rekre'ar] *vt* recréer; **recrearse** *vpr*: **~se con/en** prendre plaisir à

recreativo, -a [rekrea'tiβo, a] *adj* récréatif(-ive); **sala recreativa** salle *f* de jeux

recreo [re'kreo] *nm* récréation *f*

recriminar [rekrimi'nar] *vt* reprocher ■ *vi* récriminer

recrudecer [rekruðe'θer] *vi* redoubler d'intensité; **recrudecerse** *vpr* redoubler d'intensité

recrudecimiento [rekruðeθi'mjento] *nm* recrudescence *f*

recta ['rekta] *nf* ligne *f* droite; **~ final** dernière ligne droite

rectángulo, -a [rek'tangulo, a] *adj, nm* rectangle *m*

rectificar [rektifi'kar] *vt* rectifier ■ *vi* se corriger

rectitud [rekti'tuð] *nf* rectitude *f*

recto, -a ['rekto, a] *adj* droit(e); (*juicio*) sain(e) ■ *nm* (*Anat*) rectum *m*; **en el sentido ~ de la palabra** au sens strict du terme

rector, a [rek'tor, a] *adj, nm/f* recteur(-trice)

recuadro [re'kwaðro] *nm* case *f*; (*Tip*) entrefilet *m*

recubrir [reku'βrir] *vt*: **~ (con)** recouvrir (de)

recuento [re'kwento] *nm* décompte *m*; **hacer el ~ de** faire le décompte de

recuerdo [re'kwerðo] *vb ver* **recordar** ■ *nm* souvenir *m*; **recuerdos** *nmpl* (*saludos*) amitiés *fpl*; **¡~s a tu madre!** amitiés à ta mère!; **"R~ de Mallorca"** "Souvenir de Majorque"

recuperable [rekupe'raβle] *adj* récupérable

recuperación [rekupera'θjon] *nf* récupération *f*; (*de enfermo*) rétablissement *m*; (*Escol*) rattrapage *m*; **~ de datos** (*Inform*) extraction *f* de données

recuperar [rekupe'rar] *vt* récupérer; (*Inform: archivo*) extraire, aller chercher; **recuperarse** *vpr* se récupérer; **~ fuerzas** reprendre ses forces

recurrir [reku'rrir] *vi* (*Jur*) faire appel; **~ a algo/a algn** recourir à qch/à qn

recurso [re'kurso] *nm* recours *msg*; **como último ~** en dernier recours; **~s económicos/naturales** ressources *fpl* économiques/naturelles

recusar [reku'sar] *vt* récuser

red [reð] *nf* (*tejido, trampa*) filet *m*; (*organización*) réseau *m*; **la R~** (*Inform*) le Net; **estar conectado con la ~** être connecté au réseau; **~ local** (*Inform*) réseau local

redacción [reðak'θjon] *nf* rédaction *f*

redactar [reðak'tar] *vt* rédiger

redactor, a [reðak'tor, a] *nm/f* rédacteur(-trice); **~ jefe** rédacteur en chef

redada [re'ðaða] *nf* (*tb*: **redada policial**) descente *f*

redicho, -a [re'ðitʃo, a] *adj* maniéré(e)

redil [re'ðil] *nm* bercail *m*

redimir [reði'mir] *vt* racheter

rédito ['reðito] *nm* (*Econ*) intérêt *m*

redoblar [reðo'βlar] *vt* redoubler ■ *vi* battre le tambour

redomado, -a [reðo'maðo, a] *adj* (*astuto*) rusé(e); **sinvergüenza ~** fieffée canaille

redonda [re'ðonda] *nf* (*Mús*) ronde *f*; **a la ~** à la ronde; **en varios kilómetros a la ~** à plusieurs kilomètres à la ronde

redondear [reðonde'ar] *vt* (*negocio, velada*) conclure; (*cifra, objeto*) arrondir

redondel [reðon'del] *nm* cercle *m*; (*Taur*) arène *f*

redondo, -a [re'ðondo, a] *adj* rond(e); (*completo*) bon(ne) ■ *nm*: **~ de carne** (*Culin*) romsteck *m*; **rehusar en ~** refuser en bloc; **en números ~s** en chiffres ronds

reducción [reðuk'θjon] *nf* réduction *f*

reducido, -a [reðu'θiðo, a] *adj* réduit(e); **quedar ~ a** en être réduit(e) à

reducir [reðu'θir] *vt* réduire; **reducirse** *vpr* se réduire; **el terremoto redujo la ciudad a escombros** le tremblement de terre a réduit la ville à l'état de ruines; **~ las millas a kilómetros** convertir les milles en kilomètres; **~se a** (*fig*) se réduire à

redundancia [reðun'danθja] *nf* redondance *f*

reembolsar [re(e)mbol'sar] *vt* rembourser

reembolso [re(e)m'bolso] *nm* remboursement *m*; **enviar algo contra ~** envoyer qch contre remboursement; **contra ~ del flete** port dû
reemplazar [re(e)mpla'θar] *vt* (*tb Inform*) remplacer
reemplazo [re(e)m'plaθo] *nm* remplacement *m*; **de ~** (*Mil*) du contingent
reencuentro [re(e)n'kwentro] *nm* rencontre *f*
reescribible [reeskri'βiβle] *adj* réinscriptible
referencia [refe'renθja] *nf* référence *f*; **referencias** *nfpl* (*de trabajo*) références *fpl*; **con ~ a** en ce qui concerne; **hacer ~ a** faire référence à; **~ comercial** (*Com*) référence commerciale
referéndum [refe'rendum] (*pl* **~s**) *nm* référendum *m*
referente [refe'rente] *adj*: **~ a** relatif(-ive) à
referir [refe'rir] *vt* rapporter; **referirse** *vpr*: **~se a** se référer à; **~ al lector a un apéndice** renvoyer le lecteur à un appendice; **~ a** (*Com*) convertir en; **por lo que se refiere a eso** en ce qui concerne cela
refilón [refi'lon]: **de ~** *adv* en passant; **mirar a algn de ~** jeter un regard oblique à qn
refinado, -a [refi'naðo, a] *adj* raffiné(e)
refinamiento [refina'mjento] *nm* raffinement *m*; **~ por pasos** (*Inform*) approximations *fpl* successives
refinar [refi'nar] *vt* (*petróleo, azúcar*) raffiner; (*modales*) affiner
refinería [refine'ria] *nf* raffinerie *f*
reflejar [refle'xar] *vt* refléter; **reflejarse** *vpr* se refléter
reflejo, -a [re'flexo, a] *adj* réflexe ▪ *nm* reflet *m*; (*Anat*) réflexe *m*; **reflejos** *nmpl* (*en el pelo*) reflets *mpl*; **pelo castaño con ~s rubios** cheveux châtains à reflets blonds
reflexión [reflek'sjon] *nf* réflexion *f*
reflexionar [refleksjo'nar] *vi* réfléchir; **~ sobre** réfléchir sur; **¡reflexione!** réfléchissez!
reflexivo, -a [reflek'siβo, a] *adj* (*carácter*) réflexif(-ive); (*Ling*) réfléchi(e)
reflujo [re'fluxo] *nm* reflux *m*
reforma [re'forma] *nf* réforme *f*; **reformas** *nfpl* (*obras*) transformations *fpl*; **~ agraria/económica/educativa** réforme agraire/économique/éducative
reformar [refor'mar] *vt* réformer; (*texto*) refondre; (*Arq*) transformer; **reformarse** *vpr* se réformer
reformatorio [reforma'torjo] *nm* (*tb*: **reformatorio de menores**) maison *f* de redressement *o* correction
reforzar [refor'θar] *vt* renforcer
refractario, -a [refrak'tarjo, a] *adj* réfractaire; **ser ~ a** être réfractaire à
refrán [re'fran] *nm* proverbe *m*
refregar [refre'ɣar] *vt* frotter
refrenar [refre'nar] *vt* (*deseos*) refréner; (*marcha*) freiner; (*caballo*) brider
refrendar [refren'dar] *vt* ratifier
refrescante [refres'kante] *adj* rafraîchissant(e)
refrescar [refres'kar] *vt* rafraîchir ▪ *vi* se rafraîchir; **refrescarse** *vpr* se rafraîchir
refresco [re'fresko] *nm* rafraîchissement *m*; **de ~** (*jugador, tropas*) de renfort
refriega [re'frjeɣa] *vb ver* **refregar** ▪ *nf* bagarre *f*
refrigeración [refrixera'θjon] *nf* réfrigération *f*; **sistema de ~** système *m* de réfrigération
refrigerador [refrixera'ðor] (*esp AM*) *nm*, **refrigeradora** [refrixera'ðora] (*AM*) *nf* réfrigérateur *m*
refrigerar [refrixe'rar] *vt* réfrigérer
refuerce [re'fwerθe] [re'fwerθo] *vb ver* **reforzar**
refuerzo [re'fwerθo] *nm* renfort *m*; **refuerzos** *nmpl* (*Mil*) renforts *mpl*
refugiado, -a [refu'xjaðo, a] *nm/f* réfugié(e)
refugiarse [refu'xjarse] *vpr* se réfugier
refugio [re'fuxjo] *nm* refuge *m*; **~ de montaña** refuge; **~ atómico/subterráneo** abri *m* antiatomique/souterrain
refunfuñar [refunfu'ɲar] *vi* ronchonner
refutar [refu'tar] *vt* réfuter
regadera [reɣa'ðera] *nf* arrosoir *m*; (*Méx*: *ducha*) douche *f*; **estar como una ~** (*fam*) travailler du chapeau
regadío [rega'ðio] *nm* irrigation *f*; **tierras de ~** terres irriguées
regalado, -a [reɣa'laðo, a] *adj* (*gratis*) gratis; (*vida*) de château; **lo tuvo ~** on le lui a apporté sur un plateau; **a precios ~s** à un prix dérisoire
regalar [reɣa'lar] *vt* offrir; (*mimar*) cajoler; **regalarse** *vpr*: **~se (con)** se régaler (de)
regaliz [reɣa'liθ] *nm* réglisse *m o f*
regalo [re'ɣalo] *nm* cadeau *m*; (*gusto*) régal *m*; (*comodidad*) aisance *f*
regañadientes [reɣaɲa'ðjentes]: **a ~** *adv* en rechignant

regañar [reɣa'ɲar] *vt* gronder ■ *vi* se fâcher; (*dos personas*) se disputer
regar [re'ɣar] *vt* arroser; (*fig*) semer
regatear [reɣate'ar] *vt* marchander ■ *vi* (*Com*) marchander; (*Deporte*) feinter; **no ~ esfuerzo** ne pas ménager ses efforts
regateo [reɣa'teo] *nm* (*Com*) marchandage *m*
regazo [re'ɣaθo] *nm* giron *m*
regeneración [rexenera'θjon] *nf* régénération *f*
regenerar [rexene'rar] *vt* régénérer
regentar [rexen'tar] *vt* (*empresa, negocio*) régenter; (*local, bar*) tenir; (*puesto*) être à la tête de
regente, -a [re'xente, a] *adj* (*príncipe*) régent(e) ■ *nm/f* (*Com*) gérant(e); (*Pol*) régent(e); (*Méx: alcalde*) maire *m*
régimen ['reximen] (*pl* **regímenes**) *nm* régime *m*; **estar/ponerse a ~** être/se mettre au régime
regimiento [rexi'mjento] *nm* régiment *m*
regio, -a ['rexjo, a] *adj* royal(e); (*AM: fam*) formidable
región [re'xjon] *nf* région *f*
regir [re'xir] *vt* (*Econ, Jur, Ling*) régir ■ *vi* (*ley*) être en vigueur; **mi abuela ya no rige** ma grand-mère perd la tête
registrar [rexis'trar] *vt* fouiller; (*anotar*) enregistrer; **registrarse** *vpr* (*inscribirse*) s'inscrire; (*ocurrir*) avoir lieu
registro [re'xistro] *nm* registre *m*; (*inspección*) fouille *f*; (*de datos*) enregistrement *m*; (*oficina*) bureau *m* d'enregistrement; **~ civil** état *m* civil; **~ de la propiedad** bureau des hypothèques; **~ electoral** registre électoral
regla ['reɣla] *nf* règle *f*; **en ~** en règle; **por ~ general** en règle générale; **las ~s del juego** les règles du jeu
reglamentar [reɣlamen'tar] *vt* réglementer
reglamentario, -a [reɣlamen'tarjo, a] *adj* réglementaire; **en la forma reglamentaria** en bonne et due forme
reglamento [reɣla'mento] *nm* règlement *m*; **~ del tráfico** code *m* de la route
regocijarse [reɣoθi'xarse] *vpr*: **~ de** *o* **por** se réjouir de
regocijo [reɣo'θixo] *nm* réjouissance *f*
regodearse [reɣoðe'arse] *vpr*: **~ con** *o* **en algo** se délecter de qch; (*pey*) se réjouir de qch
regodeo [reɣo'ðeo] *nm* délectation *f*
regresar [reɣre'sar] *vi* retourner ■ *vt* (*Méx: devolver*) rendre; **regresarse** *vpr* (*AM*) retourner
regresivo, -a [reɣre'siβo, a] *adj* régressif(-ive)
regreso [re'ɣreso] *nm* retour *m*; **estar de ~** être de retour
reguero [re'ɣero] *nm* traînée *f*; **como un ~ de pólvora** comme une traînée de poudre
regulador, a [reɣula'ðor, a] *adj* régulateur(-trice) ■ *nm* régulateur *m*; **~ cardíaco** stimulateur *m* cardiaque
regular [reɣu'lar] *adj* régulier(-ière); (*mediano*) moyen(ne); (*fam: no bueno*) médiocre ■ *adv* comme ci, comme ça ■ *vt* régler; (*normas, salarios*) contrôler; **por lo ~** en général; **línea ~** (*Aviat*) ligne *f* régulière
regularidad [reɣulari'ðað] *nf* régularité *f*; **con ~** régulièrement
regularizar [reɣulari'θar] *vt* régulariser
regusto [re'ɣusto] *nm* arrière-goût *m*
rehabilitación [reaβilita'θjon] *nf* (*de drogadicto*) rééducation *f*; (*Arq, de memoria*) réhabilitation *f*
rehabilitar [reaβili'tar] *vt* (*drogadicto*) rééduquer; (*Arq, memoria*) réhabiliter
rehacer [rea'θer] *vt* refaire; **rehacerse** *vpr* se rétablir; **va a ~ su vida** il va refaire sa vie
rehén [re'en] *nm* otage *m*
rehuir [reu'ir] *vt* fuir
rehusar [reu'sar] *vt, vi* refuser
reina ['reina] *nf* reine *f*; **~ de (la) belleza/de las fiestas** reine de beauté/de la fête; **prueba ~** épreuve *f* phare
reinado [rei'naðo] *nm* règne *m*
reinante [rei'nante] *adj* régnant(e)
reinar [rei'nar] *vi* régner
reincidir [reinθi'ðir] *vi* (*Jur*) récidiver; **~ (en)** (*recaer*) retomber (dans)
reincorporarse [reinkorpo'rarse] *vpr*: **~ a** réintégrer; (*Mil*) être réincorporé dans
reino ['reino] *nm* royaume *m*; **~ animal/vegetal** règne *m* animal/végétal; **el R~ Unido** le Royaume-Uni
reintegrar [reinte'ɣrar] *vt* réintégrer; **reintegrarse** *vpr*: **~se a** réintégrer
reír [re'ir] *vi* rire; **reírse** *vpr* rire; **~ entre dientes** rire sous cape; **~se de** rire de
reiterar [reite'rar] *vt* réitérer; **reiterarse** *vpr*: **~se en algo** réaffirmer qch
reivindicación [reiβindika'θjon] *nf* revendication *f*
reivindicar [reiβindi'kar] *vt* revendiquer
reja ['rexa] *nf* grille *f*
rejilla [re'xiʎa] *nf* grillage *m*; (*en muebles*) cannage *m*; (*en hornillo, de ventilación*) grille *f*; (*para equipaje*) filet *m*

rejuvenecer [rexuβene'θer] *vt, vi* rajeunir

relación [rela'θjon] *nf* relation *f*; (*lista*) liste *f*; (*narración*) récit *m*; **relaciones** *nfpl* (*enchufes*) relations *fpl*; **con ~ a, en ~ con** par rapport à; **estar en** *o* **tener buenas relaciones con** être en bons termes avec; **~ calidad-precio** rapport *m* qualité-prix; **~ costo-efectivo** *o* **costo rendimiento** (*Com*) rapport coût-efficacité; **relaciones carnales/ sexuales** relations charnelles/sexuelles; **relaciones comerciales** relations commerciales; **relaciones humanas/ laborales** relations humaines/ industrielles; **relaciones públicas** relations publiques

relacionar [relaθjo'nar] *vt* mettre en rapport; **relacionarse** *vpr* fréquenter

relajación [relaxa'θjon] *nf* relaxation *f*

relajado, -a [rela'xaðo, a] *adj* (*costumbres, moral*) relâché(e); (*persona*) détendu(e)

relajar [rela'xar] *vt* (*mente, cuerpo*) décontracter; (*disciplina, moral*) relâcher; **relajarse** *vpr* (*distraerse*) se détendre; (*corromperse*) se relâcher

relamerse [rela'merse] *vpr* se pourlécher

relamido, -a [rela'miðo, a] (*pey*) *adj* (*pulcro*) bichonné(e); (*afectado*) collet-monté *inv*

relámpago [re'lampaɣo] *adj inv*: **visita/ huelga ~** visite *f*/grève *f* éclair ■ *nm* éclair *m*; **como un ~** comme un éclair

relatar [rela'tar] *vt* relater

relativo, -a [rela'tiβo, a] *adj* relatif(-ive); **en lo ~ a** en ce qui concerne

relato [re'lato] *nm* récit *m*

relax [re'las] *nm* relax *m*

relegar [rele'ɣar] *vt* reléguer; **~ algo al olvido** jeter qch aux oubliettes

relevante [rele'βante] *adj* remarquable

relevar [rele'βar] *vt* relever; **relevarse** *vpr* se relayer; **~ a algn de su cargo** relever qn de ses fonctions

relevo [re'leβo] *nm* relève *f*; **carrera de ~s** course *f* de relais; **coger** *o* **tomar el ~** prendre le relais

relieve [re'ljeβe] *nm* relief *m*; **bajo ~** bas-relief *m*; **un personaje de ~** un haut personnage; **dar ~ a** mettre en valeur; **poner de ~** mettre en relief

religión [reli'xjon] *nf* religion *f*

religioso, -a [reli'xjoso, a] *adj, nm/f* religieux(-euse)

relinchar [relin'tʃar] *vi* hennir

relincho [re'lintʃo] *nm* hennissement *m*

reliquia [re'likja] *nf* relique *f*; **~s del pasado** vestiges *mpl* du passé

rellano [re'ʎano] *nm* (*Arq*) palier *m*

rellenar [reʎe'nar] *vt* remplir; (*Culin*) farcir; (*Costura*) rembourrer

relleno, -a [re'ʎeno, a] *adj* plein(e); (*Culin*) farci(e) ■ *nm* (*Culin*) farce *f*; (*de cojín*) rembourrage *m*; (*fig*) remplissage *m*

reloj [re'lo(x)] *nm* montre *f*; **como un ~** comme du papier à musique; **contra ~** contre la montre; **~ de pie** horloge *f* de parquet; **~ (de pulsera)** montre; **~ de sol** cadran *m* solaire; **~ despertador** réveille-matin *m inv*; **~ digital** montre à affichage numérique

relojero, -a [relo'xero, a] *nm/f* horloger(-ère)

reluciente [relu'θjente] *adj* reluisant(e)

relucir [relu'θir] *vi* reluire; (*fig*) briller; **sacar algo a ~** remettre qch sur le tapis

relumbrar [relum'brar] *vi* reluire

remachar [rema'tʃar] *vt* river; (*fig*) insister sur

remache [re'matʃe] *nm* rivet *m*

remanente [rema'nente] *nm* (*resto*) reste *m*; (*Com*) surplus *msg*; (*de producto*) excédent *m*

remangarse [reman'garse] *vpr* retrousser ses manches

remanso [re'manso] *nm* (*de río*) bras *msg* mort

remar [re'mar] *vi* ramer

rematar [rema'tar] *vt* achever; (*trabajo*) parfaire; (*Com*) liquider; (*Costura*) arrêter ■ *vi* (*en fútbol*) tirer; **~ de cabeza** faire une tête

remate [re'mate] *nm* fin *f*; (*extremo*) couronnement *m*; (*Deporte*) tir *m*; (*Arq*) sommet *m*; (*Com*) liquidation *f*; **de ~** (*tonto*) complètement; **para ~** pour couronner le tout

remediar [reme'ðjar] *vt* remédier à; (*evitar*) éviter; **sin poder ~lo** sans pouvoir y remédier

remedio [re'meðjo] *nm* remède *m*; (*Jur*) secours *msg*; **poner ~ a** remédier à; **no tener más ~** ne pas avoir le choix; **¡qué ~!** c'est comme ça!, qu'y faire!; **como último ~** en dernier ressort; **sin ~** sans rémission

remendar [remen'dar] *vt* raccommoder; (*con parche*) rapiécer

remesa [re'mesa] *nf* (*tb Com*) envoi *m*

remiendo [re'mjendo] *vb ver* **remendar** ■ *nm* raccommodage *m*; (*con parche*) rapiéçage *m*; (*fig*) arrangement *m*

remilgado, -a [remil'ɣaðo, a] *adj* (*melindroso*) minaudier(-ière); (*afectado*) maniéré(e)

remilgo [re'milɣo] *nm* (*melindre*) minauderie *f*; (*afectación*) manière *f*
reminiscencia [reminis'θenθja] *nf* réminiscence *f*
remite [re'mite] *nm* expéditeur *m*
remitente [remi'tente] *nm/f* expéditeur(-trice)
remitir [remi'tir] *vt* envoyer ■ *vi* (*tempestad*) se calmer; (*fiebre*) baisser; **remitirse** *vpr*: **~se a** s'en remettre à
remo ['remo] *nm* rame *f*; **cruzar un río a ~** traverser un fleuve à la rame
remojar [remo'xar] *vt* laisser tremper; (*fam: celebrar*) arroser
remojo [re'moxo] *nm*: **dejar la ropa en ~** laisser tremper le linge
remolacha [remo'latʃa] *nf* betterave *f*
remolcador [remolka'ðor] *nm* remorqueur *m*
remolcar [remol'kar] *vt* remorquer
remolino [remo'lino] *nm* remous *msg*; (*de pelo*) épi *m*
remolque [re'molke] *vb ver* **remolcar** ■ *nm* remorque *f*; (*cuerda*) câble *m* de remorquage; **llevar a ~** prendre en remorque
remontar [remon'tar] *vt* remonter; (*obstáculo*) surmonter; **remontarse** *vpr* s'élever; **~se a** (*Com*) s'élever à; (*en tiempo*) remonter à; **~ el vuelo** monter en flèche
remorder [remor'ðer] *vt* causer du remords à; **me remuerde la conciencia** j'ai des remords
remordimiento [remorði'mjento] *nm* remords *msg*
remoto, -a [re'moto, a] *adj* éloigné(e)
remover [remo'βer] *vt* remuer
remozar [remo'θar] *vt* (*Arq*) rafraîchir
remuneración [remunera'θjon] *nf* rémunération *f*
remunerar [remune'rar] *vt* rémunérer
renacer [rena'θer] *vi* renaître
renacimiento [renaθi'mjento] *nm* renaissance *f*; **el R~** la Renaissance
renacuajo [rena'kwaxo] *nm* têtard *m*
renal [re'nal] *adj* rénal(e)
rencilla [ren'θiʎa] *nf* querelle *f*
rencor [ren'kor] *nm* (*resentimiento*) rancœur *f*; **guardar ~ a** garder rancune à
rencoroso, -a [renko'roso, a] *adj* rancunier(-ière)
rendición [rendi'θjon] *nf* reddition *f*
rendido, -a [ren'diðo, a] *adj* épuisé(e); **~ a sus encantos/a su belleza** fasciné(e) par son charme/sa beauté; **su ~ admirador** votre admirateur passionné
rendija [ren'dixa] *nf* fente *f*
rendimiento [rendi'mjento] *nm* rendement *m*; **sacar ~ a algo** tirer parti de qch; **alto/bajo ~** haut/bas rendement; **~ de capital** (*Com*) rémunération *f* du capital; **~ de trabajo** revenu *m* du travail
rendir [ren'dir] *vt* rapporter; (*agotar*) épuiser; (*entregar*) livrer ■ *vi* (*Com*) rapporter; **rendirse** *vpr* (*tb*: **cansarse**) se rendre; **~ homenaje/culto a** rendre hommage/un culte à; **~ cuentas a algn** rendre des comptes à qn; **el negocio no rinde** les affaires ne rapportent rien
renegar [rene'ɣar] *vi* renier; (*quejarse*) grommeler; (*con imprecaciones*) blasphémer
RENFE, Renfe ['renfe] *sigla f* (*Ferro*: = *Red Nacional de los Ferrocarriles Españoles*) *société nationale des chemins de fer espagnols*
renglón [ren'glon] *nm* ligne *f*; (*Com*) chapitre *m*; **a ~ seguido** à la ligne
renombrado, -a [renom'braðo, a] *adj* renommé(e)
renombre [re'nombre] *nm* renom *m*; **de ~** de renom
renovable [reno'βaβle] *adj* (*energía*) renouvelable
renovación [renoβa'θjon] *nf* (*de contrato, sistema*) renouvellement *m*; (*Arq*) rénovation *f*
renovar [reno'βar] *vt* renouveler; (*Arq*) rénover
renta ['renta] *nf* revenu *m*; (*esp AM*: *alquiler*) loyer *m*; **política de ~s** politique *f* salariale; **vivir de las ~s** vivre de ses rentes; **~ disponible** revenu (individuel) disponible; **~ gravable** *o* **imponible** revenu imposable; **~ nacional (bruta)** revenu national (brut); **~ no salarial** rente *f*; **~ sobre el terreno** (*Com*) revenu foncier; **~ vitalicia** rente viagère
rentable [ren'taβle] *adj* rentable; **no ~** non rentable
rentar [ren'tar] *vt* rapporter; (*AM*: *alquilar*) louer
renuncia [re'nunθja] *nf* renonciation *f*
renunciar [renun'θjar] *vi* renoncer; **~ a hacer algo** renoncer à faire qch
reñido, -a [re'ɲiðo, a] *adj* (*batalla, debate, votación*) serré(e); **estar ~ con algn** être brouillé(e) avec qn; **estar ~ con algo** (*conceptos etc*) être incompatible avec qch; **está ~ con su familia** il est brouillé avec sa famille
reñir [re'ɲir] *vt* gronder ■ *vi* (*pareja, amigos*) se disputer; (*físicamente*) se battre

reo ['reo] *nm/f* (*Jur*) accusé(e); **~ de muerto** condamné à mort
reojo [re'oxo]: **de ~** *adv* (*mirar*) à la dérobée
reparación [repara'θjon] *nf* réparation *f*; **"reparaciones en el acto"** (*calzado*) "talon minute"
reparar [repa'rar] *vt* réparer ■ *vi*: **~ en** (*darse cuenta de*) s'apercevoir de; (*poner atención en*) remarquer; **sin ~ en los gastos** sans lésiner
reparo [re'paro] *nm* (*duda*) doute *m*; (*inconveniente*) obstacle *m*; (*escrúpulo*) scrupule *m*; **poner ~s** formuler des objections; **poner ~s a algo** contester qch; **no tuvo ~ en hacerlo** il n'a eu aucun scrupule à le faire
repartición [reparti'θjon] *nf* répartition *f*; (*CSur: Admin*) département *m*
repartidor, a [reparti'ðor, a] *nm/f* livreur(-euse)
repartir [repar'tir] *vt* distribuer; (*Com*) livrer; (*riquezas*) répartir
reparto [re'parto] *nm* (*de dinero, poder*) répartition *f*; (*Com*) livraison *f*; (*Cine, Correos*) distribution *f*; (*AM: urbanización*) lotissement *m*; **"~ a domicilio"** "livraison à domicile"
repasar [repa'sar] *vt* réviser
repaso [re'paso] *nm* révision *f*; **curso de ~** cours *m* de rattrapage; **~ general** révision générale
repatriar [repa'trjar] *vt* rapatrier; **repatriarse** *vpr* être rapatrié(e)
repelente [repe'lente] *adj* repoussant(e); (*resabido*) écœurant(e)
repensar [repen'sar] *vt* reconsidérer
repente [re'pente] *nm* accès *msg*; **de ~** soudain; **~ de ira** accès de colère
repentino, -a [repen'tino, a] *adj* (*súbito*) subit(e); (*inesperado*) inopiné(e)
repercusión [reperku'sjon] *nf* répercussion *f*; **de amplia ~** d'une grande portée
repercutir [reperku'tir] *vi* répercuter; **~ en** (*fig*) répercuter sur
repertorio [reper'torjo] *nm* répertoire *m*
repetición [repeti'θjon] *nf* répétition *f*; **escopeta/fusil de ~** fusil *m* de chasse/ fusil à répétition
repetir [repe'tir] *vt* répéter; (*Escol*) redoubler; (*plato, Teatro*) reprendre ■ *vi* (*Escol*) redoubler; (*sabor*) revenir; (*en comida*) en reprendre; **repetirse** *vpr* se répéter
repicar [repi'kar] *vi* (*campanas*) sonner, carillonner
repique [re'pike] *vb ver* **repicar** ■ *nm* (*de campanas*) volée *f*
repiqueteo [repike'teo] *nm* (*de campanas*) volée *f*
repisa [re'pisa] *nf* étagère *f*; (*Arq*) console *f*; (*de chimenea*) dessus *msg*; (*de ventana*) rebord *m*
repitiendo *etc* [repi'tjendo] *vb ver* **repetir**
replantear [replante'ar] *vt* reconsidérer
replegarse [reple'ɣarse] *vpr* se replier
repleto, -a [re'pleto, a] *adj* plein(e); **~ de** plein(e) de; **estoy ~** je suis repu(e)
réplica ['replika] *nf* réplique *f*; **derecho de ~** droit *m* de réponse
replicar [repli'kar] *vt, vi* répliquer; **¡no repliques!** et pas de discussion!
repliegue [re'pljeɣe] *vb ver* **replegarse** ■ *nm* (*Mil*) repli *m*
repoblación [repoβla'θjon] *nf* repeuplement *m*; **~ forestal** reboisement *m*
repoblar [repo'βlar] *vt* repeupler; (*bosque*) reboiser
repollo [re'poʎo] *nm* chou *m*
reponer [repo'ner] *vt* (*volver a poner*) réinstaller; (*reemplazar*) remplacer; (*Teatro*) reprendre; **reponerse** *vpr* se remettre; **~ que** répondre que
reportaje [repor'taxe] *nm* reportage *m*; **~ gráfico** reportage photographique
reportero, -a [repor'tero, a] *nm/f* reporter *m*; **~ gráfico** reporter photographe
reposacabezas [reposaka'βeθas] *nm inv* appui-tête *m*
reposado, -a [repo'saðo, a] *adj* reposé(e); (*tranquilo*) calme
reposar [repo'sar] *vi* reposer
reposición [reposi'θjon] *nf* (*de dinero*) réinvestissement *m*; (*maquinaria*) remplacement *m*; (*Cine, Teatro*) reprise *f*
reposo [re'poso] *nm* repos *msg*; **en ~** en repos
repostar [repos'tar] *vt* se ravitailler en ■ *vi* se ravitailler; (*Auto*) se ravitailler en carburant
repostería [reposte'ria] *nf* pâtisserie *f*
repostero, -a [repos'tero, a] *nm/f* pâtissier(-ière) ■ *nm* (*And, Chi*) garde-manger *m inv*
reprender [repren'der] *vt* (*persona*) réprimander; (*comportamiento*) blâmer
represa [re'presa] *nf* barrage *m*
represalia [repre'salja] *nf* représailles *fpl*; **tomar ~s** exercer des représailles
representación [representa'θjon] *nf* représentation *f*; **en ~ de** en représentation de; **por ~** par

représentation; **~ visual** (*Inform*) représentation visuelle
representante [represen'tante] *nm/f* (*Pol, Com*) représentant(e); (*de artista*) agent *m*; **~ diplomático** (*Pol*) représentant diplomatique
representar [represen'tar] *vt* représenter; (*significar*) signifier; **representarse** *vpr* se représenter; **tal acto representaría la guerra** une telle action entraînerait la guerre
representativo, -a [representa'tiβo, a] *adj* représentatif(-ive); **cargo ~** fonction *f* représentative
represión [repre'sjon] *nf* répression *f*
reprimenda [repri'menda] *nf* réprimande *f*
reprimir [repri'mir] *vt* réprimer; **reprimirse** *vpr*: **~se de hacer algo** se retenir de faire qch
reprobar [repro'βar] *vt* réprouver; (*AM: Escol*) ajourner
reprochar [repro'tʃar] *vt* reprocher
reproche [re'protʃe] *nm* reproche *m*
reproducción [reproðuk'θjon] *nf* reproduction *f*
reproducir [reproðu'θir] *vt* reproduire; **reproducirse** *vpr* se reproduire
reproductor, a [reproðuk'tor, a] *adj* reproducteur(-trice) ■ *nm*: **~ de MP3** lecteur *m* MP3
reptil [rep'til] *nm* reptile *m*
república [re'puβlika] *nf* république *f*; **R~ Árabe Unida** République arabe unie; **R~ Democrática/Federal Alemana** République démocratique/fédérale d'Allemagne; **R~ Dominicana** République dominicaine
republicano, -a [repuβli'kano, a] *adj, nm/f* républicain(e)
repudiar [repu'ðjar] *vt* répudier
repuesto [re'pwesto] *pp de* **reponer** ■ *nm* (*pieza de recambio*) pièce *f* de rechange; (*abastecimiento*) ravitaillement *m*; **rueda de ~** roue *f* de secours; **llevamos otro de ~** nous en avons un de rechange
repugnancia [repuɣ'nanθja] *nf* répugnance *f*
repugnante [repuɣ'nante] *adj* répugnant(e)
repugnar [repuɣ'nar] *vt, vi* répugner; **repugnarse** *vpr* s'opposer
repulsa [re'pulsa] *nf* condamnation *f*
repulsión [repul'sjon] *nf* répulsion *f*
repulsivo, -a [repul'siβo, a] *adj* répulsif(-ive)
reputación [reputa'θjon] *nf* réputation *f*
requemado, -a [reke'maðo, a] *adj* brûlé(e); (*bronceado*) hâlé(e)
requerimiento [rekeri'mjento] *nm* requête *f*; (*Jur*) mise *f* en demeure
requerir [reke'rir] *vt* requérir; **~ a algn para que haga algo** (*ordenar*) requérir qn de faire qch
requesón [reke'son] *nm* fromage *m* blanc
requete... [rekete] *pref* très
réquiem ['rekjem] *nm* requiem *m*
requisito [reki'sito] *nm* condition *f* requise; **~ previo** condition préalable; **tener los ~s para un cargo** remplir les conditions requises pour un poste
res [res] *nf* bête *f*
resaca [re'saka] *nf* (*en el mar*) ressac *m*; (*de alcohol*) gueule *f* de bois
resaltar [resal'tar] *vt* détacher ■ *vi* se détacher
resarcir [resar'θir] *vt* (*reparar*) dédommager; (*pagar*) indemniser; **resarcirse** *vpr* se rattraper; **~ a algn de algo** dédommager qn de qch
resbaladizo, -a [resβala'ðiθo, a] *adj* glissant(e)
resbalar [resβa'lar] *vi* glisser; (*gotas*) couler; **resbalarse** *vpr* glisser; **le resbalaban las lágrimas por las mejillas** les larmes coulaient sur ses joues; **me resbala lo que piense de mí** je me moque de ce qu'il peut bien penser de moi
resbalón [resβa'lon] *nm* glissade *f*; (*fig*) faux-pas *msg*
rescatar [reska'tar] *vt* sauver; (*pagando rescate*) payer la rançon de; (*objeto*) récupérer
rescate [res'kate] *nm* sauvetage *m*; (*dinero*) rançon *f*; (*de objeto*) récupération *f*; **pagar un ~** payer une rançon
rescindir [resθin'dir] *vt* résilier
rescisión [resθi'sjon] *nf* résiliation *f*
rescoldo [res'koldo] *nm* braises *fpl*
resecar [rese'kar] *vt* dessécher; (*Med*) disséquer; **resecarse** *vpr* se dessécher
reseco, -a [re'seko, a] *adj* desséché(e)
resentido, -a [resen'tiðo, a] *adj* (*envidioso*) jaloux(-ouse); (*dolido*) aigri(e) ■ *nm/f* mauvais(e) coucheur(-euse)
resentimiento [resenti'mjento] *nm* ressentiment *m*
resentirse [resen'tirse] *vpr*: **~ de** *o* **con** se ressentir de; **su salud se resiente** sa santé s'en ressent
reseña [re'seɲa] *nf* (*descripción*) description *f*; (*informe, Lit*) compte *m* rendu
reseñar [rese'ɲar] *vt* décrire; (*Lit*) faire le compte rendu de

reserva [re'serβa] *nf* réserve *f*; (*de entradas*) réservation *f*, location *f*; **a ~ de que ...** (*AM*) sous réserve que ...; **con ~** (*con cautela*) sous toutes réserves; (*con condiciones*) sous réserve; **de ~** en réserve; **tener algo de ~** avoir qch en réserve; **gran ~** (*vino*) grand cru *m*; **~ de caja** fond *m* de caisse; **~ de indios** réserve indienne; **~s del Estado** réserves de l'État; **~ en efectivo** réserve en argent liquide; **~s en oro** réserves d'or
reservado, -a [reser'βaðo, a] *adj* réservé(e) ■ *nm* cabinet *m* particulier; (*Ferro*) compartiment *m* réservé
reservar [reser'βar] *vt* réserver; (*Teatro*) réserver, louer; **reservarse** *vpr* se réserver
resfriado [res'friaðo] *nm* rhume *m*
resfriarse [res'friarse] *vpr* s'enrhumer
resfrío [res'frio] (*esp AM*) *nm* rhume *m*
resguardar [resɣwar'ðar] *vt* protéger; **resguardarse** *vpr*: **~se de** se protéger de
resguardo [res'ɣwarðo] *nm* abri *m*; (*justificante, recibo*) reçu *m*
residencia [resi'ðenθja] *nf* résidence *f*; **~ de ancianos** maison *f* de retraite
residencial [resiðen'θjal] *adj* résidentiel(le) ■ *nf* (*esp AM*: *urbanización*) lotissement *m*; (*And, Chi*) hôtel *m* modeste
residente [resi'ðente] *adj*, *nm/f* résident(e)
residir [resi'ðir] *vi* résider; **~ en** (*habitar en*: *cuidad*) résider à; (: *país*) résider en *o* à; (*consistir en*) résider dans
residuo [re'siðwo] *nm* (*sobrante*) résidu *m*; (*desperdicios*) résidus *mpl*; **~s radiactivos** déchets *mpl* radioactifs
resignación [resiɣna'θjon] *nf* résignation *f*
resignarse [resiɣ'narse] *vpr*: **~ a** se résigner à
resina [re'sina] *nf* résine *f*
resistencia [resis'tenθja] *nf* résistance *f*; **no ofrece ~** il n'offre pas de résistance; **la R~** (*Mil*) la Résistance; **~ pasiva** résistance passive
resistente [resis'tente] *adj* résistant(e); **~ al calor** résistant à la chaleur
resistir [resis'tir] *vt* résister à; (*peso, calor, persona*) supporter ■ *vi* résister; **resistirse** *vpr* résister; **~se a** (*decir, salir*) refuser de; (*cambio, ataque*) résister à; **no puedo ~ este frío** je ne peux pas supporter ce froid; **me resisto a creerlo** je me refuse à le croire; **se le resiste la química** la chimie lui donne du mal; **el detenido se resistió** le détenu a refusé d'obtempérer
resolución [resolu'θjon] *nf* résolution *f*; (*arrojo*) détermination *f*; **con ~** avec vigueur, avec fermeté; **tomar una ~** prendre une résolution; **~ judicial** décision *f* de justice
resolver [resol'βer] *vt* résoudre; **resolverse** *vpr* se résoudre
resonancia [reso'nanθja] *nf* résonance *f*; (*fig*) retentissement *m*
resonar [reso'nar] *vi* résonner
resoplar [reso'plar] *vi* haleter
resoplido [reso'pliðo] *nm* halètement *m*
resorte [re'sorte] *nm* (*Tec, fig*) ressort *m*
respaldar [respal'dar] *vt* appuyer; (*Inform*) sauvegarder; **respaldarse** *vpr* (*en asiento*) s'adosser; **~se en** (*fig*) s'appuyer sur
respaldo [res'paldo] *nm* (*de sillón*) dossier *m*; (*fig*) appui *m*
respectivamente [respektiβa'mente] *adv* respectivement
respectivo, -a [respek'tiβo, a] *adj* respectif(-ive); **en lo ~ a** en ce qui concerne
respecto [res'pekto] *nm*: **al ~** à ce sujet; **con ~ a** en ce qui concerne; **~ de** par rapport à
respetable [respe'taβle] *adj* respectable ■ *nm* public *m*
respetar [respe'tar] *vt* respecter
respeto [res'peto] *nm* respect *m*; **respetos** *nmpl* respects *mpl*; **por ~ a** par respect pour *o* envers; **presentar sus ~s a** présenter ses respects à; **faltar al ~ a algn** manquer de respect à qn
respetuoso, -a [respe'twoso, a] *adj* respectueux(-euse)
respingo [res'pingo] *nm*: **dar** *o* **pegar un ~** sursauter
respiración [respira'θjon] *nf* respiration *f*; **~ artificial** respiration artificielle; **~ asistida** respiration assistée; **~ boca a boca** bouche à bouche *m*
respirar [respi'rar] *vt, vi* respirer; **no dejar ~ a algn** ne pas laisser respirer qn; **estuvo escuchándole sin ~** il l'a écouté sans broncher *o* dire un mot; **por fin pude ~** (*de alivio*) j'ai enfin pu respirer
respiratorio, -a [respira'torjo, a] *adj* respiratoire
respiro [res'piro] *nm* répit *m*; (*Com*) délai *m*
resplandecer [resplande'θer] *vi* resplendir; (*belleza*) resplendir, rayonner
resplandeciente [resplande'θjente] *adj* resplendissant(e)
resplandor [resplan'dor] *nm* éclat *m*

responder [respon'der] *vt* répondre ■ *vi* répondre; (*corresponder*) payer de retour; **~ a** (*situación*) répondre à; (*guardar relación*) avoir trait à; **~ a una pregunta** répondre à une question; **~ a una descripción** répondre à un signalement; **~ de** *o* **por** répondre de *o* pour

respondón, -ona [respon'don, ona] *adj* effronté(e); **¡no seas ~!** ne réponds pas!

responsabilidad [responsaβili'ðað] *nf* responsabilité *f*; **bajo mi ~** sous ma responsabilité; **~ ilimitada** (*Com*) responsabilité illimitée

responsabilizar [responsaβili'θar] *vt* responsabiliser, rendre responsable; **responsabilizarse** *vpr*: **~se de** (*atentado*) revendiquer; (*crisis, accidente*) assumer la responsabilité de

responsable [respon'sable] *adj, nm/f* responsable *m/f*; **la persona ~** la personne responsable; **hacerse ~ de algo** assumer la responsabilité de qch

respuesta [res'pwesta] *nf* réponse *f*

resquebrajar [reskeβra'xar] *vt* fendiller, fissurer; **resquebrajarse** *vpr* s'écailler

resquicio [res'kiθjo] *nm* fente *f*; (*fig*) possibilité *f*, rayon *m*

resta ['resta] *nf* soustraction *f*

restablecer [restaβle'θer] *vt* rétablir; **restablecerse** *vpr* se rétablir

restallar [resta'ʎar] *vi* claquer

restante [res'tante] *adj* restant(e); **lo ~** le reste, ce qui reste; **los ~s** les autres; (*cosas*) le reste

restar [res'tar] *vt* (*Mat*) soustraire; (*fig*) ôter ■ *vi* rester

restauración [restaura'θjon] *nf* restauration *f*

restaurante [restau'rante] *nm* restaurant *m*

restaurar [restau'rar] *vt* restaurer

restitución [restitu'θjon] *nf* restitution *f*

restituir [restitu'ir] *vt* restituer

resto ['resto] *nm* reste *m*; **restos** *nmpl* (*Culin, de civilización etc*) restes *mpl*; **echar el ~** jouer le tout pour le tout; **~s mortales** dépouille *fsg* (mortelle)

restregar [restre'ɣar] *vt* frotter

restricción [restrik'θjon] *nf* restriction *f*; **sin ~ de** sans restriction de

restrictivo, -a [restrik'tiβo, a] *adj* restrictif(-ive)

restringir [restrin'xir] *vt* restreindre

resucitar [resuθi'tar] *vt, vi* ressusciter

resuello [re'sweʎo] *vb, nm* (*aliento*) souffle *m*

resuelto, -a [re'swelto, a] *pp de* **resolver** ■ *adj* résolu(e); **estar ~ a hacer algo** être résolu(e) à faire qch

resultado [resul'taðo] *nm* résultat *m*; **resultados** *nmpl* (*Inform*) résultats *mpl*; **dar ~** réussir

resultante [resul'tante] *adj* résultant(e)

resultar [resul'tar] *vi* (*ser*) être; (*llegar a ser*) finir par être; (*salir bien*) réussir; (*ser consecuencia*) résulter; **~ a** (*Com*) revenir à; **~ de** résulter de; **resulta que ...** il se trouve que ...; **el conductor resultó muerto** le chauffeur est mort; **no resultó** cela n'a pas réussi; **me resulta difícil hacerlo** il m'est difficile de le faire

resumen [re'sumen] *nm* résumé *m*; **en ~** en résumé; **hacer un ~** faire un résumé

resumir [resu'mir] *vt* résumer; **resumirse** *vpr* se résumer; **en resumidas cuentas** en résumé *o* en bref

resurgir [resur'xir] *vi* ressurgir

resurrección [resurrek'θjon] *nf* résurrection *f*

retablo [re'taβlo] *nm* retable *m*

retaguardia [reta'ɣwarðja] *nf* arrière-garde *f*

retahíla [reta'ila] *nf* chapelet *m*

retal [re'tal] *nm* coupon *m*

retar [re'tar] *vt* défier

retardar [retar'ðar] *vt* (*demorar*) retarder; (*hacer más lento*) ralentir

retazo [re'taθo] *nm* coupon *m*; **a ~s** (*contar*) par fragments

retención [reten'θjon] *nf* retenue *f*; (*Med*) rétention *f*; (*de prisionero*) détention *f*, garde *f* à vue; **~ de llamadas** (*Telec*) mémoire *f*; **~ de tráfico** embouteillage *m*, bouchon *m*; **~ fiscal** prélèvement *m* fiscal

retener [rete'ner] *vt* retenir; (*suj: policía*) garder à vue; (*impuestos, sueldo*) prélever

retina [re'tina] *nf* rétine *f*

retintín [retin'tin] *nm* tintement *m*; **decir algo con ~** dire qch d'un ton malicieux

retirada [reti'raða] *nf* (*Mil*) retraite *f*; (*de dinero*) retrait *m*; (*de embajador*) rappel *m*; **batirse en ~** battre en retraite; *ver tb* **retirado**

retirado, -a [reti'raðo, a] *adj* (*lugar*) retiré(e); (*vida*) calme; (*jubilado*) retraité(e) ■ *nm/f* retraité(e)

retirar [reti'rar] *vt* retirer; (*jubilar*) mettre à la retraite; **retirarse** *vpr* se retirer; (*jubilarse*) prendre sa retraite; **~ la acusación** retirer la plainte

retiro [re'tiro] *nm* retraite *f*; (*Deporte*) abandon *m*

reto ['reto] *nm* défi *m*

retocar [reto'kar] *vt* retoucher
retoño [re'toɲo] *nm* rejeton *m*
retoque [re'toke] *vb ver* **retocar** ■ *nm* retouche *f*
retorcer [retor'θer] *vt* (*tela*) essorer; (*brazo*) tordre; (*argumento*) déformer; **retorcerse** *vpr* se tortiller; (*persona*) se contorsionner; **~se de dolor** se tordre de douleur
retorcido, -a [retor'θiðo, a] *adj* (*tronco*) tordu(e); (*columna*) tors(e); (*personalidad*) retors(e); (*mente*) mal tourné(e)
retórica [re'torika] *nf* rhétorique *f*
retórico, -a [re'toriko, a] *adj* rhétorique
retornar [retor'nar] *vt* (*cartas*) renvoyer; (*dinero*) rendre ■ *vi*: **~ (a)** retourner (à)
retorno [re'torno] *nm* retour *m*; **~ del carro** (*Tip*) retour du chariot; **~ del carro automático** (*Tip*) retour automatique du chariot
retortijón [retorti'xon] *nm* (*tb*: **retortijón de tripas**) crampe *f* (d'estomac)
retozar [reto'θar] *vi* folâtrer
retozón, -ona [reto'θon, ona] *adj* folâtre
retracción [retrak'θjon] *nf* rétraction *f*
retractarse [retrak'tarse] *vpr* se rétracter; **me retracto** je me rétracte
retraer [retra'er] *vt* (*antena*) rentrer; (*órgano*) rétracter; **retraerse** *vpr*: **~se (de)** se retirer (de)
retraído, -a [retra'iðo, a] *adj* renfermé(e)
retraimiento [retrai'mjento] *nm* (*aislamiento*) retraite *f*; (*timidez*) réserve *f*
retransmisión [retransmi'sjon] *nf* retransmission *f*
retransmitir [retransmi'tir] *vt* retransmettre
retrasado, -a [retra'saðo, a] *adj* en retard; (*Med*: *tb*: **retrasado mental**) attardé(e); **estar ~** (*reloj*) être en retard, retarder; (*persona, país*) être en retard
retrasar [retra'sar] *vt, vi* retarder; **retrasarse** *vpr* (*persona, tren*) être en retard; (*reloj*) retarder; (*quedarse atrás*) s'attarder; (*producción*) prendre du retard
retraso [re'traso] *nm* retard *m*; **retrasos** *nmpl* (*Com*) arriérés *mpl*; **llegar con ~** arriver en retard; **llegar con 25 minutos de ~** arriver avec 25 minutes de retard; **llevamos un ~ de 6 semanas** nous sommes en retard de 6 semaines; **~ mental** déficience *f* mentale
retratar [retra'tar] *vt* (*Arte*) faire le portrait de; (*Foto*) photographier; (*fig*) décrire; **retratarse** *vpr* se faire faire son portrait; (*fig*) se révéler
retrato [re'trato] *nm* portrait *m*; **ser el vivo ~ de** être tout le portrait de
retrato-robot [re'tratoro'βo(t)] (*pl* **retratos-robot**) *nm* portrait-robot *m*
retreta [re'treta] *nf* (*Mil*) retraite *f*
retrete [re'trete] *nm* toilettes *fpl*
retribución [retriβu'θjon] *nf* rétribution *f*
retribuir [retriβu'ir] *vt* rétribuer
retro... [retro] *pref* rétro...
retroactivo, -a [retroak'tiβo, a] *adj* rétroactif(-ive); **con efecto ~** avec effet rétroactif
retroceder [retroθe'ðer] *vi* reculer; **la policía hizo ~ a la multitud** la police a fait reculer la foule
retroceso [retro'θeso] *nm* recul *m*
retrógrado, -a [re'troɣraðo, a] *adj* rétrograde
retrospectivo, -a [retrospek'tiβo, a] *adj* rétrospectif(-ive); **mirada retrospectiva** regard *m* rétrospectif
retrovisor [retroβi'sor] *nm* rétroviseur *m*
retumbar [retum'bar] *vi* retentir
reuma [re'uma] *nm* rhumatisme *m*
reumatismo [reuma'tismo] *nm* rhumatisme *m*
reunificar [reunifi'kar] *vt* réunifier
reunión [reu'njon] *nf* réunion *f*; **~ de ventas** (*Com*) meeting *m* commercial; **~ en la cumbre** réunion au sommet; **~ extraordinaria** réunion extraordinaire
reunir [reu'nir] *vt* réunir; (*recoger*) rassembler, réunir; (*personas*) rassembler; **reunirse** *vpr* se réunir; **reunió a sus amigos para discutirlo** il a réuni ses amis pour en débattre
revalidar [reβali'ðar] *vt* (*título*) confirmer
revancha [re'βantʃa] *nf* revanche *f*
revelación [reβela'θjon] *nf* révélation *f*
revelado [reβe'laðo] *nm* développement *m*
revelar [reβe'lar] *vt* révéler; (*Foto*) développer
reventa [re'βenta] *nf* revente *f*
reventar [reβen'tar] *vt* (*globo*) faire éclater; (*presa*) céder; (*molestar*) agacer ■ *vi* éclater; **reventarse** *vpr* éclater; **me revienta tener que ponérmelo** ça m'agace de devoir le mettre; **~ de** (*alegría*) sauter de; (*ganas*) mourir de; **~ por** brûler de; **estar a ~** (*lleno*) être plein à craquer; **~se trabajando** se ruiner la santé au travail
reventón [reβen'ton] *nm* crevaison *f*
reverencia [reβe'renθja] *nf* révérence *f*
reverenciar [reβeren'θjar] *vt* révérer

reverendo, -a [reβe'rendo, a] *adj* révérend(e)
reverente [reβe'rente] *adj* révérencieux(-euse)
reversible [reβer'siβle] *adj* réversible
reverso [re'βerso] *nm* revers *msg*
revertir [reβer'tir] *vi* revenir; **~ en beneficio/en perjuicio de** tourner à l'avantage/au désavantage de
revés [re'βes] *nm* envers *msg*; (*fig, Tenis*) revers *msg*; **al ~** à l'envers; **y al ~** et inversement; **volver algo al** *o* **del ~** retourner qch; **los reveses de la fortuna** les revers de fortune
revestir [reβes'tir] *vt* revêtir; **revestirse** *vpr* (*Rel*) se revêtir; **el acto revestía gran solemnidad** la cérémonie revêtait une grande solennité; **~se con** *o* **de** s'armer de
revisar [reβi'sar] *vt* réviser
revisión [reβi'sjon] *nf* révision *f*; **~ de cuentas** contrôle des comptes; **~ salarial** révision des salaires
revisor, a [reβi'sor, a] *nm/f* contrôleur(-euse); **~ de cuentas** contrôleur(-euse) des comptes
revista [re'βista] *vb ver* **revestir** ■ *nf* revue *f*, magazine *m*; **pasar ~ a** passer en revue; **~ de libros** chronique *f* littéraire; **~ literaria** revue littéraire; **~s del corazón** presse *f* du cœur
revivir [reβi'βir] *vt, vi* revivre
revocación [reβoka'θjon] *nf* révocation *f*
revocar [reβo'kar] *vt* révoquer
revolcarse *vpr* se vautrer
revolotear [reβolote'ar] *vi* voltiger
revoltijo [reβol'tixo] *nm* embrouillamini *m*
revoltoso, -a [reβol'toso, a] *adj* turbulent(e)
revolución [reβolu'θjon] *nf* révolution *f*; (*Tec*) tour *m*
revolucionar [reβoluθjo'nar] *vt* révolutionner
revolucionario, -a [reβoluθjo'narjo, a] *adj, nm/f* révolutionnaire *m/f*
revolver [reβol'βer] *vt* remuer; (*casa*) mettre sens dessus dessous; (*mezclar*) remuer, agiter; (*Pol*) soulever ■ *vi*: **~ en** fouiller dans; **revolverse** *vpr* (*en cama*) s'agiter; (*de dolor*) s'agiter, se tordre; (*Meteorología*) se gâter; **~se contra** se retourner contre; **han revuelto toda la casa** ils ont mis la maison sens dessus dessous; **la injusticia me revuelve las tripas** l'injustice me révolte
revólver [re'βolβer] *nm* révolver *m*
revuelo [re'βwelo] *nm* vol *m*; (*fig*) trouble *m*; **armar** *o* **levantar un gran ~** jeter le trouble
revuelta [re'βwelta] *nf* révolte *f*; (*pelea*) bagarre *f*
revuelto, -a [re'βwelto, a] *pp de* **revolver** ■ *adj* (*desordenado*) sens dessus dessous; (*mar*) agité(e), houleux(-euse); (*pueblo*) agité(e); (*tiempo*) orageux(-euse); (*estómago*) barbouillé(e); **todo estaba ~** tout était sens dessus dessous
rey [rei] *nm* roi *m*; **los R~es** le Roi et la Reine, les Souverains; **el deporte ~** le sport roi

REYES MAGOS

Selon la tradition espagnole, les Rois mages apportent des cadeaux aux enfants pendant la nuit qui précède l'Épiphanie. Le lendemain soir, le 6 janvier, les Rois mages arrivent dans la ville par mer ou par terre, et participent à une procession connue sous le nom de *cabalgatas*, à la plus grande joie des enfants.

reyerta [re'jerta] *nf* rixe *f*
rezagado, -a [reθa'ɣaðo, a] *adj*: **quedar ~** être en retard; (*fig*) être à la traîne
rezagar [reθa'ɣar] *vt* retarder; **rezagarse** *vpr* traîner
rezar [re'θar] *vi* prier; **~ con** (*fam*) aller avec
rezo ['reθo] *nm* prière *f*
rezongar [reθon'gar] *vi* ronchonner
rezumar [reθu'mar] *vt* laisser couler ■ *vi* suinter; **rezumarse** *vpr* transpirer
ría ['ria] *nf* ria *f*
riada [ri'aða] *nf* crue *f*, inondation *f*
ribera [ri'βera] *nf* rive *f*, berge *f*; (*área*) rivage *m*, littoral *m*
ribete [ri'βete] *nm* (*de vestido*) liseré *m*; **ribetes** *nmpl* (*atisbos*) côtés *mpl*; **muestra ~s de filósofo** il a un côté philosophe
ricino [ri'θino] *nm*: **aceite de ~** huile *f* de ricin
rico, -a ['riko, a] *adj* riche; (*comida*) délicieux(-euse); (*niño*) gentil(le) ■ *nm/f* riche *m/f*; **nuevo ~** nouveau riche; **~ en** riche en
rictus ['riktus] *nm* rictus *msg*; **~ de amargura** grimace *f* d'amertume
ridiculez [riðiku'leθ] *nf* ridicule *m*; (*nimiedad*) insignifiance *f*
ridiculizar [riðikuli'θar] *vt* ridiculiser
ridículo, -a [ri'ðikulo, a] *adj* ridicule; **hacer el ~** se couvrir de ridicule; **poner a**

algn en ~ tourner qn en ridicule; **ponerse en ~** s'exposer au ridicule

riego ['rjeɣo] *vb ver* **regar** ■ *nm* arrosage *m*; **~ sanguíneo** irrigation *f*

riel [rjel] *nm* (*Ferro*) rail *m*; (*de cortina*) tringle *f*

rienda ['rjenda] *nf* rêne *f*; **dar ~ suelta a** donner libre cours à; **llevar las ~s** (*fig*) tenir les rênes

riesgo ['rjesɣo] *nm* risque *m*; **seguro a** *o* **contra todo ~** assurance *f* tous risques; **~ para la salud** risque pour la santé; **correr el ~ de** courir le risque de

rifa ['rifa] *nf* tombola *f*

rifar [ri'far] *vt* tirer au sort; **rifarse** *vpr* se disputer

rifle ['rifle] *nm* rifle *m*

rigidez [rixi'ðeθ] *nf* rigidité *f*

rígido, -a ['rixiðo, a] *adj* rigide; (*cara*) sévère

rigor [ri'ɣor] *nm* rigueur *f*; **el ~ del invierno** la rigueur de l'hiver; **con todo el ~ científico** avec la plus grande rigueur scientifique; **de ~** de rigueur; **después de los saludos de ~** après les salutations de rigueur

riguroso, -a [riɣu'roso, a] *adj* rigoureux(-euse); **de rigurosa actualidad** d'une actualité brûlante

rima ['rima] *nf* rime *f*; **rimas** *nfpl* (*composición*) rimes *fpl*; **~ asonante/consonante** rime pauvre/riche

rimbombante [rimbom'bante] *adj* (*fig*) ronflant(e)

rímmel ['rimel] *nm* rimmel *m*

rincón [rin'kon] *nm* coin *m*; **buscar por los rincones** chercher dans tous les coins

rinoceronte [rinoθe'ronte] *nm* rhinocéros *msg*

riña ['riɲa] *nf* (*disputa*) dispute *f*; (*pelea*) bagarre *f*

riñón [ri'ɲon] *nm* (*Anat*) rein *m*; (*Culin*) rognon *m*; **me costó un ~** (*fam*) cela m'a coûté les yeux de la tête; **tener dolor de riñones** avoir mal aux reins; **tener riñones** (*fig*) avoir du cran

río ['rio] *vb ver* **reír** ■ *nm* (*que desemboca en otro río*) rivière *f*; (*que desemboca en el mar*) fleuve *m*; (*fig*) flot *m*; **~ abajo/arriba** en aval/amont; **cuando el ~ suena, agua lleva** il n'y a pas de fumée sans feu; **a ~ revuelto, ganancia de pescadores** à quelque chose malheur est bon

Río de la Plata ['rioðela'plata] *n* Rio de la Plata

Rioja [ri'oxa] *nf*: **La ~** La Rioja

rioja [ri'oxa] *nf* rioja *m*

rioplatense [riopla'tense] *adj* de Rio de la Plata ■ *nm/f* natif(-ive) *o* habitant(e) de Rio de la Plata

riqueza [ri'keθa] *nf* richesse *f*

risa ['risa] *nf* rire *m*; **¡qué ~!** que c'est drôle!; **caerse/morirse de ~** se tordre/mourir de rire; **tomar algo a ~** (*a la ligera*) prendre qch à la rigolade; (*con buen humor*) prendre qch avec bonne humeur; **el libro es una ~** (*es divertido*) ce livre est à se tordre de rire; (*no vale nada*) ce livre ne vaut rien; **tener la ~ fácil** rire facilement; **~ de conejo** rire jaune

risco ['risko] *nm* rocher *m* escarpé

risotada [riso'taða] *nf* éclat *m* de rire

ristra ['ristra] *nf* chapelet *m*; **~ de ajos** chapelet d'ails

risueño, -a [ri'sweɲo, a] *adj* souriant(e)

ritmo ['ritmo] *nm* rythme *m*; **a ~ lento** au ralenti; **trabajar a ~ lento** travailler au ralenti; **~ de vida** rythme de vie

rito ['rito] *nm* rite *m*

ritual [ri'twal] *adj* rituel(le) ■ *nm* rituel *m*

rival [ri'βal] *adj, nm/f* rival(e)

rivalidad [riβali'ðað] *nf* rivalité *f*

rivalizar [riβali'θar] *vi* rivaliser

rizado, -a [ri'θaðo, a] *adj* (*pelo*) frisé(e); (*mar*) moutonneux(-euse) ■ *nm* frisure *f*

rizar [ri'θar] *vt* friser; **rizarse** *vpr* (*el pelo*) se friser; (*agua, mar*) moutonner

rizo ['riθo] *nm* boucle *f*

RNE *abr = Radio Nacional de España*

robar [ro'βar] *vt* voler; (*Naipes*) piocher; (*atención*) dérober

roble ['roβle] *nm* chêne *m*

robo ['roβo] *nm* vol *m*; **¡esto es un ~!** c'est du vol!; **~ a mano armada** vol à main armée

robot [ro'βo(t)] (*pl* **~s**) *adj, nm* robot *m*; **~ de cocina** robot de cuisine

robustecer [roβuste'θer] *vt* fortifier

robusto, -a [ro'βusto, a] *adj* robuste

roca ['roka] *nf* roche *f*; **la R~** Gibraltar

roce ['roθe] *vb ver* **rozar** ■ *nm* frottement *m*; (*caricia*) frôlement *m*; (*Tec*) friction *f*; (*señal*) éraflure *f*; (*: en la piel*) égratignure *f*; (*trato*) fréquentation *f*; **tener un ~ con** s'accrocher avec, avoir une prise de bec avec

rociar [ro'θjar] *vt* arroser

rocín [ro'θin] *nm* rosse *f*

rocío [ro'θio] *nm* rosée *f*

rock [rok] *adj, nm* (*Mús*) rock *m*

rocoso, -a [ro'koso, a] *adj* rocailleux(-euse)

rodado, -a [ro'ðaðo, a] *adj*: **tráfico ~** circulation *f* routière; **canto ~** galet *m*; **venir ~** se présenter on ne peut mieux

rodaja [ro'ðaxa] *nf* tranche *f*

rodaje [ro'ðaxe] *nm* (*Cine*) tournage *m*; **en ~** (*Auto*) en rodage
rodar [ro'ðar] *vt* (*vehículo*) roder; (*bola*) faire rouler; (*película*) tourner ▪ *vi* rouler; (*Cine*) tourner; (*persona*) circuler
rodear [roðe'ar] *vt* entourer; (*dar un rodeo*) contourner; **rodearse** *vpr*: **~se de amigos** s'entourer d'amis; **rodeado de misterio** entouré de mystère
rodeo [ro'ðeo] *nm* détour *m*; (*AM*: *Deporte*) rodéo *m*; **dar un ~** faire un détour; **dejarse de ~s** ne pas tergiverser; **hablar sin ~s** parler sans détours
rodilla [ro'ðiʎa] *nf* genou *m*; **de ~s** à genoux
rodillo [ro'ðiʎo] *nm* rouleau *m*; (*en máquina de escribir, impresora*) chariot *m*
roedor, a [roe'ðor, a] *adj* rongeur(-euse) ▪ *nm* rongeur *m*
roer [ro'er] *vt* ronger
rogar [ro'ɣar] *vt, vi* prier; **se ruega no fumar** prière de ne pas fumer; **me rogó que me quedara** il m'a prié de rester; **no se hace de ~** il ne se fait pas prier
rojizo, -a [ro'xiθo, a] *adj* rougeâtre
rojo, -a ['roxo, a] *adj* rouge ▪ *nm* rouge *m* ▪ *nm/f* (*Pol*) rouge *m/f*; **ponerse ~** rougir; **al ~ (vivo)** (*metal*) rouge; (*fig*) chauffé(e) à blanc
rol [rol] *nm* rôle *m*
rollizo, -a [ro'ʎiθo, a] *adj* rondelet(te)
rollo, -a ['roʎo, a] *adj* (*fam*) barbant(e) ▪ *nm* rouleau *m*; (*fam*: *película*) navet *m*; (*libro*) ouvrage *m* de bas étage; (: *discurso*) laïus *msg*; **¡qué ~!** quelle barbe!, quelle scie!; **la conferencia fue un ~** cette conférence a été soporifique
Roma ['roma] *n* Rome
romance [ro'manθe] *nm* (*Ling*) roman *m*; (*Lit*) romance *f*; (*relación*) idylle *f*
romanticismo [romanti'θismo] *nm* romantisme *m*
romántico, -a [ro'mantiko, a] *adj* romantique
rombo ['rombo] *nm* losange *m*
romería [rome'ria] *nf* (*Rel*) fête *f* patronale, ≈ pardon *m*; (*excursión*) pèlerinage *m*

ROMERÍA

À l'origine un pèlerinage vers un lieu saint ou une église, en l'honneur de la Sainte Vierge ou du saint local, la *romería* donne également lieu de nos jours à une fête populaire. Les participants, parfois venus de loin, apportent à boire et à manger, et les festivités durent toute une journée.

romero, -a [ro'mero, a] *nm/f* pèlerin *m* ▪ *nm* (*Bot*) romarin *m*
romo, -a ['romo, a] *adj* émoussé(e)
rompecabezas [rompeka'βeθas] *nm inv* casse-tête *m inv*
rompeolas [rompe'olas] *nm inv* brise-lames *m inv*
romper [rom'per] *vt* casser; (*papel, tela*) déchirer; (*contrato*) rompre ▪ *vi* (*olas*) briser; (*diente*) casser; **romperse** *vpr* se casser; **~ filas** (*Mil*) rompre les rangs; **~ el día** commencer à faire jour; **~ a** se mettre à; **~ a llorar** éclater en sanglots; **~ con algn** rompre avec qn
ron [ron] *nm* rhum *m*
roncar [ron'kar] *vi* ronfler
ronco, -a ['ronko, a] *adj* rauque
ronda ['ronda] *nf* (*de bebidas, negociaciones*) tournée *f*; (*patrulla*) ronde *f*; (*de naipes*) main *f*, partie *f*; (*Deporte*) manche *f*; **ir de ~** faire sa tournée; **hacer la ~** (*Mil*) faire sa ronde; **~ electoral** tournée électorale
rondar [ron'dar] *vt* (*vigilar*) surveiller; (*cortejar*) faire du plat à; (*importunar*) tourner autour de ▪ *vi* faire une ronde; (*fig*) rôder; **la cifra ronda el millón** le chiffre frise le million
ronquido [ron'kiðo] *nm* ronflement *m*
ronronear [ronrone'ar] *vi* ronronner
ronroneo [ronro'neo] *nm* ronronnement *m*
roña ['roɲa] *nf* (*Veterinaria*) gale *f*; (*mugre*) crasse *f*; (*óxido*) rouille *f*
roñoso, -a [ro'ɲoso, a] *adj* (*mugriento*) crasseux(-euse); (*tacaño*) radin(e)
ropa ['ropa] *nf* vêtements *mpl*; **~ blanca/de casa** linge *m* blanc/de maison; **~ de cama** literie *f*; **~ interior** *o* **íntima** linge de corps; **~ sucia** linge sale; **~ usada** vêtements usagés
ropaje [ro'paxe] *nm* vêtements *mpl*
ropero [ro'pero] *nm* (*de ropa de cama*) armoire *f* (à linge); (*guardarropa*) garde-robe *f*
rosa ['rosa] *adj inv* rose ▪ *nf* (*Bot*) rose *f* ▪ *nm* (*color*) rose *m*; **estar como una ~** être frais (fraîche) comme une rose; **verlo todo color de ~** voir la vie en rose; **~ de los vientos** rose *f* des vents
rosado, -a [ro'saðo, a] *adj* rose ▪ *nm* rosé *m*
rosal [ro'sal] *nm* rosier *m*
rosario [ro'sarjo] *nm* chapelet *m*; (*oraciones*) rosaire *m*; **rezar el ~** dire son chapelet
rosca ['roska] *nf* pas *msg*; (*pan*) couronne *f*; **hacer la ~ a algn** (*fam*) faire

du plat à qn; **pasarse de ~** (*fig*) dépasser les bornes
rosetón [rose'ton] *nm* (*Arq*) rosace *f*
rosquilla [ros'kiʎa] *nf beignet à pâte dure en forme d'anneau*; **venderse como ~s** se vendre comme des petits pains
rostro ['rostro] *nm* visage *m*; **tener mucho ~** (*fam*) avoir un sacré culot *o* toupet
rotación [rota'θjon] *nf* rotation *f*; **~ de cultivos** rotation des cultures
rotativo [rota'tiβo] *nm* journal *m*
roto, -a ['roto, a] *pp de* **romper** ■ *adj* cassé(e); (*tela, papel*) déchiré(e); (*vida*) brisé(e); (*Chi: de clase obrera*) ouvrier(-ière) ■ *nm/f* (*Chi*) ouvrier(-ière) ■ *nm* (*en vestido*) accroc *m*
rotonda *nf* rotonde *f*
rótula ['rotula] *nf* rotule *f*
rotulador [rotula'ðor] *nm* crayon *m* feutre
rotular [rotu'lar] *vt* (*carta, documento*) légender
rótulo ['rotulo] *nm* (*título*) enseigne *f*; (*letrero*) écriteau *m*
rotundamente [rotunda'mente] *adv* catégoriquement
rotundo, -a [ro'tundo, a] *adj* catégorique
rotura [ro'tura] *nf* rupture *f*; (*Med*) fracture *f*
roturar [rotu'rar] *vt* défricher
rozadura [roθa'ðura] *nf* (*huella*) éraflure *f*; (*herida*) écorchure *f*
rozar [ro'θar] *vt* frôler; (*raspar, ensuciar*) érafler; (*Med*) écorcher; (*tocar ligeramente, fig*) effleurer; **rozarse** *vpr* se frôler; **~se (con)** (*tratar*) se frotter (à); **su actitud roza el fanatismo** son attitude frise le fanatisme
Rte. *abr* (= *remite, remitente*) exp. (= *expéditeur*)
RTVE *sigla f = Radiotelevisión Española*
rubí [ru'βi] *nm* rubis *msg*
rubio, -a ['ruβjo, a] *adj, nm/f* blond(e); **tabaco ~** tabac *m* blond
rubor [ru'βor] *nm* (*sonrojo*) rougeur *f*; (*vergüenza*) honte *f*
ruborizarse [ruβori'θarse] *vpr* rougir
rúbrica ['ruβrika] *nf* (*de firma*) paraphe *m*, parafe *m*; (*final*) couronnement *m*; (*título*) rubrique *f*; **bajo la ~ de** dans la rubrique de
rubricar [ruβri'kar] *vt* (*firmar*) parapher *o* parafer; (*concluir*) couronner
rudimentario, -a [ruðimen'tarjo, a] *adj* rudimentaire
rudimentos [ruði'mentos] *nmpl* rudiments *mpl*
rudo, -a ['ruðo, a] *adj* (*material*) rude; (*modales, persona*) grossier(-ière)
rueda ['rweða] *nf* roue *f*; (*corro*) ronde *f*; **ir sobre ~s** aller comme sur des roulettes; **~ de prensa** conférence *f* de presse; **~ de recambio** *o* **de repuesto** roue de secours; **~ delantera/trasera** roue avant/arrière; **~ dentada** roue dentée; **~ impresora** (*Inform*) marguerite *f*
ruedo ['rweðo] *vb ver* **rodar** ■ *nm* (*contorno*) bord *m*; (*de vestido*) ourlet *m*; (*Taur*) arène *f*; (*corro*) ronde *f*
ruego ['rweɣo] *vb ver* **rogar** ■ *nm* prière *f*; **a ~s de** à la demande de; **"~s y preguntas"** "questions et réponses"
rufián [ru'fjan] *nm* ruffian *m*
rugby ['ruɣβi] *nm* rugby *m*
rugido [ru'xiðo] *nm* rugissement *m*
rugir [ru'xir] *vi* rugir; (*estómago*) gargouiller
rugoso, -a [ru'ɣoso, a] *adj* rugueux(-euse)
ruido ['rwiðo] *nm* bruit *m*; (*alboroto*) bruit, grabuge *m*; **~ de fondo** bruit de fond; **hacer** *o* **meter ~** faire du bruit
ruidoso, -a [rwi'ðoso, a] *adj* bruyant(e); (*fig*) tapageur(-euse)
ruin [rwin] *adj* (*vil*) vil(e); (*tacaño*) pingre
ruina ['rwina] *nf* ruine *f*; **ruinas** *nfpl* ruines *fpl*; **estar hecho una ~** être en piteux état; **aquello le llevó a la ~** cela a entraîné sa ruine
ruindad [rwin'dað] *nf* mesquinerie *f*; (*acto*) bassesse *f*
ruinoso, -a [rwi'noso, a] *adj* (*tb Com*) ruineux(-euse)
ruiseñor [rwise'ɲor] *nm* rossignol *m*
ruleta [ru'leta] *nf* roulette *f*
rulo ['rulo] *nm* rouleau *m*
Rumania [ruma'nia] *nf* Roumanie *f*
rumba ['rumba] *nf* rumba *f*
rumbo ['rumbo] *nm* (*ruta*) cap *m*; (*ángulo de dirección*) rumb *m*, rhumb *m*; (*fig*) direction *f*; **con ~ a** en direction de; **poner ~ a** mettre le cap sur; **sin ~ fijo** au hasard
rumboso, -a [rum'boso, a] (*fam*) *adj* généreux(-euse)
rumiante [ru'mjante] *nm* ruminant *m*
rumiar [ru'mjar] *vt, vi* ruminer
rumor [ru'mor] *nm* (*ruido sordo*) rumeur *f*; (*chisme*) bruit *m*
rumorearse [rumore'arse] *vpr*: **se rumorea que** le bruit court que
runrún [run'run] *nm* rumeur *f*; (*de una máquina*) ronronnement *m*; (*fig*) rengaine *f*

rupestre [ru'pestre] *adj*: **pintura ~** peinture *f* rupestre
ruptura [rup'tura] *nf* rupture *f*; **~ con** rupture avec
rural [ru'ral] *adj* rural(e)
Rusia ['rusja] *nf* Russie *f*
ruso, -a ['ruso, a] *adj* russe ■ *nm/f* Russe *m/f* ■ *nm* (*Ling*) russe *m*
rústica ['rustika] *nf*: **libro en ~** livre *m* broché; *ver tb* **rústico**
rústico, -a ['rustiko, a] *adj* (*del campo*) rustique; (*ordinario*) rustre
ruta ['ruta] *nf* route *f*
rutina [ru'tina] *nf* routine *f*; **~ diaria** routine quotidienne; **por ~** par routine
rutinario, -a [ruti'narjo, a] *adj* routinier(-ière)

S

S *abr* (= *sur*) S (= *sud*)
S. *abr* (= *san*) St (= *Saint*)
s. *abr* = **siglo**; (= *siécle*) = **siguiente**
s/ *abr* (*Com*) = **su**
S.ª *abr* = **Sierra**
S.A. *abr* (*Com*: = *Sociedad Anónima*) SA *f* (= *société anonyme*); (= *Su Alteza*) SA (= *Son Altesse*)
sábado ['saβaðo] *nm* samedi *m*; **del ~ en ocho días** samedi en huit; **un ~ sí y otro no, cada dos ~s** un samedi sur deux
sábana ['saβana] *nf* drap *m*; **se le pegan las ~s** (*fig*) il fait la grasse matinée
sabandija [saβan'dixa] *nf* (*Zool*) bestiole *f*; (*fig*) fripouille *f*
sabañón [saβa'ɲon] *nm* engelure *f*

PALABRA CLAVE

saber [sa'βer] *vt* savoir; **a saber** à savoir; **no lo supe hasta ayer** je ne l'ai appris qu'hier; **¿sabes conducir/nadar?** sais-tu conduire/nager?; **¿sabes francés?** sais-tu parler français?; **no sé nada de coches** je n'y connais rien en voitures; **no sé nada de él** je ne sais rien de lui; **un no sé que** un je ne sais quoi; **saber de memoria** savoir *o* connaître par cœur; **lo sé** je (le) sais; **hacer saber** faire savoir;

¡cualquiera sabe! allez savoir!; **que yo sepa** que je sache; **¡si lo sabré yo!** je le sais mieux que personne!; **¡vete a saber!** va savoir!; **¡yo que sé!** je n'en sais rien, moi!; **¿sabes?** tu vois?
■ *vi*: **saber a** avoir le goût de; **sabe a fresa** ça a un goût de fraise; **saber mal/ bien** (*comida, bebida*) avoir bon/mauvais goût; **le sabe mal que otro saque a bailar a su mujer** ça ne lui plaît pas que d'autres gens invitent sa femme à danser
saberse *vpr*: **se sabe que ...** on sait que ...; **no se sabe todavía** on ne sait toujours pas

sabiduría [saβiðu'ria] *nf* savoir *m*; (*buen juicio*) sagesse *f*; **~ popular** sagesse populaire
sabiendas [sa'βjendas]: **a ~** *adv* en connaissance de cause; **a ~ de que ...** en sachant que ...
sabio, -a ['saβjo,a] *adj* savant(e); (*prudente*) sage ■ *nm/f* savant(e)
sabor [sa'βor] *nm* goût *m*, saveur *f*; (*fig*) saveur; **con ~ a** au goût de; **sin ~** sans aucun goût
saborear [saβore'ar] *vt* savourer
sabotaje [saβo'taxe] *nm* sabotage *m*
saboteador, a [saβotea'ðor, a] *nm/f* saboteur(-euse)
sabotear [saβote'ar] *vt* saboter
sabré *etc* [sa'βre] *vb ver* **saber**
sabroso, -a [sa'βroso, a] *adj* savoureux(-euse); (*salado*) salé(e)
sacacorchos [saka'kortʃos] *nm inv* tire-bouchon *m*
sacapuntas [saka'puntas] *nm inv* taille-crayon *m*
sacar [sa'kar] *vt* sortir; (*muela*) arracher; (*dinero, entradas*) retirer; (*beneficios*) tirer; (*premio*) remporter; (*datos*) extraire; (*conclusión*) arriver à; (*esp AM: ropa*) enlever; (*Tenis*) servir; (*Fútbol*) remettre en jeu; (*Costura*) rallonger; **~ adelante** (*hijos*) élever; (*negocio*) faire démarrer; **~ a algn a bailar** inviter qn à danser; **~ algo a relucir** placer qch (dans une conversation); **~ a algn de sí** mettre qn hors de lui; **~ algo en limpio** *o* **en claro** mettre qch au propre *o* au clair; **~ algo/a algn en TV/en el periódico** parler de qch/faire passer qn à la TV/ dans le journal; **~ brillo a algo** faire briller qch; **~ una foto** faire une photo; **~ la lengua** tirer la langue; **~ buenas/malas notas** avoir de bonnes/mauvaises notes
sacarina [saka'rina] *nf* saccharine *f*
sacerdote [saθer'ðote] *nm* prêtre *m*
saciar [sa'θjar] *vt* assouvir; **saciarse** *vpr* se rassasier
saco ['sako] *nm* sac *m*; (*AM: chaqueta*) veste *f*; **~ de dormir** sac de couchage
sacramento [sakra'mento] *nm* sacrement *m*
sacrificar [sakrifi'kar] *vt* sacrifier; (*reses*) abattre; (*animal doméstico*) endormir; **sacrificarse** *vpr*: **~se por** se sacrifier pour
sacrificio [sakri'fiθjo] *nm* sacrifice *m*
sacrilegio [sakri'lexjo] *nm* sacrilège *m*
sacristía [sakris'tia] *nf* sacristie *f*
sacudida [saku'ðiða] *nf* secousse *f*; **~ eléctrica** décharge *f* électrique
sacudir [saku'ðir] *vt* secouer; (*ala*) battre de; (*fam: persona*) tabasser; **sacudirse** *vpr*: **~se el polvo** s'épousseter; **~se los mosquitos** chasser les moustiques
sádico, -a ['saðiko, a] *adj, nm/f* sadique *m/f*
sadismo [sa'ðismo] *nm* sadisme *m*
saeta [sa'eta] *nf* flèche *f*; (*Mús*) *chant religieux de la semaine sainte*
sagacidad [saɣaθi'ðað] *nf* sagacité *f*
sagaz [sa'ɣaθ] *adj* sagace
Sagitario [saxi'tarjo] *nm* (*Astrol*) Sagittaire *m*; **ser ~** être (du) Sagittaire
sagrado, -a [sa'ɣraðo, a] *adj* sacré(e)
Sáhara ['saxara] *nm*: **el ~** le Sahara
sal [sal] *vb ver* **salir** ■ *nf* sel *m*; (*encanto*) grâce *f*; **~es de baño** sels de bain; **~ de cocina** sel de cuisine; **~ gorda** gros sel
sala ['sala] *nf* salle *f*; (*sala de estar*) salle de séjour; (*Jur*) tribunal *m*; **~ de conciertos** salle de concerts; **~ de conferencias** salle de conférences; **~ de embarque** salle d'embarquement; **~ de espera** salle d'attente; **~ de fiestas** salle des fêtes; **~ de juntas** (*Com*) salle de réunion; **~ de operaciones** (*Med*) salle d'opération
salado, -a [sa'laðo, a] *adj* salé(e); (*fig*) piquant(e); (*And: desgraciado*) malheureux(-euse); **agua salada** eau *f* salée
salar [sa'lar] *vt* saler
salarial [sala'rjal] *adj* (*aumento*) de salaire; (*revisión*) salarial(e)
salario [sa'larjo] *nm* salaire *m*; **~ mínimo interprofesional** ≈ salaire minimum interprofessionnel de croissance
salchicha [sal'tʃitʃa] *nf* saucisse *f*
salchichón [saltʃi'tʃon] *nm* saucisson *m*
saldar [sal'dar] *vt* solder; (*deuda, diferencias*) régler
saldo ['saldo] *nm* solde *m*; (*de deuda*) règlement *m*; (*de móvil*) crédit *m*; **a precio**

de ~ en solde; **~ acreedor/deudor** *o* **pasivo** solde créditeur/débiteur; **~ anterior** solde reporté; **~ final** balance *f* après clôture

saldré *etc* [sal'dre] *vb ver* **salir**

salero [sa'lero] *nm* (*Culin*) salière *f*; (*ingenio*) esprit *m*; (*encanto*) charme *m*

salga *etc* ['salɣa] *vb ver* **salir**

salida [sa'liða] *nf* sortie *f*; (*de tren, Aviat, Deporte*) départ *m*; (*del sol*) lever *m*; (*puerta*) sortie, issue *f*; (*fig*) issue; (*: de estudios*) débouché *m*; (*fam: ocurrencia*) mot *m* d'esprit; **calle sin ~** voie *f* sans issue; **a la ~ del teatro** à la sortie du théâtre; **dar la ~** (*Deporte*) donner le départ; **línea de ~** (*Deporte*) ligne *f* de touche; **no hay ~** il n'y a pas d'issue; **no tenemos otra ~** nous n'avons pas d'autre issue; **~ de emergencia/de incendios** sortie de secours; **~ de tono** propos *msg* déplacé; **~ impresa** (*Inform*) tirage *m* papier

saliente [sa'ljente] *adj* saillant(e); (*cesante*) sortant(e) ■ *nm* saillie *f*

PALABRA CLAVE

salir [sa'lir] *vi* 1 (*ir afuera*) sortir; (*tren, avión*) partir; **salir de** sortir de; **Juan ha salido** Juan est sorti; **salió de la cocina** il est sorti de la cuisine; **salir de viaje** partir en voyage; **salir corriendo** partir en courant; **salir bien de algo** (*fig*) bien se sortir de qch

2 (*aparecer: sol*) se lever; (*flor, pelo, dientes*) pousser; (*disco, libro*) sortir; **anoche salió el reportaje en la tele** le reportage est passé hier soir à la télé; **su foto salió en todos los periódicos** sa photo est parue dans tous les journaux

3 (*resultar*): **salir bien/mal** réussir/rater; **el niño nos ha salido muy estudioso** notre fils se révèle très studieux; **la comida te ha salido exquisita** ton repas est très réussi; **salir elegido/premiado** être choisi/récompensé; **ha salido a su madre** il tient de sa mère; **¡no me sale!** je n'y arrive pas!; **sale muy caro** c'est très cher; **salís a 200 euros cada uno** vous en avez pour 200 euros chacun; **la cena nos salió por 100 euros** le dîner nous a coûté 100 euros; **no salen las cuentas** ça ne tombe pas juste

4 (*mancha*) partir; (*tapón*) s'enlever

5 (*en el juego*) avoir la main; (*Deporte*) commencer; (*Teatro*) entrer en scène

6: **salir a** (*desembocar*) déboucher sur; **salir de** (*proceder*) venir de

7: **salir con algn** (*amigos, novios*) sortir avec qn

8: **le salió un trabajo** il a trouvé du travail

9: **salir adelante** s'en sortir; **no sé como haré para salir adelante** je ne sais pas comment faire pour m'en sortir

salirse *vpr* (*líquido*) se renverser; (*animal*) sortir; (*de la carretera*) quitter; (*persona: de asociación*) quitter; **salirse del tema** s'écarter du sujet; **salirse con la suya** n'en faire qu'à sa tête

saliva [sa'liβa] *nf* salive *f*

salmo ['salmo] *nm* psaume *m*

salmón [sal'mon] *nm* saumon *m*

salmuera [sal'mwera] *nf* saumure *f*

salón [sa'lon] *nm* salon *m*; (*Chi: Ferro*) salle *f* d'attente; **~ de actos** *o* **de sesiones** salle de réunion; **~ de baile** salle de danse; **~ de belleza** institut *m* de beauté; **~ de té** salon de thé

salpicadero [salpika'ðero] *nm* (*Auto*) tableau *m* de bord

salpicar [salpi'kar] *vt* éclabousser; (*esparcir*) parsemer

salsa ['salsa] *nf* (*Culin*) sauce *f*; (*fig*) piquant *m*; (*Mús*) salsa *f*; **está en su ~** (*fam*) c'est son domaine

saltamontes [salta'montes] *nm inv* sauterelle *f*

saltar [sal'tar] *vt* sauter ■ *vi* sauter; (*al agua*) plonger; (*quebrarse: cristal*) se briser; (*explotar: persona*) exploser; **saltarse** *vpr* sauter; (*lágrimas*) jaillir; **~ a la comba** sauter à la corde; **~ a la vista** sauter aux yeux; **~ con** (*fam: decir*) sortir; **~ de una cosa a otra** sauter du coq à l'âne; **~se un semáforo** brûler un feu; **~se todas las reglas** enfreindre toutes les règles

salto ['salto] *nm* saut *m*; (*al agua*) plongeon *m*; **a ~s** en sautant; **vivir a ~ de mata** vivre au jour le jour; **~ de agua** chute *f* d'eau; **~ de altura/de longitud** saut en hauteur/en longueur; **~ de cama** peignoir *m*; **~ de línea (automático)** (*Inform*) retour *m* à la ligne (automatique); **~ de página** alimentation *f* en feuilles; **~ mortal** saut périlleux

saltón, -ona [sal'ton, ona] *adj* (*ojos*) globuleux(-euse); (*dientes*) en avant

salud [sa'luð] *nf* santé *f*; **estar bien/mal de ~** être en bonne/mauvaise santé; **¡(a su) ~!** (à votre) santé!; **beber a la ~ de** boire à la santé de

saludable [salu'ðaβle] *adj* sain(e)
saludar [salu'ðar] *vt* (*tb Mil*) saluer; **ir a ~ a algn** aller dire bonjour à qn; **salude de mi parte a X** saluez X de ma part; **le saluda atentamente** (*en carta*) salutations distinguées
saludo [sa'luðo] *nm* salut *m*; **saludos** *nmpl* (*en carta*) salutations *fpl*; **un ~ afectuoso** *o* **cordial** (*en carta*) affectueusement *o* cordialement *o* bien à vous
salva ['salβa] *nf* (*Mil*) salve *f*; **una ~ de aplausos** une salve d'applaudissements
salvación [salβa'θjon] *nf* sauvetage *m*; (*Rel*) salut *m*; **¡fue mi ~!** c'est ce qui m'a sauvé!
salvado [sal'βaðo] *nm* (*Agr*) son *m*
salvador [salβa'ðor] *nm* sauveur *m*; **el S~** (*Rel*) le Sauveur; **El S~** (*Geo*) El Salvador; **San S~** San Salvador
salvaguardar [salβaɣwar'ðar] *vt* sauvegarder
salvajada [salβa'xaða] *nf* sauvagerie *f*
salvaje [sal'βaxe] *adj*, *nm/f* sauvage *m/f*
salvamento [salβa'mento] *nm* sauvetage *m*
salvar [sal'βar] *vt* sauver; (*un barco*) procéder au sauvetage de; (*obstáculo, distancias*) franchir; (*exceptuar*) excepter; (*Inform: archivo*) sauvegarder; **salvarse** *vpr*: **~se (de)** se sauver (de); **~ algo/a algn de** sauver qch/qn de; **¡sálvese quien pueda!** sauve qui peut!
salva-slip [salβaes'lip] (*pl* **~s**) protège-slip *m*
salvavidas [salβa'βiðas] *adj inv*: **bote/chaleco/cinturón ~** canot *m*/gilet *m*/bouée *f* de sauvetage
salvo, -a ['salβo, a] *adj*: **a ~** en lieu sûr ■ *adv* sauf; **~ error u omisión** (*Com*) sauf erreur ou omission; **~ que** sauf que
salvoconducto [salβokon'dukto] *nm* sauf-conduit *m*
san [san] *nm* saint *m*; **~ Juan** Saint Jean
sanar [sa'nar] *vt*, *vi* guérir
sanatorio [sana'torjo] *nm* sanatorium *m*
sanción [san'θjon] *nf* sanction *f*; (*aprobación*) approbation *f*
sancionar [sanθjo'nar] *vt* sanctionner; (*aprobar*) approuver
sandalia [san'dalja] *nf* sandale *f*
sandía [san'dia] *nf* pastèque *f*
sandwich ['sandwitʃ] (*pl* **~s** *o* **~es**) *nm* sandwich *m*
saneamiento [sanea'mjento] *nm* assainissement *m*
sanear [sane'ar] *vt* assainir

SANFERMINES

Les *Sanfermines* de Pampelune sont un festival d'une semaine, rendu célèbre par Hemingway. À partir du 7 juillet, fête patronale de "San Fermín", les habitants de la ville, principalement les jeunes, se rassemblent dans les rues pour chanter, boire et danser. Tôt le matin, on lâche des taureaux dans les rues étroites qui conduisent à l'arène. Selon une coutume répandue dans de nombreux villages espagnols, des jeunes gens font acte de courage en s'élançant devant les taureaux, au péril de leur vie.

sangrar [san'grar] *vt* saigner; (*Inform, Tip*) commencer en retrait ■ *vi* saigner
sangre ['sangre] *nf* sang *m*; **a ~ fría** de sang-froid; **de ~ fría** (*Zool*) à sang-froid; **pura ~** pur sang; **~ azul** sang bleu; **~ fría** sang-froid *m*
sangría [san'gria] *nf* (*Med*) saignée *f*; (*Culin*) sangria *f*; (*Inform, Tip*) retrait *m*; (*fig: gasto*) frais *msg*
sangriento, -a [san'grjento, a] *adj* sanglant(e)
sanguijuela [sangi'xwela] *nf* sangsue *f*
sanguinario, -a [sangi'narjo, a] *adj* sanguinaire
sanguíneo, -a [san'gineo, a] *adj* sanguin(e)
sanidad [sani'ðað] *nf* (*Admin*) santé *f*; (*de ciudad, clima*) salubrité *f*; **~ pública** santé publique

SAN ISIDRO

San Isidro, saint patron de Madrid, donne son nom à des festivités d'une semaine qui ont lieu aux alentours du 15 mai. Foire au XVIIIe siècle, la fête de San Isidro consiste de nos jours en diverses manifestations, telles que bals, musique, spectacles, courses de taureaux et une célèbre *romería*.

sanitario, -a [sani'tarjo, a] *adj* sanitaire ■ *nm*: **~s** sanitaires *mpl* ■ *nm/f* agent *m* de service de santé
sano, -a ['sano, a] *adj* sain(e); (*sin daños*) intact(e); **~ y salvo** sain et sauf
Santiago [san'tjaɣo] *n*: **~ (de Chile)** Santiago (du Chili); **~ (de Compostela)** Saint Jacques de Compostelle
santiamén [santja'men] *nm*: **en un ~** en un clin d'œil

santidad [santi'ðað] *nf* sainteté *f*
santiguarse [santi'ɣwarse] *vpr* se signer
santo, -a ['santo, a] *adj* saint(e) ▪ *nm/f* (*Rel*) Saint(e); (*fig*) saint(e) ▪ *nm* fête *f*; **hacer su santa voluntad** faire ses 4 volontés; **todo el ~ día** toute la journée; **¿a ~ de qué ...?** en quel honneur ...?; **se le fue el ~ al cielo** il a oublié ce qu'il allait dire; **~ y seña** mot *m* de passe
santuario [san'twarjo] *nm* sanctuaire *m*
saña ['saɲa] *nf* (*crueldad*) sauvagerie *f*; (*furor*) fureur *f*
sapo ['sapo] *nm* crapaud *m*
saque ['sake] *vb ver* **sacar** ▪ *nm* (*Tenis*) service *m*; (*Fútbol*) remise *f* en jeu; **~ de esquina** corner *m*; **~ inicial** coup *m* d'envoi
saquear [sake'ar] *vt* piller
saqueo [sa'keo] *nm* pillage *m*
sarampión [saram'pjon] *nm* rougeole *f*
sarcasmo [sar'kasmo] *nm* sarcasme *m*
sarcástico, -a [sar'kastiko, a] *adj* sarcastique
sardina [sar'ðina] *nf* sardine *f*
sargento [sar'xento] *nm* (*Mil*) sergent *m*; (*fig*) personne *f* autoritaire
sarmiento [sar'mjento] *nm* sarment *m*
sarna ['sarna] *nf* (*Med, Zool*) gale *f*
sarpullido [sarpu'ʎiðo] *nm* (*Med*) éruption *f* (prurigineuse)
sarro ['sarro] *nm* tartre *m*
sartén [sar'ten] *nf o (AM) nm* (*Culin*) poêle *f* (à frire); **tener la ~ por el mango** tenir les rênes
sastre ['sastre] *nm* tailleur *m*
Satanás [sata'nas] *nm* Satan *m*
satélite [sa'telite] *nm* satellite *m*; **vía ~** (*Telec*) par satellite
sátira ['satira] *nf* satire *f*
satisfacción [satisfak'θjon] *nf* satisfaction *f*; (*para desagravio*) satisfaction, réparation *f*
satisfacer [satisfa'θer] *vt* satisfaire; (*deuda*) acquitter; **satisfacerse** *vpr* se satisfaire; (*vengarse*) se venger
satisfecho, -a [satis'fetʃo, a] *pp de* **satisfacer** ▪ *adj* satisfait(e)
saturar [satu'rar] *vt* saturer; **saturarse** *vpr* être saturé(e)
sauce ['sauθe] *nm* saule *m*; **~ llorón** saule pleureur
sauna ['sauna] *nf, nm en Csur* sauna *m*
savia ['saβja] *nf* sève *f*
saxofón [sakso'fon] *nm* saxophone *m*
sazonar [saθo'nar] *vt* mûrir; (*Culin*) relever ▪ *vi* être mûr(e)
s/c *abr* (*Com*: *= su casa*) *votre société*; (*: = su cuenta*) *votre compte*
SE *abr* (*= sudeste*) S.-E. (*= sud-est*)

PALABRA CLAVE

se [se] *pron* **1** (*reflexivo*) se, s'; (*: de Ud, Uds*) vous; **se divierte** il s'amuse; **lavarse** se laver; **¡siéntese!** asseyez-vous!
2 (*con complemento directo*: *sg*) lui; (*pl*) leur; (*Ud, Uds*) vous; **se lo dije** (*a él*) je le lui ai dit; (*a ellos*) je le leur ai dit; (*a usted(es)*) je vous l'ai dit; **se compró un sombrero** il s'est acheté un chapeau; **se rompió la pierna** il s'est cassé la jambe; **cortarse el pelo** se faire couper les cheveux
3 (*uso recíproco*) se; (*: Ustedes*) vous; **se miraron (el uno al otro)** ils se sont regardés (l'un l'autre); **cuando (ustedes) se conocieron** quand vous vous êtes connus
4 (*en oraciones pasivas*): **se han vendido muchos libros** beaucoup de livres ont été vendus; **se compró hace 3 años** ça a été acheté il y a 3 ans
5 (*impersonal*): **se dice que ...** on dit que ...; **allí se come muy bien** on y mange très bien; **se habla inglés** on parle anglais; **se ruega no fumar** prière de ne pas fumer

sé [se] *vb ver* **saber**; **ser**
sea *etc* ['sea] *vb ver* **ser**
sebo ['seβo] *nm* sébum *m*
secador [seka'ðor] *nm* (*tb*: **secador de pelo**) sèche-cheveux *m inv*
secadora [seka'ðora] *nf* sèche-linge *m inv*; **~ centrífuga** essoreuse *f*
secar [se'kar] *vt* sécher; (*río, tierra, plantas*) assécher; **secarse** *vpr* sécher; (*persona*) se sécher; **~se las manos** se sécher les mains
sección [sek'θjon] *nf* section *f*; **~ deportiva** (*en periódico*) pages *fpl* sportives
seco, -a ['seko, a] *adj* sec (sèche); **habrá pan a secas** il n'y aura que du pain; **Juan, a secas** Juan tout court; **parar/frenar en ~** s'arrêter/freiner brusquement
secretaría [sekreta'ria] *nf* secrétariat *m*
secretario, -a [sekre'tarjo, a] *nm/f* secrétaire *m/f*; **~ adjunto** (*Com*) secrétaire adjoint
secreto, -a [se'kreto, a] *adj* secret(-ète) ▪ *nm* secret *m*; **en ~** en secret; **~ profesional** secret professionnel
secta ['sekta] *nf* secte *f*

sectario, -a [sek'tarjo, a] *adj* sectaire
sector [sek'tor] *nm* secteur *m*; **~ privado/público** secteur privé/public; **~ terciario** secteur tertiaire
secuela [se'kwela] *nf* séquelle *f*
secuencia [se'kwenθja] *nf* séquence *f*
secuestrar [sekwes'trar] *vt* séquestrer; (*avión*) détourner; (*publicación*) retirer de la circulation; (*bienes*: *Jur*) séquestrer, mettre sous séquestre
secuestro [se'kwestro] *nm* (*de persona*) séquestration *f*; (*de avión*) détournement *m*
secular [seku'lar] *adj* séculaire
secundar [sekun'dar] *vt* seconder
secundario, -a [sekun'darjo, a] *adj* secondaire; (*Inform*) d'arrière-plan
sed [seð] *nf* soif *f*; **tener ~** avoir soif
seda ['seða] *nf* soie *f*; **como una ~** (*sin problema*) comme sur des roulettes; (*dócil*) doux (douce) comme un agneau
sedal [se'ðal] *nm* ligne *f*
sedante [se'ðante] *nm* sédatif *m*
sede ['seðe] *nf* siège *m*; **Santa S~** Saint Siège
sedentario, -a [seðen'tarjo, a] *adj* sédentaire
sediento, -a [se'ðjento, a] *adj* assoiffé(e); **~ de gloria/poder** assoiffé(e) de gloire/pouvoir
sedimento [seði'mento] *nm* sédiment *m*
sedoso, -a [se'ðoso, a] *adj* soyeux(-euse)
seducción [seðuk'θjon] *nf* séduction *f*
seducir [seðu'θir] *vt* séduire
seductor, a [seðuk'tor, a] *adj* séducteur(-trice); (*personalidad, idea*) séduisant(e) ■ *nm/f* séducteur(-trice)
segar [se'ɣar] *vt* (*mies*) moissonner; (*hierba*) faucher; (*vidas*) briser; (*esperanzas*) réduire à néant
seglar [se'ɣlar] *adj* séculier(-ière)
segregación [seɣreɣa'θjon] *nf* ségrégation *f*; **~ racial** ségrégation raciale
segregar [seɣre'ɣar] *vt* ségréguer; (*líquido*) sécréter
seguida [se'ɣiða] *nf*: **en ~** tout de suite; **en ~ termino** j'ai presque fini
seguido, -a [se'ɣiðo, a] *adj* (*semana*) continu(e); (*línea*) droit(e) ■ *adv* (*derecho*) tout droit; (*después*) à la suite; (*AM*: *a menudo*) souvent; **5 días ~s** 5 jours de suite
seguimiento [seɣi'mjento] *nm* suivi *m*
seguir [se'ɣir] *vt* suivre ■ *vi* (*venir después*) suivre; (*continuar*) poursuivre; **seguirse** *vpr*: **~se (de)** résulter (de); **sigo sin comprender** je ne comprends toujours pas; **sigue lloviendo** il continue de pleuvoir; **sigue** (*en carta*) T.S.V.P.; (*en libro, TV*) suite; **¡siga!** (*AM*) allez-y!
según [se'ɣun] *prep* d'après ■ *adv* (*tal como*) tel(le) que; (*depende (de)*) selon; (*a medida que*) à mesure que; **~ parece ...** il semblerait que ...; **~ esté el tiempo** selon le temps qu'il fera; **~ me consta** autant que je sache; **está ~ lo dejaste** c'est resté tel que tu l'avais laissé
segundo, -a [se'ɣundo, a] *adj* deuxième, second(e); (*en discurso*) deuxièmement ■ *nm* seconde *f*; (*piso*) deuxième *m*, second *m* ■ *nm/f* deuxième *m/f*, second(e); **~ (de a bordo)** (*Náut*) second (à bord); **segunda (clase)** (*Ferro*) seconde (classe) *f*; **segunda (marcha)** (*Auto*) seconde; **con segundas (intenciones)** avec une arrière-pensée; **de segunda mano** d'occasion
seguramente [seɣura'mente] *adv* sûrement; **¿lo va a comprar? - ~** va-t-il l'acheter? - sûrement
seguridad [seɣuri'ðað] *nf* sécurité *f*; (*certeza*) certitude *f*; (*confianza*) confiance *f*; **cerradura/cinturón de ~** serrure *f*/ceinture *f* de sécurité; **~ ciudadana** sécurité en ville; **~ en sí mismo** confiance en soi; **~ social** sécurité sociale
seguro, -a [se'ɣuro, a] *adj* sûr(e) ■ *adv* sûr ■ *nm* sécurité *f*; (*de cerradura*) gorge *f*; (*de arma*) cran *m* de sûreté; (*Com*) assurance *f*; (*Cam, Méx*) épingle *f* à nourrice; **~ de sí mismo** sûr(e) de soi; **lo más ~ es que ...** sans doute que ...; **~ a todo riesgo/contra terceros** assurance tous risques/au tiers; **~ contra accidentes/contra incendios** assurance contre les accidents/contre l'incendie; **S~ de Enfermedad** assurance maladie; **~ de vida** assurance-vie *f*; **~ dotal con beneficios** assurance à capital différé avec bénéfice; **~ marítimo** assurance maritime; **~ mixto** assurance à capital différé; **~ temporal** assurance à terme
seis [seis] *adj inv, nm inv* six *m inv*; **~ mil** six mille; **el ~ de abril** le six avril; **hoy es ~** nous sommes le six aujourd'hui; **son las ~** il est six heures; **tiene ~ años** il a six ans; **unos ~** environ six
seiscientos, -as [seis'θjentos, as] *adj* six cents; **~ veinticinco** six cent vingt-cinq
seísmo [se'ismo] *nm* séisme *m*
selección [selek'θjon] *nf* sélection *f*; **~ nacional** (*Deporte*) équipe *f* nationale; **~ natural** sélection naturelle

seleccionar [selekθjo'nar] *vt* sélectionner
selectividad [selektiβi'ðað] *nf* (*Univ*) sélection *f*

SELECTIVIDAD

À la fin de leurs études secondaires, les étudiants souhaitant aller à l'université doivent passer les redoutables épreuves de la *selectividad*, dont la deuxième session se tient en septembre. Si le nombre de candidats pour une université donnée est trop élevé, seuls les meilleurs y sont admis. Certains des candidats malheureux préfèrent alors attendre un an pour repasser l'examen plutôt que d'aller dans une université qu'ils n'ont pas choisie.

selecto, -a [se'lekto, a] *adj* sélect(e)
sellar [se'ʎar] *vt* sceller; (*pasaporte*) tamponner
sello ['seʎo] *nm* (*de correos*) timbre *m*; (*para estampar*) tampon *m*; (*precinto*) sceau *m*; (*tb*: **sello distintivo**) cachet *m*; **~ de prima** (*Com*) timbre-prime *m*; **~ discográfico** maison *f* de disques; **~ fiscal** timbre fiscal
selva ['selβa] *nf* (*bosque*) forêt *f*; (*jungla*) jungle *f*; **la S~ Negra** la Forêt Noire
semáforo [se'maforo] *nm* (*Auto*) feu *m* rouge *o* de circulation; (*Ferro*) sémaphore *m*
semana [se'mana] *nf* semaine *f*; **entre ~** dans la semaine; **~ inglesa** semaine de 35 heures; **~ laboral** semaine de travail; **S~ Santa** semaine sainte

SEMANA SANTA

Les célébrations de la semaine sainte en Espagne sont souvent grandioses. "Viernes Santo" (le Vendredi saint), "Sábado Santo" (le Samedi saint) et "Domingo de Resurrección" (le dimanche de Pâques) sont des fêtes légales auxquelles s'ajoutent d'autres jours fériés dans chaque région. Dans tout le pays, les membres des "cofradías" (confréries), vêtus de cagoules, avancent en processions dans les rues, précédant leurs "pasos", des chars richement décorés sur lesquels se dressent des statues religieuses. Les processions de la semaine sainte à Séville sont particulièrement renommées.

semanal [sema'nal] *adj* hebdomadaire ▪ *nm* (*Prensa*) hebdomadaire *m*
semblante [sem'blante] *nm* (traits *mpl* du) visage *m*; (*fig*) allure *f*
sembrar [sem'brar] *vt* semer
semejante [seme'xante] *adj*, *nm* semblable *m*; **son muy ~s** ils se ressemblent beaucoup; **nunca hizo cosa ~** il n'a jamais fait semblable chose
semejanza [seme'xanθa] *nf* ressemblance *f*; **a ~ de** pareil(le) à
semen ['semen] *nm* sperme *m*, semence *f*
semestral [semes'tral] *adj* semestriel(le)
semi... [semi] *pref* semi...
semicírculo [semi'θirkulo] *nm* demi-cercle *m*
semidesnatado, -a [semidesna'taðo, a] *adj* demi-écrémé(e)
semifinal [semifi'nal] *nf* demi-finale *f*
semilla [se'miʎa] *nf* graine *f*, semence *f*
seminario [semi'narjo] *nm* (*Rel*) séminaire *m*; (*Escol*) séance *f* de T.P.
sémola ['semola] *nf* semoule *f*
Sena ['sena] *nm*: **el ~** la Seine
senado [se'naðo] *nm* sénat *m*
senador, a [sena'ðor, a] *nm/f* sénateur(-trice)
sencillez [senθi'ʎeθ] *nf* simplicité *f*
sencillo, -a [sen'θiʎo, a] *adj* simple ▪ *nm* (*AM*) chaudière *f*
senda ['senda] *nf* sentier *m*
senderismo [sende'rismo] *nm* randonnée *f*
sendero [sen'dero] *nm* sentier *m*; **S~ Luminoso** (*Pe*: *Pol*) Sentier lumineux
senil [se'nil] *adj* sénile
seno ['seno] *nm* sein *m*; (*Mat*) sinus *m*; **~ materno** sein maternel
sensación [sensa'θjon] *nf* sensation *f*; **causar** *o* **hacer ~** faire sensation
sensacional [sensaθjo'nal] *adj* sensationnel(le)
sensato, -a [sen'sato, a] *adj* sensé(e)
sensible [sen'sible] *adj* sensible
sensorial [senso'rjal] *adj* sensoriel(le)
sensual [sen'swal] *adj* sensuel(le)
sentada [sen'taða] *nf* (*protesta*) sit-in *m*; **de una ~** d'une traite
sentado, -a [sen'taðo, a] *adj*: **estar ~** être assis(e); **dar por ~** considérer comme réglé(e); **dejar ~ que ...** établir que ...
sentar [sen'tar] *vt* asseoir; (*noticia, hecho, palabras*) établir ▪ *vi* (*vestido, color*) aller; **sentarse** *vpr* s'asseoir; (*el tiempo*) se stabiliser; (*sedimentos*) se déposer; **~ bien** (*ropa*) aller bien; (*comida*) faire

du bien; (*vacaciones*) réussir; **me ha sentado mal** (*comida*) je ne l'ai pas digéré; (*comentario*) cela m'a blessé; **¡siéntese!** asseyez-vous!

sentencia [sen'tenθja] *nf* sentence *f*; (*Inform*) instruction *f*; **~ de muerte** sentence de mort

sentenciar [senten'θjar] *vt* (*Jur*) condamner

sentido, -a [sen'tiðo, a] *adj* (*pérdida*) regretté(e); (*carácter*) sensible ■ *nm* sens *msg*; **mi más ~ pésame** mes plus sincères condoléances; **en el buen ~ de la palabra** au sens propre du terme; **con ~ doble** à double sens; **sin ~** qui ne veut rien dire; **tener ~** avoir de sens; **¿qué ~ tiene que ...?** à quoi cela sert-il de ...?; **~ común** bon sens; **~ del humor** sens de l'humour; **~ único** (*Auto*) sens unique

sentimental [sentimen'tal] *adj* sentimental(e); **vida ~** vie *f* sentimentale

sentimiento [senti'mjento] *nm* sentiment *m*

sentir [sen'tir] *nm* opinion *f* ■ *vt* sentir; (*lamentar*) regretter; (*esp AM*) entendre; (*música, arte*) avoir un don pour ■ *vi* sentir; **sentirse** *vpr* se sentir; **lo siento (mucho)** je suis désolé(e); **siento molestarle** je suis désolé de vous déranger; **~se bien/mal** se sentir bien/mal; **~se como en su casa** se sentir chez soi

seña ['seɲa] *nf* signe *m*; (*Mil*) mot *m* de passe; **señas** *nfpl* (*dirección*) adresse *f*; **(y) por más ~s** (et) en plus de cela; **dar ~s de** donner des signes de; **~s personales** (*descripción*) caractéristiques *fpl* physiques

señal [se'ɲal] *nf* signal *m*; (*síntoma*) signe *m*; (*marca, Inform*) marque *f*; (*Com*) arrhes *fpl*; **en ~ de** en signe de; **dar ~es de** donner des signes de; **~ de auxilio/de peligro** signal de détresse/d'alarme; **~ de llamada** sonnerie *f*; **~es de tráfico** panneaux *mpl* de signalisation; **~ para marcar** tonalité *f*

señalar [seɲa'lar] *vt* signaler; (*poner marcas*) marquer; (*con el dedo*) montrer du doigt; (*hora*) donner; (*fijar*) déterminer

señor, a [se'ɲor, a] *adj* (*fam*) classe ■ *nm* monsieur *m*; (*hombre*) homme *m*; (*trato*) monsieur; **los ~es González** M. et Mme González; **S~ Don Jacinto Benavente** (*en sobre*) Monsieur Jacinto Benavente; **S~ Director ...** (*de periódico*) Monsieur le directeur ...; **~ juez/Presidente** Monsieur le juge/le président; **Muy ~ mío** cher Monsieur; **Muy ~es nuestros** Messieurs; **Nuestro S~** (*Rel*) Notre Seigneur

señora [se'ɲora] *nf* madame *f*; (*dama*) dame *f*; (*mujer*) femme *f*; **¿está la ~?** madame est-elle chez elle?; **la ~ de Pérez** Madame Pérez; **Nuestra S~** (*Rel*) Notre-Dame

señorita [seɲo'rita] *nf* (*tratamiento*) mademoiselle *f*; (*mujer joven*) demoiselle *f*, jeune fille *f*; (*maestra*) maîtresse *f*

señorito [seɲo'rito] *nm* (*tratamiento*) jeune monsieur *m*; (*pey*) fils *msg* à papa

señuelo [se'ɲwelo] *nm* leurre *m*

sepa *etc* ['sepa] *vb ver* **saber**

separación [separa'θjon] *nf* séparation *f*; (*división*) partage *m*; (*distancia*) distance *f*; **~ de bienes** séparation des biens

separar [sepa'rar] *vt* séparer; (*Tec: pieza*) détacher; (*persona: de un cargo*) relever; (*dividir*) diviser; **separarse** *vpr* se séparer; (*partes*) se détacher; **~se de** (*persona: de un lugar*) s'éloigner de; (*: de asociación*) quitter

sepia ['sepja] *nf* (*Culin*) seiche *f* ■ *nm* (*tb*: **color sepia**) sépia *f*

septiembre [sep'tjembre] *nm* septembre *m*; *ver tb* **julio**

séptimo, -a ['septimo, a] *adj, nm/f* septième *m/f*; *ver tb* **sexto**

sepulcro [se'pulkro] *nm* sépulcre *m*

sepultar [sepul'tar] *vt* inhumer; (*suj: escombros etc*) ensevelir

sepultura [sepul'tura] *nf* (*entierro*) inhumation *f*; (*tumba*) sépulture *f*; **dar ~ a** donner une sépulture à; **recibir ~** recevoir une sépulture

sequedad [seke'ðað] *nf* sécheresse *f*

sequía [se'kia] *nf* sécheresse *f*

séquito ['sekito] *nm* (*de rey*) cour *f*; (*Pol*) partisans *mpl*

SER *sigla f* (*Radio: = Sociedad Española de Radiodifusión*) *société privée de radiodiffusion*

PALABRA CLAVE

ser [ser] *vi* **1** (*descripción, identidad*) être; **es médico/muy alto** il est docteur/très grand; **soy Pepe** (*Telec*) c'est Pepe (à l'appareil)

2 (*suceder*): **¿qué ha sido eso?** qu'est-ce que c'était?; **la fiesta es en casa** la fête a lieu chez nous

3 (*ser + de: posesión*): **es de Joaquín** c'est à Joaquín; (*origen*): **ella es de Cuzco** elle est de Cuzco; (*sustancia*): **es de piedra**

c'est en pierre; **¿qué va a ser de nosotros?** qu'allons nous devenir?; **es de risa/pena** c'est ridicule/lamentable
4 (*horas, fechas, números*): **es la una** il est une heure; **son las seis y media** il est six heures et demi; **es el 1 de junio** c'est le 1er juin; **somos/son seis** nous sommes/ils sont six; **2 y 2 son 4** 2 et 2 font 4
5 (*valer*): **¿cuánto es?** c'est combien?
6 (*+ para*): **es para pintar** c'est pour peindre; **no es para tanto** ce n'est pas si grave
7 (*en oraciones pasivas*): **ya ha sido descubierto** ça a déjà été découvert; **fue construido** ça a été construit
8 (*ser + de + vb*): **es de esperar que ...** il faut s'attendre à ce que ...
9 (*+ que*): **es que no puedo** c'est que je ne peux pas; **¿cómo es que no lo sabes?** comment se fait-il que tu ne le saches pas?
10 (*locuciones: con subjun*): **o sea** c'est-à-dire; **sea él, sea su hermana** soit lui, soit sa sœur; **tengo que irme, no sea que mis hijos estén esperándome** il faut que j'y aille, au cas où mes enfants m'attendraient
11 (*con infinitivo*): **a no ser ...** si ce n'est ...; **a no ser que salga mañana** à moins qu'il ne sorte demain; **de no ser así** si ce n'était pas le cas
12: **"érase una vez ..."** "il était une fois ..."
■ *nm* (*ente*) être *m*; **ser humano/vivo** être humain/vivant; **en lo más íntimo de su ser** au plus profond de son être

serenarse [sere'narse] *vpr* s'apaiser; (*tiempo*) se calmer
sereno, -a [se'reno, a] *adj* serein(e); (*tiempo*) calme ■ *nm* veilleur *m* de nuit
serie ['serje] *nf* série *f*; (*TV: por capítulos*) feuilleton *m*; **fuera de ~** (*Com*) hors série; (*fig*) hors norme; **fabricación en ~** fabrication *f* en série; **interface/impresora en ~** (*Inform*) interface *f*/imprimante *f* série
seriedad [serje'ðað] *nf* sérieux *msg*; (*de crisis*) gravité *f*
serio, -a ['serjo, a] *adj* sérieux(-ieuse); **en ~** sérieusement
sermón [ser'mon] *nm* sermon *m*
seropositivo, -a [seroposi'tiβo, a] *adj* séropositif(-ive)
serpiente [ser'pjente] *nf* serpent *m*; **~ de cascabel** serpent à sonnettes; **~ pitón** python *m*
serranía [serra'nia] *nf* zone *f* montagneuse
serrar [se'rrar] *vt* scier
serrín [se'rrin] *nm* sciure *f* (de bois)
serrucho [se'rrutʃo] *nm* scie *f* égoïne
servicio [ser'βiθjo] *nm* service *m*; **servicios** *nmpl* (*wáter*) toilettes *fpl*; (*Econ: sector*) services *mpl*; **estar de ~** être de service; **~ a domicilio** service de livraison à domicile; **~ aduanero** *o* **aduana** services de douane; **~ incluido** service compris; **~ militar** service militaire; **~ público** (*Com*) service public; **~ secreto** service secret
servil [ser'βil] (*pey*) *adj* servile
servilleta [serβi'ʎeta] *nf* serviette *f*
servir [ser'βir] *vt, vi* servir; **servirse** *vpr* se servir; **~ (para)** servir (à); **¿en qué puedo ~le?** en quoi puis-je vous être utile?; **~ vino a algn** servir du vin à qn; **~ de guía** servir de guide; **no sirve para nada** ça ne sert à rien; **~se de algo** se servir de qch; **sírvase pasar** veuillez entrer
sesenta [se'senta] *adj inv, nm inv* soixante *m inv*; **~ mil** soixante mille; **tiene ~ años** il a soixante ans; **unos ~** environ soixante
sesgo ['sesɣo] *nm* tournure *f*; **al ~** (*Costura*) en biais
sesión [se'sjon] *nf* séance *f*; (*Teatro*) représentation *f*; **abrir/levantar la ~** ouvrir/lever la séance; **~ de tarde/de noche** (*Cine*) ≈ séance de 14h/de 20h
seso ['seso] *nm* cerveau *m*; (*fig*) jugeote *f*; **sesos** *nmpl* (*Culin*) cervelle *f*; **devanarse los ~s** se creuser la cervelle
seta ['seta] *nf* champignon *m*; **~ venenosa** champignon vénéneux
setecientos, -as [sete'θjentos, as] *adj* sept cents; *ver tb* **seiscientos**
setenta [se'tenta] *adj inv, nm inv* soixante-dix *m inv*; *ver tb* **sesenta**
seudónimo [seu'ðonimo] *nm* pseudonyme *m*
severidad [seβeri'ðað] *nf* sévérité *f*
severo, -a [se'βero, a] *adj* sévère
Sevilla [se'βiʎa] *n* Séville
sevillano, -a [seβi'ʎano, a] *adj* sévillan(e) ■ *nm/f* Sévillan(e)
sexo ['sekso] *nm* sexe *m*; **el ~ femenino/masculino** le sexe féminin/masculin
sexto, -a ['seksto, a] *adj, nm/f* sixième *m/f*; **Juan S~** Jean Six; **un ~ de la población** un sixième de la population
sexual [sek'swal] *adj* sexuel(le); **vida ~** vie *f* sexuelle
s/f *abr* (*Com: = su favor*) *votre crédit*
si [si] *conj* si ■ *nm* (*Mús*) si *m inv*; **si ... o si ...** si ... ou si ...; **me pregunto si ...** je me demande si ...; **si no** sinon; **¡si fuera verdad!** si seulement ça pouvait être

vrai!; **¡(pero) si no lo sabía!** (mais) je ne le savais même pas!; **por si (acaso)** au cas où; **¿y si llueve?** et s'il pleut?
sí [si] *adv* oui; (*tras frase negativa*) si; **¡¿sí?!** (*asombro*) ah bon?; **"nos vas a llevar al cine, ¿a que sí?"** "tu nous emmènes bien au ciné, hein?"; **él no quiere pero yo sí** il ne veut pas mais moi oui; **ella sí vendrá** elle, elle viendra; **claro que sí** bien sûr que oui/si; **creo que sí** je crois que oui/si; **porque sí** (*porque lo digo yo*) parce que; **¡sí que lo es!** bien sûr que si!; **¡eso sí que no!** alors là, non! ■ *nm* (*consentimiento*) oui *m* ■ *pron* (*uso impersonal*) soi; (*sg*: *m*) lui; (: *f*) elle; (: *de cosa*) lui (elle); (: *de usted, ustedes*) vous; (*pl*) eux; **por sí solo/solos** à lui seul/eux seuls; **volver en sí** revenir à soi; **sí mismo/misma** lui-/elle-même; **se ríe de sí misma** elle rit d'elle-même; **hablaban entre sí** ils parlaient entre eux; **de por sí** en soi-même *etc*
siamés, -esa [sja'mes, esa] *adj, nm/f* siamois(e)
SIDA, sida ['siðа] *sigla m* (= *síndrome de inmuno-deficiencia adquirida*) SIDA *m*, sida *m* (= *syndrome immunodéficitaire acquis*)
siderúrgico, -a [siðe'rurxico, a] *adj* sidérurgique
sidra ['siðra] *nf* cidre *m*
siembra ['sjembra] *vb ver* **sembrar** ■ *nf* (*Agr*) semence *f*
siempre ['sjempre] *adv* toujours ■ *conj*: **~ que ...** (*cada vez que*) chaque fois que ...; (*a condición de que*) seulement si; **es lo de ~** c'est tout le temps la même chose; **como ~** comme toujours; **para ~** pour toujours; **~ me voy mañana** (*AM*) de toute façon, je pars demain
sien [sjen] *nf* tempe *f*
siento ['sjento] *vb ver* **sentar**; **sentir**
sierra ['sjerra] *vb ver* **serrar** ■ *nf* (*Tec*) scie *f*; (*Geo*) chaîne *f* de montagnes; **la ~** (*zona*) la montagne; **S~ Leona** Sierra *f* Leone
siervo, -a ['sjerβo, a] *nm/f* serf (serve)
siesta ['sjesta] *nf* sieste *f*; **dormir la** *o* **echarse una ~** faire une (petite) sieste
siete ['sjete] *adj inv, nm inv* sept *m inv* ■ *nm* (*en tela*) accroc *m* ■ *excl* (*AM*: *fam*): **¡la gran ~!** punaise!; **se armó un follón de la gran ~** ça a fait un raffut de tous les diables; **hijo de la gran ~** (*fam!*) fils *msg* de pute; *ver tb* **seis**
sífilis ['sifilis] *nf* syphilis *fsg*
sifón [si'fon] *nm* siphon *m*; **whisky con ~** whisky *m* soda
siga *etc* ['siɣa] *vb ver* **seguir**
sigla ['siɣla] *nf* sigle *m*
siglo ['siɣlo] *nm* siècle *m*; **hace ~s que no la veo** ça fait un bail que je ne l'ai pas vue; **S~ de las Luces** Siècle des lumières; **S~ de Oro** Siècle d'or
significación [siɣnifika'θjon] *nf* signification *f*
significado [siɣnifi'kaðo] *nm* signification *f*
significar [siɣnifi'kar] *vt* signifier
significativo, -a [siɣnifika'tiβo, a] *adj* significatif(-ive)
signo ['siɣno] *nm* signe *m*; **~ de admiración** point *m* d'exclamation; **~ de interrogación** point d'interrogation; **~ de más/de menos** signe plus/moins; **~s de puntuación** signes de ponctuation; **~ igual** signe égal
siguiendo *etc* [si'ɣjendo] *vb ver* **seguir**
siguiente [si'ɣjente] *adj* suivant(e); **¡el ~!** au suivant!
sílaba ['silaβa] *nf* syllabe *f*
silbar [sil'βar] *vt, vi* siffler
silbato [sil'βato] *nm* sifflet *m*
silbido [sil'βiðo], **silbo** ['silβo] *nm* sifflement *m*; (*abucheo*) sifflet *m*
silenciador [silenθja'ðor] *nm* silencieux *msg*
silenciar [silen'θjar] *vt* (*AM*: *persona*) faire taire; (*ruidos, escándalo*) étouffer
silencio [si'lenθjo] *nm* silence *m*; **en el más absoluto ~** dans un silence absolu; **guardar ~** garder le silence
silencioso, -a [silen'θjoso, a] *adj* silencieux(-ieuse)
silla ['siʎa] *nf* chaise *f*; (*tb*: **silla de montar**) selle *f*; **~ de ruedas** chaise roulante; **~ eléctrica** chaise électrique
sillón [si'ʎon] *nm* fauteuil *m*
silueta [si'lweta] *nf* silhouette *f*
silvestre [sil'βestre] *adj* (*Bot*) sauvage; (*fig*) rustique
simbólico, -a [sim'boliko, a] *adj* symbolique
simbolizar [simboli'θar] *vt* symboliser
símbolo ['simbolo] *nm* symbole *m*; **~ gráfico** (*Inform*) symbole graphique
simetría [sime'tria] *nf* symétrie *f*
simiente [si'mjente] *nf* graine *f*
similar [simi'lar] *adj* similaire
simio ['simjo] *nm* singe *m*
simpatía [simpa'tia] *nf* sympathie *f*; **tener ~ a** avoir de la sympathie pour
simpático, -a [sim'patiko, a] *adj* (*persona*) sympathique; (*animal*) gentil(le); **caer ~ a algn** être sympathique à qn
simpatizante [simpati'θante] *nm/f* sympathisant(e)

simpatizar [simpati'θar] *vi*: **~ con** sympathiser avec
simple ['simple] *adj* simple ■ *nm/f* (*pey*) simplet(te)
simplificar [simplifi'kar] *vt* simplifier
simposio [sim'posjo] *nm* symposium *m*
simular [simu'lar] *vt* simuler
simultáneo, -a [simul'taneo, a] *adj* simultané(e)
sin [sin] *prep* sans ■ *conj*: **~ que** (*con subjun*) sans que + *subjun*; **~ hogar** sans domicile; **~ decir nada** sans rien dire; **~ verlo yo** sans que je le voie; **platos ~ lavar** assiettes as lavées; **la ropa está ~ lavar** le linge n'est pas lavé; **quedarse ~ algo** ne plus avoir de qch; **~ que lo sepa él** sans qu'il le sache; **~ embargo** cependant; **no ~ antes** non sans
sinagoga [sina'ɣoɣa] *nf* synagogue *f*
sinceridad [sinθeri'ðað] *nf* sincérité *f*
sincero, -a [sin'θero, a] *adj* sincère
sincronizar [sinkroni'θar] *vt* synchroniser
sindical [sindi'kal] *adj* syndical(e); **central ~** centrale *f* syndicale
sindicalista [sindika'lista] *adj, nm/f* syndicaliste *m/f*
sindicato [sindi'kato] *nm* syndicat *m*
síndrome ['sindrome] *nm* syndrome *m*; **~ de abstinencia** symptômes *mpl* de la privation
sinfín [sin'fin] *nm*: **un ~ de** une infinité de
sinfonía [sinfo'nia] *nf* symphonie *f*
singular [singu'lar] *adj* singulier(-ière) ■ *nm* (*Ling*) singulier *m*; **en ~** au singulier
singularidad [singulari'ðað] *nf* singularité *f*
singularizar [singulari'θar] *vt* singulariser; **singularizarse** *vpr* se singulariser
siniestro, -a [si'njestro, a] *adj* sinistre; (*izquierdo*) gauche ■ *nm* sinistre *m*; (*en carretera*) accident *m*
sinnúmero [sin'numero] *nm* = **sinfín**
sino ['sino] *nm* destin *m* ■ *conj* sinon; **no son 8 ~ 9** il n'y en a pas 8 mais 9; **no sólo es lista ~ guapa** non seulement elle est intelligente mais en plus elle est belle
sinónimo, -a [si'nonimo, a] *adj, nm* synonyme *m*
síntesis ['sintesis] *nf inv* synthèse *f*
sintético, -a [sin'tetiko, a] *adj* (*material*) synthétique; (*producto*) de synthèse
sintetizar [sinteti'θar] *vt* synthétiser
sintiendo *etc* [sin'tjendo] *vb ver* **sentir**
síntoma ['sintoma] *nm* symptôme *m*
sintonía [sinto'nia] *nf* (*Radio*) réglage *m*; (*melodía*) indicatif *m* (musical); **estar en ~ con algn/algo** être sur la même longueur d'onde que qn/être au fait de qch
sintonizar [sintoni'θar] *vt* (*Radio*) régler ■ *vi*: **~ con** régler sur; (*fig*) coïncider avec
sinvergüenza [simber'ɣwenθa] *adj, nm/f* canaille *f*; (*descarado*) effronté(e)
siquiera [si'kjera] *conj* même si ■ *adv* au moins; **ni ~** pas même; **~ bebe algo** bois au moins qch
sirena [si'rena] *nf* sirène *f*
Siria ['sirja] *nf* Syrie *f*
sirviendo *etc* [sir'βjendo] *vb ver* **servir**
sirviente, -a [sir'βjente, a] *nm/f* domestique *m/f*
sisear [sise'ar] *vi* dire "chut"
sistema [sis'tema] *nm* système *m*; **el ~** (*Pol*) le système; **por ~** systématiquement; **~ binario** (*Inform*) système binaire; **~ de alerta inmediata** système d'alarme; **~ de facturación** (*Com*) système de facturation; **~ de fondo fijo** (*Com*) *système de gestion de la petite caisse par avance de fonds*; **~ de lógica compartida** (*Inform*) système de logique commune; **~ educativo** système éducatif; **~ experto** (*Inform*) système expert; **~ impositivo** *o* **tributario** système d'imposition; **~ métrico** système métrique; **~ nervioso** système nerveux; **~ operativo** (*Inform*) système d'exploitation; **~ solar** système solaire

SISTEMA EDUCATIVO

Le système scolaire espagnol (*sistema educativo*) est coposé de la "Primaria", cycle obligatoire de 6 ans, la "Secundaria", cycle obligatoire de 4 ans, et le "Bachillerato", cycle facultatif de 2 ans dans le secondaire, indispensable à la poursuite d'études supérieures.

sistemático, -a [siste'matiko, a] *adj* systématique
sitiar [si'tjar] *vt* assiéger
sitio ['sitjo] *nm* endroit *m*, site *m*; (*espacio*) place *f*; (*Mil*) siège *m*; **~ web** site *m* Web; **en cualquier ~** n'importe où; **¿hay ~?** il y a de la place?; **hay ~ de sobra** il y a de la place en trop; **guardar el ~ a algn** garder la place à qn
situación [sitwa'θjon] *nf* situation *f*
situado, -a [si'twaðo, a] *adj* situé(e); **estar bien ~** (*socioeconómicamente*) réussir (dans la vie)

situar [si'twar] *vt* situer; (*socioeconómicamente*) placer; **situarse** *vpr* se situer; (*socioeconómicamente*) réussir (dans la vie)
slip [es'lip] (*pl* **~s**) *nm* slip *m*
SME *sigla m* (= *Sistema Monetario Europeo*) SME *m* (= *Système monétaire européen*)
smoking [(e)'smokin] (*pl* **~s**) *nm* smoking *m*
SMS *sigla m* (*Telec*) SMS *m*
s/n *abr* = *sin número*
snob [es'nob] *nm* = **esnob**
SO *abr* (= *suroeste*) S.-O. (= *sud-ouest*)
so [so] *excl* (*a animal*) ho! ▪ *prep* sous; **¡so burro!** espèce d'idiot!
s/o *abr* (= *su orden*) votre ordre
sobaco [so'βako] *nm* aisselle *f*
sobar [so'βar] *vt* tripoter
soberanía [soβera'nia] *nf* souveraineté *f*
soberano, -a [soβe'rano, a] *adj* souverain(e); (*paliza*) magistral(e) ▪ *nm/f* souverain(e); **los soberanos** *nmpl* (*rey y reina*) le couple royal
soberbia [so'βerβja] *nf* superbe *f*, orgueil *m*
soberbio, -a [so'βerβjo, a] *adj* (*persona*) orgueilleux(-euse); (*palacio, ejemplar*) superbe
sobornar [soβor'nar] *vt* acheter, soudoyer
soborno [so'βorno] *nm* (*un soborno*) pot-de-vin *m*; (*el soborno*) corruption *f*
sobra ['soβra] *nf* excès *msg*; **sobras** *nfpl* (*restos*) restes *mpl*; **de ~** en trop; **lo sé de ~** je ne le sais que trop bien; **tengo de ~** j'en ai plus qu'assez
sobrante [so'βrante] *adj* restant(e) ▪ *nm* restant *m*
sobrar [so'βrar] *vi* (*quedar*) rester; (*estar de más: persona*) être de trop; **sobra una silla** il y a une chaise de trop; **me sobran tres entradas** j'ai trois entrées en trop
sobre ['soβre] *prep* sur; (*por encima de*) au-dessus de; (*aproximadamente*) environ ▪ *nm* enveloppe *f*; **~ todo** surtout; **3 ~ 100** 3 sur cent; **se lanzó ~ él** il s'est jeté sur lui
sobredosis [soβre'ðosis] *nf inv* overdose *f*
sobreentender [soβreenten'der] *vt* sous-entendre; **sobreentenderse** *vpr*: **se sobreentiende (que)** il est sous-entendu (que)
sobrehumano, -a [soβreu'mano, a] *adj* surhumain(e)
sobrellevar [soβreʎe'βar] *vt* supporter
sobremesa [soβre'mesa] *nf*: **de ~** (*ordenador*) de bureau; (*programación*) de l'après-midi; **en la ~** après manger
sobrenatural [soβrenatu'ral] *adj* surnaturel(le)
sobrentender [soβrenten'der] *vt* = **sobreentender**
sobrepasar [soβrepa'sar] *vt* dépasser
sobreponerse [soβrepo'nerse] *vpr*: **~ a algo** surmonter qch
sobresaliente [soβresa'ljente] *adj* extraordinaire ▪ *nm* (*Escol*) ≈ mention *f* "très bien"
sobresalir [soβresa'lir] *vi* (*punta*) saillir; (*cabeza*) dépasser; (*fig*) se distinguer
sobresaltar [soβresal'tar] *vt* faire sursauter; **sobresaltarse** *vpr* sursauter
sobrevenir [soβreβe'nir] *vi* survenir
sobreviviente [soβreβi'βjente] *adj, nm/f* survivant(e)
sobrevolar [soβreβo'lar] *vt* survoler
sobriedad [soβrje'ðað] *nf* sobriété *f*
sobrino, -a [so'βrino, a] *nm/f* neveu (nièce)
sobrio, -a ['soβrjo, a] *adj* sobre
socarrón, -ona [soka'rron, ona] *adj* narquois(e)
socavar [soka'βar] *vt* saper
socavón [soka'βon] *nm* (*en calle*) trou *m*; (*excavado: en monte*) galerie *f*
sociable [so'θjaβle] *adj* sociable
social [so'θjal] *adj* social(e)
socialdemócrata [soθjalde'mokrata] *adj, nm/f* social-démocrate *m/f*
socialista [soθja'lista] *adj, nm/f* socialiste *m/f*
sociedad [soθje'ðað] *nf* société *f*; **en ~** en société; **~ anónima** société anonyme; **~ comanditaria** (*Com*) société en commandite; **~ conjunta** (*Com*) société en participation; **~ de cartera** société d'investissements; **~ de consumo** société de consommation; **~ inmobiliaria** société immobilière; **~ (de responsabilidad) limitada** (*Com*) société à responsabilité limitée
socio, -a ['soθjo, a] *nm/f* membre *m/f*; (*Com*) associé(e); **~ activo** membre actif; **~ capitalista** *o* **comanditario** commanditaire *m*
sociología [soθjolo'xia] *nf* sociologie *f*
sociólogo, -a [so'θjoloɣo, a] *nm/f* sociologue *m/f*
socorrer [soko'rrer] *vt* secourir
socorrista [soko'rrista] *nm/f* secouriste *m/f*
socorro [so'korro] *nm* secours *msg*; (*Mil*) secours *mpl*; **¡~!** au secours!; **puesto de ~** poste *m* de secours
soda ['soða] *nf* soda *m*
sofá [so'fa] *nm* canapé *m*

sofá-cama [so'fakama] *nm* (*pl* **sofás-cama**) canapé-lit *m*
sofocar [sofo'kar] *vt* suffoquer, étouffer; (*incendio, rebelión*) étouffer; **sofocarse** *vpr* étouffer; (*fig*) suffoquer
sofoco [so'foko] *nm* suffocation *f*; (*vergüenza*) embarras *msg*; **~s** (*Med*) bouffées *fpl* de chaleur
soga ['soɣa] *nf* cordage *m*
sois [sois] *vb ver* **ser**
soja ['soxa] *nf* soja *m*
sol [sol] *nm* soleil *m*; (*moneda, Mús*) sol *m inv*; **hace ~** il fait soleil; **tomar el ~** prendre le soleil; **~ naciente/poniente** soleil levant/couchant
solamente ['solamente] *adv* seulement
solapa [so'lapa] *nf* (*de chaqueta*) revers *msg*; (*de libro*) rabat *m*
solar [so'lar] *adj* solaire ■ *nm* terrain *m* vague
solaz [so'laθ] *nm* distraction *f*
solazarse [sola'θarse] *vpr* se distraire
soldado [sol'daðo] *nm* soldat *m*; **~ raso** simple soldat
soldador, a [solda'ðor] *nm/f* soudeur(-euse) ■ *nm* machine *f* à souder
soldar [sol'dar] *vt* souder; **soldarse** *vpr* (*huesos*) se souder
soleado, -a [sole'aðo, a] *adj* ensoleillé(e)
soledad [sole'ðað] *nf* solitude *f*
solemne [so'lemne] *adj* solennel(le); (*tontería*) magistral(e)
solemnidad [solemni'ðað] *nf* solennité *f*
soler [so'ler] *vi*: **~ hacer algo** avoir l'habitude de faire qch; **suele salir a las ocho** d'ordinaire, il sort à 8 heures; **solíamos ir todos los años** nous y allions tous les ans
solicitar [soliθi'tar] *vt* solliciter
solicitud [soliθi'tuð] *nf* sollicitation *f*
solidaridad [soliðari'ðað] *nf* solidarité *f*; **por ~ con** par solidarité avec
solidario, -a [soli'ðarjo, a] *adj* solidaire; **hacerse ~ de** être solidaire de
solidez [soli'ðeθ] *nf* solidité *f*
sólido, -a ['soliðo, a] *adj* solide; (*color*) grand teint *inv* ■ *nm* solide *m*
soliloquio [soli'lokjo] *nm* soliloque *m*
solista [so'lista] *nm/f* soliste *m/f*
solitario, -a [soli'tarjo, a] *adj, nm/f* solitaire *m/f* ■ *nm* (*Naipes*) réussite *f*; **hacer algo en ~** faire qch en solitaire
sollozar [soʎo'θar] *vi* sangloter
sollozo [so'ʎoθo] *nm* sanglot *m*
solo, -a ['solo, a] *adj* (*único*) seul(e) (et unique); (*sin compañía*) seul(e); (*café*) noir(e); (*whisky etc*) sec (sèche) ■ *nm* (*Mús*) solo *m*; **hay una sola dificultad** il y a une seule difficulté; **a solas** tout(e) seul(e); (*dos personas*) seul à seul
sólo ['solo] *adv* seulement; **no ~ ... sino** non seulement ... mais encore; **tan ~** simplement; **~ que ...** seulement, ...; **~ lo sabe él** il n'y que lui qui le sache
solomillo [solo'miʎo] *nm* aloyau *m*
soltar [sol'tar] *vt* lâcher; (*preso*) relâcher; (*pelo*) détacher; (*nudo*) défaire; (*amarras*) larguer; (*estornudo, carcajada*) laisser échapper; (*taco*) lancer; (*bofetada*) donner; **soltarse** *vpr* se détacher; (*desprenderse*) se distinguer; (*adquirir destreza*) se débrouiller; (*relajarse*) se relâcher; **¡suéltame!** lâche-moi!
soltero, -a [sol'tero, a] *adj, nm/f* célibataire *m/f*
solterón, -ona [solte'ron, ona] *nm/f* vieux garçon (vieille fille)
soltura [sol'tura] *nf* (*al hablar, escribir*) facilité *f*; (*agilidad*) adresse *f*
soluble [so'luβle] *adj* soluble; **~ en agua** soluble dans l'eau
solución [solu'θjon] *nf* solution *f*; **sin ~ de continuidad** sans solution de continuité
solucionar [soluθjo'nar] *vt* résoudre
solventar [solβen'tar] *vt* (*deudas*) régler; (*conflicto*) résoudre
solvente [sol'βente] *adj* (*Com*) solvable; (*fuentes*) sûr(e); (*profesional*) responsable
sombra ['sombra] *nf* ombre *f*; **sombras** *nfpl* (*oscuridad*) ombre; **sin ~ de duda** sans l'ombre d'un doute; **tener buena/mala ~** (*suerte*) avoir de la/pas de chance; (*carácter*) être agréable/désagréable; **~s chinescas** ombres chinoises; **~ de ojos** ombre à paupières
sombrero [som'brero] *nm* chapeau *m*; **~ de copa** *o* **de pelo** (*AM*) haut-de-forme *m*; **~ hongo** chapeau melon
sombrilla [som'briʎa] *nf* ombrelle *f*
sombrío, -a [som'brio, a] *adj* sombre
somero, -a [so'mero, a] *adj* sommaire
someter [some'ter] *vt* soumettre; (*alumnos, familia*) faire obéir; **someterse** *vpr* se soumettre; **~ algo/a algn a** soumettre qch/qn à; **~se a** (*mayoría, opinión*) se soumettre à; (*tratamiento*) subir
somnífero [som'nifero] *nm* somnifère *m*
somnolencia [somno'lenθja] *nf* somnolence *f*
somos ['somos] *vb ver* **ser**
son [son] *vb ver* **ser** ■ *nm* son *m*; **al ~ de** au son de; **en ~ de paz** en signe de paix
sonajero [sona'xero] *nm* hochet *m*

sonámbulo, -a [so'nambulo, a] *nm/f* somnambule *m/f*
sonar [so'nar] *vt* sonner ■ *vi* sonner; (*música, voz*) retentir; (*Ling*) être prononcé(e); (*resultar conocido*) dire qch; (*máquina*) faire du bruit; **sonarse** *vpr*: **~se (la nariz)** renifler; **suena a hueco/falso** sonner creux/faux; **es un nombre que suena** c'est un nom qui sonne bien; **me suena ese nombre/esa cara** ce nom/ce visage me dit qch
sonda ['sonda] *nf* sonde *f*
sondear [sonde'ar] *vt* sonder; (*Med*) examiner à la sonde
sondeo [son'deo] *nm* sondage *m*; (*Med*) examen *m* à la sonde; **~ de la opinión pública** sondage de l'opinion publique
sonido [so'niðo] *nm* son *m*
sonoro, -a [so'noro, a] *adj* sonore; **banda sonora** bande *f* son
sonreír [sonre'ir] *vi* sourire; **sonreírse** *vpr* sourire; **~ a algn** sourire à qn
sonriente [son'rjente] *adj* souriant(e)
sonrisa [son'risa] *nf* sourire *m*
sonrojarse *vpr* rougir
soñar [so'ɲar] *vt, vi* rêver; **~ con algn/algo** rêver de qn/qch; **~ despierto** rêver tout éveillé
soñoliento, -a [soɲo'ljento, a] *adj* somnolent(e)
sopa ['sopa] *nf* soupe *f*; **hasta en la ~** (*fam*) partout
sopesar [sope'sar] *vt* peser
soplar [so'plar] *vt* souffler; (*fam: delatar*) vendre ■ *vi* souffler; (*fam: delatar*) moucharder; (*: beber*) descendre
soplo ['soplo] *nm* souffle *m*; (*fam*) mouchardage *m*; **la semana pasó en un ~** (*fam*) la semaine a passé à toute vitesse
sopor [so'por] *nm* somnolence *f*
soporífero, -a [sopo'rifero, a] *adj* soporifique
soportar [sopor'tar] *vt* supporter
soporte [so'porte] *nm* support *m*; (*fig*) soutien *m*; **~ de entrada/de salida** support d'entrée/de sortie
soprano [so'prano] *nm/f* soprano *m/f*
sorber [sor'βer] *vt* (*sopa*) avaler; (*refresco*) siroter; (*absorber*) absorber
sorbo ['sorβo] *nm* gorgée *f*; **beber a ~s** boire à petites gorgées
sordera [sor'ðera] *nf* surdité *f*
sórdido, -a ['sorðiðo, a] *adj* sordide
sordo, -a ['sorðo, a] *adj, nm/f* sourd(e); **quedarse ~** devenir sourd(e)
sordomudo, -a [sorðo'muðo, a] *adj, nm/f* sourd-muet (sourde-muette)
soroche [so'rotʃe] (*AM*) *nm* mal *m* des montagnes
sorprendente [sorpren'dente] *adj* surprenant(e)
sorprender [sorpren'der] *vt* surprendre; **sorprenderse** *vpr*: **~se (de)** être surpris(e) (de); **le sorprendieron robando** ils l'ont surpris en train de voler
sorpresa [sor'presa] *nf* surprise *f*; **por ~** par surprise
sortear [sorte'ar] *vt* tirer (au sort); (*Mil*) affecter; (*dificultad*) déjouer
sorteo [sor'teo] *nm* tirage *m* (au sort)
sortija [sor'tixa] *nf* bague *f*; (*rizo*) boucle *f*
sosegado, -a [sose'ɣaðo, a] *adj* paisible
sosegar [sose'ɣar] *vt* apaiser; **sosegarse** *vpr* s'apaiser
sosiego [so'sjeɣo] *vb ver* **sosegar** ■ *nm* calme *m*
soslayo [sos'lajo]: **de ~** *adv* (*mirar*) de côté; (*pasar*) sans s'arrêter
soso, -a ['soso, a] *adj* insipide
sospecha [sos'petʃa] *nf* soupçon *m*
sospechar [sospe'tʃar] *vt*: **~ (que)** soupçonner (que) ■ *vi*: **~ de algn** soupçonner qn
sospechoso, -a [sospe'tʃoso, a] *adj, nm/f* suspect(e)
sostén [sos'ten] *nm* soutien *m*; (*sujetador*) soutien-gorge *m*
sostener [soste'ner] *vt* soutenir; (*alimentar*) faire vivre; **sostenerse** *vpr* (*en pie*) rester; (*económicamente*) survivre; (*seguir*) se maintenir
sotana [so'tana] *nf* soutane *f*
sótano ['sotano] *nm* sous-sol *m*
soviético, -a [so'βjetiko, a] *adj* soviétique ■ *nm/f* Soviétique *m/f*
soy [soi] *vb ver* **ser**
Sr. *abr* (= *Señor*) M. (= *Monsieur*)
Sra. *abr* (= *Señora*) Mme (= *Madame*)
S.R.C. *abr* (= *se ruega contestación*) RSVP (= *répondez s'il vous plaît*)
Sres. *abr* (= *Señores*) MM (= *Messieurs*)
Srta. *abr* (= *Señorita*) Mlle (= *Mademoiselle*)
Sta. *abr* (= *Santa*) Ste (= *Sainte*)
status ['status, es'tatus] *nm inv* statut *m*
Sto. *abr* (= *Santo*) St (= *Saint*)
su [su] *adj* (*de él, ella, una cosa*) son (sa); (*de ellos, ellas*) leur; (*de usted, ustedes*) votre; **sus** (*de él, ella, una cosa*) ses; (*de ellos, ellas*) leurs; (*de usted, ustedes*) vos
suave ['swaβe] *adj* doux (douce)
suavidad [swaβi'ðað] *nf* douceur *f*
suavizar [swaβi'θar] *vt* adoucir; (*pendiente*) rendre plus doux (douce); **suavizarse** *vpr* s'adoucir

subalimentado, -a [suβalimen'taðo, a] *adj* sous-alimenté(e)
subasta [su'βasta] *nf* vente *f* aux enchères; (*de obras, servicios*) appel *m* d'offre; **poner en** *o* **sacar a pública ~** mettre aux enchères; **~ a la baja** enchères *fpl* au rabais
subastar [suβas'tar] *vt* vendre aux enchères
subcampeón, -ona [suβkampe'on, ona] *nm/f* second(e)
subconsciente [suβkons'θjente] *adj* subconscient(e) ■ *nm* subconscient *m*
subdesarrollado, -a [suβðesarro'ʎaðo, a] *adj* sous-développé(e)
subdesarrollo [suβðesa'rroʎo] *nm* sous-développement *m*
subdirector, a [suβðirek'tor, a] *nm/f* sous-directeur(-trice)
súbdito, -a ['suβðito, a] *nm/f* sujet *m*
subestimar [suβesti'mar] *vt* sous-estimer
subida [su'βiða] *nf* montée *f*
subir [su'βir] *vt* (*mueble, niño*) soulever; (*cabeza*) lever; (*volumen*) augmenter; (*calle*) remonter; (*montaña, escalera*) monter, gravir; (*precio*) augmenter; (*producto*) augmenter le prix de; (*empleado*) faire monter en grade ■ *vi* monter; (*precio, temperatura, calidad*) augmenter; (*en el empleo*) monter en grade; **subirse** *vpr*: **~se a** monter dans; **~se los pantalones/la falda** remonter son pantalon/sa jupe
súbito, -a ['suβito, a] *adj* subit(e), soudain(e)
subjetivo, -a [suβxe'tiβo, a] *adj* subjectif(-ive)
sublevación [suβleβa'θjon] *nf* soulèvement *m*
sublevar [suβle'βar] *vt* soulever; (*indignar*) répugner à; **sublevarse** *vpr* se soulever
sublime [su'βlime] *adj* sublime
submarinismo *nm* plongée *f* sous-marine
submarino, -a [suβma'rino, a] *adj* sous-marin(e) ■ *nm* sous-marin *m*
subnormal [suβnor'mal] *adj* anormal(e) ■ *nm/f* handicapé(e) mental(e); (*fam: insulto*) débile *m/f* mental(e)
subordinado, -a [suβorði'naðo, a] *adj, nm/f* subordonné(e)
subrayar [suβra'jar] *vt* souligner
subsanar [suβsa'nar] *vt* pallier
subscribir [suβskri'βir] *vt* = **suscribir**
subsidio [suβ'siðjo] *nm* (*de enfermedad, paro, etc*) allocation *f*
subsistencia [suβsis'tenθja] *nf* subsistance *f*
subsistir [suβsis'tir] *vi* subsister
subterráneo, -a [suβte'rraneo, a] *adj* souterrain(e) ■ *nm* souterrain *m*; (*Csur: metro*) métro *m*
subtítulo [suβ'titulo] *nm* sous-titre *m*
suburbano, -a [suβur'βano, a] *adj* de banlieue ■ *nm* train *m* de banlieue
suburbio [su'βurβjo] *nm* banlieue *f*
subvención [suββen'θjon] *nf* subvention *f*; **~ estatal** subvention de l'Etat; **~ para la inversión** prime *f* à l'investissement
subvencionar [suββenθjo'nar] *vt* subventionner
subversión [suββer'sjon] *nf* subversion *f*
subversivo, -a [suββer'siβo, a] *adj* subversif(-ive)
subyugar [suβju'ɣar] *vt* opprimer; (*fig*) subjuguer
sucedáneo [suθe'ðaneo] *nm* ersatz *m*
suceder [suθe'ðer] *vi* se passer; **~ a** succéder à; **lo que sucede es que ...** ce que se passe, c'est que ...; **~ al rey** succéder au roi
sucesión [suθe'sjon] *nf* succession *f*
sucesivamente [suθe'siβamente] *adv*: **y así ~** et ainsi de suite
sucesivo, -a [suθe'siβo, a] *adj* successif(-ive); **en lo ~** à l'avenir
suceso [su'θeso] *nm* événement *m*; **sección de ~s** (*Prensa*) faits *mpl* divers
suciedad [suθje'ðað] *nf* saleté *f*
sucinto, -a [su'θinto, a] *adj* succinct(e)
sucio, -a ['suθjo, a] *adj* sale; (*estómago*) barbouillé(e); (*lengua*) blanc (blanche); (*negocio*) malhonnête; (*guerra*) déshonorant(e); **juego ~** tricherie *f*; **en ~** au brouillon
suculento, -a [suku'lento, a] *adj* succulent(e)
sucumbir [sukum'bir] *vi* succomber; **~ a la tentación** succomber à la tentation
sucursal [sukur'sal] *nf* succursale *f*
Sudáfrica [su'ðafrika] *nf* Afrique *f* du Sud
Sudamérica [suða'merika] *nf* Amérique *f* du Sud
sudamericano, -a [suðameri'kano, a] *adj* sud-américain(e) ■ *nm/f* Sud-Américain(e)
sudar [su'ðar] *vt* (*ropa*) tremper (de sueur); (*Bot*) exsuder ■ *vi* suer
sudeste [su'ðeste] *adj* sud-est *inv* ■ *nm* Sud-Est *m*; (*viento*) vent *m* de sud-est

sudoeste [suðo'este] *adj* sud-ouest *inv* ■ *nm* Sud-Ouest *m*; (*viento*) vent *m* de sud-ouest
sudor [su'ðor] *nm* sueur *f*
Suecia ['sweθja] *nf* Suède *f*
sueco, -a ['sweko, a] *adj* suédois(e) ■ *nm/f* Suédois(e) ■ *nm* (*Ling*) suédois *msg*; **hacerse el ~** faire la sourde oreille
suegro, -a ['sweɣro, a] *nm/f* beau-père (belle-mère); **los ~s** les beaux-parents *mpl*
suela ['swela] *nf* semelle *f*
sueldo ['sweldo] *vb ver* **soldar** ■ *nm* salaire *m*
suelo ['swelo] *vb ver* **soler** ■ *nm* sol *m*; **caerse al ~** tomber par terre; **estar por los ~s** (*precios*) s'être effondré(e)
suelto, -a ['swelto, a] *vb ver* **soltar** ■ *adj* (*hojas*) volant(e); (*pelo, pieza*) détaché(e); (*preso*) libéré(e); (*por separado: ejemplar*) séparé(e); (*arroz*) qui ne colle pas; (*ropa*) ample; (*con diarrea*) qui a la colique ■ *nm* monnaie *f*; **dinero ~** (petite) monnaie; **está muy ~ en inglés** il parle anglais couramment
sueño ['sweɲo] *vb ver* **soñar** ■ *nm* sommeil *m*; (*lo soñado, fig*) rêve *m*; **descabezar** *o* **echarse un ~** faire un somme; **tener ~** avoir sommeil; **~ pesado** sommeil lourd; **~ profundo** profond sommeil
suero ['swero] *nm* (*Med*) sérum *m*; (*de leche*) petit-lait *m*
suerte ['swerte] *nf* (*fortuna*) chance *f*; (*azar*) hasard *m*; (*destino*) destin *m*; (*condición*) condition *f*; (*género*) sorte *f*; **lo echaron a ~s** ils ont tiré au sort; **tener ~** avoir de la chance; **tener mala ~** ne pas avoir de chance; **de ~ que** de sorte que; **por ~** par chance
suéter ['sweter] (*pl* **~s**) *nm* pull *m*
suficiente [sufi'θjente] *adj* suffisant(e) ■ *nm* (*Escol*) moyenne *f*
sufragio [su'fraxjo] *nm* suffrage *m*
sufrimiento [sufri'mjento] *nm* souffrance *f*
sufrir [su'frir] *vt* souffrir de; (*malos tratos, cambios*) subir; (*fam: soportar*) sentir ■ *vi* souffrir; **~ de corazón/estómago** souffrir du cœur/de l'estomac; **hacer ~ a algn** faire souffrir qn
sugerencia [suxe'renθja] *nf* suggestion *f*
sugerir [suxe'rir] *vt* suggérer
sugestión [suxes'tjon] *nf* suggestion *f*
sugestionar [suxestjo'nar] *vt* influencer; **sugestionarse** *vpr* se faire des idées
sugestivo, -a [suxes'tiβo, a] *adj* suggestif(-ive); (*idea*) séduisant(e)
suicida [sui'θiða] *adj* suicidaire ■ *nm/f* (*que se mata*) suicidé(e); (*que arriesga su vida*) suicidaire *m/f*
suicidarse [suiθi'ðarse] *vpr* se suicider
suicidio [sui'θiðjo] *nm* suicide *m*
Suiza ['swiθa] *nf* Suisse *f*
suizo, -a ['swiθo, a] *adj* suisse ■ *nm/f* Suisse *m/f* ■ *nm* (*Culin*) pain *m* au lait
sujeción [suxe'θjon] *nf* assujettissement *m*
sujetador [suxeta'ðor] *nm* soutien-gorge *m*
sujetar [suxe'tar] *vt* attacher; (*someter*) avoir de l'autorité sur; **sujetarse** *vpr* s'attacher; (*someterse*) se soumettre
sujeto, -a [su'xeto, a] *adj* attaché(e) ■ *nm* sujet *m*; **~ a cambios** susceptible d'être modifié
suma ['suma] *nf* somme *f*; (*operación*) addition *f*; **en ~** en somme
sumamente ['sumamente] *adv*: **~ agradecido/necesario** extrêmement reconnaissant/absolument nécessaire
sumar [su'mar] *vt* additionner ■ *vi* faire une addition; **sumarse** *vpr*: **~se (a)** s'additionner (à); **suma y sigue** (*Com*) reporter
sumario, -a [su'marjo, a] *adj* sommaire ■ *nm* (*Jur*) mise *f* en accusation
sumergir [sumer'xir] *vt* submerger; **sumergirse** *vpr* plonger
suministrar [suminis'trar] *vt* fournir
suministro [sumi'nistro] *nm* approvisionnement *m*; **suministros** *nmpl* (*provisiones*) provisions *fpl*
sumir [su'mir] *vt* submerger; (*fig*) plonger; **sumirse** *vpr*: **~se en** se plonger dans
sumisión [sumi'sjon] *nf* soumission *f*
sumiso, -a [su'miso, a] *adj* soumis(e)
sumo, -a ['sumo, a] *adj* (*cuidado*) extrême; (*grado*) supérieur(e); **a lo ~** au maximum
suntuoso, -a [sun'twoso, a] *adj* somptueux(-euse)
supe *etc* ['supe] *vb ver* **saber**
supeditar [supeði'tar] *vt*: **~ algo a algo** faire passer qch avant qch; **supeditarse** *vpr*: **~se a** se plier à
super ['super] (*fam*) *adv* hyper ■ *adj inv* super-; **~ caro** hyper cher; **~ oferta** offre *f* exceptionnelle
super... [super] *pref* super...; (*fam: +adjetivo*) hyper; (*: +adverbio*) super-
superar [supe'rar] *vt* surpasser; (*crisis, prueba*) surmonter; (*récord*) battre; **superarse** *vpr* se surpasser

superávit [supe'raβit] (*pl* **~s**) *nm* (*Econ*) excédent *m*
superficial [superfi'θjal] *adj* superficiel(le)
superficie [super'fiθje] *nf* surface *f*; (*área*) superficie *f*
superfluo, -a [su'perflwo, a] *adj* superflu(e)
superior [supe'rjor] *adj, nm/f* supérieur(e)
superioridad [superjori'ðað] *nf* supériorité *f*
supermercado [supermer'kaðo] *nm* supermarché *m*
superponer [superpo'ner] *vt* superposer; (*anteponer*) faire passer avant
supersónico, -a [super'soniko, a] *adj* supersonique
superstición [supersti'θjon] *nf* superstition *f*
supersticioso, -a [supersti'θjoso, a] *adj* superstitieux(-ieuse)
supervisar [superβi'sar] *vt* superviser
supervivencia [superβi'βenθja] *nf* survie *f*
superviviente [superβi'βjente] *adj, nm/f* survivant(e)
suplantar [suplan'tar] *vt* supplanter
suplemento [suple'mento] *nm* supplément *m*
suplente [su'plente] *adj* remplaçant(e) ■ *nm/f* remplaçant(e); (*actor*) doublure *f*
supletorio, -a [suple'torjo, a] *adj* supplémentaire ■ *nm* (*tb*: **teléfono supletorio**) second poste *m*
súplica ['suplika] *nf* supplication *f*; (*Rel*) supplique *f*; (*Jur*) placet *m*
suplicar [supli'kar] *vt* supplier; (*Jur*) faire appel (à)
suplicio [su'pliθjo] *nm* supplice *m*
suplir [su'plir] *vt* suppléer; (*objeto*) remplacer
supo *etc* ['supo] *vb ver* **saber**
suponer [supo'ner] *vt* supposer; **era de ~ que** ... il fallait s'attendre à ce que ...; **supone mucho para mí** cela représente beaucoup pour moi
suposición [suposi'θjon] *nf* supposition *f*
supremacía [suprema'θia] *nf* suprématie *f*
supremo, -a [su'premo, a] *adj* suprême
supresión [supre'sjon] *nf* suppression *f*
suprimir [supri'mir] *vt* supprimer
supuesto, -a [su'pwesto, a] *pp de* **suponer** ■ *adj* supposé(e) ■ *nm* supposition *f*; **dar por ~ algo** penser que qch est évident; **¡por ~!** évidemment!
sur [sur] *adj* sud ■ *nm* Sud *m*; (*viento*) vent *m* du Sud
surcar [sur'kar] *vt* sillonner
surco ['surko] *nm* sillon *m*; (*en agua, piel*) ride *f*
surgir [sur'xir] *vi* surgir
surtido, -a [sur'tiðo, a] *adj* (*galletas*) assorti(e); (*persona, tienda*) fourni(e) ■ *nm* assortiment *m*
surtir [sur'tir] *vt* fournir; (*efecto*) produire; **surtirse** *vpr*: **~se de** se fournir en
susceptible [susθep'tiβle] *adj* susceptible; **~ a** sujet(te) à; **~ de** susceptible de
suscitar [susθi'tar] *vt* susciter
suscribir [suskri'βir] *vt* (*firmar*) souscrire; (*respaldar*) approuver; (*Com*: *acciones*) souscrire (à); **suscribirse** *vpr*: **~se (a)** souscrire (à); (*a periódico etc*) s'abonner (à); **~ a algn a una revista** abonner qn à une revue
suscripción [suskrip'θjon] *nf* souscription *f*; (*a periódico etc*) abonnement *m*
susodicho, -a [suso'ditʃo, a] *adj* susdit(e), susmentionné(e)
suspender [suspen'der] *vt* suspendre; (*Escol*) recaler ■ *vi* (*Escol*) échouer, être recalé(e); **~ a algn de empleo y sueldo** relever qn de ses fonctions
suspensión [suspen'sjon] *nf* suspension *f*; (*de empleo, garantías*) suppression *f*; **~ de pagos** suspension de paiements
suspenso, -a [sus'penso, a] *adj* (*en el aire*) suspendu(e); (*desconcertado*) interloqué(e); (*Escol*: *asignatura*) pas passé(e); (: *alumno*) recalé(e) ■ *nm* (*Escol*) échec *m*; **quedar** *o* **estar en ~** rester en suspens
suspicacia [suspi'kaθja] *nf* suspicion *f*
suspicaz [suspi'kaθ] *adj* suspicieux(-ieuse)
suspirar [suspi'rar] *vi* soupirer; **~ por algo/algn** avoir très envie de qch/se languir de qn
suspiro [sus'piro] *nm* soupir *m*
sustancia [sus'tanθja] *nf* substance *f*; **sin ~** sans substance; **~ gris** matière *f* grise
sustentar [susten'tar] *vt* (*familia*) faire vivre; (*bóveda*) soutenir; (*idea, moral*) soutenir; (*esperanzas*) nourrir; **sustentarse** *vpr* se nourrir
sustento [sus'tento] *nm* (*alimento*) subsistance *f*; (*apoyo moral*) soutien *m*
sustituir [sustitu'ir] *vt* substituer; (*temporalmente*) remplacer; **~ A por B** substituer B à A, remplacer A par B

susto ['susto] *nm* peur *f*; **dar un ~ a algn** faire peur à qn; **darse** *o* **pegarse un ~** avoir peur

sustraer [sustra'er] *vt* subtiliser; (*Mat*) soustraire; **sustraerse** *vpr*: **~se a** se sustraire à

susurrar [susu'rrar] *vi* susurrer

susurro [su'surro] *nm* susurrement *m*

sutil [su'til] *adj* subtil(e); (*gasa, hilo*) fin(e); (*brisa*) léger(-ère)

sutileza [suti'leθa] *nf* subtilité *f*; **sutilezas** *nfpl* (*pey*) manigances *fpl*

suyo, -a ['sujo, a] *adj* (*después del verbo ser: de él, ella*) le sien (la sienne), à lui (à elle); (*: de ellos, ellas*) le(-la) leur, à eux (à elles); (*: de usted, ustedes*) le(-la) vôtre, à vous; (*después de un nombre: de él, ella*) à lui (à elle); (*: de ellos, ellas*) à eux (à elles); (*: de usted, ustedes*) à vous ■ *pron*: **el ~/la suya** (*de él, ella*) le sien (la sienne); (*de ellos, ellas*) le (la) leur; (*de usted, ustedes*) le (la) vôtre; **los ~s** les siens *etc*; **~ afectísimo** (*en carta*) bien affectueusement; **de ~** en soi; **eso es muy ~** c'est bien de lui; **hacer de las suyas** faire des siennes; **lo ~ sería de ...** le mieux serait de ...; **cada uno va a lo ~** chacun s'occupe de ses affaires; **salirse con la suya** avoir ce qu'on veut

t

Tabacalera [taβaka'lera] *nf* ≈ SEITA *f*

tabaco [ta'βako] *nm* tabac *m*; **~ de pipa** tabac pour la pipe; **~ negro/rubio** tabac brun/blond

taberna [ta'βerna] *nf* taverne *f*

tabique [ta'βike] *nm* cloison *f*; **~ nasal** (*Med*) cloison nasale

tabla ['taβla] *nf* (*de madera*) planche *f*; (*lista, catálogo*) table *f*, tableau *m*; (*Mat*) table; (*de falda*) pli *m*; (*Arte*) panneau *m*; **tablas** *nfpl* (*Teatro*) planches *fpl*; **tener ~s** (*actor*) être un (une) comédien(ne) accompli(e); **quedar en/hacer ~s** faire match nul; **~ de planchar** planche à repasser

tablado [ta'βlaðo] *nm* plancher *m*, estrade *f*; (*Teatro*) scène *f*

tablao [ta'βlao] *nm* (*tb*: **tablao flamenco**) *bar où l'on donne des représentations de flamenco*

tablero [ta'βlero] *nm* planche *f*; (*pizarra*) tableau *m*; (*de ajedrez, damas*) damier *m*; **~ de anuncios** panneau *m* d'affichage; **~ de mandos** (*Auto, Aviat*) tableau de bord

tableta [ta'βleta] *nf* (*Med*) comprimé *m*; (*de chocolate*) tablette *f*

tablón [ta'βlon] *nm* (*de suelo*) planche *f*; (*de techo*) poutre *f*; **~ de anuncios** panneau *m* d'affichage

tabú [ta'βu] *nm* tabou *m*
tabular [taβu'lar] *vt* (*Tip*) mettre en colonnes; (*Inform*) disposer en tableau
taburete [taβu'rete] *nm* tabouret *m*
tacaño, -a [ta'kaɲo, a] *adj* radin(e)
tacha ['tatʃa] *nf* défaut *m*; (*Tec*) clou *m* (à grosse tête), broquette *f*; **poner ~ a** trouver à redire à; **sin ~** sans défaut
tachar [ta'tʃar] *vt* rayer; (*corregir*) raturer; **le tachan de irresponsable** ils l'accusent d'être irresponsable
tácito, -a ['taθito, a] *adj* tacite; (*Ling*) implicite
taciturno, -a [taθi'turno, a] *adj* taciturne, morose
taco ['tako] *nm* (*tarugo*) cheville *f*, taquet *m*; (*libro de entradas*) carnet *m*; (*manojo de billetes*) liasse *f*; (*de bota de fútbol*) crampon *m*; (*AM*: *tacón*) talon *m*; (*tb*: **taco de billar**) queue *f*; (*de jamón, queso*) cube *m*; (*fam*: *lío*) pagaille *f*; (: *palabrota*) grossièreté *f*, gros mot *m*; (*Cam, Méx*) *crêpe de maïs fourrée*; (*Chi*: *fam*) bouchon *m*; **armarse** *o* **hacerse un ~** s'embrouiller
tacón [ta'kon] *nm* talon *m*; **de ~ alto** à talons hauts
taconeo [tako'neo] *nm* bruit *m* des talons sur le sol
táctica ['taktika] *nf* tactique *f*
táctico, -a ['taktiko, a] *adj* tactique
tacto ['takto] *nm* toucher *m*; (*fig*) tact *m*
taimado, -a [tai'maðo, a] *adj* rusé(e), sournois(e)
tajada [ta'xaða] *nf* tranche *f*; (*fam*: *borrachera*) cuite *f*; **sacar ~** tirer profit
tajante [ta'xante] *adj* catégorique; (*persona*) abrupt(e)
Tajo ['taxo] *nm* Tage *m*
tajo ['taxo] *nm* (*corte*) coupure *f*; (*filo*) tranchant *m*; (*Geo*) gorge *f*; (*fam*: *trabajo*) boulot *m*; (*bloque de madera*) billot *m*
tal [tal] *adj* tel (telle); (*semejante*) un(e) tel (telle), pareil(le) ▪ *pron* (*persona*) un(e) tel (telle); (*cosa*) une telle chose ▪ *adv*: **~ como** (*igual*) tel (telle) que ▪ *conj*: **con ~ (de) que** pourvu que, du moment que; **~ día a ~ hora** tel jour à telle heure; **jamás vi ~ desvergüenza** je n'ai jamais vu une telle effronterie *o* une effronterie pareille; **~es cosas** de telles choses; **el ~ cura** le curé en question; **un ~ García** un certain García; **~es como** tels (telles) que; **son ~ para cual** les deux font la paire; **hablábamos de que si ~ que si cual** nous parlions de choses et d'autres; **fuimos al cine y ~** nous avons été au ciné et tout ça; **~ cual** (*como es*) tel (telle) quel (quelle); **~ como lo dejé** tel que je l'ai laissé; **~ el padre, cual el hijo** tel père, tel fils; **~ vez** peut-être; **¿qué ~?** ça va?; **¿qué ~ has comido?** tu as bien mangé?; **con ~ de llamar la atención** du moment qu'il *etc* attire l'attention
taladrar [tala'ðrar] *vt* percer
taladro [ta'laðro] *nm* perceuse *f*; (*hoyo*) trou *m* (fait à la perceuse); **~ neumático** marteau-piqueur *m*
talante [ta'lante] *nm* humeur *f*; (*voluntad*) gré *m*
talar [ta'lar] *vt* abattre
talco ['talko] *nm* (*tb*: **polvos de talco**) talc *m*
talego [ta'leɣo] *nm* sac *m*; (*fam*) mille pesetas; **medio ~** (*fam*) cinq cents pesetas
talento [ta'lento] *nm* talent *m*; (*capacidad, don*) don *m*
Talgo *sigla m* (*Ferro*: *= tren articulado ligero Goicoechea-Oriol*) *train rapide*
talismán [talis'man] *nm* talisman *m*
talla ['taʎa] *nf* taille *f*; (*fig*) envergure *f*; (*figura*) sculpture *f*; **dar la ~** (*Mil*) avoir la taille requise; (*fig*) être de taille
tallado, -a [ta'ʎaðo, a] *adj* taillé(e), sculpté(e) ▪ *nm* sculpture *f*
tallar [ta'ʎar] *vt* tailler, sculpter; (*grabar*) graver; (*medir*) toiser
tallarines [taʎa'rines] *nmpl* nouilles *fpl*
talle ['taʎe] *nm* taille *f*; (*figura*) silhouette *f*; **de ~ esbelto** svelte
taller [ta'ʎer] *nm* atelier *m*
tallo ['taʎo] *nm* (*de planta*) tige *f*; (*de hierba*) brin *m*; (*brote*) pousse *f*
talón [ta'lon] *nm* talon *m*; (*Com*) chèque *m*; (*Tec*) bord *m*; **pisar a algn los talones** être sur les talons de qn; **~ de Aquiles** talon d'Achille
talonario [talo'narjo] *nm* carnet *m*; (*de cheques*) carnet de chèques
tamaño, -a [ta'maɲo, a] *adj* tel (telle) ▪ *nm* taille *f*; **de ~ natural** grandeur *f* nature; **de ~ grande/pequeño** de grande/petite taille
tamarindo [tama'rindo] *nm* tamarinier *m*
tambalearse [tambale'arse] *vpr* chanceler; (*mueble*) branler; (*vehículo*) brinquebaler
también [tam'bjen] *adv* aussi; (*además*) de plus; **estoy cansado - yo ~** je suis fatigué - moi aussi
tambor [tam'bor] *nm* tambour *m*; (*Anat*) tympan *m*; **~ del freno/de lavadora** tambour de frein/de machine à laver
tamiz [ta'miθ] *nm* tamis *msg*
tamizar [tami'θar] *vt* tamiser

tampoco [tam'poko] *adv* non plus; **yo ~ lo compré** je ne l'ai pas acheté non plus
tampón [tam'pon] *nm* tampon *m*
tan [tan] *adv* si; **~ ... como** aussi ... que; **~ siquiera** au moins; **es pesada, de ~ amable que es** elle est si aimable qu'elle finit par être ennuyeuse; **¡qué cosa ~ rara!** comme c'est bizarre!; **no es una idea ~ buena** ce n'est pas une si bonne idée
tanda ['tanda] *nf* série *f*; (*de personas*) équipe *f*; (*turno*) tour *m*; **~ de penaltis/de inyecciones** série de penalties/de piqûres; **~ de golpes** volée *f* de coups
tangente [tan'xente] *nf* tangente *f*; **salirse por la ~** prendre la tangente
Tánger ['tanxer] *n* Tanger
tangible [tan'xiβle] *adj* tangible
tanque ['tanke] *nm* (*Mil*) char *m* d'assaut; (*depósito: Auto*) citerne *f*; (*: Náut*) tanker *m*; (*: de agua*) réservoir *m*
tantear [tante'ar] *vt* jauger; (*probar*) essayer ▪ *vi* (*Deporte*) compter les points
tanteo [tan'teo] *nm* (*cálculo*) calcul *m* approximatif; (*prueba*) essai *m*; (*Deporte*) score *m*; (*sondeo*) sondage *m*; **al ~** par tâtonnements
tanto, -a ['tanto, a] *adj* (*cantidad*) tant de, tellement de; (*en comparaciones*) autant de ▪ *adv* tant, autant; (*tiempo*) si longtemps ▪ *nm* (*suma*) quantité *f*; (*proporción*) tant *m*; (*punto*) point *m*; (*gol*) but *m* ▪ *pron*: **cada uno paga ~** chacun paie tant ▪ *suf*: **veintitantos** vingt et quelques; **tiene ~s amigos** il a tellement *o* tant d'amis; **~ dinero como tú** autant d'argent que toi; **~ gusto** (*al ser presentado*) enchanté(e); **~ que** tellement que; **~ como él** autant que lui; **~ como eso** pas tant que ça; **~ es así que ...** c'est si vrai que ...; **~ más cuanto que ...** d'autant plus que ...; **~ mejor/peor** tant mieux/pis; **~ quejarse para nada** tant de plaintes pour rien; **~ tú como yo** toi autant que moi; **me he vuelto ronco de *o* con ~ hablar** je me suis enroué à force de parler; **no quiero ~** je n'en veux pas autant; **gasta ~ que ...** il dépense tellement que ...; **viene ~** il vient si souvent; **ni ~ así** (*fam*) pas une miette; **ni ~ ni tan clavo** n'exagérons rien; **¡no es para ~!** ce n'est pas si grave!; **¡y ~!** je ne vous *o* te le fais pas dire!; **en ~ que** pendant que; **entre ~** entre-temps; **por ~, por lo ~** donc, par conséquent; **~ alzado** forfait *m*; **~ por ciento** tant pour cent; **estar al ~** être au courant; **estar al ~ de los acontecimientos** être au courant des événements; **un ~ perezoso** un rien paresseux; **uno de ~s** un parmi d'autres; **he visto ~** j'en ai tellement vu; **a ~s de agosto** tel jour *o* telle date en août; **cuarenta y ~s** quarante et quelques; **se quedó en el bar hasta las tantas** il est resté au café jusqu'à une heure impossible
tapa ['tapa] *nf* couvercle *m*; (*de libro*) couverture *f*; (*comida*) amuse-gueule *m inv*, tapa *f*; (*de zapato*) semelle *f*; **~ de los sesos** boîte *f* crânienne
tapadera [tapa'ðera] *nf* couvercle *m*; (*fig*) couverture *f*
tapar [ta'par] *vt* couvrir; (*hueco, ventana*) fermer, boucher; (*ocultar*) dissimuler; (*vista*) boucher; (*AM: dientes*) plomber; **taparse** *vpr* se couvrir
tapete [ta'pete] *nm* tapis *msg*; **poner sobre el ~** mettre sur le tapis
tapia ['tapja] *nf* mur *m* de pisé; **estar (sordo) como una ~** être sourd comme un pot
tapiar [ta'pjar] *vt* murer
tapicería [tapiθe'ria] *nf* tapisserie *f*; (*para muebles*) tissu *m* d'ameublement; (*para coches*) garniture *f*
tapiz [ta'piθ] *nm* tapisserie *f*
tapizar [tapi'θar] *vt* (*pared*) tapisser; (*suelo*) recouvrir; (*muebles*) recouvrir
tapón [ta'pon] *nm* bouchon *m*; (*Tec*) bonde *f*; (*Med: de cera*) bouchon de cire; **~ de rosca *o* de tuerca** bouchon à vis
taquigrafía [takiɣra'fia] *nf* sténographie *f*
taquígrafo, -a [ta'kiɣrafo, a] *nm/f* sténo *m/f*
taquilla [ta'kiʎa] *nf* guichet *m*; (*suma recogida*) recette *f*; (*armario*) classeur *m*
taquillero, -a [taki'ʎero, a] *adj*: **función taquillera** spectacle *m* qui fait recette ▪ *nm/f* guichetier(-ère)
tara ['tara] *nf* tare *f*
tarántula [ta'rantula] *nf* tarentule *f*
tararear [tarare'ar] *vt* fredonner
tardar [tar'ðar] *vi* (*tomar tiempo*) mettre longtemps, tarder; (*llegar tarde*) être en retard; **¿tarda mucho el tren?** le train arrive bientôt?; **a más ~** au plus tard; **~ en hacer algo** mettre longtemps *o* tarder à faire qch; **no tardes en venir** ne tarde pas en chemin
tarde ['tarðe] *adv* tard ▪ *nf* (*de día*) après-midi *m o f inv*; (*de noche*) soir *m*; **~ o temprano** tôt ou tard; **de ~ en ~** de temps en temps; **¡buenas ~s!** (*de día*) bonjour!; (*de noche*) bonsoir!; **a *o* por la ~** l'après-midi *o* le soir; **más ~** plus tard

tardío, -a [tar'ðio, a] *adj* tardif(-ive)
tarea [ta'rea] *nf* travail *m*, tâche *f*; **tareas** *nfpl* (*Escol*) devoirs *mpl*; **~s domésticas** travaux *mpl* domestiques
tarifa [ta'rifa] *nf* tarif *m*; **~ básica** tarif de base; **~ completa** plein tarif; **~ doble** tarif double
tarima [ta'rima] *nf* plate-forme *f*; (*movible*) estrade *f*
tarjeta [tar'xeta] *nf* carte *f*; (*Deporte*) carton *m*; **~ bancaria** carte bancaire; **~ comercial/de visita** carte de visite; **~ de circuitos** circuit *m* imprimé; **~ de crédito** carte de crédit; **~ de débito** carte Bleue®; **~ de embarque/de transporte** carte de d'embarquement/de transport; **~ de identificación fiscal** *carte d'immatriculation fiscale*; **~ de memoria/sonido** (*Inform*) carte de mémoire/son; **~ de teléfono** carte téléphonique; **~ gráfica/de multifunción** (*Inform*) carte graphique/multifonction; **~ postal/de Navidad** carte postale/de Noël; **~ sanitaria** carte d'assuré social; **~ SIM** carte SIM; **~ verde** (*Méx*) permis *m* de travail
tarro ['tarro] *nm* pot *m*
tarta ['tarta] *nf* tarte *f*
tartamudear [tartamuðe'ar] *vi* bégayer
tartamudo, -a [tarta'muðo, a] *adj, nm/f* bègue
tártaro, -a ['tartaro, a] *adj* tartare ■ *nm/f* Tartare *m/f* ■ *nm* (*Quím*) tartre *m*
tasa ['tasa] *nf* (*valoración*) évaluation *f*; (*precio*) taxe *f*; (*índice*) taux *msg*; (*medida*) mesure *f*, règle *f*; **sin ~** sans mesure; **~ básica** (*Com*) taux de base; **~ de cambio/de interés** taux de change/d'intérêt; **~ de crecimiento/de natalidad/de rendimiento** taux de croissance/de natalité/de rendement; **~s académicas** droits *mpl* d'inscription; **~s universitarias** droits *mpl* d'inscription à l'université
tasación [tasa'θjon] *nf* taxation *f*
tasador, a [tasa'ðor, a] *nm/f* taxateur *m*; (*Com*) commissaire-priseur *m*
tasar [ta'sar] *vt* (*fijar el precio*) taxer; (*valorar*) évaluer; (*limitar*) limiter, rationner; **~ en** évaluer à
tasca ['taska] (*fam*) *nf* bistro(t) *m*
tatarabuelo, -a [tatara'βwelo, a] *nm/f* trisaïeul(e); **tatarabuelos** *nmpl* trisaïeuls *mpl*
tatuaje [ta'twaxe] *nm* tatouage *m*
tatuar [ta'twar] *vt* tatouer
taurino, -a [tau'rino, a] *adj* taurin(e)
Tauro ['tauro] *nm* (*Astrol*) Taureau *m*; **ser ~** être (du) Taureau
tauromaquia [tauro'makja] *nf* tauromachie *f*
taxi ['taksi] *nm* taxi *m*
taxista [tak'sista] *nm/f* chauffeur *m* de taxi
taza ['taθa] *nf* tasse *f*; (*fam: de retrete*) cuvette *f*; **~ de/para café** tasse de/à café
tazón [ta'θon] *nm* bol *m*
te [te] *pron* te; (*delante de vocal*) t'; (*con imperativo*) toi; **¿te duele mucho el brazo?** ton bras te fait très mal?, tu as très mal au bras?; **te equivocas** tu te trompes; **¡cálmate!** calme-toi!
té [te] *nm* thé *m*
teatral [tea'tral] *adj* théâtral(e)
teatro [te'atro] *nm* théâtre *m*; **hacer ~** (*fig*) faire du cinéma; **~ de aficionados/variedades** théâtre d'amateurs/de variétés; **~ de la ópera** opéra *m*
tebeo [te'βeo] *nm* bande *f* dessinée, BD *f*
techo ['tetʃo] *nm* (*tb fig*) plafond *m*; (*tejado*) toit *m*; **bajo ~** à l'abri; **tocar ~** plafonner
tecla ['tekla] *nf* (*Inform, Mús, Tip*) touche *f*; **tocar muchas ~s** exercer toute son influence; **~ de anulación/de borrar** touche d'annulation/d'effacement; **~ de control/de edición** touche de contrôle/de correction; **~ de control direccional del cursor** touche de déplacement du curseur; **~ de retorno/de tabulación** touche de retour chariot/de tabulation; **~ programable** touche programmable
teclado [te'klaðo] *nm* clavier *m*; **~ numérico** (*Inform*) clavier numérique
teclear [tekle'ar] *vt* (*piano*) tapoter ■ *vi* (*Mús: fam*) pianoter; (*Inform, Tip*) taper
técnica ['teknika] *nf* technique *f*; *ver tb* **técnico**
técnico, -a ['tekniko, a] *adj* technique ■ *nm/f* technicien(ne)
tecnología [teknolo'xia] *nf* technologie *f*; **~ de la información/punta** technologie de l'information/de pointe
tecnológico, -a [tekno'loxiko, a] *adj* technologique
tedio ['teðjo] *nm* ennui *m*
tedioso, -a [te'ðjoso, a] *adj* ennuyeux(-euse)
teja ['texa] *nf* tuile *f*
tejado [te'xaðo] *nm* toit *m*
tejemaneje [texema'nexe] *nm* (*actividad*) agitation *f*; (*intriga*) manigances *fpl*
tejer [te'xer] *vt* tisser; (*AM*) tricoter; (*fig*) ourdir ■ *vi*: **~ y destejer** faire et défaire

tejido [te'xiðo] *nm* tissu *m*
tel. *abr* (= *teléfono*) tél. (= *téléphone*)
tela ['tela] *nf* toile *f*; (*en líquido*) peau *f*; **¡hay ~ para rato!** (*fam*) on en a pour un moment!; **poner en ~ de juicio** mettre en doute; **~ de araña** toile d'araignée; **~ metálica** grillage *m*
telar [te'lar] *nm* (*máquina*) métier *m* à tisser; (*de teatro*) cintre *m*; **telares** *nmpl* (*fábrica*) usine *f* textile
telaraña [tela'raɲa] *nf* toile *f* d'araignée
tele ['tele] (*fam*) *nf* télé *f*
tele... ['tele] *pref* télé...
telebasura [teleba'sura] (*fam*) *nf* télé-poubelle *f*
telecomunicación [telekomunika'θjon] *nf* télécommunication *f*
telecontrol [telekon'trol] *nm* télécommande *f*
telediario [tele'ðjarjo] *nm* journal *m* télévisé
teledifusión [teleðifu'sjon] *nf* télédiffusion *f*
teledirigido, -a [teleðiri'xiðo, a] *adj* téléguidé(e)
teléf. *abr* (= *teléfono*) tél. (= *téléphone*)
teleférico [tele'feriko] *nm* téléphérique *m*
telefonear [telefone'ar] *vt, vi* téléphoner
telefónico, -a [tele'foniko, a] *adj* téléphonique
telefonillo [telefo'niʎo] *nm* interphone *m*
telefonista [telefo'nista] *nm/f* standardiste *m/f*
teléfono [te'lefono] *nm* téléphone *m*; **está hablando por ~** il est au téléphone; **~ con cámara** téléphone *m* avec appareil photo intégré; **~ inalámbrico/móvil/rojo** téléphone sans fil/portable/rouge
telegrafía [teleɣra'fia] *nf* télégraphie *f*
telégrafo [te'leɣrafo] *nm* télégraphe *m*
telegrama [tele'ɣrama] *nm* télégramme *m*
teleimpresor [teleimpre'sor] *nm* téléimprimeur *m*
telenovela [teleno'βela] *nf* feuilleton *m* (populaire)
telepatía [telepa'tia] *nf* télépathie *f*
telerrealidad [telerreali'ðað] *nf* téléréalité *f*
telescópico, -a [tele'skopiko, a] *adj* télescopique
telescopio [tele'skopjo] *nm* télescope *m*
telesilla [tele'siʎa] *nm* télésiège *m*
telespectador, a [telespekta'ðor, a] *nm/f* téléspectateur(-trice)
telesquí [teles'ki] *nm* téléski *m*
teletienda [tele'tjenda] *nf* télé-achat *m*
teletipo [tele'tipo] *nm* téléimprimeur *m*
teletrabajo [teletra'βaxo] *nm* télétravail *m*
televentas [tele'βentas] *nfpl* télévente *f*
televidente [teleβi'ðente] *nm/f* téléspectateur(-trice)
televisar [teleβi'sar] *vt* téléviser
televisión [teleβi'sjon] *nf* télévision *f*; **~ digital** télévision *f* numérique; **~ en blanco y negro/en color** télévision en noir et blanc/en couleurs; **~ por cable/por** *o* **vía satélite** télévision par câble/par satellite; **~ privada/pública** télévision privée/publique
televisor [teleβi'sor] *nm* téléviseur *m*; **~ portátil** téléviseur portable
télex ['teleks] *nm* télex *m*; **máquina ~** télex; **enviar por ~** télexer
telón [te'lon] *nm* rideau *m*; **~ de acero** (*Pol*) rideau de fer; **~ de boca/de seguridad** rideau de scène/de fer; **~ de fondo** toile *f* de fond
tema ['tema] *nm* thème *m*, sujet *m*; (*Mús*) thème; (*obsesión*) marotte *f*; **~s de actualidad** sujets *mpl* *o* thèmes d'actualité
temática [te'matika] *nf* thématique *f*
temático, -a [te'matiko, a] *adj* thématique
temblar [tem'blar] *vi* trembler
temblón, -ona [tem'blon, ona] *adj* tremblotant(e)
temblor [tem'blor] *nm* tremblement *m*; **~ de tierra** tremblement de terre
tembloroso, -a [temblo'roso, a] *adj* tremblant(e)
temer [te'mer] *vt* craindre, avoir peur de ■ *vi* avoir peur; **temo que Juan llegue tarde** je crains que Juan n'arrive tard; **~ por** avoir peur pour
temerario, -a [teme'rarjo, a] *adj* téméraire
temeridad [temeri'ðað] *nf* témérité *f*; (*una temeridad*) acte *m* irréfléchi
temeroso, -a [teme'roso, a] *adj* craintif(-ive), peureux(-euse); (*que inspira temor*) redoutable
temible [te'miβle] *adj* redoutable
temor [te'mor] *nm* crainte *f*, peur *f*
témpano ['tempano] *nm* (*tb*: **témpano de hielo**) banquise *f*
temperamento [tempera'mento] *nm* tempérament *m*; **tener ~** avoir du tempérament
temperatura [tempera'tura] *nf* température *f*

tempestad [tempes'tað] *nf* tempête *f*
tempestuoso, -a [tempes'twoso, a] *adj* orageux(-euse)
templado, -a [tem'plaðo, a] *adj* tempéré(e); (*en el comer, beber*) modéré(e); (*agua*) tiède; (*nervios*) solide, bien trempé(e)
templanza [tem'planθa] *nf* tempérance *f*; (*en el beber*) modération *f*; (*del clima*) douceur *f*
templar [tem'plar] *vt* tempérer, modérer; (*agua, brisa*) tiédir; (*solución*) diluer; (*Mús*) accorder; (*acero*) tremper; **templarse** *vpr* se modérer; (*agua, aire*) se réchauffer
temple ['temple] *nm* (*humor*) humeur *f*; (*serenidad, Tec*) trempe *f*; (*Mús*) accord *m*; (*pintura*) détrempe *f*
templo ['templo] *nm* temple *m*; (*iglesia*) église *f*; **~ metodista** église méthodiste
temporada [tempo'raða] *nf* période *f*; (*estación, social, Deporte*) saison *f*; **en plena ~** en pleine saison; **de ~** saisonnier(-ière)
temporal [tempo'ral] *adj* temporaire; (*Rel*) temporel(le) ■ *nm* tempête *f*
tempranero, -a [tempra'nero, a] *adj* (*Bot*) précoce; (*persona*) matinal(e)
temprano, -a [tem'prano, a] *adj* précoce ■ *adv* tôt; (*demasiado pronto*) trop tôt; **levantarse ~** se lever de bonne heure; **lo más ~ posible** le plus tôt possible
ten [ten] *vb ver* **tener**
tenacidad [tenaθi'ðað] *nf* ténacité *f*
tenacillas [tena'θiʎas] *nfpl* pincettes *fpl*; (*para rizar*) fer *m* à friser
tenaz [te'naθ] *adj* résistant(e)
tenaza(s) [te'naθa(s)] *nf(pl)* pince(s) *f(pl)*
tendedero [tende'ðero] *nm* séchoir *m* à linge; (*cuerda*) corde *f* à linge
tendencia [ten'denθja] *nf* tendance *f*; **~ imperante** tendance dominante; **tener ~ a** avoir tendance à; **~ del mercado** tendance du marché
tendencioso, -a [tenden'θjoso, a] *adj* tendancieux(-euse)
tender [ten'der] *vt* étendre; (*vía férrea, cable*) poser; (*cuerda, trampa*) tendre ■ *vi*: **~ a** tendre à; **tenderse** *vpr* s'étendre, s'allonger; **~ la cama** (*AM*) faire le lit; **~ la mesa** (*AM*) mettre la table; **~ la mano** tendre la main
tenderete [tende'rete] *nm* (*puesto*) étalage *m*
tendero, -a [ten'dero, a] *nm/f* commerçant(e)
tendido, -a [ten'diðo, a] *adj* étendu(e), allongé(e); (*colgado*) accroché(e), pendu(e) ■ *nm* (*Taur*) gradins *mpl*; **a galope ~** au triple galop; **~ eléctrico** ligne *f* électrique
tendón [ten'don] *nm* tendon *m*
tendré *etc* [ten'dre] *vb ver* **tener**
tenebroso, -a [tene'βroso, a] *adj* sombre
tenedor, a [tene'ðor, a] *nm/f* détenteur(-trice) ■ *nm* fourchette *f*; **restaurante de 5 ~es** restaurant *m* cinq étoiles; **~ de acciones** actionnaire *m/f*; **~ de libros** comptable *m/f*; **~ de póliza** assuré(e), détenteur(-trice) d'une police d'assurance
tenencia [te'nenθja] *nf* (*de propiedad*) possession *f*; **~ ilícita de armas/drogas** détention *f* illégale d'armes/de drogue

PALABRA CLAVE

tener [te'ner] *vt* **1** avoir; (*sostener*) tenir; **¿tienes un boli?** tu as un stylo?; **¿dónde tienes el libro?** où as-tu mis le livre?; **va a tener un niño** elle va avoir un enfant; **tiene los ojos azules** il a les yeux bleus; **¡ten!, ¡aquí tienes!** tiens!, voilà!; **¡tenga!, ¡aquí tiene!** tenez!, voilà!
2 (*edad*) avoir; (*medidas*) faire; **tiene 7 años** il a 7 ans; **tiene 15 cm de largo** cela fait 15 cm de long; *ver tb* **calor**; **hambre** *etc*
3 (*sentimiento, dolor*) avoir; **tener admiración/cariño** avoir de l'admiration/l'affection; **tener miedo** avoir peur; **¿qué tienes, estás enfermo?** qu'est-ce que tu as, tu es malade?
4 (*considerar*): **lo tengo por brillante** je le considère comme quelqu'un de brillant; **tener en mucho/poco a algn** avoir beaucoup/peu d'estime pour qn; **ten por seguro** sois-en sûr
5: **tengo/tenemos que acabar este trabajo hoy** il faut que je finisse/nous finissions ce travail aujourd'hui
6 (+ *pp = pretérito*): **tengo terminada ya la mitad del trabajo** j'ai déjà fait la moitié du travail
7 (+ *adj*, + *gerundio*): **nos tiene muy contentos/hartos** nous sommes très satisfaits de lui/en avons assez de lui; **me ha tenido tres horas esperando** il m'a fait attendre pendant trois heures
8: **las tiene todas consigo** il a tout pour lui
tenerse *vpr* **1**: **tenerse en pie** se tenir debout
2: **tenerse por** se croire; **se tiene por muy listo** il se croit très intelligent

tenga *etc* ['tenga] *vb ver* **tener**
tenia ['tenja] *nf* ténia *m*
teniente [te'njente] *nm* lieutenant *m*; **~ alcalde** adjoint *m* au maire; **~ coronel** lieutenant colonel
tenis ['tenis] *nm* tennis *msg*; **~ de mesa** tennis de table, ping-pong *m*
tenista [te'nista] *nm/f* joueur(-euse) de tennis
tenor [te'nor] *nm* (*sentido*) teneur *f*; (*Mús*) ténor *m*; **a ~ de** d'après
tensar [ten'sar] *vt* tendre; (*arco*) bander
tensión [ten'sjon] *nf* tension *f*; **de alta ~** (*Elec*) haute tension; **en ~** tendu(e); **tener la ~ alta** avoir de la tension; **~ arterial** tension artérielle; **~ nerviosa** tension nerveuse
tenso, -a ['tenso, a] *adj* tendu(e)
tentación [tenta'θjon] *nf* tentation *f*
tentáculo [ten'takulo] *nm* tentacule *m*
tentador, a [tenta'ðor, a] *adj* tentant(e); (*gesto*) tentateur(-trice) ▪ *nm/f* tentateur(-trice)
tentar [ten'tar] *vt* tenter; (*palpar, Med*) tâter; (*incitar*) inciter
tentativa [tenta'tiβa] *nf* tentative *f*; **~ de asesinato** tentative d'assassinat
tentempié [tentem'pje] (*fam*) *nm* casse-croûte *m inv*
tenue ['tenwe] *adj* (*hilo*) mince; (*luz*) faible; (*sonido, vínculo*) ténu(e); (*neblina*) léger(-ère)
teñir [te'ɲir] *vt* teindre; (*fig*) teinter; **~se el pelo** se (faire) teindre les cheveux
teología [teolo'xia] *nf* théologie *f*
teorema [teo'rema] *nm* théorème *m*
teoría [teo'ria] *nf* théorie *f*; **en ~** en principe
teóricamente [teorika'mente] *adv* théoriquement
teórico, -a [te'oriko, a] *adj* théorique ▪ *nm/f* théoricien(ne)
teorizar [teori'θar] *vi* théoriser
tequila [te'kila] *nf* tequila *f*
terapéutico, -a [tera'peutiko, a] *adj* thérapeutique
terapia [te'rapja] *nf* thérapie *f*; **~ laboral** ergothérapie *f*
tercer [ter'θer] *adj ver* **tercero**
tercermundista [terθermun'dista] *adj* tiers-mondiste
tercero, -a [ter'θero, a] *adj* (*delante de nmsg:* **tercer**) troisième ▪ *nm* (*mediador*) tiers *msg*, tierce personne *f*; (*Jur*) tiers
terceto [ter'θeto] *nm* (*Mús*) trio *m*
terciar [ter'θjar] *vt* (*bolsa etc*) mettre en bandoulière ▪ *vi* intervenir; **terciarse** *vpr* se présenter; **si se tercia** à l'occasion
terciario, -a [ter'θjarjo, a] *adj* tertiaire
tercio ['terθjo] *nm* tiers *msg*
terciopelo [terθjo'pelo] *nm* velours *msg*
terco, -a ['terko, a] *adj* têtu(e)
tergal® [ter'ɣal] *nm* tergal® *m*
tergiversar [terxiβer'sar] *vt* déformer
termal [ter'mal] *adj* thermal(e)
termas ['termas] *nfpl* thermes *mpl*
terminación [termina'θjon] *nf* extrémité *f*; (*finalización*) achèvement *m*
terminal [termi'nal] *adj* terminal(e); (*enfermo*) en phase terminale ▪ *nm* (*Elec*) borne *f*; (*Inform*) terminal *m* ▪ *nf* (*Aviat*) aérogare *f*; (*Ferro*) terminus *msg*; **~ de pantalla** écran *m* de visualisation
terminante [termi'nante] *adj* catégorique; (*decisión*) final(e)
terminantemente [terminante'mente] *adv* catégoriquement
terminar [termi'nar] *vt* finir, terminer ▪ *vi* finir; **terminarse** *vpr* finir; **~ por hacer algo** finir par faire qch; **~ en** finir en; **se ha terminado la leche** il n'y a plus de lait
término ['termino] *nm* terme *m*, fin *f*; (*parada*) terminus *msg*; (*límite: de espacio*) bout *m*; **términos** *nmpl* (*Com*) termes *mpl*; **~ medio** moyenne *f*; **en otros ~s** en d'autres termes; **en último ~** en dernier recours; **estar en buenos/malos ~s (con algn)** être en bons/mauvais termes (avec qn); **en ~s de** en termes de; **en ~s claros** en clair; **según los ~s del contrato** selon les termes du contrat
terminología [terminolo'xia] *nf* terminologie *f*
termo® ['termo] *nm* thermos® *m o f*
termodinámico, -a [termoði'namiko, a] *adj* thermodynamique
termómetro [ter'mometro] *nm* thermomètre *m*
termonuclear [termonukle'ar] *adj* thermonucléaire
termo(s)® *nm* thermos® *m o f*
termostato [termos'tato] *nm* thermostat *m*
ternero, -a [ter'nero, a] *nm/f* veau (génisse)
ternura [ter'nura] *nf* tendresse *f*
terquedad [terke'ðað] *nf* entêtement *m*
terrado [te'rraðo] *nm* terrasse *f*
terraplén [terra'plen] *nm* terre-plein *m*; (*cuesta*) renflement *m*
terrateniente [terrate'njente] *nm* propriétaire *m* terrien
terraza [te'rraθa] *nf* terrasse *f*
terremoto [terre'moto] *nm* tremblement *m* de terre

terrenal [terre'nal] *adj* terrestre
terreno, -a [te'rreno, a] *adj* terrien(ne) ▪ *nm* terrain *m*; **sobre el ~** sur le terrain; **ceder/perder ~** céder du/perdre du terrain; **preparar el ~ (a)** préparer le terrain (pour); **~ de juego** terrain de jeu
terrestre [te'rrestre] *adj* terrestre; (*ruta*) intérieur(e)
terrible [te'rriβle] *adj* terrible
territorio [terri'torjo] *nm* territoire *m*; **~ bajo mandato** territoire sous mandat
terrón [te'rron] *nm* (*de azúcar*) morceau *m*; (*de tierra*) motte *f*; **terrones** *nmpl* (*Agr*) terres *fpl*
terror [te'rror] *nm* terreur *f*
terrorífico, -a [terro'rifiko, a] *adj* terrifiant(e)
terrorismo [terro'rismo] *nm* terrorisme *m*
terrorista [terro'rista] *adj, nm/f* terroriste *m/f*; **~ suicida** terroriste *m/f* suicidaire
terso, -a ['terso, a] *adj* lisse
tersura [ter'sura] *nf* douceur *f*
tertulia [ter'tulja] *nf* cercle *m*; (*sala*) arrière-salle *f*; **~ literaria** cercle littéraire
tesis ['tesis] *nf inv* thèse *f*
tesón [te'son] *nm* (*firmeza*) acharnement *m*; (*tenacidad*) persévérance *f*
tesorero, -a [teso'rero, a] *nm/f* trésorier(-ière)
tesoro [te'soro] *nm* trésor *m*; **¡mi ~!** (*fam*) mon trésor!; **T~ público** Trésor public
test [tes(t)] *nm* test *m*
testaferro [testa'ferro] *nm* prête-nom *m*
testamentario, -a [testamen'tarjo, a] *adj* testamentaire ▪ *nm/f* (*Jur*) exécuteur(-trice) testamentaire
testamento [testa'mento] *nm* testament *m*; **Nuevo/Antiguo T~** Nouveau/Ancien Testament
testar [tes'tar] *vi* tester, faire son testament
testarudo, -a [testa'ruðo, a] *adj* entêté(e)
testículo [tes'tikulo] *nm* testicule *m*
testificar [testifi'kar] *vt, vi* témoigner
testigo [tes'tiɣo] *nm/f* témoin *m*; **poner a algn por ~** citer qn comme témoin; **~ de cargo/de descargo** témoin à charge/à décharge; **~ ocular** témoin oculaire
testimoniar [testimo'njar] *vt* témoigner de
testimonio [testi'monjo] *nm* témoignage *m*; **en ~ de** en témoignage de; **falso ~** faux témoignage
teta ['teta] *nf* (*fam*) téton *m*, nichon *m*; **niño de ~** nourrisson *m*
tétanos ['tetanos] *nmsg* tétanos *msg*
tetera [te'tera] *nf* théière *f*
tetrabrik® [tetra'brik] *nm inv* Tetra Brik® *m*
tétrico, -a ['tetriko, a] *adj* sombre
textil [teks'til] *adj* textile; **textiles** *nmpl* textiles *mpl*
texto ['teksto] *nm* texte *m*
textual [teks'twal] *adj* textuel(le); **son sus palabras ~es** c'est ce qu'il a dit textuellement
textura [teks'tura] *nf* (*de tejido*) tissage *m*; (*estructura*) texture *f*
tez [teθ] *nf* (*cutis*) peau *f*; (*color*) teint *m*
tfno. *abr* (= *teléfono*) tél. (= *téléphone*)
ti [ti] *pron* toi
tía ['tia] *nf* tante *f*; (*fam*) bonne femme *f*, nana *f*; (*: vieja*) mère *f*
tibieza [ti'βjeθa] *nf* tiédeur *f*
tibio, -a ['tiβjo, a] *adj* tiède
tiburón [tiβu'ron] *nm* requin *m*
tic [tik] *nm* tic *m*
tictac [tik'tak] *nm* tic-tac *m inv*
tiempo ['tjempo] *nm* temps *msg*; **a ~** à temps; **a un** *o* **al mismo ~** en même temps; **a su ~** en temps utile; **al poco ~** peu après; **andando el ~** avec le temps; **cada cierto ~** de temps à autre; **con ~** à temps; **con el ~** à la longue; **de ~ en ~** de temps en temps; **de todos los ~s** de tous les temps; **de un ~ a esta parte** depuis quelque temps; **en mis ~s** de mon temps; **en los buenos ~s** au bon vieux temps; **ganar ~** gagner du temps; **hace buen/mal ~** il fait beau/mauvais temps; **matar el ~** tuer le temps; **hace ~** il y a quelque temps; **hacer ~** passer le temps; **perder el ~** perdre du temps; **tener ~** avoir le temps; **¿qué ~ tiene?** quel âge a-t-il?; **motor de 2 ~s** moteur *m* deux temps; **a ~ parcial** à temps partiel; **en ~ real** (*Inform*) en temps réel; **~ compartido/de ejecución/máquina** (*Inform*) temps partagé/d'exécution/ machine; **~ de paro** (*Com*) temps mort; **~ inactivo** (*Com*) durée *f* d'immobilisation; **~ libre** temps libre; **~ muerto** (*Deporte, fig*) temps mort; **~ preferencial** (*Com*) heures *fpl* de grande écoute
tienda ['tjenda] *vb ver* **tender** ▪ *nf* magasin *m*; (*Náut*) taud *m*; **~ de campaña** tente *f*
tiene *etc* ['tjene] *vb ver* **tener**
tienta ['tjenta] *nf* (*Med*) sonde *f*; **andar a ~s** avancer à tâtons
tiento ['tjento] *vb ver* **tentar** ▪ *nm* tact *m*; (*precaución*) prudence *f*; **con ~** avec prudence

tierno, -a ['tjerno, a] *adj* tendre; (*reciente*) jeune

tierra ['tjerra] *nf* terre *f*; (*país*) pays *msg*; **~ adentro** à l'intérieur des terres; **echar/ tirar por ~** réduire à néant; **echar ~ a un asunto** tirer le rideau sur un sujet; **no es de estas ~s** il n'est pas d'ici; **~ firme** terre ferme; **~ natal** pays natal; **la T~ Santa** la Terre sainte

tieso, -a ['tjeso, a] *adj* (*rígido*) raide; (*erguido*) droit(e); (*serio*) froid(e); (*fam: orgulloso*) fier(-ère); **dejar ~ a algn** (*fam: matar*) refroidir qn; (*: sorprender*) laisser qn pantois(e)

tiesto ['tjesto] *nm* pot *m* de fleurs

tifoidea [tifoi'ðea] *nf* typhoïde *f*

tifón [ti'fon] *nm* typhon *m*

tifus ['tifus] *nm* typhus *msg*; **~ icteroides** fièvre *f* jaune

tigre ['tiɣre] *nm* tigre *m*; (*AM*) jaguar *m*

tijera [ti'xera] *nf* (*tb*: **tijeras**) ciseaux *mpl*; (*: para plantas*) sécateur *m*; **de ~** pliant(e); **unas ~s** une paire de ciseaux

tijeretear [tixerete'ar] *vt* découper

tildar [til'dar] *vt*: **~ de** traiter de

tilde ['tilde] *nf* (*defecto*) défaut *m*; (*Tip*) tilde *m*

tilín [ti'lin] *nm* drelin *m*; **hacer ~ a algn** (*fam*) plaire à qn

timar [ti'mar] *vt* (*dinero*) escroquer; (*persona, fig*) rouler, escroquer

timbal [tim'bal] *nm* (*Mús*) timbale *f*

timbrar [tim'brar] *vt* timbrer

timbre ['timbre] *nm* (*Mús, sello*) timbre *m*; (*de estampar*) cachet *m*; (*de puerta*) sonnette *f*; (*tono*) sonnerie *f*

timidez [timi'ðeθ] *nf* timidité *f*

tímido, -a ['timiðo, a] *adj* timide

timo ['timo] *nm* escroquerie *f*; **dar un ~ a algn** escroquer qn

timón [ti'mon] *nm* (*Náut*) gouvernail *m*; (*AM: Auto*) volant *m*; **coger el ~** prendre les rênes

timonel [timo'nel] *nm* (*Náut*) timonier *m*

tímpano ['timpano] *nm* (*Anat*) tympan *m*; (*Mús*) tympanon *m*

tina ['tina] *nf* cuve *f*; (*esp AM*) baignoire *f*

tinaja [ti'naxa] *nf* jarre *f*

tinglado [tin'glaðo] *nm* (*cobertizo*) hangar *m*; (*fig*) ruse *f*; **armar un ~** faire des histoires

tinieblas [ti'njeβlas] *nfpl* ténèbres *fpl*; **estar en ~** (*fig*) être dans le brouillard

tino ['tino] *nm* adresse *f*; (*juicio*) doigté *m*; (*moderación*) retenue *f*; **sin ~** maladroitement; (*sin moderación*) sans retenue

tinta ['tinta] *nf* encre *f*; (*Tec*) teinture *f*; (*Arte*) couleur *f*; **tintas** *nfpl* (*matices*) tons *mpl*; **sudar ~** trimer, suer sang et eau; **medias ~s** demi-mesures *fpl*; **(re)cargar las ~s** en rajouter; **saber algo de buena ~** savoir qch de source sûre; **~ china** encre de chine

tinte ['tinte] *nm* teinture *f*; (*tintorería*) teinturerie *f*; (*matiz*) teinte *f*; (*apariencia*) allure *f*

tintero [tin'tero] *nm* encrier *m*; **se le quedó en el ~** il a complètement oublié

tintinear [tintine'ar] *vi* (*cascabel*) tintinnabuler; (*campana*) tinter

tinto, -a ['tinto, a] *adj* (*teñido*) teint(e); (*manchado*) taché(e); (*vino*) rouge ■ *nm* rouge *m*; (*Col*) café *m* noir

tintorería [tintore'ria] *nf* teinturerie *f*

tintura [tin'tura] *nf* teinture *f*; **~ de iodo** teinture d'iode

tío ['tio] *nm* oncle *m*; (*fam: viejo*) père *m*; (*: individuo*) type *m*, mec *m*

tiovivo [tio'βiβo] *nm* manège *m*, chevaux *mpl* de bois

típico, -a ['tipiko, a] *adj* typique; (*traje*) régional

tipo ['tipo] *nm* type *m*; (*Anat*) physique *m*; (*: de mujer*) silhouette *f*; (*Tip*) caractère *m*; **jugarse el ~** risquer sa peau; **~ a término** (*Com*) cotation *f* à terme; **~ bancario/de cambio/de descuento/de interés** taux *msg* bancaire/de change/d'escompte/ d'intérêt; **~ base** (*Com*) taux de base; **~ de interés vigente** (*Com*) taux d'intérêt en vigueur; **~ de letra** police *f* de caractères

tipografía [tipoɣra'fia] *nf* typographie *f*; (*lugar*) imprimerie *f*

tipográfico, -a [tipo'ɣrafiko, a] *adj* typographique

tique ['tike] *nm*, **tíquet** ['tike(t)] (*pl* **~s**) *nm* ticket *m*; (*en tienda*) ticket *m* de caisse

tira ['tira] *nf* (*cinta*) bande *f* ■ *nm*: **~ y afloja** tiraillements *mpl*; **tiene la ~ de cosas** (*fam*) il a vachement de trucs; **hace la ~ de tiempo** il y a vachement longtemps; **~ cómica** bande dessinée; **~ de cuero** lanière *f*

tirabuzón [tiraβu'θon] *nm* tire-bouchon *m*; (*rizo*) boucle *f*

tirachinas [tira'tʃinas] *nm inv* lance-pierre *m*

tirada [ti'raða] *nf* lancer *m*, jet *m*; (*distancia*) trotte *f*; (*serie*) tirade *f*; (*Tip*) tirage *m*; **de una ~** d'une traite

tirado, -a [ti'raðo, a] *adj* (*fam: barato*) bon marché; (*: fácil*) facile; **está ~** c'est fastoche

tirador, a [tira'ðor, a] *nm/f* tireur(-euse) ■ *nm* (*mango*) poignée *f*; (*Elec*) cordon *m*; **tiradores** *nmpl* (*Csur*) bretelles *fpl*; **~ certero** tireur d'élite

tiralíneas [tira'lineas] *nm inv* tire-ligne *m*

tiranía [tira'nia] *nf* tyrannie *f*

tirano, -a [ti'rano, a] *nm/f* tyran *m*

tirante [ti'rante] *adj* tendu(e) ■ *nm* (*de vestido*) bretelle *f*; (*Arq*) traverse *f*; (*Tec*) étai *m*; **tirantes** *nmpl* bretelles *fpl*

tirantez [tiran'teθ] *nf* tension *f*

tirar [ti'rar] *vt* jeter, lancer; (*volcar*) renverser; (*derribar*) abattre, démolir; (*cohete, bomba*) lancer; (*desechar*) jeter; (*dinero*) dilapider; (*imprimir, tirador*) tirer; (*golpe*) décocher ■ *vi* tirer; (*fig*) attirer; (*interesar*) plaire; (*fam: andar*) aller; (*tender*) tendre; **tirarse** *vpr* (*abalanzarse*) se lancer; (*tumbarse*) se jeter; (*fam!*) tirer, sauter; **~ abajo** descendre; **tira a su padre** il tient de son père; **~ a algn de la lengua** tirer la langue à qn; **~ de algo** tirer qch; **ir tirando** aller comme ci comme ça; **~ a la derecha** tourner à droite; **a todo ~** tout au plus; **se tiró toda la mañana hablando** il a passé toute la matinée à parler

tirita [ti'rita] *nf* pansement *m* (adhésif)

tiritar [tiri'tar] *vi* grelotter

tiro ['tiro] *nm* tir *m*; (*herida*) balle *f*; (*Tenis, Golf*) drive *m*; (*alcance*) portée *f*; (*de escalera*) marche *f*; (*de chimenea*) tirage *m*; (*de pantalón*) entrejambes *msg*; **caballo de ~** cheval *m* de trait; **andar de ~s largos** être tiré(e) à quatre épingles; **al ~** (*Chi*) tout de suite; **me sentó como un ~** (*fam*) ça m'a fait un choc; **a ~ de piedra** à un jet de pierre; **se pegó un ~** il s'est tiré une balle dans la tête; **le salió el ~ por la culata** ça s'est retourné contre lui; **de a ~** (*AM: fam*) complètement; **~ al arco/al blanco** tir à l'arc/à blanc; **~ de gracia** coup *m* de grâce; **~ libre** coup franc

tirón [ti'ron] *nm* coup *m*; (*muscular*) crampe *f*; (*fam: de bolso*) vol *m* à la tire; **de un ~** d'un trait; **dar un ~ a** arracher

tiroteo [tiro'teo] *nm* (*disparos*) fusillade *f*; (*escaramuza*) échange *m* de coups de feu

tísico, -a ['tisiko, a] *adj, nm/f* phtisique *m/f*

tisis ['tisis] *nf* phtisie *f*

títere ['titere] *nm* marionnette *f*; **no dejar ~ con cabeza** tout mettre sens dessus-dessous; **gobierno ~** gouvernement *m* fantoche

titiritero, -a [titiri'tero, a] *nm/f* marionnettiste *m/f*; (*acróbata*) acrobate *m/f*

titubeante [tituβe'ante] *adj* (*indeciso*) hésitant(e); (*inestable*) vacillant(e)

titubear [tituβe'ar] *vi* (*dudar*) hésiter; (*moverse*) vaciller

titubeo [titu'βeo] *nm* hésitation *f*

titulado, -a [titu'laðo, a] *pp de* **titular** ■ *nm/f* diplômé(e)

titular [titu'lar] *adj* titulaire ■ *nm/f* (*de cargo*) titulaire *m/f* ■ *nm* titre *m* ■ *vt* intituler; **titularse** *vpr* s'intituler; (*Univ*) obtenir son diplôme

título ['titulo] *nm* titre *m*; (*Com*) valeur *f*; (*Escol*) diplôme *m*; **a ~ de** à titre de; (*en calidad de*) en qualité de; **a ~ de curiosidad** par curiosité; **~s convertibles de interés fijo** titres *mpl* de créances convertibles; **~ de propiedad** titre de propriété

tiza ['tiθa] *nf* craie *f*; **una ~** une craie

tiznar [tiθ'nar] *vt* souiller

tizo ['tiθo], **tizón** [ti'θon] *nm* tison *m*

toalla [to'aʎa] *nf* serviette *f*; **arrojar la ~** baisser les bras

tobillo [to'βiʎo] *nm* cheville *f*

tobogán [toβo'ɣan] *nm* (*rampa*) toboggan *m*; (*trineo*) luge *f*

tocadiscos [toka'ðiskos] *nm inv* tourne-disques *m inv*

tocado, -a [to'kaðo, a] *adj* (*fruta*) abîmé(e) ■ *nm* coiffure *f*; **estar ~ de la cabeza** (*fam*) être toqué(e)

tocador [toka'ðor] *nm* (*mueble*) coiffeuse *f*; (*cuarto*) cabinet *m* de toilette; (*: público*) toilettes *fpl* pour dames

tocante [to'kante]: **~ a** *prep* touchant à; **en lo ~ a** pour ce qui concerne

tocar [to'kar] *vt* toucher; (*timbre*) tirer; (*Mús*) jouer de; (*campana*) (faire) sonner; (*tambor*) battre; (*topar con*) heurter; (*referirse a*) aborder; (*fam: modificar*) toucher à ■ *vi* (*a la puerta*) frapper; (*ser de turno*) être le tour de; (*atañer*) concerner; **tocarse** *vpr* se toucher; (*cubrirse la cabeza*) se coiffer; **le toca a él hacerlo** c'est à lui de le faire; **~ de cerca** toucher de près; **~ en** (*Náut*) faire escale à; **le ha tocado la lotería** il a décroché le gros lot; **ahora nos toca postre** c'est le moment de manger le dessert; **por lo que a mí me toca** en ce qui me concerne; **esto toca en la locura** cela frise la folie

tocayo, -a [to'kajo, a] *nm/f* homonyme *m/f*

tocino [to'θino] *nm* lard *m*; **~ de cielo** *pâtisserie à base de jaune d'œuf et de sirop*

todavía [toða'βia] *adv* encore; (*en frases afirmativas o con énfasis*) toujours; **~ más** encore plus; **~ no** pas encore; **~ en 1970**

encore en 1970; **no ha llegado ~** il n'est pas encore arrivé; **está lloviendo ~** il pleut toujours

PALABRA CLAVE

todo, -a ['toðo, a] *adj* **1** (*sg*) tout(e); **toda la noche** toute la nuit; **todo el libro** tout le livre; **toda una botella** toute une bouteille; **todo lo contrario** tout le contraire; **está toda sucia** elle est toute sale; **a toda prisa** à toute vitesse; **a todo esto** (*mientras tanto*) pendant ce temps-là; (*a propósito*) à propos; **soy todo oídos** je suis tout ouïe; **es todo un hombre** c'est un vrai homme
2 (*pl*) tous (toutes); **todos vosotros** vous tous; **todos los libros** tous les livres; **todas las noches** toutes les nuits; **todos los que quieran salir** tous ceux qui veulent sortir
3 (*negativo*): **en todo el día** de (toute) la journée; **no he dormido en toda la noche** je n'ai pas dormi de la nuit
■ *pron* **1** tout; **todos/as** tous (toutes); **lo sabemos todo** nous savons tout; **todo o nada** tout ou rien; **vino a buscarme con coche y todo** il est venu me chercher, et en voiture avec ça; **todos querían ir** ils voulaient tous s'en aller; **nos marchamos todos** nous partons tous; **arriba del todo** tout en haut; **no me agrada del todo** ça ne me satisfait pas entièrement
2: **con todo**: **con todo, él me sigue gustando** malgré tout, il me plaît toujours
■ *adv* tout; **vaya todo seguido** allez tout droit
■ *nm*: **como un todo** comme un tout

todopoderoso, -a [toðopoðe'roso, a] *adj* tout(e)-puissant(e)
toga ['toɣa] *nf* robe *f*
Tokio ['tokjo] *n* Tokyo
toldo ['toldo] *nm* (*para el sol*) parasol *m*; (*tienda*) marquise *f*
tolerancia [tole'ranθja] *nf* tolérance *f*
tolerar [tole'rar] *vt* tolérer
toma ['toma] *nf* prise *f*; **~ de conciencia** prise de conscience; **~ de posesión** prise de possession; **~ de tierra** (*Aviat*) atterrissage *m*; (*Elec*) prise de terre
tomar [to'mar] *vt* prendre ■ *vi* prendre; (*AM*) boire; **tomarse** *vpr* prendre; **¡toma!** tiens!; **~ la temperatura** prendre la température; **~ cariño a algn** se prendre d'affection pour qn; **~ el sol** prendre le soleil; **~ (buena) nota de algo** prendre (bonne) note de qch; **tome la calle de la derecha** prenez la rue de droite; **¿qué tomas?** qu'est-ce que tu prends?; **no tomó bien la broma** il a mal pris la plaisanterie; **~ asiento** prendre place; **~ a bien/a mal** prendre bien/mal; **~ en serio** prendre au sérieux; **~ el pelo a algn** taquiner qn; **~la con algn** s'en prendre à qn; **~ por escrito** prendre par écrit; **¿por quién me tomas?** pour qui tu me prends?; **toma y daca** un prêté pour un rendu; **¡vete a ~ por culo!** (*fam!*) va te faire enculer! (*fam!*); **~se por** se prendre pour
tomate [to'mate] *nm* tomate *f*
tomavistas [toma'βistas] *nm inv* caméra *f*
tomillo [to'miʎo] *nm* thym *m*
tomo ['tomo] *nm* tome *m*; **de ~ y lomo** de taille
ton [ton] *abr* (= *tonelada*) t (= *tonne*)
tonada [to'naða] *nf* air *m*
tonalidad [tonali'ðað] *nf* tonalité *f*
tonel [to'nel] *nm* tonneau *m*
tonelada [tone'laða] *nf* tonne *f*; **~ métrica** tonne
tonelaje [tone'laxe] *nm* tonnage *m*
tónica ['tonika] *nf* (*bebida*) tonic *m*; (*tendencia*) tendance *f*
tónico, -a ['toniko, a] *adj* tonique ■ *nm* (*Med*) remontant *m*
tonificar [tonifi'kar] *vt* tonifier
tono ['tono] *nm* ton *m*; **fuera de ~** hors de propos; **darse ~** se donner de grands airs; **estar a ~** être en harmonie; **~ de marcar** (*Telec*) tonalité *f*
tontería [tonte'ria] *nf* sottise *f*, bêtise *f*
tonto, -a ['tonto, a] *adj* bête, idiot(e) ■ *nm/f* idiot(e), sot (sotte); (*payaso*) idiot(e); **a tontas y a locas** à tort et à travers; **hacer el ~** faire l'idiot; **hacerse el ~** faire l'ignorant; **estar ~ con algo** être entiché(e) de qch
topar [to'par] *vi*: **~ con** tomber sur; **~ contra** *o* **en** buter contre; **toparse** *vpr*: **~se con** tomber sur
tope ['tope] *adj* limite ■ *nm* limite *f*; (*obstáculo*) difficulté *f*; (*de puerta*) butoir *m*; (*Ferro*) tampon *m*; (*de mecanismo*) butée *f*; (*Méx*: *Auto*) ralentisseur *m*; **a ~** (*fam*: *aprovechar, acelerar*) à fond; (: *música*) à plein volume; **a** *o* **hasta los ~s** plein(e) à ras bord; **fecha ~** date *f* limite; **precio/sueldo ~** prix *m*/salaire *m* maximum; **~ de tabulación** tabulateur *m*
tópico, -a ['topiko, a] *adj* rebattu(e); (*Med*) externe ■ *nm* (*pey*) cliché *m*; **de uso ~** à usage externe

topo ['topo] *nm* taupe *f*
topografía [topoɣra'fia] *nf* topographie *f*
topógrafo, -a [to'poɣrafo, a] *nm/f* topographe *m/f*; (*agrimensor*) arpenteur *m/f*
toque ['toke] *vb ver* **tocar** ▪ *nm* (*de mano, pincel*) coup *m*; (*Mús*) sonnerie *f*; (*matiz*) touche *f*; (*retoque*) retouche *f*; **dar un ~ a** passer un coup de fil à; (*advertir*) donner un avertissement à; **dar el último ~ a** mettre la dernière touche à; **~ de diana** sonnerie de clairon; **~ de queda** couvre-feu *m*
toquetear [tokete'ar] *vt* tripoter; (*fam!*) peloter
toquilla [to'kiʎa] *nf* châle *m*
tórax ['toraks] *nm* thorax *msg*
torbellino [torbe'ʎino] *nm* tourbillon *m*; (*fig*) tornade *f*
torcedura [torθe'ðura] *nf* torsion *f*
torcer [tor'θer] *vt* tordre; (*inclinar*) pencher; (*persona*) corrompre; (*sentido*) déformer ▪ *vi* (*cambiar de dirección*) tourner; **torcerse** *vpr* se tordre; (*inclinarse*) pencher; (*desviarse*) dévier; (*fracasar*) se gâter; **~ la esquina** tourner au coin de la rue; **~ el gesto** se renfrogner; **el coche torció a la derecha** l'auto a viré à droite; **~se un pie** se tordre le pied; **se han torcido las cosas** les choses se sont gâtées
torcido, -a [tor'θiðo, a] *adj* tordu(e); (*cuadro*) penché(e); (*intención, persona*) louche
tordo, -a ['torðo, a] *adj* (*caballo*) pommelé(e) ▪ *nm* étourneau *m*
torear [tore'ar] *vt* (*toro*) combattre; (*evitar*) esquiver ▪ *vi* toréer
toreo [to'reo] *nm* tauromachie *f*
torero, -a [to'rero, a] *nm/f* torero *m*
tormenta [tor'menta] *nf* tempête *f*, orage *m*; (*fig*) orage; **una ~ en un vaso de agua** une tempête dans un verre d'eau
tormento [tor'mento] *nm* torture *f*; (*fig*) tourment *m*
tornado [tor'naðo] *nm* tornade *f*
tornar [tor'nar] *vt* (*devolver*) rendre; (*transformar*) transformer ▪ *vi* revenir; **tornarse** *vpr* (*ponerse*) devenir; (*volver*) revenir; **~ a hacer** recommencer à faire
tornasolado, -a [tornaso'laðo, a] *adj* (*tela*) chatoyant(e); (*mar, superficie*) irisé(e)
torneo [tor'neo] *nm* tournoi *m*
tornillo [tor'niʎo] *nm* vis *fsg*; **apretar los ~s a algn** serrer la vis à qn; **le falta un ~** (*fam*) il lui manque une case
torniquete [torni'kete] *nm* tourniquet *m*
torno ['torno] *nm* (*Tec: grúa*) treuil *m*; (*: de carpintero, alfarero*) tour *m*; **en ~ a** autour de; **~ de banco** étau *m*
toro ['toro] *nm* taureau *m*; (*fam*) malabar *m*; **los toros** *nmpl* (*fiesta*) la corrida
toronja [to'ronxa] *nf* pamplemousse *m*
torpe ['torpe] *adj* maladroit(e); (*necio*) abruti(e); (*lento*) lent(e)
torpedo [tor'peðo] *nm* torpille *f*
torpeza [tor'peθa] *nf* maladresse *f*; (*lentitud*) lenteur *f*
torre ['torre] *nf* tour *f*; (*Mil, Náut*) tourelle *f*; **~ de conducción eléctrica** pylône *m* électrique; **~ de control** tour de contrôle; **~ de marfil** tour d'ivoire; **~ de perforación** foreuse *f*
torrefacto, -a [torre'fakto, a] *adj*: **café ~** café *m* torréfié
torrente [to'rrente] *nm* torrent *m*
tórrido, -a ['torriðo, a] *adj* torride
torrija [to'rrixa] *nf* pain *m* perdu
torsión [tor'sjon] *nf* torsion *f*
torso ['torso] *nm* torse *m*
torta ['torta] *nf* tarte *f*; (*Méx*) omelette *f*; (*fam*) baffe *f*; **ni ~** rien du tout, goutte
tortícolis [tor'tikolis] *nf o nm inv* torticolis *msg*
tortilla [tor'tiʎa] *nf* omelette *f*; (*AM*) crêpe *f* de maïs; **ha cambiado** *o* **vuelto la ~** le vent a tourné; **~ española/francesa** tortilla *f*/omelette
tórtola ['tortola] *nf* tourterelle *f*
tortuga [tor'tuɣa] *nf* tortue *f*; **~ marina** tortue de mer
tortuoso, -a [tor'twoso, a] *adj* tortueux(-ueuse)
tortura [tor'tura] *nf* torture *f*
torturar [tortu'rar] *vt* torturer; **torturarse** *vpr* se torturer
tos [tos] *nf* toux *fsg*; **~ ferina** coqueluche *f*
tosco, -a ['tosko, a] *adj* (*material*) brut(e); (*artesanía*) grossier(-ière); (*sin refinar*) rustre, grossier(-ière)
toser [to'ser] *vi* tousser; **no hay quien le tosa** il ne se prend pas pour n'importe qui
tostada [tos'taða] *nf* pain *m* grillé, toast *m*
tostado, -a [tos'taðo, a] *adj* grillé(e); (*por el sol*) bronzé(e)
tostador [tosta'ðor] *nm* grille-pain *m inv*
tostar [tos'tar] *vt* (*pan*) faire griller; (*café*) torréfier; (*al sol*) dorer; **tostarse** *vpr* (*al sol*) se dorer
total [to'tal] *adj* total(e) ▪ *adv* au total ▪ *nm* total *m*; **en ~** au total; **~ que** bref, somme toute; **~ debe/haber** (*Com*) débit *m*/actif *m* total

totalidad [totali'ðað] *nf* totalité *f*
totalitario, -a [totali'tarjo, a] *adj* totalitaire
totalmente [to'talmente] *adv* entièrement; (*antes de adjetivo*) complètement
tóxico, -a ['toksiko, a] *adj* toxique ■ *nm* produit *m* toxique
toxicómano, -a [toksi'komano, a] *nm/f* toxicomane *m/f*
toxina [to'ksina] *nf* toxine *f*
tozudo, -a [to'θuðo, a] *adj* têtu(e)
traba ['traβa] *nf* entrave *f*; (*de rueda*) rayon *m*; **poner ~s a** mettre des bâtons dans les roues à
trabajador, a [traβaxa'ðor, a] *adj, nm/f* travailleur(-euse); **~ autónomo** *o* **por cuenta propia** travailleur indépendant, free-lance *m/f*
trabajar [traβa'xar] *vt* travailler; (*mercancía*) faire; (*intentar conseguir*) s'occuper de ■ *vi* travailler; **¡a ~!** au travail!; **~ de** travailler comme
trabajo [tra'βaxo] *nm* travail *m*; (*fig*) difficultés *fpl*; **tomarse el ~ de** se donner la peine de; **~ por turnos/a destajo** travail par roulement/à la pièce; **costar ~** demander du travail; **~ a tiempo parcial** travail à temps partiel; **~ de campo** travaux *mpl* des champs; **~ en proceso** (*Com*) travaux en cours; **~s forzados** travaux forcés
trabajoso, -a [traβa'xoso, a] *adj* laborieux(-ieuse)
trabalenguas [traβa'lengwas] *nm inv* phrase *f* difficile à prononcer
trabar [tra'βar] *vt* joindre; (*puerta*) coincer; (*animal, proceso*) entraver; (*agarrar*) saisir; (*salsa*) lier; (*amistad, conversación*) nouer; **trabarse** *vpr* bafouiller; **se le traba la lengua** il bafouille
tracción [trak'θjon] *nf* traction *f*; **~ delantera/trasera** traction avant/arrière
tractor [trak'tor] *nm* tracteur *m*
tradición [traði'θjon] *nf* tradition *f*
tradicional [traðiθjo'nal] *adj* traditionnel(le)
traducción [traðuk'θjon] *nf* traduction *f*; **~ asistida por ordenador** traduction assistée par ordinateur, TAO *f*; **~ directa** traduction directe; (*Escol*) version *f*
traducir [traðu'θir] *vt* traduire; (*interpretar*) interpréter; **traducirse** *vpr*: **~se en** (*fig*) se traduire par
traductor, a [traðuk'tor, a] *nm/f* traducteur(-trice)
traer [tra'er] *vt* apporter; (*llevar: ropa*) porter; (*incluir*) impliquer; (*ocasionar*) apporter, causer; **traerse** *vpr*: **~se algo** tramer qch; **~ a algn frito** *o* **de cabeza** (*fam*) raser qn; **~ consigo** impliquer; **es un problema que se las trae** c'est un problème épineux; **~se algo entre manos** manigancer *o* fabriquer qch
traficar [trafi'kar] *vi*: **~ con** faire du trafic de
tráfico ['trafiko] *nm* (*Auto*) trafic *m*, circulation *f*; (*Com*) commerce *m*; (*: pey*) trafic; **~ de drogas** trafic de drogue; **~ de influencias** trafic d'influence
tragaluz [traɣa'luθ] *nm* vasistas *msg*
tragaperras [traɣa'perras] *nf inv* machine *f* à sous
tragar [tra'ɣar] *vt* avaler; (*devorar*) dévorer; (*suj: mar, tierra*) engloutir; **tragarse** *vpr* avaler; (*devorar*) dévorer; (*desprecio, insulto*) ravaler; (*discurso, rollo*) se farcir; **no le puedo ~** je ne peux pas le sentir
tragedia [tra'xeðja] *nf* tragédie *f*
trágico, -a ['traxiko, a] *adj* tragique
trago ['traɣo] *nm* gorgée *f*; (*fam: bebida*) verre *m*; (*desgracia*) moment *m* difficile; **de un ~** d'un trait; **~ amargo** coup *m* dur
traición [trai'θjon] *nf* trahison *f*; **alta ~** haute trahison; **a ~** en traître
traicionar [traiθjo'nar] *vt* trahir
traicionero, -a [traiθjo'nero, a] *adj, nm/f* traître (traîtresse)
traidor, a [trai'ðor, a] *adj, nm/f* traître (traîtresse)
traiga *etc* ['traiɣa] *vb ver* **traer**
traje ['traxe] *vb ver* **traer** ■ *nm* (*de hombre, de época*) costume *m*; **~ hecho a la medida** costume sur mesure; **~ de baño** maillot *m* de bain; **~ de buzo** combinaison *f* de plongée; **~ de calle** tenue *f* de ville; **~ de chaqueta** tailleur *m*; **~ de etiqueta** tenue *f* de soirée; **~ de luces** habit *m* de lumière; **~ de noche** robe *f* du soir; **~ de novia** robe de mariée; **~ típico** costume
trajera *etc* [tra'xera] *vb ver* **traer**
trajín [tra'xin] *nm* agitation *f*; (*fam*) va-et-vient *m inv*
trajinar [traxi'nar] *vt* transporter ■ *vi* s'affairer
trama ['trama] *nf* (*de tejido*) trame *f*; (*de obra*) intrigue *f*; (*intriga*) machination *f*
tramar [tra'mar] *vt* tramer, ourdir; **tramarse** *vpr*: **algo se está tramando** il se trame qch
tramitar [trami'tar] *vt* (*suj: departamento, comisaría*) s'occuper de; (*: individuo*) faire des démarches pour obtenir

trámite ['tramite] *nm* démarche *f*; **trámites** *nmpl* (*burocracia*) formalités *fpl*; (*Jur*) mesures *fpl*
tramo ['tramo] *nm* (*de tierra*) bande *f*; (*de escalera*) volée *f*; (*de vía*) tronçon *m*
tramoya [tra'moja] *nf* (*Teatro*) machinerie *f*; (*fig*) machination *f*
tramoyista [tramo'jista] *nm/f* machiniste *m*; (*fig*) conspirateur(-trice)
trampa ['trampa] *nf* piège *m*; (*en el suelo*) trappe *f*; (*en juego*) tricherie *f*; (*fam*: *deuda*) dette *f*; **caer en la ~** tomber dans le piège; **hacer ~s** tricher
trampolín [trampo'lin] *nm* tremplin *m*
tramposo, -a [tram'poso, a] *adj*, *nm/f* tricheur(-euse)
tranca ['tranka] *nf* (*palo*) trique *f*; (*de puerta, ventana*) barre *f*; (*fam*: *borrachera*) cuite *f*; **a ~s y barrancas** avec maintes difficultés
trancar [tran'kar] *vt* barrer
trance ['tranθe] *nm* (*crítico*) moment *m* critique; (*difícil*) moment difficile; (*estado hipnótico*) transe *f*; **estar en ~ de muerte** être à l'article de la mort
tranquilidad [trankili'ðað] *nf* tranquillité *f*
tranquilizar [trankili'θar] *vt* tranquilliser
tranquilo, -a [tran'kilo, a] *adj* calme; (*apacible*) tranquille
Trans. *abr* = **transferencia**
trans... [trans] *pref* trans...; *ver tb* **tras...**
transacción [transak'θjon] *nf* transaction *f*
transbordador [transβorða'ðor] *nm* transbordeur *m*, bac *m*
transbordar [transβor'ðar] *vt* transborder ▪ *vi* changer de train
transbordo [trans'βorðo] *nm* transbordement *m*; **hacer ~** changer
transcurrir [transku'rrir] *vi* (*tiempo*) passer; (*hecho, reunión*) se dérouler
transcurso [trans'kurso] *nm* (*de tiempo*) cours *msg*; (*de hecho*) déroulement *m*; **en el ~ de 8 días** en l'espace de 8 jours
transeúnte [transe'unte] *adj* de passage ▪ *nm/f* passant(e)
transferencia [transfe'renθja] *nf* transfert *m*; (*Com*) virement *m*; **~ bancaria** virement bancaire; **~ de crédito** virement; **~ electrónica de fondos** système *m* de virements informatisé
transferir [transfe'rir] *vt* transférer; (*dinero*) virer
transformador [transforma'ðor] *nm* transformateur *m*
transformar [transfor'mar] *vt* transformer; **~ en** transformer en
tránsfuga ['transfuɣa] *nm/f* transfuge *m*
transfusión [transfu'sjon] *nf* (*tb*: **transfusión de sangre**) transfusion *f* (sanguine)
transgénico, -a [trans'xeniko, a] *adj* transgénique
transgredir [transɣre'dir] *vt* transgresser
transición [transi'θjon] *nf* transition *f*; **gobierno de ~** gouvernement *m* de transition; **período de ~** période *f* de transition; **~ democrática** transition démocratique
transigir [transi'xir] *vi* transiger
transistor [transis'tor] *nm* transistor *m*
transitar [transi'tar] *vi*: **~ (por)** circuler (sur)
tránsito ['transito] *nm* passage *m*; (*Auto*) transit *m*; **horas de máximo ~** heures *fpl* de pointe; **"se prohíbe el ~"** "circulation interdite"
transitorio, -a [transi'torjo, a] *adj* transitoire
transmisión [transmi'sjon] *nf* transmission *f*; (*Radio, TV*) diffusion *f*; **correa/eje de ~** courroie *f*/axe *m* de transmission; **~ de datos (en paralelo/en serie)** (*Inform*) transmission de données (en parallèle/en série); **~ en circuito** duplex *m*; **~ en directo** diffusion en direct; **~ exterior** émission tournée en extérieur
transmitir [transmi'tir] *vt* transmettre; (*aburrimiento, esperanza*) communiquer; (*Radio, TV*) diffuser
transparencia [transpa'renθja] *nf* transparence *f*; (*foto*) transparent *m*
transparentar [transparen'tar] *vt* (*figura*) révéler; (*alegría, tristeza*) transparaître ▪ *vi* être transparent(e); **transparentarse** *vpr* être transparent(e)
transparente [transpa'rente] *adj* transparent(e)
transpirar [transpi'rar] *vi* (*sudar*) transpirer; (*exudar*) exsuder
transportar [transpor'tar] *vt* transporter
transporte [trans'porte] *nm* transport *m*; **~ en contenedores** transport par conteneurs; **~ público** transport public
transversal [transβer'sal] *adj* transversal(e) ▪ *nf* (*tb*: **calle transversal**) rue *f* transversale
tranvía [tram'bia] *nm* tramway *m*
trapecio [tra'peθjo] *nm* trapèze *m*

trapecista [trape'θista] *nm/f* trapéziste *m/f*
trapero, -a [tra'pero, a] *nm/f* chiffonnier(-ière)
trapicheos [trapi'tʃeos] (*fam*) *nmpl* stratagèmes *mpl*, machinations *fpl*
trapo ['trapo] *nm* chiffon *m*; (*de cocina*) torchon *m*; **trapos** *nmpl* (*fam: de mujer*) chiffons *mpl*; **a todo ~** à toute vitesse; **poner a algo como un ~** (*fam*) descendre qn en flammes; **sacar los ~s sucios a relucir** se dire ses quatre vérités
tráquea ['trakea] *nf* trachée *f*
traqueteo [trake'teo] *nm* cahot *m*
tras [tras] *prep* (*detrás*) derrière; (*después*) après; **~ de** en plus de; **día ~ día** jour *m* après jour; **uno ~ otro** l'un après l'autre
tras... [tras] *pref* trans...; *ver tb* **trans...**
trasatlántico, -a [trasat'lantiko, a] *adj, nm* transatlantique *m*
trascendencia [trasθen'denθja] *nf* importance *f*; (*Filos*) transcendance *f*
trascendental [trasθenden'tal] *adj* capital(e)
trascender [trasθen'der] *vi* (*noticias*) filtrer, transpirer; (*olor*) embaumer; (*acontecimientos*) avoir des répercussions; **~ de** dépasser; **~ a** (*sugerir*) évoquer; (*oler a*) sentir; **en su novela todo trasciende a romanticismo** dans son roman tout évoque le romantisme
trasero, -a [tra'sero, a] *adj* arrière ■ *nm* (*Anat*) postérieur *m*
trasfondo [tras'fondo] *nm* fond *m*
trashumante [trasu'mante] *adj* transhumant(e)
trasladar [trasla'ðar] *vt* déplacer; (*empleado, prisionero*) transférer; (*fecha*) reporter; **trasladarse** *vpr* (*mudarse*) déménager; (*desplazarse*) se déplacer; **~se a otro puesto** changer d'emploi
traslado [tras'laðo] *nm* déplacement *m*; (*mudanza*) déménagement *m*; (*de empleado, prisionero*) transfert *m*; (*copia, Jur*) notification *f*; **~ de bloque** (*Inform*) déplacement de bloc
traslucir [traslu'θir] *vt* laisser entrevoir; **traslucirse** *vpr* (*cristal*) être translucide; (*figura, color*) se voir au travers; (*fig*) apparaître, se révéler
trasluz [tras'luθ] *nm* lumière *f* tamisée; **al ~** à la lumière
trasnochar [trasno'tʃar] *vi* se coucher tard; (*no dormir*) passer une nuit blanche
traspapelar [traspape'lar] *vt* égarer
traspasar [traspa'sar] *vt* transpercer; (*propiedad, derechos*) céder; (*empleado, jugador*) transférer; (*límites*) dépasser; (*ley*) transgresser; **"traspaso negocio"** "bail à céder"
traspaso [tras'paso] *nm* (*de negocio, jugador*) cession *f*, vente *f*; (*precio*) montant *m*
traspié [tras'pje] *nm* faux pas *msg*; (*fig*) faux pas, gaffe *f*
trasplantar [trasplan'tar] *vt* transplanter
trasplante [tras'plante] *nm* transplant *m*
traste ['traste] *nm* (*Mús*) touche *f*; **dar al ~ con algo** en finir avec qch; **irse al ~** tourner court
trastero [tras'tero] *nm* débarras *msg*
trastienda [tras'tjenda] *nf* arrière-boutique *f*; **obtener algo por la ~** obtenir qch en sous-main
trasto ['trasto] *nm* vieillerie *f*; (*pey: cosa*) saleté *f*; (*: persona*) propre *m* à rien; **trastos** *nmpl* (*fam*) attirail *msg*; **tirarse los ~s a la cabeza** se battre comme des chiffonniers
trastornado, -a [trastor'naðo, a] *adj* (*loco*) détraqué(e); (*agitado*) turbulent(e)
trastornar [trastor'nar] *vt* déranger; (*persona*) troubler; (*: enamorar*) envoûter; (*: enloquecer*) rendre fou (folle); **trastornarse** *vpr* (*plan*) échouer; (*persona*) devenir fou (folle)
trastorno [tras'torno] *nm* dérangement *m*; (*confusión*) désordre *m*; (*Pol, Med*) trouble *m*; **~ estomacal** trouble gastrique; **~ mental** trouble mental
tratado [tra'taðo] *nm* traité *m*
tratamiento [trata'mjento] *nm* traitement *m*; (*título*) titre *m*; (*de problema*) manière *f* de traiter; **~ de datos/de gráficos/de textos** (*Inform*) traitement des données/des graphiques/de texte; **~ de márgenes** positionnement *m* des marges; **~ por lotes** (*Inform*) traitement par lots
tratar [tra'tar] *vt* traiter; (*dirigirse a*) adresser; (*tener contacto*) fréquenter ■ *vi*: **~ de** (*hablar sobre*) traiter de; (*intentar*) essayer de; **tratarse** *vpr*: **~se de** s'agir de; **~ con** traiter avec; **~ en** (*Com*) être négociant en; **se trata de la nueva piscina** c'est à propos de la nouvelle piscine; **¿de qué se trata?** de quoi s'agit-il?; **~ a algn de tú** tutoyer qn; **~ a algn de tonto** traiter qn d'idiot
trato ['trato] *nm* traitement *m*; (*relaciones*) rapport *m*; (*manera de ser*) manières *fpl*; (*Com, Jur*) marché *m*; (*pacto*) traité *m*; (*título*) titre *m*; **de ~ agradable** agréable, charmant(e); **de fácil ~** d'abord

facile; **~ equitativo** traitement égal; **¡~ hecho!** marché conclu!; **hacer un ~** faire un marché; **malos ~s** mauvais traitements

trauma ['trauma] *nm* trauma *m*

través [tra'βes] *nm*: **al ~** en travers; **a ~ de** à travers, en travers de; (*radio, teléfono, organismo*) par, par l'intermédiaire de; **de ~** (*transversalmente*) de travers; (*de lado*) en *o* de biais

travesaño [traβe'saɲo] *nm* (*Arq*) traverse *f*; (*Deporte*) barre *f* transversale

travesía [traβe'sia] *nf* (*calle*) passage *m*; (*Náut*) traversée *f*

travesura [traβe'sura] *nf* diablerie *f*

traviesa [tra'βjesa] *nf* (*Ferro*) traverse *f*

travieso, -a [tra'βjeso, a] *adj* (*niño*) espiègle, polisson(ne); (*adulto*) espiègle; (*pícaro*) malin(-igne); (*ingenioso*) astucieux(-euse); **a campo traviesa** à travers champs

trayecto [tra'jekto] *nm* trajet *m*, chemin *m*; (*tramo*) section *f*; **final del ~** terminus *msg*

trayectoria [trajek'torja] *nf* trajectoire *f*; **la ~ actual del partido** la ligne actuelle du parti

traza ['traθa] *nf* (*Arq*) tracé *m*, plan *m*; (*aspecto*) allure *f*; (*habilidad*) facilité *f*; (*Inform*) trace *f*; **llevar ~s de algo** avoir l'air de qch; **por las ~s** apparemment

trazado [tra'θaðo, a] *nm* (*Arq*) plan *m*; (*fig*) grandes lignes *fpl*; (*de carretera*) tracé *m*

trazar [tra'θar] *vt* tracer; (*plan*) tirer

trazo ['traθo] *nm* (*línea*) trait *m*; (*bosquejo*) ébauche *f*; **trazos** *nmpl* (*de cara*) traits *mpl*

trébol ['treβol] *nm* trèfle *m*; **tréboles** *nmpl* (*Naipes*) trèfles *mpl*

trece ['treθe] *adj inv, nm inv* treize *m inv*; **seguir en sus ~** s'obstiner; *ver tb* **seis**

trecho ['tretʃo] *nm* (*distancia*) distance *f*; (*de tiempo*) moment *m*; **de ~ en ~** de temps en temps; **a ~s** çà et là

tregua ['treɣwa] *nf* trêve *f*; **sin ~** sans répit

treinta ['treinta] *adj inv, nm inv* trente *m inv*; *ver tb* **sesenta**

tremendo, -a [tre'mendo, a] *adj* (*terrible*) impressionnant(e); (*imponente*) terrible, impressionnant(e); (*fam*) terrible; **tomarse las cosas a la tremenda** prendre les choses au tragique

trémulo, -a ['tremulo, a] *adj* tremblant(e); (*luz*) vacillant(e)

tren [tren] *nm* train *m*; **a todo ~** à grands frais; **estar como un ~** (*fam*) être canon; **~ de aterrizaje** train d'atterrissage; **~ directo/expreso/suplementario** train direct/(train) express *m*/train à supplément; **~ (de) mercancías/de pasajeros** train de marchandises/de voyageurs; **~ de vida** train de vie

trenza ['trenθa] *nf* tresse *f*

trenzar [tren'θar] *vt* tresser ■ *vi* (*en baile*) faire des entrechats; **trenzarse** *vpr* (*AM*: *fam*) se mêler à une querelle

trepador, a [trepa'ðor, a] *adj* (*planta*) grimpant(e) ■ *nm/f* arriviste *m/f* ■ *nf* (*planta*) plante *f* grimpante

trepar [tre'par] *vi* grimper

trepidante [trepi'ðante] *adj* trépidant(e); (*ruido*) accablant(e)

tres [tres] *adj inv, nm inv* trois *m inv*; *ver tb* **seis**

trescientos, -as [tres'θjentos, as] *adj* trois cents; *ver tb* **seiscientos**

tresillo [tre'siʎo] *nm* salon *m* (*comprenant un canapé et deux fauteuils*); (*Mús*) triolet *m*

treta ['treta] *nf* machination *f*

triángulo [tri'angulo] *nm* triangle *m*

tribal [tri'βal] *adj* tribal(e)

tribu ['triβu] *nf* tribu *f*

tribuna [tri'βuna] *nf* tribune *f*; **~ de prensa** tribune de la presse

tribunal [triβu'nal] *nm* (*Jur*) tribunal *m*; (*Escol, fig*) jury *m*; **T~ Constitucional** *Cour constitutionnelle*; **T~ de Cuentas** ≈ Cour *f* des comptes; **T~ de Justicia de las Comunidades Europeas** Cour de justice européenne; **T~ Supremo** Cour suprême; **T~ Tutelar de Menores** Tribunal pour enfants

tributar [triβu'tar] *vt* payer; (*cariño, admiración*) témoigner

tributo [tri'βuto] *nm* tribut *m*, impôt *m*

tricotar [triko'tar] *vt, vi* tricoter

trigal [tri'ɣal] *nm* champ *m* de blé

trigo ['triɣo] *nm* blé *m*; **no es ~ limpio** il est louche

trigueño, -a [tri'ɣeɲo, a] *adj* (*pelo*) châtain-clair *inv*; (*piel*) basané(e)

trillado, -a [tri'ʎaðo, a] *adj* (*Agr*) battu(e); (*fig*) rebattu(e)

trilladora [triʎa'ðora] *nf* batteuse *f*

trillar [tri'ʎar] *vt* battre

trimestral [trimes'tral] *adj* trimestriel(le)

trimestre [tri'mestre] *nm* trimestre *m*

trinar [tri'nar] *vi* (*ave*) gazouiller; **está que trina** (*fam*) il est furieux

trinchar [trin'tʃar] *vt* découper

trinchera [trin'tʃera] *nf* (*Mil*) tranchée *f*; (*para vía*) percée *f*; (*impermeable*) trench-coat *m*

trineo [tri'neo] *nm* traîneau *m*

trinidad [trini'ðað] *nf*: **la T~** la Trinité
trino ['trino] *nm* gazouillement *m*
tripa ['tripa] *nf* (*Anat*) intestin *m*; (*fam*) tripe *f*; (: *embarazo*) ventre *m*; **tripas** *nfpl* (*Anat*) intestins *mpl*; (*Culin, fig*) tripes *fpl*; **echar/tener ~** prendre/avoir du ventre; **me duele la ~** j'ai mal au ventre; **hacer de ~s corazón** prendre son courage à deux mains
triple ['triple] *adj, nm* triple
triplicado, -a [tripli'kaðo, a] *adj*: **por ~** en trois exemplaires
tripulación [tripula'θjon] *nf* équipage *m*
tripulante [tripu'lante] *nm/f* membre *m* de l'équipage
tripular [tripu'lar] *vt* former l'équipage de; **nave espacial tripulada** vaisseau *m* spatial habité
tris [tris] *nm*: **estar en un ~ de hacer algo** être sur le point de faire qch
triste ['triste] *adj* triste; (*paisaje*) morne; (*color, flores*) flétri(e); **no queda ni un ~ pañuelo** il ne reste même pas un mouchoir
tristeza [tris'teθa] *nf* tristesse *f*
triturar [tritu'rar] *vt* triturer, broyer; (*mascar*) mâcher; (*documentos*) déchiqueter; (*persona*: *golpear*) pulvériser; (: *humillar*) anéantir
triunfar [triun'far] *vi* triompher, gagner; **~ en la vida** réussir dans la vie
triunfo [tri'unfo] *nm* triomphe *m*; (*Naipes*) atout *m*
trivial [tri'βjal] *adj* banal(e), sans importance
trivializar [triβjali'θar] *vt* minimiser, banaliser
triza ['triθa] *nf* morceau *m*, lambeau *m*; **hacer algo ~s** réduire qch en miettes; **hacer ~s a algn** (*golpear*) démolir qn; (*humillar*) écraser qn
trocar [tro'kar] *vt* (*Com*) troquer; (*papel, posición*) changer; (*palabras*) échanger; **trocarse** *vpr* se changer; **~ (en)** changer (en); **~se (en)** se changer (en)
trocear [troθe'ar] *vt* couper en morceaux
trocha ['trotʃa] (*AM*) *nf* sentier *m*
troche ['trotʃe]: **a ~ y moche** *adv* à tort et à travers
trofeo [tro'feo] *nm* trophée *m*; (*botín*) butin *m*; **~ de caza** trophée de chasse
tromba ['tromba] *nf* trombe *f*; **~ de agua** trombe d'eau
trombón [trom'bon] *nm* trombone *m*
trombosis [trom'bosis] *nf inv* thrombose *f*; **~ cerebral** thrombose cérébrale
trompa ['trompa] *nf* (*Mús*) cor *m*; (*de elefante, insecto, fam*) trompe *f* ■ *nm* (*Mús*) joueur *m* de cor; **estar ~** (*fam*) être pompette; **cogerse una ~** (*fam*) prendre une cuite; **~ de Falopio** trompe de Fallope
trompada [trom'paða] *nf*, **trompazo** [trom'paθo] *nm* coup *m*; (*puñetazo*) coup de poing; **darse un ~** se donner un coup
trompeta [trom'peta] *nf* trompette *f*; (*clarín*) clairon *m* ■ *nm/f* trompettiste *m/f*
trompicón [trompi'kon]: **a trompicones** *adv* par à-coups
trompo ['trompo] *nm* toupie *f*
tronar [tro'nar] *vt* (*Cam, Méx*: *fam*) tuer ■ *vi* (*Meteorología*) tonner
tronchar [tron'tʃar] *vt* (*árbol*) abattre; (*vida, esperanza*) briser, détruire; **troncharse** *vpr* se fendre, tomber; **~se de risa** se tordre de rire
tronco ['tronko] *nm* tronc *m*; (*de familia*) lignée *f*; **dormir/estar como un ~** dormir comme une souche
trono ['trono] *nm* trône *m*
tropa ['tropa] *nf* troupe *f*; (*gentío*) foule *f*
tropel [tro'pel] *nm* (*desorden*) cohue *f*; (*montón*) amoncellement *m*; **en ~** en se bousculant
tropezar [trope'θar] *vi* trébucher; **tropezarse** *vpr* se rencontrer; **~ con** (*fig*) tomber sur
tropezón [trope'θon] *nm* faux pas *msg*; **tropezones** *nmpl* (*Culin*) morceaux *mpl* de viande; **darse un ~** trébucher
tropical [tropi'kal] *adj* tropical(e)
trópico ['tropiko] *nm* tropique *m*
tropiezo [tro'pjeθo] *vb ver* **tropezar** ■ *nm* (*error*) erreur *f*, bévue *f*; (*revés*) revers *msg*; (*obstáculo*) difficulté *f*; (*desliz*) erreur
trotamundos [trota'mundos] (*fam*) *nm/f inv* globe-trotter *m/f*
trotar [tro'tar] *vi* trotter; (*fam*: *viajar*) voyager
trote ['trote] *nm* trot *m*; (*fam*) activité *f*; **hacer algo al ~** faire qch à toute vitesse; **de mucho ~** solide, résistant(e); **ya no está para esos ~s** ce n'est plus pour lui
trozo ['troθo] *nm* morceau *m*; **a ~s** par endroits
trucha ['trutʃa] *nf* truite *f*
truco ['truko] *nm* truc *m*; (*Cine*) trucage *m*; **ya le he cogido el ~** j'ai trouvé le truc; **~ publicitario** astuce *f* promotionnelle
trueno ['trweno] *vb ver* **tronar** ■ *nm* tonnerre *m*; (*estampido*) détonation *f*

trueque ['trweke] *vb ver* **trocar** ■ *nm* échange *m*; (*Com*) troc *m*
trufa ['trufa] *nf* truffe *f*
truhán, -ana [tru'an, ana] *nm/f* truand(e)
truncar [trun'kar] *vt* tronquer; (*vida*) abréger; (*desarrollo*) retarder; (*esperanzas*) briser
tu [tu] *adj* ton (ta); **tus hijos** tes enfants
tú [tu] *pron* tu
tubérculo [tu'βerkulo] *nm* tubercule *m*
tuberculosis [tuβerku'losis] *nf* tuberculose *f*
tubería [tuβe'ria] *nf* tuyau *m*; (*sistema*) tuyauterie *f*; (*oleoducto etc*) conduite *f*
tubo ['tuβo] *nm* tube *m*; (*de desagüe*) tuyau *m*; **~ de ensayo** éprouvette *f*, tube à essai; **~ de escape** pot *m* d'échappement; **~ digestivo** tube digestif
tuerca ['twerka] *nf* écrou *m*
tuerto, -a ['twerto, a] *adj, nm/f* borgne *m/f*
tuerza *etc* ['twerθa] *vb ver* **torcer**
tuétano ['twetano] *nm* moelle *f*; **hasta los ~s** jusqu'à la moelle
tufo ['tufo] (*pey*) *nm* relent *m*
tul [tul] *nm* tulle *m*
tulipán [tuli'pan] *nm* tulipe *f*
tullido, -a [tu'ʎiðo, a] *adj* estropié(e)
tumba ['tumba] *nf* tombe *f*; **ser (como) una ~** être muet(te) comme une tombe
tumbar [tum'bar] *vt* (*extender en el suelo*) allonger; (*derribar*) renverser; (*fam: suj: olor*) empester; (*: en examen*) recaler, coller; (*: en competición*) battre ■ *vi* tomber par terre; **tumbarse** *vpr* s'allonger; (*extenderse*) s'étendre
tumbo ['tumbo] *nm* chute *f*; (*de vehículo*) cahot *m*; **ir dando ~s** avancer par à-coups
tumbona [tum'bona] *nf* chaise *f* longue
tumor [tu'mor] *nm* tumeur *f*
tumulto [tu'multo] *nm* tumulte *m*; (*Pol*) émeute *f*, troubles *mpl*
tuna ['tuna] *nf* petit orchestre *m* d'étudiants; *ver tb* **tuno**

TUNA

Une *tuna* est un groupe musical constitué d'étudiants ou d'anciens étudiants qui portent les costumes de l'"Edad de Oro", l'âge d'or espagnol. Ces groupes se promènent dans les rues en jouant de la guitare, du luth et du tambourin. Ils chantent des sérénades aux étudiantes dans les résidences universitaires et font des apparitions improvisées dans les mariages et les soirées, où pour quelques centimes d'euro, ils chantent des airs traditionnels espagnols.

tunante [tu'nante] *adj* coquin(e) ■ *nm/f* coquin(e), garnement *m*; **¡~!** garnement!, vilain(e)!
tunda ['tunda] *nf* raclée *f*
túnel ['tunel] *nm* tunnel *m*
Túnez ['tuneθ] *n* Tunis
tuno, -a ['tuno, a] *nm/f* membre *m* d'un orchestre d'étudiants
tupido, -a [tu'piðo, a] *adj* (*niebla, bosque*) épais(se); (*tela*) serré(e)
turba ['turβa] *nf* (*muchedumbre*) foule *f*; (*combustible*) tourbe *f*
turbar [tur'βar] *vt* (*paz, sueño*) troubler; (*preocupar*) inquiéter, troubler; (*: azorar*) gêner; **turbarse** *vpr* être gêné(e)
turbina [tur'βina] *nf* turbine *f*
turbio, -a ['turβjo, a] *adj, adv* trouble
turbulencia [turβu'lenθja] *nf* agitation *f*; (*fig*) turbulence *f*, agitation
turbulento, -a [turβu'lento, a] *adj* agité(e); (*fig*) agité(e), turbulent(e)
turco, -a ['turko, a] *adj* turc (turque) ■ *nm/f* Turc (Turque); (*And, Csur: pey*) *terme péjoratif qui désigne tout immigré du Moyen-Orient* ■ *nm* (*Ling*) turc *m*
turismo [tu'rismo] *nm* tourisme *m*; (*coche*) voiture *f* (particulière); **hacer ~** faire du tourisme; **~ rural** tourisme rural; **casas de ~ rural** gîtes *mpl* ruraux
turista [tu'rista] *nm/f* touriste *m/f*
turístico, -a [tu'ristiko, a] *adj* touristique
turnar [tur'nar] *vi* alterner; **turnarse** *vpr* se relever
turno ['turno] *nm* tour *m*; **es su ~** c'est à son tour; **por ~s** par équipes; **~ de día/de noche** équipe *f* de jour/de nuit
turquesa [tur'kesa] *adj, nf* turquoise *f*
Turquía [tur'kia] *nf* Turquie *f*
turrón [tu'rron] *nm* touron *m* (*sorte de nougat*)

TURRÓN

Le *turrón* est une sorte de nougat, d'origine orientale, fait avec du miel, des blancs d'œufs et des noisettes. On le consomme pendant la période de Noël. Il peut être dur et contenir des amandes entières (Alicante), ou tendre, à base d'amandes pilées (Jijona).

tutear [tute'ar] *vt* tutoyer; **tutearse** *vpr* se tutoyer
tutela [tu'tela] *nf* tutelle *f*; **estar bajo la ~ de** (*fig*) être sous la tutelle de
tutelar [tute'lar] *adj* tutélaire ■ *vt* avoir la tutelle de
tutor, a [tu'tor, a] *nm/f* tuteur(-trice); (*Escol*) professeur *m* particulier; **~ de curso** directeur(-trice) d'études
tuve *etc* ['tuβe] *vb ver* **tener**
tuyo, -a ['tujo, a] *adj* ton (ta) ■ *pron*: **el ~/la tuya** le tien/la tienne; **es ~** c'est à toi; **los ~s** (*fam*) les tiens
TV *sigla f* = *televisión*
TVE *sigla f* = *Televisión Española*

U

u [u] *conj* ou
u. *abr* (= *unidad*) U, u (= *unité*)
ubicar [uβi'kar] (*esp AM*) *vt* situer; (*encontrar*) trouver; **ubicarse** *vpr* se trouver
ubre ['uβre] *nf* mamelle *f*
Ud(s) *abr* (= *usted(es)*) *ver* **usted**
UE *sigla f* (= *Unión Europea*) UE *f*
ufano, -a [u'fano, a] *adj* (*arrogante*) suffisant(e); (*satisfecho*) satisfait(e)
UGT *sigla f* (= *Unión General de Trabajadores*) *syndicat*
ujier [u'xjer] *nm* (*Jur*) huissier *m*; (*portero*) portier *m*
úlcera ['ulθera] *nf* ulcère *m*
ulcerar [ulθe'rar] *vt* ulcérer; **ulcerarse** *vpr* s'irriter
últimamente ['ultimamente] *adv* dernièrement
ultimar [ulti'mar] *vt* finaliser; (*preparativos*) mettre la dernière main à; (*AM*: *asesinar*) abattre
ultimátum [ulti'matum] (*pl* **~s**) *nm* ultimatum *m*
último, -a ['ultimo, a] *adj* dernier(-ière) ■ *adv*: **ahora ~** (*Chi*) récemment; **a la última** (*en moda*) à la dernière mode; (*en conocimientos*) au goût du jour; **a ~s de mes** en fin de mois; **el ~** le dernier; **en las**

últimas (*enfermo*) à l'article de la mort; (*sin dinero, provisiones*) démuni(e); **este ~** ce dernier; **por ~** enfin, en dernier lieu
ultra ['ultra] *adj, nm/f* (*Pol*) ultra *m/f*
ultrajar [ultra'xar] *vt* outrager
ultraje [ul'traxe] *nm* outrage *m*
ultramar [ultra'mar] *nm*: **de ~** d'outre-mer; **los países de ~** les pays d'outre-mer
ultranza [ul'tranθa]: **a ~** *adv* à outrance
ultrasónico, -a [ultra'soniko, a] *adj* hypersonique
ultratumba [ultra'tumba] *nf* outre-tombe *f*
ultravioleta [ultraβjo'leta] *adj inv* ultraviolet(te), ultra-violet(te)
umbral [um'bral] *nm* seuil *m*; **~ de rentabilidad** seuil de rentabilité

PALABRA CLAVE

un, una [un, 'una] *art indef* **1** (*sg*) un(e); **una naranja** une orange; **un arma blanca** une arme blanche
2 (*pl*) des; **hay unos regalos para ti** il y a des cadeaux pour toi; **hay unas cervezas en la nevera** il y a des bières dans le frigo
3 (*enfático*): **¡hace un frío!** il fait un de ces froids!; **¡tiene una casa!** il a une de ces maisons!; *ver tb* **uno**

unánime [u'nanime] *adj* unanime
unanimidad [unanimi'ðað] *nf* unanimité *f*; **por ~** à l'unanimité
undécimo, -a [un'deθimo, a] *adj, nm/f* onzième *m/f*
ungir [un'xir] *vt* oindre
ungüento [un'gwento] *nm* onguent *m*
únicamente ['unikamente] *adv* uniquement
único, -a ['uniko, a] *adj* unique
unidad [uni'ðað] *nf* unité *f*; **~ central (de proceso)/de control** unité centrale (de traitement)/de commande; **~ de cuidados intensivos** unité *f* de soins intensifs; **~ de disco** lecteur *m* de disque; **~ de entrada/de salida** unité périphérique d'entrée/de sortie; **~ de información** donnée *f*, écran *m* de visualisation; **~ monetaria** unité monétaire; **~ móvil** (*TV*) unité mobile; **~ periférica** unité périphérique
unido, -a [u'niðo, a] *adj* uni(e)
unificar [unifi'kar] *vt* unifier
uniformar [unifor'mar] *vt* uniformiser; (*personal*) mettre en uniforme
uniforme [uni'forme] *adj* uniforme; (*color*) uni(e) ■ *nm* uniforme *m*
uniformidad [uniformi'ðað] *nf* uniformité *f*
unilateral [unilate'ral] *adj* unilatéral(e)
unión [u'njon] *nf* union *f*; (*Tec*) jointure *f*; **en ~ de** ainsi que; **la U~ Soviética** l'Union Soviétique; **punto de ~** (*Tec*) jointure; **~ aduanera** union douanière; **U~ Europea** Union *f* européenne; **U~ General de Trabajadores** (*Esp*) *syndicat*; **~ monetaria** union monétaire
unir [u'nir] *vt* (*piezas*) assembler; (*cuerdas*) nouer; (*tierras, habitaciones*) relier; (*esfuerzos, familia*) unir; (*empresas*) fusionner; **unirse** *vpr* (*personas*) s'unir; (*empresas*) fusionner; **~se a** se joindre à; **les une una fuerte amistad** ils éprouvent beaucoup d'amitié l'un pour l'autre; **~se en matrimonio** s'unir par les liens du mariage
unísono [u'nisono] *nm*: **al ~** à l'unisson
universal [uniβer'sal] *adj* universel(le)
universidad [uniβersi'ðað] *nf* université *f*; **~ a distancia** enseignement *m* à distance; **~ laboral** ≈ Institut *m* universitaire de technologie
universitario, -a [uniβersi'tarjo, a] *adj* universitaire ■ *nm/f* étudiant(e)
universo [uni'βerso] *nm* univers *msg*

PALABRA CLAVE

uno, -a ['uno, a] *adj* un(e); **es todo uno** ça ne fait qu'un; **unos pocos** quelques-uns; **unos cien** une centaine; **el día uno** le premier
■ *pron* **1** un(e); **quiero uno solo** je m'en veux qu'un; **uno de ellos** l'un d'eux; **uno mismo** soi-même; **de uno en uno** un à un
2 (*alguien*) quelqu'un; **conozco a uno que se te parece** je connais quelqu'un qui te ressemble; **unos querían quedarse** quelques-uns voulaient rester
3: **(los) unos ... (los) otros ...** certains *o* les uns ... les autres *o* d'autres; **se miraron el uno al otro** il se sont regardés l'un l'autre; **se pegan unos a otros** ils se battent entre eux
4 (*impersonal*): **uno se lo imagina** on se l'imagine
5 (*enfático*): **¡se montó una ...!** il y a eu une de ces pagailles!
■ *nf* (*hora*): **es la una** il est une heure
■ *nm* (*número*) un *m*; **el uno de abril** le premier avril

untar [un'tar] *vt* (*con aceite, pomada*) enduire; (*en salsa, café*) tremper; (*manchar*) tacher; (*fig, fam*) graisser la

patte à; **untarse** *vpr* (*mancharse*) se tacher; (*fig, fam: forrarse*) s'en mettre plein les poches; **~ el pan con mantequilla** étaler du beurre sur son pain
uña ['uɲa] *nf* (*Anat*) ongle *m*; (*de felino*) griffe *f*; (*de caballo*) sabot *m*; (*arrancaclavos*) arrache-clou *m*; **ser ~ y carne** s'entendre comme larrons en foire; **enseñar** *o* **mostrar** *o* **sacar las ~s** montrer *o* sortir ses griffes
uranio [u'ranjo] *nm* uranium *m*
urbanidad [urβani'ðað] *nf* courtoisie *f*
urbanismo [urβa'nismo] *nm* urbanisme *m*
urbanización [urβaniθa'θjon] *nf* lotissement *m*
urbanizar [urβani'θar] *vt* urbaniser
urbano, -a [ur'βano, a] *adj* urbain(e)
urbe ['urβe] *nf* grande ville *f*
urdimbre [ur'ðimbre] *nf* (*de tejido*) chaîne *f*
urdir [ur'ðir] *vt* ourdir
urgencia [ur'xenθja] *nf* urgence *f*; **urgencias** *nfpl* (*Med*) urgences *fpl*; **con ~** d'urgence; **en caso de ~** en cas d'urgence; **servicios de ~** services *mpl* d'urgence
urgente [ur'xente] *adj* urgent(e)
urgir [ur'xir] *vi* être urgent(e); **me urge** j'en ai besoin rapidement; **me urge terminarlo** il faut que je termine le plus vite possible
urinario, -a [uri'narjo, a] *adj* urinaire ▪ *nm* urinoir *m*
urna ['urna] *nf* (*tb Pol*) urne *f*; (*de cristal*) vitrine *f*; **acudir a las ~s** (*votantes*) aller aux urnes
urraca [u'rraka] *nf* pie *f*
Uruguay [uru'ɣwai] *nm* Uruguay *m*
uruguayo, -a [uru'ɣwajo, a] *adj* uruguayen(ne) ▪ *nm/f* Uruguayen(ne)
usado, -a [u'saðo, a] *adj* usagé(e); (*ropa etc*) usé(e), usagé(e); **muy ~** usé(e) jusqu'à la trame
usar [u'sar] *vt* utiliser; (*ropa*) porter; (*derecho etc*) user de ▪ *vi*: **~ de** user de; **usarse** *vpr* s'utiliser
USO ['uso] (*Esp*) *sigla f* (= *Unión Sindical Obrera*) *syndicat*
uso ['uso] *nm* usage *m*; (*aplicación: de objeto, herramienta*) utilisation *f*; **al ~ de la época** dans le style de l'époque; **de ~ externo** (*Med*) à usage externe; **(estar) en ~** (être) en usage; **hacer ~ de la palabra** faire usage de la parole; **~ y desgaste** usure *f*
usted [us'teð] *pron* (*sg: abr Ud (esp AM) o Vd: formal*) vous; **~es** (*pl: abr Uds (esp AM) o Vds: formal*) vous; (*AM: formal y fam*) vous; **tratar** *o* **llamar de ~ a algn** vouvoyer qn
usual [u'swal] *adj* habituel(-le)
usuario, -a [us'warjo, a] *nm/f* usager *m*; (*Inform*) utilisateur(-trice); **~ final** (*Com*) utilisateur(-trice) final(e)
usura [u'sura] (*pey*) *nf* usure *f*
usurero, -a [usu'rero, a] *nm/f* usurier(-ère)
usurpar [usur'par] *vt* usurper
utensilio [uten'siljo] *nm* instrument *m*; (*de cocina*) ustensile *m*
útero ['utero] *nm* utérus *msg*
útil ['util] *adj* utile; **útiles** *nmpl* outils *mpl*; **día ~** jour *m* ouvrable
utilidad [utili'ðað] *nf* utilité *f*; (*provecho*) avantage *m*; (*Com*) bénéfice *m*; **~es líquidas** bénéfice *msg* net
utilizar [utili'θar] *vt* utiliser
utopía [uto'pia] *nf* utopie *f*
utópico, -a [u'topiko, a] *adj* utopique
uva ['uβa] *nf* raisin *m*; **estar de mala ~** être de mauvais poil; **tener mala ~** avoir un sale caractère; **~ pasa** raisin sec

UVA

En Espagne la tradition de *las uvas* joue un rôle important à la Saint-Sylvestre (Nochevieja) : à minuit, chaque Espagnol, qu'il se trouve chez lui, dans un restaurant ou sur la plaza mayor, mange un grain de raisin pour chaque coup de l'horloge de la Puerta del Sol, à Madrid. Cette tradition est censée porter bonheur pour toute l'année suivante.

V

V. *abr* = **usted**; (= *Visto*) vu
v. *abr* (*Elec*: = *voltio*) V (= *volt*); (= *ver, véase*) v. (= *voir*); (*Lit*: = *verso*) v[o] (= *verso*)
va [ba] *vb ver* **ir**
V.A. *abr* = *Vuestra Alteza*
vaca ['baka] *nf* vache *f*; (*carne*) bœuf *m*; **~s flacas/gordas** (*fig*) vaches *fpl* maigres/grasses
vacaciones [baka'θjones] *nfpl* vacances *fpl*; **estar/irse** *o* **marcharse de ~** être/partir en vacances
vacante [ba'kante] *adj* vacant(e) ■ *nf* poste *m* vacant
vaciar [ba'θjar] *vt* vider; (*dejar hueco*) évider; (*Arte*) mouler; **vaciarse** *vpr* se vider; (*fig, fam*) se défouler
vacilante [baθi'lante] *adj* vacillant(e); (*dudoso*) hésitant(e)
vacilar [baθi'lar] *vt* (*fam*) faire marcher ■ *vi* hésiter; (*mueble, lámpara*) chanceler; (*luz, persona*) vaciller; (*fam*: *bromear*) plaisanter
vacío, -a [ba'θio, a] *adj* vide; (*puesto*) libre ■ *nm* vide *m*; **envasado al ~** emballé sous vide; **hacer el ~ a algn** mettre qn en quarantaine; **(volver) de ~** (*sin carga*) (revenir) à vide; (*sin resultados*) (revenir) les mains vides
vacuna [ba'kuna] *nf* vaccin *m*
vacunar [baku'nar] *vt* vacciner; **vacunarse** *vpr* se faire vacciner
vacuno, -a [ba'kuno, a] *adj* bovin(e)
vacuo, -a ['bakwo, a] *adj* vide
vadear [baðe'ar] *vt* passer à gué; (*problema*) surmonter
vado ['baðo] *nm* gué *m*; **"~ permanente"** (*Auto*) ≈ "sortie *f* de véhicules"
vagabundo, -a [baɣa'βundo, a] *adj* vagabond(e); (*perro*) errant(e) ■ *nm/f* vagabond(e)
vagamente ['baɣamente] *adv* vaguement
vagancia [ba'ɣanθja] *nf* paresse *f*
vagar [ba'ɣar] *vi* errer, vagabonder
vagina [ba'xina] *nf* vagin *m*
vago, -a ['baɣo, a] *adj* vague; (*perezoso*) fainéant(e) ■ *nm/f* fainéant(e)
vagón [ba'ɣon] *nm* wagon *m*; **~ cama/restaurante** wagon-lit *m*/wagon-restaurant *m*
vaguedad [baɣe'ðað] *nf* vague *m*, manque *m* de précision; **vaguedades** *nfpl*: **decir ~es** rester dans le vague
vaho ['bao] *nm* vapeur *f*; (*aliento*) buée *f*; **vahos** *nmpl* (*Med*) inhalations *fpl*
vaina ['baina] *nf* (*de espada*) fourreau *m*; (*de guisantes, judías*) cosse *f*; (*AM*: *fam*) embêtement *m*
vainilla [bai'niʎa] *nf* vanille *f*
vainita [bai'nita] (*AM*) *nf* haricot *m* vert
vais [bais] *vb ver* **ir**
vaivén [bai'βen] *nm* va-et-vient *m inv*; **vaivenes** *nmpl* (*fig*: *de la vida*) vicissitudes *fpl*
vajilla [ba'xiʎa] *nf* vaisselle *f*; **una ~** un service; **~ de porcelana** service *m* en porcelaine
val *etc* [bal], **valdré** *etc* [bal'dre] *vb ver* **valer**
vale ['bale] *nm* bon *m*; (*recibo*) reçu *m*; (*pagaré*) billet *m* à ordre; (*Ven*: *fam*) copain (copine); **~ de regalo** chèque-cadeau *m*
valedero, -a [bale'ðero, a] *adj* valable
valenciano, -a [balen'θjano, a] *adj* valencien(ne) ■ *nm/f* Valencien(ne) ■ *nm* (*Ling*) valencien *m*
valentía [balen'tia] *nf* bravoure *f*; (*proeza*) acte *m* de bravoure
valer [ba'ler] *vt* valoir ■ *vi* servir; (*ser válido*) être valable; (*estar permitido*) être permis(e); (*tener mérito*) avoir du mérite ■ *nm* valeur *f*; **valerse** *vpr*: **~se de** (*hacer valer*) faire valoir; (*servirse de*) se servir de; **~ la pena** valoir la peine; **~ (para)** servir (à); **¿vale?** d'accord?, ça va?; **¡vale!** d'accord!; (*¡basta!*) ça suffit!; **más vale (hacer/que)** mieux vaut

(faire/que); **¡eso no vale!** ce n'est pas permis!; **no vale nada** ça ne vaut rien; **no vale para nada** ça ne sert à rien; (*persona*) il (elle) n'est bon(ne) à rien; **me vale madre** *o* **sombrilla** (*Méx*: *fam*) je m'en fous pas mal; **(poder) ~se por sí mismo** (pouvoir) se débrouiller tout seul

valga *etc* ['balɣa] *vb ver* **valer**

valía [ba'lia] *nf* valeur *f*; **de gran ~** de grande valeur

validez [bali'ðeθ] *nf* validité *f*; **dar ~ a algo** prouver la justesse de qch

válido, -a ['baliðo, a] *adj* valable; (*Deporte*) valide

valiente [ba'ljente] *adj* (*soldado*) brave, courageux(-euse); (*niño, decisión*) courageux(-euse); (*pey*) fanfaron(ne); (*con ironía*) vaillant(e) ■ *nm/f* brave *m/f*

valioso, -a [ba'ljoso, a] *adj* de valeur

valla ['baʎa] *nf* clôture *f*; (*Deporte*) haie *f*; **~ publicitaria** panneau *m* publicitaire

vallar [ba'ʎar] *vt* clôturer

valle ['baʎe] *nm* vallée *f*; **~ de lágrimas** vallée de larmes

valor [ba'lor] *nm* valeur *f*; (*valentía*) courage *m*; (*descaro*) aplomb *m*; **valores** *nmpl* (*Econ, Com*) valeurs *fpl*, titres *mpl*; (*morales*) valeurs; **objetos de ~** objets *mpl* de valeur; **sin ~** sans valeur; **dar/quitar ~ a** donner/ôter de la valeur à; **escala de ~es** échelle *f* de valeurs; **~ a la par** valeur au pair; **~ adquisitivo** pouvoir *m* d'achat; **~ añadido** valeur ajoutée; **~ comercial** valeur marchande; **~ contable** valeur comptable; **~ de compra** pouvoir *m* d'achat; **~ de escasez** valeur attachée à la rareté; **~ de mercado** valeur marchande; **~ de rescate** valeur de rachat; **~ desglosado** valeur de liquidation; **~ de sustitución** valeur de remplacement; **~es habidos** *o* **en cartera** valeurs détenues en portefeuille; **~ intrínseco/neto/nominal** valeur intrinsèque/nette/nominale; **~ según balance** valeur comptable

valorar [balo'rar] *vt* évaluer, estimer

vals [bals] *nm* valse *f*

válvula ['balβula] *nf* valve *f*

vamos ['bamos] *vb ver* **ir**

vampiro [bam'piro] *nm* vampire *m*

van [ban] *vb ver* **ir**

vanagloriarse [banaɣlo'rjarse] *vpr*: **~ (de)** se glorifier (de)

vandalismo [banda'lismo] *nm* vandalisme *m*

vándalo, -a ['bandalo, a] *nm/f* (*pey*) vandale *m/f*; (*Hist*) Vandale *m/f*

vanguardia [ban'gwardja] *nf* avant-garde *f*; **de ~** (*Arte*) d'avant-garde; **estar en** *o* **ir a la ~ de** être à l'avant-garde de

vanidad [bani'ðað] *nf* vanité *f*

vanidoso, -a [bani'ðoso, a] *adj* vaniteux(-euse)

vano, -a ['bano, a] *adj* vain(e); (*frívolo*) futile ■ *nm* (*Arq*) embrasure *f*; **en ~** en vain

vapor [ba'por] *nm* vapeur *f*; (*tb*: **barco de vapor**) (bateau *m* à) vapeur *m*; **al ~** (*Culin*) à la vapeur; **máquina de ~** machine *f* à vapeur; **~ de agua** vapeur d'eau

vaporoso, -a [bapo'roso, a] *adj* vaporeux(-euse)

vapulear [bapule'ar] *vt* fustiger; (*reprender*) houspiller

vaquero [ba'kero, a] *nm* (*Cine*) cow-boy *m*; (*Agr*) vacher *m*; **vaqueros** *nmpl* (*pantalones*) jeans *mpl*

vaquilla [ba'kiʎa] *nf* (*AM*) génisse *f*; **vaquillas** *nfpl* (*Taur*) corrida *f* de jeunes taureaux

vara ['bara] *nf* perche *f*; (*de mando*) bâton *m*

variable [ba'rjaβle] *adj*, *nf* variable *f*

variación [barja'θjon] *nf* changement *m*; (*Mús*) variation *f*; **sin ~** inchangé(e)

variar [ba'rjar] *vt* (*cambiar*) changer; (*poner variedad*) varier ■ *vi* varier; **~ de** changer de; **~ de opinión** changer d'avis; **para ~** pour changer

varices *nfpl* varices *fpl*

variedad [barje'ðað] *nf* variété *f*; **variedades** *nfpl* (*espectáculo*) variétés *fpl*

varilla [ba'riʎa] *nf* baguette *f*; (*de paraguas, abanico*) baleine *f*

vario, -a ['barjo, a] *adj* divers(e); **~s** plusieurs; **"~s"** (*en partida, presupuesto*) "divers"

varita [ba'rita] *nf*: **~ mágica** baguette *f* magique

varón [ba'ron] *nm* homme *m*; **hijo ~** enfant *m* mâle

varonil [baro'nil] *adj* viril(e)

Varsovia [bar'soβja] *n* Varsovie

vas [bas] *vb ver* **ir**

vasco, -a ['basko, a] *adj* basque ■ *nm/f* Basque *m/f* ■ *nm* (*Ling*) basque *m*; **País V~** Pays *msg* basque

vascongadas [baskon'gaðas] *nfpl*: **las V~** les provinces *fpl* basques

vaselina [base'lina] *nf* vaseline *f*

vasija [ba'sixa] *nf* pot *m*, récipient *m*

vaso ['baso] *nm* verre *m*; (*jarrón*) vase *m*; (*Anat*) vaisseau *m*; **~s comunicantes** vases *mpl* communicants; **~ de vino** verre de vin; (*para vino*) verre à vin

vástago ['bastaɣo] *nm* (*Bot*) rejeton *m*; (*Tec*) tige *f*; (*de familia*) descendant *m*
vasto, -a ['basto, a] *adj* vaste
Vaticano [bati'kano] *nm* Vatican *m*; **la Ciudad del ~** la Cité du Vatican
vatio ['batjo] *nm* watt *m*
vaya ['baja] *vb ver* **ir** ■ *excl* (*fastidio*) mince!, zut!; (*sorpresa*) eh bien!, tiens!; **¿qué tal? - ¡~!** ça va? - on fait aller!; **¡~ tontería!** quelle idiotie!; **¡~ mansión!** quelle maison!
Vd(s) *abr* (= *usted(es)*) *ver* **usted**
ve [be] *vb ver* **ir**; **ver**
vecindad [beθin'dað] *nf* voisinage *m*
vecindario [beθin'darjo] *nm* voisinage *m*, quartier *m*
vecino, -a [be'θino, a] *adj* voisin(e) ■ *nm/f* voisin(e); (*residente*: *de pueblo*) habitant(e); **asociación de ~s** association *f* de quartier; **somos ~s** nous sommes voisins
veda ['beða] *nf* (*de pesca, caza*) défense *f*, interdiction *f*; (*temporada*) fermeture *f*
vedar [be'ðar] *vt* interdire, défendre; (*caza, pesca*) interdire
vegetación [bexeta'θjon] *nf* végétation *f*; **vegetaciones** *nfpl* (*Med*) végétations *fpl*
vegetal [bexe'tal] *adj* végétal(e) ■ *nm* végétal *m*
vehemencia [bee'menθja] *nf* impétuosité *f*; (*apasionamiento*) véhémence *f*
vehemente [bee'mente] *adj* impétueux(-euse); (*apasionado*) véhément(e)
vehículo [be'ikulo] *nm* véhicule *m*; **~ espacial** vaisseau *m* spatial
veinte ['beinte] *adj inv, nm inv* vingt *m inv*; **el siglo ~** le vingtième siècle; *ver tb* **seis**
vejación [bexa'θjon] *nf* brimade *f*
vejez [be'xeθ] *nf* vieillesse *f*
vejiga [be'xiɣa] *nf* vessie *f*
vela ['bela] *nf* bougie *f*; (*Náut*) voile *f*; **a toda ~** (*Náut*) toutes voiles dehors; **barco de ~** bateau *m* à voile; **estar a dos ~s** (*fam*) être fauché(e); **en ~** éveillé(e); (*velando*) à veiller; **pasar la noche en ~** passer une nuit blanche
velar [be'lar] *vt* veiller; (*Foto, cubrir*) voiler ■ *vi* veiller; **velarse** *vpr* (*Foto*) se voiler; **~ por** veiller à
velatorio [bela'torjo] *nm* veillée *f*
veleidad [belei'ðað] *nf* inconstance *f*; (*capricho*) velléité *f*
velero [be'lero] *nm* (*Náut*) voilier *m*; (*Aviat*) planeur *m*
veleta [be'leta] *nm/f* (*pey*) girouette *f* ■ *nf* (*para el viento*) girouette
veliz [be'liθ] (*Méx*) *nm* valise *f*
vello ['beʎo] *nm* duvet *m*
velo ['belo] *nm* voile *m*; **~ del paladar** (*Anat*) voile du palais
velocidad [beloθi'ðað] *nf* vitesse *f*; (*rapidez*) rapidité *f*; **de alta ~** à grande vitesse; **cobrar ~** prendre de la vitesse; **meter la segunda ~** passer en seconde; **~ de obturación** (*Foto*) vitesse d'obturation; **~ máxima de impresión** (*Inform*) vitesse maximum d'impression
velocímetro [belo'θimetro] *nm* compteur *m* de vitesse
veloz [be'loθ] *adj* rapide
ven [ben] *vb ver* **venir**
vena ['bena] *nf* veine *f*; **la ~ poética** la fibre poétique; **le ha dado la ~ por (hacer)** l'envie lui a pris de (faire); **tener ~ de actor/torero** être un acteur/torero né
venado [be'naðo] *nm* grand gibier *m*; (*Culin*) venaison *f*
vencedor, a [benθe'ðor, a] *adj* victorieux(-euse) ■ *nm/f* vainqueur *m*
vencer [ben'θer] *vt* vaincre; (*obstáculos*) surmonter; (*por mucho peso*) briser ■ *vi* vaincre; (*pago*) arriver à échéance; (*plazo*) expirer; **le venció el sueño/el cansancio** il a succombé au sommeil/à la fatigue
vencido, -a [ben'θiðo, a] *adj* vaincu(e); (*Com*: *letra*) arrivé(e) à échéance ■ *adv*: **pagar ~** payer après échéance; **pagar por** *o* **al mes ~** payer à la fin du mois; **darse por ~** s'avouer vaincu(e)
vencimiento [benθi'mjento] *nm* échéance *f*; **a su ~** à l'échéance
venda ['benda] *nf* pansement *m*
vendar [ben'dar] *vt* bander
vendaval [benda'βal] *nm* vent *m* violent
vendedor, a [bende'ðor, a] *nm/f* vendeur(-euse); **~ ambulante** marchand *m* ambulant
vender [ben'der] *vt* vendre; **venderse** *vpr* se vendre; **~ al contado/al por mayor/al por menor/a plazos** vendre au comptant/en gros/au détail/à crédit; **~ al descubierto** vendre à découvert; **"se vende"** "à vendre"; **"se vende coche"** "voiture à vendre"
vendimia [ben'dimja] *nf* vendange *f*
vendré *etc* [ben'dre] *vb ver* **venir**
veneno [be'neno] *nm* poison *m*
venenoso, -a [bene'noso, a] *adj* (*seta*) vénéneux(-euse); (*producto*) toxique
venerable [bene'raβle] *adj* vénérable
venerar [bene'rar] *vt* vénérer
venéreo, -a [be'nereo, a] *adj* vénérien(ne)

venezolano, -a [beneθo'lano, a] *adj* vénézuélien(ne) ▪ *nm/f* Vénézuélien(ne)
Venezuela [bene'θwela] *nf* Venezuela *m*
venga *etc* ['benga] *vb ver* **venir**
venganza [ben'ganθa] *nf* vengeance *f*
vengar [ben'gar] *vt* venger; **vengarse** *vpr* se venger
vengativo, -a [benga'tiβo, a] *adj* vindicatif(-ive)
venia ['benja] *nf* permission *f*; **con su ~** avec votre permission
venial [be'njal] *adj* véniel(le)
venida [be'niða] *nf* venue *f*
venidero, -a [beni'ðero, a] *adj* futur(e), à venir; **en lo ~** à l'avenir
venir [be'nir] *vi* venir; (*en periódico, texto*) être; (*llegar, ocurrir*) arriver; **venirse** *vpr*: **~se abajo** s'écrouler; (*persona*) s'effondrer; **~ a menos** (*persona*) déchoir; (*empresa*) être en perte de vitesse; **~ de** venir de; **~ bien/mal** convenir/ne pas convenir; **el año que viene** l'année prochaine; **y él venga a beber** et lui, vas-y que je te bois; **¡ven acá!** viens ici!; **¡venga!** (*fam*) allez!; **¿a qué viene eso?** (*fam*) qu'est-ce que ça veut dire?; **¡venga ya!** (*fam*) à d'autres!; **¡no me vengas con historias!** (*fam*) ne me raconte pas d'histoires!
venta ['benta] *nf* vente *f*; (*posada*) auberge *f*; **estar a la/en ~** être à la/en vente; **~ a domicilio** vente à domicile; **~ al contado** vente au comptant; **~ al detalle** vente au détail; **~ a plazos** vente à crédit; **~ al por mayor** vente en gros; **~ al por menor** vente au détail; **~s a término** ventes *fpl* à terme; **~s brutas** ventes brutes; **~ de liquidación** vente de liquidation; **~ por correo** vente par correspondance; **~ y arrendamiento al vendedor** cession-bail *f*
ventaja [ben'taxa] *nf* avantage *m*; **llevar ~ a** (*en carrera*) mener devant
ventajoso, -a [benta'xoso, a] *adj* avantageux(-euse)
ventana [ben'tana] *nf* fenêtre *f*; **~ de guillotina** fenêtre à guillotine; **~ de la nariz** narine *f*
ventanilla [venta'niʎa] *nf* guichet *m*; (*de coche*) vitre *f*
ventilación [bentila'θjon] *nf* ventilation *f*, aération *f*; **sin ~** sans aération
ventilar [benti'lar] *vt* ventiler, aérer; (*ropa*) aérer; (*fig*) divulguer; (*: resolver*) éclaircir; **ventilarse** *vpr* s'aérer
ventisca [ben'tiska] *nf*, **ventisquero** [bentiskero] *nm* bourrasque *f* de neige
ventrílocuo, -a [ben'trilokwo, a] *adj, nm/f* ventriloque *m/f*
ventura [ben'tura] *nf* félicité *f*; (*suerte, destino*) fortune *f*; **a la (buena) ~** à l'aventure
ver [ber] *vt* voir; (*televisión, partido*) regarder; (*Jur*) entendre; (*esp AM: mirar*) regarder ▪ *vi* voir ▪ *nm* allure *f*; **verse** *vpr* se voir; (*hallarse*) se trouver; (*AM: fam*) avoir l'air; **(que) no veas** tu ne peux pas t'imaginer; **dejarse ~** se montrer; **no poder ~ a algn** (*odiar*) ne pas pouvoir voir qn; **(voy) a ~ que hay** je vais voir ce qu'il y a; **por lo que veo** à ce que je vois; **te veo muy contento** tu as l'air très content; **a ~** voyons voir; **¿a ~?** fais voir?; **a ~ si ...** je me demande si ...; **a ~, dime** allez, dis-moi; **¡hay que ~!** il faut voir!; **tiene que ~ con** ça a à voir avec, c'est en rapport avec; **no tener que ~ con** n'avoir rien à voir avec; **a mi modo de ~** à mon avis; **ya verás (cómo)** tu verras (que); **¡nos vemos!** à tout à l'heure!; **¡habráse visto!** tu te rends compte!; **¡viera(n) qué casa!** (*Méx: fam*) tu verrais la maison!; **¡hubiera(n) visto qué casa!** (*Méx: fam*) si tu avais vu la maison!; **(ya) se ve que ...** on voit bien que ...; **te ves divina** (*AM*) tu es divine
vera ['bera] *nf*: **a la ~ de** (*del camino*) au bord de; (*de algn*) auprès de
veracidad [beraθi'ðað] *nf* véracité *f*
veranear [berane'ar] *vi* passer ses vacances d'été
veraneo [bera'neo] *nm*: **ir de ~** partir en vacances d'été; **lugar de ~** lieu *m* de vacances
veraniego, -a [bera'njeɣo, a] *adj* estival(e)
verano [be'rano] *nm* été *m*
veras ['beras] *nfpl*: **de ~** vraiment; **esto va de ~** c'est sérieux
veraz [be'raθ] *adj* véridique
verbal [ber'βal] *adj* verbal(e)
verbena [ber'βena] *nf* kermesse *f*; (*Bot*) verveine *f*
verbo ['berβo] *nm* verbe *m*
verdad [ber'ðað] *nf* vérité *f*; **¿~?** n'est-ce pas?; **de ~** vraiment; **de ~ que no fui yo** je jure que ce n'est pas moi; **a decir ~, no quiero** à vrai dire, je ne veux pas; **¡es ~!** c'est vrai!; **la pura ~** la pure vérité; **la ~ es que ...** en fait ...
verdadero, -a [berða'ðero, a] *adj* véridique; (*antes del nombre*) vrai(e), véritable; **¿~ o falso?** vrai ou faux?
verde ['berðe] *adj* (*tb Pol*) vert(e); (*plan*) prématuré(e); (*chiste*) cochon(ne) ▪ *nm* vert *m*; (*hierba*) verdure *f*; **viejo ~** vieux

cochon *m*; **poner ~ a algn** (*fam*) descendre qn en flammes
verdear [berðe'ar], **verdecer** [berðe'θer] *vi* verdir
verdor [ber'ðor] *nm* (*color*) couleur *f* verte, vert *m*; (*lozanía*) luxuriance *f*
verdugo [ber'ðuɣo] *nm* bourreau *m*; (*gorro*) cagoule *f*
verdura(s) [ber'ðura(s)] *nf(pl)* légumes *mpl*
vereda [be'reða] *nf* sentier *m*; (*AM*) trottoir *m*; **meter a algn en ~** remettre qn dans le droit chemin
veredicto [bere'ðikto] *nm* verdict *m*
vergonzoso, -a [berɣon'θoso, a] *adj* (*persona*) timide; (*acto, comportamiento*) honteux(-euse)
vergüenza [ber'ɣwenθa] *nf* honte *f*; **no tener ~** ne pas avoir honte; **me da ~ decírselo** j'ai honte de le lui dire; **¡qué ~!** quelle honte!; **¡es una ~!** c'est une honte!
verídico, -a [be'riðiko, a] *adj* véridique
verificar [berifi'kar] *vt* vérifier; (*testamento*) homologuer; (*llevar a cabo*) effectuer; **verificarse** *vpr* avoir lieu; (*profecía*) se vérifier
verja ['berxa] *nf* grille *f*
vermut [ber'mu] (*pl* **~s**) *nm* vermouth *m*; (*esp And, Csur: Cine*) matinée *f*
verosímil [bero'simil] *adj* vraisemblable
verruga [be'rruɣa] *nf* (*Med*) verrue *f*; (*Bot*) excroissance *f*
versado, -a [ber'saðo, a] *adj*: **~ en** versé(e) en
versátil [ber'satil] *adj* (*material*) polyvalent(e); (*persona*) versatile
versión [ber'sjon] *nf* version *f*; **nueva ~** nouvelle version; **en ~ original** en version originale
verso ['berso] *nm* vers *msg*; **~ blanco/libre** vers blanc/libre
vértebra ['berteβra] *nf* vertèbre *f*
verter [ber'ter] *vt* verser; (*derramar*) répandre ▪ *vi*: **~ a** (*río*) se jeter dans; **verterse** *vpr* se répandre
vertical [berti'kal] *adj* vertical(e); (*postura, piano*) droit(e) ▪ *nf* verticale *f*
vértice ['bertiθe] *nm* sommet *m*
vertiente [ber'tjente] *nf* versant *m*; (*aspecto*) aspect *m*
vertiginoso, -a [bertixi'noso, a] *adj* vertigineux(-euse)
vértigo ['bertiɣo] *nm* vertige *m*; (*fig*) précipitation *f*; **me da ~** ça me donne le vertige; **de ~** (*fam: velocidad*) grand V *inv*; (*: suma*) fou (folle)
vesícula [be'sikula] *nf* vésicule *f*; **~ biliar** vésicule biliaire
vestíbulo [bes'tiβulo] *nm* vestibule *m*; (*de teatro*) foyer *m*
vestido, -a [bes'tiðo, a] *adj* habillé(e) ▪ *nm* habit *m*, vêtement *m*; (*de mujer*) robe *f*; **(ir/estar) ~ de** (être) habillé(e) en; (*disfrazado*) (être) déguisé(e) en
vestigio [bes'tixjo] *nm* vestige *m*
vestimenta [besti'menta] *nf* habillement *m*
vestir [bes'tir] *vt* habiller; (*llevar puesto*) porter ▪ *vi* s'habiller; (*ser elegante*) habiller; **vestirse** *vpr* s'habiller; **ropa de ~** vêtements *mpl* habillés; **~se de** s'habiller en; **~se de princesa/marinero** se déguiser en princesse/marin
vestuario [bes'twarjo] *nm* garde-robe *f*; (*Teatro, Cine*) costumes *mpl*; (*local: Teatro*) loge *f*; **vestuarios** *nmpl* (*Deportes*) vestiaires *mpl*
veta ['beta] *nf* (*de mineral*) veine *f*, filon *m*; (*en piedra, madera*) veine
vetar [be'tar] *vt* mettre son veto à
veterano, -a [bete'rano, a] *adj* ancien(ne) ▪ *nm/f* vétéran *m*
veterinaria [beteri'narja] *nf* médecine *f* vétérinaire; *ver tb* **veterinario**
veterinario, -a [beteri'narjo, a] *nm/f* vétérinaire *m/f*
veto ['beto] *nm* veto *m*
vez [beθ] *nf* fois *fsg*; (*turno*) tour *m*; **a la ~** en même temps; **a la ~ que** en même temps que; **a su ~** à son tour; **cada ~ más/menos** de plus en plus/de moins en moins; **hay cada ~ más/menos gente** il y a de plus en plus/de moins en moins de monde; **una ~** une fois; **de una ~** en une seule fois; **de una ~ para siempre** une bonne fois pour toutes; **en ~ de** au lieu de; **a veces/algunas veces** parfois; **otra ~** encore (une fois); **una y otra ~** à maintes reprises; **pocas veces** peu, pas souvent; **de ~ en cuando** de temps en temps; **7 veces 9** 7 fois 9; **hacer las veces de** tenir lieu de, faire office de; **tal ~** peut-être; **¿lo has visto alguna ~?** l'as-tu déjà vu?; **¿cuántas veces?** combien de fois?; **érase una ~** il était une fois
vía ['bia] *nf* voie *f*; **dar ~ libre a** ouvrir la voie à; **por ~ aérea** par avion; **por ~ oral** (*Med*) par voie orale; **por ~ judicial** par voie de droit; **por ~ oficial** par la voie officielle; **por ~ de** par le canal de; **en ~s de** en voie de; **un país en ~s de desarrollo** un pays en voie de développement; **transmisión ~ satélite** transmission *f* par satellite; **Madrid-Berlín ~ París** Madrid-Berlin via Paris; **~s aéreas** voies *fpl* aériennes; **~ de**

comunicación voie de communication; **V~ Láctea** Voie lactée; **~ pública** voie publique; **~ única** (*Auto*) voie à sens unique
viable ['bjaβle] *adj* viable
viaducto [bja'ðukto] *nm* viaduc *m*
viajar [bja'xar] *vi* voyager
viaje ['bjaxe] *nm* voyage *m*; (*carga*) cargaison *f*; **agencia de ~s** agence *f* de voyage; **bolsa/manta de ~** sac *m*/couverture *f* de voyage; **¡buen ~!** bon voyage!; **estar de ~** être en voyage; **ir de ~** partir en voyage; **~ de ida y vuelta** voyage aller-retour; **~ de negocios** voyage d'affaires; **~ de novios** voyage de noces
viajero, -a [bja'xero, a] *adj, nm/f* voyageur(-euse)
vial [bjal] *adj* (*Auto: seguridad*) routier(-ière); (*marca*) au sol
víbora ['biβora] *nf* vipère *f*
vibración [biβra'θjon] *nf* vibration *f*; **hay buenas vibraciones** (*fig*) le courant passe bien
vibrar [bi'βrar] *vi* vibrer
vicario [bi'karjo] *nm* vicaire *m*
vicepresidente [biθepresi'ðente] *nm/f* vice-président(e)
viceversa [biθe'βersa] *adv*: **y ~** et vice versa
viciado, -a [bi'θjaðo, a] *adj* (*corrompido*) dépravé(e); (*postura*) gauchi(e); (*aire, atmósfera*) vicié(e)
viciar [bi'θjar] *vt* (*persona, costumbres*) pervertir; (*Jur, aire*) vicier; (*objeto, postura*) déformer; (*mecanismo, dicción*) fausser; **viciarse** *vpr* (*aire*) devenir vicié(e); (*deformarse*) se déformer; **~se con** (*persona*) devenir mordu(e) de
vicio ['biθjo] *nm* vice *m*; (*mala costumbre*) mauvaise habitude *f*, défaut *m*; (*mimo*) faiblesse *f*; (*deformación*) déformation *f*; **de** *o* **por ~** par habitude; **~ de dicción** défaut de prononciation
vicioso, -a [bi'θjoso, a] *adj, nm/f* vicieux(-euse); **círculo ~** cercle *m* vicieux
vicisitud [biθisi'tuð] *nf* vicissitude *f*
víctima ['biktima] *nf* victime *f*; **ser ~ de** être victime de
victoria [bik'torja] *nf* victoire *f*
victorioso, -a [bikto'rjoso, a] *adj* victorieux(-ieuse); **salir ~ de** sortir victorieux(-ieuse) de
vid [bið] *nf* vigne *f*
vida ['biða] *nf* vie *f*; (*de aparato, edificio*) durée *f* de vie; **¡~!, ¡~ mía!** mon amour!; **calidad de ~** qualité *f* de la vie; **de por ~** de (toute) ma *etc* vie; **en la/mi** *etc* **~** (*nunca*) de la/ma *etc* vie; **estar con ~** être en vie; **hacer ~ social** sortir beaucoup; **ganarse la ~** gagner sa vie; **de ~ o muerte** de vie ou de mort; **¡esto es ~!** ça, c'est la belle vie!; **le va la ~ en esto** sa vie en dépend; **~ de perros** vie de chien; **~ eterna/privada** vie éternelle/privée
vídeo ['biðeo] *nm* vidéo *f*; (*aparato*) magnétoscope *m*; **cinta de ~** cassette *f* vidéo, bande *f* vidéo; **grabar en ~** enregistrer en vidéo; **~ compuesto/inverso** (*Inform*) vidéo composite/inverse; **~ musical** vidéo musicale
videocámara [biðeo'kamara] *nf* caméra *f* vidéo
videocas(s)et(t)e [biðeoka'set] *nm* vidéocassette *f*
videoclub [biðeo'klub] *nm* club *m* vidéo
videojuego [biðeo'xweɣo] *nm* jeu *m* vidéo
vidrio ['biðrjo] *nm* verre *m*; (*AM*) fenêtre *f*; **vidrios** *nmpl* (*objetos*) objets *mpl* en verre; **pagar los ~s rotos** payer les pots cassés; **~ inastillable/cilindrado** verre sécurit®/très épais
viejo, -a ['bjexo, a] *adj* vieux (vieille); (*tiempos*) ancien(ne) ■ *nm/f* vieux (vieille); **hacerse** *o* **ponerse ~** se faire vieux (vieille); **mi ~/vieja** (*esp Csur: fam: padre/madre*) mon vieux/ma vieille; (*: marido/mujer*) le vieux/la vieille; (*: mi vida*) mon amour; **mis ~s** (*esp Csur: fam: padres*) mes vieux
Viena ['bjena] *n* Vienne
viene *etc* ['bjene] *vb ver* **venir**
vienés, -esa [bje'nes, esa] *adj* viennois(e) ■ *nm/f* Viennois(e)
viento ['bjento] *nm* vent *m*; (*cuerda*) corde *f* de tente; **contra ~ y marea** contre vents et marées; **ir ~ en popa** avoir le vent en poupe; **~ de cola/de costado** vent arrière/de travers
vientre ['bjentre] *nm* ventre *m*; **hacer de ~** faire ses besoins
viernes ['bjernes] *nm inv* vendredi *m*; **V~ Santo** vendredi saint; *ver tb* **sábado**
Vietnam [bjet'nam] *nm* Vietnam *m*
vietnamita [bjetna'mita] *adj* vietnamien(ne) ■ *nm/f* Vietnamien(ne)
viga ['biɣa] *nf* poutre *f*
vigencia [bi'xenθja] *nf* (*de ley, contrato*) validité *f*; (*de costumbres*) actualité *f*; **estar/entrar en ~** être/entrer en vigueur
vigente [bi'xente] *adj* (*ley etc*) en vigueur; (*costumbre*) actuel(le)
vigésimo, -a [bi'xesimo, a] *adj, nm/f* vingtième *m/f*

vigía [bi'xia] *nm/f* guetteur(-euse) ■ *nf* mirador *m*
vigilancia [bixi'lanθja] *nf* surveillance *f*
vigilante [bixi'lante] *adj* vigilant(e) ■ *nm* gardien *m*; **~ jurado** vigile *m*; **~ nocturno** veilleur *m* de nuit
vigilar [bixi'lar] *vt* surveiller ■ *vi* être de garde; **~ por** (*salud*) veiller à; (*algn*) veiller sur
vigilia [vi'xilja] *nf* veille *f*; (*Rel*) vigile *f*
vigor [bi'ɣor] *nm* vigueur *f*; **en ~** en vigueur; **entrar en ~** entrer en vigueur
vigoroso, -a [biɣo'roso, a] *adj* vigoureux(-euse)
vil [bil] *adj* vil(e)
vileza [bi'leθa] *nf* vilenie *f*
villa ['biʎa] *nf* villa *f*; (*población*) ville *f*; **la V~ (de Madrid)** la Ville (de Madrid); **~ miseria** (*Csur*) bidonville *m*
villancico [biʎan'θiko] *nm* chant *m* de Noël
vilo ['bilo]: **en ~** *adv* (*sostener, levantar*) en l'air; **estar en ~** (*fig*) être sur des charbons ardents
vinagre [bi'naɣre] *nm* vinaigre *m*
vinagreta [bina'ɣreta] *nf* vinaigrette *f*
vincular [binku'lar] *vt* rapprocher; (*por contrato, obligación*) lier; **vincularse** *vpr*: **~se (a)** se rapprocher (de)
vínculo ['binkulo] *nm* lien *m*
vinicultura [binikul'tura] *nf* viticulture *f*
vino ['bino] *vb ver* **venir** ■ *nm* vin *m*; **~ añejo** vin vieux; **~ blanco** vin blanc; **~ de cosecha** vin d'appellation contrôlée; **~ de crianza** grand cru *m*; **~ de mesa** vin de table; **~ peleón** pinard *m*; **~ tinto** vin rouge
viña ['biɲa] *nf* vigne *f*
viñedo [bi'ɲeðo] *nm* vignoble *m*
violación [bjola'θjon] *nf* (*de una persona*) viol *m*; (*de derecho, ley*) violation *f*; **~ de contrato** (*Com*) rupture *f* de contrat
violar [bjo'lar] *vt* violer
violencia [bjo'lenθja] *nf* violence *f*; **~ doméstica** violences infligées par le conjoint
violentar [bjolen'tar] *vt* forcer; (*persona*) violenter; **violentarse** *vpr* se faire violence
violento, -a [bjo'lento, a] *adj* violent(e); (*embarazoso*) embarrassant(e); (*incómodo*) mal à l'aise *inv*; **me es muy ~** cela me gêne beaucoup
violeta [bjo'leta] *adj* violet(te) ■ *nf* (*Bot*) violette *f* ■ *nm* (*color*) violet *m*
violín [bjo'lin] *nm* violon *m*
viraje [bi'raxe] *nm* virage *m*; (*de ideas, procedimientos*) revirement *m*
virgen ['birxen] *adj* vierge ■ *nm* garçon *m o* homme *m* vierge ■ *nf* vierge *f*; **la (Santísima) V~** la (Sainte) Vierge
Virgo ['birɣo] *nm* (*Astrol*) la Vierge; **ser ~** être (de la) Vierge
viril [bi'ril] *adj* viril(e); **miembro ~** membre *m* viril
virilidad [birili'ðað] *nf* virilité *f*
virtud [bir'tuð] *nf* vertu *f*; **en ~ de** en vertu de
virtuoso, -a [bir'twoso, a] *adj* vertueux(-euse) ■ *nm/f* (*Mús*) virtuose *m/f*
viruela [bi'rwela] *nf* variole *f*; **viruelas** *nfpl* (*pústulas*) boutons *mpl* de variole
virulento, -a [biru'lento, a] *adj* virulent(e)
virus ['birus] *nm inv* virus *msg*
visa ['bisa] (*AM*) *nf*, **visado** [bi'sado] *nm* visa *m*; **~ de permanencia** permis *m* de séjour
víscera ['bisθera] *nf* viscère *m*; **vísceras** *nfpl* viscères *mpl*
visceral [bisθe'ral] *adj* viscéral(e)
viscoso, -a [bis'koso, a] *adj* visqueux(-euse)
visera [bi'sera] *nf* visière *f*; (*gorra*) casquette *f* à visière
visibilidad [bisiβili'ðað] *nf* visibilité *f*
visible [bi'siβle] *adj* visible; **estar ~** être visible; **exportaciones/importaciones ~s** (*Com*) exportations *fpl*/importations *fpl* visibles
visillo [bi'siʎo] *nm* rideau *m*
visión [bi'sjon] *nf* vision *f*; **ver visiones** avoir des visions; **~ de conjunto** vue *f* d'ensemble; **~ global** vue globale
visita [bi'sita] *nf* visite *f*; **horas/tarjeta de ~** heures *fpl*/carte *f* de visite; **hacer una ~** rendre *o* faire une visite; **ir de ~** aller rendre visite; **~ de cortesía** visite de courtoisie; **~ de cumplido** visite de politesse
visitar [bisi'tar] *vt* (*familia etc*) rendre visite à; (*ciudad, museo*) visiter; (*inspeccionar*) faire la visite de
vislumbrar [bislum'brar] *vt* apercevoir, distinguer; (*solución*) entrevoir
viso ['biso] *nm* (*de metal*) éclat *m*; (*de tela*) lustre *m*; (*aspecto*) luisant *m*; **tiene ~s de ser cierto** cela a l'air d'être vrai
visón [bi'son] *nm* vison *m*; **abrigo de ~** manteau *m* de vison
visor [bi'sor] *nm* (*Foto*) viseur *m*; (*de arma*) viseur *m*
víspera ['bispera] *nf* veille *f*; **la ~** *o* **en ~s de** (à) la veille de

vista ['bista] *nf* vue *f*; (*Jur*) audience *f*; **a primera** *o* **simple ~** à première vue, au premier abord; **a ~ de pájaro** à vol d'oiseau; **fijar** *o* **clavar la ~ en algo** fixer qch; **hacer la ~ gorda** fermer les yeux; **tener ~ (para algo)** avoir du flair (pour qch); **volver la ~** détourner les yeux; **hacer algo a la ~ de todos** faire qch au vu et au su de tous; **está** *o* **salta a la ~ que** il saute aux yeux que; **a la ~** (*Com*) à vue; **conocer a algn de ~** connaître qn de vue; **perder algo/a algn de ~** perdre qch/qn de vue; **en ~ de ...** vu ...; **en ~ de que** vu que; **¡hasta la ~!** à bientôt!; **con ~s a** (*al mar*) avec vue sur; (*al futuro, a mejorar*) dans le but de; **~ cansada** vue qui baisse; **~ de lince** yeux *mpl* de lynx
vistazo [bis'taθo] *nm* coup *m* d'œil; **dar** *o* **echar un ~ a** donner *o* jeter un coup d'œil à
visto, -a ['bisto, a] *vb ver* **vestir** ■ *pp de* **ver** ■ *adj*: **estar muy ~** être très en vue ■ *nm*: **~ bueno** autorisation *f*; **está ~ que** il est clair que; **está bien/mal ~** c'est bien/mal vu; **estaba ~** c'était à prévoir; **~ que** vu que; **por lo ~** apparemment; **dar el ~ bueno a** donner son autorisation pour
vistoso, -a [bis'toso, a] *adj* voyant(e)
visual [bi'swal] *adj* visuel(le)
vital [bi'tal] *adj* vital(e); (*persona*) plein(e) de vitalité
vitalicio, -a [bita'liθjo, a] *adj* viager(-ère); (*cargo*) à vie
vitalidad [bitali'ðað] *nf* vitalité *f*
vitamina [bita'mina] *nf* vitamine *f*
viticultor, a [bitikul'tor, a] *nm/f* viticulteur(-trice)
viticultura [bitikul'tura] *nf* viticulture *f*
vitorear [bitore'ar] *vt* acclamer
vitrina [bi'trina] *nf* vitrine *f*
vitrocerámico, -a [bitroθe'ramiko, a] *adj*: **placa vitrocerámica** plaque *f* vitrocéramique
viudez [bju'ðeθ] *nf* veuvage *m*
viudo, -a ['bjuðo, a] *adj, nm/f* veuf (veuve)
viva ['biβa] *excl* vivat! ■ *nm* vivat *m*; **¡~ el rey!** vive le roi!
vivacidad [biβaθi'ðað] *nf* vivacité *f*
vivaracho, -a [biβa'ratʃo, a] *adj* vivant(e)
vivaz [bi'βaθ] *adj* vivace; (*ingenio*) vif (vive)
víveres ['biβeres] *nmpl* vivres *mpl*
vivero [bi'βero] *nm* (*Horticultura*) pépinière *f*; (*criadero*) vivier *m*; (*fig*: *de delincuentes, discordia*) source *f*
vivienda [bi'βjenda] *nf* logement *m*, habitation *f*; **~ de protección oficial** ≈ H. L.M. *m*; **~s sociales** logements sociaux
viviente [bi'βjente] *adj* vivant(e)
vivir [bi'βir] *vt, vi* vivre; **~ de** vivre de; **~ bien/mal** vivre bien/mal; **saber ~** savoir vivre
vivo, -a ['biβo, a] *adj* vif (vive); (*ser, recuerdo, planta*) vivant(e); **al rojo ~** à blanc; **en ~** (*TV, Mús*) en direct
vocablo [bo'kaβlo] *nm* mot *m*
vocabulario [bokaβu'larjo] *nm* vocabulaire *m*
vocación [boka'θjon] *nf* vocation *f*
vocacional [bokaθjo'nal] (*Méx*) *nf* (*Escol*) collège *m* technique
vocal [bo'kal] *adj* vocal(e) ■ *nm/f* membre *m* ■ *nf* (*Ling*) voyelle *f*
vocalizar [bokali'θar] *vt* prononcer ■ *vi* vocaliser
vocear [boθe'ar] *vt* (*mercancía*) vendre à la criée; (*escándalo, noticia*) crier sur les toits ■ *vi* vociférer
vocerío [boθe'rio] *nm* clameur *f*
vocero, -a [bo'θero, a] (*AM*) *nm/f* porte-parole *m inv*
voces *pl de* **voz**
vociferar [boθife'rar] *vi* vociférer
vodka ['boðka] *nm* vodka *f*
vol *abr* (= *volumen*) vol. (= *volume*)
volandas [bo'landas]: **en ~** *adv* en volant; (*en un momento*) en un clin d'œil
volante [bo'lante] *adj* volant(e) ■ *nm* volant *m*; (*Med*: *de aviso*) convocation *f*; **ir al ~** être au volant
volar [bo'lar] *vt* faire exploser ■ *vi* voler; (*tiempo*) passer; (*noticias*) aller bon train; (*fam*: *desaparecer*) filer; **volarse** *vpr* s'envoler; **voy volando** j'y cours
volátil [bo'latil] *adj* volatile
volcán [bol'kan] *nm* volcan *m*; **el país/su pasión es un ~** le pays est une poudrière/sa passion est un volcan
volcánico, -a [bol'kaniko, a] *adj* volcanique
volcar [bol'kar] *vt* (*recipiente*) vider; (*contenido*) verser; (*vehículo*) renverser; (*barco*) faire chavirer ■ *vi* (*vehículo*) capoter; (*barco*) chavirer; **volcarse** *vpr* (*recipiente*) se renverser; (*vehículo*) capoter; (*barco*) chavirer; (*esforzarse*): **~se para hacer algo/con algn** se donner beaucoup de mal pour faire qch/avec qn
voleibol [bolei'βol] *nm* volley-ball *m*
volqué *etc* [bol'ke], **volquemos** *etc* [bol'kemos] *vb ver* **volcar**
voltaje [bol'taxe] *nm* voltage *m*

voltear [bolte'ar] *vt* faire tourner; (*persona*: *en el aire*) faire sauter en l'air; (*AM*) tourner; (: *volcar*) verser; **voltearse** *vpr* (*AM*) se retourner; **~ a hacer algo** (*AM*) recommencer (à faire) qch
voltereta [bolte'reta] *nf* (*rodada*) culbute *f*; (*en el aire*) saut *m* périlleux; **~ lateral** roue *f*
voltio ['boltjo] *nm* volt *m*
voluble [bo'luβle] *adj* volubile
volumen [bo'lumen] *nm* volume *m*; (*Com*) volume, chiffre *m*; **bajar el ~** baisser le son; **poner la radio a todo ~** mettre la radio à fond; **~ de capital** capital *m*; **~ de negocios/de ventas** chiffre d'affaire/des ventes
voluminoso, -a [bolumi'noso, a] *adj* volumineux(-euse)
voluntad [bolun'tað] *nf* volonté *f*; **a ~** à volonté; **buena ~** bonne volonté; **dar la ~** laisser un pourboire; **tener mucha/poca ~** avoir beaucoup de/peu de volonté; **por causas ajenas a nuestra ~** pour des raisons indépendantes de notre volonté
voluntario, -a [bolun'tarjo, a] *adj, nm/f* volontaire *m/f*; **ofrecerse (como) ~** se porter volontaire
voluntarioso, -a [bolunta'rjoso, a] *adj* volontaire
voluptuoso, -a [bolup'twoso, a] *adj* voluptueux(-euse)
volver [bol'βer] *vt* tourner; (*boca abajo, de dentro fuera*) retourner; (*de atrás adelante*) ramener; (*transformar en*: *persona*) rendre; (*manga*) retrousser ■ *vi* (*regresar*) revenir; (*ir de nuevo*) retourner; **volverse** *vpr* (*girar*) se retourner; (*convertirse en*) devenir; **~ la espalda** tourner le dos; **~ a hacer algo** recommencer (à faire) qch; **~ de** revenir de; **~ en sí** revenir à soi; **~ la vista atrás** regarder en arrière; **~ loco a algn** rendre qn fou (folle); **~se loco/insociable** devenir fou/asocial; **~se atrás** revenir en arrière; **su mentira se volvió contra él** *o* **en contra de él** son mensonge s'est retourné contre lui
vomitar [bomi'tar] *vt* vomir; (*sangre*) cracher ■ *vi* vomir
vómito ['bomito] *nm* vomissement *m*; (*lo vomitado*) vomi *m*
voraz [bo'raθ] *adj* vorace; (*hambre*) dévorant(e)
vos [bos] (*AM*) *pron* vous; (*esp Csur*) tu
voseo [bo'seo] (*AM*) *nm* vouvoiement *m*
vosotros, -as [bo'sotros, as] *pron* vous; **entre ~** parmi vous
votación [bota'θjon] *nf* vote *m*; **por ~** par vote; **someter algo a ~** soumettre qch au vote; **~ secreta/a mano alzada** vote à bulletin secret/à main levée
votar [bo'tar] *vt, vi* voter
voto ['boto] *nm* vote *m*; (*Rel*) vœu *m*; **hacer ~s por** faire des vœux pour; **dar su ~** voter; **~ a favor** vote pour; **~ de censura/de confianza** motion *f* de censure/vote de confiance; **~ en contra** vote contre
voy [boi] *vb ver* **ir**
voz [boθ] *nf* voix *fsg*; (*grito*) cri *m*; (*rumor*) bruit *m*; (*Ling*: *palabra*) mot *m*; **dar voces** pousser des cris; **llamar a algn/hablar a voces** appeler qn en criant/crier; **la ~ de la conciencia** la voix de la conscience; **a media ~** à mi-voix; **a ~ en cuello** *o* **en grito** à grands cris; **de viva ~** de vive voix; **en ~ alta/baja** à voix haute/basse; **llevar la ~ cantante** commander; **tener la ~ tomada** être enroué(e); **tener ~ y voto** avoir voix au chapitre; **~ de mando** ton *m* de commandement; **~ en off** voix off
vuelco ['bwelko] *vb ver* **volcar** ■ *nm* culbute *f*, chute *f*; (*de coche*) tonneau *m*, capotage *m*; **me dio un ~ el corazón** ça m'a fait un coup au cœur
vuelo ['bwelo] *vb ver* **volar** ■ *nm* vol *m*; (*de falda, vestido*) ampleur *f*; **de altos ~s** de haut vol; **alzar el ~** prendre son vol; **cazar** *o* **coger al ~** attraper au vol; **cazarlas** *o* **cogerlas al ~** (*fig*) ne pas en laisser passer une; **falda de (mucho) ~** jupe *f* ample; **~ chárter** vol charter; **~ en picado** descente *f* en piqué; **~ espacial** vol spatial; **~ libre** vol libre; **~ regular** vol régulier; **~ sin motor** vol sans moteur
vuelque *etc* ['bwelke] *vb ver* **volcar**
vuelta ['bwelta] *nf* tour *m*; (*regreso*) retour *m*; (*en carreras, circuito*) virage *m*; (*de camino, río*) méandre *m*; (*de papel*) verso *m*; (*de pantalón, tela, fig*) revers *msg*; (*en labor de punto*) rangée *f*; (*situación*) renversement *m*; (*dinero*) monnaie *f*; **~ a empezar** retour à la case départ; **a la ~** (*Esp*) au retour; **a la ~ (de la esquina)** au coin (de la rue); **a ~ de correo** par retour du courrier; **dar(se) la ~** (*coche*) faire demi-tour; (*persona*) se retourner; **dar la ~ a algo** retourner qch; (*de atrás adelante*) ramener qch; **dar la ~ al mundo** faire le tour du monde; **dar ~s** tourner; **dar ~s a algo** (*comida*) remuer qch; (*manivela*) tourner qch; **dar ~s a una idea** tourner et retourner une idée dans sa tête; **dar una ~** faire un tour; **dar una ~ a algo** (*llave, tuerca*) donner un tour de qch; **dar media**

~ (*persona*) faire demi-tour; **estar de ~** être de retour; **poner a algn de ~ y media** (*fam*) traiter qn de tous les noms; **no tiene ~ de hoja** il n'y a pas d'autre solution; **~ ciclista** tour *f* (cycliste); **~ de campana** tonneau *m*
vuelto ['bwelto] *pp de* **volver** ■ *nm* (*AM*) monnaie *f*
vuelva *etc* ['bwelβa] *vb ver* **volver**
vuestro, -a ['bwestro, a] *adj* votre ■ *pron*: **el ~/la vuestra** le/la vôtre; **los ~s, las vuestras** les vôtres; **lo ~** ce qui est à vous; **un amigo ~** un de vos amis; **¿son ~s?** c'est à vous?; **una idea vuestra** une de vos idées
vulgar [bul'ɣar] *adj* (*pey*) vulgaire; (*no refinado*) grossier(-ière); (*gustos, uso*) commun(e)
vulgaridad [bulɣari'ðað] *nf* vulgarité *f*; (*de gustos, rasgos*) banalité *f*; (*grosería*) grossièreté *f*; **vulgaridades** *nfpl* (*trivialidades*) banalités *fpl*
vulgarizar [bulɣari'θar] *vt* vulgariser
vulgo ['bulɣo] *nm*: **el ~** (*pey*) le commun des mortels
vulnerable [bulne'raβle] *adj* vulnérable; (*punto, zona*) sensible; **ser ~ a** être vulnérable à
vulnerar [bulne'rar] *vt* (*ley, acuerdo*) transgresser; (*derechos, reputación*) bafouer; (*intimidad*) violer

W

wáter ['bater] *nm* waters *mpl*
web [web] (*pl* **~s**) *nf* (*red*) Web *m*; **(página)** ~ page *f* Web
webcam [web'kam] (*pl* **~s**) *nf* webcam *f*
whisky ['wiski] *nm* whisky *m*
Wi-Fi ['wifi] *nm* wifi *m*
windsurf ['winsurf] *nm* windsurf *m*, planche *f* à voile

x

xenofobia [kseno'foβja] *nf* xénophobie *f*
xilófono [ksi'lofono] *nm* xylophone *m*

y

y [i] *conj* et; **y bueno/claro** (*esp Arg*: *muletilla enfática*) bon/évidemment; **¿y tu hermana?** et ta sœur?; **¡¿y qué?!** et alors!; **¿y si ...?** et si ...?; **¡y yo!** moi aussi!; **estuvo llora y llora** (*AM*) il (elle) n'a pas arrêté de pleurer
ya [ja] *adv* déjà; (*con presente*: *ahora*) maintenant; (: *en seguida*) tout de suite; (*con futuro*: *pronto*) bientôt ■ *excl* OK!; (*entiendo*) oui!; (*por supuesto*) évidemment!; (*por fin*) enfin! ■ *conj* déjà; **ya que** puisque; **ya no vamos** nous ne partons plus; **ya lo sé** je sais; **¡ya era hora!** il était temps!; **ya ves** tu vois bien; **ya veremos** on verra bien; **¡ya está!** ça y est!; **ya, ya** (*irónico*) mais oui; **que ya, ya** mais oui, c'est ça; **¡ya voy!** j'arrive!, j'y vais!; **ya mismo** (*esp Csur*) tout de suite; **desde ya** (*Csur*) tout de suite; (: *claro*) évidemment; **ya que no está ...** puisqu'il n'est pas là ...; **ya vale (de hacer), ya está bien** ça suffit
yacer [ja'θer] *vi* gésir; **aquí yace** ci-gît
yacimiento [jaθi'mjento] *nm* gisement *m*; **~ petrolífero** gisement de pétrole
yanqui ['janki] *adj* yankee ■ *nm/f* Yankee *m/f*
yate ['jate] *nm* yacht *m*
yazca *etc* ['jaθka] *vb ver* **yacer**

yedra ['jeðra] *nf* lierre *m*
yegua ['jeɣwa] *nf* jument *f*
yema ['jema] *nf* (*del huevo*) jaune *m*; (*Bot*) bourgeon *m*; (*Culin*) *jaune d'œuf mélangé avec du sucre*; **~ del dedo** bout *m* du doigt
yerga *etc* ['jerɣa], **yergue** *etc* ['jerɣe] *vb ver* **erguir**
yermo, -a ['jermo, a] *adj* (*no cultivado*) inculte; (*despoblado*) désert(e) ▪ *nm* terre *f* inculte
yerno ['jerno] *nm* gendre *m*
yerre *etc* ['jerre] *vb ver* **errar**
yeso ['jeso] *nm* (*Geo*) gypse *m*; (*Arq*) plâtre *m*
yo ['jo] *pron pers* je; **soy yo** c'est moi; **yo que tú/usted** moi, à ta/votre place
yodo ['joðo] *nm* iode *m*
yoga ['joɣa] *nm* yoga *m*
yogur(t) [jo'ɣur(t)] *nm* yaourt *m*, yogourt *m*; **yogur(t) descremado** *o* **desnatado** yaourt écrémé
yudo ['juðo] *nm* judo *m*
yugo ['juɣo] *nm* joug *m*
Yugoslavia [juɣos'laβja] *nf* (*Hist*) Yougoslavie *f*
yugular [juɣu'lar] *adj, nf* jugulaire *f*
yunque ['junke] *nm* enclume *f*
yunta ['junta] *nf* attelage *m*; **yuntas** *nfpl* (*Ven*: *de camisa*) boutons *mpl* de manchette
yuxtaponer [jukstapo'ner] *vt* juxtaposer
yuxtaposición [jukstaposi'θjon] *nf* juxtaposition *f*

Z

zafarse [θa'farse] *vpr*: **~ de** se libérer de
zafio, -a ['θafjo, a] *adj* rustre
zafiro [θa'firo] *nm* saphir *m*
zaga ['θaɣa] *nf*: **a la ~** à la traîne; **ella no le va a la ~** (*fig*) elle n'a rien à lui envier
zaguán [θa'ɣwan] *nm* vestibule *m*
zaherir [θae'rir] *vt* mortifier
zalamería [θalame'ria] *nf* cajolerie *f*
zalamero, -a [θala'mero, a] *adj* cajoleur(-euse)
zamarra [θa'marra] *nf* veste *f* en cuir
zambullirse [θambu'ʎirse] *vpr* plonger; (*fig*: *en trabajo*) se plonger
zampar [θam'par] (*fam*) *vt* engouffrer; **zamparse** *vpr*: **~se algo** engouffrer qch
zanahoria [θana'orja] *nf* carotte *f*
zancada [θan'kaða] *nf* enjambée *f*; **dar ~s** faire de grandes enjambées
zancadilla [θanka'ðiʎa] *nf* croc-en-jambe *m*; **echar** *o* **poner la ~ a algn** barrer la route à qn; (*fig*) mettre des bâtons dans les roues à qn
zanco ['θanko] *nm* échasse *f*
zancudo, -a [θan'kuðo, a] *adj*: **ave ~** échassier *m* ▪ *nm* (*AM*) moustique *m*
zángano, -a ['θangano] *nm/f* feignant(e) ▪ *nm* (*Zool*) faux bourdon *m*
zanja ['θanxa] *nf* fossé *m*
zanjar [θan'xar] *vt* trancher

zapata [θa'pata] *nf* patin *m*
zapatear [θapate'ar] *vi* taper des pieds; (*bailar*) danser le zapatéado
zapatería [θapate'ria] *nf* (*tienda*) magasin *m* de chaussures; (*oficio*) cordonnerie *f*
zapatero, -a [θapa'tero, a] *nm/f* cordonnier(-ière); (*vendedor*) marchand(e) de chaussures
zapatilla [θapa'tiʎa] *nf* (*para casa, ballet*) chausson *m*; (*para la calle*) chaussure *f* légère; (*Tec*) joint *m*; **~ de deporte** chaussure *f* de sport
zapato [θa'pato] *nm* chaussure *f*; **~ de tacón** chaussure à talon
zapping ['θapin] *nm* zapping *m*; **hacer ~** zapper
zarandear [θarande'ar] *vt* secouer
zarpa ['θarpa] *nf* griffe *f*; **echar la ~ a** (*fam*) se jeter sur
zarpar [θar'par] *vi* lever l'ancre
zarza ['θarθa] *nf* ronce *f*
zarzal [θar'θal] *nm* fourré
zarzamora [θarθa'mora] *nf* (*fruto*) mûre *f*; (*planta*) mûrier *m*
zarzuela [θar'θwela] *nf* zarzuela *f*
zigzag [θiɣ'θaɣ] *nm* zigzag *m*; **en ~** en zigzag
zigzaguear [θiɣθaɣe'ar] *vi* zigzaguer
zinc [θink] *nm* zinc *m*
zócalo ['θokalo] *nm* soubassement *m*
zodíaco [θo'ðiako] *nm* zodiaque *m*; **signo del ~** signe *m* du zodiaque
zona ['θona] *nf* zone *f*; **~ de desarrollo** *o* **de fomento** zone de développement; **~ del dólar** (*Com*) zone dollar; **~ fronteriza/peatonal** zone frontalière/piétonne; **~ verde** espace *m* vert
zoo ['θoo] *nm* zoo *m*
zoología [θoolo'xia] *nf* zoologie *f*
zoológico, -a [θoo'loxiko, a] *adj* zoologique ■ *nm* (*tb*: **parque zoológico**) zoo *m*
zoólogo, -a [θo'oloɣo, a] *nm/f* zoologue *m*
zoom [θum] *nm* zoom *m*
zopilote [θopi'lote] (*AM*) *nm* vautour *m*
zoquete [θo'kete] (*fam*) *adj, nm/f* abruti(e)
zorro, -a ['θorro, a] *adj* rusé(e) ■ *nm/f* renard(e) ■ *nm* (*hombre astuto*) renard *m*
zozobra [θo'θoβra] *nf* angoisse *f*
zozobrar [θoθo'βrar] *vi* (*barco*) couler; (*fig*: *plan*) échouer
zueco ['θweko] *nm* sabot *m*
zumbar [θum'bar] *vt* (*fam*: *pegar*) flanquer une gifle à ■ *vi* (*abeja*) bourdonner; (*motor*) vrombir; **zumbarse** *vpr*: **~se de** se moquer de; **salir zumbando** (*fam*) sortir comme une flèche; **me zumban los oídos** j'ai les oreilles qui bourdonnent
zumbido [θum'biðo] *nm* (*de abejas*) bourdonnement *m*; (*de motor*) vrombissement *m*; **~ de oídos** bourdonnement d'oreilles
zumo ['θumo] *nm* jus *msg*; **~ de naranja** jus d'orange
zurcir [θur'θir] *vt* (*Costura*) raccommoder; **¡que les zurzan!** (*fam*) qu'ils aillent au diable!
zurdo, -a ['θurðo, a] *adj* (*persona*) gaucher(-ère); (*mano*) gauche
zurrar [θu'rrar] *vt* (*fam*: *pegar*) tabasser; (*piel*) tanner

N° d'éditeur 10157529
Février 2009
Imprimé en France
par Maury-Imprimeur - 45330 Malesherbes